4 その他のマーク

飲用乳

生めん類

ハム・ソーセージ類

はちみつ

公正マーク
各業界団体が「公正競争規約」という基準をもうけ、これを満たすものにつけられる。飲用乳、生めん類、ハム・ソーセージ類、はちみつなど、さまざまな種類がある。

ハラールマーク
原材料はもちろん、全製造過程においてイスラムのルールに則っている食べ物であることを示す。マークはさまざまある。

Eマーク
農林水産省の通達にもとづき、地域に特有の技術を用いて製造された「地域特産品認証食品」につけられる。

認定健康食品（JHFA）マーク
（公財）日本健康・栄養食品協会による、健康補助食品に関する成分や安全性に関する規格基準を満たした食品につけられる。

GMP製品マーク
（公財）日本健康・栄養食品協会による、製造工程管理に関する基準に合格した工場・工程でつくられた食品につけられる。

JCAHF認証マーク（安全性自主点検認証）
健康食品・サプリメント製品の原材料やその製品の安全性について、事業者が自己点検し、（一社）日本健康食品認証制度協議会が認証する。

JCAHF認証マーク（GMP工場認証、GMP製品認証）
健康食品・サプリメントの品質の適正管理のために、（一社）日本健康食品認証制度協議会により定められた新たなマーク。工場や製品を認証する。

Fマーク
（一社）日本精米工業会が定めた基準をクリアしたと認定された精米工場で生産された米に表示される。

米の情報提供マーク
（一財）日本穀物検定協会により、米の「食味」「銘柄表示」「安全性」に関する情報を提供している商品につけられる。

全国無洗米協会の認証マーク
全国無洗米協会が、米を洗ったときの水のにごり具合が28ppm以下などの基準をもうけ、これを満たすものにつけられる。

お米マイスター
（一財）日本米穀商連合会による認定制度。知識試験に合格すると三ツ星、技能は五ツ星がつけられる。

SPF豚協会認定マーク
（一社）日本SPF豚協会の認定制度で、農場の設備や衛生管理、健康状態チェックなどの条件を全てクリアした認定農場で生産されたことを示す。

Ｊチキン、Ｊポーク、Ｊビーフマーク
（公財）日本食肉消費総合センターによる国産の認証。

塩の安全衛生基準認定マーク
（一社）日本塩工業会が定めた安全衛生基準をクリアした会員の工場で製造された食用塩に表示される。

SQマーク
（一社）菓子・食品新素材技術センターによって菓子類の安全と品質保証について審査され、合格した商品に表示される。

冷凍食品認定証マーク
（一社）日本冷凍食品協会が定めた基準に適合している会員の工場で製造された冷凍食品に表示される。

冷凍めん協会（RMK）認定マーク
（一社）日本冷凍めん協会が定めた基準を満たした工場で製造された冷凍めんに表示される。

RSPO認証マーク
持続可能なパーム油の生産と利用を促進するため、適切な農園管理で生産され、加工・流通されたパーム油であることを示す。

MSC「海のエコラベル」
MSC（海洋管理協議会）により、海洋の自然環境や水産資源を守って捕獲された天然の水産物につけられる。

ファストフィッシュ
手軽・気軽においしく、水産物を食べること及びそれを可能にする商品に表示される。新規の選定は終了している。

ASC認証ラベル
水産養殖管理協議会（ASC）の基準を満たした養殖場で生産された魚介類に表示することができる。ASCでは海洋環境や生態系などに配慮した養殖業の認証を行っている。

国際フェアトレード認証
国際フェアトレードラベル機構が定めた貿易の公平性に関する基準を、原料生産から製品製造までの全過程で満たした商品につけられる。

バイオマスマーク
生物由来の資源（バイオマス）を活用し、品質及び安全性が関連する法規、基準、規格等に適合している環境商品であることを示す。

ユニバーサルデザインフード
日本介護食品協議会が定めた規格区分に従って、介護用加工食品（ユニバーサルデザインフード）に表示される。

世界のお祝い料理

エチオピア

ドロワット

ドロワットはエチオピアの新年や宗教祭日、結婚式や大切なお客が来た時などに作られる伝統的なお祝い料理。アムハラ語で「ドロ」は鶏、「ワット」は煮込みという意味。鶏肉とたまねぎやトマトなどの野菜をスパイスを使って煮込み、インジェラというパンのようなものと一緒に食べる。

イタリア

ザンポーネ

ザンポーネは、豚のひき肉を塩こしょう、香辛料で味付けして豚足に詰めた料理。大みそかの前日の12月30日から１日水につけて皮をふやかし、31日に６時間ほどゆでて、縁起のよい食べ物とされるレンズ豆を添えて食べるのが一般的。

ザンポーネは豚足に詰めるが、同じものを腸に詰めた「コテキーノ」という料理もある。

シンガポール

魚生（ユイシェン）

シンガポールの中国系の人たちは「魚生（ユイシェン）」という刺身のサラダを春節（旧暦の正月）に食べる習慣がある。魚生はシンガポールで生まれた料理で、大根、にんじん、きゅうりなどの野菜、サーモンの刺身、揚げたぎょうざの皮などが盛られ、カラフルで縁起のよい食べ物とされている。

食べる時はみんなで立ち上がり、広東語で漁師が網を引き揚げる動作を意味する「ローヘイ、ローヘイ」というかけ声をし、願いごとを言いながら、はしで具材をかきまぜ高く持ち上げて落とす。

インドネシア

ナシ・トゥンペン

ナシ・トゥンペンは、ジャワ島を起源とした1000年以上前から食べられているお祝い料理。円錐に盛った黄色いごはん(ナシ・クニン）は島の霊峰を意味し、頂上部分はその日の主賓に振る舞われる。

周りに敷き詰められたじゃがいも、さつまいも、ピーナッツなどが表すのは土中からの恵み。その他、野菜は地面からの恵み、牛などは地上の動物を表し、海老などの海産物は海を表している。

ナシ・トゥンペンは大勢で分かち合うお祝いの料理とされ、20～30人で食べる大皿料理でもある。

中国

水ぎょうざ

中国東北部には、春節や大みそかに、家族がそろって水ぎょうざを食べる習慣がある。一家団らんで水ぎょうざを食べながら古い年を送り新しい年を迎えるのは「喜び」「縁起がよい」などの意味があるとされている。また、水ぎょうざの形が「元宝」（昔、中国で使われていた貨幣）と似ていることから、春節に水ぎょうざを食べるのは富をもたらすという意味もある。

メキシコ

チレエンノガタ

チレエンノガタは、メキシコの人々にとって最も大切な日とされている９月16日の独立記念日の前後に食べられる伝統料理である。

緑色の唐辛子（チレ・ポブラノ）の中にひき肉やスパイス、野菜やくだもののみじん切りを炒めたものを詰め、クルミとクリームのソースをかけた料理で、ソースの白・唐辛子（チレ）の緑・トッピングのざくろの赤は、メキシコのシンボルカラーの三色を表している。

日本各地の郷土料理

近畿

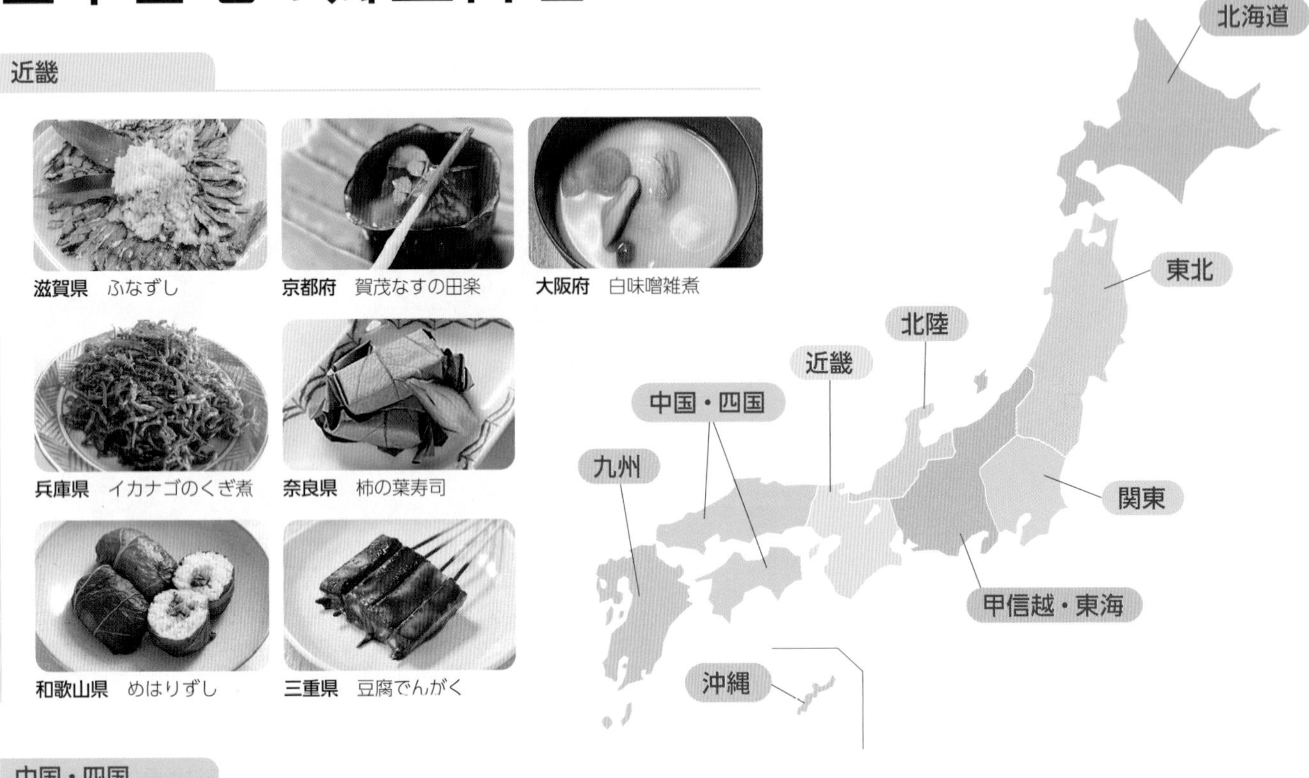

滋賀県　ふなずし
京都府　賀茂なすの田楽
大阪府　白味噌雑煮
兵庫県　イカナゴのくぎ煮
奈良県　柿の葉寿司
和歌山県　めはりずし
三重県　豆腐でんがく

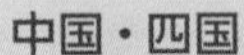

中国・四国

鳥取県　とうふちくわ
島根県　しじみ汁
岡山県　まつりずし
広島県　かきの土手鍋
山口県　瓦そば
徳島県　ボウゼの姿寿司
香川県　いりこ飯
愛媛県　鯛そうめん
高知県　いもの茎の炒め煮

沖縄

沖縄県　ゴーヤーチャンプルー

九州

福岡県　若鶏の水炊き
佐賀県　だぶ
長崎県　具雑煮
熊本県　からし蓮根
大分県　だんご汁
宮崎県　冷や汁
鹿児島県　鶏飯

農林水産省「うちの郷土料理」より作成

東北

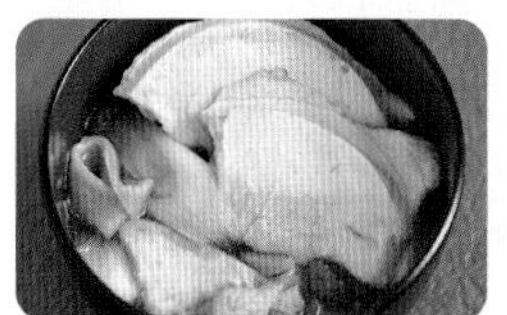
青森県　せんべい汁

岩手県　ひっつみ汁

宮城県　笹かまぼこの磯辺揚げ

秋田県　きりたんぽ鍋

山形県　塩引きずし

福島県　こづゆ

北海道

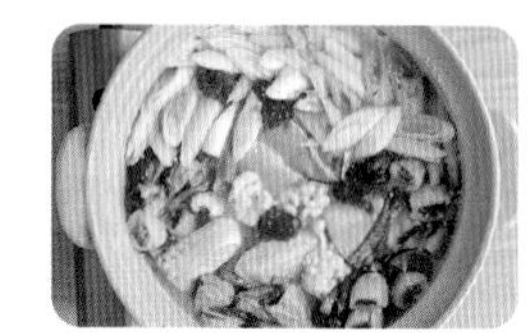
北海道　石狩鍋

関東

茨城県　そぼろ納豆

栃木県　しもつかれ

群馬県　おきりこみ

埼玉県　いがまんじゅう

千葉県　太巻きずし

東京都　深川めし

神奈川県　けんちん汁

甲信越・東海

新潟県　のっぺ

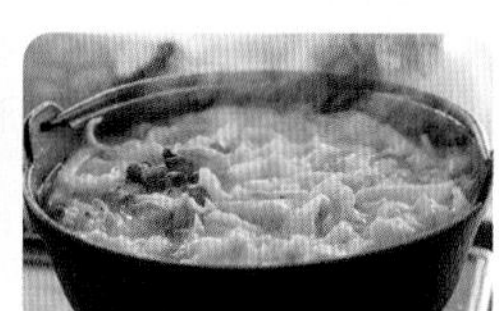
山梨県　ほうとう

長野県　おやき

岐阜県　からすみ

※米粉を練った和菓子のこと（ぼらなどの卵巣から作る「からすみ」は➡p.236）。

静岡県　サクラエビのかき揚げ

愛知県　きしめん

北陸

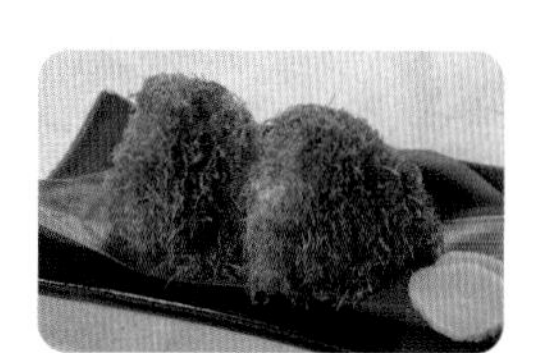
富山県　とろろ昆布のおにぎり

石川県　じぶ煮

福井県　おろしそば

災害時の食の備え

地震や台風など、大きな災害が発生した場合、物流機能が停止し、スーパーマーケットやコンビニエンスストアなどで食品を手に入れることが難しくなることが予測される。
また、電気・水道・ガスなどのライフラインが停止し、
いつもと同じように調理することができなくなることも考えられる。
いざという時の「食」のために、必要な備えをしておこう。

◆ なぜ食品の備蓄が必要なの？

これまでの災害の状況から、災害が起きてから電気や水道などのライフラインが復旧するまでには1週間以上かかるケースが多い。また、災害支援物資の到着が災害発生から３日以上かかることや、物流機能の停止などにより１週間はスーパーマーケットやコンビニエンスストアなどで食品が手に入らないことが想定される。このため**最低３日分～１週間分×人数分**の食品の備蓄が望ましいといわれている。

大地震に備えて食料や飲料水を準備している人の割合

45.7%

（内閣府「防災に関する世論調査」より）

●ローリングストック

普段の食品を少し多めに購入し、日常の中で消費し、消費した分を買い足すことで常に少し多めの状態をキープする「ローリングストック」の方法で日頃から備蓄しておくことが大切である。

◆ 食品の選び方

災害時には水や食料の不足から栄養バランスが崩れることがある。特に不足しがちな、たんぱく質・ビタミン・ミネラル・食物繊維などを摂取できるようバランスよく備えよう。

① 家庭にある食品をチェックする
② 栄養バランスを考え、家族の人数や好みに応じた備蓄内容・量を検討する
③ 足りないものを買い足す
④ 賞味期限が切れる前に消費し、消費したものは買い足す

●備蓄食品の例

主食	主菜	副菜	果物	牛乳・乳製品	菓子・嗜好品
ごはん・パン・そば・うどんなど、エネルギー源となるもの	肉や魚・大豆製品・卵などのたんぱく質を多く含む、食事のメインになるおかず	野菜の煮物やサラダ、汁物など。主食・主菜で不足しがちなビタミン・ミネラル・食物繊維の供給源	果物やフルーツの加工品など、ビタミン・ミネラルを補うもの		

◆水を確保しよう

水は生命の維持に欠かせないものであり、飲料水と調理用水の備蓄は**大人１人あたり１日３リットル、３日間で９リットル**が必要とされている。

●飲料の備蓄

水道水

水道水には消毒効果のある塩素が含まれているため、３日程度は飲料水として飲用が可能である。

長期保存型の水の備蓄

長期保存水の賞味期限は５～10年で、通常のミネラルウォーターの賞味期限（約２年程度）の２～５倍ほど長いため、備蓄用の水として適している。

その他の飲み物（お茶など）

日頃から飲んでいる飲料があれば一緒に用意しておく。

◆あると便利な調理器具

・カセットコンロ
・ガスボンベ
・鍋
・やかん
・紙皿
・割りばし
・ポリ袋
・ラップ
・キッチンペーパー
・除菌シート

◆乳幼児・高齢者など個人にあわせた準備をしよう

乳幼児

・液体ミルク　・哺乳びん　・レトルトなどの離乳食
・飲料水　・紙コップ、使い捨てスプーンなどの食器類

高齢者

・レトルトやα化米のごはんやおかず
・缶詰、レトルト食品、フリーズドライ食品
・インスタントみそ汁、即席スープ等
・食べ慣れた乾物　・栄養補助食品

食べる機能（かむこと・飲み込むこと）が弱い人

・やわらかい介護食品　・とろみ調整食品

慢性疾患や食物アレルギーがある人

・疾患に応じた献立の工夫、アレルギー対応食品

紙食器をつくってみよう

災害時に食器が壊れたり、洗えなくなったりした時に役立つ！

二つ折りの新聞紙を半分に折ります。さらに半分に折って、折り筋をつけ、開きます。

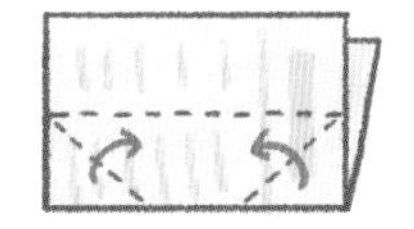

図のように、下部の両角を三角に折ります。

上部の両角を２枚だけ手前に折ります。

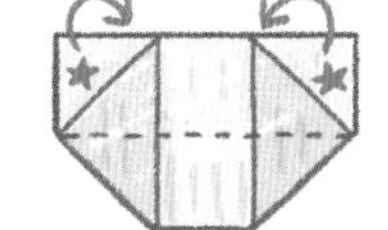

★の部分は裏側へ折ります。

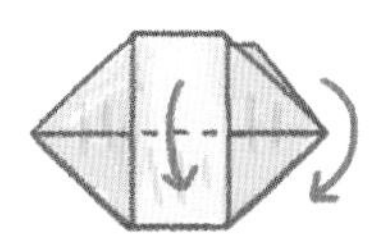

舟形になるように、上部をそれぞれ外側に折ります。

底面になる部分を下から1/3ほどの位置で折り、しっかりと折り筋をつけます。

口を開き、おわん形になるように形を整え、底面を平らにします。

両端をつまんで外側に折り、内側にラップやポリ袋をかぶせれば完成！

パッククッキングにチャレンジ

洗い物を出さずに、簡単に温かい料理をつくれる！

食材と調味料をポリ袋に入れる。

中の空気を抜いて、ポリ袋の上の方をしっかりと結ぶ。

沸騰した湯の中に入れ、加熱する。

袋の結び目を切って、できあがり。

食に関する職業

性格と職業の特徴を６つの型に分類したホランドの六角形モデルを活用して、
自分に合った職業を考えてみよう！

I（研究的）型

自分の興味がある分野に関して調べ、成果をまとめていく。

【例】食品衛生監視員・ソムリエ・農作物品種改良研究者・調香師・食品メーカー社員　など

R（現実的）型

物をつくったり、作業をしたりすることに興味がある。目標がはっきりした仕事を好む。

【例】杜氏・養殖業者・農家・漁師・フードコーディネーター・パティシエ・板前・シェフ　など

A（芸術的）型

自分の感性を作品として表現したり、新しい物をつくったりすることに興味を持っている。

【例】フードコーディネーター・パティシエ・板前・シェフ・Youtuber　など

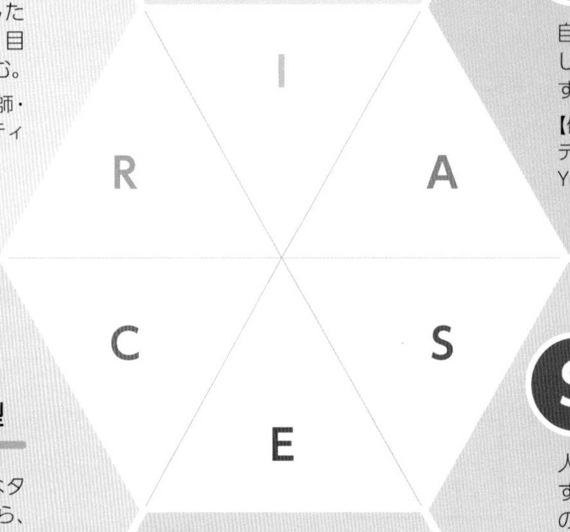

I
R
A
C
S
E

C（慣習的）型

反復継続した作業が好きなタイプ。ルールを守りながら、協調的に行動できる。

【例】レジ打ち・配達人　など

S（社会的）型

人に何かを教えたり助けたりすることに興味がある。相手の気持ちを理解し応じることができる。

【例】スポーツ栄養士・栄養士・管理栄養士・栄養教諭・地域おこし協力隊　など

E（企業的）型

自分がリーダーとなってチームを引っ張ったり、主体的に仕事をつくり出したりしていく。

【例】食品メーカー社員・飲料メーカー社員　など

やってみよう

Q1：右ページの中で興味のある職業について調べて、どの型に当てはまるか考えてみよう！

Q2：自分はどの型の職業に興味があるか、なぜ興味を持ったか記入してみよう！

Q3：Q1・Q2を通して興味を持った職業を1つ選んでその職業に就くために必要な方法を調べてみよう！

つくる

- 杜氏
- 養殖業者
- 農家
- 醸造家
- 養蜂家
  など

研究・開発する

- 農作物品種改良研究者
- 農作物検査員
- 調香師
- 食品メーカー社員
- 飲料メーカー社員
- 外食企業社員
  など

調理する

- パティシエ
- 板前
- シェフ
- 和菓子職人
- パン職人
- 調理師
- ショコラティエ
- バーテンダー
  など

支える

- スポーツ栄養士
- 栄養士
- 管理栄養士
- スポーツ栄養アドバイザー
- 食生活アドバイザー
  など

届ける

- 配達人
- バンケットスタッフ※
- フードバンク運営
- 宅配業者
  など

※バンケットスタッフとはホテルなどで行われるパーティで飲食サービスを提供する仕事。

伝える

- 家庭科教諭
- 栄養教諭
- Youtuber
- 料理研究家
- 雑誌編集者
- 料理教室講師
  など

目次

食を取り巻く環境 366

各種成分表

食事摂取基準と食品群 388

調理の基本 394

調理基本用語集 412

さくいん 418

食品の重量のめやす ■4

Column
コラム一覧

デジタルコンテンツ紹介

一問一答　141題

1 食品雑学クイズ

オールガイド食品成分表内をくまなく探すと、答えが見つかるかも…?

食品クイズ
問1/110
米のでん粉であるアミロペクチンをより多く含むのはどっち？
①うるち米
②もち米
登録　解説　次へ

2 これな～んだ？

間違いやすい食材の名前当てクイズです。目指せ全問正解!

似ている食品クイズ
問1/31
次のうち，「ほうれんそう」はどれ？
①　②
①
②
登録　解説　次へ

動画コンテンツ　43本

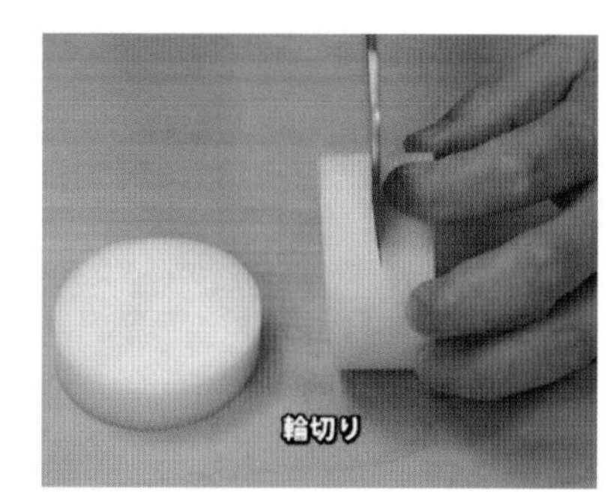

調理実習を行うために必要な準備、食材の切り方、魚のさばき方や後片付けなどを動画で見る事ができます。自宅での調理にも役立ちます。

魚図鑑

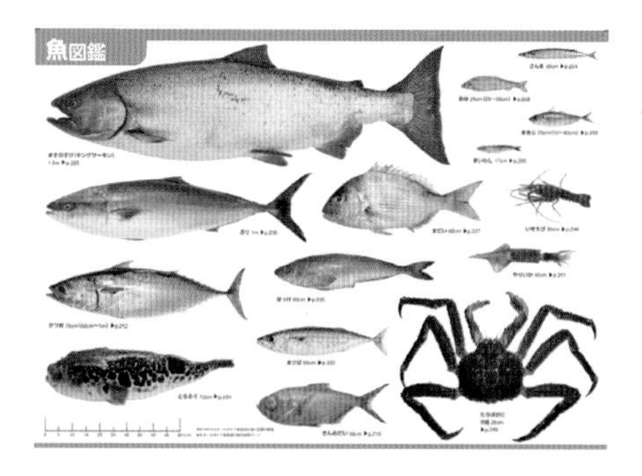

複数の魚介類を同じ縮尺で同一紙面に掲載し、それぞれの大きさをイメージをしやすくしました。

◆ デジタルコンテンツへのアクセス

右記のQRコードまたは以下のURLにアクセスしてご利用ください。アクセスするとメニュー画面が表示されます ※コンテンツ使用料は発生しませんが、通信料は自己負担となります。
URL: https://www.jikkyo.co.jp/d1/02/ka/allguide

❶「食事をする」ということ

人はなぜものを食べるのか？

●食欲は「胃」じゃなく脳が調節する

日常の食物の摂取は「食欲」に大きく左右される。食欲は空腹のときにおこることが多いが、これは、脳の視床下部(ししょうかぶ)というところにある**空腹中枢**、**満腹中枢**でコントロールされている。血液中の血糖値(けっとうち)（ぶどう糖濃度のこと）が低下すると、空腹中枢は「食べ物をとりなさい」という信号を送り、空腹感を感じる。逆に食事をとって血糖値が上昇すると、満腹中枢が食欲をストップさせる働きをする。

各中枢が機能するには、血糖値以外にも血中脂肪酸量、インスリン分泌、空腹・満腹物質、温度（気温）などさまざまな要因がある。

また、日常の食事において、献立や調理方法を工夫したり、美しい食器に盛りつけ、食卓に花を飾る、音楽を流すなどによる食空間を演出するという知恵は、人間の発達した大脳皮質の働きにほかならない。

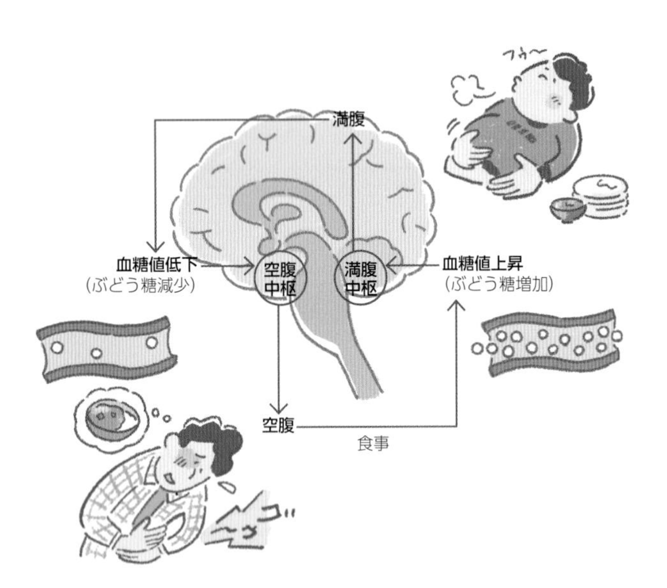

●「お腹がすいた」だけじゃない

人間は、空腹でなくともおいしそうな食べ物に対して食欲を感じることも多い。現代人の食べるという「動機」には、複雑な要因が考えられる。

①生物に必要な栄養を満たそうとする栄養欲求（体の欲求）が「食欲」となる。

②環境・地域、文化・歴史などの社会的な状況の下で醸成される「嗜好(しこう)」が食欲に影響を与え、「栄養欲求」とは無関係なもの（コーヒーなど）を欲することもある。

●食に関する情報選択

多様な食品、食べ方が選択できる時代にあって、正しい知識や情報を選択できる力は大切である。栄養・調理などの知識・技能・情報などにも興味関心を持って、食生活をより健康で豊かなものにしていきたい。

味覚のいろいろ

食べ物を「おいしい」と感じる要素（➡p.13）のなかで、もっとも基本的な要素は味覚である。味覚とは人間の五感の一つで、口にした食べ物ごとに認識される感覚のことをいう。甘味、酸味、塩味、苦味、うま味の5つを**基本味**という※。

※基本味に含まれない辛味は、食べると口の中が熱くなる（hot）ことから痛覚の一種とされる。また、渋味は、未熟な果実などに含まれるタンニンなどによって舌粘膜が縮まることによって感じる。少量であれば緑茶のように好まれる。この他に金属味、アルカリ味などもある。また、メントールなどのようなスースーした感触も一種の味ともいえる。

「おいしい」とはどういうこと？

●食べ物のおいしさは味だけで決まる？

食べ物を食べて「おいしい」と思える要素は「味」だけではなく、香りや食感など人間の五感すべてに関連している。また、食べ物そのもの以外にも、使用する食器や食べる環境、または精神的な要因も大きく影響する。おいしいものをおいしく食べられる演出も大切である。

五感に関連するおいしさの特性	味【味覚】		基本味：甘味、酸味、塩味、苦味、うま味 （＋辛味、渋味、えぐ味など）
	におい【嗅覚】		香り（アロマ）：食べ物を口に入れる前に感じる。口に入れてから鼻から抜ける香りもある※。
	テクスチャー【触覚】	直接	①歯ごたえ：弾力感、かたさ、やわらかさなど ②舌ざわり：かたい、やらわかい、ザラザラ、つるつる、のど越し ③温感覚：熱い、ぬるい、冷たい ④手触り：直接手で食べるもの
		間接	①食器などの手触り：木の箸のぬくもり、ガラスのひんやり感 ②卓上の手触り：クロスの生地の風合い
	外観【視覚】		①色、形、大きさ、つや、きめ ②盛り付け
	音【聴覚】	直接	①食べたときの歯切れ音（サクサク、プツプツ） ②調理の音（ジュウジュウ、グツグツ）
		間接	①食事中の会話や笑い声 ②BGM
環境などに関連するおいしさの特性	心身の状態		例「空腹は最良のコックなり」 「ショックでのどを通らない…」 「緊張して味がわからなかった」
	食環境（食習慣・食文化）		例・宗教上の食のタブー（イスラム圏では豚は食べないなど） ・地域ごとに異なる伝統的な食習慣
	外部環境（日時・雰囲気・温度など）		例・ハレの日のお祝いの食事 ・仲間どうしで野外で食べるバーベキュー ・炎天下でのアイス

※ フレーバー（flavor）は、口に入れたときに感じる香りや味、食感などを総合した感覚をさす。

●おいしいものには、おいしい温度がある

各種食べ物の適温

	食品名	適温（℃）
温かい食べ物	コーヒー	67～73
	牛乳	58～64
	味噌汁	62～68
	スープ	60～66
	しるこ	60～64
	かけうどん	58～70
	天ぷら	64～65
冷たい食べ物	水	10～15
	冷やし麦茶	10
	アイスコーヒー	6
	牛乳	10～15
	ジュース	10
	サイダー	5
	ビール	10～20
	アイスクリーム	−6

（小俣靖「美味しさと味覚の科学」より）

味に対する温度の影響

味	冷たい	体温程度	温かい
甘味	弱い	強い	弱い
酸味	温度による変化はない		
塩味	だんだん弱くなる		
苦味	←　同じ　→	弱くなる	

② エネルギーと栄養素の食事摂取基準

栄養素にはどんな種類があり、どのような役割があるのだろうか

人が生きていくためには、水や空気とともに食物を摂取し、必要な成分を体内に取り入れていかなくてはならない。この生命維持に必要な成分を**栄養素**という。炭水化物・脂質・たんぱく質を**三大栄養素**といい、これにミネラル（無機質）・ビタミンを加えて**五大栄養素**とよぶ。それぞれ連携しながら、体の構成や生活や成長に必要なエネルギーの生成、生理機能の調整などの役割を果たしている。

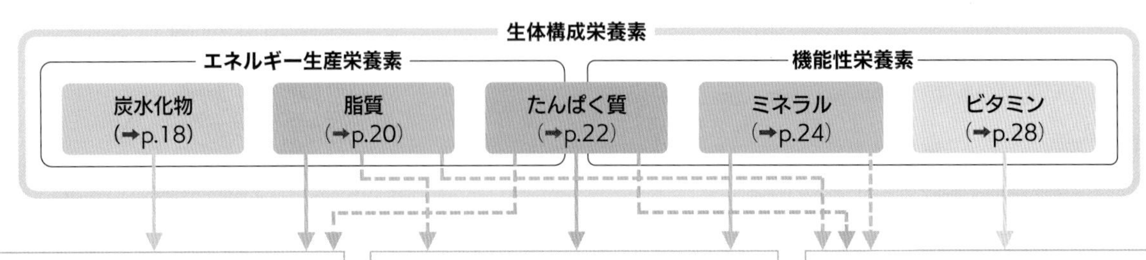

エネルギーになる（熱量素）
生きるために必要なエネルギーを供給する栄養素で、炭水化物・脂質・たんぱく質をさす。お腹がすくと元気がなくなるのは、エネルギーが切れているため。

からだをつくる（構成素）
からだの骨や組織・筋肉・血液などをつくる栄養素で、たんぱく質・ミネラル・脂質をさす。おとなの細胞の数は60兆個にもなり、毎日少しずつ、新しい細胞と入れかわっている。

からだの調子を整える（調整素）
からだの各機能を調節する栄養素で、ビタミンの他、たんぱく質・ミネラル・脂質をさす。体内のさまざまな化学反応である代謝を助け、からだの調子を整える働きをする。

●推定エネルギー必要量とは？

エネルギーには、体に入るエネルギーと出ていくエネルギーがあり、出入りのバランスが大切である。

摂取エネルギー：摂取する食物から得られるエネルギーのこと
消費エネルギー：生きて活動するために使われるエネルギーのこと
（基礎代謝エネルギー＋活動代謝エネルギー）※1

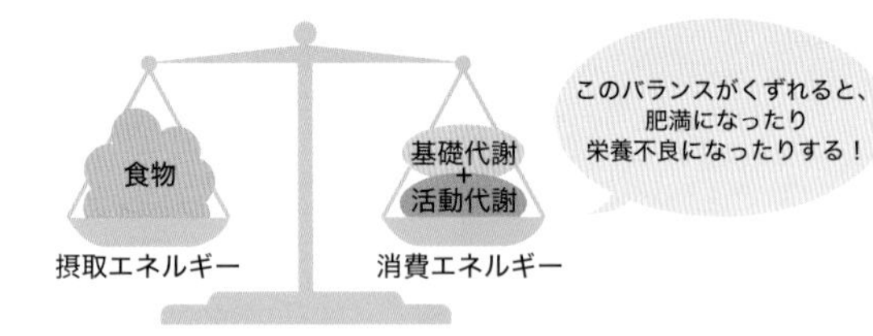

摂取エネルギー＝消費エネルギー …… 体重維持
摂取エネルギー＞消費エネルギー …… 体重増加：消費する以上に摂取された過剰なエネルギーはおもに脂肪として蓄積
摂取エネルギー＜消費エネルギー …… 体重減少：摂取エネルギーが不足すると、栄養失調などの健康障害も

両者のバランスをとるために、年齢や性別の各集団ごとに必要な摂取エネルギーの目安として決められているのが「推定エネルギー必要量」である。右図は、15～17歳における各身体活動レベルの数値※2。

※1 基礎代謝エネルギー：身体的・精神的に安静な状態で代謝される最小のエネルギー。生きていくために必要な最低限のエネルギー量であり、睡眠中の状態に近い。活動代謝エネルギー：歩いたり、話したりするような日常活動を行うためのエネルギー。
※2 日常の活動レベルで変化する（詳細は➡p.388）。本書では活動レベルⅡを代表値として扱う。

基礎代謝量（男：1,610kcal、女：1,310kcal）

身体活動レベルⅠ（男：2,500kcal、女：2,050kcal）
生活の大部分が座位で、静的な活動が中心の場合

身体活動レベルⅡ（男：2,800kcal、女：2,300kcal）
座位中心の仕事だが、職場内での移動や立位での作業・接客等、あるいは通勤・買物・家事、軽いスポーツ等のいずれかを含む場合

身体活動レベルⅢ（男：3,150kcal、女：2,550kcal）
移動や立位の多い仕事への従事者、あるいはスポーツなど余暇における活発な運動習慣をもっている場合

摂取する分量の目安はあるの？

エネルギーや栄養素は、それぞれのバランスをとりながら、過不足なく摂取することが大切である。具体的にはどの程度摂取するのが望ましいのだろうか。そのための目安が**食事摂取基準**として設定されている（➡p.388〜）。ここでは、身体活動レベルⅡにおけるそれぞれの概略を示す。なお、「日本人の食事摂取基準2015年版」から、BMIが導入されている。

●エネルギー（熱量素）となる三大栄養素の摂取基準は？

	15〜17歳女子　2,300kcal	15〜17歳男子　2,800kcal
炭水化物（糖質）［目標量］※1 推定エネルギー必要量の50%以上65%未満※2	2,300kcal×57.5%※2=**1,323**kcal **1,323**kcal÷4※3=**331**g程度	2,800kcal×57.5%=**1,610**kcal **1,610**kcal÷4=**403**g程度
脂質［目標量］ 推定エネルギー必要量の20%以上30%未満※4	2,300kcal×25%※4=**575**kcal **575**kcal÷9※5=**64**g程度	2,800kcal×25%=**700**kcal **700**kcal÷9=**78**g程度
たんぱく質［推奨量］※1	55g	65g

※1：［目標量］［推奨量］については、p.389参照。
※2：57.5%を代表値とした。
※3：炭水化物（糖質）：1gあたり4kcalのエネルギーとなるから。
※4：25%を代表値とした。
※5：脂質：1gあたり9kcalのエネルギーとなるから。

●からだの調子を整えるおもなミネラル・ビタミンの1日あたり摂取基準は？

		15〜17歳女子	15〜17歳男子	耐容上限量
ミネラル	カルシウム［推奨量］※1	650mg	800mg	−
	鉄［推奨量］	10.5mg	10.0mg	女子40mg，男子50mg
	リン［目安量］	900mg	1,200mg	−
	カリウム［目安量］	2,000mg	2,700mg	−
脂溶性ビタミン	ビタミンA［推奨量］	650μgRAE※2	900μgRAE	女子2,800μgRAE 男子2,500μgRAE
	ビタミンD［目安量］	8.5μg	9.0μg	90μg
	ビタミンE［目安量］	5.5mg	7.0mg	女子650mg，男子750mg
	ビタミンK［目安量］	150μg	160μg	−
水溶性ビタミン	ビタミンB_1［推奨量］	1.2mg	1.5mg	−
	ビタミンB_2［推奨量］	1.4mg	1.7mg	−
	ナイアシン［推奨量］	13mgNE※3	17mgNE	女子250mgNE，男子300mgNE
	ビタミンC［推奨量］	100mg	100mg	−

※1：［目安量］［推奨量］については、p.390〜391参照。
※2：ビタミンAのRAEはレチノール活性当量。レチノール活性当量（μgRAE）＝レチノール（μg）＋（β-カロテン（μg）×1/12）＋（α-カロテン（μg）×1/24）＋（β-クリプトキサンチン（μg）×1/24）＋（その他のプロビタミンAカロテノイド（μg）×1/24）
※3：ナイアシンのNEはナイアシン当量。ナイアシン当量（mgNE）＝ナイアシン＋1/60トリプトファン

同じエネルギーでも、工夫次第で栄養価も充実感もあるメニューができる

ラーメン1個と同じ程度のエネルギーでも、少しの手間で栄養バランスがよく、満足感も味わえる料理をつくることができる。ダイエット中でも欠くことができないビタミンB群やミネラル（無機質）は、栄養をエネルギーに分解するのに必要なもの。いろいろな食品を献立に取り入れて、各栄養素をバランスよく摂れるように、日々の食事を考えたい。

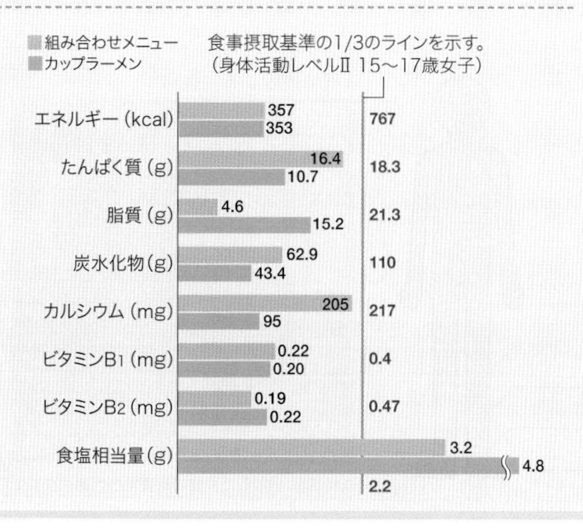

③ 消化と吸収・代謝

口から始まる食物の旅

疾病（しっぺい）、障害などの場合を除いて、食物は口から摂取され、消化器官をへたのちに不要物が体外に排泄される。その間に、消化され、栄養分が吸収され、組織に運ばれて役目を果たす。このことから、食物は食べただけで役立つのではなく、消化器官が正常に働くことが大切であることがわかる。

では、消化器官はどのように働き、食物はどのような変化をへたのちに体に吸収されるのだろうか。

資料編 食事と栄養素

●消化・吸収のプロセス

口腔
〈消化〉だ液（アミラーゼ：糖質の消化）
※だ液はかめばかむほど出てくる。かむ回数が多いほど満腹感も得られる。

胃
〈消化〉胃液（ペプシン：たんぱく質の分解）
※胃液の中には塩酸が含まれていて、胃の中は酸性になっている。

各栄養素の吸収は、腸管の異なった部位で行われる

十二指腸
〈消化〉すい液、胆汁の分泌
〈吸収〉十二指腸～空腸　糖質・鉄・アミノ酸・カルシウム・脂肪酸・グリセリン・脂溶性ビタミン（A,E）

小腸
〈消化〉腸液（糖質・たんぱく質・脂肪の分解）
〈吸収〉小腸中部　水溶性ビタミン（B,Cなど）
〈吸収〉回腸　胆汁酸・ビタミンB_{12}

大腸
〈吸収〉水分

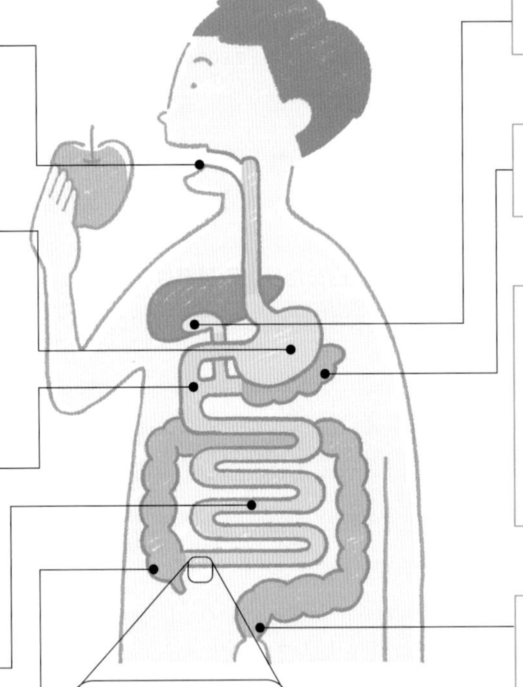

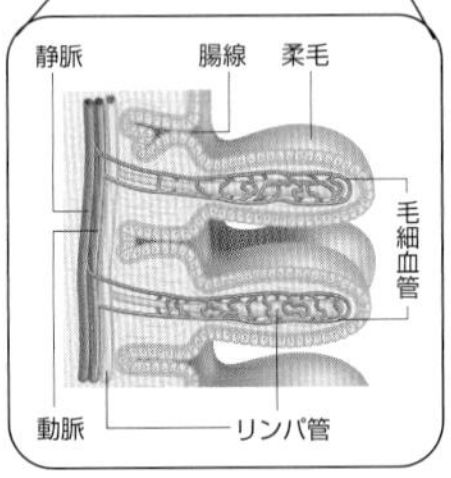

柔毛…小腸の壁の突起で、長さは約1ミリ。凹凸が増えることで、栄養素の吸収面積を広げ、全表面積はテニスコート1面ほどにもなる。

胆のう
〈消化〉胆汁（脂質の乳化）

すい臓
〈消化〉すい液（糖質・脂質・たんぱく質の分解）

腸内細菌（➡p.19）
- 人の腸内には100種類前後の細菌が生息し、その種類は摂取食物に影響される。
- 有用な働き⇒消化吸収の促進、B群を中心とするビタミンの合成や免疫力の強化など。
- 有害な働き⇒毒素の産出、腐敗による発がん物質や老化促進物質の生産など。

肛門
ふん（死んだ粘膜細胞、細菌、未消化物、水分など）
ガス（腸内細菌に分解されて出てきたメタンガス、水素ガス、炭酸ガス、アンモニア、アミン、インドール、スカトールなど）

からだの組成と摂取する栄養素

人のからだの組成と1日に摂取する栄養素は右の図のようであり、食物の摂取により細胞内で生命維持活動が営まれている。からだの組成には、性別、年齢、体型などにより個人差がある。

人体の組成

成分	割合
水分	50～60%
たんぱく質	15～20%
脂質	15～25%
ミネラル	5%
炭水化物その他	1%

藤田美明・奥恒行『栄養学総論』より

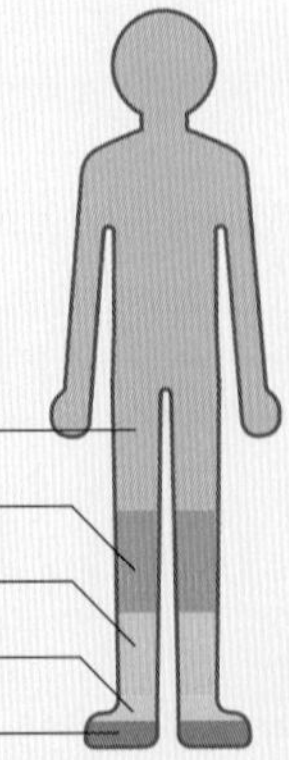

1日に摂取する栄養素

栄養素		量
飲料水		1.0L
食物中の水		1.0L
代謝水※		0.3L
（水 計）		2.3L
炭水化物		340g
たんぱく質		65g
脂質		61g
ミネラル	食塩	10g
	カルシウム	1,100mg
	鉄	10mg
ビタミン類	ビタミンA	700µgRAE
	その他のビタミン類	130mg

※代謝水：摂取した食物の栄養素が代謝されて生じる水。

三大栄養素の代謝作用

吸収された栄養素は、複雑な化学変化をへて体内にたくわえられ、エネルギーや体をつくる成分、生理機能の調節などに使われるが、これらの化学変化全体が代謝である。栄養素は、こうした働きがあって初めて栄養となる。

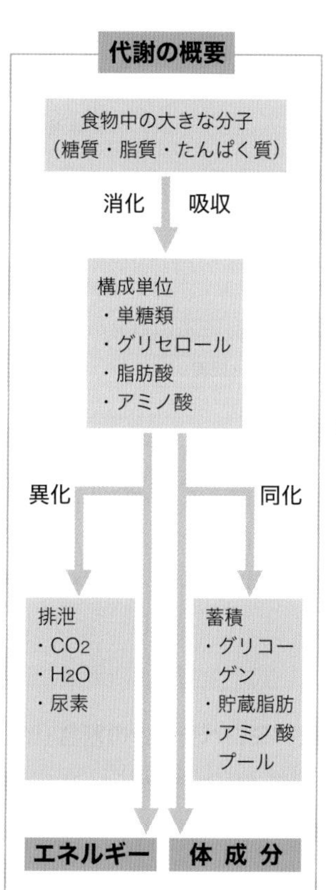

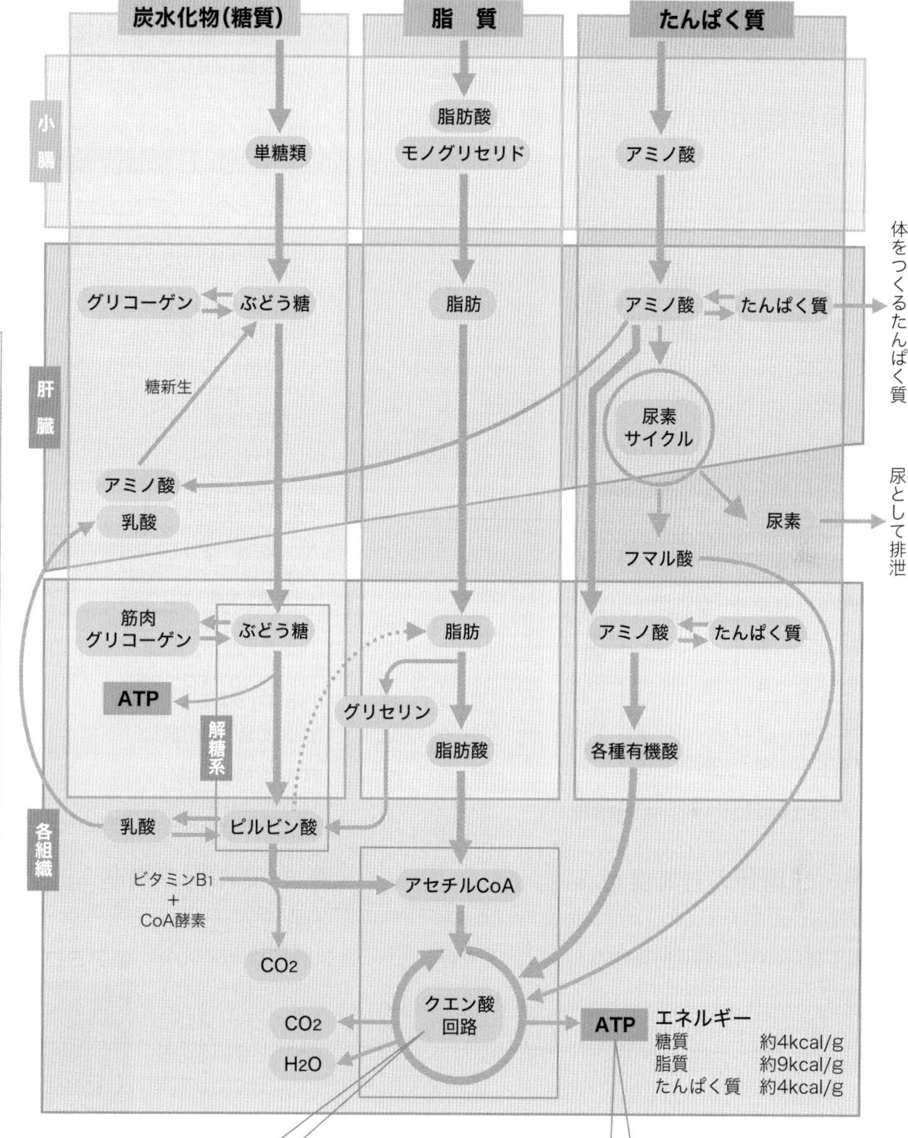

クエン酸回路(TCAサイクル)
解糖系でつくられたピルビン酸が完全に酸素で酸化されて、エネルギー源のATPを大量につくる過程。クエン酸回路は、糖質・脂質・たんぱく質の3つの熱量素が多量のATPを生み出す製造工場である。

エネルギーの単位
栄養学では、エネルギーの単位としてキロカロリー(kcal)やキロジュール(kJ)が用いられる。1kcalとは「1kgの水の温度を1℃上昇させる(例:14.5℃→15.5℃)のに要する熱量」のこと。例えば、1日2,000kcalを摂取したとすると、そのエネルギーで、200kgの水を10℃上昇させることができる(1kcal=4.184kJ)。

●ATP　からだのエネルギー源

私たちが生きていくために心臓を動かしたり、体温を維持したり、運動をするためにはエネルギーが必要である。私たちのからだが利用できるエネルギーは、ATP(アデノシン三リン酸)という化合物から取り出して利用している。

エネルギーが必要なときに、ATPからリン酸(P)が離れてエネルギーが発生する。ATPはADP(アデノシン二リン酸)に変化するが、リン酸を再結合させることで、ATPは再生産される。

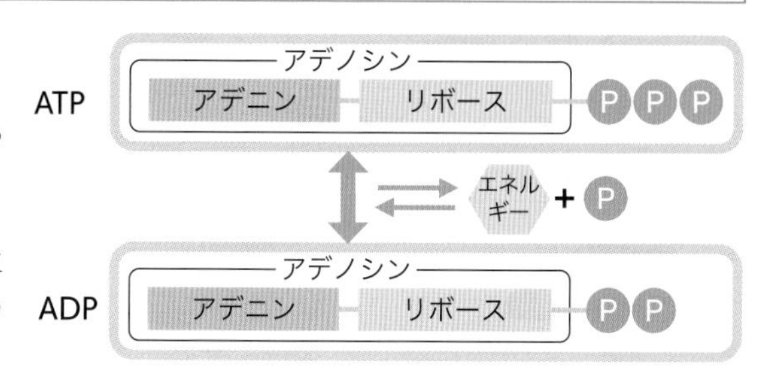

④ 炭水化物（糖質・食物繊維） Carbohydrate (Glucide・Dietary fiber)

炭水化物とは

炭素（C）、水素（H）、酸素（O）の3元素から構成され、Cm（H_2O）n の分子式であらわされる。消化酵素により消化される「糖質」と、消化されない「食物繊維」に分かれる。このうち糖質は、1gあたり4kcalのエネルギーをもち、全摂取エネルギーの約6割を占め、重要なエネルギー源である。食物繊維はほとんどエネルギー源とはならないが、整腸作用などが注目されている。

■ 1. 糖質と食物繊維の区分

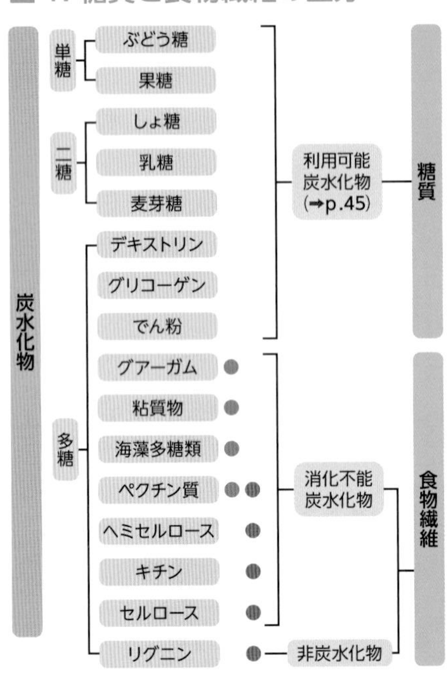

●水溶性食物繊維　●不溶性食物繊維

■ 2. 糖質の種類

分類		種類	構造	おもな所在	特性
単糖類		ぶどう糖（グルコース）	ぶどう糖　果糖　ガラクトース	くだもの・野菜・血液（0.1%）	水溶性 甘い
		果糖（フルクトース）		くだもの・はちみつ	
		ガラクトース		（乳汁にぶどう糖と結合して）乳糖	
少糖類	二糖類	麦芽糖（マルトース）	ぶどう糖+ぶどう糖　$C_{12}(H_2O)_{11}$	水あめ	
		しょ糖（スクロース）	ぶどう糖+果糖　$C_{12}(H_2O)_{11}$	さとうきびの茎・てんさいの根	
		乳糖（ラクトース）	ぶどう糖+ガラクトース　$C_{12}(H_2O)_{11}$	人乳・牛乳	
	三糖類	ラフィノース	ぶどう糖+果糖+ガラクトース	大豆・てんさい・綿実	
多糖類		でん粉（スターチ）	アミロースとアミロペクチン（➡p.47）がある	穀類・いも類・豆類	不溶性 甘くない
		デキストリン	でん粉の途中分解産物	あめ	
		グリコーゲン	動物の貯蔵炭水化物	動物の肝臓・筋肉	

単糖類：1個の糖から構成される。　少糖類：2～10個の単糖が結合したもの。結合数によって二糖類、三糖類などという。　多糖類：単糖が多数結合したもの。

■ 3. 単糖類・二糖類の甘味度（しょ糖100として）

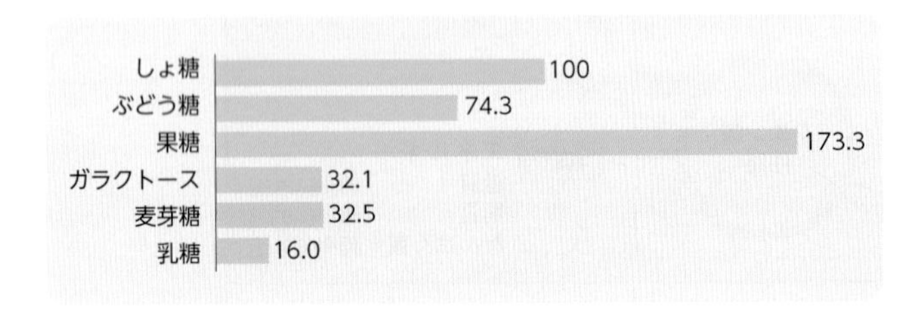

■ 4. でん粉の構造

穀類やいも類に含まれているでん粉は、アミロースとアミロペクチンからなっており、その割合は食品によって異なる。

●アミロースとアミロペクチンの割合（%）

食品名	アミロース	アミロペクチン
うるち米	20	80
もち米	0	100
とうもろこし	26	74

糖質を多く含む食品と目標摂取量

1日の目標量（15～17歳）　男女とも、総エネルギー摂取量の50％以上65％未満（➡p.389 ⑥）

●多く含む食品（100gあたり）

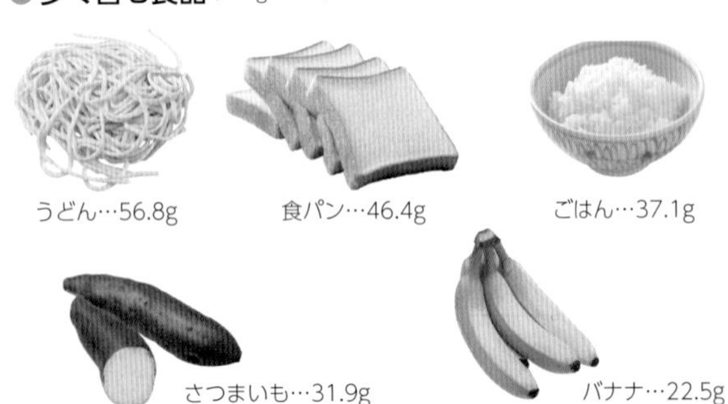

うどん…56.8g　食パン…46.4g　ごはん…37.1g　さつまいも…31.9g　バナナ…22.5g

●とりすぎた場合

肥満／糖尿病／高脂血症／脂肪肝／虫歯

●足りない場合

疲れやすくなる／集中力がなくなる／皮膚が衰えてくる

食物繊維とは

人間のもつ消化酵素で分解されない動植物食品中に含まれる難消化成分をいい、ダイエタリーファイバーともいう。その多くが多糖類である。水溶性と不溶性があり、いずれも消化吸収されないので栄養素には含めないとされたが、近年、食物繊維の摂取量の低下と生活習慣病の増加との関連性が注目されるようになり、その有用性が見直されている。食物繊維は5大栄養素（炭水化物・たんぱく質・脂質・ビタミン・ミネラル）に続く「第6の栄養素」とよばれるようになった。

■ 1. 食物繊維のおもなはたらき

1. 消化管を刺激し、その動きを活発にする
2. 食物繊維の保水性・ゲル形成機能により、便容積を増大し、かたさを正常化する（便秘予防）
3. 便量を増すことにより、消化管通過時間を短縮させる（便秘予防）
4. 満腹感を与え、エネルギーの過剰摂取を防ぐ（肥満予防）
5. 胆汁酸を吸着し排出することで、血中コレステロールの上昇を抑制する（動脈硬化予防）
6. 腸内の有害物質を吸着させ、糞便中に排出する

■ 2. 食物繊維の摂取

食物繊維を含む野菜を食べる際には、とくに加熱調理して食べると効果的である。加熱によってかさが減るので、量もたっぷりとることができる。主食には、白米のほか玄米や麦などをうまくとり入れるとよい。精白米のみでは1食0.4gの食物繊維量が、3割の押し麦を混ぜて炊くと1.9g、食パンでは2.5gの食物繊維量が全粒粉のライ麦パンでは5.0gといずれもより多くの食物繊維がとれる。

一方で、食物繊維をとりすぎると、ビタミンやミネラルなどの吸収障がいを引き起こすことがある。一般的に、食物繊維が豊富な食品は、ビタミンやミネラルも多く含まれているため、自然の食品から食物繊維をとっている限りはとくに問題はないが、食物繊維の摂取を目的とした加工食品や、いわゆる「サプリメント」の過剰摂取には注意が必要である。

■ 3. 食物繊維の分類

分類	含まれる部位	名称	多く含む食品
不溶性食物繊維	植物細胞壁の構成成分	セルロース	野菜、穀類、豆類、小麦ふすま
		ヘミセルロース	穀類、豆類、小麦ふすま
		ペクチン質（不溶性）	未熟な果物、野菜
		リグニン	ココア、小麦ふすま、豆類
	甲殻類の殻の構成成分	キチン	えび、かにの殻
水溶性食物繊維	植物細胞の貯蔵多糖類	ペクチン質（水溶性）	熟した果物
		植物ガム（グアーガム）	樹皮、果樹など
		粘質物（グルコマンナン）	こんにゃく
		海藻多糖類(アルギン酸、ラミナリン、フコイダン)	海藻、寒天
	食品添加物	化学修飾多糖類	
		化学合成多糖類	
その他	結合組織の成分	コンドロイチン硫酸	動物食品の骨、腱など

食べ物と腸内細菌の関係

腸内にはいろいろな種類の細菌がいるが、年齢や食生活によって腸内細菌の種類や数も変わってくる。ビフィズス菌などは善玉菌、大腸菌などは悪玉菌とよばれ、それぞれ違うはたらきをする。
昔ながらの日本型食生活の食材に多く含まれる「食物繊維」は、悪玉菌の繁殖をくい止め、腸の中を掃除し、善玉菌を増やすはたらきがある。大豆やたまねぎ、アスパラガスなどに多いオリゴ糖は善玉菌の栄養素となっている。逆に、肉類、たんぱく質、脂肪の過剰摂取は悪玉菌を増やすことになる。

● 加齢と腸内細菌の変化

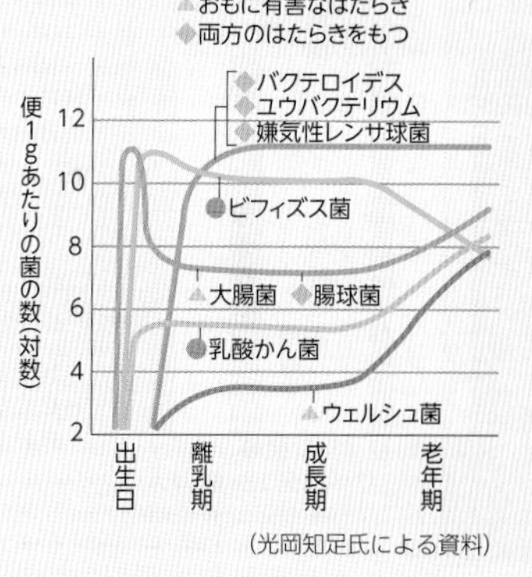

(光岡知足氏による資料)

食物繊維を多く含む食品と目標摂取量

1日の目標量（15～17歳） 男：19g以上、女：18g以上（➡p.389 ⑦）

● 多く含む食品（1回使用量あたり）

いんげんまめ(80g)…15.7g

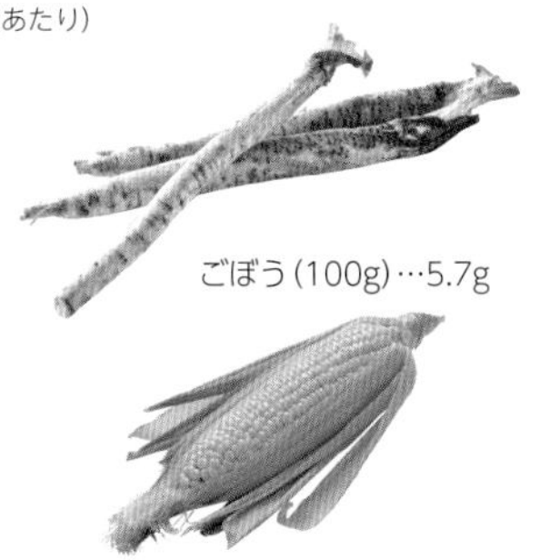
ごぼう(100g)…5.7g

おから(50g)…5.8g

とうもろこし 玄穀(150g)…13.5g

● とりすぎた場合

下痢／鉄・カルシウム・亜鉛の吸収が妨げられる

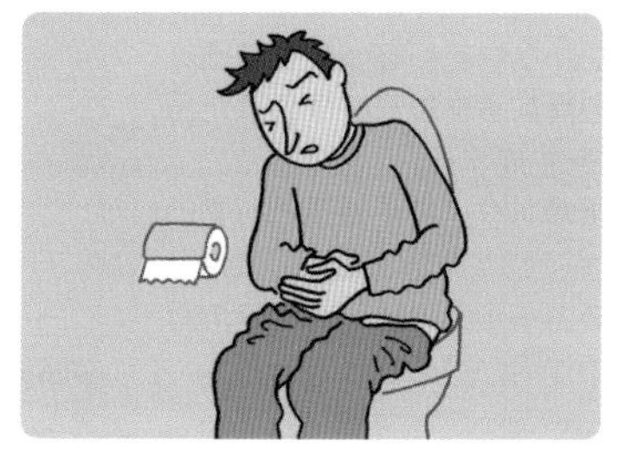

● 足りない場合

便秘／痔（ぢ）／腸内環境の悪化＝発がんのリスクが高まる

⑤ 脂質 Lipid

脂質とは

炭水化物と同様に、炭素（C）、水素（H）、酸素（O）の3元素から構成される。水に溶けず、エーテル、クロロホルム、メタノールなどの有機溶剤に溶ける性質をもつ。エネルギー源、必須脂肪酸の供給源としてのはたらきのほかに、脂溶性ビタミンの吸収をよくするはたらきをもつ。水に溶けないため、体内で単一に存在することができず、リン脂質やたんぱく質などと複合体をつくり、水に可溶化されている場合が多い。1gあたりのエネルギー値が9kcalと高いので、エネルギーの貯蔵に適しているが、過剰摂取には要注意。

1. 脂質の種類

分類	種類	構造	おもな所在	生理機能
単純脂質	中性脂肪 ろう	脂肪酸＋グリセリン 脂肪酸＋高級アルコール	食用油、まっこう鯨、魚卵	エネルギー貯蔵、保温作用
複合脂質	リン脂質 糖脂質	脂肪酸＋グリセリン＋リン酸＋コリン(レシチン)など 脂肪酸＋グリセリン＋単糖類	卵黄	細胞膜などの構成成分 脳組織に広く分布
誘導脂質	脂肪酸 ステロール	脂肪を構成する有機酸 エルゴステロール(植物性) コレステロール(動物性) 性ホルモン、胆汁酸など	バター、食用油 あさり、かき、植物油 卵黄、えび、いか	脂肪として蓄積し、分解してエネルギー一供給する ホルモンの構成成分

●中性脂肪の模式図

グリセリン　脂肪酸　脂肪酸　脂肪酸

●リン脂質の模式図

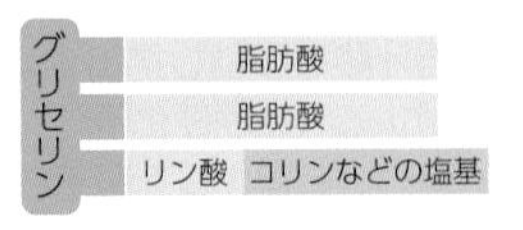

2. 脂肪酸の種類

分類		名称	構造	炭素数(n):二重結合	おもな所在	特性
飽和脂肪酸(S)		酪酸	$C_nH_{2n}O_2$ 例：パルミチン酸	C_4：0	バター	融点が高く、常温で固体のものが多い。 コレステロールをふやす。 中性脂肪をふやし、動脈硬化の原因となる。 酸化しにくい。
		ヘキサン酸		C_6：0	バター	
		カプリル酸		C_8：0	バター、やし油	
		ラウリン酸		C_{12}：0	やし油、鯨油	
		ミリスチン酸		C_{14}：0	やし油、落花生油	
		パルミチン酸		C_{16}：0	パーム油、やし油	
		ステアリン酸		C_{18}：0	ヘット(牛脂)、ラード(豚脂)	
不飽和脂肪酸	一価(M)	パルミトレイン酸	$C_nH_{2(n-x)}O_2$ 例：リノール酸(n-6系)	C_{16}：1	動植物油	融点が低く、常温で液体のものが多い。オレイン酸は酸化しにくく、コレステロールを減らす。
		オレイン酸		C_{18}：1	魚油、オリーブ油	
		エルシン酸		C_{22}：1	なたね油	
	多価(P)	リノール酸●		C_{18}：2	ごま油、だいず油	n-6系　必須脂肪酸を含む。コレステロールを減らす。酸化しやすい。
		アラキドン酸		C_{20}：4	肝油	
		α-リノレン酸●		C_{18}：3	なたね油、しそ油	n-3系
		イコサペンタエン酸(IPA)		C_{20}：5	魚油	
		ドコサヘキサエン酸(DHA)		C_{22}：6	魚油	

(注) ●は必須脂肪酸。リノール酸をもとにアラキドン酸、α－リノレン酸をもとにIPAとDHAが体内で合成される。これら3つを必須脂肪酸に含める場合もある。

3. 必須脂肪酸

不飽和脂肪酸のうち、リノール酸やα－リノレン酸は体内では合成されず、必ず食物から摂取しなければならない。健康な人では、食品から摂取したリノール酸をもとに、体内でアラキドン酸が合成される。また、α－リノレン酸をもとにイコサペンタエン酸（IPA）、ドコサヘキサエン酸（DHA）が合成される。必須脂肪酸が欠乏すると、成長不良や皮膚異常が見られたり、感染症にかかりやすくなったりする。

それぞれの必須脂肪酸は、体内で作用の異なるホルモン様のはたらきを示すプロスタグランジン（PG）などを生成する。

プロスタグランジンにはさまざまな種類があり、ごく微量でも強い生理作用がある。プロスタグランジンには、生体内での相互の微妙なバランスにより、血圧、血糖値、コレステロール値の降下、血液の凝固阻止、血管拡張、気管支拡張など多くの作用が認められている。

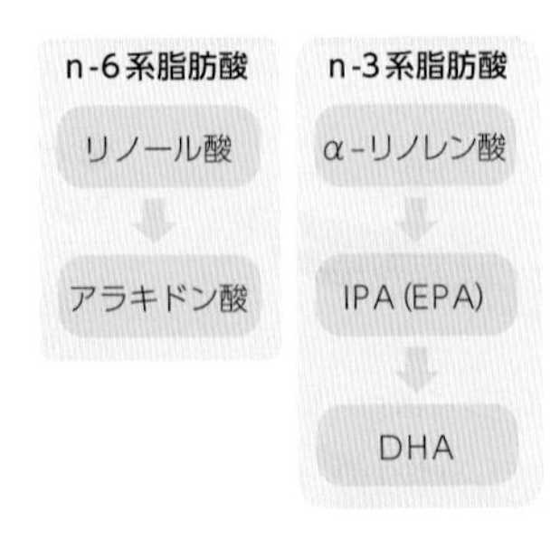

(注) イコサペンタエン酸 (IPA) はエイコサペンタエン酸 (EPA) ともいう。本書は文部科学省「日本食品標準成分表」の表記にあわせた。

トランス脂肪酸

トランス脂肪酸は、天然にはほとんど存在せず、マーガリンやショートニングの製造過程で発生する。とりすぎると悪玉コレステロールが増加し、動脈硬化や心筋梗塞の危険性が高まるという報告がある。日本人の摂取状況は、WHOによる基準（総摂取カロリーの1%未満）を下回っている（0.3%程度）と推定されるため表示義務はないが、消費者庁は、事業者に対して情報を自主的に開示するように求めている。

■4. 望ましい脂肪酸の摂取比率

●S：M：P比

脂質の栄養的評価は、脂肪酸のバランスに大きく左右される。

S		M		P
3	：	4	：	3
飽和脂肪酸		一価不飽和脂肪酸		多価不飽和脂肪酸

●n-6系：n-3系比

同じ多価不飽和脂肪酸でも、生体における機能が違うため、適切な摂取を心がけることが大切である。

n-6系		n-3系
4	：	1

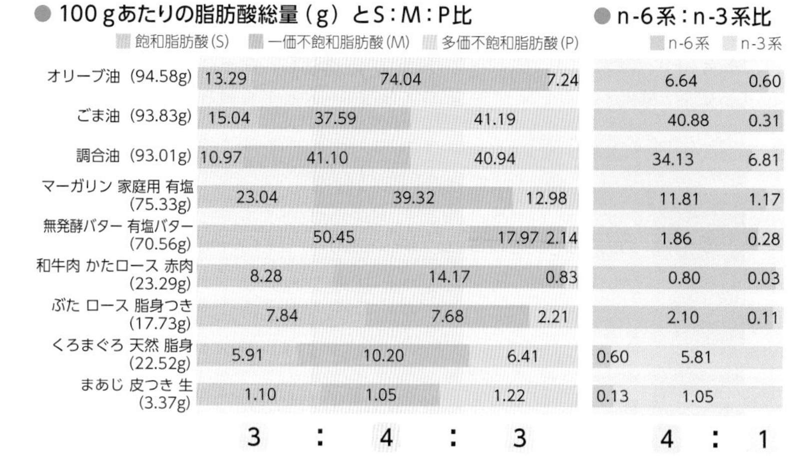

●100gあたりの脂肪酸総量（g）とS：M：P比　●n-6系：n-3系比

食品	飽和脂肪酸(S)	一価不飽和脂肪酸(M)	多価不飽和脂肪酸(P)	n-6系	n-3系
オリーブ油（94.58g）	13.29	74.04	7.24	6.64	0.60
ごま油（93.83g）	15.04	37.59	41.19	40.88	0.31
調合油（93.01g）	10.97	41.10	40.94	34.13	6.81
マーガリン 家庭用 有塩（75.33g）	23.04	39.32	12.98	11.81	1.17
無発酵バター 有塩バター（70.56g）	50.45	17.97	2.14	1.86	0.28
和牛肉 かたロース 赤肉（23.29g）	8.28	14.17	0.83	0.80	0.03
ぶた ロース 脂身つき（17.73g）	7.84	7.68	2.21	2.10	0.11
くろまぐろ 天然 脂身（22.52g）	5.91	10.20	6.41	0.60	5.81
まあじ 皮つき 生（3.37g）	1.10	1.05	1.22	0.13	1.05
	3 ：	4 ：	3	4 ：	1

■5. コレステロール

コレステロールは、血液中の脂質の1つである。成人の体内には約100gのコレステロールが存在し、体成分更新のために1日1g以上の供給が必要である。食物としてその一部を摂取し、ほかは肝臓で合成される。コレステロールは、①細胞膜の成分　②胆汁酸の成分　③性ホルモン、副腎皮質ホルモンの成分　④プロビタミン（体内でビタミンに変換されるもの）の成分としてのはたらきをもち、とくに成長期には必要とされる。しかし、肝臓が送り出すコレステロール（LDL）と、肝臓に送られてくるコレステロール（HDL）のバランスが崩れ、LDLが多過ぎると血管壁にたまり、動脈硬化を起こす原因となる。

飽和脂肪酸は血液中のコレステロールを上昇させる作用があるが、多価不飽和脂肪酸は低下させる作用がある。しかし、多価不飽和脂肪酸は酸化されやすく、酸化された脂質は老化の原因となるので、新鮮な食品を選ぶよう気をつける。

■6. コレステロールの吸収と代謝

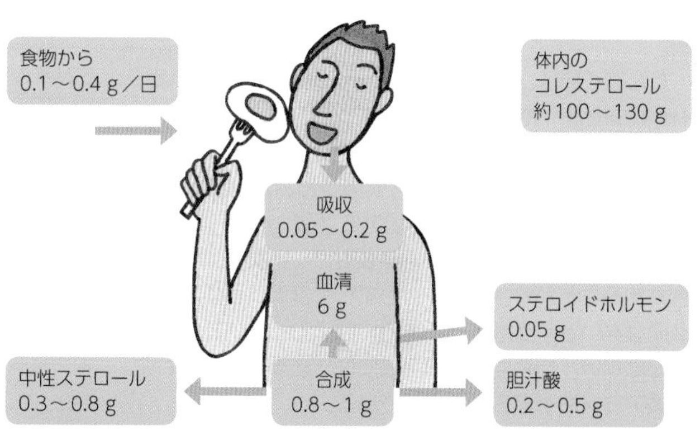

脂質を多く含む食品と目標摂取量

1日の目標量（15～17歳）　男女とも、総エネルギー摂取量の20%以上30%未満（➡p.389 ⑧）

●多く含む食品（1回使用量あたり）

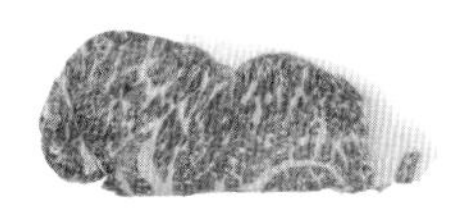

和牛肉 サーロイン（150g）…71.3g

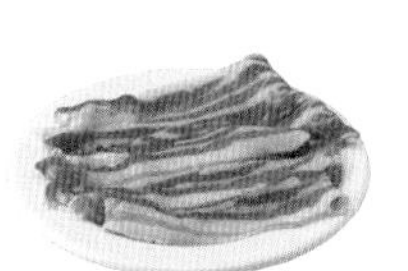

ぶた ばら 脂身つき（100g）…35.4g

さんま 皮つき（1尾＝120g）…30.7g

アーモンド（30g）…15.5g

●とりすぎた場合

脂質異常症／肥満／動脈硬化／心臓疾患／老化／免疫力の低下

●足りない場合

摂取エネルギー不足／発育不良／脂溶性ビタミン欠乏／血管の脆弱化／免疫力の低下

オリーブ油とオレイン酸

南イタリア地方は、他のヨーロッパ諸国に比べて心臓疾患による死亡率が低いといわれる。肉やバターを多く使う欧米諸国の食事に比べれば、南イタリア地方の摂取バランスは日本に近い。多く使われるオリーブ油のオレイン酸含有量は70%以上もあり、一価不飽和脂肪酸の特徴である酸化に強い油で、がんの原因にもなる過酸化脂質をつくりにくく、血中コレステロールを減らすはたらきもある。生で利用すると香りが高く、加熱による酸化も少ないことから、料理にも安心して使える。製法・等級によって名称が異なり、果肉を冷圧法で絞った一番絞りの「バージンオイル」にも、オレイン酸の含量の多い順に「エクストラ・バージン」「ファイン・バージン」「セミ・ファイン」の3段階がある。

❻ たんぱく質 Protein

たんぱく質とは

約20種類のアミノ酸が数十～数百個以上結合したもので、炭素(C)、水素(H)、酸素(O)のほかに、窒素(N)を含む。からだを構成する細胞・酵素・ホルモン・免疫抗体・核酸は、たんぱく質からできている。1gあたり4kcalのエネルギー源となるなど、たんぱく質はからだを構成する成分として重要であるとともに、エネルギー源としても重要な栄養素である。

■ 1. たんぱく質の種類

分類	種類	おもなものの名称と所在	特性
単純たんぱく質	アルブミン	オボアルブミン(卵白)、ラクトアルブミン(乳)、血清アルブミン(血液)	水に溶け、加熱すると凝固する。
	グロブリン	グロブリン(卵白・血液)、グリシニン(大豆)、アラキン(落花生)	水に溶けず、塩溶液に溶ける。加熱すると凝固する。
	グルテリン	オリゼニン(米)、グルテニン(小麦)	水や塩溶液に溶けず、薄い酸やアルカリに溶ける。加熱しても凝固しない。
	プロラミン	グリアジン(小麦)、ツェイン(とうもろこし)	水に溶けず、アルコールに溶ける。
	硬たんぱく質	コラーゲン(皮・骨)、エラスチン(腱)、ケラチン(爪・毛髪)	水・塩溶液・酸・アルカリなどに溶けない。
複合たんぱく質	核たんぱく質	(細胞核)	単純たんぱく質に核酸が結合したもの。
	糖たんぱく質	オボムコイド(卵白)、ムチン(血清)	たんぱく質に糖が結合したもの。
	リンたんぱく質	カゼイン(乳)、ビテリン(卵黄)	たんぱく質にリン酸が結合したもの。
	色素たんぱく質	ヘモグロビン(血液)、ミオグロビン(筋肉)	たんぱく質に色素が結合したもの。
	リポたんぱく質	リポビテリン(卵黄)	たんぱく質にリン脂質が結合したもの。
誘導たんぱく質	ゼラチン	コラーゲン(皮・骨)	たんぱく質を、物理的、化学的に処理したもの。

■ 2. アミノ酸の種類

たんぱく質は、アミノ酸を遺伝子の情報にもとづいて、1個ずつ順番に結合させて合成するので、どれか1つでも不足すると、完全なたんぱく質ができない。たんぱく質を構成する20種類のアミノ酸のうち、体内で合成されない9種類のアミノ酸を**必須アミノ酸**、それ以外のものを**非必須アミノ酸**という。非必須アミノ酸は、体内で合成することができるので、必ずしも食事から摂取する必要はないという意味で、体内になくてもよいという意味ではない。たんぱく質の合成には、必須アミノ酸も非必須アミノ酸もどちらも必要である。

必須アミノ酸のうち、メチオニン、フェニルアラニンは、一部を非必須アミノ酸のシスチン、チロシンにより代替、合成することができる。メチオニンとシスチンを合わせて**含硫アミノ酸**、フェニルアラニンとチロシンを合わせて**芳香族アミノ酸**という。

	種類	はたらき	多く含む食品
必須アミノ酸	イソロイシン	成長促進、神経・肝機能向上、筋力向上	牛肉・鶏肉・鮭・チーズ
	ロイシン	肝機能向上、筋力向上	牛乳・ハム・チーズ
	リシン(リジン)	体組織の修復、ぶどう糖代謝促進	魚介類・肉類・レバー
	メチオニン	抑うつ状態の改善	牛乳・牛肉・レバー
	フェニルアラニン	抑うつ状態の改善、鎮痛作用	肉類・魚介類・大豆・卵・チーズ・アーモンド
	トレオニン(スレオニン)	脂肪肝予防、成長促進	卵・ゼラチン・スキムミルク
	トリプトファン	精神安定、抑うつ状態改善	チーズ・種実・大豆製品・柿・卵黄
	バリン	成長促進	プロセスチーズ・レバー・牛乳・卵
	ヒスチジン	子どもの成長に必須、神経機能	チーズ・鶏肉・ハム・牛肉
非必須アミノ酸	グリシン／アラニン／セリン／シスチン／チロシン／アスパラギン酸／グルタミン酸／プロリン／アルギニン(子どもにとっては必須アミノ酸)		

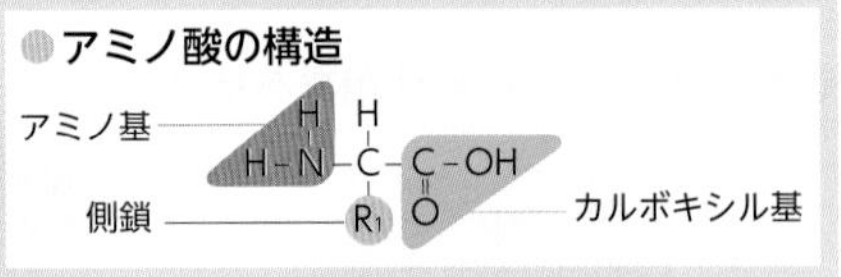

■ 3. 食品による必須アミノ酸のバランスのちがい

必須アミノ酸は、食品により含まれる量が異なっている。右のグラフは、3つの食品における、可食部100g中の必須アミノ酸量を示したものである。これを見ると、各食品によって必須アミノ酸のバランスはさまざまに異なっていることがわかる。食事摂取基準(➡p.389 9)に1日に必要なたんぱく質の推奨量が掲載されているが、1つの食品を食べることで推奨量を満たしたとしても、必須アミノ酸のバランスはとれていない場合が多い。いろんな食品を組み合わせて食べる必要がある。

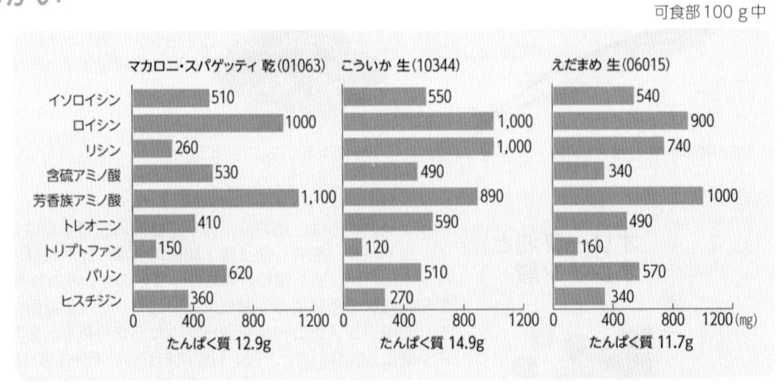

■ 4. 必須アミノ酸の必要量

必須アミノ酸は、それぞれ1日あたりどれくらい必要かが決められている。乳幼児、児童および青少年は、体重維持のためのアミノ酸必要量に加え、成長に伴うアミノ酸必要量も加えられるので、成人よりも必要量が高い。

通常の食生活を送っていれば不足する心配はない。

■ 5. アミノ酸価（アミノ酸スコア）とは

各食品のたんぱく質の「質」つまり栄養価を評価する方法の1つに、**アミノ酸価**がある。体のたんぱく質合成のために理想的な必須アミノ酸組成を**アミノ酸評点パターン**※1（必須アミノ酸必要量パターン）として設定し、それぞれの食品に含まれている必須アミノ酸量※2がその何%にあたるかを算出する方法である。

評点パターンに満たない必須アミノ酸があると、十分に量がある必須アミノ酸が複数あったとしても、その最も少ない量のアミノ酸に見合う量でしかたんぱく質を合成できない（右図のおけでいえば、一番短い板の部分にあたる）。評点パターンに満たないアミノ酸を**制限アミノ酸**といい、そのなかで最も比率の小さいもの（**第一制限アミノ酸**）の数値が、その食品のアミノ酸価となる。

※1 アミノ酸評点パターンは1〜2歳のもの（「WHO/FAO/UNU合同専門協議会報告」2007年）。
※2 アミノ酸成分表は、第3表「アミノ酸組成によるたんぱく質1gあたりのアミノ酸成分表」（➡p.378〜383）を使用する。

$$アミノ酸価（C）= \frac{第一制限アミノ酸含量}{アミノ酸評点パターンの同アミノ酸含量（A）} \times 100$$

(mg/kg体重/日)

必須アミノ酸	6か月	1〜2歳	3〜10歳	11〜14歳	15〜17歳	18歳以上
イソロイシン	36	27	22	22	21	20
ロイシン	73	54	44	44	42	39
リシン	63	44	35	35	33	30
含硫アミノ酸	31	22	17	17	16	15
芳香族アミノ酸	59	40	30	30	28	25
トレオニン	35	24	18	18	17	15
トリプトファン	9.5	6.4	4.8	4.8	4.5	4.0
バリン	48	36	29	29	28	26
ヒスチジン	22	15	12	12	11	10

（厚生労働省「日本人の食事摂取基準」2020年版、「WHO/FAO/UNU合同専門協議会報告」2007年）

■ 6. アミノ酸価の計算方法─食パンの場合

アミノ酸評点パターン（A）に対する、食パンのたんぱく質1gあたりのアミノ酸量（B）を比べると、リシンの比率は44となり、100未満なので制限アミノ酸であり、なおかつ第一制限アミノ酸である。そのためリシンのアミノ酸評点パターンに対する比率（C）が、食パンのアミノ酸価となる。

● 食パンの場合

食パンのアミノ酸価は44

必須アミノ酸	たんぱく質1gあたりのアミノ酸量(mg) アミノ酸評点パターン	食パン(B)	アミノ酸評点パターンに対する比率
イソロイシン	31	42	135
ロイシン	63	81	129
リシン	52	23	44(C)
含硫アミノ酸	25	42	168
芳香族アミノ酸	46	96	209
トレオニン	27	33	122
トリプトファン	7.4	12	162
バリン	41	48	117
ヒスチジン	18	27	150

アミノ酸評点パターン

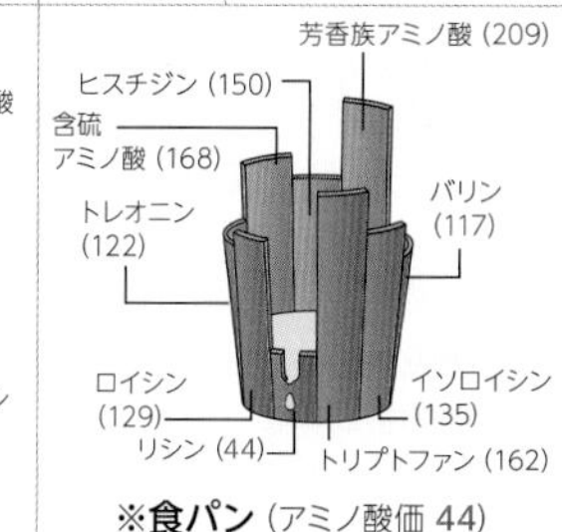

※食パン（アミノ酸価 44）

※9種類すべてが100以上の場合、アミノ酸価は100になる。

■ 7. たんぱく質の補足効果

食品を上手に組み合わせることで、互いに不足の必須アミノ酸（制限アミノ酸）を補いあい、全体でその効力を発揮して栄養価を総合的に高めることができる。例えば、リシンが不足している穀物とリシンを多く含む乳類や豆類を一緒に摂取する、などである。

例えば…

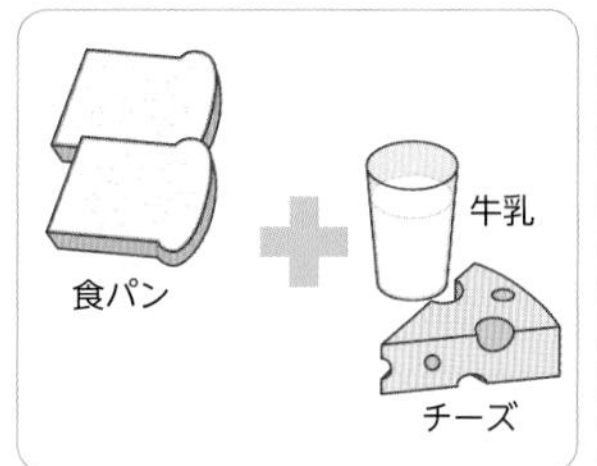

たんぱく質を多く含む食品と目標摂取量

1日の推奨量（15〜17歳） 男65g、女55g（➡p.389 ⑨）

● 多く含む食品（1回使用量あたり）

かつお 春獲り(100g)…25.8g

うなぎ かば焼き(100g)…23.0g

にわとり ささみ 生(80g)…19.1g

ぶた もも 脂身つき(80g)…16.4g

● とりすぎた場合

肥満／脂肪の摂取量が増える／カルシウムの尿排泄増加などをまねく

● 足りない場合

スタミナ不足／ウイルスなどへの抵抗力がおちる／発育障害／貧血／血管壁が弱まる／記憶力・思考力の減退／うつ病や神経症になりやすい

⑦ ミネラル Minerals

ミネラルとは

人体を構成する元素は、酸素・炭素・水素・窒素が全体の約95％を占めているが、これ以外の元素を総称してミネラルという。

ミネラルは体内に約5％、約40種類存在している。人体におけるミネラルの含有量は微量であるが、それぞれの元素は重要な生理機能をつかさどっている。栄養素として不可欠なものは必須ミネラルとよばれる。なお、ミネラルは体内で合成されないので、食品から摂取しなくてはならない。欠乏症などにならないよう、バランスのよい摂取を心がけることが必要である。

●人体のミネラルの含有量

多量ミネラル	%	微量ミネラル	%
カルシウム(Ca)	1.5～2.2	鉄(Fe)	0.004
リン(P)	0.8～1.2	亜鉛(Zn)	0.003
カリウム(K)	0.35	銅(Cu)	0.0001
ナトリウム(Na)	0.15	マンガン(Mn)	微量
マグネシウム(Mg)	0.05	ヨウ素(I)	
		セレン(Se)	
		モリブデン(Mo)	
		クロム(Cr)	

多量ミネラルは、1日の必要量が100mg以上のミネラル。微量ミネラルはそれ未満のミネラル。

■1. 多量ミネラル

1日の食事摂取基準の数値は15～17歳の値（➡p.390 10）

●カルシウム(Ca)

カルシウムは、体内に最も多く存在するミネラル。約99％は、骨や歯などの硬い組織に存在している。残り1％のカルシウムは、血液や筋肉などすべての細胞に存在する。

生理機能 骨や歯の形成。血液凝固や筋肉収縮。神経の興奮の抑制。

じょうずなとり方 牛乳中のカルシウムは吸収率が高く、効率がよい。

欠乏症 骨量が減少し、骨折や骨粗しょう症を起こす可能性が高くなる。

過剰症 泌尿器系結石を起こす。他のミネラルの吸収を阻害する。

1日の食事摂取基準

推奨量 男性800mg 女性650mg

可食部100gあたり
1人1回使用量あたり　（ ）内の数値は1人1回使用量のめやす

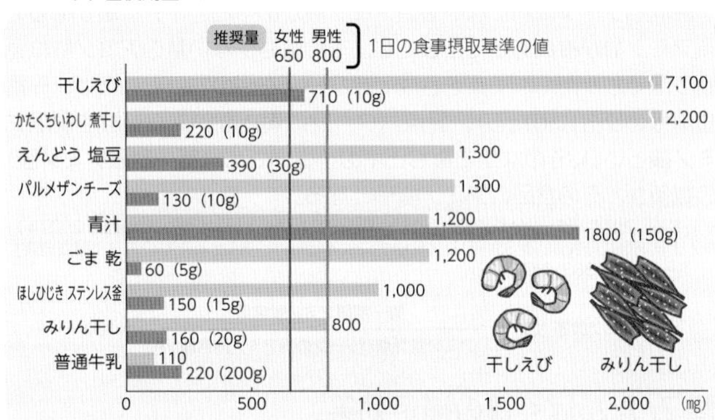

●リン(P)

カルシウムとともに骨や歯を形成したり、エネルギーを蓄える物質の成分になるなど細胞の生命活動にかかせない栄養素。

生理機能 骨や歯の形成。体内の酸・アルカリの平衡を保つ。

じょうずなとり方 リンは保存性を高める目的で多くの加工食品に添加されている。加工食品をよく食べる人はカルシウム不足に注意（➡コラム）。

欠乏症 骨や歯が弱くなる。

過剰症 カルシウムの吸収を妨げる。肝機能低下。

1日の食事摂取基準

目安量 男性1,200mg 女性900mg

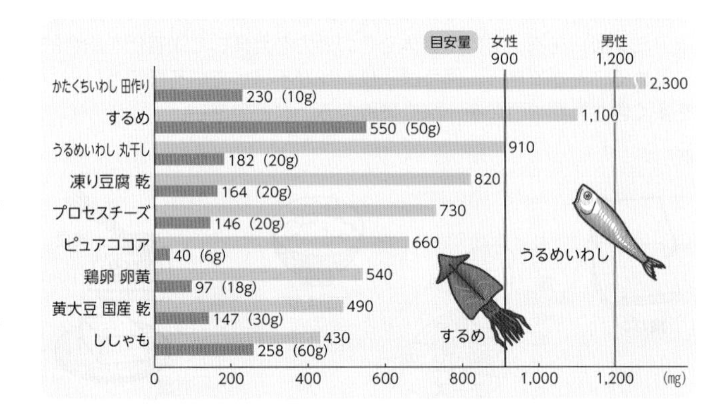

望ましいミネラルの摂取比率

カルシウムの体内への吸収は、他の成分の影響を受けることがわかっている。カルシウムはリンとの比が1：1のとき最も吸収がよいが、現状ではリンの摂取の方が多い。リンが過剰になるのは、肉類、魚介類などに含まれるほか、食品添加物として加工食品に多く含まれるためである。
また、カルシウムとマグネシウムの比率も、筋肉の収縮や正常な血圧の維持、骨の強化などに影響を与えている。カルシウムを多くとるほどマグネシウムは排泄されるので、マグネシウム1に対して、カルシウム2～3がよいとされている。

リン 1 ： カルシウム 1

マグネシウム 1 ： カルシウム 2

●カルシウムを助け、骨を強くする栄養素

カルシウム　マグネシウム　リン　ビタミンD　ビタミンK

Mg P Ca D K

●カリウム(K)

あらゆる細胞の正常な活動をバックアップ。ナトリウムと作用し合い、細胞の浸透圧を維持したり、水分を保持したりしている。またカリウムには、ナトリウムが腎臓で再吸収されるのを抑制し、尿への排泄を促す働きがあることから、血圧を下げる作用があると考えられている。

生理機能 細胞の浸透圧の調節。細胞内の酵素反応を調節。

じょうずなとり方 あらゆる食品に含まれているが、新鮮なものほど多い。

欠乏症 脱力感や食欲不振。

過剰症 なし（とりすぎたとしても尿中に排泄される）。

1日の食事摂取基準

目安量 男性2,700mg 女性2,000mg

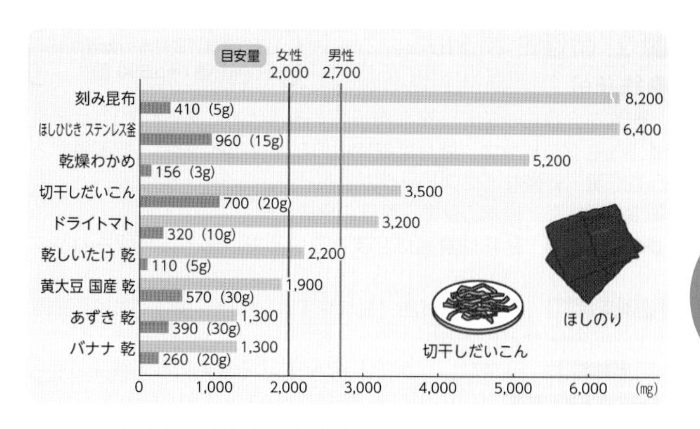

●ナトリウム(Na)

細胞内外のミネラルバランスを保つために不可欠。多くは、細胞外液に含まれている。カリウムと作用し合い、細胞外液の浸透圧を維持する。

生理機能 細胞外液の浸透圧を維持。酸・アルカリの平衡を調節。

じょうずなとり方 食塩が多く使われている加工食品をひかえることが、減塩対策。

欠乏症 なし（日本人は食事から塩分を必要量以上にとっている）。

過剰症 細胞内外のミネラルバランスがくずれ、むくみが生じる。高血圧や胃ガンの原因の1つ。

1日の食事摂取基準

15～17歳はなし（食塩の食事摂取基準は➡p.390 10）。

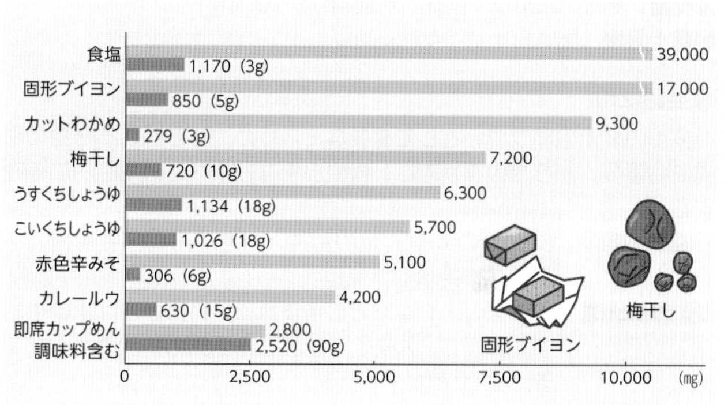

●マグネシウム(Mg)

骨の成分として重要で、体内にある約6～7割は骨に含まれる。残りは肝臓や筋肉、血液などにたんぱく質と結合して存在している。マグネシウムは、300種類以上もの酵素のはたらきを助ける。

生理機能 筋肉の収縮。神経の興奮を抑える。酵素の活性化。

じょうずなとり方 加工していない食品に多く含まれる。未精製の穀類や種実、豆腐などの大豆製品からがとりやすい。

欠乏症 動悸（どうき）、不整脈、神経過敏、骨・歯の形成障がい。

過剰症 なし（とりすぎても、腸管からの吸収量が調節される）。

1日の食事摂取基準

推奨量 男性360mg 女性310mg

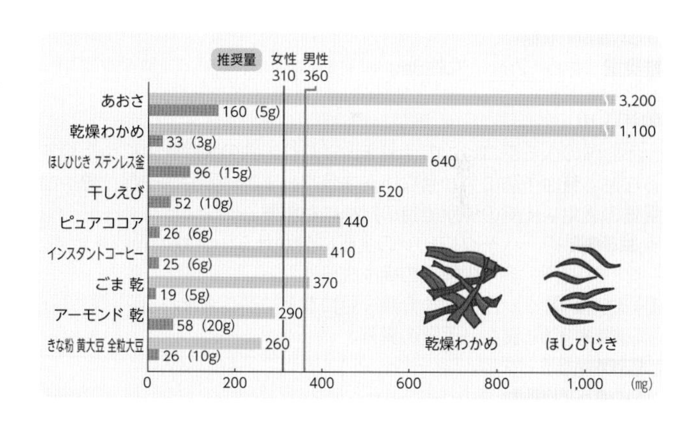

カルシウム不足が骨粗しょう症に

骨の主成分であるカルシウムが不足すると、骨粗しょう症になる危険性がある。骨粗しょう症とは、骨量（骨に貯えられたカルシウムの量）が減少し、骨に「す」が入ったようにもろく骨折しやすくなることである（写真参照）。

骨量は、20歳頃までは増加し、一生を通じて最高のレベルに達したときの骨は「ピーク・ボーン・マス（最大骨量）」と呼ばれるが、中高年以降は減少してしまうので（グラフ参照）、骨粗しょう症になりやすいといえる。また最近は、若い女性にも骨粗しょう症予備軍が急増しているといわれている。骨量を増加させなければならない時期に食生活を乱したり、運動不足になることは、避けなければならない。

●年齢と閉経にともなう骨量の変化（概念図）

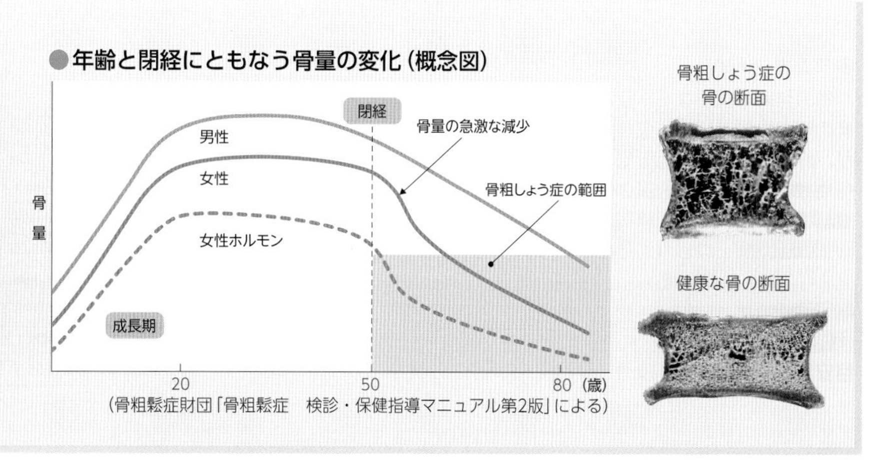

（骨粗鬆症財団「骨粗鬆症 検診・保健指導マニュアル第2版」による）

■2. 微量ミネラル

1日の食事摂取基準の数値は15～17歳の値（➡p.390 ⑩）

●鉄（Fe）

酸素を全身に供給し、貧血を予防する。体内にある約70%は赤血球のヘモグロビンに、残りは筋肉中のミオグロビンや、「貯蔵鉄」として肝臓・骨髄などにストックされる。

生理機能 酸素の運搬。酵素の構成成分。

じょうずなとり方 動物性食品に含まれている鉄は体内に吸収されやすい。

欠乏症 鉄欠乏性貧血（疲れやすい、頭痛、動悸、食欲不振など）。

過剰症 通常なし（サプリメントによる過剰摂取で鉄沈着症）。

1日の食事摂取基準

推奨量 男性10.0mg　女性（月経あり）10.5mg

耐容上限量 男性50mg　女性40mg

可食部100gあたり
1人1回使用量あたり　（ ）内の数値は1人1回使用量のめやす

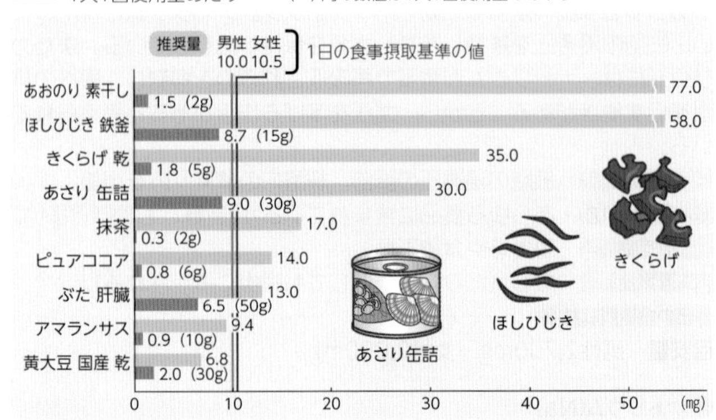

●亜鉛（Zn）

多くの酵素の構成成分として重要なミネラル。味を感じる味蕾（みらい）の形成にも重要。からだのなかでは、骨や皮膚などすべての細胞内に存在する。

生理機能 DNAやたんぱく質の合成。味蕾の形成。生殖機能を正常に維持する。

じょうずなとり方 肉・魚介・野菜などに含まれる。特にかきはよい供給源。アルコールをとりすぎると亜鉛の排泄量が増加する。

欠乏症 貧血、味覚異常、性機能の低下（男性）。

過剰症 なし。

1日の食事摂取基準

推奨量 男性12mg　女性8mg

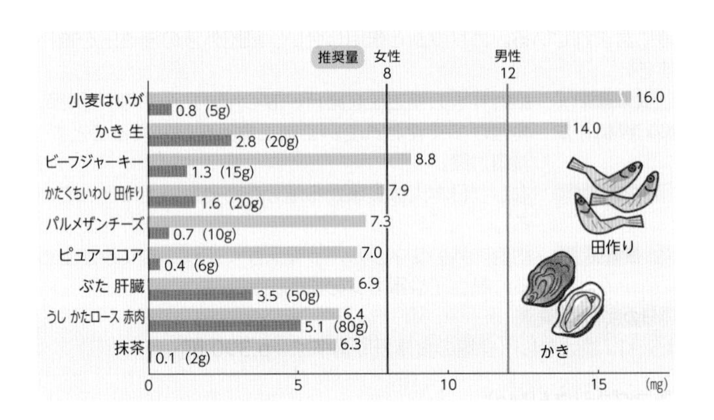

●銅（Cu）

赤血球のヘモグロビンの合成を助けたり、鉄の吸収をよくしたりするなど、貧血予防に欠かせないミネラル。また、乳児の成長、骨や血管壁の強化や皮膚の健康維持のためにも重要。

生理機能 ヘモグロビンの生成に欠かせない。鉄の吸収を促す。多くの酵素の構成成分。

じょうずなとり方 レバー・魚介類・豆類などに多く含まれる。

欠乏症 貧血、毛髪の異常。

過剰症 なし。

1日の食事摂取基準

推奨量 男性0.9mg　女性0.7mg

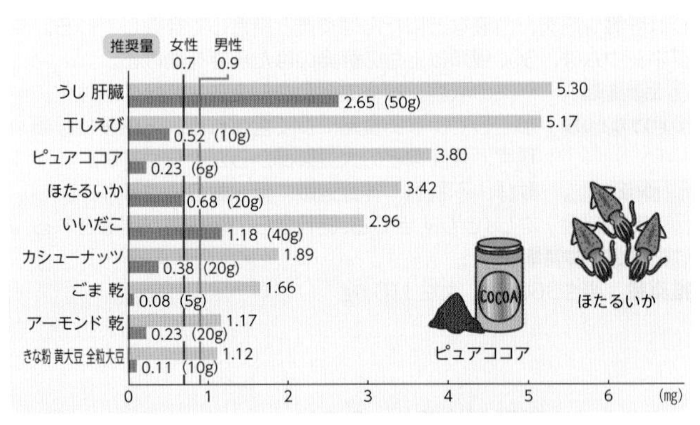

●マンガン（Mn）

骨の発育に重要なミネラル。また、体内で重要なはたらきをする酵素の構成成分としても欠かせない。人や動物に存在する量はわずかだが、肝臓・すい臓・毛髪に含まれる。

生理機能 骨や肝臓の酵素作用の活性化。骨の発育促進。

じょうずなとり方 茶葉・種実・穀類・豆類に多く含まれる。

欠乏症 なし（必要量が少ないうえ、植物性食品に広く含まれている）。

過剰症 なし。

1日の食事摂取基準

目安量 男性4.5mg　女性3.5mg

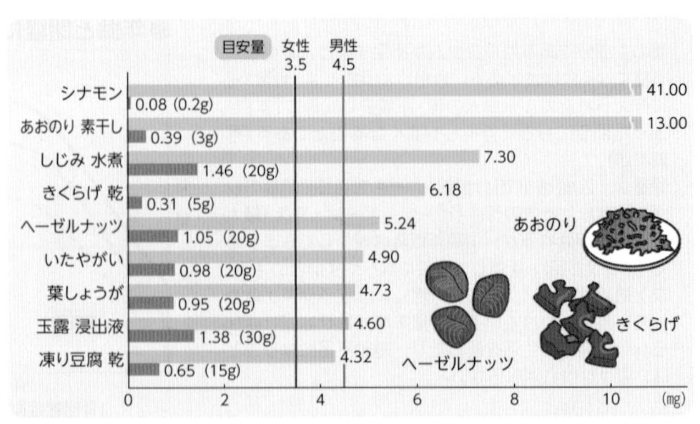

● ヨウ素 (I)

成長や代謝を促す甲状腺ホルモンの成分として欠かせないミネラル。体内では、ほとんど甲状腺に集中している。

生理機能 発育の促進。基礎代謝の促進。

じょうずなとり方 魚介類・海藻類に多く含まれる。

欠乏症 甲状腺が肥大し、機能が低下。ただし、海産物をよく食べる日本人にはほとんどない。

過剰症 とり過ぎても甲状腺ホルモンの合成ができなくなる。

1日の食事摂取基準

推奨量 男性140µg 女性140µg

耐容上限量 男性3,000µg 女性3,000µg

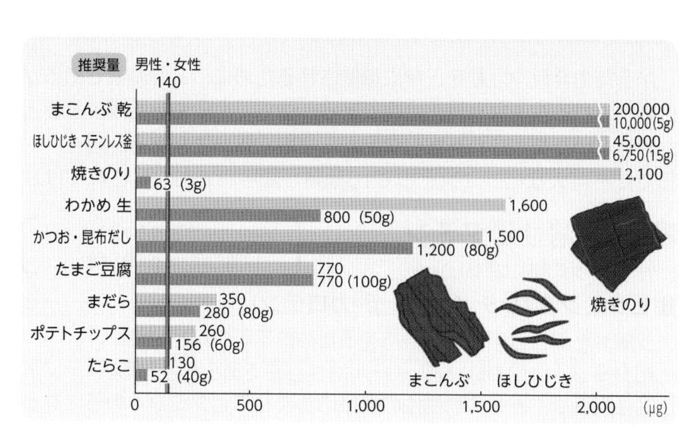

● セレン(Se)

過酸化物質を分解する酵素の構成成分なので、細胞の酸化を防ぐ。胃・下垂体・肝臓に多く含まれる。

生理機能 抗酸化作用で細胞の酸化を防ぐ。

じょうずなとり方 魚介類、セレン濃度の高い土壌で育った植物に多く含まれる。

欠乏症 心筋障がい。

過剰症 脱毛や爪の変形。おう吐、下痢(げり)、しびれ、頭痛。

1日の食事摂取基準

推奨量 男性35µg 女性25µg

耐容上限量 男性400µg 女性350µg

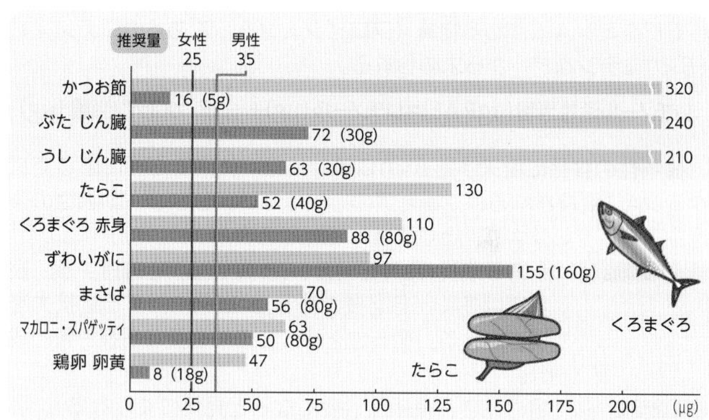

● モリブデン(Mo)

体内において、尿酸という最終老廃物を作り出すために不可欠な酵素のはたらきを助ける重要なミネラル。肝臓・腎臓に含まれる。

生理機能 尿酸を作り出すはたらきをサポート。

じょうずなとり方 レバー・豆類・種実などに多く含まれる。

欠乏症 発がんの可能性。

過剰症 尿中に銅の排泄量が増える。

1日の食事摂取基準

推奨量 男性30µg 女性25µg

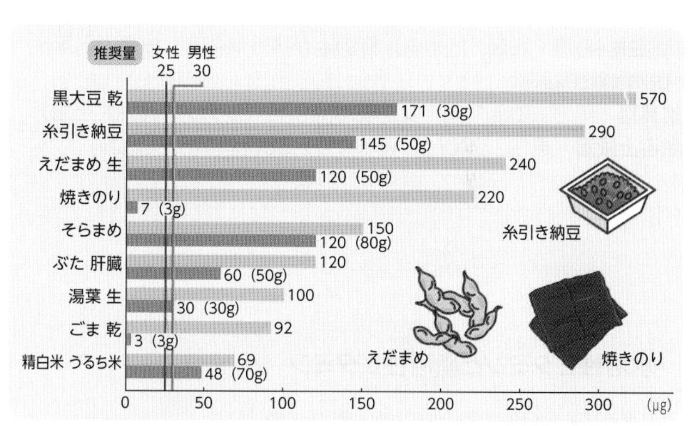

● クロム(Cr)

炭水化物（糖質）や脂質の代謝を助ける重要なミネラル。血糖値を正常に保つ。すべての細胞に含まれる。

生理機能 糖質や脂質の代謝をサポート。糖尿病・高脂血症・動脈硬化の予防効果がある。

じょうずなとり方 魚介類・肉類・海藻類などに多く含まれる。

欠乏症 高血糖・動脈硬化につながる。

過剰症 呼吸器障がい。

1日の食事摂取基準

15〜17歳はなし。

(18〜29歳 **目安量** 男性10µg 女性10µg)

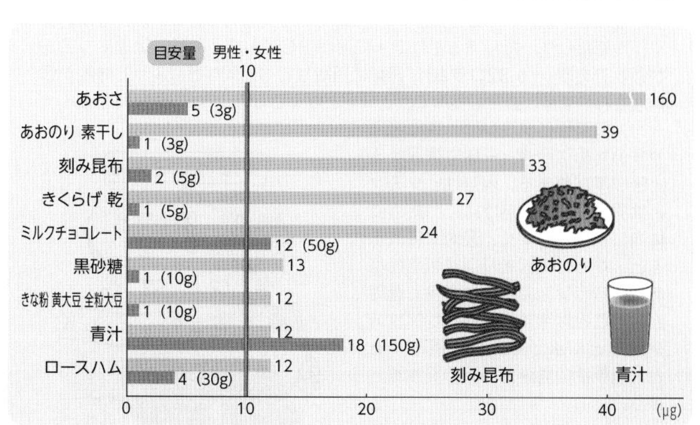

⑧ ビタミン Vitamin

ビタミンとは

からだの発育や活動を正常に機能させるために、ごく微量であるが必要とされる重要な有機化合物である。体内で必要量を合成することができないため、これを含む食品から摂取する必要がある。現在、からだに不可欠なビタミンとして13種類が知られており、これらは油に溶ける脂溶性ビタミンと水に溶ける水溶性ビタミンに大別される。

またビタミンには、体内でビタミンに変化するプロビタミンという化合物があり、ビタミン摂取と同じ効果がある。ビタミンA、ビタミンD、ナイアシンなどにはプロビタミンが存在する。

■ 1. 脂溶性ビタミン

（かっこ内は化学名）

〔1日の食事摂取基準の数値は15～17歳の値（➡p.391 ⑪）〕

●ビタミンA（レチノール、β-カロテン）

皮膚や粘膜、目の健康を維持するために不可欠なビタミン。

ビタミンAの効力は、レチノール活性当量であらわされる。レチノール活性当量は、おもに動物性の食品に含まれてビタミンAの形になっているレチノールと、おもに植物性の食品に含まれて体内で必要に応じてビタミンAにかわる物質（プロビタミンA）であるカロテノイド（β-カロテンなど）から求められる。

$$\text{レチノール活性当量}(\mu gRAE)=\text{レチノール}(\mu g)+\frac{1}{12}\beta\text{-カロテン当量}(\mu g)$$

植物性の食品に由来するβ-カロテンには、体内で必要に応じてビタミンAに変換されるので過剰症の心配はない。しかし、動物性の食品由来のビタミンAは、とりすぎに注意が必要。

生理機能 正常な成長・発育を促進し、皮膚や粘膜を維持する（授乳婦は多くとる必要がある）。細菌に対する抵抗力を増進させる。明るさを感じるのに必要な網膜色素の成分。

欠乏症 目の乾き、夜盲症（夜になると見えにくくなる）、乳幼児では、失明や成長障がいの可能性もある。

過剰症 頭痛、吐き気。髪の毛が抜け落ちる。皮膚の剥落（はくらく）。

1日の食事摂取基準

推奨量 男性900μgRAE　女性650μgRAE（レチノール活性当量）
耐容上限量 男性2,500μgRAE　女性2,800μgRAE（同上）

可食部100gあたり
1人1回使用量あたり
（ ）内の数値は1人1回使用量のめやす

●レチノール活性当量

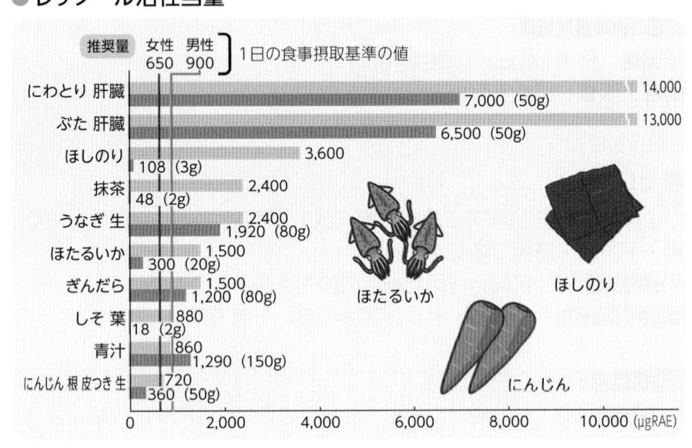

●レチノール

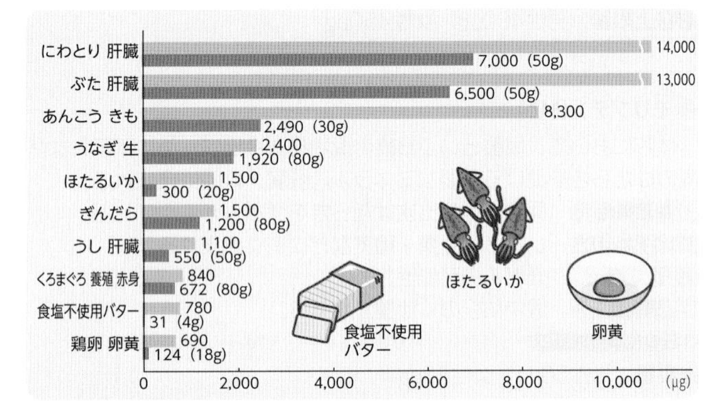

●β-カロテン当量

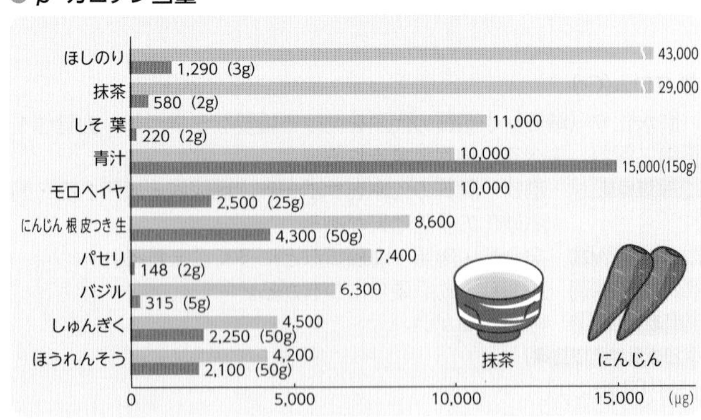

水溶性ビタミンと脂溶性ビタミン

ビタミンは、水溶性と脂溶性に大きく分けられる。
水溶性のビタミンは、おもにビタミンB群とビタミンCである。水に溶けやすく、ゆでたり洗ったりするだけで水に溶け出してしまうため、調理にも工夫が必要である（➡p.32コラム）。過剰に摂取しても、尿などによって体内から排泄されやすく、通常の食事で大きな害となることは少ない（例外もある）。
一方、脂溶性ビタミンは、油に溶けやすいために、油と一緒に調理すると吸収率が高まる。水溶性ビタミンとは異なり、水に溶けにくいために体内に蓄積しやすく、過剰に摂取すると、からだに害を及ぼす可能性がある。バランスのとれた食事で過剰となることはまずないが、サプリメントなどによって大量に摂取すると、過剰症の危険があるので注意しよう。

●ビタミンD（カルシフェロール）

骨をつくるのに欠かせないカルシウムやリンの吸収に関与する栄養素。とくに乳幼児期の骨の形成に欠かせないため、妊婦や授乳婦は多くとる必要がある。日光浴により、皮膚で生成される。ビタミンAの吸収を助けるはたらきもある。

生理機能 カルシウムの吸収促進。骨や歯の成長。

欠乏症 小児のくる病（骨の変形）。成人の骨軟化症。骨粗しょう症。

過剰症 のどの渇き、目の痛み。

1日の食事摂取基準

目安量 男性9.0μg　女性8.5μg

耐容上限量 男性90μg　女性90μg

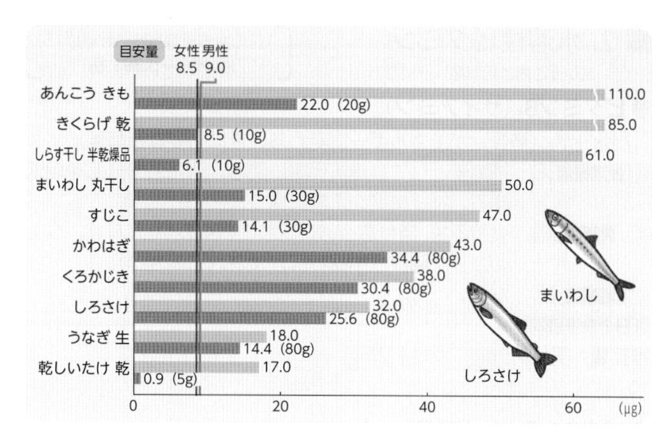

●ビタミンE（トコフェロール）

細胞膜に広く存在し、強い抗酸化力で、細胞の老化を遅らせる。トコフェロールという化合物の集まりで、なかでもα-トコフェロールが強い効力をもつ。摂取量の2/3は便として排泄され、体内の蓄積は比較的短時間。

生理機能 過酸化脂質の生成抑制。血液中のLDLコレステロールの酸化抑制。老化防止。赤血球の破壊防止。

欠乏症 赤血球の溶血による貧血。神経機能の低下。無筋力症。

過剰症 なし（体内に蓄積されにくいため）。

1日の食事摂取基準

目安量 男性7.0mg　女性5.5mg

耐容上限量 男性750mg　女性650mg

●α-トコフェロール

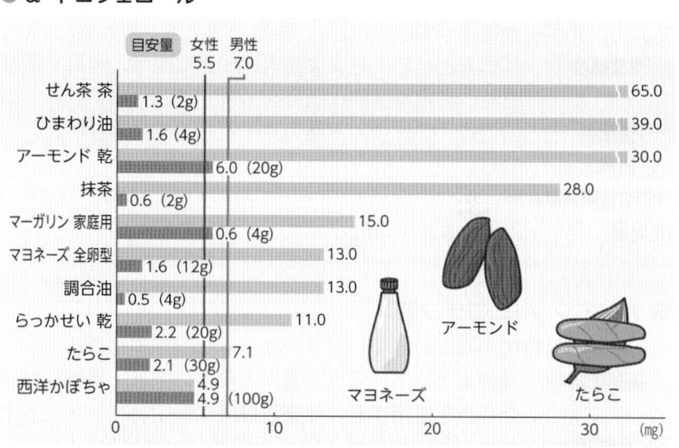

●ビタミンK（フィロキノン）

血液の凝固や骨の形成にかかわるビタミン。フィロキノンはおもに植物の葉緑体に含まれる。メナキノン類は微生物がつくりだすビタミンで、成人体内では、腸内細菌によって体内合成されている。

生理機能 血液の凝固に必須のプロトロンビンの生成に不可欠。ビタミンDとともに、骨の形成にも関与。

欠乏症 血液凝固の遅れ。新生児の場合は頭がい内出血や消化管出血。

過剰症 なし。

1日の食事摂取基準

目安量 男性160μg　女性150μg

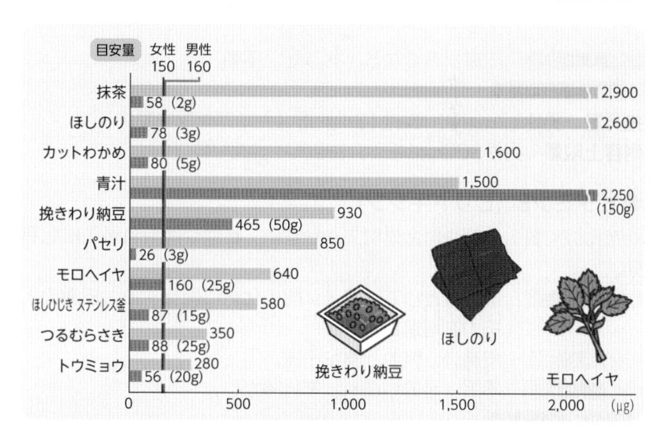

ビタミン様物質

ビタミンと同様のはたらきをするが、体内で合成されるため欠乏症にはなりにくいことからビタミンとは区別されている物質。日頃マスコミなどを通じて耳にするものもあるかもしれないが、研究途上のものも多い。

●ルチン

ビタミンPの一種。ビタミンCの吸収を助け、抗酸化作用がある。血管を強くするはたらきや、血圧を下げる効果が期待される。そばに多く含まれ、水溶性のためゆで汁（そば湯）も飲むとよいとされる。

●コエンザイムQ10

ビタミンQ、ユビキノンともいわれる物質のひとつ。抗酸化作用があり、細胞の酸化を防ぐとされる。体内で合成されるが、年齢とともに合成能力が低下し体内から失われる。

●ビタミンU

水溶性の化合物で、熱に弱い。胃酸の分泌を抑え、胃腸粘膜の修復を助けるため、胃や腸の潰瘍の予防・治療に役立つとされている。キャベツから発見されたため、キャベジンともいう。パセリやセロリなどにも含まれる。

●イノシトール

細胞膜を構成するリン脂質の成分。脂肪の代謝を助け、肝臓に脂肪がたまることを防ぐため、抗脂肪肝ビタミンともいわれる。神経機能の鎮静効果が期待できるという研究もある。

■ 2. 水溶性ビタミン

（かっこ内は化学名）

1日の食事摂取基準の数値は15～17歳の値（➡p.391 11）

可食部100gあたり
1人1回使用量あたり
（ ）内の数値は1人1回使用量のめやす

●ビタミンB_1（サイアミン）

炭水化物（糖質）がエネルギーに変わるときに必要な補酵素。

生理機能 補酵素として、糖質代謝に関与。消化液の分泌を促進する。神経機能を正常に保つ。

欠乏症 食欲不振、倦怠感、脚気（下肢のむくみやしびれ）。ウェルニッケ脳症（中枢神経が侵される障がい）。

過剰症 なし。

1日の食事摂取基準

推奨量 男性1.5mg 女性1.2mg

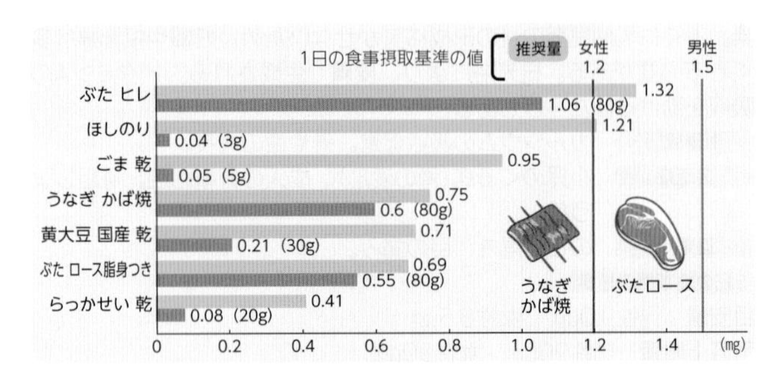

●ビタミンB_2（リボフラビン）

炭水化物（糖質）や脂質、アミノ酸がエネルギーに変わるときに必要。エネルギー消費量が多い人ほど、必要量が増える。紫外線に弱い。

生理機能 補酵素として、三大栄養素の代謝に関与。発育を促進させ、有害な過酸化脂質を分解する。

欠乏症 口内炎、眼球炎、皮膚炎、子どもの成長障がい。

過剰症 なし。

1日の食事摂取基準

推奨量 男性1.7mg 女性1.4mg

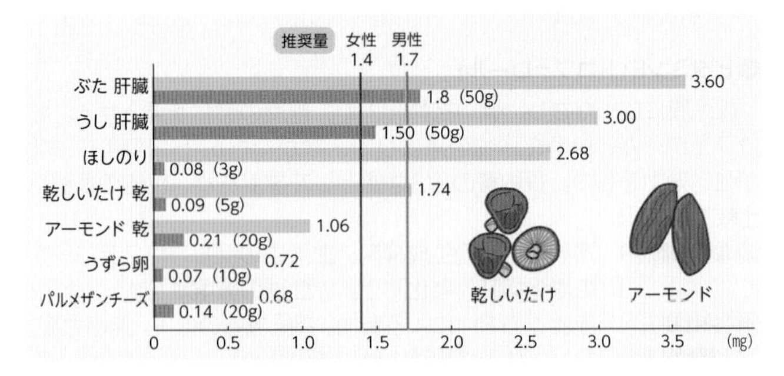

●ナイアシン（ニコチン酸）

ビタミンB群の一種。トリプトファンからも体内合成される。

生理機能 補酵素として、三大栄養素の代謝に関与。胃腸管のはたらきを維持する。皮膚を健康に保つ。

欠乏症 ペラグラ（皮膚病・消化管障がい・神経障がい）。口内炎。

過剰症 皮膚が赤くなる、おう吐、下痢。

1日の食事摂取基準

推奨量 男性17mgNE 女性13mgNE（ナイアシン当量）

耐容上限量 男性300mgNE 女性250mgNE（同上）

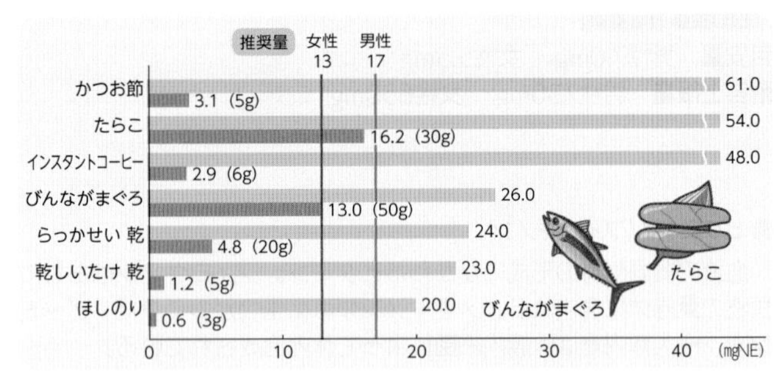

●ビタミンB_6（ピリドキシン）

たんぱく質の分解や再合成に欠かせない。貧血や肌荒れ予防にも有効。

生理機能 補酵素として、アミノ酸の代謝に関与する。皮膚の抵抗力を増進させる。

欠乏症 皮膚炎、貧血、食欲不振。

過剰症 不眠、足のしびれ、神経障がい。

1日の食事摂取基準

推奨量 男性1.5mg 女性1.3mg

耐容上限量 男性50mg 女性45mg

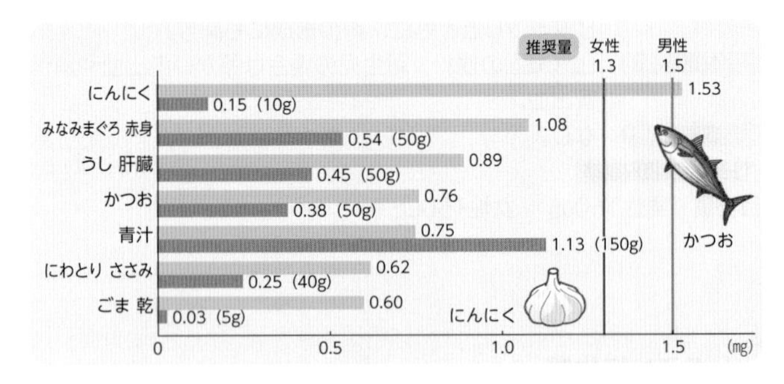

お肌のシミとビタミンC

シミやソバカスは、紫外線などの刺激から肌を守るために、メラノサイト（色素細胞）から作られる黒色メラニンという色素が過剰に増えてしまった状態をいう。

ビタミンCには、過剰なメラニンの生成を抑制するはたらきがある。また、できてしまった黒色メラニンを無色化するはたらきもあるとされており、美容の強い味方である。しかし、ビタミンCが万能ということではない。日焼けのしすぎは避ける方が効果的だ。

なお、ビタミンCは熱に弱いが、喫煙によっても大量に破壊されてしまう（たばこ1本で、食事摂取基準の推奨量に相当する100mgを破壊するという説もある）ことも知っておこう。

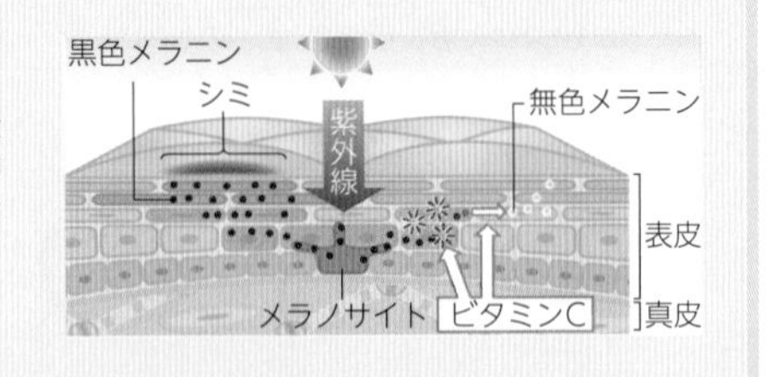

●ビタミンB_{12}(シアノコバラミン)

コバルトを含み、「赤いビタミン」ともいわれる。おもに動物性食品に含まれるため、厳格なベジタリアンでは不足することがある。水溶性ビタミンのなかでは、唯一体内に蓄積される。

生理機能 葉酸とともに赤血球を作る。中枢神経機能を維持する。

欠乏症 悪性貧血、しびれなどの神経障がい。

過剰症 なし。

1日の食事摂取基準

推奨量 男性2.4μg　女性2.4μg

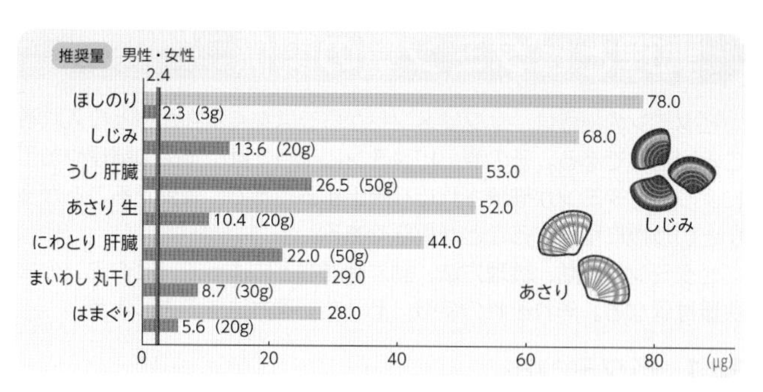

●葉酸(ホラシン)

ビタミンB群の一種。緑黄色野菜やレバーに多く含まれる。光に弱い。

生理機能 ビタミンB_{12}とともに赤血球を作る。たんぱく質の合成や細胞増殖に関与。胎児や乳幼児の正常な発育に不可欠なため、妊婦や授乳婦の推奨量はさらに多い(付加量)。

欠乏症 悪性貧血、口内炎。

過剰症 なし。

1日の食事摂取基準

推奨量 男性240μg　女性240μg

耐容上限量 男性900μg　女性900μg

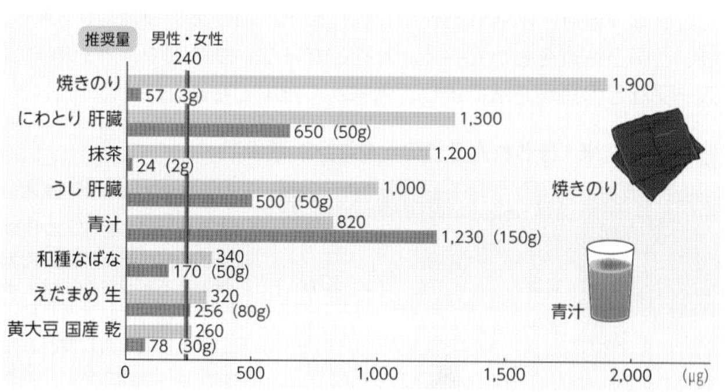

●パントテン酸

ビタミンB群の一種。腸内細菌によっても合成される。

生理機能 三大栄養素からエネルギーを作るときに必要な、補酵素の構成成分。善玉コレステロールを増やしたり、ホルモンや抗体の合成にも関与。

欠乏症 頭痛、疲労、末梢(まっしょう)神経障がい。

過剰症 なし。

1日の食事摂取基準

目安量 男性7mg　女性6mg

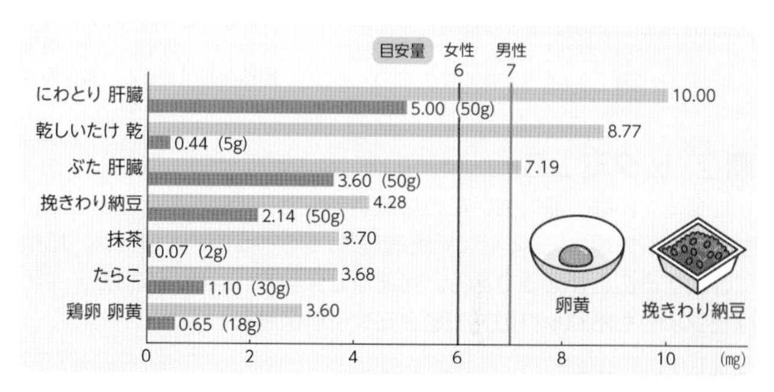

●ビオチン

ビタミンB群の一種。皮膚や髪の健康に関与。

生理機能 三大栄養素がエネルギーに変わるときに代謝をサポート。

欠乏症 皮膚炎、脱毛。多くの食材に含まれ、腸内細菌によっても合成されるため、バランスのよい食事では不足しない。

過剰症 なし。

1日の食事摂取基準

目安量 男性50μg　女性50μg

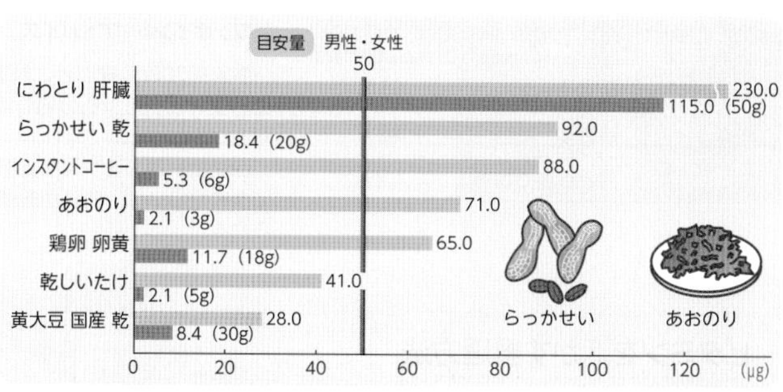

●ビタミンC(アスコルビン酸)

強力な抗酸化作用があり、皮膚や血管の老化を防ぐ。人は体内で合成できず、多くとっても、尿として排出されて蓄積できない。

生理機能 軟骨などの結合組織を作るコラーゲン合成に不可欠。抗酸化作用。免疫を高める効果があり、風邪を予防する。

欠乏症 壊血病(各組織からの出血、抵抗力の低下など)。

過剰症 なし。

1日の食事摂取基準

推奨量 男性100mg　女性100mg

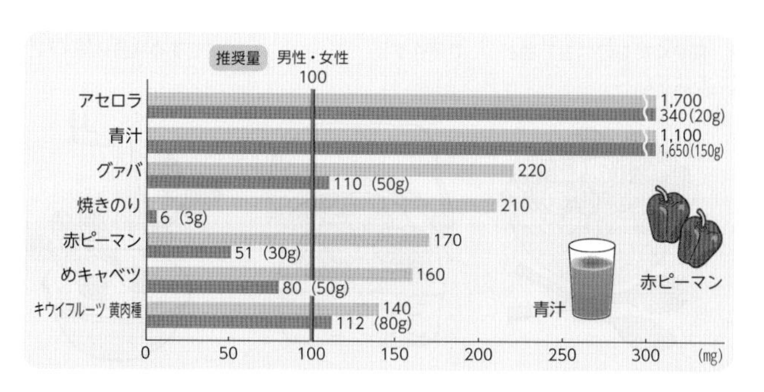

⑨ 調理とビタミン Cooking and Vitamin

調理とビタミン量の関係

ビタミンの摂取は、サプリメントからではなく食物からとり入れることが基本である。その際、ビタミンによっては、食品の調理や加工により、ビタミンが破壊されたり流出することで、減少することが多いという点に留意することが重要である。

ビタミンの種類、調理方法、調理時間などによって、ビタミンの損失量は異なる。それぞれの特徴にあった調理方法を工夫しよう。

■1. ビタミンB_1

ビタミンB_1は、水溶性ビタミンのため水に溶け出すうえに、加熱に弱いという性質をもっている。汁をのがさない炒め物や、汁も飲めるスープなどの調理方法により、効率よく摂取できる。

●白米・玄米・ほうれんそうのビタミンB_1減少率

食品	調理方法	減少率
白米	軽洗・強洗	23～54%
	炊飯	75～80%
玄米	軽洗・強洗	5～8%
	炊飯	30～36%
ほうれんそう	生のまま千切り	15%
	ゆでる(1分)	45%
	ゆでる(3分)	80%
	炒める	0%

ワンポイント・アドバイス

洗うだけでもビタミンB_1は減少するが、炊きあがった米に含まれるビタミンB_1は、半分以下となってしまう。ビタミンB_1を豊富に含む食品と組み合わせたり、ときには玄米や強化米を利用したりしてもよい。

また可能であれば、ゆでる代わりに、電子レンジの瞬間加熱を利用すると、減少率が5～15%低くなる。

■2. ビタミンB_2

ビタミンB_2は、熱に強いため加熱調理しても、それほど減少しないが、光（紫外線）に弱いという性質をもっているため、食品は、暗所に貯蔵することが必要である。冷蔵庫で保管すれば問題ないが、牛乳はビンよりも紙パックの方がビタミンB_2を保護する。

●牛レバー・牛乳のビタミンB_2の減少率

食品	調理方法	減少率
牛レバー	ゆでる	11%
	炒める	22%
牛乳	沸とうまで加熱	2%

ワンポイント・アドバイス

牛乳を200mL飲むと、1日に必要なビタミンB_2の約1/4がとれる。

ほかに、ビタミンB_2を豊富に含む食品には、納豆があげられる。

●おもなビタミン減少量の一般的なめやす

種類	減少率	調理上の注意
ビタミンA	20～30%	加熱は高温・短時間。
ビタミンB_1	30～50%	水浸・水洗いによる損失大。煮汁に溶出する。
ビタミンB_2	25～30%	加熱調理に適する。
ビタミンC	50～60%	煮汁の中に溶出しやすい。

■3. ビタミンC

ビタミンCは、温度や湿度、光や紫外線の影響を受けやすく、たいへん壊れやすい。また水に溶けやすい性質をもつ。なおビタミンCは酸化しやすく、時間の経過も減少率を高める。

●だいこんのビタミンC減少率

食品	調理方法	減少率
だいこん	おろす	5%
	炒める(7分)	13%
	煮る(3～30分)	34～48%
	ふろふき(23分)	38%

●ほうれんそうのゆで時間とビタミンCの減少率

食品	ゆで時間	減少率
ほうれんそう	生	0%
	1分	26%
	3分	52%
	5分	60%

ワンポイント・アドバイス

ビタミンCを多くとるにはスピードが大切。たとえば、だいこんおろしのビタミンCは、2時間後には半減してしまう。くだものも皮をむいたらすぐ食べる。

また、ビタミンCは、ゆでた場合だけでなく生でも水にさらすと減少してしまう。約5分間で0～30%程度が減少する。サラダをパリッとさせるために冷水につける場合、短時間にした方がビタミンCは多くとれる。

●貯蔵条件(温度・時間)によるビタミンCの減少率

食品	貯蔵条件	減少率
トマト	購入時	0%
	5℃の冷蔵庫で3日後	5%
	30℃の室温で3日後	18%
ピーマン	購入時	0%
	10℃の冷蔵庫で3日後	8%
	10℃の冷蔵庫で5日後	20%

ビタミンを活かす調理方法

●新鮮な材料を選ぶ。野菜やくだものは生で色どりよく。

●日光をあてずに冷暗所で保存する。

●切る前に洗う（あく抜きをする場合は除く）。

●加熱するときは、なるべく大きく切れば、内部のビタミンが守られる。

●高温で手早く調理すると、ビタミンの減少は最小限ですむ。

●葉菜類をゆでるときは、長時間ゆで汁につけておかない。

⑩ 水分 Water

水分とは

水は人間のからだの約60%を占めていて、もっとも出入りのはげしい物質である。人体の成分としての水のうち約10%を失うと生命が危なくなり、20%を失うと死をまねく。意のままにとることができるので、栄養素には含まれないが、生命の維持には欠くことができない。からだの恒常性を保つ重要なはたらきをもつ。

■ 1. 人体（体重）に占める水分量の年齢・性別比較

成人女性では男性よりも体脂肪が多いため、体内に占める水分量の割合は5～10%少なくなっている。脂肪の少ない乳児ではその割合は約80%と多く、反対に老人では約50%となる。

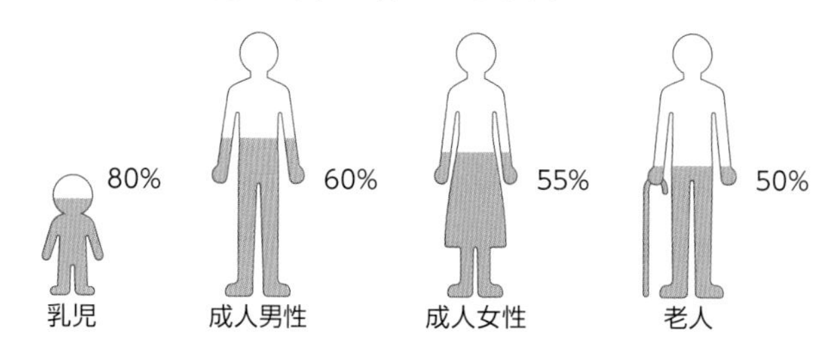

■ 2. 水の特性と生理的機能

特性	機能
体成分	物質を溶かす力が強く、体内における化学反応の基盤となっている
溶液	電解質を溶かし、そのバランスを維持し、浸透圧の平衡を保って細胞を正常に保持している
誘導体	栄養素の吸収・運搬および老廃物の誘導・運搬をおこなっている
体温調節	尿の排出、発汗などによって、体温を一定に保っている

■ 3. 人体の水分

水分50～60%
たんぱく質…15～20%
脂質…………15～25%
無機質………………5%
炭水化物その他

（藤田美明・奥恒行『栄養学総論』より）

■ 4. 人体の水分の内訳

人体の水分（体液）は、細胞の内部にある水分＝細胞内液と、それ以外の場所にある細胞外液に分かれる。内訳は図の通り。

細胞内液 40%
組織液 15%
血しょう 5%
（体液）
細胞外液

■ 5. 人体のおける水分の出入り

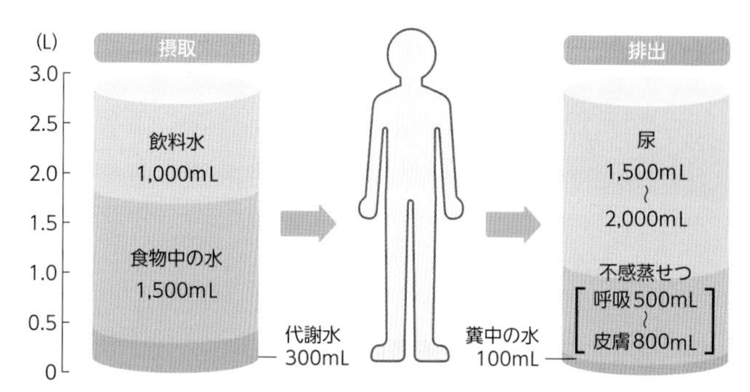

■ 6. 体の各部位の水分含有量（概量）

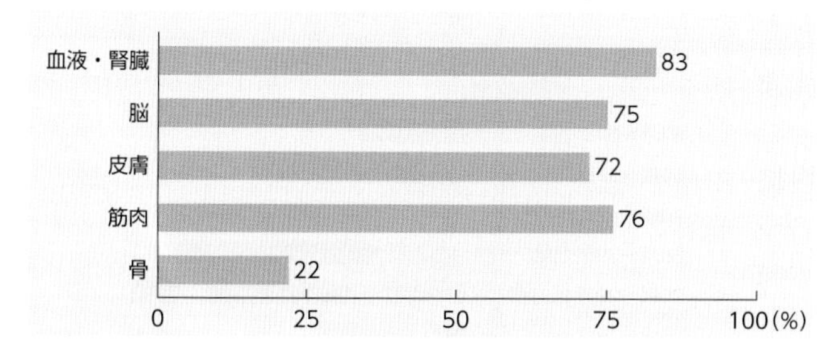

■ 7. 水分の調節

細胞内液や外液に含まれる水分の調節は、腎臓でおこなわれている。腎臓では1日180Lの血しょうがろ過され、不必要なものは尿として排泄される。またその過程で、無機塩類やアミノ酸、水分のほとんどが再吸収されるが、水分の再吸収は脳下垂体後葉ホルモン（バソプレッシン）によって調節されている。

体内水分が不足すると脱水症状となり、逆に腎臓機能が阻害されて水分が蓄積すると浮腫（むくみ）がおこる。

ミネラルウォーター

ミネラルウォーターは1983年に国内で初めて発売され、その後健康志向を背景に消費は伸び続け、現在では1人あたり年間37.7L（2022年）消費している。ミネラルウォーターを分類する要素に硬度がある。硬度は、水1Lの中に含まれるカルシウム（Ca）とマグネシウム（Mg）の総量から換算したもので、下図のように分類される。軟水は日本人には「飲みやすい」と感じられ、炊飯や料理、コーヒーや紅茶にもあう。硬水は飲みごたえがあり、ミネラルの補給に役立つ。

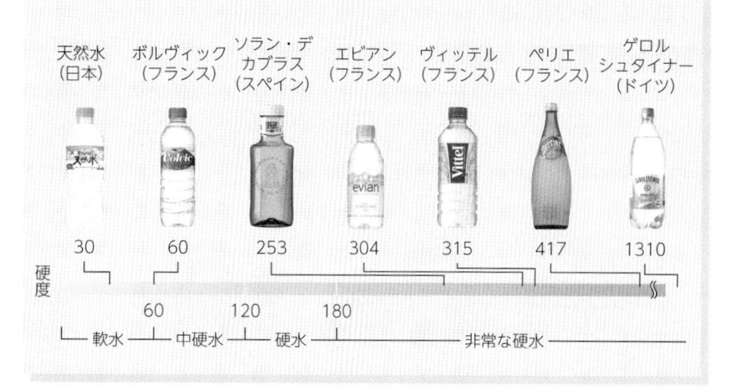

⑪ 毎日の食事を見直そう

私たちの食生活は、たいへん多様化してきました。

日本国内はもちろん、海外からもさまざまな食材が輸入されて、食べるものが多様化する一方、脂肪のとりすぎ、野菜の摂取不足といった栄養の偏(かたよ)りなどが指摘されるようになりました。これらのことを背景に、生活習慣病の増加、過度の痩身(そうしん)志向などの問題に加え、新たな「食」の安全上の問題や、「食」の海外への依存の問題が生じています。

また、食事のスタイルも多様化しました。コンビニや外食は便利ですが、手作りの食事をすることが心の豊かさにつながることも見直したいものです。

こうしたことを背景に、「食生活指針」と、それを実践するための「食事バランスガイド」がそれぞれ策定されました。

生活習慣上の問題

エネルギーのとりすぎ
運動不足
塩分のとりすぎ
脂肪のとりすぎ
飲酒
喫煙
ストレス
暴飲、暴食

遺伝上の要素

病原体や有害物質

糖尿病
脂質異常症
高血圧
高尿酸血症
がん(悪性新生物)
心臓病

● 死因別の死亡数推移(人口10万対)

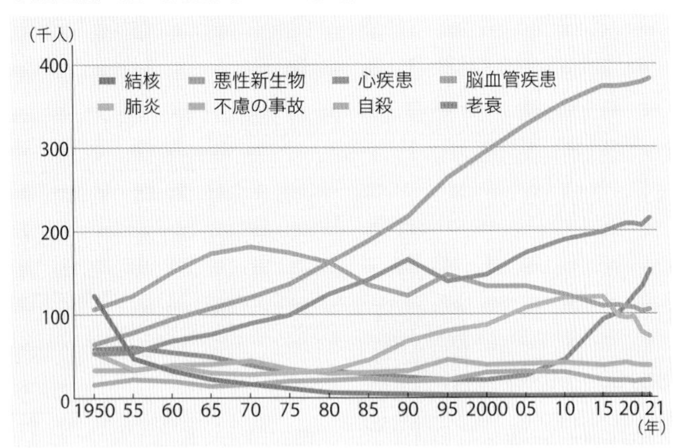

(厚生労働省「人口動態統計」より)

食生活指針

文部科学省・厚生労働省・農林水産省共同策定(2000年3月制定、2016年6月一部改正)

■ 1. 食事を楽しみましょう。

● 毎日の食事で、健康寿命※をのばしましょう。

● おいしい食事を、味わいながらゆっくりよく噛(か)んで食べましょう。

● 家族の団らんや人との交流を大切に、また、食事づくりに参加しましょう。

※健康寿命とは、日常生活に介護等を必要とせず、心身ともに自立した活動的な状態で生活できる期間をいう。

● こんな食べ方に注意! (➡p.41)

孤食
家族や友人と一緒ではなく、一人で孤独に食べる。食卓での社会性やマナーが身につかない。

個食
家族が一緒の食卓についても、それぞれが別々に好きなものを食べる。個々バラバラな食事。

固食
決まったものしか食べない。好き嫌いが多く、同じものばかり食べる。

小食
食べる量が少なく食が細い。ダイエットブームが影響して、特に女性に多い。

● 年齢・性別の外食する割合の比較

1日のなかで1回でも外食をした人の割合。

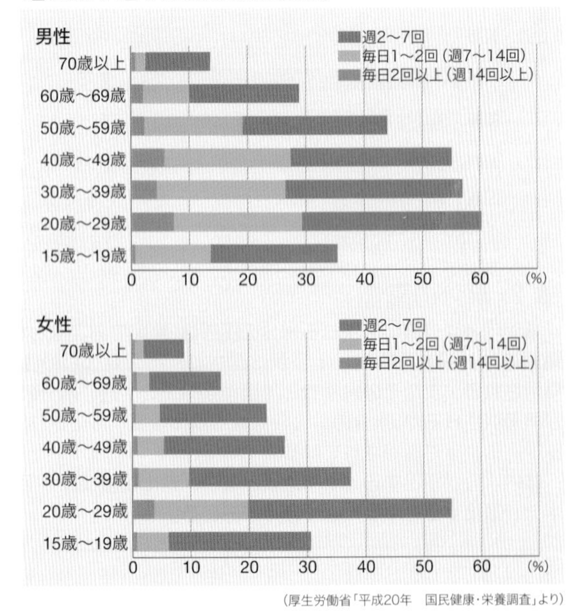

(厚生労働省「平成20年 国民健康・栄養調査」より)

■ 2. 1日の食事のリズムから、健やかな生活リズムを。

- 朝食で、いきいきした1日を始めましょう。
- 夜食や間食はとりすぎないようにしましょう。
- 飲酒はほどほどにしましょう。

(性・年齢階級別)

性	年齢	1995年	2010年	2019年
男	15～19	13.4	14.5	19.2
男	20～29	30.8	29.7	27.9
男	30～39	16.6	27.0	27.1
男	40～49	11.6	20.5	28.5
男	50～59	5.1	13.7	22.0
男	60～	1.7	6.7	6.0
女	15～19	8.9	14.0	5.9
女	20～29	18.2	28.6	18.1
女	30～39	5.6	15.1	22.4
女	40～49	6.1	15.2	17.1
女	50～59	4.0	10.4	14.4
女	60～	2.5	5.0	5.4

(%)　(歳)

(厚生労働省「国民健康・栄養調査」)

● 朝食の欠食率

男女ともに20歳代の欠食率が高くなっている。とくに男性は女性に比べて割合が高く、増加傾向にある。

● 朝食をどのくらい食べますか?

朝目覚めたときは、前日の夕食からすでに10時間以上もたっていて、人間の身体はエネルギーがからっぽ状態。このうえ朝食を食べなかったら、エネルギー不足のまま、午前中を過ごすことになる。とくに脳は大量のエネルギーを必要とするので、授業に集中できなかったり、仕事でミスをしてしまうのも当然。

また、朝食抜きが続くと、身体が飢餓状態ととらえ、基礎代謝エネルギーが減ることになる。つまり、余計な脂肪をたくわえようと肥満体質になってしまう。

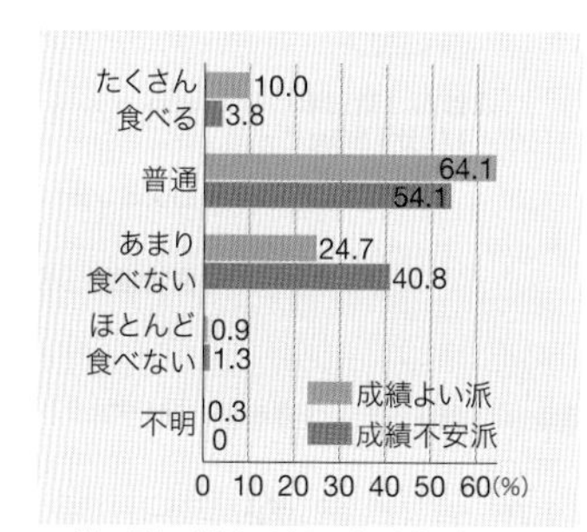

(単一回答、成績よい派:239人、成績不安派:164人)
(「食の科学」2004年9月号より)

■ 3. 適度な運動とバランスのよい食事で、適正体重の維持を。

- 普段から体重を量り、食事量に気をつけましょう。
- 普段から意識して身体を動かすようにしましょう。
- 無理な減量はやめましょう。
- 特に若年女性のやせ、高齢者の低栄養にも気をつけましょう。

● メタボリック・シンドロームとは

運動不足や食べすぎなど、からだに負担がかかる習慣が影響して発症する「生活習慣病」が注目されている。メタボリック・シンドロームとは、内臓に脂肪が蓄積することにより、肥満症、高血圧、糖尿病、脂質異常などの生活習慣病が引き起こされやすくなった状態のことをいう。内臓脂肪は、皮下脂肪に比べて、蓄積されやすいが、エネルギーを消費することで容易に解消されやすいという特徴がある。

● メタボが強く疑われる者・予備軍

女性より男性に多い。予備軍を含めると50代以上の2人に1人がメタボの危険性がある。

(2019年)

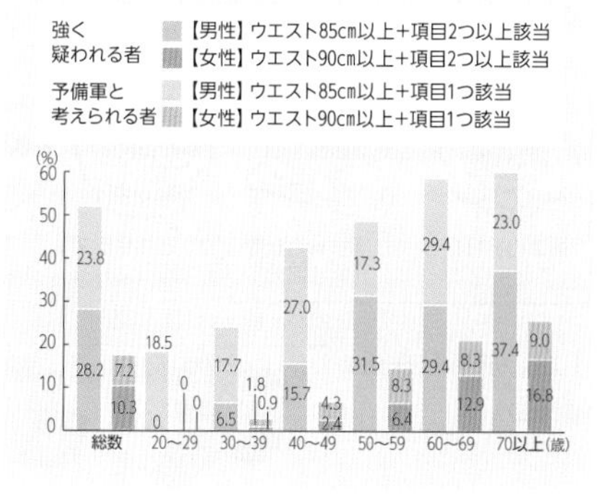

(厚生労働省「国民健康・栄養調査」)

● これがメタボの基準

条件1 ウエストサイズ
男性85cm以上　女性90cm以上

条件2 ウエストサイズに加えて下記の3項目から2つ以上あてはまるとメタボと判断される。

高血圧	高血糖	脂質代謝異常
最高血圧値　130mmHg以上 最低血圧値　85mmHg以上	空腹時血糖値 110mg/dL以上	HDLコレステロール値　40mg/dL未満 中性脂肪　150mg/dL以上

■ 4. 主食、主菜、副菜を基本に、食事のバランスを。(➡p.38～39)

- 多様な食品を組み合わせましょう。
- 調理方法が偏らないようにしましょう。
- 手作りと外食や加工食品・調理食品を上手に組み合わせましょう。

副菜とは、野菜などを使った料理で、主食と主菜に不足するビタミン、ミネラル(無機質)、食物繊維などを補う重要な役割を果たす。

主食とは、米、パン、めん類などの穀類で、主として糖質エネルギーの供給源。

主菜とは、魚や肉、卵、大豆製品などを使った副食(おかず)の中心となる料理で、主として良質たんぱく質や脂肪の供給源。

汁物とは、みそ汁、すまし汁、スープなど。主菜や副菜のボリュームによって変化をつける。

■5. ごはんなどの穀類をしっかりと。

●穀類を毎食とって、糖質からのエネルギー摂取を適正に保ちましょう。
●日本の気候・風土に適している米などの穀類を利用しましょう。

●ごはん1杯分に含まれる栄養素量

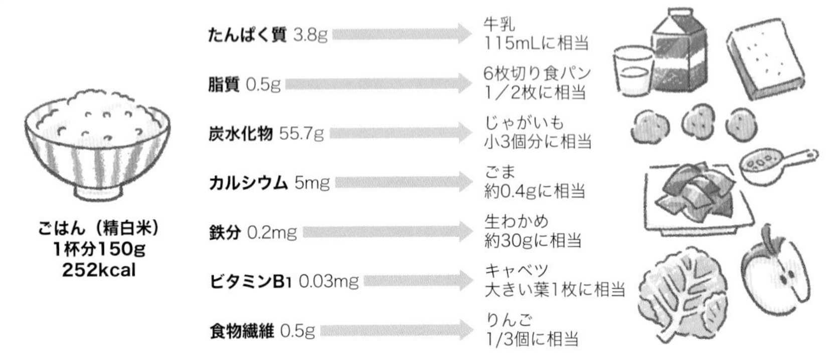

●国民1人1年間あたりの米の供給純食料

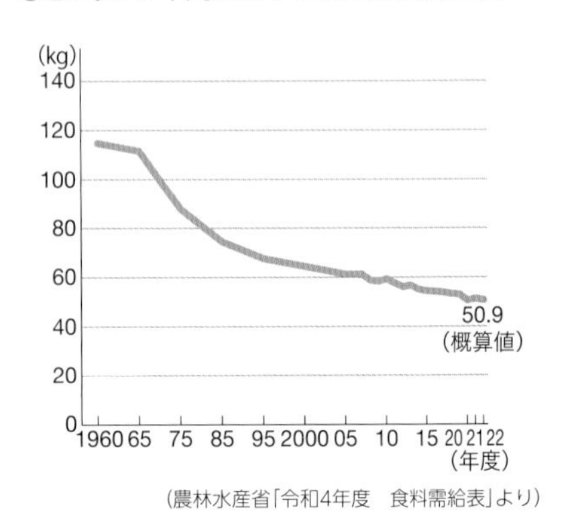

（農林水産省「令和4年度　食料需給表」より）

■6. 野菜・果物、牛乳・乳製品、豆類、魚なども組み合わせて。

●たっぷり野菜と毎日の果物で、ビタミン、ミネラル、食物繊維をとりましょう。
●牛乳・乳製品、緑黄色野菜、豆類、小魚などで、カルシウムを十分にとりましょう。

1日350g以上の野菜、200g以上の果物を食べよう。
➡野菜350gとは、野菜料理5皿（1皿70g程度）分が目安。

青菜のおひたし
1鉢=1皿分

かぼちゃの煮物
1鉢=1皿分

コンビニサラダ
1個=1皿分

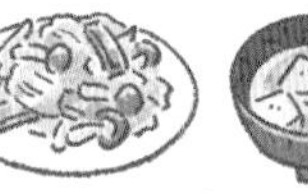
野菜炒め
1人前=2皿分

だいこんの味噌汁
1杯=0.5皿分

➡果物200gは、小2個または大1個が目安。

みかん2個　キウイフルーツ2個　りんご1個　なし1個　甘夏1個

不足しがちな鉄を補おう。

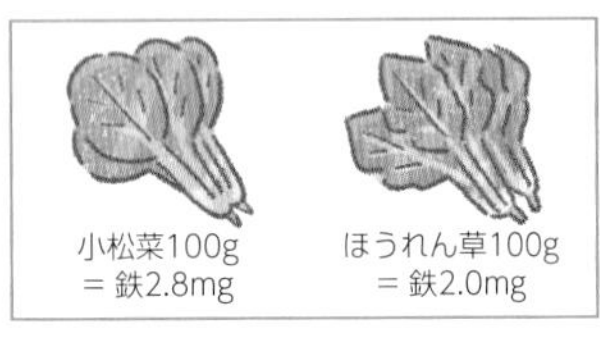
小松菜100g
＝鉄2.8mg
ほうれん草100g
＝鉄2.0mg

牛乳・ヨーグルト・チーズのどれでも自由に1日3回（または3個）食べよう。

牛乳200mL
=カルシウム220mg
ヨーグルト100g
=カルシウム120mg
プロセスチーズ25g
=カルシウム158mg

■7. 食塩は控えめに、脂肪は質と量を考えて。

●食塩の多い食品や料理を控えめにしましょう。食塩摂取量の目標値は、男性で1日8g未満、女性で7g未満とされています※（➡p.390）。
●動物、植物、魚由来の脂肪をバランスよくとりましょう。
●栄養成分表示を見て、食品や外食を選ぶ習慣を身につけましょう。

●食塩と脂質の摂取量の推移(g／日)

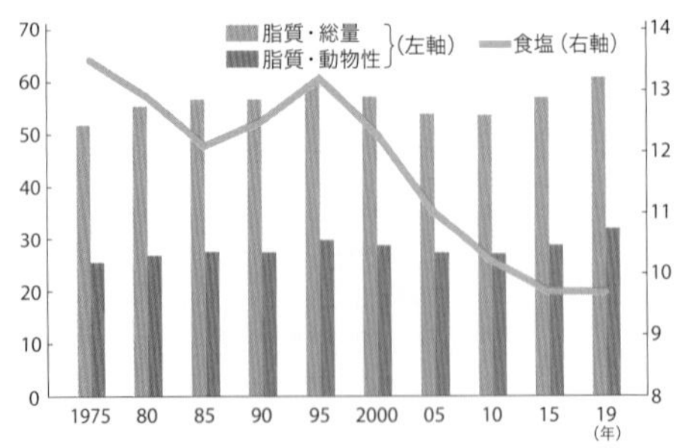

（厚生労働省「国民健康・栄養調査」より）

●エネルギーの栄養素別摂取構成量の推移

たんぱく質　脂質　炭水化物　(g)

年	たんぱく質	脂質	炭水化物	エネルギー
1975年	80.0	52.0	337	2,188kcal
1985年	79.0	56.9	298	2,088kcal
1995年	81.5	59.9	280	2,042kcal
2005年	71.1	53.9	267	1,904kcal
2019年	71.4	61.3	248	1,903kcal

（厚生労働省「国民健康・栄養調査」より）

※2020年版の食事摂取基準では男性7.5g未満／日、女性6.5g未満／日としている。

■ 8. 日本の食文化や地域の産物を活かし、郷土の味の継承を。

- 「和食」をはじめとした日本の食文化を大切にして、日々の食生活に活かしましょう。
- 地域の産物や旬の素材を使うとともに、行事食を取り入れながら、自然の恵みや四季の変化を楽しみましょう。
- 食材に関する知識や調理技術を身につけましょう。
- 地域や家庭で受け継がれてきた料理や作法を伝えていきましょう。

● 栽培方法によるエネルギー比較

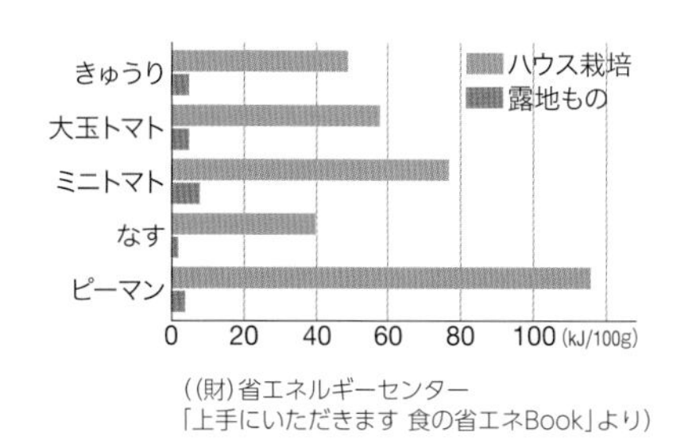

((財)省エネルギーセンター
「上手にいただきます 食の省エネBook」より)

● 季節によるビタミンCの比較

ほうれん草(生100gあたり)

夏採り	20mg
冬採り	60mg

● バーチャルウォーター(仮想水)(➡p.376)

日本は、農畜産物の多くを輸入に頼っており、食料自給率は4割程度である(➡p.374)。しかし、農畜産物の生産には膨大な「水」が必要である。つまり、実は農畜産物を通じて、産地の「水資源」を消費・輸入していることになる。このように、間接的に消費する水のことをバーチャルウォーター(virtual water：仮想水)という。

例えば、牛肉1kgを生産するには2万Lの水が必要となるため、牛一頭分の牛肉(約300kg)を輸入することは、600万L(=25mプール2.5杯分)の水を輸入したことに匹敵する。

(億t)

国内農業で使った水の量：590

海外から輸入した食料をつくるために使われた水の量(仮想水)：麦類 114、とうもろこし 145、大豆 121、米 24、牛・豚・鶏など 201、牛乳・乳製品 22

(沖大幹氏推計)

スローフードって!?

Slow Food®

最近、よく耳にする言葉に「スローフード」がある。始まりはイタリアだった。
それまでも安全性を軽視した食の氾濫や、スピード重視の社会に対する不安感が高まっていたが、直接のきっかけはローマにマクドナルドが開店したことである。1986年、このファストフードの「食の均質化」に対する問題意識をもとにスローフードという考えが起こった。
(社)日本スローフード協会によると、「スローフードは、おいしく健康的で(GOOD)、環境に負荷を与えず(CLEAN)、生産者が正当に評価される(FAIR)食文化を目指す社会運動」であり、「様々な分野や世代を越えて多様性に満ちた持続可能な暮らし」をめざすとしている。

■ 9. 食料資源を大切に、無駄や廃棄の少ない食生活を。

- まだ食べられるのに廃棄されている食品ロスを減らしましょう。
- 調理や保存を上手にして、食べ残しのない適量を心がけましょう。
- 賞味期限や消費期限(➡p.367)を考えて利用しましょう。

● 食品別1人1日あたりの食品ロス量の割合

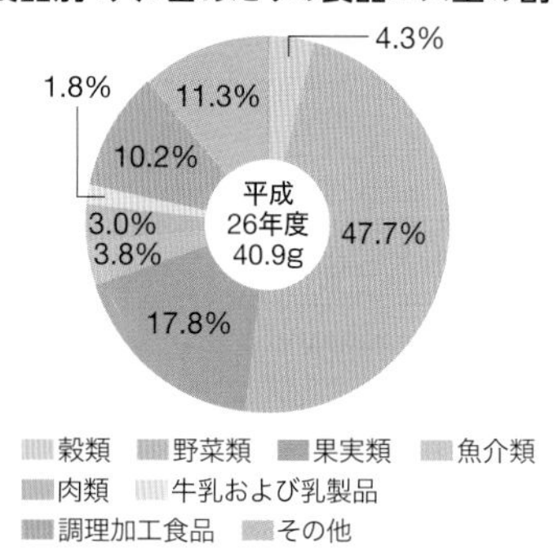

● 世帯別食品ロス率とその内訳

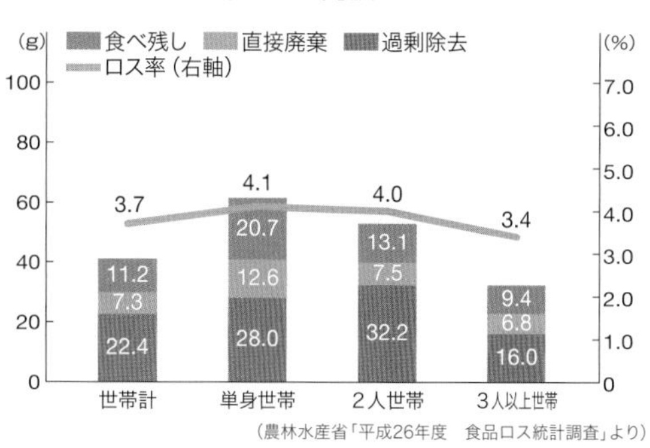

(農林水産省「平成26年度 食品ロス統計調査」より)

■ 10. 「食」に関する理解を深め、食生活を見直してみましょう。

- 子供のころから、食生活を大切にしましょう。
- 家庭や学校、地域で、食品の安全性を含めた「食」に関する知識や理解を深め、望ましい習慣を身につけましょう。
- 家族や仲間と、食生活を考えたり、話し合ったりしてみましょう。
- 自分たちの健康目標をつくり、よりよい食生活を目指しましょう。

食育基本法(2005年成立、2015年一部改正)

前文より抜粋ー「子どもたちが豊かな人間性をはぐくみ、生きる力を身に付けていくためには、何よりも『食』が重要である。今、改めて、食育を、生きる上での基本であって、知育、徳育及び体育の基礎となるべきものと位置付けるとともに、様々な経験を通じて『食』に関する知識と『食』を選択する力を習得し、健全な食生活を実践することができる人間を育てる食育を推進することが求められている。」

⑫ 食事バランスガイド

食事バランスガイド

厚生労働省・農林水産省共同策定(2005年6月、2010年4月一部変更)

「食生活指針」(➡p.34～37)のなかにある「主食、主菜、副菜を基本に、食事のバランスを」という項目を受けて、具体的な料理例と概量を示したものが「食事バランスガイド」である。1日に「何を」「どれだけ」食べたらよいかが、一目でわかるイラストで示されている。

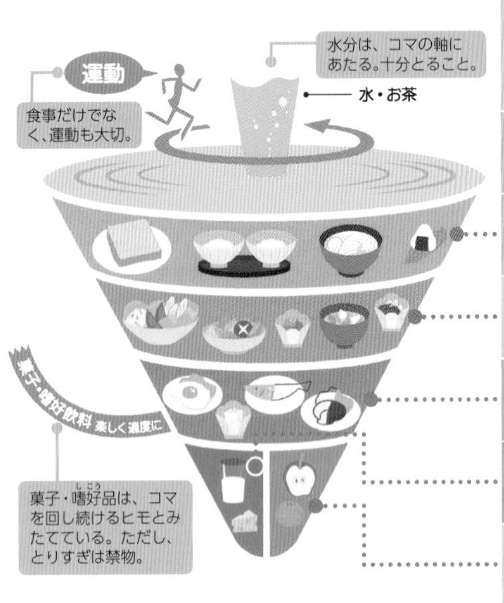

食事バランスガイド　あなたの食事は大丈夫？（1日分）

年齢（身体活動レベル）			
男性	6～9歳 70歳以上(低い)	10～11歳 12～69歳(低い) 70歳以上(ふつう以上)	12～69歳(ふつう以上)
女性	6～11歳 12～69歳(低い) 70歳以上	12～69歳(ふつう以上)	
推定エネルギー必要量／日	1,400～2,000kcal	基本形 2,200kcal(±200kcal)	2,400～3,000kcal
主食(ごはん、パン、麺)	4～5つ	5～7つ	6～8つ
副菜(野菜、きのこ、いも、海藻料理)	5～6つ	5～6つ	6～7つ
主菜(肉、魚、卵、大豆料理)	3～4つ	3～5つ	4～6つ
牛乳・乳製品	2つ	2つ	2～3つ
果物	2つ	2つ	2～3つ

■ 1. 食事バランスガイド活用法

❶自分に必要な1日のエネルギー量は？

年齢、性別、身体活動レベルによって1日に必要なエネルギーはそれぞれ異なるため、自分がどこにあてはまるかまず確認する。

p.388を参照して、❶にあなたの推定エネルギー必要量／日を記入しよう。

❷「何を」「どれだけ」食べるか？

食事バランスガイドの表から、自分にあてはまる縦の列を見て、「何を」「どれだけ」食べたらいいか確認し、❷に記入しよう。

例えば、一般的な男性の場合は一番右の列にあてはまり、主食は1日に6～8つ必要。

❸チェックシート

あなたが昨日食べたもの(または理想の献立)とp.39の表から、それぞれのSVの数を❸に記入し、p.39のコマにその数の分だけ塗ってみよう。食事のバランスが悪いと、コマは倒れてしまう。

❶

- あなたの年齢（　　）歳
- 性別（　　）
- 身体活動レベル（　　）**推定エネルギー必要量／日**（　　）kcal

❷あなたの1日の適量

主食(ごはん、パン、麺)	つ(SV)
副菜(野菜、きのこ、いも、海藻料理)	つ(SV)
主菜(肉、魚、卵、大豆料理)	つ(SV)
牛乳・乳製品	つ(SV)
果物	つ(SV)

SV：サービング(食事提供量の単位)の略

❸チェックシート

	朝食 SV	昼食 SV	夕食 SV	SV合計
主食	つ	つ	つ	
副菜	つ	つ	つ	
主菜	つ	つ	つ	
牛乳・乳製品	つ	つ	つ	
果物	つ	つ	つ	

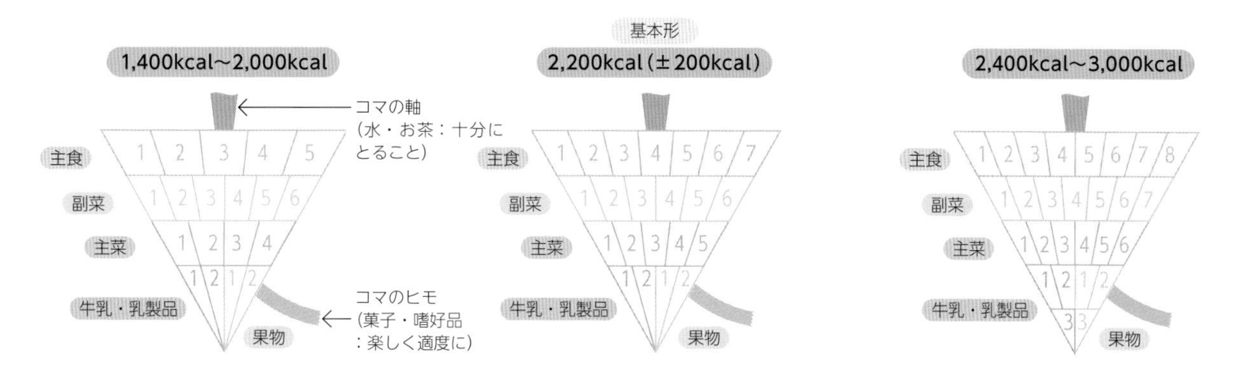

■2. 大まかなサービング（SV）数の数え方

料理区分	料理名	主食	副菜	主菜	牛乳・乳製品	果物	エネルギー
		つ（SV）					kcal
主食	ごはん大盛り1杯	2					340
	ごはん中盛り1杯	1.5					250
	ごはん小盛り1杯	1					170
	おにぎり1個	1					170
	白がゆ	1					140
	うな重	2		3			630
	エビピラフ	2	1	1			480
	親子丼	2	1	2			510
	カツ丼	2	1	3			870
	カレーライス	2	2	2			760
	すし（にぎり）	2		2			500
	チキンライス	2		1			650
	チャーハン	2	1	2			700
	天丼	2		1			560
	ビビンバ	2	2	2			620
	トースト（6枚切り）	1					220
	トースト（4枚切り）	1					300
	クロワッサン2個	1					360
	ロールパン2個	1					190
	ぶどうパン	1					220
	調理パン	1					280
	ハンバーガー	1		2			500
	ピザトースト	1			4		340
	ミックスサンドイッチ	1	1	1	1		550
	かけうどん	2					400
	天ぷらうどん	2		1			640
	ざるそば	2					430
	ラーメン	2					430
	チャーシューメン	2	1	1			430
	天津メン	2		2			680
	焼きそば	1	2	1			540
	スパゲッティ（ナポリタン）	2	1				520
	お好み焼き	1	1	3			550
	たこ焼き	1		1			320
	マカロニグラタン	1			2		450
副菜	うずら豆の含め煮		1				110
	かぼちゃの煮物		1				120
	きのこのバター炒め		1				70
	キャベツの炒め物		2				210
	きゅうりとわかめの酢の物		1				30
	切り干し大根の煮物		1				120
	きんぴらごぼう		1				100
	小松菜の炒め煮		1				100
	コロッケ		2				310
	里芋の煮物		2				120
	じゃが芋の煮物		2				170
	春菊のごまあえ		1				80
	なすのしぎやき		2				210
	なます		1				90
	にんじんのバター煮		1				70
	ひじきの煮物		1				100
	ふかし芋		1				130
	ほうれん草のお浸し		1				20
	ほうれん草の中国風炒め物		2				210
	ポテトフライ		1				120
	もやしにら炒め		1				190
	野菜の煮しめ		2				130
	野菜の天ぷら		1				230
	枝豆		1				70
	海藻とツナのサラダ		1				70
	キャベツのサラダ		1				50

料理区分	料理名	主食	副菜	主菜	牛乳・乳製品	果物	エネルギー
		つ（SV）					kcal
	きゅうりのもろみ添え		1				30
	冷やしトマト		1				20
	ポテトサラダ		1				170
	レタスときゅうりのサラダ		1				50
	ゆでブロッコリー		1				90
	じゃが芋のみそ汁		1				70
	根菜の汁		1				20
	コーンスープ		1				130
	野菜スープ		1				60
主菜	ウインナーのソテー2本			1			180
	おでん		4	2			240
	オムレツ			2			220
	がんもどきの煮物		1	2			180
	ギョーザ		1	2			350
	クリームシチュー		3	2	1		380
	魚の照り焼き			2			220
	魚のフライ			2			250
	さけの塩焼き			2			120
	さけのムニエル			3			190
	さしみ			2			80
	さんまの塩焼き			2			210
	すき焼き		2	4			670
	酢豚		2	3			640
	たたき			3			100
	茶碗蒸し			1			70
	天ぷら盛り合わせ		1	2			410
	鶏肉のから揚げ			3			300
	トンカツ			3			350
	南蛮漬け			2			230
	煮魚			2			210
	肉じゃが		3	1			350
	ハンバーグ		1	3			410
	ビーフステーキ			5			400
	干物			2			80
	豚肉のしょうが焼き			3			350
	麻婆豆腐			2			230
	焼きとり2本			2			210
	ロールキャベツ		3	1			240
	卵焼き			2			150
	目玉焼き			1			110
	納豆1パック			1			110
	冷奴1/3丁			1			100
牛乳・乳製品	牛乳瓶1本				2		130
	プロセスチーズ1枚				1		70
	ヨーグルト1パック				1		60
果物	かき1個					1	60
	なし半分					1	50
	ぶどう半房					1	60
	みかん1個					1	50
	もも1個					1	40
	りんご半分					1	50

（厚生労働省・農林水産省『毎日の食生活チェックブック』）

- ●各料理のサービング（SV）数は、あくまで重量の一例から計算している。実際に飲食する料理とは一致しない場合があるので、目安として使用する。
- ●食材料の重量は原則として生の重量とした（副菜重量の「つ（SV）」の算出に際し、乾物は戻した重量として扱っている）。
- ●茶碗蒸しは本来主菜ではないが、多様な活用の状況を考慮して主菜に加えた。
- ●表中の値は、五訂日本食品標準成分表を基に算出している。

⑬ ライフステージと食生活

ライフステージとは、人の成長を発達の段階ごとに区切り、下記のように区分したもの。

乳幼児期 ▶ 学童期 ▶ 青年期 ▶ 成人期 ▶ 高齢期

成長するにしたがって必要なエネルギーや栄養素の量は変わり、必要な量は食事摂取基準として定められている（➡p.388）。

ここでは、ライフステージの各段階ごとに推定エネルギー必要量を示し、留意すべき点をまとめた。また、ライフステージごとに特に不足しがちな栄養素を中心に取り上げている。

近年、食生活に関する生活習慣の変化による影響が懸念されている。それぞれのステージごとに課題も異なるが、自分の食生活も振り返ってみよう。

ライフステージ▶ **0歳〜5歳（乳幼児期）** 成長が著しく、からだの基礎づくりをする時期

推定エネルギー必要量

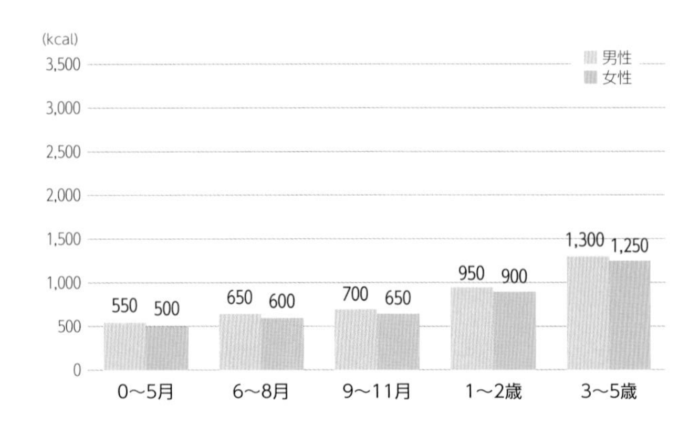

エネルギーについて

■ 乳幼児期の栄養

乳幼児期は発育が最もさかんな時期であるため、体重あたりのエネルギー消費量は他の年代に比べて多い。 特に0〜５ヶ月の乳児期は一生のなかで最も発育の著しいときであり、体重あたりのエネルギー消費量は最も高い。幼児期は乳児期に比べると体重あたりのエネルギー消費量は少ないが、身体活動と成長のためのエネルギーが必要となる。

幼児は消化、吸収、代謝機能が大人に比べると未熟なため、消化のよいもの、薄味のもの、食品の切り方や硬さにも配慮する。また、胃の容量が小さく、食事量が限られていることから、１回に多くの食事を摂取することができない。したがって、間食（おやつ）で不足するエネルギー消費量を補う必要がある。１〜２歳児のおやつは１日のエネルギー摂取量の10〜20%、３〜５歳児では15〜20%程度である。

その他の栄養素について

■ 乳幼児期の食物アレルギー

乳幼児期の食物アレルギーは、１歳の有病率が最も高い。そして、年齢が高くなるにつれて、アレルゲンとなる食品を摂取できるようになることが多い。乳幼児のアレルゲンとして最も多いのが鶏卵で、ついで牛乳である。乳児期は著しい成長を遂げる時期であり、厳しい食事禁忌は成長をはばむ可能性もある。食物アレルギーは自己判断せず、医師の診断に基づくことが重要である。

その他の生活習慣など

■ 幼児期の食習慣

幼児期は発達に合わせた食への配慮が必要である。１歳ごろは手づかみ食べを試みる時期である。１歳半ごろにはスプーンを使って食べようとするが、介助が必要である。２〜３歳では、スプーンやフォークなどの食具を上手に使えるようになるが、情緒が発達し自己主張などから好き嫌いが現れやすい。４歳ごろには完全に１人で食事ができるようになり、５歳になると落ち着いて家族と一緒に食事ができるようになる。幼児期は様々な気にかかる食事行動（遊び食い、偏食、むら食い、よく噛まないなど）も発生する。

6歳～11歳（学童期） 成長期で運動量も多い。正しい食生活を身につける時期

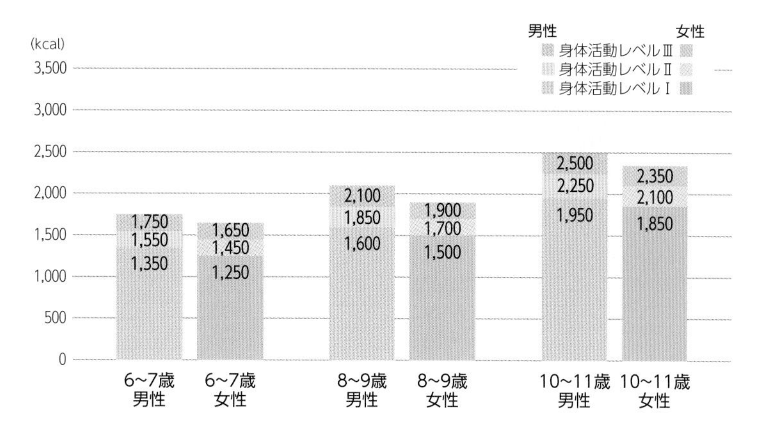

■ 身体活動レベルに応じたエネルギーの摂取

学童期の基礎代謝量は乳幼児より低下するものの、成人よりは多い。身体活動に必要なエネルギーと成長に必要なエネルギー蓄積量を合わせた量が必要である。身体活動レベルは、6歳以降になると年齢区分ごとに3区分される（I：低い、II：ふつう、III：高い）。

■ カルシウム不足に注意

学童期は骨量の増加に伴うカルシウム蓄積量が生涯で最も増加する時期であり、カルシウム不足に注意する必要がある。鉄は成長に伴い蓄積される鉄を考慮する必要があり、不足しないようにする。10歳以上の女子になると、月経による鉄損失が生じるため、月経の有無により必要量が異なる（➡p.390）。牛乳や乳製品などのカルシウムの多い食品は、給食がない日では不足しやすいことから、普段から意識的に取り入れるとよい。

■ スポーツと栄養

● 有酸素運動

有酸素運動とは、全身の筋肉を動かしながら、長時間継続することができる運動で、最大心拍数の60~85%程度の強度で行える運動である。最大心拍数は、「220－年齢」で表すことができるが、アスリートや日ごろから運動している人はこの値が高くなる。有酸素運動にはマラソンや水泳、サイクリングなどが該当する。有酸素運動の場合、トレーニング時間が長く、消費エネルギー量が増える。糖質をエネルギー源として効率よく燃焼させるために、ビタミンB_1が不足しないように注意する。また、持久系の運動選手では貧血の発症頻度が高いことから、鉄分を十分摂取する必要がある。

● 無酸素運動

無酸素運動は、短時間（8~40秒）に爆発的な力を発揮する運動である。無酸素運動では、酸素を使わずに筋肉中のグリコーゲン（糖）を分解して、エネルギーを生み出す。短距離走やウェイトトレーニングが無酸素運動に該当する。多くのスポーツが無酸素運動と有酸素運動を組み合わせた運動であるが、無酸素運動を定期的に行うことで、筋肉を増やす効果が期待できる。無酸素運動を主とした競技の場合では、十分なたんぱく質の摂取が必要であるが、過剰なたんぱく質は体脂肪に変換されることから、たんぱく質の摂りすぎには注意する必要がある。摂取のタイミングとして、運動後速やかにたんぱく質と糖質を摂取すると筋肉のたんぱく質の合成が高まると言われている。

■ 朝食の欠食

朝食欠食の原因として、“食欲がない”や“時間がない”などをあげる子どもが多いが、最近は朝食をほとんど摂らない子どもの割合は低下傾向にある。それでも、週1回以上の朝食の欠食は児童の1割弱にみられる。欠食は、特にエネルギーやたんぱく質、ビタミン、ミネラルの不足を起こしやすい。小学生のうちに、「早寝・早起き・朝ごはん」などの健康的な生活習慣を心がける必要がある。

■ 食の問題 ~コ食~

家族との共食は望ましい食習慣の形成に重要である。しかし、最近では家族がバラバラに食事をする機会が増え、「コ食」という食事形態が着目されている。1人で食事を食べる「孤食」、一緒に食卓を囲んでいてもそれぞれが違う料理を食べる「個食」、外食ですませる「戸食」、ダイエットで食べる量を減らす「小食」、粉もの（パン、パスタなど）を中心とする「粉食」などがある（➡p.34）。特に、孤食は食欲不振や偏食に陥りやすく、食事内容が偏りやすい。共食の頻度が高いことは、児童の良好な健康状態や多様な食品や料理の摂取、食事マナーの確立へとつながる。

12歳～17歳（思春期前後）

骨や筋肉等の各臓器・組織の成長が著しい時期

18歳～64歳（青年期～成人期）

身体活動が活発な時期～生活習慣病を予防する時期

推定エネルギー必要量

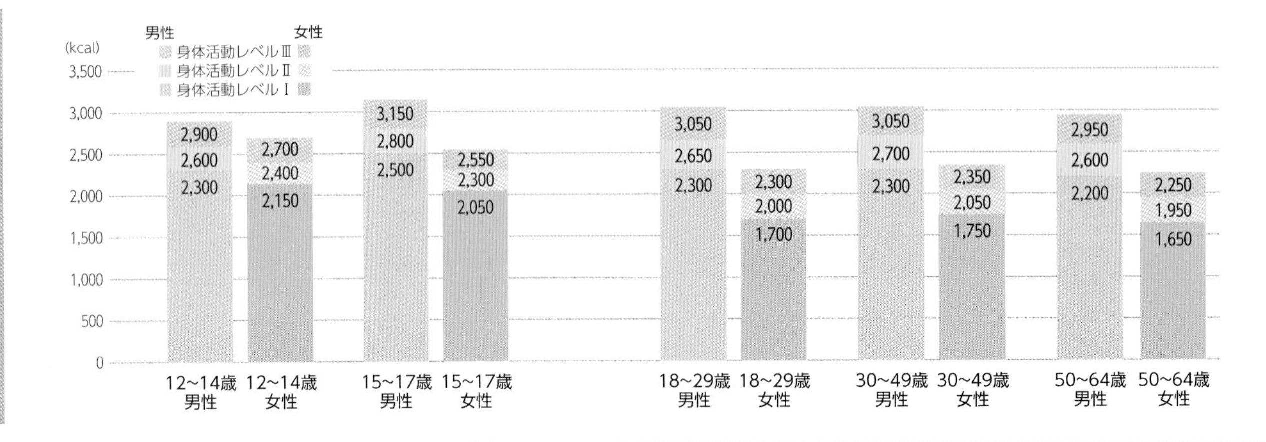

エネルギーについて

■ 身体活動に応じたエネルギー摂取

思春期は成長がさかんであり、十分な栄養を摂取することが必要である。さらに、スポーツや運動により身体活動量も増加するので、消費に見合った栄養の補給が必要である。生涯で最も推定エネルギー必要量が多くなる時期である。一方で、やせ願望によるダイエットや偏った食品の選択、不規則な生活などによって、不十分な栄養摂取に陥る可能性が高い時期でもある。

■ 肥満とやせ

学童期までの肥満は、思春期になると改善する場合がある。この理由として、男子はこの時期に再び身長が大きく伸びること、女子は外見的な意識が強くなりやせ願望をもつようになること、部活動で激しい運動に取り組む子どもが増えることなどがある。しかし、依然として思春期の子どもの約5%に肥満がみられる。

一方で、若い女性ではやせの人の割合が高いことが問題となっている。若い女性のやせは骨量減少だけでなく、低出生体重児出産のリスクが高まると言われている。思春期のやせ志向を改善することは極めて重要である。

■ 成人期の健康問題

成人期は、一般的に20～64歳までを言い、青年期(20～29歳)、壮年期(30～49歳)、実年期(50～64歳)に区分される。青年期は死亡率、有病率が最も低い年齢層である。一方で、この年代の女性におけるやせの割合は約20%と高い。壮年期では、男性において肥満の割合が高くなり、生活習慣病が顕在化してくる。男女ともに職場や家庭の中心的な役割を担うが、心身ともにストレスを受けやすい時期である。実年期では、体力の低下、疲労感の増加など身体機能の低下を自覚し、生活習慣病の発症が多くみられるようになる。女性は50歳ごろに閉経を迎え、閉経に伴うエストロゲンの低下によって、生活習慣病のリスクが増加し、骨量が減少しやすい状況にある。この時期を更年期と言い、男性でも更年期障害がみられる。

その他の栄養素について

■ 身体を構成する成分の貯蔵量が増加

第二次発育急進期である思春期は、身長や体重、筋肉量、骨量なども急激に増加し、たんぱく質、カルシウム、鉄などの身体を構成する成分の貯蔵量が増加する。特に思春期は、骨量増加に伴うカルシウム蓄積量が最も増加する時期で、カルシウムの推奨量は他の年代に比べて多い。女性はこの時期の骨量が低い場合、骨粗しょう症を発症するリスクが高まるので、十分なカルシウム摂取が望まれる。

■ 成人期の栄養

成人期は、健康の保持や生活習慣病予防の観点から、エネルギー摂取量が必要量を過不足なく充足するだけでは不十分であり、望ましいBMIを維持するエネルギー摂取量を考えることが重要である（下表）。また、脂質のエネルギー比率は20～30%が目標量とされている。しかし、15～39歳では脂質エネルギー比率が30%を超えている人の割合が最も高く、食生活の欧米化や外食、ファストフードの利用が多く、穀類の摂取量が少ないことが影響していると言われている。

成人期の目標とするBMIの範囲

年齢(歳)	目標とするBMI
18~49	18.5~24.9
50~64	20.0~24.9

その他の生活習慣など

■ 鉄欠乏性貧血

急激な身体の発育による鉄の必要量の増加、月経出血による鉄の喪失、鉄の摂取不足が重なることで、思春期の女性には鉄欠乏性貧血が多くみられる。鉄欠乏性貧血では疲れやすさ、動悸、息切れ、めまいなどの自覚症状が出現する。動物の肝臓、肉類、赤身の魚などに多く含まれるヘム鉄は吸収率が高い(15～30%)が、ほうれん草、小松菜、豆腐などに含まれる非ヘム鉄は数%と低い。非ヘム鉄はビタミンCや動物性タンパク質などを同時に摂取すると吸収率が高まる。

■ ストレスと健康

ストレス状態では、糖質、たんぱく質、脂質の異化が亢進し、エネルギー消費量が上がる。そして、エネルギー代謝に関わるビタミン(ビタミンB_2、ビタミンB_6、ビタミンCなど)の需要が高まる。ストレスに対して生体内では神経や筋肉の興奮が一時的に高くなりカルシウムやマグネシウムの必要性が上がる。

65歳以上（高齢期） 老化を防ぎ、活力を保つ時期

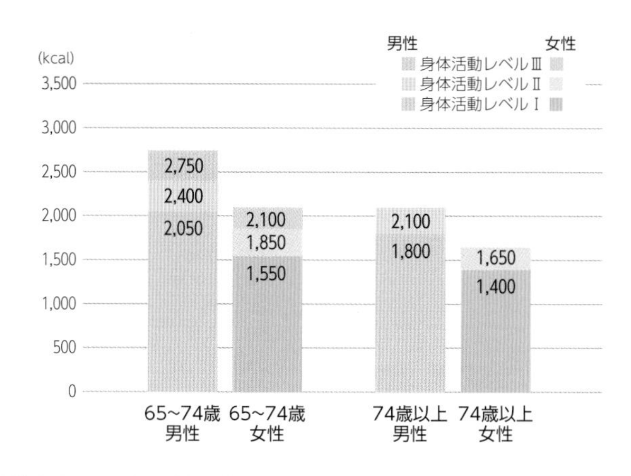

妊娠期・授乳期

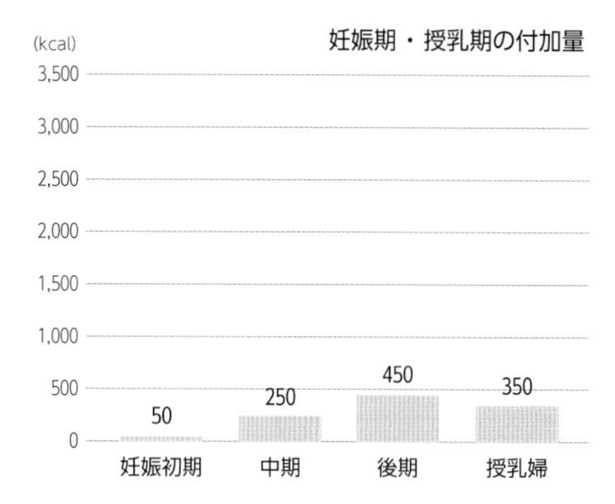

■ 高齢期の健康問題

高齢者は、加齢に伴う基礎代謝と身体活動量の低下により、エネルギー必要量は減少する。しかし、高齢者では身体活動量などに個人差が大きいため、特に個人にあったエネルギー摂取量を考える必要がある。高齢者では食事量の減少や食事内容の偏りにより、低栄養に陥りやすい。エネルギー不足とたんぱく質不足が続くと、筋肉量が減少するサルコペニアとなり、日常生活動作の低下につながる。

また高齢者は、一般的にいも類、豆類、果実類、野菜類などの摂取が増加し、油脂類、肉類、乳類などの摂取が減少する傾向にある。魚、肉、卵、乳製品など良質なたんぱく質が多く含まれる食品は十分に摂取するように心がける。

■ 高齢者における食生活の問題

高齢者には、味覚機能の低下が多くみられるようになる。特に塩味の低下が顕著であることから、塩分摂取が多くならないように注意が必要である。また、摂食・嚥下（えんげ）機能の低下により食事がうまく摂れず、低栄養に陥る場合がある。高齢者では大腸の運動機能も低下し、食事量が減少することで慢性的な便秘も高頻度でみられる。下腹部の不快感や膨満感、腹痛、吐き気などの症状がみられ、QOLが低下することもある。高齢者では、便秘予防のためにも食物繊維と水分を十分に摂取する必要がある。

■ フレイルとサルコペニア

フレイルとは、老化に伴う生体機能の低下により健康障害に陥りやすい状態を言う。フレイルになるとサルコペニアにもなり、筋力低下による活動量の低下、食欲低下により食事量が減少し、低栄養状態を招く。サルコペニアは高齢者の寝たきりや要介護の大きな要因となる。サルコペニアの予防には、筋肉量の維持に必要な十分なエネルギーとたんぱく質（肉や卵、乳製品など）を摂取して低栄養を防ぐことが重要である。

■ 妊娠期の栄養

妊娠期間には胎児の発育、母体組織の増加、脂肪蓄積が生じるため、必要エネルギーは増加する。妊娠初期は50kcal、妊娠中期は250kcal、妊娠後期は450kcalを付加量としている。また、たんぱく質の付加量（推奨量）は、中期は5g、後期は25gとしている。

また妊娠期には、母体の鉄の必要量が増えるため、付加量は妊娠初期で2.5mg、妊娠中期と後期を9.5mgとしている。吸収率のよいヘム鉄を多く含む動物性食品を積極的に摂るとよい。さらに、妊娠初期に葉酸が欠乏すると二分脊髄など神経管閉塞障害などのリスクが高まることから、葉酸は妊娠前及び妊娠初期の十分な摂取が推奨される。妊娠時は葉酸の推奨量は付加量の240μgを加え、480μgとしている。葉酸に関して、食事で摂取することが厳しい場合はサプリメントを活用するとよい。

また、母親が食べた魚介類を介した水銀摂取が胎児に及ぼす影響が懸念されているが、日本では胎児の水銀蓄積は深刻なレベルでないことから厳しい制限はない。魚は妊婦や出産に重要な栄養素も含まれていることから、日本では妊婦への魚介類の摂取と水銀に関する注意事項が提示されている。

妊娠中の体重増加量指導の目安

体格区分（BMI）	体重増加量指導の目安
低体重（やせ）：18.5未満	12~15kg
ふつう：18.5以上25.0未満	10~13kg
肥満（1度）：25.0以上30.0未満	7~10kg
肥満（2度）：30.0以上	個別対応 （上限5kgまでが目安）

■ 授乳期の栄養

授乳婦は妊娠や分娩によって損失した成分や乳汁に必要な成分の補給、母体維持に必要な成分の摂取を考える必要がある。授乳に必要なエネルギー量は大きいことから、授乳婦のエネルギー付加量は350kcal／日、たんぱく質の付加量も20gとしている。母乳の分泌量と質を良好に保つためには、良質のたんぱく質、鉄、カルシウム、ビタミン類が不足しないようにする。また、母乳はビタミンKの含量が少なく、乳児は腸内細菌によるビタミンKの産生も少ないことから、母乳栄養時には新生児出血（頭蓋内出血）予防のために、生後4週間の新生児にはビタミンK_2シロップの経口投与が行われている。

食品成分表の使い方

Q1 そもそも食品成分表って、何？

A1 どの食品が、どのような栄養素を、どれだけ含んでいるかが掲載されています。最新版の「日本食品標準成分表2020年版（八訂）」（文部科学省）（以下「食品成分表2020」）には、右記の通り、食品を18の食品群に分類し、2,478食品が収載されています。食品によっては、水煮、ゆで、焼きなどの調理後のデータも掲載されてます。値は、栄養素によって、単位や最小記載量が異なっています。

	食品群（食品分類）	掲載数
01	穀類	205
02	いも・でん粉類	70
03	砂糖・甘味類	30
04	豆類	108
05	種実類	46
06	野菜類	401
07	果実類	183
08	きのこ類	55
09	藻類	57
10	魚介類	453
11	肉類	310
12	卵類	23
13	乳類	59
14	油脂類	34
15	菓子類	185
16	し好飲料類	61
17	調味料・香辛料類	148
18	調理済み流通食品類	50
	合計	2,478

Q2 食品成分表は、どのように利用するの？

A2 食べることができる部分（可食部）100gあたりのエネルギー量や、五大栄養素量、食塩相当量や食物繊維などが示されているので、これを利用して、必要な栄養素を満たすためにはどの食品がどのくらい必要かという計算ができます。また、普段食べている食事の内容から、エネルギー量や各栄養素の量を知ることができます。

エネルギーや栄養素の必要量は、性別や年齢などによっても異なります。食事摂取基準（➡ p.388）を参考にしよう。

■ 本書の特色

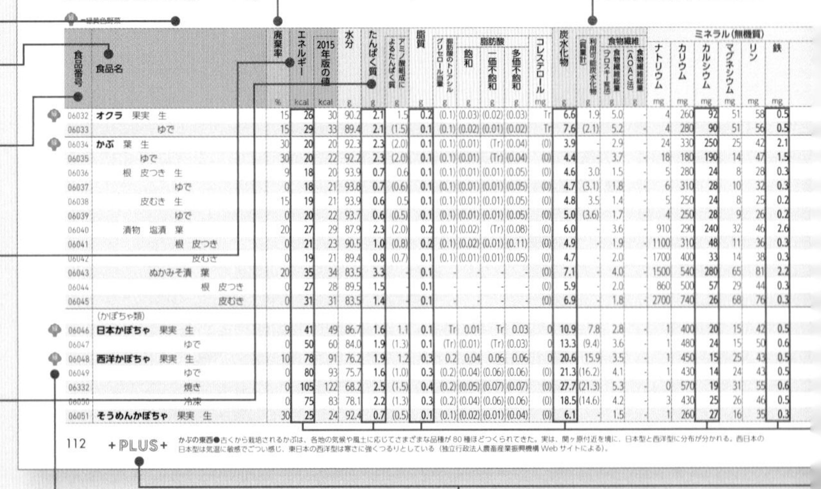

オクラ
Okra 1個=5～10g

アオイ科。エチオピア近辺が原産。エジプトでは2000年以上前から栽培された。日本には江戸時代末期に伝わったが、本格的な普及は1970年代。未熟な果実を食用とする。ぬめりはペクチン、ガラクタン、アラバン等の粘質性の多糖類で、整腸作用やコレステロールを減らす作用、血糖値の急上昇を防ぐ作用などがあるといわれている。断面が五角形のものが多いが、断面が丸いものもある。

調理法：刻んでそのまま食べる、和え物、酢の物、サラダ、汁物、煮物、炒め物等。完熟した種子はコーヒー豆の代用品になる。

旬：6～9月。

産地：鹿児島、高知、沖縄等。

かぶ（蕪）
Turnip

アブラナ科。別名**かぶら**。日本ではもっとも古くから利用されている野菜のひとつで、春の七草の"**すずな**"のこと。形や大きさが多様で、大型のものでは聖護院かぶ、中型では天王寺かぶ、小型では金町小かぶが有名。赤色（赤かぶ）や紫赤色（日野菜）もある。

葉 1株分=40g

緑黄色野菜として利用する。

栄養成分：カルシウム、鉄、ビタミンC、カロテン等が豊富。

調理法：漬物、汁の実等。

根 中1個=80g

でん粉分解酵素のアミラーゼを含む。

調理法：漬物、汁の実、煮物、蒸し物、酢の物等。西洋料理では鴨や子羊の肉との相性がよいため、一緒に煮込んだり、つけあわせ等にする。

旬：11～3月。

選び方：形が丸く整ってかたく締まり、ひび割れていないものがよい。

漬物

かぶは、根も葉も漬物に利用する。京都の聖護院かぶは千枚漬で有名だが、島根県松江市周辺で栽培される津田かぶ（赤かぶ）漬、山形県庄内地方特産の赤かぶ漬、三重県伊賀地方の日野菜漬等、各地に名産がある。

かぼちゃ類（南瓜類）
Pumpkin and squash 1個=1～1.5kg

ウリ科。カンボジアから渡来したのでこの名がついた。

種類：日本かぼちゃ、西洋かぼちゃ、ぺぽかぼちゃ。

栄養成分：主成分は炭水化物で、カリウム、カロテン等も豊富。

調理法：煮物、揚げ物、炒め物、スープ、菓子等。

選び方：ずしりと重く、皮がかたくて傷がつきにくいものがよい。へたのつけ根が青いものは甘味が少ない。切り売りの場合は、肉厚で切り口の色が濃く鮮やかで、身がしまり、

緑＝緑黄色野菜

食品番号	食品名	廃棄率 %	エネルギー kcal	2015年版の値 kcal	水分 g	たんぱく質 g	アミノ酸組成によるたんぱく質 g	脂質 g	脂肪酸のトリアシルグリセロール当量 g	脂肪酸 飽和 g	脂肪酸 一価不飽和 g	脂肪酸 多価不飽和 g	コレステロール mg	炭水化物 g	利用可能炭水化物（質量計） g	食物繊維総量（プロスキー変法） g	食物繊維総量（AOAC法） g	ナトリウム mg	カリウム mg	カルシウム mg	マグネシウム mg	リン mg	鉄 mg
06032	オクラ 果実 生	15	26	30	90.2	2.1	1.5	0.2	(0.1)	(0.03)	(0.02)	(0.03)	Tr	6.6	1.9	5.0	-	4	260	92	51	58	0.5
06033	ゆで	15	29	33	89.4	2.1	(1.5)	0.1	(0.1)	(0.02)	(0.01)	(0.02)	Tr	7.6	(2.1)	5.2	-	4	280	90	51	56	0.5
06034	かぶ 葉 生	30	20	20	92.3	2.3	(2.0)	0.1	(0.1)	(0.01)	(Tr)	(0.04)	(0)	3.9	-	2.9	-	24	330	250	25	42	2.1
06035	ゆで	30	20	22	92.2	2.3	(2.0)	0.1	(0.1)	(0.01)	(Tr)	(0.04)	(0)	4.4	-	3.7	-	18	180	190	14	47	1.5
06036	根 皮つき 生	9	18	20	93.9	0.7	0.6	0.1	(0.1)	(0.01)	(0.01)	(0.05)	(0)	4.6	3.0	1.5	-	5	280	24	8	28	0.3
06037	ゆで	0	18	21	93.8	0.7	(0.6)	0.1	(0.1)	(0.01)	(0.01)	(0.05)	(0)	4.7	(3.1)	1.8	-	6	310	28	10	32	0.3
06038	皮むき 生	15	19	21	93.9	0.6	0.5	0.1	(0.1)	(0.01)	(0.01)	(0.05)	(0)	4.8	3.5	1.4	-	5	250	24	8	25	0.2
06039	ゆで	0	20	22	93.7	0.6	(0.5)	0.1	(0.1)	(0.01)	(0.01)	(0.05)	(0)	5.0	(3.6)	1.7	-	4	250	28	9	26	0.2
06040	漬物 塩漬 葉	20	27	29	87.9	2.3	(2.0)	0.2	(0.1)	(0.02)	(Tr)	(0.08)	(0)	6.0	-	3.6	-	910	290	240	32	46	2.6
06041	根 皮つき	0	21	23	90.5	1.0	(0.8)	0.2	(0.1)	(0.02)	(0.01)	(0.11)	(0)	4.9	-	1.9	-	1100	310	48	11	36	0.3
06042	皮むき	0	19	21	89.4	0.8	(0.7)	0.1	(0.1)	(0.01)	(0.01)	(0.05)	(0)	4.7	-	2.0	-	1700	400	33	14	38	0.3
06043	ぬかみそ漬 葉	20	35	34	83.5	3.3	-	0.1	-	-	-	-	(0)	7.1	-	4.0	-	1500	540	280	65	81	2.2
06044	根 皮つき	0	27	28	89.5	1.5	-	0.1	-	-	-	-	(0)	5.9	-	2.0	-	860	500	57	29	44	0.3
06045	皮むき	0	31	31	83.5	1.4	-	0.1	-	-	-	-	(0)	6.9	-	1.8	-	2700	740	26	68	76	0.3
	（かぼちゃ類）																						
06046	日本かぼちゃ 果実 生	9	41	49	86.7	1.6	1.1	0.1	Tr	0.01	Tr	0.03	0	10.9	7.8	2.8	-	1	400	20	15	42	0.5
06047	ゆで	0	50	60	84.0	1.9	(1.3)	0.1	(Tr)	(0.01)	(Tr)	(0.03)	0	13.3	(9.4)	3.6	-	1	480	24	15	50	0.6
06048	西洋かぼちゃ 果実 生	10	78	91	76.2	1.9	1.2	0.3	0.2	0.04	0.06	0.06	0	20.6	15.9	3.5	-	1	450	15	25	43	0.5
06049	ゆで	0	80	93	75.7	1.6	(1.0)	0.3	(0.2)	(0.04)	(0.06)	(0.06)	(0)	21.3	(16.2)	4.1	-	1	430	14	24	43	0.5
06332	焼き	0	105	122	68.2	2.5	(1.5)	0.4	(0.2)	(0.05)	(0.07)	(0.07)	(0)	27.7	(21.3)	5.3	-	0	570	19	31	55	0.6
06050	冷凍	0	75	83	78.1	2.2	(1.3)	0.3	(0.2)	(0.04)	(0.06)	(0.06)	(0)	18.5	(14.6)	4.2	-	3	430	25	26	46	0.5
06051	そうめんかぼちゃ 果実 生	30	25	24	92.4	0.7	(0.5)	0.1	(0.1)	(0.02)	(0.01)	(0.04)	(0)	6.1	-	1.5	-	1	260	27	16	35	0.3

112 ＋PLUS＋ かぶの東西●古くから栽培されるかぶは、各地の気候や風土に応じてさまざまな品種が80種ほどつくられてきた。実は、関ヶ原付近を境に、日本型と西洋型に分布が分かれる。西日本の日本型は気温に敏感でごつい感じ、東日本の西洋型は寒さに強くつるりとしている（独立行政法人農畜産業振興機構 Webサイトによる）。

食品解説

- 本書は、「食品成分表2020」にあるすべての食品の成分値を掲載した。なお、解説については「食品成分表2020」で新しく追加された食品の一部を除き掲載した。
- 食品の名称は、漢字表記と英字表記も掲載した。
- 可能な限り、概量を掲載した。
  概量の表記例：1C＝1カップ（200mL）
  大1＝大さじ1杯（15mL）
  小1＝小さじ1杯（5mL）
- 食品の別名（原典に明記されたものは**太字**とした）や解説に加え、種類・栄養成分・調理法・旬・産地・選び方・保存法などについて、項目を立てて記載した。

廃棄率

皮や芯など、食べる際に捨てる部分の重量に対する割合を示す。可食部＝収載食品ー廃棄部位の概量

別ページに掲載がある場合は、ここに明示した。

食品名

学術名、または習慣的名称を記載。

食品番号

はじめの2桁は食品群を表している。01～は穀類、02～はいも・でん粉類を意味する。

エネルギー

「食品成分表2020」からエネルギー値の算出方法が変わっているため、本書ではこれまでとの継続性を鑑み、別表に記されている「食品成分表 2015」の値を併記した。

たんぱく質

従来から使用してきた「たんぱく質」と、FAO が推奨する「アミノ酸組成によるたんぱく質」を併記した。

緑黄色野菜に緑、魚の切り身に切を付けた。

＋PLUS＋、QA
食品にまつわるよもやま話やうんちく話。

Q3 主に何が新しくなったの？ ➡ 本書ではどう扱っているの？

A3 時代状況に合わせた新しい食品が追加されたほか、エネルギー産生成分や食物繊維の算出方法が見直されました。

- 「食品成分表2015」から新たに287食品が加わり、「食品成分表2020」では2,478食品が収載されています。キヌアなど新たに食卓に上るようになった食品や、地域伝統食品、スーパーなどで売られている調理済み流通食品が主に追加されました。➡本書では全食品を収載しています。
- エネルギー産生成分が見直され、「食品成分表2020」ではアミノ酸組成によるたんぱく質、脂肪酸のトリアシルグリセロール当量、利用可能炭水化物、食物繊維、糖アルコールからエネルギーを算出しています。そのため多くの食品でエネルギーの数値が変わっています。「日本人の食事摂取基準（2020年版）」（➡p.388）では従来のたんぱく質、脂質、炭水化物を用いた算出方法で策定されていますので、参照する際には留意してください。➡本書ではこれらのことを考慮し、従来のエネルギー値とたんぱく質、脂質、炭水化物の数値を掲載しています。
- 食物繊維について、「食品成分表2020」では新たな分析方法であるAOAC.2011.25法が採用されましたが、従来のプロスキー変法による値と混載されています。➡本書では両方の分析値を併記し、比較しやすくしています。
- 脂肪酸は「食品成分表2020」から別冊にうつされています。➡本書では学習上必要であると判断し掲載しています。

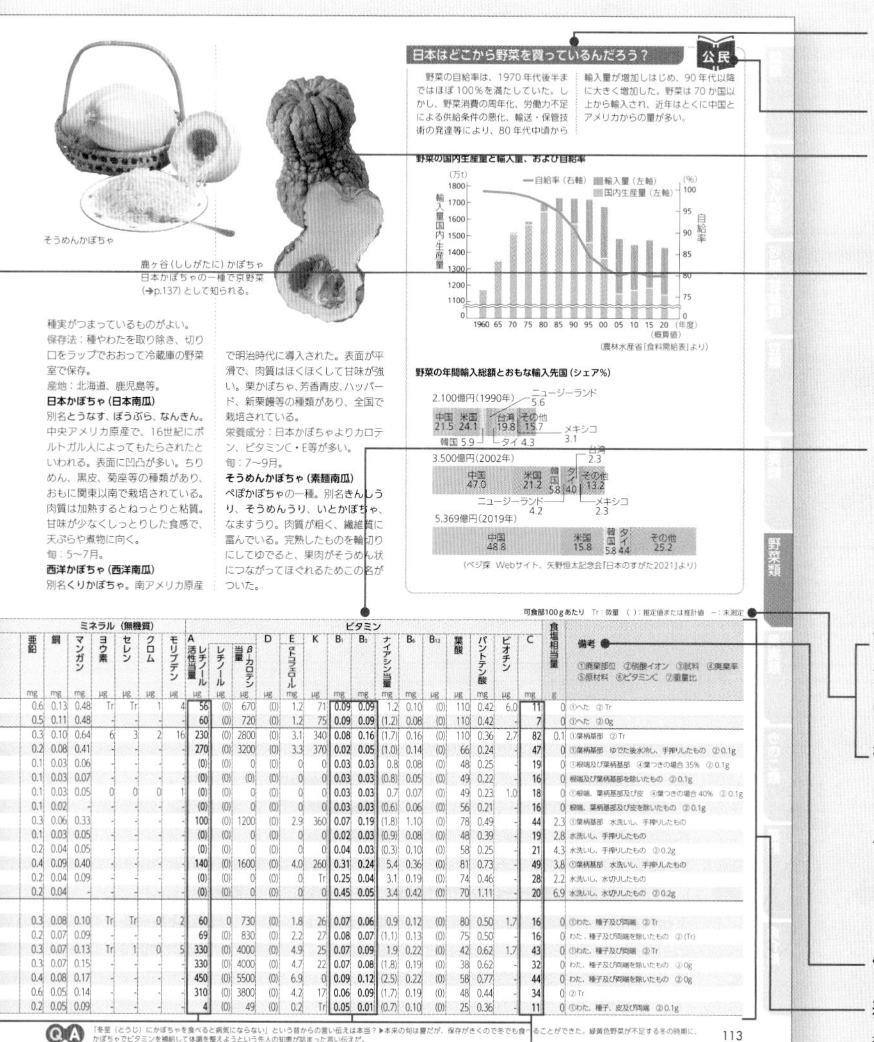

コラム
関連する話題や統計的な資料をコラムとして適宜掲載。

関係する科目のマークを示した（教科横断）。

写真
可能な限り食品の写真を掲載した。その際、カットした断面の様子や、栽培されている状態なども掲載した。

炭水化物
・従来から使用してきた「炭水化物」と、FAOが推奨する「利用可能炭水化物」として質量計を掲載した。
・本書ではプロスキー変法による値と AOAC.2011.25 法による値を併記した。

ビタミン
使用頻度を鑑みて、ビタミンAはレチノール活性当量・レチノール・β-カロテン当量の数値を掲載した。同様に、ビタミンEについては、α-トコフェロールの数値を掲載した。

レチノール活性当量=レチノール+$\frac{1}{12}$β-カロテン当量
β-カロテン当量=β-カロテン+$\frac{1}{2}$α-カロテン+$\frac{1}{2}$ クリプトキサンチン

可食部100gあたり
食品から廃棄部分を除いた、食べられる部分100gあたりの栄養素を表示している。

微量な成分の表示法
0 ：最小記載量の1/10に達していない、または検出されない。
Tr ：含まれているが、最小記載量の1/10～5/10のもの。
( ) ：測定していないが、推定値または推計値。
－ ：未測定のもの。

備考

表組み
各食品群ごとにテーマカラーを設定した。表組みはテーマカラーに沿って色分けし、視認性を高めた。

参照する頻度が高いものを太字とした。

01 穀類 CEREALS

小麦畑

穀類とは

穀類は、収穫量が安定している、長期保存に適する、簡単な調理で食用にできる等の特性によって、古くから世界各国で栽培されてきた。米、小麦、とうもろこしは「世界三大穀物」とされ、このほかに、大麦、えんばく、ライ麦、あわ、ひえ、きび、こうりゃん、そば等がある。日本では、米、麦、あわ、きび（またはひえ）、豆を五穀と称し、重要な食料として扱った。

1 栄養上の特徴

でん粉を約70%、たんぱく質を約10%含み、主要なエネルギー源となっている。また、摂取量が多いことから、日本ではたんぱく質摂取量の22%前後を占めている。その他の成分は搗精（とうせい）・製粉などによりかなり減少するため、副食などで補う必要がある。

米やいもなどのでん粉は、生の状態（βでん粉）では食用に適さない。加水・加熱することによって、でん粉を膨張させ糊状にすることで、風味や消化がよくなる（αでん粉）（➡p.63）。

●穀類の栄養成分比較

小麦（薄力粉・1等）349kcal：0.4、14.0、1.5、8.3、75.8
米（水稲穀粒・精白米）342kcal：0.4、14.9、0.9、6.1、77.6
そば（そば粉・全層粉）339kcal：1.8、13.5、3.1、12.0、69.6

※可食部100gあたり（%）　水分　たんぱく質　脂質　炭水化物　灰分

2 選び方・保存方法

	選び方	保存方法
米	形が整っていて、光沢のあるもの。異物が混入したものやかび臭いものは避ける。よく乾燥しており、同じ容量なら重いものがよい。精白したものは、日付の新しいもの。	直射日光を避け、湿気が入らない清潔な容器で保管。精白米は夏季で2週間、冬季で1か月が保存期間の理想。
小麦粉	純白か黄色で無臭で異物のないもの。古いと固まりができる。	湿気のない涼しいところで保管。冷蔵庫でもよいが、臭いがつきやすいので密閉容器で。薄力粉は1年、強力粉は半年が保存の目安。
食パン	均一な断面で、気泡が大きくないもの。表面に光沢があり、焼きむらのないもの。	かびが生えやすいので、密封して冷凍すると風味が落ちにくい。
スパゲッティ・マカロニ	乾燥し光沢があり、こはく色のもの。かびに注意。スパゲッティは折れた断面がガラス状のもの。マカロニは形が均一なもの。	密封保存。賞味期間は3年と長い。
乾めん（そば・うどん）	十分乾燥して変色していないもの。かびのないもの。	湿気に注意し、密封保存する。賞味期間は長い。
生めん・ゆでめん	製造年月日が新しく、低温保存されたもの。	冷蔵庫で保存し、消費期限内にできるだけ早く食べる。

3 加工と加工食品

●米の加工のプロセス

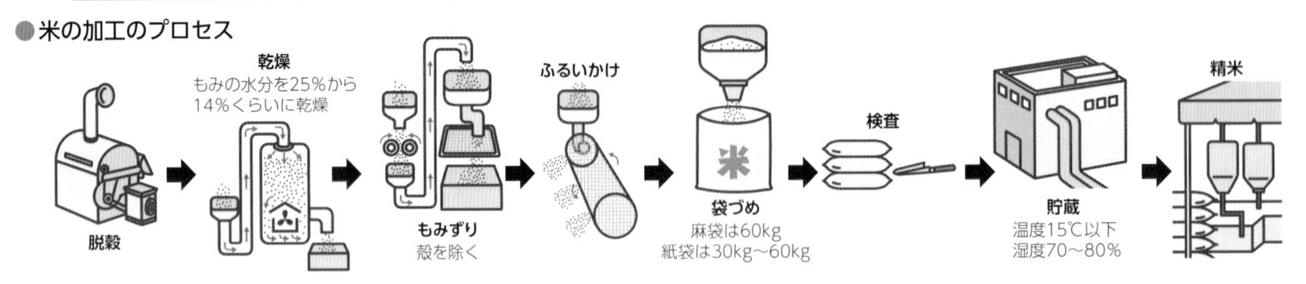

●穀類の加工品

米の加工品……もち、白玉粉（もち米）／上新粉、ビーフン（うるち米）
小麦の加工品……小麦粉／パン類／めん類／パスタ類／ふ類／菓子類／ぎょうざ、しゅうまいの皮
とうもろこしの加工品……コーンミール／ポップコーン／コーンフレーク

4 調理性

●アミロースとアミロペクチン

米のでん粉には、**アミロース**と**アミロペクチン**がある。うるち米はアミロース2：アミロペクチン8に対し、もち米はアミロペクチン10でできている。アミロースはぶどう糖分子が直鎖状に結合しているのに対し、アミロペクチンは枝分かれして多数結合し絡まりやすい。この絡まりの多いことが、もち米の強い粘りけとなっている。

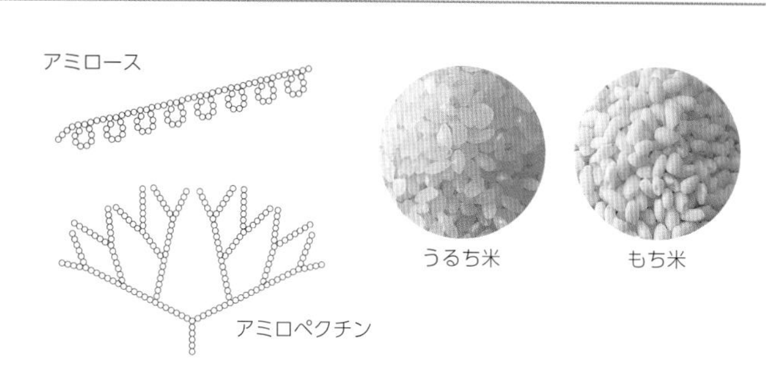

●グルテン

グルテンは、小麦粉に含まれる「グルテニン」「グリアジン」という2つのたんぱく質からつくられる。弾力性と粘着性を持っている。

	強力粉	中力粉	薄力粉
グルテンの量	多い	中くらい	少ない
タンパク質含有量	約12%	約9%～10%	約8%～9%
グルテンの性質	こねると弾力・粘力が出る 強い	こねると伸びがよい 普通	かるく混ぜると軟らかい 弱い
原料小麦の種類			
おもな用途	パン・パスタなど	うどん・中華めんなど	ケーキ・クッキーなど

5 食文化その他

●粒食文化と粉食文化

精米された米や粉にされた小麦は、さらに炊飯、パン・めん類への加工という過程を経て摂取される。

夏に高温多雨の環境となる東アジアの国々では、雑穀や米が生育しやすいため、これらを主食とした食生活が営まれてきた。粒状のまま炊いたり、かゆ（粥）にされることも多く、**粒食文化圏**と呼ばれている。日本は、雑穀と米を中心とした粒食中心の生活を営んできたが、そばやうどんなどの粉食も大きな割合を占める。

一方、ヨーロッパ・西アジア一帯は、比較的乾燥した地域で麦類の栽培に適していた。とりわけ小麦は、精製の簡便さから粉としての利用が多く、インド・トルコなどに見られる無発酵のパン、ヨーロッパ各地の発酵させたパンなど多種多様なものが発達した。こうした地域は**粉食文化圏**と呼ばれている。

粒食文化と粉食文化

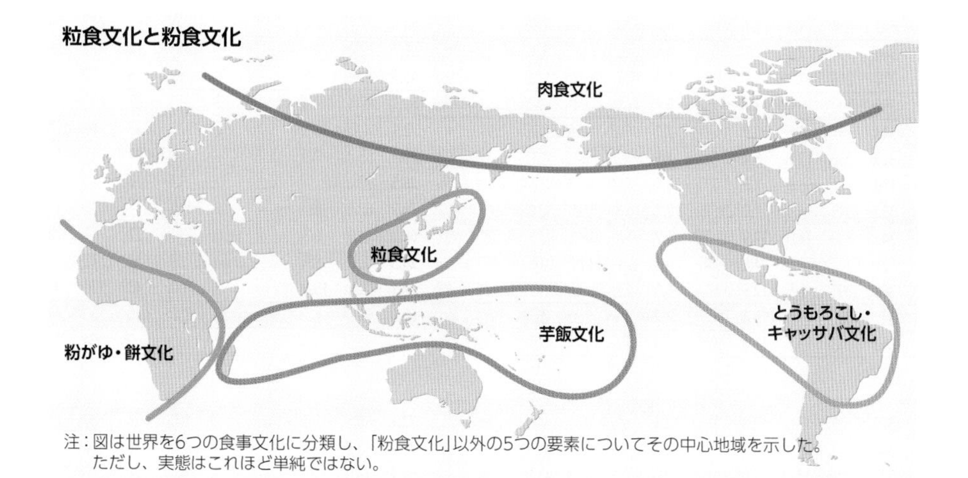

注：図は世界を6つの食事文化に分類し、「粉食文化」以外の5つの要素についてその中心地域を示した。
ただし、実態はこれほど単純ではない。

●五穀ご飯は健康にいいの？

五穀とは米・麦・豆・あわ・きび（またはひえ）をさし、日本人が昔から主要穀物としてきたもので「五穀豊穣」の「五穀」はこれらをさす。

精白米に比べ、現代では不足しがちな各種ビタミン・ミネラル・食物繊維等がたっぷりと含まれているため、上記の五穀を混ぜ合わせたものが「五穀米」として販売され人気が出ている。冒頭の五穀以外に、アマランサス・発芽玄米・緑米・紫米・赤米・胚芽押麦・押麦・丸麦・はと麦・発芽赤・焼玄米・麻の実 などをブレンドしたものも出回っている。

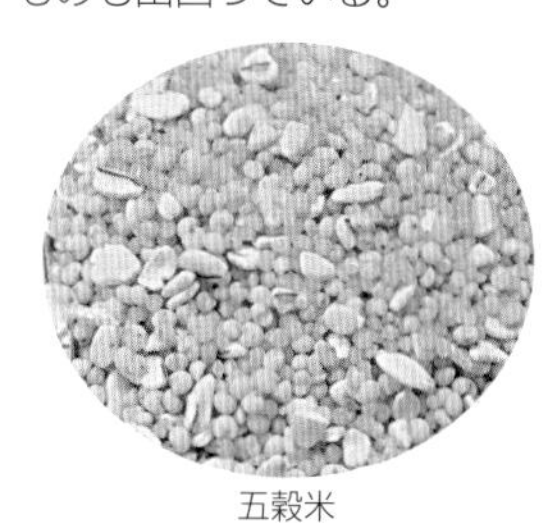

五穀米

アマランサス

あわ

えんばく

オートミール

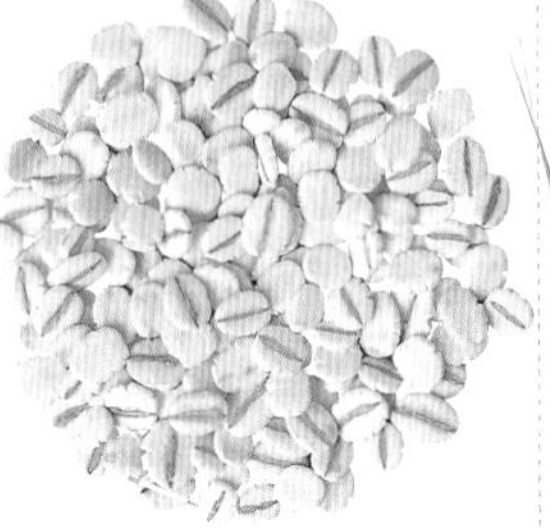

おおむぎ（押麦）

おおむぎ（丸麦）

キヌア
アンデス地方原産のアカザ科の植物の実。必須アミノ酸をバランスよく含み、食物繊維、カルシウム、ミネラルが豊富。

調理法：一般に、水や牛乳でかゆ状に煮て食べる。

アマランサス

Amaranth　大1=10g

ヒユ科。穀粒は直径1～1.5mmの扁平レンズ状。栽培は簡単で、生育すると2mほどになる。紀元前5～3千年にはアンデス南部で栽培されていたといわれる。江戸時代に伝来したがほとんど利用されず、食用としては近年導入された。米、麦等に食物アレルギーがある人用の代替食品としても注目されている。多くはもち種で、煮たり蒸したりすると粘りけが出て他の食材となじみやすい。

栄養成分：カルシウム、鉄、食物繊維が豊富。

調理法：米に混ぜて炊いたり、製粉してめん類や菓子類に利用。

産地：インド、ペルー等。秋田、岩手等。

あわ（粟）

Foxtail millet　1C=150g

イネ科。日本では、稲よりももっと古くから栽培されていたといわれる。江戸時代には、うるち種は一般の人々の食材、もち種は上流階級の食材であった。

種類：うるち種ともち種がある。

調理法：うるち種は飯、かゆ、だんご、もち、菓子等に、もち種は飯、もち、粟おこし、飴等にする。

えんばく（燕麦）

Oats

イネ科。別名からす麦、**オート**、**オーツ**。製粉し、小麦粉と混ぜてパン、菓子、シリアル、ウイスキー等に利用する。

オートミール　1C=80g

えんばくを精白し、延圧機で押しつぶして粉砕したもの。

栄養成分：穀類の中ではたんぱく質、脂質、カルシウムが豊富。

おおむぎ（大麦）

Barley　1C=120g

イネ科。世界的に見て、小麦、米、とうもろこしについで生産量が多い穀物。グルテンがなく粘りけが生じないため、パンには適さない。

種類：日本では六条大麦と二条大麦が代表的品種。二条大麦はビールの原料となるため、ビール麦ともいう。

調理法：六条大麦は麦飯、押麦、米粒麦、大麦めん、麦こがし、麦みそ、麦茶、酒等にする。

押麦

精白した大麦（丸麦）を蒸気で加熱し、ローラーで圧力をかけて扁平状にして乾燥させたもの。

米粒麦（べいりゅうばく）

別名**切断麦**。精白した大麦を蒸してから半分に割り、炊き上がったときに米粒と同じ大きさになるように加工したもの。

食品番号	食品名	廃棄率	エネルギー	2015年版の値	水分	たんぱく質	アミノ酸組成によるたんぱく質	脂質	脂肪酸のトリアシルグリセロール当量	脂肪酸 飽和	脂肪酸 一価不飽和	脂肪酸 多価不飽和	コレステロール	炭水化物	利用可能炭水化物（質量計）	食物繊維 食物繊維総量（プロスキー変法）	食物繊維 食物繊維総量（AOAC法）	ミネラル（無機質） ナトリウム	カリウム	カルシウム	マグネシウム	リン	鉄
		%	kcal	kcal	g	g	g	g	g	g	g	g	mg	g	g	g	g	mg	mg	mg	mg	mg	mg
01001	**アマランサス**　玄穀	0	**343**	358	13.5	**12.7**	(11.3)	**6.0**	5.0	1.18	1.48	2.10	(0)	**64.9**	57.8	7.4	-	1	600	**160**	270	540	**9.4**
01002	**あわ**　精白粒	0	**346**	367	13.3	**11.2**	10.2	**4.4**	4.1	0.67	0.52	2.75	(0)	**69.7**	63.3	3.3	-	1	300	**14**	110	280	**4.8**
01003	あわもち	0	**210**	214	48.0	**5.1**	(4.5)	**1.3**	(1.2)	(0.22)	(0.19)	(0.73)	0	**45.3**	(40.5)	1.5	-	0	62	**5**	12	39	**0.7**
01004	**えんばく**　オートミール	0	**350**	380	10.0	**13.7**	12.2	**5.7**	(5.1)	(1.01)	(1.80)	(2.09)	(0)	**69.1**	57.4	9.4	-	3	260	**47**	100	370	**3.9**
01005	**おおむぎ**　七分つき押麦	0	**343**	341	14.0	**10.9**	(9.7)	**2.1**	1.8	0.58	0.20	0.91	(0)	**72.1**	(64.9)	10.3	-	2	220	**23**	46	180	**1.3**
01006	押麦　乾	0	**329**	346	12.7	**6.7**	5.9	**1.5**	1.2	0.43	0.13	0.62	(0)	**78.3**	65.8	7.9	12.2	2	210	**21**	40	160	**1.1**
01170	めし	0	**118**	124	68.6	**2.2**	2.0	**0.5**	0.4	0.14	0.04	0.20	(0)	**28.5**	22.0	-	4.2	Tr	38	**6**	10	46	**0.4**
01007	米粒麦	0	**333**	343	14.0	**7.0**	(6.2)	**2.1**	(1.8)	(0.58)	(0.20)	(0.91)	(0)	**76.2**	62.5	8.7	-	2	170	**17**	25	140	**1.2**
01008	大麦めん　乾	0	**343**	339	14.0	**12.9**	(11.7)	**1.7**	(1.4)	(0.43)	(0.15)	(0.78)	(0)	**68.0**	(65.7)	6.3	-	1100	240	**27**	63	200	**2.1**
01009	ゆで	0	**121**	122	70.0	**4.8**	(4.4)	**0.6**	(0.5)	(0.15)	(0.05)	(0.27)	(0)	**24.3**	(22.9)	2.5	-	64	10	**12**	18	61	**0.9**
01010	麦こがし	0	**368**	391	3.5	**12.5**	(11.1)	**5.0**	(4.2)	(1.39)	(0.47)	(2.17)	(0)	**77.1**	(72.8)	15.5	-	2	490	**43**	130	340	**3.1**
01167	**キヌア**　玄穀	0	**344**	359	12.2	**13.4**	9.7	**3.2**	2.7	0.33	0.77	1.52	0	**69.0**	55.4	6.2	-	35	580	**46**	180	410	**4.3**
01011	**きび**　精白粒	0	**353**	363	13.8	**11.3**	10.0	**3.3**	2.9	0.44	0.56	1.78	(0)	**70.9**	65.0	1.6	-	2	200	**9**	84	160	**2.1**
	こむぎ																						
	[玄穀]																						
01012	**国産**　普通	0	**329**	337	12.5	**10.8**	9.5	**3.1**	2.5	0.55	0.35	1.52	(0)	**72.1**	58.5	10.5	14.0	2	440	**26**	82	350	**3.2**
01013	**輸入**　軟質	0	**344**	348	10.0	**10.1**	-	**3.3**	2.7	0.60	0.38	1.63	(0)	**75.2**	62.2	11.2	-	2	390	**36**	110	290	**2.9**
01014	硬質	0	**332**	334	13.0	**13.0**	-	**3.0**	2.5	0.54	0.34	1.49	(0)	**69.4**	57.0	11.4	-	2	340	**26**	140	320	**3.2**

+PLUS+ **大麦の伝来●**大麦は西アジアが原産で、古代エジプトでも主食のパンを焼くのに使われていたことがヒエログリフで描かれている。朝鮮半島を経由して日本には3世紀ごろ伝来し、奈良時代にはすでに広く栽培されていた。

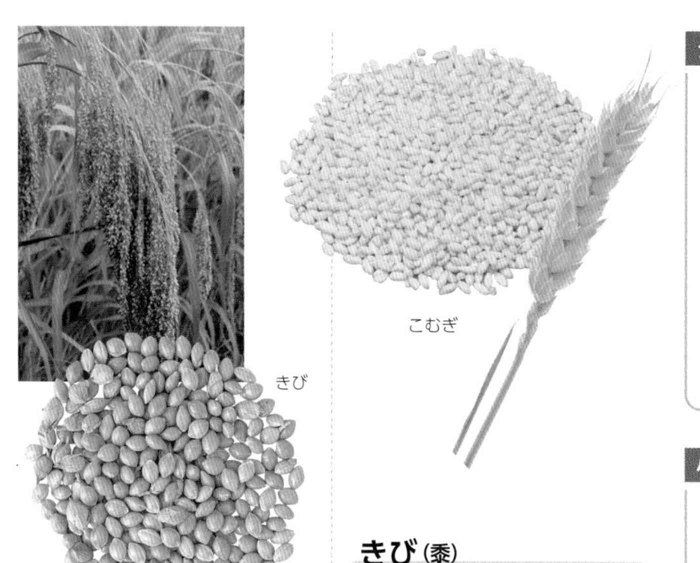
きび
こむぎ

大麦めん
大麦粉と小麦粉が原料のめん。

麦こがし
別名**こうせん**、**はったい粉**。焙煎して粉にしたもので、こうばしい香りが特徴。熱湯でねって味つけして食べたり、きな粉のように利用する。

キヌア

Quinoa　大1= 10g

ヒユ科の雑穀。白、赤、紫、オレンジなど多色。21世紀の主要食と評価されている。
栄養成分：ビタミンB類、葉酸等が豊富。
調理法：他の雑穀と一緒に炊く、粉にして利用する等。

きび（黍）

Proso millet　1C=160g

イネ科。日本ではきびだんごやきびもち等、古くから親しまれてきた。
種類：うるち種ともち種がある。
調理法：うるち種は飯やかゆ等に、もち種はもち、おこわ、だんご、酒等にする。

こむぎ（小麦）

Wheat　1C=110g

イネ科。世界で最も生産量が多い穀類。
種類：粒の硬さにより軟質小麦、中間質小麦、硬質小麦に大別される。軟質小麦からはグルテン形成量が低い粉（薄力粉）が、硬質小麦からはグルテン形成量が高い粉（強力粉）がとれる。中間質小麦からは両者の中間の性質の中力粉がとれる。

グルテン

小麦粉のたんぱく質はおもにグルテニンとグリアジンから構成されている。グルテニンは弾力に富むが伸びにくい性質のたんぱく質であり、逆に、グリアジンは弾力は弱いが粘着力が強くて伸びやすい性質を持っている。この性質が異なる２つのたんぱく質が結びつくと、両方の性質（粘着性と弾力性）を適度に兼ね備えたグルテンになる。パンがふっくらふくらんだり、めん類のしこしこした歯ごたえは、このグルテンの働きによる。米やとうもろこしではパンはふくらまないし、うどんはプツプツと切れてしまう。小麦粉がさまざまな用途に使われるのは、このグルテンの性質が生かされているため。

小麦粉から取り出したグルテン（左）と、オーブンで焼いた乾麩（右）

小麦の構造

胚乳（小麦粒の約83%）
この部分が小麦粉になる。糖質・たんぱく質などが主成分。

表皮（小麦粒の約15%）
製粉工程の中で、小麦になる胚乳と分けられ、小麦ふすま（ブラン）となる。おもに飼料に使われる。

胚芽（小麦粒の約2%）
脂質、たんぱく質、ミネラル、ビタミンなどの栄養素や食物繊維などが豊富に含まれているので、健康食品などにも利用される。

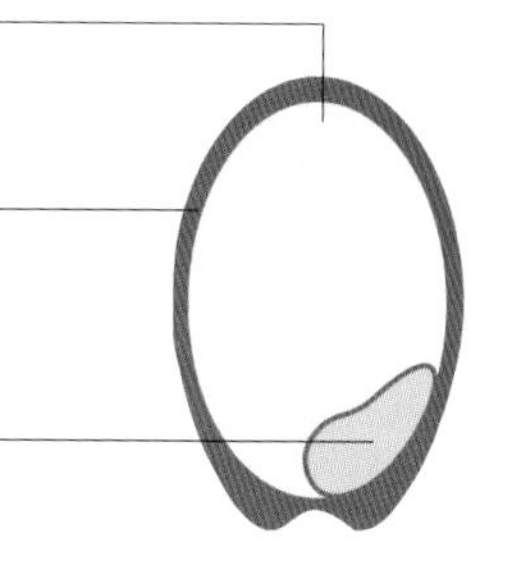

小麦ふすま

可食部100 g あたり　Tr：微量　（ ）：推定値または推計値　－：未測定

ミネラル（無機質）							ビタミン															食塩相当量	備考 ①歩留り ②原材料配合割合 ③試料
亜鉛	銅	マンガン	ヨウ素	セレン	クロム	モリブデン	A レチノール活性当量	A レチノール	A β-カロテン当量	D	E αトコフェロール	K	B1	B2	ナイアシン当量	B6	B12	葉酸	パントテン酸	ビオチン	C		
mg	mg	mg	µg	µg	µg	µg	µg	µg	µg	µg	mg	µg	mg	mg	mg	mg	µg	µg	mg	µg	mg	g	
5.8	0.92	6.14	1	13	7	59	Tr	(0)	2	(0)	1.3	(0)	**0.04**	**0.14**	(3.8)	0.58	(0)	130	1.69	16.0	**(0)**	0	
2.5	0.49	0.88	0	2	1	22	**(0)**	(0)	(0)	(0)	0.6	(0)	**0.56**	**0.07**	6.4	0.18	(0)	29	1.83	14.0	**0**	0	うるち、もちを含む ①70～80%
1.1	0.20	0.46	0	1	0	40	**0**	0	0	0	0.1	0	**0.08**	**0.01**	(1.7)	0.03	0	7	0.61	3.4	**0**	0	②もちあわ 50、もち米 50
2.1	0.28	-	0	18	0	110	**(0)**	(0)	(0)	(0)	0.6	(0)	**0.20**	**0.08**	4.5	0.11	(0)	30	1.29	22.0	**(0)**	0	
1.4	0.32	0.85	-	-	-	-	**(0)**	(0)	(0)	(0)	0.2	(0)	**0.22**	**0.07**	(5.8)	0.14	(0)	17	0.43	-	**(0)**	0	①玄皮麦 60～65%、玄裸麦 65～70%
1.1	0.22	0.86	0	1	0	11	**(0)**	(0)	(0)	(0)	0.1	(0)	**0.11**	**0.03**	5.0	0.13	(0)	10	0.40	2.7	**(0)**	0	①玄皮麦 45～55%、玄裸麦 55～65%
0.4	0.08	0.24	(0)	Tr	(0)	3	**(0)**	(0)	(0)	(0)	Tr	(0)	**0.02**	**Tr**	1.3	0.03	(0)	3	0.13	0.8	**(0)**	0	乾 35 g 相当量を含む　食物繊維：AOAC2011.25 法
1.2	0.37	-	Tr	1	Tr	9	**(0)**	(0)	(0)	(0)	0.1	(0)	**0.19**	**0.05**	(4.0)	0.19	(0)	10	0.64	3.5	**(0)**	0	白麦を含む　①玄皮麦 40～50%、玄裸麦 50～60%
1.5	0.33	0.90	-	-	-	-	**(0)**	(0)	(0)	(0)	Tr	(0)	**0.21**	**0.04**	(6.3)	0.09	(0)	19	0.64	-	**(0)**	2.8	②大麦粉 50、小麦粉 50
0.6	0.13	0.27	-	-	-	-	**(0)**	(0)	(0)	(0)	Tr	(0)	**0.04**	**0.01**	(2.0)	0.01	(0)	5	0.26	-	**(0)**	0.2	②大麦粉 50、小麦粉 50
3.8	0.41	1.81	-	-	-	-	**(0)**	(0)	(0)	(0)	0.5	(0)	**0.09**	**0.10**	(11.0)	0.09	(0)	24	0.28	-	**(0)**	0	
2.8	0.47	2.45	2	3	3	23	**1**	0	12	(0)	2.6	Tr	**0.45**	**0.24**	4.0	0.39	Tr	190	0.95	23.0	**0**	0.1	
2.7	0.38	-	0	2	1	16	**(0)**	(0)	(0)	(0)	Tr	(0)	**0.34**	**0.09**	6.2	0.20	(0)	13	0.95	7.9	**0**	0	うるち、もちを含む ①70～80%
2.6	0.38	3.90	1	3	1	29	**(0)**	(0)	(0)	(0)	1.2	(0)	**0.41**	**0.09**	8.9	0.35	(0)	38	1.03	7.5	**(0)**	0	
1.7	0.32	3.79	0	5	1	19	**(0)**	(0)	(0)	(0)	1.2	(0)	**0.49**	**0.09**	6.7	0.34	(0)	40	1.07	9.6	**(0)**	0	
3.1	0.43	4.09	0	54	1	47	**(0)**	(0)	(0)	(0)	1.2	(0)	**0.35**	**0.09**	8.0	0.34	(0)	49	1.29	11.0	**(0)**	0	

Q A どうして小麦は粉にしてから食べるの？▶小麦は外皮が硬くてそのまま煮ても食べにくい。また、米と同じように精白すると、胚乳が柔らかすぎて砕けてしまう。しかし粉にすることで、水を加えてグルテンを出したり、発酵させたりといった加工ができ、独特の歯ごたえが生まれる。また、粉にすることで消化にもよい。

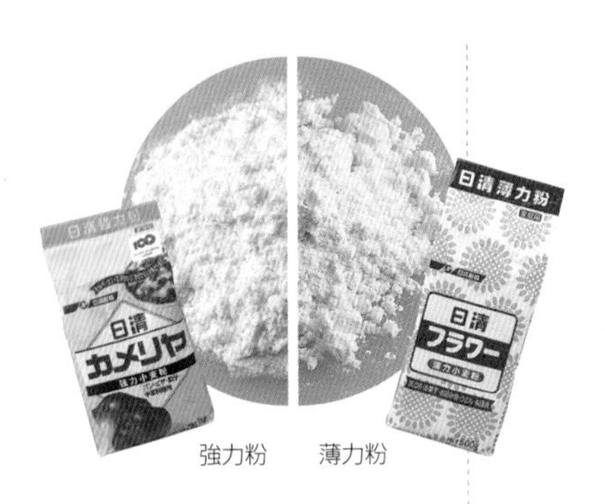

強力粉　薄力粉

お好み焼き粉

ホットケーキミックス

から揚げ粉

天ぷら粉

小麦粉

Wheat flour　1C=110g

別名うどん粉、メリケン粉。小麦のふすま（果皮、種皮、糊粉層）をのぞいて胚乳部分を粉にしたもので、でん粉とたんぱく質のグルテンからなる。皮部混入率により品質のよいものが1等粉とされる。

栄養成分：小麦ふすま（ブラン）は脂質、たんぱく質、ミネラル、ビタミン、食物繊維が豊富に含まれ健康食品として利用される。

薄力粉

たんぱく質が少なく（約8～9%）グルテンの性質が弱い（粘力が弱い）ため、菓子や天ぷらの衣に適する。

中力粉

薄力粉と強力粉の中間の性質をもち（たんぱく質約9～10%）、うどんやそうめん等のめん用に適する。

強力粉

たんぱく質が多く（約12%）グルテンの性質が強い（粘力が強い）ため、パンやパスタ類に適する。

全粒粉：表皮も胚芽も含めて小麦を丸ごと粉にしたもの。パン、めん、天ぷらの衣、ケーキ、クッキー等にする。

プレミックス粉

プレミックスとはPrepared Mix（調製粉）の略。ケーキ、パン、惣菜等を簡便に調理できる調製粉で、小麦粉等の粉類に糖類、油脂、脱脂粉乳、卵粉、膨張剤、食塩、香料等を必要に応じて適正に配合したもの。

お好み焼き用：薄力粉、砂糖、ベーキングパウダー、卵粉末、粉乳、調味料等が原材料。他に、やまのいも、こんぶ、かつお、えび、いか、しいたけ等の粉末やエキスを加える場合がある。

ホットケーキ用：薄力粉、砂糖、ぶどう糖、ベーキングパウダー、コーンフラワー、脱脂粉乳、全卵粉末、ショートニング、食塩等が原料。

から揚げ用：薄力粉、片栗粉、ベーキングパウダー、油脂、糖類、粉乳、塩、調味料、香辛料等が原材料。水で溶かずにそのまま食品につける製品にはベーキングパウダーを加えない。

天ぷら用：薄力粉、コーンスターチ、ベーキングパウダー等が原料。

菓子パン類→p.308

食品番号	食品名	廃棄率	エネルギー	2015年版の値	水分	たんぱく質	アミノ酸組成によるたんぱく質	脂質	脂肪酸のトリアシルグリセロール当量	脂肪酸 飽和	脂肪酸 一価不飽和	脂肪酸 多価不飽和	コレステロール	炭水化物	利用可能炭水化物（質量計）	食物繊維 食物繊維総量（プロスキー変法）	食物繊維 食物繊維総量（AOAC法）	ミネラル（無機質） ナトリウム	カリウム	カルシウム	マグネシウム	リン	鉄
		%	kcal	kcal	g	g	g	g	g	g	g	g	mg	g	g	g	g	mg	mg	mg	mg	mg	mg
	[小麦粉]																						
01015	**薄力粉** 1等	0	**349**	367	14.0	**8.3**	7.7	**1.5**	1.3	0.34	0.13	0.75	(0)	**75.8**	73.1	2.5	-	Tr	110	**20**	12	60	**0.5**
01016	2等	0	**345**	368	14.0	**9.3**	8.3	**1.9**	(1.6)	(0.43)	(0.17)	(0.96)	(0)	**74.3**	70.7	2.6	-	Tr	130	**23**	30	77	**0.9**
01018	**中力粉** 1等	0	**337**	367	14.0	**9.0**	8.3	**1.6**	1.4	0.36	0.14	0.80	(0)	**75.1**	69.5	2.8	-	1	100	**17**	18	64	**0.5**
01019	2等	0	**346**	368	14.0	**9.7**	8.9	**1.8**	(1.6)	(0.41)	(0.16)	(0.91)	(0)	**74.0**	66.5	2.1	-	1	110	**24**	26	80	**1.1**
01020	**強力粉** 1等	0	**337**	365	14.5	**11.8**	11.0	**1.5**	1.3	0.35	0.14	0.77	(0)	**71.7**	66.8	2.7	-	Tr	89	**17**	23	64	**0.9**
01021	2等	0	**343**	366	14.5	**12.6**	11.9	**1.7**	(1.5)	(0.39)	(0.15)	(0.87)	(0)	**70.6**	63.6	2.1	-	Tr	86	**21**	36	86	**1.0**
01023	全粒粉	0	**320**	328	14.5	**12.8**	(11.7)	**2.9**	(2.4)	(0.53)	(0.33)	(1.44)	(0)	**68.2**	(55.6)	11.2	-	2	330	**26**	140	310	**3.1**
01146	**プレミックス粉** お好み焼き用	0	**335**	352	9.8	**10.1**	9.0	**1.9**	1.8	0.42	0.32	0.93	1	**73.6**	67.6	2.8	-	1400	210	**64**	31	320	**1.0**
01024	ホットケーキ用	0	**360**	365	11.1	**7.8**	(7.1)	**4.0**	(3.6)	(1.54)	(1.07)	(0.86)	31	**74.4**	(72.4)	1.8	-	390	230	**100**	12	170	**0.5**
01147	から揚げ用	0	**311**	331	8.3	**10.2**	9.2	**1.2**	1.0	0.33	0.16	0.47	0	**70.0**	63.4	2.6	-	3800	280	**110**	39	130	**1.2**
01025	天ぷら用	0	**337**	351	12.4	**8.8**	8.2	**1.3**	1.1	0.32	0.14	0.58	3	**76.1**	70.1	2.5	-	210	160	**140**	19	120	**0.6**
01171	バッター	0	**132**	138	65.5	**3.3**	(3.0)	**0.5**	(0.4)	(0.13)	(0.06)	(0.24)	1	**30.2**	(27.6)	1.0	1.9	64	67	**84**	6	51	**0.2**
01172	揚げ	0	**588**	604	10.2	**4.3**	(3.9)	**47.7**	-	-	-	-	2	**37.0**	-	-	3.3	79	93	**100**	8	63	**0.3**
	[パン類]																						
01026	**角形食パン** 食パン	0	**248**	258	39.2	**8.9**	7.4	**4.1**	3.7	1.50	1.24	0.82	0	**46.4**	44.2	2.2	4.2	470	86	**22**	18	67	**0.5**
01174	焼き	0	**269**	282	33.6	**9.7**	8.3	**4.5**	4.0	1.63	1.33	0.90	-	**50.6**	47.8	-	4.6	520	93	**26**	20	77	**0.5**
01175	耳を除いたもの	45	**226**	237	44.2	**8.2**	6.9	**3.7**	3.4	1.37	1.12	0.74	-	**42.6**	40.2	-	3.8	440	78	**20**	16	61	**0.4**
01176	耳	55	**273**	282	(33.5)	**(9.7)**	-	**(4.5)**	-	-	-	-	-	**(50.8)**	-	-	(4.7)	(510)	(92)	**(23)**	(18)	(73)	**(0.5)**
01206	**食パン** リーンタイプ	0	**246**	254	(39.2)	**(8.0)**	(7.4)	**(3.7)**	(3.5)	-	-	-	(Tr)	**(47.5)**	(44.1)	(2.0)	-	(520)	(67)	**(12)**	(16)	(46)	**(0.6)**
01207	リッチタイプ	0	**256**	255	(39.2)	**(7.8)**	(7.2)	**(6.0)**	(5.5)	-	-	-	(32)	**(45.6)**	(42.7)	(1.7)	-	400	88	**25**	15	62	**0.6**
01205	**山形食パン** 食パン	0	**246**	267	(39.2)	**(7.8)**	(7.2)	**(3.5)**	(3.3)	-	-	-	(Tr)	**(47.9)**	(44.7)	(1.8)	-	(490)	(76)	**(18)**	(16)	(51)	**(0.6)**
01028	**コッペパン**	0	**259**	265	37.0	**8.5**	7.3	**3.8**	(3.6)	(1.64)	(1.00)	(0.75)	(Tr)	**49.1**	(45.3)	2.0	-	520	95	**37**	24	75	**1.0**
01030	**乾パン**	0	**386**	393	5.5	**9.5**	(8.7)	**4.4**	(4.0)	(1.70)	(1.01)	(1.15)	(Tr)	**78.8**	(74.9)	3.1	-	490	160	**30**	27	95	**1.2**
01031	**フランスパン**	0	**289**	279	30.0	**9.4**	8.6	**1.3**	(1.1)	(0.29)	(0.14)	(0.63)	(0)	**57.5**	58.2	2.7	-	620	110	**16**	22	72	**0.9**
01032	**ライ麦パン**	0	**252**	264	35.0	**8.4**	6.7	**2.2**	(2.0)	(0.90)	(0.57)	(0.44)	(0)	**52.7**	-	5.6	-	470	190	**16**	40	130	**1.4**
01208	**全粒粉パン**	0	**251**	265	39.2	**7.9**	7.2	**5.7**	5.4	-	-	-	Tr	**45.5**	39.9	4.5	-	410	140	**14**	51	120	**1.3**

+PLUS+ **パンの呼び方●**スペイン：パン（Pan）、フランス：パン（Pain）、ポルトガル：パォン（Pão）、イタリア：パネ（Pane）、オランダ：ブロート（Brood）、ドイツ：ブロート（Brot）、イギリス・アメリカ：ブレッド（Bread）、中国：ミェンパオ（麵麭・面包）、ロシア語：フリィエーブ（Хлеб）。

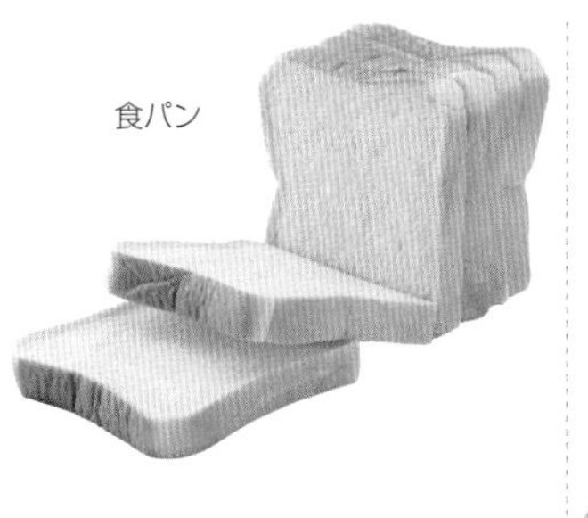

食パン

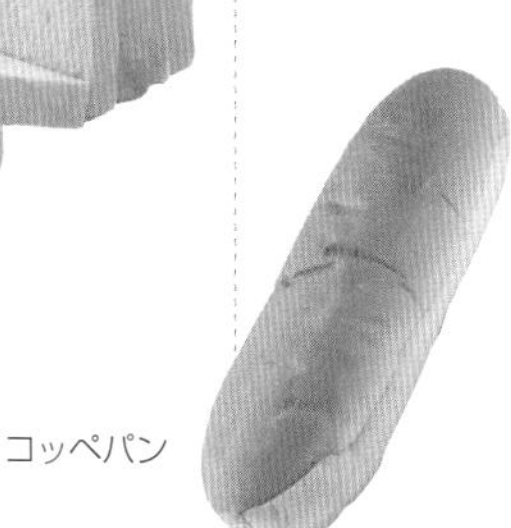

コッペパン

フランスパン

ライ麦パン

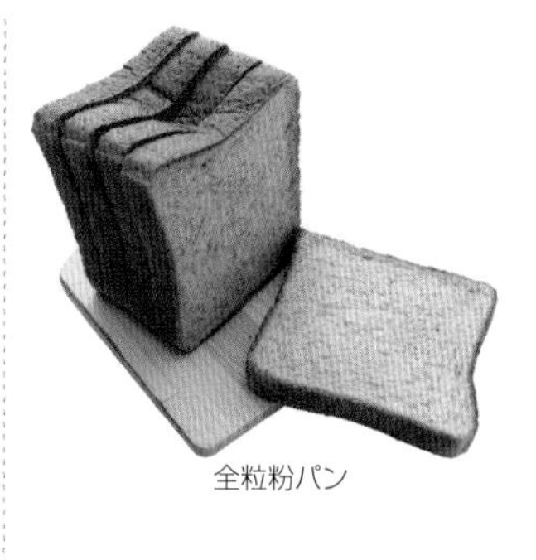

全粒粉パン

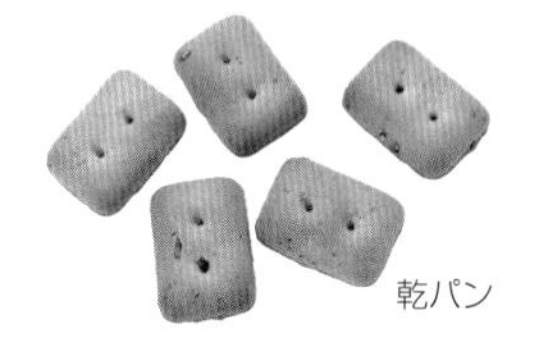

乾パン

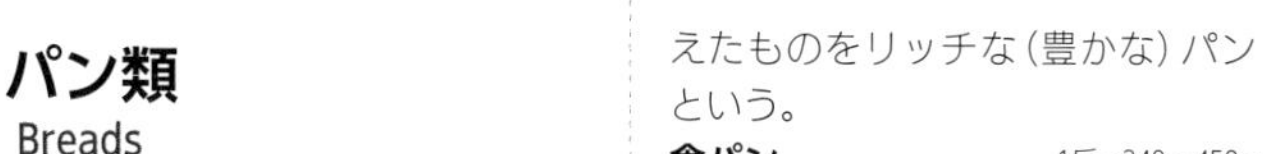

パン類
Breads

日本には16世紀なかばにポルトガル人によって伝えられ、語源もポルトガル語といわれる。

種類：酵母菌の発酵によって生地をふくらませる発酵パンと、酵母菌を使わずに無発酵で焼く無発酵パンがある。日本ではイースト（パン用酵母菌）で発酵させたパンが主流で、中近東やインドでは無発酵のものが多い。また、小麦粉、イースト、塩、水の基本材料のみで作るものをリーンな（貧しい）パンといい、基本材料に砂糖、油脂、乳製品、卵等を加えたものをリッチな（豊かな）パンという。

食パン 1斤=340〜450g
強力粉に塩、砂糖、油脂、イースト等を混ぜた生地を型に入れて焼いたパン。ふたをして焼くと角形に、ふたをしないと山形になる。

コッペパン 1個=150g
コッペとはフランスのクープ（切れ目が入った小型のフランスパン）がなまったものといわれる。しかし、現在の日本のコッペパンは大きくて太くやわらかく、クープとは異なる。

乾パン 1個=3g
別名かたパン。ビスケットのようにかたく作った保存・携帯に便利なパンで、災害時の非常食として利用される。もとは軍用食糧で、現在でも自衛隊で採用されている。

フランスパン 1切=25g
強力粉・中力粉、水、イースト、塩だけの生地を、皮がパリパリにかたくなるように焼いたもの。バゲット（Baguette）は杖とか棒という意味で70〜80cm。バタール（Batard）は40〜50cm。

ライ麦パン 1切=100g
別名黒パン。ライ麦粉はグルテンを形成しないため、日本では小麦粉と混ぜてイーストで発酵させたものが多い。乳酸菌や酢酸菌、野生酵母等の酸発酵による膨張効果で生地を発酵させたライ麦パンはずっしりと重く、酸味のある独特の風味をもつ。

全粒粉パン
小麦の粒をまるごと挽いた全粒粉と小麦粉を混ぜた生地で作ったパン。全粒粉は小麦胚芽や外皮を含むため茶褐色で、焼き上がると香ばしい風味と歯ごたえがある。

可食部100gあたり　Tr：微量　( )：推定値または推計値　-：未測定

亜鉛	銅	マンガン	ヨウ素	セレン	クロム	モリブデン	A レチノール活性当量	レチノール	β-カロテン当量	D	E αトコフェロール	K	B1	B2	ナイアシン当量	B6	B12	葉酸	パントテン酸	ビオチン	C	食塩相当量	備考 ①歩留り ②原材料配合割合 ③試料
mg	mg	mg	µg	µg	µg	µg	µg	µg	µg	µg	mg	µg	mg	mg	mg	mg	µg	µg	mg	µg	mg	g	
0.3	0.08	0.43	Tr	4	2	12	(0)	0	(0)	0	0.3	(0)	0.11	0.03	2.4	0.03	0	9	0.53	1.2	(0)	0	(100 g：182 mL、100 mL：55 g)
0.7	0.18	0.77	0	3	2	14	(0)	0	(0)	0	1.0	(0)	0.21	0.04	2.9	0.09	0	14	0.62	2.5	(0)	0	(100 g：182 mL、100 mL：55 g)
0.5	0.11	0.43	0	7	Tr	9	(0)	0	(0)	0	0.3	(0)	0.10	0.03	2.4	0.05	0	8	0.47	1.5	(0)	0	(100 g：182 mL、100 mL：55 g)
0.6	0.14	0.77	0	7	2	10	(0)	0	(0)	0	0.8	(0)	0.22	0.04	3.1	0.07	0	12	0.66	2.6	(0)	0	(100 g：182 mL、100 mL：55 g)
0.8	0.15	0.32	0	39	1	26	(0)	0	(0)	0	0.3	(0)	0.09	0.04	3.1	0.06	0	16	0.77	1.7	(0)	0	(100 g：182 mL、100 mL：55 g)
1.0	0.19	0.58	0	49	1	30	(0)	0	(0)	0	0.5	(0)	0.13	0.04	3.6	0.08	0	18	0.93	2.6	(0)	0	(100 g：182 mL、100 mL：55 g)
3.0	0.42	4.02	0	47	3	44	(0)	(0)	(0)	(0)	1.0	(0)	0.34	0.09	(8.5)	0.33	(0)	48	1.27	11.0	(0)	0	(100 g：182 mL、100 mL：55 g)
0.7	0.13	0.92	1400	8	3	15	1	0	8	0.1	0.6	1	0.21	0.03	3.3	0.07	0.1	17	0.41	2.4	Tr	3.7	(100 g：182 mL、100 mL：55 g)
0.3	0.07	-	0	3	5	11	9	9	3	0.1	0.5	1	0.10	0.08	(2.2)	0.04	0.1	10	0.48	1.5	0	1.0	(100 g：182 mL、100 mL：55 g)
0.7	0.10	0.96	1	6	6	23	5	0	56	0	0.3	2	0.15	0.07	2.8	0.12	Tr	26	0.33	4.3	0	9.7	β-カロテン：着色料として添加 (100 g：182 mL、100 mL：55 g)
0.5	0.12	0.62	1	3	2	10	1	Tr	4	0	0.3	0	0.12	0.99	2.7	0.06	0	12	0.35	1.3	0	0.5	β-カロテン及びビタミンB2無添加のもの (100 g：182 mL、100 mL：55 g)
0.1	0.04	0.20	1	1	1	3	3	0	39	(0)	0.1	(0)	0.04	0.16	(1.0)	0.02	(0)	3	0.19	0.5	(0)	0.2	天ぷら粉 39、水 61
0.1	0.04	0.26	0	1	2	4	0	0	1	-	7.6	81	0.05	0.14	(1.3)	0.03	(0)	4	0.21	0.7	(0)	0.2	植物油（なたね油）
0.5	0.09	0.25	1	22	1	15	0	0	4	0	0.4	0	0.07	0.05	2.6	0.03	Tr	30	0.42	2.3	0	1.2	
0.6	0.10	0.28	1	25	1	17	-	-	-	-	0.4	-	0.07	0.05	2.9	0.03	-	30	0.45	2.2	0	1.3	
0.4	0.08	0.23	1	20	1	12	Tr	-	5	-	0.3	-	0.06	0.05	2.5	0.04	-	17	0.30	2.2	0	1.1	※ 耳の割合：45 %、耳以外の割合：55 %
(0.6)	(0.10)	(0.27)	(1)	(22)	(1)	(14)	(1)	-	(7)	-	(0.4)	-	(0.06)	(0.06)	(2.7)	(0.05)	-	(27)	(0.37)	(2.2)	(Tr)	(1.3)	※ 耳の割合：45 %、耳以外の割合：55 %
(0.6)	(0.10)	(0.21)	0	(25)	(1)	(17)	0	0	0	(0.3)	(0.4)	0	(0.10)	(0.05)	(1.9)	(0.04)	0	(28)	(0.54)	(2.5)	0	(1.3)	
0.7	0.09	0.18	3	23	1	15	55	54	11	0.3	0.3	2	0.09	0.09	2.4	0.05	0.1	42	0.58	4.1	0	(1.0)	
(0.6)	(0.10)	(0.21)	(1)	(24)	(1)	(16)	0	0	0	(Tr)	(0.4)	0	(0.08)	(0.06)	(2.1)	(0.05)	(Tr)	(34)	(0.54)	(2.4)	0	(1.3)	
0.7	0.12	0.39	-	-	-	-	(0)	(0)	(0)	(0)	0.4	(Tr)	0.08	0.08	2.2	0.04	(Tr)	45	0.63	-	(0)	1.3	
0.6	0.18	0.82	-	-	-	-	(0)	(0)	(0)	(0)	1.1	(Tr)	0.14	0.06	(2.8)	0.06	(0)	20	0.41	-	(0)	1.2	
0.8	0.14	0.39	Tr	29	1	20	(0)	(0)	0	(0)	0.1	(0)	0.08	0.05	2.9	0.04	(0)	33	0.45	1.9	(0)	1.6	
1.3	0.18	0.87	-	-	-	-	(0)	(0)	0	Tr	0.3	(0)	0.16	0.06	2.7	0.09	(0)	34	0.46	-	(0)	1.2	主原料配合：ライ麦粉 50%
0.4	0.18	1.35	0	27	1	22	0	0	0	Tr	0.8	0	0.17	0.07	3.7	0.13	0	49	0.67	5.4	0	1.0	

Q A パンはどうやって作られるようになったの？▶パン発祥の地は、古代メソポタミア地方。最初のパンは練った生地を焼いただけの「無発酵パン」で、薄くて平らなものだった。ところがあるとき、生地を放置していたら自然と発酵してふくらみ、焼いてみたらふっくらしたパン（＝発酵パン）ができたといわれている。

ぶどうパン

クロワッサン

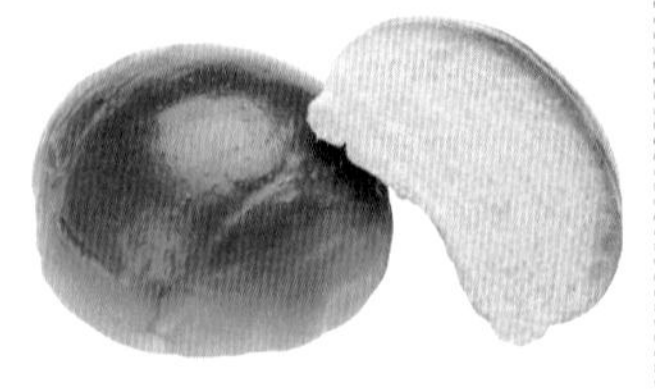

ロールパン

くるみパン

ナン

イングリッシュマフィン

ベーグル

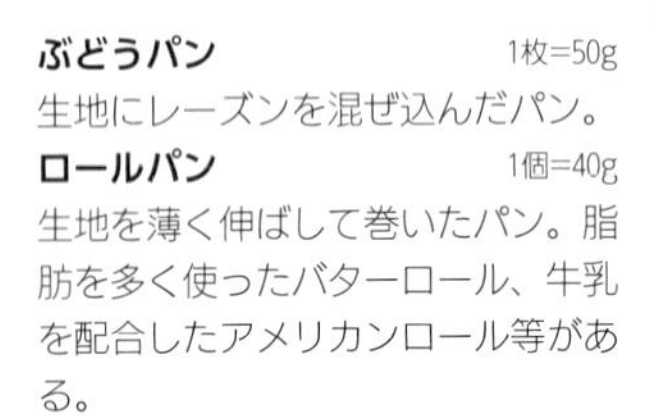

うどん（生）

うどん（ゆで）

ぶどうパン 1枚=50g
生地にレーズンを混ぜ込んだパン。

ロールパン 1個=40g
生地を薄く伸ばして巻いたパン。脂肪を多く使ったバターロール、牛乳を配合したアメリカンロール等がある。

クロワッサン 1個=50g
生地とバターが層になるように折りこみ、三日月型に成形して焼いたパイ状のパン。レギュラータイプは、1袋に数個詰めてもパイ状の層が壊れにくいように油脂量を減らしたもの。

くるみパン
生地にくるみを混ぜこんで焼いたパン。

イングリッシュマフィン
やわらかいイースト生地を丸く成形し、鉄板で焼く平らなマフィン。半分に割ってからトーストすると、割った面が適度にでこぼこしてカリカリとした食感となり、バターやジャムがよくしみ込む。

ナン 1個=240g
インドやイラン等のパン。発酵させた生地を薄く伸ばし、タンドールというつぼのようなかまどの内側に直接はりつけて焼く。

ベーグル 1個=75g
強力粉、水、塩、酵母で作るために低カロリー・低脂肪であること、リング状に成形してゆでてから焼くためにもちもちとした独特の歯ごたえがあることが特徴。横半分に切り、好みの具をはさんで食べる。

うどん・そうめん類
Japanese noodles

中力粉に水と塩を加えてよくこね、線状に細長く成形したもので、太さによって名称が異なる。

種類：JAS規準の干しめんの場合、そうめんは長径1.3㎜未満、ひやむぎは長径1.3㎜以上1.7㎜未満、うどんは長径1.7㎜以上、ひらめん（きしめん、ひもかわ）は幅4.5㎜以上で厚さ2.0㎜未満、手延うどんは長径1.7㎜以上の丸棒状、手延そうめん・手延ひやむぎは長径1.7㎜未満の丸棒状のものとされる。

食品番号	食品名	廃棄率	エネルギー	2015年版の値	水分	たんぱく質	アミノ酸組成によるたんぱく質	脂質	脂肪酸のトリアシルグリセロール当量	脂肪酸 飽和	脂肪酸 一価不飽和	脂肪酸 多価不飽和	コレステロール	炭水化物	利用可能炭水化物(質量計)	食物繊維 食物繊維総量(プロスキー変法)	食物繊維 食物繊維総量(AOAC法)	ミネラル(無機質) ナトリウム	カリウム	カルシウム	マグネシウム	リン	鉄
		%	kcal	kcal	g	g	g	g	g	g	g	g	mg	g	g	g	g	mg	mg	mg	mg	mg	mg
01033	**ぶどうパン**	0	**263**	269	35.7	**8.2**	7.4	**3.5**	(3.3)	(1.57)	(0.97)	(0.58)	(Tr)	**51.1**	-	2.2	-	400	210	**32**	23	86	**0.9**
01034	**ロールパン**	0	**309**	316	30.7	**10.1**	8.5	**9.0**	8.5	4.02	2.86	1.26	(Tr)	**48.6**	45.7	2.0	-	490	110	**44**	22	97	**0.7**
01209	**クロワッサン** レギュラータイプ	0	**406**	415	(20.0)	**(6.5)**	(5.9)	**(20.4)**	(19.3)	-	-	-	(20)	**(51.5)**	(47.9)	(1.9)	-	(530)	(110)	**(27)**	(14)	(65)	**(0.4)**
01035	リッチタイプ	0	**438**	448	20.0	**7.9**	7.3	**26.8**	(25.4)	(12.16)	(8.94)	(3.15)	(35)	**43.9**	-	1.8	-	470	90	**21**	17	67	**0.6**
01210	**くるみパン**	0	**292**	301	(39.2)	**(8.2)**	(7.5)	**(12.6)**	(12.5)	-	-	-	(12)	**(38.7)**	(34.8)	(2.4)	-	(310)	(150)	**(35)**	(33)	(88)	**(0.8)**
01036	**イングリッシュマフィン**	0	**224**	228	46.0	**8.1**	(7.4)	**3.6**	(3.2)	(1.21)	(0.70)	(1.19)	(Tr)	**40.8**	(36.7)	1.2	-	480	84	**53**	19	96	**0.9**
01037	**ナン**	0	**257**	262	37.2	**10.3**	9.3	**3.4**	3.1	0.53	1.45	1.00	(0)	**47.6**	(41.6)	2.0	-	530	97	**11**	22	77	**0.8**
01148	**ベーグル**	0	**270**	275	32.3	**9.6**	8.2	**2.0**	1.9	0.71	0.48	0.63	-	**54.6**	46.0	2.5	-	460	97	**24**	24	81	**1.3**
	[うどん・そうめん類]																						
01038	**うどん** 生	0	**249**	270	33.5	**6.1**	5.2	**0.6**	(0.5)	(0.14)	(0.05)	(0.31)	(0)	**56.8**	50.1	-	3.6	1000	90	**18**	13	49	**0.3**
01039	ゆで	0	**95**	105	75.0	**2.6**	2.3	**0.4**	(0.3)	(0.09)	(0.04)	(0.20)	(0)	**21.6**	19.5	-	1.3	120	9	**6**	6	18	**0.2**
01186	半生うどん	0	**296**	325	23.8	**(7.8)**	(6.6)	**(3.4)**	(2.9)	(0.78)	(0.30)	(1.71)	(0)	**(62.5)**	(57.4)	1.3	4.1	(1200)	(98)	**(22)**	(15)	(64)	**(0.6)**
01041	**干しうどん** 乾	0	**333**	348	13.5	**8.5**	8.0	**1.1**	(1.0)	(0.25)	(0.10)	(0.56)	(0)	**71.9**	(69.9)	2.4	-	1700	130	**17**	19	70	**0.6**
01042	ゆで	0	**117**	126	70.0	**3.1**	(2.9)	**0.5**	(0.4)	(0.11)	(0.04)	(0.25)	(0)	**25.8**	(24.2)	0.7	-	210	14	**7**	4	24	**0.2**
01043	**そうめん・ひやむぎ** 乾	0	**333**	356	12.5	**9.5**	8.8	**1.1**	(1.0)	(0.25)	(0.10)	(0.56)	(0)	**72.7**	65.1	2.5	-	1500	120	**17**	22	70	**0.6**
01044	ゆで	0	**114**	127	70.0	**3.5**	(3.3)	**0.4**	(0.3)	(0.09)	(0.04)	(0.20)	(0)	**25.8**	23.3	0.9	-	85	5	**6**	5	24	**0.2**
01045	**手延そうめん・手延ひやむぎ** 乾	0	**312**	342	14.0	**9.3**	8.6	**1.5**	1.4	0.38	0.23	0.75	(0)	**68.9**	63.5	1.8	-	2300	110	**20**	23	70	**0.6**
01046	ゆで	0	**119**	127	70.0	**3.5**	(3.2)	**0.6**	(0.6)	(0.15)	(0.09)	(0.30)	(0)	**25.5**	(22.2)	1.0	-	130	5	**6**	4	23	**0.2**

+PLUS+ 関東 VS 関西！？●うどんのつゆは、関東と関西で大きく違う。こいくちしょうゆを使った黒っぽいつゆの関東。うすくちしょうゆを使い、透きとおったつゆの関西。塩分濃度は見た目ほどの差はないらしい。あなたの好みはどっち？？

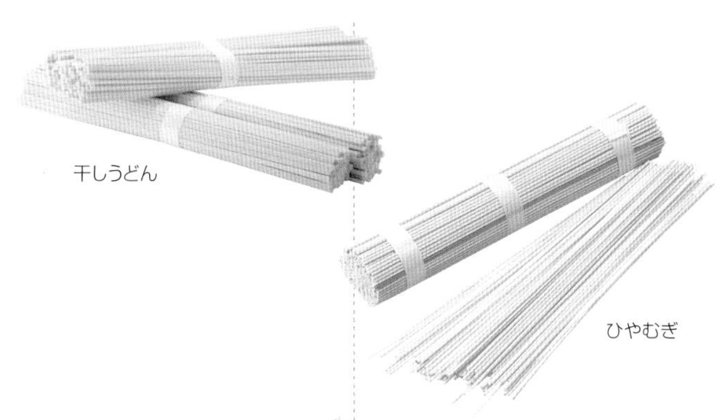

干しうどん

ひやむぎ

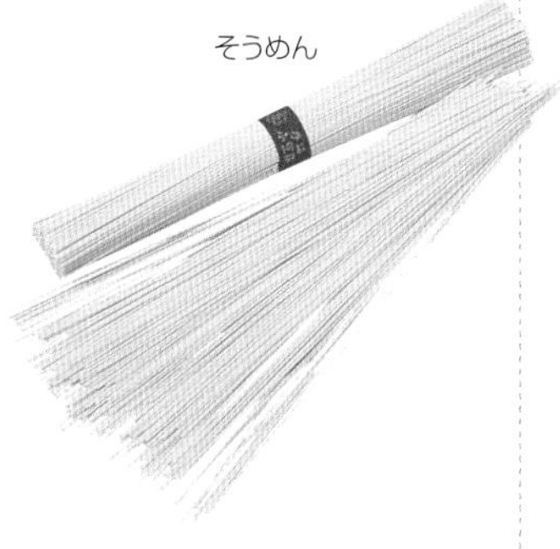

そうめん

手延そうめん

うどん 生1玉=170～250g
ゆで1玉=250～300g

生地を細長い線状に切ったもの。手打ちは機械を使わずにすべてを手作業で行う。

産地：各地に名産品があり、名古屋のきしめん、香川の讃岐（さぬき）うどん、秋田の稲庭（いなにわ）うどん等が有名。

干しうどん 1わ＝200g

生うどんを乾燥させ、常温で長期保存できるようにしたもの。

そうめん・ひやむぎ 乾1わ=100g

うどんとほぼ同じ原料で同じように作るが、ひやむぎのほうが細く、そうめんはもっと細い。

手延そうめん・手延ひやむぎ
乾1人分=80g

生地の表面に植物油をぬって手でよりをかけながら細く引き伸ばし、めん状に成形して乾燥させる。寒い時期に作るが、梅雨の時期を過ぎるまでねかせると油臭さがとれておいしさが増す。各地に名産品がある。

イーストと天然酵母 化学

発酵パンは、酵母が糖類を炭酸ガスとアルコールに分解する発酵作用を利用して、炭酸ガスをパン生地に含ませてふっくらさせる。さまざまな種類の酵母から特定の酵母菌を選んで改良し、工場で純粋培養したものが一般的に利用されているイースト（パン用酵母菌）。

天然酵母はイースト以外の植物（果実、じゃがいも、米、小麦等）に付着する酵母で、自然の力で培養し、パンの発酵に利用するもの。

	イースト	天然酵母
他の菌との関係	他の菌の影響を受けない	共に繁殖している乳酸菌や酢酸菌などによって風味が生まれる
発酵力	常に安定した発酵力がある	イーストより発酵力が弱い
パン生地がふくらむまで	2～3時間	12～16時間
商品価値	短時間に大量のパンを一定の品質で作ることができる	生地がじっくり熟成されて味わいが深まる

うどん系アラカルト

稲庭うどん
手延べ式で作られ、滑らかな舌触りを持つ秋田県の名産品。江戸時代には秋田藩の贈答品に用いられたほどの高級品だった。

ほうとう
山梨県の郷土料理で、かぼちゃや根菜類を主体とした野菜とともにめんを煮込む。「武田信玄の陣中食」に起源を持つとする説がある。

おっ切り込み
群馬県・埼玉県における郷土料理で、煮込みうどんの一種。

きしめん
名古屋名物の平らなめん。

味噌煮込みうどん
愛知県の郷土料理のひとつ。かつお節だしを効かせた八丁味噌仕立ての濃い汁で食べる。

讃岐うどん
コシの強さと滑らかな口当たりが特徴の香川県の名物。

可食部100gあたり Tr：微量 （ ）：推定値または推計値 －：未測定

ミネラル（無機質）							ビタミン															食塩相当量	備考
亜鉛	銅	マンガン	ヨウ素	セレン	クロム	モリブデン	A レチノール活性当量	レチノール	β-カロテン当量	D	E αトコフェロール	K	B_1	B_2	ナイアシン当量	B_6	B_{12}	葉酸	パントテン酸	ビオチン	C		①歩留り ②原材料配合割合 ③試料
mg	mg	mg	µg	µg	µg	µg	µg	µg	µg	µg	mg	µg	mg	mg	mg	mg	µg	µg	mg	µg	mg	g	
0.6	0.15	0.32	-	-	-	-	Tr	Tr	1	Tr	0.4	(Tr)	0.11	0.05	(2.8)	0.07	(Tr)	33	0.42	-	(Tr)	1.0	
0.8	0.12	0.29	-	-	-	-	1	(0)	15	0.1	0.5	(Tr)	0.10	0.06	3.1	0.03	(Tr)	38	0.61	-	(0)	1.2	
(0.5)	(0.08)	(0.26)	(3)	(5)	(Tr)	(6)	37	(34)	(38)	(1.4)	(2.6)	(7)	(0.11)	(0.09)	2.2	(0.05)	(0.1)	(46)	(0.42)	(3.9)	0	1.4	
0.6	0.10	0.29	-	-	-	-	6	(0)	69	0.1	1.9	(Tr)	0.08	0.03	(2.6)	0.03	(Tr)	33	0.44	-	(0)	1.2	
(0.9)	(0.23)	(0.61)	(2)	(18)	(1)	(12)	(16)	(15)	(6)	(0.1)	(0.4)	(2)	(0.11)	(0.09)	(2.5)	(0.11)	(Tr)	(45)	(0.55)	(2.9)	0	(0.8)	
0.8	0.12	0.28	-	-	-	-	Tr	(0)	1	(0)	0.3	(Tr)	0.15	0.08	(2.8)	0.05	(0)	23	0.32	-	(0)	1.2	
0.7	0.11	0.30	-	-	-	-	(0)	(0)	0	(0)	0.6	(0)	0.13	0.06	(3.4)	0.05	(0)	36	0.55	-	(0)	1.3	
0.7	0.11	0.45	-	-	-	-	-	-	-	-	0.2	-	0.19	0.08	3.7	0.06	-	47	0.28	-	-	1.2	
0.3	0.08	0.39	2	6	2	7	(0)	(0)	0	(0)	0.2	-	0.09	0.03	1.7	0.03	(0)	5	0.36	0.8	(0)	2.5	きしめん、ひもかわを含む
0.1	0.04	0.12	Tr	2	1	2	(0)	(0)	0	(0)	0.1	-	0.02	0.01	0.7	0.01	(0)	2	0.13	0.3	(0)	0.3	きしめん、ひもかわを含む
(0.3)	(0.09)	(0.45)	(2)	(6)	(2)	(8)	(0)	0	0	(0)	(0.2)	-	(0.10)	(0.03)	(2.1)	(0.03)	(0)	(6)	(0.41)	(0.9)	(0)	(3.0)	
0.4	0.11	0.50	0	10	1	12	(0)	(0)	0	(0)	0.3	(0)	0.08	0.02	2.5	0.04	(0)	9	0.45	1.3	(0)	4.3	
0.1	0.04	0.14	-	-	-	-	(0)	(0)	0	(0)	0.1	(0)	0.02	0.01	(0.8)	0.01	(0)	2	0.14	-	(0)	0.5	
0.4	0.12	0.44	0	16	1	14	(0)	(0)	0	(0)	0.3	(0)	0.08	0.02	2.8	0.03	(0)	8	0.70	1.3	(0)	3.8	
0.2	0.05	0.12	0	6	1	3	(0)	(0)	0	(0)	0.1	(0)	0.02	0.01	(0.9)	Tr	(0)	2	0.25	0.4	(0)	0.2	
0.4	0.14	0.43	1	22	1	16	(0)	(0)	0	(0)	0.1	(0)	0.06	0.02	2.7	0.03	(0)	10	0.52	1.1	(0)	5.8	
0.1	0.05	0.12	-	-	-	-	(0)	(0)	0	(0)	Tr	(0)	0.03	0.01	(0.9)	0	(0)	2	0.16	-	(0)	0.3	

QA 次の中で1食分の食塩摂取基準を超えているものはどれ？［カップヌードル　UFO焼きそば　緑のたぬき］▶答えは全部。15～17歳の1食分の食塩摂取基準は2.2～2.5gだが、いずれも約5～6gの食塩を含んでいる（➡p.358）。夜食や間食などについ食べたくなるが、食べ過ぎには注意しよう。

中華めん(生)

焼きそば

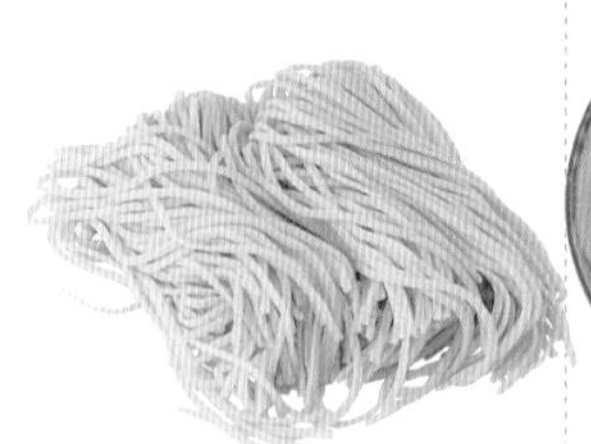

沖縄そば

中華めん類
Chinese noodles

中華めん 生1玉=120g ゆで1玉=180〜200g

中力粉にかんすいというアルカリ性の溶液(炭酸カリウム・炭酸ナトリウムの混合物)と水を加えてこね、めん状にしたもの。かんすいは弾力性と滑らかさを強めて独特の食感を作る。また、小麦粉のフラボノイド系色素(➡p.107)がアルカリ性に反応して黄色っぽくなる。中華めんの縮れはめん状に仕上げてからつける。

蒸し中華めん

中華めんを蒸したもので、焼きそば等にする。

干し中華めん

中華めんを乾燥したもの。縮れがないものが多い。

沖縄そば ゆで1玉=200g

別名沖縄めん。そば粉を使っためんではなく、木灰を水に溶かした上澄み液(あく)やかんすいで小麦粉を練った生地で作ったもの。

干し沖縄そば

沖縄そばを乾燥したもの。

食品番号	食品名	廃棄率 %	エネルギー kcal	2015年版の値 kcal	水分 g	たんぱく質 g	アミノ酸組成によるたんぱく質 g	脂質 g	脂肪酸のトリアシルグリセロール当量 g	脂肪酸 飽和 g	脂肪酸 一価不飽和 g	脂肪酸 多価不飽和 g	コレステロール mg	炭水化物 g	利用可能炭水化物(質量計) g	食物繊維 食物繊維総量(プロスキー変法) g	食物繊維 食物繊維総量(AOAC法) g	ミネラル(無機質) ナトリウム mg	カリウム mg	カルシウム mg	マグネシウム mg	リン mg	鉄 mg
	[中華めん類]																						
01047	**中華めん** 生	0	249	281	33.0	8.6	8.5	1.2	(1.0)	(0.28)	(0.11)	(0.61)	(0)	55.7	47.6	-	5.4	410	350	21	13	66	0.5
01048	ゆで	0	133	149	65.0	4.9	(4.8)	0.6	(0.5)	(0.14)	(0.05)	(0.31)	(0)	29.2	25.2	-	2.8	70	60	20	7	29	0.3
01187	**半生中華めん**	0	305	333	23.7	(9.9)	(9.8)	(4.0)	(3.5)	(0.91)	(0.38)	(2.07)	(0)	(61.2)	(54.2)	2.4	6.2	(470)	(430)	(21)	(15)	(72)	(0.7)
01049	**蒸し中華めん** 蒸し中華めん	0	162	184	57.4	4.9	4.7	1.7	(1.5)	(0.38)	(0.16)	(0.85)	Tr	35.6	30.6	1.7	3.1	110	80	10	9	40	0.4
01188	ソテー	0	211	220	50.4	5.2	(5.1)	4.9	(4.3)	(0.53)	(2.02)	(1.52)	1	38.9	35.9	-	3.6	130	87	10	10	43	0.4
01050	**干し中華めん** 乾	0	337	358	14.7	11.7	(11.5)	1.6	(1.4)	(0.36)	(0.15)	(0.82)	(0)	70.2	65.0	2.9	6.0	410	300	21	23	82	1.1
01051	ゆで	0	131	141	66.8	4.9	(4.8)	0.5	(0.4)	(0.12)	(0.05)	(0.26)	(0)	27.5	25.4	1.6	2.6	66	42	13	10	29	0.4
01052	**沖縄そば** 生	0	266	284	32.3	9.2	(9.1)	2.0	(1.7)	(0.46)	(0.18)	(1.02)	(0)	54.2	(48.1)	2.1	-	810	340	11	50	65	0.7
01053	ゆで	0	132	147	65.5	5.2	(5.1)	0.8	(0.7)	(0.18)	(0.07)	(0.41)	(0)	28.0	(24.8)	1.5	-	170	80	9	28	28	0.4
01054	**干し沖縄そば** 乾	0	317	351	13.7	12.0	(11.9)	1.7	(1.5)	(0.39)	(0.15)	(0.86)	(0)	67.8	(61.3)	2.1	-	1700	130	23	22	100	1.5
01055	ゆで	0	132	148	65.0	5.2	(5.1)	0.6	(0.5)	(0.14)	(0.05)	(0.31)	(0)	28.6	(25.2)	1.5	-	200	10	11	8	36	0.5
	[即席めん類]																						
01056	**即席中華めん** 油揚げ味付け	0	424	445	2.0	10.1	9.0	16.7	16.3	7.31	6.02	2.25	7	63.5	57.3	2.5	-	2500	260	430	29	110	1.0
	即席中華めん 油揚げ																						
01057	乾	0	439	458	3.0	10.1	-	19.1	18.6	8.46	7.15	2.20	3	61.4	(54.9)	2.4	-	2200	150	230	25	110	0.9
01198	調理後全体(添付調味料等を含むもの)	0	100	103	(78.5)	(2.3)	-	(4.4)	(4.4)	(2.03)	(1.64)	(0.51)	(1)	(13.4)	(12.2)	(0.5)	-	(430)	(33)	(28)	(6)	(20)	(0.2)
01189	ゆで(添付調味料等を含まないもの)	0	189	197	59.8	3.9	3.5	7.7	7.1	3.19	2.75	0.82	2	27.9	26.1	-	2.6	150	34	95	8	40	0.2
01144	乾(添付調味料等を含まないもの)	0	453	474	3.7	8.9	8.2	19.6	18.6	8.43	7.21	2.16	4	65.5	59.3	-	5.5	580	150	220	20	97	0.6
	即席中華めん 非油揚げ																						
01058	乾	0	336	356	10.0	10.3	-	5.2	4.9	1.26	1.86	1.55	2	67.1	(59.8)	2.3	-	2700	260	110	25	110	0.8
01199	調理後全体(添付調味料等を含むもの)	0	93	94	(76.2)	(3.0)	-	(0.8)	(0.8)	(0.20)	(0.28)	(0.25)	(1)	(18.7)	(15.8)	(0.6)	-	(430)	(68)	(6)	(6)	(26)	(0.2)
01190	ゆで(添付調味料等を含まないもの)	0	139	145	63.9	3.4	3.3	0.8	0.6	0.31	0.06	0.24	1	31.0	26.6	-	2.7	230	64	94	8	46	0.2
01145	乾(添付調味料等を含まないもの)	0	334	352	10.7	8.5	7.9	1.9	1.5	0.71	0.15	0.60	1	75.2	67.7	-	6.5	1200	310	230	21	130	0.6
	中華スタイル即席カップめん 油揚げ																						
01193	塩味 乾	0	422	445	5.3	10.9	9.5	18.5	17.7	8.21	6.62	2.12	17	58.6	52.1	-	5.8	2300	190	190	25	110	0.7
01201	調理後全体(添付調味料等を含むもの)	0	92	100	(79.8)	(2.5)	(2.1)	(4.2)	(4.0)	(1.85)	(1.49)	(0.48)	(4)	(13.2)	(3.5)	-	(1.3)	(520)	(43)	(43)	(6)	(24)	(0.2)
01194	調理後のめん(スープを残したもの)	0	175	185	62.0	3.8	3.3	7.7	7.2	3.38	2.71	0.83	1	25.2	22.7	-	2.2	440	37	76	7	34	0.3
01191	しょうゆ味 乾(添付調味料等を含むもの)	0	417	430	9.7	10.0	8.3	19.1	18.6	8.27	7.21	2.30	10	54.6	49.8	-	6.1	2500	180	200	26	110	0.8
01200	調理後全体(添付調味料等を含むもの)	0	90	101	(80.8)	(2.3)	(2.0)	(4.5)	(4.4)	(1.95)	(1.70)	(0.54)	(2)	(12.9)	(6.0)	-	(1.4)	(590)	(43)	(46)	(6)	(27)	(0.2)
01192	調理後のめん(スープを残したもの)	0	142	147	69.1	3.0	2.6	5.8	5.6	2.58	2.12	0.66	1	20.7	16.7	-	1.9	450	33	74	6	28	0.2
01060	**焼きそば** 乾	0	418	431	11.1	8.2	6.9	18.6	17.5	7.15	7.02	2.58	2	57.5	54.5	2.2	5.7	1500	180	180	27	89	1.0
01202	調理後全体(添付調味料等を含むもの)	0	222	258	(53.6)	(5.0)	(4.2)	(11.3)	(10.6)	(4.31)	(4.24)	(1.56)	(3)	(34.2)	(13.5)	-	(3.3)	(910)	(100)	(94)	(14)	(54)	(0.4)
	中華スタイル即席カップめん 非油揚げ																						
01061	乾	0	314	339	15.2	9.2	7.7	5.8	5.4	1.55	2.35	1.31	6	62.6	54.3	2.7	6.4	2800	250	48	26	100	1.2
01203	調理後全体(添付調味料等を含むもの)	0	66	69	(83.5)	(2.5)	(2.1)	(2.1)	(2.0)	(0.56)	(0.85)	(0.47)	(2)	(10.2)	(12.2)	-	(1.5)	(560)	(77)	(44)	(7)	(34)	(0.2)
01195	調理後のめん(スープを残したもの)	0	121	126	68.8	3.4	2.9	1.3	1.1	0.36	0.37	0.32	1	25.3	23.4	-	2.5	380	53	76	7	42	0.3
	和風スタイル即席カップめん 油揚げ																						
01062	乾	0	437	446	6.2	10.9	9.6	19.8	18.9	8.66	6.99	2.36	3	56.1	53.0	1.9	6.0	2600	150	170	26	160	1.3
01204	調理後全体(添付調味料等を含むもの)	0	91	95	(80.5)	(2.2)	(1.9)	(4.7)	(4.4)	(2.04)	(1.64)	(0.55)	(1)	(11.2)	(6.7)	-	(1.4)	(550)	(34)	(41)	(6)	(38)	(0.2)
01196	調理後のめん(スープを残したもの)	0	163	174	64.4	2.7	2.4	7.2	7.0	3.29	2.60	0.76	2	24.4	21.2	-	2.4	420	26	78	6	48	0.2

+PLUS+ **ビーフンの仲間●**ビーフンは台湾・中国南部の常食で、中国語で米粉(ミーフェン)と発音する。ビーフンと同じ米粉の麺は他の国にもたくさんあり、ベトナムのフォー、タイのクイティアオ、マレーシアのミーが有名だ。タイのクイティアオは形や太さで名前が変わり、極細麺をセンミー、細麺をセンレック、平らな麺をセンヤイという。

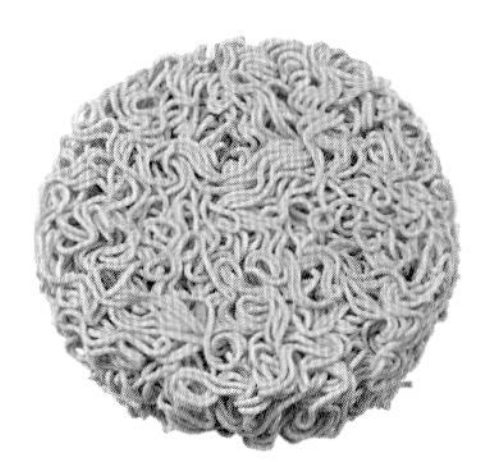
即席中華めん（油揚げ味付け）

即席中華めん（非油揚げ）

中華スタイル即席カップめん

和風スタイル即席カップめん

即席めん類
Precooked noodles

1人分=90〜120g

短時間煮る、熱湯をかける等の簡単な調理によって食べられる加工めん製品で、いわゆるインスタントめんのこと。成分値は添付調味料等も含めた数値。

種類：めんを蒸してでん粉をアルファ化し、油で揚げて乾燥させた油揚げめん、熱風や電磁波で加熱・乾燥させる非油揚げめん等がある。

即席中華めん
袋入りの**インスタントラーメン**のこと。短時間の加熱でできあがるよう中華めんを蒸してアルファ化する。「油揚げ」めんは湯戻りしやすい。熱風乾燥する「非油揚げ」めんは湯戻りしにくいので、めんを細くしている。

中華スタイル即席カップめん
別名**カップラーメン**。カップめん式のインスタントラーメンのこと。「油揚げ　焼きそば」は別名**カップ焼きそば**。

和風スタイル即席カップめん
別名**カップうどん**。カップめん式のインスタントうどんのこと。

可食部100gあたり　Tr：微量　（ ）：推定値または推計値　－：未測定

ミネラル（無機質）							ビタミン																
亜鉛	銅	マンガン	ヨウ素	セレン	クロム	モリブデン	A レチノール活性当量	A レチノール	A β-カロテン当量	D	E α-トコフェロール	K	B1	B2	ナイアシン当量	B6	B12	葉酸	パントテン酸	ビオチン	C	食塩相当量	備考 ①歩留り ②原材料配合割合 ③試料
mg	mg	mg	µg	µg	µg	µg	µg	µg	µg	µg	mg	µg	mg	mg	mg	mg	µg	µg	mg	µg	mg	g	
0.4	0.09	0.35	Tr	33	1	20	(0)	(0)	0	(0)	0.2	-	0.02	0.02	2.3	0.02	(0)	8	0.55	1.0	(0)	1.0	
0.2	0.05	0.18	0	17	Tr	5	(0)	(0)	0	(0)	0.1	-	0.01	0.01	(1.2)	0	Tr	3	0.25	0.5	(0)	0.2	
(0.4)	(0.10)	(0.40)	(1)	(35)	(1)	(23)	(0)	0	0	(0)	(Tr)	-	(0.07)	(0.03)	(2.6)	(0.02)	(0)	(9)	(0.63)	(1.3)	(0)	(1.2)	
0.2	0.06	0.23	Tr	9	1	6	(0)	(0)	0	(0)	0.1	-	0	0.16	1.4	0.02	(0)	4	0.19	0.7	(0)	0.3	
0.2	0.06	0.25	0	10	1	7	0	(0)	0	(0)	0.1	-	0	0	(1.5)	0.02	Tr	4	0.21	0.8	(0)	0.3	
0.5	0.15	0.44	0	24	1	18	(0)	(0)	0	(0)	0.2	-	0.02	0.03	(3.1)	0.05	(0)	11	0.76	1.4	(0)	1.0	
0.2	0.05	0.18	0	9	Tr	4	(0)	(0)	0	(0)	Tr	-	0	0	(1.1)	0.01	Tr	3	0.25	0.5	(0)	0.2	
1.1	0.18	0.69	-	-	-	-	(0)	(0)	(0)	(0)	0.3	(0)	0.02	0.04	(2.6)	0.11	(0)	15	0.63	-	(0)	2.1	
0.6	0.10	0.37	-	-	-	-	(0)	(0)	(0)	(0)	0.2	(0)	0.01	0.02	(1.2)	0.03	(0)	6	0.23	-	(0)	0.4	
0.4	0.11	0.38	-	-	-	-	(0)	(0)	(0)	(0)	0.1	(0)	0.12	0.05	(3.5)	0.05	(0)	8	0.49	-	(0)	4.3	
0.1	0.05	0.16	-	-	-	-	(0)	(0)	(0)	(0)	Tr	(0)	0.02	0.02	(1.2)	0.01	(0)	3	0.18	-	(0)	0.5	
0.5	0.13	0.82	-	-	-	-	0	0	0	0	3.1	1	1.46	1.67	2.5	0.06	0	12	0.41	-	0	6.4	添付調味料等を含む
0.5	0.16	0.53	2	16	7	16	1	0	14	0	2.2	3	0.55	0.83	2.6	0.05	Tr	10	0.44	1.8	Tr	5.6	調理前のもの、添付調味料等を含む
(0.1)	(0.03)	(0.12)	(Tr)	(4)	(2)	(4)	0	0	(3)	0	(0.5)	(1)	(0.02)	(0.13)	(0.6)	(0.01)	0	(2)	(0.10)	(0.4)	0	(1.1)	添付調味料等を含む
0.2	0.05	0.17	1	9	2	6	0	0	1	0	0.8	0	0.05	0.06	1.1	0.01	Tr	3	0.11	0.7	0	0.4	添付調味料等を含まない
0.4	0.09	0.42	1	24	5	18	0	0	1	0	2.2	1	0.16	0.19	2.8	0.05	Tr	9	0.26	1.6	0	1.5	調理前のもの、添付調味料等を除く
0.4	0.11	0.66	13	8	3	16	1	Tr	5	0	1.3	3	0.21	0.04	2.7	0.05	Tr	14	0.37	2.2	0	6.9	調理前のもの、添付調味料等を含む
(0.1)	(0.03)	(0.17)	(4)	(2)	(1)	(4)	0	0	(2)	0	(0.2)	(1)	(0.01)	(0.01)	(0.7)	(0.01)	0	(4)	(0.10)	(0.6)	0	(1.1)	添付調味料等を含む
0.2	0.04	0.17	1	5	2	4	3	0	31	0	0.7	0	Tr	Tr	1.1	0.01	0	3	0.12	0.6	0	0.6	添付調味料等を含まない
0.4	0.08	0.50	3	14	6	15	5	0	62	0	1.7	Tr	0.01	0.01	2.8	0.05	Tr	8	0.34	1.5	0	3.0	調理前のもの、添付調味料等を除く
0.5	0.09	0.41	5	22	9	15	26	2	290	0.2	3.1	17	0.90	0.61	2.9	0.07	0.1	16	0.30	2.3	2	5.8	調理前のもの、添付調味料等を含む
(0.1)	(0.02)	(0.09)	(1)	(5)	(2)	(3)	(6)	(Tr)	(65)	(Tr)	(0.7)	(4)	(0.20)	(0.14)	(0.7)	(0.02)	(Tr)	(4)	(0.07)	(0.5)	(1)	(1.3)	添付調味料等を含む
0.2	0.04	0.14	1	9	3	5	6	0	65	0	1.2	1	0.19	0.14	0.9	0.02	Tr	4	0.10	0.6	0	1.1	添付調味料等を含む
0.5	0.07	0.40	12	19	7	17	12	1	130	0	2.7	10	0.61	0.52	2.7	0.06	0.1	14	0.20	2.4	2	6.3	調理前のもの、添付調味料等を含む
(0.1)	(0.02)	(0.09)	(3)	(4)	(2)	(4)	(3)	0	(31)	0	(0.6)	(2)	(0.14)	(0.12)	(0.6)	(0.01)	(Tr)	(3)	(0.05)	(0.6)	(1)	(1.5)	添付調味料等を含む
0.1	0.04	0.13	3	7	2	4	1	0	9	0	0.9	1	0.15	0.14	0.8	0.01	Tr	3	0.07	0.6	0	1.1	添付調味料等を含む
0.4	0.12	0.56	6	16	4	15	4	0	51	0	3.1	14	0.48	0.66	2.1	0.06	Tr	13	0.38	1.9	1	3.8	調理前のもの、添付調味料等を含む
(0.3)	(0.06)	(0.30)	(3)	(9)	(3)	(9)	(2)	0	(19)	0	(1.8)	(11)	(0.28)	(0.30)	(1.4)	(0.04)	(Tr)	(9)	(0.15)	(1.1)	(2)	(2.3)	添付調味料等を含む
0.4	0.10	0.66	58	14	7	18	12	Tr	140	0	1.1	9	0.16	0.13	2.2	0.07	Tr	21	0.35	2.9	1	7.1	調理前のもの、添付調味料等を含む
(0.1)	(0.02)	(0.12)	(14)	(3)	(2)	(4)	(3)	0	(30)	(Tr)	(0.3)	(3)	(0.10)	(0.10)	(0.7)	(0.02)	(Tr)	(4)	(0.08)	(0.7)	(2)	(1.4)	添付調味料等を含む
0.1	0.03	0.17	10	5	2	3	Tr	0	5	0	0.3	1	0.05	0.06	0.8	0.01	0	3	0.07	0.6	0	1.0	添付調味料等を含む
0.5	0.11	0.54	430	13	5	19	4	0	53	0	2.6	5	0.11	0.05	2.9	0.05	0.2	12	0.25	2.0	1	6.7	調理前のもの、添付調味料等を含む
(0.1)	(0.02)	(0.10)	(99)	(3)	(1)	(4)	(Tr)	0	(6)	0	(0.6)	(1)	(0.19)	(0.08)	(0.6)	(0.01)	(Tr)	(2)	(0.06)	(0.5)	(2)	(1.4)	添付調味料等を含む
0.1	0.02	0.13	77	4	2	3	0	0	1	0	1.0	1	0.15	0.06	0.7	0.01	Tr	3	0.07	0.4	1	1.1	添付調味料等を含む

Q A 陸稲にはもち米がある？▶うるち米ともち米があり、おもにもち米が栽培されている。陸稲の利点は、いもち病に強い、種を畑に直接まいて育てるので苗を育ててから植えつける手間がいらない、野菜等の連作障害を防止する効果が大きい等。しかし、連作障害が発生しやすい、除草が大変、肥料がたくさん必要等の弱点がある。

生パスタ

マカロニ・スパゲッティ類
Macaroni and spaghetti

小麦粉に40～50℃の温湯を加えてこね、成形したものをパスタと総称する。乾燥タイプと生タイプがある。

マカロニ・スパゲッティ 乾1人分=80g

マカロニとスパゲッティは形が異なるが、デュラム小麦から作られるセモリナ粉が原料なので成分値は一括して示している。

生パスタ 1人分=120g

デュラムセモリナ粉等の小麦粉を水でこね、強い圧力で金型から押し出して成型し、乾燥していないもの。乾燥品より粘り強いもちっとした食感。自家製めんのパスタ店や家庭では、デュラムセモリナ粉だけだと吸水性が悪くて生地の成形がむずかしいため、強力粉に卵、水、オリーブ油を混ぜて作ることが多い。

調理法：スパゲッティは、針先ほどの芯を残すアルデンテ（歯ごたえがある）の状態でゆであげる。これは、その後ソースとあえて軽く火を通すことを計算しているからである。

【ロングパスタの例】

スパゲッティ：イタリア語の“ひも”を意味するspago（スパーゴ）が語源。太さ1.2～2.5mm。1.6mmのものをスパゲッティーニといい、最も多く使用される。

カペリーニ：“髪の毛”という意味。太さ1.0mm前後の極細タイプ。スープの浮き実にする。

ブカティーニ：中心に穴があいた筒状をしている。直径は2.5mm前後。ペルチャテリーニともいう。

タリアテッレ：幅が広いパスタで、原料のセモリナ粉に卵を加えている。幅の違いによりフェットチーネ等、呼び名が変わる。

【ショートパスタの例】

エリーケ：らせん形で、スピラーレ、エリコイダーリ、フジッリと呼ばれることもある。

エルボ：“ひじ”という意味で、細く曲がった管状の形。

コンキリエ：“貝殻”という意味。肉や野菜を詰めたりする。少し小さいコンキリエッテ、さらに小さいコンキリーネはサラダやスープの浮き実にする。

ファルファーレ：蝶の形をしたパスタ。中心部分と外側のゆでてからのかたさの違いを楽しむ。

ペンネ：“ペン先”という意味。円筒状のパスタの両端をペン先のように斜めに切り落とした形をしている。表面に筋を入れたペンネリガーテ（“筋の入ったペン先”の意味）は、ソースやチーズが絡まりやすい。日本では、唐辛子入りのトマトソースで辛く味つけしたペンネアラビアータが有名。

マカロニ：管状パスタの総称でさまざまな種類がある。

リガトーニ：直径1cmほどの管状で筋がある。

ルオーテ：“車輪”という意味。ロテッレとも呼ばれる。

【その他】

ラザニア：パスタでは最も大きな部類に入る板状のパスタ。ミートソース等数種類のソースと交互に重ね、オーブンで焼く。

食品番号	食品名	廃棄率 %	エネルギー kcal	2015年版の値 kcal	水分 g	たんぱく質 g	アミノ酸組成によるたんぱく質 g	脂質 g	脂肪酸のトリアシルグリセロール当量 g	脂肪酸 飽和 g	脂肪酸 一価不飽和 g	脂肪酸 多価不飽和 g	コレステロール mg	炭水化物 g	利用可能炭水化物（質量計） g	食物繊維 食物繊維総量（プロスキー変法） g	食物繊維 食物繊維総量（AOAC法） g	ミネラル（無機質） ナトリウム mg	カリウム mg	カルシウム mg	マグネシウム mg	リン mg	鉄 mg
	［マカロニ・スパゲッティ類］																						
01063	**マカロニ・スパゲッティ** 乾	0	**347**	378	11.3	**12.9**	12.0	**1.8**	1.5	0.39	0.20	0.87	(0)	**73.1**	66.9	3.0	5.4	1	200	**18**	55	130	**1.4**
01064	ゆで	0	**150**	167	60.0	**5.8**	5.3	**0.9**	0.7	0.19	0.10	0.41	(0)	**32.2**	28.5	1.7	3.0	460	14	**8**	20	53	**0.7**
01173	ソテー	0	**186**	196	(57.0)	**(5.5)**	(5.1)	**(5.8)**	(5.6)	-	-	-	(Tr)	**(30.5)**	(27.0)	(1.6)	(2.9)	(440)	(13)	**(8)**	(19)	(50)	**(0.7)**
01149	**生パスタ** 生	0	**232**	247	42.0	**7.8**	7.5	**1.9**	1.7	0.40	0.44	0.76	(0)	**46.9**	42.2	1.5	-	470	76	**12**	18	73	**0.5**
	［ふ類］																						
01065	**生ふ**	0	**161**	163	60.0	**12.7**	(11.7)	**0.8**	(0.7)	(0.18)	(0.07)	(0.41)	(0)	**26.2**	-	0.5	-	7	30	**13**	18	60	**1.3**
01066	**焼きふ** 釜焼きふ	0	**357**	385	11.3	**28.5**	26.8	**2.7**	(2.3)	(0.62)	(0.24)	(1.37)	(0)	**56.9**	-	3.7	-	6	120	**33**	43	130	**3.3**
01067	板ふ	0	**351**	379	12.5	**25.6**	(23.6)	**3.3**	(2.9)	(0.76)	(0.29)	(1.68)	(0)	**57.3**	-	3.8	-	190	220	**31**	90	220	**4.9**
01068	車ふ	0	**361**	387	11.4	**30.2**	(27.8)	**3.4**	(2.9)	(0.78)	(0.30)	(1.73)	(0)	**54.2**	-	2.6	-	110	130	**25**	53	130	**4.2**
01177	**油ふ**	0	**547**	538	7.1	**22.7**	-	**35.3**	-	-	-	-	1	**34.4**	-	-	-	22	71	**19**	28	95	**1.7**
	［その他］																						
01070	**小麦はいが**	0	**391**	426	3.6	**32.0**	26.5	**11.6**	10.4	1.84	1.65	6.50	(0)	**48.3**	27.5	14.3	-	3	1100	**42**	310	1100	**9.4**
01071	**小麦たんぱく** 粉末状	0	**398**	437	6.5	**72.0**	71.2	**9.7**	(6.7)	(1.43)	(0.82)	(4.25)	(0)	**10.6**	-	2.4	-	60	90	**75**	75	180	**6.6**
01072	粒状	0	**101**	111	76.0	**20.0**	(19.4)	**2.0**	(1.4)	(0.29)	(0.17)	(0.88)	(0)	**1.8**	-	0.4	-	36	3	**14**	16	54	**1.8**
01073	ペースト状	0	**145**	159	66.0	**25.0**	(24.2)	**4.1**	(2.8)	(0.60)	(0.35)	(1.80)	(0)	**3.9**	-	0.5	-	230	39	**30**	54	160	**3.0**
01178	**かやきせんべい**	0	**359**	377	9.8	**10.6**	-	**1.9**	-	-	-	-	-	**75.1**	-	-	-	970	150	**19**	27	110	**0.8**
01074	**ぎょうざの皮** 生	0	**275**	291	32.0	**9.3**	(8.4)	**1.4**	(1.2)	(0.32)	(0.13)	(0.71)	0	**57.0**	(54.9)	2.2	-	2	64	**16**	18	60	**0.8**
01075	**しゅうまいの皮** 生	0	**275**	295	31.1	**8.3**	(7.5)	**1.4**	(1.2)	(0.32)	(0.13)	(0.71)	(0)	**58.9**	(55.7)	2.2	-	2	72	**16**	17	60	**0.6**
01179	**春巻きの皮** 生	0	**288**	311	26.7	**8.3**	-	**1.6**	-	-	-	-	Tr	**62.2**	-	-	4.5	440	77	**13**	13	54	**0.3**
01180	揚げ	0	**512**	520	7.3	**7.2**	-	**30.7**	-	-	-	-	1	**53.7**	-	-	4.2	370	66	**11**	11	48	**0.3**

＋PLUS＋ マルゲリータ●ナポリではピザといえば「マルゲリータ」。19世紀にイタリアを統一したサヴォイ家のマルゲリータ妃が1889年にナポリを訪れたさいに献上されたピザで、イタリアの国旗にちなんで、赤（トマト）・白（モツァレラチーズ）・緑（バジル）の三色を使用している。

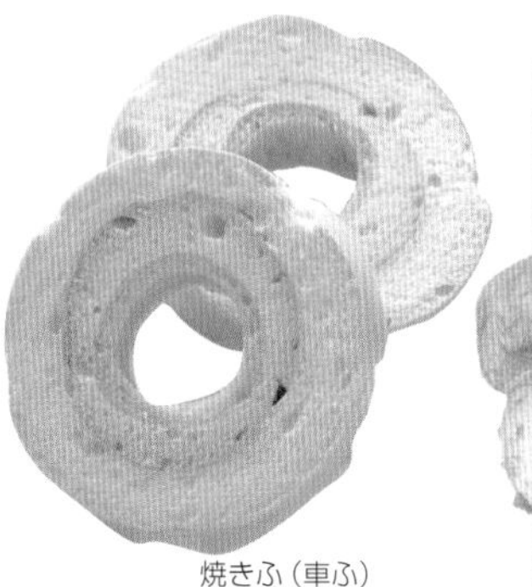

焼きふ（車ふ）

油ふ

かやきせんべいを使ったせんべい汁

ぎょうざの皮

しゅうまいの皮

ふ類 (麩類)

Fu:Wheat gluten cake

小麦粉のたんぱく質（グルテン）から作る加工品。

種類：生ふ・焼きふ・油ふがある。

調理法：椀種、煮物、和え物等。

生ふ 1本=220g

強力粉や中力粉に水と塩を加えて十分にこね、でん粉を取り除いて蒸したもの。

焼きふ 1個=6g

生ふにでん粉や膨張剤を加え、焼いて乾燥したもの。「釜焼きふ」は、小町ふや花ふ等の一般的な焼きふのこと。「板ふ」は、生ふを板に塗りつけて焼いて加工したもの。庄内ふともいう。「車ふ」は、棒に巻きつけて焼いて、切り口が車輪のように見えるもの。

油ふ

別名仙台ふ。グルテンと小麦粉を練り合わせた生地を棒状にして油で揚げたもの。輪切りにして、汁物、煮物、油ふ丼等にする。宮城県北部の登米地方の地域伝統食品。

小麦はいが (小麦胚芽)

Wheat germ

小麦はいがは発芽の際に幼根や子葉となる重要な部分。

栄養成分：たんぱく質、脂質、ミネラル、食物繊維、ビタミンB_1・E等の栄養成分が集中している。栄養強化食品として用いられることが多い。

小麦たんぱく

Wheat gluten

小麦粉から分離したグルテン製品で、乳化性、保湿性、結着性、咀嚼性改良等の機能をもつため、畜肉加工品、水産練り製品、菓子、パン等に利用する。

かやきせんべい

Kayakisenbei 1枚=10g

別名**おつゆせんべい**、鍋せんべい、汁用せんべい。小麦粉、食塩、重曹、水を混ぜて丸く焼いたもので、みそ汁や鍋物に入れる。煮崩れしにくいように作るため、食感はしこしこもちもちしている。青森県南東部から岩手県北部にかけての伝統食品。

ぎょうざの皮 (餃子の皮)

Outer steamed wheat "Jiaozi" dough 1枚=6g

小麦粉（強力粉）を水でこねてのばし、丸く成形したもの。手作りの場合は、こねた生地をちぎって小さなめん棒で丸くのばして成形する。

しゅうまいの皮 (焼売の皮)

Outer steamed wheat "Shumai" dough

同量の強力粉と中力粉から、ぎょうざの皮と同様の方法で作り、四角く成形したもの。

春巻きの皮

1枚=0g

小麦粉、塩、水をよく混ぜた生地を、加熱した鉄板等で焼いたもの。正方形の製品が多い。春巻きは、豚肉とたけのこ等の春野菜を炒めて調味し、春巻きの皮で棒状に包んで揚げたもの。

可食部100gあたり Tr：微量 （ ）：推定値または推計値 －：未測定

ミネラル（無機質）							ビタミン																食塩相当量	備考
亜鉛	銅	マンガン	ヨウ素	セレン	クロム	モリブデン	A レチノール活性当量	A レチノール	A β-カロテン当量	D	E αトコフェロール	K	B_1	B_2	ナイアシン当量	B_6	B_{12}	葉酸	パントテン酸	ビオチン	C		①歩留り ②原材料配合割合 ③試料
mg	mg	mg	µg	µg	µg	µg	µg	µg	µg	µg	mg	µg	mg	mg	mg	mg	µg	µg	mg	µg	mg	g	
1.5	0.28	0.82	0	63	1	53	1	(0)	9	(0)	0.3	(0)	0.19	0.06	4.9	0.11	(0)	13	0.65	4.0	(0)	0	
0.7	0.14	0.35	0	32	1	13	(0)	(0)	(0)	(0)	0.1	(0)	0.06	0.03	1.7	0.02	(0)	4	0.28	1.6	(0)	1.2	1.5%食塩水でゆでた場合
(0.7)	(0.13)	(0.33)	0	(31)	(1)	(12)	0	0	0	0	(0.9)	(6)	(0.06)	(0.03)	(1.7)	(0.02)	0	(4)	(0.27)	(1.5)	0	(1.1)	②マカロニ・スパゲッティゆで 95、なたね油 5
0.5	0.12	0.32	-	-	-	-	(0)	(0)	(0)	-	0.1	(0)	0.05	0.04	2.6	0.05	(0)	9	0.27	-	(0)	1.2	デュラム小麦 100%以外のものも含む ビタミンB_2無添加のもの
1.8	0.25	1.04	-	-	-	-	(0)	(0)	(0)	(0)	Tr	(0)	0.08	0.03	(2.9)	0.02	(0)	7	0.12	-	(0)	0	
2.2	0.32	-	-	-	-	-	(0)	(0)	(0)	(0)	0.5	(0)	0.16	0.07	9.0	0.08	(0)	16	0.58	-	(0)	0	平釜焼きふ（小町ふ、切りふ、おつゆふ等）及び型釜焼きふ（花ふ等）
2.9	0.49	1.54	-	-	-	-	(0)	(0)	(0)	(0)	0.6	(0)	0.20	0.08	(8.5)	0.16	(0)	22	0.79	-	(0)	0.5	
2.7	0.42	1.23	-	-	-	-	(0)	(0)	(0)	(0)	0.4	(0)	0.12	0.07	(8.7)	0.07	(0)	11	0.47	-	(0)	0.3	
1.4	0.21	0.94	Tr	38	3	19	0	-	1	0	3.9	65	0.07	0.03	5.6	0.06	0.1	17	0.22	4.6	-	0.1	
16.0	0.89	-	-	-	-	-	5	(0)	63	(0)	28.0	2	1.82	0.71	10.0	1.24	(0)	390	1.34	-	(0)	0	③焙焼品
5.0	0.75	2.67	-	-	-	-	1	(0)	12	(0)	1.1	(0)	0.03	0.12	17.0	0.10	(0)	34	0.61	-	0	0.2	
1.4	0.22	0.62	-	-	-	-	(0)	(0)	0	(0)	0.5	(0)	0.02	0.01	(4.8)	0.01	(0)	5	0	-	(0)	0.1	③冷凍品
2.4	0.36	1.57	-	-	-	-	1	(0)	6	(0)	1.7	(0)	0.20	0.03	(7.2)	0.04	(0)	17	0.45	-	(0)	0.6	③冷凍品
0.6	0.15	0.76	1	5	1	15	0	-	1	0	0.3	0	0.17	0.02	3.0	0.09	0	16	0.39	2.3	-	2.5	
0.6	0.12	0.28	-	-	-	-	(0)	(0)	(0)	(0)	0.2	0	0.08	0.04	(2.5)	0.06	(0)	12	0.61	-	0	0	
0.5	0.10	0.28	-	-	-	-	(0)	(0)	(0)	(0)	0.2	(0)	0.09	0.04	(2.2)	0.05	(0)	9	0.50	-	0	0	
0.3	0.09	0.23	1	18	1	12	0	-	Tr	0	Tr	1	0.03	0.01	2.0	0.03	Tr	9	0.18	0.9	-	1.1	
0.3	0.09	0.20	Tr	16	1	11	0	-	0	0	4.9	47	0.02	0.01	1.8	0.02	Tr	8	0.18	0.8	-	0.9	植物油（なたね油）

Q A ナポリタンはイタリアにない？▶ Yes。トマトケチャップ風味のスパゲッティナポリタンは、実は日本生まれ。戦後、外国人がスパゲッティにトマトケチャップをかけて食べていたのにヒントを得て、生のトマトににんにくやたまねぎを混ぜトマトソースを作り、スパゲッティとあえたのが始めといわれる。名前の由来は英語の「ナポリ風」。

ピザ生地

パン粉

ちくわぶ　ちくわぶ入りのおでん

冷めん

もち米

発芽玄米

ピザ生地

Pizza crust　1枚＝100g

イタリア料理のピザの台となる生地。小麦粉、塩、植物油、イーストで作った生地を発酵させ、薄くのばしたもの。ピザの発祥はイタリアのナポリで、ナポリのピザ生地の特徴はふっくらとやわらかくふちが厚いこと。イタリアでも北部では薄くてサクッとした生地が一般的。**ピザクラスト**ともいう。

ちくわぶ（竹輪麩）

Chikuwabu:Tube-shaped steamed wheat dough

強力粉、水、塩を練った生地を何度ものばし、棒に巻いて型に入れてゆで、水に浸けてやわらかく仕上げたもの。

パン粉

Bread crumbs　1C=40g

パンを粉状にしたもの。パンをほぐしてすぐ使う「生」、半乾きできめ

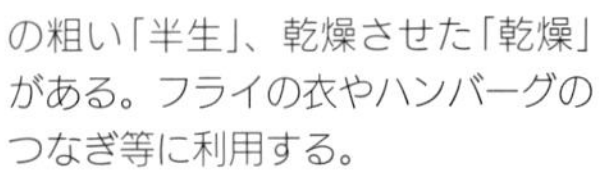

の粗い「半生」、乾燥させた「乾燥」がある。フライの衣やハンバーグのつなぎ等に利用する。

冷めん（冷麺）

Cold noodles　1人分=160g

小麦粉、片栗粉、塩、水を練り合わせた生地を、小さな穴をあけた型から高い圧力で押し出してめん状にする。生地を切ってめん状にするものもある。コシが強くかみごたえがあり、つるっとしためんで、冷たいスープとキムチ等を組み合わせて食べる。盛岡の名産品。関西地方で冷めんと呼ぶ冷やし中華とは別物。韓国料理の冷めんは、そば粉とでん粉が原料。

こめ（米）：水稲穀粒

Paddy rice grain

イネ科。でん粉の特性によって、うるち米ともち米に分けられる。植物学上の分類では、おもに温帯で栽培される短粒のジャポニカ種と、おもに熱帯・亜熱帯で栽培される長粒のインディカ種に分けられる。栽培法からは、水田で作る水稲と畑で作る陸稲（りくとう／おかぼ）に分けられる。日本で作られているのはジャポニカ種で、現在約300種が栽培されている。

玄米

もみがらを取り除いた米粒で、胚芽とぬか層が残っているためほんのりベージュ色をしている。玄米からぬか層や胚芽を除くことを搗精（とうせい）といい（精米、精白ともいう）、玄米100から得られる精米の量を歩留まりという。

半つき米（五分つき米）

玄米からぬか層等を5割搗精したもの。

七分つき米

玄米からぬか層等を7割搗精したもの。

食品番号	食品名	廃棄率	エネルギー	2015年版の値	水分	たんぱく質	アミノ酸組成によるたんぱく質	脂質	脂肪酸のトリアシルグリセロール当量	脂肪酸 飽和	一価不飽和	多価不飽和	コレステロール	炭水化物	利用可能炭水化物（質量計）	食物繊維 食物繊維総量（プロスキー変法）	食物繊維総量（AOAC法）	ミネラル（無機質） ナトリウム	カリウム	カルシウム	マグネシウム	リン	鉄
		%	kcal	kcal	g	g	g	g	g	g	g	g	mg	g	g	g	g	mg	mg	mg	mg	mg	mg
01076	**ピザ生地**	0	**265**	268	35.3	**9.1**	-	**3.0**	2.7	0.49	0.70	1.37	(0)	**51.1**	(48.5)	2.3	-	510	91	**13**	22	77	**0.8**
01069	**ちくわぶ**	0	**160**	171	60.4	**7.1**	(6.5)	**1.2**	(1.0)	(0.28)	(0.11)	(0.61)	(0)	**31.1**	-	1.5	-	1	3	**8**	6	31	**0.5**
01077	**パン粉**　生	0	**277**	280	35.0	**11.0**	(9.1)	**5.1**	(4.6)	(1.85)	(1.53)	(1.01)	(0)	**47.6**	(47.2)	3.0	-	350	110	**25**	29	97	**1.1**
01078	半生	0	**315**	319	26.0	**12.5**	(10.4)	**5.8**	(5.2)	(2.11)	(1.74)	(1.15)	(0)	**54.3**	(53.8)	3.5	-	400	130	**28**	34	110	**1.2**
01079	乾燥	0	**369**	373	13.5	**14.6**	(12.1)	**6.8**	(6.1)	(2.47)	(2.04)	(1.35)	(0)	**63.4**	(62.9)	4.0	-	460	150	**33**	39	130	**1.4**
01150	**冷めん**　生	0	**249**	252	36.4	**3.9**	3.4	**0.7**	0.6	0.18	0.09	0.25	(0)	**57.6**	52.4	1.1	-	530	59	**11**	12	57	**0.3**
	こめ																						
01080	［水稲穀粒］　**玄米**	0	**346**	353	14.9	**6.8**	6.0	**2.7**	2.5	0.62	0.83	0.90	(0)	**74.3**	71.3	3.0	-	1	230	**9**	110	290	**2.1**
01081	**半つき米**	0	**345**	356	14.9	**6.5**	(5.6)	**1.8**	(1.7)	(0.45)	(0.52)	(0.61)	(0)	**75.9**	74.1	1.4	-	1	150	**7**	64	210	**1.5**
01082	**七分つき米**	0	**348**	359	14.9	**6.3**	(5.4)	**1.5**	(1.4)	(0.40)	(0.41)	(0.51)	(0)	**76.6**	75.8	0.9	-	1	120	**6**	45	180	**1.3**
01083	**精白米**　うるち米	0	**342**	358	14.9	**6.1**	5.3	**0.9**	0.8	0.29	0.21	0.31	(0)	**77.6**	75.6	0.5	-	1	89	**5**	23	95	**0.8**
01151	もち米	0	**343**	359	14.9	**6.4**	5.8	**1.2**	1.0	0.29	0.28	0.37	(0)	**77.2**	70.5	(0.5)	-	Tr	97	**5**	33	100	**0.2**
01152	インディカ米	0	**347**	363	13.7	**7.4**	6.4	**0.9**	0.7	0.30	0.15	0.26	(0)	**77.7**	73.0	0.5	-	1	68	**5**	18	90	**0.5**
01084	**はいが精米**	0	**343**	357	14.9	**6.5**	-	**2.0**	1.9	0.55	0.52	0.70	(0)	**75.8**	72.2	1.3	-	1	150	**7**	51	150	**0.9**
01153	**発芽玄米**	0	**339**	356	14.9	**6.5**	5.5	**3.3**	2.8	0.70	1.01	0.95	(0)	**74.3**	69.3	3.1	-	3	160	**13**	120	280	**1.0**
01181	**赤米**	0	**344**	353	14.6	**8.5**	-	**3.3**	-	-	-	-	-	**71.9**	65.2	-	6.5	2	290	**12**	130	350	**1.2**
01182	**黒米**	0	**341**	350	15.2	**7.8**	-	**3.2**	-	-	-	-	-	**72.0**	65.7	-	5.6	1	270	**15**	110	310	**0.9**

+PLUS+ **特性からつけられた名前●**ひえは、「冷え」に耐えることから名づけられたほど寒さに強い。干ばつや酸性土壌や塩害にも強いため、寒冷地ややせた土地でも栽培できるし、30～40年も保存できるという便利な雑穀だ。アクが強く、食感がもそもそしているため、米と一緒に炊いたり、粉にして菓子等に加工するなどで利用されている。

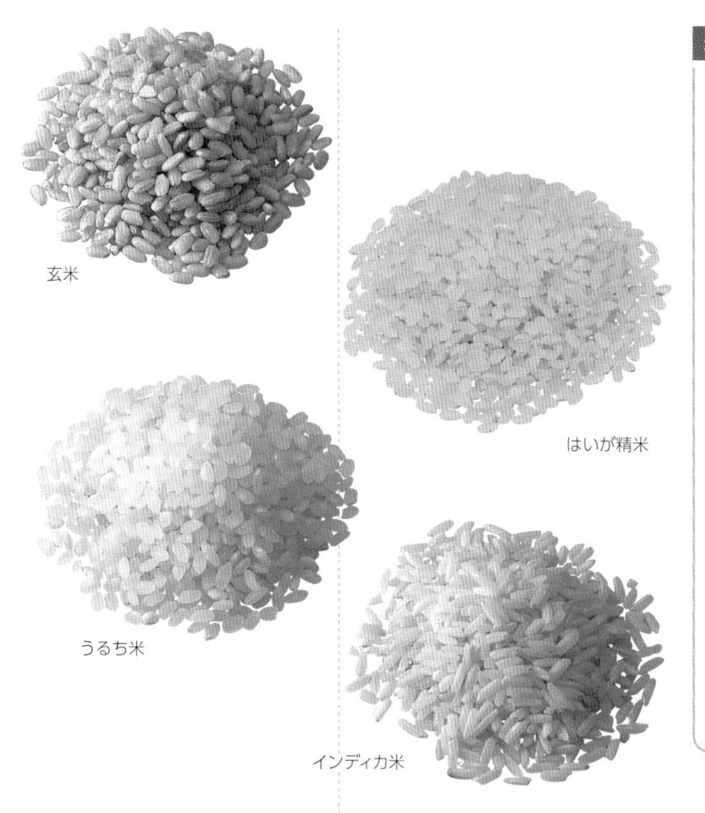

赤米・黒米・香り米・ワイルドライス

赤米

玄米の色が赤褐色で、ぬか層に赤色系色素カテコールタンニンを含む。日本にはじめて伝わったうるち米のルーツといわれる。赤飯のルーツともされる。栄養価も白米に比べて高く、たんぱく質、各種ビタミン、ミネラルが豊富。

黒米

玄米の色が黒色で、ぬか層に紫黒系色素アントシアンを含む。もち米のルーツといわれる。たんぱく質、ビタミンB群、ビタミンE、鉄分、カルシウム等が豊富で栄養価が高い。滋養強壮作用があるとされ、薬米とも呼ばれる。薬膳料理にも用いられる。

香り米

におい米、麝香（じゃこう）米等とも呼ばれ、古くから香りのよい米として珍重された。江戸時代には諸国の大名が好んで食したといわれる。

ワイルドライス

正確にはイネ科マコモ属の寒冷地植物。北米大陸のネイティブアメリカンが食べるのを見て、白人が野生の米“ワイルドライス”と名づけた。たんぱく質、食物繊維、ビタミンB_2、葉酸が豊富で、近年になって栄養に富む健康食品として評価されるようになった。香ばしい香りともちっとした食感で、米に混ぜて炊いたり、スープの具、料理のつけ合わせ等に利用する。

赤米

黒米

ワイルドライス

精白米 1C=170g

玄米からぬか層等を取り除いたもの。

うるち米（粳米）：でん粉のうち、ぶどう糖が枝分かれ状につながっていて粘りが出やすいアミロペクチンが約80％、ぶどう糖が直鎖状につながっていて粘りが少ないアミロースが約20％の割合で含まれ、ほどよい粘りけがある。おもに炊飯米にして食べるほか、上新粉や米粉等の原料になる。おいしいと評価される米はアミロペクチンの割合が高い。米粒は半透明でガラス状。

もち米（糯米）：でん粉の全量がアミロペクチンのため、炊くと強い粘りが出る。おこわ、赤飯、もち、あられ、白玉粉等の原料になる。米粒は乳白色でうるち米より丸みがある。

インディカ米：アミロースの含有量が約25％と多いため、炊いても硬くて粘りが少なく米粒どうしがくっつきにくいので、ピラフ、リゾット、チャーハン等に向く。細長い粒で、中国南部、インド、東南アジア等で多く栽培され、世界で栽培される米の約80％を占める。

はいが精米 1C=170g

玄米からぬか層のみを取り除いて胚芽を80％以上残したもの。ビタミンB_1が豊富。

発芽玄米

玄米を水や温湯に浸けて0.5～1ミリほど発芽させ、加熱殺菌したもの。発芽すると、酵素が活性化して炭水化物やたんぱく質が分解され、栄養分・香り・うま味等が増える、消化性が向上して栄養素が吸収しやすくなる、新しい有効成分が生まれる、種皮やぬか層がやわらかくなって普通の炊飯器で炊けるようになる等の変化が起きる。芽が2ミリ以上に育つと栄養素が成長のために使われてしまう。

栄養成分：ガンマーアミノ酪酸（通称ギャバ）が、玄米の3倍、白米の10倍になり、血圧を下げる、中性脂肪を抑える等の効果があることで注目されている。

可食部100gあたり　Tr：微量　（ ）：推定値または推計値　－：未測定

ミネラル（無機質）							ビタミン																食塩相当量	備考
亜鉛	銅	マンガン	ヨウ素	セレン	クロム	モリブデン	A レチノール活性当量	レチノール	β-カロテン当量	D	E αトコフェロール	K	B_1	B_2	ナイアシン当量	B_6	B_{12}	葉酸	パントテン酸	ビオチン	C		①歩留り　②原材料配合割合　③試料
mg	mg	mg	μg	μg	μg	μg	μg	μg	μg	μg	mg	μg	mg	mg	mg	mg	μg	μg	mg	μg	mg	g	
0.6	0.09	0.50	-	-	-	-	(0)	(0)	0	(0)	0.3	(0)	0.15	0.11	2.5	0.05	(0)	20	0.54	-	(0)	1.3	
0.2	0.07	0.08	-	-	-	-	(0)	(0)	(0)	(0)	Tr	(0)	0.01	0.02	(1.7)	0.01	(0)	4	0.25	-	(0)	0	
0.7	0.15	0.47	-	-	-	-	Tr	(0)	3	(0)	0.3	(Tr)	0.11	0.02	(3.1)	0.05	(0)	40	0.41	-	(0)	0.9	(100 g：621 mL、100 mL：16.1 g)
0.8	0.17	0.53	-	-	-	-	Tr	(0)	4	(0)	0.4	(Tr)	0.13	0.03	(3.5)	0.06	(0)	46	0.47	-	(0)	1.0	
0.9	0.20	0.62	-	-	-	-	Tr	(0)	4	(0)	0.4	(0)	0.15	0.03	(4.1)	0.07	(0)	54	0.54	-	(0)	1.2	(100 g：498 mL、100 mL：16 g)
0.2	0.05	0.21	-	-	-	-	(0)	(0)	(0)	-	0	(0)	0.04	Tr	1.2	0.02	(0)	4	0.11	-	(0)	1.3	
1.8	0.27	2.06	Tr	3	0	65	Tr	(0)	1	(0)	1.2	(0)	0.41	0.04	8.0	0.45	(0)	27	1.37	6.0	(0)	0	うるち米　(100 g：120 mL、100 mL：83 g)
1.6	0.24	1.40	Tr	2	0	76	(0)	(0)	(0)	(0)	0.8	(0)	0.30	0.03	(5.1)	0.28	(0)	18	1.00	3.5	(0)	0	うるち米　①95～96%　(100 g:120 mL、100 mL:83 g)
1.5	0.23	1.05	0	2	Tr	73	(0)	(0)	(0)	(0)	0.4	(0)	0.24	0.03	(3.2)	0.20	(0)	15	0.84	2.9	(0)	0	うるち米　①92～94%　(100 g:120 mL、100 mL:83 g)
1.4	0.22	0.81	0	2	0	69	(0)	(0)	0	(0)	0.1	0	0.08	0.02	2.6	0.12	(0)	12	0.66	1.4	(0)	0	うるち米　①90～91%　(100 g:120 mL、100 mL:83 g)
1.5	0.22	1.30	0	2	0	79	(0)	(0)	(0)	(0)	(0.2)	(0)	0.12	0.02	3.1	(0.12)	(0)	(12)	(0.67)	(1.4)	(0)	0	①90～91%　(100 g：120 mL、100 mL：83 g)
1.6	0.20	0.88	0	7	2	62	(0)	(0)	0	(0)	Tr	(0)	0.06	0.02	2.9	0.08	(0)	16	0.61	2.0	(0)	0	うるち米　①90～91%　(100 g:120 mL、100 mL:83 g)
1.6	0.22	1.54	0	2	Tr	57	(0)	(0)	(0)	(0)	0.9	(0)	0.23	0.03	4.2	0.22	(0)	18	1.00	3.3	(0)	0	うるち米　①91～93%　(100 g:120 mL、100 mL:83 g)
1.9	0.23	2.07	-	-	-	-	(0)	(0)	(0)	(0)	1.2	0	0.35	0.02	6.4	0.34	(0)	18	0.75	-	(0)	0	うるち米　③ビタミンB1 強化品含む　(100 g：120 mL、100 mL：83 g)
2.4	0.27	2.50	Tr	3	1	55	0	-	3	0	1.5	-	0.38	0.05	6.9	0.50	-	30	1.17	5.6	-	0	ポリフェノール：0.4 g
1.9	0.22	4.28	0	3	3	72	3	-	32	0	1.3	-	0.39	0.10	8.2	0.49	-	49	0.83	5.8	-	0	ポリフェノール：0.5 g

Q A ひき肉のかわりになる雑穀は何？▶もろこし。赤みを帯びた色や弾力のあるかみごたえ、コクのある味わいからミート・ミレット（肉の穀物）とも呼ばれ、ひき肉の代用素材としてよく使われる。食用の品種以外にも、ほうきにする品種、飼料用品種など多種の品種が栽培されている。

玄米めし

めし

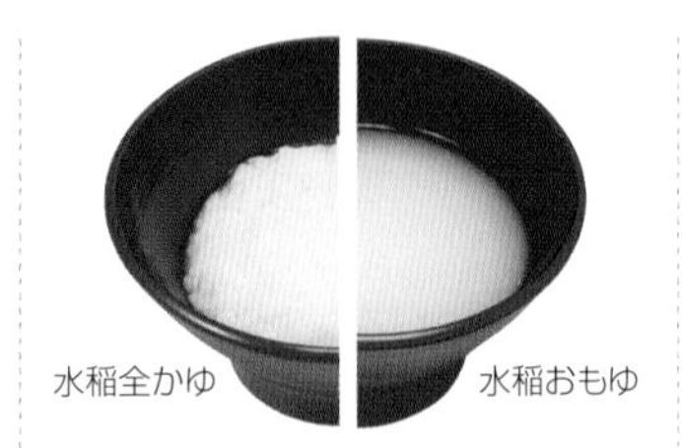

水稲全かゆ　水稲おもゆ

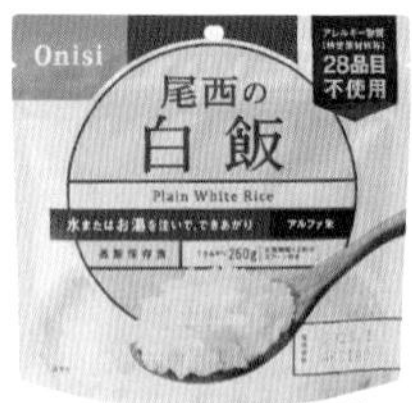

アルファ化米

水稲めし（水稲飯）

Cooked paddy rice　1杯=150g

水稲を炊いたもの。米は生の状態ではβでん粉だが、水を加えて炊くことによってでん粉が糊化されて消化のよいαでん粉になる（➡p.46、63）。

調理法：米の体積を1としたときの水加減は、精白米1：水1.2、玄米1：水1.5。はいが精米は胚芽が欠けないように、研がないか軽くすすぐ程度にして、はいが精米1：水1.4〜1.5の水加減で炊く。玄米は表皮がかたいので圧力鍋で炊くとよい。

水稲全かゆ（水稲全粥）

Paddy rice gruels　1杯=180g

普通の飯より水分を多くして炊いたやわらかい飯。

調理法：米1に対して水6の加減で炊く。米を水に2時間以上浸し、煮立つまでは強火、その後はふたを少しずらして1時間ほど煮る。1月7日の七草がゆ等、行事食としても用いられる。

水稲五分かゆ（水稲五分粥）

Paddy rice diluted gruels　1杯=160g

全かゆより水分が多いかゆ。米1に対して水12の加減で炊く。

水稲おもゆ（水稲重湯）

Paddy rice thin gruels

米の容積の約17倍の水で炊き、ガーゼでこしたのり状の汁。病人や乳児の流動食とする。

陸稲穀粒

Upland rice grain　玄米1C=165g　精白米・はいが精米1C=160g

別名おかぼ。畑で栽培される稲で、水稲に比べて病気等に強く手間がかからないが、収穫量が少なく、味も落ちる。

陸稲めし（陸稲飯）

Cooked upland rice　1杯=120〜130g

陸稲を炊いたもの。

食品番号	食品名	廃棄率	エネルギー	2015年版の値	水分	たんぱく質	アミノ酸組成によるたんぱく質	脂質	脂肪酸のトリアシルグリセロール当量	脂肪酸 飽和	一価不飽和	多価不飽和	コレステロール	炭水化物	利用可能炭水化物（質量計）	食物繊維 食物繊維総量（プロスキー変法）	食物繊維総量（AOAC法）	ミネラル（無機質） ナトリウム	カリウム	カルシウム	マグネシウム	リン	鉄
		%	kcal	kcal	g	g	g	g	g	g	g	g	mg	g	g	g	g	mg	mg	mg	mg	mg	mg
01085	[水稲めし] 玄米	0	152	165	60.0	2.8	2.4	1.0	(0.9)	(0.23)	(0.30)	(0.33)	(0)	35.6	32.0	1.4	-	1	95	7	49	130	0.6
01086	半つき米	0	154	167	60.0	2.7	(2.2)	0.6	(0.5)	(0.15)	(0.17)	(0.20)	(0)	36.4	33.5	0.8	-	1	43	4	22	53	0.2
01087	七分つき米	0	160	168	60.0	2.6	(2.1)	0.5	(0.5)	(0.13)	(0.14)	(0.17)	(0)	36.7	33.5	0.5	-	1	35	4	13	44	0.2
01168	精白米 インディカ米	0	184	193	54.0	3.8	3.2	0.4	0.3	0.14	0.03	0.12	(0)	41.5	37.3	0.4	-	0	31	2	8	41	0.2
01088	うるち米	0	156	168	60.0	2.5	2.0	0.3	0.2	0.10	0.05	0.08	(0)	37.1	34.6	0.3	1.5	1	29	3	7	34	0.1
01154	もち米	0	188	202	52.1	3.5	3.1	0.5	0.4	0.15	0.09	0.15	(0)	43.9	41.5	(0.4)	-	0	28	2	5	19	0.1
01089	はいが精米	0	159	167	60.0	2.7	-	0.6	(0.6)	(0.16)	(0.15)	(0.21)	(0)	36.4	34.5	0.8	-	1	51	5	24	68	0.2
01155	発芽玄米	0	161	167	60.0	3.0	2.7	1.4	1.3	0.26	0.51	0.43	(0)	35.0	30.2	1.8	-	1	68	6	53	130	0.4
01183	赤米	0	150	159	61.3	3.8	-	1.3	-	-	-	-	-	32.7	28.2	-	3.4	1	120	5	55	150	0.5
01184	黒米	0	150	157	62.0	3.6	-	1.4	-	-	-	-	-	32.2	28.2	-	3.3	Tr	130	7	55	150	0.4
01185	[水稲軟めし] 精白米	0	113	120	(71.5)	(1.8)	-	(0.3)	-	-	-	-	0	(26.4)	(24.7)	(0.3)	(1.1)	(1)	(20)	(3)	(5)	(24)	(0.1)
01090	[水稲全かゆ] 玄米	0	64	70	(83.0)	(1.2)	(1.0)	(0.4)	(0.4)	(0.09)	(0.12)	(0.13)	(0)	(15.2)	(13.6)	(0.6)	-	(1)	(41)	(3)	(21)	(55)	(0.2)
01091	半つき米	0	65	71	(83.0)	(1.1)	(0.9)	(0.3)	(0.3)	(0.08)	(0.09)	(0.10)	(0)	(15.5)	(14.2)	(0.3)	-	(Tr)	(18)	(2)	(9)	(23)	(0.1)
01092	七分つき米	0	68	71	(83.0)	(1.1)	(0.9)	(0.2)	(0.2)	(0.05)	(0.05)	(0.07)	(0)	(15.6)	(14.2)	(0.2)	-	(Tr)	(15)	(2)	(6)	(19)	(0.1)
01093	精白米	0	65	71	(83.0)	(1.1)	(0.9)	(0.1)	(0.1)	(0.03)	(0.02)	(0.03)	(0)	(15.7)	(14.7)	(0.1)	-	(Tr)	(12)	(1)	(3)	(14)	(Tr)
01094	[水稲五分かゆ] 玄米	0	32	35	(91.5)	(0.6)	(0.5)	(0.2)	(0.2)	(0.05)	(0.06)	(0.07)	(0)	(7.6)	(6.8)	(0.3)	-	(Tr)	(20)	(1)	(10)	(28)	(0.1)
01095	半つき米	0	32	35	(91.5)	(0.6)	(0.5)	(0.1)	(0.1)	(0.03)	(0.03)	(0.03)	(0)	(7.7)	(7.1)	(0.1)	-	(Tr)	(9)	(1)	(5)	(11)	(Tr)
01096	七分つき米	0	32	35	(91.5)	(0.6)	(0.5)	(0.1)	(0.1)	(0.03)	(0.03)	(0.03)	(0)	(7.7)	(7.1)	(0.1)	-	(Tr)	(8)	(1)	(3)	(9)	(Tr)
01097	精白米	0	33	36	(91.5)	(0.5)	(0.4)	(0.1)	(0.1)	(0.03)	(0.02)	(0.03)	(0)	(7.9)	(7.4)	(0.1)	-	(Tr)	(6)	(1)	(1)	(7)	(Tr)
01098	[水稲おもゆ] 玄米	0	19	20	(95.0)	(0.4)	(0.3)	(0.1)	(0.1)	(0.02)	(0.03)	(0.03)	(0)	(4.4)	(4.0)	(0.2)	-	(Tr)	(12)	(1)	(6)	(16)	(0.1)
01099	半つき米	0	19	21	(95.0)	(0.3)	(0.2)	(0.1)	(0.1)	(0.03)	(0.03)	(0.03)	(0)	(4.6)	(4.2)	(0.1)	-	(Tr)	(5)	(1)	(3)	(7)	(Tr)
01100	七分つき米	0	20	21	(95.0)	(0.3)	(0.2)	(0.1)	(0.1)	(0.03)	(0.03)	(0.03)	(0)	(4.6)	(4.2)	(Tr)	-	(Tr)	(4)	(1)	(2)	(5)	(Tr)
01101	精白米	0	19	21	(95.0)	(0.3)	(0.2)	0	(0)	(0)	(0)	(0)	(0)	(4.7)	(4.3)	(Tr)	-	(Tr)	(4)	(Tr)	(1)	(4)	(Tr)
01102	[陸稲穀粒] 玄米	0	357	351	14.9	10.1	(8.7)	2.7	(2.5)	(0.62)	(0.83)	(0.90)	(0)	71.1	(71.3)	3.0	-	1	230	9	110	290	2.1
01103	半つき米	0	356	355	14.9	9.6	(8.1)	1.8	(1.7)	(0.45)	(0.52)	(0.61)	(0)	72.9	(74.1)	1.4	-	1	150	7	64	210	1.5
01104	七分つき米	0	359	358	14.9	9.5	(8.0)	1.5	(1.4)	(0.40)	(0.41)	(0.51)	(0)	73.4	(75.8)	0.9	-	1	120	6	45	180	1.3
01105	精白米	0	331	357	14.9	9.3	(7.8)	0.9	(0.8)	(0.29)	(0.21)	(0.31)	(0)	74.5	(70.5)	0.5	-	1	89	5	23	95	0.8
01106	[陸稲めし] 玄米	0	156	164	60.0	4.1	(3.5)	1.0	(0.9)	(0.23)	(0.30)	(0.33)	(0)	34.3	(32.0)	1.4	-	1	95	7	49	130	0.6
01107	半つき米	0	157	166	60.0	3.8	(3.1)	0.6	(0.5)	(0.15)	(0.17)	(0.20)	(0)	35.3	(33.5)	0.8	-	1	43	4	22	53	0.2
01108	七分つき米	0	155	168	60.0	3.6	(2.9)	0.5	(0.5)	(0.13)	(0.14)	(0.17)	(0)	35.7	(33.5)	0.5	-	1	35	4	13	44	0.2
01109	精白米	0	157	168	60.0	3.5	(2.8)	0.3	(0.3)	(0.10)	(0.07)	(0.10)	(0)	36.1	(34.6)	0.3	-	1	29	3	7	34	0.1
	[うるち米製品]																						
01110	アルファ化米 一般用	0	358	388	7.9	6.0	5.0	1.0	0.8	0.31	0.19	0.28	(0)	84.8	79.6	1.2	-	5	37	7	14	71	0.1
01156	学校給食用強化品	0	358	388	7.9	6.0	(5.0)	1.0	0.8	-	-	-	(0)	84.8	(79.6)	1.2	-	5	37	7	14	71	0.1
01111	おにぎり	0	170	179	57.0	2.7	2.4	0.3	(0.3)	(0.10)	(0.07)	(0.10)	(0)	39.4	36.1	0.4	-	200	31	3	7	37	0.1
01112	焼きおにぎり	0	166	181	56.0	3.1	(2.7)	0.3	(0.3)	(0.10)	(0.07)	(0.10)	0	39.5	(36.9)	0.4	-	380	56	5	11	46	0.2
01113	きりたんぽ	0	200	210	50.0	3.2	(2.8)	0.4	(0.4)	(0.13)	(0.09)	(0.14)	0	46.2	(41.9)	0.4	-	1	36	4	9	43	0.1
01114	上新粉	0	343	362	14.0	6.2	5.4	0.9	(0.8)	(0.29)	(0.21)	(0.31)	(0)	78.5	75.9	0.6	-	2	89	5	23	96	0.8

+PLUS+ お米の研ぎ方●精米技術が発達したため、最近はお米をさっと「洗う」だけでもよくなったが、もともと米は「洗う」とは言わずに「研（と）ぐ」という。米をつかむように、リズミカルにキュッキュと研ぐ。また、ぬかの溶けた水をお米が吸ってぬか臭くならないように、3カップなら2分程度で研ぎ終える（➡p.406）。

おにぎり

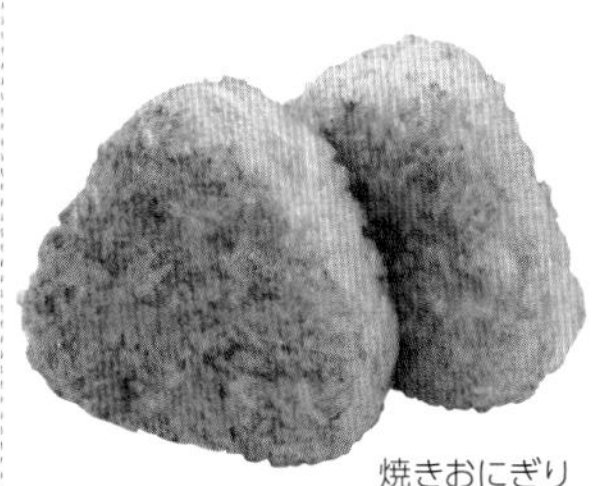
焼きおにぎり

きりたんぽ

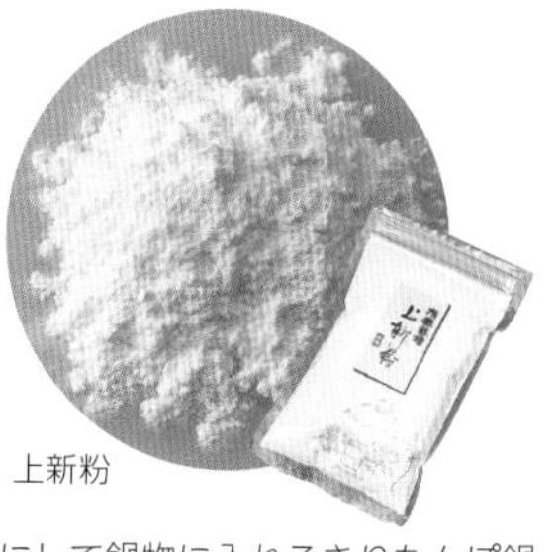

上新粉

うるち米製品（粳米製品）
Nonglutinous rice products

アルファ化米
飯を熱風で乾燥させたもので、お湯や水を加えるだけで食べられる（➡p.63コラム）。「学校給食用強化品」はビタミンB_1添加。

おにぎり
炊いた米を手のひらに乗るくらいの大きさにまとめたもの。三角形、丸形、俵型等があり、具を入れ、のりで巻くことが多い。コンビニエンスストアでも目玉商品となっており、具もツナ、キムチ、豚角煮等さまざまなものが考案されている。成分値は飯だけの数値。おにぎりとはもとは女性語で、握り飯をていねいにいった言葉。

焼きおにぎり 1個=80g
おにぎりにしょうゆを塗って焼いたもの。しょうゆのほかに、みそを塗ったものもある。

きりたんぽ 1本=60g
炊いたうるち米を、米粒が多少残る程度につぶし、杉の丸串につけて手で形を整えて焼いたもの。やり先につけるたんぽに形が似ているためこの名がついた。串をはずして斜め切りにして鍋物に入れるきりたんぽ鍋は、秋田県の郷土料理。

上新粉 1C=130g
精白したうるち米を水に浸けてから粉砕し、乾燥したもの。並新粉より粒度の細かいものを上新粉、さらに細かいものを上用粉というが、関西では上新粉を上用粉と呼ぶことが多い。粘りけはあまりないが、しこしこした歯ざわりがあり、おもにだんごや草もち等の和菓子の材料に用いる。

可食部100 g あたり　Tr：微量　（ ）：推定値または推計値　－：未測定

ミネラル（無機質）							ビタミン																食塩相当量	備考
亜鉛	銅	マンガン	ヨウ素	セレン	クロム	モリブデン	A 活性当量 レチノール	A レチノール	A β-カロテン当量	D	E αトコフェロール	K	B_1	B_2	ナイアシン当量	B_6	B_{12}	葉酸	パントテン酸	ビオチン	C		①歩留り　②原材料配合割合　③試料
mg	mg	mg	µg	µg	µg	µg	µg	µg	µg	µg	mg	µg	mg	mg	mg	mg	µg	µg	mg	µg	mg	g	
0.8	0.12	1.04	0	1	0	34	(0)	(0)	0	(0)	0.5	(0)	0.16	0.02	3.6	0.21	(0)	10	0.65	2.5	(0)	0	うるち米　玄米 47g 相当量を含む
0.7	0.11	0.60	0	1	0	34	(0)	(0)	(0)	(0)	0.2	(0)	0.08	0.01	(2.2)	0.07	(0)	6	0.35	1.2	(0)	0	うるち米　半つき米 47g 相当量を含む
0.7	0.11	0.46	0	1	0	35	(0)	(0)	(0)	(0)	0.1	(0)	0.06	0.01	(1.4)	0.03	(0)	5	0.26	0.9	(0)	0	うるち米　七分つき米 47g 相当量を含む
0.8	0.10	0.42	0	3	1	32	(0)	(0)	(0)	(0)	0	(0)	0.02	Tr	1.3	0.02	(0)	6	0.24	0.5	(0)	0	精白米 51g 相当量を含む
0.6	0.10	0.35	0	1	0	30	(0)	(0)	0	(0)	Tr	(0)	0.02	0.01	0.8	0.02	(0)	3	0.25	0.5	(0)	0	精白米 47g 相当量を含む
0.8	0.11	0.50	0	1	0	48	(0)	(0)	(0)	(0)	(Tr)	(0)	0.03	0.01	1.0	(0.02)	(0)	(4)	(0.30)	(0.5)	(0)	0	精白米 55g 相当量を含む
0.7	0.10	0.68	0	1	1	28	(0)	(0)	(0)	(0)	0.4	(0)	0.08	0.01	1.3	0.09	(0)	6	0.44	1.0	(0)	0	うるち米　はいが精白米 47g 相当量を含む
0.9	0.11	0.93	-	-	-	-	(0)	(0)	(0)	(0)	0.3	0	0.13	0.01	2.8	0.13	(0)	6	0.36	-	(0)	0	うるち米　発芽玄米 47g 相当量を含む　③ビタミン B1 強化品含む
1.0	0.12	1.00	-	1	Tr	24	0	-	1	-	0.6	-	0.15	0.02	3.4	0.19	-	9	0.47	2.8	-	0	ポリフェノール：(0.2) g
0.9	0.11	1.95	-	2	1	33	1	-	8	-	0.3	-	0.14	0.04	3.6	0.18	-	19	0.40	2.7	-	0	ポリフェノール：(0.2) g
(0.4)	(0.08)	(0.25)	0	(1)	0	(21)	0	0	0	0	(Tr)	0	(0.02)	(0.01)	(0.4)	(0.01)	0	(2)	(0.18)	(0.3)	0	0	うるち米
(0.3)	(0.05)	(0.44)	-	-	-	-	(0)	(0)	0	(0)	0	(0)	(0.07)	(0.01)	(1.5)	(0.09)	(0)	(4)	(0.28)	-	(0)	0	うるち米　5 倍かゆ　玄米 20g 相当量を含む
(0.3)	(0.05)	(0.26)	-	-	-	-	(0)	(0)	(0)	(0)	0	0	(0.03)	(Tr)	(1.0)	(0.03)	(0)	(2)	(0.15)	-	(0)	0	うるち米　5 倍かゆ　半つき米 20g 相当量を含む
(0.3)	(0.04)	(0.19)	-	-	-	-	(0)	(0)	(0)	(0)	(Tr)	0	(0.03)	(Tr)	(0.6)	(0.01)	(0)	(2)	(0.11)	-	(0)	0	うるち米　5 倍かゆ　七分つき米 20g 相当量を含む
(0.3)	(0.04)	(0.15)	0	0	0	13	(0)	(0)	0	(0)	(Tr)	0	(0.01)	(Tr)	(0.4)	(0.01)	(0)	(1)	(0.11)	0.3	(0)	0	うるち米　5 倍かゆ　精白米 20g 相当量を含む
(0.2)	(0.03)	(0.22)	-	-	-	-	(0)	(0)	0	(0)	0	0	(0.03)	(Tr)	(0.7)	(0.05)	(0)	(2)	(0.14)	-	(0)	0	うるち米　10 倍かゆ　玄米 10g 相当量を含む
(0.2)	(0.02)	(0.13)	-	-	-	-	(0)	(0)	(0)	(0)	(Tr)	0	(0.02)	(Tr)	(0.4)	(0.01)	(0)	(1)	(0.07)	-	(0)	0	うるち米　10 倍かゆ　半つき米 10g 相当量を含む
(0.1)	(0.02)	(0.10)	-	-	-	-	(0)	(0)	(0)	(0)	(Tr)	0	(0.01)	(Tr)	(0.3)	(0.01)	(0)	(1)	(0.05)	-	(0)	0	うるち米　10 倍かゆ　七分つき米 10g 相当量を含む
(0.1)	(0.02)	(0.08)	0	Tr	0	7	(0)	(0)	0	(0)	(Tr)	0	(Tr)	(Tr)	(0.1)	(Tr)	(0)	(1)	(0.05)	0.1	(0)	0	うるち米　10 倍かゆ　精白米 10g 相当量を含む
(0.1)	(0.01)	(0.13)	-	-	-	-	(0)	(0)	0	(0)	0	0	(0.02)	(Tr)	(0.5)	(0.03)	(0)	(1)	(0.08)	-	(0)	0	うるち米　弱火で加熱、ガーゼでこしたもの　玄米 6g 相当量を含む
(0.1)	(0.01)	(0.08)	-	-	-	-	(0)	(0)	(0)	(0)	(Tr)	0	(0.01)	(Tr)	(0.3)	(0.01)	(0)	(1)	(0.04)	-	(0)	0	うるち米　弱火で加熱、ガーゼでこしたもの　半つき米 6g 相当量を含む
(0.1)	(0.01)	(0.06)	-	-	-	-	(0)	(0)	(0)	(0)	(Tr)	0	(0.01)	(Tr)	(0.2)	(Tr)	(0)	(1)	(0.03)	-	(0)	0	うるち米　弱火で加熱、ガーゼでこしたもの　七分つき米 6g 相当量を含む
(0.1)	(0.01)	(0.04)	0	1	0	8	(0)	(0)	0	(0)	(Tr)	0	(Tr)	(Tr)	(0.1)	(Tr)	(0)	(Tr)	(0.03)	0.1	(0)	0	うるち米　弱火で加熱、ガーゼでこしたもの　精白米 6g 相当量を含む
1.8	0.27	1.53	-	-	-	-	Tr	(0)	1	(0)	1.2	(0)	0.41	0.04	(8.8)	0.45	(0)	27	1.37	-	(0)	0	うるち、もちを含む
1.6	0.24	1.04	-	-	-	-	(0)	(0)	0	(0)	0.8	(0)	0.30	0.03	(7.2)	0.28	(0)	18	1.00	-	(0)	0	うるち、もちを含む　①95～96%
1.5	0.23	0.78	-	-	-	-	(0)	(0)	0	(0)	0.4	(0)	0.24	0.03	(5.6)	0.20	(0)	15	0.84	-	(0)	0	うるち、もちを含む　①93～94%
1.4	0.22	0.59	-	-	-	-	(0)	(0)	0	(0)	0.1	(0)	0.08	0.02	(3.3)	0.12	(0)	12	0.66	-	(0)	0	うるち、もちを含む　①90～92%
0.8	0.12	0.77	-	-	-	-	(0)	(0)	0	(0)	0.5	(0)	0.16	0.02	(3.9)	0.21	(0)	10	0.65	-	(0)	0	うるち、もちを含む　玄米 47g 相当量を含む
0.7	0.11	0.45	-	-	-	-	(0)	(0)	0	(0)	0.2	(0)	0.08	0.01	(2.5)	0.07	(0)	6	0.35	-	(0)	0	うるち、もちを含む　半つき米 47g 相当量を含む
0.7	0.11	0.34	-	-	-	-	(0)	(0)	0	(0)	0.1	(0)	0.06	0.01	(1.7)	0.03	(0)	5	0.26	-	(0)	0	うるち、もちを含む　七分つき米 47g 相当量を含む
0.6	0.10	0.26	-	-	-	-	(0)	(0)	0	(0)	Tr	(0)	0.02	0.01	(1.0)	0.02	(0)	3	0.25	-	(0)	0	うるち、もちを含む　精白米 47g 相当量を含む
1.6	0.22	0.60	0	2	1	69	(0)	(0)	0	(0)	0.1	0	0.04	Tr	1.9	0.04	(0)	7	0.19	1.0	(0)	0	
1.6	0.22	0.60	0	2	1	69	(0)	(0)	0	(0)	0.1	0	0.41	Tr	(1.9)	0.04	(0)	7	0.19	1.0	(0)	0	
0.6	0.10	0.38	-	-	-	-	(0)	(0)	0	(0)	Tr	0	0.02	0.01	0.9	0.02	(0)	3	0.27	-	0	0.5	塩むすび（のり、具材なし）　食塩 0.5g を含む
0.7	0.10	0.37	25	4	1	43	(0)	(0)	0	(0)	Tr	0	0.03	0.02	(1.1)	0.03	0	5	0.29	1.1	0	1.0	こいくちしょうゆ 6.5g を含む
0.7	0.12	0.40	-	-	-	-	(0)	(0)	0	(0)	Tr	0	0.03	0.01	(1.1)	0.02	(0)	4	0.31	-	0	0	
1.0	0.19	0.75	1	4	1	77	(0)	(0)	(0)	(0)	0.2	(0)	0.09	0.02	2.7	0.12	(0)	12	0.67	1.1	(0)	0	(100 g：154 mL、100 mL：65 g)

Q A　インディカ米とジャポニカ米？▶うるち米ともち米は含まれるでん粉（アミロースとアミロペクチン）の違いによって区別される（➡p.47）。インディカ米に含まれるアミロペクチンはうるち米よりも少ないため、パサパサした感じとなる。

米粉

ビーフン

甘酒。本来は米と米こうじから作られる。(➡p.326)

米粉パン

焼きビーフン

米こうじ

米粉めん

ライスペーパー

生春巻き

玄米粉のぎょうざの皮

玄米粉
玄米を焙煎して粉砕したもの。玄米を蒸してから乾燥・粉砕して作るものもある。
栄養成分：食物繊維、ビタミン、ミネラル、脂質等が多いため、健康志向の食品に使われることが多い。

米粉 大1=9g
別名パウダーライス。精白米を非常に細かく製粉した微細米粉のこと。製粉技術の向上により作れるようになった。小麦粉に比べて水分が多く、同じ量でもカロリーが低い。米粉は小麦粉と違って粘りのもととなるグルテンを含まないため、パンやめんの生地を作ったりパンを膨らませたりしにくかったが、粒子が細かくなったためにたんぱく質や脂質となじみやすくなり、パン、めん、ケーキ等にも利用できるようになった。グルテンを含まない利点として、粉どうしがくっつきにくいためにダマになりにくい、粉をふるう必要がない、溶けやすい等があげられる。

米粉パン 1個=70g
米粉を酵母で発酵させたパンで、小麦粉や小麦グルテンを含まないため、もっちりしっとりした特有の食感。小麦パンに比べて短い発酵時間で作れる、小麦アレルギーの人でも食べられる等の特性がある。

米粉めん（米粉麺） 乾1人分=80g 半生1人分=120g
別名ライスめん、ライスヌードル。米粉、塩、水を練り混ぜた生地をうどんやそばと同様に切ったり、穴を開けた金型から押し出してめん状にしたもの。微細米粉のめんはゆでると透明感と強いこしがあり、しこしこした歯ごたえ。昭和50年代の米

食品番号	食品名	廃棄率	エネルギー	2015年版の値	水分	たんぱく質	アミノ酸組成によるたんぱく質	脂質	脂肪酸のトリアシルグリセロール当量	脂肪酸 飽和	脂肪酸 一価不飽和	脂肪酸 多価不飽和	コレステロール	炭水化物	利用可能炭水化物（質量計）	食物繊維 食物繊維総量（プロスキー変法）	食物繊維 食物繊維総量（AOAC法）	ミネラル（無機質） ナトリウム	カリウム	カルシウム	マグネシウム	リン	鉄
		%	kcal	kcal	g	g	g	g	g	g	g	g	mg	g	g	g	g	mg	mg	mg	mg	mg	mg
01157	**玄米粉**	0	**370**	395	4.6	**7.1**	5.4	**2.9**	2.5	0.67	0.91	0.85	(0)	**84.1**	77.1	3.5	-	3	230	**12**	110	290	**1.4**
01158	**米粉**	0	**356**	374	11.1	**6.0**	5.1	**0.7**	0.6	0.25	0.12	0.20	(0)	**81.9**	74.3	0.6	-	1	45	**6**	11	62	**0.1**
01211	**米粉パン** 食パン	0	**247**	255	(41.2)	**(10.7)**	(10.2)	**(5.1)**	(4.6)	-	-	-	(Tr)	**(41.6)**	(35.0)	(0.7)	-	(420)	(57)	**(22)**	(14)	(61)	**(0.8)**
01212	ロールパン	0	**256**	264	(41.2)	**(8.8)**	(8.2)	**(6.7)**	(6.2)	-	-	-	(18)	**(42.0)**	(36.1)	(0.6)	-	(370)	(66)	**(26)**	(12)	(65)	**(0.6)**
01159	小麦グルテン不使用のもの	0	**247**	255	41.2	**3.4**	2.8	**3.1**	2.8	0.43	1.71	0.57	-	**51.3**	50.8	0.9	-	340	92	**4**	11	46	**0.2**
01160	**米粉めん**	0	**252**	265	37.0	**3.6**	3.2	**0.7**	0.6	0.24	0.16	0.20	(0)	**58.4**	51.5	0.9	-	48	43	**5**	11	56	**0.1**
01115	**ビーフン**	0	**360**	377	11.1	**7.0**	5.8	**1.6**	(1.5)	(0.51)	(0.37)	(0.55)	(0)	**79.9**	(72.7)	0.9	-	2	33	**14**	13	59	**0.7**
01169	**ライスペーパー**	0	**339**	342	13.2	**0.5**	0.4	**0.3**	0.2	0.09	0.05	0.03	0	**84.3**	77.9	0.8	-	670	22	**21**	21	12	**1.2**
01116	**米こうじ**	0	**260**	286	33.0	**5.8**	4.6	**1.7**	1.4	0.49	0.33	0.50	(0)	**59.2**	55.9	1.4	-	3	61	**5**	16	83	**0.3**

+PLUS+ **α化米粉の利用法●**生の米から作るβ化米粉と異なり、α化米から作るα化米粉は吸水性・保水性が高く、水でこねると団子状にまとまる。粘着性があるのでつなぎとして利用できる。パン、菓子、めん等の生地のグルテンの代用になるので、米粉100%のグルテンフリー食品を作れる。消化もよいし、冷めてもかたくならないので、介護食にも利用される。

米粉の特徴をいかした調理例

米粉のシフォンケーキ
米粉で調理するともっちりとしており、もちもち食感の仕上がり。粉をふるわずに調理できるので、手軽につくれて、時間がたってもしっとりとした仕上がりが続く。

米粉から揚げ
米粉は小麦粉よりも油の吸収率が低いので、時間がたっても油っこさが出ず、サクサククリスピーな食感。油ぎれが良いため、油の節約にも◎。

米粉のチヂミ
米粉の特徴を活かして表面はカリっと、中はもちっとした仕上がり。ダマにならず調理しやすい米粉の使い勝手の良さも感じられる。

米粉のホワイトソース
小麦粉と異なりグルテンを含まないため、米粉をとろみ付けに使うと、ダマになりにくく、いつもよりもっと簡単につくれる。粉臭さもなく、ほんのりと米の甘みも感じられ、グラタンやドリアなど、いろいろな料理に活用できる。

の過剰在庫をきっかけとして開発された。

ビーフン 1袋=150g
うるち米を水に浸けてから製粉機にかけてペースト状にし、蒸したものを練って熱湯中にめん状に押し出してから、乾燥したもの。中国や台湾の特産品。湯でもどしてから炒めて焼きビーフン等にする。

ライスペーパー 1枚=9g
別名**生春巻きの皮**。米粉と水をよく混ぜ、湯をわかした鍋に張ったぬれ布巾に流して円形に薄く伸ばし、透明になるまで蒸したもの。市販の乾燥品は、水にさっとつけてから使う。水で戻すとデンプンがすぐにα化して食べやすくなる。

米みそ

米こうじ（米麹）
蒸し米にコウジカビを繁殖させて作ったもの。糖化力が強く、清酒、甘酒、米みそ、米酢、みりん、しょうゆ、漬物等に用いる。

米の構造

（ ）内は重量比

胚芽（3%）　胚芽
胚乳（92%）　胚乳　胚乳
ぬか層（5%）
玄米 → 胚芽米 → 精白米
搗精　搗精

搗精による米の消化率と栄養価の変化

種類	歩留まり	消化率(%)	灰分(g/100g)	ビタミン B_1 (mg/100g)
玄米	100	90	1.2	0.41
半つき米	95～96	94	0.8	0.30
七分つき米	93～94	95.5	0.6	0.24
精白米	90～92	98	0.4	0.08

アルファ化米

もともとβでん粉状態にある米に水と熱を加えると、でん粉がα化し、消化しやすくおいしいご飯となる。しかし、αでん粉はとても不安定で、そのまま放置しておくとまたβでん粉へ戻ってしまい、冷や飯のように消化しにくくなる。

そこでαでん粉から水分を除くとそのままの状態を保ち続ける性質を応用して、昭和19（1944）年にアルファ化米が開発された。水を加えるだけでも食べられ、長期保存ができるため、防災用の非常食やアウトドア用途に利用されている。

可食部100gあたり　Tr：微量　（ ）：推定値または推計値　－：未測定

亜鉛 mg	銅 mg	マンガン mg	ヨウ素 µg	セレン µg	クロム µg	モリブデン µg	A レチノール活性当量 µg	A レチノール µg	A β-カロテン当量 µg	D µg	E α-トコフェロール mg	K µg	B_1 mg	B_2 mg	ナイアシン当量 mg	B_6 mg	B_{12} µg	葉酸 µg	パントテン酸 mg	ビオチン µg	C mg	食塩相当量 g	備考 ①歩留り ②原材料配合割合 ③試料
2.4	0.30	2.49	1	2	6	120	(0)	(0)	(0)	-	1.2	(0)	0	0.03	6.1	0.08	(0)	9	0.12	5.1	(0)	0	焙煎あり
1.5	0.23	0.60	-	-	-	-	(0)	(0)	(0)	-	0	(0)	0.03	0.01	1.7	0.04	(0)	9	0.20	-	(0)	0	(100 g：169 mL、100 mL：59 g)
(1.3)	(0.18)	(0.54)	(1)	(Tr)	0	(Tr)	-	-	-	-	(0.5)	-	(0.05)	(0.06)	(2.6)	(0.04)	(Tr)	(32)	(0.22)	(1.5)	0	(1.1)	
(1.2)	(0.16)	(0.43)	(3)	(2)	0	(1)	-	-	-	(0.5)	(0.8)	-	(0.05)	(0.08)	(2.2)	(0.04)	(0.1)	(35)	(0.27)	(2.8)	0	(0.9)	
0.9	0.12	0.38	-	-	-	-	-	-	-	-	0.5	-	0.05	0.03	1.5	0.04	-	30	0.23	-	-	0.9	③小麦アレルギー対応食品（米粉 100%）
1.1	0.15	0.48	-	-	-	-	(0)	(0)	(0)	-	Tr	(0)	0.03	Tr	1.4	0.05	(0)	4	0.31	-	(0)	0.1	③小麦アレルギー対応食品（米粉 100%）
0.6	0.06	0.33	5	3	4	25	(0)	(0)	(0)	(0)	0	(0)	0.06	0.02	2.4	0	(0)	4	0.09	0.6	(0)	0	
0.1	0.03	0.14	6	Tr	18	3	0	0	0	0	0	0	0.01	0	0.2	0.01	0.3	3	0.02	0.2	0	1.7	
0.9	0.16	0.74	0	2	0	48	(0)	(0)	(0)	(0)	0.2	(0)	0.11	0.13	2.8	0.11	(0)	71	0.42	4.2	(0)	0	

Q&A 麹と糀はどう違うの？▶こうじは、米、麦、豆などを蒸してコウジカビを繁殖させたものだが、中国では麦で作ることが多いため、麦粒がコウジカビに包まれているのを表す麹という漢字ができ、こうじ全般に使われている。糀は、コウジカビの菌糸が蒸し米を覆うようすが花が咲いているように見えることから明治時代に作られた国字（和製漢字）で、米こうじだけに使われる。

もち

あくまき

赤飯

白玉粉

道明寺粉

米ぬか

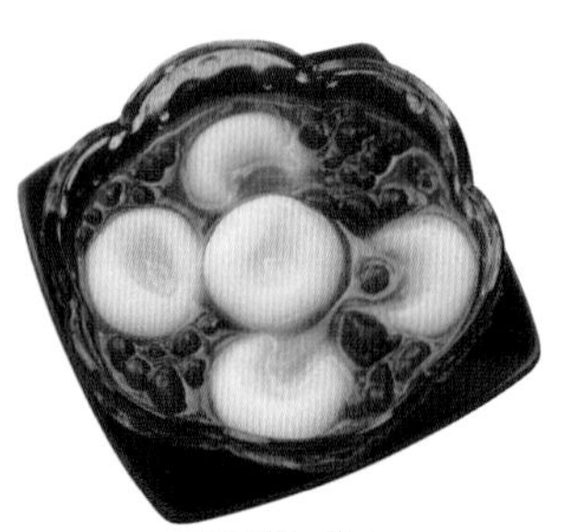

白玉ぜんざい

そばの実

もち米製品（糯米製品）
Glutinous rice products

もち（餅） 1切=50g
もち米を蒸してから、粒がなくなり粘りけが出るまでついたもの。地域によって、のしてから四角く切る角もち、丸く形づくる丸もちがある。関東は角、関西は丸が一般的。慶事や祝事に多く用いる。

赤飯 1杯=140～160g
別名**おこわ**、**こわめし**。あずきやささげを煮た汁にもち米を浸して色をつけ、煮たあずきやささげを混ぜて蒸したもの。炊飯器で炊く炊きおこわもある。

あくまき
もち米を木灰から作った灰汁（あく）に一晩浸し、竹皮に包んで灰汁で煮たちまきの一種。べっこう色でもちもちした食感になる。鹿児島の名産品。

白玉粉 1C=130g
水に浸したもち米に水を加えながら挽きつぶし、脱水して乾燥したもので、粒が細かくなめらか。寒中に作ったことから**寒ざらし粉**ともいう。だんご等に利用する。

道明寺粉 1C=160g
別名道明寺種。道明寺糒（ほしいい）を粗く挽いたもので、和菓子や料理に用いられる。道明寺糒は水に浸したもち米を蒸し上げて乾燥させたもので、大阪府藤井寺市の道明寺で貯蔵用に作られたのが起源といわれる。

米ぬか（米糠）
Rice bran

玄米を精白するときに出る副産物。米ぬか油の原料、漬物の床、きのこ類の栽培用培地、家畜の飼料、肥料等に利用される。
栄養成分：脂質、ビタミン、ミネラル、食物繊維が豊富に含まれる。

そば（蕎麦）
Buckwheat

タデ科。生育期間が短く手間が少ないため救荒作物として利用された。殻付きの実を玄そば、殻を取り除いた実を丸抜きという。
栄養成分：毛細血管を強くしたり血圧降下作用のあるルチン（ビタミンPの一種）が豊富。
産地：長野、北海道等。

そば粉（蕎麦粉） 1C=100g
そば粉は丸抜きを挽いたもので、挽き方によって性質の違うそば粉が生まれる。「全層粉」（**挽きぐるみ**）は丸抜き全体を挽いた粉で、黒っぽく香りが高い。実の一番内側の内層部か

食品番号	食品名	廃棄率	エネルギー	2015年版の値	水分	たんぱく質	アミノ酸組成によるたんぱく質	脂質	脂肪酸のトリアシルグリセロール当量	脂肪酸 飽和	一価不飽和	多価不飽和	コレステロール	炭水化物	利用可能炭水化物（質量計）	食物繊維 食物繊維総量（プロスキー変法）	食物繊維総量（AOAC法）	ミネラル（無機質） ナトリウム	カリウム	カルシウム	マグネシウム	リン	鉄
		%	kcal	kcal	g	g	g	g	g	g	g	g	mg	g	g	g	g	mg	mg	mg	mg	mg	mg
01117	［もち米製品］ **もち**	0	**223**	234	44.5	**4.0**	3.6	**0.6**	(0.5)	(0.17)	(0.11)	(0.18)	(0)	**50.8**	45.5	0.5	-	0	32	**3**	6	22	**0.1**
01118	**赤飯**	0	**186**	190	53.0	**4.3**	(3.6)	**0.6**	(0.5)	(0.14)	(0.12)	(0.18)	0	**41.9**	(37.3)	1.6	-	0	71	**6**	11	34	**0.4**
01119	**あくまき**	0	**131**	132	69.5	**2.3**	(2.0)	**1.8**	(1.5)	(0.53)	(0.33)	(0.55)	(0)	**25.7**	(26.4)	0.2	-	16	300	**6**	6	10	**0.1**
01120	**白玉粉**	0	**347**	369	12.5	**6.3**	5.5	**1.0**	(0.8)	(0.25)	(0.24)	(0.32)	(0)	**80.0**	76.5	0.5	-	2	3	**5**	6	45	**1.1**
01121	**道明寺粉**	0	**349**	372	11.6	**7.1**	(6.1)	**0.7**	0.5	0.22	0.12	0.15	(0)	**80.4**	(77.3)	0.7	-	4	45	**6**	9	41	**0.4**
01161	［その他］ **米ぬか**	0	**374**	412	10.3	**13.4**	10.9	**19.6**	17.5	3.45	7.37	5.90	(0)	**48.8**	25.3	20.5	-	7	1500	**35**	850	2000	**7.6**
01122	**そば** **そば粉** 全層粉	0	**339**	361	13.5	**12.0**	10.2	**3.1**	2.9	0.60	1.11	1.02	(0)	**69.6**	63.9	4.3	-	2	410	**17**	190	400	**2.8**
01123	内層粉	0	**342**	359	14.0	**6.0**	(5.1)	**1.6**	(1.5)	(0.31)	(0.57)	(0.53)	(0)	**77.6**	73.8	1.8	-	1	190	**10**	83	130	**1.7**
01124	中層粉	0	**334**	360	13.5	**10.2**	(8.7)	**2.7**	(2.5)	(0.53)	(0.97)	(0.89)	(0)	**71.6**	64.9	4.4	-	2	470	**19**	220	390	**3.0**
01125	表層粉	0	**337**	358	13.0	**15.0**	(12.8)	**3.6**	(3.3)	(0.70)	(1.29)	(1.19)	(0)	**65.1**	41.5	7.1	-	2	750	**32**	340	700	**4.2**
01126	**そば米**	0	**347**	364	12.8	**9.6**	(8.0)	**2.5**	(2.3)	(0.49)	(0.89)	(0.82)	(0)	**73.7**	(64.4)	3.7	-	1	390	**12**	150	260	**1.6**
01127	**そば** 生	0	**271**	274	33.0	**9.8**	8.2	**1.9**	(1.7)	(0.40)	(0.42)	(0.80)	(0)	**54.5**	(51.3)	-	6.0	1	160	**18**	65	170	**1.4**
01128	ゆで	0	**130**	132	68.0	**4.8**	(3.9)	**1.0**	(0.9)	(0.21)	(0.22)	(0.42)	(0)	**26.0**	(24.5)	2.0	2.9	2	34	**9**	27	80	**0.8**
01197	半生そば	0	**325**	323	23.0	**(10.5)**	(8.7)	**(3.8)**	-	-	-	-	(0)	**(61.8)**	(59.0)	3.1	6.9	(3)	(190)	**(20)**	(74)	(180)	**(1.3)**
01129	**干しそば** 乾	0	**344**	344	14.0	**14.0**	11.7	**2.3**	(2.1)	(0.49)	(0.50)	(0.97)	(0)	**66.7**	(65.9)	3.7	-	850	260	**24**	100	230	**2.6**
01130	ゆで	0	**113**	114	72.0	**4.8**	(3.9)	**0.7**	(0.6)	(0.15)	(0.15)	(0.30)	(0)	**22.1**	(21.5)	1.5	-	50	13	**12**	33	72	**0.9**

+PLUS+ 石臼挽きそばがおいしい理由●ロール挽き製粉だと短時間で大量に均質な粉を得られるが、摩擦熱でそば粉が焼けて性質が変化し、独特の風味が飛んでしまう。石臼挽き製粉では、時間がかかるが熱が発生しにくいため香りが揮発しにくい。また、粉のサイズが不均一なためにそばにざらつき感がでて、穀物らしいおいしさを感じられる。だからよい風味を残せるのだ。

そばの花

そば粉

そば米

干しそば

生めん

ざるそば。のり抜きはもりそば。

らは白くでん粉質が多い「内層粉」（一番粉、**さらしな粉**、**ごぜん粉**）、中層部からは淡黄色～淡緑色で甘さと香りがある「中層粉」（二番粉）、表層部からは繊維質が多く色も香りも中層粉より強い「表層粉」（三番粉）がとれる。糊化が容易なため、熱湯で練るだけで食べられる（そばがき）。

そば米（蕎麦米）

別名**そばごめ**、**むきそば**。そばの実をゆでて乾燥させ、殻を取り除いたもの。雑炊にしたり、米と混ぜて炊いたりする。

そば（蕎麦） 生1玉=170g

別名**そば切り**。そば粉には粘着性がないため、つなぎとして小麦粉、やまいも、卵等を加えることが多い。十割そばはそば粉100%、二八そばは80%のもの。農林水産省告示のJAS規格によれば、JAS標準でそば粉4割以上、JAS上級で同5割以上がそばとされる。

干しそば（干し蕎麦） 1わ=100g

乾燥させたそば。

無洗米

洗わなくてよい米が、無洗米の名称で売られている。これは、精米した米の表面の凹凸に入り込んだ肌ぬかを取り去り、洗わなくてよい状態にしたもの。無洗米はもともと、栄養価の高い米の研ぎ汁が海の汚染要因になっていると聞いた精米関係者が、水質汚濁への危機感から開発したものである。現在では、家庭はもちろん外食産業での導入がすすみ普及している。

環境を考慮するならば、ふつうの米を使う場合でも、研ぐ回数を減らす、研ぎ汁を庭にまいたり食器洗いに使う等の工夫をしたい。

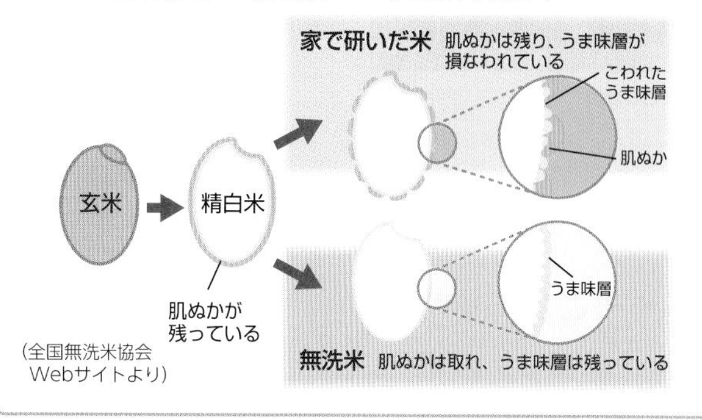

（全国無洗米協会Webサイトより）

江戸のそば、上方のうどん

そば屋の発祥は、江戸時代の初期と推定されるが、うどんの歴史は古く、室町時代には一般に普及していた。そばは、江戸中期（安永年間）に夜の屋台で「夜鷹そば切り」の名で売られるようになってから、江戸で広く普及し始めた。

一方、上方（京・大坂）では夜叫（鳴）きうどんが登場。めん類の好みはこのころからはっきり分かれ始めたらしい。

可食部100 gあたり Tr：微量 （ ）：推定値または推計値 －：未測定

亜鉛	銅	マンガン	ヨウ素	セレン	クロム	モリブデン	A レチノール活性当量	A レチノール	A β-カロテン当量	D	E αトコフェロール	K	B_1	B_2	ナイアシン当量	B_6	B_{12}	葉酸	パントテン酸	ビオチン	C	食塩相当量	備考 ①歩留り ②原材料配合割合 ③試料
mg	mg	mg	µg	µg	µg	µg	µg	µg	µg	µg	mg	µg	mg	mg	mg	mg	µg	µg	mg	µg	mg	g	
0.9	0.13	0.58	0	2	0	56	**(0)**	(0)	0	(0)	Tr	0	**0.03**	**0.01**	1.2	0.03	(0)	4	0.34	0.6	**(0)**	0	
0.9	0.13	0.45	0	2	0	61	**0**	(0)	1	(0)	Tr	1	**0.05**	**0.01**	(1.2)	0.03	(0)	9	0.30	1.0	**0**	0	②もち米 100、ささげ 10
0.7	0.05	0.39	-	-	-	-	**(0)**	(0)	(0)	(0)	Tr	(0)	**Tr**	**Tr**	(0.6)	0.01	(0)	1	0	-	**(0)**	0	
1.2	0.17	0.55	3	3	1	56	**(0)**	(0)	(0)	(0)	0	(0)	**0.03**	**0.01**	1.8	0.01	(0)	14	0	1.0	**(0)**	0	
1.5	0.22	0.90	-	-	-	-	**(0)**	(0)	0	(0)	Tr	(0)	**0.04**	**0.01**	(2.0)	0.04	(0)	6	0.22	-	**(0)**	0	(100 g：125 mL、100 mL：80 g)
5.9	0.48	15.00	3	5	5	65	**(0)**	(0)	(0)	-	10.0	(0)	**3.12**	**0.21**	38.0	3.27	(0)	180	4.43	38.0	**(0)**	0	
2.4	0.54	1.09	1	7	4	47	**(0)**	(0)	(0)	(0)	0.2	0	**0.46**	**0.11**	7.7	0.30	(0)	51	1.56	17.0	**(0)**	0	表層粉の一部を除いたもの
0.9	0.37	0.49	0	7	2	12	**(0)**	(0)	(0)	(0)	0.1	(0)	**0.16**	**0.07**	(3.8)	0.20	(0)	30	0.72	4.7	**(0)**	0	
2.2	0.58	1.17	0	13	3	43	**(0)**	(0)	(0)	(0)	0.2	(0)	**0.35**	**0.10**	(6.8)	0.44	(0)	44	1.54	18.0	**(0)**	0	
4.6	0.91	2.42	2	16	6	77	**(0)**	(0)	(0)	(0)	0.4	(0)	**0.50**	**0.14**	(11.0)	0.76	(0)	84	2.60	38.0	**(0)**	0	
1.4	0.38	0.76	-	-	-	-	**(0)**	(0)	(0)	(0)	0.1	(0)	**0.42**	**0.10**	(6.9)	0.35	(0)	23	1.53	-	**0**	0	
1.0	0.21	0.86	4	24	3	25	**(0)**	(0)	(0)	(0)	0.2	-	**0.19**	**0.09**	5.4	0.15	(0)	19	1.09	5.5	**(0)**	0	小麦製品を原材料に含む ②小麦粉 65、そば粉 35
0.4	0.10	0.38	Tr	12	2	11	**(0)**	(0)	(0)	(0)	0.1	-	**0.05**	**0.02**	(1.5)	0.04	(0)	8	0.33	2.7	**(0)**	0	②小麦粉 65、そば粉 35
(1.2)	(0.24)	(0.99)	(4)	(27)	(4)	(28)	**0**	0	0	(0)	(0.2)	-	**(0.22)**	**(0.10)**	(4.5)	(0.16)	(0)	(22)	(1.25)	(6.3)	**(0)**	0	
1.5	0.34	1.11	-	-	-	-	**(0)**	(0)	(0)	(0)	0.3	(0)	**0.37**	**0.08**	6.1	0.24	(0)	25	1.15	-	**(0)**	2.2	②小麦粉 65、そば粉 35
0.4	0.10	0.33	-	-	-	-	**(0)**	(0)	(0)	(0)	0.1	(0)	**0.08**	**0.02**	(1.6)	0.05	(0)	5	0.22	-	**(0)**	0.1	

QA なぜ大みそかにそばを食べるの？▶年越しそばは江戸時代中期から始まった縁起かつぎ。細く長い形から、延命長寿を願ったため。そばは切れやすいことから、一年の苦労や厄災を断ち切るため。金銀細工師は飛び散った金粉を集めるのにそば粉を使うことから金を集めるため。健康によい食べ物なので、体内を清浄にして新年を迎えるため。等々いろいろな説がある。

とうもろこし畑

とうもろこし（玉蜀黍）

Corn　生1本=300～350g

イネ科。別名**とうきび**。必須アミノ酸のトリプトファン、リシンが少なく、たんぱく源としては期待できない。胚芽からはコーン油が採油される。南米アンデス原産、日本には16世紀に伝来。とうもろこし粉に石灰、塩を加えてこね、薄くのばして焼いたトルティーヤはアンデスの主食。味つけしたひき肉や魚、野菜をトルティーヤで巻き、チリソースをかけたものがタコス。

種類：粒の形状によって、ポッド、デント（馬歯種）、フリント（硬粒種）、ソフト（軟粒種）、ポップ（爆裂種）、スイート（甘味種）の6種に分けられる。デントコーンはもっとも生産量が多く、飼料やでん粉等の工業用。フリントコーンも飼料や工業用原料。ポップコーンは菓子のポップコーンの原料。スイートコーンは成熟しても炭水化物が完全にでん粉にならずに糖のまま残るので甘く、生食用、調理用、缶詰用等に用いられる。玄穀とは、とうもろこしの完熟種子のこと。すべての実が黄色い「黄色種」はゴールデンコーンと呼ばれ、ビタミンAの効力があるβクリプトキサンチンを多く含む。すべての実が白い「白色種」はシルバーコーンと呼ばれ、小粒でつやがある。黄色と白が3対1の割合の実の色のものは黄色種と白色種の一代雑種でバイカラー種と呼ばれる。他にも実が紫色や褐色、青色のもの等もある。

玄穀
完熟種子。未熟種子は野菜。

コーンミール
玄穀粒から胚芽を取り除いて挽き割りにしたもの。かゆやパン等にする。

コーングリッツ
玄穀粒を粗く砕いて表皮と胚芽を取り除き、粉砕してふるい分けたもの。菓子やビール等に。

コーンフラワー
コーングリッツの製造工程中に生じる胚乳の粉質部をさらに細かく粉砕したもの。プレミックス粉（➡p.50）や菓子に用いる。

ジャイアントコーン
ペルーの標高3000m前後の高原の川沿いの限られた地域で採れる大粒の品種。

ポップコーン
加熱すると胚乳内の水分が膨張して粒が爆裂するポップ種を油で炒めてはじけさせ、塩味をつけたもの。

コーンフレーク
コーングリッツに砂糖や麦芽糖等を混ぜた調味液を加えて加熱圧延し、フレーク状にして乾燥、焼き上げたもの。でん粉がα化された状態を保っているためそのまま食べられる。

食品番号	食品名	廃棄率	エネルギー	2015年版の値	水分	たんぱく質	アミノ酸組成によるたんぱく質	脂質	脂肪酸のトリアシルグリセロール当量	脂肪酸 飽和	一価不飽和	多価不飽和	コレステロール	炭水化物	利用可能炭水化物（質量計）	食物繊維 食物繊維総量（プロスキー変法）	食物繊維総量（AOAC法）	ミネラル（無機質） ナトリウム	カリウム	カルシウム	マグネシウム	リン	鉄
		%	kcal	kcal	g	g	g	g	g	g	g	g	mg	g	g	g	g	mg	mg	mg	mg	mg	mg
	とうもろこし																						
01131	玄穀　黄色種	0	**341**	350	14.5	**8.6**	(7.4)	**5.0**	(4.5)	(1.01)	(1.07)	(2.24)	(0)	**70.6**	64.8	9.0	-	3	290	**5**	75	270	**1.9**
01162	白色種	0	**341**	350	14.5	**8.6**	(7.4)	**5.0**	4.5	-	-	-	(0)	**70.6**	(64.8)	9.0	-	3	290	**5**	75	270	**1.9**
01132	コーンミール　黄色種	0	**375**	363	14.0	**8.3**	(7.0)	**4.0**	(3.6)	(0.80)	(0.85)	(1.79)	(0)	**72.4**	(72.5)	8.0	-	2	220	**5**	99	130	**1.5**
01163	白色種	0	**375**	363	14.0	**8.3**	(7.0)	**4.0**	3.6	-	-	-	(0)	**72.4**	(72.5)	8.0	-	2	220	**5**	99	130	**1.5**
01133	コーングリッツ　黄色種	0	**352**	355	14.0	**8.2**	7.6	**1.0**	0.9	0.20	0.21	0.45	(0)	**76.4**	74.8	2.4	-	1	160	**2**	21	50	**0.3**
01164	白色種	0	**352**	355	14.0	**8.2**	(7.6)	**1.0**	0.9	-	-	-	(0)	**76.4**	(74.8)	2.4	-	1	160	**2**	21	50	**0.3**
01134	コーンフラワー　黄色種	0	**347**	363	14.0	**6.6**	(5.7)	**2.8**	(2.5)	(0.56)	(0.60)	(1.26)	(0)	**76.1**	(72.5)	1.7	-	1	200	**3**	31	90	**0.6**
01165	白色種	0	**347**	363	14.0	**6.6**	(5.7)	**2.8**	2.5	-	-	-	(0)	**76.1**	(72.5)	1.7	-	1	200	**3**	31	90	**0.6**
01135	ジャイアントコーン　フライ　味付け	0	**409**	435	4.3	**5.7**	(5.2)	**11.8**	10.6	3.37	3.74	3.05	(0)	**76.6**	-	10.5	-	430	110	**8**	88	180	**1.3**
01136	ポップコーン	0	**472**	484	4.0	**10.2**	(8.7)	**22.8**	(21.7)	(6.30)	(6.76)	(7.73)	(0)	**59.6**	(54.1)	9.3	-	570	300	**7**	95	290	**4.3**
01137	コーンフレーク	0	**380**	381	4.5	**7.8**	6.8	**1.7**	(1.2)	(0.42)	(0.20)	(0.55)	(0)	**83.6**	(82.2)	2.4	-	830	95	**1**	14	45	**0.9**
01138	**はとむぎ**　精白粒	0	**353**	360	13.0	**13.3**	12.5	**1.3**	-	-	-	-	(0)	**72.2**	-	0.6	-	1	85	**6**	12	20	**0.4**
01139	**ひえ**　精白粒	0	**361**	366	12.9	**9.4**	8.4	**3.3**	3.0	0.56	0.66	1.65	(0)	**73.2**	70.8	4.3	-	6	240	**7**	58	280	**1.6**
01140	**もろこし**　玄穀	0	**344**	352	12.0	**10.3**	(9.0)	**4.7**	(4.7)	(0.83)	(1.54)	(2.12)	(0)	**71.1**	59.7	9.7	-	2	590	**16**	160	430	**3.3**
01141	精白粒	0	**348**	364	12.5	**9.5**	(8.0)	**2.6**	(2.3)	(0.41)	(0.73)	(1.09)	(0)	**74.1**	65.4	4.4	-	2	410	**14**	110	290	**2.4**
01142	**ライむぎ**　全粒粉	0	**317**	334	12.5	**12.7**	10.8	**2.7**	(2.0)	(0.40)	(0.31)	(1.19)	(0)	**70.7**	55.7	13.3	-	1	400	**31**	100	290	**3.5**
01143	ライ麦粉	0	**324**	351	13.5	**8.5**	7.8	**1.6**	1.2	0.24	0.19	0.70	(0)	**75.8**	58.6	12.9	-	1	140	**25**	30	140	**1.5**

+PLUS+　**おいしいとうもろこしの見分け方**●鮮度が低下しやすいので新鮮なものを選ぼう。皮が鮮やかな緑色、茎の切り口が白くて変色していない、ひげがふさふさしていて色が濃茶色という３点をチェック。とうもろこしのひげは１粒に１本あるので、ひげが多いものは粒が多い。熟すとひげが茶色くなるけど、実の色が濃いのは熟しすぎ。実の色が薄いほうが甘みが強いのだ。

はとむぎ

ひえ

もろこし

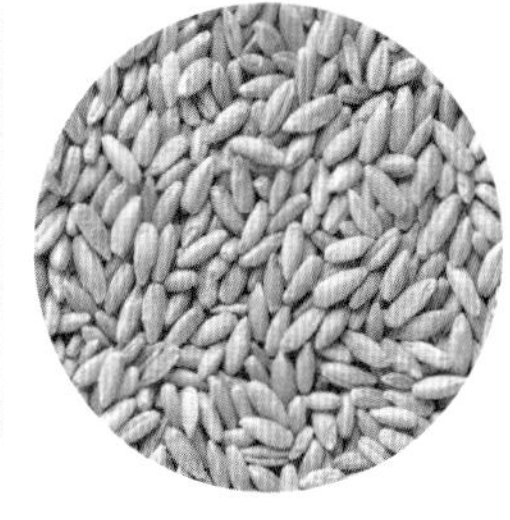

ライむぎ

はとむぎ (薏苡)

Job's tears 1C=120g

イネ科。救荒作物として利用された。真ん中にある茶色の大きな溝が特徴で、もち種がほとんど。利尿作用や皮膚の保湿作用、解毒作用があるとされ、漢方薬や薬膳等にも使われる。
調理法：皮を取り、煎じてむぎ茶にする。粉にして菓子やパン等に利用。

ひえ (稗)

Japanese barnyard millet
1C=150g

イネ科。東南アジアを中心に栽培されている。日本では縄文時代から栽培され、あわ(粟)とともに最も古い穀物。寒冷地ややせ地でも栽培できるため、米のかわりの重要な食べ物であった。
調理法：米と混ぜて炊く、みそ、酒等の原料。炊きあがりはふわふわだが、冷めると味が落ちる。

もろこし (蜀黍)

Sorghum

イネ科。別名**こうりゃん**、**ソルガム**、**たかきび**、**マイロ**。アフリカ原産でインド、アジアへと伝播。アフリカ、中国、インドの一部地域での主食。
種類：うるち種ともち種。
調理法：うるち種は、炊く、粉にしてだんごや粉がゆ、酒等にする。もち種は、もち米と混ぜてもちにする。

雑穀ごはん

ライむぎ (ライ麦)

Rye ライ麦粉1C=110g

イネ科。別名**黒麦**。寒冷地やほかの穀類が生育しない土地でも栽培できるため、古くからロシアや北欧諸国で黒パンやウイスキー、ウオッカ等の原料として利用している。ライ麦はグルテンを形成しないが、酸によって膨化力を増す性質がある。

雑穀

雑穀とは一般に、主食(米・小麦)以外に利用している穀物のこと。優れた栄養価や機能性が近年見直され、健康食品として利用されつつある。

五穀
5種類の穀類等を含むもの(➡p47)。

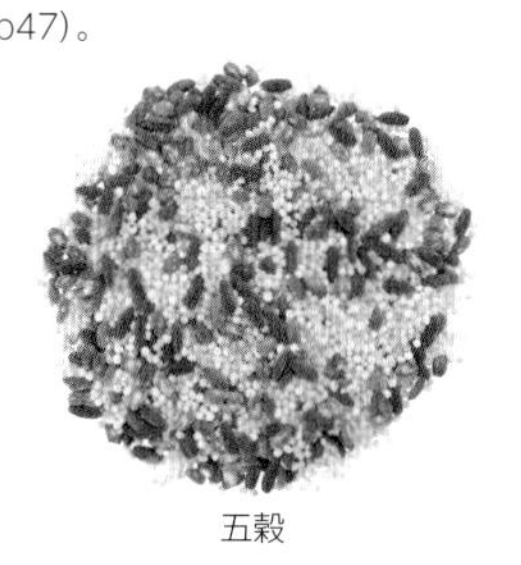

五穀

可食部100 gあたり Tr：微量 ( )：推定値または推計値 −：未測定

ミネラル(無機質)							ビタミン															食塩相当量	備考
亜鉛	銅	マンガン	ヨウ素	セレン	クロム	モリブデン	A レチノール活性当量	レチノール	β-カロテン当量	D	E αトコフェロール	K	B1	B2	ナイアシン当量	B6	B12	葉酸	パントテン酸	ビオチン	C		①歩留り ②原材料配合割合 ③試料
mg	mg	mg	µg	µg	µg	µg	µg	µg	µg	µg	mg	µg	mg	mg	mg	mg	µg	µg	mg	µg	mg	g	
1.7	0.18	-	0	6	Tr	20	13	(0)	150	(0)	1.0	(0)	0.30	0.10	(3.0)	0.39	(0)	28	0.57	8.3	(0)	0	
1.7	0.18	-	0	6	Tr	20	(0)	(0)	Tr	(0)	1.0	(0)	0.30	0.10	(3.0)	0.39	(0)	28	0.57	8.3	(0)	0	
1.4	0.16	0.38	-	-	-	-	13	(0)	160	(0)	1.1	(0)	0.15	0.08	(1.6)	0.43	(0)	28	0.57	-	(0)	0	①75～80%
1.4	0.16	0.38	-	-	-	-	(0)	(0)	Tr	(0)	1.1	(0)	0.15	0.08	(1.6)	0.43	(0)	28	0.57	-	(0)	0	①75～80%
0.4	0.07	-	Tr	6	0	10	15	(0)	180	(0)	0.2	(0)	0.06	0.05	1.4	0.11	(0)	8	0.32	3.1	(0)	0	①44～55%
0.4	0.07	-	Tr	6	0	10	(0)	(0)	Tr	(0)	0.2	(0)	0.06	0.05	(1.4)	0.11	(0)	8	0.32	3.1	(0)	0	①44～55%
0.6	0.08	0.13	-	-	-	-	11	(0)	130	(0)	0.2	(0)	0.14	0.06	(2.1)	0.20	(0)	9	0.37	-	(0)	0	①4～12%
0.6	0.08	0.13	-	-	-	-	(0)	(0)	Tr	(0)	0.2	(0)	0.14	0.06	(2.1)	0.20	(0)	9	0.37	-	(0)	0	①4～12%
1.6	0.07	0.30	-	-	-	-	(0)	(0)	0	(0)	1.4	1	0.08	0.02	(2.4)	0.11	(0)	12	0.12	-	(0)	1.1	
2.4	0.20	-	-	-	-	-	15	(0)	180	(0)	3.0	-	0.13	0.08	(3.2)	0.27	(0)	22	0.46	-	(0)	1.4	
0.2	0.07	-	Tr	5	3	15	10	(0)	120	(0)	0.3	(0)	0.03	0.02	1.0	0.04	(0)	6	0.22	1.6	(0)	2.1	
0.4	0.11	0.81	-	-	-	-	(0)	(0)	0	(0)	0	(0)	0.02	0.05	1.7	0.07	(0)	16	0.16	-	(0)	0	①42～45%
2.2	0.15	1.37	0	4	2	10	(0)	(0)	(0)	(0)	0.1	(0)	0.25	0.02	2.3	0.17	(0)	14	1.50	3.6	0	0	①55～60%
2.7	0.44	1.63	1	1	1	34	(0)	(0)	(0)	(0)	0.5	(0)	0.35	0.10	(8.0)	0.31	(0)	54	1.42	15.0	(0)	0	
1.3	0.21	1.12	-	-	-	-	(0)	(0)	(0)	(0)	0.2	(0)	0.10	0.03	(5.0)	0.24	(0)	29	0.66	-	(0)	0	①70～80%
3.5	0.44	2.15	0	2	1	65	(0)	(0)	(0)	(0)	1.0	(0)	0.47	0.20	4.2	0.22	(0)	65	0.87	9.5	0	0	
0.7	0.11	-	-	-	-	-	(0)	(0)	(0)	(0)	0.7	(0)	0.15	0.07	2.6	0.10	(0)	34	0.63	-	(0)	0	①65～75%

QA あわのご先祖様って、何？▶なんとネコジャラシ。正式名称はエノコログサで、約1万年前の河南省霊井(リンチン)遺跡からそのでん粉粒が見つかっている。すりつぶして脱穀、製粉した。ちなみに、はとむぎの原種はジュズダマ。ジュズダマの皮はとてもかたくてでん粉はうるち性だが、はとむぎの皮はやわらかく、でん粉はもち性。ネコジャラシもジュズダマも食べられるのだ。

02 いも・でん粉類 POTATOES and STARCHES

さといも畑

いも・でん粉類とは

いも類とは、地下茎や根の一部に多量のでん粉やその他の多糖類が蓄えられて肥大し、塊茎（かいけい）や塊根（かいこん）となったもので、穀物と同様にエネルギー源とされる。
でん粉類とは、植物が貯えたでん粉を取り出し、乾燥させた無味無臭の粉末で、菓子等の加工原料としても広く利用されている。

1 栄養上の特徴

いもの固形分の大部分は炭水化物であるが、水分を約65%以上も含むため、穀類と比較してエネルギー量はあまり高くない。カルシウムやカリウムなどのミネラルに富み、肉料理の付け合わせにも向く。また、さつまいも、じゃがいもに含まれるビタミンCは、貯蔵や調理によっても損失が少ないという特徴を持っている。

●いもおよびでん粉類の栄養成分比較

※可食部100gあたり（%）

	じゃがいも（塊茎・皮なし・生）59kcal	さつまいも（塊根・皮なし・生）126kcal	はるさめ（普通はるさめ・乾）346kcal
水分	79.8	65.6	12.9
炭水化物	17.3	31.9	86.6
たんぱく質	1.8	1.2	0
脂質	0.1	0.2	0.2
灰分	1.0	1.0	0.3
特徴	ビタミンCが豊富。	いも類の中では比較的カロリーが高い。カロテンを多く含む。	加工により水分が少ない。成分の大部分が炭水化物。

2 選び方・保存方法

	選び方	保存方法
さつまいも	ずんぐりと太く、表皮の色が鮮やかで、光沢のあるもの。凸凹や黒い斑点のあるものは避ける。	8℃以下で低温障害（表面に黒い斑点が出る）を起こすので、直射日光の当たらない室内で保存する。また、水気がつくと腐りやすいので、ラップ類などは使わず、かごに入れたり、新聞紙に包んで保存する。
じゃがいも	皮が薄く、しわがなく、色が一定しているものがよい。黒い斑点や傷のあるものは避ける。男爵は握りこぶし程度のものがよい。	冷蔵庫に入れる必要はない。包まずに風通しのよい室内で保存する。土から掘り起こして4か月ほど経過すると、有害物質（ソラニン）が含まれている芽の働きが活発になるので注意する。
さといも	泥つきで丸く、太ったもの、皮が茶褐色で、適度に湿り気があるものがよい。	新聞紙に包み、室温で保存する。
やまのいも	いちょういも（やまいも）は、切り口が白く、あまり凸凹していないものがよい。ながいもはすらりと細長く、皮がやや茶色がかったものがよい。	泥つきのものは新聞紙に包み、風通しのよい室内で保存する。使いかけのものはラップで包み、冷蔵庫に入れておく。また、細長いものは折れないように注意する必要がある。
こんにゃく	袋入りのものは、水分の多すぎるものは避ける。	開封せずに中に入っている水に浸しておく。使いかけは、ラップに包み、冷蔵庫で保存し、なるべく早く使い切る。

3 加工と加工品

●主な加工品

じゃがいもの加工品……ポテトチップス／ポテトフレーク／でん粉（片栗粉）／春雨
さつまいもの加工品……菓子（いもけんぴ・チップス）／干しいも／でん粉／春雨
キャッサバの加工品……タピオカパール
こんにゃくいもの加工品……こんにゃく（こんにゃくいもを粉末にして水を加え、石灰乳で凝固させる）
やまいもの加工品……まんじゅうやかるかんなどの和菓子

●でん粉の原料

でん粉の原料……じゃがいも／さつまいも／とうもろこし／かたくりの根／くずの根／わらびの地下茎

4 調理性

●いもの加熱による変化

でん粉の糊化

いもが煮くずれを起こしやすいのは、加熱によってでん粉が糊化し、細胞膜間のペクチンの粘着性が弱くなり、細胞単位で分離した状態になるため。
粉ふきいも
マッシュポテト

裏ごしによる粘り

熱いうちに裏ごしすると、細胞壁間の流動性が高いので、細胞膜を壊さないで分離させることができる。冷めてからでは細胞膜が壊れて糊化したでん粉が出て粘りを生じる。
きんとん

甘味の増加

さつまいもに含まれる糖化酵素(アミラーゼ)は、でん粉を分解して麦芽糖にし、65℃くらいまでの加熱が長く続くほど活発に作用して甘味を増す。電子レンジでは温度が急に上がるため、短時間に酵素作用を失うので、糖化する量が少なく、甘味が少なくなる。
ふかしいも　焼きいも

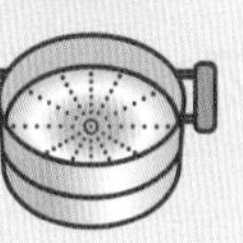

●じゃがいもの種類と調理例

品種名	形	肉の色	調理特性	向く調理法
男爵	偏球形	白色	質は粉質で、舌ざわりはあらいが食味はよい／やや煮えにくい／大きいものは空洞が出やすい	皮ごと蒸しいも、粉ふきいも、コロッケ、マッシュポテト、サラダ
メークイーン	楕円形	黄色	男爵に比べるとやや細長くくぼみが少ない／でん粉が少なく、粘質で、煮くずれしにくく、ホクホクしない	肉じゃが、シチューなど煮込み料理、カレーライス ※コロッケなど、油で揚げる料理には向かない
きたあかり	偏球形	黄色	肉質は粉質で、舌ざわりはやや滑らか／煮上がりが早く、男爵より煮くずれしやすい。長時間煮込む料理には不適／電子レンジで短時間で火が通る／さつまいもに似たよい香りがする	ポテトサラダ、皮ごと蒸しいも、粉ふきいも、コロッケ、スープ
インカのめざめ	卵形	濃黄色	肉質はやや粘質で、舌ざわりはごく滑らかで煮くずれが少ない／ナッツや栗に似た独特の風味とくせがある／春先にはさつまいもに近い甘さに達する／低温で貯蔵するとしょ糖が増加してとても甘くなり、常温で貯蔵するとすぐに芽が伸びる	煮物、フライドポテト、ポテトチップス、ホイル焼き、冷たいスープのビシソワーズ ※独特の肉色を生かしたお菓子材料（アイスクリーム、ケーキ、甘納豆等）にも向く
農林１号	偏球形	白色	肉質はやや粉質で、舌ざわりはやや滑らか／男爵より煮くずれしにくい／調理後、黒変しやすい	シチュー、煮物、粉ふきいも、マッシュポテト

●でん粉の働きと用途

でん粉は原料となる植物によって粒子の形や大きさが異なるが、その調理効果は共通している。主な働きは次の通り。

汁物に粘度を与え、具を安定させる……かき玉汁、のっぺい汁

材料の水分を吸収して調味料をからませ、油脂類の分散をよくし、乳化を助ける……揚げ物の衣など

材料のつなぎとなり、材料を覆って持ち味を保つ（魚のすり身料理では、糊化でん粉粒が組織に弾力を与える）……揚げ物の衣、肉だんご、いわしのつみれ、くずもち、ごまどうふなど

温度の降下を遅らせる……汁物、あんかけもの全般

滑らかな舌ざわりと料理につやを与える……汁物、吉野煮など

5 食文化その他

●さつまいもとじゃがいもの伝播

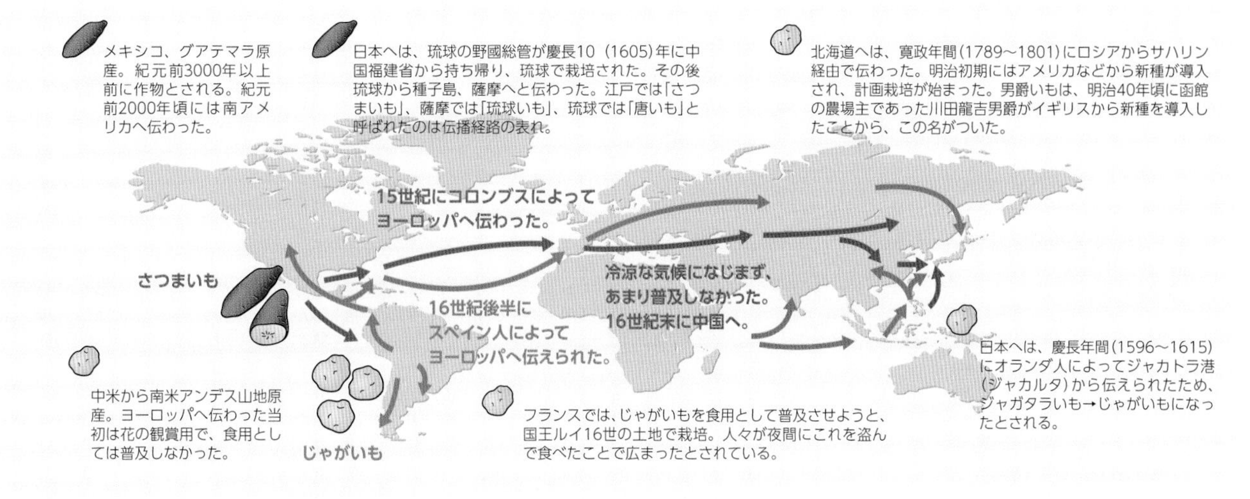

アメリカほどいも

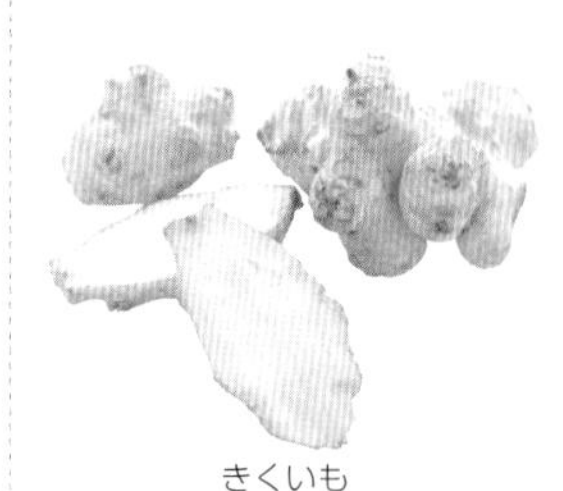

きくいも

こんにゃくいも畑

赤こんにゃく

こんにゃくいも

こんにゃく

刺身こんにゃく
加熱しなくても食べられるように作ったもの。やわらかい食感で、青のり等を加えたものが多い。

アメリカほどいも

Groundnut　1個=5～20g

マメ科。別名**アピオス**。肥大した根茎を食用にする。日本に自生しているほどいもは別種。
栄養成分：カルシウムが豊富。
調理法：塩ゆで、焼き物、揚げ物、煮物等。

きくいも（菊芋）

Jerusalem-artichoke

キク科。きくいもの塊茎で、生いもは異臭がする。日本へは明治初年ごろにアメリカから飼料用作物として導入され、果糖製造や工業原料として利用されている。イヌリンを多量に含む健康食品として注目される。
調理法：天ぷら、炒め物、水煮、サラダ、塩漬、みそ漬等。

こんにゃく（蒟蒻）

Konjac

サトイモ科のこんにゃくいもの主成分のマンナンが、水酸化カルシウム（石灰水等）のアルカリ性によって固まる性質を利用した、ブリブリした触感が特徴の食品。
栄養成分：食物繊維が豊富。整腸作用があり、低カロリー食としても利用される。
調理法：みそ田楽、和え物、おでん、すき焼き等。独特のにおいを抜くため、ゆでる、塩でもむ等の下ごしらえをする。
保存法：こんにゃくの入っていた袋の水（石灰水）と一緒に保存。
産地：群馬、福島等。

精粉
こんにゃくいもを薄い輪切りにして乾燥し、よく粉砕してマンナン粒子だけを分離したもの。

板こんにゃく（板蒟蒻） 1枚=170～200g
型に流して板状にしたこんにゃくで、白色、黒色、刺身こんにゃく等がある。黒いものは、海藻の粉を加えて色をつけている。
精粉こんにゃく：精粉に水を加えてのり状にし、よく練りながら水酸化カルシウムを加えて板状に凝固させたもの。
生いもこんにゃく：生か蒸し煮したこんにゃくいもから作る。

赤こんにゃく（赤蒟蒻）
滋賀県近江八幡市の特産品。精粉こんにゃくを三酸化二鉄（別名べんがら）で赤く染めたもの。赤い色は、近江八幡に安土城を築いた派手好きな織田信長がこんにゃくも赤く染めさせた、春におこなわれる左義長（さぎちょう）祭りの山車に飾る赤い紙の束にちなんだ、等の説がある。

凍みこんにゃく（凍み蒟蒻）
茨城の特産品。生いもこんにゃくを薄く切り、夜は凍らせ昼は溶かすことを繰り返し、乾燥させて仕上げる乾物。
調理法：水や湯で戻してからゆでてあくを抜き、普通のこんにゃくのように利用する。スポンジ状のため味がしみやすく、普通のこんにゃくでは作りにくいフライや天ぷら等も作れる。

食品番号	食品名	廃棄率	エネルギー	2015年版の値	水分	たんぱく質	アミノ酸組成によるたんぱく質	脂質	脂肪酸のトリアシルグリセロール当量	脂肪酸 飽和	一価不飽和	多価不飽和	コレステロール	炭水化物	利用可能炭水化物（質量計）	食物繊維 食物繊維総量（プロスキー変法）	食物繊維総量（AOAC法）	ミネラル（無機質） ナトリウム	カリウム	カルシウム	マグネシウム	リン	鉄
		%	kcal	kcal	g	g	g	g	g	g	g	g	mg	g	g	g	g	mg	mg	mg	mg	mg	mg
	〈いも類〉																						
02068	**アメリカほどいも**　塊根　生	20	146	165	56.5	5.9	3.5	0.6	0.2	0.08	0.02	0.12	-	35.6	30.5	-	11.1	5	650	73	39	120	1.1
02069	ゆで	15	144	163	57.1	6.0	3.7	0.8	0.3	0.10	0.02	0.19	-	34.5	27.9	-	8.4	5	650	78	42	120	1.0
02001	**きくいも**　塊茎　生	20	66	35	81.7	1.9	-	0.4	-	-	-	-	(0)	14.7	(2.7)	1.9	-	1	610	14	16	66	0.3
02041	水煮	0	51	28	85.4	1.6	-	0.5	-	-	-	-	(0)	11.3	(2.1)	2.1	-	1	470	13	13	56	0.3
02002	**こんにゃく**　精粉	0	194	177	6.0	3.0	-	0.1	-	-	-	-	(0)	85.3	-	79.9	-	18	3000	57	70	160	2.1
02003	板こんにゃく　精粉こんにゃく	0	5	5	97.3	0.1	-	Tr	-	-	-	-	(0)	2.3	-	2.2	-	10	33	43	2	5	0.4
02004	生いもこんにゃく	0	8	7	96.2	0.1	-	0.1	-	-	-	-	(0)	3.3	-	3.0	-	2	44	68	5	7	0.6
02042	赤こんにゃく	0	6	5	97.1	0.1	-	Tr	-	-	-	-	(0)	2.5	-	2.3	-	11	48	46	3	5	78.0
02043	凍みこんにゃく　乾	0	192	167	12.0	3.3	-	1.4	-	-	-	-	(0)	77.1	-	71.3	-	52	950	1600	110	150	12.0
02044	ゆで	0	42	36	80.8	0.7	-	0.3	-	-	-	-	(0)	16.8	-	15.5	-	11	210	340	23	32	2.7
02005	しらたき	0	7	6	96.5	0.2	-	Tr	-	-	-	-	(0)	3.0	-	2.9	-	10	12	75	4	10	0.5
	（さつまいも類）																						
02045	**さつまいも**　塊根　皮つき　生	2	127	140	64.6	0.9	0.8	0.5	0.1	0.06	Tr	0.05	(0)	33.1	28.4	2.8	-	23	380	40	24	46	0.5
02046	蒸し	4	129	140	64.2	0.9	0.7	0.2	0.1	0.03	Tr	0.05	(0)	33.7	28.9	3.8	-	22	390	40	23	47	0.5
02047	天ぷら	0	205	221	52.4	1.4	1.2	6.8	6.3	0.48	3.92	1.68	-	38.4	33.5	3.1	-	36	380	51	25	57	0.5
02006	皮なし　生	9	126	134	65.6	1.2	1.0	0.2	0.1	0.03	Tr	0.02	(0)	31.9	28.3	2.2	-	11	480	36	24	47	0.6
02007	蒸し	5	131	134	65.6	1.2	1.0	0.2	(0.1)	(0.03)	(Tr)	(0.02)	(0)	31.9	30.3	2.3	-	11	480	36	24	47	0.6
02008	焼き	10	151	163	58.1	1.4	1.2	0.2	(0.1)	(0.03)	(Tr)	(0.03)	(0)	39.0	34.4	3.5	-	13	540	34	23	55	0.7
02009	蒸し切干	0	277	303	22.2	3.1	2.7	0.6	0.2	0.06	0.01	0.12	(0)	71.9	62.5	5.9	-	18	980	53	45	93	2.1
02048	**むらさきいも**　塊根　皮なし　生	15	123	133	66.0	1.2	0.9	0.3	0.1	0.05	Tr	0.04	(0)	31.7	27.5	2.5	-	30	370	24	26	56	0.6
02049	蒸し	6	122	132	66.2	1.2	1.0	0.3	0.1	0.06	Tr	0.08	(0)	31.4	27.2	3.0	-	28	420	34	26	55	0.6

+PLUS+　**さつまいもの伝来●**さつまいもは、慶長年間に中国から琉球（沖縄）の宮古島に伝わったのが最初とされる。飢餓（きが）の際の救荒（きゅうこう）作物として栽培を広めたのは、「蕃薯考（ばんしょこう）」を著した江戸時代の蘭学者・青木昆陽である。

根が肥大してさつまいもになる。

蒸し切干(干しいも)

安納いもの焼きいも
甘味が強く、焼くと蜜が出る。焼いた後に冷やすと、アイスクリームのように食べられる。

しらたき（白滝） 1玉=200g
別名**糸こんにゃく**。こんにゃくを熱湯に糸状に絞り出して固めたもの。

さつまいも類（薩摩芋類）

Sweet potato 中1本=200〜250g

ヒルガオ科。別名**かんしょ（甘藷）**、琉球いも、唐いも。肉色は白色や黄色が一般的だが、紫色もある。アミラーゼを多く含むため、いも類の中では唯一甘味をもつ。糖化酵素のアミラーゼは65℃くらいまででん粉を分解して甘味を増すため、ゆっくり加熱すると糖化が進み、甘味が増す。電子レンジなどで急に加熱すると、それほど甘味が増さない。寒さに弱く、貯蔵性が悪いが、栽培が簡単で干ばつに強くて収量が多いため、救荒作物として利用された。

栄養成分：でん粉、ビタミンB_1・C、食物繊維が豊富。

調理法：焼きいも、蒸しいも、煮物、天ぷら、きんとん、菓子等。切ったらすぐ水に浸けてあく抜きをする。あくの成分は皮に多いので、厚めにむくとよい。

保存法：寒さに弱いので、冷蔵庫での長期保存には不適。新聞紙で包み、風通しがよく日のあたらない場所で保存。13〜15℃ぐらいが適温。

さつまいも（薩摩芋）

種類：紅あずま、紅赤（べにあか）、紅おとめ、金時等。

旬：9〜11月。

産地：鹿児島、茨城、千葉、宮崎等。

こんにゃくの歴史

こんにゃくいもの原産地はインドシナ半島・スリランカといわれており、東南アジアを中心に約130種が分布しているが、農作物としてはあまり栽培されていない。日本には、縄文時代にさといもとともに渡来したとも、仏教とともに中国から渡来したともいわれている。生いもから作られていたこんにゃくだが、18世紀後半の江戸時代に、こんにゃくいもを粉にするなどの製粉加工技術が発明されたことにより、原料管理の簡便化や必要なときにすぐ作れるようになり、全国的に普及した。

こんにゃくに豊富に含まれる食物繊維は胃腸の働きをよくして便通を整えるため、昔から「こんにゃくは体の砂払い」、「胃腸のほうき」などといわれてきた。

蒸し切干：別名**乾燥いも、干しいも**。さつまいもを蒸して薄く切り、干したもので甘味が強い。表面の白い粉は麦芽糖。

むらさきいも（紫芋）

アントシアニンを豊富に含み、中まで紫色をしており、加熱しても濃い紫色が残る。この色素を活用して、ペースト、パウダー、焼酎等の酒類、酢、各種飲料が作られている。

調理法：焼きいも、スイートポテトチップス、ポタージュ等。

旬：9〜11月。

産地：鹿児島、沖縄等。

ミネラル（無機質）							ビタミン															食塩相当量	備考
亜鉛	銅	マンガン	ヨウ素	セレン	クロム	モリブデン	A レチノール活性当量	A レチノール	A β-カロテン当量	D	E αトコフェロール	K	B_1	B_2	ナイアシン当量	B_6	B_{12}	葉酸	パントテン酸	ビオチン	C		①廃棄部位 ②主原料
mg	mg	mg	μg	μg	μg	μg	μg	μg	μg	μg	mg	μg	mg	mg	mg	mg	μg	μg	mg	μg	mg	g	
0.6	0.13	0.26	0	Tr	0	54	**0**	-	3	-	0.8	3	**0.12**	**0.03**	2.9	0.16	-	47	0.69	3.1	**15**	0	①表層及び両端
0.7	0.14	0.34	0	1	0	46	**0**	-	3	-	0.9	-	**0.15**	**0.03**	3.1	0.15	-	49	0.75	3.2	**9**	0	①表皮、剥皮の際に表皮に付着する表層及び両端
0.3	0.17	0.08	1	Tr	Tr	2	**0**	(0)	0	(0)	0.2	(0)	**0.08**	**0.04**	1.9	0.09	(0)	20	0.37	3.7	**10**	0	①表層
0.3	0.14	0.07	-	-	-	-	**0**	(0)	0	(0)	0.2	(0)	**0.06**	**0.03**	1.5	0.06	(0)	19	0.29	-	**6**	0	
2.2	0.27	0.41	4	1	5	44	**(0)**	(0)	(0)	(0)	0.2	(0)	**(0)**	**(0)**	(0.5)	1.20	(0)	65	1.52	4.5	**(0)**	0	こんにゃく製品の原料
0.1	0.02	0.02	-	-	-	-	**(0)**	(0)	(0)	(0)	0	(0)	**(0)**	**(0)**	(Tr)	0.02	(0)	1	0	-	**(0)**	0	突きこんにゃく、玉こんにゃくを含む
0.2	0.04	0.05	93	0	1	1	**(0)**	(0)	0	(0)	Tr	(0)	**0**	**0**	Tr	0.02	(0)	2	0	0.1	**0**	0	突きこんにゃく、玉こんにゃくを含む
0.1	0.03	0.02	-	-	-	-	**(0)**	(0)	(0)	(0)	0	(0)	**0**	**(0)**	(Tr)	0.02	(0)	1	0	-	**(0)**	0	三酸化二鉄を加え、赤色に着色したもの
4.4	0.86	1.22	-	(0)	-	-	**(0)**	(0)	0	(0)	0.4	(0)	**0**	**0**	0.9	0.48	(0)	61	0	-	**0**	0.1	
1.0	0.19	0.27	-	(0)	-	-	**(0)**	(0)	0	(0)	0.1	(0)	**0**	**0**	0.2	0.10	(0)	13	0	-	**0**	0	水戻し後、ゆでたもの
0.1	0.02	0.03	-	-	-	-	**(0)**	(0)	(0)	(0)	0	(0)	**(0)**	**(0)**	(Tr)	0.01	(0)	0	0	-	**(0)**	0	
0.2	0.13	0.37	1	0	0	5	**3**	(0)	40	(0)	1.0	(0)	**0.10**	**0.02**	0.8	0.20	(0)	49	0.48	4.8	**25**	0.1	①両端
0.2	0.13	0.39	1	Tr	0	4	**4**	(0)	45	(0)	1.4	(0)	**0.10**	**0.02**	0.9	0.20	(0)	54	0.56	4.9	**20**	0.1	①両端
0.2	0.14	0.63	1	Tr	0	5	**5**	(0)	58	(0)	2.6	11	**0.11**	**0.04**	1.0	0.20	0	57	0.60	5.3	**21**	0.1	
0.2	0.17	0.41	1	0	1	4	**2**	(0)	28	(0)	1.5	(0)	**0.11**	**0.04**	1.1	0.26	(0)	49	0.90	4.1	**29**	0	①表層及び両端（表皮の割合：2%）
0.2	0.17	0.41	1	Tr	Tr	4	**2**	(0)	29	(0)	1.5	(0)	**0.11**	**0.04**	1.1	0.27	(0)	50	0.90	5.0	**29**	0	①表皮及び両端
0.2	0.20	0.32	-	-	-	-	**1**	(0)	6	(0)	1.3	(0)	**0.12**	**0.06**	1.3	0.33	(0)	47	1.30	-	**23**	0	①表層
0.5	0.30	0.40	-	-	-	-	**(0)**	(0)	Tr	(0)	1.3	(0)	**0.19**	**0.08**	2.4	0.41	(0)	13	1.35	-	**9**	0	
0.2	0.21	0.50	1	0	0	2	**Tr**	(0)	4	(0)	1.3	(0)	**0.12**	**0.02**	1.5	0.18	(0)	22	0.54	6.1	**29**	0.1	①表層及び両端
0.3	0.22	0.44	Tr	0	0	2	**Tr**	(0)	5	(0)	1.9	(0)	**0.13**	**0.03**	1.8	0.16	(0)	24	0.61	6.0	**24**	0.1	①表皮及び両端

QA さつまいもを食べるとおならが出るのはなぜ？▶さつまいもは食物繊維が多く、でん粉の粒子が大きいため小腸で消化しきれずに大腸まで送られ、腸内細菌によって分解されるときに炭酸ガスが発生し、おならの元となる。さつまいもを食べて出るおならは、においのもとの硫化水素があまり含まれていないため、ほとんどにおいがない。

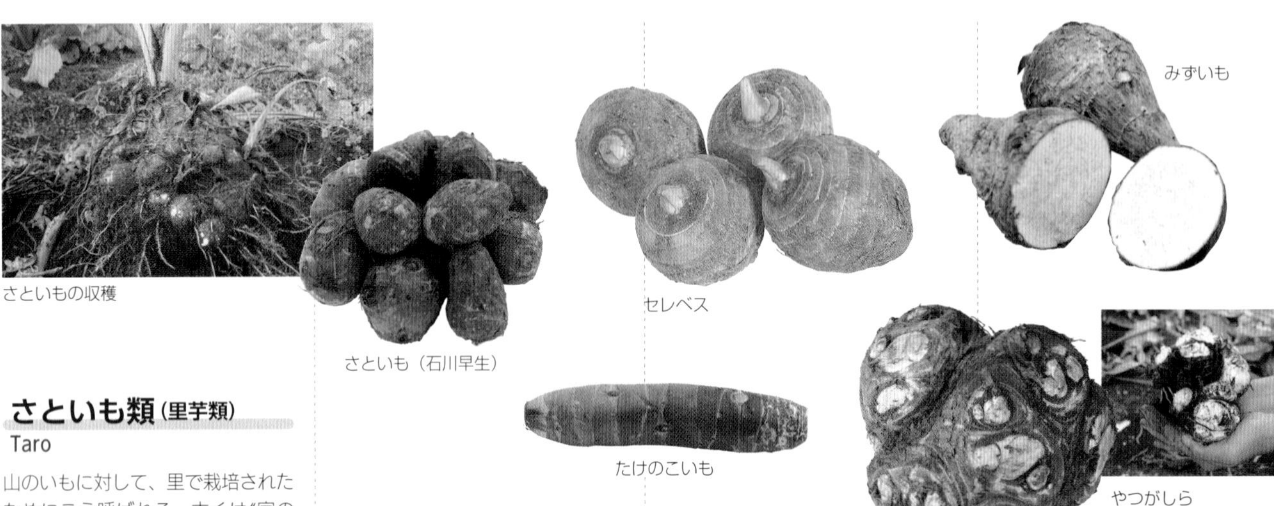
さといもの収穫

さといも（石川早生）

セレベス

たけのこいも

みずいも

やつがしら

さといも類（里芋類）
Taro

山のいもに対して、里で栽培されたためにこう呼ばれる。古くは"家のいも"と呼ばれた。原産地は南アジアで、日本へは中国南部を経て縄文時代中期に渡来。株の中心にある親いもから出る脇芽（子いも）をさといもという。微量のシュウ酸塩を含み、触れるとかゆくなる。特有のぬめり（ガラクタン）は血圧を下げ、コレステロールの減少効果がある。ぬめりに含まれる糖たんぱくのムチンは、胃や腸の潰瘍予防や肝臓の強化に役立つといわれる。

種類：子いも用品種、親いも用品種（たけのこいも等）、親子兼用品種（えびいも、セレベス、やつがしら等）に大別される。

保存法：低温に弱いので、冷蔵庫は避ける。湿らせた新聞紙で包んでおくと常温でも長持ちする。

調理法：煮物、きぬかつぎ、田楽、揚げ物、汁物、炒め物等。ぬめりは塩もみや、ゆでることで取れる。

さといも（里芋）　中1個=50～60g
サトイモ科。石川早生（わせ）や土垂（どだれ）等の子いも用品種の総称。

選び方：泥つきのものが長持ちする。太っていて形がよく湿り気のあるものがよい。

旬：10～11月。

産地：千葉、埼玉、宮崎、鹿児島等。

セレベス
サトイモ科。別名**あかめいも**。親いも子いもの両方を食べる。ぬめりが少なく肉質がしっかりしており、ほくほくしている。

旬：10～1月。

産地：千葉等。

たけのこいも（筍芋）　1本=500～1,000g
サトイモ科。別名**京いも**。同じく京いもと呼ばれるえびいもとは別物。親いもを食べる。煮くずれしにくいので煮物に向く。

旬：11～2月。

産地：宮崎、静岡。

みずいも（水芋）
テンナンショウ科。別名**田芋**。水田栽培されるためこの名がついた。高温多湿の気候に適した植物で、おもに親いもを食用にする。カルシウム、ビタミンB_1等が豊富。

旬：12～3月。

産地：沖縄県、九州南部。

やつがしら（八つ頭）
サトイモ科。親いもと子いもが分かれずに塊状になる形からこの名がついた。人の頭（かしら＝リーダー）となるよう縁起をかついでおせち料理に用いる。

産地：埼玉、千葉、茨城等。

じゃがいも（馬鈴薯）
Potatoes　中1個=150～200g

ナス科。別名**ばれいしょ（馬鈴薯）**。じゃがいもの塊茎で水分含量が多いが寒さに強く、長期保存しても品質があまり変化しないので貯蔵しやすい。ほかのいも類に比べて糖分が少なくたんぱく質が多く、味が淡白で肉類と調和する。主食的要素が高く、

ポテトチップス→p.314

食品番号	食品名	廃棄率	エネルギー	2015年版の値	水分	たんぱく質	アミノ酸組成によるたんぱく質	脂質	脂肪酸のトリアシルグリセロール当量	脂肪酸 飽和	一価不飽和	多価不飽和	コレステロール	炭水化物	利用可能炭水化物（質量計）	食物繊維 食物繊維総量（プロスキー変法）	食物繊維総量（AOAC法）	ミネラル（無機質） ナトリウム	カリウム	カルシウム	マグネシウム	リン	鉄
		%	kcal	kcal	g	g	g	g	g	g	g	g	mg	g	g	g	g	mg	mg	mg	mg	mg	mg
	（さといも類）																						
02010	**さといも**　球茎　生	15	**53**	58	84.1	**1.5**	1.2	**0.1**	0.1	0.01	Tr	0.03	(0)	**13.1**	10.3	2.3	-	Tr	640	**10**	19	55	**0.5**
02011	水煮	0	**52**	59	84.0	**1.5**	1.3	**0.1**	(0.1)	(0.01)	(Tr)	(0.03)	(0)	**13.4**	10.2	2.4	-	1	560	**14**	17	47	**0.4**
02012	冷凍	0	**69**	72	80.9	**2.2**	1.8	**0.1**	0.1	0.02	0.01	0.03	(0)	**16.1**	12.5	2.0	-	3	340	**20**	20	53	**0.6**
02050	**セレベス**　球茎　生	25	**80**	89	76.4	**2.2**	1.7	**0.3**	0.2	0.07	0.02	0.11	(0)	**19.8**	15.6	2.3	-	0	660	**18**	29	97	**0.6**
02051	水煮	0	**77**	85	77.5	**2.1**	1.7	**0.3**	0.2	0.06	0.02	0.08	(0)	**19.1**	15.2	2.2	-	0	510	**17**	24	82	**0.6**
02052	**たけのこいも**　球茎　生	10	**97**	103	73.4	**1.7**	1.3	**0.4**	0.2	0.08	0.03	0.10	(0)	**23.5**	18.6	2.8	-	1	520	**39**	32	70	**0.5**
02053	水煮	0	**86**	96	75.4	**1.6**	1.3	**0.4**	0.2	0.08	0.03	0.12	(0)	**21.8**	17.6	2.4	-	1	410	**37**	28	63	**0.5**
02013	**みずいも**　球茎　生	15	**111**	117	70.5	**0.7**	0.5	**0.4**	0.2	0.08	0.05	0.10	(0)	**27.6**	23.1	2.2	-	6	290	**46**	23	35	**1.0**
02014	水煮	0	**101**	110	72.0	**0.7**	0.5	**0.4**	0.2	0.07	0.05	0.10	(0)	**26.1**	22.0	2.5	-	5	270	**79**	23	35	**1.0**
02015	**やつがしら**　球茎　生	20	**94**	97	74.5	**3.0**	2.5	**0.7**	0.3	0.11	0.03	0.15	(0)	**20.5**	18.4	2.8	-	1	630	**39**	42	72	**0.7**
02016	水煮	0	**92**	93	75.6	**2.7**	2.3	**0.6**	0.3	0.10	0.02	0.19	(0)	**20.0**	18.2	2.8	-	1	520	**34**	39	56	**0.6**
	じゃがいも																						
02063	塊茎　皮つき　生	1	**51**	70	81.1	**1.8**	1.4	**0.1**	Tr	0.02	0	0.01	(0)	**15.9**	14.2	-	9.8	1	420	**4**	19	46	**1.0**
02064	電子レンジ調理	0	**78**	85	77.6	**2.1**	1.6	**0.2**	Tr	0.01	0	0.01	(0)	**19.2**	15.6	-	3.9	Tr	430	**4**	23	58	**0.9**
02065	フライドポテト（生を揚げたもの）	0	**153**	164	65.2	**2.7**	2.1	**5.6**	5.3	0.40	3.21	1.50	1	**25.4**	21.6	-	4.3	1	580	**6**	29	78	**1.6**
02017	塊茎　皮なし　生	10	**59**	76	79.8	**1.8**	1.3	**0.1**	Tr	0.02	0	0.02	(0)	**17.3**	15.5	1.2	8.9	1	410	**4**	19	47	**0.4**
02019	水煮	0	**71**	74	80.6	**1.7**	1.4	**0.1**	(Tr)	(0.01)	(0)	(0.03)	(0)	**16.9**	14.6	1.6	3.1	1	340	**4**	16	32	**0.6**
02018	蒸し	5	**76**	81	78.8	**1.9**	1.5	**0.3**	(0.1)	(0.04)	(Tr)	(0.06)	(0)	**18.1**	15.1	1.7	3.5	1	420	**5**	24	38	**0.6**
02020	フライドポテト（生を揚げたもの）	0	**229**	237	52.9	**2.9**	(2.3)	**10.6**	(10.3)	(0.83)	(6.28)	(2.74)	Tr	**32.4**	(25.0)	3.1	-	2	660	**4**	35	48	**0.8**
02021	乾燥マッシュポテト	0	**347**	357	7.5	**6.6**	5.3	**0.6**	0.5	0.30	0.10	0.07	(0)	**82.8**	67.1	6.6	-	75	1200	**24**	71	150	**3.1**

+PLUS+　**じゃがいもを広めた大王●**ドイツで食用として広めたのはフリードリヒ2世。1772年の冷害による大飢饉（だいききん）のときに国民の前でじゃがいもを食べてみせ、奨励したおかげで盛んに栽培されるようになり、200以上のじゃがいも料理が生まれた。

じゃがいも畑

じゃがいもの収穫

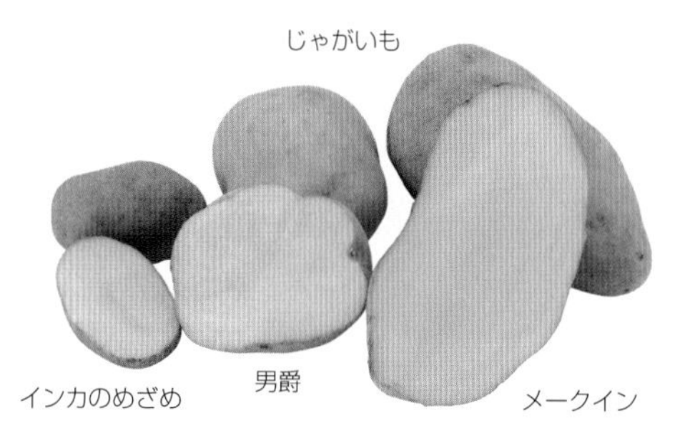

フライドポテト

乾燥マッシュポテト

特に東ヨーロッパではふだんから主食として利用されている。5月頃に出回る新じゃが（春いも）は、未熟なうちに収穫したもので、小型で皮が薄く水分が多い。
種類：粉質で粉ふきいもやマッシュポテト等に向く球状の"男爵"と、粘質で煮くずれしないため煮物や炒め物等に向く楕円形の"メークイーン"が代表的品種。
栄養成分：ビタミンCが豊富。
調理法：コロッケ、サラダ、煮物、揚げ物、炒め物、スープ等。芽や緑色になった皮の部分にはソラニンという毒性成分があるので、取り除いて使用する。空気に触れると褐変をおこすので、切ったらすぐに水に浸ける。水に浸けるとあくも抜ける。しかしあまり長く水に浸けておくと煮えにくくなる。

選び方：皮が緑がかったもの、芽が出ているもの、皮にしわがあるものは避ける。
保存法：日があたらない冷暗所で保存する。りんごが出すエチレンガスは果物の成熟を進めるが、じゃがいもに対しては発芽を抑える働きをするので、りんごと一緒にポリ袋に入れておくと発芽しにくい。
旬：初夏～秋。新じゃがは春。
産地：北海道、長崎、鹿児島、千葉、茨城等。
フライドポテト
じゃがいもを細切りにして油で揚げたもの。
乾燥マッシュポテト
蒸したじゃがいもをローラーで押しつぶしながら急速乾燥・粉砕したもの。湯を加え利用する。

いもが原材料なの？！

加熱してつぶし、細胞単位に分離して使う

ニョッキ（イタリア料理）
ゆでたじゃがいもをつぶし、小麦粉を加えて練り合わせて作る。だんごのような形に成形して、ゆでてからソースやチーズで味つけをする。

タラモサラダ（ギリシア料理）
タラモとはギリシア語でたらこのこと。たらこをほぐしてマッシュポテトと合わせて調理する。パンなどに付けて食べる場合もある。

すりおろして細胞を壊し、でん粉を出して使う

ヴィシソワーズ（フランス料理）
バターで炒めたじゃがいもや玉ねぎ、香味野菜をブイヨンで煮込み、裏ごしして生クリームを加えたもの。冷製と温製がある。

かるかん（軽羹）（鹿児島名物）
すりおろしたやまのいも、うるち米粉、砂糖を混ぜ合わせて蒸し上げた和菓子（➡p.303）。ふんわり軽い風味のためこの名がついた。

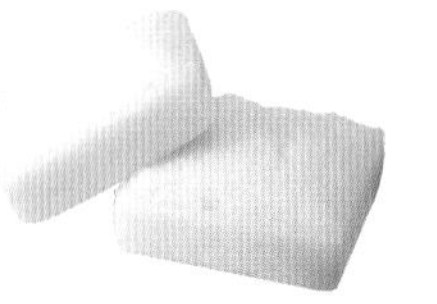

可食部100 gあたり　Tr：微量　（ ）：推定値または推計値　－：未測定

ミネラル（無機質）							ビタミン															食塩相当量	備考
亜鉛	銅	マンガン	ヨウ素	セレン	クロム	モリブデン	A レチノール活性当量	レチノール	β-カロテン当量	D	E αトコフェロール	K	B1	B2	ナイアシン当量	B6	B12	葉酸	パントテン酸	ビオチン	C		①廃棄部位　②主原料
mg	mg	mg	μg	μg	μg	μg	μg	μg	μg	μg	mg	μg	mg	mg	mg	mg	μg	μg	mg	μg	mg	g	
0.3	0.15	0.19	Tr	1	0	8	Tr	(0)	5	(0)	0.6	(0)	**0.07**	**0.02**	1.5	0.15	(0)	30	0.48	3.1	**6**	0	①表層
0.3	0.13	0.17	0	Tr	0	7	Tr	(0)	4	(0)	0.5	(0)	**0.06**	**0.02**	1.4	0.14	(0)	28	0.42	2.8	**5**	0	
0.4	0.13	0.57	-	-	-	-	Tr	(0)	5	(0)	0.7	(0)	**0.07**	**0.01**	1.5	0.14	(0)	22	0.32	-	**5**	0	
0.7	0.15	0.32	1	0	Tr	24	1	(0)	15	(0)	0.6	(0)	**0.10**	**0.03**	2.4	0.21	(0)	28	0.48	3.0	**6**	0	①表層
0.8	0.12	0.31	Tr	0	0	20	1	(0)	13	(0)	0.6	(0)	**0.08**	**0.02**	2.1	0.16	(0)	23	0.38	2.7	**4**	0	
1.5	0.11	0.55	Tr	Tr	0	10	1	(0)	13	(0)	0.8	(0)	**0.05**	**0.03**	1.2	0.21	(0)	41	0.31	3.3	**6**	0	①表層
1.5	0.09	0.53	Tr	Tr	0	10	1	(0)	12	(0)	0.7	(0)	**0.05**	**0.02**	1.0	0.14	(0)	39	0.23	2.8	**4**	0	
0.2	0.05	0.56	9	1	0	1	1	(0)	9	(0)	0.6	(0)	**0.16**	**0.02**	0.8	0.21	(0)	27	0.20	2.4	**7**	0	①表層及び両端
0.2	0.05	0.47	6	1	0	1	(0)	(0)	Tr	(0)	0.6	(0)	**0.16**	**0.02**	0.8	0.17	(0)	27	0.14	2.1	**4**	0	
1.4	0.23	1.30	1	0	1	1	1	(0)	7	(0)	1.0	(0)	**0.13**	**0.06**	1.6	0.22	(0)	39	0.50	3.1	**7**	0	①表層
1.3	0.21	1.25	Tr	0	0	1	(0)	(0)	Tr	(0)	1.1	(0)	**0.11**	**0.04**	1.3	0.17	(0)	30	0.49	2.6	**5**	0	
0.2	0.09	0.42	1	0	1	3	0	(0)	2	(0)	Tr	1	**0.08**	**0.03**	1.9	0.20	(0)	20	0.49	0.5	**28**	0	①損傷部及び芽
0.3	0.12	0.45	1	Tr	1	3	1	(0)	7	(0)	0.1	1	**0.07**	**0.02**	2.1	0.19	(0)	15	0.33	0.6	**13**	0	損傷部及び芽を除いたもの
0.4	0.14	0.55	2	0	2	4	1	(0)	16	(0)	1.1	11	**0.09**	**0.03**	2.7	0.22	(0)	26	0.45	0.8	**16**	0	損傷部及び芽を除いたもの　植物油（なたね油）
0.2	0.09	0.37	1	0	4	3	0	(0)	3	(0)	Tr	1	**0.09**	**0.03**	1.8	0.20	(0)	20	0.50	0.4	**28**	0	①表層
0.2	0.10	0.10	0	0	2	3	0	(0)	3	(0)	0.1	(0)	**0.07**	**0.03**	1.3	0.18	(0)	18	0.41	0.3	**18**	0	表層を除いたもの
0.3	0.08	0.12	Tr	Tr	1	4	Tr	(0)	5	(0)	0.1	(0)	**0.08**	**0.03**	1.3	0.22	(0)	21	0.50	0.4	**11**	0	①表皮
0.4	0.15	0.19	-	-	-	-	(0)	(0)	Tr	(0)	1.5	18	**0.12**	**0.06**	(2.1)	0.35	(0)	35	0.71	-	**40**	0	市販冷凍食品を揚げたもの
0.9	0.35	0.51	-	-	-	-	(0)	(0)	0	(0)	0.2	(0)	**0.25**	**0.05**	3.4	1.01	(0)	100	0.47	-	**5**	0.2	酸化防止用としてビタミンC添加品あり

QA いもはなぜ水からゆでるの？▶いもに限らず根菜類などをお湯に入れてゆでると芯まで熱が通りにくく、逆に外側は煮えすぎて崩れてしまう。そのため水からゆでると、ゆであがる時間差が少なくなり、熱が均一に通るため。

ヤーコン

Yacon 1個=150～500g

キク科。南米アンデス高地原産。さつまいもに似た形の塊根を食用にする。歯ごたえは果物のなしに似ており、さくさくとしてほのかに甘い。固形分の約80％を占めるフラクトオリゴ糖は腸内環境を整えるので、健康食品として注目されている。フラクトオリゴ糖は1週間ほどでしょ糖やぶどう糖に変化する。

選び方：太すぎず、表面がかたくて張りがあり、重いもの。

調理法：生食、炒め物、煮物等。

旬：11～2月。

産地：北海道。

やまのいも類（薯蕷類）

Yam とろろ1人分=50g

ヤマノイモ科。別名**やまいも**。粘りけの強い、生食できるいも。加熱すると粘性がなくなる。ぬめりは糖たんぱくのムチン（たんぱく質の吸収促進）とデオスコラン（血糖値を下げる作用）という成分からなる。消化酵素のジアスターゼやアミラーゼを多量に含むため、生食してもでん粉が消化される。

調理法：すりおろし、酢の物、和え物、とろろ汁等。

保存方法：新聞紙で包み、冷暗所で保存。長期保存する場合はおがくずに埋めておく。

ながいも（長薯）

いちょういも（銀杏薯）：いちょうの葉のような形からこの名がついた。別名**手いも**。ながいもより粘りけが強い。すりおろして生食に向く。とろろ汁、揚げ物、汁の実等にする。粘性には気泡性があるため、まんじゅうや鹿児島名産「かるかん」等の和菓子、はんぺん等にも利用する。主産地は関東地方。

ながいも（長薯）：1年で生育するため、一年いもともいう。長さは1mにもなる。水分が多く粘りけが少ないため、とろろとして利用することは少ない。酢の物、煮物、サラダ、和え物等にする。

やまといも（大和薯）：水分が少なく粘りけが非常に強く、濃厚な味わい。高級料理や製菓用に利用する。関西地方で多く栽培され、主産地は三重、奈良、兵庫、石川等。

じねんじょ（自然薯）

粘りけとあくが強く、野趣あふれる風味をもつ。長さは1mにもなる。自生種はねじれた形をしており、丸ごと掘り出すのは大変なため、一般に出回っているのは栽培もの。古くから「虚弱体質を補って早死にしない。胃腸の調子をよくし、暑さ寒さにも耐え、耳、目もよくし、長寿を保つことができる」といわれ、強精、強壮剤として用いられた。

調理法：すりおろし、とろろ汁、揚げ物、汁の実等。

だいじょ（大薯）

別名**だいしょ**。インドネシア原産で、粘りけが強い。菓子の原料等にもする。

産地：奄美大島、南九州、四国。

むかご→p.146、かたくり粉→p.76じゃがいもでん粉、コンスターチ→p.76とうもろこしでん粉

食品番号	食品名	廃棄率 %	エネルギー kcal	2015年版の値 kcal	水分 g	たんぱく質 g	アミノ酸組成によるたんぱく質 g	脂質 g	脂肪酸のトリアシルグリセロール当量 g	脂肪酸 飽和 g	脂肪酸 一価不飽和 g	脂肪酸 多価不飽和 g	コレステロール mg	炭水化物 g	利用可能炭水化物(質量計) g	食物繊維総量(プロスキー変法) g	食物繊維総量(AOAC法) g	ナトリウム mg	カリウム mg	カルシウム mg	マグネシウム mg	リン mg	鉄 mg
02054	**ヤーコン** 塊根 生	15	**52**	54	86.3	**0.6**	-	**0.3**	-	-	-	-	0	**12.4**	0.5	1.1	-	0	240	**11**	8	31	**0.2**
02055	水煮	0	**42**	44	88.8	**0.6**	-	**0.3**	-	-	-	-	0	**9.9**	-	1.2	-	0	190	**11**	7	26	**0.2**
	（やまのいも類）																						
02022	**ながいも** いちょういも 塊根 生	15	**108**	108	71.1	**4.5**	3.1	**0.5**	0.3	0.11	0.03	0.13	(0)	**22.6**	21.5	1.4	-	5	590	**12**	19	65	**0.6**
02023	ながいも 塊根 生	10	**64**	65	82.6	**2.2**	1.5	**0.3**	0.1	0.04	0.02	0.08	(0)	**13.9**	12.9	1.0	-	3	430	**17**	17	27	**0.4**
02024	水煮	0	**58**	59	84.2	**2.0**	1.4	**0.3**	(0.1)	(0.04)	(0.02)	(0.08)	(0)	**12.6**	11.8	1.4	-	3	430	**15**	16	26	**0.4**
02025	やまといも 塊根 生	10	**119**	123	66.7	**4.5**	2.9	**0.2**	0.1	0.03	0.02	0.07	(0)	**27.1**	24.5	2.5	-	12	590	**16**	28	72	**0.5**
02026	**じねんじょ** 塊根 生	20	**118**	121	68.8	**2.8**	1.8	**0.7**	0.3	0.11	0.04	0.11	(0)	**26.7**	23.4	2.0	-	6	550	**10**	21	31	**0.8**
02027	**だいじょ** 塊根 生	15	**102**	109	71.2	**2.6**	1.8	**0.1**	Tr	0.02	Tr	0.02	(0)	**25.0**	21.6	2.2	-	20	490	**14**	18	57	**0.7**
	〈でん粉・でん粉製品〉																						
	（でん粉類）																						
02070	**おおうばゆりでん粉**	0	**327**	338	16.2	**0.1**	-	**0.1**	-	-	-	-	-	**83.6**	80.2	-	0.8	1	1	**5**	1	6	**0.1**
02028	**キャッサバでん粉**	0	**354**	346	14.2	**0.1**	-	**0.2**	-	-	-	-	(0)	**85.3**	(85.3)	-	-	1	48	**28**	5	6	**0.3**
02029	**くずでん粉**	0	**356**	347	13.9	**0.2**	-	**0.2**	-	-	-	-	(0)	**85.6**	(85.6)	-	-	2	2	**18**	3	12	**2.0**
02030	**米でん粉**	0	**375**	366	9.7	**0.2**	-	**0.7**	-	-	-	-	(0)	**89.3**	(89.3)	-	-	11	2	**29**	8	20	**1.5**
02031	**小麦でん粉**	0	**360**	351	13.1	**0.2**	-	**0.5**	-	-	-	-	(0)	**86.0**	(86.0)	-	-	3	8	**14**	5	33	**0.6**

+PLUS+ くずは有用植物●くずは繁殖力旺盛なつる性の木で、そのつるは編んでかご等の生活用品になる。皮からは繊維がとれ、それを織った葛布（くずふ）は奈良時代以前から作られていた。根を干した葛根（かっこん）は生薬（しょうやく）として漢方でよく使われる。

キャッサバの収穫

くずの花

くずでん粉

キャッサバでん粉

でん粉類（澱粉類）

Starch

でん粉類は、植物の根、茎、種実等に蓄えられたでん粉を乾燥させた粉末で、無味、無臭、白色である。原料によって粒子の形や大きさ、性質が異なる。食用以外にも、織物や紙の糊用、オブラート、医薬品等にも広く利用する。水分が多いいも類の場合、でん粉に加工することによって貯蔵性が高まる。調理効果はp.69参照。

おおうばゆりでん粉（大姥百合澱粉）
ユリ科。アイヌ民族の重要な伝統食で、二番粉を食用にし、一番粉は薬として利用する。でん粉を乾燥させて保存したもののアイヌ名はトゥレプアカム。

調理法：かゆに混ぜたり、だんご状にして焼く。生でん粉は蒸し焼きにする等。

キャッサバでん粉（木薯澱粉）
別名**タピオカ**、マニオカでん粉。中南米や東南アジア等で栽培されるトウダイグサ科のキャッサバといういもから作る。でん粉製造用として栽培される苦味種は、シアン化合物を含む大きな塊根を作る。水あめやぶどう糖の原料のほか、繊維工業、接着剤等の原料とする。

くずでん粉（葛澱粉） 1C=120g
別名**くず粉**。マメ科の葛の塊根が原料。

調理法：くず湯、くずもち、高級菓子、高級料理、病人食等。

産地：奈良県吉野地方の吉野くずは良質品として有名。

米でん粉（米澱粉）
米からたんぱく質を取り除いて分離したもの。生産量が少ないので一般には出回っていない。上新粉についてはp.61、白玉粉についてはp.64参照。

小麦でん粉（小麦澱粉）
別名しょうふ（生麸、正麸）。小麦からたんぱく質を取り除いて分離したもの。かたくり粉のような質感で、練り製品、和菓子、透明なぎょうざの皮等の食品以外にも、錠剤やのり等の工業製品等に利用される。

キャッサバは重要な主食

キャッサバは高さが4mにもなる木で、根にできるさつまいもに似た巨大な塊根はでん粉を30～40％も含む。干ばつにも耐え、挿し木や種いもで容易に繁殖できるため、重要な食用作物として南北緯30°以内で標高が2000m以下の熱帯を中心に広く栽培されている。熱帯アメリカでは4000年も前から栽培され、主食として利用されてきた。

キャッサバの塊根中には有毒なシアン化合物が含まれているが、食用とするのは含有量が低くて美味な甘味種。甘味種の新芽や若葉は野菜としても重用される。他方、シアン化合物の含有量が多い苦味種は、加熱したり、水にさらしたりして毒抜きをしてからでん粉製造用や飼料用に加工して利用される。ブラジルではキャッサバのでん粉から製造されたアルコールが、ガソリンに混用されて利用されている。

可食部100gあたり　Tr：微量　（ ）：推定値または推計値　－：未測定

ミネラル（無機質）							ビタミン															食塩相当量	備考
亜鉛	銅	マンガン	ヨウ素	セレン	クロム	モリブデン	A レチノール活性当量	レチノール	β-カロテン当量	D	E αトコフェロール	K	B1	B2	ナイアシン当量	B6	B12	葉酸	パントテン酸	ビオチン	C		①廃棄部位　②主原料
mg	mg	mg	µg	µg	µg	µg	µg	µg	µg	µg	mg	µg	mg	mg	mg	mg	µg	µg	mg	µg	mg	g	
0.1	0.07	0.07	-	-	-	-	2	(0)	22	(0)	0.2	(0)	0.04	0.01	1.1	0.08	(0)	25	0.02	-	3	0	①表層及び両端
0.1	0.06	0.07	-	-	-	-	2	(0)	27	(0)	0.2	(0)	0.03	0.01	0.8	0.06	(0)	28	0.01	-	2	0	
0.4	0.20	0.05	1	1	0	3	Tr	(0)	5	(0)	0.3	(0)	0.15	0.05	1.5	0.11	(0)	13	0.85	2.6	7	0	①表層
0.3	0.10	0.03	1	1	Tr	2	(0)	(0)	Tr	(0)	0.2	(0)	0.10	0.02	0.9	0.09	(0)	8	0.61	2.2	6	0	①表層、ひげ根及び切り口
0.3	0.09	0.03	1	0	0	1	(0)	(0)	(0)	(0)	0.2	(0)	0.08	0.02	0.8	0.08	(0)	6	0.50	1.6	4	0	
0.6	0.16	0.27	1	1	0	4	1	(0)	6	(0)	0.2	(0)	0.13	0.02	1.5	0.14	(0)	6	0.54	4.0	5	0	伊勢いも、丹波いもを含む　①表層及びひげ根
0.7	0.21	0.12	Tr	Tr	0	1	Tr	(0)	5	(0)	4.1	(0)	0.11	0.04	1.3	0.18	(0)	29	0.67	2.4	15	0	①表層及びひげ根
0.3	0.24	0.03	Tr	1	Tr	4	Tr	(0)	3	(0)	0.4	(0)	0.10	0.02	1.0	0.28	(0)	24	0.45	3.0	17	0.1	①表層
Tr	0.01	0.02	0	0	0	0	0	-	0	-	0	0	0	0	Tr	0	-	Tr	0.01	0	0	0	試料：1番粉
Tr	0.03	0.09	-	-	-	-	0	0	0	(0)	-	(0)	0	0	Tr	(0)	(0)	(0)	(0)	-	0	0	
Tr	0.02	0.02	-	-	-	-	(0)	(0)	(0)	(0)	-	(0)	(0)	(0)	(Tr)	(0)	(0)	(0)	(0)	-	(0)	0	
0.1	0.06	-	-	-	-	-	0	0	0	(0)	-	(0)	0	0	Tr	(0)	(0)	(0)	(0)	-	0	0	
0.1	0.02	0.06	-	-	-	-	0	0	0	(0)	-	(0)	0	0	Tr	(0)	(0)	(0)	(0)	-	0	0	

QA 文化財の修復用接着剤は何から作る？▶小麦でん粉。しょうふのりと呼ばれるこののりを使うと、はがすときに紙の繊維がめくれずにきれいにはがれるため、昔からふすまやしょうじなどの紙張りや、掛軸・ふすま・びょうぶなどの裏打ちや表装といった表具作業に利用された。今では文化財の修復に欠かせない接着剤となっている。

かたくり粉は、本来、写真のかたくりから作られる。

じゃがいもでん粉
(かたくり粉)

くずきり

とうもろこしでん粉
(コーンスターチ)

菓子
くずきりの黒蜜がけ

ごま豆腐

サゴでん粉(サゴ澱粉)
ヤシ科のさごやしの幹の髄からとるでん粉で、一般食品のほか、グルタミン酸ソーダ、ソルビット、でん粉糖等の原料とする。

さつまいもでん粉(甘藷澱粉)
さつまいもから作る。別名**かんしょでん粉**。沖縄では“うむくじ”と呼ばれ、水で溶いて炒めたり、練って油で揚げたりして食べる。現在では生産のほとんどを水あめ、ぶどう糖、異性化液糖製造に利用する。

じゃがいもでん粉(馬鈴薯澱粉)
1C=130g
じゃがいもから作る。別名**ばれいしょでん粉**。**かたくり粉**の名称で市販されている。かたくり粉は、本来はユリ科のかたくりの地下茎から作るが、採取が困難なためじゃがいもでん粉を代用するようになった。菓子、水産練り製品等にする。

とうもろこしでん粉(玉蜀黍澱粉)
1C=100g
別名**コーンスターチ**。とうもろこしから作る。吸湿性が低く粘性が強いが、老化が早い。水あめ、ぶどう糖、各種食品の増粘剤や安定剤、ビール原料、冷凍食品の安定剤、結着剤等にする。また工業用素材として、製紙、段ボール、繊維、建材等の分野で広く利用され、製紙、段ボールの製造に欠かせない。

でん粉製品(澱粉製品)
Starch products

くずきり(葛切り)
別名すいせん(水繊)。本来はくずでん粉(くず粉)をめん状にして乾燥したものだが、じゃがいもでん粉を利用したものが多い。くずでん粉を水で溶き、加熱して固めたものを細長く切り、糖蜜をかけて食べる菓子をくずきりともいう。
調理法:熱湯でもどして、蜜や酢をかけて食べたり、鍋物等に利用。

ごま豆腐(胡麻豆腐)
ごまを香ばしく煎ってねっとりしたペースト状になるまですりつぶし、くず粉と水を加えてこげないようによく練りながら加熱し、型に入れて冷やし固めたもの。

タピオカパール
キャッサバでん粉を成形・加熱処理して粒状にしたもの。水でもどしてゆでると、もちもちした食感となる。
調理法:デザートやスープの浮き実等。ココナッツミルクと合わせた中華デザートが有名。

タピオカ→p.74キャッサバでん粉、くずもち→p.304

食品番号	食品名	廃棄率 %	エネルギー kcal	2015年版の値 kcal	水分 g	たんぱく質 g	アミノ酸組成によるたんぱく質 g	脂質 g	脂肪酸のトリアシルグリセロール当量 g	脂肪酸 飽和 g	一価不飽和 g	多価不飽和 g	コレステロール mg	炭水化物 g	利用可能炭水化物(質量計) g	食物繊維 食物繊維総量(プロスキー変法) g	食物繊維総量(AOAC法) g	ミネラル(無機質) ナトリウム mg	カリウム mg	カルシウム mg	マグネシウム mg	リン mg	鉄 mg
02032	**サゴでん粉**	0	**357**	349	13.4	**0.1**	-	**0.2**	-	-	-	-	(0)	**86.1**	(86.1)	-	-	7	1	**7**	3	9	**1.8**
02033	**さつまいもでん粉**	0	**340**	332	17.5	**0.1**	-	**0.2**	-	-	-	-	(0)	**82.0**	(82.0)	-	-	1	4	**50**	4	8	**2.8**
02034	**じゃがいもでん粉**	0	**338**	330	18.0	**0.1**	-	**0.1**	-	-	-	-	(0)	**81.6**	(81.6)	-	-	2	34	**10**	6	40	**0.6**
02035	**とうもろこしでん粉**	0	**363**	354	12.8	**0.1**	-	**0.7**	(0.7)	(0.13)	(0.22)	(0.35)	(0)	**86.3**	(86.3)	-	-	1	5	**3**	4	13	**0.3**
	(でん粉製品)																						
02036	**くずきり** 乾	0	**341**	356	11.8	**0.2**	-	**0.2**	-	-	-	-	(0)	**87.7**	81.5	0.9	-	4	3	**19**	4	18	**1.4**
02037	ゆで	0	**133**	135	66.5	**0.1**	-	**0.1**	-	-	-	-	(0)	**33.3**	29.4	0.8	-	2	Tr	**5**	1	5	**0.4**
02056	**ごま豆腐**	0	**75**	81	84.8	**1.5**	(1.5)	**4.3**	(3.5)	(0.50)	(1.28)	(1.58)	0	**9.1**	(7.2)	1.0	-	Tr	32	**6**	27	69	**0.6**
02038	**タピオカパール** 乾	0	**352**	355	11.9	**0**	-	**0.2**	-	-	-	-	(0)	**87.8**	-	0.5	-	5	12	**24**	3	8	**0.5**
02057	ゆで	0	**61**	62	84.6	**0**	-	**Tr**	-	-	-	-	(0)	**15.4**	-	0.2	-	Tr	1	**4**	0	1	**0.1**
02058	**でん粉めん** 生	0	**129**	131	67.4	**0.1**	-	**0.2**	-	-	-	-	(0)	**32.2**	-	0.8	-	8	3	**1**	0	31	**0.1**
02059	乾	0	**347**	353	12.6	**0.2**	-	**0.3**	-	-	-	-	(0)	**86.7**	-	1.8	-	32	38	**6**	5	48	**0.2**
02060	ゆで	0	**83**	84	79.2	**0**	-	**0.2**	-	-	-	-	(0)	**20.6**	-	0.6	-	5	7	**1**	1	11	**0.1**
02039	**はるさめ** 緑豆はるさめ 乾	0	**344**	356	11.8	**0.2**	-	**0.4**	-	-	-	-	(0)	**87.5**	80.4	4.1	-	14	13	**20**	3	10	**0.5**
02061	ゆで	0	**78**	84	79.3	**Tr**	-	**0.1**	-	-	-	-	(0)	**20.6**	18.0	1.5	-	0	0	**3**	Tr	3	**0.1**
02040	普通はるさめ 乾	0	**346**	350	12.9	**0**	-	**0.2**	-	-	-	-	(0)	**86.6**	78.2	1.2	-	7	14	**41**	5	46	**0.4**
02062	ゆで	0	**76**	80	80.0	**0**	-	**Tr**	-	-	-	-	(0)	**19.9**	17.9	0.8	-	1	2	**10**	1	10	**0.1**

+PLUS+ **ごま豆腐作りは修行●**ごま豆腐は寺で精進料理のひとつとして作られてきた。精進とは、悟りの境地へ至るために懸命に努力すること。すり鉢とすりこ木でたくさんの時間をかけてごまをねっとりするまですりつぶし、鍋を火にかけてからひたすらかき回し続けて作り上げる。手間をおしまずに作ることは、修行の一環なのだ。

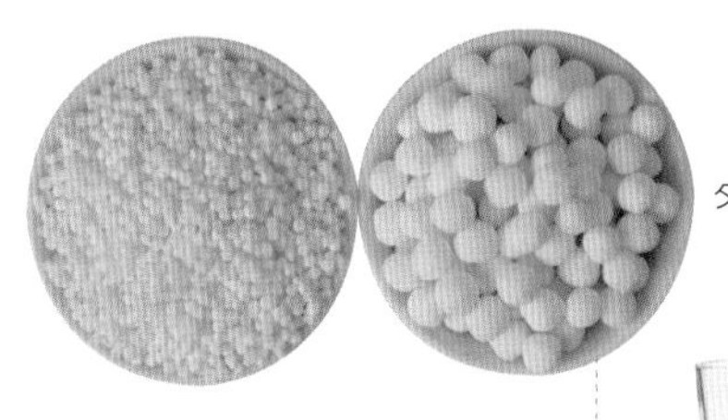

タピオカパール

タピオカティー
(台湾発祥の飲料)

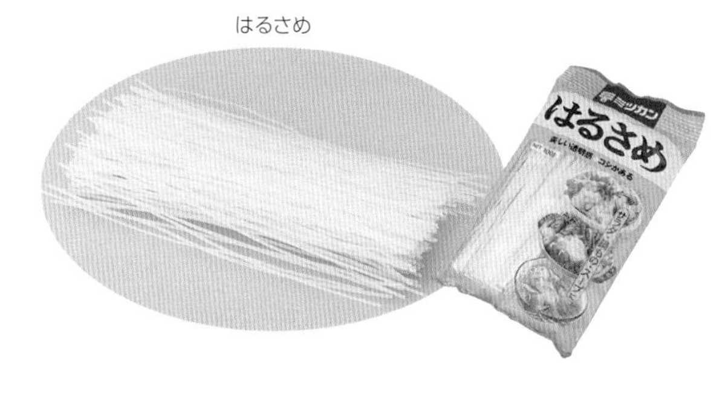

はるさめ

でん粉めん(マロニー)

緑豆はるさめ

でん粉めん (澱粉麺)

じゃがいもでん粉にとうもろこしでん粉を加えて作っためん。生をゆでたものはもっちりぷりぷり、乾燥品をゆでたものはつるつるしこしこした食感。市販品ではマロニーという製品が知られている。

調理法：鍋物、サラダ、酢の物、和え物、炒め物等。

はるさめ (春雨)

でん粉を糊化して熱湯中にめん状に押し出して凝固させ、凍結・水戻し・乾燥させたもの。「緑豆はるさめ」(中国はるさめ) はりょくとう(➡p.97) のでん粉から作ったもので中国産が多い。「普通はるさめ」はじゃがいもでん粉やさつまいもでん粉が原料で、緑豆はるさめよりコシが弱い。

調理法：サラダ、鍋物等。

チャプチェ
(はるさめを炒めた韓国料理)

タピオカパールの食べ方いろいろ

日本では、太いストローでタピオカパールの粒を吸いながら飲む甘いタピオカミルクティー (パールミルクティー) が有名だが、中華デザートでは、ココナツミルクと合わせる以外にも、ぜんざいのように豆類を甘く煮た汁や果汁等と合わせたりする。

タピオカパールはもちもち感があり、満足感を得やすい。スープの具にするなどで食事がわりにするならば、1食分のカロリーが抑えられる。

しかし、ほとんどが炭水化物のタピオカパールと糖分が多いドリンクの組み合わせだと、ダイエットの敵になってしまうので、気をつけて食べよう。

タピオカパールはゆでてから4～5時間たつとかたくなる。コンビニ等で販売されているタピオカドリンクは、タピオカ粉の含有量を減らしたり添加物を使う等で、時間がたってもタピオカパールが劣化しないように工夫している。

可食部100 gあたり Tr：微量 ( )：推定値または推計値 −：未測定

ミネラル (無機質)							ビタミン															食塩相当量	備考
亜鉛	銅	マンガン	ヨウ素	セレン	クロム	モリブデン	A レチノール活性当量	レチノール	β-カロテン当量	D	E αトコフェロール	K	B1	B2	ナイアシン当量	B6	B12	葉酸	パントテン酸	ビオチン	C		①廃棄部位 ②主原料
mg	mg	mg	μg	μg	μg	μg	μg	μg	μg	μg	mg	μg	mg	mg	mg	mg	μg	μg	mg	μg	mg	g	
Tr	Tr	0.37	-	-	-	-	(0)	(0)	(0)	(0)	-	(0)	(0)	(0)	(Tr)	(0)	(0)	(0)	(0)	-	(0)	0	
0.1	0.02	-	-	-	-	-	0	0	0	(0)	-	(0)	0	0	Tr	(0)	(0)	(0)	(0)	-	0	0	
Tr	0.03	-	0	0	6	0	0	0	0	(0)	-	(0)	0	0	Tr	(0)	(0)	(0)	(0)	0	0	0	(100 g：154 mL、100 mL：65 g)
0.1	0.04	-	1	Tr	1	2	0	0	0	(0)	-	(0)	0	0	Tr	(0)	(0)	(0)	(0)	0.1	0	0	(100 g：200 mL、100 mL：50 g)
0.1	0.03	0.05	-	-	-	-	(0)	(0)	(0)	(0)	-	(0)	(0)	(0)	(Tr)	(0)	(0)	(0)	(0)	-	(0)	0	
Tr	0.01	0.01	-	-	-	-	(0)	(0)	(0)	(0)	-	(0)	(0)	(0)	(Tr)	(0)	(0)	(0)	(0)	-	(0)	0	
0.4	0.12	0.10	-	-	-	-	0	0	0	0	0	0	0.10	0.01	(0.9)	0.03	0	6	0.03	-	0	0	
0.1	0.01	0.13	-	-	-	-	(0)	(0)	(0)	(0)	(0)	(0)	(0)	(0)	0	(0)	(0)	(0)	(0)	-	(0)	0	
0	0	0.01	-	-	-	-	(0)	(0)	(0)	(0)	(0)	(0)	(0)	(0)	0	(0)	(0)	(0)	(0)	-	(0)	0	
0	0	0	-	-	-	-	(0)	(0)	(0)	(0)	(0)	(0)	(0)	(0)	(Tr)	(0)	(0)	(0)	(0)	-	(0)	0	
Tr	0	0.02	-	-	-	-	(0)	(0)	(0)	(0)	(0)	(0)	(0)	(0)	(Tr)	(0)	(0)	(0)	(0)	-	(0)	0.1	
0	0	0	-	-	-	-	(0)	(0)	(0)	(0)	(0)	(0)	(0)	(0)	0	(0)	(0)	(0)	(0)	-	(0)	0	
0.1	0.01	0.02	2	1	5	1	(0)	(0)	(0)	(0)	(0)	(0)	(0)	(0)	(Tr)	(0)	(0)	(0)	(0)	-	(0)	0	②緑豆でん粉
Tr	0	0	0	0	1	0	(0)	(0)	(0)	(0)	(0)	(0)	(0)	(0)	0	(0)	(0)	(0)	(0)	-	(0)	0	
Tr	0.01	0.05	0	0	4	0	(0)	(0)	(0)	(0)	(0)	(0)	(0)	(0)	0	(0)	(0)	(0)	(0)	-	(0)	0	②じゃがいもでん粉、さつまいもでん粉
0	0	0.01	0	0	1	0	(0)	(0)	(0)	(0)	(0)	(0)	(0)	(0)	0	(0)	(0)	(0)	(0)	-	(0)	0	

Q A 「普通はるさめ」と「緑豆はるさめ」の違いは？▶「普通はるさめ」はじゃがいもやさつまいものでん粉が原料で、昭和10年代に日本で開発・製造され、第2次世界大戦後に一般的になった。「緑豆はるさめ」は緑豆のでん粉が原料で鎌倉時代に中国から伝来したとされ、熱湯に入れても弾力とコシが残り、低カロリーの麺類としても人気がある。

03 砂糖・甘味類 SUGARS and SWEETENERS

はちみつ入りの巣（巣蜜）

砂糖および甘味類とは

砂糖は、植物界に広く分布する炭水化物（糖質）で、エネルギー源・甘味料として使われている。原料・製法・糖度・色合いなどにより分類される。
甘味料は、砂糖以外に食用、食品加工用に用いられる甘味食品で、その種類も多く、さまざまなものがある。人工甘味料は、糖尿病、肥満、虫歯などの予防のために砂糖の代用品として使われることも多くなっている。

1 栄養上の特徴

砂糖の成分のほとんどはしょ糖で、体内に吸収されやすく、吸収された砂糖は主にエネルギー源として利用される。そのため、スポーツなどの激しい運動をしたあとの疲労回復に必要な栄養補給に効果的。また、人間は摂取したエネルギーの約2割を脳で消費するといわれている。脳や神経が働くときに、エネルギー源として利用できるのは、砂糖などを分解してできるぶどう糖だけであり、適度な摂取が必要である。一般に色が濃いものほど、糖以外のミネラルを含んでいる。

なお、砂糖は虫歯や肥満の原因ともされてきたが、歯磨きなどの生活習慣や、摂取エネルギーの過剰が本当の原因。カロリーは、1g=4kcalである。

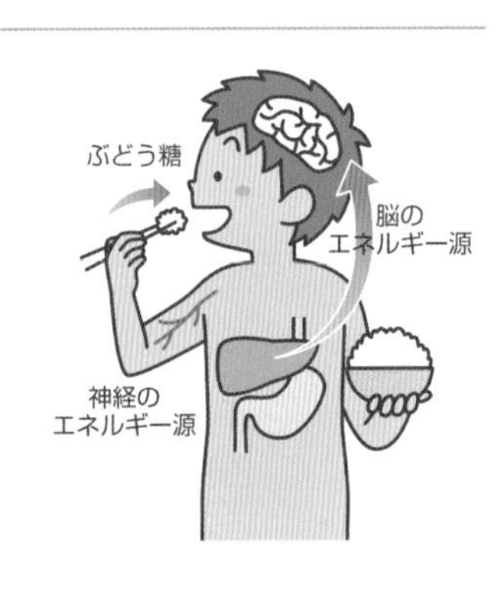

2 保存方法

糖類は湿気を嫌う。湿度の高いところに置くと、べとついたり異臭を生じることもあるので、密閉容器に保存し、湿度の低いところに置く。

3 加工と加工品

●砂糖の原料――甘しょ糖とビート糖――

砂糖には、イネ科の多年生植物さとうきびから作る甘蔗（かんしょ）糖と、アカザ科のビート（てんさい、砂糖大根）から作るビート糖（てんさい糖）がある。

甘しょ糖（さとうきび）	ビート糖（てんさい、砂糖大根）
甘しょ糖は紀元前から利用されており、日本へは奈良時代に鑑真和上（がんじんわじょう）がもたらしたとされる。その後明治時代まで、砂糖は貴重品として扱われた。栽培に適する地域は熱帯および亜熱帯で、日本では鹿児島と沖縄が主な生産地である。日本へは原料糖として、オーストラリア、タイ、南アフリカ共和国、キューバ等から輸入されている。	ビート糖は、家畜の飼料とされていたビートに6%のしょ糖が含まれていることが1747年に発見されてから製造されるようになった。現在ではしょ糖が12～18%含まれるものが栽培されている。ビートはアカザ科の二年生植物で、温帯でも比較的冷涼な地域で栽培され、日本では北海道が産地。

●いろいろな甘味料

種類	甘味度※	特徴
水あめ	0.35～0.4	でん粉を原料として、酸糖化または麦芽糖化により作られる。あめ・佃煮などに用いられる。
ぶどう糖	0.6～0.7	主にさつまいもでん粉により作られる。別名グルコース。
転化糖	0.9～1	ぶどう糖と果糖の混合物で、溶解度が高く、甘味も強い。白砂糖に少量加えられており、しっとり感と水分への溶けやすさを与えている。
果糖	1.2～1.5	糖類の中で最も甘味が強い。清涼飲料水、菓子などに使われる。
はちみつ	花により異なる	主成分は転化糖で、ミネラル・ビタミンを含むものもある。色や味は原料となる花の種類により異なる。レンゲ、クローバー、アカシアなどが好まれる。
メープルシロップ	1	砂糖かえでの樹液からつくられ、かえで糖ともいわれる。独特な風味があり、ホットケーキ用シロップ、菓子などに用いられる。カナダが主産地。

※砂糖の甘味度を1とした場合

●砂糖の分類

砂糖は、**含蜜糖**と**分蜜糖**に分けられる。含蜜糖は、原料から搾りとった糖液をそのまま煮詰めたもので、ミネラルを多く含み、甘味は濃厚でコクがあり、風味も豊か。分蜜糖は、原料から搾りとった糖液を精製・濃縮してしょ糖を結晶化させ、その結晶だけを遠心分離器等で取り出してつくる砂糖。

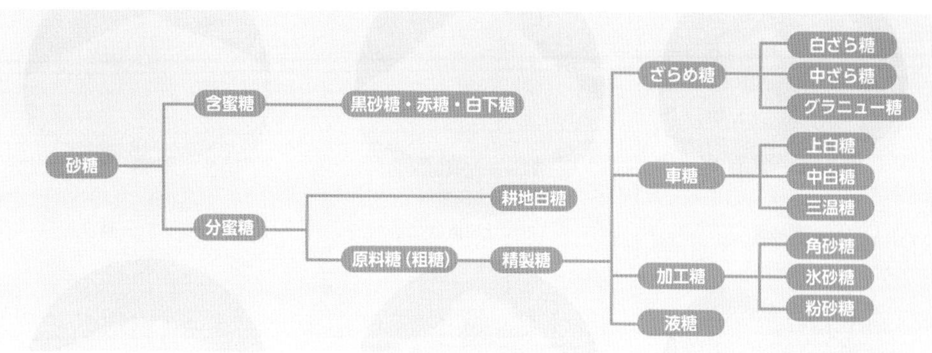

4 調理性

●砂糖の性質

溶解性……水温が高いほど溶けやすい。

脱水性……糖類全体が脱水性に富み、なかでも果糖の脱水性がもっとも強い。

防腐性……砂糖濃度が高くなるほど、水分含有量は少なくなるので、細菌などが繁殖しにくい（例：ジャム）。

発酵性……イースト菌は糖を分解・発酵させて炭酸ガスとアルコールをつくる。小麦粉の糖分だけではパンを十分にふくらませるほどの炭酸ガスができないため、砂糖を加えて発酵しやすくする。

糊化でん粉の老化防止……砂糖の親水性により、砂糖とでん粉が共存すると、砂糖が水分をうばうので、αでん粉はβでん粉になりにくい（例：糖分の多い練りようかんは固くなりにくい）。

酸化防止……濃厚な砂糖液には酸素が溶けにくいので、脂肪が共存してもこれを酸化することはない（例：ケーキのクリーム）。

ゼリー形成……果実などに含まれるペクチン（➡p.155）から水分をうばい、ゼリーの網目構造を支えることで固まる。

着色の作用……カラメル、照り焼きなど。

●砂糖の加熱による変化と用途

温度℃	用途例
185	
180	カラメル（165～190℃）
175	
170	
165	
160	べっこうあめ（160℃）
155	
150	ドロップ（150～155℃）
145	
140	抜絲（銀絲）（140～145℃）
135	キャンディー（135～138℃）
130	ヌガー（130～135℃）
125	
120	キャラメル（120～125℃）
115	砂糖衣（115～120℃）
110	フォンダン（105～115℃）
105	シロップ（100～105℃）
100	

（『NEW調理と理論』同文書院より）

●新しい甘味料

	種類	甘味度※	エネルギー（kcal/g）	特徴	使用対象食品
糖質甘味料	ソルビトール	0.5～0.7	難消化性	バラ科の植物に含まれる。清涼感のある甘味。虫歯になりにくい。食品添加物。	保湿性や安全性等の特性を持つため、煮豆、つくだ煮、生菓子、冷凍すり身などに使われる。
糖質甘味料	マルチトール	0.8	2	まろやかな甘味。虫歯になりにくい。	菓子、低カロリー甘味料、虫歯予防のための砂糖代替品として使われる。
糖質甘味料	パラチノース	0.4	2	砂糖似のまろやかな甘味。虫歯になりにくい。	〃
糖質甘味料	カップリングシュガー	0.5～0.6	4	あっさりした味。虫歯になりにくい。	〃
糖質甘味料	フラクトオリゴ糖	0.5～0.6	難消化性	砂糖に似た淡い甘味。虫歯になりにくい。ビフィズス菌増殖因子。	〃
非糖質甘味料	イソマルトオリゴ糖	0.5	4	まろやかな甘味。ビフィズス菌増殖因子。	〃
非糖質甘味料	キシリトール	1	3	白樺や樫の樹皮に含まれるキシロースを還元してつくられる。食品添加物。虫歯になりにくいとして注目される。	チューインガム、キャンデー、ジャム、焼き菓子など。食品以外に、歯磨き粉などにも使用される。
非糖質甘味料	ステビア	100～400	0	キク科のステビアの茎から抽出。さわやかな甘味。虫歯になりにくい。	低カロリー食品、清涼飲料水、菓子など。
非糖質甘味料	グリチルリチン	170～250	0	マメ科の甘草の根より抽出。高甘味度。虫歯になりにくい。	しょうゆ、みそ、漬け物、つくだ煮、清涼飲料水、魚肉練り製品、氷菓、乳製品など広範囲に使われる。
非糖質甘味料	アスパルテーム	180～200	0	高甘味度。さわやかな甘味。食品添加物。	ダイエットシュガー（パルスイート）やダイエットコークなどに使用される。

※砂糖の甘味度を1とした場合

黒砂糖

上白糖

グラニュー糖

中ざら糖

てんさい含蜜糖

三温糖

白ざら糖

角砂糖

和三盆糖

黒砂糖 [甘しょ糖]

Brown sugar lump　大1=15g

別名**黒糖**。黒砂糖はさとうきびの搾り汁から直接作る。日本独特の製法で、糖液に石灰等を加えて煮詰めるため、本来なら糖蜜として分離される成分も残るので含蜜糖と呼ばれる。しょ糖純度が低く、独特の風味がある。カルシウム分が豊富であるが、これは投入した石灰のカルシウム分である。

てんさい含蜜糖

Beet unrefined sugar

てんさい（別名ビート、さとうだいこん）の糖分をそのまま煮詰めてつくる砂糖。オリゴ糖であるラフィノースとケストースを含む。オリゴ糖は腸内の善玉菌を増やし、悪玉菌を減らす。

和三盆糖

Wasanbonto

竹糖という在来品種から作る独特の風味がある砂糖。糖液をある程度精製ろ過して結晶化させた白下糖を盆の上で適量の水を加えて練り上げて、砂糖の粒子を細かくする"研ぎ"という作業を行う。研いだ砂糖を麻の布に詰め"押し舟"という箱の中に入れて重石をかけ圧搾し、黒い糖蜜を抜く。研ぎと押し舟を数度繰り返し、最後に一週間ほどかけて乾燥させる。和三盆という名前は、盆の上で砂糖を三度ほど研ぐことからつけられたが、最近では製品の白さを求めて研ぎと押し舟を5回以上行うことが多い。

利用法：特に高級和菓子の材料として珍重される。

産地：香川と徳島の特産品。

車糖

Soft sugars

別名**ソフトシュガー**。結晶がごく細かい砂糖で甘味にコクがある。ビスコと呼ばれる転化糖をかけて、しっとりとさせている。ビスコはしょ糖が分解してできるぶどう糖と果糖の混合物で、吸湿性が強いため、結晶化を抑制する作用がある。

上白糖　大1=9g

一般に白砂糖と呼ばれているもので、車糖の精製工程で最初にできる砂糖。しょ糖純度が高く、適度のコクがある。日本ではもっとも消費量が多い。

三温糖

車糖の精製工程の最後にできるもので、甘味は上白糖よりも強く感じる。三温糖の薄褐色は主にしょ糖が熱変性したカラメル等によるが、不純物（変性物）を含み色むら等ができて見た目が悪くなるので、あとからカラメル液をかけて色を均一にしている。

ざらめ糖 [双目糖]

Hard sugars　大1=15g

高純度の糖液からつくられる純度の高い砂糖で、結晶が車糖よりも大きく、結晶の感じが固いため**ハードシュガー**とも呼ばれる。転化糖をほとんど含まないので湿気を吸いにくい。

グラニュー糖　大1=12g

ざらめ糖の中で粒子がもっとも小さ

食品番号	食品名	廃棄率	エネルギー	2015年版の値	水分	たんぱく質	アミノ酸組成によるたんぱく質	脂質	脂肪酸のトリアシルグリセロール当量	脂肪酸			コレステロール	炭水化物	利用可能炭水化物（質量計）	食物繊維		ミネラル（無機質）					
										飽和	一価不飽和	多価不飽和				食物繊維総量（プロスキー変法）	食物繊維総量（AOAC法）	ナトリウム	カリウム	カルシウム	マグネシウム	リン	鉄
		%	kcal	kcal	g	g	g	g	g	g	g	g	mg	g	g	g	g	mg	mg	mg	mg	mg	mg
	（砂糖類）																						
03001	**黒砂糖**	0	352	356	4.4	1.7	0.7	Tr	-	-	-	-	(0)	90.3	88.9	-	-	27	1100	240	31	31	4.7
03030	**てんさい含蜜糖**	0	357	379	2.0	0.9	-	Tr	-	-	-	-	-	96.9	85.4	-	8.3	48	27	Tr	0	1	0.1
03002	**和三盆糖**	0	393	384	0.3	0.2	-	Tr	-	-	-	-	(0)	99.0	(99.6)	-	-	1	140	27	17	13	0.7
03003	**車糖** 上白糖	0	391	384	0.7	(0)	-	(0)	-	-	-	-	(0)	99.3	99.3	-	-	1	2	1	Tr	Tr	Tr
03004	三温糖	0	390	383	0.9	Tr	-	(0)	-	-	-	-	(0)	99.0	99.0	-	-	7	13	6	2	Tr	0.1
03005	**ざらめ糖** グラニュー糖	0	394	387	Tr	(0)	-	(0)	-	-	-	-	(0)	100	(99.9)	-	-	Tr	Tr	Tr	0	(0)	Tr
03006	白ざら糖	0	393	387	Tr	(0)	-	(0)	-	-	-	-	(0)	100	(99.9)	-	-	Tr	Tr	0	0	(0)	Tr
03007	中ざら糖	0	393	387	Tr	(0)	-	(0)	-	-	-	-	(0)	100	(99.9)	-	-	2	1	Tr	Tr	Tr	0.1
03008	**加工糖** 角砂糖	0	394	387	Tr	(0)	-	(0)	-	-	-	-	(0)	100	(99.9)	-	-	Tr	Tr	Tr	0	(0)	0.1
03009	氷砂糖	0	394	387	Tr	(0)	-	(0)	-	-	-	-	(0)	100	(99.9)	-	-	Tr	Tr	Tr	Tr	(0)	0.1
03010	コーヒーシュガー	0	394	387	0.1	0.1	-	(0)	-	-	-	-	(0)	99.8	99.9	-	-	2	Tr	1	Tr	Tr	0.2
03011	粉糖	0	393	386	0.3	(0)	-	(0)	-	-	-	-	(0)	99.7	(99.7)	-	-	1	1	Tr	Tr	0	0.2

+PLUS+ 三温糖は上白糖より体によい？●「ミネラルたっぷりの三温糖から上白糖をつくる」と思われがちだけど、本当は「上白糖をとった残りの糖液からできる」のが三温糖。薄茶色は焦げついた色だから健康によいか否かとは無関係だ。

氷砂糖

粉糖

コーヒーシュガー

顆粒糖

く、くせのない淡白な甘味。素材の微妙な風味を生かしたり、洋菓子作りに適する。

白ざら糖
別名**上ざら糖**。最高純度の糖液からつくられる無色結晶状の砂糖で、光沢がありさらさらしている。菓子や果実酒に利用する。

中ざら糖
別名**黄ざら糖**。分蜜のさいにカラメル溶液をかけて色の調整を行うため薄黄褐色をしている。風味があり、煮物等に用いると味が引き立つ。

加工糖
Reprocessed sugars

ざらめ糖を材料として、成型、再結晶等の加工を行った砂糖。

角砂糖
グラニュー糖に少量の糖液を混ぜて結晶同士を結合しやすくし、型に詰めて成型したもの。主にコーヒー、紅茶等の飲料に利用する。

氷砂糖
別名**氷糖**。濃度と純度の高いしょ糖液から、時間をかけて大きな結晶に成長させたもの。約2週間かけて結晶を自然成長させる“ロック”と、ドラムを回転させ、4〜5日でつくる“クリスタル”の2種類がある。果実酒によく利用するほか、おやつや非常食にもする。

コーヒーシュガー
カラメル溶液を加えて茶褐色にした氷砂糖を砕いたもの。コーヒーに入れるが、ゆっくり溶けるので甘さの変化を楽しめる。

粉糖
別名**粉砂糖**。グラニュー糖を細かく粉砕したパウダー状の砂糖。吸湿性が強いので、固結防止のためにでん粉を少量加えることもある。果物にかけたり、ケーキやチョコレート等のアイシング、洋菓子のデコレーション等に用いる。
粉糖をやや大きめの多孔質の顆粒状に固めたものを顆粒糖という。低温でも溶解しやすいので、冷たい飲み物に入れたり、ヨーグルト等に振りかけて用いる。

虫歯にならない甘味料!?

キシリトールに代表される新しい甘味料は、虫歯になりにくいとして注目されている。甘味は砂糖と同程度、カロリーは7割程度のキシリトールは、白樺や樫などの樹木から採れるキシラン・セミロースからつくられる天然素材の甘味料で、1997年に食品添加物として認定された。

ところで虫歯とは、ミュータンス菌に代表される虫歯の原因菌が、糖分などの栄養を分解して酸をつくることで歯が溶け出す現象。キシリトールでは酸をつくることができないため、虫歯にならないとされる。

さらに、ミュータンス菌の内部に取り込まれると、菌自体が持つエネルギーを消費させることで活性が弱まり、菌の数を減らす効果もある。このため、食後に摂ると効果があるとされている。

しかし、あくまでも正しい歯磨きや食生活があっての効果。キシリトール入りガムを食べればOKというわけではないので、過信は禁物。また、人によってはお腹が緩くなる場合もあるので、要注意。

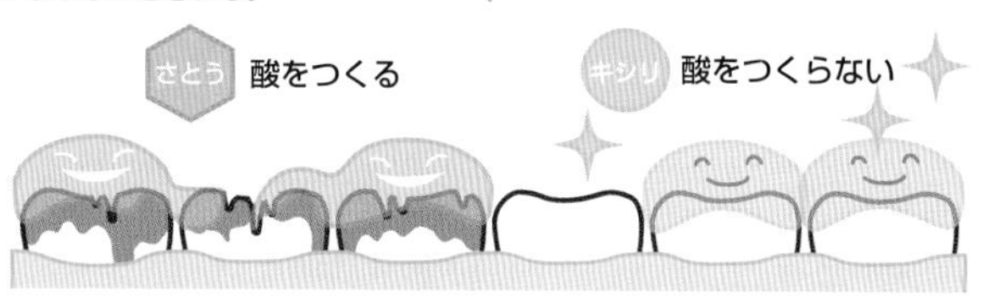

オリゴ糖って何？

少糖類には、ぶどう糖や果糖といった単糖が2個結合した二糖類と3〜8個結合したオリゴ糖がある。オリゴとはギリシア語でa few（少し）の意味。

オリゴ糖は消化酵素で分解されにくいため、低カロリー甘味料としての利用や、腸内環境であるビフィズス菌増殖因子としての働きなどが注目されており、保健機能食品（➡p.369）としても活用されている。

種類
イソマルトオリゴ糖／ガラクトオリゴ糖／大豆オリゴ糖／フラクトオリゴ糖

特徴
はちみつ、みそ、しょうゆに含まれる非発酵性糖。乳糖をアルカリ処理して作る。エネルギーはしょ糖の1／2。

働き
- 低カロリーで肥満予防。
- ビフィズス菌増殖により、整腸作用、ビタミン合成促進、免疫機能向上。
- コレステロール値、血糖値の低下作用。
- 便秘の改善。
- 食品に甘味、うま味、コク、防腐性を与える。
- 虫歯の予防。

可食部100gあたり　Tr：微量　( )：推定値または推計値　-：未測定

ミネラル（無機質）							ビタミン															食塩相当量	備考
亜鉛	銅	マンガン	ヨウ素	セレン	クロム	モリブデン	A レチノール活性当量	レチノール	β-カロテン当量	D	E α-トコフェロール	K	B1	B2	ナイアシン当量	B6	B12	葉酸	パントテン酸	ビオチン	C		①果糖含有率
mg	mg	mg	µg	µg	µg	µg	µg	µg	µg	µg	mg	µg	mg	mg	mg	mg	µg	µg	mg	µg	mg	g	
0.5	0.24	0.93	15	4	13	9	1	(0)	13	(0)	(0)	(0)	0.05	0.07	0.9	0.72	(0)	10	1.39	34.0	(0)	0.1	
Tr	Tr	Tr	0	0	0	0	-	-	-	-	-	-	0	0	0.3	0.01	-	1	0	Tr	-	0.1	
0.2	0.07	0.30	0	0	2	Tr	0	(0)	Tr	(0)	(0)	(0)	0.01	0.03	Tr	0.08	(0)	2	0.37	0.9	(0)	0	
0	0.01	0	0	0	0	0	(0)	(0)	(0)	(0)	(0)	(0)	(0)	(0)	0	(0)	(0)	(0)	(0)	0.1	(0)	0	(100 g：154 mL、100 mL：65 g)
Tr	0.07	0.01	0	0	Tr	0	(0)	(0)	(0)	(0)	(0)	(0)	Tr	0.01	0	(0)	(0)	(0)	(0)	0.3	(0)	0	(100 g：159 mL、100 mL：63 g)
Tr	0	0	0	0	0	0	(0)	(0)	(0)	(0)	(0)	(0)	(0)	(0)	0	(0)	(0)	(0)	(0)	0.1	(0)	0	(100 g：111 mL、100 mL：90 g)
0	0	-	-	-	-	-	(0)	(0)	(0)	(0)	(0)	(0)	(0)	(0)	0	(0)	(0)	(0)	(0)	-	(0)	0	(100 g：100 mL、100 mL：100 g)
Tr	0.02	-	-	-	-	-	(0)	(0)	(0)	(0)	(0)	(0)	(0)	(0)	0	(0)	(0)	(0)	(0)	-	(0)	0	
0	0.01	-	-	-	-	-	(0)	(0)	(0)	(0)	(0)	(0)	(0)	(0)	0	(0)	(0)	(0)	(0)	-	(0)	0	
Tr	0	-	-	-	-	-	(0)	(0)	(0)	(0)	(0)	(0)	(0)	(0)	0	(0)	(0)	(0)	(0)	-	(0)	0	
1.2	0.01	-	-	-	-	-	(0)	(0)	(0)	(0)	(0)	(0)	(0)	(0)	(Tr)	(0)	(0)	(0)	(0)	-	(0)	0	
0	0	-	-	-	-	-	(0)	(0)	(0)	(0)	(0)	(0)	(0)	(0)	0	(0)	(0)	(0)	(0)	-	(0)	0	か（顆）粒糖を含む (100 g：257 mL、100 mL：39 g)

Q A 砂糖の上手な保存法は？▶砂糖を保存していて、ついうっかりすると湿気を吸ってカチンカチンにかたまってしまう。こうならないように、顆粒糖（ヨーグルトなどについてくる砂糖）を混ぜて保存すると、かたまりにくくなり使いやすい。

水あめ

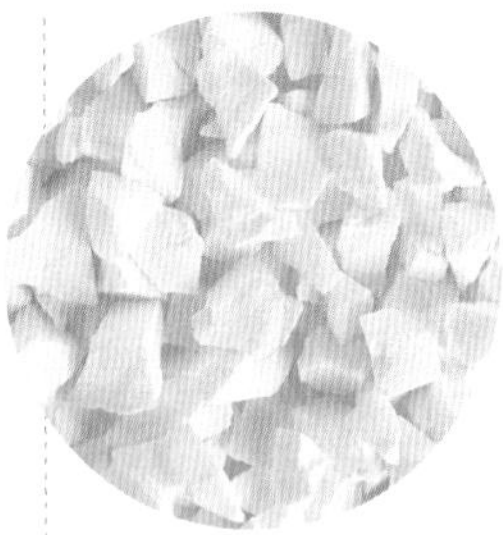

ぶどう糖

果糖

メープルシロップ

液糖
Liquid sugars

液状の糖のこと。

しょ糖型液糖
精製しょ糖液。清涼飲料、パン、あん、たれ、乳製品等の食品やドリンク剤等の医薬原料として利用する。

転化型液糖
しょ糖を主成分とした液糖に転化糖(しょ糖を果糖とぶどう糖に分解したもの)を加えた液糖。飲料、冷菓、パン類、果実酒、缶詰類等に利用する。

氷糖みつ
Candy sugar molasses

氷砂糖を製造したあとに残る糖蜜のこと。金平糖等の菓子の原料やかき氷の蜜にする。

でん粉糖類 (澱粉糖類)
Starch sweeteners

でん粉を加水分解してできる糖類のことをいう。加水分解とは、化合物が水と反応して起こす分解反応のこと。

還元麦芽糖
別名**マルチトール**。砂糖に似た甘みでカロリーは約半分。低甘味剤として広く使われる。

還元水あめ
別名還元オリゴ糖。低カロリーの甘味料で、加工食品全般や化粧品、医薬品にも広く利用。

粉あめ (粉飴)
水あめを粉末化したもの。

水あめ (水飴) 大1=21g
粘りけのある液状の甘味料。あめとして食べるほか、佃煮、ジャム等に利用する。
酵素糖化:でん粉をαアミラーゼ(酵素)で糖化して液体化し、さらにβアミラーゼで糖化したもの。麦芽を酵素に使った麦芽水あめは古来から作られてきた。現在はだいずやかびの酵素で糖化し、精製して作られる。酸糖化水あめより麦芽糖含有量が多い。
酸糖化:でん粉溶液に酸を加えて加水分解したもの。

ぶどう糖 (葡萄糖)
でん粉を酵素や酸によって加水分解して作ったぶどう糖液を、粉末化もしくは結晶化したもの。「**全糖**」は、濃縮したぶどう糖液を直接粉末状にするか、固形化してから粉末状にしたもの。「**含水結晶**」は、分子中に結晶水を含むもの。「**無水結晶**」は、分子中に結晶水を含まないもの。

果糖 大1=11g
果物に多く含まれるためこの名がついた。低温のほうが甘味を強く感じるので、果物は冷やして食べるほうがおいしく感じる。しょ糖を酵素で分解したり、ぶどう糖を異性化して作る。糖類の中でいちばん甘味が強いので、ダイエットフードにも利用する。

異性化液糖
果糖とぶどう糖を主成分とする液状の糖。でん粉に水と液化酵素を加えて液化し、糖化酵素を加えてぶどう糖に分解し、それに異性化*酵素を加えて反応させ、一部を酵素で果糖に異性化(変換)したもの。清涼飲料、パン、缶詰、乳製品等に利用する。また、低温で甘味度が増し、清涼感も強くなることから、冷菓にも広く用いられる。

黒蜜

*異性化とは、化学的には分子の原子数を変えないで、分子内の結合状態を変えること。

ぶどう糖果糖液糖:果糖含有率(糖のうちの果糖の割合)が50%未満のもの。
果糖ぶどう糖液糖:果糖含有率が50%以上90%未満のもの。
高果糖液糖:果糖含有率が90%以上のもの。

黒蜜
Brown suger syrup 大1=18g

さとうきびの搾り汁を煮詰めてアク

食品番号	食品名	廃棄率	エネルギー	2015年版の値	水分	たんぱく質	アミノ酸組成によるたんぱく質	脂質	脂肪酸のトリアシルグリセロール当量	脂肪酸 飽和	一価不飽和	多価不飽和	コレステロール	炭水化物	利用可能炭水化物(質量計)	食物繊維 食物繊維総量(プロスキー変法)	食物繊維総量(AOAC法)	ミネラル(無機質) ナトリウム	カリウム	カルシウム	マグネシウム	リン	鉄
		%	kcal	kcal	g	g	g	g	g	g	g	g	mg	g	g	g	g	mg	mg	mg	mg	mg	mg
03012	**液糖** しょ糖型液糖	0	**267**	263	32.1	**(0)**	-	**(0)**	-	-	-	-	(0)	**67.9**	(67.9)	-	-	Tr	Tr	**Tr**	Tr	0	**Tr**
03013	転化型液糖	0	**294**	296	23.4	**(0)**	-	**(0)**	-	-	-	-	(0)	**76.6**	(76.6)	-	-	4	Tr	**Tr**	Tr	Tr	**Tr**
03014	**氷糖みつ**	0	**274**	265	31.5	**0.2**	-	**(0)**	-	-	-	-	(0)	**68.2**	-	-	-	10	Tr	**Tr**	Tr	Tr	**0.7**
	(でん粉糖類)																						
03031	**還元麦芽糖**	0	**208**	210	0	**0**	-	**Tr**	-	-	-	-	-	**100**	(0)	-	0.3	0	Tr	**Tr**	0	0	**Tr**
03032	**還元水あめ**	0	**210**	210	30.1	**0**	-	**Tr**	-	-	-	-	-	**69.9**	18.5 †	-	14.0 †	0	Tr	**Tr**	0	1	**0**
03015	**粉あめ**	0	**397**	381	3.0	**(0)**	-	**(0)**	-	-	-	-	(0)	**97.0**	97.0	-	-	Tr	Tr	**Tr**	0	1	**0.1**
03024	**水あめ** 酵素糖化	0	**342**	328	15.0	**(0)**	-	**(0)**	-	-	-	-	(0)	**85.0**	85.0	-	-	Tr	0	**Tr**	0	1	**0.1**
03025	酸糖化	0	**341**	328	15.0	**(0)**	-	**(0)**	-	-	-	-	(0)	**85.0**	85.0	-	-	Tr	0	**Tr**	0	1	**0.1**
03017	**ぶどう糖** 全糖	0	**342**	335	9.0	**(0)**	-	**(0)**	-	-	-	-	(0)	**91.0**	(91.0)	-	-	Tr	Tr	**Tr**	0	1	**0.1**
03018	含水結晶	0	**342**	336	8.7	**(0)**	-	**(0)**	-	-	-	-	(0)	**91.3**	(91.3)	-	-	Tr	Tr	**Tr**	0	Tr	**0.1**
03019	無水結晶	0	**374**	367	0.3	**(0)**	-	**(0)**	-	-	-	-	(0)	**99.7**	(99.7)	-	-	Tr	Tr	**Tr**	0	Tr	**0.1**
03020	**果糖**	0	**375**	368	0.1	**(0)**	-	**(0)**	-	-	-	-	(0)	**99.9**	(99.9)	-	-	Tr	Tr	**Tr**	Tr	0	**Tr**
03026	**異性化液糖** ぶどう糖果糖液糖	0	**283**	276	25.0	**0**	-	**0**	-	-	-	-	(0)	**75.0**	75.0	-	-	Tr	Tr	**Tr**	0	1	**0.1**
03027	果糖ぶどう糖液糖	0	**283**	276	25.0	**0**	-	**0**	-	-	-	-	(0)	**75.0**	75.0	-	-	Tr	Tr	**Tr**	0	1	**0.1**
03028	高果糖液糖	0	**282**	276	25.0	**0**	-	**0**	-	-	-	-	(0)	**75.0**	75.0	-	-	Tr	Tr	**Tr**	0	1	**0.1**
	(その他)																						
03029	**黒蜜**	0	**199**	199	46.5	**1.0**	-	**0**	-	-	-	-	0	**50.5**	(49.7)	0	-	15	620	**140**	17	17	**2.6**
03022	**はちみつ**	0	**329**	303	17.6	**0.3**	(0.2)	**Tr**	-	-	-	-	(0)	**81.9**	75.2	-	-	2	65	**4**	2	5	**0.2**
03023	**メープルシロップ**	0	**266**	257	33.0	**0.1**	-	**0**	-	-	-	-	(0)	**66.3**	-	-	-	1	230	**75**	18	1	**0.4**

+PLUS+ **食品添加物の指定が外された人工甘味料**● 1937年にアメリカで発見され開発されたチクロは、砂糖の30~50倍の甘さがあった。しかしその後発がん性や催奇形性が指摘されたため、1969年に日米で食品添加物の指定が取り消された。ただし、欧州や中国などでは許可され、使用されている。

などを取り除いた黒または茶褐色の液体。または、黒砂糖を水に溶かして煮てアクを取り除き、煮詰めたもの。

はちみつ（蜂蜜）

Honey　大1=21g

蜜蜂が蓄えた花の蜜のしょ糖が、蜜蜂の分泌液によって転化糖に変わったもので、主成分は果糖とぶどう糖。蜂の巣は常に35℃前後に保たれるため水分が蒸発し糖分が80%ほどになる。

栄養成分：ビタミンB群が豊富。また、そば、しなのき、栗等を蜜源とする濃色はちみつの100gあたりの鉄分は5.0mgで、淡色はちみつの6倍以上多い。

メープルシロップ

Maple syrup　大1=21g

別名**かえで糖**。カエデ科のさとうかえで（砂糖楓）の樹液を煮詰めてシロップ状にしたもので、独特の香りがある。樹液は、2～3月に直径30cm以上の木に小穴をあけて採取する。水の沸点以下で固体になるまで濃縮したものをメープルシュガーといい、水の沸点以上で濃縮したものはメープルバターという。

利用法：ホットケーキシロップ等。

産地：カナダ南西部からアメリカ北東部。

はちみつ：蜜を採取する花によって、成分や色・香りなどが異なる。

はちみつの話題3つ

なぜ、1歳未満の赤ちゃんにはちみつを食べさせてはいけないのでしょうか？

自然界にはどこにでもボツリヌス菌という細菌が存在する。はちみつは蜜蜂が自然の花から採取するため、ごくまれにボツリヌス菌が入り込むことがある。腸内細菌の少ない乳児にこの菌が入ると、乳児ボツリヌス症を発症することがあるため、食べさせてはいけない。

ローヤルゼリーって、はちみつの一種？

はちみつはそのほとんどが糖質であるのに対し、ローヤルゼリーは三大栄養素であるたんぱく質、炭水化物（糖質）、脂質をはじめ、各種ビタミン、ミネラルをバランス良く含むまったく別のもの。女王蜂のエネルギー源となる乳白色のクリーム状の物質で、特有の香りと酸味がある。メスの働き蜂から分泌される。

容器の底にたまった白いものって？

はちみつはぶどう糖と果糖からなるが、低温状態に置かれるとぶどう糖が結晶化して、沈殿する。これが白いものの正体。冷蔵庫はもちろん、冬期には室内でも固まってしまうことがある。湯煎をするなどして温めればもとに戻り、品質上はまったく問題はない。

可食部100gあたり　Tr：微量　（ ）：推計値または推計値　－：未測定

ミネラル（無機質）							ビタミン																食塩相当量	備考
亜鉛	銅	マンガン	ヨウ素	セレン	クロム	モリブデン	A レチノール活性当量	レチノール	β-カロテン当量	D	E αトコフェロール	K	B1	B2	ナイアシン当量	B6	B12	葉酸	パントテン酸	ビオチン	C			①果糖含有率
mg	mg	mg	µg	µg	µg	µg	µg	µg	µg	µg	mg	µg	mg	mg	mg	mg	µg	µg	mg	µg	mg	g	
0	0.01	-	-	-	-	-	(0)	(0)	(0)	(0)	(0)	(0)	(0)	(0)	0	(0)	(0)	(0)	(0)	-	(0)	0	しょ糖:67.8g
0	Tr	-	-	-	-	-	(0)	(0)	(0)	(0)	(0)	(0)	(0)	(0)	0	(0)	(0)	(0)	(0)	-	(0)	0	しょ糖:38.6g
0.1	0	-	-	-	-	-	(0)	(0)	(0)	(0)	(0)	(0)	0.01	0.02	0.1	(0)	(0)	(0)	(0)	-	(0)	0	しょ糖:63.3g
0	Tr	0	0	0	0	0	-	-	-	-	-	-	0	0	0	0	-	Tr	Tr	0	-	0	
0	Tr	0	0	0	0	0	-	-	-	-	-	-	0	0	0	0	-	0	0	0	-	0	
0	Tr	0	-	-	-	-	(0)	(0)	(0)	(0)	(0)	(0)	(0)	(0)	0	(0)	(0)	(0)	(0)	-	(0)	0	
0	Tr	0.01	0	0	0	0	(0)	(0)	(0)	(0)	(0)	(0)	(0)	(0)	0	(0)	(0)	(0)	(0)	0	(0)	0	(100 g：71 mL、100 mL：140 g)
0	Tr	0.01	0	0	0	0	(0)	(0)	(0)	(0)	(0)	(0)	(0)	(0)	0	(0)	(0)	(0)	(0)	0	(0)	0	(100 g：71 mL、100 mL：140 g)
0	Tr	0	-	-	-	-	(0)	(0)	(0)	(0)	(0)	(0)	(0)	(0)	0	(0)	(0)	(0)	(0)	-	(0)	0	
Tr	0.01	0	-	-	-	-	(0)	(0)	(0)	(0)	(0)	(0)	(0)	(0)	0	(0)	(0)	(0)	(0)	-	(0)	0	
0	Tr	0	-	-	-	-	(0)	(0)	(0)	(0)	(0)	(0)	(0)	(0)	0	(0)	(0)	(0)	(0)	-	(0)	0	
0	Tr	0	-	-	-	-	(0)	(0)	(0)	(0)	(0)	(0)	(0)	(0)	0	(0)	(0)	(0)	(0)	-	(0)	0	
0	Tr	0	0	0	0	0	(0)	0	(0)	(0)	(0)	(0)	0	0	0	(0)	(0)	(0)	(0)	0	0	0	① 50%未満のもの
0	Tr	0	0	0	0	0	(0)	0	(0)	(0)	(0)	(0)	0	0	0	(0)	(0)	(0)	(0)	0	0	0	① 50%以上 90%未満のもの
0	Tr	0	0	0	0	0	(0)	0	(0)	(0)	(0)	(0)	0	0	0	(0)	(0)	(0)	(0)	0	0	0	① 90%以上のもの
0.3	0.14	-	8	2	7	5	0	0	0	0	0	0	0.03	0.04	0.6	0.41	0	6	0.78	19.0	0	0	(100 g：73 mL、100 mL：138 g)
0.1	0.04	0.21	Tr	0	1	0	0	(0)	1	(0)	0	0	Tr	0.01	(0.4)	0.02	0	7	0.12	0.4	0	0	(100 g：71 mL、100 mL：140 g)
1.5	0.01	2.01	4	0	5	2	(0)	0	0	(0)	(0)	(0)	Tr	0.02	Tr	Tr	(0)	1	0.13	0.1	(0)	0	(100 g：76 mL、100 mL：132 g)

QA ノンシュガー・シュガーレスって？▶食品表示として目にすることもあるが、正確には砂糖・果糖などの糖質が食品100gあたり0.5g未満であればノンシュガー・シュガーレスと表示できるため、ゼロとは限らない。また「砂糖不使用」の表示は、砂糖のかわりに果糖を使用していても可能。まぎらわしいので注意しよう。

04 豆類 PULSES

だいずの実り

豆類とは

古くから世界各地で栽培されるマメ科の植物。現在世界中で約80種が食用とされ、加工品もさまざま作られている。食品成分表では、利用する部位により下記の通り分類される。未熟な種子やさやを食するものは野菜類に分類している。

- ●未熟な果実をさやごと食べる（さやいんげん、さやえんどう等）
- ●未熟な種子を食べる（グリンピース、えだまめ等）
- ●熟してから乾燥させた種子を利用する（あずき、だいず等）

1 栄養上の特徴

豆類は、いずれもたんぱく質を20%前後と多く含む。このほかに炭水化物（糖質）を多く含むもの、脂質を多く含むものがある。

特にだいずは良質なたんぱく質に富んでいる。そのままでは消化吸収率が低いので、さまざまな食品に加工され、「畑の肉」ともいわれる。

糖質を含む豆は「あん」に加工されることも多い。また、豆には食物繊維も多く含まれており、腸内をきれいにする働きがある。

豆類は、米に不足している必須アミノ酸のリシンや、とうもろこしに不足しているトリプトファンを十分に含んでいるため、穀物と豆類を組み合わせて食べると必須アミノ酸が効率よく摂取できる。

●栄養上の分類

たんぱく質・脂質が多いもの……だいず

たんぱく質・糖質が多いもの……あずき／いんげんまめ／えんどう

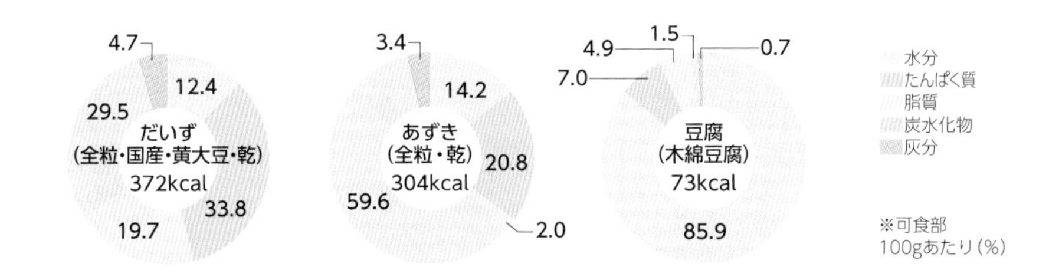

●だいずとその加工品の消化吸収率

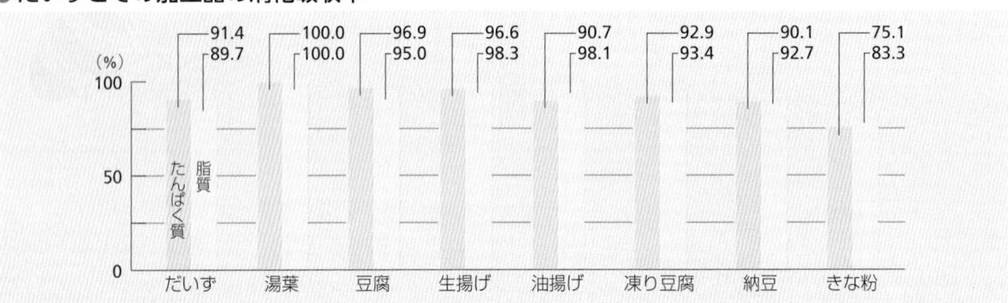

（科学技術庁「四訂食品成分表のための『日本人におけるエネルギー測定調査』」より）

2 選び方・保存方法

		選び方	保存方法
豆類	だいず・あずき	粒がそろっていて、虫食いがないもの。皮が破れていないものを選ぶ。	光を遮断し、虫などが入らないように密閉容器に入れる。虫がついた場合は、紙に広げて日光に当てるとよい。
大豆加工品	豆腐	傷みやすいので、製造年月日の新しいものを選ぶ。色が白く、崩れていないものを選ぶ。	水に浸け、冷蔵庫で保存する。
	油揚げ類	張りとつやがあるものがよい。	時間が経つと油が酸化し、味・香りともに悪くなるので、早く使い切る。残った場合は、乾燥しないようにポリ袋などに入れて冷蔵する。
	みそ	それぞれの製法により、かたさが保たれているものを選ぶ。光沢があり、香りがよく、湯に溶けやすく塩味と酸味がほどよく調和しているものがよい。	塩分含量によって異なるが、塩分含量が10%以上で防腐剤の入っているものは常温で保存できる。それ以外のものは、密閉容器に入れて冷蔵庫で保存する。

3 加工と加工品

●だいず加工のプロセス

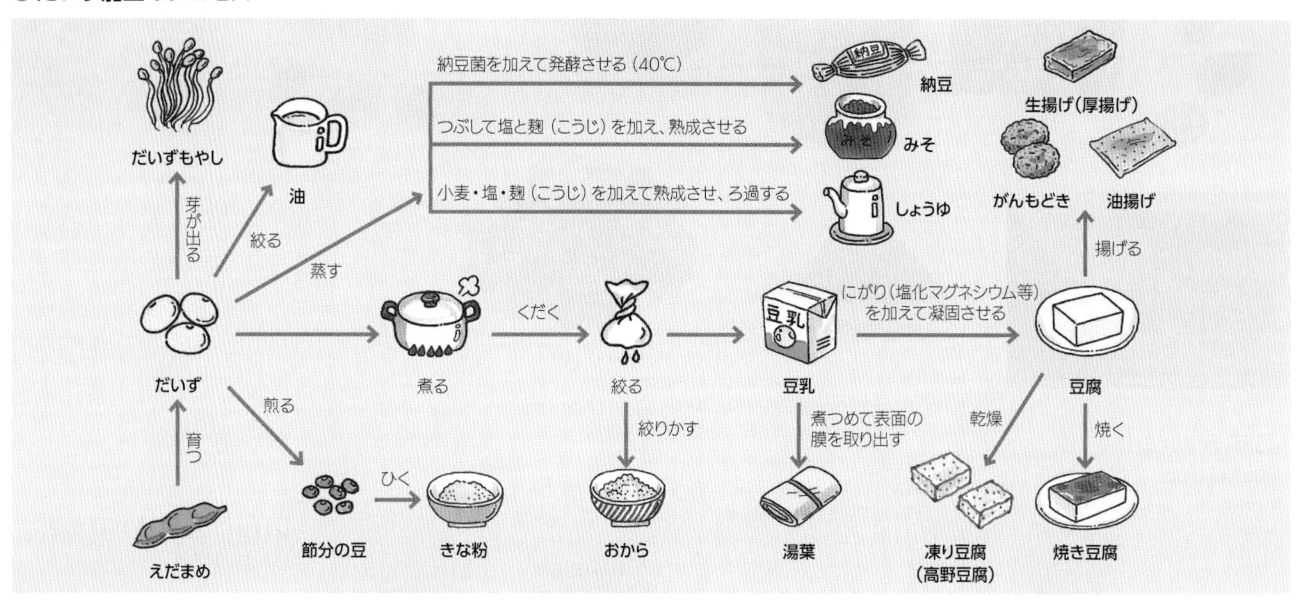

●だいず発酵食品の効用

　納豆やみそ、しょうゆなどは、味や香りがよい、保存性がある、消化しやすいなど、多くの利点を持つ発酵食品。だいずを使った発酵食品では、その発酵によってがんや老化、動脈硬化などの一因となる活性酸素を除去する性質が強まるという研究結果も出ている。

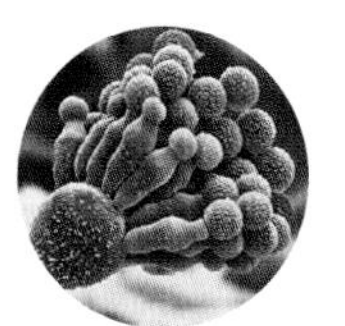

麹菌（こうじきん）

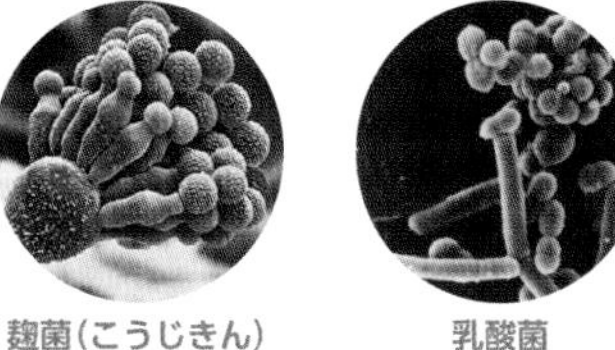

乳酸菌

みそやしょうゆの材料であるだいず・米あるいは麦に、麹菌のほか酵母菌や乳酸菌などの微生物が働いて、独特の風味を作り出す。

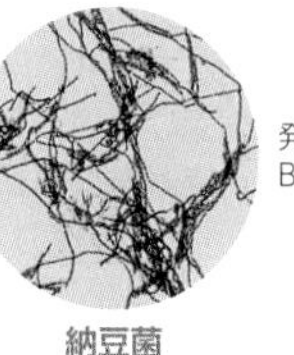

納豆菌

発酵中にビタミンB_2やB_{12}を増やす。

●食品用だいずの用途別使用量（油・飼料など除く）

（千トン、2015年）

（農林水産省食料産業局食品製造卸売課推計）

4 食文化その他

●伝統行事と豆

　保存がきき、土地を耕す性質を持つ豆は、古くから稲・麦・あわ・きび（またはひえ）とともに五穀に入れられるほど重要とされ、呪力を持つ作物として崇拝される一面を持っていた。魔やケガレを払う役目を持つ節分のだいず、ハレの日の縁起物としてよく使われるあずき（赤飯やあずきがゆなど）は、そのよい例である。

正月…まめに暮らせるようにという願いをこめて、黒豆を食べる。
小正月…1月15日にあずきがゆを食べる習慣がある。
節分…2月3日ごろ、煎っただいずをまき、家の中の鬼を追い払い、福を呼び入れる行事。まいた豆は、拾い集めて自分の年齢の数だけ食べる習わしがある。
ひな祭り…3月3日にひな人形などを飾って祭る。ひなあられには、だいずか黒豆が用いられる。
豆名月（まめめいげつ）…陰暦9月13夜の月。えだまめを供えて祭る。

正月

小正月

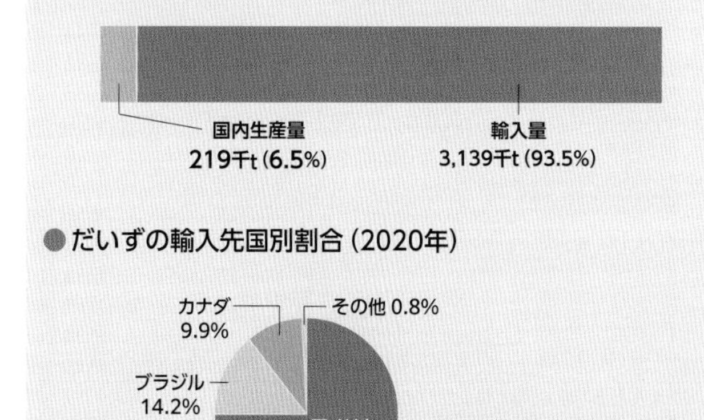

（農林水産省「食料需給表」、矢野恒太記念会『日本国勢図会2021/22』による）

あずき

あずきの実り（十勝）

ゆで小豆

ゆで小豆缶詰

いんげんまめ（金時類）

いんげんまめ（白金時類）

あん作り

こし生あん

つぶし練りあん

あずき（小豆）

Adzuki beans　乾1C=150g　ゆで1C=200g

東アジア原産。あずきの美しい赤色は魔力を持っていると考えられ、古くから魔除け、汚れ払い等に多く用いられた。現在ではあずきはめでたい日の食べ物とされることが多い。あずきは天候の影響を受けやすく、年ごとの出来、不出来の差が激しい。そのため値段の変動が大きく投機の対象とされることも。煮るときに出る泡（あくや渋みの成分であるサポニン）には、コレステロール値を下げたり、血栓を溶かす働きがあるといわれている。

種類：粒の大小によって、大納言、中納言、小納言に分けられる。粒長が4.8mm以上の大粒のものを大納言あずきという。また、種皮の色には淡黄色、茶、黒等もある。

栄養成分：主成分は炭水化物とたんぱく質。サポニン、食物繊維、ビタミンB_1・B_2等も豊富。

調理法：赤飯、あん、和菓子、甘納豆、しるこ等。あずきは水に浸しても表皮は吸水せず、胚座（へそ）から吸水して内部がふくらんで表皮が破ける（胴切れ）。そのため、はかの豆のように浸水して吸水させず、水に浸したらすぐ加熱を始めるほうがよい。ただし、芯が残らないように、煮ている途中で何度か水を差して（びっくり水）温度を下げ、表面と中心部の温度の差を少なくして芯まで熱を通す必要がある。最初に煮立ったときに一度ゆで汁を捨て、新しく水を加えて煮ると味が良くなる（これを渋切りという）。

産地：中国、カナダ等。北海道、兵庫、福島、京都等。

ゆで小豆缶詰

ゆでたあずきに砂糖や食塩を加えて缶詰にしたもの。

あん（餡）　1C=170g

あんは元来、もちやだんごの中に包み込まれるものをさし、肉や野菜等の詰め物のことであった。中国から伝わったまんじゅうのあんは肉類だったが、肉食が禁止されている僧が肉の代わりに考えたのがあずきのあんである。中国から帰化した僧の林浄因が14世紀半ばに考案したといわれる。

こし生あん：煮たあずきをこしてふるい、皮を取り除いたもの。

こし練りあん：こし生あんに砂糖を加えて練ったもの。

さらしあん：別名乾燥あん。こしあんを水でさらしてあくを抜き、乾燥させて粉末にしたもの。水と砂糖を加えて煮れば、すぐに練りあんができる。

つぶし練りあん：あずきを煮つぶして砂糖を加え、練り上げたもの。別名**小倉あん**。また、粒あんは、あずきの皮がつぶれないように煮て、砂糖を加えて粒をこわさずにそのまま煮上げたもの。

いんげんまめ（隠元豆）

Kidney beans　乾1C=150g

中南米原産。1654年に僧の隠元によって中国から伝えられたことにより、この名がついた。さやいんげんについてはp.109参照。

種類：金時類、白金時類、手亡類、中長うずら類、大福類、虎豆類等種類が多く、色も白、茶色、縞模様等さまざま。

栄養成分：主成分は炭水化物とたんぱく質。豆類の中では比較的カルシウムが多い。

調理法：煮豆、あん、甘納豆、和菓子、豚肉やベーコンとの煮込み、サ

さやいんげん→p.108、えんどう類→p.110

食品番号	食品名	廃棄率	エネルギー	2015年版の値	水分	たんぱく質	アミノ酸組成によるたんぱく質	脂質	脂肪酸のトリアシルグリセロール当量	脂肪酸 飽和	一価不飽和	多価不飽和	コレステロール	炭水化物	利用可能炭水化物（質量計）	食物繊維 食物繊維総量（プロスキー変法）	食物繊維総量（AOAC法）	ミネラル（無機質） ナトリウム	カリウム	カルシウム	マグネシウム	リン	鉄
		%	kcal	kcal	g	g	g	g	g	g	g	g	mg	g	g	g	g	mg	mg	mg	mg	mg	mg
04001	**あずき**　全粒　乾	0	**304**	343	14.2	**20.8**	17.8	**2.0**	0.8	0.24	0.06	0.50	0	**59.6**	42.3	15.3	24.8	1	1300	**70**	130	350	**5.5**
04002	ゆで	0	**124**	146	63.9	**8.6**	7.4	**0.8**	(0.3)	(0.10)	(0.02)	(0.21)	(0)	**25.6**	16.5	12.1	8.7	1	430	**27**	43	95	**1.6**
04003	ゆで小豆缶詰	0	**202**	218	45.3	**4.4**	3.6	**0.4**	0.2	0.07	0.01	0.14	(0)	**49.2**	44.9	3.4	-	90	160	**13**	36	80	**1.3**
04004	あん　こし生あん	0	**147**	155	62.0	**9.8**	8.5	**0.6**	(0.3)	(0.07)	(0.02)	(0.15)	(0)	**27.1**	23.6	6.8	-	3	60	**73**	30	85	**2.8**
04005	さらしあん（乾燥あん）	0	**335**	374	7.8	**23.5**	20.2	**1.0**	(0.4)	(0.12)	(0.03)	(0.24)	(0)	**66.8**	47.7	26.8	-	11	170	**58**	83	210	**7.2**
04101	こし練りあん（並あん）	0	**255**	261	(35.0)	**(5.6)**	(4.9)	**(0.3)**	(0.1)	-	-	-	(0)	**(58.8)**	(56.8)	(3.9)	-	(2)	(35)	**(42)**	(17)	(49)	**(1.6)**
04102	（中割りあん）	0	**262**	268	(33.2)	**(5.1)**	(4.4)	**(0.3)**	(0.1)	-	-	-	(0)	**(61.1)**	(59.3)	(3.5)	-	(2)	(32)	**(38)**	(16)	(44)	**(1.5)**
04103	（もなかあん）	0	**292**	298	(25.7)	**(5.1)**	(4.4)	**(0.3)**	(0.1)	-	-	-	(0)	**(68.6)**	(66.9)	(3.5)	-	(2)	(32)	**(38)**	(16)	(44)	**(1.5)**
04006	つぶし練りあん	0	**239**	244	39.3	**5.6**	4.9	**0.6**	0.3	0.09	0.02	0.16	0	**54.0**	51.6	5.7	-	56	160	**19**	23	73	**1.5**
04007	**いんげんまめ**　全粒　乾	0	**280**	339	15.3	**22.1**	17.7	**2.5**	1.5	0.28	0.21	0.91	(0)	**56.4**	38.1	19.6	-	Tr	1400	**140**	150	370	**5.9**
04008	ゆで	0	**127**	147	63.6	**9.3**	(7.3)	**1.2**	(0.7)	(0.13)	(0.10)	(0.42)	(0)	**24.5**	15.8	13.6	-	Tr	410	**62**	46	140	**2.0**
04009	うずら豆	0	**214**	237	41.4	**6.7**	6.1	**1.3**	0.6	0.11	0.06	0.40	(0)	**49.6**	43.2	5.9	-	110	230	**41**	25	100	**2.3**
04010	こし生あん	0	**135**	155	62.3	**9.4**	(7.4)	**0.9**	(0.5)	(0.10)	(0.08)	(0.32)	(0)	**27.0**	-	8.5	-	9	55	**60**	45	75	**2.7**
04011	豆きんとん	0	**238**	249	37.8	**4.9**	(3.8)	**0.5**	(0.3)	(0.06)	(0.04)	(0.18)	(0)	**56.2**	-	4.8	-	100	120	**28**	23	83	**1.0**
04012	**えんどう**　全粒　青えんどう　乾	0	**310**	352	13.4	**21.7**	17.8	**2.3**	1.5	0.27	0.44	0.68	(0)	**60.4**	38.9	17.4	-	1	870	**65**	120	360	**5.0**
04013	ゆで	0	**129**	148	63.8	**9.2**	(7.4)	**1.0**	(0.6)	(0.12)	(0.19)	(0.30)	(0)	**25.2**	17.2	7.7	-	1	260	**28**	40	65	**2.2**
04074	赤えんどう　乾	0	**310**	352	13.4	**21.7**	(17.8)	**2.3**	1.5	-	-	-	(0)	**60.4**	(38.9)	17.4	-	1	870	**65**	120	360	**5.0**
04075	ゆで	0	**129**	148	63.8	**9.2**	(7.4)	**1.0**	0.6	-	-	-	(0)	**25.2**	(17.2)	7.7	-	1	260	**28**	40	65	**2.2**
04014	グリンピース（揚げ豆）	0	**375**	423	5.6	**20.8**	(16.6)	**11.6**	9.8	0.86	5.28	3.23	(0)	**58.8**	-	19.6	-	350	850	**88**	110	450	**5.4**
04015	塩豆	0	**321**	364	6.3	**23.3**	(18.6)	**2.4**	1.7	0.30	0.55	0.78	(0)	**61.5**	-	17.9	-	610	970	**1300**	120	360	**5.6**
04016	うぐいす豆	0	**228**	240	39.7	**5.6**	(4.5)	**0.7**	0.3	0.06	0.11	0.15	(0)	**52.9**	-	5.3	-	150	100	**18**	26	130	**2.5**

+PLUS+　**あずきの色の秘密**●あずきの色素は老化防止や血圧抑制効果、また血液をサラサラにする働きがあるといわれるアントシアニンが主な成分である。鉄分と結合すると黒褐色（こっかっしょく）に変色するので、鉄鍋で煮ない方がよい。

いんげんまめ（中長うずら類）

うずら豆

ラダ、スープ等。
産地：アメリカ、中国、カナダ等。北海道等。

うずら豆
ここでは煮豆をさす。いんげんまめ（金時類）に砂糖と少量の塩を加えて煮たもの。

豆きんとん
いんげんまめを甘く煮て、一部を裏ごししてあんを作り、豆と混ぜたもの。

えんどう（豌豆）

Peas　乾1C=160g

メソポタミア原産。えんどうには、若いさやごと食べるさやえんどう（➡p.110）、熟してからさやをむいてやわらかい豆を食べる実えんどう、成熟した豆を乾燥してから食べる乾燥豆の3種類がある。色も緑、赤、白、灰、褐色等があり、日本では青えんどうと赤えんどうが親しまれている。
栄養成分：主成分は炭水化物とたんぱく質。豆類の中でも食物繊維が多い。
調理法：青えんどうは煮豆、揚げ豆、塩豆、あん、甘納豆、炊き込みご飯、ポタージュ、料理の彩り等。赤えんどうは蜜豆用のゆで豆等。
産地：カナダ、イギリス、アメリカ等。秋田、宮崎等。

グリンピース（揚げ豆）
青えんどうを揚げて味つけしたもの（➡p.110）。

赤えんどう

赤えんどうの実り

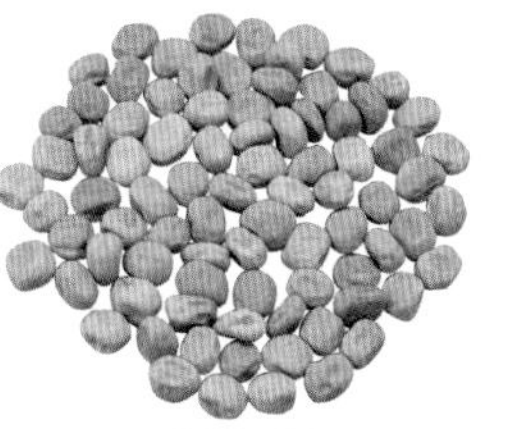
青えんどう

塩豆

うぐいす豆

ツタンカーメンとえんどう

1922年に王陵が発掘された古代エジプトのツタンカーメン王（紀元前1358年～1349年にエジプトを統治）は、黄金のマスクや数々の豪華な副葬品が発見されたことで有名だが、その副葬品の中にえんどうの種子があった。
その後、イギリスで栽培に成功し、その子孫がアメリカ経由で日本にも持ち込まれて栽培されている。
花は紫色、さやの色が濃い紫色、中の豆は普通のえんどうと同じグリーンである。炊き込みご飯を作ると、炊き上がったときは緑色で時間がたつと赤くなってきて赤飯のようになる。

塩豆
青えんどうに塩、貝カルシウム等を加えて煎ったもの。カルシウムを使用するため、成分表ではカルシウム含量が多くなっている。

うぐいす豆（鶯豆）
青えんどうに砂糖と少量の塩を加えて煮たもの。

可食部100gあたり　Tr：微量　（）：推定値または推計値　－：未測定

ミネラル（無機質）							ビタミン															食塩相当量	備考
亜鉛	銅	マンガン	ヨウ素	セレン	クロム	モリブデン	A レチノール活性当量	レチノール	β-カロテン当量	D	E αトコフェロール	K	B1	B2	ナイアシン当量	B6	B12	葉酸	パントテン酸	ビオチン	C		①試料　②原材料配合割合　③ビタミンK
mg	mg	mg	µg	µg	µg	µg	µg	µg	µg	µg	mg	µg	mg	mg	mg	mg	µg	µg	mg	µg	mg	g	
2.4	0.68	1.09	0	1	2	210	**1**	(0)	9	(0)	0.1	8	**0.46**	**0.16**	6.2	0.40	(0)	130	1.02	9.6	**2**	0	(100 g：122 mL、100 mL：82 g)
0.9	0.30	0.44	0	Tr	1	90	**Tr**	(0)	4	(0)	0.1	3	**0.15**	**0.04**	2.2	0.11	(0)	23	0.43	3.3	**Tr**	0	
0.4	0.12	0.28	-	-	-	-	**(0)**	(0)	0	(0)	0	4	**0.02**	**0.04**	1.1	0.05	(0)	13	0.14	-	**Tr**	0.2	液汁を含む　(100 g：81mL、100 mL：124 g)
1.1	0.23	0.74	Tr	1	1	59	**(0)**	(0)	0	(0)	0	7	**0.02**	**0.05**	1.8	0	(0)	2	0.07	2.5	**Tr**	0	
2.3	0.40	1.33	2	1	13	150	**(0)**	(0)	(0)	(0)	0.1	5	**0.01**	**0.03**	5.1	0.03	(0)	2	0.10	7.2	**Tr**	0	
(0.6)	(0.14)	(0.42)	0	0	(1)	(34)	**(0)**	(0)	0	(0)	0	(4)	**(0.01)**	**(0.03)**	(1.1)	0	(0)	(1)	(0.04)	(1.4)	**0**	0	加糖あん 配合割合：こし生あん 100、上白糖 70、水あめ 7
(0.6)	(0.12)	(0.38)	0	0	(1)	(31)	**(0)**	(0)	0	(0)	0	(4)	**(0.01)**	**(0.03)**	(1.0)	0	(0)	(1)	(0.04)	(1.3)	**0**	0	加糖あん 配合割合：こし生あん 100、上白糖 85、水あめ 7
(0.6)	(0.12)	(0.38)	0	0	(1)	(31)	**(0)**	(0)	0	(0)	0	(4)	**(0.01)**	**(0.03)**	(1.0)	0	(0)	(1)	(0.04)	(1.3)	**0**	0	加糖あん 配合割合：こし生あん 100、上白糖 100、水あめ 7
0.7	0.20	0.40	0	Tr	1	49	**(0)**	(0)	0	(0)	0.1	6	**0.02**	**0.03**	1.1	0.03	0	8	0.18	1.7	**Tr**	0.1	加糖あん
2.5	0.77	1.93	0	1	3	110	**Tr**	(0)	6	(0)	0.1	8	**0.64**	**0.16**	6.1	0.37	(0)	87	0.65	9.5	**Tr**	0	金時類、白金時類、手亡類、鶉類、大福、虎豆を含む (100 g：130mL、100 mL：77 g)
1.0	0.32	0.84	0	Tr	Tr	27	**0**	(0)	3	(0)	0	3	**0.22**	**0.07**	(2.3)	0.08	(0)	32	0.15	3.7	**Tr**	0	金時類、白金時類、手亡類、鶉類、大福、虎豆を含む
0.6	0.14	-	-	-	-	-	**(0)**	(0)	(0)	(0)	0	3	**0.03**	**0.01**	1.7	0.04	(0)	23	0.14	-	**Tr**	0.3	①(原材料)：金時類　煮豆
0.8	0.09	0.73	0	5	Tr	6	**(0)**	(0)	(0)	(0)	0	3	**0.01**	**0.02**	(1.7)	0	(0)	14	0.07	2.8	**Tr**	0	
0.5	0.09	0.50	-	-	-	-	**(0)**	(0)	Tr	(0)	0	1	**0.01**	**0.01**	(1.0)	0.03	(0)	15	0.07	-	**Tr**	0.3	
4.1	0.49	-	1	11	2	280	**8**	(0)	92	(0)	0.1	16	**0.72**	**0.15**	5.8	0.29	(0)	24	1.74	16.0	**Tr**	0	(100 g：136mL、100 mL：74g)
1.4	0.21	-	0	5	1	63	**4**	(0)	44	(0)	0	7	**0.27**	**0.06**	(2.2)	Tr	(0)	5	0.39	5.7	**Tr**	0	
4.1	0.49	-	1	11	2	280	**1**	(0)	18	(0)	0.1	16	**0.72**	**0.15**	(5.8)	0.29	(0)	24	1.74	16.0	**Tr**	0	(100 g：136mL、100 mL：74g)
1.4	0.21	-	0	5	1	63	**1**	(0)	7	(0)	0	7	**0.27**	**0.06**	(2.2)	Tr	(0)	5	0.39	5.7	**Tr**	0	
3.5	0.62	0.90	-	-	-	-	**2**	(0)	26	(0)	1.1	24	**0.52**	**0.16**	(5.1)	0.17	0	8	0.44	-	**Tr**	0.9	
3.6	0.57	1.03	-	-	-	-	**6**	(0)	69	(0)	0.1	16	**0.20**	**0.10**	(5.7)	0.15	(0)	17	1.25	-	**Tr**	1.5	炭酸カルシウム使用
0.8	0.15	-	-	-	-	-	**Tr**	(0)	6	(0)	0	8	**0.02**	**0.01**	(1.2)	0.04	(0)	4	0.24	-	**Tr**	0.4	煮豆

Q A 枝豆の「茶豆」や「黒豆」って普通のものとどう違うの？▶枝豆には大きく分けると茶豆、黒豆、白毛豆の3種類があるが、「茶豆」は種皮が茶色くなるだいずを枝豆として収穫したもののことで、「黒豆」は種皮が黒くなるだいず（黒豆）を枝豆として収穫したもののこと。一般によく食べられているのは白毛豆。

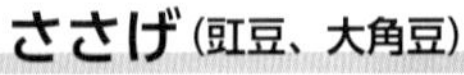

ささげ

ささげのさや

ささげの収穫

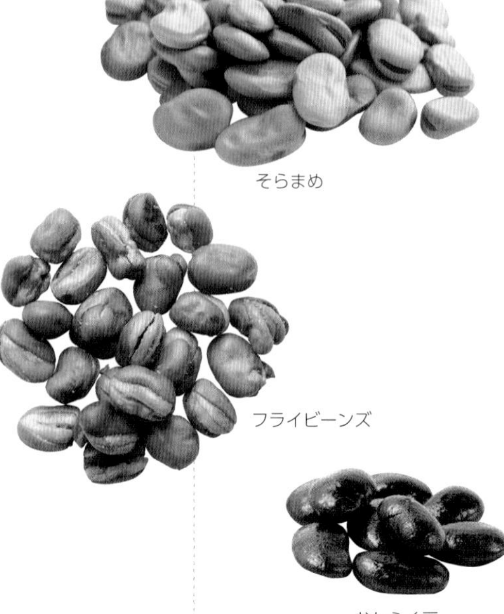

そらまめ

フライビーンズ

おたふく豆

ささげ（豇豆、大角豆）

Cowpeas　乾1C=150g

アフリカ原産。形はあずきに似ているが、成分はいんげんまめに似ている。赤い色のほか、白、黄等もある。ささげという名前の語源としては、さやを細い牙に見立てた「細々牙（ささげ）」説と、さやが物を捧げるように上を向いているからという「捧げ（ささげ）」説がある。

栄養成分：主成分は炭水化物とたんぱく質。

調理法：赤飯、煮豆、あんに利用。あずきよりも胴切れしないので、切腹を嫌う武士は赤飯にささげを利用した。

産地：茨城、岐阜、宮崎等。

そらまめ（空豆、蚕豆）

Broad beans　乾1C=110g

メソポタミア原産。古くから世界各地で栽培されており、日本へは奈良時代にインド人の僧ボダイセンナが中国を経て渡来したときに伝えたといわれる。大型の豆で、特に大粒の品種をおたふくと呼ぶ。さやが蚕のまゆに似ていることから“蚕豆”とか、さやが天に向かって実るので“空豆”と書く。花が南に向かって咲くので“南豆”ともいわれる。地方名もさまざまで、のら豆、夏豆、大和豆、四月豆、五月豆、冬豆、雁豆、唐豆、胡豆等。実が若いうちに利用する青果用種と、完熟したものを乾燥させて乾燥豆として利用する種実用がある。

栄養成分：主成分は炭水化物とたんぱく質だが、カロテンも豊富。

調理法：あん、甘納豆、煮豆、スープ等。

産地：中国等。鹿児島、千葉、茨城等。

フライビーンズ

別名**いかり豆**。そらまめを種皮がついたまま油で揚げて味つけしたもの。

おたふく豆（お多福豆）

大粒のそらまめ（おたふく豆）を皮がついたまま砂糖煮にしたもの。

ふき豆（富貴豆）

皮を取り除いて砂糖煮にしたもの。

しょうゆ豆（醤油豆）

香川県の郷土料理。乾燥そらまめを芯まで火が通るようにじっくり煎り、しょうゆ、砂糖、唐辛子、水を合わせた調味液に漬けたもの。香ばしくてほろほろした食感が特徴。

だいず（大豆）

Soybeans　乾1C=130g

東アジア原産。動物性たんぱく質に近いアミノ酸組成をもつため、“畑

そらまめ未熟豆→p.122

食品番号	食品名	廃棄率	エネルギー	2015年版の値	水分	たんぱく質	アミノ酸組成によるたんぱく質	脂質	脂肪酸のトリアシルグリセロール当量	脂肪酸 飽和	脂肪酸 一価不飽和	脂肪酸 多価不飽和	コレステロール	炭水化物	利用可能炭水化物（質量計）	食物繊維 食物繊維総量（プロスキー変法）	食物繊維 食物繊維総量（AOAC法）	ミネラル（無機質） ナトリウム	カリウム	カルシウム	マグネシウム	リン	鉄
		%	kcal	kcal	g	g	g	g	g	g	g	g	mg	g	g	g	g	mg	mg	mg	mg	mg	mg
04017	**ささげ** 全粒 乾	0	**280**	336	15.5	**23.9**	19.6	**2.0**	1.3	0.43	0.12	0.73	(0)	**55.0**	37.1	18.4	-	1	1400	**75**	170	400	**5.6**
04018	ゆで	0	**130**	145	63.9	**10.2**	(8.2)	**0.9**	(0.6)	(0.19)	(0.05)	(0.33)	(0)	**23.8**	17.0	10.7	-	Tr	400	**32**	55	150	**2.6**
04019	**そらまめ** 全粒 乾	0	**323**	348	13.3	**26.0**	20.5	**2.0**	1.3	0.24	0.33	0.65	(0)	**55.9**	34.3	9.3	-	1	1100	**100**	120	440	**5.7**
04020	フライビーンズ	0	**436**	472	4.0	**24.7**	(19.0)	**20.8**	(19.6)	(1.53)	(11.64)	(5.55)	-	**46.4**	-	14.9	-	690	710	**90**	87	440	**7.5**
04021	おたふく豆	0	**237**	251	37.2	**7.9**	(6.1)	**1.2**	0.6	0.11	0.18	0.33	(0)	**52.2**	-	5.9	-	160	110	**54**	27	140	**5.3**
04022	ふき豆	0	**251**	263	34.5	**9.6**	(7.4)	**1.6**	1.1	0.18	0.33	0.56	(0)	**52.5**	-	4.5	-	320	110	**39**	20	150	**2.7**
04076	しょうゆ豆	0	**173**	196	50.2	**9.8**	-	**0.9**	(0.5)	(0.09)	(0.14)	(0.26)	(0)	**37.1**	-	10.1	-	460	280	**39**	38	130	**1.9**
	だいず [全粒・全粒製品]																						
04104	全粒 青大豆 国産 乾	0	**354**	420	12.5	**33.5**	31.4	**19.3**	16.9	2.49	3.59	10.11	Tr	**30.1**	8.1	-	20.1	3	1700	**160**	200	600	**6.5**
04105	ゆで	0	**145**	170	65.5	**15.0**	13.8	**8.2**	7.5	1.13	1.61	4.42	-	**9.9**	1.5	-	8.0	1	440	**69**	66	230	**1.8**
04023	黄大豆 国産 乾	0	**372**	422	12.4	**33.8**	32.9	**19.7**	18.6	2.59	4.80	10.39	Tr	**29.5**	6.7	17.9	21.5	1	1900	**180**	220	490	**6.8**
04024	ゆで	0	**163**	176	65.4	**14.8**	14.1	**9.8**	(9.2)	(1.28)	(2.38)	(5.15)	(Tr)	**8.4**	1.5	6.6	8.5	1	530	**79**	100	190	**2.2**
04025	米国産 乾	0	**402**	433	11.7	**33.0**	31.0	**21.7**	(19.9)	(3.13)	(4.19)	(11.71)	Tr	**28.8**	6.6	15.9	-	1	1800	**230**	230	480	**8.6**
04026	中国産 乾	0	**391**	422	12.5	**32.8**	31.2	**19.5**	(17.9)	(2.63)	(3.38)	(11.09)	Tr	**30.8**	7.3	15.6	-	1	1800	**170**	220	460	**8.9**
04027	ブラジル産 乾	0	**414**	451	8.3	**33.6**	(30.9)	**22.6**	20.2	3.14	5.02	11.13	(Tr)	**30.7**	5.0	17.3	-	2	1800	**250**	250	580	**9.0**
04077	黒大豆 国産 乾	0	**349**	412	12.7	**33.9**	31.5	**18.8**	16.5	2.42	3.77	9.62	Tr	**28.9**	7.3	16.0	20.6	1	1800	**140**	200	620	**6.8**
04106	ゆで	0	**155**	171	65.1	**14.7**	13.8	**8.6**	8.5	1.24	1.97	4.93	-	**9.8**	1.6	-	7.9	Tr	480	**55**	64	220	**2.6**

+PLUS+ **ささげを緑のカーテンに**●夏場の暑い日差しを防ぐ緑のカーテンをささげで作ってみるのはどうだろうか？ 暑さや乾燥にとても強くて育てやすいし、スイートピーによく似たかわいい花を楽しめる。さらに若いさやは、野菜として食べられ、一石三鳥。緑のカーテンとしてはゴーヤが有名だが、ささげもおすすめだ。

だいず畑

黄大豆

黒大豆

種皮の色が黒い。大半が大粒品種で煮豆に使われる。解毒作用がある。

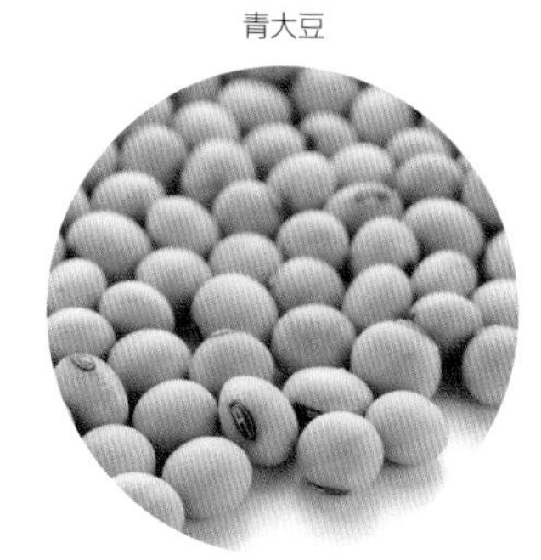

青大豆

種皮の色が緑色。枝豆、きな粉、菓子、浸し豆などに利用する。

の肉”と呼ばれる。組織がかたく消化が悪いため、さまざまな加工方法が工夫されて利用されてきた。成分として最近特に注目されているのはイソフラボン（ポリフェノールの一種）である。大豆イソフラボンは女性ホルモンとよく似ているため“植物性女性ホルモン”とも呼ばれ、女性の更年期や骨粗しょう症の予防に効果が認められている。まただいずのサポニンには毒性がなく、肝臓機能障害の改善、脂肪酸の酸化防止、活性酸素の作用の抑制、肥満の予防等の効果があるといわれる。熟していないだいずが枝豆で、だいずに日光をあてずに栽培したものがもやし。

種類：外皮の色により、黄だいず、黒だいず、青だいずに分けられる。黄だいずが一般的。

栄養成分：たんぱく質と脂質が豊富。脂質は、コレステロール値を低下させる作用があるリノール酸を多く含む。カリウム、ビタミンB類も多い。

調理法：豆腐、納豆、湯葉、煮豆、きな粉、みそ、しょうゆ等。

産地：中国、アメリカ、ブラジル等。北海道、佐賀、滋賀等。

「国産」はたんぱく質を多く含む。「米国産」は含油量が多いのでだいず油の採油用として大量に利用される。「中国産」は炭水化物が多く組織がなめらか。ブラジルでは遺伝子組換え作物はすべて作づけが禁止されているため、だいずも在来種のものである。そのため「ブラジル産」は、遺伝子組換え品種に慎重なEU向けを中心に輸出を伸ばしている。

だいずのイロイロ

IMO だいず

アメリカのインディアナ、ミシガン、オハイオ州産。比較的低油分・高たんぱく質。豆腐や油揚げ用。

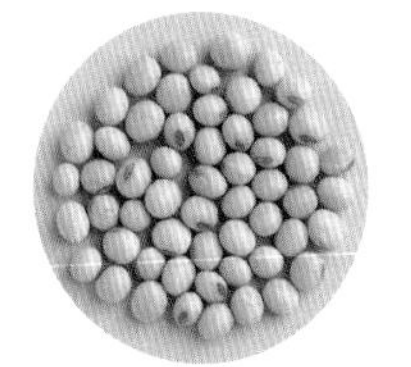

中国産だいず

油分が少なく、炭水化物が多い。みそや納豆用。

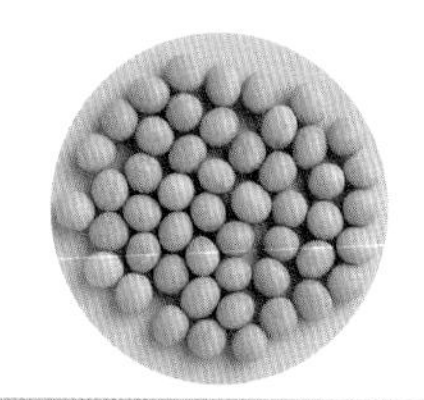

女性の味方イソフラボン

女性の体の機能と健康に大きく関わるものに、女性ホルモンのエストロゲンがあるが、イソフラボンには、エストロゲンが不足しているときには助ける作用、過剰なときは抑制する作用がある。しかし過剰摂取は禁物で、大豆イソフラボンの安全な一日摂取目安量の上限値は 70 ～ 75mg/ 日。その範囲内で特定保健用食品として摂取する場合、安全な一日の上乗せ摂取量上限値は、30mg/ 日とされている。

可食部100 g あたり　Tr：微量　（ ）：推定値または推計値　－：未測定

ミネラル（無機質）							ビタミン															食塩相当量	備考
亜鉛	銅	マンガン	ヨウ素	セレン	クロム	モリブデン	A レチノール活性当量	レチノール	β-カロテン当量	D	E αトコフェロール	K	B1	B2	ナイアシン当量	B6	B12	葉酸	パントテン酸	ビオチン	C		①試料　②原材料配合割合　③ビタミンK
mg	mg	mg	µg	µg	µg	µg	µg	µg	µg	µg	mg	µg	mg	mg	mg	mg	µg	µg	mg	µg	mg	g	
4.9	0.71	-	0	6	6	380	**2**	(0)	19	(0)	Tr	14	**0.50**	**0.10**	7.2	0.24	(0)	300	1.30	11.0	**Tr**	0	
1.5	0.23	-	0	2	2	150	**1**	(0)	8	(0)	0	6	**0.20**	**0.05**	(2.6)	0.06	(0)	48	0.27	4.8	**Tr**	0	
4.6	1.20	-	0	3	1	260	**Tr**	(0)	5	(0)	0.7	13	**0.50**	**0.20**	6.2	0.41	(0)	260	0.48	13.0	**Tr**	0	
2.6	0.77	-	-	-	-	-	**2**	(0)	18	(0)	3.3	38	**0.10**	**0.05**	(4.5)	0.36	(0)	120	0.26	-	**Tr**	1.8	種皮付き
0.8	0.32	-	-	-	-	-	**(0)**	(0)	Tr	(0)	0.2	6	**0.01**	**0.01**	(1.3)	0.06	(0)	30	0.14	-	**Tr**	0.4	煮豆
0.9	0.38	-	-	-	-	-	**(0)**	(0)	Tr	(0)	0.3	3	**0.02**	**0.01**	(1.6)	0.07	(0)	36	0.20	-	**Tr**	0.8	煮豆
1.1	0.33	0.43	-	-	-	-	**Tr**	(0)	4	(0)	0.4	9	**0.06**	**0.09**	2.3	0.08	(0)	45	0.11	-	**0**	1.2	煮豆　調味液を除いたもの
3.9	0.96	2.11	Tr	9	1	450	**1**	0	9	0	2.3	36	**0.74**	**0.24**	11.0	0.55	0	260	0.83	24.0	**2**	0	(100 g：155mL、100 mL：64g)
1.5	0.39	0.93	0	3	0	85	**Tr**	-	5	-	1.5	18	**0.13**	**0.05**	4.0	0.12	-	36	0.08	9.9	**0**	0	
3.1	1.07	2.27	0	5	3	350	**1**	(0)	7	(0)	2.3	18	**0.71**	**0.26**	10.0	0.51	(0)	260	1.36	28.0	**3**	0	(100 g：155mL、100 mL：64g)
1.9	0.23	1.01	0	2	Tr	77	**0**	(0)	3	(0)	1.6	7	**0.17**	**0.08**	4.0	0.10	(0)	41	0.26	9.8	**Tr**	0	
4.5	0.97	-	2	28	1	300	**1**	(0)	7	(0)	1.7	34	**0.88**	**0.30**	10.0	0.46	(0)	220	1.49	34.0	**Tr**	0	(100 g：155mL、100 mL：64g)
3.9	1.01	-	0	2	1	41	**1**	(0)	9	(0)	2.1	34	**0.84**	**0.30**	10.0	0.59	(0)	260	1.64	33.0	**Tr**	0	(100 g：155mL、100 mL：64g)
3.5	1.11	2.54	0	1	1	660	**1**	(0)	15	(0)	4.8	36	**0.77**	**0.29**	(11.0)	0.45	(0)	220	1.68	33.0	**Tr**	0	(100 g：155mL、100 mL：64g)
3.7	0.96	2.24	0	3	2	570	**2**	0	26	0	3.1	36	**0.73**	**0.23**	11.0	0.50	0	350	0.98	26.0	**3**	0	ポリフェノール 1.1 g (100 g：155mL、100 mL：64g)
1.4	0.33	0.98	0	1	0	170	**1**	-	11	-	1.8	15	**0.14**	**0.05**	4.0	0.12	-	43	0.17	9.3	**Tr**	0	ポリフェノール 0.4 g

Q A 節分に煎っただいずをまくのはなぜ？▶「鬼はそと、福はうち」と言いながら豆をまくのは、豆は「魔滅」「魔目」を意味し、邪気を払い一年の無病息災を願うためといわれている。煎るのは、その方が固くなり鬼退治に効果があるとともに、まいた後すぐ拾って食べるため。また、拾い損なった豆の発芽を防ぐ意味もあった。

いり大豆

水煮缶詰

きな粉を使ったわらびもち

きな粉　青大豆

ぶどう豆

木綿豆腐

きな粉　黄大豆

絹ごし豆腐

いり大豆（煎り大豆）
乾燥大豆を水に浸して戻し、水切りして煎ったもの。節分で投げる豆はこれ。

水煮缶詰
ゆで大豆の缶詰。

蒸し大豆
水に浸して戻した大豆を蒸したもの。

きな粉（黄粉）　大1=6g
だいずを煎ってから粉末にしたもので消化が大変よく、香りも高い。黄だいずが原料の黄色いきな粉が一般的だが、青だいずが原料の**青大豆きな粉（うぐいすきな粉）**もある。「全粒大豆」はだいずを丸ごと粉にしたもの。「脱皮大豆」は皮を取り除いて粉にしたもの。

調理法：もちやだんご等にまぶす、和菓子の材料にする。

大豆はいが（大豆胚芽）
芽となって成長したり根となる部分（大豆の約2%）を焙煎したもの。植物のエストロゲンと呼ばれるイソフラボンを多く含むことで注目される。

ぶどう豆（葡萄豆）
黒だいずをやわらかくゆであげて、蜜をたっぷり吸わせて仕上げたもの。ふっくらとふくらんだ姿がまるでぶどうのようなことからこの名がついた。

豆腐類
Tofu

豆腐は、水に浸しただいずを粉砕しただいず汁（呉）を加熱・濾過して豆乳とおからとに分離し、豆乳に凝固剤を加えて固めたもの。凝固剤には海水から精製した塩化マグネシウム（にがり）や硫酸カルシウム等の塩凝固剤と、グルコノデルタラクトンによる酸凝固剤がある。豆腐の成分値は凝固剤の種類によって影響を

食品番号	食品名	廃棄率	エネルギー	2015年版の値	水分	たんぱく質	アミノ酸組成によるたんぱく質	脂質	脂肪酸のトリアシルグリセロール当量	脂肪酸 飽和	脂肪酸 一価不飽和	脂肪酸 多価不飽和	コレステロール	炭水化物	利用可能炭水化物（質量計）	食物繊維 食物繊維総量（プロスキー変法）	食物繊維 食物繊維総量（AOAC法）	ミネラル（無機質） ナトリウム	カリウム	カルシウム	マグネシウム	リン	鉄
		%	kcal	kcal	g	g	g	g	g	g	g	g	mg	g	g	g	g	mg	mg	mg	mg	mg	mg
04080	いり大豆　青大豆	0	425	435	2.7	37.7	35.6	20.7	19.1	2.84	4.02	11.39	(Tr)	33.9	9.0	18.4	-	4	2000	160	250	650	6.7
04078	黄大豆	0	429	439	2.5	37.5	35.0	21.6	20.2	2.81	5.16	11.37	(Tr)	33.3	7.2	19.4	-	5	2000	160	240	710	7.6
04079	黒大豆	0	431	442	2.4	36.4	33.6	22.0	20.3	2.83	5.87	10.67	(Tr)	34.3	8.3	19.2	-	4	2100	120	220	640	7.2
04028	水煮缶詰　黄大豆	0	124	140	71.7	12.9	12.5	6.7	(6.3)	(0.88)	(1.63)	(3.53)	(Tr)	7.7	0.8	6.8	-	210	250	100	55	170	1.8
04081	蒸し大豆　黄大豆	0	186	205	57.4	16.6	(15.8)	9.8	(9.2)	(1.28)	(2.38)	(5.15)	0	13.8	-	8.8	10.6	230	810	75	110	290	2.8
04082	きな粉　青大豆　全粒大豆	0	424	431	5.9	37.0	34.9	22.8	20.9	3.21	4.17	12.59	(Tr)	29.3	8.2	16.9	-	1	2000	160	240	690	7.9
04096	脱皮大豆	0	418	440	5.2	36.6	34.6	24.6	23.0	3.29	5.43	13.32	1	28.3	6.5	-	20.8	1	2100	190	220	700	6.7
04029	黄大豆　全粒大豆	0	451	450	4.0	36.7	34.3	25.7	24.7	3.59	5.92	14.08	(Tr)	28.5	6.8	18.1	-	1	2000	190	260	660	8.0
04030	脱皮大豆	0	456	451	2.6	37.5	34.6	25.1	23.7	3.43	5.61	13.61	(Tr)	29.5	6.5	15.3	-	2	2000	180	250	680	6.2
04109	きな粉（砂糖入り）　青きな粉	0	392	411	(3.3)	(18.5)	(17.5)	(11.4)	(10.4)	-	-	-	0	(64.3)	(53.8)	(8.4)	-	(1)	(980)	(80)	(120)	(340)	(3.9)
04110	きな粉	0	406	421	(2.3)	(18.3)	(17.2)	(12.9)	(12.3)	-	-	-	0	(63.9)	(51.4)	(9.0)	-	(1)	(1000)	(97)	(130)	(330)	(4.0)
04083	大豆はいが	0	404	442	3.9	37.8	-	14.7	-	-	-	-	(0)	39.5	-	18.8	-	0	1400	100	200	720	12.0
04031	ぶどう豆	0	265	289	36.0	14.1	13.5	9.4	(8.9)	(1.23)	(2.29)	(4.95)	(Tr)	37.0	30.0	6.3	-	620	330	80	60	200	4.2
	[豆腐・油揚げ類]																						
04032	**木綿豆腐**	0	73	80	85.9	7.0	6.7	4.9	4.5	0.79	0.92	2.60	0	1.5	0.8	0.4	1.1	9	110	93	57	88	1.5
04097	（凝固剤：塩化マグネシウム）	0	73	80	85.9	7.0	6.7	4.9	4.5	0.79	0.92	2.60	0	1.5	0.8	0.4	1.1	21	110	40	76	88	1.5
04098	（凝固剤：硫酸カルシウム）	0	73	80	85.9	7.0	6.7	4.9	4.5	0.79	0.92	2.60	0	1.5	0.8	0.4	1.1	3	110	150	34	88	1.5
04033	**絹ごし豆腐**	0	56	62	88.5	5.3	5.3	3.5	(3.2)	(0.57)	(0.66)	(1.86)	(0)	2.0	0.9	0.3	0.9	11	150	75	50	68	1.2
04099	（凝固剤：塩化マグネシウム）	0	56	62	88.5	5.3	5.3	3.5	3.2	-	-	-	(0)	2.0	0.9	0.3	0.9	19	150	30	63	68	1.2
04100	（凝固剤：硫酸カルシウム）	0	56	62	88.5	5.3	5.3	3.5	3.2	-	-	-	(0)	2.0	0.9	0.3	0.9	7	150	120	33	68	1.2
04034	**ソフト豆腐**	0	56	59	88.9	5.1	5.0	3.3	(3.0)	(0.53)	(0.61)	(1.74)	(0)	2.0	0.3	0.4	-	7	150	91	32	82	0.7
04035	**充てん豆腐**	0	56	59	88.6	5.0	5.1	3.1	(2.8)	(0.50)	(0.58)	(1.63)	(0)	2.5	0.8	0.3	-	10	200	31	68	83	0.8
04036	**沖縄豆腐**	0	99	106	81.8	9.1	(8.8)	7.2	(6.6)	(1.16)	(1.34)	(3.80)	(0)	0.7	(1.0)	0.5	-	170	180	120	66	130	1.7
04037	**ゆし豆腐**	0	47	50	90.0	4.3	(4.1)	2.8	(2.6)	(0.45)	(0.52)	(1.48)	(0)	1.7	(0.5)	0.3	-	240	210	36	43	71	0.7
04038	**焼き豆腐**	0	82	88	84.8	7.8	7.8	5.7	(5.2)	(0.92)	(1.06)	(3.00)	(0)	1.0	0.6	0.5	-	4	90	150	37	110	1.6

+PLUS+ **江戸の豆腐ブーム**●中国発祥の豆腐が、日本の庶民の食べ物として取り入れられるようになったのは、江戸時代になってから。1782年に刊行された豆腐料理の本「豆腐百珍」は、爆発的な人気を呼んで、翌年「豆腐百珍続編」、翌々年「豆腐百珍余禄」が出版されるほどだった（全豆連資料より）。

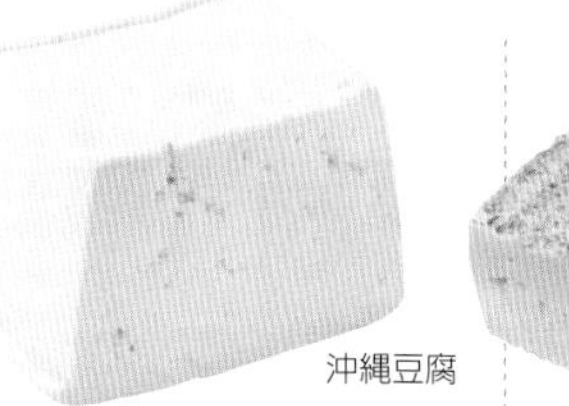
沖縄豆腐

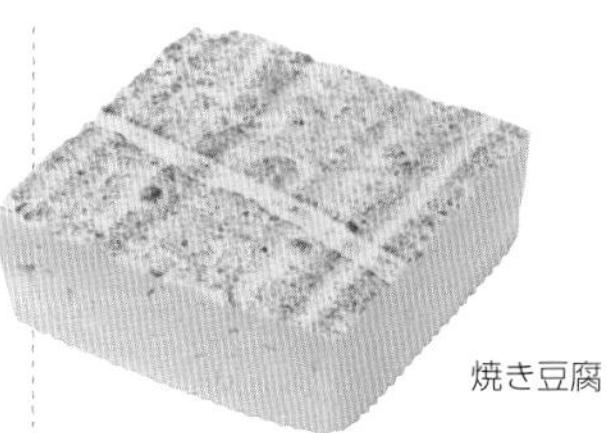
焼き豆腐

受ける。

調理法：冷や奴、湯豆腐、汁の実、鍋物、煮物、揚げ物、あえ衣等。

木綿豆腐 1丁=300〜400g

豆乳に凝固剤を加えて凝固させたものを崩し、布を敷いた型箱（排水用の穴があいたもの）に入れて脱水・成型したもの。きめがやや粗く、布目や型のあとが残る。

絹ごし豆腐 1丁=300〜400g

木綿豆腐より濃い豆乳と凝固剤を型箱の中で混合し、全体を均一に凝固させたもの。水分が多くなめらかなので、木綿に比べて絹のようだということで名づけられた。

ソフト豆腐

豆乳に凝固剤を加えて全体を固め、凝固物を崩さずに型箱に入れて圧搾、成型したもの。木綿豆腐と絹ごし豆腐の中間的な食感で、ソフトな木綿豆腐といえる。

充てん豆腐（充填豆腐）

豆乳をいったん冷却してから凝固剤を加え、容器に充填する。これを80〜90℃の湯に40〜60分間入れ凝固させたもの。密閉された容器の中で凝固した絹ごし豆腐といえる。

沖縄豆腐

別名**島豆腐**。木綿豆腐と同様水を少なめにして強く水切りするためかなりかたい。沖縄の郷土料理チャンプルー（炒め物）に欠かせない材料。

ゆし豆腐

豆乳に凝固剤を加えて全体を凝固させた後、温かいうちにすくい取ったやわらかいかたまり。凝固した後に水さらしをしないので、だいずの風味が豊富。沖縄以外では寄せ豆腐、おぼろ豆腐と呼ぶ。

焼き豆腐

木綿豆腐を水切りして焼いたもの。通常はバーナーで焼きめをつける。

調理法：おでん、煮物、炒め物、汁物、すき焼き等。

ゴーヤチャンプルー

ゆし豆腐の汁物

だいずを使わない「豆腐」

たまご豆腐

溶き卵に調味料を加え蒸したもの（➡p.287）。

ごま豆腐

ごま（胡麻）をすり、くず粉（または片栗粉）で固めたもの（➡p.76）。ただし、ふつうの豆腐にごまを加えたごま豆腐もある。

杏仁豆腐

中華料理のデザート。あんずの種の成分を入れ寒天で固めたもの。

ピーナッツ豆腐

ピーナッツが原料で、沖縄ではジーマミ（地豆）豆腐ともいう（➡p.105コラム）。

可食部100gあたり　Tr：微量　（ ）：推定値または推計値　－：未測定

ミネラル（無機質）							ビタミン															食塩相当量	備考 ①試料 ②原材料配合割合 ③ビタミンK
亜鉛	銅	マンガン	ヨウ素	セレン	クロム	モリブデン	A レチノール活性当量	レチノール	β-カロテン当量	D	E αトコフェロール	K	B1	B2	ナイアシン当量	B6	B12	葉酸	パントテン酸	ビオチン	C		
mg	mg	mg	μg	μg	μg	μg	μg	μg	μg	μg	mg	μg	mg	mg	mg	mg	μg	μg	mg	μg	mg	g	
4.2	1.29	2.90	1	5	2	800	1	(0)	10	(0)	1.3	38	0.15	0.27	11.0	0.45	(0)	250	0.57	25.0	1	0	
4.2	1.31	3.24	1	5	5	290	1	(0)	7	(0)	2.2	38	0.14	0.26	12.0	0.39	(0)	260	0.71	27.0	1	0	
3.7	1.06	2.37	1	3	12	240	1	(0)	14	(0)	3.1	32	0.12	0.27	11.0	0.41	(0)	280	0.68	27.0	1	0	
1.1	0.28	0.84	-	-	-	-	(0)	(0)	0	(0)	0.5	5	0.01	0.02	3.3	0.01	(0)	11	0	-	Tr	0.5	液汁を除いたもの
1.8	0.51	1.33	-	-	-	-	0	0	3	0	0.8	11	0.15	0.10	(4.9)	0.18	0	96	0.34	-	0	0.6	①レトルト製品
4.5	1.32	2.76	1	3	5	450	4	(0)	53	(0)	2.4	57	0.29	0.29	11.0	0.51	(0)	250	0.91	29.0	1	0	(100 g：292mL、100 mL：34g)
4.1	1.19	2.63	Tr	7	3	380	6	(0)	71	(0)	7.5	81	0.48	0.27	11.0	0.56	(0)	210	0.93	31.0	0	0	(100 g：292mL、100 mL：34g)
4.1	1.12	2.75	Tr	5	12	380	Tr	(0)	4	(0)	1.7	27	0.07	0.24	11.0	0.52	(0)	220	1.01	31.0	1	0	(100 g：292mL、100 mL：34g)
4.0	1.23	2.32	Tr	5	7	370	1	(0)	6	(0)	1.9	42	0.07	0.22	11.0	0.30	(0)	250	0.74	33.0	0	0	(100 g：292mL、100 mL：34g)
(2.3)	(0.67)	(1.38)	0	(2)	(2)	(230)	(2)	0	(27)	0	(1.2)	(28)	(0.14)	(0.14)	(4.2)	(0.26)	0	(130)	(0.46)	(15.0)	(Tr)	0	②青きな粉 1、上白糖 1
(2.0)	(0.57)	(1.38)	0	(2)	(6)	(190)	0	0	(2)	0	(0.9)	(13)	(0.04)	(0.12)	(4.2)	(0.26)	0	(110)	(0.51)	(16.0)	0	0	②きな粉 1、上白糖 1
6.0	1.13	2.86	-	-	-	-	2	(0)	19	(0)	19.0	190	0.03	0.73	9.7	0.56	(0)	460	0.59	-	0	0	
1.1	0.39	-	-	-	-	-	(0)	(0)	(0)	(0)	2.4	10	0.09	0.05	3.8	0.07	(0)	48	0.28	-	Tr	1.6	煮豆
0.6	0.16	0.41	6	4	4	44	0	(0)	0	(0)	0.2	6	0.09	0.04	1.9	0.05	(0)	12	0.02	4.1	0	0	凝固剤の種類は問わないもの
0.6	0.16	0.41	6	4	4	44	0	(0)	0	(0)	0.2	6	0.09	0.04	1.9	0.05	(0)	12	0.02	4.1	0	0.1	
0.6	0.16	0.41	6	4	4	44	0	(0)	0	(0)	0.2	6	0.09	0.04	1.9	0.05	(0)	12	0.02	4.1	0	0	
0.5	0.16	0.34	1	1	1	69	0	(0)	0	(0)	0.1	9	0.11	0.04	1.6	0.06	(0)	12	0.09	3.5	0	0	凝固剤の種類は問わないもの
0.5	0.16	0.34	1	1	1	69	0	(0)	0	(0)	0.1	9	0.11	0.04	1.6	0.06	(0)	12	0.09	3.5	0	0	
0.5	0.16	0.34	1	1	1	69	0	(0)	0	(0)	0.1	9	0.11	0.04	1.6	0.06	(0)	12	0.09	3.5	0	0	
0.5	0.16	0.33	-	-	-	-	(0)	(0)	(0)	(0)	0.1	10	0.07	0.03	1.4	0.07	(0)	10	0.10	-	Tr	0	
0.6	0.18	0.43	-	-	-	-	(0)	(0)	0	(0)	0.3	11	0.15	0.05	1.6	0.09	(0)	23	0.12	-	Tr	0	
1.0	0.19	0.93	-	-	-	-	(0)	(0)	(0)	(0)	0.4	16	0.10	0.04	(2.5)	0.06	(0)	14	Tr	-	Tr	0.4	
0.5	0.14	0.30	-	-	-	-	(0)	(0)	0	(0)	0.1	9	0.10	0.04	(1.3)	0.07	0	13	0.20	-	Tr	0.6	
0.8	0.16	0.60	-	-	-	-	(0)	(0)	(0)	(0)	0.2	14	0.07	0.03	2.2	0.05	(0)	12	0.06	-	Tr	0	

Q A どうして豆腐は「腐」という字が入っているの？▶豆腐は中国から伝わった食材で、中国語でも「豆腐」と書く。中国語で「腐」は、「くさる」ではなく、「ぷよぷよしたもの」という意味。つまり、豆腐とは「豆がぷよぷよしたもの」という意味。

生揚げ

生揚げの料理

油揚げ

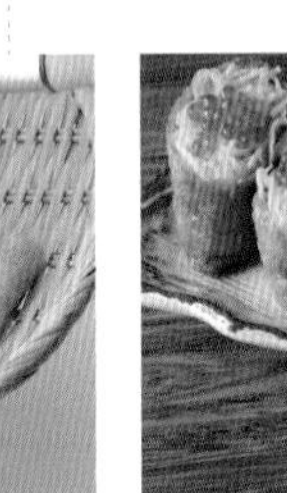

油抜きの作業

いなりずし

がんもどき

がんもどきの煮物

油揚げ類
Abura-age

生揚げ 1枚=120〜140g
別名**厚揚げ**。豆腐を厚めに切って水切りし、油で揚げたもの。
調理法：そのままだと味がしみにくく仕上がりが油くさいので、湯通しして、油を抜いて用いる。焼いて食べる、おでん、煮物、炒め物、汁物等。

油揚げ 1枚=20〜30g
別名薄揚げ。薄く切った豆腐をよく水切りして油で二度揚げしたもの。
調理法：湯通し（油抜き）して用いる。焼いて食べる、中に具を入れて調味する、いなり寿司、甘辛煮等。

がんもどき（雁擬） 1個=95〜125g
雁の肉に似ているほどうまいと名づけられた。別名ひりょうず（飛竜頭）。水を切った豆腐をつぶし、野菜、昆布、ぎんなん、ごま等を混ぜて練り、油で揚げたもの。
調理法：湯通しして用いる。焼いて食べる、おでん、煮物、炒め物、汁物等にする。

凍り豆腐 1個=20g
別名**高野豆腐**、しみ（凍み）豆腐、氷豆腐。スポンジ状のため汁をよく吸う。本来は冬の寒気を利用して豆腐を凍結して熟成、乾燥させたもの。現在では、脱水した豆腐を炭酸水素ナトリウム（かん水）に浸してから乾燥して作るかん水加工が一般的。
調理法：煮物、煮つけてから五目寿司や盛り合わせ等にする。

豆腐よう（豆腐餻） 1個=20g
沖縄の特産品。かために作った豆腐を数センチの角切りにし、乾燥させて、紅麹、米麹、泡盛、砂糖、塩等

食品番号	食品名	廃棄率	エネルギー	2015年版の値	水分	たんぱく質	アミノ酸組成によるたんぱく質	脂質	脂肪酸のトリアシルグリセロール当量	脂肪酸 飽和	脂肪酸 一価不飽和	脂肪酸 多価不飽和	コレステロール	炭水化物	利用可能炭水化物（質量計）	食物繊維 食物繊維総量（プロスキー変法）	食物繊維 食物繊維総量（AOAC法）	ミネラル（無機質） ナトリウム	カリウム	カルシウム	マグネシウム	リン	鉄
		%	kcal	kcal	g	g	g	g	g	g	g	g	mg	g	g	g	g	mg	mg	mg	mg	mg	mg
04039	**生揚げ**	0	**143**	150	75.9	**10.7**	10.3	**11.3**	(10.7)	(1.61)	(3.07)	(5.51)	Tr	**0.9**	1.1	0.7	-	3	120	**240**	55	150	**2.6**
04040	**油揚げ** 生	0	**377**	410	39.9	**23.4**	23.0	**34.4**	31.2	3.89	12.44	13.56	(Tr)	**0.4**	0.5	1.3	-	4	86	**310**	150	350	**3.2**
04084	油抜き 生	0	**266**	288	56.9	**18.2**	17.9	**23.4**	21.3	2.74	8.07	9.60	(Tr)	**Tr**	0.3	0.9	-	2	51	**230**	110	280	**2.5**
04086	ゆで	0	**164**	177	72.6	**12.4**	12.3	**13.8**	12.5	1.68	4.34	5.98	(Tr)	**0.3**	0.1	0.6	-	Tr	12	**140**	59	180	**1.6**
04085	焼き	0	**361**	398	40.2	**24.9**	24.6	**32.2**	28.8	3.73	10.77	13.01	(Tr)	**0.7**	0.4	1.2	-	4	74	**320**	150	380	**3.4**
04095	甘煮	0	**231**	239	54.9	**11.2**	10.4	**13.0**	11.8	1.60	4.11	5.56	0	**19.1**	17.2	0.5	-	460	61	**120**	51	150	**1.5**
04041	**がんもどき**	0	**223**	228	63.5	**15.3**	15.2	**17.8**	(16.8)	(2.49)	(5.02)	(8.52)	Tr	**1.6**	2.0	1.4	-	190	80	**270**	98	200	**3.6**
04042	**凍り豆腐** 乾	0	**496**	536	7.2	**50.5**	49.7	**34.1**	32.3	5.22	7.38	18.32	(0)	**4.2**	0.2	2.5	-	440	34	**630**	140	820	**7.5**
04087	水煮	0	**104**	115	79.6	**10.7**	10.8	**7.3**	6.7	1.07	1.53	3.76	(0)	**1.1**	0.1	0.5	-	260	3	**150**	29	180	**1.7**
04043	**豆腐よう**	0	**183**	189	60.6	**9.5**	(9.0)	**8.3**	7.5	1.17	1.59	4.39	(0)	**19.1**	-	0.8	-	760	38	**160**	52	190	**1.7**
04044	**豆腐竹輪** 蒸し	0	**121**	126	71.6	**14.9**	(13.6)	**4.4**	3.7	0.62	0.73	2.17	12	**6.7**	-	0.8	-	740	140	**70**	65	150	**2.0**
04045	焼き	0	**133**	139	68.8	**16.1**	(14.4)	**4.9**	4.1	0.69	0.82	2.39	13	**7.5**	-	0.7	-	900	150	**100**	73	170	**2.3**
04088	**ろくじょう豆腐**	0	**332**	347	26.5	**34.7**	(33.5)	**21.5**	(19.6)	(3.46)	(4.00)	(11.33)	(0)	**3.8**	-	3.2	-	4300	430	**660**	110	590	**6.1**

+PLUS+ **質素倹約料理がヘルシーな特産品に**●江戸時代、質素倹約のために貴重品の魚よりも豆腐を食べるようにと藩主がおふれを出したことからうまれたのが、木綿豆腐と白身魚のすり身をほぼ7対3の割合で混ぜた豆腐竹輪。庶民の味として伝えられ、今では鳥取を代表する料理の一つ。高たんぱく低カロリーのヘルシーフード。

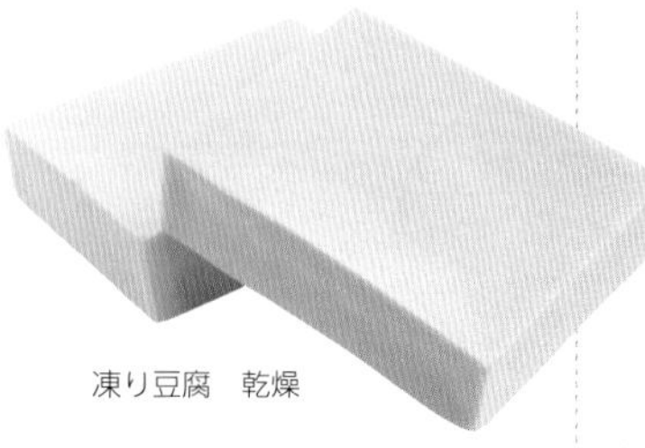

凍り豆腐　乾燥

豆腐よう

凍り豆腐とグリーンピースの卵とじ

凍り豆腐の煮物

豆腐竹輪

を混ぜた赤い漬け汁に漬け込んで発酵・熟成させたもの。チーズに似た舌ざわりと、うにのような風味がある。

豆腐竹輪
鳥取の名産品。木綿豆腐と魚肉すり身をよく混ぜて練り、成形して蒸す、焼く等して作ったもの。魚の竹輪に比べてかなりやわらかい。
調理法：そのまま食べる、吸い物、鍋物等。

ろくじょう豆腐（六条豆腐）
木綿豆腐に塩を塗って乾燥させた固い豆腐。かつお節のように薄くけずったものが市販されている。山形の特産品で、出羽三山の山伏が常備食としていたといわれる。
調理法：熱湯をかけて戻し、吸い物、酢の物、和え物等にする。

上流階級の食べ物だった豆腐よう

豆腐ようのルーツは中国の腐乳（フールー）であるとされる。腐乳は豆腐に麹をつけて塩水中で発酵させたもので、とうがらしを入れるものも多い。塩辛くて強い臭気があり、調味料として利用されている。沖縄へは琉球王朝時代に伝わり、泡盛を利用した沖縄独自の醗酵・熟成製法によって豆腐ようが作られるようになった。紅麹を使うために見た目は真っ赤だが、とうがらしを使っていないのでまったく辛くない。塩辛さや臭気がなく、なめらかでねっとりとした食感をもち、熟成が進むほど豆腐の味がしなくなる。

作り方は秘伝とされ、上流貴族の間で高貴な味覚として珍重され、病後の滋養食にもされたが、一般庶民にとっては見たこともないような食べ物だった。一般家庭でも食べられるようになったのは近年で、琉球大学農学部の研究によって製造メカニズムが解明され、商業生産がはじまってからである。

一度に大量に口に入れるものではなく、爪楊枝の先で削り、なめるように食べるぐらいが適量だ。

中国の腐乳

油揚げをきつねと呼ぶのはなぜ？

関東では、甘辛く煮た油揚げをのせためんを、きつねうどん・きつねそばと呼ぶが、油揚げときつねが結びついたのは、穀物や食物の神を祭神とする稲荷信仰による。古くからきつねには霊力があるとされていたが、穀物を食い荒らすねずみを食べる、実った稲穂の色と似ている等から、稲荷神の使いとみなされるようになった。また、きつねに乗った仏教（密教）の荼枳尼天（だきにてん）が稲荷神と同一視されてきつねと稲荷の結びつきはさらに強まり、ついには稲荷社のシンボルはきつねということになった。

では稲荷社にどんな供え物をしたらよいだろう。

きつねの大好物はねずみの油揚げとされていたので、お供えはそれがベストなのかもしれない。しかし仏教では殺生禁止。そこで、動物ではない、たんぱく質が多い、揚げたもの、ということで油揚げが供えられるようになり、きつねといえば油揚げと連想されるようになった。油揚げをきつねと呼ぶのは、連想ゲームによるしゃれなのだ。

きつねうどん

伏見稲荷

可食部100gあたり　Tr：微量　（ ）：推定値または推計値　－：未測定

ミネラル（無機質）							ビタミン															食塩相当量	備考
亜鉛	銅	マンガン	ヨウ素	セレン	クロム	モリブデン	A レチノール活性当量	A レチノール	A β-カロテン当量	D	E αトコフェロール	K	B1	B2	ナイアシン当量	B6	B12	葉酸	パントテン酸	ビオチン	C		①試料　②原材料配合割合　③ビタミンK
mg	mg	mg	µg	µg	µg	µg	µg	µg	µg	µg	mg	µg	mg	mg	mg	mg	µg	µg	mg	µg	mg	g	
1.1	0.22	0.85	-	-	-	-	(0)	(0)	(0)	(0)	0.8	25	**0.07**	**0.03**	2.8	0.08	(0)	23	0.17	-	**Tr**	0	
2.5	0.22	1.55	1	8	5	97	(0)	(0)	(0)	(0)	1.3	67	**0.06**	**0.04**	6.2	0.07	(0)	18	0.07	7.1	**0**	0	
2.1	0.16	1.22	Tr	6	4	68	(0)	(0)	(0)	(0)	0.9	48	**0.04**	**0.02**	4.8	0.04	(0)	12	0.04	4.8	**0**	0	
1.4	0.07	0.73	0	4	3	22	(0)	(0)	(0)	(0)	0.5	26	**0.01**	**0.01**	3.2	0.01	(0)	3	0.02	3.3	**0**	0	
2.7	0.22	1.65	Tr	8	6	92	(0)	(0)	(0)	(0)	1.1	65	**0.04**	**0.03**	6.6	0.06	(0)	14	0.04	6.8	**0**	0	
1.1	0.08	0.16	Tr	3	3	25	**0**	0	2	(0)	0.6	22	**0.01**	**0.02**	2.6	0.02	0	3	0.03	3.7	**0**	1.2	
1.6	0.22	1.30	32	4	8	60	(0)	(0)	(0)	(0)	1.5	43	**0.03**	**0.04**	4.0	0.08	(0)	21	0.20	7.6	**Tr**	0.5	
5.2	0.57	4.32	1	19	5	67	**1**	(0)	9	(0)	1.9	60	**0.02**	**0.02**	13.0	0.02	0.1	6	0.10	21.0	**0**	1.1	①炭酸水素ナトリウム処理製品
1.2	0.09	1.02	Tr	5	1	3	**0**	(0)	2	(0)	0.3	13	**0**	**0**	2.7	0	(0)	0	0.02	3.1	**0**	0.7	湯戻し後、煮たもの
1.7	0.22	1.70	1	4	3	45	**Tr**	(0)	2	(0)	0.6	18	**0.02**	**0.07**	(2.8)	0.05	Tr	7	0.40	4.2	**Tr**	1.9	
1.0	0.13	0.58	63	14	4	43	**3**	3	(0)	(0)	0.4	12	**0.12**	**0.08**	(3.7)	0.04	0.6	11	0.17	4.2	**Tr**	1.9	②豆腐 2、すり身 1
1.0	0.14	0.61	-	-	-	-	(0)	(0)	(0)	(0)	0.4	10	**0.13**	**0.08**	(3.8)	0.04	0.8	17	0.21	-	**Tr**	2.3	②豆腐 2、すり身 1
4.6	0.73	3.83	-	-	-	-	**0**	(0)	3	(0)	2.5	41	**0.10**	**0.06**	(9.1)	0.11	(0)	23	0.14	-	**0**	11.0	

Q A　粉豆腐ってどんなもの？▶凍り豆腐を作るときにできてしまう形が悪いものを粉にしたもの。水や牛乳で戻してハンバーグのつなぎにしたり、ポテトサラダのポテトのかわりに使う。また、揚げ物の衣に使ったり、クッキーを作るときに小麦粉のかわりに使う等、利用方法は多様。

糸引き納豆

挽きわり納豆

おからの煮物

寺納豆

おから　乾燥

おから　生

納豆類
Natto　　小1個=30～50g

納豆類はだいずの発酵食品。ねばねばした糸を引く糸引き納豆と、糸を引かない寺納豆がある。納豆という名前は、寺の納所（台所）で作られたことに由来するといわれる。

糸引き納豆
だいずの全粒（丸だいず）を使う。蒸しただいずに納豆菌を作用させた発酵食品で、特有の粘りと香りがある。納豆菌によってだいずのかたい組織が消化しやすくなるため、消化率が高い。また、納豆菌は腸内で有害細菌の繁殖を防ぐ働きをする。ねばねばに含まれるナットウキナーゼは強力な血栓溶解作用があるため、血栓の発生予防、心筋梗塞や脳梗塞等の予防に役立つ。血栓は就寝中にできる場合が多いので、夕食に納豆を食べればより効果的といわれている。ナットウキナーゼは生きた酵素で、70度以上の高温になると活性力が失われる。稲のわらには、1本につき1000万個ほどの納豆菌が付着しているため、煮ただいずを包んで保存しておけば、自然に発酵して糸引き納豆ができる。

栄養成分：骨形成を助けるビタミン B_2・ビタミンKが豊富。
調理法：しょうゆや塩を混ぜて食べる、納豆汁、和え物、揚げ物等。
産地：茨城の水戸納豆が有名だが、これは明治20年代に鉄道が敷設され、水戸駅のホームでおみやげとして売られるようになって人気が出たことがきっかけとなった。

挽きわり納豆（挽き割り納豆）
糸引き納豆の一種で、だいずを粉砕して種皮を取り除いたものを原料とする。

五斗納豆
別名**こうじ納豆**。挽きわり納豆に麹菌と塩を加えて発酵・熟成させたもので、塩味が強く、とてもねばねばしている。だいず一石に塩と麹を五斗ずつ混ぜて作るのでこの名がついた。
産地：山形県米沢地方の郷土食。

寺納豆
別名**塩辛納豆**、**浜納豆**。だいずを煮て炒り麦と麹菌をまぶし、2～3日の間麹を繁殖させてから塩水を加えて数か月熟成させた発酵食品で、黒っぽくやわらかい。納豆菌ではなく麹菌を使うので、ねばねばしない。寺で貴重なたんぱく質源として作られてきたのでこの名がついた。
調理法：塩味がついているので、そのままおつまみやお茶漬、精進料理等に利用。
産地：京都の大徳寺納豆や一休寺納豆、静岡県の浜納豆等が有名。

おから（雪花菜）
Okara　　1C=100g

別名うのはな（卯の花に似ているので）、きらず（切らずに使えるので）。豆乳を作るときの絞りかす。「生」は水分を約76％まで絞ったもの。「乾燥」はそれを乾燥させたもの。栄養的に優れており、生体膜等の構成成分のレシチンも豊富。
調理法：炒り煮、あえ衣、飯の代わりに使った卯の花寿司等。また、食

みそ類→p.338

食品番号	食品名	廃棄率	エネルギー	2015年版の値	水分	たんぱく質	アミノ酸組成によるたんぱく質	脂質	脂肪酸のトリアシルグリセロール当量	脂肪酸 飽和	一価不飽和	多価不飽和	コレステロール	炭水化物	利用可能炭水化物（質量計）	食物繊維 食物繊維総量（プロスキー変法）	食物繊維総量（AOAC法）	ミネラル（無機質） ナトリウム	カリウム	カルシウム	マグネシウム	リン	鉄
		%	kcal	kcal	g	g	g	g	g	g	g	g	mg	g	g	g	g	mg	mg	mg	mg	mg	mg
	[納豆類]																						
04046	**糸引き納豆**	0	**190**	200	59.5	**16.5**	14.5	**10.0**	(9.7)	(1.45)	(2.21)	(5.65)	Tr	**12.1**	0.3	6.7	-	2	660	**90**	100	190	**3.3**
04047	**挽きわり納豆**	0	**185**	194	60.9	**16.6**	15.1	**10.0**	(9.7)	(1.45)	(2.21)	(5.65)	(0)	**10.5**	0.2	5.9	-	2	700	**59**	88	250	**2.6**
04048	**五斗納豆**	0	**214**	227	45.8	**15.3**	-	**8.1**	6.9	1.13	1.22	4.26	(0)	**24.0**	-	4.9	-	2300	430	**49**	61	190	**2.2**
04049	**寺納豆**	0	**248**	271	24.4	**18.6**	-	**8.1**	6.1	1.01	1.10	3.70	(0)	**31.5**	-	7.6	-	5600	1000	**110**	140	330	**5.9**
	[その他]																						
04051	**おから**　生	0	**88**	111	75.5	**6.1**	5.4	**3.6**	(3.4)	(0.51)	(0.67)	(2.03)	(0)	**13.8**	0.5	11.5	-	5	350	**81**	40	99	**1.3**
04089	乾燥	0	**333**	421	7.1	**23.1**	(20.2)	**13.6**	(12.7)	(1.94)	(2.55)	(7.68)	(0)	**52.3**	(2.1)	43.6	-	19	1300	**310**	150	380	**4.9**
04052	**豆乳**　豆乳	0	**44**	46	90.8	**3.6**	3.4	**2.0**	(1.8)	(0.32)	(0.37)	(1.05)	(0)	**3.1**	0.9	0.2	-	2	190	**15**	25	49	**1.2**
04053	調製豆乳	0	**63**	64	87.9	**3.2**	3.1	**3.6**	3.4	0.50	0.75	1.99	(0)	**4.8**	1.8	0.3	-	50	170	**31**	19	44	**1.2**
04054	豆乳飲料・麦芽コーヒー	0	**59**	60	87.4	**2.2**	2.1	**2.2**	2.1	0.33	0.44	1.20	0	**7.8**	4.1	0.1	-	42	110	**20**	13	36	**0.3**
	大豆たんぱく																						
04055	粒状大豆たんぱく	0	**318**	360	7.8	**46.3**	(44.1)	**3.0**	1.9	0.38	0.29	1.16	(0)	**36.7**	-	17.8	-	3	2400	**270**	290	730	**7.7**
04056	濃縮大豆たんぱく	0	**313**	361	6.8	**58.2**	(55.4)	**1.7**	0.7	0.21	0.09	0.39	(0)	**27.9**	-	20.9	-	550	1300	**280**	220	750	**9.2**
04057	分離大豆たんぱく　塩分無調整タイプ	0	**335**	388	5.9	**79.1**	77.1	**3.0**	1.6	0.41	0.19	0.96	(0)	**7.5**	1.0	4.2	-	1300	190	**57**	58	840	**9.4**
04090	塩分調整タイプ	0	**335**	388	5.9	**79.1**	(77.1)	**3.0**	1.6	-	-	-	(0)	**7.5**	(1.0)	4.2	-	640	260	**890**	58	840	**9.4**
04058	繊維状大豆たんぱく	0	**365**	383	5.8	**59.3**	(56.5)	**5.0**	3.6	0.72	0.69	2.07	(0)	**25.2**	-	5.6	-	1400	270	**70**	55	630	**8.2**

+PLUS+　**世界の豆乳消費量**●年間における1人あたりの消費量をみてみよう。日本 3.6L、中国 1.1L、台湾 6.6L、韓国 4.3L、タイ 10.3L とアジア圏は日本より多い国もあるが、意外なことにスペイン 1.9L、オーストラリア 3.3L、ベルギー 2.7L と欧米でも日本と同等に消費している国が珍しくない（日本豆乳協会 Web サイトより）。

豆乳

調製豆乳

豆乳飲料　麦芽コーヒー

豆乳鍋

物繊維食品としてクッキーやケーキに混ぜたりする。

豆乳
Soy milk

だいずを煮た汁（呉）を絞った液体。豆腐製造の副産物として古くから利用されてきたが、青臭さが好まれずあまり一般化しなかった。しかし近年、製造法が飛躍的に改善され、青臭さもなくおいしい豆乳が専門工場で製造されるようになり、一般的な飲料となった。日本農林規格（JAS）では、豆乳、調製豆乳、豆乳飲料を合わせて豆乳類と分類している。

豆乳
大豆固形分8％以上のもの。

調製豆乳
豆乳に植物油脂、砂糖類、塩等の調味料を加えたもので大豆固形分6％以上のもの。

豆乳飲料
調整豆乳液等で大豆固形分が4％以上のものと、調製豆乳液等に果汁・野菜搾汁・乳製品・穀類粉末等を加えた大豆固形分2％以上のもの。

麦芽コーヒー
麦芽とコーヒーをブレンドした豆乳飲料のこと。
栄養成分：主成分はたんぱく質と脂質。糖類やビタミンB_1も豊富。

大豆たんぱく（大豆蛋白）
Soy protein

大豆や脱脂大豆から糖分と灰分を取り除いて、たんぱく質の濃度を高めたもの。

粒状大豆たんぱく
大豆たんぱくを粒状にし、肉のような組織にしたもの。

濃縮大豆たんぱく
濃縮・乾燥した粉末。

分離大豆たんぱく
たんぱく質を抽出・分離して純度を高めて乾燥した粉末。塩分無調整タイプと塩分調整タイプがある。

繊維状大豆たんぱく
大豆たんぱくを繊維状に成形し、肉のような組織にしたもの。
調理法：水産練り製品、畜肉加工品等。

世界の納豆

インドネシアのテンペ
だいずを使ったインドネシアの伝統的な発酵食品（➡p.96）。

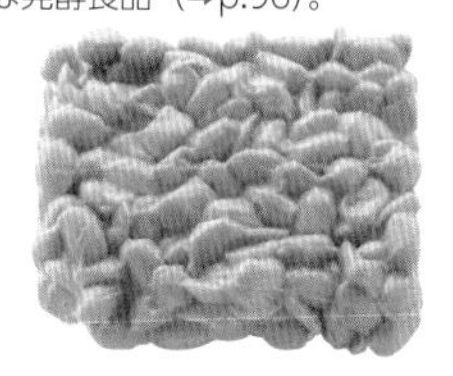

アフリカのダワダワ
中央アフリカ、西部アフリカ原産。フサマメノキの豆を細菌発酵させたもの。

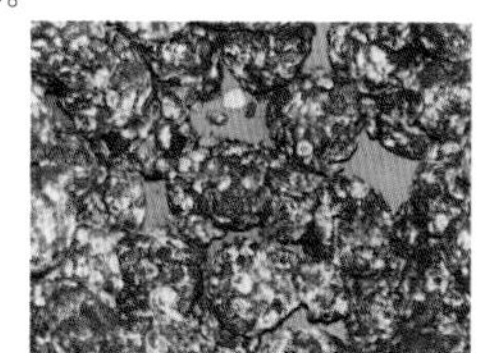

タイのトゥアナオ
タイ語で腐った豆の意味。タイ北部の山岳地帯に暮らす少数民族の伝統食品。だいずを蒸してからバナナの葉に包んで発酵させる。発酵後、砕いてのばし、円盤状にして乾燥させる。スープ等の調味料として使うことが多い。塩を混ぜて魚醤のかわりにすることもある。

ネパールのキネマ
煮豆を大型の木の葉で包んで細菌によって発酵させたもの。アンモニア臭があり、長い糸を引く。日本の納豆に近い。

可食部100gあたり　Tr：微量　（ ）：推定値または推計値　－：未測定

ミネラル（無機質）							ビタミン															食塩相当量	備考
亜鉛	銅	マンガン	ヨウ素	セレン	クロム	モリブデン	A レチノール活性当量	A レチノール	A β-カロテン当量	D	E αトコフェロール	K	B_1	B_2	ナイアシン当量	B_6	B_{12}	葉酸	パントテン酸	ビオチン	C		①試料　②原材料配合割合　③ビタミンK
mg	mg	mg	µg	µg	µg	µg	µg	µg	µg	µg	mg	µg	mg	mg	mg	mg	µg	µg	mg	µg	mg	g	
1.9	0.61	-	Tr	16	1	290	(0)	(0)	0	(0)	0.5	600	**0.07**	**0.56**	5.2	0.24	Tr	120	3.60	18.0	Tr	0	③メナキノン-7を含む
1.3	0.43	1.00	-	-	-	-	(0)	(0)	0	(0)	0.8	930	**0.14**	**0.36**	5.0	0.29	0	110	4.28	-	Tr	0	③メナキノン-7を含む
1.1	0.31	0.75	1	8	2	75	(0)	(0)	(0)	(0)	0.6	590	**0.08**	**0.35**	3.7	0.19	-	110	2.90	15.0	Tr	5.8	③メナキノン-7を含む
3.8	0.80	1.70	1	14	2	110	(0)	(0)	(0)	(0)	0.9	190	**0.04**	**0.35**	7.2	0.17	-	39	0.81	19.0	Tr	14.2	③メナキノン-7を含む
0.6	0.14	0.40	1	1	1	45	(0)	(0)	0	(0)	0.4	8	**0.11**	**0.03**	1.6	0.06	(0)	14	0.31	4.1	Tr	0	
2.3	0.53	1.52	4	4	4	170	(0)	(0)	0	(0)	1.5	30	**0.42**	**0.11**	(5.9)	0.23	(0)	53	1.18	16.0	Tr	0	
0.3	0.12	0.23	Tr	1	0	54	(0)	(0)	(0)	(0)	0.1	4	**0.03**	**0.02**	1.4	0.06	(0)	28	0.28	3.9	Tr	0	
0.4	0.12	-	-	-	-	-	(0)	(0)	(0)	(0)	2.2	6	**0.07**	**0.02**	1.0	0.05	(0)	31	0.24	-	Tr	0.1	
0.2	0.07	0.13	-	-	-	-	0	0	0	0	0.3	3	**0.01**	**0.01**	0.9	0.03	0	15	0.12	-	Tr	0.1	
4.5	1.41	2.61	-	-	-	-	(0)	(0)	0	(0)	0	1	**0.67**	**0.30**	(13.0)	0.64	(0)	370	1.89	-	Tr	0	
3.1	0.99	2.00	-	-	-	-	(0)	(0)	0	(0)	0	0	**0.37**	**0.11**	(15.0)	0.16	(0)	210	0.40	-	Tr	1.4	
2.9	1.51	0.89	-	-	-	-	(0)	(0)	0	(0)	0	Tr	**0.11**	**0.14**	20.0	0.06	(0)	270	0.37	-	Tr	3.3	
2.9	1.51	0.89	-	-	-	-	(0)	(0)	0	(0)	0	Tr	**0.11**	**0.14**	(20.0)	0.06	(0)	270	0.37	-	Tr	1.6	
2.4	1.13	1.02	-	-	-	-	(0)	(0)	0	(0)	0.3	2	**0.62**	**0.16**	(15.0)	0.08	(0)	170	0.34	-	Tr	3.6	

Q A 関西人は納豆がお嫌い？▶一般に、納豆は東日本での消費が多く、西日本ではあまり人気がないといわれる。しかし、例外的に熊本では古くから普及しているし、また、人の移動にともなって食文化の交流が進み、最近では関西でも普通に販売・消費されている。

湯葉　生

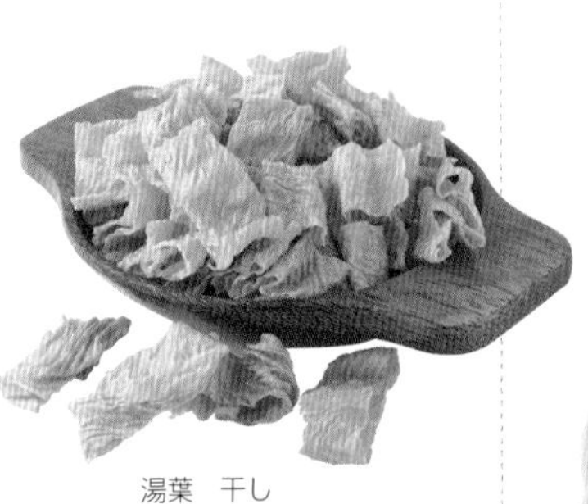
湯葉　干し

湯葉
Yuba　生1枚=30g

豆乳を沸点近くまで静かに加熱し、表面にできるたんぱく質と脂質から成る薄い皮膜をすくいあげたものが生湯葉。それを乾燥させたものが干し湯葉。湯で戻して使う。
調理法：汁物、煮物、揚げ物等。特に精進料理でよく利用。
産地：京都や栃木県日光が有名。

金山寺みそ（金山寺味噌）
Kinzanji-miso　大1=20g

米、裸麦、だいずを主原料に、きゅうりやなす等の野菜を入れ、麹で発酵させた発酵食品で、なめみそ（調味料ではなく食品として食べるみそ）の代表的なもの。鎌倉時代に、宋の径山寺（きんざんじ）での修行を終えて帰国した覚心（法燈国師）によって和歌山県の興国寺に伝えられたといわれる。

ひしおみそ（醤醢味噌）
Hishio-miso

別名もろみみそ。しょうゆのもろみを調味したり、もろみに塩漬野菜等を刻んで漬け込んだりする。

テンペ
Tempeh

インドネシアの伝統的な発酵食品。水に浸けただいずの皮を取り除いてゆで、クモノスカビをまぶしてバナナの葉に包んで発酵させたもので、表面全体がびっしりとかびでおおわれていて、だいずの粒がかびの菌糸でケーキのように固められている。外見とほんのり甘い風味がカマンベールチーズに似ていることから“東洋のチーズ”とも呼ばれる。
栄養成分：カリウム、銅、食物繊維等が豊富。
調理法：炒め物、揚げ物、煮物等。

つるあずき（蔓小豆）
Rice beans　1C=150g

別名**たけあずき**。あずきによく似ている。日本ではあんの原料として輸入しているが、中国、タイ、ミャンマー等では煮て食べる。中国では漢方薬としてむくみの改善や解毒に用いる。

金山寺みそ

ひしおみそ

ひよこまめ（雛豆、鶏児豆）
Chickpeas　1C=150g

種子がひよこの頭に似ているためこの名がついた。別名**チックピー**、**ガルバンゾー**、エジプト豆。中近東やインドのエスニック料理によく利用される。
調理法：煮豆、炒り豆、きんとん、スープ、カレー等。未熟な種子は若い葉とともに野菜として食べる。

べにばないんげん（紅花隠元）
Scarlet runner beans

中南米原産。別名**はなまめ**。大型の豆で、冷涼な高地でないと結実しない。ヨーロッパでは若いさやも食用にする。

もろきゅう

種類：白花豆と紫花豆がある。
調理法：煮豆、甘納豆、あん等。
産地：北海道、長野等。

やぶまめ（藪豆）
Chinese hog-peanut

マメ科。別名つちまめ、ぎんまめ。アイヌ名アハ、エハ、ヌミノカン。アイヌ民族が利用してきた。地下に実る豆を食べる。
干したものはひしの実やきはだの実と一緒に炊いて食べる等。

らいまめ（葵豆、莱豆）
Lima beans

中南米原産。別名**ライマビーン**、**バタービーン**。完熟豆は青酸配糖体を含む。青酸配糖体は加水分解によってシアンを生じて食中毒を起こすことがあるため、一昼夜水に浸けてよく煮出してから利用する。缶詰や冷凍食品等の加工品が市販されている。

らっかせい→p.104、p150、はるさめ→p.76、もやし類→p.148

食品番号	食品名	廃棄率	エネルギー	2015年版の値	水分	たんぱく質	アミノ酸組成によるたんぱく質	脂質	脂肪酸のトリアシルグリセロール当量	脂肪酸 飽和	脂肪酸 一価不飽和	脂肪酸 多価不飽和	コレステロール	炭水化物	利用可能炭水化物（質量計）	食物繊維 食物繊維総量（プロスキー変法）	食物繊維 食物繊維総量（AOAC法）	ミネラル（無機質） ナトリウム	カリウム	カルシウム	マグネシウム	リン	鉄
		%	kcal	kcal	g	g	g	g	g	g	g	g	mg	g	g	g	g	mg	mg	mg	mg	mg	mg
04059	**湯葉**　生	0	**218**	231	59.1	**21.8**	21.4	**13.7**	12.3	1.90	2.80	7.06	(0)	**4.1**	1.0	0.8	-	4	290	**90**	80	250	**3.6**
04060	干し　乾	0	**485**	530	6.9	**50.4**	49.7	**32.1**	30.0	4.98	7.50	16.26	(0)	**7.2**	2.6	3.0	-	12	840	**210**	220	600	**8.3**
04091	湯戻し	0	**151**	161	72.8	**15.7**	15.3	**10.6**	9.6	1.60	2.37	5.22	(0)	**0.1**	0.4	1.2	-	2	140	**66**	60	170	**2.6**
04061	**金山寺みそ**	0	**247**	256	34.3	**6.9**	(5.8)	**3.2**	2.6	0.54	0.47	1.51	(0)	**50.0**	-	3.2	-	2000	190	**33**	54	130	**1.7**
04062	**ひしおみそ**	0	**198**	206	46.3	**6.5**	(5.4)	**2.7**	2.2	0.36	0.51	1.27	(0)	**38.8**	-	2.8	-	1900	340	**56**	56	120	**1.9**
04063	**テンペ**	0	**180**	202	57.8	**15.8**	(11.9)	**9.0**	7.8	1.20	1.61	4.69	(0)	**15.4**	-	10.2	-	2	730	**70**	95	250	**2.4**
04064	**つるあずき**　全粒　乾	0	**297**	348	12.0	**20.8**	(17.8)	**1.6**	1.0	0.32	0.10	0.55	(0)	**61.8**	36.1	22.0	-	1	1400	**280**	230	320	**11.0**
04092	ゆで	0	**132**	159	60.5	**9.7**	(8.4)	**1.0**	(0.6)	(0.19)	(0.06)	(0.33)	(0)	**27.5**	(16.2)	13.4	-	0	370	**130**	77	120	**3.3**
04065	**ひよこまめ**　全粒　乾	0	**336**	374	10.4	**20.0**	(16.7)	**5.2**	4.3	0.56	1.48	2.04	(0)	**61.5**	37.7	16.3	-	17	1200	**100**	140	270	**2.6**
04066	ゆで	0	**149**	171	59.6	**9.5**	(7.9)	**2.5**	2.1	0.28	0.72	1.00	(0)	**27.4**	18.2	11.6	-	5	350	**45**	51	120	**1.2**
04067	フライ　味付け	0	**366**	419	4.6	**18.8**	(15.7)	**10.4**	8.1	1.24	3.19	3.28	(0)	**62.6**	-	21.0	-	700	690	**73**	110	370	**4.2**
04068	**べにばないんげん**　全粒　乾	0	**273**	332	15.4	**17.2**	(13.8)	**1.7**	1.2	0.21	0.11	0.85	(0)	**61.2**	33.1	26.7	-	1	1700	**78**	190	430	**5.4**
04069	ゆで	0	**103**	121	69.7	**6.2**	(5.0)	**0.6**	0.4	0.08	0.04	0.29	(0)	**22.3**	12.1	7.6	-	1	440	**28**	50	140	**1.6**
04108	**やぶまめ**　乾	0	**383**	381	13.1	**23.4**	-	**10.1**	-	-	-	-	-	**49.5**	-	-	-	5	1700	**55**	63	230	**2.4**
04070	**らいまめ**　全粒　乾	0	**306**	351	11.7	**21.9**	(18.8)	**1.8**	1.3	0.42	0.10	0.75	(0)	**60.8**	33.8	19.6	-	Tr	1800	**78**	170	250	**6.2**
04093	ゆで	0	**122**	152	62.3	**9.6**	(8.3)	**0.9**	(0.7)	(0.21)	(0.05)	(0.38)	(0)	**26.0**	(14.9)	10.9	-	0	490	**27**	52	95	**2.3**
04071	**りょくとう**　全粒　乾	0	**319**	354	10.8	**25.1**	20.7	**1.5**	1.0	0.34	0.04	0.61	(0)	**59.1**	41.4	14.6	-	0	1300	**100**	150	320	**5.9**
04072	ゆで	0	**125**	137	66.0	**10.2**	(8.2)	**0.6**	(0.4)	(0.13)	(0.01)	(0.24)	(0)	**22.5**	16.1	5.2	-	1	320	**32**	39	75	**2.2**
04073	**レンズまめ**　全粒　乾	0	**313**	352	12.0	**23.2**	(19.7)	**1.5**	1.0	0.17	0.30	0.48	(0)	**60.7**	41.1	16.7	-	Tr	1000	**57**	100	430	**9.0**
04094	ゆで	0	**149**	170	57.9	**11.2**	(9.5)	**0.8**	(0.5)	(0.09)	(0.16)	(0.25)	(0)	**29.1**	(21.2)	9.4	-	0	330	**27**	44	190	**4.3**

＋PLUS＋　湯葉？湯波？●ゆばの表記方法は、京都と栃木県（日光）では違う漢字を使っている。京都は「湯葉」、日光は「湯波」と表記し、膜の引き上げ方の違いから日光の湯波の方が厚みがある。ちなみに中国では、シート状に干したものを「腐皮」（フーピー）という。

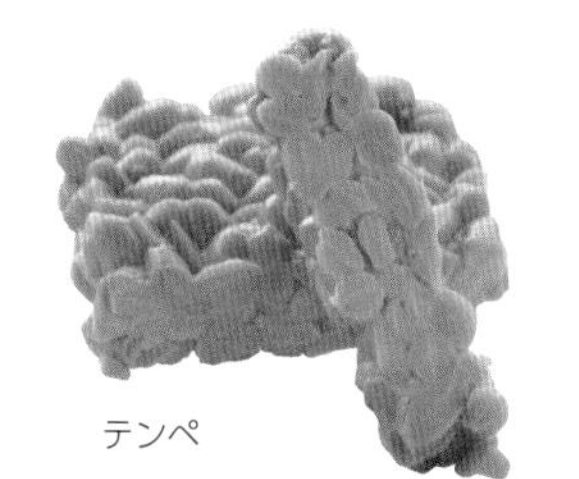
テンペ

ひよこまめ

りょくとう

りょくとうもやしの発芽

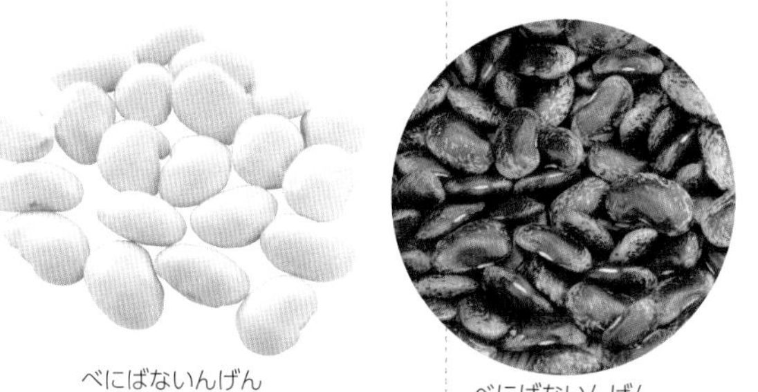
べにばないんげん
(白花豆)

べにばないんげん
(紫花豆)

やぶまめ (藪豆)

レンズまめ

りょくとう (緑豆)

Mung beans　1C=150g

別名**やえなり**、ムング豆。粒の大きさがそろっているために重さをはかるのに用いられ「ぶんどう(文豆)」とも呼ばれた。あずきの近種で緑色のものが多く、ほかに黄色や黒褐色もある。

栄養成分：主成分は炭水化物とたんぱく質。

調理法：大部分がはるさめ(➡p.77)やもやし(➡p.148)に加工される。中国ではあんや煮豆にしたり、インドではスープや煮物等にする。

レンズまめ (扁豆)

Lentils　1C=150g

東地中海地方原産。別名**ひらまめ**。緑色、緑がかった褐色、淡い赤色のものがある。大晦日の夜、日本では年越しそばを食べるが、イタリアではレンズまめの煮物を食べる習慣がある。レンズまめはお金を意味しており、「新年にお金が入るように」という意味からである。なお、拡大用のレンズはこの豆に似ていることに由来する。

調理法：煮込み、カレー、サラダ等。

テンペと納豆を比較すると

テンペと納豆は、ともにだいずの発酵食品。だいずのたんぱく質が菌の力で分解されるため、だいずそのものよりも栄養価が高まっている。しかし、発酵に利用する菌が違うことによって外観、味、発酵温度などが異なる。

	テンペ	納豆
粘り	なし	あり
におい	ごく弱い	強い
味	淡白	うまみが強い
食べ方(加熱)	調理	そのまま
菌	テンペ菌	納豆菌
発酵時間	30℃で24時間	40℃で18時間

可食部100gあたり　Tr：微量　( )：推定値または推計値　-：未測定

ミネラル(無機質)							ビタミン																食塩相当量	備考
亜鉛	銅	マンガン	ヨウ素	セレン	クロム	モリブデン	A レチノール活性当量	A レチノール	A β-カロテン当量	D	E αトコフェロール	K	B1	B2	ナイアシン当量	B6	B12	葉酸	パントテン酸	ビオチン	C		①試料　②原材料配合割合　③ビタミンK
mg	mg	mg	μg	μg	μg	μg	μg	μg	μg	μg	mg	μg	mg	mg	mg	mg	μg	μg	mg	μg	mg	g	
2.2	0.70	-	1	3	1	100	**1**	(0)	10	(0)	0.9	22	**0.17**	**0.09**	5.4	0.13	(0)	25	0.34	14.0	**Tr**	0	
4.9	3.27	3.43	3	7	4	270	**1**	(0)	8	(0)	2.4	55	**0.35**	**0.12**	13.0	0.32	(0)	38	0.55	37.0	**0**	0	
1.6	0.57	1.09	0	2	1	14	**0**	(0)	3	(0)	0.7	16	**0.05**	**0.01**	3.7	0.03	(0)	3	0.12	11.0	**0**	0	
0.7	0.16	0.96	1	1	1	34	**(0)**	(0)	(0)	(0)	0	16	**0.12**	**0.18**	(3.2)	0.10	(0)	34	0.74	8.1	**Tr**	5.1	③メナキノン-7を含む
0.9	0.32	0.52	1	2	4	37	**(0)**	(0)	(0)	(0)	0.6	17	**0.11**	**0.27**	(3.4)	0.08	(0)	12	0.36	7.1	**Tr**	4.8	③メナキノン-7を含む
1.7	0.52	0.80	1	3	1	76	**Tr**	(0)	1	(0)	0.8	11	**0.07**	**0.09**	(4.9)	0.23	0	49	1.08	20.0	**Tr**	0	丸大豆製品
3.1	0.73	2.92	0	3	4	220	**2**	(0)	22	(0)	0.1	50	**0.50**	**0.13**	(5.9)	0.28	(0)	210	0.75	9.7	**3**	0	
1.2	0.30	0.57	-	-	-	-	**1**	(0)	10	(0)	0.1	24	**0.16**	**0.04**	(2.3)	0.06	(0)	48	0.14	-	**Tr**	0	
3.2	0.84	-	1	11	1	150	**2**	(0)	19	(0)	2.5	9	**0.37**	**0.15**	(4.8)	0.64	(0)	350	1.77	21.0	**Tr**	0	
1.8	0.29	1.10	Tr	5	1	56	**1**	(0)	17	(0)	1.7	6	**0.16**	**0.07**	(1.9)	0.18	(0)	110	0.48	8.9	**Tr**	0	
2.7	0.78	2.20	-	-	-	-	**Tr**	(0)	4	(0)	1.9	23	**0.21**	**0.10**	(3.8)	0.50	(0)	100	0.35	-	**Tr**	1.8	
3.4	0.74	1.50	0	1	2	41	**Tr**	(0)	4	(0)	0.1	8	**0.67**	**0.15**	(5.7)	0.51	0	140	0.81	8.4	**Tr**	0	
0.8	0.17	0.58	0	Tr	1	21	**Tr**	(0)	1	(0)	Tr	3	**0.14**	**0.05**	(1.6)	0.11	Tr	23	0.18	3.0	**Tr**	0	
1.4	0.31	1.03	0	1	0	460	**-**	-	-	-	-	-	**-**	**-**	3.9	-	-	-	-	-	**-**	0	
2.9	0.70	1.85	Tr	17	3	380	**Tr**	(0)	6	(0)	0.1	6	**0.47**	**0.16**	(5.7)	0.40	(0)	120	1.05	9.2	**0**	0	
1.1	0.25	0.73	-	-	-	-	**0**	(0)	3	(0)	Tr	3	**0.10**	**0.04**	(2.2)	0.08	(0)	25	0.23	-	**0**	0	
4.0	0.91	-	0	2	3	410	**13**	(0)	150	(0)	0.3	36	**0.70**	**0.22**	6.2	0.52	(0)	460	1.66	11.0	**Tr**	0	
0.8	0.21	0.31	0	1	1	140	**7**	(0)	85	(0)	0.2	16	**0.19**	**0.06**	(2.1)	0.05	(0)	80	0.34	3.3	**Tr**	0	
4.8	0.95	1.57	0	54	2	180	**3**	(0)	30	(0)	0.8	17	**0.52**	**0.17**	(5.3)	0.55	0	77	1.58	23.0	**1**	0	(100g：126mL、100mL：80g)
2.5	0.44	0.81	-	-	-	-	**1**	(0)	15	(0)	0.4	9	**0.20**	**0.06**	(2.1)	0.16	(0)	22	0.57	-	**0**	0	

Q A 湯葉が伝来したのはいつ？▶湯葉は中国から僧が伝えたとされるが、その時期は実ははっきりしていない。753年に渡来した鑑真和上が伝えた、9世紀初頭に天台宗の開祖である最澄が伝えた、13世紀に禅宗の僧が伝えた等の説がある。干し湯葉が利用されてきたが、流通等が整った近年に、生湯葉が一般に利用されるようになった。

05 種実類 NUTS and SEEDS

ひまわりの種。そのまま食べたり油を搾って利用する。

種実類とは

植物の種子や堅果類の果実で、食用にするものをいう。果実類では果肉を食用とするが、種実類では種子の胚や胚乳を食用とする。煎ってそのまま食用としたり、油を搾ったり、料理や菓子にも広く使われている。

- 種子類：あさの実、かぼちゃの種、ごま、すいかの種、はすの実等
- 堅果類：アーモンド、カシューナッツ、ぎんなん、くり、くるみ、ココナッツ、とちの実、ピスタチオ、マカダミアナッツ、まつの実、落花生等

1 栄養上の特徴

種実類は、脂質含量が多いものと、糖質含量の多いものに分けられる。また、実は小さくてもミネラル・ビタミン・食物繊維なども豊富に含んでいる。

脂質含量が多いもの	アーモンド、カシューナッツ、くるみ、ココナッツ、ごま、ピスタチオ、ひまわりの種、まつの実等	糖質含量が多いもの	はすの実、しいの実、ぎんなん、くり等

1.5 1.3
12.2 8.3
マカダミアナッツ（いり）
751kcal
76.7

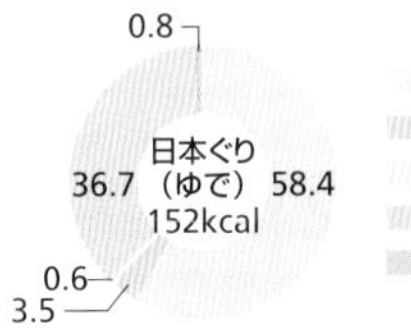

水分
たんぱく質
脂質
炭水化物
灰分

※可食部100gあたり（%）

2 選び方・保存方法

	選び方	保存方法
アーモンド	湿気を含むと香りが悪くなるため、缶詰など密封されたものがよい。	酸化しやすいので、密封容器に入れて冷蔵保存するとよい。
カシューナッツ	勾玉（まがたま）に似た粒がそろっていて、よく乾燥して、香ばしい味と香りのあるものがよい。	湿気に当てないよう、密封容器に入れて冷蔵保存するとよい。
ぎんなん	色が白く、形の大きいものがよい。古くなると色が悪くなる。	殻付きのままよく乾燥させて、缶などに入れて保存する。
くり	皮につやがあり、重みのあるものがよい。大粒のほうが味がよい。穴の空いたものは虫食いの可能性がある。	生のくりは虫が付きやすく、保存がむずかしい。密封して冷凍保存するとよい。
くるみ	殻が丸くて薄く、大型で重みがあり、果仁の割合が大きいものが良質。	殻付きのまま保存するのがよいが、割ったものは密封して冷凍保存するとよい。
ごま	よく実が入り、粒のそろったものがよい。よく乾燥したもの。	密封容器に入れ、乾燥したところに置く。煎りごまやすりごまは早く使い切る。
落花生	油分が多く酸化しやすいので、油臭いもの、かび臭いものは避ける。落花生のかびは有害。	室温では酸化しやすいので、密封して冷凍保存するとよい。

●種実の部位の名称

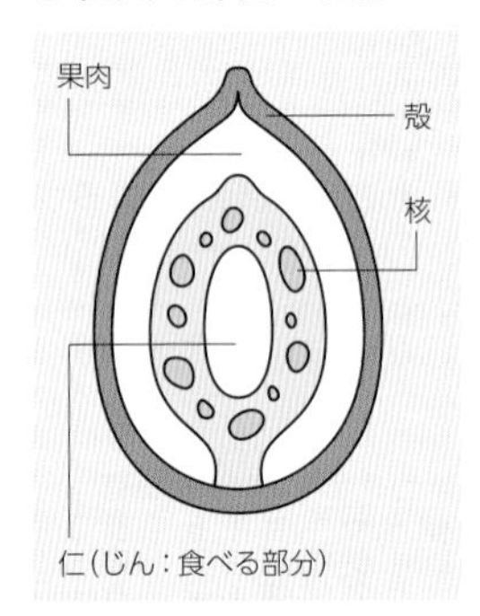

3 加工と加工食品

ごまの加工品……ごま油／練りごま／煎りごま／洗いごま／切りごま／ごまどうふ

アーモンドの加工品……アーモンドスライス／アーモンドパウダー／アーモンドオイル

くりの加工品……マロングラッセ／くりの甘露煮／くりきんとん／くり蒸しようかん／天津甘栗

食品番号	食品名	廃棄率	エネルギー	2015年版の値	水分	たんぱく質	アミノ酸組成によるたんぱく質	脂質	脂肪酸のトリアシルグリセロール当量	脂肪酸 飽和	脂肪酸 一価不飽和	脂肪酸 多価不飽和	コレステロール	炭水化物	利用可能炭水化物（質量計）	食物繊維 食物繊維総量（プロスキー変法）	食物繊維 食物繊維総量（AOAC法）	ミネラル（無機質） ナトリウム	カリウム	カルシウム	マグネシウム	リン	鉄
		%	kcal	kcal	g	g	g	g	g	g	g	g	mg	g	g	g	g	mg	mg	mg	mg	mg	mg
05001	**アーモンド** 乾	0	609	587	4.7	19.6	18.7	51.8	51.9	3.95	33.61	12.12	-	20.9	5.2	10.1	-	1	760	250	290	460	3.6
05002	フライ 味付け	0	626	613	1.8	21.3	21.1	55.7	53.2	4.34	34.80	11.72	0	17.9	4.6	10.1	-	100	760	240	270	490	3.5
05040	いり 無塩	0	608	608	1.8	20.3	(19.0)	54.1	(54.2)	(4.13)	(35.09)	(12.65)	-	20.7	(5.6)	11.0	-	Tr	740	260	310	480	3.7
05003	**あさ** 乾	0	450	470	4.6	29.9	25.7	28.3	27.3	2.95	3.50	19.62	(0)	31.7	2.5	23.0	-	2	340	130	400	1100	13.0
05041	**あまに** いり	0	540	562	0.8	21.8	20.3	43.3	41.1	3.62	6.55	29.13	2	30.4	1.2	23.8	-	70	760	210	410	710	9.0
05004	**えごま** 乾	0	523	544	5.6	17.7	16.9	43.4	40.6	3.34	6.61	28.83	(0)	29.4	2.4	20.8	-	2	590	390	230	550	16.0
05005	**カシューナッツ** フライ 味付け	0	591	576	3.2	19.8	19.3	47.6	47.9	9.97	27.74	8.08	(0)	26.7	(17.2)	6.7	-	220	590	38	240	490	4.8

+PLUS+ **注目の脂肪酸**●α－リノレン酸は、乳がんや大腸がんの予防、アレルギー体質の改善、心筋梗塞・脳梗塞の発症抑制、血圧上昇の抑制、アレルギー予防、脳の活性化等の働きがあるといわれる。えごまには特に多く、100gあたり24,000mg含まれている。

アーモンドの木

アーモンド

アーモンドスライス

アーモンドパウダー

あさ

あまに

えごま

カシューナッツ

アーモンド

Almonds　10粒=14g

バラ科。小アジア原産で桃と近縁の植物。アーモンドは果実も核も桃に比べて扁平なため、日本や中国では扁桃（へんとう）と呼ぶ。種子の中の仁を食用にする。

種類：仁には、風味によってスイート種とビター種があり、スイート種を食用とする。ビター種は青酸を含むのでそのままでは食べられないが、香り成分の含量が多いため、アーモンドエッセンスの原料とする。

栄養成分：主成分は脂質。炭水化物、たんぱく質も豊富。

調理法：煎って食べたり、スライスや粉末を菓子に利用。

産地：カリフォルニアで世界の総生産量の約80%を生産。

あさ（麻）

Hemp seeds

アサ科。外見は白ごまに、味はくるみに似ている。だいずに次いでたんぱく質が多く、必須脂肪酸やビタミンをバランスよく含むため、心筋梗塞やアレルギー疾患等を予防・改善する食べ物として見直されている。

栄養成分：脂質、炭水化物、たんぱく質をバランスよく含む。

調理法：七味唐辛子に利用。サラダ、スープ、シチュー、菓子等に混ぜるとこくが出る。

あまに（亜麻仁）

Flax seeds

アマ科。亜麻という植物の種子（仁）なのであまにと呼ばれる。地中海地方原産で、種子は油に、茎は布地や紙に利用されてきた。欧米で美容と健康によいスーパーシードとして話題になり、日本でも注目された。

栄養成分：主成分は脂質で特に必須脂肪酸のα－リノレン酸が多い。抗酸化作用とエストロゲン様作用のあるリグナンも豊富で、植物中で含有量が最も多い。

調理法：加熱せずに食べることが推奨されている。

産地：ニュージーランド、カナダ、オーストラリア等。

えごま（荏胡麻）

Perilla seeds

シソ科。ごまの名がつくが、ゴマ科のごまとは全く異なる。別名あぶらえ、じゅうねん。えごまから採る油は、えごま油・しそ油の名称で市販される。料理ではごま油同様に利用する。

栄養成分：主成分は脂質。特に必須脂肪酸のα-リノレン酸が多い。

カシューナッツ

Cashew nuts　10粒=12g

ウルシ科の熱帯性高木。ブラジル原産。花の根元にある花托部分がピーマン形に肥大し、その先端に殻に覆われた“まがたま型”の果実がぶらさがるようにつく。その果実の種子の仁を食用にしたもの。生のカシューナッツは毒物を含むため、天日で干す、高温の蒸気で蒸す、煎るといった処理をしてから殻をむき、製品にする。肥大した花托部分はカシューアップルと呼び食用にする。

栄養成分：主成分は脂質で炭水化物とたんぱく質も豊富。

調理法：煎ったり揚げたりしてつまみや菓子等に利用する。

産地：ベトナム、ナイジェリア、インド等。

可食部100 g あたり　Tr：微量　（ ）：推定値または推計値　－：未測定

ミネラル（無機質）							ビタミン																食塩相当量	備考
亜鉛	銅	マンガン	ヨウ素	セレン	クロム	モリブデン	A レチノール活性当量	A レチノール	A β-カロテン当量	D	E αトコフェロール	K	B1	B2	ナイアシン当量	B6	B12	葉酸	パントテン酸	ビオチン	C			①廃棄部位　②廃棄率
mg	mg	mg	µg	µg	µg	µg	µg	µg	µg	µg	mg	µg	mg	mg	mg	mg	µg	µg	mg	µg	mg	g	
3.6	1.17	2.45	-	-	-	-	1	(0)	11	(0)	30.0	0	0.20	1.06	7.2	0.09	(0)	65	0.49	-	0	0	
3.1	0.87	2.24	0	1	6	32	1	0	7	0	22.0	0	0.05	1.07	8.0	0.10	0	49	0.50	60.0	0	0.3	
3.7	1.19	2.46	-	-	-	-	1	(0)	9	(0)	29.0	0	0.03	1.04	(7.5)	0.08	(0)	48	0.26	-	0	0	
6.1	1.32	9.97	0	4	9	45	2	(0)	25	(0)	1.8	51	0.35	0.19	8.2	0.40	(0)	82	0.57	28.0	Tr	0	
6.1	1.26	2.97	0	3	25	13	1	0	16	0	0.4	7	0.01	0.17	9.4	0.40	Tr	45	0.24	33.0	0	0.2	
3.8	1.93	3.09	Tr	3	2	48	2	(0)	24	(0)	1.3	1	0.54	0.29	12.0	0.55	(0)	59	1.65	35.0	Tr	0	
5.4	1.89	-	0	27	1	30	1	(0)	10	(0)	0.6	28	0.54	0.18	7.0	0.36	(0)	63	1.32	19.0	0	0.6	

QA　麻は栽培できるの？▶麻は食用・薬用・繊維・製紙など、多岐にわたる利用方法がある。特に葉や花には陶酔成分が含まれており、医療用として利用されたこともあった一方、大麻にも転用されるため、国内においては大麻取締法によって栽培は禁止されている。

かぼちゃ

かやの実

いちょうの実

日本ぐり

ぎんなん

かぼちゃ（南瓜）

Pumpkin seeds　大1=10g

ウリ科。特に大きな種が多くできる専用品種から採取する。皮を取り去ってから、塩蒸しして乾燥したりバターローストする。

栄養成分：主成分は脂質でたんぱく質と亜鉛も豊富。リノール酸が豊富。

調理法：つまみにしたり、菓子や料理に利用。

産地：アメリカ等。

かや（榧）

Japanese torreya seeds

イチイ科。東北地方に自生する高木の種子で、救荒食品として利用した。漢方では天日乾燥した種子を榧実（ひじつ）と呼んで十二指腸虫の駆除薬とする。

栄養成分：主成分は脂質。

調理法：煎って食べたり、上等な天ぷら油になるかや油を採る。

ぎんなん（銀杏）

Ginkgo nuts　1粒=2〜3g

イチョウ科。いちょうは雌雄異株で雌株に実がなる。種子の外側の皮は悪臭があり、触れるとかぶれやすい。食べ過ぎると急性中毒をおこすことがある。薬用として咳止め、下痢止め、通経、利尿等にも利用する。

栄養成分：主成分は炭水化物。

調理法：つまみ、茶わん蒸し、どびん蒸し、煮物、油煎り、揚げ物等。

収穫時期：10〜11月。

くり類（栗類）

Chestnuts

ブナ科。糖質の甘味とほくほくした食感が特徴。堅果類の中で唯一糖質を主成分とする。甘味が強いため、砂糖普及以前は貴重な甘味資源だった。くりは通常、いがの中に3粒入っており、外側のかたい皮を鬼皮、実に張りついている皮を渋皮と呼ぶ。

種類：日本ぐり、中国ぐり、ヨーロッパぐり、アメリカぐりがある。ヨーロッパぐりは皮が容易にむけ、マロングラッセ等にする。アメリカぐりは缶詰や菓子原料にする。

栄養成分：糖質のほか、ビタミンCも豊富。

日本ぐり（日本栗）　1粒=15〜20g

日本や朝鮮半島の山野に自生し、品種も多い。改良された品種もある。糖分が多く、甘味が強いが、渋皮離れが悪い。

調理法：ゆでぐり、焼きぐり、炊き込みご飯、甘露煮、くりきんとん等の和菓子、マロングラッセ、くりご飯、煮物、中華料理等。「甘露煮」は、皮をむいてあく抜きしてから煮たくりをシラップに浸けたもの。

マロングラッセ→p.316

食品番号	食品名	廃棄率	エネルギー	2015年版の値	水分	たんぱく質	アミノ酸組成によるたんぱく質	脂質	脂肪酸のトリアシルグリセロール当量	脂肪酸 飽和	脂肪酸 一価不飽和	脂肪酸 多価不飽和	コレステロール	炭水化物	利用可能炭水化物（質量計）	食物繊維 食物繊維総量（プロスキー変法）	食物繊維 食物繊維総量（AOAC法）	ミネラル（無機質） ナトリウム	カリウム	カルシウム	マグネシウム	リン	鉄
		%	kcal	kcal	g	g	g	g	g	g	g	g	mg	g	g	g	g	mg	mg	mg	mg	mg	mg
05006	**かぼちゃ**　いり　味付け	35	**590**	575	4.5	**26.5**	(25.3)	**51.8**	(48.7)	(9.03)	(16.62)	(20.98)	(0)	**12.0**	(2.0)	7.3	-	47	840	**44**	530	1100	**6.5**
05007	**かや**　いり	0	**629**	665	1.2	**8.7**	-	**64.9**	56.2	6.06	19.44	28.25	(0)	**22.6**	-	18.2	-	6	470	**58**	200	300	**3.3**
05008	**ぎんなん**　生	25	**168**	172	57.4	**4.7**	4.2	**1.6**	1.3	0.16	0.48	0.60	(0)	**34.8**	30.4	1.6	-	Tr	710	**5**	48	120	**1.0**
05009	ゆで	0	**169**	174	56.9	**4.6**	(4.0)	**1.5**	(1.2)	(0.15)	(0.45)	(0.56)	(0)	**35.8**	30.6	2.4	-	1	580	**5**	45	96	**1.2**
	（くり類）																						
05010	**日本ぐり**　生	30	**147**	164	58.8	**2.8**	2.4	**0.5**	(0.4)	(0.09)	(0.05)	(0.25)	(0)	**36.9**	30.6	4.2	-	1	420	**23**	40	70	**0.8**
05011	ゆで	20	**152**	167	58.4	**3.5**	(2.9)	**0.6**	0.5	0.11	0.06	0.30	(0)	**36.7**	30.0	6.6	-	1	460	**23**	45	72	**0.7**
05012	甘露煮	0	**232**	238	40.8	**1.8**	(1.5)	**0.4**	(0.3)	(0.07)	(0.04)	(0.20)	(0)	**56.8**	-	2.8	-	7	75	**8**	8	25	**0.6**
05013	**中国ぐり**　甘ぐり	20	**207**	222	44.4	**4.9**	(4.3)	**0.9**	(0.9)	(0.13)	(0.47)	(0.23)	(0)	**48.5**	(40.2)	8.5	-	2	560	**30**	71	110	**2.0**
05014	**くるみ**　いり	0	**713**	674	3.1	**14.6**	13.4	**68.8**	70.5	6.87	10.26	50.28	(0)	**11.7**	2.6	7.5	-	4	540	**85**	150	280	**2.6**
05015	**けし**　乾	0	**555**	567	3.0	**19.3**	(20.2)	**49.1**	47.6	5.44	7.32	32.78	(0)	**21.8**	3.2	16.5	-	4	700	**1700**	350	820	**23.0**
05016	**ココナッツ**　ココナッツパウダー	0	**676**	668	2.5	**6.1**	(5.6)	**65.8**	(64.3)	(55.25)	(4.34)	(1.01)	(0)	**23.7**	(2.7)	14.1	-	10	820	**15**	110	140	**2.8**

+PLUS+　**栽培禁止！**●薬用けしの未熟果には麻酔成分であるアヘンアルカロイドやモルヒネが含まれている。種子には含まれていないが、日本ではあへん法によって許可を受けたもの以外は栽培することができない。市販されているけしも発芽防止処理されていて育てることはできない。

いがに包まれたくり

けし

ココナッツ

中国ぐり(あまぐり)

くるみ

ココナッツパウダー

収穫時期:9～10月。
産地:茨城、愛媛、熊本等。
中国ぐり(中国栗)
中国特産。小粒で甘味が強く、渋皮離れがよいため、焙煎してつくる「あまぐり」に利用する。

くるみ(胡桃)
Walnuts　1粒=5g

クルミ科。核果の仁を食用にする。美容食品、健康食品として利用されてきた。市販品のほとんどは西洋ぐるみと呼ばれるペルシャぐるみで、殻が薄くて割りやすく、仁も大きい。日本原産のものに鬼ぐるみと姫ぐるみがあるが、殻が厚くて割りにくく、食用となる仁が少ない。
種類:鬼ぐるみ、姫ぐるみ、しなのぐるみ、ペルシャぐるみ等。
栄養成分:主成分は脂質でたんぱく質も豊富。
調理法:つまみ、和え物、和洋菓子等。くるみ油を採る。
収穫時期:12月。
産地:アメリカ、中国等。長野。

けし(芥子)
Poppy seeds

ケシ科。別名**ポピーシード**。ほとんど香りの成分は含まれていないが、熱を加えることによってくるみに似た香ばしい匂いが出る。かむとプチプチ感が楽しめる。
栄養成分:主成分は脂質で、たんぱく質と炭水化物も豊富。
調理法:あんパン等の飾り、七味唐辛子等。
産地:インド、トルコ、中国、イラン、パキスタン等。

ココナッツ
Coconut

ヤシ科。熱帯地方に広く分布しているココヤシの果実。果実は長さ30cmほどの卵形で、繊維質の厚い殻に包まれ、その中にかたい殻に包まれた大きな種子がある。種子内の胚乳は固形胚乳と液状胚乳(➡p.167)に分かれる。成熟果の胚乳を削りとって乾燥させたものをコプラといい、食用油(➡p.300)の原料となる。洋菓子の原料とするココナッツはコプラを乾燥させて細かくしたもの。
ココナッツパウダー　大1=5g
ココヤシの成熟した果実の胚乳を乾燥し、粉末状にしたもの。
調理法:カレーや、マカロン・プリン等の菓子に入れる。
産地:フィリピン、インドネシア等。

大切な食材

ナッツは高エネルギーで強壮効果もあり保存もできるため、かなり古くから利用されてきた。例えば最古のナッツといわれるくるみは、紀元前7000年頃から食用とされている。紀元前のエジプトでも国王の棺の中には必ずくるみ等のナッツ類が供えられていたという。

日本でも縄文時代から、どんぐり、とちの実、くり、くるみ等を食べていた。縄文時代は保存食として「縄文クッキー」がつくられた。これは日本鹿や猪等の肉にくりやくるみ、野鳥の卵等を加え、塩と野生酵母を加えて200～250℃で焼いたもので、栄養価も高い。

可食部100gあたり　Tr:微量　( ):推定値または推計値　-:未測定

ミネラル(無機質)							ビタミン															食塩相当量	備考
亜鉛	銅	マンガン	ヨウ素	セレン	クロム	モリブデン	A レチノール活性当量	レチノール	β-カロテン当量	D	E αトコフェロール	K	B1	B2	ナイアシン当量	B6	B12	葉酸	パントテン酸	ビオチン	C		①廃棄部位　②廃棄率
mg	mg	mg	µg	µg	µg	µg	µg	µg	µg	µg	mg	µg	mg	mg	mg	mg	µg	µg	mg	µg	mg	g	
7.7	1.26	4.39	Tr	5	13	42	3	(0)	31	(0)	0.6	2	0.21	0.19	(13.0)	0.16	(0)	79	0.65	13.0	Tr	0.1	①種皮
3.7	0.92	2.62	-	-	-	-	6	(0)	75	(0)	8.5	3	0.02	0.04	3.0	0.17	(0)	55	0.62	-	2	0	②殻つきの場合 35%
0.4	0.25	0.26	2	0	0	3	24	(0)	290	(0)	2.5	3	0.28	0.08	2.5	0.07	(0)	45	1.27	6.2	23	0	①殻及び薄皮
0.4	0.23	0.25	Tr	1	5	Tr	24	(0)	290	(0)	1.6	3	0.26	0.07	(2.3)	0.02	(0)	38	1.02	2.8	23	0	薄皮を除いたもの
0.5	0.32	3.27	0	3	0	2	3	(0)	37	(0)	0	1	0.21	0.07	1.6	0.27	(0)	74	1.04	3.9	33	0	①殻(鬼皮)及び渋皮(包丁むき)
0.6	0.37	1.07	-	-	-	-	3	(0)	37	(0)	0	0	0.17	0.08	(1.7)	0.26	(0)	76	1.06	-	26	0	①殻(鬼皮)及び渋皮
0.1	0.15	0.75	-	-	-	-	3	(0)	32	(0)	0	Tr	0.07	0.03	(0.7)	0.03	(0)	8	0.18	-	0	0	液汁を除いたもの
0.9	0.51	1.59	0	1	0	1	6	(0)	68	(0)	0.1	0	0.20	0.18	(2.2)	0.37	(0)	100	0.57	6.0	2	0	①殻(鬼皮)及び渋皮
2.6	1.21	3.44	-	-	-	-	2	(0)	23	(0)	1.2	7	0.26	0.15	4.4	0.49	(0)	91	0.67	-	0	0	②殻つきの場合 55%
5.1	1.48	6.88	0	8	7	120	Tr	(0)	6	(0)	1.5	Tr	1.61	0.20	(4.3)	0.45	(0)	180	0.81	47.0	0	0	
1.4	0.80	1.41	-	-	-	-	(0)	(0)	(0)	(0)	0	0	0.03	0.03	(1.9)	0.09	(0)	10	0.25	-	0	0	

QA ぎんなんのにおいの正体とは!▶ぎんなんは木になっている段階ではまだほとんどにおいがしない。ぎんなんが枝から落ちると、強いにおいを発するようになる。ぎんなんのにおいのもとはギンゴ酸という成分で、特に外皮種に多く含まれている。独特のにおいは、種子が動物に食べられないためではないかと考えられている。

黒ごま

ごまの実

白ごま

すだじいの実

つぶらじいの木

すいか

とち餅

ねりごま

チアシード

とちの実

ごま（胡麻）
Sesame seeds　小1=2g　大1=6g

ゴマ科。中国では食べる丸薬と呼ばれるほど、栄養価が高く評価されている。「乾」は乾燥させたもの 。「いり」は乾ごまを煎ったもの。「むき」は白ごまを水に浸けてから皮を取り去り、乾燥したもの。「ねり」は煎ったごまを、油が出てなめらかなペースト状になるまですりつぶしたもの。

種類：表皮の色で白ごま、黒ごま、茶ごま、金ごま等に分けられる。

栄養成分：主成分は脂質とたんぱく質。リノール酸が多い。カルシウム、鉄、ビタミンB_1・B_2等も豊富。ごまのビタミンEや抗酸化物質のゴマリグナンは脂肪酸の酸化防止作用がある。ゴマリグナンは美肌や代謝の活性化にもよいとされる。

調理法：あえ衣、赤飯等の彩り、ごま豆腐、薬味、調味料等。ごま油。

産地：インド、ミャンマー、中国等。鹿児島、茨城等。

しい（椎）
Sweet acorn　10粒=15g

ブナ科の高木でドングリの一種。生でも煎っても食べられる。

種類・産地：すだじいは福島から沖縄までの温帯から暖帯に、小粒で丸いつぶらじい（**こじい**）は関東から沖縄までの暖帯の山中に自生。

栄養成分：主成分は炭水化物でビタミンCも多い。

調理法：煎って粉にし、もちに混ぜたりする。

収穫時期：10～12月。

すいか（西瓜）
Watermelon seeds

ウリ科。完熟した種子を煎って塩味をつけたもの。大きな種ができる専用品種から採取する。漢方ではすいかの種は強壮、止血、のどの痛み等に効果のある薬として用いる。

栄養成分：主成分は脂質とたんぱく質。

調理法：おやつ、つまみ等。

産地：中国、台湾等。

チアシード
Chia seed　1個＝直径1～2mm

シソ科。水に漬けると粘液に包まれて約10倍以上になる。

栄養成分：α－リノレン酸、食物繊維、カルシウム等が豊富。

調理法：飲料やヨーグルトに混ぜる、デザート等。

ごま豆腐→p.76

食品番号	食品名	廃棄率	エネルギー	2015年版の値	水分	たんぱく質	アミノ酸組成によるたんぱく質	脂質	脂肪酸のトリアシルグリセロール当量	脂肪酸 飽和	脂肪酸 一価不飽和	脂肪酸 多価不飽和	コレステロール	炭水化物	利用可能炭水化物（質量計）	食物繊維 食物繊維総量（プロスキー変法）	食物繊維 食物繊維総量（AOAC法）	ミネラル（無機質） ナトリウム	カリウム	カルシウム	マグネシウム	リン	鉄
		%	kcal	kcal	g	g	g	g	g	g	g	g	mg	g	g	g	g	mg	mg	mg	mg	mg	mg
05017	**ごま** 乾	0	**604**	586	4.7	**19.8**	19.3	**53.8**	53.0	7.80	19.63	23.26	(0)	**16.5**	0.9	10.8	-	2	400	**1200**	370	540	**9.6**
05018	いり	0	**605**	599	1.6	**20.3**	19.6	**54.2**	51.6	7.58	19.12	22.64	(0)	**18.5**	0.7	12.6	-	2	410	**1200**	360	560	**9.9**
05019	むき	0	**570**	603	4.1	**19.3**	19.0	**54.9**	44.8	6.42	16.33	20.11	(0)	**18.8**	0.5	13.0	-	2	400	**62**	340	870	**6.0**
05042	ねり	0	**646**	640	0.5	**19.0**	(18.3)	**61.0**	57.1	8.49	21.36	24.77	(0)	**15.6**	(0.8)	11.2	-	6	480	**590**	340	670	**5.8**
05020	**しい** 生	35	**244**	252	37.3	**3.2**	(2.6)	**0.8**	(0.8)	(0.10)	(0.51)	(0.15)	(0)	**57.6**	-	3.3	-	1	390	**62**	82	76	**0.9**
05021	**すいか** いり 味付け	60	**528**	546	5.9	**29.6**	(28.7)	**46.4**	36.9	6.24	4.01	25.01	(0)	**13.4**	2.2	7.1	-	580	640	**70**	410	620	**5.3**
05046	**チアシード** 乾	0	**446**	492	6.5	**19.4**	18.0	**33.9**	32.7	3.51	2.26	25.52	1	**34.5**	0.9	-	36.9	0	760	**570**	360	820	**7.6**
05022	**とち** 蒸し	0	**148**	161	58.0	**1.7**	(1.5)	**1.9**	-	-	-	-	(0)	**34.2**	-	6.6	-	250	1900	**180**	17	27	**0.4**
05023	**はす** 未熟 生	55	**81**	85	77.5	**5.9**	(5.8)	**0.5**	0.4	0.10	0.03	0.21	(0)	**14.9**	(12.0)	2.6	-	2	410	**53**	57	190	**0.6**
05024	成熟 乾	0	**327**	344	11.2	**18.3**	(18.0)	**2.3**	1.6	0.46	0.20	0.91	(0)	**64.3**	47.4	10.3	-	6	1300	**110**	200	690	**2.9**
05043	ゆで	0	**118**	133	66.1	**7.3**	(7.2)	**0.8**	(0.5)	(0.15)	(0.07)	(0.30)	(0)	**25.0**	(18.1)	5.0	-	1	240	**42**	67	190	**1.1**
05025	（ひし類） **ひし** 生	50	**183**	190	51.8	**5.8**	(5.5)	**0.5**	0.3	0.06	0.03	0.16	(0)	**40.6**	14.3	2.9	-	5	430	**45**	84	150	**1.1**
05047	**とうびし** 生	50	**122**	141	64.3	**2.7**	2.6	**0.4**	0.2	0.06	0.03	0.05	-	**31.4**	27.8	-	8.2	13	470	**27**	49	140	**0.7**
05048	ゆで	45	**120**	136	65.5	**2.7**	2.5	**0.3**	0.1	0.05	0.02	0.04	-	**30.5**	25.7	-	5.1	12	410	**25**	45	130	**0.5**
05026	**ピスタチオ** いり 味付け	45	**617**	615	2.2	**17.4**	16.2	**56.1**	55.9	6.15	30.92	16.42	(0)	**20.9**	(7.7)	9.2	-	270	970	**120**	120	440	**3.0**
05027	**ひまわり** フライ 味付け	0	**587**	611	2.6	**20.1**	(18.7)	**56.3**	49.0	5.68	12.87	28.31	(0)	**17.2**	(14.0)	6.9	-	250	750	**81**	390	830	**3.6**

+PLUS+ 「ごま」ってなぜ「ごま」?●ごまは、漢字で「胡麻」と書く。これは昔、中国の西方の国の「胡」（今のペルシャ）からやってきた「あさ（麻）」に似ている食べ物ということで、胡の麻と書かれるようになったらしい。奈良時代にはすでにごま油が使用されていた記録があるほど、古くから使われている。

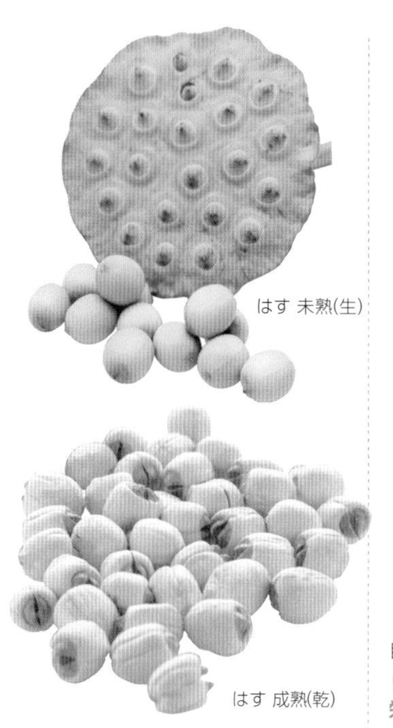
はす 未熟(生)

はす 成熟(乾)

ピスタチオ

ひまわり

ピスタチオの木

とち (栃)
Japanese horse chestnuts

トチノキ科の高木。サポニンやタンニンを含み苦味がある。
栄養成分：主成分はでん粉。
調理法：とち餅、とちの実せんべい、菓子、めん類等。水にさらしてあくを抜き、粉にして利用する。あく抜きには約1か月ほどかかる。
収穫時期：10〜11月。
産地：北海道、本州、四国、九州、中国に分布。

はす (蓮)
Lotus seeds　10粒＝10g

スイレン科。花が散った後の花床の中に種子ができる。淡白でくせがない味。はすは東洋各地の池や沼地で自生しており、水田等で栽培もする(➡p.152れんこん)。
栄養成分：主成分はでん粉。
調理法：「未熟」は緑色の未熟な種子を生でそのまま食べる。「成熟」はかたく完熟したもので、ゆでて食べる。かゆ、ちまき、薬膳スープ、甘納豆、菓子、甘露煮、あん等にする。
収穫時期：秋。
産地：おもに中国から輸入。

ひし (菱)
Water chestnuts

ヒシ科。中国南部、台湾、インドにも分布する。日本各地の湖沼に生える水草で、栽培もされている。菱形で2〜4本のとげがある種子を食用とする。シャリっとした食感と甘さがある。熟して殻がかたくなった黒紫色のものを収穫する。古来から漢方薬としても使用される。
栄養成分：主成分はでん粉。
調理法：皮つきのまま蒸すか塩ゆでしてから、皮をむいて食べる。おやつ、つまみ、ひしご飯、サラダ、炒め物、甘煮等。また、煎じて茶のように飲む。
収穫時期：夏〜秋。
産地：佐賀。佐賀平野を縦横に走るクリークの名産。

ピスタチオ
Pistachio nuts　殻つき10粒=12g　殻むき10粒=6g

ウルシ科。トルコ、シリア原産。クロロフィルを多く含み、ピスタチオグリーンと呼ばれる緑色をしている。緑色が濃く鮮やかなものほど上質。風味がよく高級感があることからナッツの女王といわれる。実が完熟すると、外殻が自然に割れる。
種類：主成分は脂質でたんぱく質も豊富。オレイン酸・リノール酸を多く含む。
調理法：「いり、味付け」はスナックとして利用する。殻をむいたものは洋菓子の彩り等にする。
産地：イラン、アメリカ、トルコ、中国等。

ご長寿！ はすの実

はすの果実の皮はとても厚く、土の中で発芽能力を長い間保持することができ、発芽力が強い。それを実証するできごとがあった。

昭和26（1951）年3月、千葉市検見川（けみがわ）遺跡（現在の花見川区）の泥の中から約2000年前のはすの実が発見され、なんと翌年に発芽・開花させることに成功。このはすは、発見者である大賀一郎博士の姓をとって「大賀はす」と名づけられた。この他にも中尊寺から発見され、800年ぶりに発芽に成功した「中尊寺はす」もある。

ひまわり (向日葵)
Sunflower seeds　大1=9g

キク科。北アメリカ大陸西部原産で、紀元前から食用作物とされた。特に大輪のロシアヒマワリは種子が大きいため食用・採油用にする。良質なひまわり油（サンフラワーオイル）が採れる（➡p.298）。
栄養成分：主成分は脂質でたんぱく質も多い。
調理法：「フライ、味付け」は、皮を取り除いてオイルローストし、塩味をつけ、おやつやつまみ等にする。
産地：ロシアと周辺のヨーロッパ諸国。

可食部100gあたり　Tr：微量　( )：推定値または推計値　-：未測定

ミネラル（無機質）							ビタミン															食塩相当量	備考
亜鉛	銅	マンガン	ヨウ素	セレン	クロム	モリブデン	A レチノール活性当量	A レチノール	A β-カロテン当量	D	E αトコフェロール	K	B1	B2	ナイアシン当量	B6	B12	葉酸	パントテン酸	ビオチン	C		①廃棄部位 ②廃棄率 ③試料
mg	mg	mg	µg	µg	µg	µg	µg	µg	µg	µg	mg	µg	mg	mg	mg	mg	µg	µg	mg	µg	mg	g	
5.5	1.66	2.24	Tr	10	4	92	**1**	(0)	9	(0)	0.1	7	**0.95**	**0.25**	11.0	0.60	(0)	93	0.56	12.0	**Tr**	0	③洗いごま
5.9	1.68	2.52	Tr	27	4	110	**1**	(0)	7	(0)	0.1	12	**0.49**	**0.23**	11.0	0.64	(0)	150	0.51	15.0	**Tr**	0	(100 g：154mL、100 mL：65g)
5.5	1.53	1.23	1	43	1	120	**0**	(0)	2	(0)	0.1	1	**1.25**	**0.14**	11.0	0.44	(0)	83	0.39	11.0	**(0)**	0	
5.3	1.50	1.80	Tr	22	5	150	**1**	(0)	8	(0)	0.1	0	**0.32**	**0.15**	(12.0)	0.51	(0)	99	0.24	13.0	**0**	0	(100 g：95mL、100 mL：105g)
0.1	0.36	2.72	-	-	-	-	**1**	(0)	7	(0)	0.1	16	**0.28**	**0.09**	(1.9)	0.19	(0)	8	0.59	-	**110**	0	①殻及び渋皮
3.9	1.49	1.43	24	11	1	90	**1**	(0)	9	(0)	0.6	1	**0.10**	**0.16**	(7.6)	0.71	(0)	120	1.04	9.1	**Tr**	1.5	①種皮
5.9	1.79	4.80	0	11	8	44	**0**	(0)	3	(0)	0.3	1	**0.97**	**0.25**	15.0	0.42	(0)	84	0.53	24.0	**1**	0	ポリフェノール：0.4 g
0.5	0.44	1.46	-	-	-	-	**(0)**	(0)	0	(0)	0	1	**Tr**	**0**	(0.4)	Tr	(0)	1	0	-	**0**	0.6	③あく抜き冷凍品
0.8	0.22	1.33	-	-	-	-	**Tr**	(0)	5	(0)	0.6	1	**0.18**	**0.09**	(2.8)	0.16	(0)	230	0.85	-	**27**	0	①殻及び薄皮
2.8	1.12	8.25	10	8	Tr	14	**1**	(0)	6	(0)	1.0	0	**0.44**	**0.11**	(8.6)	0.60	(0)	200	2.58	27.0	**1**	0	殻、薄皮及び幼芽を除いたもの
0.2	0.30	2.92	-	-	-	-	**0**	(0)	3	(0)	0.4	0	**0.08**	**0.02**	(2.4)	0.12	(0)	36	0.32	-	**0**	0	幼芽を除いたもの
1.3	0.06	0.60	Tr	Tr	0	2	**1**	(0)	7	(0)	1.6	2	**0.42**	**0.08**	(3.1)	0.32	(0)	430	0.71	11.0	**12**	0	①果皮
0.9	0.07	0.35	Tr	1	0	2	**0**	-	3	-	1.4	1	**0.25**	**0.03**	3.0	0.18	-	110	0.36	8.7	**7**	0	①皮
0.8	0.05	0.27	Tr	1	0	1	**0**	-	3	-	1.2	-	**0.19**	**0.03**	2.7	0.12	-	71	0.37	7.3	**5**	0	①皮
2.5	1.15	-	-	-	-	-	**10**	(0)	120	(0)	1.4	29	**0.43**	**0.24**	5.5	1.22	(0)	59	1.06	-	**(0)**	0.7	①殻
5.0	1.81	2.33	0	95	1	28	**1**	(0)	9	(0)	12.0	0	**1.72**	**0.25**	(12.0)	1.18	(0)	280	1.66	80.0	**0**	0.6	

Q A どうして「ひらけごま！」っていうの？▶アラビアの物語に出てくる、宝の洞窟の扉を開けるための呪文だが、原文でも「イフタフ・ヤー・シムシム！（開け、やー、ごま！）」という。これは、ごまが熟すとさやがパッとはじけて中の種が飛び出ることから、「扉よパッと開け、宝ものよ出て来い！」という願いを込めたためらしい。

ブラジルナッツ
Brazil nuts

サガリバナ科の高木。大型ナッツでアーモンドに似た風味があり、欧米ではナッツの王様と呼ばれる。日本には煎ったものが輸入されている。ほとんど栽培されていないが、アマゾン川流域の森林地帯に自生している木から落下した果実を集めて種子を取り出す。大きなさやの中に種子が20個前後入っている。ブラジルではこの輸出が重要な産業。
栄養成分：主成分は脂質でたんぱく質も豊富。
調理法：おやつ、つまみ、洋菓子等。
産地：ブラジル。

ヘーゼルナッツ
Hazel nuts　1粒=1.5g

カバノキ科。別名**ヘイゼルナッツ**、**西洋はしばみ**、**フィルバート**。日本産のはしばみの仲間で、はしばみよりも大きく品質がよい。
栄養成分：主成分は脂質でたんぱく質とカルシウムも多い。
調理法：日本ではローストしたナッツとしておやつやつまみにする。欧米ではクッキーやチョコレート等の菓子やパンに混ぜる、抽出成分をチーズに混ぜて風味をつける、アイスクリーム用フレーバーにする等。
産地：世界総生産量の70～75%がトルコ産。イタリア、アメリカ等。

ペカン
Pecan nuts　1粒=3g

クルミ科。別名ピーカンナッツ。良質の脂肪酸がとくに多く、老化防止や生活習慣病予防によい食材として人気がある。味も形もくるみによく似ているが、くるみよりも殻が薄く、手で容易に割ることができる。
栄養成分：主成分は脂質。
調理法：生または軽く煎って食べる、菓子やパン等に混ぜる。また、採油して加工食品、化粧品、石けん、ペンキの乾燥剤の原料にする。
収穫時期：9～10月。
産地：アメリカ等。

マカダミアナッツ
Macadamia nuts　10粒=20g

ヤマモガシ科。歯ざわりはもろく、味は淡白で、殻はくるみの殻より固い。オーストラリア原産だが19世紀末にハワイに導入され、品種改良や栽培方法等の研究の結果ハワイが主産地となった。多く含まれているパルミトオレイン酸は、若者の皮脂中に多く含まれ、老化するにつれて漸減する成分であるため、マカダミアナッツオイルは化粧品やスキンケア製品としても利用される。
栄養成分：主成分は脂質。
調理法：おやつ、つまみ、クッキー、チョコレート等。
収穫時期：3～9月。
産地：アメリカ・ハワイ、オーストラリア等。

らっかせい未熟豆→p.150

食品番号	食品名	廃棄率 %	エネルギー kcal	2015年版の値 kcal	水分 g	たんぱく質 g	アミノ酸組成によるたんぱく質 g	脂質 g	脂肪酸のトリアシルグリセロール当量 g	脂肪酸 飽和 g	脂肪酸 一価不飽和 g	脂肪酸 多価不飽和 g	コレステロール mg	炭水化物 g	利用可能炭水化物(質量計) g	食物繊維 食物繊維総量(プロスキー変法) g	食物繊維 食物繊維総量(AOAC法) g	ミネラル(無機質) ナトリウム mg	カリウム mg	カルシウム mg	マグネシウム mg	リン mg	鉄 mg
05028	**ブラジルナッツ** フライ 味付け	0	703	669	2.8	14.9	(14.1)	69.1	68.9	15.81	21.04	29.02	(0)	9.6	(2.9)	7.2	-	78	620	200	370	680	2.6
05029	**ヘーゼルナッツ** フライ 味付け	0	701	684	1.0	13.6	(11.0)	69.3	69.3	6.21	54.74	5.31	(0)	13.9	(4.6)	7.4	-	35	610	130	160	320	3.0
05030	**ペカン** フライ 味付け	0	716	702	1.9	9.6	(8.0)	73.4	71.9	7.40	37.33	24.06	(0)	13.3	(5.6)	7.1	-	140	370	60	120	270	2.7
05031	**マカダミアナッツ** いり 味付け	0	751	720	1.3	8.3	7.7	76.7	76.6	12.46	59.23	1.56	(0)	12.2	(4.5)	6.2	-	190	300	47	94	140	1.3
05032	**まつ** 生	0	681	669	2.5	15.8	(14.5)	68.2	66.7	5.09	17.70	41.01	(0)	10.6	(3.8)	4.1	-	2	730	14	290	680	5.6
05033	いり	0	724	690	1.9	14.6	13.7	72.5	70.6	5.80	20.26	41.48	(0)	8.1	5.1	6.9	-	4	620	15	250	550	6.2
05034	**らっかせい** 大粒種 乾	30	572	560	6.0	25.2	24.0	47.0	46.4	8.25	22.57	13.59	(0)	19.4	10.0	7.4	8.5	2	740	49	170	380	1.6
05035	いり	30	613	588	1.7	25.0	23.6	49.6	50.5	9.00	24.54	14.83	(0)	21.3	10.1	7.1	11.4	2	760	50	200	390	1.7
05044	小粒種 乾	30	573	562	6.0	25.4	(24.2)	47.5	46.9	10.02	19.15	15.66	(0)	18.8	(10.0)	7.4	-	2	740	50	170	380	1.6
05045	いり	30	607	585	2.1	26.5	(25.0)	49.4	(50.3)	(10.76)	(20.57)	(16.82)	(0)	19.6	(10.0)	7.2	-	2	770	50	200	390	1.7
05036	**バターピーナッツ**	0	609	601	2.4	23.3	22.6	53.2	51.8	10.27	23.55	15.72	(0)	18.3	8.3	6.8	9.5	120	700	50	190	380	2.0
05037	**ピーナッツバター**	0	599	636	1.2	20.6	19.7	50.4	47.8	11.28	19.88	14.62	(0)	24.9	18.6	6.1	7.6	350	650	47	180	370	1.6

+PLUS+ ハワイのお土産ナンバー1●マカダミアナッツチョコレートを最初につくり出したのは日系人で、マウイ島で日系の Mamoru Takitani 氏がマカダミアナッツをミルクチョコレートにいれたお菓子をつくり出したのが始まりといわれる。

ピーナッツバター

バターピーナッツ

ミックスナッツ

まつ（松）

Pine nuts　大1=10g

マツ科で、種子の大きな朝鮮五葉松（ちょうせんごようまつ）の実。松かさを形成する種子の胚乳部分を食用にする。

栄養成分：主成分は脂質。

調理法：つまみ、菓子、サラダ、佃煮等。

産地：中国、韓国等。

らっかせい（落花生）

Peanuts　殻つき10粒=25g

マメ科。他のマメ科の種子に比べて脂質が非常に多いため、種実類に分類されている。アンデス地方原産で、日本では明治時代に栽培し始めた。花が落ちた後、受精した子房の元が根のように地面に向かって伸びて地面にもぐり込むため、落花生の名がついた。その後子房は、子房柄として土中3～5cmのところで水平に伸び、そこでさやをつくり豆ができる（➡p.150）。なお、殻がついているものを落花生、渋皮がついているものを**なんきんまめ**、渋皮を取り除いたものを**ピーナッツ**と呼び分ける場合もある。

大粒種：系統分類からはバージニアタイプに分類され、よく育った殻には大きめの実が2個入っている。日本で栽培されているものはほとんどが大粒種。煎り豆、塩豆、煮豆、豆菓子、バターピーナッツ等に加工する。

小粒種：スパニッシュタイプに分類され、殻にはやや小さめな実が3～4個入っている。世界で栽培されるほとんどが小粒種。搾油用のほか、菓子や調理用食品の原料等にする。

栄養成分：主成分は脂質でたんぱく質も豊富。

産地：中国、インド、ナイジェリア等。千葉、茨城、鹿児島等。

バターピーナッツ

皮を取り除いた落花生を油で揚げて塩味をつけたもの。

ピーナッツバター

煎った落花生をすりつぶし、砂糖、食塩、ショートニング等を加えて練ったもの。

落花生で豆腐をつくろう

落花生は、種実類の中でも安価で手軽に利用できるうえに、健康にも役立つ。例えば、抗酸化作用があり老化防止によいビタミンE、HDL（善玉）コレステロールを増やし動脈硬化を予防する不飽和脂肪酸、腸内の善玉菌であるビフィズス菌を増やすオリゴ糖、整腸作用がある食物繊維など、生活習慣病を予防する成分を多く含んでいる。落花生はかたくてかめないという高齢者には、沖縄料理のジーマミ豆腐が食べやすい。甘い蜜をかければデザートにもなる。

※ジーマミ＝地豆＝落花生

【ジーマミ豆腐のつくり方】

落花生 ………… カップ 1

さつまいもでん粉（または片栗粉やくず粉） ………… カップ 1/2

水 ……………… カップ 3

①殻と薄皮をむいた落花生を、水に 1 時間ほど浸す。

②①に 1 カップの水を加えてミキサーにかけてミルク状にし、ふきんなどでこして搾る。

③鍋に②の搾り汁を入れ、カップ 2 の水ででん粉を溶き入れ、中火にかけて底のほうから木べらなどでかき混ぜながら、30 分ほど練る。

④水で濡らした容器に入れて冷やす。プリン型を利用したり、バットを利用してかためてから切り分けてもよい。

⑤ジーマミ豆腐を器に盛り、好みのたれや蜜をかける。

※搾りかすは、おからとして利用するとよい。

まつの実は仙人の霊薬

まつの実は中国では松子仁と呼び、仙人の霊薬、仙人の食べる仙果といわれ、不老長寿の薬や強壮剤とされる。

古くは漢方の解説書の「本草綱目」に有用性が書かれており、東洋医学では、高齢者や虚弱体質の人の体力増強剤、病後の衰弱や虚弱体質の改善、小児喘息の鎮咳剤、慢性便秘の改善、不眠症や神経衰弱の改善などに用いる。

日本でも、平安時代の貴族の食材として大いに利用された。現在でも薬膳などによく使われる。

まつの実の大きな特徴として、他の植物性油にはないピノレン酸が豊富に含まれていることがあげられる。ピノレン酸には、コレステロール値や血圧の上昇を抑制し、肝脂肪を減少させる効果があるとされる。また、赤血球をやわらかくする働きがあるといわれるため、赤血球が毛細血管を通るときに形を変えるのを助け、血管を詰まらせないようにする血液さらさら効果もある。

また皮膚を活性化するため、特に韓国では美肌作りの美容食として伝承されている。

可食部100gあたり　Tr：微量　（ ）：推定値または推計値　－：未測定

ミネラル（無機質）							ビタミン															食塩相当量	備考
亜鉛	銅	マンガン	ヨウ素	セレン	クロム	モリブデン	A レチノール活性当量	レチノール	β-カロテン当量	D	E αトコフェロール	K	B1	B2	ナイアシン当量	B6	B12	葉酸	パントテン酸	ビオチン	C		①廃棄部位 ②廃棄率
mg	mg	mg	µg	µg	µg	µg	µg	µg	µg	µg	mg	µg	mg	mg	mg	mg	µg	µg	mg	µg	mg	g	
4.0	1.95	1.29	-	-	-	-	1	(0)	12	(0)	4.1	Tr	**0.88**	**0.26**	(3.8)	0.25	(0)	1	0.23	-	0	0.2	
2.0	1.64	5.24	0	1	1	6	(0)	(0)	Tr	(0)	18.0	4	**0.26**	**0.28**	(4.2)	0.39	(0)	54	1.07	82.0	0	0.1	薄皮を除いたもの
3.6	0.84	4.37	-	-	-	-	4	(0)	45	(0)	1.7	4	**0.19**	**0.19**	(2.4)	0.19	(0)	43	1.49	-	0	0.4	
0.7	0.33	-	0	13	2	5	(0)	(0)	Tr	(0)	Tr	5	**0.21**	**0.09**	3.7	0.21	(0)	16	0.50	6.5	(0)	0.5	
6.9	1.44	9.78	-	-	-	-	(0)	(0)	0	(0)	11.0	1	**0.63**	**0.13**	(6.3)	0.17	(0)	79	0.59	-	Tr	0	
6.0	1.30	-	-	-	-	-	(0)	(0)	0	(0)	12.0	27	**0.61**	**0.21**	6.1	0.10	(0)	73	0.42	-	(0)	0	②殻つきの場合 40%
2.3	0.59	1.56	1	20	4	88	1	0	8	0	11.0	0	**0.41**	**0.10**	24.0	0.49	(0)	76	2.56	92.0	0	0	②殻 26%及び種皮 4%
3.0	0.69	2.15	1	2	0	96	1	(0)	6	(0)	10.0	Tr	**0.24**	**0.13**	28.0	0.46	(0)	58	2.20	110.0	0	0	②殻 27%及び種皮 3%
2.3	0.59	1.56	1	20	4	88	1	(0)	6	(0)	10.0	Tr	**0.85**	**0.10**	(22.0)	0.46	(0)	76	2.56	92.0	(0)	0	②殻 27%及び種皮 3%
3.0	0.69	-	-	-	-	-	1	(0)	7	(0)	11.0	Tr	**0.23**	**0.10**	(22.0)	0.46	(0)	57	2.19	-	(0)	0	②殻 27%及び種皮 3%
3.1	0.64	2.81	1	5	1	68	Tr	(0)	5	(0)	1.9	Tr	**0.20**	**0.10**	21.0	0.48	(0)	98	2.42	96.0	0	0.3	
2.7	0.65	1.45	1	5	3	92	Tr	(0)	4	(0)	4.8	0	**0.10**	**0.09**	20.0	0.36	(0)	86	1.87	79.0	(0)	0.9	

Q&A 落花生は土の中でできるって本当？▶落花生は土の中で生長する、豆類の中でも珍しい習性をもっている。花がしぼむと、花の元が伸びて（子房柄）土の中にもぐり、そこで落花生ができる。この習性が名前の由来。英語ではピーナッツというが、ピー（Pea）は草の実、ナッツ（Nuts）は木の実、つまり「畑で採れる木の実」という意味。

06 野菜類 VEGETABLES

収穫されたにんじん

野菜類とは

野菜は、栄養価に富みビタミンやミネラルの主要供給食物で、豊かな色彩と特有の香りと食感をもち、食卓を飾る食材としても、健康を維持していくためにも欠かせない。栽培法や品種の改良などにより、その種類は年々増加している。分類には、利用部位によるもの、カロテン含有量によるものなどがある。

1 栄養上の特徴

一般に水分が多く、固形分が少ないため、低エネルギーであるが、ビタミンA・C、カリウム、鉄、カルシウムなどの供給源であると同時に、食物繊維を多く含み、整腸作用があるなど、体調維持には欠かせない。

野菜に含まれるビタミンAは、**カロテン**といい、体内でビタミンAにかわる**プロビタミンA**である。この栄養素はすでに体内のビタミンAが十分ならビタミンに変化することはない。カロテンの中でも**β-カロテン**は色素の一種で、とくに鮮やかな色の野菜や海藻などに多く含まれる。一般に色の濃い野菜を**緑黄色野菜**といい、薄いものを**淡色野菜**というが、正確にはβ-カロテン当量が600μg以上のものを緑黄色野菜という（➡p.109）。

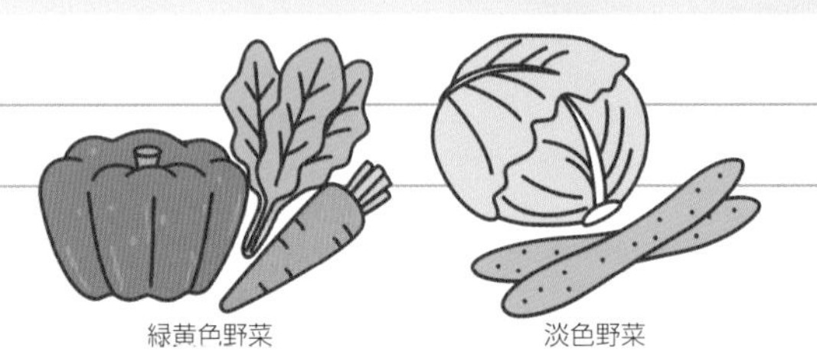

緑黄色野菜　　淡色野菜

●淡色野菜と緑黄色野菜のβ-カロテン、ビタミンCの比較

β-カロテン（β-カロテン当量）

キャベツ	50
きゅうり	330
西洋かぼちゃ	4000
ほうれんそう	4200
にんじん	8600

＊100gあたりの数値（μg）

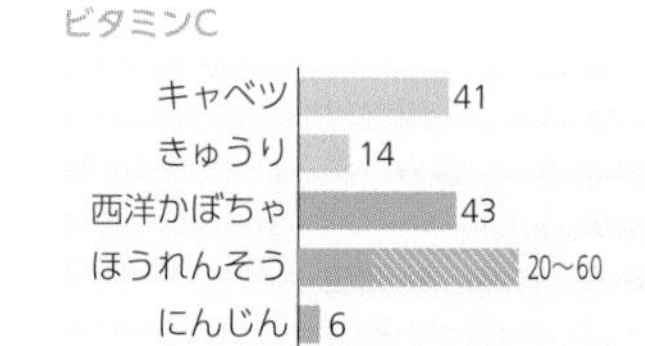

＊100gあたりの数値（mg）

2 選び方・保存方法

	選び方
だいこん	肌が白く、しまって重量感のあるもの。葉の部分も新鮮さを見分けるのに重要。葉の切り口にすの入っていないものを選ぶ。
かぼちゃ	形が整っていて、色むらのないものがよい。大きさの割に重量感があり、へたの茎が枯れているものが完熟品で、甘味が強い。果肉の色は、赤みが濃いほど甘く、ホクホクしている。
キャベツ	一般に球形で美しく、巻きのかたいものがよい。緑の濃い、新鮮な外葉のついているものほど、鮮度が高い。購入するときは、巻きがしっかりしていて、切り口が新しいものがよい。
きゅうり	張りがあってつやのよいもの、太さが均一のものが新鮮。いぼがチクチクするものほど鮮度が高い。
にんじん	色が濃いものほどカロテンが豊富である。肌がなめらかで、形がよいものがおいしい。首が黒ずんでいたり緑がかったものは避ける。
トマト	全体に丸く、皮に張りのある光沢のよいものを選ぶ。ひび割れや筋の入ったものは避ける。へたの部分がしっかりしたものがよい。
たまねぎ	しまりのよい球形のものを選ぶ。皮がよく乾いて、透き通るような茶色のものが良品。皮が浮いた感じのものは避ける。
ほうれんそう	みずみずしい緑色の葉が厚めで、ピンとしたものがよい。根元が鮮やかに赤く、茎が10～15cm程度のものがやわらかく美味。小さめの株のほうがおいしい。

●保存法

野菜は収穫後、日が経つにつれて鮮度が低下し、水分も蒸発するので、ラップや新聞紙にきっちり包み、冷蔵庫の野菜ケースに入れ、なるべく早く使うようにする。長期間保存するときは、ゆでるなどの下ごしらえをして冷凍する。また、根や葉をつけておくと身の品質が落ちるので、切り離して保存する。たまねぎやにんにくは皮つきのままつるして、乾燥状態を保つ。

●野菜の利用部位と種類

果菜類：果実または種実を食用とする……なす／ピーマン／きゅうり／トマト

葉茎菜類❶：花蕾（つぼみ）を食用とする……ブロッコリー／みょうが／きく／カリフラワー（花菜類ともいう）

葉茎菜類❷：葉を食用とする……ほうれんそう／レタス／はくさい／キャベツ

葉茎菜類❸：茎を食用とする（若くやわらかい茎、地下茎なども含む）……れんこん／アスパラガス／たけのこ

根菜類：発育肥大した根を食用とする……ごぼう／だいこん／にんじん／かぶ

3 加工と加工品

●さまざまな加工品

漬物……塩漬／ぬか漬／みそ漬／かす漬／しょうゆ漬／こうじ漬／酢漬
冷凍食品……かぼちゃ／ミックス野菜／ブロッコリー／れんこん／カリフラワー
カット野菜……サラダ／ごぼう／たけのこ
缶詰・びん詰め……グリンピース／アスパラガス／トマト／らっきょう
つくだ煮……ふき／さんしょう
干物……かんぴょう／ぜんまい／切干し大根
ジュース……トマトジュース／青汁／キャロットジュース／野菜ジュース

4 調理性

●野菜の色素と調理による変化

色素の分類	おもな効用	摂取方法	色の変化など
クロロフィル系 ほうれんそう こまつな ピーマン さやえんどう パセリ	増血作用 抗菌 消臭	熱と酸の組み合わせに弱いので注意	鮮やかな緑色 ← 食塩　　酸 → 褐色（酢など）
アントシアニン なす 赤かぶ 赤じそ 紫いも	視力低下予防 血管の保護	熱に強く、水溶性なのでスープなどに向く	青紫色 ← アルカリ（焼きみょうばん 重曹など）　　酸 → 赤色（酢など）
フラボノイド系 たまねぎ カリフラワー れんこん キャベツ	高血圧予防 動脈硬化予防 抗酸化作用	熱と酸の組み合わせに弱いので注意	黄色 ← アルカリ（焼きみょうばん 重曹など）　　酸 → 白（酢など）
カロテノイド系 β-カロテン…にんじん／かぼちゃ リコピン…トマト カプサンチン…赤ピーマン／赤とうがらし	ガン予防 動脈硬化予防 老化抑制	熱に強いので炒めてもよい。脂肪分と同時に摂取すると吸収が向上する	

5 旬の野菜リスト（東京市場の出回り期）

品名	春	夏	秋	冬
アスパラガス				
えだまめ				
オクラ				
かぶ				
かぼちゃ				
カリフラワー				
キャベツ				
きゅうり				
ごぼう				
こまつな				
さやいんげん				
さやえんどう				

品名	春	夏	秋	冬
しゅんぎく				
ズッキーニ				
そらまめ				
だいこん				
たけのこ				
たまねぎ				
たらの芽				
チンゲンサイ				
とうもろこし				
トマト				
なす				
にがうり				

品名	春	夏	秋	冬
にら				
にんじん				
ねぎ				
はくさい				
ピーマン				
ブロッコリー				
ほうれんそう				
みつば				
みょうが				
めキャベツ				
レタス				
わけぎ				

アーティチョーク

Artichoke　1個=400g

キク科。別名**ちょうせんあざみ**。大きなつぼみの中心部にあるやわらかいがくと花托（かたく：がく・花冠・雄しべ・雌しべ等をつける台）を食用にする。食感はいもに似ている。
調理法：緑色の部分を取り除いて詰め物をし、オーブンで焼いたりして食べる。また、塩と酢を入れた熱湯でゆでてあくを抜き、サラダ、和え物、炒め物、煮物、スープ等にする。
選び方：がくが青く、よく締まった若いつぼみがよい。
旬：5～7月。
産地：イタリア、エジプト、スペイン等。

あさつき（浅葱）

Asatsuki　1わ=25g

ユリ科。別名えぞねぎ、糸ねぎ、せんぼんわけぎ、せんぶき。もともとは山の草地に生えているねぎの仲間。ねぎに似た成分をもち、独特の臭気がある。ねぎ類の中でもっとも細く、葉は中空になっている。
栄養成分：ビタミンB_6が豊富。
調理法：薬味、ぬた、汁の実、サラダ、和え物、炒め物等。
旬：2～4月。
産地：広島、福島、山形等。

あしたば（明日葉）

Ashitaba

セリ科。別名**あしたぐさ**、**はちじょうそう**。芽を摘んでも翌日にまた芽が出てくるのでこの名がついた。若茎・若葉を食用とする。
栄養成分：カロテンが豊富。
調理法：天ぷら、浸し物、和え物、炒め物等。
旬：3～11月。
産地：八丈島、伊豆大島。

アスパラガス

Asparagus　1本=20～25g

ユリ科。若茎を食用にする。
種類：太陽があたらないように土寄せして軟化栽培したホワイトアスパラガスは、おもに缶詰用に加工される。土寄せしないものがグリーンアスパラガスで、ホワイトアスパラガスより栄養価が高い。調理しやすいミニアスパラガスもある。
特性：アミノ酸の一種であるアスパラギンは加水分解してアスパラギン酸となり、体内の老廃物の処理、肝機能の促進、疲労回復、皮膚の代謝活性化等に役立つといわれる。アスパラギンは植物界に広く存在し、とくに発芽した豆類やじゃがいもには多量に存在する。
調理法：サラダ、つけあわせ、グラタン、炒め物、スープ等。
選び方：色が濃く、はりがあり穂先がつぼんでいるものがよい。
旬：5～7月。
産地：北海道、佐賀、長野等。

アロエ

Aloe　葉1枚=1kg

ユリ科。多肉質植物で、広く利用されるのは葉が大きくて厚みがあるアロエベラ。表皮を取り除き、ゼリー状の葉肉を食べる。家庭で栽培され、民間薬にもなるキダチアロエは、ゼリー状の部分が少ないので表皮をむかずに利用するため苦味が強い。
調理法：ジュース、サラダ、刺身等。

緑=緑黄色野菜　エシャレット→p.150

食品番号	食品名	廃棄率 %	エネルギー kcal	2015年版の値 kcal	水分 g	たんぱく質 g	アミノ酸組成によるたんぱく質 g	脂質 g	脂肪酸のトリアシルグリセロール当量 g	脂肪酸 飽和 g	脂肪酸 一価不飽和 g	脂肪酸 多価不飽和 g	コレステロール mg	炭水化物 g	利用可能炭水化物(質量計) g	食物繊維 食物繊維総量(プロスキー変法) g	食物繊維 食物繊維総量(AOAC法) g	ナトリウム mg	カリウム mg	カルシウム mg	マグネシウム mg	リン mg	鉄 mg
06001	**アーティチョーク** 花らい 生	75	**39**	48	85.1	**2.3**	(1.9)	**0.2**	(0.1)	(0.05)	(0.01)	(0.09)	(0)	**11.3**	(0.9)	8.7	-	21	430	**52**	50	61	**0.8**
06002	ゆで	80	**35**	45	85.9	**2.1**	(1.7)	**0.1**	(0.1)	(0.02)	(Tr)	(0.04)	(0)	**10.8**	(0.9)	8.6	-	12	380	**47**	46	55	**0.7**
緑 06003	**あさつき** 葉 生	0	**34**	33	89.0	**4.2**	(2.9)	**0.3**	(0.1)	(0.04)	(0.01)	(0.08)	(0)	**5.6**	-	3.3	-	4	330	**20**	16	86	**0.7**
06004	ゆで	0	**41**	39	87.3	**4.2**	(2.9)	**0.3**	(0.1)	(0.04)	(0.01)	(0.08)	(0)	**7.3**	-	3.4	-	4	330	**21**	17	85	**0.7**
緑 06005	**あしたば** 茎葉 生	2	**30**	33	88.6	**3.3**	(2.4)	**0.1**	-	-	-	-	(0)	**6.7**	-	5.6	-	60	540	**65**	26	65	**1.0**
06006	ゆで	0	**28**	31	89.5	**2.9**	(2.1)	**0.1**	-	-	-	-	(0)	**6.6**	-	5.3	-	43	390	**58**	20	51	**0.5**
緑 06007	**アスパラガス** 若茎 生	20	**21**	22	92.6	**2.6**	1.8	**0.2**	(0.2)	(0.07)	(0)	(0.08)	Tr	**3.9**	2.1	1.8	-	2	270	**19**	9	60	**0.7**
06008	ゆで	0	**25**	24	92.0	**2.6**	(1.8)	**0.1**	(0.1)	(0.02)	(0)	(0.05)	Tr	**4.6**	(2.3)	2.1	-	2	260	**19**	12	61	**0.6**
06327	油いため	0	**54**	57	88.3	**2.9**	(2.0)	**3.9**	(3.7)	(0.31)	(2.19)	(1.06)	(Tr)	**4.1**	(2.3)	2.1	-	3	310	**21**	10	66	**0.7**
06009	水煮缶詰	0	**24**	22	91.9	**2.4**	(1.6)	**0.1**	(0.1)	(0.02)	(Tr)	(0.04)	(0)	**4.3**	(2.3)	1.7	-	350	170	**21**	7	41	**0.9**
06328	**アロエ** 葉 生	30	**3**	3	99.0	**0**	-	**0.1**	-	-	-	-	(0)	**0.7**	-	0.4	-	8	43	**56**	4	2	**0**
緑 06010	**いんげんまめ** さやいんげん 若ざや 生	3	**23**	23	92.2	**1.8**	1.3	**0.1**	(0.1)	(0.02)	(Tr)	(0.05)	Tr	**5.1**	2.2	2.4	-	1	260	**48**	23	41	**0.7**
06011	ゆで	0	**25**	26	91.7	**1.8**	(1.2)	**0.2**	(0.2)	(0.05)	(0.01)	(0.10)	Tr	**5.5**	(2.3)	2.6	-	1	270	**57**	22	43	**0.7**
	(うど類)																						
06012	**うど** 茎 生	35	**19**	18	94.4	**0.8**	(0.8)	**0.1**	-	-	-	-	(0)	**4.3**	-	1.4	-	Tr	220	**7**	9	25	**0.2**
06013	水さらし	0	**13**	14	95.7	**0.6**	(0.6)	**0**	-	-	-	-	(0)	**3.4**	-	1.6	-	Tr	200	**6**	8	23	**0.1**
06014	**やまうど** 茎 生	35	**19**	19	93.9	**1.1**	(1.0)	**0.1**	-	-	-	-	(0)	**4.3**	-	1.8	-	1	270	**11**	13	31	**0.3**
緑 06363	**うるい** 葉 生	4	**19**	22	92.8	**1.9**	1.5	**0.4**	0.2	0.06	0.01	0.14	(0)	**4.0**	1.1	3.3	-	1	390	**40**	14	52	**0.5**

+PLUS+ 「うどの大木」という慣用句は本当！？●野菜類のうどとは別に木として成長するうどがある。大木に成長するが材質が非常にやわらかいため、「大きく育っても役に立たないもの」の例えとされたと考えられる。

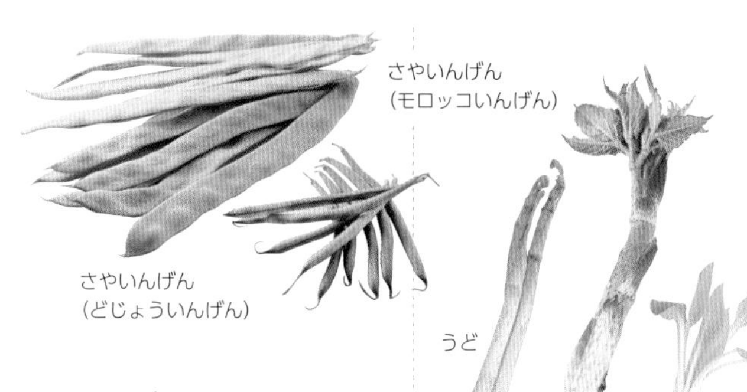

いんげんまめ (隠元豆)
Kidney beans

マメ科。別名**さいとう (菜豆)**。また、年に数回収穫できることから**さんどまめ (三度豆)** ともいう。いんげんまめについてはp.86［豆類］参照。

さやいんげん (莢隠元) 1さや=5～10g

マメ科。いんげんまめの若ざやを食用にしたもの。さやが長く大きくやわらかいどじょういんげんや、幅広のモロッコいんげん等の品種がある。近年は筋なしの品種もある。

栄養成分：カロテンが豊富。

調理法：炒め物、天ぷら、浸し物、和え物、サラダ、つけあわせ等。

旬：6～9月。

産地：千葉、鹿児島、福島等。

うど類 (独活類)
Udo 中1本=250g

ウコギ科。香りと歯ざわりを楽しむ野菜。あくが強いので、皮を厚くむいて塩水か酢水に浸けてあくを抜く。皮はきんぴらにするとよい。

調理法：生食、刺身のつま、浸し物、和え物、吸い物、煮物等。

選び方：長さ80cm程度で茎が太いものがよい。

産地：群馬、栃木、東京等。

うど (独活)

一般的にうどと呼ばれるのは、太陽の光があたらない室(むろ)で軟白栽培したもののこと。

やまうど (山独活)

やまうどのほうが香りもあくも強い。以前は山野に自生するものをやまうどと呼んでいたが、現在では半地下式で上半分を緑化する栽培法でつくったものをいう。姿、形、風味とも自生種に似ている。

うるい
Plantain lily

キジカクシ科。別名**ウリッパ**、**アマナ**、**ギンボ**、たきな、やまかんぴょう。山菜だが、ハウス栽培もされる。しゃきしゃきした食感でぬめりがある。

栄養成分：ビタミンCが豊富。

緑黄色野菜 ※本書には緑マークをつけた

厚生労働省は、β-カロテン当量が600µg以上の野菜を緑黄色野菜としている(これ未満でも栄養指導上,緑黄色野菜としたものもある)。この基準を「2020年版（八訂）」に当てはめると、下記の通りとなる。

10000～(µg)	しそ　葉(➡p.118)	モロヘイヤ(➡p.148)
9999～5000(µg)	とうがらし　果実　生(➡p.130) パセリ(➡p.140) バジル(➡p.140) あしたば(➡p.108) とうがらし　葉(➡p.130) きんとき(➡p.136)	にんじん(➡p.136) よめな(➡p.150) ミニキャロット(➡p.136) よもぎ(➡p.150) なずな(➡p.134)
4999～3000(µg)	めたで(➡p.148) ようさい(➡p.148) トウミョウ(➡p.110) だいこん　葉(➡p.124) ふだんそう(➡p.144) にら(➡p.136) 糸みつば(➡p.146) つるむらさき(➡p.128)	しゅんぎく(➡p.120) ほうれんそう(➡p.144) 西洋かぼちゃ(➡p.112) サンチュ(➡p.152) ルッコラ(➡p.150) おかひじき(➡p.110) こまつな(➡p.118) すいぜんじな(➡p.120) ちぢみゆきな(➡p.128)
2999～2000(µg)	ケール(➡p.116) からしな(➡p.114) つるな(➡p.128) しそ　実(➡p.118) 葉だいこん(➡p.124) みずかけな(➡p.146) タアサイ(➡p.122) こねぎ(➡p.138) ぎょうじゃにんにく(➡p.116) チンゲンサイ(➡p.128) ドライトマト(➡p.132)	かぶ　葉(➡p.112) クレソン(➡p.116) わけぎ(➡p.152) 洋種なばな(➡p.134) たかな(➡p.126) リーフレタス(➡p.152) 和種なばな(➡p.134) サラダな(➡p.152) すぐきな(➡p.122) サニーレタス(➡p.152)
1999～1000(µg)	せり(➡p.122) つまみな(➡p.124) トマピー(➡p.142) キンサイ(➡p.116) みぶな(➡p.146) 葉にんじん(➡p.136) たいさい(➡p.124) 葉ねぎ(➡p.138) おおさかしろな(➡p.110) こごみ(➡p.118) じゅうろくささげ(➡p.120) ひのな(➡p.142) つくし(➡p.128) はなっこりー(➡p.140) うるい(➡p.108)	かいわれだいこん(➡p.124) ながさきはくさい(➡p.132) ひろしまな(➡p.142) パクチョイ(➡p.140) エンダイブ(➡p.110) 根みつば(➡p.146) 葉たまねぎ(➡p.126) ブロッコリー　芽ばえ(➡p.144) みずな(➡p.146) さんとうさい(➡p.118) のざわな(➡p.138) 赤ピーマン(➡p.142) 花にら(➡p.136) コリアンダー(➡p.118)
999～600(µg)	赤色ミニトマト(➡p.132) のびる(➡p.138) あさつき(➡p.108) 切りみつば(➡p.146) めキャベツ(➡p.146) オクラ(➡p.112)	ブロッコリー　花序(➡p.144) とんぶり(➡p.132) 日本かぼちゃ(➡p.112) 茎にんにく(➡p.138) レタス(水耕栽培)　(➡p.152) オレンジピーマン(➡p.142)
599～0(µg)	さやいんげん(➡p.108) たらのめ(➡p.128)	さやえんどう(➡p.110) 赤色トマト(➡p.132)　　など

可食部100gあたり　Tr：微量　( )：推定値または推計値　-：未測定

ミネラル（無機質）							ビタミン															食塩相当量	備考
亜鉛	銅	マンガン	ヨウ素	セレン	クロム	モリブデン	A レチノール活性当量	A レチノール	A β-カロテン当量	D	E α-トコフェロール	K	B1	B2	ナイアシン当量	B6	B12	葉酸	パントテン酸	ビオチン	C		①廃棄部位　②硝酸イオン　③試料　④廃棄率　⑤原材料　⑥ビタミンC　⑦重量比
mg	mg	mg	µg	µg	µg	µg	µg	µg	µg	µg	mg	µg	mg	mg	mg	mg	µg	µg	mg	µg	mg	g	
0.2	0.05	0.19	-	-	-	-	**1**	(0)	6	(0)	0.4	2	**0.08**	**0.10**	(1.9)	0.08	(0)	81	0.51	-	**15**	0.1	①花床の基部及び総包の一部　②Tr
0.2	0.05	0.15	-	-	-	-	**Tr**	(0)	5	(0)	0.4	2	**0.07**	**0.08**	(1.7)	0.06	(0)	76	0.51	-	**11**	0	①花床の基部及び総包の一部　②Tr
0.8	0.09	0.40	-	-	-	-	**62**	(0)	750	(0)	0.9	50	**0.15**	**0.16**	(1.8)	0.36	(0)	210	0.62	-	**26**	0	②0g
0.8	0.09	0.43	-	-	-	-	**60**	(0)	720	(0)	0.9	43	**0.17**	**0.15**	(1.7)	0.27	(0)	200	0.55	-	**27**	0	②0g
0.6	0.16	1.05	-	-	-	-	**440**	(0)	5300	(0)	2.6	500	**0.10**	**0.24**	(2.2)	0.16	(0)	100	0.92	-	**41**	0.2	①基部　②Tr
0.3	0.13	0.92	-	-	-	-	**440**	(0)	5200	(0)	2.7	380	**0.07**	**0.16**	(1.5)	0.10	(0)	75	0.45	-	**23**	0.1	基部を除いたもの　ゆでた後水冷し、手搾りしたもの　②Tr
0.5	0.10	0.19	1	0	0	2	**31**	(0)	380	(0)	1.5	43	**0.14**	**0.15**	1.4	0.12	(0)	190	0.59	1.8	**15**	0	③グリーンアスパラガス　①株元　②Tr
0.6	0.13	0.23	-	-	-	-	**30**	(0)	370	(0)	1.6	46	**0.14**	**0.14**	(1.5)	0.08	(0)	180	0.54	-	**16**	0	③グリーンアスパラガス　株元を除いたもの　②Tr
0.5	0.11	0.22	-	-	-	-	**31**	(0)	380	(0)	2.0	48	**0.15**	**0.17**	(1.7)	0.11	(0)	220	0.58	-	**14**	0	③グリーンアスパラガス　株元を除いたもの　植物油（なたね油）　②0g
0.3	0.07	0.05	-	-	-	-	**1**	(0)	7	(0)	0.4	4	**0.07**	**0.06**	(1.6)	0.02	(0)	15	0.12	-	**11**	0.9	③ホワイトアスパラガス　液汁を除いたもの
0	Tr	0.02	-	-	-	-	**0**	(0)	1	(0)	0	0	**0**	**0**	0	0.01	(0)	4	0.06	-	**1**	0	③アロエベラ及びキダチアロエ　①皮　②0g
0.3	0.06	0.33	0	Tr	1	34	**49**	(0)	590	(0)	0.2	60	**0.06**	**0.11**	0.9	0.07	(0)	50	0.17	3.9	**8**	0	①すじ及び両端　②Tr
0.3	0.06	0.34	-	-	-	-	**48**	(0)	580	(0)	0.2	51	**0.06**	**0.10**	(0.8)	0.07	(0)	53	0.16	-	**6**	0	すじ及び両端を除いたもの　②Tr
0.1	0.05	0.04	Tr	0	0	0	**(0)**	(0)	0	(0)	0.2	2	**0.02**	**0.01**	(0.7)	0.04	(0)	19	0.12	0.5	**4**	0	軟白栽培品　①株元、葉及び表皮　②Tr
0.1	0.04	0.03	-	-	-	-	**(0)**	(0)	0	(0)	0.1	2	**0.01**	**0.02**	(0.6)	0.03	(0)	19	0.08	-	**3**	0	軟白栽培品　株元、葉及び表皮を除いたもの　②Tr
0.2	0.06	0.09	-	-	-	-	**Tr**	(0)	2	(0)	0.2	3	**0.03**	**0.02**	(0.8)	0.05	(0)	20	0.13	-	**5**	0	①株元、葉及び表皮　②Tr
0.5	0.09	0.79	1	1	0	4	**160**	(0)	1900	(0)	1.3	160	**0.09**	**0.12**	1.0	0.10	(0)	120	0.31	3.1	**50**	0	①株元　②0g

QA アロエが絶滅危惧種？▶アロエはヨーグルトなどにも含まれる日常的な食べ物のように思えますが、実は輸出入が厳しく制限されるワシントン条約の対象となっており、世界的には絶滅危惧種の指定を受けている。ただし、主に食用とされるアロエベラは唯一その対象からは外れている。

えだまめ

ずんだもち

茶豆
さやの中の豆の薄皮が茶色いため、この名がついた。独特の香りがあり、甘味が強い。

エンダイブ

トウミョウ
茎葉

トウミョウ　芽ばえ

えだまめ（枝豆）

Edamame　1さや=2〜3g

マメ科。だいず（➡p.88）が未熟なときに収穫する緑色の豆。「冷凍」品が多く一年中出回っている。糖分が多いものが美味だが、糖分の多いだいずは、煮豆やみそ向きといわれるものに多い。例えば、煮豆にすると見栄えも味もよく最高の材料といわれる丹波黒は、えだまめで食べても美味。山形のだだちゃ豆や新潟の黒崎茶豆などが、独特の甘味と風味をもつことで知られている。

栄養成分：たんぱく質が豊富。食物繊維等も多い。

調理法：塩ゆでにしてつまみにする、かき揚げ、煮物、あん等。

郷土料理：東北地方ではゆでてすりつぶしたえだまめを「ずんだ」といい、和え衣やあんとして利用する。ずんだ和え、ずんだもち等。

旬：7〜8月。

産地：千葉、新潟、山形、埼玉等。

エンダイブ

Endive　1個＝200g

キク科。別名**きくちしゃ**、**にがちしゃ**、**シコレ**。日本では、葉先が細かく縮れて葉に深い切れ込みがあるものが好まれるが、丸い広葉のものもある。葉が発育したら束ねて内部の葉を軟白する。歯切れのよさとほのかな苦味がある。

調理法：サラダ、煮物、肉料理のつけあわせ等。

旬：12〜2月。

産地：千葉、北海道、埼玉等。

えんどう類（豌豆類）

Peas

マメ科。えんどうまめについてはp.87［豆類］を参照のこと。

トウミョウ（豆苗）

茎葉：中国野菜で、えんどうの新芽とつる先10cmほどの若芽のこと。中国ではトウミョウを収穫するための専用種の褐えんどうがあるが、日本ではさやえんどうやさとうえんどうの若芽も使われる。

芽ばえ：日本で一般に売られているもので、さやえんどう等の種子をスポンジで水耕栽培して発芽させ、かいわれだいこんのように育てたもの。

栄養成分：ビタミン類が豊富。

調理法：炒め物、浸し物、和え物、サラダ、天ぷら、吸い物、スープ等。

選び方：緑色が濃く、育ちすぎていないものがよい。

産地：福岡、神奈川、千葉等。

さやえんどう（莢豌豆）　5さや=15g

若ざやを食用とする。別名**きぬさや**

緑＝緑黄色野菜

緑	食品番号	食品名	廃棄率 %	エネルギー kcal	2015年版の値 kcal	水分 g	たんぱく質 g	アミノ酸組成によるたんぱく質 g	脂質 g	脂肪酸のトリアシルグリセロール当量 g	脂肪酸 飽和 g	脂肪酸 一価不飽和 g	脂肪酸 多価不飽和 g	コレステロール mg	炭水化物 g	利用可能炭水化物(質量計) g	食物繊維 食物繊維総量(プロスキー変法) g	食物繊維 食物繊維総量(AOAC法) g	ミネラル(無機質) ナトリウム mg	カリウム mg	カルシウム mg	マグネシウム mg	リン mg	鉄 mg
	06015	**えだまめ** 生	45	**125**	135	71.7	**11.7**	10.3	**6.2**	5.7	0.84	1.88	2.77	(0)	**8.8**	4.3	5.0	-	1	590	**58**	62	170	**2.7**
	06016	ゆで	50	**118**	134	72.1	**11.5**	(9.8)	**6.1**	5.8	0.86	1.91	2.82	(0)	**8.9**	(4.3)	4.6	-	2	490	**76**	72	170	**2.5**
	06017	冷凍	50	**143**	159	67.1	**13.0**	(11.1)	**7.6**	7.2	0.95	2.58	3.34	(0)	**10.6**	4.9	7.3	-	5	650	**76**	76	190	**2.5**
緑	06018	**エンダイブ** 葉 生	15	**14**	15	94.6	**1.2**	(0.9)	**0.2**	(0.1)	(0.05)	(Tr)	(0.09)	(0)	**2.9**	-	2.2	-	35	270	**51**	19	30	**0.6**
		(えんどう類)																						
緑	06019	**トウミョウ** 茎葉 生	0	**28**	27	90.9	**3.8**	(2.2)	**0.4**	-	-	-	-	(0)	**4.0**	-	3.3	-	7	350	**34**	22	61	**1.0**
	06329	芽ばえ 生	0	**27**	24	92.2	**3.8**	(2.2)	**0.4**	-	-	-	-	(0)	**3.2**	-	2.2	-	1	130	**7**	13	47	**0.8**
	06330	ゆで	0	**28**	27	91.7	**3.6**	(2.1)	**0.6**	-	-	-	-	(0)	**3.8**	-	3.5	-	1	73	**8**	13	41	**0.9**
	06331	油いため	0	**84**	82	84.3	**5.0**	(2.9)	**5.9**	-	-	-	-	(Tr)	**4.3**	-	3.0	-	2	170	**8**	17	62	**1.0**
緑	06020	**さやえんどう** 若ざや 生	9	**38**	36	88.6	**3.1**	1.8	**0.2**	(0.2)	(0.04)	(0.02)	(0.09)	0	**7.5**	4.1	3.0	-	1	200	**35**	24	63	**0.9**
	06021	ゆで	0	**36**	34	89.1	**3.2**	(1.8)	**0.2**	(0.2)	(0.04)	(0.02)	(0.09)	(0)	**7.0**	(3.9)	3.1	-	1	160	**36**	23	61	**0.8**
	06022	**スナップえんどう** 若ざや 生	5	**47**	43	86.6	**2.9**	(1.6)	**0.1**	(0.1)	(0.02)	(0.01)	(0.04)	(0)	**9.9**	(5.7)	2.5	-	1	160	**32**	21	62	**0.6**
	06023	**グリンピース** 生	0	**76**	93	76.5	**6.9**	5.0	**0.4**	0.2	0.05	0.03	0.08	0	**15.3**	11.8	7.7	-	1	340	**23**	37	120	**1.7**
	06024	ゆで	0	**99**	110	72.2	**8.3**	(5.9)	**0.2**	(0.1)	(0.02)	(0.02)	(0.04)	0	**18.5**	(13.9)	8.6	-	3	340	**32**	39	80	**2.2**
	06025	冷凍	0	**80**	98	75.7	**5.8**	4.5	**0.7**	0.5	0.11	0.09	0.25	(0)	**17.1**	10.5	5.8	9.3	9	240	**27**	31	110	**1.6**
	06374	ゆで	0	**82**	103	74.6	**6.2**	4.8	**0.7**	0.5	0.12	0.09	0.26	(0)	**17.8**	10.7	-	10.3	8	210	**29**	32	110	**1.7**
	06375	油いため	0	**114**	140	70.1	**6.3**	4.8	**4.6**	4.0	0.37	2.29	1.19	Tr	**18.2**	10.9	-	9.3	10	260	**28**	33	110	**1.7**
	06026	水煮缶詰	0	**82**	98	74.9	**3.6**	(2.6)	**0.4**	(0.2)	(0.06)	(0.04)	(0.13)	(0)	**19.7**	(10.9)	6.9	-	330	37	**33**	18	82	**1.8**
緑	06027	**おおさかしろな** 葉 生	6	**12**	13	94.9	**1.4**	(1.1)	**0.2**	(0.1)	(0.02)	(0.01)	(0.05)	(0)	**2.2**	-	1.8	-	22	400	**150**	21	52	**1.2**
	06028	ゆで	6	**16**	17	94.0	**1.6**	(1.2)	**0.3**	(0.1)	(0.03)	(0.01)	(0.08)	(0)	**3.1**	-	2.2	-	20	240	**140**	15	46	**1.0**
	06029	塩漬	9	**19**	22	91.0	**1.3**	(1.0)	**0.3**	(0.1)	(0.03)	(0.01)	(0.08)	(0)	**4.5**	-	3.1	-	620	380	**130**	21	52	**0.7**
緑	06030	**おかひじき** 茎葉 生	6	**16**	17	92.5	**1.4**	-	**0.2**	-	-	-	-	(0)	**3.4**	-	2.5	-	56	680	**150**	51	40	**1.3**
	06031	ゆで	0	**16**	17	92.9	**1.2**	-	**0.1**	-	-	-	-	(0)	**3.8**	-	2.7	-	66	510	**150**	48	34	**0.9**

+PLUS+　**野菜は立てて保存しよう**●植物には地面から垂直に伸びようとする性質があるため、例えば青菜類を横に寝かせておくと、起きあがろうとして持っているエネルギーを使い、味が落ちる。野菜は、育っていた状態と同じ姿勢で保存すると味の落ちかたが遅い。

さやえんどう

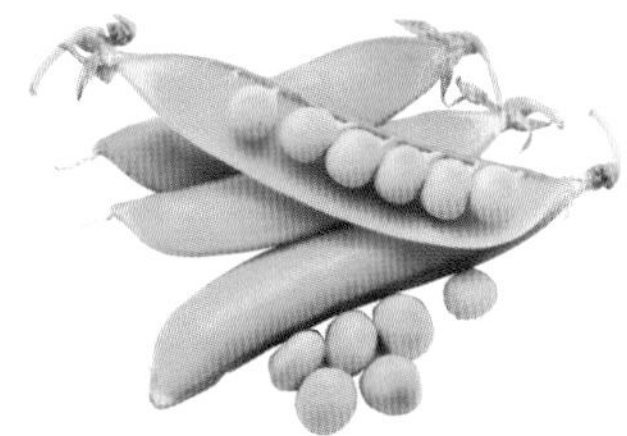

スナップえんどう

ツタンカーメンえんどう
ツタンカーメン王の墓から出土した豆の子孫（➡p.87コラム）。さやは固いので、豆だけを利用する。

グリンピース缶詰

グリンピース

おおさかしろな

おかひじき

えんどう。色や歯ざわりを楽しむ食材として利用されることが多い。
栄養成分：カロテンが豊富。
選び方：きれいな緑色で、表面につやがあり、みずみずしいものがよい。
調理法：和え物、浸し物、吸い物、煮物、炒め物等。大量の熱湯でさっとゆでると鮮やかな色になる。
旬：3～5月。
産地：福島、愛知、鹿児島等。

スナップえんどう（スナップ豌豆）
別名**スナックえんどう**。さやえんどうの一種。実が熟してもさやも豆もやわらかいため、きぬさやえんどうのような歯切れのよさはないが、さやごと食べられる。1960年代にアメリカで、さやが極めて厚く、実の熟成初期に味のよい品種がみつかり、その後改良され、1977年から販売されるようになった。日本へは数年後に導入された。
調理法：サラダ、炒め物等。
旬：初夏。
産地：鹿児島、愛知、熊本等。

グリンピース　大1=10g　1C=130g
別名**みえんどう**、青えんどう。えんどうの未熟な豆を食用とするもの。多くが「冷凍」品や「水煮缶詰」に加工される（➡p.87）。
栄養成分：食物繊維等が豊富。水煮缶詰の成分値は液汁を除いたものの数値。
調理法：炊き込みご飯、スープ、サラダ、炒め物等にする。
旬：3～6月。
産地：和歌山、鹿児島等。

おおさかしろな（大阪白菜）
Osaka-shirona

アブラナ科。別名てんまな。はくさいとたいさいの交雑種。キャベツやはくさいがとぎれる端境期を埋める野菜として利用する。「塩漬」は浅漬にしたもの。
調理法：おもに漬物にするが、浸し物、炒め物等にも利用。
産地：大阪特産。

おかひじき（陸鹿尾菜）
Saltwort　1パック=70g

アカザ科。日本では古くから食され、海藻のひじきに似ているためこの名がついた。別名**みるな**。若い茎や葉を食用とする。海岸の砂地に自生するが、17世紀頃から栽培が始まった。
栄養成分：カロテン、カルシウム、カリウム等が豊富。
調理法：浸し物、和え物、サラダ、炒め物、かき揚げ、刺身のつま等。
旬：4～6月。
産地：山形、千葉等。

可食部100gあたり　Tr：微量　（ ）：推定値または推計値　－：未測定

ミネラル（無機質）							ビタミン																食塩相当量	備考
亜鉛	銅	マンガン	ヨウ素	セレン	クロム	モリブデン	A レチノール活性当量	レチノール	β-カロテン当量	D	E αトコフェロール	K	B_1	B_2	ナイアシン当量	B_6	B_{12}	葉酸	パントテン酸	ビオチン	C		①廃棄部位　②硝酸イオン　③試料　④廃棄率　⑤原材料　⑥ビタミンC　⑦重量比
mg	mg	mg	μg	μg	μg	μg	μg	μg	μg	μg	mg	μg	mg	mg	mg	mg	μg	μg	mg	μg	mg	g	
1.4	0.41	0.71	0	1	1	240	**22**	(0)	260	(0)	0.8	30	**0.31**	**0.15**	4.2	0.15	(0)	320	0.53	11.0	**27**	0	①さや　④茎つきの場合 60%　②0g
1.3	0.36	0.74	-	-	-	-	**24**	(0)	290	(0)	0.6	33	**0.24**	**0.13**	(3.5)	0.08	(0)	260	0.45	-	**15**	0	①さや　②0g
1.4	0.42	1.12	2	2	0	190	**15**	(0)	180	(0)	1.2	28	**0.28**	**0.13**	(4.5)	0.14	(0)	310	0.51	9.2	**27**	0	①さや　②0g
0.4	0.05	1.10	-	-	-	-	**140**	(0)	1700	(0)	0.8	120	**0.06**	**0.08**	(0.4)	0.08	(0)	90	0.16	-	**7**	0.1	①株元　②0.2g
0.4	0.08	1.11	-	-	-	-	**340**	(0)	4100	(0)	3.3	280	**0.24**	**0.27**	(1.6)	0.19	(0)	91	0.80	-	**79**	0	②Tr
0.5	0.10	0.23	-	-	-	-	**250**	(0)	3100	(0)	1.6	210	**0.17**	**0.21**	(1.3)	0.15	(0)	120	0.39	-	**43**	0	②0g
0.3	0.09	0.25	-	-	-	-	**400**	(0)	4800	(0)	3.2	300	**0.10**	**0.08**	(0.8)	0.07	(0)	51	0.27	-	**14**	0	ゆでた後水冷し、手搾りしたもの　②0g
0.6	0.13	0.29	-	-	-	-	**370**	(0)	4400	(0)	3.7	300	**0.21**	**0.26**	(1.8)	0.18	(0)	180	0.60	-	**30**	0	植物油（なたね油）　②0g
0.6	0.10	0.40	Tr	0	0	24	**47**	(0)	560	(0)	0.7	47	**0.15**	**0.11**	1.2	0.08	(0)	73	0.56	5.1	**60**	0	①すじ及び両端　②Tr
0.6	0.09	0.39	-	-	-	-	**48**	(0)	580	(0)	0.7	40	**0.14**	**0.10**	(1.0)	0.06	(0)	56	0.47	-	**44**	0	すじ及び両端を除いたもの　②Tr
0.4	0.08	0.22	-	-	-	-	**34**	(0)	400	(0)	0.4	33	**0.13**	**0.09**	(1.1)	0.09	(0)	53	0.22	-	**43**	0	①すじ及び両端　②0g
1.2	0.19	0.48	0	1	0	65	**35**	(0)	420	(0)	0.1	27	**0.39**	**0.16**	3.7	0.15	(0)	76	0.63	6.3	**19**	0	さやを除いたもの（さやつきの場合④55%）　②0g
1.2	0.19	0.68	-	-	-	-	**36**	(0)	440	(0)	0.1	31	**0.29**	**0.14**	(3.3)	0.09	(0)	70	0.54	-	**16**	0	さやを除いたもの　②(0)g
1.0	0.17	0.38	0	1	1	77	**36**	(0)	440	(0)	Tr	27	**0.29**	**0.11**	3.0	0.09	0	77	0.39	5.3	**20**	0	②0g
1.0	0.16	0.39	0	1	1	60	**41**	(0)	500	(0)	Tr	29	**0.27**	**0.09**	2.9	0.08	0	68	0.36	5.2	**13**	0	②0g
1.0	0.18	0.41	0	1	1	74	**39**	(0)	470	(0)	0.8	34	**0.31**	**0.12**	3.1	0.09	0	81	0.48	5.8	**16**	0	植物油（なたね油）　②0g
0.6	0.15	0.30	-	-	-	-	**17**	(0)	200	(0)	0	19	**0.04**	**0.04**	(1.7)	0.02	(0)	10	0.69	-	**0**	0.8	液汁を除いたもの　②(0)g
0.5	0.06	0.29	-	-	-	-	**110**	(0)	1300	(0)	1.2	190	**0.06**	**0.18**	(0.9)	0.13	(0)	150	0.24	-	**28**	0.1	①株元　②0.3g
0.5	0.05	0.29	-	-	-	-	**130**	(0)	1500	(0)	1.9	240	**0.03**	**0.09**	(0.6)	0.07	(0)	86	0.12	-	**24**	0.1	①株元　ゆでた後水冷し、手搾りしたもの　②0.2g
0.6	0.06	0.26	-	-	-	-	**110**	(0)	1300	(0)	1.6	340	**0.06**	**0.15**	(0.9)	0.16	(0)	88	0.23	-	**38**	1.6	①株元　水洗いし、手搾りしたもの　②0.3g
0.6	0.10	0.66	-	-	-	-	**280**	(0)	3300	(0)	1.0	310	**0.06**	**0.13**	0.7	0.04	(0)	93	0.22	-	**21**	0.1	①茎基部　②0.5g
0.6	0.10	0.59	-	-	-	-	**260**	(0)	3200	(0)	1.0	360	**0.04**	**0.10**	0.6	0.03	(0)	85	0.22	-	**15**	0.2	茎基部を除いたもの　②0.4g

QA だだちゃ豆の名前の由来は？▶濃厚な甘味と風味のあるだだちゃ豆は山形県庄内地方の特産品。「だだちゃ」とは、庄内地方の方言で「おやじ」「お父さん」の意味で、その昔、庄内藩の枝豆好きな殿様が毎日のように領民に枝豆を持ち寄らせては、「どこのだだちゃのつくった豆だや？」と尋ねたことからこの名がついたといわれる。

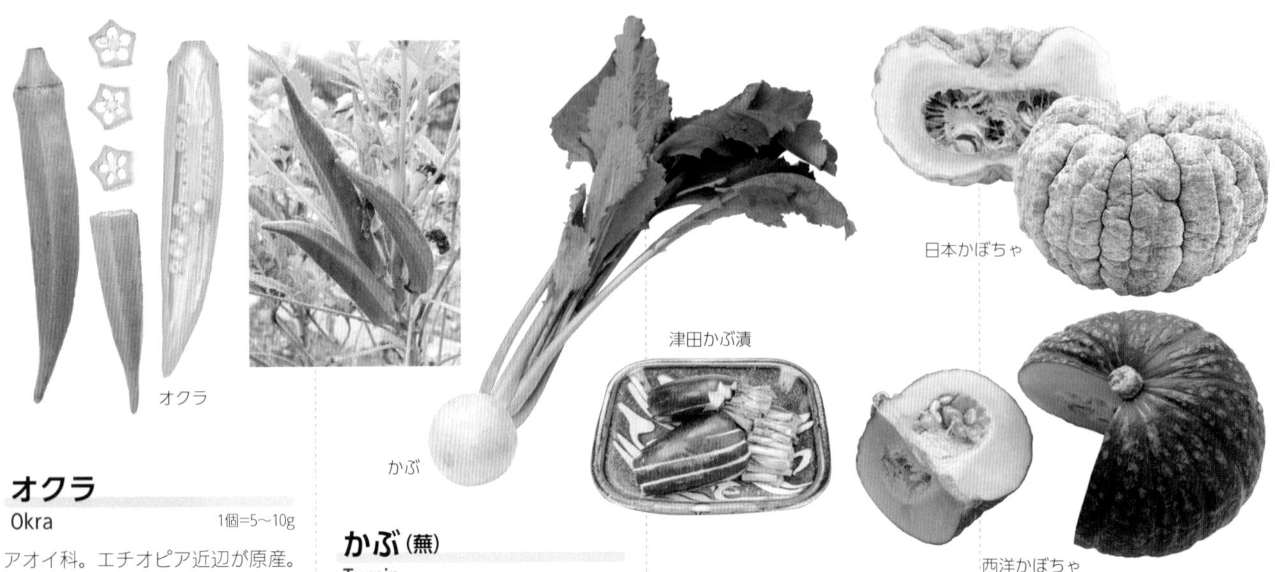

オクラ

Okra 1個=5〜10g

アオイ科。エチオピア近辺が原産。エジプトでは2000年以上前から栽培された。日本には江戸時代末期に伝わったが、本格的な普及は1970年代。未熟な果実を食用とする。ぬめりはペクチン、ガラクタン、アラバン等の粘質性の多糖類で、整腸作用やコレステロールを減らす作用、血糖値の急上昇を防ぐ作用などがあるといわれている。断面が五角形のものが多いが、断面が丸いものもある。

調理法：刻んでそのまま食べる、和え物、酢の物、サラダ、汁物、煮物、炒め物等。完熟した種子はコーヒー豆の代用品になる。

旬：6〜9月。

産地：鹿児島、高知、沖縄等。

かぶ（蕪）

Turnip

アブラナ科。別名**かぶら**。日本ではもっとも古くから利用されている野菜のひとつで、春の七草の**"すずな"**のこと。形や大きさが多様で、大型のものでは聖護院かぶ、中型では天王寺かぶ、小型では金町小かぶが有名。赤色（赤かぶ）や紫赤色（日野菜）もある。

葉

1株分=40g

緑黄色野菜として利用する。

栄養成分：カルシウム、鉄、ビタミンC、カロテン等が豊富。

調理法：漬物、汁の実等。

根

中1個=80g

でん粉分解酵素のアミラーゼを含む。

調理法：漬物、汁の実、煮物、蒸し物、酢の物等。西洋料理では鴨や子羊の肉との相性がよいため、一緒に煮込んだり、つけあわせ等にする。

旬：11〜3月。

選び方：形が丸く整ってかたく締まり、ひび割れていないものがよい。

漬物

かぶは、根も葉も漬物に利用する。京都の聖護院かぶは千枚漬で有名だが、島根県松江市周辺で栽培される津田かぶ（赤かぶ）漬、山形県庄内地方特産の赤かぶ漬、三重県伊賀地方の日野菜漬等、各地に名産がある。

かぼちゃ類（南瓜類）

Pumpkin and squash 1個=1〜1.5kg

ウリ科。カンボジアから渡来したのでこの名がついた。

種類：日本かぼちゃ、西洋かぼちゃ、ぺぽかぼちゃ。

栄養成分：主成分は炭水化物で、カリウム、カロテン等も豊富。

調理法：煮物、揚げ物、炒め物、スープ、菓子等。

選び方：ずしりと重く、皮がかたくて傷がつきにくいものがよい。へたのつけ根が青いものは甘味が少ない。切り売りの場合は、肉厚で切り口の色が濃く鮮やかで、身がしまり、

緑=緑黄色野菜

	食品番号	食品名	廃棄率 %	エネルギー kcal	2015年版の値 kcal	水分 g	たんぱく質 g	アミノ酸組成によるたんぱく質 g	脂質 g	脂肪酸のトリアシルグリセロール当量 g	脂肪酸 飽和 g	脂肪酸 一価不飽和 g	脂肪酸 多価不飽和 g	コレステロール mg	炭水化物 g	利用可能炭水化物（質量計） g	食物繊維 食物繊維総量（プロスキー変法） g	食物繊維 食物繊維総量（AOAC法） g	ミネラル（無機質） ナトリウム mg	カリウム mg	カルシウム mg	マグネシウム mg	リン mg	鉄 mg
緑	06032	**オクラ** 果実 生	15	**26**	30	90.2	**2.1**	1.5	**0.2**	(0.1)	(0.03)	(0.02)	(0.03)	Tr	**6.6**	1.9	5.0	-	4	260	**92**	51	58	**0.5**
	06033	ゆで	15	**29**	33	89.4	**2.1**	(1.5)	**0.1**	(0.1)	(0.02)	(0.01)	(0.02)	Tr	**7.6**	(2.1)	5.2	-	4	280	**90**	51	56	**0.5**
緑	06034	**かぶ** 葉 生	30	**20**	20	92.3	**2.3**	(2.0)	**0.1**	(0.1)	(0.01)	(Tr)	(0.04)	(0)	**3.9**	-	2.9	-	24	330	**250**	25	42	**2.1**
	06035	ゆで	30	**20**	22	92.2	**2.3**	(2.0)	**0.1**	(0.1)	(0.01)	(Tr)	(0.04)	(0)	**4.4**	-	3.7	-	18	180	**190**	14	47	**1.5**
	06036	根 皮つき 生	9	**18**	20	93.9	**0.7**	0.6	**0.1**	(0.1)	(0.01)	(0.01)	(0.05)	(0)	**4.6**	3.0	1.5	-	5	280	**24**	8	28	**0.3**
	06037	ゆで	0	**18**	21	93.8	**0.7**	(0.6)	**0.1**	(0.1)	(0.01)	(0.01)	(0.05)	(0)	**4.7**	(3.1)	1.8	-	6	310	**28**	10	32	**0.3**
	06038	皮むき 生	15	**19**	21	93.9	**0.6**	0.5	**0.1**	(0.1)	(0.01)	(0.01)	(0.05)	(0)	**4.8**	3.5	1.4	-	5	250	**24**	8	25	**0.2**
	06039	ゆで	0	**20**	22	93.7	**0.6**	(0.5)	**0.1**	(0.1)	(0.01)	(0.01)	(0.05)	(0)	**5.0**	(3.6)	1.7	-	4	250	**28**	9	26	**0.2**
	06040	漬物 塩漬 葉	20	**27**	29	87.9	**2.3**	(2.0)	**0.2**	(0.1)	(0.02)	(Tr)	(0.08)	(0)	**6.0**	-	3.6	-	910	290	**240**	32	46	**2.6**
	06041	根 皮つき	0	**21**	23	90.5	**1.0**	(0.8)	**0.2**	(0.1)	(0.02)	(0.01)	(0.11)	(0)	**4.9**	-	1.9	-	1100	310	**48**	11	36	**0.3**
	06042	皮むき	0	**19**	21	89.4	**0.8**	(0.7)	**0.1**	(0.1)	(0.01)	(0.01)	(0.05)	(0)	**4.7**	-	2.0	-	1700	400	**33**	14	38	**0.3**
	06043	ぬかみそ漬 葉	20	**35**	34	83.5	**3.3**	-	**0.1**	-	-	-	-	(0)	**7.1**	-	4.0	-	1500	540	**280**	65	81	**2.2**
	06044	根 皮つき	0	**27**	28	89.5	**1.5**	-	**0.1**	-	-	-	-	(0)	**5.9**	-	2.0	-	860	500	**57**	29	44	**0.3**
	06045	皮むき	0	**31**	31	83.5	**1.4**	-	**0.1**	-	-	-	-	(0)	**6.9**	-	1.8	-	2700	740	**26**	68	76	**0.3**
		（かぼちゃ類）																						
緑	06046	**日本かぼちゃ** 果実 生	9	**41**	49	86.7	**1.6**	1.1	**0.1**	Tr	0.01	Tr	0.03	0	**10.9**	7.8	2.8	-	1	400	**20**	15	42	**0.5**
	06047	ゆで	0	**50**	60	84.0	**1.9**	(1.3)	**0.1**	(Tr)	(0.01)	(Tr)	(0.03)	0	**13.3**	(9.4)	3.6	-	1	480	**24**	15	50	**0.6**
緑	06048	**西洋かぼちゃ** 果実 生	10	**78**	91	76.2	**1.9**	1.2	**0.3**	0.2	0.04	0.06	0.06	0	**20.6**	15.9	3.5	-	1	450	**15**	25	43	**0.5**
	06049	ゆで	0	**80**	93	75.7	**1.6**	(1.0)	**0.3**	(0.2)	(0.04)	(0.06)	(0.06)	(0)	**21.3**	(16.2)	4.1	-	1	430	**14**	24	43	**0.5**
	06332	焼き	0	**105**	122	68.2	**2.5**	(1.5)	**0.4**	(0.2)	(0.05)	(0.07)	(0.07)	(0)	**27.7**	(21.3)	5.3	-	0	570	**19**	31	55	**0.6**
	06050	冷凍	0	**75**	83	78.1	**2.2**	(1.3)	**0.3**	(0.2)	(0.04)	(0.06)	(0.06)	(0)	**18.5**	(14.6)	4.2	-	3	430	**25**	26	46	**0.5**
	06051	**そうめんかぼちゃ** 果実 生	30	**25**	24	92.4	**0.7**	(0.5)	**0.1**	(0.1)	(0.02)	(0.01)	(0.04)	(0)	**6.1**	-	1.5	-	1	260	**27**	16	35	**0.3**

+PLUS+ **かぶの東西**●古くから栽培されるかぶは、各地の気候や風土に応じてさまざまな品種が80種ほどつくられてきた。実は、関ヶ原付近を境に、日本型と西洋型に分布が分かれる。西日本の日本型は気温に敏感でごつい感じ、東日本の西洋型は寒さに強くつるりとしている（独立行政法人農畜産業振興機構 Webサイトによる）。

そうめんかぼちゃ

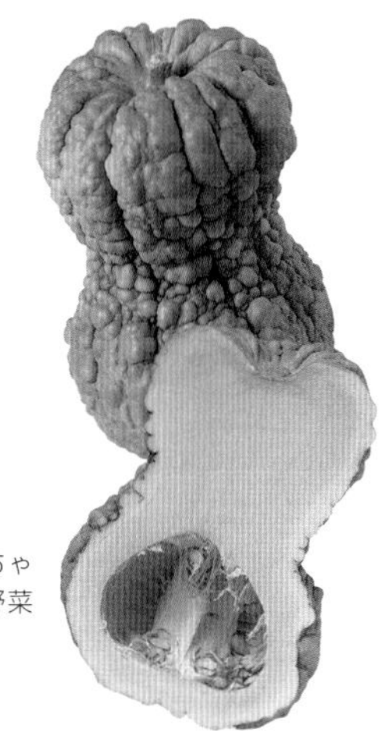

鹿ヶ谷（ししがたに）かぼちゃ
日本かぼちゃの一種で京野菜（➡p.137）として知られる。

種実がつまっているものがよい。
保存法：種やわたを取り除き、切り口をラップでおおって冷蔵庫の野菜室で保存。
産地：北海道、鹿児島等。

日本かぼちゃ（日本南瓜）
別名**とうなす、ぼうぶら、なんきん**。中央アメリカ原産で、16世紀にポルトガル人によってもたらされたといわれる。表面に凹凸が多い。ちりめん、黒皮、菊座等の種類があり、おもに関東以南で栽培されている。肉質は加熱するとねっとりと粘質。甘味が少なくしっとりした食感で、天ぷらや煮物に向く。
旬：5～7月。

西洋かぼちゃ（西洋南瓜）
別名**くりかぼちゃ**。南アメリカ原産で明治時代に導入された。表面が平滑で、肉質はほくほくして甘味が強い。栗かぼちゃ、芳香青皮、ハッバード、新栗饅等の種類があり、全国で栽培されている。
栄養成分：日本かぼちゃよりカロテン、ビタミンC・E等が多い。
旬：7～9月。

そうめんかぼちゃ（素麺南瓜）
ぺぽかぼちゃの一種。別名**きんしうり、そうめんうり、いとかぼちゃ**、なますうり。肉質が粗く、繊維質に富んでいる。完熟したものを輪切りにしてゆでると、果肉がそうめん状につながってほぐれるためこの名がついた。

日本はどこから野菜を買っているんだろう？

野菜の自給率は、1970年代後半まではほぼ100％を満たしていた。しかし、野菜消費の周年化、労働力不足による供給条件の悪化、輸送・保管技術の発達等により、80年代中頃から輸入量が増加しはじめ、90年代以降に大きく増加した。野菜は70か国以上から輸入され、近年はとくに中国とアメリカからの量が多い。

野菜の国内生産量と輸入量、および自給率

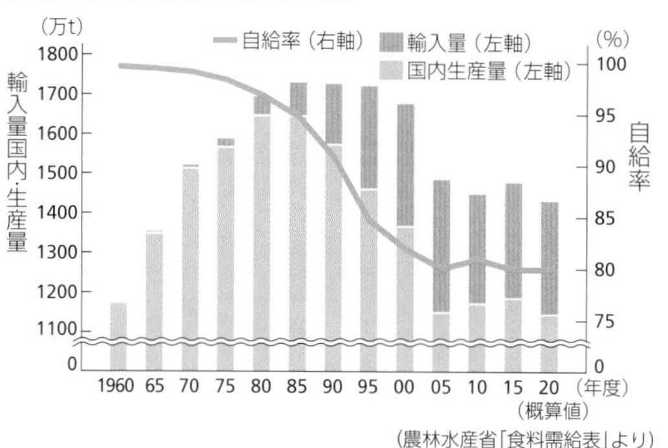

（農林水産省「食料需給表」より）

野菜の年間輸入総額とおもな輸入先国（シェア%）

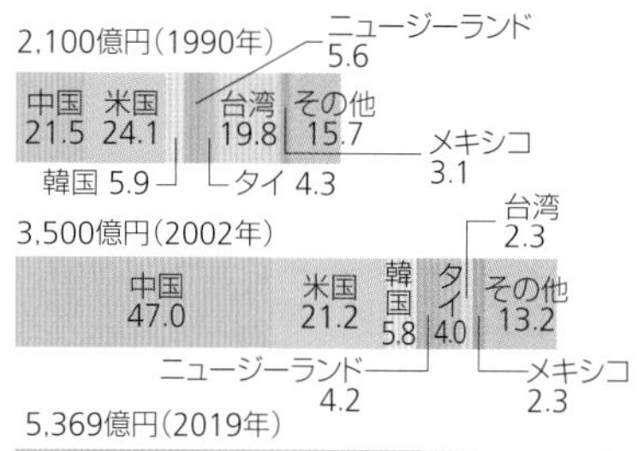

（ベジ探 Webサイト、矢野恒太記念会『日本のすがた2021』より）

可食部100 g あたり　Tr：微量　（ ）：推定値または推計値　－：未測定

ミネラル（無機質）							ビタミン															食塩相当量	備考
亜鉛	銅	マンガン	ヨウ素	セレン	クロム	モリブデン	A レチノール活性当量	A レチノール	A β-カロテン当量	D	E αトコフェロール	K	B_1	B_2	ナイアシン当量	B_6	B_{12}	葉酸	パントテン酸	ビオチン	C		①廃棄部位 ②硝酸イオン ③試料 ④廃棄率 ⑤原材料 ⑥ビタミンC ⑦重量比
mg	mg	mg	μg	μg	μg	μg	μg	μg	μg	μg	mg	μg	mg	mg	mg	mg	μg	μg	mg	μg	mg	g	
0.6	0.13	0.48	Tr	Tr	1	4	**56**	(0)	670	(0)	1.2	71	**0.09**	**0.09**	1.2	0.10	(0)	110	0.42	6.0	**11**	0	①へた ②Tr
0.5	0.11	0.48	-	-	-	-	**60**	(0)	720	(0)	1.2	75	**0.09**	**0.09**	(1.2)	0.08	(0)	110	0.42	-	**7**	0	①へた ②0g
0.3	0.10	0.64	6	3	2	16	**230**	(0)	2800	(0)	3.1	340	**0.08**	**0.16**	(1.7)	0.16	(0)	110	0.36	2.7	**82**	0.1	①葉柄基部 ②Tr
0.2	0.08	0.41	-	-	-	-	**270**	(0)	3200	(0)	3.3	370	**0.02**	**0.05**	(1.0)	0.14	(0)	66	0.24	-	**47**	0	①葉柄基部 ゆでた後水冷し、手搾りしたもの ②0.1g
0.1	0.03	0.06	-	-	-	-	**(0)**	(0)	0	(0)	0	0	**0.03**	**0.03**	0.8	0.08	(0)	48	0.25	-	**19**	0	①根端及び葉柄基部 ④葉つきの場合 35% ②0.1g
0.1	0.03	0.07	-	-	-	-	**(0)**	(0)	(0)	(0)	0	0	**0.03**	**0.03**	(0.8)	0.05	(0)	49	0.22	-	**16**	0	根端及び葉柄基部を除いたもの ②0.1g
0.1	0.03	0.05	0	0	0	1	**(0)**	(0)	0	(0)	0	0	**0.03**	**0.03**	0.7	0.07	(0)	49	0.23	1.0	**18**	0	①根端、葉柄基部及び皮 ④葉つきの場合 40% ②0.1g
0.1	0.02	-	-	-	-	-	**(0)**	(0)	0	(0)	0	0	**0.03**	**0.03**	(0.6)	0.06	(0)	56	0.21	-	**16**	0	根端、葉柄基部及び皮を除いたもの ②0.1g
0.3	0.06	0.33	-	-	-	-	**100**	(0)	1200	(0)	2.9	360	**0.07**	**0.19**	(1.8)	1.10	(0)	78	0.49	-	**44**	2.3	①葉柄基部 水洗いし、手搾りしたもの
0.1	0.03	0.05	-	-	-	-	**(0)**	(0)	0	(0)	0	0	**0.02**	**0.03**	(0.9)	0.08	(0)	48	0.39	-	**19**	2.8	水洗いし、手搾りしたもの
0.2	0.04	0.05	-	-	-	-	**(0)**	(0)	0	(0)	0	0	**0.04**	**0.03**	(0.3)	0.10	(0)	58	0.25	-	**21**	4.3	水洗いし、手搾りしたもの ②0.2g
0.4	0.09	0.40	-	-	-	-	**140**	(0)	1600	(0)	4.0	260	**0.31**	**0.24**	5.4	0.36	(0)	81	0.73	-	**49**	3.8	①葉柄基部 水洗いし、手搾りしたもの
0.2	0.04	0.09	-	-	-	-	**(0)**	(0)	0	(0)	0	Tr	**0.25**	**0.04**	3.1	0.19	(0)	74	0.46	-	**28**	2.2	水洗いし、水切りしたもの
0.2	0.04	-	-	-	-	-	**(0)**	(0)	0	(0)	0	0	**0.45**	**0.05**	3.4	0.42	(0)	70	1.11	-	**20**	6.9	水洗いし、水切りしたもの ②0.2g
0.3	0.08	0.10	Tr	Tr	0	2	**60**	0	730	(0)	1.8	26	**0.07**	**0.06**	0.9	0.12	(0)	80	0.50	1.7	**16**	0	①わた、種子及び両端 ②Tr
0.2	0.07	0.09	-	-	-	-	**69**	(0)	830	(0)	2.2	27	**0.08**	**0.07**	(1.1)	0.13	(0)	75	0.50	-	**16**	0	わた、種子及び両端を除いたもの ②(Tr)
0.3	0.07	0.13	Tr	1	0	5	**330**	(0)	4000	(0)	4.9	25	**0.07**	**0.09**	1.9	0.22	(0)	42	0.62	1.7	**43**	0	①わた、種子及び両端 ②Tr
0.3	0.07	0.15	-	-	-	-	**330**	(0)	4000	(0)	4.7	22	**0.07**	**0.08**	(1.8)	0.19	(0)	38	0.62	-	**32**	0	わた、種子及び両端を除いたもの ②0g
0.4	0.08	0.17	-	-	-	-	**450**	(0)	5500	(0)	6.9	0	**0.09**	**0.12**	(2.5)	0.22	(0)	58	0.77	-	**44**	0	わた、種子及び両端を除いたもの ②0g
0.6	0.05	0.14	-	-	-	-	**310**	(0)	3800	(0)	4.2	17	**0.06**	**0.09**	(1.7)	0.19	(0)	48	0.44	-	**34**	0	②Tr
0.2	0.05	0.09	-	-	-	-	**4**	(0)	49	(0)	0.2	Tr	**0.05**	**0.01**	(0.7)	0.10	(0)	25	0.36	-	**11**	0	①わた、種子、皮及び両端 ②0.1g

Q A 「冬至（とうじ）にかぼちゃを食べると病気にならない」という昔からの言い伝えは本当？▶本来の旬は夏だが、保存がきくので冬でも食べることができた。緑黄色野菜が不足する冬の時期に、かぼちゃでビタミンを補給して体調を整えようという先人の知恵が詰まった言い伝えだ。

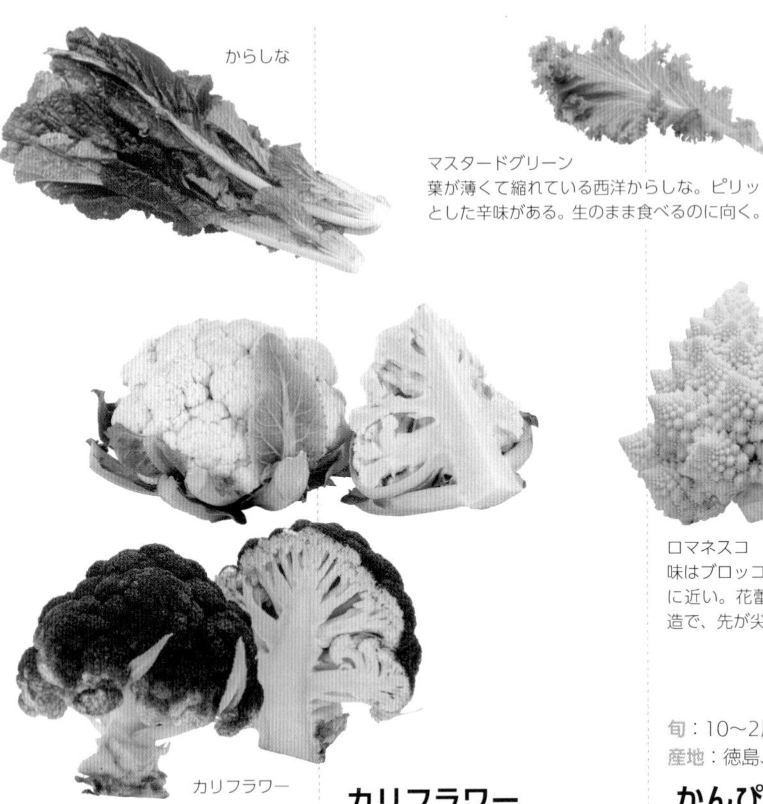

からしな

マスタードグリーン
葉が薄くて縮れている西洋からしな。ピリッとした辛味がある。生のまま食べるのに向く。

カリフラワー

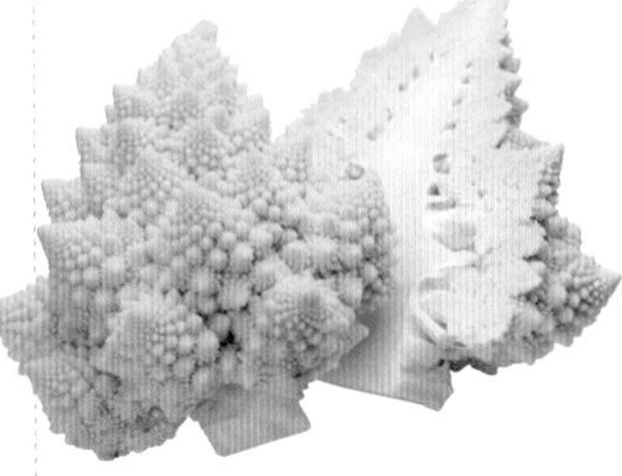

ロマネスコ
味はブロッコリー、食感はカリフラワーに近い。花蕾群の配列がフラクタル構造で、先が尖った螺旋状の模様を描く。

かんぴょうの材料となるユウガオの未熟果

かんぴょうの天日乾燥

かんぴょう (乾)

かんぴょう巻き

からしな (芥子菜)

Leaf mustard

アブラナ科。別名**葉がらし、菜がらし**。独特の強い辛味と鼻を突く香気がある。種子から和がらしをつくる。

栄養成分：鉄、カルシウム、ビタミン類が豊富。

調理法：特有の辛味と香りがあり、漬物や浸し物にする。

旬：12〜5月。

カリフラワー

Cauliflower　1株=500g

アブラナ科。別名**はなやさい**。キャベツの変種で、花蕾 (からい=つぼみ) を食べる。白色のほか、オレンジや紫色等もある。

栄養成分：鉄、ビタミンC等が豊富。

調理法：サラダ、酢漬、シチュー、グラタン、炒め物等。酢を加えてゆでると白くゆであがる。小麦粉を加えてゆでると、表面の組織が保護される。

選び方：花蕾がかたく締まったものがよい。

旬：10〜2月。

産地：徳島、茨城、愛知等。

かんぴょう (干瓢)

Kanpyo　巻き寿司1本分=3g

ウリ科。7〜8月に収穫したユウガオの未熟な果肉を、かんぴょうかんなで幅約3cm、厚さ3mmほどに細長くむいて乾燥したもの。

栄養成分：食物繊維、カルシウム、カリウム等が多い。

調理法：水洗いしてから塩もみし、やわらかくなるまでゆでる。そのまま汁の実や和え物、甘酢漬、昆布巻き等に利用したり、甘辛く煮て、巻き寿司やちらし寿司の具にする。

選び方：乳白色で幅と厚みがあり、甘い香りがするものがよい。

産地：栃木、茨城。

緑=緑黄色野菜　きくいも→p.70、キムチ→p.140

食品番号	食品名	廃棄率 %	エネルギー kcal	2015年版の値 kcal	水分 g	たんぱく質 g	アミノ酸組成によるたんぱく質 g	脂質 g	脂肪酸のトリアシルグリセロール当量 g	脂肪酸 飽和 g	一価不飽和 g	多価不飽和 g	コレステロール mg	炭水化物 g	利用可能炭水化物(質量計) g	食物繊維 食物繊維総量(プロスキー変法) g	食物繊維総量(AOAC法) g	ミネラル(無機質) ナトリウム mg	カリウム mg	カルシウム mg	マグネシウム mg	リン mg	鉄 mg
06052	**からしな** 葉 生	0	**26**	26	90.3	**3.3**	2.8	**0.1**	-	-	-	-	(0)	**4.7**	-	3.7	-	60	620	**140**	21	72	**2.2**
06053	塩漬	0	**36**	36	84.5	**4.0**	(3.3)	**0.1**	-	-	-	-	(0)	**7.2**	-	5.0	-	970	530	**150**	23	71	**1.8**
06054	**カリフラワー** 花序 生	50	**28**	27	90.8	**3.0**	2.1	**0.1**	(0.1)	(0.05)	(0.01)	(0.01)	0	**5.2**	3.2	2.9	-	8	410	**24**	18	68	**0.6**
06055	ゆで	0	**26**	26	91.5	**2.7**	(1.9)	**0.1**	(0.1)	(0.05)	(0.01)	(0.01)	(0)	**5.1**	(2.9)	3.2	-	8	220	**23**	13	37	**0.7**
06056	**かんぴょう** 乾	0	**239**	260	19.8	**6.3**	4.4	**0.2**	-	-	-	-	(0)	**68.1**	33.2	30.1	-	3	1800	**250**	110	140	**2.9**
06057	ゆで	0	**21**	28	91.6	**0.7**	(0.5)	**0**	-	-	-	-	(0)	**7.2**	(3.5)	5.3	-	1	100	**34**	10	16	**0.3**
06364	甘煮	0	**146**	157	57.6	**2.3**	2.0	**0.2**	-	-	-	-	(0)	**36.5**	25.5	5.5	-	1200	90	**44**	21	34	**0.5**
06058	**きく** 花びら 生	15	**25**	27	91.5	**1.4**	(1.2)	**0**	-	-	-	-	(0)	**6.5**	-	3.4	-	2	280	**22**	12	28	**0.7**
06059	ゆで	0	**21**	23	92.9	**1.0**	(0.8)	**0**	-	-	-	-	(0)	**5.7**	-	2.9	-	1	140	**16**	9	20	**0.5**
06060	菊のり	0	**283**	292	9.5	**11.6**	(9.5)	**0.2**	-	-	-	-	(0)	**73.5**	-	29.6	-	14	2500	**160**	140	250	**11.0**
	(キャベツ類)																						
06061	**キャベツ** 結球葉 生	15	**21**	23	92.7	**1.3**	0.9	**0.2**	0.1	0.02	0.01	0.02	(0)	**5.2**	3.5	1.8	-	5	200	**43**	14	27	**0.3**
06062	ゆで	0	**19**	20	93.9	**0.9**	(0.6)	**0.2**	(0.1)	(0.02)	(0.01)	(0.02)	(0)	**4.6**	1.9	2.0	-	3	92	**40**	9	20	**0.2**
06333	油いため	0	**78**	81	85.7	**1.6**	(1.1)	**6.0**	(5.7)	(0.44)	(3.49)	(1.54)	(Tr)	**5.9**	(2.7)	2.2	-	6	250	**53**	17	33	**0.4**
06063	**グリーンボール** 結球葉 生	15	**20**	20	93.4	**1.4**	(1.0)	**0.1**	(Tr)	(0.01)	(Tr)	(0.01)	(0)	**4.3**	(3.2)	1.6	-	4	270	**58**	17	41	**0.4**
06064	**レッドキャベツ** 結球葉 生	10	**30**	30	90.4	**2.0**	(1.3)	**0.1**	Tr	0.01	Tr	0.01	(0)	**6.7**	(3.5)	2.8	-	4	310	**40**	13	43	**0.5**

+PLUS+　**カリフラワーは生食できる**●シンプルにドレッシング等で生食してもおいしいが、花蕾部分にカレー粉やレーズンバターを混ぜる、つぶしたイクラを混ぜたしょうゆに漬ける、湯せんして溶かしたチョコレートと混ぜる等の生食方法が 2014 年 11 月に NHK のテレビ番組で紹介されたとき、おいしさと意外さが評判になった。

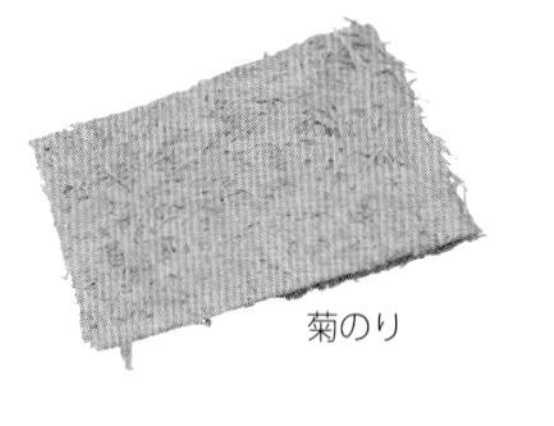

菊のり

きく

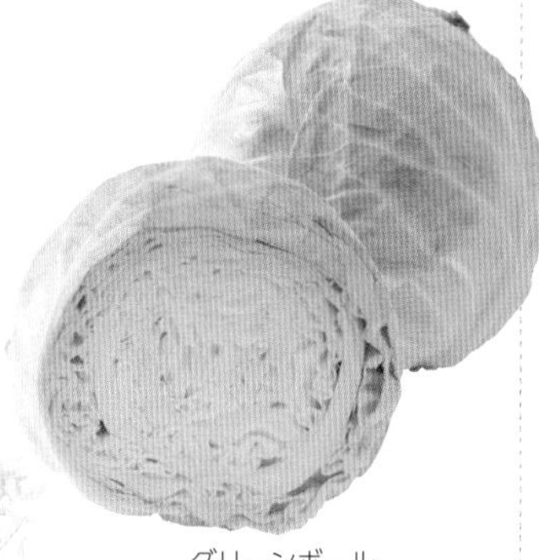

グリーンボール

冬キャベツ

レッドキャベツ

春キャベツ

ちりめんキャベツ

きく (菊)

Chrysanthemum　1輪=5g

キク科。別名**食用ぎく**、**料理ぎく**。日本の伝統的なエディブルフラワー（食用花）。江戸時代から食用が始まったとされる。観賞用とは別に改良された専用の食用菊を利用する。黄色のものが一般的だが、独特の香りと風味、味のよさで評価されるのが、延命楽（別名もってのほか）という淡紫色の品種。

調理法：酢の物、浸し物、和え物、吸い物、天ぷら等。花びらをゆでるときに酢を加え、水でさらすと色が鮮やかになる。

旬：9～11月。

産地：山形等の東北地方。

菊のり

花びらを蒸して一定の薄い板状にして乾燥したもの。軽くゆでて、酢の物や和え物等にする。別名**乾燥食用ぎく**。

キャベツ類

Cabbages

アブラナ科。形が結球性や非結球性のもの、色が緑色や淡緑色、紫色のもの、葉が縮れているものや平滑なもの等さまざまな品種がある。

栄養成分：ビタミンCが豊富。

調理法：サラダ、ロールキャベツ、酢の物、和え物、煮物、炒め物、シチュー、スープ等。

産地：愛知、群馬、千葉等。

キャベツ　1枚=50g　1個=700g～1kg

別名**甘藍**（かんらん）、**たまな**（玉菜）。扁平で結球も葉もかためのの冬キャベツ、春頃出回る結球がゆるめで葉がやわらかい春キャベツ、結球はかたいが葉はやわらかい夏キャベツがあり、一年中供給されている。

グリーンボール

極早生で緑色が鮮やかな小型のキャベツ。冬キャベツのように巻きがしっかりしていて、春キャベツのように葉がやわらかい。サラダ等の生食用に最適だが、繊維はしっかりとしているので煮込みにも向く。

レッドキャベツ　1個=800g

別名**赤キャベツ**、**紫キャベツ**。葉が赤紫色のキャベツ。酢を使った料理に使うと鮮やかな赤色となる。とくにピクルス（酢漬）は赤く美しい漬物となる。赤い色素（アントシアニン）は茎や葉の表皮だけにあり、その下の細胞はふつうの緑色や白色をしている。そのため切り口が、赤紫色と白との美しい模様になる。

エディブルフラワー

花弁や花冠を食べられる花をエディブルフラワーといい、料理を目や香りで楽しむためにジャムやケーキ、サラダ、和え物、あしらいなどに用いられている。さくらの塩漬やきくなどは昔からのもの。同じ花でも食用にする場合は、観賞用ではなく、農薬などを使っていない食用のものを利用するとよい。

可食部100 g あたり　Tr：微量　（ ）：推定値または推計値　－：未測定

ミネラル（無機質）							ビタミン															食塩相当量	備考
亜鉛	銅	マンガン	ヨウ素	セレン	クロム	モリブデン	A レチノール活性当量	レチノール	β-カロテン当量	D	E αトコフェロール	K	B1	B2	ナイアシン当量	B6	B12	葉酸	パントテン酸	ビオチン	C		①廃棄部位 ②硝酸イオン ③試料 ④廃棄率 ⑤原材料 ⑥ビタミンC ⑦重量比
mg	mg	mg	µg	µg	µg	µg	µg	µg	µg	µg	mg	µg	mg	mg	mg	mg	µg	µg	mg	µg	mg	g	
0.9	0.08	1.02	-	-	-	-	230	0	2800	(0)	3.0	260	0.12	0.27	2.2	0.25	(0)	310	0.32	-	64	0.2	株元を除いたもの ②0.3g
1.1	0.10	0.76	-	-	-	-	250	(0)	3000	(0)	3.1	270	0.08	0.28	(1.8)	0.27	(0)	210	0.37	-	80	2.5	株元を除いたもの 水洗いし、手搾りしたもの ②0.4g
0.6	0.05	0.22	0	0	0	4	2	(0)	18	(0)	0.2	17	0.06	0.11	1.3	0.23	(0)	94	1.30	8.5	81	0	①茎葉 ②Tr
0.4	0.03	0.17	-	-	-	-	1	(0)	16	(0)	0.2	31	0.05	0.05	(0.7)	0.13	(0)	88	0.84	-	53	0	茎葉を除いたもの ②(Tr)
1.8	0.62	1.60	2	2	5	13	(0)	(0)	0	(0)	0.4	Tr	0	0.04	3.2	0.04	(0)	99	1.75	8.0	0	0	②0.5g
0.2	0.08	0.14	-	-	-	-	(0)	(0)	0	(0)	0.1	0	0	0	(0.4)	0	(0)	7	0	-	0	0	②0.1g
0.3	0.05	0.31	8	2	2	8	(0)	(0)	(0)	0	Tr	0	0.01	-	0.4	0.03	Tr	10	0.07	1.9	0	3.1	②0g
0.3	0.04	0.36	-	-	-	-	6	(0)	67	(0)	4.6	11	0.10	0.11	(0.9)	0.08	(0)	73	0.20	-	11	0	①花床 ②Tr
0.2	0.04	0.24	-	-	-	-	5	(0)	61	(0)	4.1	10	0.06	0.07	(0.5)	0.04	(0)	40	0.15	-	5	0	花床を除いたもの ゆでた後水冷し、手搾りしたもの ②Tr
2.2	0.62	1.34	-	-	-	-	15	(0)	180	(0)	25.0	62	0.73	0.89	(7.2)	0.69	(0)	370	1.50	-	10	0	②Tr
0.2	0.02	0.16	0	Tr	1	4	4	(0)	50	(0)	0.1	78	0.04	0.03	0.4	0.11	(0)	78	0.22	1.6	41	0	①しん ②0.1g
0.1	0.02	0.14	0	Tr	0	3	5	(0)	58	(0)	0.1	76	0.02	0.01	(0.2)	0.05	(0)	48	0.11	1.2	17	0	しんを除いたもの ②0.1g
0.2	0.03	0.19	-	-	-	-	7	(0)	78	(0)	1.1	120	0.05	0.04	(0.5)	0.15	(0)	130	0.30	-	47	0	しんを除いたもの 植物油（なたね油） ②0.1g
0.2	0.03	0.18	-	-	-	-	9	(0)	110	(0)	0.2	79	0.05	0.04	(0.6)	0.13	(0)	53	0.31	-	47	0	①しん ②0.1g
0.3	0.04	0.20	-	-	-	-	3	(0)	36	(0)	0.1	29	0.07	0.03	(0.6)	0.19	(0)	58	0.35	-	68	0	①しん ②Tr

Q A キャベジンと聞いて思い浮かぶことは？▶胃腸薬！？キャベツには胃酸の分泌を抑え、胃腸粘膜の修復を助けるビタミンUが多く含まれ、胃や腸の潰瘍の予防・治療に役立つとされている。実はこのビタミンUの別名をキャベジンという。栄養素の名称がそのまま使用されているが、キャベツから薬を作っているわけではないようだ。

白いぼきゅうり

四葉きゅうり

加賀太きゅうり

ピクルス

キンサイ

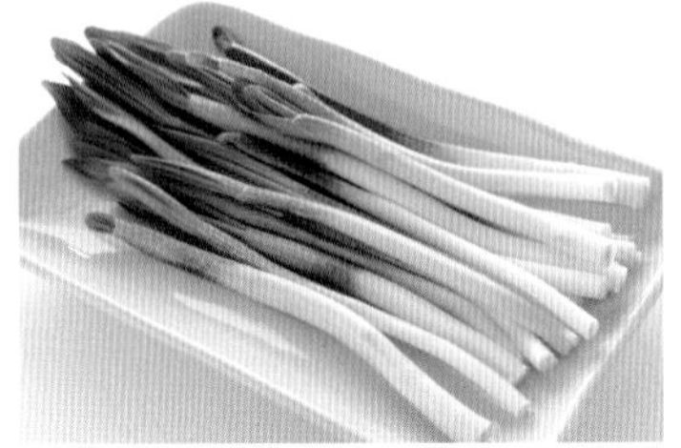

ぎょうじゃにんにく

クレソン

きゅうり(胡瓜)

Cucumber　中1本=80～100g

ウリ科。別名きうり。未熟な果実を食用にしたもの。世界各地で栽培され、多様な種類がある。栄養価は低いが、歯ざわりや香味、色等が食欲を増進させる。

調理法：サラダや漬物に利用することが多いが、中国料理では炒め物や煮物等にも利用。

選び方：はりとつやがあり、太さが均一でいぼがちくちくするものほど鮮度が高い。

旬：6～8月。

産地：宮崎、群馬、埼玉、福島等。

ピクルス　1本=20g

酢漬にしたもののこと。ピクルス専用のピックル型という品種は小型で歯切れがよい。

スイート型：香辛料や甘味料等を加えた食酢に漬けたもの。

サワー型：塩漬後に乳酸発酵させたもので酸味が強い。

ぎょうじゃにんにく(行者大蒜)

Gyoja-ninniku

ユリ科。別名**アイヌねぎ**、**ヒトビロ**、**やまびる**。鱗茎、若芽、蕾とも食用にする。生育速度が非常に遅く、食用の大きさ(本葉2枚)に達するまで数年を要する。

栄養成分：カロテン、ビタミンC等が豊富。ふつうのにんにくやにらよりも硫化アリルが豊富。

調理法：浸し物、和え物、酢の物、生食、炒め物等にする。

旬：4～6月。

産地：北海道等。

キンサイ(芹菜)

Qin cai

キク科。別名**中国セロリ**、**スープセロリ**、**リーフセロリ**。セロリの一種の中国野菜で、中華料理等の風味づけに使う香味野菜。セロリより葉は小さく茎も細長いが、繊維質が少なく香りが高い。

調理法：スープ、サラダ、肉料理のつけあわせ等。

選び方：香りが強く葉の緑色が濃いものがよい。

保存法：湿らせた新聞紙に包み、冷蔵庫で立てて保存する。

クレソン

Watercress　1本=5g

アブラナ科。別名**オランダがらし**、**オランダみずがらし**、ウォータークレス。香りが高く、葉や茎に辛味がある。明治初期にレストラン等の業務用に導入され、外国人住宅やレストラン周辺につくられたが、帰化植物として各地に分布し、水のきれいな川や沼地に自生するようになった。その後需要が増加し、トンネル栽培等によって一年中供給されている。また、サラダ用の品種も開発された。

緑=緑黄色野菜　きょうな→p.146みずな　グリーンボール→p.114

食品番号	食品名	廃棄率	エネルギー	2015年版の値	水分	たんぱく質	アミノ酸組成によるたんぱく質	脂質	脂肪酸のトリアシルグリセロール当量	脂肪酸 飽和	脂肪酸 一価不飽和	脂肪酸 多価不飽和	コレステロール	炭水化物	利用可能炭水化物(質量計)	食物繊維総量(プロスキー変法)	食物繊維総量(AOAC法)	ナトリウム	カリウム	カルシウム	マグネシウム	リン	鉄
		%	kcal	kcal	g	g	g	g	g	g	g	g	mg	g	g	g	g	mg	mg	mg	mg	mg	mg
06065	**きゅうり** 果実 生	2	13	14	95.4	1.0	0.7	0.1	Tr	0.01	Tr	0.01	0	3.0	1.9	1.1	-	1	200	26	15	36	0.3
06066	漬物 塩漬	2	17	16	92.1	1.0	(0.7)	0.1	(Tr)	(0.01)	(Tr)	(0.01)	(0)	3.7	-	1.3	-	1000	220	26	15	38	0.2
06067	しょうゆ漬	0	51	50	81.0	3.2	-	0.4	(0.1)	(0.05)	(Tr)	(0.05)	(0)	10.8	-	3.4	-	1600	79	39	21	29	1.3
06068	ぬかみそ漬	2	28	27	85.6	1.5	-	0.1	(Tr)	(0.01)	(Tr)	(0.01)	(0)	6.2	-	1.5	-	2100	610	22	48	88	0.3
06069	ピクルス スイート型	0	70	67	80.0	0.3	(0.2)	0.1	(Tr)	(0.02)	(0)	(0.03)	(0)	18.3	(17.0)	1.7	-	440	18	25	6	16	0.3
06070	サワー型	0	13	12	93.4	1.4	(1.0)	Tr	-	-	-	-	(0)	2.5	-	1.4	-	1000	11	23	24	5	1.2
緑 06071	**ぎょうじゃにんにく** 葉 生	10	35	34	88.8	3.5	(2.4)	0.2	(0.1)	(0.02)	(0.01)	(0.05)	(0)	6.6	-	3.3	-	2	340	29	22	30	1.4
緑 06075	**キンサイ** 茎葉 生	8	16	19	93.5	1.1	(0.9)	0.4	(0.2)	(0.06)	(0.01)	(0.13)	(0)	3.5	-	2.5	-	27	360	140	26	56	0.5
06076	ゆで	0	15	19	93.6	1.1	(0.9)	0.4	(0.2)	(0.06)	(0.01)	(0.13)	(0)	3.5	-	2.9	-	27	320	140	24	56	0.5
緑 06077	**クレソン** 茎葉 生	15	13	15	94.1	2.1	(1.5)	0.1	(0.1)	(0.03)	(0.01)	(0.04)	(0)	2.5	(0.5)	2.5	-	23	330	110	13	57	1.1
06078	**くわい** 塊茎 生	20	128	126	65.5	6.3	-	0.1	-	-	-	-	(0)	26.6	-	2.4	-	3	600	5	34	150	0.8
06079	ゆで	0	129	128	65.0	6.2	-	0.1	-	-	-	-	(0)	27.2	-	2.8	-	3	550	5	32	140	0.8
緑 06080	**ケール** 葉 生	3	26	28	90.2	2.1	(1.6)	0.4	0.1	0.03	0.01	0.07	(0)	5.6	(1.2)	3.7	-	9	420	220	44	45	0.8
06081	**コールラビ** 球茎 生	7	21	21	93.2	1.0	(0.6)	0	-	-	-	-	(0)	5.1	(2.2)	1.9	-	7	240	29	15	29	0.2
06082	ゆで	0	20	21	93.1	1.0	(0.6)	Tr	-	-	-	-	(0)	5.2	(2.2)	2.3	-	7	210	27	14	28	0.2

+PLUS+ **ぎょうじゃにんにくの名前の由来**●山奥で厳しい修行をする修験道（しゅげんどう）の行者が、スタミナをつけるために食べるにんにくに似た香りの山菜という説と、これを食べると滋養（じよう）がつきすぎて修行にならないため、特に山にこもる行者が食べることを禁じられたことからという説がある。

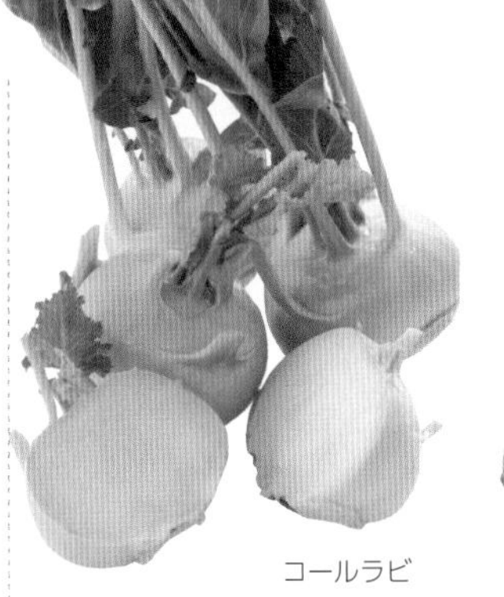

コールラビ

青汁

くわい

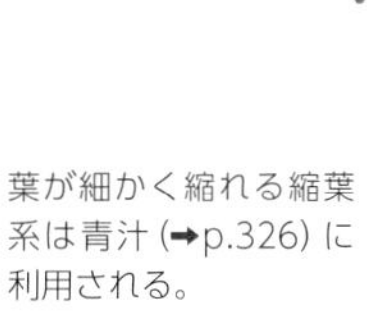

葉が細かく縮れる縮葉系は青汁（➡p.326）に利用される。

ケール

栄養成分：カロテン等が豊富。
調理法：肉料理のつけあわせ、サラダ、浸し物、天ぷら等。
旬：3～5月。

くわい（慈姑）

Arrowhead　1個=15～20g

オモダカ科。水田で栽培し、地下茎につく塊茎から芽が出ているものを食用とする。“芽が出る＝めでたい”という縁起ものとして正月のおせち料理等に使う。食用にするのは日本と中国だけ。日本でふつうに栽培されるのは青くわいで、ほっくりして甘味と苦味がある。中国ではしゃりしゃりした食感の白くわいが好まれる。
栄養成分：野菜の中では水分が少なく、糖質が豊富。
調理法：煮物、揚げ物、炒め物等。煮るときは、皮をむいて水にさらし、米のとぎ汁でゆでてあくを抜く。おせち料理には、クチナシの実を加えて黄色く炊き上げる。薄切りにして揚げるとパリパリ感が楽しめる。丸のまま揚げるとほくほく感が出る。
旬：11～1月。
選び方：整った球形で色がさえ、皮に湿り気があり、芽が完全についているものがよい。
保存法：1度以下で保存。
産地：埼玉、広島等。

ケール

Kale

アブラナ科。別名**葉キャベツ**、**はごろもかんらん**。野生キャベツの近縁種で、キャベツの原種がケールといわれている。細長い茎の上に葉がついていて大変に緑が濃く、結球しない。
栄養成分：ビタミンC、カロテン、カルシウム等が豊富。
調理法：おもに青汁用に利用するが、炒め物、煮物にもする。

コールラビ

Kohlrabi

アブラナ科。別名**球茎かんらん**、**かぶかんらん**。キャベツの変種で、茎の根本がかぶのように肥大したもの。コールはキャベツ、ラビはかぶを意味する。
調理法：サラダ、スープ、バター炒め、煮込み、漬物等。
産地：神奈川、長野、宮崎等。

可食部100gあたり　Tr：微量　（ ）：推定値または推計値　-：未測定

ミネラル（無機質）							ビタミン																食塩相当量	備考
亜鉛	銅	マンガン	ヨウ素	セレン	クロム	モリブデン	A レチノール活性当量	A レチノール	A β-カロテン当量	D	E α-トコフェロール	K	B1	B2	ナイアシン当量	B6	B12	葉酸	パントテン酸	ビオチン	C		①廃棄部位　②硝酸イオン　③試料　④廃棄率　⑤原材料　⑥ビタミンC　⑦重量比
mg	mg	mg	µg	µg	µg	µg	µg	µg	µg	µg	mg	µg	mg	mg	mg	mg	µg	µg	mg	µg	mg	g	
0.2	0.11	0.07	1	1	1	4	**28**	(0)	330	(0)	0.3	34	**0.03**	**0.03**	0.4	0.05	(0)	25	0.33	1.4	**14**	0	①両端　② Tr
0.2	0.07	0.07	-	-	-	-	**18**	(0)	210	(0)	0.3	46	**0.02**	**0.03**	(0.4)	0.06	(0)	28	0.34	-	**11**	2.5	①両端　水洗いし、水切りしたもの　② Tr
0.2	0.08	0.16	-	-	-	-	**48**	(0)	580	(0)	0.5	83	**0.03**	**0.02**	0.6	0.01	(0)	5	0.12	-	**8**	4.1	② Tr
0.2	0.11	0.14	1	1	1	7	**18**	(0)	210	(0)	0.2	110	**0.26**	**0.05**	1.9	0.20	0	22	0.93	1.2	**22**	5.3	①両端　水洗いし、水切りしたもの　② Tr
0.1	0.04	0	-	-	-	-	**4**	(0)	53	(0)	0.1	32	**Tr**	**0.01**	(0.2)	0.04	(0)	2	0	-	**0**	1.1	酢漬けしたもの　② (Tr)
0.1	0.04	0.20	-	-	-	-	**1**	(0)	14	(0)	Tr	15	**0.02**	**0.06**	(0.3)	0	(0)	1	0	-	**0**	2.5	乳酸発酵したもの　② (Tr)
0.4	0.16	-	-	-	-	-	**170**	(0)	2000	0	0.4	320	**0.10**	**0.16**	(1.7)	0.15	(0)	85	0.39	-	**59**	0	①底盤部及び萌芽葉　② Tr
0.5	0.02	0.52	-	-	-	-	**150**	(0)	1800	(0)	1.2	180	**0.05**	**0.11**	(0.8)	0.08	(0)	47	0.35	-	**15**	0.1	①株元　② 0.3g
0.5	0.02	0.42	-	-	-	-	**130**	(0)	1500	(0)	1.2	210	**0.03**	**0.06**	(0.6)	0.05	(0)	31	0.34	-	**7**	0.1	株元を除いたもの　② 0.4g
0.2	0.05	-	2	2	1	20	**230**	(0)	2700	(0)	1.6	190	**0.10**	**0.20**	(1.0)	0.13	(0)	150	0.30	4.0	**26**	0.1	①株元　② 0.1g
2.2	0.71	0.13	1	1	Tr	4	**(0)**	(0)	0	(0)	3.0	1	**0.12**	**0.07**	3.0	0.34	(0)	140	0.78	7.2	**2**	0	①皮及び芽
2.1	0.59	0.12	-	-	-	-	**(0)**	(0)	0	(0)	3.1	1	**0.10**	**0.06**	2.6	0.30	(0)	120	0.75	-	**0**	0	皮及び芽を除いたもの
0.3	0.05	0.55	1	4	1	38	**240**	(0)	2900	(0)	2.4	210	**0.06**	**0.15**	(1.3)	0.16	(0)	120	0.31	4.0	**81**	0	①葉柄基部　② 0.2g
0.1	0.02	0.07	-	-	-	-	**1**	(0)	12	(0)	0	7	**0.04**	**0.05**	(0.3)	0.09	(0)	73	0.20	-	**45**	0	①根元及び葉柄基部　② 0.1g
0.1	0.02	0.07	-	-	-	-	**1**	(0)	15	(0)	0	8	**0.03**	**0.05**	(0.3)	0.06	(0)	71	0.20	-	**37**	0	根元及び葉柄基部を除いたもの　② 0.1g

QA 青汁って、まずいの？▶うまいまずいは個人の主観なので、一概にはいえない。ケールをおもな原料とした青汁は、おもに九州地方で健康食品として利用されていたが、テレビCMで「あーまずい！もう一杯！」という台詞と「良薬口に苦し」のイメージで知名度がアップ。種類も増えて味も改良されているというので、気になる人は試してみよう。

こごみ(屈)
Kogomi

オシダ科。食用シダの**くさそてつ**の若芽で、葉先が巻いているものを食用にする、ぬめりがある山菜。別名**こごめ**。あくがなく調理しやすい。日本各地、北米大陸の北東部に自生する。促成栽培もされている。観葉植物として庭に植えられることも多い。

調理法：浸し物、和え物、天ぷら等。

旬：4〜6月。

産地：東北地方等。

ごぼう(牛蒡)
Edible burdock　1本=180g

キク科。根を食用とする根菜で強い歯ごたえをもつ。食用にするのは日本のみといわれる。

栄養成分：食物繊維が豊富。

調理法：きんぴら、かき揚げ、煮物等。堀川ごぼうは、空洞に詰め物をして調理する。たわしで洗って泥を落とし、うま味のある皮ごと調理する。あく抜きのため酢水に浸けるが、15分以上浸けるとかたくなる。

選び方：全体に太さが均一で、ひげ根が少なく、葉のつけ根がひび割れていないものがよい。洗いごぼうは、あまり白すぎるものは風味が落ちる。

旬：5〜6月、11〜2月。

産地：青森、茨城、千葉等。

こまつな(小松菜)
Komatsuna　1わ=300g　中1株=40〜50g

アブラナ科。かぶの一種で、江戸時代初期に現在の東京都江戸川区小松川付近で栽培され始めたためこの名がついたとされる。別名ふゆな、ゆきな、うぐいすな。ほぼ一年中栽培でき、丈夫で病気にかかりにくく半日陰でも育つ。東京風の雑煮には欠かせない。あくが少なく扱いやすい。

栄養成分：カルシウム、鉄、カロテン等が豊富。

調理法：浸し物、和え物、汁の実、煮物、炒め物等。

選び方：緑色が濃く、葉が厚くて茎が太いものがよい。

保存法：軽くぬらした新聞紙で包み、ポリ袋に入れて冷蔵庫で保存。

旬：12〜3月。

コリアンダー
Coriander

セリ科。別名コエンドロ、**シャンツァイ**、**パクチー**。若葉と茎を香味野菜として利用する。独特の強い香りがあり、タイ料理やベトナム料理で多用される。

調理法：サラダ、炒め物、生春巻き、料理のトッピング等。

旬：春〜初夏。

産地：静岡、岡山等。

ザーサイ(搾菜)
Zha cai

アブラナ科。からしなの一種で、肥大した茎の根元を漬物にする。原料の野菜と漬物の名前が同じ。別名**ダイシンサイ**。

緑=緑黄色野菜　さつまいも類→p.70、さといも類→p.72、サラダな→p.152、じゃがいも→p.72

	食品番号	食品名	廃棄率	エネルギー	2015年版の値	水分	たんぱく質	アミノ酸組成によるたんぱく質	脂質	脂肪酸のトリアシルグリセロール当量	脂肪酸 飽和	脂肪酸 一価不飽和	脂肪酸 多価不飽和	コレステロール	炭水化物	利用可能炭水化物(質量計)	食物繊維 食物繊維総量(プロスキー変法)	食物繊維 食物繊維総量(AOAC法)	ミネラル(無機質) ナトリウム	カリウム	カルシウム	マグネシウム	リン	鉄
			%	kcal	kcal	g	g	g	g	g	g	g	g	mg	g	g	g	g	mg	mg	mg	mg	mg	mg
緑	06083	**こごみ** 若芽 生	0	25	28	90.7	3.0	(2.2)	0.2	-	-	-	-	(0)	5.3	-	5.2	-	1	350	26	31	69	0.6
	06084	**ごぼう** 根 生	10	58	65	81.7	1.8	1.1	0.1	(0.1)	(0.02)	(0.02)	(0.04)	(0)	15.4	1.0	5.7	-	18	320	46	54	62	0.7
	06085	ゆで	0	50	58	83.9	1.5	(0.9)	0.2	(0.2)	(0.03)	(0.05)	(0.08)	(0)	13.7	(0.9)	6.1	-	11	210	48	40	46	0.7
緑	06086	**こまつな** 葉 生	15	13	14	94.1	1.5	1.3	0.2	0.1	0.02	Tr	0.08	(0)	2.4	0.3	1.9	-	15	500	170	12	45	2.8
	06087	ゆで	9	14	15	94.0	1.6	(1.4)	0.1	(0.1)	(0.01)	(Tr)	(0.04)	(0)	3.0	(0.3)	2.4	-	14	140	150	14	46	2.1
緑	06385	**コリアンダー** 葉 生	10	18	23	92.4	1.4	-	0.4	-	-	-	-	-	4.6	-	-	4.2	4	590	84	16	59	1.4
	06088	**ザーサイ** 漬物	0	20	23	77.6	2.5	(2.0)	0.1	-	-	-	-	(0)	4.6	-	4.6	-	5400	680	140	19	67	2.9
緑	06089	**さんとうさい** 葉 生	6	12	14	94.7	1.0	(0.8)	0.2	(0.1)	(0.02)	(0.01)	(0.05)	(0)	2.7	-	2.2	-	9	360	140	14	27	0.7
	06090	ゆで	5	14	16	94.3	1.4	(1.1)	0.3	(0.1)	(0.03)	(0.01)	(0.08)	(0)	2.9	-	2.5	-	9	240	130	13	30	0.6
	06091	塩漬	6	18	20	90.3	1.5	(1.1)	0.3	(0.1)	(0.03)	(0.01)	(0.08)	(0)	4.0	-	3.0	-	910	420	190	17	35	0.6
	06092	**しかくまめ** 若ざや 生	5	19	20	92.8	2.4	(2.0)	0.1	-	-	-	-	(0)	3.8	-	3.2	-	1	270	80	38	48	0.7
緑	06093	**ししとう** 果実 生	10	24	27	91.4	1.9	1.3	0.3	(0.1)	(0.03)	(Tr)	(0.07)	(0)	5.7	1.2	3.6	-	1	340	11	21	34	0.5
	06094	油いため	0	51	55	88.3	1.9	(1.3)	3.2	(2.9)	(0.24)	(1.75)	(0.82)	(0)	5.8	(1.2)	3.6	-	Tr	380	15	21	39	0.6
緑	06095	**しそ** 葉 生	0	32	37	86.7	3.9	3.1	0.1	Tr	0.01	Tr	0.01	(0)	7.5	-	7.3	-	1	500	230	70	70	1.7
緑	06096	実 生	0	32	41	85.7	3.4	(2.7)	0.1	0.1	0.01	0.01	0.05	(0)	8.9	-	8.9	-	1	300	100	71	85	1.2

+PLUS+ **そんなつもりはなかったのに……**●ごぼうは日本のみで食用にされるらしい。太平洋戦争で捕虜（ほりょ）になった連合国兵にごぼうを食べさせたところ、その後軍事裁判でその兵士に「木の根を食べさせられた」と証言されて、食事を与えた人は捕虜虐待の罪で死刑になってしまった。食文化の違いが生んだ悲劇だ。

さんとうさい

しかくまめ

穂じそ

万願寺唐辛子
京都府舞鶴市万願寺地区で誕生。長さ13cmと大型で、果肉は厚くてやわらかく、甘味があり、種子が少ない。

ししとう

花穂じそ

青じそ

赤じそ

漬物 小皿1=20g

製造法：塩漬け後に水抜きし、塩、焼酎、唐辛子やウイキョウ等の香辛料等を加えてかめで熟成させる。
調理法：塩抜きしてからごま油や調味料等をからめて調味する。
産地：中国四川省の特産。

さんとうさい（山東菜）
Shandong cai

アブラナ科。別名**さんとうな**、**べが菜**。明治 8（1875）年に中国の山東省から導入された。はくさいの変種で育てやすく成長が早い。葉柄は白く、葉は薄い緑で波打っている。丸葉系と切葉系のものがある。大株になると、ゆるやかに結球する。
調理法：大株はおもに漬物、鍋物、煮物等にする。結球前に若どりしたものは浸し物、汁の実等に向く。
産地：埼玉、群馬、茨城等。

しかくまめ（四角豆）
Winged beans 1さや=20g

マメ科。別名うりずんまめ。未熟なさやを食用とする。断面が四角形なのでこの名がついた。緑色が一般的だが、ピンク色、紫色等もある。熱帯アジア原産で、熱帯地域では野菜として重要。日本には1970年代前半に沖縄県に導入された。
栄養成分：カロテン等が多い。
調理法：サラダ、浸し物、スープ、天ぷら、シチュー等。
旬：8～10月。
産地：沖縄。

ししとう（獅子唐）
Sweet peppers 1本=5～10g

ナス科。別名**ししとうがらし**、青とうがらし。小型の甘味種の唐辛子だが、ピーマンよりは辛味が強い。
栄養成分：カロテン、ビタミンC等が豊富。
調理法：塩焼き、炒め物、揚げ物等。そのまま熱を加えると破裂するため、切り込みを入れておく。
旬：7～9月。
産地：高知、千葉等。

しそ（紫蘇）
Perilla 葉1枚=0.5g 実1本=1～5g

シソ科。縄文時代の遺跡から種が発見されたほど古くから利用されてきた香味野菜。花をつけ始めた穂を花穂じそ、未熟なしその実をつけたものを穂じそと呼ぶ。発芽したばかりのものは芽じそとして刺身のつまや汁物の吸い口にする。赤じその芽はむらめ、赤め、青じその芽は青めと呼ばれる。
種類：葉が緑色の青じそと、葉が紅紫色の赤じそ、葉の表が緑色で裏が紅紫色の片面じそがある。また、葉が縮れている縮緬（ちりめん）じそもある。
栄養成分：カルシウム、鉄、ビタミンA・K等を多く含む。

葉
青じそは**大葉（おおば）**ともいい、赤じそよりも香りが高く、おもに薬味や天ぷら等にする。赤じそは梅干しの着色やしそジュースに利用する。梅干しに利用した後の赤じそを干して粉状にしたものがゆかりである。
旬：5～7月。

実
塩漬や佃煮等にする。

可食部100gあたり Tr：微量 （ ）：推定値または推計値 －：未測定

ミネラル（無機質）							ビタミン															食塩相当量	備考
亜鉛	銅	マンガン	ヨウ素	セレン	クロム	モリブデン	A レチノール活性当量	レチノール	β-カロテン当量	D	E αトコフェロール	K	B1	B2	ナイアシン当量	B6	B12	葉酸	パントテン酸	ビオチン	C		①廃棄部位 ②硝酸イオン ③試料 ④廃棄率 ⑤原材料 ⑥ビタミンC ⑦重量比
mg	mg	mg	μg	μg	μg	μg	μg	μg	μg	μg	mg	μg	mg	mg	mg	mg	μg	μg	mg	μg	mg	g	
0.7	0.26	0.33	-	-	-	-	**100**	(0)	1200	(0)	1.7	120	**0**	**0.12**	(3.5)	0.03	(0)	150	0.60	-	**27**	0	② Tr
0.8	0.21	0.18	2	1	1	1	**Tr**	(0)	1	(0)	0.6	Tr	**0.05**	**0.04**	0.6	0.10	(0)	68	0.23	1.3	**3**	0	①皮、葉柄基部及び先端 ②0.1g
0.7	0.16	0.16	-	-	-	-	**(0)**	(0)	0	(0)	0.6	Tr	**0.03**	**0.02**	(0.4)	0.09	(0)	61	0.19	-	**1**	0	皮、葉柄基部及び先端を除いたもの ②0.1g
0.2	0.06	0.13	2	1	2	10	**260**	(0)	3100	(0)	0.9	210	**0.09**	**0.13**	1.6	0.12	(0)	110	0.32	2.9	**39**	0	①株元 ②0.5g
0.3	0.07	0.17	-	-	-	-	**260**	(0)	3100	(0)	1.5	320	**0.04**	**0.06**	(0.9)	0.06	(0)	86	0.23	-	**21**	0	①株元 ゆでた後水冷し、手搾りしたもの ②0.3g
0.4	0.09	0.39	2	Tr	2	23	**150**	-	1700	0	1.9	190	**0.09**	**0.11**	1.5	0.11	-	69	0.52	6.2	**40**	0	①根 ②0.3g
0.4	0.10	0.34	-	-	-	-	**1**	(0)	11	(0)	0.2	24	**0.04**	**0.07**	(1.1)	0.09	(0)	14	0.35	-	**0**	13.7	②0.2g
0.3	0.04	0.16	-	-	-	-	**96**	(0)	1200	(0)	0.8	100	**0.03**	**0.07**	(0.7)	0.08	(0)	130	0.17	-	**35**	0	①根及び株元 ②0.3g
0.4	0.04	0.20	-	-	-	-	**130**	(0)	1500	(0)	0.9	140	**0.02**	**0.05**	(0.5)	0.05	(0)	74	0.12	-	**22**	0	根を除いたもの ゆでた後水冷し、手搾りしたもの ①株元 ②0.2g
0.4	0.06	0.16	-	-	-	-	**140**	(0)	1700	(0)	1.0	150	**0.04**	**0.12**	(0.9)	0.10	(0)	98	0.21	-	**44**	2.3	①株元 水洗いし、手搾りしたもの ②0.3g
0.3	0.09	0.54	-	-	-	-	**36**	(0)	440	(0)	0.4	63	**0.09**	**0.09**	(1.8)	0.10	(0)	29	0.36	-	**16**	0	①さやの両端 ②0.1g
0.3	0.10	0.18	0	4	1	4	**44**	(0)	530	(0)	1.3	51	**0.07**	**0.07**	1.8	0.39	(0)	33	0.35	4.2	**57**	0	①へた
0.3	0.10	0.18	0	4	1	4	**45**	(0)	540	(0)	1.3	52	**0.07**	**0.07**	(1.9)	0.40	(0)	34	0.36	3.7	**49**	0	へたを除いたもの 植物油（調合油）
1.3	0.20	2.01	6	1	2	30	**880**	(0)	11000	(0)	3.9	690	**0.13**	**0.34**	2.4	0.19	(0)	110	1.00	5.1	**26**	0	③青じそ ④小枝つきの場合 40% ②0.1g
1.0	0.52	1.35	-	-	-	-	**220**	(0)	2600	(0)	3.8	190	**0.09**	**0.16**	(3.0)	0.12	(0)	72	0.80	-	**5**	0	③青じそ ④穂じその場合 35% ②Tr

Q A ししとうって、辛いの？辛くないの？▶ししとうは唐辛子の一種だが、甘味種なのでピーマン同様にふつうは辛味はない。しかし、ときどき激辛なものに当たることがある。見分けは難しくロシアンルーレットのようだ。辛くなる原因は、辛味種との自然交配や栽培環境によるらしい。

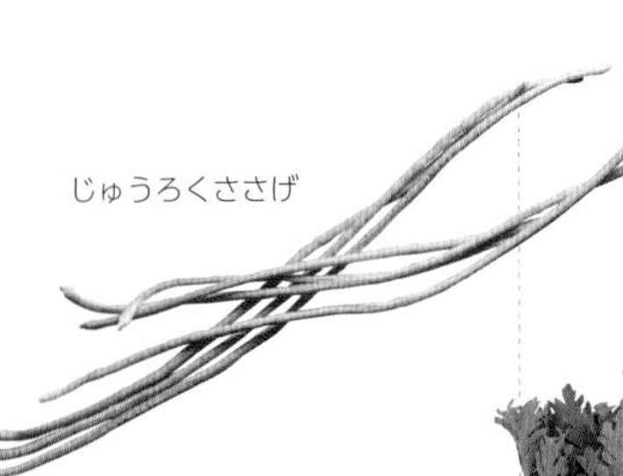

じゅうろくささげ(十六豇豆)
Yandlong beans

マメ科。別名長ささげ、三尺ささげ。ささげの変種で、若ざやを食用にする。さやに16粒ほどの豆が入っているためこの名がついた。さやは30cmから1mほどで、緑色のほか、淡紫色や白色のものもある。
調理法：煮物、和え物等。
旬：7~8月。

しゅんぎく

しゅんぎく(春菊)
Garland chrysanthemum 1わ=200g

キク科。春に黄色い花をつけ、菊に似た独特の香りをもつことからこの名がついた。別名**きくな**。独特の香りの成分であるα-ピネンやベンズアルデヒドは、胃腸の働きをよくし、痰の除去や咳を鎮める作用があるといわれている。
栄養成分：カリウム、カルシウム、鉄、カロテン等が豊富。
調理法：サラダ、浸し物、和え物、鍋物、揚げ物等にする。
選び方：葉が肉厚で緑色が濃く、葉先がピンとしていて、茎は短くて細いものがよい。
旬：11~3月。

しろうり

じゅんさい(蓴菜)
Water shield 5個=10g

スイレン科。別名ぬなわ。各地の池や沼に自生しているが、栽培もされている。透明なゼリー状の粘質物に包まれている若芽や蕾を食用にする。一般に瓶やビニールの袋に詰めて販売されている。
調理法：酢の物、和え物、汁の実等。生の場合、ぬめりが落ちないように注意して軽く水で洗い、たっぷりの湯に通し、鮮やかな緑色に変わったら手早く冷水で冷やしてから使う。加工ものはボールなどに移し、水で酢抜きをしてから調理する。
旬：4~9月。
産地：秋田県で約90%を生産。

じゅんさい

しょうが類(生姜類)
Gingers

ショウガ科。インド等が原産。葉しょうが、根しょうが、芽しょうが等がある。葉しょうがと根しょうがは地下の塊茎部を利用する。辛味成分に殺菌効果がある。

葉しょうが 1本=15g
別名**盆しょうが**、**はじかみ**、筆しょうが。塊茎から新芽が出始めたものを葉がついたまま収穫したもの。食欲増進、生臭みを消す、殺菌作用、風邪予防等の効能があるといわれる。
調理法：みそやマヨネーズ等をつけて生食したり、天ぷら、刺身のつま等にする。
旬：6~8月。

葉しょうが

しょうが

しょうが 1かけ=10~15g
しょうがの根茎(根しょうが)のことで、種しょうがから分かれてできたものを新しょうが、2年以上たつ種しょうがを**ひねしょうが**と呼ぶ。
調理法：新しょうがは酢漬や甘酢漬に向く。ひねしょうがは薬味、肉や魚のくさみ消し等にする。香辛料としては、すりおろして刺身等の薬味にする、薄切り、せん切り、みじん切り等にして魚や肉のくさみ消しにする、煮物、炒め物、スープ等に加える等の使い方をする。また、しょうが飴、ジンジャーエール、ジンジャーブレッドなどの焼き菓子、しょうが茶等にする。
産地：中国。高知等。
酢漬：新しょうがを酢漬にしたもので、別名**紅しょうが**。塩で下漬した後、梅酢(梅干しを漬けた後の残り汁)で数日間漬け込み細切りにする。一般的には、細切りにしたしょうがを赤系の食用色素を混ぜた調味

緑=緑黄色野菜 スイートコーン→p.130

食品番号	食品名	廃棄率	エネルギー	2015年版の値	水分	たんぱく質	アミノ酸組成によるたんぱく質	脂質	脂肪酸のトリアシルグリセロール当量	脂肪酸 飽和	脂肪酸 一価不飽和	脂肪酸 多価不飽和	コレステロール	炭水化物	利用可能炭水化物(質量計)	食物繊維 食物繊維総量(プロスキー変法)	食物繊維 食物繊維総量(AOAC法)	ミネラル(無機質) ナトリウム	カリウム	カルシウム	マグネシウム	リン	鉄
		%	kcal	kcal	g	g	g	g	g	g	g	g	mg	g	g	g	g	mg	mg	mg	mg	mg	mg
06097 緑	**じゅうろくささげ** 若ざや 生	3	22	24	91.9	2.5	(1.8)	0.1	-	-	-	-	(0)	4.8	-	4.2	-	1	250	28	36	48	0.5
06098	ゆで	0	28	30	90.2	2.8	(2.0)	0.1	-	-	-	-	(0)	6.2	-	4.5	-	1	270	35	32	57	0.5
06099 緑	**しゅんぎく** 葉 生	1	20	22	91.8	2.3	1.9	0.3	0.1	0.02	0.01	0.10	(0)	3.9	0.4	3.2	-	73	460	120	26	44	1.7
06100	ゆで	0	25	27	91.1	2.7	(2.2)	0.5	(0.2)	(0.04)	(0.01)	(0.17)	(0)	4.5	(0.4)	3.7	-	42	270	120	24	44	1.2
06101	**じゅんさい** 若葉 水煮びん詰	0	4	5	98.6	0.4	-	0	-	-	-	-	(0)	1.0	-	1.0	-	2	2	4	2	5	0
	(しょうが類)																						
06102	**葉しょうが** 根茎 生	40	9	11	96.3	0.5	(0.4)	0.2	(0.1)	(0.05)	(0.04)	(0.04)	(0)	2.1	-	1.6	-	5	310	15	21	21	0.4
06103	**しょうが** 根茎 皮なし 生	20	28	30	91.4	0.9	0.7	0.3	(0.2)	(0.08)	(0.06)	(0.06)	(0)	6.6	4.0	2.1	-	6	270	12	27	25	0.5
06365	おろし	0	58	70	81.6	0.7	(0.5)	0.8	0.5	-	-	-	(0)	16.0	-	7.4	-	4	380	39	27	24	0.8
06366	おろし汁	0	17	17	95.1	0.4	(0.4)	0.3	0.2	-	-	-	(0)	3.5	-	0.3	-	3	300	2	19	24	0.2
06104	漬物 酢漬	0	15	20	89.2	0.3	(0.3)	0.2	(0.1)	(0.06)	(0.04)	(0.04)	(0)	3.9	-	2.2	-	2200	25	22	6	5	0.2
06105	甘酢漬	0	44	47	86.0	0.2	(0.2)	0.4	(0.3)	(0.10)	(0.08)	(0.08)	(0)	10.7	-	1.8	-	800	13	39	4	3	0.3
06386	**新しょうが** 根茎 生	10	10	14	96.0	0.3	(0.2)	0.3	-	-	-	-	-	2.7	0.8	-	1.9	3	350	11	15	23	0.5
06106	**しろうり** 果実 生	25	15	15	95.3	0.9	(0.6)	0.1	(Tr)	(0.01)	(Tr)	(0.01)	(0)	3.3	-	1.2	-	1	220	35	12	20	0.2
06107	漬物 塩漬	1	15	16	92.8	1.0	(0.7)	0.1	(Tr)	(0.01)	(Tr)	(0.01)	(0)	3.7	-	2.2	-	790	220	26	13	24	0.2
06108	奈良漬	0	216	197	44.0	4.6	-	0.2	-	-	-	-	(0)	40.0	-	2.6	-	1900	97	25	12	79	0.4
06109	**ずいき** 生ずいき 生	30	15	16	94.5	0.5	(0.2)	0	-	-	-	-	(0)	4.1	-	1.6	-	1	390	80	6	13	0.1
06110	ゆで	0	10	12	96.1	0.4	(0.2)	0	-	-	-	-	(0)	3.1	-	2.1	-	1	76	95	7	9	0.1
06111	干しずいき 乾	0	232	246	9.9	6.6	(2.6)	0.4	(0.3)	(0.08)	(0.03)	(0.17)	(0)	63.5	-	25.8	-	6	10000	1200	120	210	9.0
06112	ゆで	0	9	13	95.5	0.5	(0.2)	0	-	-	-	-	(0)	3.4	-	3.1	-	2	160	130	8	5	0.7
06387 緑	**すいぜんじな** 葉 生	35	16	19	93.1	0.6	-	0.6	-	-	-	-	-	3.4	-	-	4.0	1	530	140	42	42	0.5

+PLUS+ **つけあわせにもちゃんと理由がある**●しょうがの刺激的な辛味成分(ジンゲロン、ショウガオール)には強い殺菌作用がある。寿司のつけあわせでガリ(しょうがの甘酢漬)を食べるのは、魚介類の食あたりを防ぐためといわれている。

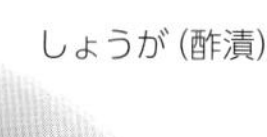

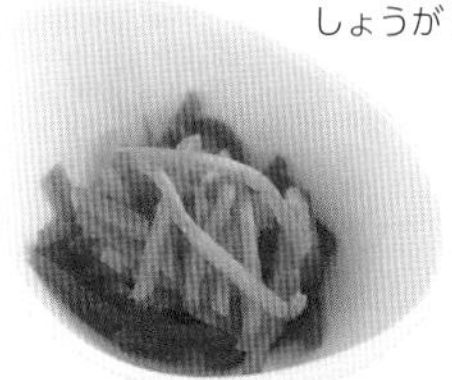

しょうが (酢漬)

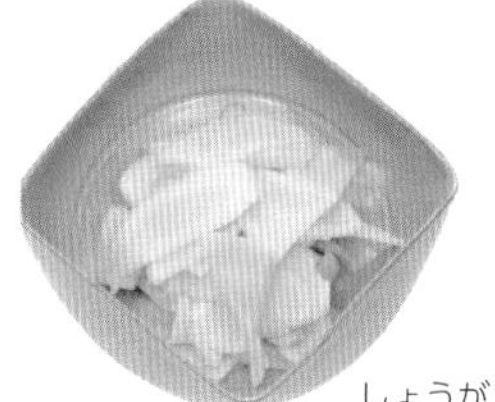

しょうが (甘酢漬)

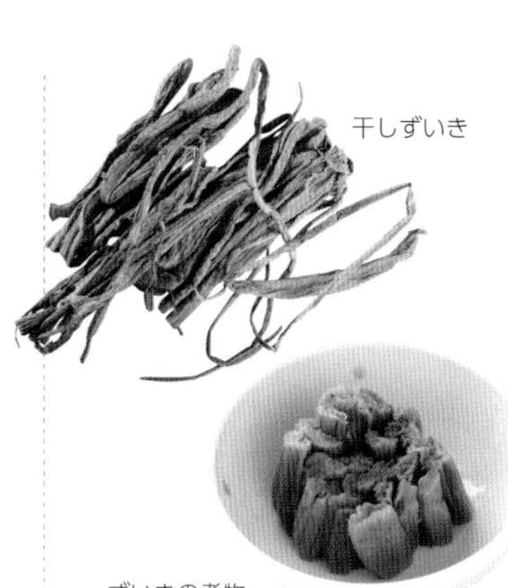

干しずいき

ずいきの煮物

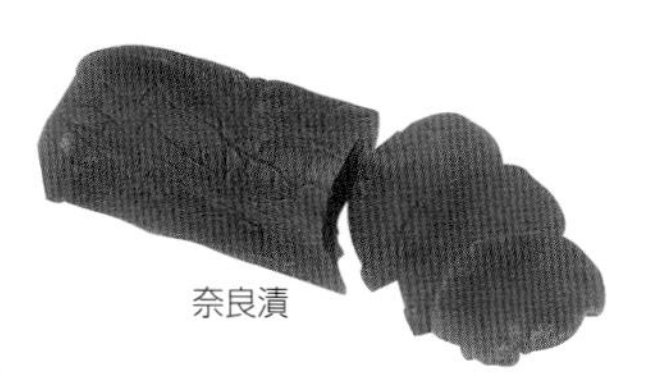

奈良漬

すいぜんじな

液に漬ける製法が多い。焼きそば、たこ焼きなどに加えたり、ちらし寿司、牛丼などに添えられる。関西では薄切りを天ぷらにする。

甘酢漬：しょうがを薄切りにしてゆで、甘酢に漬けたもの。しょうがに含まれるアントシアン系色素が酢と反応して、ピンク色に漬け上がる。寿司屋ではガリと呼ばれる。

しろうり (白瓜)

Oriental pickling melon 1本=200g

ウリ科。完熟すると白くなるのでこの名がついた。別名**あさうり**、**つけうり**。古くから中国の越地方で栽培されたため越瓜とも書く。「奈良漬」は粕漬にしたもの。

調理法：漬物用に利用することが多い。酢の物、汁の実にもする。種を取り除いてらせん状に切り、塩をふり干したものを雷干しといい、そのまま食べたり、酢の物等にする。

旬：7月。

ずいき (芋茎)

Taro

サトイモ科。さといもの葉柄で、えぐみが弱い赤紫色のものを食用にする。軟白栽培して皮が白くなっているのを白ずいき、白だつと呼ぶ。葉柄を収穫するための専用種である、はすいものずいきは緑色のため、青ずいきと呼ぶ。

調理法：刺身のつま、煮物、蒸し物、浸し物等。あくが強いので切ったらすぐ酢水に浸け、酢水でゆでてから水にさらす。

干しずいき 1本=2g

ずいきの皮をむいて乾燥させたもの。別名**いもがら**。水でもどしてからゆで、水にさらしてから調理する。

調理法：酢の物、和え物、汁の実、煮物等にする。

「有機」って、安全⁉

「有機栽培」、「有機食品」などという言葉をみると、なんとなく、体に良さそうな印象がある。しかし、以前は統一的な基準がなく、実態がともなわない「有機食品」表示もあったようだ。こうした状況を改善すべく平成 12 年 1月、特定 JAS 規格として「有機農産物」および「有機農産物加工食品」が制定され、下記の規格に適合するかどうか検査を受け、合格したものだけに有機 JAS マークを付けることができるようになった。

有機農産物

●種まきまたは植え付け前 2 年以上、禁止された農薬や化学肥料を使用していない田畑で栽培する (多年生作物は 3 年以上)。
●栽培期間中も禁止された農薬、化学肥料は使用しない。
●遺伝子組換え技術を使用しない。
(農林水産省)

認定機関名

有機JASマーク (➡■1)

すいぜんじな (水前寺菜)

Suizenjina

キク科。別名**しきぶそう**、はんだま。葉の裏側が紫色だがゆでると緑色になり、ぬめりが出る。**きんじそう** (金時草) の名前で石川県金沢の加賀野菜に認定されている。

産地：熊本、沖縄、石川等。

可食部100gあたり Tr：微量 ( )：推定値または推計値 −：未測定

ミネラル (無機質)							ビタミン																食塩相当量	備考
亜鉛	銅	マンガン	ヨウ素	セレン	クロム	モリブデン	A レチノール活性当量	A レチノール	A β-カロテン当量	D	E α-トコフェロール	K	B_1	B_2	ナイアシン当量	B_6	B_{12}	葉酸	パントテン酸	ビオチン	C		①廃棄部位 ②硝酸イオン ③試料 ④廃棄率 ⑤原材料 ⑥ビタミンC ⑦重量比
mg	mg	mg	µg	µg	µg	µg	µg	µg	µg	µg	mg	µg	mg	mg	mg	mg	µg	µg	mg	µg	mg	g	
0.7	0.12	0.66	-	-	-	-	**96**	(0)	1200	(0)	0.5	160	**0.08**	**0.07**	(1.1)	0.11	(0)	150	0.43	-	**25**	0	①へた ②Tr
0.6	0.11	0.63	-	-	-	-	**93**	(0)	1100	(0)	0.3	170	**0.09**	**0.08**	(1.3)	0.07	(0)	150	0.39	-	**16**	0	へたを除いたもの ②Tr
0.2	0.10	0.40	5	2	2	12	**380**	(0)	4500	(0)	1.7	250	**0.10**	**0.16**	1.5	0.13	(0)	190	0.23	3.5	**19**	0.2	①基部 ④根つきの場合 15% ②0.3g
0.2	0.12	0.49	-	-	-	-	**440**	(0)	5300	(0)	2.0	460	**0.05**	**0.08**	(1.2)	0.06	(0)	100	0.13	-	**5**	0.1	ゆでた後水冷し、手搾りしたもの ②0.2g
0.2	0.02	0.02	-	-	-	-	**2**	(0)	29	(0)	0.1	16	**0**	**0.02**	0.1	0	(0)	3	0	-	**0**	0	液汁を除いたもの
0.4	0.05	4.73	-	-	-	-	**Tr**	(0)	4	(0)	0.1	Tr	**0.02**	**0.03**	(0.4)	0.08	(0)	14	0.07	-	**3**	0	①葉及び茎 ②0.2g
0.1	0.06	5.01	0	1	1	6	**Tr**	(0)	5	(0)	0.1	0	**0.03**	**0.02**	0.8	0.13	(0)	8	0.21	0.7	**2**	0	ひねしょうが ①皮 ②0.1g
0.2	0.05	5.12	(0)	Tr	1	12	**1**	(0)	14	(0)	0.3	(0)	**0.02**	**0.02**	(0.6)	0.12	(0)	5	0.07	0.5	**1**	0	ひねしょうが 全体に対する割合 24 % ②Tr
0.2	0.04	3.16	(0)	0	Tr	6	**Tr**	(0)	5	(0)	0.1	(0)	**0.02**	**0.01**	(0.6)	0.12	(0)	6	0.04	0.6	**1**	0	ひねしょうが 全体に対する割合 76 % ②Tr
Tr	0.02	0.41	0	0	2	0	**0**	(0)	5	(0)	0.1	0	**0**	**0.01**	(0.1)	0	0	1	0	0.2	**0**	5.6	ひねしょうが 液汁を除いたもの
Tr	0.01	0.37	1	3	2	0	**0**	(0)	4	(0)	0.1	0	**0.63**	**0**	(0.1)	0	0	1	0	0.2	**0**	2.0	ひねしょうが 液汁を除いたもの
0.4	0.04	7.65	Tr	0	1	3	**Tr**	-	6	-	0.1	Tr	**0.01**	**0.01**	(0.3)	0.05	-	10	0.05	0.5	**2**	0	①皮及び茎 ②0.1 g
0.2	0.03	0.05	5	0	0	2	**6**	(0)	70	(0)	0.2	29	**0.03**	**0.03**	(0.4)	0.04	(0)	39	0.30	1.3	**8**	0	①わた及び両端
0.2	0.04	0.05	-	-	-	-	**6**	(0)	74	(0)	0.2	44	**0.03**	**0.03**	(0.2)	0.07	(0)	43	0.30	-	**10**	2.0	①両端 水洗いし、手搾りしたもの
0.8	0.07	0.51	1	1	1	81	**2**	(0)	27	(0)	0.1	6	**0.03**	**0.11**	1.4	0.39	0.1	52	0.57	1.0	**0**	4.8	②Tr
1.0	0.03	2.24	-	-	-	-	**9**	(0)	110	(0)	0.4	9	**0.01**	**0.02**	(0.3)	0.03	(0)	14	0.28	-	**5**	0	①株元及び表皮 ②Tr
0.9	0.02	1.69	-	-	-	-	**9**	(0)	110	(0)	0.3	14	**0**	**0**	(0.1)	0.01	(0)	10	0.10	-	**1**	0	株元及び表皮を除いたもの ゆでた後水冷し、手搾りしたもの ②0g
5.4	0.55	25.00	-	-	-	-	**1**	(0)	15	(0)	0.4	19	**0.15**	**0.30**	(3.6)	0.07	(0)	30	2.00	-	**0**	0	②1.4g
0.3	0.05	2.35	-	-	-	-	**(0)**	(0)	(0)	(0)	0.1	3	**0**	**0.01**	(0.1)	0	(0)	1	0.06	-	**0**	0	ゆでた後水冷し、手搾りしたもの ②Tr
0.5	0.07	2.11	3	Tr	1	8	**350**	-	4300	-	3.8	270	**0.06**	**0.12**	0.6	0.08	-	66	0.03	4.7	**17**	0	①葉柄基部 ②0.3 g

Q A じゅんさいは日本各地に自生している？▶たしかに以前は各地の沼地に自生していた。しかし、今では絶滅のおそれが高く、多くの県が絶滅危惧種に指定している。東京、埼玉、神奈川、沖縄ではすでに絶滅したとされる。絶滅・減少の要因として、自生地である池沼の開発や水質の悪化、環境の変化などが考えられる。

すぐきな

花ズッキーニ

UFOズッキーニ

せり

フェンネル
セリ科。ハーブ用とは異なるフローレンス・フェンネルという種類の、根本近くの肥大した鱗茎。サラダや煮物にする。

丸ズッキーニ

すぐき漬

ズッキーニ

セロリ

すぐきな (酢茎菜)
Sugukina:Turnip

アブラナ科。別名**かもな**、すいぐき。漬物にする。「すぐき漬」は塩漬後に特殊な室に入れて、自然に乳酸発酵させたもので、酸味とぬめりがある。京都上賀茂地方の特産。
産地：京都上賀茂地方の特産であることから賀茂菜の名がついた。
旬：11～1月。

ズッキーニ
Zucchini　1本=200g

ウリ科。原産地はメキシコ。ヨーロッパに16世紀頃に伝わり、日本には1970年代に導入された。形がきゅうりに似ているが、ぺぽかぼちゃの一種。別名**つるなしかぼちゃ**。緑色種と黄色種があり、長さ20cmほどの未熟果を食用とする。“ズッキーニ”はイタリア語。フランス語では“クルジェット”、英語では“サマースクウォッシュ”という。イタリアや南フランスの地中海地方で栽培され、日常的に利用されている。南フランスの代表的な野菜料理ラタトゥィユには欠かせない。
調理法：サラダ、ピクルス、グラタン、炒め物、煮物、揚げ物、スープ等。ズッキーニは花が大きく、これも野菜としてサラダなどに利用する。めしべとおしべを取り除いて詰め物をし、オーブンで焼いたりもする。
選び方：太さが均一であまり大きすぎないものがよい。
旬：6～8月。

せり (芹)
Water dropwort　1わ=150g

セリ科。春の七草のひとつ。別名**かわな**。湿地やあぜ道、休耕田など水分の多い場所に自生する自生種(田ぜり)は紫褐色。水田で栽培される栽培種の葉は青緑色。地下茎があり、その節から新芽を出して増える。
栄養成分：カロテン等が豊富。
調理法：和え物、鍋物、汁物等。田ぜりはあくが強いので、ゆでてから水にさらしてあくを抜く。
選び方：茎が太いものはかたいことがあるので避ける。
旬：12～4月。
産地：宮城、茨城等。

セロリ
Celery　1本=100～150g

セリ科。別名**セロリー**、**セルリー**、**オランダみつば**。独特の芳香と歯ざわりがある。紀元前からヨーロッパ全域に自生しており、古代ギリシア・ローマ時代には、整腸剤、強壮剤、香料、魔よけ等として利用した。17世紀にフランスで食用にするようになり、18世紀にはイギリスで改良が進み、19世紀に入ってアメリカに伝わって盛んに品種改良が行われた。日本では1970年代に入ってから広く栽培されるようになった。
種類：色によって黄色種、緑色種、中間種に大別される。
調理法：サラダ、炒め物、スープ、漬物、つくだ煮等。また、洋風スープのだしをとるとき、くさみを取り除くための香味野菜としても利用する。
選び方：茎が太く、筋がはっきりしているものがよい。
旬：11～5月。
産地：長野、静岡等。

緑 =緑黄色野菜

食品番号	食品名	廃棄率	エネルギー	2015年版の値	水分	たんぱく質	アミノ酸組成によるたんぱく質	脂質	脂肪酸のトリアシルグリセロール当量	脂肪酸 飽和	脂肪酸 一価不飽和	脂肪酸 多価不飽和	コレステロール	炭水化物	利用可能炭水化物(質量計)	食物繊維 食物繊維総量(プロスキー変法)	食物繊維 食物繊維総量(AOAC法)	ミネラル(無機質) ナトリウム	カリウム	カルシウム	マグネシウム	リン	鉄
		%	kcal	kcal	g	g	g	g	g	g	g	g	mg	g	g	g	g	mg	mg	mg	mg	mg	mg
06113	緑 **すぐきな** 葉 生	25	**23**	26	90.5	**1.9**	(1.7)	**0.2**	(0.1)	(0.05)	(0.01)	(0.08)	(0)	**5.4**	-	4.0	-	32	680	**150**	18	58	**2.6**
06114	根 生	8	**19**	21	93.7	**0.6**	(0.5)	**0.1**	(0.1)	(0.01)	(0.01)	(0.05)	(0)	**4.7**	-	1.7	-	26	310	**26**	8	35	**0.1**
06115	すぐき漬	0	**30**	34	87.4	**2.6**	(2.1)	**0.7**	(0.5)	(0.08)	(0.04)	(0.37)	(0)	**6.1**	-	5.2	-	870	390	**130**	25	76	**0.9**
06116	**ズッキーニ** 果実 生	4	**16**	14	94.9	**1.3**	(0.9)	**0.1**	(0.1)	(0.03)	(Tr)	(0.03)	(0)	**2.8**	(2.3)	1.3	-	1	320	**24**	25	37	**0.5**
06117	緑 **せり** 茎葉 生	30	**17**	17	93.4	**2.0**	(1.9)	**0.1**	(0.1)	(0.02)	(Tr)	(0.03)	(0)	**3.3**	-	2.5	-	19	410	**34**	24	51	**1.6**
06118	ゆで	15	**17**	18	93.6	**2.1**	(1.9)	**0.1**	(0.1)	(0.02)	(Tr)	(0.03)	(0)	**3.4**	-	2.8	-	8	190	**38**	19	40	**1.3**
06119	**セロリ** 葉柄 生	35	**12**	15	94.7	**0.4**	0.4	**0.1**	0.1	0.02	Tr	0.03	(0)	**3.6**	1.3	1.5	-	28	410	**39**	9	39	**0.2**
	ぜんまい																						
06120	生ぜんまい 若芽 生	15	**27**	29	90.9	**1.7**	(1.3)	**0.1**	-	-	-	-	(0)	**6.6**	-	3.8	-	2	340	**10**	17	37	**0.6**
06121	ゆで	0	**17**	21	94.2	**1.1**	(0.8)	**0.4**	-	-	-	-	(0)	**4.1**	-	3.5	-	2	38	**19**	9	20	**0.3**
06122	干しぜんまい 干し若芽 乾	0	**277**	293	8.5	**14.6**	(10.8)	**0.6**	-	-	-	-	(0)	**70.8**	-	34.8	-	25	2200	**150**	140	200	**7.7**
06123	ゆで	0	**25**	29	91.2	**1.7**	(1.3)	**0.1**	-	-	-	-	(0)	**6.8**	-	5.2	-	2	19	**20**	9	16	**0.4**
06124	**そらまめ** 未熟豆 生	25	**102**	108	72.3	**10.9**	8.3	**0.2**	0.1	0.03	0.01	0.05	(0)	**15.5**	12.1	2.6	-	1	440	**22**	36	220	**2.3**
06125	ゆで	25	**103**	112	71.3	**10.5**	(7.8)	**0.2**	(0.1)	(0.03)	(0.01)	(0.05)	(0)	**16.9**	(12.5)	4.0	-	4	390	**22**	38	230	**2.1**
06126	緑 **タアサイ** 葉 生	6	**12**	13	94.3	**1.3**	(1.1)	**0.2**	(0.1)	(0.02)	(Tr)	(0.08)	(0)	**2.2**	-	1.9	-	29	430	**120**	23	46	**0.7**
06127	ゆで	6	**11**	13	95.0	**1.1**	(0.9)	**0.2**	(0.1)	(0.02)	(Tr)	(0.08)	(0)	**2.3**	-	2.1	-	23	320	**110**	18	43	**0.6**

+PLUS+ **せりは新春に限る！？**●春の七草のせりには、“5月のせりは食べるな”という言葉がある。これは猛毒の毒ぜりがこの時期に伸び始めるため。毒ぜりは茎が太くて節がたくさんあり、空洞になっているので、摘（つ）み草のときには要注意。

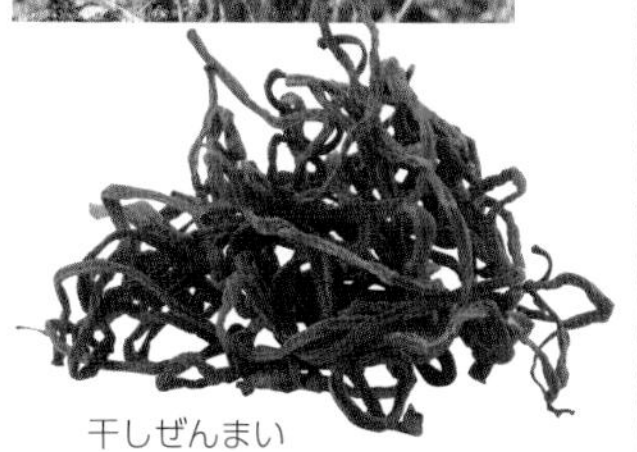

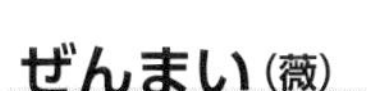

干しぜんまい

ぜんまい

そらまめ

タアサイ

そらまめは、茎からやや上向きに空を指しているように見えることから、この名がついた。収穫期には豆の重みで下を向く。

ぜんまい(薇)

Japanese royal fern 1袋=80～200g

ゼンマイ科。森や林の湿ったところに生える山菜として有名だが、現在では栽培品も多い。春先の、綿のような膜に包まれた渦巻き状の若芽を食用にする。乾燥品には、火力で乾燥した青干しと、ゆでてあくを抜いてから天日で乾燥した赤干しがある。「干しぜんまい」は湯でもどしてから調理する。

調理法：和え物、煮物、汁の実、炒め物、天ぷら等。生のものは苦味が強いので、重曹や木灰を十分振りかけ熱湯を注ぎ、一日くらい放置してあくを抜いてから利用する。

旬：4～7月。

そらまめ(空豆、蚕豆)

Broad beans 1粒=6g

マメ科。そらまめ(➡p.88［豆類］)の若い実を野菜として利用するもの。

調理法：塩ゆでするか、さやごと焼いて食べる。また、サラダ、炒め物、煮物、ポタージュ、グラタン等。さやから出すと味が落ちるので、なるべく早く調理する。

旬：5～6月。

産地：鹿児島、千葉等。

加工品：トウバンジャン。

タアサイ(塌菜)

Tatsoi 1株=200g

アブラナ科。中国野菜。春まきのものは立ち上がった形状で収穫期を迎えるが、秋まきは、幼苗期は立ち上がっているが、寒くなるにつれ地面をはうように広がり、葉が菊の花びらのような形に重なり合う。土にへばりついていれば、寒風に凍えることもなく、太陽熱と地熱を取り込めるからである。

タアサイとは中国語で「つぶれた菜」という意味だが、これは寒いときの姿を表現したもの。日本では2月頃に多く穫れるので、**きさらぎな(如月菜)**、縮み雪菜とも呼ばれる。霜にあたってからのほうが、葉もやわらかくなり、甘味が増す。別名**ひさごな**、**ゆきな**。

栄養成分：カロテン、ビタミンC等が豊富。

調理法：炒め物、煮物、鍋物、和え物等。

旬：2～3月。

こごみ・ぜんまい・わらびの見分け方

こごみは、川沿いなど、水が流れているところに群生する。巻いたような形の若芽に小さな葉がたくさんついていて、鮮やかな緑色か黄緑色。茎の切断面が三日月の形。

ぜんまいは、日陰で湿り気のあるところに生える。ぜんまい式のバネをぐるぐると巻いたような形の若芽で、深い緑色か茶色。うぶげのような毛が全体に密生している。

わらびは、日当たりのよい乾いたところに集まって生える。握りこぶしのような若芽が数個集まっているような形で、緑色か紫色。

可食部100gあたり Tr：微量 ( )：推定値または推計値 -：未測定

ミネラル(無機質)							ビタミン															食塩相当量	備考
亜鉛	銅	マンガン	ヨウ素	セレン	クロム	モリブデン	A レチノール活性当量	レチノール	β-カロテン当量	D	E αトコフェロール	K	B1	B2	ナイアシン当量	B6	B12	葉酸	パントテン酸	ビオチン	C		①廃棄部位 ②硝酸イオン ③試料 ④廃棄率 ⑤原材料 ⑥ビタミンC ⑦重量比
mg	mg	mg	μg	μg	μg	μg	μg	μg	μg	μg	mg	μg	mg	mg	mg	mg	μg	μg	mg	μg	mg	g	
0.3	0.06	0.30	-	-	-	-	**170**	(0)	2000	(0)	3.8	280	**0.08**	**0.13**	(1.6)	0.05	(0)	200	0.35	-	**73**	0.1	①葉柄基部 ②0.2g
0.1	0.03	0.05	-	-	-	-	**(0)**	(0)	(0)	(0)	0	0	**0.03**	**0.03**	(0.8)	0.01	(0)	50	0.26	-	**13**	0.1	①根端及び葉柄基部 ②0.2g
0.4	0.08	0.09	-	-	-	-	**250**	(0)	3000	(0)	2.2	270	**0.12**	**0.11**	(1.9)	0.13	(0)	110	0.24	-	**35**	2.2	水洗いし、手搾りしたもの
0.4	0.07	0.15	Tr	Tr	1	6	**27**	(0)	320	(0)	0.4	35	**0.05**	**0.05**	(0.6)	0.09	(0)	36	0.22	2.7	**20**	0	①両端 ②0.1g
0.3	0.15	1.24	-	-	-	-	**160**	(0)	1900	(0)	0.7	160	**0.04**	**0.13**	(1.7)	0.11	(0)	110	0.42	-	**20**	0	①根及び株元 ②0g
0.2	0.10	1.30	-	-	-	-	**150**	(0)	1700	(0)	0.6	160	**0.02**	**0.06**	(1.1)	0.07	(0)	61	0.32	-	**10**	0	根を除いたもの ①株元 ゆでた後水冷し、手搾りしたもの ②0g
0.2	0.03	0.11	1	0	0	2	**4**	(0)	44	(0)	0.2	10	**0.03**	**0.03**	0.1	0.08	(0)	29	0.26	1.2	**7**	0.1	①株元、葉身及び表皮 ②0.2g
0.5	0.15	0.40	-	-	-	-	**44**	(0)	530	(0)	0.6	34	**0.02**	**0.09**	(1.8)	0.05	(0)	210	0.64	-	**24**	0	①株元及び裸葉 ②0g
0.4	0.10	0.22	-	-	-	-	**36**	(0)	430	(0)	0.5	34	**0.01**	**0.05**	(0.9)	0	(0)	59	0.12	-	**2**	0	株元及び裸葉を除いたもの ゆでた後水冷し、水切りしたもの ②0g
4.6	1.20	3.34	-	-	-	-	**59**	(0)	710	(0)	1.4	120	**0.10**	**0.41**	(11.0)	0.02	(0)	99	3.10	-	**0**	0.1	②0g
0.3	0.14	0.20	-	-	-	-	**1**	(0)	15	(0)	0.2	20	**0**	**0.01**	(0.4)	0	(0)	1	0	-	**0**	0	②0g
1.4	0.39	0.21	0	Tr	0	150	**20**	(0)	240	(0)	Tr	18	**0.30**	**0.20**	2.9	0.17	(0)	120	0.46	6.9	**23**	0	①種皮 ④さや入りの場合 80% ②0g
1.9	0.33	0.38	-	-	-	-	**18**	(0)	210	(0)	Tr	19	**0.22**	**0.18**	(2.5)	0.13	(0)	120	0.39	-	**18**	0	①種皮 ④さや入りの場合 80% ②(0)g
0.5	0.05	0.38	-	-	-	-	**180**	(0)	2200	(0)	1.5	220	**0.05**	**0.09**	(1.4)	0.12	(0)	65	0.19	-	**31**	0.1	①株元 ②0.7g
0.4	0.04	0.32	-	-	-	-	**200**	(0)	2400	(0)	1.7	230	**0.02**	**0.03**	(0.8)	0.05	(0)	42	0.09	-	**14**	0.1	①株元 ゆでた後水冷し、手搾りしたもの ②0.5g

Q A そらまめ病を恐れた人は誰？▶ピタゴラス。「戒律を破って豆畑に進入するよりは殺された方がましだ」として敵に捕らえられて処刑されたという説がある(「ピタゴラスと豆」寺田寅彦より)。この豆畑がそらまめ畑だったらしい。そらまめ病は男性に固有な遺伝子に起因する病気で、食中毒を起こして死に至ることもあるのだ。

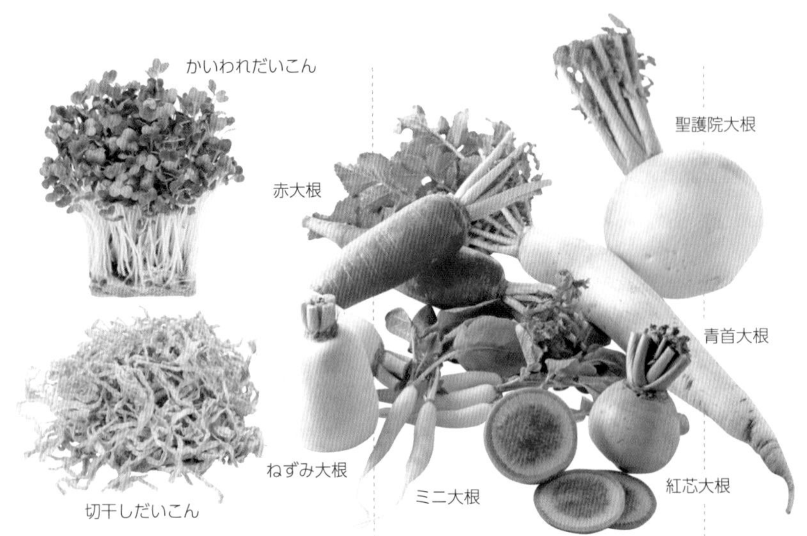

だいこん類（大根類）
Daikon:Japanese radishes

アブラナ科。春の七草の“すずしろ”のこと。葉と肥大した根を食用にする。種類が非常に多く、品種により形、色、大きさ等が異なる。巨大なかぶのような桜島だいこん、煮くずれしにくい三浦だいこん、辛味が強い辛味だいこん、首が緑色で甘味が強い青首だいこん等が有名。近年は辛味の少ない青首だいこんが好まれ、多く出回っている。

だいこんの辛味は、肝臓の解毒作用を助けたり、がんの発生を抑えるといわれるイソチオシアネートという成分による。

かいわれだいこん（貝割れ大根）

1パック＝50G

別名**かいわれ**。種子を暗所で水耕栽培し、双葉が開いたときに光をあてて緑化したもの。

調理法：サラダ、浸し物、和え物、煮物等。

葉だいこん（葉大根）

若葉を食用とする専用品種を水耕栽培したもの。

調理法：漬物、汁物、炒め物。

だいこん（大根）

葉：1本分＝150g。緑黄色野菜として利用する。

栄養成分：鉄、カルシウム、カリウム、カロテン、ビタミンC・Eが豊富でたんぱく質も多い。

調理法：炒め物、漬物等。

根：中1本＝800g。でん粉を分解するアミラーゼや、発がん物質を解毒するとされるオキシターゼ等の酵素を含む。葉つきのものは、葉をつけ根から切り落としておくと根にすが入らない。

調理法：すりおろし、酢の物、煮物、炒め物、汁の実、漬物等。皮の2〜3mm内側にある筋がかたいので、皮をむく場合は厚めにむく。むいた皮はきんぴら等にする。ゆでるときは、米のとぎ汁か米を加えてゆでると、苦味が抜け白くゆであがる。

旬：12〜2月。

産地：千葉、北海道、青森等。

切干しだいこん（切干し大根）

根を刻んで乾燥させたもので、甘味と独特の香りがある。

漬物

いぶりがっこ：だいこんを煙でいぶ

緑＝緑黄色野菜

食品番号	食品名	廃棄率 %	エネルギー kcal	2015年版の値 kcal	水分 g	たんぱく質 g	アミノ酸組成によるたんぱく質 g	脂質 g	脂肪酸のトリアシルグリセロール当量 g	脂肪酸 飽和 g	脂肪酸 一価不飽和 g	脂肪酸 多価不飽和 g	コレステロール mg	炭水化物 g	利用可能炭水化物（質量計） g	食物繊維 食物繊維総量（プロスキー変法） g	食物繊維 食物繊維総量（AOAC法） g	ミネラル（無機質） ナトリウム mg	カリウム mg	カルシウム mg	マグネシウム mg	リン mg	鉄 mg
	（だいこん類）																						
緑 06128	**かいわれだいこん**　芽ばえ　生	0	**21**	21	93.4	**2.1**	(1.8)	**0.5**	(0.2)	(0.05)	(0.02)	(0.15)	(0)	**3.3**	-	1.9	-	5	99	**54**	33	61	**0.5**
緑 06129	**葉だいこん**　葉　生	20	**17**	18	92.6	**2.0**	(1.7)	**0.2**	(0.1)	(0.02)	(0.01)	(0.06)	(0)	**3.3**	(1.1)	2.6	-	41	340	**170**	25	43	**1.4**
緑 06130	**だいこん**　葉　生	10	**23**	25	90.6	**2.2**	1.9	**0.1**	Tr	0.01	Tr	0.03	(0)	**5.3**	1.4	4.0	-	48	400	**260**	22	52	**3.1**
06131	ゆで	0	**24**	25	91.3	**2.2**	(1.9)	**0.1**	(Tr)	(0.01)	(Tr)	(0.03)	(0)	**5.4**	(1.3)	3.6	-	28	180	**220**	22	62	**2.2**
06132	根　皮つき　生	10	**15**	18	94.6	**0.5**	0.4	**0.1**	Tr	0.01	Tr	0.02	0	**4.1**	2.6	1.4	-	19	230	**24**	10	18	**0.2**
06133	ゆで	0	**15**	18	94.4	**0.4**	(0.3)	**Tr**	-	-	-	-	(0)	**4.5**	(2.7)	1.6	-	14	210	**24**	9	18	**0.2**
06134	皮むき　生	15	**15**	18	94.6	**0.4**	0.3	**0.1**	(Tr)	(0.01)	(Tr)	(0.02)	0	**4.1**	2.8	1.3	-	17	230	**23**	10	17	**0.2**
06367	皮なし　生　おろし	0	**25**	34	90.5	**0.6**	(0.5)	**0.2**	-	-	-	-	(0)	**8.0**	-	5.1	-	30	190	**63**	23	19	**0.3**
06368	おろし汁	0	**12**	11	96.5	**0.3**	(0.2)	**Tr**	-	-	-	-	(0)	**2.7**	-	0.1	-	21	140	**14**	9	13	**0.1**
06369	おろし水洗い	0	**23**	30	91.4	**0.6**	(0.4)	**0.1**	-	-	-	-	(0)	**7.2**	-	4.7	-	25	170	**57**	21	16	**0.2**
06135	ゆで	0	**15**	18	94.8	**0.5**	(0.4)	**0.1**	(Tr)	(0.01)	(Tr)	(0.02)	(0)	**4.0**	2.5	1.7	-	12	210	**25**	10	14	**0.2**
06136	**切干しだいこん**　乾	0	**280**	301	8.4	**9.7**	(7.3)	**0.8**	(0.3)	(0.10)	(0.03)	(0.19)	(0)	**69.7**	-	21.3	-	210	3500	**500**	160	220	**3.1**
06334	ゆで	0	**13**	19	94.6	**0.9**	(0.7)	**0.1**	(Tr)	(0.01)	(Tr)	(0.03)	(0)	**4.1**	-	3.7	-	4	62	**60**	14	10	**0.4**
06335	油いため	0	**78**	88	84.5	**1.5**	(1.1)	**6.0**	(5.7)	(0.44)	(3.48)	(1.56)	(Tr)	**7.6**	-	5.6	-	8	110	**91**	22	18	**0.7**
06388	**漬物**　いぶりがっこ	0	**76**	86	73.8	**1.1**	(0.8)	**0.3**	-	-	-	-	-	**21.0**	-	-	7.1	1400	350	**42**	31	77	**0.4**
06137	ぬかみそ漬	0	**29**	30	87.1	**1.3**	(1.0)	**0.1**	-	-	-	-	(0)	**6.7**	-	1.8	-	1500	480	**44**	40	44	**0.3**
06138	たくあん漬　塩押しだいこん漬	0	**43**	46	85.0	**0.6**	(0.5)	**0.3**	-	-	-	-	(0)	**10.8**	-	2.3	-	1300	56	**16**	5	12	**0.2**
06139	干しだいこん漬	0	**23**	27	88.8	**1.9**	(1.4)	**0.1**	-	-	-	-	(0)	**5.5**	-	3.7	-	970	500	**76**	80	150	**1.0**
06140	守口漬	0	**194**	187	46.2	**5.3**	-	**0.2**	-	-	-	-	(0)	**44.3**	-	3.3	-	1400	100	**26**	9	72	**0.7**
06141	べったら漬	0	**53**	53	83.1	**0.4**	(0.3)	**0.2**	-	-	-	-	(0)	**13.1**	-	1.6	-	1100	190	**15**	6	24	**0.2**
06142	みそ漬	0	**52**	52	79.0	**2.1**	-	**0.3**	-	-	-	-	0	**11.4**	-	2.1	-	2800	80	**18**	12	42	**0.3**
06143	福神漬	0	**137**	136	58.6	**2.7**	-	**0.1**	-	-	-	-	(0)	**33.3**	-	3.9	-	2000	100	**36**	13	29	**1.3**
	（たいさい類）																						
緑 06144	**つまみな**　葉　生	0	**19**	20	92.3	**1.9**	(1.7)	**0.3**	0.1	0.03	0.01	0.08	(0)	**3.6**	-	2.3	-	22	450	**210**	30	55	**3.3**
緑 06145	**たいさい**　葉　生	0	**15**	16	93.7	**0.9**	(0.8)	**0.1**	(Tr)	(0.01)	(Tr)	(0.03)	(0)	**3.5**	-	1.6	-	38	340	**79**	22	49	**1.1**
06146	塩漬	0	**19**	20	90.9	**1.6**	(1.4)	**0.1**	(Tr)	(0.01)	(Tr)	(0.03)	(0)	**4.3**	-	2.5	-	700	330	**78**	22	45	**1.3**

+PLUS+　カレーのおとも●福神漬は、明治の初めに福神漬を考案した「酒悦」がもつ商標名だが、一般的にも使われている。これは、大正時代に日本郵船の欧州（ヨーロッパ）航路で、一等船客に出すカレーに福神漬を添えたことから、カレーに添える高級な漬物として広まったためらしい。

たいさい　漬物

たいさい
（雪白体菜）

して糠と塩で漬けたもの。
ぬかみそ漬：だいこんをぬか床に漬けたもの。
たくあん漬：塩漬にしたあと本漬にする**塩押しだいこん漬**（別名**新漬たくあん**、**早漬たくあん**）と、ある程度干してから漬ける**干しだいこん漬**（別名**本たくあん**）がある。
守口漬：守口だいこんの粕漬。守口だいこんの太さは約3cm、長さ1～1.5mで細長い。
べったら漬：麹漬の一種。浅く塩漬しただいこんを米こうじの床に本漬にしたもの。こうじの甘味が強く、カリカリとした歯ごたえが特徴。江戸時代の初期から続く東京の「べったら市」で有名。
みそ漬：ある程度干しただいこんをみそに漬けたもの。
福神漬：だいこん、なす、なたまめ、れんこん、しょうが、しその実等を刻み、しょうゆを主体とした調味液に浸けたもの。

たいさい類（体菜類）
Taisai:Chinese mustards

アブラナ科。かぶやこまつなと類縁。たいさい（体菜）というのは明治の頃に日本に入ってきた結球しないはくさいにつけられた名前。たいさい類は中国揚子江中流域以南で栽培される大衆野菜で、茎が長いのを長梗、短いのを短梗、白いのを白梗、緑のものを青梗等と呼ぶ。日本には明治時代に長梗で茎の白いものが導入され、その後、戦前にも白梗系のものが導入された。茎の緑色のたいさいをチンゲンサイ、白いものをパクチョイという（➡p.128、140）。
つまみな（摘菜）
以前は、発芽してすぐ間引いたこまつな等をつまみな（間引き菜）として利用したが、現在ではつまみな用に栽培する白雪体菜の若苗を指す。
調理法：浸し物、和え物、汁の実、サラダ、薬味等。
たいさい（体菜）　1株＝150～200g
チンゲンサイと同じ仲間の中国野菜。別名**しゃくしな**。カルシウム、鉄、カロテン等が豊富。
調理法：浸し物、炒め物、煮物、漬物等。
旬：11～2月。

だいこんの部位による使い分け

だいこんは葉に近い方が甘味があり、サラダやおろしなど生食に向く。先端に近いほど辛味が強くなるが、好みで使い分けるとよい。

だいこんおろしのビタミンC残存率

ビタミンCは空気に触れて酸化することで失われてしまう。だいこんおろしのように空気に触れる面積が大きいと、2時間後には半減してしまうので、食べる直前におろすようにする。

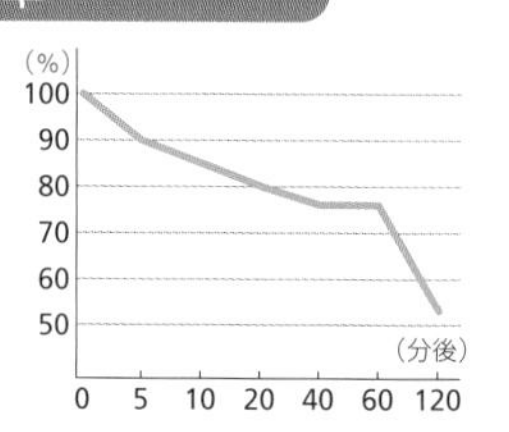

可食部100gあたり　Tr：微量　( )：推定値または推計値　-：未測定

亜鉛 mg	銅 mg	マンガン mg	ヨウ素 μg	セレン μg	クロム μg	モリブデン μg	A レチノール活性当量 μg	A レチノール μg	A β-カロテン当量 μg	D μg	E α-トコフェロール mg	K μg	B1 mg	B2 mg	ナイアシン当量 mg	B6 mg	B12 μg	葉酸 μg	パントテン酸 mg	ビオチン μg	C mg	食塩相当量 g	備考 ①廃棄部位 ②硝酸イオン ③試料 ④廃棄率 ⑤原材料 ⑥ビタミンC ⑦重量比
0.3	0.03	0.35	12	0	0	6	**160**	(0)	1900	(0)	2.1	200	**0.08**	**0.13**	(2.0)	0.23	(0)	96	0.29	5.6	**47**	0	茎基部約1cmを除去したもの ②0.1g
0.4	0.05	0.23	-	-	-	-	**190**	(0)	2300	(0)	1.5	220	**0.07**	**0.15**	(1.2)	0.22	(0)	130	0.39	-	**49**	0.1	③水耕栽培品 ①株元及び根 ②0.4g
0.3	0.04	0.27	-	-	-	-	**330**	(0)	3900	(0)	3.8	270	**0.09**	**0.16**	1.3	0.18	(0)	140	0.26	-	**53**	0.1	①葉柄基部 ②0.2g
0.2	0.03	0.25	-	-	-	-	**370**	(0)	4400	(0)	4.9	340	**0.01**	**0.06**	(0.9)	0.10	(0)	54	0.11	-	**21**	0.1	葉柄基部を除いたもの ゆでた後水冷し、手搾りしたもの ②0.1g
0.2	0.02	0.04	3	1	0	3	**(0)**	(0)	0	(0)	0	Tr	**0.02**	**0.01**	0.4	0.04	(0)	34	0.12	0.3	**12**	0	①根端及び葉柄基部 ②0.1g
0.2	0.02	0.05	-	-	-	-	**(0)**	(0)	0	(0)	0	0	**0.02**	**0.01**	(0.3)	0.03	(0)	38	0.10	-	**9**	0	根端及び葉柄基部を除いたもの ②0.2g
0.1	0.02	0.04	3	1	0	2	**(0)**	(0)	0	(0)	0	Tr	**0.02**	**0.01**	0.3	0.05	(0)	33	0.11	0.3	**11**	0	①根端、葉柄基部及び皮 ②0.2g
0.3	0.02	0.06	1	Tr	(0)	2	**(0)**	(0)	(0)	(0)	(0)	0	**0.02**	**0.01**	(0.3)	0.04	(0)	23	0.07	0.4	**7**	0.1	全体に対する割合18% ②0.2g
0.1	0.01	0.01	3	0	(0)	1	**(0)**	(0)	(0)	(0)	(0)	0	**0.02**	**0.01**	(0.2)	0.03	(0)	21	0.07	0.2	**7**	0.1	全体に対する割合82% ②0.2g
0.2	0.01	0.06	1	Tr	(0)	2	**(0)**	(0)	(0)	(0)	(0)	0	**0.02**	**0.01**	(0.2)	0.03	(0)	19	0.05	0.4	**6**	0.1	全体に対する割合20% ②0.2g
0.1	0.01	0.05	3	1	0	2	**(0)**	(0)	0	(0)	0	0	**0.02**	**0.01**	(0.3)	0.04	(0)	33	0.08	0.3	**9**	0	根端、葉柄基部及び皮を除いたもの ②0.1g
2.1	0.13	0.74	20	2	3	29	**0**	(0)	2	(0)	0	Tr	**0.35**	**0.20**	(6.1)	0.29	(0)	210	1.24	5.9	**28**	0.5	②2.9g
0.2	0.02	0.08	-	-	-	-	**0**	(0)	0	(0)	0	0	**0.01**	**Tr**	(0.2)	0.01	(0)	7	0.04	-	**0**	0	水もどし後、ゆでた後湯切りしたもの ②Tr
0.3	0.03	0.14	-	-	-	-	**0**	(0)	1	(0)	0.9	7	**0.02**	**0.02**	(0.4)	0.02	(0)	12	0.07	-	**0**	0	水もどし後、油いため 植物油（なたね油） ②Tr
0.3	0.03	0.47	2	1	0	6	**0**	-	1	-	Tr	0	**0.08**	**0.02**	(1.0)	0.12	-	10	0.22	0.5	**0**	3.5	②0.2g
0.1	0.02	0.13	-	-	-	-	**(0)**	(0)	(0)	(0)	0	1	**0.33**	**0.04**	(2.9)	0.22	0	98	0.43	-	**15**	3.8	根、皮つき 水洗いし、水切りしたもの
0.1	0.03	0.06	2	0	1	3	**(0)**	(0)	1	(0)	Tr	0	**0.01**	**0.01**	(0.2)	0.01	0	10	0.03	0.2	**40**	3.3	⑤酸化防止用として添加 ②Tr
0.8	0.05	0.89	-	-	-	-	**(0)**	(0)	0	(0)	0	0	**0.21**	**0.03**	(1.9)	0.22	(0)	47	0.66	-	**12**	2.5	②Tr
0.8	0.12	0.69	-	-	-	-	**(0)**	(0)	(0)	(0)	0	0	**0.05**	**0.17**	1.6	0.32	(0)	45	0.19	-	**0**	3.6	
0.1	0.02	0.03	1	0	Tr	3	**(0)**	(0)	0	(0)	Tr	0	**Tr**	**0.11**	(0.1)	0	12.0	0	0.07	-	**49**	2.8	⑤酸化防止用として添加 ②0.1g
0.2	0.03	0.13	1	1	6	7	**0**	0	0	0	Tr	0	**3.70**	**0.01**	0.5	0.01	Tr	9	0.04	0.8	**0**	7.2	②Tr
0.1	0.05	0.15	5	3	2	12	**8**	(0)	100	(0)	0.1	7	**0.02**	**0.10**	0.5	0	(0)	3	0	1.1	**0**	5.1	⑥だいこん、なす、なたまめ、れんこん、しょうが等 市販品の調味液を除去したもの
0.4	0.07	0.22	-	-	-	-	**160**	(0)	1900	(0)	1.4	270	**0.06**	**0.14**	(1.7)	0.10	(0)	65	0.33	-	**47**	0.1	③若採りせっぱくたいさい（雪白体菜） ②0.3g
0.7	0.03	0.76	-	-	-	-	**130**	(0)	1500	(0)	0.9	110	**0.07**	**0.07**	(0.8)	0.08	(0)	120	0.14	-	**45**	0.1	②0.6g
1.0	0.05	0.73	-	-	-	-	**180**	(0)	2100	(0)	1.1	140	**0.03**	**0.07**	(1.1)	0.10	(0)	120	0.19	-	**41**	1.8	水洗いし、手搾りしたもの

Q&A 辛いだいこんおろしをつくるには？▶辛味成分（イソチオシアネート）の多い先端を使い、皮ごとおろすとよい。また、若いだいこんにも辛味成分が多いので夏だいこんが適している。おろすことで細胞が壊されて辛味成分が生成されるので、おろして5分後くらいが辛さのピークとなる。

ペコロス
小たまねぎ。
丸のまま煮込みに使う。

サラダたまねぎ
水分が多く辛味が少ないので、生食に向く。

根曲がり竹
別名姫竹。チシマザサの若芽で細く小さい。あくが少なく歯ざわりや香りがよい。

たかな（高菜）

Takana:Leaf mustard

アブラナ科。中国産のからしなの一種で、独特の辛味はシグニリンという成分による。おもに漬物として利用する。

栄養成分：カロテン、カルシウム等が豊富。

産地：九州地方、関東地方。

たかな漬（高菜漬）

たかなを塩漬してから乳酸発酵させたもので、ザーサイと似た特徴がある。おにぎりを包んだり、刻んでチャーハンや炒め物等にする。漬けたときに出る辛味はアリルイソチオシアネートという成分で、わさびの辛味成分と同じで、殺菌作用や食欲増進等に効果がある。

たけのこ（筍）

Bamboo shoots

生大1本=1～2kg　ゆで中1本=300g

イネ科。竹の幼茎で、一般によく利用する孟宗竹（もうそうちく）は肉質がやわらかく品質がよい。また、えぐみが少ない淡竹（はちく）、あくがつよい真竹（まだけ）等がある。

調理法：和え物、若竹煮、煮物、炒め物、揚げ物、焼き物、炊き込みご飯等。掘りたての新鮮なものはやわらかくてあくが少なく、そのまま利用できる。店頭に並んでいるものはあく抜きが必要。

選び方：根元の赤いつぶつぶが少ないほうがやわらかい。

保存法：生のままおくとかたくなり、えぐみも増すので、ゆでて冷蔵庫で保存する。

旬：3～5月。

めんま

別名**しなちく**。麻竹（まちく）のたけのこを細かく切って蒸し、乳酸発酵後に天日で干して塩蔵したもの。塩抜きしてから調味液で煮る。乾燥品もある。

たまねぎ類（玉葱類）

Onions

ユリ科。肥大した鱗茎（りんけい）を食用とする。世界各地で栽培され、日本には明治初期に導入された。甘たまねぎと辛たまねぎに大別されるが、日本で栽培されているのはほとんどが辛たまねぎ。独特の刺激臭は硫化アリルや硫化プロピルによるもので、これはビタミンB_1の吸収を助ける働きをする。また、強い殺菌作用、消化酵素の分泌促進作用、脂肪

緑=緑黄色野菜

食品番号	食品名	廃棄率 %	エネルギー kcal	2015年版の値 kcal	水分 g	たんぱく質 g	アミノ酸組成によるたんぱく質 g	脂質 g	脂肪酸のトリアシルグリセロール当量 g	脂肪酸 飽和 g	脂肪酸 一価不飽和 g	脂肪酸 多価不飽和 g	コレステロール mg	炭水化物 g	利用可能炭水化物（質量計） g	食物繊維 食物繊維総量（プロスキー変法） g	食物繊維 食物繊維総量（AOAC法） g	ミネラル（無機質） ナトリウム mg	カリウム mg	カルシウム mg	マグネシウム mg	リン mg	鉄 mg
06147 緑	**たかな** 葉 生	8	**21**	21	92.7	**1.8**	(1.5)	**0.2**	-	-	-	-	(0)	**4.2**	-	2.5	-	43	300	**87**	16	35	**1.7**
06148	たかな漬	0	**30**	32	87.2	**1.9**	(1.5)	**0.6**	-	-	-	-	(0)	**6.2**	-	4.0	-	1600	110	**51**	13	24	**1.5**
06149	**たけのこ** 若茎 生	50	**27**	26	90.8	**3.6**	2.5	**0.2**	(0.1)	(0.05)	(Tr)	(0.09)	(0)	**4.3**	1.4	2.8	-	Tr	520	**16**	13	62	**0.4**
06150	ゆで	0	**31**	30	89.9	**3.5**	(2.4)	**0.2**	(0.1)	(0.05)	(Tr)	(0.09)	0	**5.5**	(1.5)	3.3	-	1	470	**17**	11	60	**0.4**
06151	水煮缶詰	0	**22**	23	92.8	**2.7**	(1.9)	**0.2**	(0.1)	(0.05)	(Tr)	(0.09)	(0)	**4.0**	(2.2)	2.3	-	3	77	**19**	4	38	**0.3**
06152	めんま 塩蔵 塩抜き	0	**15**	19	93.9	**1.0**	(0.7)	**0.5**	(0.4)	(0.12)	(0.01)	(0.22)	(0)	**3.6**	-	3.5	-	360	6	**18**	3	11	**0.2**
	（たまねぎ類）																						
06153	**たまねぎ** りん茎 生	6	**33**	36	90.1	**1.0**	0.7	**0.1**	Tr	0.01	Tr	0.02	1	**8.4**	6.9	1.5	-	2	150	**17**	9	31	**0.3**
06154	水さらし	0	**24**	26	93.0	**0.6**	(0.4)	**0.1**	(Tr)	(0.01)	(Tr)	(0.03)	(0)	**6.1**	(3.9)	1.5	-	4	88	**18**	7	20	**0.2**
06155	ゆで	0	**30**	31	91.5	**0.8**	(0.5)	**0.1**	(Tr)	(0.01)	(Tr)	(0.03)	(0)	**7.3**	4.7	1.7	-	3	110	**18**	7	25	**0.2**
06336	油いため	0	**100**	105	80.1	**1.4**	(0.9)	**5.9**	(5.7)	(0.42)	(3.48)	(1.55)	(Tr)	**12.0**	(7.9)	2.7	-	3	210	**24**	11	47	**0.2**
06389	（あめ色たまねぎ）	0	**208**	210	54.7	**3.2**	(2.1)	**6.8**	6.4	-	-	-	-	**34.1**	-	-	-	7	490	**47**	28	98	**0.9**
06156	**赤たまねぎ** りん茎 生	8	**34**	38	89.6	**0.9**	(0.6)	**0.1**	(Tr)	(0.01)	(Tr)	(0.03)	(0)	**9.0**	(7.2)	1.7	-	2	150	**19**	9	34	**0.3**
06337 緑	**葉たまねぎ** りん茎及び葉 生	1	**33**	37	89.5	**1.8**	(1.2)	**0.4**	-	-	-	-	(0)	**7.6**	(5.1)	3.0	-	3	290	**67**	14	45	**0.6**

+PLUS+ **たまねぎなんかで泣きたくない**●たまねぎにはアリシンという刺激物質が含まれていて、切ったとき気化し、目を刺激することで涙が出る。たまねぎで泣きたくないときは、水につけながら切るとアリシンが水に溶けて揮発しなくなる。また、あらかじめ冷蔵庫で数時間冷やしておくのもよい。やってみよう。

たまねぎの収穫

の分解を促進する作用、発汗作用等がある。

たまねぎ（玉葱）

大1個=350g　中1個=200g

調理法：煮物、和え物、炒め物、揚げ物、サラダ、ピクルス、カレー、シチュー等。西洋料理ではたまねぎをよく炒めて甘味を出し、スープや各種料理等のうま味やベースとして利用する。冷蔵庫等で冷やしてから切ると、目を刺激する成分が揮発しにくくなる。

選び方：よく乾燥して、表面が透き通るような茶色の皮で、肉質がしっかりしたものがよい。芽の出ているものは鮮度も味も落ちる。

保存法：冷暗所で常温保存する。乾燥状態を保つ。

旬：5～6月。

産地：兵庫、北海道、佐賀、愛知等。

赤たまねぎ（赤玉葱）

別名レッドオニオン、紫たまねぎ。外皮が赤紫色をしている。辛味が少ないのでサラダ等に向く。

葉たまねぎ（葉玉葱）

たまねぎを、玉になる部分がふくらみはじめたくらいの早い時期に、葉をつけたまま収穫したもの。玉は新たまねぎ、葉は葉ねぎと同様に利用する。

正月の食文化

おせち料理

正月を祝う縁起物の料理。また、年神（稲の豊作をもたらす神）を迎えるあいだは煮炊きなどを慎み、料理をつくる人が骨休めできるようにとの意味もあり、冷めてもおいしい料理が工夫されている。

屠蘇（とそ）

屠蘇（鬼気を屠絶して人の魂を蘇生する）は、家族の無病息災、延命長寿を願う。もとは中国から伝わった習慣。山椒や桔梗などの薬草を組み合わせた屠蘇散をみりんか日本酒に浸して飲む。

❶田作り：かたくちいわしの幼魚を干してつくった佃煮。昔は田の肥料に用いたことから豊作祈願の縁起物。「五万米」の字を当てて「ごまめ」ともいう。子宝、繁栄を願う。
❷数の子：にしんの卵巣。ひと腹に数万粒の卵が詰まっていることから、子孫繁栄を願う。
❸かまぼこ：紅白、日の出に似た形から門出を祝う。
❹黒豆：まめに（健康に、元気に）暮らせるように。
❺れんこん：穴が空いていることから、先が見通せるように。
❻栗きんとん：勝ち栗から、勝ち運を願う。色合いを黄金色に輝く財宝にたとえて、豊かな１年を願う。
❼昆布巻き：昆布＝よろこぶに通じる縁起物。
❽紅白なます：お祝の水引きをかたどったもの。

雑煮（ぞうに）

年神に供えた食べ物を雑多に煮て食べたことに由来する。ハレの日の食べ物であるもちを食べ、一年間丈夫に（体が長持ち（モチ））過ごせるように願い、新年を祝う。雑煮のだしや具などは全国津々浦々さまざまで、入れるもちも東日本では角もち、西日本では丸もちが多く使用される。

春の七草

七草がゆとは正月七日の朝に、下記の七草が入ったかゆを食べて無病息災を願う風習のこと。単なる迷信ではなく、正月気分に区切りをつけたり、おせち料理の食べすぎで弱った胃を休めたり、ビタミン・ミネラルの補給という効能もある。昔の人の知恵を感じる。

❶せり ❷なずな（ぺんぺん草）❸ごぎょう（ははこぐさ）❹はこべら（はこべ）❺ほとけのざ（こおにたびらこ）❻すずな（かぶ）❼すずしろ（だいこん）

ちなみに、「秋の七草」は、はぎ・おばな・くず・なでしこ・おみなえし・ふじばかま・ききょう。秋の七草は、それを摘んだり食べたりするものではなく、花を眺めて楽しむもの。

可食部100gあたり　Tr：微量　（ ）：推定値または推計値　－：未測定

ミネラル（無機質）							ビタミン															食塩相当量	備考 ①廃棄部位 ②硝酸イオン ③試料 ④廃棄率 ⑤原材料 ⑥ビタミンC ⑦重量比
亜鉛	銅	マンガン	ヨウ素	セレン	クロム	モリブデン	A レチノール活性当量	レチノール	β-カロテン当量	D	E αトコフェロール	K	B_1	B_2	ナイアシン当量	B_6	B_{12}	葉酸	パントテン酸	ビオチン	C		
mg	mg	mg	µg	µg	µg	µg	µg	µg	µg	µg	mg	µg	mg	mg	mg	mg	µg	µg	mg	µg	mg	g	
0.3	0.04	0.24	2	Tr	4	4	**190**	(0)	2300	(0)	0.8	120	**0.06**	**0.10**	(0.9)	0.16	(0)	180	0.27	2.1	**69**	0.1	①株元 ②0.2g
0.2	0.06	0.09	1	Tr	2	16	**200**	(0)	2400	(0)	1.6	300	**0.01**	**0.03**	(0.8)	0.03	0.1	23	0.08	0.6	**Tr**	4.0	②0g
1.3	0.13	0.68	4	1	0	2	**1**	(0)	11	(0)	0.7	2	**0.05**	**0.11**	1.2	0.13	(0)	63	0.63	0.8	**10**	0	①竹皮及び基部 ④はちく、まだけ等の小型の場合60% ②Tr
1.2	0.13	0.55	-	-	-	-	**1**	(0)	12	0	1.0	2	**0.04**	**0.09**	(1.1)	0.06	(0)	63	0.63	-	**8**	0	竹皮及び基部を除いたもの ②(Tr)
0.4	0.04	0.68	0	0	1	0	**(0)**	(0)	0	(0)	1.0	1	**0.01**	**0.04**	(0.5)	0.02	(0)	36	0.10	0.8	**0**	0	液汁を除いたもの ②0g
Tr	0.02	0.03	-	-	-	-	**(0)**	(0)	0	(0)	Tr	Tr	**0**	**0**	(0.1)	0	(0)	1	0	-	**0**	0.9	②(Tr)
0.2	0.05	0.15	1	1	0	1	**0**	0	1	0	Tr	0	**0.04**	**0.01**	0.3	0.14	0	15	0.17	0.6	**7**	0	①皮（保護葉）、底盤部及び頭部 ②0g
0.1	0.04	0.10	-	-	-	-	**Tr**	(0)	1	(0)	Tr	Tr	**0.03**	**0.01**	(0.2)	0.09	(0)	11	0.14	-	**5**	0	皮（保護葉）、底盤部及び頭部を除いたもの ②Tr
0.1	0.05	0.12	0	0	1	1	**Tr**	(0)	1	(0)	0	Tr	**0.03**	**0.01**	(0.2)	0.11	(0)	11	0.15	0.5	**5**	0	皮（保護葉）、底盤部及び頭部を除いたもの ②Tr
0.3	0.08	0.18	-	-	-	-	**0**	(0)	2	(0)	0.9	7	**0.04**	**0.02**	(0.4)	0.22	(0)	21	0.29	-	**9**	0	皮（保護葉）、底盤部及び頭部を除いたもの 植物油（なたね油） ②Tr
0.5	0.13	0.44	4	Tr	Tr	4	**Tr**	-	5	-	4.5	0	**0.12**	**0.03**	(1.0)	0.45	-	33	0.62	2.0	**0**	0	皮（保護葉）、底盤部及び頭部を除いたもの 植物油（なたね油） ②0g
0.2	0.04	0.14	-	-	-	-	**(0)**	(0)	0	(0)	0.1	Tr	**0.03**	**0.02**	(0.3)	0.13	(0)	23	0.15	-	**7**	0	①皮（保護葉）、底盤部及び頭部 ②Tr
0.3	0.03	0.35	-	-	-	-	**120**	0	1500	(0)	1.1	92	**0.06**	**0.11**	(0.9)	0.16	(0)	120	0.13	-	**32**	0	①底盤部 ②0g

QA　たけのこの生長に必要な水は１日どのくらい？［1L　5L　10L　20L］▶たけのこは、地表温度が10℃以上になると一気に成長が加速し、１日に数十cmも伸びることがある。そのとき、およそ１日に20Lの水を吸収するといわれている。

ちぢみゆきな

つるな

つるにんじん

たらのめ (たらの芽)

Japanese angelica-tree　1個=5g

ウコギ科。山菜として有名で、木全体にとげがある。とげの少ない品種も栽培されている。独特の苦味と風味があり、葉が開く前の新芽を食用とする。

調理法：天ぷら、浸し物、和え物、汁の実等。

旬：4～6月。

産地：山形、宮城等。

チコリ

Chicory　1個=80g

キク科。フランス語で**アンディーブ**と呼ばれるため、エンダイブと混同されることがある。別名**きくにがな**、**チコリー**。暗所で軟化栽培した若芽を食用にする。球形のトレビス、円錐形のベローナ等の紫色のものもある。独特の芳香と苦味がある。根はコーヒーの代用になる。

調理法：サラダ、炒め物、煮物、グラタン等。

旬：12～2月。

産地：埼玉、千葉等。

ちぢみゆきな

Chijimiyukina

アブラナ科。耐寒のために葉を縮めて糖分を蓄えたゆきな。やわらかくて甘く、ほろ苦い。

チンゲンサイ (青梗菜)

Qing gin cai　1株=100～200g

アブラナ科。味にくせがない中国野菜で、日本には1972年頃に導入された。煮くずれしにくく、歯切れがよい。

栄養成分：カロテン、カルシウム等を多く含む。

調理法：炒め物、浸し物、クリーム煮等。

産地：茨城、静岡、埼玉等。

つくし (土筆)

Field horsetail　1本=2g

トクサ科。「つくしだれの子、スギナの子」と歌う童謡があるが、つくしはスギナの胞子茎で、つくしとスギナは地下茎でつながっており、つくしのほうが先に生える。スギナは光合成をする栄養茎である。つくしは山菜の一種だが、栽培品も市販されている。つくしの頭が開く前に食用とする。

調理法：浸し物、煮物、酢の物、和え物、つくだ煮等。節にある葉（はかま）を取り除き、ゆでて水にさらしてあくを抜いてから利用する。

旬：3～5月。

つるな (蔓菜)

New Zealand spinach

ツルナ科。別名**はまぢしゃ**、浜菜。特有の香気があり、葉肉が厚く、ほうれんそうに似た風味がある。海岸の砂地に自生するが、栽培もされる。新芽や若葉を食用とする。英名がニュージーランド・スピナッチ（ニュージーランドのほうれんそう）というのは、イギリスの探検家キャプテン・クックによってニュージーランドからイギリスに紹介されたことによる。

調理法：浸し物、和え物、汁の実等。乾燥したものを煎じて茶にもする。

旬：7～10月。

(緑)=緑黄色野菜

食品番号	食品名	廃棄率 %	エネルギー kcal	2015年版の値 kcal	水分 g	たんぱく質 g	アミノ酸組成によるたんぱく質 g	脂質 g	脂肪酸のトリアシルグリセロール当量 g	脂肪酸 飽和 g	脂肪酸 一価不飽和 g	脂肪酸 多価不飽和 g	コレステロール mg	炭水化物 g	利用可能炭水化物（質量計） g	食物繊維 食物繊維総量（プロスキー変法） g	食物繊維 食物繊維総量（AOAC法） g	ミネラル(無機質) ナトリウム mg	カリウム mg	カルシウム mg	マグネシウム mg	リン mg	鉄 mg
(緑) 06157	**たらのめ** 若芽 生	30	**27**	27	90.2	**4.2**	-	**0.2**	-	-	-	-	(0)	**4.3**	-	4.2	-	1	460	**16**	33	120	**0.9**
06158	ゆで	0	**27**	26	90.8	**4.0**	-	**0.2**	-	-	-	-	(0)	**4.1**	-	3.6	-	1	260	**19**	28	92	**0.9**
06159	**チコリ** 若芽 生	15	**17**	16	94.7	**1.0**	(0.8)	**Tr**	-	-	-	-	(0)	**3.9**	(0.8)	1.1	-	3	170	**24**	9	25	**0.2**
(緑) 06376	**ちぢみゆきな** 葉 生	15	**35**	35	88.1	**3.6**	(3.2)	**0.6**	-	-	-	-	(0)	**5.7**	-	3.9	-	18	570	**180**	30	88	**3.0**
06377	ゆで	15	**34**	34	89.1	**3.8**	(3.3)	**0.7**	-	-	-	-	(0)	**5.2**	-	4.3	-	15	320	**130**	21	82	**1.4**
(緑) 06160	**チンゲンサイ** 葉 生	15	**9**	9	96.0	**0.6**	0.7	**0.1**	(0.1)	(0.01)	(0.01)	(0.05)	(0)	**2.0**	0.4	1.2	-	32	260	**100**	16	27	**1.1**
06161	ゆで	20	**11**	12	95.3	**0.9**	(1.0)	**0.1**	(0.1)	(0.01)	(0.01)	(0.05)	(0)	**2.4**	(0.5)	1.5	-	28	250	**120**	17	27	**0.7**
06338	油いため	0	**36**	39	92.6	**0.8**	(0.8)	**3.2**	(3.1)	(0.24)	(1.88)	(0.87)	0	**2.2**	(0.5)	1.4	-	31	230	**92**	16	27	**0.9**
(緑) 06162	**つくし** 胞子茎 生	15	**31**	38	86.9	**3.5**	-	**0.1**	-	-	-	-	(0)	**8.1**	-	8.1	-	6	640	**50**	33	94	**2.1**
06163	ゆで	0	**28**	33	88.9	**3.4**	-	**0.1**	-	-	-	-	(0)	**6.7**	-	6.7	-	4	340	**58**	26	82	**1.1**
(緑) 06164	**つるな** 茎葉 生	0	**15**	15	93.8	**1.8**	-	**0.1**	-	-	-	-	(0)	**2.8**	-	2.3	-	5	300	**48**	35	75	**3.0**
06390	**つるにんじん** 根 生	0	**55**	85	77.7	**1.0**	-	**0.7**	-	-	-	-	-	**19.8**	-	-	17.1	2	190	**61**	33	75	**5.9**
(緑) 06165	**つるむらさき** 茎葉 生	0	**11**	13	95.1	**0.7**	(0.5)	**0.2**	-	-	-	-	(0)	**2.6**	-	2.2	-	9	210	**150**	67	28	**0.5**
06166	ゆで	0	**12**	15	94.5	**0.9**	(0.7)	**0.2**	-	-	-	-	(0)	**3.2**	-	3.1	-	7	150	**180**	41	24	**0.4**

+PLUS+ 油を入れてゆで、水にさらさない●チンゲンサイをはじめとする中国野菜の青菜類をゆでるときは、ゆで湯に油を少々加えると風味よく、色鮮やかに仕上がる。油を入れることで、短時間に高温加熱ができるのだ。少し歯ごたえが残るようにゆで、すぐざるにあげてさます。水にさらさないこともポイント。

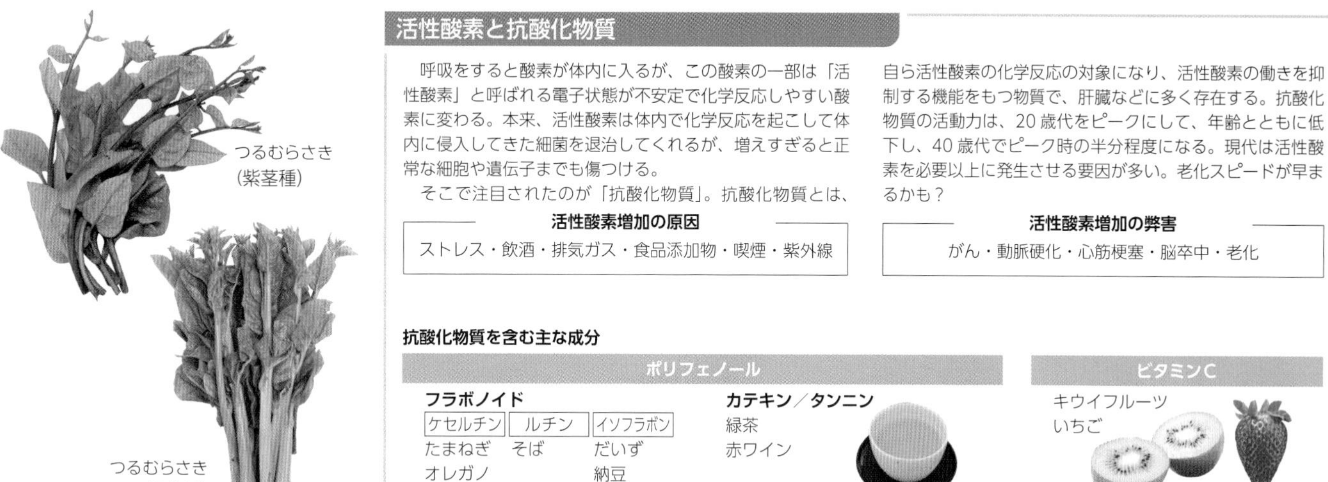

活性酸素と抗酸化物質

呼吸をすると酸素が体内に入るが、この酸素の一部は「活性酸素」と呼ばれる電子状態が不安定で化学反応しやすい酸素に変わる。本来、活性酸素は体内で化学反応を起こして体内に侵入してきた細菌を退治してくれるが、増えすぎると正常な細胞や遺伝子までも傷つける。

そこで注目されたのが「抗酸化物質」。抗酸化物質とは、自ら活性酸素の化学反応の対象になり、活性酸素の働きを抑制する機能をもつ物質で、肝臓などに多く存在する。抗酸化物質の活動力は、20歳代をピークにして、年齢とともに低下し、40歳代でピーク時の半分程度になる。現代は活性酸素を必要以上に発生させる要因が多い。老化スピードが早まるかも？

活性酸素増加の原因

ストレス・飲酒・排気ガス・食品添加物・喫煙・紫外線

活性酸素増加の弊害

がん・動脈硬化・心筋梗塞・脳卒中・老化

抗酸化物質を含む主な成分

ポリフェノール

フラボノイド

ケセルチン	ルチン	イソフラボン
たまねぎ	そば	だいず
オレガノ		納豆
ベリー類		

カテキン／タンニン
緑茶
赤ワイン

クロロゲン酸
コーヒー

アントシアニン
赤ワイン
なす
黒豆
紫いも

ウーロン茶ポリフェノール
ウーロン茶

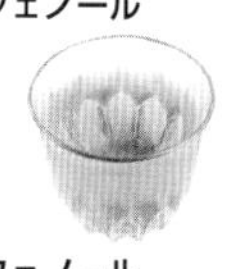

カカオマスポリフェノール
ココア
チョコレート

ビタミンC

キウイフルーツ
いちご

ビタミンE

かぼちゃ
アーモンド
魚介類

ゴマリグナン

ごま

カロテノイド類

β-カロテン
にんじん
かぼちゃ

リコピン
トマト
すいか

カプサンチン
赤とうがらし
赤ピーマン

アスタキサンチン
かに
えび
さけ
まだい

βジケトン類

うこん
カレー粉
しょうが

含硫化合物

にんにく
キャベツ
カリフラワー

つるにんじん (蔓人参)

Bonnet bellflower

キキョウ科。アイヌ名トプムク。アイヌ民族の伝統食。韓国では高級食材として利用する。

つるむらさき (蔓紫、落葵)

Malabar nightshade 1本=40g

ツルムラサキ科。若い茎葉を食用とする。ぬめりと土臭さがある。南アジアの熱帯地方原産で、暑く湿気が多いほどよく育つ。つる性で、葉が緑色の緑茎種と赤紫色の紫茎種がある。緑茎種は江戸時代に、紫茎種は明治時代に導入され、1970年代の中国野菜ブームにのって、各地で生産されるようになった。

栄養成分：カロテン、ビタミンC・K、カルシウム等が豊富。
調理法：浸し物、和え物、サラダ、炒め物、天ぷら等にする。
旬：7〜8月。
産地：福島、宮城、徳島等。

可食部100gあたり Tr：微量 ( )：推定値または推計値 −：未測定

ミネラル (無機質)							ビタミン															食塩相当量	備考
亜鉛	銅	マンガン	ヨウ素	セレン	クロム	モリブデン	A レチノール活性当量	A レチノール	A β-カロテン当量	D	E αトコフェロール	K	B_1	B_2	ナイアシン当量	B_6	B_{12}	葉酸	パントテン酸	ビオチン	C		①廃棄部位 ②硝酸イオン ③試料 ④廃棄率 ⑤原材料 ⑥ビタミンC ⑦重量比
mg	mg	mg	μg	μg	μg	μg	μg	μg	μg	μg	mg	μg	mg	mg	mg	mg	μg	μg	mg	μg	mg	g	
0.8	0.35	0.47	0	1	0	1	**48**	(0)	570	(0)	2.4	99	**0.15**	**0.20**	3.2	0.22	(0)	160	0.53	6.7	**7**	0	①木質部及びりん片 ②0g
0.7	0.30	0.44	-	-	-	-	**50**	(0)	600	(0)	2.0	97	**0.07**	**0.11**	2.0	0.11	(0)	83	0.23	-	**3**	0	木質部及びりん片を除いたもの ゆでた後水冷し、手搾りしたもの ②0g
0.2	0.05	0.07	1	0	1	1	**1**	(0)	11	(0)	0.2	8	**0.06**	**0.02**	(0.4)	0.03	(0)	41	0.14	1.1	**2**	0	①株元及びしん ②Tr
0.9	0.09	0.41	-	-	-	-	**350**	(0)	4300	(0)	-	390	**0.09**	**0.21**	(2.9)	-	(0)	180	0.29	-	**69**	0	①株元 ②0.2 g
0.7	0.09	0.32	-	-	-	-	**500**	(0)	5900	(0)	-	500	**0.06**	**0.12**	(2.1)	-	(0)	120	0.27	-	**39**	0	①株元 ゆでた後水冷し、手搾りしたもの ②0.2 g
0.3	0.07	0.12	Tr	1	1	7	**170**	(0)	2000	(0)	0.7	84	**0.03**	**0.07**	0.6	0.08	(0)	66	0.17	1.3	**24**	0.1	①しん ②0.5g
0.2	0.06	0.17	-	-	-	-	**220**	(0)	2600	(0)	0.9	120	**0.03**	**0.05**	(0.7)	0.04	(0)	53	0.12	-	**15**	0.1	①しん ゆでた後水冷し、手搾りしたもの ②0.5g
0.3	0.07	0.12	-	-	-	-	**250**	(0)	3000	(0)	1.4	110	**0.03**	**0.06**	(0.6)	0.05	(0)	62	0.12	-	**21**	0.1	しんを除いたもの 植物油(なたね油) ②0.5g
1.1	0.22	0.22	-	-	-	-	**88**	(0)	1100	(0)	4.9	19	**0.07**	**0.14**	2.8	0.35	(0)	110	0.90	-	**33**	0	①基部及びはかま(葉鞘)
1.0	0.16	0.18	-	-	-	-	**96**	(0)	1200	(0)	3.6	17	**Tr**	**0.10**	1.7	0.21	(0)	74	0.48	-	**15**	0	基部及びはかま(葉鞘)を除いたもの ゆでた後水冷し、手搾りしたもの
0.5	0.06	0.81	-	-	-	-	**230**	(0)	2700	(0)	1.3	310	**0.08**	**0.30**	1.3	0.13	(0)	90	0.46	-	**22**	0	②0.2g
0.5	0.11	0.40	2	1	16	7	**1**	0	14	0	3.6	0	**0.06**	**0.05**	0.6	0.41	-	16	0.28	1.5	**6**	0	②0g
0.4	0.05	0.29	-	-	-	-	**250**	(0)	3000	(0)	1.1	350	**0.03**	**0.07**	(0.5)	0.09	(0)	78	0.21	-	**41**	0	②0.3g
0.4	0.07	0.32	-	-	-	-	**280**	(0)	3400	(0)	1.3	350	**0.02**	**0.05**	(0.5)	0.04	(0)	51	0.15	-	**18**	0	ゆでた後水冷し、手搾りしたもの ②0.3g

QA カプサンチンとカプサイシンは同じもの？▶全く別物！ カプサンチンは赤い色の成分で、抗酸化作用がある。カプサイシンは辛味成分で、血行改善や食欲増進効果があり、発汗を促す作用がある。ちなみに、カプサイシンはとうがらしの学名「Capsicum annuum (カプサイシウム・アニューム)」を語源としている。

つわぶき

青とうがらしが熟したものが赤とうがらし

とうがん

つわぶき
Japanese silverleaf

キク科。ふきに似ているが異種で、葉の表面につやがある。おもに葉茎を食用とする。民間薬としても多用された。打撲、できもの、切り傷、湿疹には、葉を火にあぶって細かく刻んだものや、葉を青汁が出るまでよくもんだものをつける。また、胃腸薬として根を煎じて飲む。

調理法：和え物、煮物、浸し物、天ぷら、佃煮、きゃらぶき、漬物等。葉の開く前の伸びた葉柄を摘み取り、茎だけをさっとゆでて水にさらしてあく抜きし、皮をむいてから利用する。

旬：4～6月。

とうがらし（唐辛子）
Red peppers

果実・生1本=3g
乾1個=0.5g

ナス科。別名**なんばん（南蛮）**、南蛮とんがらし。チリとも呼ぶ。**鷹の爪**ともいうが、これは正確には品種のひとつ。九州の一部ではこしょうと呼ぶことがある。

とうがらしの果実は若いときは緑色で青とうがらしと呼ばれるが、熟すとほとんどが赤くなる。果実は生も乾燥ものも香辛料として利用する（➡p.342）。**葉とうがらし**は辛味種の葉で、炒め煮や佃煮にする。

辛味成分のカプサイシンは食欲増進、エネルギー代謝促進、脂肪の分解に効果がある。また、アドレナリン分泌を活発にさせて発汗を促す作用がある。

中南米の高地が原産で、コロンブスによりスペインに移植されてから200年の間に世界中に広まった。日本には1542年にポルトガル船が伝えたといわれる。

栄養成分：葉も果実もビタミンA・Cが豊富。

調理法：香辛料として利用する。七味唐辛子等。

産地：東京、大分、北海道等。

とうがん（冬瓜）
Wax gourd

1個=2～5kg

ウリ科。夏に収穫するが、貯蔵がきくため冬にも利用できることからこの名がついた。別名**かもうり**。ほとんどが水分で、果肉は白くてやわらかく、味も香りも淡白。

調理法：煮物、あんかけ、酢の物、蒸し物、スープ等にする。種とわたをくりぬき、スープと具を入れて蒸す中国料理が有名。

旬：7～9月。

産地：愛知、沖縄、岡山等。

緑 =緑黄色野菜　とうな（唐菜）→p.132ながさきはくさい、とうな（薹菜）→p.146みずかけな、トウミョウ→p.110

食品番号	食品名	廃棄率 %	エネルギー kcal	2015年版の値 kcal	水分 g	たんぱく質 g	アミノ酸組成によるたんぱく質 g	脂質 g	脂肪酸のトリアシルグリセロール当量 g	脂肪酸 飽和 g	脂肪酸 一価不飽和 g	脂肪酸 多価不飽和 g	コレステロール mg	炭水化物 g	利用可能炭水化物（質量計） g	食物繊維 食物繊維総量（プロスキー変法） g	食物繊維 食物繊維総量（AOAC法） g	ミネラル（無機質） ナトリウム mg	カリウム mg	カルシウム mg	マグネシウム mg	リン mg	鉄 mg
06167	**つわぶき** 葉柄 生	0	**19**	21	93.3	**0.4**	-	**0**	-	-	-	-	(0)	**5.6**	-	2.5	-	100	410	**38**	15	11	**0.2**
06168	ゆで	0	**14**	16	95.0	**0.3**	-	**0**	-	-	-	-	(0)	**4.4**	-	2.3	-	42	160	**31**	8	33	**0.1**
緑 06169	**とうがらし** 葉・果実 生	60	**32**	35	86.7	**3.4**	(2.5)	**0.1**	(Tr)	(0.01)	(Tr)	(0.02)	(0)	**7.2**	-	5.7	-	3	650	**490**	79	65	**2.2**
06170	油いため	0	**81**	85	79.5	**4.0**	(2.9)	**4.9**	(4.7)	(0.35)	(2.89)	(1.28)	(0)	**8.5**	-	6.3	-	2	690	**550**	87	76	**2.8**
緑 06171	果実 生	9	**72**	96	75.0	**3.9**	(2.9)	**3.4**	(1.3)	(0.39)	(0.04)	(0.77)	(0)	**16.3**	(7.7)	10.3	-	6	760	**20**	42	71	**2.0**
06172	乾	0	**270**	345	8.8	**14.7**	(10.8)	**12.0**	(4.4)	(1.37)	(0.14)	(2.72)	(0)	**58.4**	-	46.4	-	17	2800	**74**	190	260	**6.8**
06173	**とうがん** 果実 生	30	**15**	16	95.2	**0.5**	(0.3)	**0.1**	(0.1)	(0.01)	(0.02)	(0.04)	(0)	**3.8**	-	1.3	-	1	200	**19**	7	18	**0.2**
06174	ゆで	0	**15**	16	95.3	**0.6**	(0.4)	**0.1**	(0.1)	(0.01)	(0.02)	(0.04)	(0)	**3.7**	-	1.5	-	1	200	**22**	7	19	**0.3**
	（とうもろこし類）																						
	スイートコーン																						
06175	未熟種子 生	50	**89**	92	77.1	**3.6**	2.7	**1.7**	1.3	0.26	0.49	0.54	0	**16.8**	12.0	3.0	-	Tr	290	**3**	37	100	**0.8**
06176	ゆで	30	**95**	99	75.4	**3.5**	(2.6)	**1.7**	(1.3)	(0.26)	(0.49)	(0.54)	(0)	**18.6**	(12.8)	3.1	-	Tr	290	**5**	38	100	**0.8**
06339	電子レンジ調理	30	**104**	107	73.5	**4.2**	(3.1)	**2.2**	(1.7)	(0.33)	(0.63)	(0.69)	(0)	**19.1**	(13.8)	3.4	-	0	330	**3**	42	120	**0.9**
06177	穂軸つき 冷凍	40	**96**	97	75.6	**3.5**	(3.1)	**1.5**	1.4	0.29	0.44	0.57	(0)	**18.7**	(12.7)	2.8	-	1	230	**4**	33	90	**0.6**
06178	カーネル 冷凍	0	**91**	98	75.5	**2.9**	2.4	**1.3**	1.1	0.23	0.32	0.48	(0)	**19.8**	15.5	2.8	4.8	1	230	**3**	23	79	**0.3**
06378	ゆで	0	**92**	95	76.5	**2.8**	2.4	**1.5**	1.2	0.25	0.37	0.54	(0)	**18.7**	14.6	-	6.2	1	200	**3**	22	72	**0.2**
06379	油いため	0	**125**	141	71.8	**2.9**	2.4	**5.8**	5.0	0.52	2.66	1.62	Tr	**18.9**	15.2	-	4.7	1	230	**3**	23	78	**0.3**
06179	缶詰 クリームスタイル	0	**82**	84	78.2	**1.7**	(1.5)	**0.5**	(0.5)	(0.08)	(0.15)	(0.24)	(0)	**18.6**	-	1.8	-	260	150	**2**	18	46	**0.4**
06180	ホールカーネルスタイル	0	**78**	82	78.4	**2.3**	(2.2)	**0.5**	(0.5)	(0.10)	(0.15)	(0.21)	(0)	**17.8**	(13.0)	3.3	-	210	130	**2**	13	40	**0.4**
06181	**ヤングコーン** 幼雌穂 生	0	**29**	29	90.9	**2.3**	(1.7)	**0.2**	(0.2)	(0.03)	(0.06)	(0.06)	(0)	**6.0**	(4.1)	2.7	-	0	230	**19**	25	63	**0.4**

+PLUS+ **カプサイシンダイエット要注意●**ダイエットでも注目された、唐辛子に含まれる辛味成分のカプサイシン。辛味は味覚ではなく痛覚で、舌を強烈に刺激する。大量摂取は舌の味蕾（みらい）が壊れ、味がわからなくなる危険性がある（トイレでもつらい！）。なお似た名前のカプサンチンは赤い色素成分のこと（➡p.107、129）。

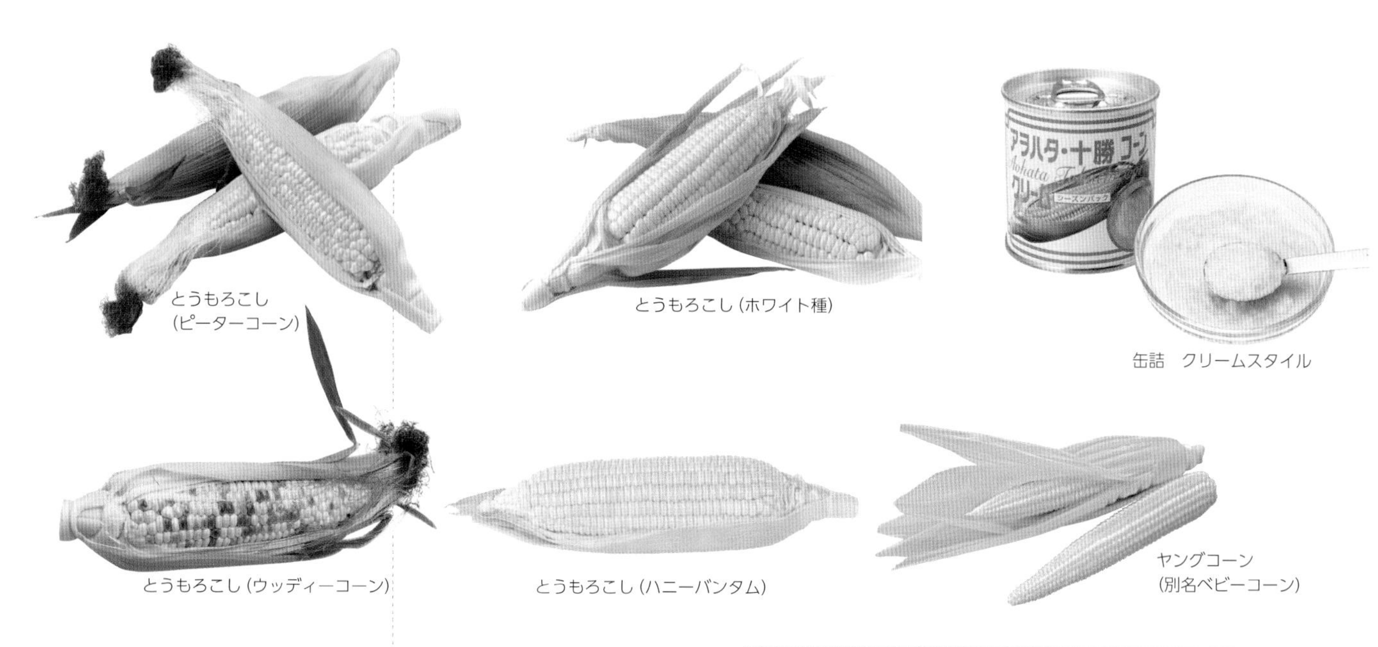

とうもろこし（ピーターコーン）

とうもろこし（ホワイト種）

缶詰　クリームスタイル

とうもろこし（ウッディーコーン）

とうもろこし（ハニーバンタム）

ヤングコーン
（別名ベビーコーン）

とうもろこし類（玉蜀黍類）

Corns　中1本=300～350g

イネ科。とうもろこしについてはp.66［穀類］も参照のこと。

スイートコーン

実に含まれる糖分が多いとうもろこしの品種のグループ（甘味種）で、甘味が強く未熟な状態のとうもろこしを野菜として利用したもの。日本の栽培は、明治37（1904）年にアメリカから北海道にゴールデンバンタムという品種が導入されたのが始まり。スイートコーンは、収穫後数時間で糖分が半減し甘味が減るので、できるだけ早く食べる。

「缶詰」にはゴールデン種が多く使用される。「クリームスタイル」は粒をつぶしてクリーム状にしたもの。「ホールカーネルスタイル」は粒をもいで水煮したもの。

種類：黄色い粒のゴールデン種、白い粒のシルバー種、色の混じるバイカラー種（黄色と白の粒が混じるピーターコーン等）が代表的品種。

調理法：焼きとうもろこし、ゆでとうもろこし、サラダ、炒め物、揚げ物、ポタージュ等。

選び方：外皮がみずみずしい緑色で、ひげが多くて茶色のものがよい。ひげが多くついているものの方が実が多い。

旬：6～9月。

産地：北海道、千葉、茨城等。

辛さの単位スコヴィル

とうがらしの辛さを表す単位のスコヴィル値は、とうがらしをアルコールに漬けて抽出した辛味成分のエキスを砂糖水で薄め、舌で辛さを感じなくなるまでに必要な砂糖水の量（希釈倍率）を単位としたもの。

砂糖水で希釈しなくてもよいほど辛味がない0単位のものにピーマンやししとうがある。菓子等にも利用されるハバネロは10万～35万単位。世界一辛いとうがらしと認定されたキャロライナ・リーパーは156万9300～220万単位！

ヤングコーン　1本=10g

別名ベビーコーン、ミニコーン。スイートコーンのごく若い穂を芯ごと利用するもの。1株のとうもろこしには2～3個の雌花が咲き、それぞれが実になるが、普通はよい実を実らせるために株1本につき1つを残して残りは摘果する。その摘果したものがヤングコーン。缶詰に加工することが多い。

調理法：サラダ、炒め物、つけあわせ、天ぷら等。

可食部100gあたり　Tr：微量　（ ）：推定値または推計値　－：未測定

ミネラル（無機質）							ビタミン															食塩相当量	備考
亜鉛	銅	マンガン	ヨウ素	セレン	クロム	モリブデン	A レチノール活性当量	レチノール	β-カロテン当量	D	E αトコフェロール	K	B1	B2	ナイアシン当量	B6	B12	葉酸	パントテン酸	ビオチン	C		①廃棄部位　②硝酸イオン　③試料　④廃棄率　⑤原材料　⑥ビタミンC　⑦重量比
mg	mg	mg	μg	μg	μg	μg	μg	μg	μg	μg	mg	μg	mg	mg	mg	mg	μg	μg	mg	μg	mg	g	
0.1	0.02	0.23	-	-	-	-	**5**	(0)	60	(0)	0.4	8	**0.01**	**0.04**	0.5	0.02	(0)	16	0.10	-	**4**	0.3	表皮を除いたもの　② Tr
0.1	0.02	0.23	-	-	-	-	**7**	(0)	80	(0)	0.4	8	**0.01**	**0.03**	0.3	0.01	(0)	7	0	-	**0**	0.1	ゆでた後水冷し、水切りしたもの　② Tr
0.4	0.12	0.43	-	-	-	-	**430**	(0)	5200	(0)	7.7	230	**0.08**	**0.28**	(2.0)	0.25	(0)	87	0.41	-	**92**	0	③辛味種　①硬い茎及びへた　⑦葉 6、実 4　② 0.4g
0.4	0.13	0.47	-	-	-	-	**480**	(0)	5700	(0)	8.5	250	**0.12**	**0.28**	(2.2)	0.28	(0)	96	0.45	-	**56**	0	③辛味種　硬い茎及びへたを除いたもの　植物油（調合油）② 0.5g
0.5	0.23	0.27	-	-	-	-	**640**	(0)	7700	(0)	8.9	27	**0.14**	**0.36**	(4.5)	1.00	(0)	41	0.95	-	**120**	0	③辛味種　①へた
1.5	0.85	1.08	-	-	-	-	**1500**	(0)	17000	(0)	30.0	58	**0.50**	**1.40**	(17.0)	3.81	(0)	30	3.61	-	**1**	0	③辛味種　へたを除いたもの　④へたつきの場合 10%
0.1	0.02	0.02	7	0	0	4	**(0)**	(0)	(0)	(0)	0.1	1	**0.01**	**0.01**	(0.5)	0.03	(0)	26	0.21	0.2	**39**	0	①果皮、わた及びへた
0.1	0.01	0.02	-	-	-	-	**(0)**	(0)	(0)	(0)	0.1	Tr	**0.01**	**0.01**	(0.5)	0.03	(0)	25	0.20	-	**27**	0	果皮、わた及びへたを除いたもの
1.0	0.10	0.32	0	Tr	1	6	**4**	0	53	(0)	0.3	1	**0.15**	**0.10**	2.8	0.14	(0)	95	0.58	5.4	**8**	0	①包葉、めしべ及び穂軸　② 0g
1.0	0.10	0.31	-	-	-	-	**4**	0	49	(0)	0.3	0	**0.12**	**0.10**	(2.7)	0.12	(0)	86	0.51	-	**6**	0	包葉及びめしべを除いたもの　①穂軸　② 0g
1.1	0.10	0.32	-	-	-	-	**5**	(0)	59	(0)	0.3	0	**0.16**	**0.11**	(3.0)	0.14	(0)	97	0.67	-	**6**	0	①穂軸　② 0g
1.0	0.08	0.22	-	-	-	-	**7**	(0)	82	(0)	0.1	Tr	**0.12**	**0.09**	(2.6)	0.10	(0)	77	0.49	-	**6**	0	①穂軸　② 0g
0.5	0.04	0.10	0	1	Tr	5	**6**	(0)	75	(0)	0.1	0	**0.10**	**0.07**	2.2	0.09	0	57	0.41	3.1	**4**	0	穂軸を除いた実（尖帽を除いた種子）のみ　② 0g
0.4	0.03	0.10	0	1	0	4	**6**	(0)	70	(0)	0.1	0	**0.08**	**0.06**	2.0	0.08	0	48	0.33	2.9	**2**	0	穂軸を除いた実（尖帽を除いた種子）のみ　② 0g
0.5	0.04	0.10	0	1	Tr	5	**6**	(0)	74	(0)	0.8	6	**0.10**	**0.07**	2.3	0.09	0	56	0.37	3.3	**3**	0	穂軸を除いた実（尖帽を除いた種子）のみ　植物油（なたね油）② 0 g
0.4	0.04	0.07	-	-	-	-	**4**	(0)	50	(0)	0.1	0	**0.02**	**0.05**	(1.0)	0.03	(0)	19	0.34	-	**3**	0.7	② (0)g
0.6	0.04	0.06	-	-	-	-	**5**	(0)	62	(0)	0.1	Tr	**0.03**	**0.05**	(1.2)	0.05	(0)	18	0.19	-	**2**	0.5	液汁を除いたもの　② (0)g
0.8	0.09	0.60	-	-	-	-	**3**	(0)	35	(0)	0.4	1	**0.09**	**0.11**	(1.2)	0.16	(0)	110	0.40	-	**9**	0	穂軸基部を除いたもの　④穂軸基部つきの場合 10%　② 0g

Q&A とうがらしは胡椒（こしょう）と無関係なのに、なぜレッドペッパーというの？▶コロンブスが到達したアメリカ大陸をインドと思いこんでいたことに端を発す。そこで「発見」したとうがらしをインド特産の胡椒の一種と思いこみ、それ以来ペッパーといわれ続けているらしい。勘違いしたうえに、今日まで修正しないのもすごい。

トマト

ミニトマト
(別名プチトマト)

フルーツトマト
糖度が高いトマトのこと。比較的小さめ。

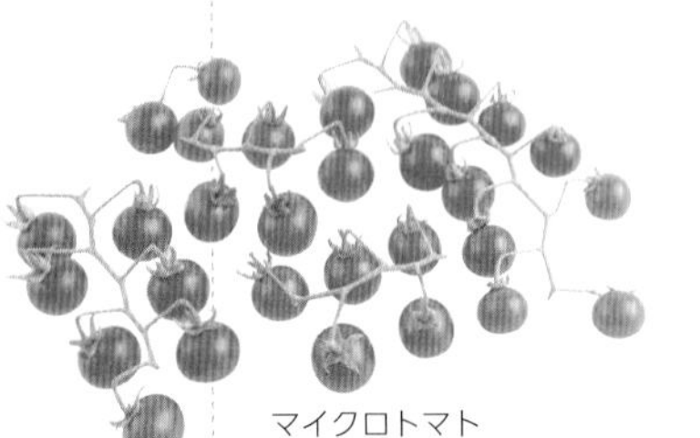
マイクロトマト
直径10mm以下の小さな種。

トマトジュース

ミックスジュース

イタリアントマト
水分が少なくうま味が多い。ソースづくりに向く。

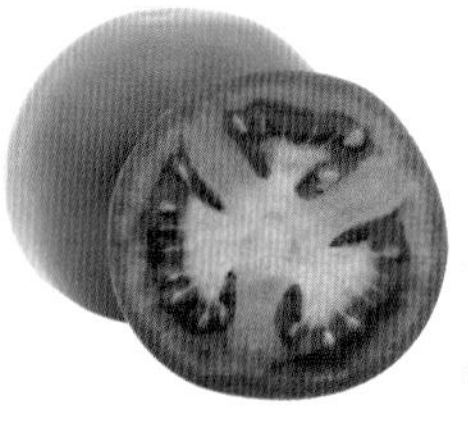

クマト
ヨーロッパで栽培される黒いトマト。

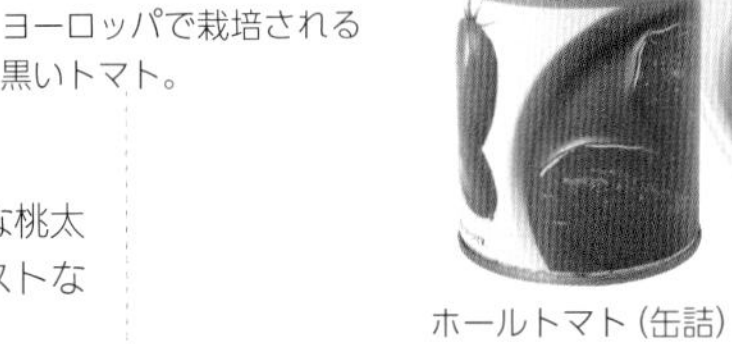

ホールトマト(缶詰)

トマト類
Tomatoes

トマト 中1個=100〜150g

ナス科。南米が原産地だが、欧米で野菜として普及したのは19世紀。日本にも17世紀半ばに伝わったが、当時は観賞用で、"唐柿(とうし)"と呼ばれていた。日本で食用とされるようになったのは明治以降。一般的に広く普及したのは、昭和に入ってからである。ハウス栽培で通年流通する。

種類：市場にはおもに、丸い形の丸玉、果皮がかたく果肉が緻密な桃太郎、果頂部がとがったファーストなどがある。

栄養成分：カロテン、ビタミンCが豊富。果実の橙色や黄色はカロテンによるもので、赤色はリコピンという赤いカロテノイド系色素による。昼夜の温度差が大きいほど色が鮮やかになる。

調理法：サラダ、シチュー、スープ、煮物、ソース等。トマトジュース、トマトケチャップ、トマトソース、トマトピューレー等にも加工。

旬：4〜5月、10〜11月。

産地：熊本、北海道、愛知等。

ミニトマト 1個=10〜15g

別名**プチトマト、チェリートマト**。10〜50gと小型で、円形や洋なし型をしており、色は赤色、黄色、オレンジ色等。一般に小粒のほうが糖度が高い。

加工品

調理に向く加工用トマトを缶詰にしたもの。

ホール：**トマト水煮缶詰**。へたを取り除いて果実の形のまま缶詰にしたもの。皮をむいたものとそうでないものがある。小さくカットしたものもある。

トマトジュース：トマトの搾り汁から皮や種子等を取り除いたもの。

ミックスジュース：トマトジュースを主原料(50%以上)とし、にんじん、セロリ等の野菜の搾り汁、香辛料等を加えたもの。

緑=緑黄色野菜 トマトピューレー→p.336、トマトペースト→p.336

食品番号	食品名	廃棄率	エネルギー	2015年版の値	水分	たんぱく質	アミノ酸組成によるたんぱく質	脂質	脂肪酸のトリアシルグリセロール当量	脂肪酸 飽和	脂肪酸 一価不飽和	脂肪酸 多価不飽和	コレステロール	炭水化物	利用可能炭水化物(質量計)	食物繊維 食物繊維総量(プロスキー変法)	食物繊維 食物繊維総量(AOAC法)	ミネラル(無機質) ナトリウム	カリウム	カルシウム	マグネシウム	リン	鉄
		%	kcal	kcal	g	g	g	g	g	g	g	g	mg	g	g	g	g	mg	mg	mg	mg	mg	mg
	(トマト類)																						
緑 06182	**赤色トマト** 果実 生	3	20	19	94.0	0.7	0.5	0.1	0.1	0.02	0.01	0.03	0	4.7	3.1	1.0	-	3	210	7	9	26	0.2
緑 06183	**赤色ミニトマト** 果実 生	2	30	29	91.0	1.1	(0.8)	0.1	(0.1)	(0.02)	(0.01)	(0.03)	(0)	7.2	4.5	1.4	-	4	290	12	13	29	0.4
06391	**黄色トマト** 果実 生	0	18	17	94.7	1.1	(0.8)	0.4	-	-	-	-	-	3.2	-	-	1.3	2	310	6	10	35	0.3
緑 06370	**ドライトマト**	0	291	292	9.5	14.2	9.3	2.1	1.1	0.30	0.15	0.60	(0)	67.3	29.2	21.7	-	120	3200	110	180	300	4.2
06184	**加工品** ホール 食塩無添加	0	21	20	93.3	0.9	(0.9)	0.2	(0.1)	(0.03)	(0.02)	(0.06)	(0)	4.4	(3.6)	1.3	-	4	240	9	13	26	0.4
06185	トマトジュース 食塩添加	0	15	17	94.1	0.7	(0.7)	0.1	(0.1)	(0.02)	(0.01)	(0.03)	(0)	4.0	(2.9)	0.7	-	120	260	6	9	18	0.3
06340	食塩無添加	0	18	17	94.1	0.7	(0.7)	0.1	-	-	-	-	(0)	4.0	-	0.7	-	8	260	6	9	18	0.3
06186	ミックスジュース 食塩添加	0	18	17	94.2	0.6	(0.5)	0	-	-	-	-	(0)	4.3	-	0.7	-	82	200	11	13	11	0.3
06341	食塩無添加	0	18	17	94.2	0.6	(0.5)	0	-	-	-	-	(0)	4.3	-	0.7	-	12	200	11	13	11	0.3
06187	**トレビス** 葉 生	20	17	18	94.1	1.1	(0.9)	0.2	0.1	0.02	Tr	0.05	(0)	3.9	-	2.0	-	11	290	21	11	34	0.3
緑 06188	**とんぶり** ゆで	0	89	90	76.7	6.1	-	3.5	2.6	0.36	0.50	1.65	(0)	12.9	-	7.1	-	5	190	15	74	170	2.8
緑 06189	**ながさきはくさい** 葉 生	3	12	13	93.9	1.3	(1.0)	0.1	(Tr)	(0.01)	(Tr)	(0.03)	(0)	2.6	-	2.2	-	21	300	140	27	37	2.3
06190	ゆで	5	18	18	93.2	2.2	(1.7)	0.1	(Tr)	(0.01)	(Tr)	(0.03)	(0)	3.4	-	2.4	-	12	120	120	24	48	1.6

 +PLUS+ トマトはりんごなのか？●トマトのことをイタリアではポモドーロ(黄金のりんご)、フランスではポム・ダムール(愛のりんご)、イギリスではラブ・アップル(愛のりんご)と呼んでいる。ヨーロッパでは価値の高い果物や野菜に"りんご"という呼び名をつける習慣があったためらしい。

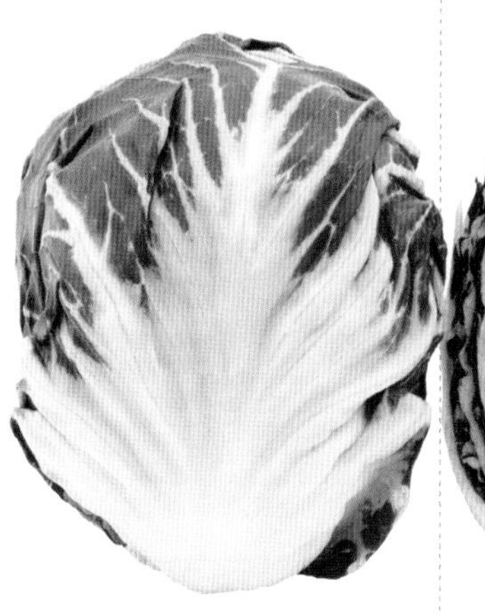

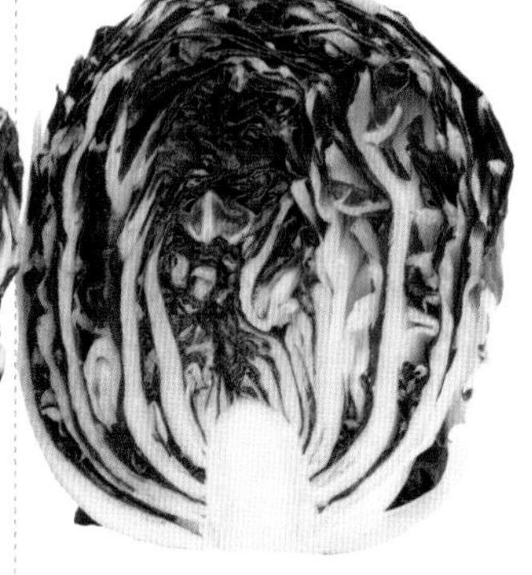

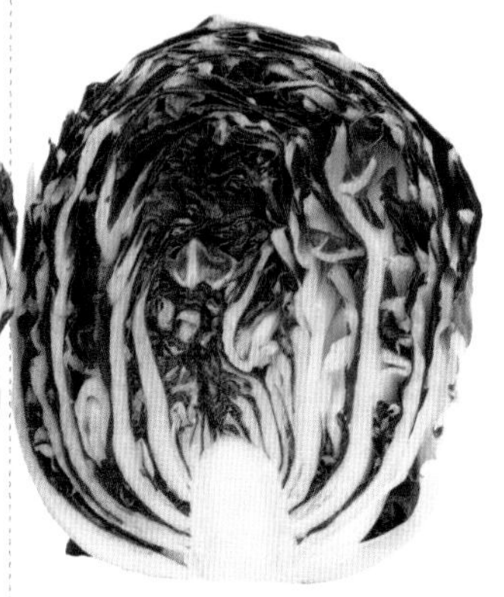

トレビス

ホウキギ（コキア）の紅葉

トレビス

Red chicory　1個=120g

キク科。別名**トレビッツ**、**あかめチコリ**、**レッドチコリ**、ラディッキオ、イタリアンレタス。大半が輸入されており、名前はイタリアの産地トレビゾにちなんでつけられた。トレビスはチコリの一種で、チコリの仲間には白色のものや紅色のもの、結球するものしないものなどさまざまなものがあるが、日本では鮮やかな赤紫色で丸く結球するものをトレビスと呼ぶ。レタスより一回り小さく、レッドキャベツのような色落ちがない。独特なほろ苦さがあり、食感はレタスとキャベツの中間。

調理法：サラダ、スープ、グラタン等。

産地：イタリア。長野、北海道等。

とんぶり

Summer cypress seeds

アカザ科。ホウキギ（ホウキグサ）の種子。別名**ずぶし**、**ねんどう**。見た目も歯ざわりもキャビアに似ていることから、畑のキャビアとも呼ばれる。味はなく、特有の歯ざわりを楽しむ野菜。収穫後に乾燥貯蔵しておき、出荷のときにゆでてから水に浸し、もんで外皮を取り除く。地膚子(じふし)という漢方薬でもあり、目の疲れを癒す、肝臓の炎症を抑える等の作用があるといわれる。

調理法：酢の物、和え物等。調味料を加えて2〜3時間たつと粒の中の水分が出てしまうので、食べる直前に味つけする。

旬：10〜11月。

産地：秋田の名産品。岩手等。

ながさきはくさい（長崎白菜）

Nagasaki-hakusai

アブラナ科。別名**とうな**、**とうじんな**、**ちりめんはくさい**。古くから長崎市あたりでつくられてきた。葉質がやわらかく株全体の葉面に縮緬状の凹凸があり、葉のふちが外側に反り返る半結球のはくさい。

調理法：漬物、浸し物、炒め物等。

とんぶり

リコピン

リコピンは、β-カロテンの倍の抗酸化作用があり、がんや動脈硬化等を防ぐといわれる。熱にも強く、脂溶性のため油によって吸収率が高まる。トマト以外にも、すいか、かき、赤いグレープフルーツ等に含まれる。

トマトの歴史

トマトは、南米ペルーを中心としたアンデス高原の太平洋側の地域が原産といわれる。アンデス高原には8〜9種類の野生種トマトが自生しているが、すべてがたくさんの小さな実をつける現在のミニトマトに近い形のもの。これらがやがてメキシコで食用として栽培されるようになった。そしてコロンブスによる新大陸発見（1492年）以後、ヨーロッパへ広がったのである。

しかし、当時トマトは有毒植物であると信じられたために観賞用とされ、ヨーロッパでトマトを食べるようになったのは18〜19世紀になってからだった。いったん食用と認められてからは、うま味成分であるグルタミン酸とアスパラギン酸が含まれていること、酸味があること、赤い色が食欲をそそること等によってトマトは料理のベースとして利用されるようになった。

可食部100gあたり　Tr：微量　( )：推定値または推計値　−：未測定

	ミネラル（無機質）							ビタミン															食塩相当量	備考
	亜鉛	銅	マンガン	ヨウ素	セレン	クロム	モリブデン	A レチノール活性当量	A レチノール	A β-カロテン当量	D	E α-トコフェロール	K	B1	B2	ナイアシン当量	B6	B12	葉酸	パントテン酸	ビオチン	C		①廃棄部位 ②硝酸イオン ③試料 ④廃棄率 ⑤原材料 ⑥ビタミンC ⑦重量比
	mg	mg	mg	µg	µg	µg	µg	µg	µg	µg	µg	mg	µg	mg	mg	mg	mg	µg	µg	mg	µg	mg	g	
	0.1	0.04	0.08	Tr	1	Tr	2	**45**	(0)	540	(0)	0.9	4	**0.05**	**0.02**	0.8	0.08	(0)	22	0.17	2.3	**15**	0	①へた ②0g
	0.2	0.06	0.10	4	Tr	0	4	**80**	(0)	960	(0)	0.9	7	**0.07**	**0.05**	(0.9)	0.11	(0)	35	0.17	3.6	**32**	0	①へた ②0g
	0.2	0.04	0.10	2	0	0	7	**9**	-	110	-	1.2	7	**0.08**	**0.03**	(1.1)	0.07	-	29	0.14	3.1	**28**	0	①へた
	1.9	0.82	1.22	4	16	11	29	**220**	(0)	2600	(0)	18.0	31	**0.68**	**0.30**	14.0	0.95	(0)	120	1.08	43.0	**15**	0.3	②0g
	0.1	0.08	0.09	-	-	-	-	**47**	(0)	570	(0)	1.2	5	**0.06**	**0.03**	(0.8)	0.10	(0)	21	0.22	-	**10**	0	液汁を除いたもの ②(0)g
	0.1	0.06	0.05	4	Tr	1	4	**26**	(0)	310	(0)	0.7	2	**0.04**	**0.04**	(0.8)	0.09	(0)	17	0.18	4.2	**6**	0.3	果汁100% ②(0)g (100g：97mL、100mL：103g)
	0.1	0.06	0.05	4	Tr	1	4	**26**	(0)	310	(0)	0.7	2	**0.04**	**0.04**	(0.8)	0.09	(0)	17	0.18	4.2	**6**	0	果汁100% ②(0)g (100g：97mL、100mL：103g)
	0.1	0.08	0.07	-	-	-	-	**32**	(0)	390	(0)	0.8	6	**0.03**	**0.03**	(0.5)	0.06	(0)	10	0.20	-	**3**	0.2	⑥トマト、にんじん、セロリ等 (100g：97mL、100mL：103g)
	0.1	0.08	0.07	-	-	-	-	**32**	(0)	390	(0)	0.8	6	**0.03**	**0.03**	(0.5)	0.06	(0)	10	0.20	-	**3**	0	⑥トマト、にんじん、セロリ等 (100g：97mL、100mL：103g)
	0.2	0.06	0.15	-	-	-	-	**1**	(0)	14	(0)	0.1	13	**0.04**	**0.04**	(0.4)	0.03	(0)	41	0.24	-	**6**	0	①しん ②Tr
	1.4	0.25	0.78	-	-	-	-	**67**	(0)	800	(0)	4.6	120	**0.11**	**0.17**	1.3	0.16	(0)	100	0.48	-	**1**	0	ほうきぎ（ほうきぐさ）の種子 ②Tr
	0.3	0.05	0.21	-	-	-	-	**160**	(0)	1900	(0)	1.3	130	**0.05**	**0.13**	(0.9)	0.14	(0)	150	0.28	-	**88**	0.1	①株元 ②0.3g
	0.2	0.04	0.20	-	-	-	-	**220**	(0)	2600	(0)	1.3	150	**0.02**	**0.07**	(0.7)	0.06	(0)	69	0.11	-	**23**	0	①株元 ゆでた後水冷し、手搾りしたもの ②0.3g

Q A トマト論争＝野菜？果物？▶ 19世紀のアメリカでは果物には課税がなかったため、トマトの輸入業者が「これは果物だ」と主張し、裁判にまで発展した。結果は「畑で育てられ、デザートではなく食事のメインに出される。よって野菜」との判決。今日の日本では「木になるのは果物」とされているが、境界線が微妙なものもある。

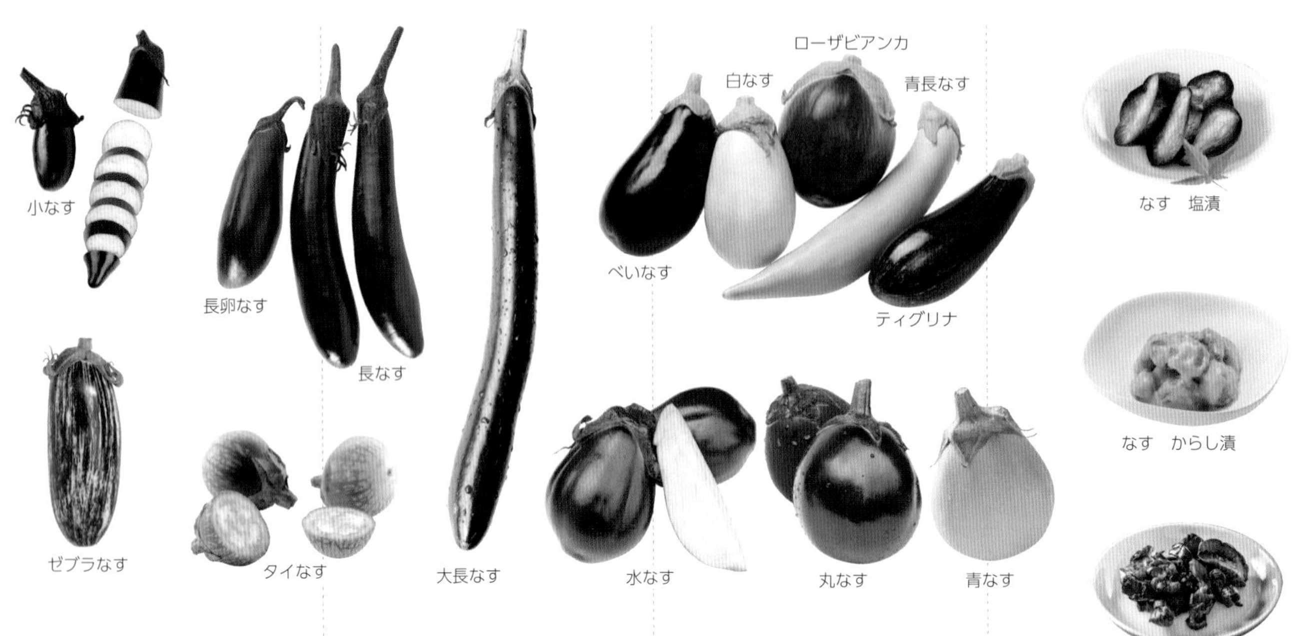

なす類（茄子類）
Eggplants

なす（茄子）　1個=100g
ナス科。別名なすび。インドの東部原産。日本には8世紀に伝わったといわれる。皮の黒紫色は抗酸化作用があるアントシアニンによるもの。漬物にするときに古釘や焼きみょうばんを利用すると、鉄イオンによって安定した色になる。
種類：地方によって独自の品種が育てられ、丸形、卵形、長形、紫、白、緑等、形も色も多彩で、日本全国で100種類以上が栽培されている。
長卵なす：関東でもっとも一般的なもので、千成りなすともいう。全国で生産されている。
丸なす：京都の賀茂なすが代表。きめ細かい肉質で、田楽に向く。
小なす：長さ3cmほどの小さななすで、辛子漬に向く。山形の出羽小なす、民田なす等が有名。
長なす：長さは15～30cmで身がやわらかい。焼きなすに向く。
大長なす：長さが45cm、重さ300gに達する九州の特産品。
水なす：水分が非常に多く、生食や浅漬に向く。大阪の泉州産が有名。
調理法：焼きなす、しぎ焼き、麻婆（マーボー）なす、漬物、煮物、炒め物、揚げ物、焼き物、田楽等。あくが強く果肉の色が変わりやすいので、切ったらすぐに水に浸ける。油との相性がよい。
選び方：外皮のつやがよく、へたのとげがちくちくするものが新鮮。
保存法：熱帯産の植物なので、冷蔵庫で保存すると逆に早くいたむ。
旬：7～9月。
産地：高知、熊本、福岡、群馬等。

べいなす（米茄子）　1個=300g
別名洋なす。中国の品種をアメリカで、さらに日本で改良したもの。へたが緑色で、大型で楕円形。肉質がしっかりしており加熱してもくずれにくい。煮る、焼く、揚げる等に向くが、漬物には向かない。

漬物
こうじ漬：塩漬にしてから米こうじを原料とした漬け床に漬けたもの。
からし漬：小型のなすを丸のまま、からしに調味料と酒かすを加えたものに漬けたもの。
しば漬：なす、みょうが、きゅうり、赤じその葉等を刻んで塩漬にしたもの。京都洛北の大原のしば漬は、平清盛の娘の建礼門院徳子が大原の奥で隠棲していたとき、地元の漬物を気に入って紫葉漬と名づけたといわれる。

緑=緑黄色野菜

食品番号	食品名	廃棄率	エネルギー	2015年版の値	水分	たんぱく質	アミノ酸組成によるたんぱく質	脂質	脂肪酸のトリアシルグリセロール当量	脂肪酸 飽和	脂肪酸 一価不飽和	脂肪酸 多価不飽和	コレステロール	炭水化物	利用可能炭水化物（質量計）	食物繊維 食物繊維総量（プロスキー変法）	食物繊維 食物繊維総量（AOAC法）	ミネラル（無機質） ナトリウム	カリウム	カルシウム	マグネシウム	リン	鉄
		%	kcal	kcal	g	g	g	g	g	g	g	g	mg	g	g	g	g	mg	mg	mg	mg	mg	mg
	（なす類）																						
06191	**なす** 果実 生	10	**18**	22	93.2	**1.1**	0.7	**0.1**	Tr	0.03	Tr	Tr	1	**5.1**	2.6	2.2	-	Tr	220	**18**	17	30	**0.3**
06192	ゆで	0	**17**	19	94.0	**1.0**	(0.7)	**0.1**	(Tr)	(0.03)	(Tr)	(Tr)	Tr	**4.5**	(2.3)	2.1	-	1	180	**20**	16	27	**0.3**
06342	油いため	0	**73**	79	85.8	**1.5**	(1.0)	**5.8**	(5.5)	(0.43)	(3.39)	(1.48)	(Tr)	**6.3**	(3.2)	2.6	-	Tr	290	**22**	21	40	**0.4**
06343	天ぷら	0	**165**	180	71.9	**1.6**	(1.1)	**14.0**	13.1	0.97	8.13	3.39	1	**12.0**	9.7	1.9	-	21	200	**31**	14	41	**0.2**
06193	**べいなす** 果実 生	30	**20**	22	93.0	**1.1**	(0.9)	**0.1**	(Tr)	(0.03)	(Tr)	(Tr)	(0)	**5.3**	(2.6)	2.4	-	1	220	**10**	14	26	**0.4**
06194	素揚げ	35	**177**	183	74.8	**1.0**	(0.8)	**17.0**	(16.5)	(1.22)	(10.16)	(4.42)	(0)	**6.7**	(3.1)	1.8	-	1	220	**10**	14	26	**0.4**
06195	**漬物** 塩漬	0	**22**	23	90.4	**1.4**	(0.9)	**0.1**	(Tr)	(0.03)	(Tr)	(Tr)	(0)	**5.2**	-	2.7	-	880	260	**18**	18	33	**0.6**
06196	ぬかみそ漬	0	**27**	27	88.7	**1.7**	-	**0.1**	-	-	-	-	(0)	**6.1**	-	2.7	-	990	430	**21**	33	44	**0.5**
06197	こうじ漬	0	**87**	79	69.1	**5.5**	-	**0.1**	-	-	-	-	(0)	**18.2**	-	4.2	-	2600	210	**65**	22	65	**1.4**
06198	からし漬	0	**127**	118	61.2	**2.6**	-	**0.2**	-	-	-	-	(0)	**30.7**	-	4.2	-	1900	72	**71**	36	55	**1.5**
06199	しば漬	0	**27**	30	86.4	**1.4**	-	**0.2**	-	-	-	-	(0)	**7.0**	-	4.4	-	1600	50	**30**	16	27	**1.7**
緑 06200	**なずな** 葉 生	5	**35**	36	86.8	**4.3**	-	**0.1**	-	-	-	-	(0)	**7.0**	-	5.4	-	3	440	**290**	34	92	**2.4**
	（なばな類）																						
緑 06201	**和種なばな** 花らい・茎 生	0	**34**	33	88.4	**4.4**	(3.6)	**0.2**	(0.1)	(0.02)	(Tr)	(0.08)	(0)	**5.8**	-	4.2	-	16	390	**160**	29	86	**2.9**
06202	ゆで	0	**28**	28	90.2	**4.7**	(3.8)	**0.1**	(0.1)	(0.01)	(Tr)	(0.04)	(0)	**4.3**	-	4.3	-	7	170	**140**	19	86	**1.7**
緑 06203	**洋種なばな** 茎葉 生	0	**36**	35	88.3	**4.1**	(3.3)	**0.4**	(0.2)	(0.04)	(0.01)	(0.15)	(0)	**6.0**	-	3.7	-	12	410	**97**	28	78	**0.9**
06204	ゆで	0	**30**	31	90.0	**3.6**	(2.9)	**0.4**	(0.2)	(0.04)	(0.01)	(0.15)	(0)	**5.3**	-	4.1	-	10	210	**95**	19	71	**0.7**
06205	**にがうり** 果実 生	15	**15**	17	94.4	**1.0**	0.7	**0.1**	(0.1)	(0.01)	(0.02)	(0.04)	(0)	**3.9**	0.3	2.6	-	1	260	**14**	14	31	**0.4**
06206	油いため	0	**47**	50	90.3	**1.2**	(0.8)	**3.3**	(3.2)	(0.23)	(1.94)	(0.88)	(0)	**4.6**	(0.4)	2.8	-	1	260	**14**	15	33	**0.5**

+PLUS+ **なすをトマトに接（つ）ぎ木すると●**なすとトマトは同じナス科。なすは濃紺色でトマトは赤色だが、トマトを台木にしてなすを接ぎ木すると緑色もしくは茶色になる。これは、なすの根でつくられるナスニンというアントシアン色素（濃紺色）があらわれなくなるため。

なずな

和種なばな

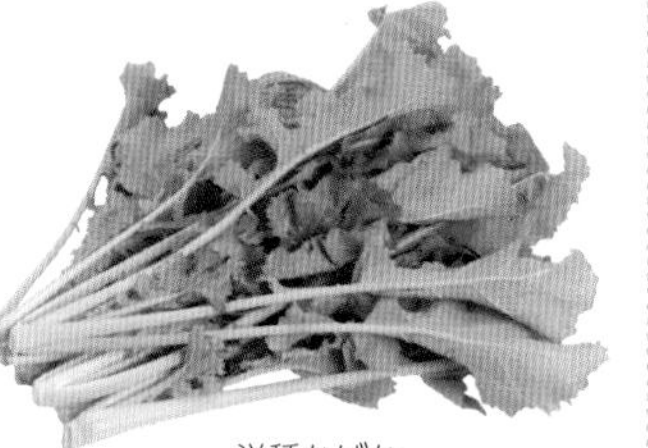
洋種なばな
（博多なばな）

にがうり

白にがうり

にがうりは未成熟なときは緑色で、熟すと赤黄色くなり、軟化して裂開する。

なずな（薺）

Shepherd's purse

アブラナ科。春の七草のひとつ。別名**ぺんぺん草**。果実が三味線のばちに似ているため**三味線草**ともいう。名前の由来は、夏になると枯れるため、夏無（なつな）からという説や、なでたいほどかわいい花という撫菜（なでな）からという説等がある。

調理法：若葉を浸し物、和え物、汁の実、天ぷら等。

旬：11～2月。

なばな類（菜花類）

Rapes　1わ=250g

アブラナ科。別名**菜の花**、**しんつみな**、**かぶれな**。春を味わう野菜として、春に食用にする。味はほろ苦い。

種類：和種と洋種がある。

栄養成分：カルシウム、ビタミンCが豊富。

旬：3～4月。

郷土料理：つぼみを塩漬した菜の花漬は京都の特産品。

和種なばな（和種菜花）

花蕾を食用とする。関東地方で栽培される。江戸時代までは種子から菜種油を採るために栽培されていた。食用にするようになったのは、明治時代以降。

調理法：浸し物、和え物、汁物、漬物等。

洋種なばな（洋種菜花）

茎葉を食用とする。関西・中部地域で栽培される。

調理法：浸し物、和え物、汁物、炒め物、煮物等。

にがうり（苦瓜）

Bitter gourd　1本=250g

ウリ科。別名**ゴーヤ**、**つるれいし**。表皮にたくさんのこぶがある。未熟な果実を食用とするもので、独特の苦味がある。熟すと果実は赤黄色に変わり、やわらかくなる。種の周りのゼリー状の仮種皮は赤く甘くなる。

栄養成分：ビタミンCが豊富。

調理法：浸し物、和え物、炒め物、漬物、ジュース等。苦味が強い種とわたを取り除いて調理する。薄切りにして塩もみすると苦味が薄くなる。

旬：6～8月。

産地：沖縄、宮崎等。

なすをめぐる嫁と姑？

「秋茄子は嫁に食わすな」

この言葉は、姑による嫁いびりの象徴ともいわれる。「秋なすび早酒（わささ）の粕（かす）に漬きまぜて嫁にはくれじ棚に置くとも（夫木和歌抄）」が元になっているとされている。

しかし、本当は「茄子は性寒利、多食すれば必ず腹痛下痢す。女人はよく子宮を傷ふ（養生訓）」などから、嫁の体を案じた、優しい思いやりの言葉だという説もある。

可食部100gあたり　Tr：微量　（ ）：推定値または推計値　－：未測定

ミネラル（無機質）							ビタミン															食塩相当量	備考
亜鉛	銅	マンガン	ヨウ素	セレン	クロム	モリブデン	A レチノール活性当量	レチノール	β-カロテン当量	D	E αトコフェロール	K	B1	B2	ナイアシン当量	B6	B12	葉酸	パントテン酸	ビオチン	C		①廃棄部位　②硝酸イオン　③試料　④廃棄率　⑤原材料　⑥ビタミンC　⑦重量比
mg	mg	mg	μg	μg	μg	μg	μg	μg	μg	μg	mg	μg	mg	mg	mg	mg	μg	μg	mg	μg	mg	g	
0.2	0.06	0.16	0	0	0	10	**8**	(0)	100	(0)	0.3	10	**0.05**	**0.05**	0.7	0.05	(0)	32	0.33	2.3	**4**	0	①へた　②Tr
0.2	0.05	0.15	-	-	-	-	**8**	(0)	98	(0)	0.3	10	**0.04**	**0.04**	(0.6)	0.03	(0)	22	0.29	-	**1**	0	へたを除いたもの　②Tr
0.2	0.07	0.20	-	-	-	-	**16**	(0)	190	(0)	1.4	11	**0.06**	**0.07**	(1.0)	0.06	(0)	36	0.40	-	**2**	0	へたを除いたもの　植物油（なたね油）　②Tr
0.2	0.07	0.16	-	-	-	7	**9**	-	110	-	2.6	22	**0.05**	**0.07**	(0.8)	0.04	0	28	0.16	2.3	**2**	0.1	へたを除いたもの　②Tr
0.2	0.08	0.13	-	-	-	-	**4**	(0)	45	(0)	0.3	9	**0.04**	**0.04**	(0.8)	0.06	(0)	19	0.30	-	**6**	0	①へた及び果皮　②Tr
0.2	0.09	0.13	-	-	-	-	**2**	(0)	20	(0)	2.5	31	**0.05**	**0.04**	(0.8)	0.05	(0)	12	0.30	-	**2**	0	①へた及び果皮　植物油（調合油）　②0g
0.2	0.09	0.18	-	-	-	-	**4**	(0)	44	(0)	0.3	10	**0.03**	**0.04**	(0.6)	0.07	(0)	32	0.41	-	**7**	2.2	水洗いし、水切りしたもの　②(Tr)
0.2	0.09	0.19	-	-	-	-	**2**	(0)	26	(0)	0.3	12	**0.10**	**0.04**	1.3	0.15	Tr	43	0.67	-	**8**	2.5	水洗いし、水切りしたもの　④へたつきの場合10%　②(Tr)
0.4	0.17	0.40	-	-	-	-	**Tr**	(0)	5	(0)	0.5	27	**0.03**	**0.05**	1.2	0.03	(0)	9	0.13	-	**0**	6.6	②(Tr)
0.4	0.13	0.32	-	-	-	-	**6**	(0)	76	(0)	0.2	24	**0.06**	**0.04**	1.0	0.09	(0)	18	0.08	-	**87**	4.8	②0g
0.2	0.12	0.29	-	-	-	-	**48**	(0)	580	(0)	0.7	72	**0**	**0.02**	0.3	0.03	(0)	9	0.13	-	**0**	4.1	市販品の液汁を除いたもの　②0.1g
0.7	0.16	1.00	-	-	-	-	**430**	(0)	5200	(0)	2.5	330	**0.15**	**0.27**	1.2	0.32	(0)	180	1.10	-	**110**	0	①株元　②0.1g
0.7	0.09	0.32	1	1	1	6	**180**	(0)	2200	(0)	2.9	250	**0.16**	**0.28**	(2.6)	0.26	(0)	340	0.73	12.0	**130**	0	②Tr
0.4	0.07	0.25	-	-	-	-	**200**	(0)	2400	(0)	2.8	250	**0.07**	**0.14**	(1.9)	0.11	(0)	190	0.30	-	**44**	0	ゆでた後水冷し、手搾りしたもの　②Tr
0.6	0.09	0.67	-	-	-	-	**220**	(0)	2600	(0)	1.7	260	**0.11**	**0.24**	(2.5)	0.22	(0)	240	0.80	-	**110**	0	②0.1g
0.4	0.07	0.61	-	-	-	-	**230**	(0)	2700	(0)	1.6	270	**0.06**	**0.13**	(1.7)	0.11	(0)	240	0.47	-	**55**	0	ゆでた後水冷し、手搾りしたもの　②Tr
0.2	0.05	0.10	1	0	1	7	**17**	(0)	210	(0)	0.8	41	**0.05**	**0.07**	(0.5)	0.06	(0)	72	0.37	0.5	**76**	0	①両端、わた及び種子　②Tr
0.2	0.05	0.11	1	Tr	1	8	**19**	0	230	(0)	0.9	45	**0.05**	**0.08**	(0.6)	0.07	(0)	79	0.41	0.5	**75**	0	両端、わた及び種子を除いたもの　植物油（調合油）　②(Tr)

QA　ナス科の植物は何種類あるだろうか？［25種　250種　2500種］▶なんと2500種！なすはもちろん、トマトやじゃがいも、とうがらしの他、ホオズキやタバコまでナス科に含まれている。それぞれに細かく分類されるので、世界では2500種に上る。

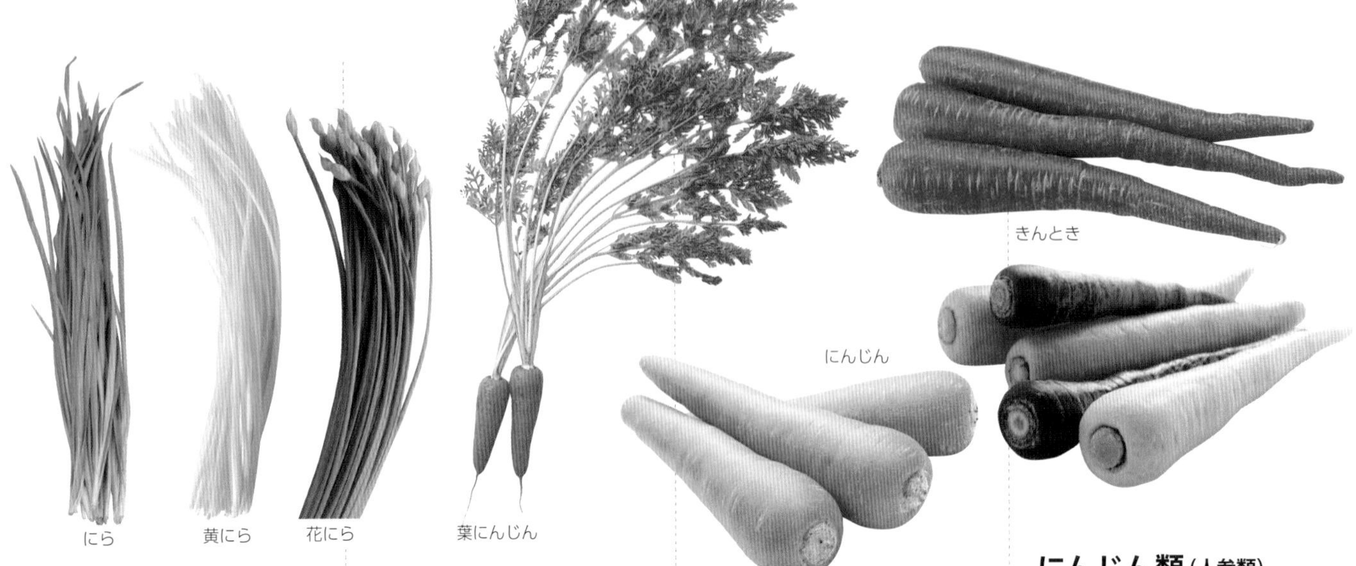

にら類 (韮類)
Chinese chives

ユリ科。東アジアの各地に自生し、中国や東南アジアでは古代から栽培されているが、ヨーロッパではほとんど栽培されていない。

にら (韮) 1わ=100g

中国西部原産で、東部アジアに広く分布する。北海道や東北等の寒い地方では、体が温まり精力がつく野菜として、古くから利用された。丈夫で栽培しやすく、刈り取っても再び新葉が伸びるため、年に数回収穫できる。独特のにおいは硫化アリルによる。種と葉は漢方薬としても利用する。

栄養成分：カロテン、ビタミンB_2・K等が豊富。
調理法：炒め物、浸し物、汁の実、卵とじ、ぎょうざの具等。
旬：5〜10月
産地：高知、栃木、山形等。

花にら (花韮)

中国野菜。茎が伸びてつぼみがついた、とう立ちした花茎を食用としたもので、甘味がある。

栄養成分：カロテン、ビタミンB_2・K等が豊富。
旬：5〜10月。
産地：千葉、茨城等。

黄にら (黄韮)

日光をあてずに軟化栽培したもの。黄色で香りがやわらかく、甘味としゃきしゃきした歯ごたえがあり、中華料理等の高級食材として利用されている。脳の老化防止と記憶力アップ効果があるとされる物質のアホエンが含まれている。

調理法：サラダ、浸し物、炒め物、薬味等。黄にらは調理の最後に加え、あまり火を通さないようにすると、やわらかさを損なわない。
産地：岡山等。

にんじん類 (人参類)
Carrots

セリ科。アフガニスタン原産。アフガニスタンからヨーロッパに伝わった西洋系にんじんと、インドを経て中国地方に伝わった東洋系にんじんがある。おもに根を食用にする。色は橙色や赤だけでなく、白、黄、紅紫、黒紫等もあり、形も丸いものや長いもの等さまざまある。近年では葉も利用する。

葉にんじん (葉人参)

別名**にんじんな**。葉にんじん生産用に栽培されたものがあるが、間引いたにんじんやミニキャロットの葉を

緑 =緑黄色野菜

食品番号	食品名	廃棄率	エネルギー	2015年版の値	水分	たんぱく質	アミノ酸組成によるたんぱく質	脂質	脂肪酸のトリアシルグリセロール当量	脂肪酸 飽和	脂肪酸 一価不飽和	脂肪酸 多価不飽和	コレステロール	炭水化物	利用可能炭水化物(質量計)	食物繊維 食物繊維総量(プロスキー変法)	食物繊維 食物繊維総量(AOAC法)	ミネラル(無機質) ナトリウム	カリウム	カルシウム	マグネシウム	リン	鉄
		%	kcal	kcal	g	g	g	g	g	g	g	g	mg	g	g	g	g	mg	mg	mg	mg	mg	mg
	(にら類)																						
緑 06207	**にら** 葉 生	5	**18**	21	92.6	**1.7**	1.3	**0.3**	(0.1)	(0.04)	(0.01)	(0.08)	Tr	**4.0**	1.7	2.7	-	1	510	**48**	18	31	**0.7**
06208	ゆで	0	**27**	31	89.8	**2.6**	(1.9)	**0.5**	(0.2)	(0.06)	(0.01)	(0.14)	Tr	**5.7**	(2.3)	4.3	-	1	400	**51**	20	26	**0.7**
06344	油いため	0	**69**	75	85.8	**1.9**	(1.4)	**5.7**	(5.4)	(0.42)	(3.24)	(1.50)	(Tr)	**4.9**	(2.0)	3.5	-	Tr	600	**48**	22	38	**0.8**
緑 06209	**花にら** 花茎・花らい 生	5	**27**	27	91.4	**1.9**	(1.4)	**0.2**	(0.1)	(0.02)	(0.01)	(0.05)	(0)	**5.9**	-	2.8	-	1	250	**22**	15	41	**0.5**
06210	**黄にら** 葉 生	0	**18**	18	94.0	**2.1**	(1.5)	**0.1**	(Tr)	(0.01)	(Tr)	(0.03)	(0)	**3.3**	-	2.0	-	Tr	180	**15**	11	35	**0.7**
	(にんじん類)																						
緑 06211	**葉にんじん** 葉 生	15	**16**	18	93.5	**1.1**	-	**0.2**	-	-	-	-	(0)	**3.7**	-	2.7	-	31	510	**92**	27	52	**0.9**
緑 06212	**にんじん** 根 皮つき 生	3	**35**	39	89.1	**0.7**	0.5	**0.2**	0.1	0.02	Tr	0.06	(0)	**9.3**	5.8	2.8	-	28	300	**28**	10	26	**0.2**
06213	ゆで	0	**29**	36	90.2	**0.6**	(0.4)	**0.2**	(0.1)	(0.03)	(Tr)	(0.08)	(0)	**8.4**	(5.2)	3.0	-	23	270	**32**	12	29	**0.3**
06214	皮むき 生	10	**30**	36	89.7	**0.8**	0.6	**0.1**	(0.1)	(0.01)	(Tr)	(0.04)	(0)	**8.7**	5.7	2.4	-	34	270	**26**	9	25	**0.2**
06215	ゆで	0	**28**	36	90.0	**0.7**	(0.5)	**0.1**	(0.1)	(0.01)	(Tr)	(0.04)	(0)	**8.5**	5.0	2.8	-	27	240	**29**	9	26	**0.2**
06345	油いため	0	**103**	109	79.1	**1.1**	(0.8)	**6.4**	(6.1)	(0.46)	(3.75)	(1.68)	(Tr)	**12.4**	(7.4)	3.1	-	48	400	**35**	13	37	**0.3**
06346	素揚げ	0	**87**	89	80.6	**1.0**	(0.7)	**3.5**	3.3	0.26	1.97	0.89	0	**13.9**	(8.1)	1.1	-	39	380	**36**	13	35	**0.3**
06347	皮 生	0	**26**	31	90.4	**0.7**	(0.5)	**0.2**	-	-	-	-	(0)	**7.3**	-	3.8	-	16	630	**45**	20	43	**0.3**
06216	冷凍	0	**30**	35	90.2	**0.8**	0.7	**0.2**	0.1	0.03	Tr	0.08	(0)	**8.2**	4.5	2.9	4.1	57	200	**30**	9	31	**0.3**
06380	ゆで	0	**24**	31	91.7	**0.7**	0.6	**0.2**	0.1	0.03	0.01	0.09	(0)	**7.0**	3.3	-	3.5	40	130	**31**	8	26	**0.3**
06381	油いため	0	**65**	78	85.2	**0.9**	0.7	**4.0**	3.8	0.29	2.19	1.12	Tr	**9.3**	4.9	-	4.2	60	210	**33**	9	33	**0.3**
06348	グラッセ	0	**53**	66	83.8	**0.7**	(0.5)	**1.4**	1.1	0.71	0.27	0.10	5	**12.7**	9.1	2.6	-	390	240	**26**	10	27	**0.2**
06217	ジュース 缶詰	0	**29**	28	92.0	**0.6**	(0.4)	**0.1**	(Tr)	(0.01)	(Tr)	(0.03)	(0)	**6.7**	(5.7)	0.2	-	19	280	**10**	7	20	**0.2**
緑 06218	**きんとき** 根 皮つき 生	15	**39**	44	87.3	**1.8**	(1.3)	**0.2**	0.1	0.01	Tr	0.04	(0)	**9.6**	-	3.9	-	11	540	**37**	11	64	**0.4**
06219	ゆで	0	**37**	42	87.7	**1.9**	(1.4)	**0.2**	0.1	0.02	Tr	0.05	(0)	**9.2**	-	4.3	-	10	470	**39**	10	66	**0.5**
06220	皮むき 生	20	**40**	45	87.1	**1.8**	(1.3)	**0.3**	0.1	0.02	Tr	0.06	(0)	**9.7**	-	3.6	-	12	520	**34**	10	67	**0.4**
06221	ゆで	0	**40**	45	87.1	**1.9**	(1.4)	**0.4**	0.1	0.02	Tr	0.08	(0)	**9.6**	-	4.1	-	9	480	**38**	9	72	**0.4**
緑 06222	**ミニキャロット** 根 生	1	**26**	32	90.9	**0.7**	(0.5)	**0.2**	(0.1)	(0.02)	(Tr)	(0.07)	(0)	**7.5**	(4.6)	2.7	-	15	340	**30**	8	22	**0.3**

+PLUS+ **にんじんの皮**●多くの人が皮だと思ってむいている部分は、実は皮ではない！？ にんじんの皮は非常に薄く、出荷地で洗浄されるときにとれてしまう。カロテンは皮の近くに多く含まれるので、鮮度のよいものはよく洗い、そのまま利用するほうがよい。

ミニキャロット
にんじん ジュース
にんじん グラッセ

利用したりする。
栄養成分：カロテン、カルシウム等が豊富。
調理法：炒め物、天ぷら、サラダ、和え物等。

にんじん（人参） 中1本=200～250g
日本では古くから根が細長くて肉質が締まった濃赤色の東洋系品種（和種）が栽培されてきたが、明治以降は太く短くてやわらかく橙色の西洋系が導入され、西洋系と東洋系の交雑種が主流になった。東洋系の濃赤色はリコピンに由来し、西洋系の橙色はカロテンに由来する。カロテンの名は、英語のキャロットに由来する。"含まれているアスコルビン酸オキシダーゼ（アスコルビン酸酸化酵素ともいう）がビタミンCを破壊する"という説は間違い。ビタミンCを酸化するが、体内で再還元されビタミンCに戻る。
栄養成分：カロテンが豊富。
調理法：きんぴら、なます、煮物、炒め物、サラダ、ポタージュ、つけあわせ、菓子、ジュース等。
選び方：色が鮮やかで表面がなめらかなものがよい。あまり大きいものは内部に空洞ができていることがある。茎のつけ根が細いもののほうが芯が細くて味がよい。
保存法：りんごやじゃがいもと一緒にすると苦味がでやすい。ラップで包んで冷暗所や冷蔵庫で保存。
旬：9～2月。
産地：北海道、千葉、徳島等。
グラッセ：にんじんをバター、砂糖、塩、水で煮て、最後に煮詰めて照りを出したもので、甘煮ともいう。西洋料理のつけあわせとしてよく利用される。

「京の伝統野菜」と「京のブランド産品」

古都京都には、平安の昔から近年に至るまで育まれてきた独自の野菜がある。寺社が多く、精進料理の食材に適する野菜が求められたのが、独自の食文化が育った要因である。

京都府は、これらの野菜の保存と振興を目的として、1987年から「京の伝統野菜」37種（現存するもの35種）と、準ずる3種を選定した。

現存する35種
辛味だいこん・青味だいこん・時無だいこん・桃山だいこん・茎だいこん・佐波賀だいこん・**聖護院だいこん**・松ヶ崎浮菜かぶ・佐波賀かぶ・大内かぶ・舞鶴かぶ・**聖護院かぶ**・鶯菜・すぐき菜・**水菜**・**壬生菜（みぶな）**・畑菜・もぎなす・**賀茂なす**・**京山科なす**・**鹿ヶ谷かぼちゃ**・**えびいも**・**くわい**・**堀川ごぼう**・**伏見とうがらし**・田中とうがらし・聖護院きゅうり・桂うり・柊野ささげ・京うど・京みょうが・**九条ねぎ**・京ぜり・**京たけのこ**・じゅんさい
京の伝統野菜に準じるもの
[**万願寺とうがらし**・鷹ヶ峯とうがらし／**花菜**]

なお、上記とは別に、京のイメージが強いものなどを「京のブランド産品」に認証している。上記の太字の野菜が重複するが、そのほかに、京夏ずきん、紫ずきん、京こかぶ、金時にんじん、やまのいもがある。

きんとき（金時）
おもに関西で栽培される鮮やかな濃赤色の東洋系品種。別名**京にんじん**。京のブランド産品。
調理法：なます、煮物、炒め物、つけあわせ等。
保存法：5℃前後の冷暗所で保存する。短期の保存は冷蔵庫でできるが、冬に長期保存する場合は土の中に埋めると春までもつ。
産地：京都。

ミニキャロット
別名ベビーキャロット、ひと口にんじん。生育初期に間引いたものや、ミニキャロット生産のために密植栽培したもので、長さは7～10cmほど。やわらかくて甘味があり、にんじん独特のにおいがなく、皮ごと食べられるので、生食用として人気がある。
調理法：サラダ、スティック野菜、グラッセ等。

可食部100gあたり Tr：微量 （ ）：推定値または推計値 -：未測定

亜鉛 mg	銅 mg	マンガン mg	ヨウ素 μg	セレン μg	クロム μg	モリブデン μg	A レチノール活性当量 μg	A レチノール μg	A β-カロテン当量 μg	D μg	E αトコフェロール mg	K μg	B1 mg	B2 mg	ナイアシン当量 mg	B6 mg	B12 μg	葉酸 μg	パントテン酸 mg	ビオチン μg	C mg	食塩相当量 g	備考 ①廃棄部位 ②硝酸イオン ③試料 ④廃棄率 ⑤原材料 ⑥ビタミンC ⑦重量比
0.3	0.07	0.39	1	1	1	15	**290**	(0)	3500	(0)	2.5	180	**0.06**	**0.13**	1.1	0.16	(0)	100	0.50	2.1	**19**	0	①株元 ②0.3g
0.3	0.09	0.49	-	-	-	-	**370**	(0)	4400	(0)	3.1	330	**0.04**	**0.12**	(1.1)	0.13	(0)	77	0.39	-	**11**	0	株元を除いたもの ゆでた後水冷し、手搾りしたもの ②0.3g
0.4	0.08	0.46	-	-	-	-	**380**	(0)	4600	(0)	4.1	220	**0.06**	**0.16**	(1.3)	0.20	(0)	140	0.59	-	**21**	0	株元を除いたもの 植物油（なたね油） ②0.4g
0.3	0.08	0.20	-	-	-	-	**91**	(0)	1100	(0)	1.0	100	**0.07**	**0.08**	(1.2)	0.17	(0)	120	0.42	-	**23**	0	①花茎基部 ②Tr
0.2	0.07	0.18	-	-	-	-	**5**	(0)	59	(0)	0.3	29	**0.05**	**0.08**	(1.3)	0.12	(0)	76	0.38	-	**15**	0	②Tr
0.3	0.04	0.26	-	-	-	-	**140**	(0)	1700	(0)	1.1	160	**0.06**	**0.12**	1.3	0.15	(0)	73	0.43	-	**22**	0.1	③水耕栽培品 ①株元 ②0.4g
0.2	0.05	0.12	-	-	-	-	**720**	(0)	8600	(0)	0.4	17	**0.07**	**0.06**	1.0	0.10	(0)	21	0.37	-	**6**	0.1	①根端及び葉柄基部 ②0g
0.3	0.05	0.16	-	-	-	-	**710**	(0)	8500	(0)	0.4	15	**0.06**	**0.05**	(0.9)	0.09	(0)	17	0.42	-	**4**	0.1	根端及び葉柄基部を除いたもの ②0g
0.2	0.05	0.10	Tr	1	1	1	**690**	(0)	8300	(0)	0.5	18	**0.07**	**0.06**	0.9	0.10	(0)	23	0.33	2.8	**6**	0.1	①根端、葉柄基部及び皮 ②0g
0.2	0.05	0.17	0	1	0	1	**730**	(0)	8700	(0)	0.4	18	**0.06**	**0.05**	(0.7)	0.10	(0)	19	0.25	2.5	**4**	0.1	根端、葉柄基部及び皮を除いたもの ②0g
0.3	0.08	0.14	-	-	-	-	**1000**	(0)	12000	(0)	1.7	22	**0.11**	**0.08**	(1.3)	0.14	(0)	31	0.45	-	**5**	0.1	根端、葉柄基部及び皮を除いたもの 植物油（なたね油） ②0g
0.3	0.05	0.14	1	0	0	1	**330**	(0)	3900	(0)	1.6	34	**0.10**	**0.07**	(1.1)	0.15	(0)	28	0.50	3.7	**6**	0.1	根端、葉柄基部及び皮を除いたもの 植物油（なたね油） ②0g
0.2	0.08	0.13	1	0	1	1	**720**	(0)	8600	(0)	0.5	12	**0.05**	**0.05**	(1.2)	0.12	(0)	46	0.31	6.4	**4**	0	②0g
0.2	0.05	0.14	Tr	0	1	1	**920**	0	11000	(0)	0.8	6	**0.04**	**0.02**	0.6	0.09	Tr	21	0.25	2.1	**4**	0.1	②Tr
0.2	0.04	0.14	0	0	Tr	1	**1000**	(0)	12000	(0)	0.9	6	**0.03**	**0.02**	0.5	0.06	0	18	0.20	1.6	**1**	0.1	②Tr
0.2	0.06	0.17	1	0	1	1	**1100**	(0)	13000	(0)	1.5	11	**0.04**	**0.03**	0.7	0.09	0	24	0.30	2.3	**2**	0.2	植物油（なたね油） ②Tr
0.1	0.03	0.16	1	0	0	1	**880**	25	10000	0	0.7	7	**0.03**	**0.03**	(0.6)	0.09	0	17	0.14	2.6	**2**	1.0	②Tr
0.1	0.04	0.07	-	-	-	-	**370**	(0)	4500	(0)	0.2	2	**0.03**	**0.04**	(0.7)	0.08	(0)	13	0.27	-	**1**	0	②(Tr)
0.9	0.09	0.15	-	-	-	-	**410**	(0)	5000	(0)	0.5	2	**0.07**	**0.05**	(1.4)	0.12	(0)	110	0.32	-	**8**	0	①根端及び葉柄基部 ②Tr
1.0	0.08	0.13	-	-	-	-	**410**	(0)	5000	(0)	0.5	2	**0.07**	**0.05**	(1.3)	0.12	(0)	98	0.33	-	**6**	0	根端及び葉柄基部を除いたもの ②Tr
0.9	0.08	0.16	-	-	-	-	**380**	(0)	4500	(0)	0.5	2	**0.07**	**0.05**	(1.3)	0.13	(0)	100	0.33	-	**8**	0	①根端、葉柄基部及び皮 ②Tr
1.0	0.08	0.12	-	-	-	-	**400**	(0)	4800	(0)	0.5	2	**0.06**	**0.06**	(1.2)	0.14	(0)	100	0.28	-	**8**	0	根端、葉柄基部及び皮を除いたもの ②Tr
0.2	0.05	0.12	-	-	-	-	**500**	(0)	6000	(0)	0.6	13	**0.04**	**0.03**	(0.7)	0.10	(0)	32	0.41	-	**4**	0	①根端及び葉柄基部 ②Tr

Q A にんじんとカロテンはどんな関係？▶カロテノイドのうち、とくににんじんの根に多く含まれている赤黄色の炭化水素をカロテンと名付けたのはドイツ人科学者。にんじんのラテン名 carota に、化学において不飽和度が2の炭化水素を表す接尾辞 ine をつけて、ドイツ語で carotine と書く。ちなみに、英語のスペルは carotene。

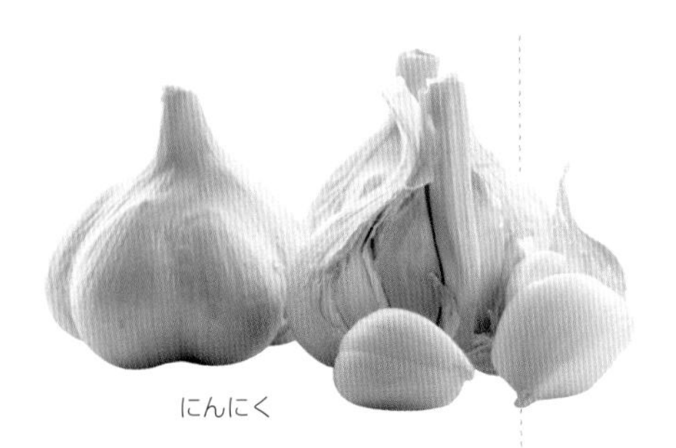
にんにく

花にんにく　　茎にんにく

にんにく類(大蒜類、葫類)
Garlics

ユリ科。中央アジアのキルギス地方原産。紀元前3000年頃の古代エジプト王朝時代にはすでに栽培されており、ピラミッド建設に従事した人々に与えられたり、衰弱や頭痛等の薬用に使われていた。ツタンカーメンの墓の中からも発見されている。日本には奈良時代に渡来し、かぜ薬として使われた。源氏物語でも薬草として書かれている。

にんにく(大蒜、葫)　1かけ=10g
球状に肥大した地中のりん茎部分で、辛味と、硫化アリル(アリシン)に由来する独特の香りがある。
栄養成分：ビタミンB_1が豊富。にんにくに含まれるアリシンは、ビタミンB_1と結合してその吸収を高める。アリシンは分解してアホエン(記憶力アップ、がん予防、血液さらさら効果等があるとされる)になる。アホエンは、50～80℃でもっとも発生し、100℃以上になると壊れてしまう。
調理法：炒め物、ソース、ドレッシング、薬味等。
選び方：形が丸くまとまっていて、皮が白くはりがあり、重量感があってかたいものがよい。
保存法：ネットに入れ、風通しのよい冷暗所につるして常温保存したり、ラップで包んで冷蔵庫に入れておく。
旬：5～8月。
産地：青森が7割を占める。

茎にんにく(茎大蒜)　1本=8g
別名**にんにくの芽**。とう立ちしたにんにくの花茎を若くやわらかいうちに収穫してつぼみを取り除いたもの。にんにくに比べるとにおいがおだやかで、甘味がある。
調理法：炒め物、煮物、和え物等。
旬：6～8月。

下仁田ねぎ　根深ねぎ　葉ねぎ

こねぎ　赤ねぎ

ねぎ類(葱類)
Welsh onions

ユリ科。刺激臭と辛味は硫化アリルによるもので、消化液の分泌を促し、食欲を増す。刻んでから水にさらすと辛味と特有の香りが抜ける。

根深ねぎ(根深葱)　1本=100～150g
別名**長ねぎ**。伸びるにつれて土寄せして軟白化したもので、関東で多く生産、消費される。代表品種は加賀ねぎ(石川)、千住ねぎ(東京)、下仁田ねぎ(群馬)、赤ねぎ(茨城)等。白い部分を食用にする。
調理法：煮物、焼き物、揚げ物、鍋物、炒め物、汁の実、ぬた、薬味等。
選び方：白い部分と緑の部分がはっきりしていて光沢があり、身がしまっているものがよい。
保存法：新聞紙に包んで冷暗所で保存。
産地：千葉、埼玉、茨城等。

葉ねぎ(葉葱)　1本=50～60g
別名**青ねぎ**。土寄せせずに栽培したもので、葉がやわらかいので1本すべて食用にする。関西で多く生産、消費され、ねぎといえばこれをさす。代表品種は京都が発祥の九条ねぎ。根深ねぎよりミネラルやビタミン類が多い。
調理法：焼き物、煮物、揚げ物、鍋物、炒め物、汁の実、ぬた、薬味等。
選び方：根の近くまで緑色が鮮やかなものがよい。
保存法：しめらせた新聞紙で包んで冷蔵庫で保存。

こねぎ(小葱)　5本=30g
一本ねぎを若採りしたもの。葉ねぎのように利用する。博多万能ねぎはこねぎをブランド商品化したもので、商標登録されている。
調理法：焼き物、煮物、揚げ物、鍋物、炒め物、汁の実、薬味等。
産地：福岡。

緑 =緑黄色野菜

食品番号	食品名	廃棄率 %	エネルギー kcal	2015年版の値 kcal	水分 g	たんぱく質 g	アミノ酸組成によるたんぱく質 g	脂質 g	脂肪酸のトリアシルグリセロール当量 g	脂肪酸 飽和 g	脂肪酸 一価不飽和 g	脂肪酸 多価不飽和 g	コレステロール mg	炭水化物 g	利用可能炭水化物(質量計) g	食物繊維 食物繊維総量(プロスキー変法) g	食物繊維 食物繊維総量(AOAC法) g	ミネラル(無機質) ナトリウム mg	カリウム mg	カルシウム mg	マグネシウム mg	リン mg	鉄 mg
	(にんにく類)																						
06223	**にんにく** りん茎 生	9	**129**	136	63.9	**6.4**	4.0	**0.9**	0.5	0.13	0.03	0.29	(0)	**27.5**	1.0	6.2	-	8	510	**14**	24	160	**0.8**
06349	油いため	0	**191**	199	53.7	**8.2**	(5.0)	**5.9**	(5.2)	(0.49)	(2.92)	(1.60)	(0)	**30.6**	(1.2)	6.8	-	16	610	**18**	29	200	**1.2**
緑 06224	**茎にんにく** 花茎 生	0	**44**	45	86.7	**1.9**	(1.4)	**0.3**	(0.1)	(0.04)	(0.01)	(0.08)	(0)	**10.6**	-	3.8	-	9	160	**45**	15	33	**0.5**
06225	ゆで	0	**43**	44	86.9	**1.7**	(1.2)	**0.2**	(0.1)	(0.02)	(0.01)	(0.05)	(0)	**10.7**	-	3.8	-	6	160	**40**	15	33	**0.5**
	(ねぎ類)																						
06226	**根深ねぎ** 葉 軟白 生	40	**35**	34	89.6	**1.4**	1.0	**0.1**	Tr	0.02	Tr	0.02	2	**8.3**	3.6	2.5	-	Tr	200	**36**	13	27	**0.3**
06350	ゆで	0	**28**	28	91.4	**1.3**	(0.8)	**0.1**	(Tr)	(0.01)	(Tr)	(0.01)	-	**6.8**	(3.0)	2.5	-	0	150	**28**	10	22	**0.3**
06351	油いため	0	**77**	78	83.9	**1.6**	(1.1)	**4.4**	(4.1)	(0.32)	(2.48)	(1.10)	-	**9.5**	(4.1)	2.7	-	0	220	**35**	14	28	**0.3**
緑 06227	**葉ねぎ** 葉 生	7	**29**	30	90.5	**1.9**	1.3	**0.3**	0.1	0.03	0.01	0.07	(0)	**6.5**	0	3.2	-	1	260	**80**	19	40	**1.0**
06352	油いため	0	**77**	81	83.9	**2.1**	(1.5)	**5.2**	(4.9)	(0.38)	(2.95)	(1.37)	(0)	**7.9**	(0)	3.9	-	2	310	**95**	22	49	**1.2**
緑 06228	**こねぎ** 葉 生	10	**26**	27	91.3	**2.0**	(1.4)	**0.3**	(0.1)	(0.04)	(0.01)	(0.08)	(0)	**5.4**	-	2.5	-	1	320	**100**	17	36	**1.0**
緑 06229	**のざわな** 葉 生	3	**14**	16	94.0	**0.9**	(0.8)	**0.1**	(0.1)	(0.01)	(Tr)	(0.04)	(0)	**3.5**	-	2.0	-	24	390	**130**	19	40	**0.6**
06230	漬物 塩漬	5	**17**	18	91.8	**1.2**	(1.0)	**0.1**	(0.1)	(0.01)	(Tr)	(0.04)	(0)	**4.1**	-	2.5	-	610	300	**130**	21	39	**0.4**
06231	調味漬	3	**22**	23	89.5	**1.7**	-	**0**	-	-	-	-	(0)	**5.4**	-	3.1	-	960	360	**94**	21	36	**0.7**
緑 06232	**のびる** りん茎葉 生	20	**63**	65	80.2	**3.2**	-	**0.2**	(0.1)	(0.03)	(0.03)	(0.08)	(0)	**15.5**	-	6.9	-	2	590	**100**	21	96	**2.6**

+PLUS+ 「日本書紀」にも出てくるねぎ●ねぎはユリ科の植物で、原産地はシベリア地方(または中国)といわれている。日本にも古くから伝わり、「日本書紀」に出てくる「秋葱(あきき)」は、ねぎのこと。ねぎのことを単に「き」と呼んでいたらしい。

のざわな　　のざわな　漬物

のびる

のざわな（野沢菜）
Nozawana:Turnip green

アブラナ科。かぶの一種だが、根は大きくならない。葉をいわゆる野沢菜漬にする。長野県野沢地方特産なのでこの名がついた。
旬：12〜2月。
産地：長野、新潟。

のびる（野蒜）
Nobiru:Wild onion

ユリ科。山野に自生する野草でにらに似た香りがある。球形の地下茎と葉を食用にする。
調理法：生食したり、ゆでる、焼く等して和え物、浸し物、漬物等にする。
旬：3〜5月。

漬物ア・ラ・カルト

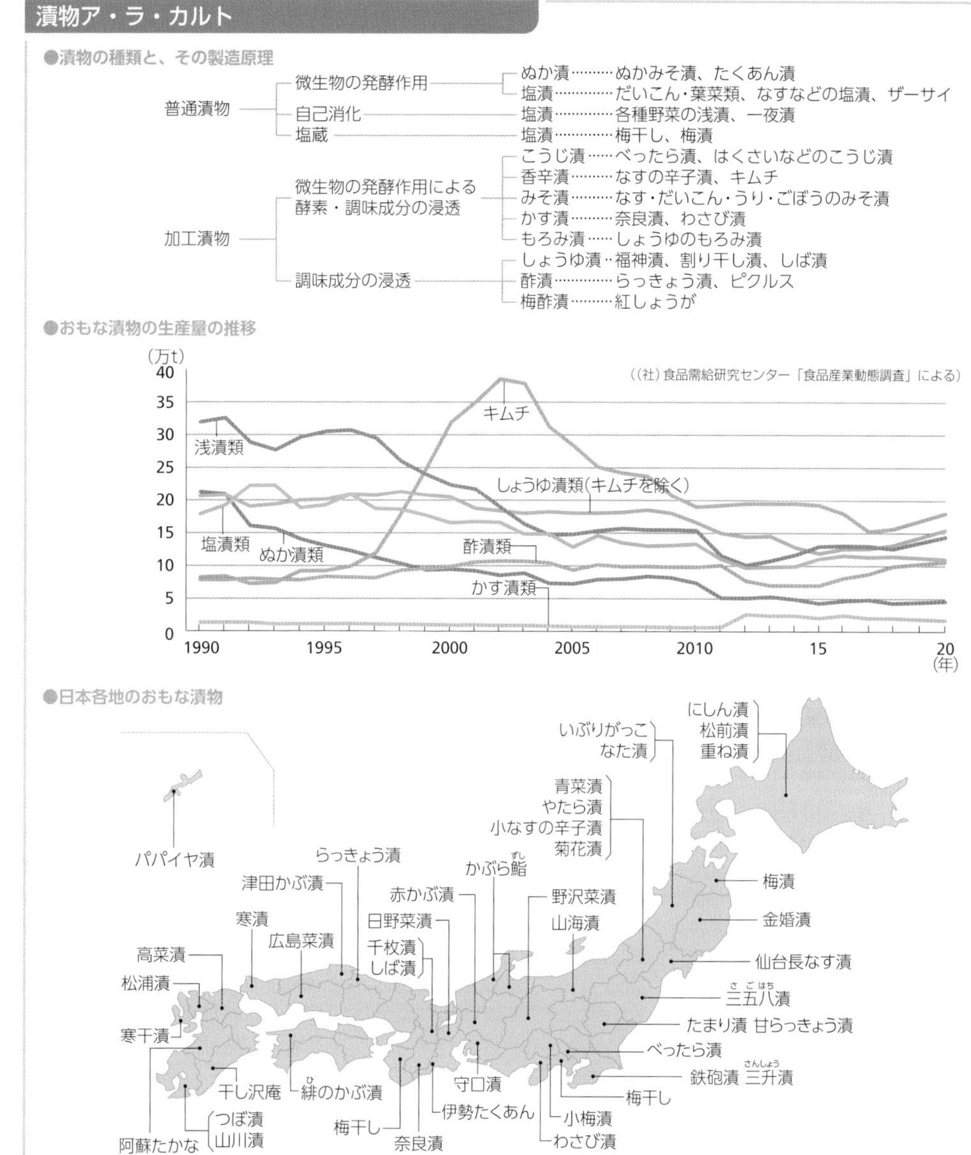

可食部100gあたり　Tr：微量　( )：推定値または推計値　-：未測定

亜鉛	銅	マンガン	ヨウ素	セレン	クロム	モリブデン	A レチノール活性当量	レチノール	β-カロテン当量	D	E αトコフェロール	K	B1	B2	ナイアシン当量	B6	B12	葉酸	パントテン酸	ビオチン	C	食塩相当量	備考
ミネラル（無機質）							ビタミン																①廃棄部位　②硝酸イオン　③試料　④廃棄率　⑤原材料　⑥ビタミンC　⑦重量比
mg	mg	mg	μg	μg	μg	μg	μg	μg	μg	μg	mg	μg	mg	mg	mg	mg	μg	μg	mg	μg	mg	g	
0.8	0.16	0.28	0	1	0	16	**0**	(0)	2	(0)	0.5	0	**0.19**	**0.07**	1.8	1.53	(0)	93	0.55	2.0	**12**	0	①茎、りん皮及び根盤部　②0g
1.0	0.21	0.36	-	-	-	-	**0**	(0)	2	(0)	1.5	3	**0.23**	**0.09**	(2.3)	1.80	(0)	120	0.68	-	**10**	0	茎、りん皮及び根盤部を除いたもの　植物油（なたね油）　②0g
0.3	0.06	0.35	-	-	-	-	**60**	(0)	710	(0)	0.8	54	**0.11**	**0.10**	(0.9)	0.31	(0)	120	0.29	-	**45**	0	②Tr
0.3	0.06	0.32	-	-	-	-	**56**	(0)	680	(0)	0.8	51	**0.10**	**0.07**	(0.8)	0.28	(0)	120	0.31	-	**39**	0	ゆでた後水冷し、水切りしたもの　②Tr
0.3	0.04	0.12	0	Tr	0	2	**7**	(0)	83	(0)	0.2	8	**0.05**	**0.04**	0.6	0.12	(0)	72	0.17	1.0	**14**	0	①株元及び緑葉部　②Tr
0.3	0.05	0.09	-	-	-	-	**6**	(0)	69	(0)	0.1	8	**0.04**	**0.03**	(0.5)	0.09	(0)	53	0.17	-	**10**	0	株元及び緑葉部を除いたもの　②Tr
0.3	0.06	0.11	-	-	-	-	**6**	(0)	73	(0)	0.9	8	**0.06**	**0.05**	(0.7)	0.14	(0)	72	0.17	-	**15**	0	株元及び緑葉部を除いたもの　植物油（なたね油）　②Tr
0.3	0.05	0.18	1	1	2	1	**120**	(0)	1500	(0)	0.9	110	**0.06**	**0.11**	0.9	0.13	(0)	100	0.23	1.7	**32**	0	①株元　②0.1g
0.4	0.06	0.21	-	-	-	-	**150**	(0)	1800	(0)	2.1	150	**0.07**	**0.12**	(1.1)	0.16	(0)	120	0.29	-	**43**	0	株元を除いたもの　植物油（なたね油）　②0.1g
0.3	0.03	0.18	-	-	-	-	**190**	(0)	2200	(0)	1.3	120	**0.08**	**0.14**	(1.1)	0.13	(0)	120	0.20	-	**44**	0	万能ねぎ等を含む　①株元　②0.1g
0.3	0.05	0.23	1	1	2	10	**100**	(0)	1200	(0)	0.5	100	**0.06**	**0.10**	(1.0)	0.11	(0)	110	0.17	1.4	**41**	0.1	①株元　②0.4g
0.3	0.05	0.13	-	-	-	-	**130**	(0)	1600	(0)	0.7	110	**0.05**	**0.11**	(0.9)	0.06	(0)	64	0.13	-	**27**	1.5	①株元　水洗いし、手搾りしたもの　②0.4g
0.3	0.08	0.15	-	-	-	-	**200**	(0)	2400	(0)	1.3	200	**0.03**	**0.11**	0.8	0.08	(0)	35	0.17	-	**26**	2.4	①株元　②0.2g
1.0	0.06	0.41	-	-	-	-	**67**	(0)	810	(0)	1.3	160	**0.08**	**0.22**	1.6	0.16	(0)	110	0.29	-	**60**	0	①根　②Tr

QA　アメリカ国立がん研究所が、がん予防の可能性が高い食品としてトップにあげているものとは？▶にんにく。ただし、食べ過ぎは、胃腸の粘膜を過剰に刺激するおそれがあるので、気をつけよう。

はくさい

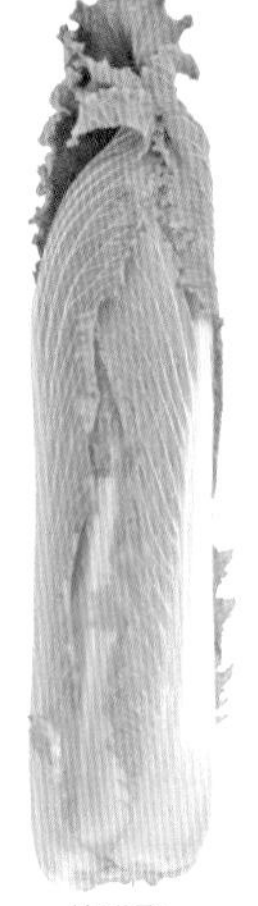

竹の子
はくさい

だいこんキムチ（カクテキ）　きゅうりキムチ（オイキムチ）　はくさいキムチ

はくさい　塩漬

パクチョイ

バジル

パセリ

イタリアンパセリ
独特の香りでやわらかく苦味が少ない。おもにイタリア料理で香味野菜として使われる。

はくさい（白菜）

Chinese cabbage

中1枚=100g　1株=1〜1.5kg

アブラナ科。明治時代中期以降に導入され、大正時代以降各地で栽培されるようになった。結球はくさい、半結球はくさい、不結球はくさいに区別されるが、結球形がいちばん多く出回っている。やわらかくて繊維が少ない。

調理法：塩漬やキムチ等の漬物、鍋物、煮物、炒め物、和え物等。

選び方：外葉の緑色が濃く、胴がよく張り、巻きがしっかりした重いものがよい。

保存法：丸ごとのものは新聞紙で包んで冷暗所で立てて保存する。

旬：11〜1月。

産地：茨城、長野等。

キムチ　1皿=40g

朝鮮料理で、塩で下漬した野菜に、とうがらし、にんにく、しょうが、魚介の干物、塩辛等を混ぜて作った薬味を加え、低温で発酵させた発酵食品。キムチの種類は非常に多く、もっとも基本的なはくさいキムチのほか、だいこんキムチ、きゅうりキムチ、海藻を使ったキムチ等があり、また季節ごとに、たんぽぽの根、からしな、ねぎ等、いろいろな材料を使って漬ける。

調理法：そのまま漬物として食べるほか、鍋物や炒め物にも利用する。

パクチョイ（白菜）

Bai cai

アブラナ科。別名**パイゲンサイ**、小白菜、杓子菜（しゃくしな）、布袋菜（ほていな）、匙菜（さじな）。やわらかくて繊維が少ない中国野菜で煮くずれしにくい。漢字では白菜と書くが、いわゆるはくさいではない。1970年代、日中国交回復後に導入されたもので、青軸のものをチンゲンサイ、白軸をパクチョイと呼ぶ（➡p.125、128）。

調理法：炒め物、煮物、スープ、和え物、浸し物、漬物。

旬：6〜11月。

バジル

Basil

5枚=2g

シソ科。別名**バジリコ**、**スイートバジル**。江戸時代に中国から伝わり、種を水につけてゼリー状になったものを目に入れてごみを取ったことから和名はめぼうき。ハーブとして利用する。

調理法：フレッシュな葉は生のままサラダ、パスタ、ピザ等に利用する。とくにトマトとの相性がよい。バジルの葉とオリーブ油、松の実、パルメザンチーズ、にんにく、塩等をペーストにしたジェノベーゼは、香りがよくこくがある。

パセリ

Parsley

1本=8〜10g

セリ科。別名**オランダぜり**。特有の香りと濃い緑色が特徴の香味野菜。葉に切れ込みが多く縮んでいる品種が一般的だが、イタリアンパセリと呼ばれる葉が平滑な品種もある。

栄養成分：カロテン、ビタミンB_1・B_2・C、カルシウム、カリウム、鉄等が豊富だが、1回の使用量はとても少ない。

（緑）=緑黄色野菜

食品番号	食品名	廃棄率	エネルギー	2015年版の値	水分	たんぱく質	アミノ酸組成によるたんぱく質	脂質	脂肪酸のトリアシルグリセロール当量	脂肪酸 飽和	脂肪酸 一価不飽和	脂肪酸 多価不飽和	コレステロール	炭水化物	利用可能炭水化物（質量計）	食物繊維 食物繊維総量（プロスキー変法）	食物繊維 食物繊維総量（AOAC法）	ミネラル（無機質） ナトリウム	カリウム	カルシウム	マグネシウム	リン	鉄
		%	kcal	kcal	g	g	g	g	g	g	g	g	mg	g	g	g	g	mg	mg	mg	mg	mg	mg
06233	**はくさい** 結球葉 生	6	**13**	14	95.2	**0.8**	0.6	**0.1**	Tr	0.01	Tr	0.03	(0)	**3.2**	2.0	1.3	-	6	220	**43**	10	33	**0.3**
06234	ゆで	10	**13**	13	95.4	**0.9**	(0.7)	**0.1**	(Tr)	(0.01)	(Tr)	(0.03)	(0)	**2.9**	(1.9)	1.4	-	5	160	**43**	9	33	**0.3**
06235	漬物 塩漬	4	**17**	17	92.1	**1.5**	(1.1)	**0.1**	(Tr)	(0.01)	(Tr)	(0.03)	(0)	**3.3**	-	1.8	-	820	240	**39**	12	41	**0.4**
06236	キムチ	0	**27**	32	88.4	**2.3**	-	**0.1**	-	-	-	-	(0)	**5.4**	-	2.2	-	1100	290	**50**	11	48	**0.5**
06237	（緑）**パクチョイ** 葉 生	10	**15**	15	94.0	**1.6**	-	**0.2**	(0.1)	(0.03)	(0.02)	(0.10)	(0)	**2.7**	(2.1)	1.8	-	12	450	**100**	27	39	**0.8**
06238	（緑）**バジル** 葉 生	20	**21**	24	91.5	**2.0**	(1.2)	**0.6**	(0.5)	(0.04)	(0.08)	(0.36)	(0)	**4.0**	(0.3)	4.0	-	1	420	**240**	69	41	**1.5**
06239	（緑）**パセリ** 葉 生	10	**34**	43	84.7	**4.0**	3.2	**0.7**	(0.5)	(0.12)	(0.26)	(0.11)	(0)	**7.8**	0.9	6.8	-	9	1000	**290**	42	61	**7.5**
06240	**はつかだいこん** 根 生	25	**13**	15	95.3	**0.8**	0.7	**0.1**	(0.1)	(0.03)	(0.02)	(0.05)	(0)	**3.1**	(1.9)	1.2	-	8	220	**21**	11	46	**0.3**
06392	（緑）**はなっこりー** 生	0	**34**	33	89.5	**3.6**	-	**0.5**	-	-	-	-	-	**5.4**	-	-	3.1	5	380	**51**	22	79	**0.5**
06241	**はやとうり** 果実 白色種 生	2	**20**	20	94.0	**0.6**	(0.4)	**0.1**	(0.1)	(0.02)	(0.01)	(0.04)	(0)	**4.9**	-	1.2	-	Tr	170	**12**	10	21	**0.3**
06242	塩漬	0	**17**	17	91.0	**0.6**	(0.4)	**Tr**	-	-	-	-	(0)	**4.4**	-	1.6	-	1400	110	**8**	10	14	**0.2**
06353	緑色種 生	2	**21**	20	94.0	**0.6**	-	**0.1**	-	-	-	-	(0)	**4.9**	-	1.2	-	Tr	170	**12**	10	21	**0.3**
06243	**ビーツ** 根 生	10	**38**	41	87.6	**1.6**	(1.0)	**0.1**	(0.1)	(0.02)	(0.02)	(0.04)	(0)	**9.3**	(6.9)	2.7	-	30	460	**12**	18	23	**0.4**
06244	ゆで	3	**42**	44	86.9	**1.5**	(1.0)	**0.1**	(0.1)	(0.02)	(0.02)	(0.04)	(0)	**10.2**	(9.8)	2.9	-	38	420	**15**	22	29	**0.4**

+PLUS+　**復活の白菜**●世田谷の「下山千歳白菜」は、ふつうの白菜の2〜3倍の5kgを越える大玉であったことに加え、病害に強いことが評価されて1953年に農林省の登録を受け、関東一円で広く生産された。核家族化がすすみその大きさゆえ一時栽培が中断していたが、現在復活しつつある。

はつかだいこん
ビーツ
ボルシチ

キムチの秘密!?

キムチという名は、野菜の塩漬を意味する“沈菜（チムチェ）”が変化したものといわれる。

キムチは3000年ほど前から作られてきたらしいが、とうがらしを使用したキムチになったのはあまり古くはない。とうがらしが朝鮮へ伝わったのは16世紀の豊臣秀吉の朝鮮侵攻のときという説があり、本格的にとうがらしをキムチに利用し始めたのは18世紀からだといわれる。また、はくさいが原料となったのは1900年代に入ってからで、それ以前はだいこんが主流だった。現在のようなキムチの形ができあがったのは、20世紀以降である。

日本では、熟成を抑えた非発酵の浅漬キムチが多く出回っているが、これは朝鮮ではキムチとは呼ばずにコッチョリといい、サラダ感覚で食べるものである。熟成型キムチは乳酸菌発酵が進んでうまみが増すが、浅漬型キムチは時間の経過と共に味が落ちていやなにおいが発生する。

はなっこりー

はやとうり

調理法：各種料理のつけあわせ、天ぷら等。スープのだしをとるときのくさみ取りとしても利用。
産地：千葉、長野等。

はつかだいこん（二十日大根）
Radish　1個＝10g

アブラナ科。種をまいてから20～30日で収穫できるためにこの名がついた。別名**ラディッシュ**。根が球形で皮が赤いものが一般的だが、楕円形や、皮が白色や黄色等のものある。かわいらしい形と色を生かした使い方をする。

調理法：料理の飾り、サラダ、酢の物、酢漬等。
旬：3～10月。
産地：福岡、愛知等。

はなっこりー
Hanakkori

アブラナ科。くせがなく甘みがあり、花（花蕾）、葉、茎のすべてを食べられる。山口県でブロッコリーと中国野菜のサイシンから作出された新種の野菜。
調理法：サラダ、和え物、炒め物、天ぷら、鍋物、シチュー等。

はやとうり（隼人瓜）
Chayote

ウリ科。熱帯アメリカ原産のつる性植物で、大正6（1917）年に鹿児島に伝わり、薩摩隼人にちなんでこの名がついた。1株に100個以上実るため、**千成り瓜（せんなりうり）**とも呼ぶ。種は果実の中に1つだけできるが、取り出すとその種が死んでしまうため、果実1個をそのまま植えつける。
白色種：果皮が象牙色で果肉が白く、緑色種よりやや小さく、味にくせがない。
緑色種：皮が淡緑色で収量が多い。白色種よりビタミンAの含有量が多い。
調理法：おもに漬物にするが、幼果はサラダ、酢の物、汁の実等にする。肉厚で表皮が堅いため、薄切りにして歯切れのよさを楽しむ。
旬：秋。
産地：鹿児島、沖縄等。

ビーツ
Table beet　1個＝200g

アカザ科。別名**かえんさい**、**ビート**、**ビートルート**、**レッドビート**、**テーブルビート**。肥大した根を食用にする。根は外側だけでなく中まで赤く、輪切りにすると同心円状の赤い輪がある。甜菜（てんさい：砂糖大根）の仲間で、ゆでると甘味が出る。ロシア料理のボルシチにビーツは欠かせない。江戸時代と明治時代に伝わったが、いずれも一般に普及しなかった。天然系色素としても利用する。
調理法：サラダ、煮物、スープ、漬物等。
旬：6～7月、11～12月。
産地：長野、静岡、愛知等。

可食部100gあたり　Tr：微量　（ ）：推定値または推計値　－：未測定

ミネラル（無機質）							ビタミン															食塩相当量	備考
亜鉛	銅	マンガン	ヨウ素	セレン	クロム	モリブデン	A レチノール活性当量	A レチノール	A β-カロテン当量	D	E αトコフェロール	K	B_1	B_2	ナイアシン当量	B_6	B_{12}	葉酸	パントテン酸	ビオチン	C		①廃棄部位　②硝酸イオン　③試料　④廃棄率　⑤原材料　⑥ビタミンC　⑦重量比
mg	mg	mg	µg	µg	µg	µg	µg	µg	µg	µg	mg	µg	mg	mg	mg	mg	µg	µg	mg	µg	mg	g	
0.2	0.03	0.11	1	Tr	0	6	**8**	(0)	99	(0)	0.2	59	**0.03**	**0.03**	0.7	0.09	(0)	61	0.25	1.4	**19**	0	①株元　②0.1g
0.2	0.03	0.12	-	-	-	-	**11**	(0)	130	(0)	0.1	87	**0.01**	**0.01**	(0.5)	0.04	(0)	42	0.25	-	**10**	0	①株元　ゆでた後水冷し、手搾りしたもの　②0.2g
0.2	0.04	0.06	4	0	Tr	8	**1**	(0)	14	(0)	0.2	61	**0.04**	**0.03**	(0.6)	0.08	Tr	59	0.11	0.5	**29**	2.1	①株元　液汁を除いたもの　②0.1g
0.2	0.04	0.10	14	1	1	6	**15**	(0)	170	(0)	0.5	42	**0.04**	**0.06**	1.0	0.13	Tr	22	0.24	0.8	**15**	2.9	②0.2g
0.3	0.04	0.25	1	1	1	6	**150**	(0)	1800	(0)	0.9	190	**0.07**	**0.12**	1.1	0.11	(0)	140	0.34	2.6	**45**	0	①株元　②0.4g
0.6	0.20	1.91	-	-	-	-	**520**	(0)	6300	(0)	3.5	440	**0.08**	**0.19**	(1.0)	0.11	(0)	69	0.29	-	**16**	0	①茎及び穂　②0.4g
1.0	0.16	1.05	7	3	4	39	**620**	(0)	7400	(0)	3.3	850	**0.12**	**0.24**	2.7	0.27	(0)	220	0.48	4.1	**120**	0	①茎　②0.2g
0.1	0.02	0.05	-	-	-	-	**(0)**	(0)	(0)	(0)	0	1	**0.02**	**0.02**	0.3	0.07	(0)	53	0.18	-	**19**	0	③赤色球形種　①根端、葉及び葉柄基部
0.5	0.06	0.28	Tr	1	0	3	**97**	-	1200	-	1.3	140	**0.09**	**0.15**	1.6	0.23	-	220	0.50	8.5	**90**	0	②Tr
0.1	0.03	0.15	-	-	-	-	**(0)**	(0)	(0)	(0)	0.2	9	**0.02**	**0.03**	(0.4)	0.04	(0)	44	0.46	-	**11**	0	①種子　②Tr
0.1	0.04	0.17	-	-	-	-	**(0)**	(0)	0	(0)	0.1	11	**0.02**	**0.04**	(0.4)	0.04	(0)	25	0.47	-	**9**	3.6	水洗いし、水切りしたもの　②Tr
0.1	0.03	0.15	-	-	-	-	**2**	(0)	27	(0)	0.2	9	**0.02**	**0.03**	0.4	0.04	(0)	44	0.46	-	**11**	0	①種子　②Tr
0.3	0.09	0.15	-	-	-	-	**(0)**	(0)	(0)	(0)	0.1	0	**0.05**	**0.05**	(0.6)	0.07	(0)	110	0.31	-	**5**	0.1	①根端、皮及び葉柄基部　②0.3g
0.3	0.09	0.17	-	-	-	-	**(0)**	(0)	(0)	(0)	0.1	0	**0.04**	**0.04**	(0.5)	0.05	(0)	110	0.31	-	**3**	0.1	根端及び葉柄基部を除いたもの　①皮　②0.3g

Q A 中国パセリって、どんなもの？▶中国では別名香菜（シャンツァイ）、タイではパクチー、ベトナムではザウムイ、欧米ではコリアンダーという。地中海沿岸が原産の香味野菜で、独特の香りには好き嫌いがありそう。日本では使われてこなかったが、アジア料理には欠かせない食材。

野菜類

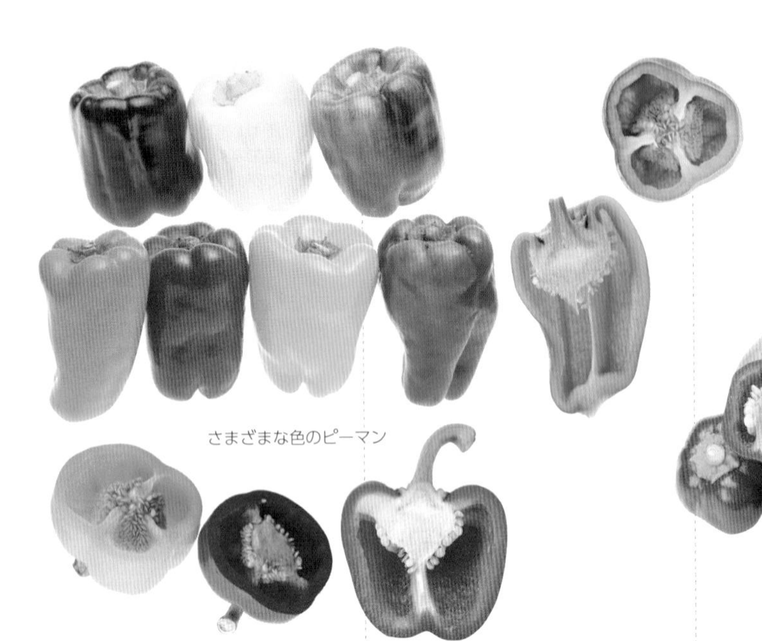

さまざまな色のピーマン

トマピー

ピーマン類

Sweet peppers

ナス科。とうがらしの変種の甘味種で、比較的大型の実をつけるものの総称。辛味成分のカプサイシンをほとんど含まない。名前はフランス語のピメン(piment)、またはスペイン語のピミエント(pimiento)がなまったものといわれる。
日本には明治時代初期に伝わったが、一般に普及したのは1950年代以降で、その頃のピーマンは大型で肉厚の品種で独特の香りが強かった。その後品種の開発がすすめられ、くせが少なく肉の薄い、現在の中型の中果種が誕生した。また、香りや苦味を嫌う子どものために、まったく辛くないハラペーニョをもとにして苦味が少なくて甘味が多い"こどもピーマン"が開発されている。
カラフルで大きなピーマンは大果種で、肉厚なのが特徴。オランダパプリカ、ジャンボピーマンとも呼ばれる。赤や黄のほか、オレンジや白、紫や黒等がある。
栄養成分:カロテン、ビタミンC等が豊富。
調理法:炒め物、詰め物、揚げ物、和え物、サラダ等。
旬:6~8月。
産地:宮崎、鹿児島、高知、茨城等。

青ピーマン 1個=30~40g
一般的にピーマンと呼ばれている中果種。熟すと赤くなって甘味が増す。赤くなったものは中国料理でよく使う。

赤ピーマン 1個=100g
別名**パプリカ**。完熟して赤くなるピーマンで、サラダ等の生食や、肉詰めや煮込み料理にも向く。加熱しても鮮やかな色が残る。
産地:オランダ。高知。

オレンジピーマン 1個=100g
別名**パプリカ**。完熟してオレンジ色になるピーマンで、赤色と黄色の色素を含む。生食や、肉詰めや煮込み料理にも向く。加熱しても鮮やかな色が残る。
産地:韓国。宮城、茨城等。

黄ピーマン 1個=100g
別名**パプリカ**、**キングベル**。完熟して黄色くなるピーマンで、サラダ等の生食や、肉詰めや煮込み料理にも向く。加熱しても鮮やかな色が残る。
産地:オランダ。高知。

トマピー
ナス科。1990年代に日本に導入された、ハンガリアパプリカといわれるやや扁平型のピーマン。別名**ミニパプリカ**。ピーマンとトマトの交雑種ではない。糖度が高く果肉もやわらかで、ピーマンくささがないため、フルーツ感覚で利用される。
栄養成分:ビタミンA・B_2・Cが豊富。
調理法:サラダ、炒め物、天ぷら、シチュー、漬物、ジャム等にする。
旬:8~9月
産地:熊本等。

(緑)=緑黄色野菜

食品番号	食品名	廃棄率	エネルギー	2015年版の値	水分	たんぱく質	アミノ酸組成によるたんぱく質	脂質	脂肪酸のトリアシルグリセロール当量	脂肪酸 飽和	脂肪酸 一価不飽和	脂肪酸 多価不飽和	コレステロール	炭水化物	利用可能炭水化物(質量計)	食物繊維 食物繊維総量(プロスキー変法)	食物繊維 食物繊維総量(AOAC法)	ミネラル(無機質) ナトリウム	カリウム	カルシウム	マグネシウム	リン	鉄
		%	kcal	kcal	g	g	g	g	g	g	g	g	mg	g	g	g	g	mg	mg	mg	mg	mg	mg
	(ピーマン類)																						
(緑) 06245	**青ピーマン** 果実 生	15	**20**	22	93.4	**0.9**	0.7	**0.2**	0.1	0.02	Tr	0.05	0	**5.1**	2.3	2.3	-	1	190	**11**	11	22	**0.4**
06246	油いため	0	**54**	61	89.0	**0.9**	(0.7)	**4.3**	(4.1)	(0.31)	(2.47)	(1.12)	0	**5.4**	(2.4)	2.4	-	1	200	**11**	11	24	**0.7**
(緑) 06247	**赤ピーマン** 果実 生	10	**28**	30	91.1	**1.0**	(0.8)	**0.2**	(0.2)	(0.04)	(Tr)	(0.10)	(0)	**7.2**	(5.3)	1.6	-	Tr	210	**7**	10	22	**0.4**
06248	油いため	0	**69**	69	86.6	**1.0**	(0.8)	**4.3**	(4.1)	(0.31)	(2.47)	(1.12)	(0)	**7.6**	(4.5)	1.6	-	Tr	220	**7**	10	24	**0.7**
(緑) 06393	**オレンジピーマン** 果実 生	9	**19**	20	94.2	**0.9**	0.7	**0.3**	0.1	0.04	0.01	0.08	-	**4.2**	3.1	-	1.8	0	230	**5**	10	26	**0.3**
06394	油いため	0	**81**	81	85.8	**1.1**	(0.8)	**5.1**	-	-	-	-	-	**7.6**	3.8	-	-	Tr	270	**5**	11	30	**0.4**
06249	**黄ピーマン** 果実 生	10	**28**	27	92.0	**0.8**	(0.6)	**0.2**	(0.1)	(0.02)	(Tr)	(0.05)	(0)	**6.6**	(4.9)	1.3	-	Tr	200	**8**	10	21	**0.3**
06250	油いため	0	**61**	66	87.6	**0.8**	(0.6)	**4.3**	(4.1)	(0.31)	(2.47)	(1.12)	(0)	**6.9**	(5.1)	1.3	-	Tr	210	**8**	10	23	**0.5**
(緑) 06251	**トマピー** 果実 生	15	**33**	31	90.9	**1.0**	(0.8)	**0.2**	-	-	-	-	(0)	**7.5**	-	1.6	-	Tr	210	**8**	8	29	**0.4**
(緑) 06252	**ひのな** 根・茎葉 生	4	**17**	19	92.5	**1.0**	(0.8)	**Tr**	-	-	-	-	(0)	**4.7**	-	3.0	-	10	480	**130**	21	51	**0.8**
06253	甘酢漬	0	**70**	69	76.4	**1.4**	(1.1)	**0.5**	-	-	-	-	(0)	**17.3**	-	4.7	-	1100	550	**130**	22	40	**0.9**
(緑) 06254	**ひろしまな** 葉 生	4	**19**	20	92.7	**1.5**	(1.1)	**0.2**	(0.1)	(0.02)	(0.01)	(0.05)	(0)	**4.2**	-	2.4	-	28	550	**200**	32	55	**0.8**
06255	塩漬	5	**15**	16	92.7	**1.2**	(0.9)	**0.2**	(0.2)	(0.02)	(0.08)	(0.08)	(0)	**3.3**	-	2.4	-	840	120	**74**	13	17	**0.8**
	(ふき類)																						
06256	**ふき** 葉柄 生	40	**11**	11	95.8	**0.3**	-	**0**	-	-	-	-	(0)	**3.0**	-	1.3	-	35	330	**40**	6	18	**0.1**
06257	ゆで	10	**7**	8	97.4	**0.3**	-	**0**	-	-	-	-	(0)	**1.9**	-	1.1	-	22	230	**34**	5	15	**0.1**
06258	**ふきのとう** 花序 生	2	**38**	43	85.5	**2.5**	-	**0.1**	-	-	-	-	(0)	**10.0**	-	6.4	-	4	740	**61**	49	89	**1.3**
06259	ゆで	0	**31**	32	89.2	**2.5**	-	**0.1**	-	-	-	-	(0)	**7.0**	-	4.2	-	3	440	**46**	33	54	**0.7**

+PLUS+ **ピーマンのビタミンCは強い!**●ビタミンCを豊富に含むピーマンは、抗酸化物質のビタミンP(フラボノイド)も含んでいるため、加熱してもビタミンCがほとんど破壊されない。

ひのな
ひのな　甘酢漬
ふきのとう
ふき
ひろしまな
ひろしまな　塩漬

ピーマンとパプリカは同じ？

ピーマンもパプリカもナス目ナス科トウガラシ属トウガラシ種で、植物学ではそれよりも細かい分類・定義がされていない。生物学上では、ピーマンは1年草で、パプリカは多年草だ。

一般に果皮の色が緑色のものをピーマンと呼ぶが、それは未成熟なうちに収穫されるためで、熟すと赤や黄色のカラーピーマンになる。また、緑色のパプリカもあるので、色で区別することはむずかしい。

ピーマンは青臭くて苦味があり、パプリカは甘味があるが、ピーマンも熟すと甘くなる。

一番違うのは、果肉の厚さと形。ピーマンは果肉が薄くて細長く、パプリカは果肉が厚くて大きい。しかしこれも、小さいパプリカや大きいピーマンがある。

このふたつの違いはかなりあいまいなのだ。

ひのな（日野菜）
Hinona

アブラナ科。別名**えびな**。かぶの一種だが、根がだいこんのような形をしており、根の上部三分の一ほどが紫赤色で下が白のきれいなツートンカラーになっている。根の直径が2～3cmほどになったら収穫する。収穫は春・夏・秋の年3回。

調理法：葉をつけたまま漬物に。

旬：10～11月。

ひろしまな（広島菜）
Hiroshimana

アブラナ科。別名**ひらぐきな、ひらぐき**、あきな（安芸菜）。はくさいの一種で、結球しない。繊維が少なくやわらかで、ぴりっとした風味がある。

調理法：漬物、煮物、炒め物等。

旬：11～1月。

産地：広島特産。

ふき類（蕗類）
Japanese butterburs

キク科。日本原産の耐寒性に優れた植物で、雌雄異株。地下茎で繁殖し、各地の山野に自生する。

種類：本州の岩手県以南から九州、沖縄まで分布するふきと、北海道から東北北部に多く分布する秋田ふきがある。秋田ふきは大型で有名。

ふき（蕗）　1本=60g　1わ=600g

春に伸びる若い柄や葉を食用にする。8世紀頃にはすでに栽培されていた。軟化栽培もされる。

調理法：苦味があるため、茎は板ずりして沸騰した湯に入れてゆで、冷水にとって筋を取り除いてから、含め煮や炊き込みご飯等にする。葉は佃煮にしたり、ゆでて水にさらしてから煮物にする。

加工品：きゃらぶき、煮物、きんぴら、酒粕漬、みそ漬、砂糖漬。

旬：4～6月。

産地：愛知、群馬、大阪等。

ふきのとう（蕗の薹）　1個=10g

ふきは早春に土の中から葉より先に花茎を出して、その茎の先端につぼみをつける。ふきのとうはそのつぼみのことで、なるべく開かないうちに賞味する。雌の花は白色、雄の花は淡黄色だが、両方とも食用にする。独特の苦味と芳香がある。

調理法：ふきのとうみそ、みそ汁の実、天ぷら、酢の物、つくだ煮等。

旬：3～5月。

可食部100gあたり　Tr：微量　（ ）：推定値または推計値　-：未測定

ミネラル（無機質）							ビタミン															食塩相当量	備考
亜鉛	銅	マンガン	ヨウ素	セレン	クロム	モリブデン	A 活性当量 レチノール	A レチノール	A β-カロテン当量	D	E αトコフェロール	K	B1	B2	ナイアシン当量	B6	B12	葉酸	パントテン酸	ビオチン	C		①廃棄部位　②硝酸イオン　③試料　④廃棄率　⑤原材料　⑥ビタミンC　⑦重量比
mg	mg	mg	µg	µg	µg	µg	µg	µg	µg	µg	mg	µg	mg	mg	mg	mg	µg	µg	mg	µg	mg	g	
0.2	0.06	0.10	Tr	0	1	3	**33**	(0)	400	(0)	0.8	20	**0.03**	**0.03**	0.8	0.19	(0)	26	0.30	1.6	**76**	0	①へた、しん及び種子　② Tr
0.2	0.06	0.10	Tr	0	0	4	**35**	(0)	420	(0)	0.9	21	**0.03**	**0.03**	(0.8)	0.20	(0)	27	0.31	1.9	**79**	0	へた、しん及び種子を除いたもの　植物油（調合油）② (Tr)
0.2	0.03	0.13	-	-	-	-	**88**	(0)	1100	(0)	4.3	7	**0.06**	**0.14**	(1.4)	0.37	(0)	68	0.28	-	**170**	0	①へた、しん及び種子　② 0g
0.2	0.03	0.14	-	-	-	-	**92**	(0)	1100	(0)	4.4	7	**0.06**	**0.16**	(1.4)	0.39	(0)	71	0.29	-	**180**	0	へた、しん及び種子を除いたもの　植物油（調合油）② (0)g
0.2	0.04	0.10	Tr	0	0	6	**53**	-	630	-	3.1	4	**0.04**	**0.03**	1.4	0.32	-	53	0.21	2.3	**150**	0	①へた、しん及び種子　② 0 g
0.2	0.05	0.11	0	0	0	7	**60**	-	720	-	5.2	11	**0.05**	**0.04**	(1.6)	0.34	-	57	0.26	2.6	**170**	0	へた、しん及び種子を除いたもの　植物油（なたね油）② 0 g
0.2	0.04	0.15	-	-	-	-	**17**	(0)	200	(0)	2.4	3	**0.04**	**0.03**	(1.2)	0.26	(0)	54	0.25	-	**150**	0	①へた、しん及び種子　② 0g
0.2	0.04	0.16	-	-	-	-	**18**	(0)	210	(0)	2.5	3	**0.04**	**0.03**	(1.2)	0.27	(0)	56	0.26	-	**160**	0	へた、しん及び種子を除いたもの　植物油（調合油）：4.1g　② (0)g
0.3	0.07	0.12	-	-	-	-	**160**	(0)	1900	(0)	4.3	4	**0.05**	**0.09**	(1.4)	0.56	(0)	45	0.33	-	**200**	0	①へた、しん及び種子　② 0g
0.2	0.04	0.17	-	-	-	-	**98**	(0)	1200	(0)	0.7	93	**0.05**	**0.13**	(0.9)	0.14	(0)	92	0.18	-	**52**	0	①根端　② 0.5g
0.3	0.08	0.12	-	-	-	-	**170**	(0)	2000	(0)	1.4	120	**0.04**	**0.08**	(1.0)	0.12	(0)	69	0.20	-	**39**	2.8	② 0.5g
0.3	0.04	0.54	1	1	3	15	**160**	(0)	1900	(0)	1.3	160	**0.06**	**0.15**	(1.0)	0.10	(0)	120	0.47	2.2	**49**	0.1	①株元　② 0.3g
0.3	0.06	0.12	-	-	-	-	**170**	(0)	2100	(0)	0.6	210	**0.02**	**0.07**	(0.4)	0.04	(0)	15	0.07	-	**15**	2.1	①株元　市販品の液汁を除いたもの　⑤酸化防止用として添加品あり　② 0.1g
0.2	0.05	0.36	Tr	0	0	2	**4**	0	49	(0)	0.2	6	**Tr**	**0.02**	0.2	0.01	(0)	12	0.07	0.2	**2**	0.1	①葉、表皮及び葉柄基部　② 0.2g
0.2	0.05	0.37	-	-	-	-	**5**	(0)	60	(0)	0.2	5	**Tr**	**0.01**	0.2	0.08	(0)	9	0	-	**0**	0.1	葉及び葉柄基部を除いたもの　ゆでた後水冷し、水切りしたもの　①表皮　② Tr
0.8	0.36	0.23	-	-	-	-	**33**	(0)	390	(0)	3.2	92	**0.10**	**0.17**	1.3	0.18	(0)	160	0.45	-	**14**	0	①花茎　② 0g
0.5	0.20	0.17	-	-	-	-	**22**	(0)	260	(0)	2.4	69	**0.06**	**0.08**	0.9	0.07	(0)	83	0.24	-	**3**	0	花茎を除いたもの　② 0g

Q A 北国のふきは巨大って、どのくらいになるの？［葉の直径が 50cm　100cm］▶もともと大型のふきが自生していた北海道や東北。品種改良した秋田ふきは、葉の直径が 1m、高さも 2m にもなる。アイヌ民族の伝承で、コロボックルはふきの葉の下に住んでいた、というのもうなずけるサイズだ。

ふだんそう

ふじまめ

茎ブロッコリー
別名スティックブロッコリー。長く伸びるわき芽を利用。茎がやわらかく、甘味がある。

ブロッコリー（芽ばえ）

ブロッコリー

ふじまめ（藤豆）
Hyacinth beans

マメ科。花が藤花を逆さにしたような形であることからこの名がついたといわれる。インドでは3000年前から栽培しており、中国ではさやの形が蚕の蛾の触角に似ているところから蛾眉豆（がびまめ）と呼ぶ。僧の隠元によって中国から伝えられたといわれ、関西では**いんげんまめ**とも呼ぶ。別名**せんごくまめ**、**あじまめ**等、地方名が多い。若さやを食用にする。

調理法：和え物、浸し物、煮物、炒め物等。

旬：7〜10月。

産地：西日本、北陸地方。

ふだんそう（不断草）
Swiss chard

アカザ科。別名**唐ぢしゃ**、つね菜。耐暑性と耐寒性があり、一年中利用できることからこの名がついた。甜菜（てんさい：砂糖大根）と同じ種で、葉や葉柄の色が赤や白、緑などたいへんに多様で観賞用としても利用する。

栄養成分：カルシウム、鉄、カロテン等が豊富。

調理法：浸し物、和え物、炒め物、汁の実等。あくが強いので、ゆでてからよく水にさらす。

ブロッコリー
Broccoli

1株＝200g

アブラナ科。別名めはなやさい、みどりはなやさい。原産地は地中海沿岸で、日本には明治初期に渡来し、1980年代に急速に普及した。キャベツの変種。

花序：つぼみと茎の部分を食べる。茎の頂部に花蕾（からい）を1つだけつける頂花蕾型が主流だが、茎が細長くて各頂部に小さな花蕾球をつけるわき芽型も出回っている。つぼみが紫色のものも、ゆでれば緑色になり、味は変わらない。

芽ばえ：ブロッコリーの種子を発芽させてもやし状にし、光をあてて緑化したもの。**ブロッコリースプラウト**とも呼ばれる。がん予防効果が高いスルフォラファンが花序の約10倍含まれていることが注目されている。

栄養成分：ビタミンB_2・C、鉄、食物繊維等が豊富。

調理法：サラダ、和え物、炒め物、煮物、天ぷら、グラタン、シチュー等。ゆでるときは小房に分け、ゆですぎないように注意し、水にさらさずにざるにとって湯を切る。

選び方：つぼみが密集し、こんもりとして重量感があるものがよい。

旬：11〜2月。

産地：北海道、愛知、埼玉等。

（緑）＝緑黄色野菜

食品番号	食品名	廃棄率	エネルギー	2015年版の値	水分	たんぱく質	アミノ酸組成によるたんぱく質	脂質	脂肪酸のトリアシルグリセロール当量	脂肪酸 飽和	脂肪酸 一価不飽和	脂肪酸 多価不飽和	コレステロール	炭水化物	利用可能炭水化物（質量計）	食物繊維 食物繊維総量（プロスキー変法）	食物繊維 食物繊維総量（AOAC法）	ミネラル（無機質） ナトリウム	カリウム	カルシウム	マグネシウム	リン	鉄
		%	kcal	kcal	g	g	g	g	g	g	g	g	mg	g	g	g	g	mg	mg	mg	mg	mg	mg
06260	**ふじまめ** 若ざや 生	6	**32**	33	89.2	**2.5**	-	**0.1**	(0.1)	(0.04)	(0.05)	(Tr)	(0)	**7.4**	-	4.4	-	Tr	300	**43**	33	63	**0.8**
（緑）06261	**ふだんそう** 葉 生	0	**17**	19	92.2	**2.0**	-	**0.1**	(0.1)	(0.02)	(0.02)	(0.04)	(0)	**3.7**	-	3.3	-	71	1200	**75**	74	33	**3.6**
06262	ゆで	0	**26**	27	90.4	**2.8**	-	**0.1**	(0.1)	(0.02)	(0.02)	(0.04)	(0)	**5.4**	-	3.8	-	61	760	**130**	79	34	**2.1**
（緑）06263	**ブロッコリー** 花序 生	35	**37**	41	86.2	**5.4**	3.8	**0.6**	0.3	0.07	0.06	0.11	0	**6.6**	2.3	5.1	-	7	460	**50**	29	110	**1.3**
06264	ゆで	0	**30**	32	89.9	**3.9**	(2.6)	**0.4**	(0.2)	(0.05)	(0.05)	(0.08)	0	**5.2**	1.3	4.3	-	5	210	**41**	17	74	**0.9**
06395	電子レンジ調理	0	**56**	45	85.3	**5.7**	(4.0)	**0.7**	-	-	-	-	-	**7.0**	2.4	-	-	8	500	**54**	32	120	**1.4**
06396	焼き	0	**83**	64	78.5	**9.9**	(6.9)	**1.2**	-	-	-	-	-	**8.4**	4.3	-	-	13	820	**90**	53	200	**2.3**
06397	油いため	0	**109**	109	79.2	**6.9**	(4.8)	**6.3**	-	-	-	-	-	**6.1**	3.2	-	-	9	590	**64**	37	140	**1.7**
（緑）06354	芽ばえ 生	0	**18**	19	94.3	**1.9**	(1.3)	**0.6**	(0.3)	(0.08)	(0.07)	(0.12)	(0)	**2.6**	(1.0)	1.8	-	4	100	**57**	32	60	**0.7**
06265	**へちま** 果実 生	20	**17**	16	94.9	**0.8**	(0.5)	**0.1**	(0.1)	(0.01)	(0.02)	(0.04)	(0)	**3.8**	-	1.0	-	1	150	**12**	12	25	**0.3**
06266	ゆで	0	**19**	18	94.2	**1.6**	(1.1)	**0.1**	(0.1)	(0.01)	(0.02)	(0.04)	(0)	**3.7**	-	1.5	-	1	140	**24**	13	34	**0.7**
（緑）06267	**ほうれんそう** 葉 通年平均 生	10	**18**	20	92.4	**2.2**	1.7	**0.4**	0.2	0.04	0.02	0.17	0	**3.1**	0.3	2.8	-	16	690	**49**	69	47	**2.0**
06268	ゆで	5	**23**	25	91.5	**2.6**	2.1	**0.5**	(0.3)	(0.05)	(0.02)	(0.21)	0	**4.0**	0.4	3.6	-	10	490	**69**	40	43	**0.9**
06359	油いため	0	**91**	99	82.0	**3.8**	(3.0)	**8.1**	(7.6)	(0.58)	(4.46)	(2.21)	(Tr)	**4.4**	(0.4)	4.6	-	13	530	**88**	52	54	**1.2**
06355	夏採り 生	10	**18**	20	92.4	**2.2**	(1.7)	**0.4**	0.2	-	-	-	0	**3.1**	(0.3)	2.8	-	16	690	**49**	69	47	**2.0**
06357	ゆで	5	**23**	25	91.5	**2.6**	(2.1)	**0.5**	0.3	-	-	-	0	**4.0**	(0.4)	3.6	-	10	490	**69**	40	43	**0.9**
06356	冬採り 生	10	**18**	20	92.4	**2.2**	(1.7)	**0.4**	0.2	-	-	-	0	**3.1**	(0.3)	2.8	-	16	690	**49**	69	47	**2.0**
06358	ゆで	5	**23**	25	91.5	**2.6**	(2.1)	**0.5**	0.3	-	-	-	0	**4.0**	(0.4)	3.6	-	10	490	**69**	40	43	**0.9**
06269	冷凍	0	**22**	22	92.2	**2.9**	2.4	**0.3**	0.2	0.03	0.01	0.12	0	**3.4**	0.6	3.3	-	120	210	**100**	51	46	**1.2**
06372	ゆで	0	**26**	27	90.6	**3.7**	2.8	**0.5**	0.4	0.06	0.02	0.25	0	**3.8**	0.2	4.8	-	47	90	**170**	55	42	**1.3**
06373	油いため	0	**67**	79	84.6	**4.0**	3.0	**4.5**	4.1	0.31	2.35	1.23	0	**5.4**	0.7	4.1	-	160	240	**130**	61	57	**1.5**
06270	**ホースラディシュ** 根茎 生	25	**69**	79	77.3	**3.1**	(2.5)	**0.3**	(0.3)	(0.04)	(0.06)	(0.15)	(0)	**17.7**	-	8.2	-	1	510	**110**	65	58	**1.0**
06271	**まこも** 茎 生	15	**19**	21	93.5	**1.3**	(0.9)	**0.2**	0.1	0.05	0.01	0.04	(0)	**4.4**	-	2.3	-	3	240	**2**	8	42	**0.2**

+PLUS+ **二日酔いにはへちまをどうぞ**●へちまには体内のアルコール分解を早める酵素がある。これがアルコールや悪酔いのもととなるアセトアルデヒドを胃や腸で分解するため、肝臓に負担をかけずにアルコール代謝が行われて二日酔いを防ぐ。

へちま (糸瓜)

Sponge gourd

ウリ科。別名**いとうり**、**ナーベーラー**、**ナビャーラ**、**ナベーラ**、**ナーベナ**。緑色の未熟果を食用にする。加熱すると甘味のある液が出る。また、たわしは果実を腐らせてから乾燥させ、繊維を取り出したもの。茎からは化粧水や薬用になるへちま水が取れる。

調理法：煮物、汁物、和え物、炒め物等。

旬：6～8月。

ほうれんそう (菠薐草)

Spinach　1わ=200g

アカザ科。冬においしくなる代表的な緑黄色野菜。原産地は西アジアのコーカサスからイランにかけて。あくはシュウ酸（結石の原因。通常の食用では問題ない）によるもの。シュウ酸はゆでて水にさらすと溶け出す。シュウ酸が少なく生食に向くサラダほうれんそうもある。

種類：葉に切れ込みがあり、葉肉が薄く根が紅色の和種（東洋種）と、葉が丸く、葉肉が厚い洋種（西洋種）がある。現在は、西洋種と東洋種を交配した一代雑種が主流。

栄養成分：鉄、カリウム、カロテン、ビタミンC、葉酸等が豊富。ビタミンCについては季節による変動が大きく、旬にあたる冬採りは夏採りの3倍になる。「冷凍」のナトリウムの成分値が高いのは、食塩水で加熱処理するため。

調理法：浸し物、和え物、炒め物、ポタージュ等。

旬：12～2月。

産地：埼玉、千葉、群馬等。

ホースラディシュ

Horseradish　中1本=250g

アブラナ科。別名**わさびだいこん**、**西洋わさび**。東ヨーロッパ原産。根はごぼうのように太く長く伸びる。根には強い辛味がある。辛味成分は、わさびと同じアリルイソチオシアネート。

調理法：すりおろして薬味にする、ソースに加える等。欧米では、ローストビーフ、ビーフステーキ、ボイルドビーフ、魚料理、かき料理などによく使う。粉わさび、練りわさびの原料にもする。

旬：冬。越冬中に辛味成分がもっとも多くなる。

産地：北海道。

まこも (真菰)

Manchurian wild rice　1本=200g

イネ科。別名**まこもたけ**。中国の水生野菜で、新芽に黒穂菌が寄生することによって肥大した若い茎を食用にする。やわらかくて淡白で、竹の子のような食感。

調理法：サラダ、炒め物、煮物、スープ、グラタン等。

旬：9～11月。

産地：台湾、三重、沖縄等。

可食部100gあたり　Tr：微量　( )：推定値または推計値　-：未測定

ミネラル（無機質）							ビタミン																食塩相当量	備考
亜鉛	銅	マンガン	ヨウ素	セレン	クロム	モリブデン	A レチノール活性当量	レチノール	β-カロテン当量	D	E αトコフェロール	K	B_1	B_2	ナイアシン当量	B_6	B_{12}	葉酸	パントテン酸	ビオチン	C		①廃棄部位 ②硝酸イオン ③試料 ④廃棄率 ⑤原材料 ⑥ビタミンC ⑦重量比
mg	mg	mg	μg	μg	μg	μg	μg	μg	μg	μg	mg	μg	mg	mg	mg	mg	μg	μg	mg	μg	mg	g	
0.4	0.07	0.33	-	-	-	-	20	(0)	240	(0)	0.1	29	0.08	0.10	1.3	0.08	(0)	120	0.35	-	13	0	①すじ及び両端 ② Tr
0.3	0.06	3.60	-	-	-	-	310	(0)	3700	(0)	1.7	180	0.07	0.23	0.7	0.25	(0)	120	0.53	-	19	0.2	② 0.1g
0.4	0.06	4.85	-	-	-	-	320	(0)	3800	(0)	1.7	220	0.03	0.11	0.6	0.14	(0)	92	0.44	-	7	0.2	ゆでた後水冷し、手搾りしたもの ② 0.1g
0.8	0.10	0.28	0	2	0	11	75	0	900	0	3.0	210	0.17	0.23	2.0	0.30	0	220	1.42	13.0	140	0	①茎葉 ② Tr
0.4	0.06	0.20	-	1	0	4	69	0	830	0	2.7	190	0.06	0.09	(1.1)	0.14	0	120	0.74	7.1	55	0	茎葉を除いたもの ② Tr
0.9	0.11	0.30	-	2	Tr	13	83	-	1000	-	3.4	220	0.18	0.25	(2.2)	0.41	-	160	1.31	14.0	140	0	茎葉を除いたもの ② Tr
1.5	0.17	0.50	-	4	Tr	21	140	-	1700	-	6.0	380	0.27	0.40	(3.5)	0.67	-	450	1.99	23.0	150	0	茎葉を除いたもの ② Tr
1.1	0.11	0.35	0	3	Tr	15	97	-	1200	-	5.8	270	0.20	0.28	(2.5)	0.52	-	340	1.47	17.0	130	0	茎葉を除いたもの 植物油（なたね油）② Tr
0.4	0.03	0.37	-	-	-	-	120	(0)	1400	(0)	1.9	150	0.08	0.11	(1.6)	0.20	(0)	74	0.52	-	64	0	② 0.1g
0.2	0.06	0.07	-	-	-	-	4	(0)	44	(0)	0.3	12	0.03	0.04	(0.3)	0.07	(0)	92	0.30	-	5	0	①両端及び皮 ② Tr
0.2	0.07	0.09	-	-	-	-	3	(0)	35	(0)	0.4	11	0.03	0.06	(0.3)	0.05	(0)	91	0.39	-	3	0	両端及び皮を除いたもの ② 0g
0.7	0.11	0.32	3	3	2	5	350	(0)	4200	(0)	2.1	270	0.11	0.20	1.3	0.14	(0)	210	0.20	2.9	35	0	①株元 ② 0.2g
0.7	0.11	0.33	1	3	1	4	450	(0)	5400	(0)	2.6	320	0.05	0.11	1.2	0.08	(0)	110	0.13	3.2	19	0	①株元 ゆでた後水冷し、手搾りしたもの ② 0.2g
0.8	0.15	0.20	-	-	-	-	630	(0)	7600	(0)	4.8	510	0.08	0.16	(1.7)	0.09	(0)	140	0.20	-	21	0	株元を除いたもの 植物油（なたね油） ② 0.2g
0.7	0.11	0.32	3	3	2	5	350	(0)	4200	(0)	2.1	270	0.11	0.20	(1.3)	0.14	(0)	210	0.20	2.9	20	0	①株元 ② 0.2g
0.7	0.11	0.33	1	3	1	4	450	(0)	5400	(0)	2.6	320	0.05	0.11	(1.2)	0.08	(0)	110	0.13	3.2	10	0	①株元 ゆでた後水冷し、手搾りしたもの ② 0.2g
0.7	0.11	0.32	3	3	2	5	350	(0)	4200	(0)	2.1	270	0.11	0.20	(1.3)	0.14	(0)	210	0.20	2.9	60	0	①株元 ② 0.2g
0.7	0.11	0.33	1	3	1	4	450	(0)	5400	(0)	2.6	320	0.05	0.11	(1.2)	0.08	(0)	110	0.13	3.2	30	0	①株元 ゆでた後水冷し、手搾りしたもの ② 0.2g
0.5	0.10	0.80	1	Tr	7	15	440	(0)	5300	(0)	2.7	300	0.06	0.13	1.4	0.10	0	120	0.15	2.7	19	0.3	② 0.1g
0.5	0.14	0.95	1	0	6	4	720	(0)	8600	(0)	4.4	480	-	0.06	1.4	0.05	0	57	0.03	3.2	5	0.1	ゆでた後水冷し、手搾りしたもの ② Tr
0.6	0.12	0.90	2	1	7	13	600	(0)	7200	(0)	4.6	370	-	0.18	1.8	0.12	0	150	0.19	3.4	16	0.4	植物油（なたね油） ② 0.2 g
2.3	0.19	0.40	0	0	Tr	1	1	(0)	7	(0)	0	0	0.10	0.10	(1.0)	0.23	(0)	99	0.32	5.5	73	0	①皮 ② Tr
0.2	0.02	0.25	-	-	-	-	1	(0)	15	(0)	Tr	2	0.04	0.03	(0.7)	0.08	(0)	43	0.25	-	6	0	①葉鞘及び基部 ② Tr

Q A 漫画のポパイは、ほうれんそうを食べてパワー炸裂という場面があるけど、本当はどうなの？▶成分表の通り、ほうれんそうのカロリーはあまり高くない。例えば一回の食事に相当する800kcal得るには、生で4kg食べなくてはいけない。うーむ、とても無理だ。ポパイのこの場面は、野菜嫌いの子どもへの「教育的配慮」ということだろう。

みずかけな

根みつば

みぶな

みずかけな（水掛菜）
Mizukakena　1わ=200g

アブラナ科。水田で、水を常にかけながら育てるためにこの名がついた。とうをつけ根から摘んだものを**薹菜（とうな）**、地面の生えぎわから刈り取った青菜を刈り菜という。
調理法：漬物、浸し物、炒め物等。
旬：冬。
産地：静岡、栃木、山梨等。

みずな（水菜）
Mizuna　1束=200〜300g

アブラナ科。京の伝統野菜（➡p.137）のひとつで、関東では**京菜（きょうな）**、**千筋京菜**と呼ぶ。寒さに強く、霜が降りた後のほうがやわらかくておいしい。
調理法：漬物、和え物、鍋物、煮物、汁物等。鯨とともに鍋物にしたのをはりはり鍋という。
旬：11〜2月。
産地：茨城、福岡、京都、埼玉等。

みつば類（三葉類）
Mitsuba　5本=10g

セリ科。1本の茎に3枚の葉がつくことからこの名がついた。日本原産の香味野菜。日本全国に自生する。香り成分のクリプトテーネンには、ストレス解消効果があるとされる。
調理法：和え物、鍋物、汁の実等。熱の通しすぎに注意。
保存法：ぬれた新聞紙で包んでポリ袋に入れて、冷蔵庫で保存。
切りみつば（切り三葉）
根元に土寄せして軟白し、根を切り取って出荷したもの。関東で好まれる。
根みつば（根三葉）
溝や穴蔵で育てて根株を軟白し、根がついたまま出荷する。
糸みつば（糸三葉）
別名あおみつば。細く小さいうちに根がついたまま出荷したもの。茎も緑色をしている。関西で好まれる。

みぶな（壬生菜）
Mibuna

アブラナ科。京都の伝統野菜のひとつで、みずなとともに**京菜**とも呼ばれる。壬生で栽培されていたみずなが変異して生まれたといわれ、葉がぎざぎざのみずなと比べて葉がへら状。ほろ苦く、しゃきしゃきした歯ごたえがある。
調理法：漬物、浸し物、鍋物、煮物、

緑=緑黄色野菜

緑	食品番号	食品名	廃棄率 %	エネルギー kcal	2015年版の値 kcal	水分 g	たんぱく質 g	アミノ酸組成によるたんぱく質 g	脂質 g	脂肪酸のトリアシルグリセロール当量 g	脂肪酸 飽和 g	脂肪酸 一価不飽和 g	脂肪酸 多価不飽和 g	コレステロール mg	炭水化物 g	利用可能炭水化物（質量計） g	食物繊維 食物繊維総量（プロスキー変法） g	食物繊維 食物繊維総量（AOAC法） g	ミネラル（無機質） ナトリウム mg	カリウム mg	カルシウム mg	マグネシウム mg	リン mg	鉄 mg
緑	06272	**みずかけな** 葉 生	0	**25**	25	91.1	**2.9**	(2.5)	**0.1**	(0.1)	(0.01)	(Tr)	(0.04)	(0)	**4.7**	-	2.8	-	7	400	**110**	23	64	**1.0**
	06273	塩漬	0	**34**	32	85.6	**4.9**	(4.2)	**Tr**	-	-	-	-	(0)	**5.7**	-	4.0	-	1000	440	**110**	26	67	**1.0**
緑	06072	**みずな** 葉 生	15	**23**	23	91.4	**2.2**	(1.9)	**0.1**	-	-	-	-	(0)	**4.8**	-	3.0	-	36	480	**210**	31	64	**2.1**
	06073	ゆで	0	**21**	22	91.8	**2.0**	(1.7)	**0.1**	-	-	-	-	(0)	**4.7**	-	3.6	-	28	370	**200**	25	64	**2.0**
	06074	塩漬	10	**26**	27	88.2	**2.0**	(1.7)	**0.1**	-	-	-	-	(0)	**5.9**	-	3.5	-	900	450	**200**	30	60	**1.3**
		（みつば類）																						
緑	06274	**切りみつば** 葉 生	0	**16**	18	93.8	**1.0**	(0.9)	**0.1**	-	-	-	-	(0)	**4.0**	-	2.5	-	8	640	**25**	17	50	**0.3**
	06275	ゆで	0	**12**	15	95.2	**0.9**	(0.8)	**0.1**	-	-	-	-	(0)	**3.3**	-	2.7	-	4	290	**24**	13	31	**0.2**
緑	06276	**根みつば** 葉 生	35	**19**	20	92.7	**1.9**	(1.8)	**0.1**	-	-	-	-	(0)	**4.1**	-	2.9	-	5	500	**52**	21	64	**1.8**
	06277	ゆで	0	**19**	20	92.9	**2.3**	(2.1)	**0.1**	-	-	-	-	(0)	**3.9**	-	3.3	-	4	270	**64**	18	54	**1.2**
緑	06278	**糸みつば** 葉 生	8	**12**	13	94.6	**0.9**	(0.8)	**0.1**	-	-	-	-	(0)	**2.9**	-	2.3	-	3	500	**47**	21	47	**0.9**
	06279	ゆで	0	**14**	17	93.7	**1.1**	(1.0)	**0**	-	-	-	-	(0)	**4.0**	-	3.0	-	3	360	**56**	18	39	**0.6**
緑	06360	**みぶな** 葉 生	10	**14**	15	93.9	**1.1**	(0.9)	**0.3**	(0.1)	(0.02)	(0.01)	(0.10)	(0)	**2.9**	-	1.8	-	32	490	**110**	30	34	**0.5**
		（みょうが類）																						
	06280	**みょうが** 花穂 生	3	**11**	12	95.6	**0.9**	(0.7)	**0.1**	-	-	-	-	(0)	**2.6**	-	2.1	-	1	210	**25**	30	12	**0.5**
	06281	**みょうがたけ** 茎葉 生	0	**6**	7	97.1	**0.4**	(0.3)	**0.1**	-	-	-	-	(0)	**1.5**	-	1.1	-	Tr	350	**11**	7	18	**0.3**
	06282	**むかご** 肉芽 生	25	**87**	93	75.1	**2.9**	(1.8)	**0.2**	0.1	0.03	0.01	0.06	(0)	**20.6**	-	4.2	-	3	570	**5**	19	64	**0.6**
緑	06283	**めキャベツ** 結球葉 生	0	**52**	50	83.2	**5.7**	(3.9)	**0.1**	(0.1)	(0.02)	(0.01)	(0.05)	(0)	**9.9**	(4.1)	5.5	-	5	610	**37**	25	73	**1.0**
	06284	ゆで	0	**51**	49	83.8	**5.3**	(3.6)	**0.1**	(0.1)	(0.02)	(0.01)	(0.05)	(0)	**9.8**	(4.4)	5.2	-	5	480	**36**	22	75	**1.0**

+PLUS+ **みょうがと物忘れ**●釈迦（シャカ）の弟子に、自分の名前を覚えられないため首から名札をかけていた者がいた。彼の墓に生えた草を、名前を荷（にな）って苦労したことをしのんで茗荷と名づけたという。ここから、みょうがを食べると物忘れがひどくなるという説ができた。

むかご

めキャベツ

長さ60～90cmの茎に50～60個のめキャベツがつく。

みょうが

みょうがたけ

汁物、サラダ等。
旬：12～2月。
産地：京都、奈良、滋賀等。

みょうが類（茗荷類）
Japanese gingers

ショウガ科。日本原産の香味野菜で、野菜として栽培しているのは日本だけ。夏に花をつける夏みょうがと秋に花をつける秋みょうがある。
産地：石川、和歌山、京都等。

みょうが（茗荷） 1茎=15～20g
別名花みょうが、みょうがの子。根茎から出る短い花蕾を食用にする。
調理法：さわやかな香りと独特の風味があり、薬味、浸し物、酢の物、汁の実、天ぷら、漬物等にする。
選び方：ふっくらとして、鮮やかな紅色のものがよい。
旬：7～9月。

みょうがたけ（茗荷筍）
みょうがの地下茎から出る若茎を、軟化栽培してから光をあてて色をつけたもの。
調理法：酢の物、浸し物等。

むかご（零余子）
Mukago

ヤマノイモ科。やまのいものつるの葉のつけ根に実る直径1～2cmの肉芽。土の中で発芽するとやまのいもをつくる。（➡p.74）
調理法：炊き込みご飯、汁の実、焼き物等。
旬：秋。

めキャベツ（芽キャベツ）
Brussels sprouts 1個=10～20g

アブラナ科。別名**子持ちかんらん**、**姫かんらん**、**姫キャベツ**。キャベツの変種で、茎に直径約3cmほどの小さなキャベツがたくさん実る。
栄養成分：カルシウム、カリウム、ビタミンCが豊富。
調理法：炒め物、シチュー、グラタン、煮物、和え物、漬物等。茎に十文字に切り込みを入れると、よく火が通り、あくも抜ける。短時間でゆでてから調理する。
選び方：緑色が濃く、巻きがかたいものがよい。指で押すとふにゃりとした感触があるものは避ける。
旬：11～2月。
産地：静岡等。

野菜栽培の歴史

野菜の栽培が始まったのは紀元前7000年頃のメソポタミア地方で、麦作農耕が定着するとともに野生のたまねぎ、にんにく、かぶなどを野菜として栽培するようになった。

日本では、稲作農業が普及した頃にはだいこん、うり、さといもなどが栽培されている。4～7世紀にはきゅうり、なす、ねぎ、れんこんなどが朝鮮半島を経由して渡来し、16世紀にはかぼちゃ、とうがらし、じゃがいもなどがポルトガル人の渡来とともに伝わった。江戸時代には、長崎出島でオランダ人によってパセリ、めキャベツ、トマトなどの西洋野菜が育てられていた。開国直後の横浜ではすでに西洋野菜が栽培されていたことを、イギリスの初代総領事のオルコックが記録している。

可食部100gあたり Tr：微量 （ ）：推定値または推計値 －：未測定

亜鉛 mg	銅 mg	マンガン mg	ヨウ素 µg	セレン µg	クロム µg	モリブデン µg	A レチノール活性当量 µg	A レチノール µg	A β-カロテン当量 µg	D µg	E α-トコフェロール mg	K µg	B1 mg	B2 mg	ナイアシン当量 mg	B6 mg	B12 µg	葉酸 µg	パントテン酸 mg	ビオチン µg	C mg	食塩相当量 g	備考 ①廃棄部位 ②硝酸イオン ③試料 ④廃棄率 ⑤原材料 ⑥ビタミンC ⑦重量比
0.3	0.07	0.17	-	-	-	-	190	(0)	2300	(0)	0.9	200	0.11	0.23	(2.2)	0.17	(0)	240	0.55	-	88	0	②0.1g
0.5	0.08	0.29	-	-	-	-	240	(0)	2800	(0)	1.3	200	0.12	0.34	(3.3)	0.24	(0)	180	0.54	-	70	2.5	水洗いし、手搾りしたもの ②0.2g
0.5	0.07	0.41	7	2	3	20	110	(0)	1300	(0)	1.8	120	0.08	0.15	(1.5)	0.18	(0)	140	0.50	3.1	55	0.1	①株元 ②0.2g
0.2	0.05	0.31	-	-	-	-	140	(0)	1700	(0)	1.3	120	0.04	0.08	(1.1)	0.10	(0)	90	0.29	-	19	0.1	株元を除いたもの ゆでた後水冷し、手搾りしたもの ②0.3g
0.3	0.06	0.25	-	-	-	-	92	(0)	1100	(0)	1.1	130	0.07	0.15	(1.2)	0.19	(0)	130	0.39	-	47	2.3	①株元 水洗いし、手搾りしたもの ②0.4g
0.1	0.07	0.14	3	1	Tr	3	61	(0)	730	(0)	0.7	63	0.03	0.09	(0.6)	0.04	(0)	44	0.29	1.9	8	0	軟白栽培品 ②Tr
0.1	0.05	0.15	-	-	-	-	65	(0)	780	(0)	0.9	77	0.02	0.04	(0.4)	0.01	(0)	14	0.15	-	1	0	軟白栽培品 ゆでた後水冷し、手搾りしたもの ②0g
0.2	0.07	0.42	-	-	-	-	140	(0)	1700	(0)	1.1	120	0.05	0.13	(1.4)	0.06	(0)	66	0.33	-	22	0	軟白栽培品 ①根及び株元 ②Tr
0.2	0.07	0.35	-	-	-	-	170	(0)	2100	(0)	1.4	150	0.03	0.05	(0.9)	0.04	(0)	43	0.27	-	12	0	軟白栽培品 根及び株元を除いたもの ゆでた後水冷し、手搾りしたもの ②0g
0.1	0.02	0.42	-	-	-	-	270	(0)	3200	(0)	0.9	220	0.04	0.14	(0.9)	0.06	(0)	64	0.30	-	13	0	①株元 ②0.3g
0.1	0.02	0.48	-	-	-	-	340	(0)	4100	(0)	1.3	250	0.02	0.08	(0.7)	0.03	(0)	23	0.22	-	4	0	株元を除いたもの ゆでた後水冷し、手搾りしたもの ②0.3g
0.2	0.03	0.22	-	-	-	-	150	(0)	1800	(0)	0.9	160	0.04	0.07	(1.0)	0.11	(0)	110	0.12	-	38	0.1	①根 ②0.5g
0.4	0.05	1.17	1	1	0	8	3	(0)	31	(0)	0.1	20	0.05	0.05	(0.6)	0.07	(0)	25	0.20	1.1	2	0	①花茎
0.3	0.03	1.44	-	-	-	-	1	(0)	6	(0)	0.1	8	0.02	0.02	(0.2)	0.02	(0)	13	0.07	-	1	0	②0.1g
0.4	0.15	0.05	-	-	-	-	2	(0)	24	(0)	0.4	(0)	0.11	0.02	(0.8)	0.07	(0)	20	0.60	-	9	0	①皮
0.6	0.07	0.29	-	-	-	-	59	(0)	710	(0)	0.6	150	0.19	0.23	(1.8)	0.27	(0)	240	0.76	-	160	0	②Tr
0.5	0.07	0.25	-	-	-	-	57	(0)	690	(0)	0.5	160	0.13	0.16	(1.4)	0.22	(0)	220	0.65	-	110	0	②Tr

QA 呼び名の違いはなぜ？▶やわらかく、生でもおいしく食べられるように改良されて全国に広まったみずなだが、名前の由来には、畑のうねの間に水を入れて栽培したからという説と、肥料を使わずに水と土の力だけでつくっていたからという説がある。京菜と呼ばれることが多いのは、京都で古くから栽培されてきたため。

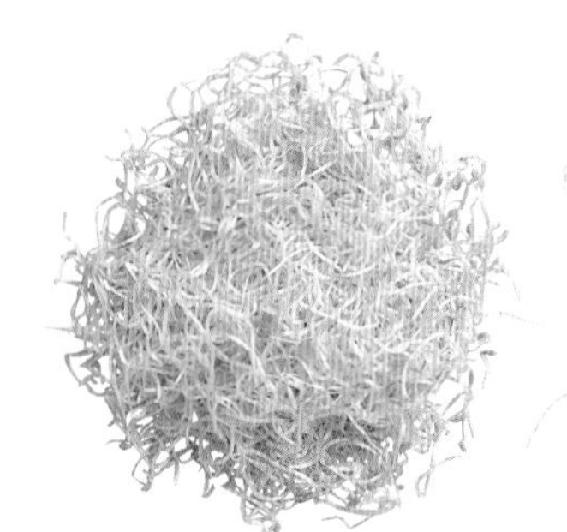

アルファルファもやし

だいずもやし

ブラックマッペもやし

りょくとうもやし

めたで

刺身のつまとしてのめたで

モロヘイヤ

ねばりのあるモロヘイヤ

めたで（芽蓼）

Water pepper sprouts

タデ科。種を発芽させて幼い芽（本葉）を食用とする。ピリッとした辛味がある。ヤナギタデを発芽させた紅たでと、アオタデかホソバタデを発芽させた青たでがある。

調理法：魚のくさみを消すといわれ、刺身のつま等にする。

産地：広島、愛知等。

もやし類

Bean sprouts　1袋=200～300g

植物の種子を水に浸して暗所で発芽させたもので、芽と茎を食べる。一般にもやしというと豆類を発芽させたものをいう。豆の種類によって味も外見も異なる。

発芽して成長するときに、それまで含まれていなかった新しい栄養素が多く合成される（コラム参照）。

アルファルファもやし

マメ科。別名糸もやし。中央アジア原産。おもに牧草として栽培される種を発芽させたもので、細くて小さい。

栄養成分：ビタミンA・B_6・K、カルシウム、リン、食物繊維が豊富。

調理法：サラダ、肉料理のつけあわせ等。

選び方：根に透明感があり白い部分がつややかなものがよい。

だいずもやし（大豆もやし）

マメ科。別名豆もやし。だいずが発芽したもの。太くて長い。独特の歯ごたえがあり、加熱調理に向く。

調理法：浸し物、和え物、炒め物等。数分間蒸しゆでにし、水気を切ってそのまま冷ますと、青臭さが抜けてうま味が残る。

保存法：袋入りもやしは、つまようじで袋に一か所穴を開けてから冷蔵庫で保存すると長持ちする。

ブラックマッペもやし

マメ科。別名けつるあずきもやし。りょくとうの近縁。日本ではもやしとして利用するが、インドや東南アジアでは豆として常食する。りょくとうもやしよりも細く、もやし独特の青臭さが少ない。

調理法：浸し物、和え物、炒め物等。

りょくとうもやし（緑豆もやし）

マメ科。りょくとうについてはp.97［豆類］を参照。もやしの中でいちばん多く出回っている。軸が太くて水分が多く、甘味がある。さっとゆでてから水に浸さないでバット等に広げて冷やすと、しゃきしゃき感を損なわない。

調理法：浸し物、和え物、炒め物等。

モロヘイヤ

Tossa jute　1本=5g

シナノキ科。エジプト原産で、アラブ語で"王様が食べる野菜"の意味。これは、古代エジプトで、重病の王がモロヘイヤスープを飲んで回復したことが由来といわれる。別名台湾つなそ、とろろ菜。中近東からアフリカ北部で広く利用されており、日本で本格的に栽培するようになったのは1980年代から。若い葉や茎を

緑=緑黄色野菜　やまのいも類→p.74

食品番号	食品名	廃棄率	エネルギー	2015年版の値	水分	たんぱく質	アミノ酸組成によるたんぱく質	脂質	脂肪酸のトリアシルグリセロール当量	脂肪酸 飽和	脂肪酸 一価不飽和	脂肪酸 多価不飽和	コレステロール	炭水化物	利用可能炭水化物（質量計）	食物繊維 食物繊維総量（プロスキー変法）	食物繊維 食物繊維総量（AOAC法）	ミネラル（無機質） ナトリウム	カリウム	カルシウム	マグネシウム	リン	鉄
		%	kcal	kcal	g	g	g	g	g	g	g	g	mg	g	g	g	g	mg	mg	mg	mg	mg	mg
06285	緑 **めたで** 芽ばえ 生	0	**39**	43	87.0	**3.0**	-	**0.5**	-	-	-	-	(0)	**8.8**	-	6.3	-	9	140	**49**	70	110	**2.3**
	（もやし類）																						
06286	**アルファルファもやし** 生	0	**11**	12	96.0	**1.6**	-	**0.1**	(0.1)	(0.01)	(0.01)	(0.06)	(0)	**2.0**	(0.3)	1.4	-	7	43	**14**	13	37	**0.5**
06287	**だいずもやし** 生	4	**29**	37	92.0	**3.7**	2.9	**1.5**	1.2	0.20	0.20	0.78	Tr	**2.3**	0.6	2.3	-	3	160	**23**	23	51	**0.5**
06288	ゆで	0	**27**	34	93.0	**2.9**	(2.2)	**1.6**	(1.3)	(0.21)	(0.21)	(0.83)	Tr	**2.2**	(0.5)	2.2	-	1	50	**24**	19	43	**0.4**
06289	**ブラックマッペもやし** 生	0	**17**	16	94.7	**2.2**	1.4	**Tr**	-	-	-	-	0	**2.8**	1.4	1.5	-	8	65	**16**	12	32	**0.4**
06290	ゆで	0	**13**	13	95.8	**1.3**	(0.8)	**Tr**	-	-	-	-	(0)	**2.7**	(1.1)	1.6	-	2	12	**24**	10	17	**0.4**
06398	油いため	0	**41**	41	90.6	**2.3**	(1.4)	**0.9**	-	-	-	-	-	**5.8**	1.8	-	-	9	71	**18**	13	34	**0.4**
06291	**りょくとうもやし** 生	3	**15**	14	95.4	**1.7**	1.2	**0.1**	(0.1)	(0.03)	(0.01)	(0.04)	(0)	**2.6**	1.3	1.3	-	2	69	**10**	8	25	**0.2**
06292	ゆで	0	**12**	12	95.9	**1.6**	(1.1)	**0**	-	-	-	-	(0)	**2.3**	(1.1)	1.5	-	2	24	**11**	7	24	**0.3**
06293	緑 **モロヘイヤ** 茎葉 生	0	**36**	38	86.1	**4.8**	(3.6)	**0.5**	(0.4)	(0.08)	(0.03)	(0.24)	(0)	**6.3**	0.1	5.9	-	1	530	**260**	46	110	**1.0**
06294	ゆで	0	**24**	25	91.3	**3.0**	(2.2)	**0.4**	(0.3)	(0.06)	(0.03)	(0.19)	(0)	**4.0**	(0.1)	3.5	-	Tr	160	**170**	26	53	**0.6**
06401	**やぶまめ** 生	0	**219**	237	45.8	**15.5**	-	**6.5**	-	-	-	-	-	**29.5**	-	9.8	-	3	1100	**44**	110	240	**4.6**
06295	**やまごぼう** みそ漬	0	**66**	72	72.8	**4.1**	-	**0.1**	-	-	-	-	(0)	**15.6**	-	7.0	-	2800	200	**23**	24	49	**1.3**
06296	**ゆりね** りん茎 生	10	**119**	125	66.5	**3.8**	(2.4)	**0.1**	-	-	-	-	(0)	**28.3**	-	5.4	-	1	740	**10**	25	71	**1.0**
06297	ゆで	0	**117**	126	66.5	**3.4**	(2.1)	**0.1**	-	-	-	-	(0)	**28.7**	-	6.0	-	1	690	**10**	24	65	**0.9**
06298	緑 **ようさい** 茎葉 生	0	**17**	17	93.0	**2.2**	(1.7)	**0.1**	-	-	-	-	(0)	**3.1**	(0.9)	3.1	-	26	380	**74**	28	44	**1.5**
06299	ゆで	0	**18**	21	92.4	**2.2**	(1.7)	**0.1**	-	-	-	-	(0)	**4.1**	(1.0)	3.4	-	16	270	**90**	20	40	**1.0**

＋PLUS＋　**蓼（たで）食う虫も好きずきの意味**●柳蓼（やなぎたで）の芽を芽蓼（めたで）といい、辛味を香辛料や薬味として人間は利用するが、わざわざそんな辛い葉を食べる虫がある。同じように、人の好みもいろいろあって、一概には決めつけられないという意味のことわざ。「蓼虫苦きを知らず」ともいう。

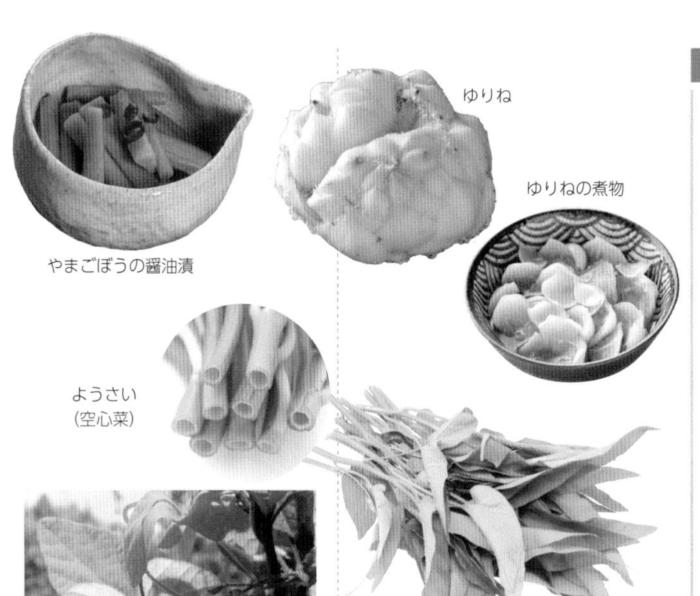

やまごぼうの醤油漬

ゆりね

ゆりねの煮物

ようさい(空心菜)

やぶまめの花。地中にできる豆が食用となる。

スプラウト

スプラウト(sprout)とは植物の新芽の総称。

植物の種子が発芽するとき、植物ホルモンや酵素が活性化して、種子の状態では存在していなかったたんぱく質、ビタミン類、無機質(ミネラル)類を生成するといわれる。スプラウトには、これから成長していくために必要な栄養分が凝縮されているわけである。

身近なスプラウトとしてもやしやかいわれだいこん等があるが、近年、ブロッコリー、ひまわり、そば、レッドキャベツ、マスタードなどの新芽がスプラウトの名前をつけられて出回るようになった。栄養価が高く、生食でき、安価に一年中安定して入手でき、家庭でも簡単に栽培できるため人気が出た。

とくに、1992年アメリカのタラレー博士が、ブロッコリースプラウトには、がん予防効果の高いスルフォラファンという酵素が成長したブロッコリーの20～50倍も含まれていることを発見してから、高い関心が集まっている。

そばのスプラウト

マスタードのスプラウト

レッドキャベツのスプラウト

空心菜のスプラウト

食用にする。刻むとムチンによるぬめりが出る。

栄養成分:ビタミン類、カルシウムが豊富。

調理法:スープ、和え物、炒め物、天ぷら等。健康食品として、粉末状にしたものをパン、パスタ、菓子等に利用したものもある。

旬:6～8月。

やぶまめ(藪豆)

Chinese hog-peanut　1個=長径1cm

マメ科。別名つちまめ、ぎんまめ。アイヌ名アハ、エハ、ヌミノカン。アイヌ民族が利用してきた。地下に実る豆を食べる。

調理法:炊き込み飯、揚げ物、煮物、和え物等。

やまごぼう(山牛蒡)

Yamagobo

ヤマゴボウ科。標準和名**ごぼうあざみ**。別名もりあざみ、きくごぼう。中国原産で、日本各地の山中の日陰に自生する。若葉をゆでるとかつお節に似た風味がある。有毒な野草のヤマゴボウとは別種。

調理法:浸し物、和え物等。

旬:6～7月。

ゆりね(百合根)

Lily bulb　1個=70～100g

ユリ科。ユリの鱗茎。観賞用のユリの鱗茎は苦味があるため、ヤマユリやオニユリを食用にする。ほのかな甘味がある。昔は滋養強壮や利尿等の薬用としても利用した。

調理法:球形のまま姿煮、鱗片をはがして煮物、茶碗蒸し、きんとん等。ほくほくした食感。

保存法:おがくずの中に入れて冷暗所で保存。

旬:11～1月。

産地:北海道等。

ようさい(蕹菜)

Water convolvulus　1本=5g

ヒルガオ科。中国野菜で沖縄ではウンチェーバーと呼ぶ。つる性でつるの先と若葉を食用とする。種や花は朝顔に似ており、茎の芯は中空になっているので、**朝顔菜**、**空心菜**(**くうしんさい**)ともいう。別名**えんさい**。葉にはかすかにぬめりがあり、茎はしゃくしゃくした歯ごたえがある。家庭でも簡単に栽培でき、一度の種まきで何度も収穫できる。

栄養成分:カロテン、食物繊維が豊富。

調理法:浸し物、汁の実、炒め物、鍋物等。

旬:7～9月。

可食部100gあたり　Tr:微量　( ):推定値または推計値　-:未測定

ミネラル(無機質)							ビタミン																	食塩相当量	備考
亜鉛	銅	マンガン	ヨウ素	セレン	クロム	モリブデン	A レチノール活性当量	レチノール	β-カロテン当量	D	E αトコフェロール	K	B_1	B_2	ナイアシン当量	B_6	B_{12}	葉酸	パントテン酸	ビオチン	C		①廃棄部位 ②硝酸イオン ③試料 ④廃棄率 ⑤原材料 ⑥ビタミンC ⑦重量比
mg	mg	mg	µg	µg	µg	µg	µg	µg	µg	µg	mg	µg	mg	mg	mg	mg	µg	µg	mg	µg	mg	g	
0.9	0.09	7.66	-	-	-	-	**410**	(0)	4900	(0)	4.8	360	**0.15**	**0.21**	1.6	0.27	(0)	77	0.29	-	**67**	0	紅たで ②0g
0.4	0.09	0.10	1	1	0	16	**5**	(0)	56	(0)	1.9	47	**0.07**	**0.09**	0.5	0.10	(0)	56	0.46	4.4	**5**	0	②Tr
0.4	0.12	0.30	-	-	-	-	**(0)**	(0)	(Tr)	(0)	0.5	57	**0.09**	**0.07**	1.2	0.08	(0)	85	0.36	-	**5**	0	①種皮及び損傷部 ②0g
0.3	0.08	0.35	-	-	-	-	**(0)**	(0)	(Tr)	(0)	0.6	49	**0.04**	**0.04**	(0.7)	0.04	(0)	39	0.19	-	**1**	0	種皮及び損傷部を除いたもの　ゆでた後水冷し、水切りしたもの ②(0)g
0.3	0.07	0.09	1	1	Tr	37	**0**	0	Tr	0	Tr	7	**0.04**	**0.06**	0.8	0.06	0	42	0.43	2.7	**10**	0	①種皮及び損傷部 ②0g
0.3	0.05	0.09	-	-	-	-	**(0)**	(0)	(Tr)	(0)	0.1	6	**0.02**	**0.02**	(0.3)	0.03	(0)	36	0.20	-	**2**	0	種皮及び損傷部を除いたもの　ゆでた後水冷し、水切りしたもの ②(0)g
0.3	0.07	0.10	2	1	0	38	**-**	-	-	-	1.1	14	**0.04**	**0.06**	(0.9)	0.05	-	53	0.50	2.6	**7**	0	種皮及び損傷部を除いたもの　植物油(なたね油) ②0g
0.3	0.08	0.06	2	0	0	55	**Tr**	(0)	6	(0)	0.1	3	**0.04**	**0.05**	0.6	0.05	(0)	41	0.23	1.7	**8**	0	①種皮及び損傷部 ②(0)g
0.2	0.06	0.06	-	-	-	-	**Tr**	(0)	5	(0)	0.1	3	**0.03**	**0.04**	(0.5)	0.02	(0)	33	0.14	-	**2**	0	種皮及び損傷部を除いたもの　ゆでた後水冷し、水切りしたもの ②(0)g
0.6	0.33	1.32	4	1	2	15	**840**	(0)	10000	(0)	6.5	640	**0.18**	**0.42**	(1.6)	0.35	(0)	250	1.83	14.0	**65**	0	④木質茎つきの場合 25% ②0.2g
0.4	0.20	1.02	-	-	-	-	**550**	(0)	6600	(0)	3.4	450	**0.06**	**0.13**	(0.7)	0.08	(0)	67	0.70	-	**11**	0	ゆでた後水冷し、手搾りしたもの ②0.1g
0.9	0.19	0.60	0	0	0	280	**-**	-	-	-	-	-	**-**	**-**	2.6	-	-	-	-	-	**-**	0	
0.3	0.13	0.28	-	-	-	-	**(0)**	(0)	0	(0)	0.6	1	**0.02**	**0.10**	1.1	0.03	(0)	14	0.02	-	**0**	7.1	水洗いし、水切りしたもの ⑥酸化防止用として添加品あり
0.7	0.16	0.96	1	1	2	1	**(0)**	(0)	(0)	(0)	0.5	0	**0.08**	**0.07**	(1.4)	0.12	(0)	77	0	1.6	**9**	0	①根、根盤部及び損傷部 ②0g
0.7	0.14	0.75	-	-	-	-	**(0)**	(0)	(0)	(0)	0.5	Tr	**0.07**	**0.07**	(1.2)	0.12	(0)	92	0	-	**8**	0	根、根盤部及び損傷部を除いたもの ②0g
0.5	0.20	1.07	-	-	-	-	**360**	(0)	4300	(0)	2.2	250	**0.10**	**0.20**	(1.4)	0.11	(0)	120	0.40	-	**19**	0.1	②0.2g
0.3	0.15	0.77	-	-	-	-	**320**	(0)	3800	(0)	0.6	260	**0.06**	**0.10**	(1.0)	0.05	(0)	55	0.30	-	**6**	0	ゆでた後水冷し、手搾りしたもの ②0.2g

QA ゆりねの花はどんな色?▶ゆりねはユリの球根なので、植えれば芽が出て、育てば花が咲く。その花の色は、たぶんオレンジ色。ゆりねとして売られているものはコオニユリが多いが、このユリは赤系統の色を識別するアゲハチョウを呼び寄せて花粉を運んでもらうために、鮮やかなオレンジ色の花を咲かせるのだ。

よめな

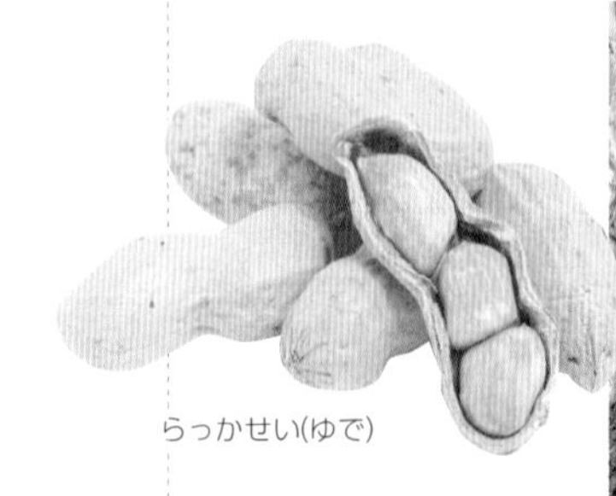

らっかせい(ゆで)

よもぎ

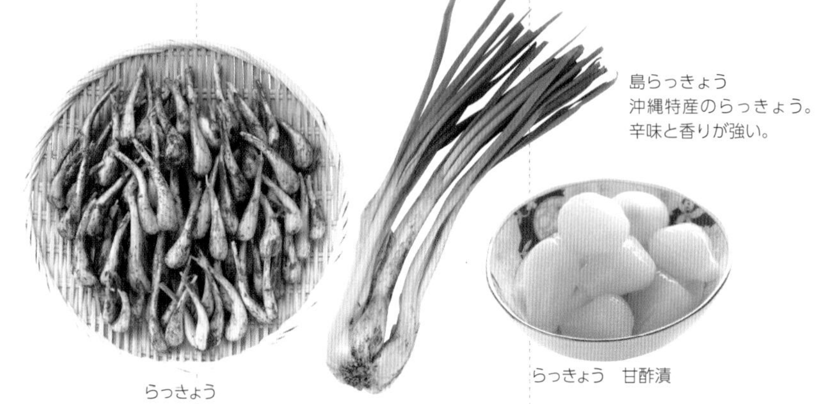

らっきょう

島らっきょう
沖縄特産のらっきょう。
辛味と香りが強い。

らっきょう　甘酢漬

よめな（嫁菜）

Yomena:Aster

キク科。別名野菊、**おはぎ**、**うはぎ**、**はぎな**。古くから若菜摘みの草として知られている野草で、春に若い芽を摘んで食用にする。若葉は特有の香りがある。万葉集には“ふはぎ”の名で記されている。中部地方以西に分布しており、関東でよめなと呼ばれるのは関東よめな。

栄養成分：カリウム、鉄、ビタミン類が豊富。

調理法：浸し物、汁の実、和え物、天ぷら等。

旬：3～4月。

よもぎ（蓬）

Japanese wormwood　1茎=5g

キク科。全国の山野に自生する。別名**もちぐさ**、**よもぎな**。沖縄ではフーチバーといい、緑黄色野菜として利用する。春に若葉を摘んで草もちに利用したり、5月5日の端午の節句には、菖蒲（しょうぶ）とともに軒先につるしたり浴湯に入れる。よもぎ酒やよもぎ風呂、せんじ薬など民間薬としても使われた。葉の裏面や茎に細かい綿毛が密生するが、この綿毛を乾燥させたものが灸に利用するもぐさである。

栄養成分：カルシウム、鉄、ビタミン類が豊富。

調理法：浸し物、和え物等。草餅。沖縄ではたき込みご飯や、やぎ料理のくさみ消し等にも利用する。

旬：3～4月。

産地：中国等。沖縄等。

らっかせい（落花生）

Peanuts　殻付き10個＝25g

マメ科。らっかせいについてはp.105［種実類］も参照のこと。「未熟豆　ゆで」は、未熟な落花生をさやごとゆでて豆を食用にしたもの。煎ったピーナッツとは異なり、ほくほくした食感である。

産地：千葉、茨城、鹿児島等。

らっきょう類（薤類）

Rakkyo:Japanese scallion

ユリ科。白色または紫色を帯びた白色の鱗茎を食用とする。特有の強い香りと辛味は、にんにくと同じく硫化アリルによる。

らっきょう　1個=4～7g

別名**おおにら**、**さとにら**。中国、ヒマラヤ地方原産。鱗茎を食用とする。秋に紫色の花をつけるが種子はほとんど実らないため、増殖は株分けで増やす。熱を通すと辛味が甘味に変わる。

栄養成分：野菜類の中では糖質が大変に多い。

緑 =緑黄色野菜

食品番号	食品名	廃棄率 %	エネルギー kcal	2015年版の値 kcal	水分 g	たんぱく質 g	アミノ酸組成によるたんぱく質 g	脂質 g	脂肪酸のトリアシルグリセロール当量 g	脂肪酸 飽和 g	脂肪酸 一価不飽和 g	脂肪酸 多価不飽和 g	コレステロール mg	炭水化物 g	利用可能炭水化物（質量計） g	食物繊維 食物繊維総量（プロスキー変法） g	食物繊維 食物繊維総量（AOAC法） g	ミネラル（無機質） ナトリウム mg	カリウム mg	カルシウム mg	マグネシウム mg	リン mg	鉄 mg
緑 06300	**よめな**　葉　生	0	**40**	46	84.6	**3.4**	(2.7)	**0.2**	-	-	-	-	(0)	**10.0**	-	7.8	-	2	800	**110**	42	89	**3.7**
緑 06301	**よもぎ**　葉　生	0	**43**	46	83.6	**5.2**	(4.2)	**0.3**	-	-	-	-	(0)	**8.7**	-	7.8	-	10	890	**180**	29	100	**4.3**
06302	ゆで	0	**37**	42	85.9	**4.8**	(3.9)	**0.1**	-	-	-	-	(0)	**8.2**	-	7.8	-	3	250	**140**	24	88	**3.0**
06303	**らっかせい**　未熟豆　生	35	**306**	295	50.1	**12.0**	(11.2)	**24.2**	(23.9)	(4.24)	(11.60)	(7.00)	(0)	**12.4**	-	4.0	-	1	450	**15**	100	200	**0.9**
06304	ゆで	40	**298**	288	51.3	**11.9**	(11.1)	**23.5**	(23.2)	(4.12)	(11.26)	(6.80)	(0)	**12.3**	-	4.2	-	2	290	**24**	86	170	**0.9**
	(らっきょう類)																						
06305	**らっきょう**　りん茎　生	15	**83**	118	68.3	**1.4**	0.9	**0.2**	(0.1)	(0.03)	(0.03)	(0.08)	(0)	**29.3**	-	20.7	-	2	230	**14**	14	35	**0.5**
06306	甘酢漬	0	**117**	118	67.5	**0.4**	(0.3)	**0.3**	(0.2)	(0.05)	(0.04)	(0.12)	(0)	**29.4**	-	2.9	-	750	9	**11**	1	7	**1.8**
06307	**エシャレット**　りん茎　生	40	**59**	76	79.1	**2.3**	(1.4)	**0.2**	(0.1)	(0.03)	(0.03)	(0.08)	(0)	**17.8**	-	11.4	-	2	290	**20**	14	47	**0.8**
06308	**リーキ**　りん茎葉　生	35	**30**	29	90.8	**1.6**	(1.2)	**0.1**	(0.1)	(0.01)	(Tr)	(0.06)	(0)	**6.9**	(4.0)	2.5	-	2	230	**31**	11	27	**0.7**
06309	ゆで	0	**28**	28	91.3	**1.3**	(1.0)	**0.1**	(0.1)	(0.01)	(Tr)	(0.06)	(0)	**6.8**	(2.8)	2.6	-	2	180	**26**	9	26	**0.6**
緑 06319	**ルッコラ**　葉　生	2	**17**	19	92.7	**1.9**	-	**0.4**	0.1	0.05	0.01	0.07	(0)	**3.1**	(0)	2.6	-	14	480	**170**	46	40	**1.6**
06310	**ルバーブ**　葉柄　生	10	**23**	24	92.1	**0.7**	-	**0.1**	(0.1)	(0.03)	(0.02)	(0.05)	0	**6.0**	(1.9)	2.5	-	1	400	**74**	19	37	**0.2**
06311	ゆで	0	**14**	18	94.1	**0.5**	-	**0.1**	(0.1)	(0.03)	(0.02)	(0.05)	(0)	**4.6**	(1.4)	2.9	-	1	200	**64**	14	20	**0.2**

+PLUS+　**リーキは暴君ネロのお気に入り**●リーキは古代エジプトですでに栽培されており、紀元前からギリシアやローマでもよく食べられていた。ローマの暴君ネロは、声をよくするために油に漬けたリーキを食べていたという話が伝えられている。

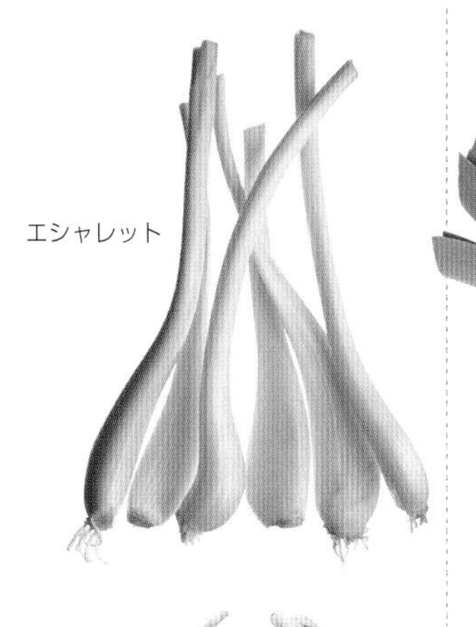

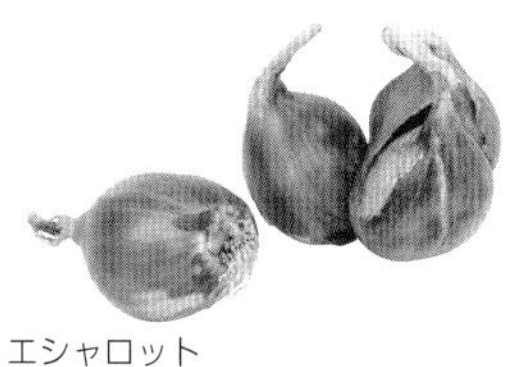

エシャロット
別名香味たまねぎ。甘味と刺激臭が少ない。香味野菜として、肉や魚料理のソースやドレッシング等に利用する。

調理法：甘酢漬、塩漬、しょうゆ漬、カレーライスのつけあわせ、炒め物、煮物等。
選び方：ふっくらとして丸みがあり、芽先が伸びていないものがよい。
旬：5～6月。
産地：鹿児島、宮崎、鳥取等。

エシャレット 1わ=80g
別名**エシャ**、**エシャらっきょう**。らっきょうを軟白栽培して若どりしたもの。1955年頃に市場に現れた根らっきょうを、売れそうな名前にしようということでエシャロットと名づけたが、フランス料理用の本来のエシャロット（たまねぎの一種）と間違えられ混乱が生じた。そのためエシャレットと呼ぶことになった。
調理法：みそやマヨネーズをつけて生食。

リーキ
Leeks 1本=200g

ユリ科。別名**西洋ねぎ**、**ポロねぎ**。ねぎの仲間で、英名がリーキ、仏名がポワロー。ヨーロッパで多く栽培される。日本のねぎに似ているが、白い部分が太く短く葉が扁平で、ねぎよりも巻きが多いため煮くずれしにくい。また、甘味が強くやわらかい。
調理法：サラダ、炒め物、クリーム和え、スープ煮等。
旬：11～3月。
産地：千葉等。

ルッコラ
Rocket salad 1茎=7g

ルッコラ

アブラナ科。ルッコラ（Rucola）はイタリア語。別名**ロケットサラダ**、**ルコラ**、**エルカ**。地中海沿岸が原産で、和名はきばなすずしろ。繁殖力が強くアジアやアメリカなどでは帰化植物として自生している。ごまのような風味とぴりっとした辛味がある。
栄養成分：カルシウム、鉄、ビタミン類等が豊富。
調理法：サラダ、炒め物、浸し物等。パキスタンでは種を油の原料にする。

ルバーブ
Garden rhubarb 1本=200g

ルバーブ

タデ科。別名**食用だいおう**。ふきに似た葉柄を食用にする。葉柄は赤や緑で、独特の香りと酸味がある。ヨーロッパやカナダで広く栽培されている。
調理法：サラダ、ジャム、ゼリー等。
産地：長野、北海道等。

日本原産の野菜

現在の日本の野菜のほとんどは外国原産。日本原産の野菜は少なくて、あさつき、うど、さんしょう、じゅんさい、せり、たで、つるな、ふき、みつば、みょうが、ゆり、わさび等。まるで山菜のようだが、野菜とはもともと野で採れて食べられる草のこと。畑で栽培するものは蔬菜（そさい）と呼んでいたが、野に出て野菜を採ることがなくなるにつれて、栽培ものを野菜と呼ぶようになったのだ。

可食部100gあたり Tr：微量 （ ）：推定値または推計値 －：未測定

ミネラル（無機質）							ビタミン															食塩相当量	備考
亜鉛	銅	マンガン	ヨウ素	セレン	クロム	モリブデン	A レチノール活性当量	A レチノール	A β-カロテン当量	D	E αトコフェロール	K	B_1	B_2	ナイアシン当量	B_6	B_{12}	葉酸	パントテン酸	ビオチン	C		①廃棄部位 ②硝酸イオン ③試料 ④廃棄率 ⑤原材料 ⑥ビタミンC ⑦重量比
mg	mg	mg	µg	µg	µg	µg	µg	µg	µg	µg	mg	µg	mg	mg	mg	mg	µg	µg	mg	µg	mg	g	
0.7	0.24	0.78	-	-	-	-	**560**	(0)	6700	(0)	4.1	440	**0.23**	**0.32**	(4.2)	0.10	(0)	170	0.50	-	**42**	0	若葉 ②Tr
0.6	0.29	0.84	-	-	-	-	**440**	(0)	5300	(0)	3.2	340	**0.19**	**0.34**	(3.9)	0.08	(0)	190	0.55	-	**35**	0	②Tr
0.4	0.28	0.75	-	-	-	-	**500**	(0)	6000	(0)	3.4	380	**0.08**	**0.09**	(1.9)	0.04	(0)	51	0.13	-	**2**	0	ゆでた後水冷し、手搾りしたもの ②Tr
1.2	0.50	0.75	0	1	0	58	**Tr**	(0)	5	(0)	7.2	0	**0.54**	**0.09**	(12.0)	0.21	(0)	150	1.40	44.0	**20**	0	①さや ②0g
1.1	0.36	0.50	-	-	-	-	**Tr**	(0)	1	(0)	6.8	0	**0.30**	**0.13**	(10.0)	0.19	(0)	150	0.91	-	**19**	0	①さや ②Tr
0.5	0.06	0.45	1	1	0	14	**(0)**	(0)	(0)	(0)	0.8	1	**0.07**	**0.05**	2.4	0.12	(0)	29	0.56	0.9	**23**	0	①根、膜状りん片及び両端
0.1	0.06	0.08	4	Tr	3	3	**(0)**	(0)	0	-	0.2	1	**Tr**	**Tr**	(0.2)	0.02	0	Tr	0.03	0.4	**0**	1.9	液汁を除いたもの ②0g
0.5	0.06	0.37	-	-	-	-	**2**	(0)	18	(0)	0.4	6	**0.03**	**0.05**	(1.2)	0.11	(0)	55	0.33	-	**21**	0	土寄せ軟白若採りのらっきょう ①株元及び緑葉部 ②Tr
0.3	0.03	0.25	-	-	-	-	**4**	(0)	45	(0)	0.3	9	**0.06**	**0.08**	(0.6)	0.24	(0)	76	0.17	-	**11**	0	①株元及び緑葉部 ②Tr
0.3	0.04	0.20	-	-	-	-	**3**	(0)	37	(0)	0.3	8	**0.05**	**0.07**	(0.5)	0.20	(0)	68	0.14	-	**9**	0	株元及び緑葉部を除いたもの ②Tr
0.8	0.07	0.69	-	-	-	-	**300**	(0)	3600	(0)	1.4	210	**0.06**	**0.17**	0.8	0.11	(0)	170	0.55	-	**66**	0	①株元 ②0.4g
0.1	0.02	0.05	-	-	-	-	**3**	(0)	40	(0)	0.2	7	**0.04**	**0.05**	0.3	0.02	(0)	31	0.10	-	**5**	0	①表皮及び両端 ②0.2g
0.1	0.02	0.05	-	-	-	-	**4**	(0)	42	(0)	0.2	9	**0.01**	**0.03**	0.2	0.01	(0)	22	0.10	-	**4**	0	表皮及び両端を除いたもの ②0.1g

QA 沖縄の島らっきょうは、らっきょうとは別の品種である［Yes No］▶正解はNo。全国的に食べられているらっきょうと同じ品種で、大きくなる前に収穫したもの。ねぎに似た独特の香りがある。食べ方は、そのまま食べたり、一夜漬けにしてかつお節をかけるのが一般的。

野菜工場：温度・湿度・二酸化炭素・培養液等を調整した施設内で、計画的に栽培するシステム。完全制御型は、生育環境を完全にコントロールし、光源にLEDなどの人工光を用いる。太陽光利用型は、雨等のときには人工光で補光する。

レタス類

Lettuces　大1枚=10～30g

キク科。球状になる結球性の玉レタスのほか、葉レタス、立ちレタスや、茎も葉も食べる茎レタスがある。紀元前6世紀にはペルシャで食用にされ、中国から日本に伝わった。レタス類の和名をちしゃという。茎などを切ると出る白い液はラクチュコピクリンと呼ばれるポリフェノールの一種で、軽い鎮静作用や催眠促進効果がある。「水耕栽培」は、植物工場で土のかわりに肥料を含む培養液を使い、温度や光等の環境条件をコントロールしながら栽培されたもの。

栄養成分：カルシウム、鉄、ビタミンC等が比較的豊富。

調理法：サラダ、炒め物、スープ等。

レタス　中1個=200g

別名**玉ちしゃ**。玉レタスのうち、キャベツ状に結球するクリスプヘッド型のもの。もっとも一般的なレタス。

選び方：巻きがかたくなく、ふんわりしているもののほうがやわらかくて苦味も少ない。

産地：長野、茨城、群馬等。

サラダな（サラダ菜）　1株=70～100g

結球性の葉レタスだが結球がゆるく、表面に光沢があり、バターヘッド型と呼ばれる。緑色が濃く、葉がやわらかい。

リーフレタス

別名**ちりめんちしゃ**、**青ちりめんちしゃ**、プリーツレタス。非結球性で葉が緑色で縮れた葉レタス。

サニーレタス　1枚=20g

別名**赤ちりめんちしゃ**。リーフレタスのうち、葉に縮みがあり、葉先が赤紫色のもの。昭和40年代につけられた商品名だが、一般名称として使われている。焼き肉のときにサンチュのかわりに使われることも多い。

サンチュ

別名**かきちしゃ**、チマ・サンチュ、包み菜。育つにつれて葉を下から順に掻き取って利用するのでかきちしゃとも呼ばれ、日本では古くから利用された。一時期ほとんどなくなったが、焼き肉を包んで食べる方法が広まり、再び普及。葉の色が赤系と緑系がある。

コスレタス

エーゲ海のコス島で栽培されていたことからこの名がついた。別名**立ちちしゃ**、**ロメインレタス**。はくさいのような形の細長い半結球性の**立ちレタス**。わずかに苦味がある。炒めてもしゃきしゃきしている。

れんこん（蓮根）

East Indian lotus root　1節=200g

スイレン科。はすの地下茎で、池や沼で栽培する。穴があいているため、見通しがきくという縁起をかついで正月のおせち料理にも利用される。

栄養成分：ビタミンCが豊富。れんこんはでん粉が多いため分解されにくい。

（緑）=緑黄色野菜　ロケットサラダ→p.150ルッコラ　わさびだいこん→p.144ホースラディシュ

食品番号	食品名	廃棄率 %	エネルギー kcal	2015年版の値 kcal	水分 g	たんぱく質 g	アミノ酸組成によるたんぱく質 g	脂質 g	脂肪酸のトリアシルグリセロール当量 g	脂肪酸 飽和 g	脂肪酸 一価不飽和 g	脂肪酸 多価不飽和 g	コレステロール mg	炭水化物 g	利用可能炭水化物（質量計） g	食物繊維 食物繊維総量（プロスキー変法） g	食物繊維 食物繊維総量（AOAC法） g	ミネラル（無機質） ナトリウム mg	カリウム mg	カルシウム mg	マグネシウム mg	リン mg	鉄 mg
	（レタス類）																						
06312	**レタス**　土耕栽培　結球葉　生	2	11	12	95.9	0.6	0.5	0.1	Tr	0.01	Tr	0.03	(0)	2.8	1.7	1.1	-	2	200	19	8	22	0.3
（緑）06361	水耕栽培　結球葉　生	2	13	14	95.3	0.8	(0.6)	0.2	(0.1)	(0.02)	(Tr)	(0.05)	(0)	2.9	(2.0)	1.1	-	2	260	34	10	30	0.3
（緑）06313	**サラダな**　葉　生	10	10	14	94.9	1.0	0.8	0.2	0.1	0.01	Tr	0.06	(0)	2.7	0.7	1.8	-	6	410	56	14	49	2.4
（緑）06314	**リーフレタス**　葉　生	6	16	16	94.0	1.4	(1.0)	0.1	(0.1)	(0.01)	(Tr)	(0.05)	(0)	3.3	(0.9)	1.9	-	6	490	58	15	41	1.0
（緑）06315	**サニーレタス**　葉　生	6	15	16	94.1	1.2	(0.7)	0.2	(0.1)	(0.03)	(0.01)	(0.10)	(0)	3.2	(0.6)	2.0	-	4	410	66	15	31	1.8
（緑）06362	**サンチュ**　葉　生	0	14	15	94.5	1.2	(1.0)	0.4	(0.2)	(0.03)	(0.01)	(0.13)	(0)	2.5	-	2.0	-	3	470	62	19	39	0.5
06316	**コスレタス**　葉　生	9	16	17	94.5	1.2	(0.8)	0.2	0.1	0.02	Tr	0.03	(0)	3.4	(1.2)	1.9	-	16	250	29	12	39	0.5
06317	**れんこん**　根茎　生	20	66	66	81.5	1.9	1.3	0.1	Tr	0.01	0.01	0.02	0	15.5	13.0	2.0	-	24	440	20	16	74	0.5
06318	ゆで	0	66	66	81.9	1.3	(0.9)	0.1	(Tr)	(0.01)	(0.01)	(0.02)	(0)	16.1	(12.7)	2.3	-	15	240	20	13	78	0.4
06371	甘酢れんこん	0	66	71	80.8	0.6	0.5	0.2	-	-	-	-	(0)	16.5	13.8	2.3	-	550	14	6	1	26	0.1
（緑）06320	**わけぎ**　葉　生	4	30	30	90.3	1.6	(1.1)	0	-	-	-	-	(0)	7.4	-	2.8	-	1	230	59	23	25	0.4
06321	ゆで	0	29	29	90.4	1.9	(1.3)	0	-	-	-	-	(0)	6.9	-	3.1	-	1	190	51	23	25	0.4
06322	**わさび**　根茎　生	30	89	88	74.2	5.6	-	0.2	-	-	-	-	(0)	18.4	-	4.4	-	24	500	100	46	79	0.8
06323	わさび漬	0	140	145	61.4	7.1	-	0.5	-	-	-	-	(0)	28.0	-	2.7	-	1000	140	40	16	72	0.9
06324	**わらび**　生わらび　生	6	19	21	92.7	2.4	1.8	0.1	-	-	-	-	(0)	4.0	-	3.6	-	Tr	370	12	25	47	0.7
06325	ゆで	0	13	15	95.2	1.5	(1.1)	0.1	-	-	-	-	(0)	3.0	-	3.0	-	Tr	10	11	10	24	0.6
06326	干しわらび　乾	0	216	274	10.4	20.0	(14.5)	0.7	-	-	-	-	(0)	61.4	-	58.0	-	6	3200	200	330	480	11.0
	（その他）																						
06382	**ミックスベジタブル**　冷凍	0	67	79	80.5	3.0	-	0.7	-	-	-	-	0	15.1	-	-	5.9	22	220	19	21	71	0.7
06383	ゆで	0	65	78	80.9	3.1	-	0.8	-	-	-	-	0	14.6	-	-	6.5	16	180	19	20	67	0.7
06384	油いため	0	108	121	75.5	3.3	-	4.9	-	-	-	-	Tr	15.7	-	-	5.9	22	230	20	22	74	0.7
06399	**野菜ミックスジュース**　通常タイプ	0	21	23	93.9	0.8	-	0.1	-	-	-	-	-	4.7	3.1	-	0.9	17	230	10	9	19	0.2
06400	濃縮タイプ	0	36	38	90.0	1.0	-	0.3	-	-	-	-	-	7.8	5.7	-	1.0	39	310	43	18	30	0.3

+PLUS+　**見るところは一緒●**レタスの語源はラテン語のラクチュカ（lactuca）。ラク（lac）は乳を意味する語で、レタスの葉や茎を切ると乳に似た白い液が出ることに由来する。一方、和名では“ちしゃ”というが、乳草→ちしゃとなったといわれる。洋の東西、注目するところは一緒だった。

辛子
れんこん

れんこん

わけぎ

わさび

わさび漬

わらび

わらびのナムル

干しわらび

ミックスベジタブル

調理法：きんぴら、酢の物、煮物、揚げ物、辛子れんこん等。酢を加えてゆでると白くなり、歯切れもよくなる。
選び方：穴が小さめで太く丸いものがよい。穴が黒ずんだものは避ける。
保存法：ぬらした新聞紙で包み、冷蔵庫で保存。
旬：11〜2月。
産地：茨城、徳島等。

わけぎ（分葱）

Turfed stone leeks　1わ=70g

ユリ科。ねぎの変種で、根元の部分が少し丸みをおびてふくらんでおり、ねぎよりも葉の部分が細い。葉は中空になっている。ねぎは種子栽培だが、わけぎは球根栽培で、根元が多くの株に分かれるため、分け取るねぎ（分けねぎ）からこの名がついた。刺激臭や辛味が少なく、葉はやわらかくて甘味がある。ねぎと同様に利用する。
栄養成分：カルシウム、カロテン、ビタミンC等が豊富。
調理法：薬味、和え物、酢の物、鍋物、汁の実等。
旬：2〜4月。

わさび（山葵）

Wasabi　1本=60g

アブラナ科。日本原産。山間の清流で栽培する沢わさび（水わさび）が一般的だが、畑地で栽培する畑わさび（おかわさび）もある。ホースラディシュ（➡p.145）を畑わさびと呼ぶ地域もある。全体に揮発性の辛味があるが、とくに根をすりおろして、香辛料として利用する。辛味は根の上部に多い。辛味成分（アリルイソチオシアネート）には殺菌作用がある。
調理法：香辛料、薬味、漬物等。花や葉は浸し物や和え物に。
選び方：根の先端に変色やいたみがなく、葉の生き生きとしているもの。
保存法：ぬらした新聞紙に包み、ラップして冷蔵庫で保存。
産地：静岡、長野等。

わさび漬
わさびの茎と根を刻んで酒粕に漬けたもの。

わらび（蕨）

Bracken　生1本=10〜15g

ウラボシ科。若芽が巻いているやわらかい若い茎葉を食用にする。山菜として有名だが栽培も盛んに行われている。わらびの地下茎から採ったでん粉をわらび粉といい、それでつくったもちがわらびもちである。「干しわらび」は、熱湯でゆでてからあく抜きし、乾燥させたもの。
調理法：煮物、浸し物、和え物、漬物等。重曹や木灰を利用してあく抜きをしてから利用する。栽培種にはあくがないものもある。
産地：秋田、山形等。

ミックスベジタブル

Mixed Vegetables

凍結したグリンピース、スイートコーン粒、さいの目切りしたにんじんを混合したもの。

野菜ミックスジュース

Vegetable Juice

トマトジュースを主原料として、他の野菜ジュースを加えた混合野菜ジュース。

可食部100gあたり　Tr：微量　（ ）：推定値または推計値　-：未測定

ミネラル（無機質）							ビタミン																食塩相当量	備考
亜鉛	銅	マンガン	ヨウ素	セレン	クロム	モリブデン	A レチノール活性当量	A レチノール	A β-カロテン当量	D	E α-トコフェロール	K	B1	B2	ナイアシン当量	B6	B12	葉酸	パントテン酸	ビオチン	C		①廃棄部位　②硝酸イオン　③試料　④廃棄率　⑤原材料　⑥ビタミンC　⑦重量比
mg	mg	mg	μg	μg	μg	μg	μg	μg	μg	μg	mg	μg	mg	mg	mg	mg	μg	μg	mg	μg	mg	g	
0.2	0.04	0.13	1	0	0	Tr	**20**	(0)	240	(0)	0.3	29	**0.05**	**0.03**	0.3	0.05	(0)	73	0.20	1.2	**5**	0	①株元　②0.1g
0.1	0.01	0.38	-	-	-	-	**59**	(0)	710	(0)	0.3	58	**0.03**	**0.03**	(0.4)	0.05	(0)	44	0.06	-	**5**	0	①株元　②0.2g
0.2	0.04	-	-	-	-	-	**180**	(0)	2200	(0)	1.4	110	**0.06**	**0.13**	0.6	0.06	(0)	71	0.25	-	**14**	0	①株元　②0.2g
0.5	0.06	0.34	7	Tr	3	5	**200**	(0)	2300	(0)	1.3	160	**0.10**	**0.10**	(0.6)	0.10	(0)	110	0.24	2.9	**21**	0	①株元　②0.2g
0.4	0.05	0.43	-	-	-	-	**170**	(0)	2000	(0)	1.2	160	**0.10**	**0.10**	(0.6)	0.08	(0)	120	0.14	-	**17**	0	①株元　②0.2g
0.2	0.01	0.69	-	-	-	-	**320**	(0)	3800	(0)	0.7	220	**0.06**	**0.10**	(0.7)	0.08	(0)	91	0.08	-	**13**	0	株元を除いたもの（株元つきの場合、④9%）②0.4g
0.3	0.03	0.23	-	-	-	-	**43**	(0)	510	(0)	0.7	54	**0.06**	**0.06**	(0.5)	0.05	(0)	120	0.23	-	**8**	0	①株元　②0.1g
0.3	0.09	0.78	9	1	0	1	**Tr**	(0)	3	(0)	0.6	0	**0.10**	**0.01**	0.7	0.09	0	14	0.89	2.9	**48**	0.1	①節部及び皮　②0g
0.3	0.05	0.80	-	-	-	-	**Tr**	(0)	3	(0)	0.6	0	**0.06**	**0**	(0.4)	0.07	0	8	0.49	-	**18**	0	節部及び皮を除いたもの　②0g
Tr	0.07	Tr	*	0	1	1	**0**	(0)	3	(0)	0.8	0	**0**	**0**	0.2	0	0	1	0	0.1	**7**	1.4	②0g
0.2	0.04	0.23	-	-	-	-	**220**	(0)	2700	(0)	1.4	170	**0.06**	**0.10**	(0.7)	0.18	(0)	120	0.21	-	**37**	0	①株元　②Tr
0.2	0.04	0.28	-	-	-	-	**150**	(0)	1800	(0)	1.5	120	**0.05**	**0.08**	(0.8)	0.13	(0)	110	0.20	-	**21**	0	株元を除いたもの　②Tr
0.7	0.03	0.14	1	9	1	2	**1**	(0)	7	(0)	1.4	49	**0.06**	**0.15**	1.5	0.32	(0)	50	0.20	3.5	**75**	0.1	①側根基部及び葉柄　②0.1g
1.1	0.15	0.38	-	-	-	-	**2**	(0)	20	(0)	0.1	9	**0.08**	**0.17**	1.8	0.38	(0)	45	0.25	-	**1**	2.5	②Tr
0.6	0.13	0.14	-	-	-	-	**18**	(0)	220	(0)	1.6	17	**0.02**	**1.09**	1.3	0.05	(0)	130	0.45	-	**11**	0	①基部　②Tr
0.5	0.06	0.08	-	-	-	-	**13**	(0)	160	(0)	1.3	15	**Tr**	**0.05**	(0.7)	0	(0)	33	0	-	**0**	0	基部を除いたもの　ゆでた後水冷し、水切りしたもの　②0g
6.2	1.20	1.63	-	-	-	-	**110**	(0)	1300	(0)	4.6	180	**0.12**	**0.46**	(9.3)	0.06	(0)	140	2.70	-	**0**	0	②Tr
0.5	0.08	0.20	0	1	1	24	**320**	0	3900	0	0.3	10	**0.14**	**0.07**	2.0	0.09	Tr	50	0.35	3.4	**9**	0.1	グリンピース冷凍 29、スイートコーン冷凍 37、にんじん冷凍 34　②0g
0.5	0.07	0.20	0	1	Tr	19	**350**	0	4200	0	0.3	10	**0.12**	**0.05**	1.8	0.07	0	44	0.30	3.1	**5**	0	グリンピース冷凍ゆで 28、スイートコーン冷凍ゆで 39、にんじん冷凍ゆで 33　②0g
0.6	0.08	0.21	0	1	1	24	**360**	0	4300	0	1.0	16	**0.14**	**0.07**	2.1	0.09	0	53	0.38	3.7	**6**	0.1	グリンピース冷凍油いため 29、スイートコーン冷凍油いため 39、にんじん冷凍油いため 32　植物油（なたね油）②0g
0.1	0.05	0.07	0	0	1	3	**77**	-	920	-	1.0	3	**0.03**	**0.02**	0.9	0.07	-	11	0.14	3.1	**2**	0	②0g　ポリフェノール：Tr
0.1	0.05	0.12	3	0	1	2	**400**	-	4800	-	1.2	4	**0.05**	**0.04**	1.3	0.12	-	26	0.30	3.9	**37**	0.1	②Tr　ポリフェノール：Tr

Q A　れんこんの穴の数は一般的に何個あるといわれる？▶10個。真ん中に1個、その周りに9個。れんこんの地下茎や葉、葉柄には穴があり、これらがつながっている。その穴が通気孔となり、外の空気を根に送っている。

07 果実類 FRUITS

ドリアンの実は1個2〜3kgにもなる（➡p.169）

果実類とは

果実類は、特有の芳香、色、みずみずしさ、さわやかな甘味と酸味を持つ季節感あふれる食品である。生食することが多いが、ドライフルーツ、ジャム、ゼリー、ジュース、果実酒等にも加工される。

1 栄養上の特徴

生食することが多いので、ビタミンCの供給源となる。主成分は、水分が80〜90%を占め、次いで糖分が多い。あんず、かき、びわなどのようにカロテンを多く含むものもある。ビタミン以外では、ミネラルのカリウムに富んでいる。また、果実に含まれるペクチン、セルロースは、食物繊維として重要な働きをする。クエン酸、リンゴ酸等の有機酸は鉄の吸収を高めたり、疲労回復に効果がある。パインアップル、パパイアのようにたんぱく質を分解する酵素を持つ果実もある。

●果実類の分類

果菜類	草本の果実	メロン、いちご、すいかなど
仁果類	子房壁が発達して果実になったもの	りんご、なし、びわなど
準仁果類	子房の外果皮中に、中果皮が発達したもの	柑橘類、かきなど
漿果類（液果類）	1果が1子房からできているもの	ぶどう、バナナ、パインアップルなど
核果類	子房の内果皮がかたい核になり、その中に種子があるもの	もも、うめ、あんず、さくらんぼなど
熱帯果類	輸入される果実をさした便宜的な呼称。国内でも若干生産がある	バナナ、ココナッツ、パパイア、マンゴー、ライチー、マンゴスチンなど

●果実類の栄養成分比較 ※可食部100gあたり（%）

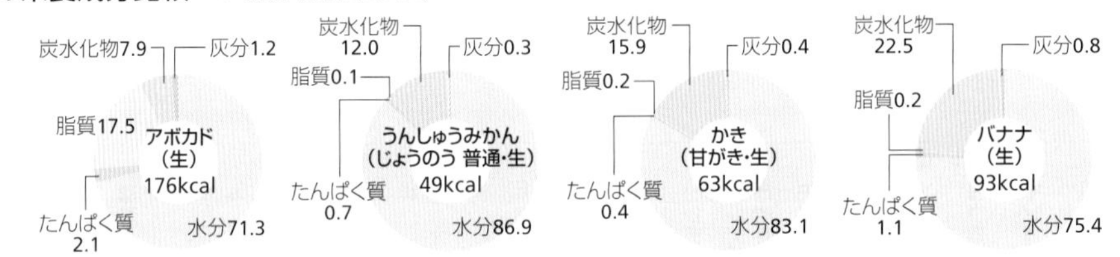

2 選び方・保存方法

	選び方	保存方法
りんご	果皮にはりがあり、全体にしまったもの。軽くたたくと澄んだ音がするもの。	室温で7〜10日は保存できる。密閉し冷蔵庫へ入れればさらに長く保存できる。
バナナ	青みがあるものは追熟が必要。茶色の斑点ができる頃が食べ頃。房のつけ根がしっかりし、丸みをおびたものがよい。	南国産のため低温に弱く、冷蔵庫で保存すると、黒ずんでしまう。
うんしゅうみかん	色濃く、つやのあるもの。へたが小さいものほど、味がよい。	むやみにさわらず、風通しのよい冷暗所で保存。1か月程度はもつ。
いちご	へたが濃い緑色でみずみずしいもの。果実は全体に濃い赤い色でつやのあるもの。	日持ちしないので、すぐ食べきる。保存するときはへたをとらずに冷蔵庫へ。
なし	軸がしっかりしていて重いもの。果皮の色むらがなく、斑点や傷のないもの。やわらかいものは避ける。	未熟なものは室温で追熟。熟したものを冷蔵庫で冷やすと甘味が増す。1〜2週間はもつ。
パインアップル	果皮が赤みをおび、筋が深くて緑が残っているもの。葉は緑の濃いもの。香りがよく重量感のあるもの。	果実の下部に甘味があるので、葉を下にして保存すると甘味が均一に。食べ残ったらラップに包んで冷蔵庫へ。
アボカド	熟すと黒みをおびた暗緑色になり、弾力があれば食べ頃。未熟なものは室温で追熟。	空気に触れると変色するので、切ったらラップに包み冷蔵庫へ。数日間で食べきる。
キウイフルーツ	茶色の毛が密集しているもの。弾力があり、耳たぶぐらいのかたさになったら食べ頃。皮にしわがあるものは鮮度が落ちる。	皮のかたい未熟果は酸味が強い。室温で追熟させ、完熟したら冷蔵庫へ。1〜2週間は保存可能。未熟なまま冷蔵庫に入れると数か月もつ。

●果実の部位の名称

【仁果類】りんご
果柄
花托（果肉）
種子
果心

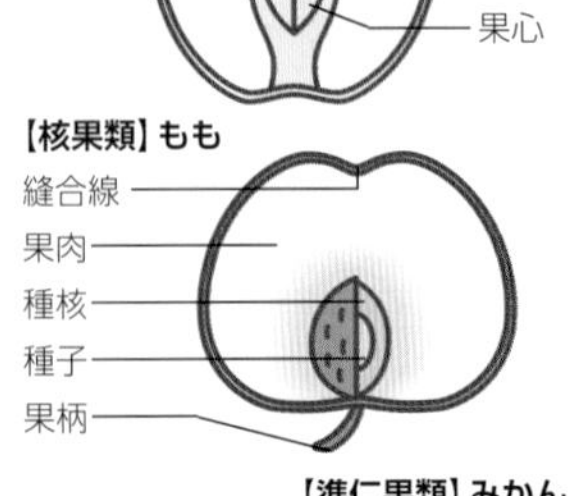

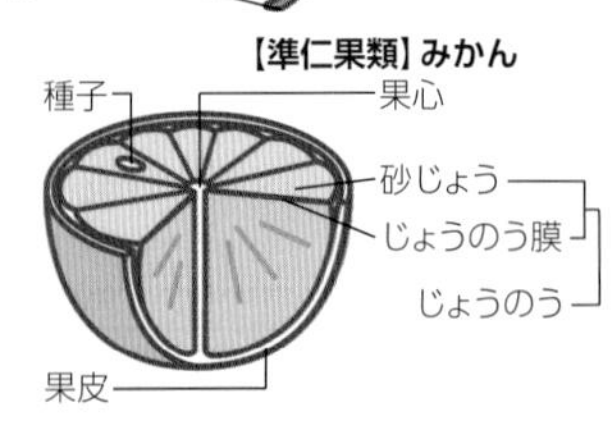

3 加工と加工品

ジャム

ジュース

シャーベット

ゼリー

ケーキ・パイ

缶詰・びん詰

4 調理性

●ペクチンとは

ペクチンは、植物や果物の細胞膜内の中層に含まれる多糖類の一種。未熟な果物、酸味の多い果物に多く含まれる。果物に含まれるペクチンに酸と砂糖を加えると、ゼリー状に凝固（＝ゲル化）する。

ジャム作りのポイント

①ペクチンの量の確認。適量は0.5～1.0%。不足している場合は、市販のペクチンで補う。

②酸の量の確認。適量はpH3.0前後で、もっともかたく凝固する。不足する場合はクエン酸を加えて調節する。酸が強い場合はゼリー化も早いので、手早く調理する。

③糖濃度の確認。糖濃度は55～65%がよい。果汁だけで足りない場合は砂糖で補う。

●生のパインアップルではゼリーは作れない?

パインアップルは、たんぱく質分解酵素であるブロメラインを含むため、果汁に肉を漬けておいたり一緒に調理すると肉がやわらかくなる効果がある。一方、ゼリーやババロアを作る際に使用する「ゼラチン」は、もともと動物の骨や皮に含まれるたんぱく質から作られている。そのため、ゼラチンとパインアップルをそのまま混ぜるとゼラチンが分解されてしまい、固まらずゼリーを作ることはできない。同様にたんぱく質分解酵素は、パパイア・キウイフルーツ・いちじくなどにも含まれるので、これらの果物を用いてゼリーを作るには、熱を加えるなどして分解酵素の働きを失わせる必要がある。その後にゼラチンと混ぜるとよい。なお、缶詰フルーツなどはすでに加熱処理が済んでいるので、そのまま使用できる。

●おもな果実の酸度・ペクチン含有量・糖分

果実	酸度(pH)	ペクチン(%)	糖分(%)
りんご	3.5～4.5	0.5～1.6	10～13
ぶどう	3.2～3.8	0.2～1.0	12～20
もも	4.5～4.6	0.6～0.9	8～9
レモン	2.3	3.0～4.0	1～3
グレープフルーツ	3.1～3.4	3.3～4.5	6～8
いちご	3.4	0.6～0.7	7～8
あんず	3.2～3.3	0.7～1.3	7～8

（『NEW調理と理論』同文書院より）

●果実の熟度とペクチン類の変化

	果肉の性質	ペクチン類の特性			
		種類	分子の大きさ	溶解性	ゲル化特性
A 未熟	非常にかたい	プロトペクチン	非常に大きい	不溶性	ゲル化しない
B 成熟	適度なかたさ	ペクチン	単糖類が約1000個	水溶性	しょ糖と酸の添加によりゲル化
C 過熟	非常にやわらかい	ペクチン酸	小さい	不溶性	ゲル化しない

5 食文化その他

●果実の輸入高（2019年）

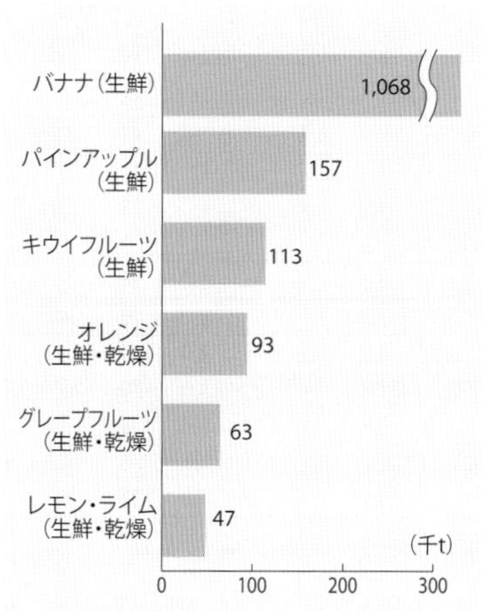

（矢野恒太記念会『日本国勢図会 2020/21』より）

●果実の旬

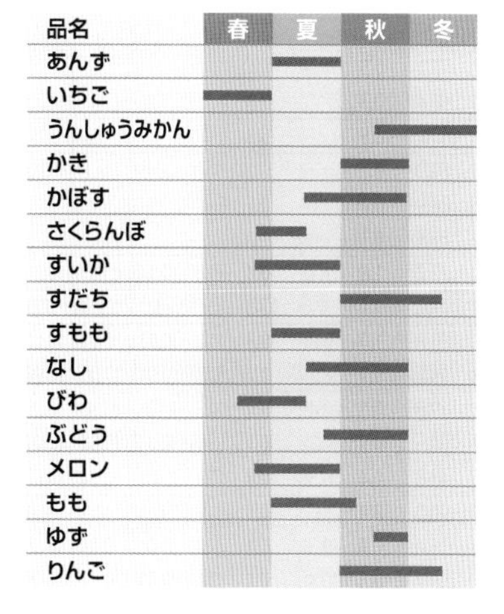

●1人あたり年間果物供給量（2018年）

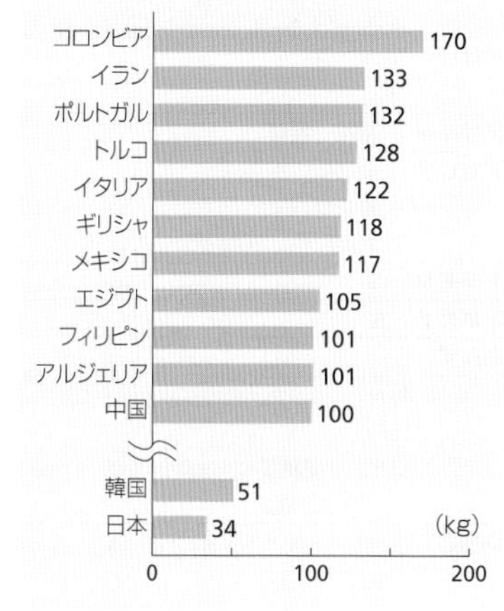

（総務省『世界の統計 2021』より）

あけび

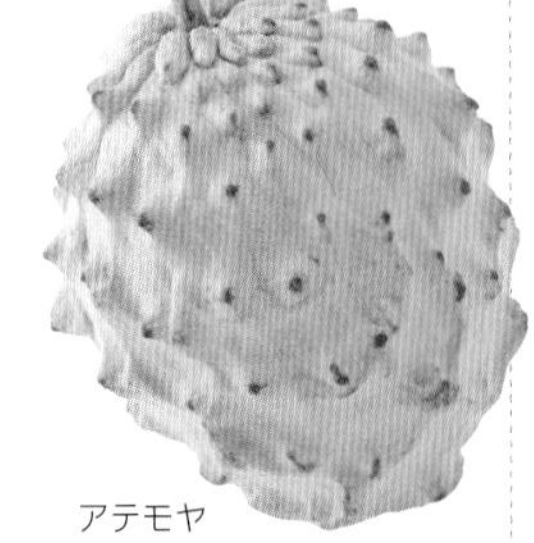

アテモヤ

アセロラ

アセロラジュース

アボカド

アサイー

あけび（通草）
Akebia　1個=50g

アケビ科。つる性の植物で本州以南の各地に自生。栽培されたのは1980年代後半から。熟すと果皮が紫色になって割れ、果肉は半透明の白いゼリー状で甘い。割れてしまうと商品価値がなくなるので、市場には熟す前に収穫した割れていないものが出回っている。あけびは果皮も料理に利用する。

利用法：果肉は生食。果皮は詰め物をして蒸し物や揚げ物にしたり、皮を細かく切って炒めたりする。東北地方では、あけびの新芽を"木の芽"と呼び、酢の物や浸し物、和え物、汁物の具等にする。

旬：8～10月。

産地：山形等。

アサイー
Açaí / Assai　1粒=1g

ヤシ科。水分が少なく味がほとんどないため、ピューレ状にして利用する。抗酸化成分を含み栄養成分が豊富なため、スーパーフルーツともいわれる。

利用法：ジュース、菓子材料等。

産地：ブラジル。

アセロラ
Acerola　1個=6g

キントラノオ科。西インド諸島から南米原産のトロピカルフルーツ。開花から3週間ほどで実るので、年4～5回収穫できる。熟すと濃い紅色になり、甘味と酸味があり、香りはりんごに似ている。熟すとすぐいたみはじめるため、産地以外で生果を食べることは難しい。

種類：糖度が8％以下の酸味種と10％前後の甘味種がある。

栄養成分：ビタミンC。

利用法：ジュース、ジャム、ゼリー等。

旬：7～8月。

産地：ブラジル、ハワイ、グアム等。沖縄。

アテモヤ
Atemoya　1個=200g

バンレイシ科。別名カスタードアップル。森のアイスクリームともいわれる。世界三大美果といわれるチェリモヤとバンレイシを交配したもの。未熟でかたいときに収穫し、常温で3～7日追熟させてやわらかくしてから食べる。とろけるような甘さが特徴でわずかに酸味がある。

栄養成分：ナイアシン、ビタミンB_6等。

利用法：全体にやわらかくなったらラップで包んで冷蔵庫で冷やし、メロンのように4つ切りにしてスプーンで食べる。

旬：1～2月。

産地：アメリカ、オーストラリア等。沖縄、鹿児島。

アボカド
Avocados　1個=200g

クスノキ科。中南米原産のトロピカルフルーツ。別名鰐梨（わになし）、バターフルーツ、**アボガド**。脂質が多いため森のバターともいわれる。

食品番号	食品名	廃棄率	エネルギー	2015年版の値	水分	たんぱく質	アミノ酸組成によるたんぱく質	脂質	脂肪酸のトリアシルグリセロール当量	脂肪酸 飽和	脂肪酸 一価不飽和	脂肪酸 多価不飽和	コレステロール	炭水化物	利用可能炭水化物（質量計）	食物繊維 食物繊維総量（プロスキー変法）	食物繊維 食物繊維総量（AOAC法）	ミネラル（無機質） ナトリウム	カリウム	カルシウム	マグネシウム	リン	鉄
		%	kcal	kcal	g	g	g	g	g	g	g	g	mg	g	g	g	g	mg	mg	mg	mg	mg	mg
07001	**あけび** 果肉 生	0	**89**	82	77.1	**0.5**	-	**0.1**	-	-	-	-	0	**22.0**	-	1.1	-	Tr	95	**11**	14	22	**0.3**
07002	果皮 生	0	**32**	34	90.4	**0.3**	-	**0.3**	-	-	-	-	0	**8.6**	-	3.1	-	2	240	**18**	9	13	**0.1**
07181	**アサイー** 冷凍 無糖	0	**62**	65	87.7	**0.9**	-	**5.3**	-	-	-	-	-	**5.0**	0.2	-	4.7	11	150	**45**	20	19	**0.5**
07003	**アセロラ** 酸味種 生	25	**36**	36	89.9	**0.7**	-	**0.1**	Tr	0.01	Tr	0.01	0	**9.0**	-	1.9	-	7	130	**11**	10	18	**0.5**
07159	甘味種 生	25	**36**	36	89.9	**0.7**	-	**0.1**	-	-	-	-	0	**9.0**	-	1.9	-	7	130	**11**	10	18	**0.5**
07004	果実飲料 10% 果汁入り飲料	0	**42**	42	89.4	**0.1**	-	**0**	-	-	-	-	0	**10.5**	-	0.2	-	1	13	**1**	1	2	**0.1**
07005	**アテモヤ** 生	35	**81**	79	77.7	**1.8**	(1.1)	**0.4**	(0.3)	(0.14)	(0.03)	(0.11)	0	**19.4**	-	3.3	-	4	340	**26**	29	24	**0.3**
07006	**アボカド** 生	30	**176**	182	71.3	**2.1**	1.6	**17.5**	15.5	3.03	9.96	1.85	Tr	**7.9**	(0.8)	5.6	-	7	590	**8**	34	52	**0.6**
07007	**あんず** 生	5	**37**	36	89.8	**1.0**	(0.8)	**0.3**	(0.2)	(0.02)	(0.13)	(0.06)	(0)	**8.5**	(4.7)	1.6	-	2	200	**9**	8	15	**0.3**
07008	乾	0	**296**	288	16.8	**9.2**	(6.7)	**0.4**	(0.1)	(0.01)	(0.06)	(0.06)	(0)	**70.4**	(49.0)	9.8	-	15	1300	**70**	45	120	**2.3**
07009	缶詰	0	**79**	81	79.8	**0.5**	(0.4)	**0.4**	(0.3)	(0.03)	(0.16)	(0.08)	(0)	**18.9**	-	0.8	-	4	190	**18**	7	14	**0.2**
07010	ジャム 高糖度	0	**252**	262	34.5	**0.3**	(0.2)	**0.1**	(0.1)	(0.01)	(0.04)	(0.02)	(0)	**64.9**	(63.4)	0.7	-	10	75	**8**	4	6	**0.2**
07011	低糖度	0	**202**	205	48.8	**0.4**	(0.3)	**0.1**	(0.1)	(0.01)	(0.04)	(0.02)	(0)	**50.5**	-	1.2	-	18	80	**11**	4	7	**0.3**
07012	**いちご** 生	2	**31**	34	90.0	**0.9**	0.7	**0.1**	0.1	0.01	0.01	0.05	0	**8.5**	(5.9)	1.4	-	Tr	170	**17**	13	31	**0.3**
07013	ジャム 高糖度	0	**250**	256	36.0	**0.4**	(0.3)	**0.1**	(0.1)	(0.01)	(0.01)	(0.05)	(0)	**63.3**	(62.4)	1.3	-	6	67	**9**	7	13	**0.2**
07014	低糖度	0	**194**	197	50.7	**0.5**	(0.4)	**0.1**	(0.1)	(0.01)	(0.01)	(0.05)	(0)	**48.4**	-	1.1	-	12	79	**12**	8	14	**0.4**
07160	乾	0	**329**	302	15.4	**0.5**	(0.4)	**0.2**	(0.2)	(0.02)	(0.02)	(0.12)	(0)	**82.8**	-	3.0	-	260	15	**140**	5	9	**0.4**

+PLUS+ ビタミンC含有量が桁違い●アセロラの最大の特徴は、ビタミンC含有量が極端に多いこと。甘味種だとレモンの8倍、酸味種では17倍も含んでいる。欧米の天然ビタミンC錠剤のほとんどは、アセロラを原料にしているのだ。ちなみに、Acerola はスペイン語の呼び名で、英語名は West indian cherry、Barbados cherry。

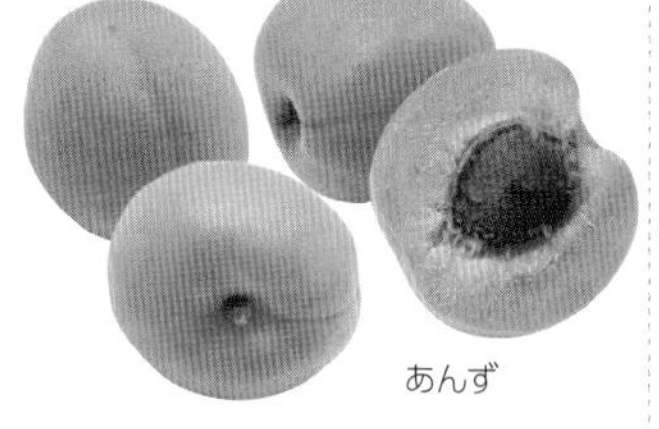

あんず

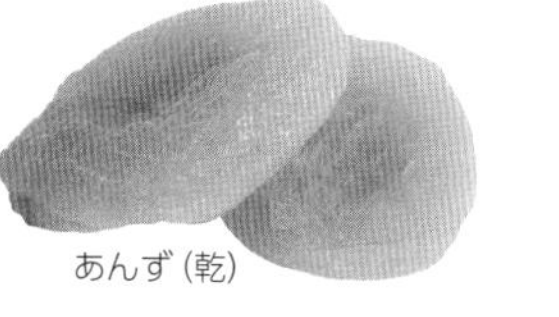

あんず（乾）

いちご

卵形で果皮が緑色のものが一般的。甘味がほとんどないため料理に用いられる。
栄養成分：脂質が豊富。ビタミンB_2・Eも多い。
利用法：サラダ、オードブル、和え物、スープ、アイスクリーム等。アボカドを具にして巻いた寿司を、カリフォルニアロールという。
選び方：弾力性があり、果皮が黒みがかっているものがよい。果皮が緑色のものは追熟する。
旬：10～3月。
産地：アメリカ、メキシコ等。

あんず（杏）

Apricots　1個=70g

バラ科。別名**アプリコット**。中国東北部原産で平安時代に伝来し、唐桃（からもも）と呼ばれた。日本あんず、中国あんず、ヨーロッパあんずに大別されるが、日本で栽培されているものの多くは日本あんずとその雑種。あんずの種子は杏仁（きょうにん）と呼ばれ咳止めの生薬や、中国料理のデザートの杏仁（あんにん）豆腐の独特の味を出すために使われる。
栄養成分：カロテン、ビタミンE、カリウム等。
利用法：生食、ジャム、缶詰、ドライフルーツ、果実酒等。
旬：6～7月。
産地：青森、長野等。

いちご（苺）

Strawberries　1個=15～20g

バラ科。18世紀頃に現在のように甘くて大粒のいちごが作り出され、19世紀の江戸時代末期にオランダから日本に入ったため**オランダイチゴ**とも呼ばれる。食用にする部分は実ではなく、花托（かたく）が発達したもので、表面についている粒が種子。

白いいちご！?

真っ赤にならないために酸っぱそうに見えるが、白いいちごは普通のいちごよりもかなり甘く、重さは100gを超えるものもある。白い色の「天使の実」のほか、ピンク色になる「初恋の香り」、桃のような香りの「桃薫」、甘酸っぱくて香りが強い「雪うさぎ」等、希少価値がある品種が生まれている。

天使の実　初恋の香り

栄養成分：ビタミンC、カリウム等。
利用法：生食、ジュース、ジャム、シラップ、ケーキ、果実酒等。
保存法：洗わずにラップをして冷蔵保存すると長持ちする。
旬：本来の旬は晩春から初夏にかけてだが、栽培法や品種改良によって一年中出荷されている。

果物の名前あれこれ

あけび

割れたようすがあくびをしているように見えることから“あくび”が“あけび”になったとも、“開け実”が“あけび”になったともいわれる。

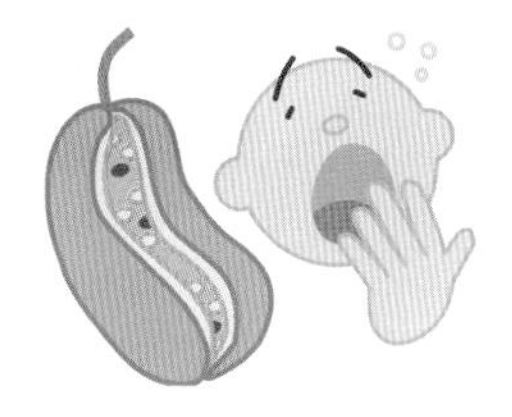

アテモヤ

アテモヤは、バンレイシのブラジル名“アテ”とチェリモヤ（➡p.169）の“モヤ”を合体したもの。

いちじく

漢字で「無花果」と書くが、花が咲かないわけではない。食用にする部分は果嚢（かのう）で、この中のつぶつぶが花で、花が外から見えないのでこの字があてられた。

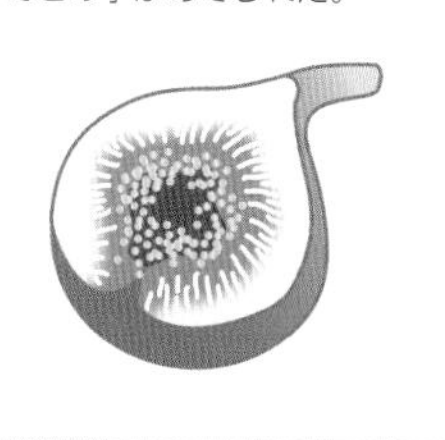

可食部100gあたり　Tr：微量　（ ）：推定値または推計値　－：未測定

ミネラル（無機質）							ビタミン															食塩相当量	備考
亜鉛	銅	マンガン	ヨウ素	セレン	クロム	モリブデン	A レチノール活性当量	A レチノール	A β-カロテン当量	D	E αトコフェロール	K	B_1	B_2	ナイアシン当量	B_6	B_{12}	葉酸	パントテン酸	ビオチン	C		①試料　②廃棄部位　③ビタミンC：酸化防止用として添加品あり
mg	mg	mg	µg	µg	µg	µg	µg	µg	µg	µg	mg	µg	mg	mg	mg	mg	µg	µg	mg	µg	mg	g	
0.1	0.09	0.15	-	-	-	-	**(0)**	(0)	0	(0)	0.2	-	**0.07**	**0.03**	0.4	0.08	0	30	0.29	-	**65**	0	①みつばあけび　全果に対する割合：果肉 20%、種子 7%
0.1	0.05	0.17	-	-	-	-	**(0)**	(0)	0	(0)	0.6	-	**0.03**	**0.06**	0.2	0.09	0	16	0.47	-	**9**	0	①みつばあけび　全果に対する割合：果皮 70%、へた 3%
0.3	0.19	5.91	1	6	60	3	**34**	-	410	-	3.7	91	**0.03**	**0.06**	0.7	0.11	Tr	13	0.10	14.0	**1**	0	タンニン：0.4 gポリフェノール：0.4 g
0.5	0.31	-	-	-	-	-	**31**	0	370	(0)	0.7	-	**0.03**	**0.04**	0.4	0	0	45	0.25	-	**1700**	0	①冷凍品　②果柄及び種子
0.5	0.31	-	-	-	-	-	**31**	0	370	(0)	0.7	-	**0.03**	**0.04**	0.4	0	0	45	0.25	-	**800**	0	①冷凍品　②果柄及び種子
0.1	0.04	-	-	-	-	-	**3**	0	35	(0)	0.1	0	**Tr**	**Tr**	Tr	0	0	5	0.03	-	**120**	0	
0.2	0.09	0.20	-	-	-	-	**(0)**	(0)	0	(0)	0.2	-	**0.08**	**0.12**	(1.5)	0.28	0	23	0.23	-	**14**	0	②果皮及び種子
0.7	0.24	0.19	0	1	0	2	**7**	(0)	87	(0)	3.3	21	**0.09**	**0.20**	2.3	0.29	(0)	83	1.55	5.3	**12**	0	②果皮及び種子
0.1	0.04	0.21	0	0	0	1	**120**	(0)	1500	(0)	1.7	-	**0.02**	**0.02**	(0.2)	0.05	(0)	2	0.30	0.5	**3**	0	②核及び果柄
0.9	0.43	0.32	-	-	-	-	**410**	(0)	5000	(0)	1.4	(4)	**0**	**0.03**	(5.0)	0.18	(0)	10	0.53	-	**Tr**	0	果皮及び核を除いたもの
0.1	0.03	0.03	-	-	-	-	**46**	(0)	550	(0)	0.9	(3)	**0.01**	**0.01**	(0.2)	0.04	(0)	2	0	-	**Tr**	0	①ヘビーシラップ漬　液汁を含んだもの（液汁 40%）　③
0.1	0.02	0.02	-	-	-	-	**39**	(0)	470	(0)	0.4	(6)	**0.01**	**Tr**	(0.3)	0.02	(0)	1	0	-	**Tr**	0	③（100 g：125mL、100 mL：80g）
0.1	0.03	0.03	-	-	-	-	**58**	(0)	690	(0)	0.5	(5)	**0.01**	**0.01**	(0.3)	0.02	(0)	2	0	-	**Tr**	0	③（100 g：125mL、100 mL：80g）
0.2	0.05	0.20	1	Tr	0	9	**1**	(0)	18	(0)	0.4	(2)	**0.03**	**0.02**	0.5	0.04	(0)	90	0.33	0.8	**62**	0	②へた及び果梗
0.1	0.03	0.14	0	0	1	2	**(0)**	(0)	Tr	(0)	0.1	(4)	**0.01**	**0.01**	(0.3)	0.02	(0)	23	0.08	0.4	**9**	0	③（100 g：125mL、100 mL：80g）
0.1	0.03	0.22	-	-	-	-	**(0)**	(0)	Tr	(0)	0.2	(3)	**0.01**	**0.01**	(0.3)	0.03	(0)	27	0.06	-	**10**	0	③（100 g：125mL、100 mL：80g）
0.1	0.07	0.22	(5)	(3)	(0)	(76)	**2**	(0)	28	(0)	0.7	(21)	**0**	**0**	(0.1)	0.01	(0)	4	0.02	(7.0)	**0**	0.7	ドライフルーツ

Q A 「枕草子」に出てくる“いみじう美しき稚児の覆盆子などのくひたる姿”の「覆盆子」とは何の果実？▶いちご。平安時代には、いちごの実の形が、とがった盆を伏せたようであることから「覆盆子」と書いて「いちご」と読んだ。ここでは、幼い子がいちごを食べている姿が、似つかわしく愛くるしいといった意味。

いちじく

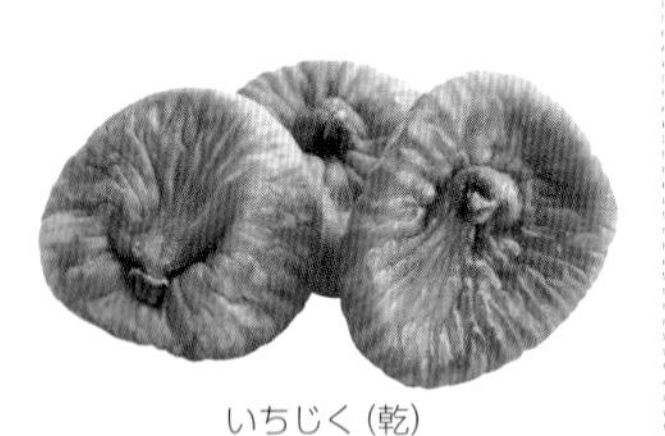

いちじく（乾）

うめ（未熟果）

梅干し

オリーブの木

ブラックオリーブ（塩漬）

グリーンオリーブ（塩漬）

スタッフドオリーブ（塩漬）

いちじく（無花果）

Figs　1個=50g

クワ科。地中海地方原産。別名唐柿、南蛮柿。熟すと赤褐色に色づき、頭の部分が適度に裂ける。多汁で甘味がある。たんぱく質分解酵素のフィシンがあるため、肉と食べ合わせると消化をよくする。

栄養成分：カリウム等。

利用法：生食、ジャム、ドライフルーツ、ワイン煮、果実酒等。

選び方：果皮にはりがあり、傷がなくふっくらとしていて、開口部が少し割れているものがよい。

旬：8～10月。

産地：愛知、和歌山、大阪、福岡等。

うめ（梅）

Mume:Japanese apricots　1個=40g

バラ科。中国原産で、花を観賞する花梅と、実を利用する実梅に分けられる。実梅は、大粒で梅干しやジュースに向く南高梅（なんこううめ）や白加賀（しろかが）、小粒で梅干しに向く甲州最小（こうしゅうさいしょう）等、300以上の品種がある。クエン酸の酸味が強く、また、未熟果の核には青酸を生じる青酸配糖体があり、中毒症状をおこすため、生食せず加工して利用する。

利用法：梅干し、梅漬、梅びしお、ジャム、ジュース、菓子、果実酒等。

旬：6～8月。

産地：和歌山、群馬、福岡等。

梅漬

「塩漬」は、完熟した梅を塩で漬け、上がってきた水分（梅酢）に梅が漬かった状態で味をなじませたもの。無着色の白梅漬、赤じそで着色する赤梅漬がある。「調味漬」は白梅漬の塩を抜き、調味液で味つけしたもの。

梅干し　1個=10g

「塩漬」は梅漬を適度に乾燥させた保存食品。防腐作用や食欲増進作用がある。「調味漬」は、塩漬の梅干しを塩抜きして調味液で味つけしたもの。

梅びしお

梅干しを裏ごしし、砂糖を加えて弱火で練り上げたもの。

オリーブ

Olives　1個=3g

モクセイ科。地中海沿岸原産。オリーブの木は生長が早くて3～4年目には結実し、樹齢も300～400年と長いので、たいへん経済的な樹木として知られている。日本では香川県小豆島ではじめて栽培が成功し、現在は岡山県等でも栽培されている。果実は熟すにつれて濃い緑色→淡い緑色→赤紫色→紫黒色に変化する。完熟した果実は15～30%ほどの油を含む。熟果からはオリーブオイルを採油する。

旬：8～9月。

いよかん・うんしゅうみかん・オレンジ・かぼす→p.160

食品番号	食品名	廃棄率	エネルギー	2015年版の値	水分	たんぱく質	アミノ酸組成によるたんぱく質	脂質	脂肪酸のトリアシルグリセロール当量	脂肪酸 飽和	脂肪酸 一価不飽和	脂肪酸 多価不飽和	コレステロール	炭水化物	利用可能炭水化物（質量計）	食物繊維 食物繊維総量（プロスキー変法）	食物繊維 食物繊維総量（AOAC法）	ミネラル（無機質） ナトリウム	カリウム	カルシウム	マグネシウム	リン	鉄
		%	kcal	kcal	g	g	g	g	g	g	g	g	mg	g	g	g	g	mg	mg	mg	mg	mg	mg
07015	いちじく　生	15	57	54	84.6	0.6	0.4	0.1	(0.1)	(0.02)	(0.02)	(0.05)	(0)	14.3	(11.0)	1.9	-	2	170	26	14	16	0.3
07016	乾	0	272	291	18.0	3.0	(2.0)	1.1	(0.8)	(0.17)	(0.19)	(0.41)	(0)	75.3	(62.1)	10.7	-	93	840	190	67	75	1.7
07017	缶詰	0	78	81	79.7	0.5	(0.3)	0.1	(0.1)	(0.02)	(0.02)	(0.05)	(0)	19.4	-	1.2	-	8	110	30	8	13	0.1
07019	うめ　生	15	33	28	90.4	0.7	0.4	0.5	(0.4)	(0.03)	(0.24)	(0.08)	0	7.9	-	2.5	-	2	240	12	8	14	0.6
07020	梅漬　塩漬	15	27	24	72.3	0.7	(0.4)	0.4	(0.3)	(0.02)	(0.19)	(0.06)	(0)	6.7	-	2.7	-	7600	150	47	32	15	2.9
07021	調味漬	20	45	53	80.2	1.5	-	0.5	(0.4)	(0.03)	(0.24)	(0.08)	(0)	10.5	-	3.4	-	2700	100	87	26	17	1.2
07022	梅干し　塩漬	25	29	32	72.2	0.9	(0.5)	0.7	(0.5)	(0.04)	(0.34)	(0.11)	0	8.6	0.9	3.3	-	7200	220	33	17	21	1.1
07023	調味漬	25	90	96	68.7	1.5	-	0.6	(0.4)	(0.04)	(0.29)	(0.09)	(0)	21.1	-	2.5	-	3000	130	25	15	15	2.4
07024	梅びしお	0	196	200	42.4	0.7	-	0.5	(0.4)	(0.03)	(0.24)	(0.08)	(0)	48.1	-	1.3	-	3100	190	27	11	19	7.0
07025	20% 果汁入り飲料	0	49	49	87.6	Tr	-	Tr	-	-	-	-	(0)	12.3	-	0.1	-	35	30	1	2	2	0.2
07037	オリーブ　塩漬　グリーンオリーブ	25	148	145	75.6	1.0	(0.7)	15.0	(14.6)	(2.53)	(10.63)	(0.82)	(0)	4.5	(0)	3.3	-	1400	47	79	13	8	0.3
07038	ブラックオリーブ	25	121	118	81.6	0.8	(0.6)	12.3	12.0	2.07	8.72	0.67	Tr	3.4	-	2.5	-	640	10	68	11	5	0.8
07039	スタッフドオリーブ	0	141	137	75.4	0.8	(0.6)	14.3	-	-	-	-	(0)	4.2	-	3.7	-	2000	28	83	13	5	0.3
07049	かき　甘がき　生	9	63	60	83.1	0.4	0.3	0.2	0.1	0.02	0.04	0.03	0	15.9	13.1	1.6	-	1	170	9	6	14	0.2
07050	渋抜きがき　生	15	59	63	82.2	0.5	(0.3)	0.1	(Tr)	(0.01)	(0.02)	(0.01)	(0)	16.9	13.6	2.8	-	1	200	7	6	16	0.1
07051	干しがき	8	274	276	24.0	1.5	(1.0)	1.7	(0.8)	(0.15)	(0.36)	(0.22)	(0)	71.3	-	14.0	-	4	670	27	26	62	0.6
07053	かりん　生	30	58	68	80.7	0.4	-	0.1	0.1	-	-	-	(0)	18.3	-	8.9	-	2	270	12	12	17	0.3

+PLUS+　**いちじくには酵素がたっぷり**●いちじくはフィシン以外にも、でん粉分解酵素のアミラーゼ、脂肪分解酵素のリパーゼ等いろいろな酵素を持つため、消化作用、整腸作用、便通作用等の効果があるとされる。昔の人は体験から「いちじくは腹薬」といっていた。

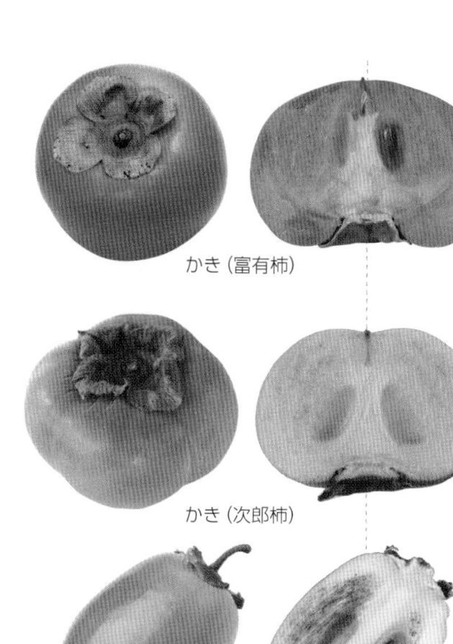

かき（富有柿）

かき（次郎柿）

かき（筆柿）

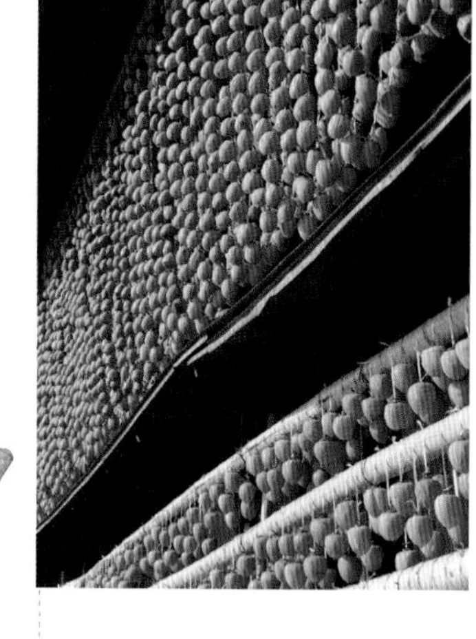

干しがき（あんぽ柿）

干しがき（枯露柿）

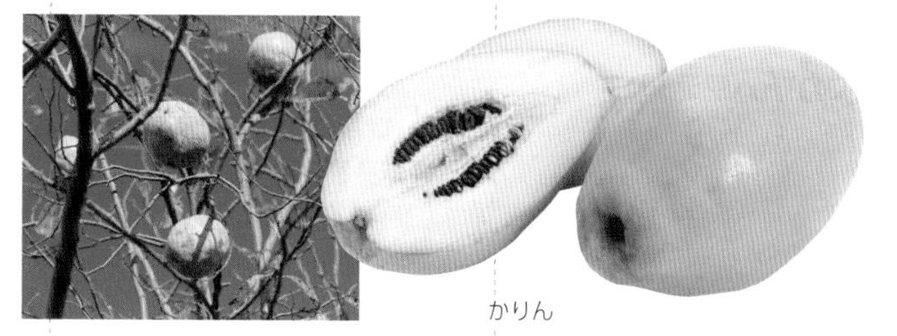

かりん

産地：スペイン、イタリア、ギリシャ、トルコ等。

塩漬

果実は苦く、生では食用にならないため、塩蔵品のピクルスにして利用する。**グリーンオリーブ**は未熟な緑色果の塩蔵品。**ブラックオリーブ**（**ライプオリーブ**）は紫黒色に完熟した熟果の塩蔵品。**スタッフドオリーブ**は、種を取り除いてピメント、たまねぎ、アーモンド等を詰めた塩蔵品。

利用法：ピクルスはそのまま食べたり、料理の添え物にする。びん詰にしたものがおもに流通している。

かき（柿）

Kaki:Japanese persimmons

カキノキ科。甘がきと渋がきがあり、北海道以外の各地で栽培。かきは渋味の原因となるタンニンを含む。

栄養成分：ビタミンA・C等が豊富。

利用法：生食、サラダ、なます、和え物等。

旬：10～11月。

甘がき（甘柿） 中1個=150～200g

平たくて四角い次郎柿、平たくて丸みのある富有（ふゆう）柿、種ができると渋が抜ける筆柿等がある。

渋抜きがき（渋抜き柿）

アルコール類を吹きつける、二酸化炭素ガス中に置く、湯にさらす等の方法で、渋がきから渋味（タンニン）をなくしたもの。

干しがき（干し柿） 1個=35g

渋がきの皮をむいて干し、甘くしたもの。乾燥させて半分ほど水分が飛んだ干しがきをあんぽ柿、さらに乾燥させて白い粉がついた干しがきを枯露（ころ）柿という。白い粉は、かきに含まれる甘味成分の一種グルコースの結晶。

かりん（花梨）

Chinese quinces 1個=300g

バラ科。果肉はかたく果皮がなめらかで、強い芳香があるため、室内に置いて香気を楽しむことができる。生食できないが咳止めに効果があり、乾燥させたものは漢方薬としても利用する。

利用法：ジャム、砂糖漬、果実酒、ゼリー等。生食には不適。

選び方：果皮がしっとりしてつやがあるものがよい。

旬：10月。

可食部100gあたり　Tr：微量　（ ）：推定値または推計値　－：未測定

ミネラル（無機質）							ビタミン															食塩相当量	備考
亜鉛	銅	マンガン	ヨウ素	セレン	クロム	モリブデン	A レチノール活性当量	レチノール	β-カロテン当量	D	E α-トコフェロール	K	B1	B2	ナイアシン当量	B6	B12	葉酸	パントテン酸	ビオチン	C		①試料　②廃棄部位　③ビタミンC：酸化防止用として添加品あり
mg	mg	mg	μg	μg	μg	μg	μg	μg	μg	μg	mg	μg	mg	mg	mg	mg	μg	μg	mg	μg	mg	g	
0.2	0.06	0.08	0	0	Tr	4	**1**	(0)	18	(0)	0.4	(3)	**0.03**	**0.03**	0.3	0.07	(0)	22	0.23	0.4	**2**	0	②果皮及び果柄
0.6	0.31	0.48	-	-	-	-	**4**	(0)	46	(0)	0.6	(18)	**0.10**	**0.06**	(1.2)	0.23	(0)	10	0.36	-	**0**	0.2	
0.1	0.03	0.07	-	-	-	-	**0**	0	Tr	(0)	0.2	(5)	**0.02**	**0.02**	(0.2)	0.05	(0)	10	0	-	**0**	0	①ヘビーシラップ漬　液汁を含んだもの（液汁 40%）　③
0.1	0.05	0.07	0	0	Tr	1	**20**	(0)	240	(0)	3.3	(3)	**0.03**	**0.05**	0.5	0.06	(0)	8	0.35	0.5	**6**	0	未熟果（青梅）　②核
0.1	0.11	0.21	-	-	-	-	**1**	0	8	(0)	1.4	(9)	**0.02**	**0.04**	(0.4)	0.06	(0)	1	0.20	-	**0**	19.3	②核
0.1	0.07	0.07	-	-	-	-	**2**	(0)	27	(0)	0.2	(6)	**0.03**	**0.03**	0.4	0.02	(0)	2	0.07	-	**0**	6.9	②核
0.1	0.07	0.11	1	0	37	2	**1**	0	6	0	0.2	9	**0.02**	**0.01**	(0.4)	0.04	0	Tr	0.03	0.8	**0**	18.2	②核　ポリフェノール：0.1g
0.1	0.05	0.10	-	-	-	-	**Tr**	(0)	4	(0)	0.2	(10)	**0.01**	**0.01**	0.4	0.03	(0)	0	0.04	-	**0**	7.6	②核
Tr	0.05	0.10	-	-	-	-	**(0)**	(0)	Tr	(0)	0.1	(18)	**0.03**	**0.03**	0.3	0.02	(0)	0	0	-	**0**	7.9	
Tr	0.01	0.01	-	-	-	-	**0**	0	Tr	(0)	0.1	-	**0**	**0**	0	0.01	(0)	0	0	-	**0**	0.1	
0.2	0.17	0.04	-	-	-	-	**38**	(0)	450	(0)	5.5	(2)	**0.01**	**0.02**	(0)	0.03	(0)	3	0	-	**12**	3.6	緑果の塩漬　①びん詰　液汁を除いたもの　②種子
0.2	0.17	0.08	-	-	-	-	**0**	0	Tr	(0)	4.6	(1)	**0.05**	**0.06**	(0.3)	0.02	(0)	2	0	-	**Tr**	1.6	熟果の塩漬　①びん詰　液汁を除いたもの　②種子
0.1	0.14	0.03	-	-	-	-	**44**	(0)	530	(0)	5.3	(2)	**0.01**	**0.01**	(0)	0.02	(0)	1	0	-	**11**	5.1	緑果にピメントを詰めた塩漬　①びん詰　液汁を除いたもの
0.1	0.03	0.50	0	0	1	1	**35**	(0)	420	(0)	0.1	(2)	**0.03**	**0.02**	0.4	0.06	(0)	18	0.28	2.0	**70**	0	②果皮、種子及びへた
Tr	0.02	0.60	0	0	0	Tr	**25**	(0)	300	(0)	0.2	(2)	**0.02**	**0.02**	(0.4)	0.05	(0)	20	0.27	1.1	**55**	0	②果皮、種子及びへた
0.2	0.08	1.48	-	-	-	-	**120**	(0)	1400	(0)	0.4	(10)	**0.02**	**0**	(1.0)	0.13	(0)	35	0.85	-	**2**	0	つるしがきを含む　②種子及びへた
0.2	0.09	0.05	-	-	-	-	**11**	(0)	140	(0)	0.6	-	**0.01**	**0.03**	0.4	0.04	(0)	12	0.31	-	**25**	0	②果皮及び果しん部

Q A オリーブと鳩ってどういう関係？▶オリーブの木は、鳩とともに平和の象徴とされることが多い。これは、旧約聖書のノアの箱船伝説に基づいているんだ。神が起こした大洪水のあと、陸地を探すためにノアが放った鳩がオリーブの枝をくわえて帰ってきたということかららしい。

いよかん

うんしゅうみかん

うんしゅうみかん
(缶詰)

うんしゅうみかん
果粒入りジュース

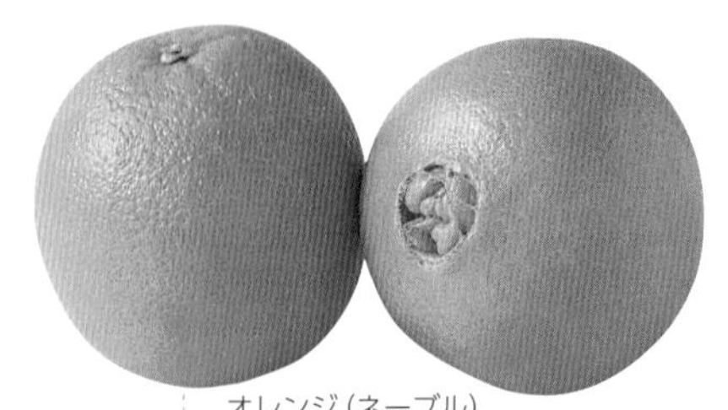

オレンジ (ネーブル)

オレンジ (バレンシア)

いよかん (伊予柑)

Iyo　1個=200〜250g

ミカン科。別名**いよ**。みかんとオレンジの交雑種で、1887年、山口県阿武郡で育成され、その後、愛媛(伊予の国)で育成されて広まったためこの名がついた。果皮は濃橙色でむきやすく、果肉は赤みの強い橙色でやわらかく多汁。甘酸っぱさもほどよい。

選び方:生食、ジュース、マーマレード、ゼリー等。

産地:愛媛等。

うんしゅうみかん (温州蜜柑)

Satsuma mandarins　1個=100g

ミカン科。いわゆる**みかん**のこと。果皮はなめらかでつやがあり、手でむきやすく種子がないものが多い。果肉は汁が多く、酸味と甘味がある。果肉部はじょうのう膜によって分かれ、各じょうのうの中には、子房内壁が突起してできた多数の砂じょうがある。果汁は砂じょうの中に蓄えられている。

栄養成分:カロテン、ビタミンC等。

成分表の「じょうのう」は、じょうのう膜ごと食べる場合、「砂じょう」は、砂じょうのみを食べる場合の成分値。

利用法:生食、ジュース、シラップ漬等。皮を乾燥したものは陳皮(ちんぴ)といい、香辛料として七味唐辛子に利用したり、漢方薬にする。

選び方:へたが小さめで果皮のつぶつぶがはっきりしており、重みがあるものがよい。

旬:12〜2月。

産地:愛媛、和歌山、静岡等。

オレンジ

Oranges

ミカン科。普通系オレンジ類とネーブルオレンジ類の栽培がもっとも多い。香りが高く、甘味、酸味ともに適度。オレンジは、日本では通常スイートオレンジのことを指す。

「マーマレード」は果皮の薄切りが入っているジャムのこと。

ネーブル　1個=150g

ミカン科。別名**ネーブルオレンジ**。果頂部にいわゆるへそがあるのが特

食品番号	食品名	廃棄率	エネルギー	2015年版の値	水分	たんぱく質	アミノ酸組成によるたんぱく質	脂質	脂肪酸のトリアシルグリセロール当量	脂肪酸 飽和	脂肪酸 一価不飽和	脂肪酸 多価不飽和	コレステロール	炭水化物	利用可能炭水化物(質量計)	食物繊維 食物繊維総量(プロスキー変法)	食物繊維 食物繊維総量(AOAC法)	ミネラル(無機質) ナトリウム	カリウム	カルシウム	マグネシウム	リン	鉄
		%	kcal	kcal	g	g	g	g	g	g	g	g	mg	g	g	g	g	mg	mg	mg	mg	mg	mg
	(かんきつ類)																						
07018	**いよかん** 砂じょう 生	40	**50**	46	86.7	**0.9**	(0.5)	**0.1**	-	-	-	-	(0)	**11.8**	-	1.1	-	2	190	**17**	14	18	**0.2**
	うんしゅうみかん																						
07026	じょうのう 早生 生	20	**49**	45	87.2	**0.5**	(0.3)	**0.1**	(Tr)	(0.01)	(0.02)	(0.01)	(0)	**11.9**	(8.7)	0.7	-	1	130	**17**	11	12	**0.1**
07027	普通 生	20	**49**	46	86.9	**0.7**	0.4	**0.1**	Tr	0.01	0.02	0.01	0	**12.0**	8.9	1.0	-	1	150	**21**	11	15	**0.2**
07028	砂じょう 早生 生	25	**47**	43	87.8	**0.5**	(0.3)	**0.1**	(Tr)	(0.01)	(0.02)	(0.01)	(0)	**11.3**	(9.2)	0.4	-	1	130	**11**	10	12	**0.1**
07029	普通 生	25	**49**	45	87.4	**0.7**	(0.4)	**0.1**	(Tr)	(0.01)	(0.02)	(0.01)	(0)	**11.5**	9.5	0.4	-	1	150	**15**	10	15	**0.1**
07030	果実飲料 ストレートジュース	0	**45**	41	88.5	**0.5**	0.3	**0.1**	(Tr)	(0.01)	(0.02)	(0.01)	(0)	**10.6**	9.1	0	-	1	130	**8**	8	11	**0.2**
07031	濃縮還元ジュース	0	**42**	38	89.3	**0.5**	0.3	**0.1**	(Tr)	(0.01)	(0.02)	(0.01)	(0)	**9.9**	8.3	0	-	1	110	**6**	9	9	**0.1**
07032	果粒入りジュース	0	**53**	48	86.7	**0.2**	(0.1)	**Tr**	(0)	(0)	(Tr)	(Tr)	(0)	**13.0**	-	Tr	-	4	33	**5**	3	4	**0.1**
07033	50%果汁入り飲料	0	**59**	60	84.9	**0.2**	(0.1)	**Tr**	(Tr)	(Tr)	(0.01)	(Tr)	(0)	**14.7**	-	0.1	-	1	63	**4**	4	5	**0.1**
07034	20%果汁入り飲料	0	**50**	50	87.4	**0.1**	(0.1)	**Tr**	(Tr)	(Tr)	(0.01)	(Tr)	(0)	**12.4**	-	0	-	1	21	**2**	2	2	**0.1**
07035	缶詰 果肉	0	**63**	64	83.8	**0.5**	-	**0.1**	(Tr)	(0.01)	(0.02)	(0.01)	(0)	**15.3**	-	0.5	-	4	75	**8**	7	8	**0.4**
07036	液汁	0	**63**	63	84.1	**0.3**	-	**0.1**	(Tr)	(0.01)	(0.02)	(0.01)	(0)	**15.3**	-	0	-	4	75	**5**	6	7	**0.3**
	オレンジ																						
07040	**ネーブル** 砂じょう 生	35	**48**	46	86.8	**0.9**	0.5	**0.1**	(0.1)	(0.01)	(0.02)	(0.02)	0	**11.8**	8.1	1.0	-	1	180	**24**	9	22	**0.2**
	バレンシア																						
07041	米国産 砂じょう 生	40	**42**	39	88.7	**1.0**	(0.7)	**0.1**	(0.1)	(0.01)	(0.02)	(0.02)	0	**9.8**	(7.0)	0.8	-	1	140	**21**	11	24	**0.3**
07042	果実飲料 ストレートジュース	0	**45**	42	87.8	**0.8**	0.5	**Tr**	-	-	-	-	Tr	**11.0**	8.8	0.3	-	1	180	**9**	10	20	**0.1**
07043	濃縮還元ジュース	0	**46**	42	88.1	**0.7**	(0.3)	**0.1**	(0.1)	(0.03)	(0.02)	(0.03)	0	**10.7**	(7.7)	0.2	-	1	190	**9**	10	18	**0.1**
07044	50%果汁入り飲料	0	**46**	47	88.4	**0.4**	(0.2)	**0.2**	(0.1)	(0.02)	(0.04)	(0.04)	(0)	**10.8**	-	0.1	-	2	99	**5**	6	10	**0.1**
07045	30%果汁入り飲料	0	**41**	41	89.7	**0.2**	(0.1)	**Tr**	-	-	-	-	(0)	**10.0**	-	Tr	-	6	57	**3**	3	6	**Tr**
07046	マーマレード 高糖度	0	**233**	255	36.4	**0.2**	(0.1)	**0.1**	-	-	-	-	(0)	**63.2**	(60.2)	0.7	-	11	27	**16**	3	4	**0.1**
07047	低糖度	0	**190**	193	51.7	**0.3**	(0.2)	**0.1**	-	-	-	-	(0)	**47.7**	-	1.3	-	9	49	**19**	5	5	**0.2**
07161	**福原オレンジ** 砂じょう 生	50	**43**	39	88.7	**1.0**	-	**0.1**	-	-	-	-	0	**9.8**	-	0.8	-	1	140	**21**	11	24	**0.3**
07048	**オロブランコ** 砂じょう 生	45	**43**	40	88.7	**0.8**	(0.5)	**0.1**	-	-	-	-	0	**10.1**	-	0.9	-	1	150	**12**	9	19	**0.2**
07052	**かぼす** 果汁 生	0	**36**	25	90.7	**0.4**	-	**0.1**	-	-	-	-	(0)	**8.5**	-	0.1	-	1	140	**7**	8	8	**0.1**

+PLUS+ **かぼすとすだちの見分け方**●かぼすもすだちも酸味や香りを楽しむ香酸柑橘類で、緑色の未熟果を使い、利用方法もよく似ているということで混同されやすい。かぼすはテニスボールくらいの大きさで、香酸柑橘類のなかでは甘味が多い。すだちはゴルフボールくらいの大きさでかぼすより小さく、皮は薄い。

オレンジ
（マーマレード）

オレンジ
（果実飲料）

徴。果皮はむきにくいが多汁で甘く、香りがよい。
栄養成分：ペクチン質、有機酸等。
利用法：生食する。
選び方：へそがあまり大きくなく、へたが緑色の物がよい。
旬：12〜4月。
産地：広島、静岡等。

バレンシア 1個=250g
ミカン科。別名**バレンシアオレンジ**。いわゆる普通系オレンジ類で、品質がよくもっとも栽培されるが、気候の関係で日本ではあまり栽培されない。果皮はむきにくいが多汁で甘く、香りがよい。
栄養成分：ビタミンB_1・B_2等。
利用法：生食、ジュース、マーマレード、肉料理のソース等。
旬：5〜9月。
産地：アメリカ、オーストラリア等。

オロブランコ
（別名スイーティー）

福原オレンジ 1個=150〜200g
千葉県で生まれた国産オレンジで、バレンシアオレンジの近縁種。皮が厚く、果肉は甘味が強くジューシーで香りも高い。
利用法：生食。
旬：3〜5月。
産地：和歌山。

オロブランコ
Oroblanco 1個=250g

ミカン科。**スイーティー**は商品名。グレープフルーツとぶんたんの雑種で、1958年にアメリカ・カリフォルニア州で交配に成功し、1972年頃から一般的に栽培されるようになった。果実の大きさはグレープフルーツとほぼ同じだが、果皮は緑色。酸味が少なく甘味が強い。
利用法：生食、ジュース、ゼリー等。
旬：12〜2月。
産地：イスラエル等。

かぼす

ポストハーベスト農薬

収穫後、運送中の長期保存等のために病害虫対策、防かび対策、腐敗防止対策として農産物に散布する農薬のことをポストハーベスト（収穫後）農薬という。農作物への残留量が多いこと、許可されていない食品添加物が使われている可能性が高いこと等が問題とされ、日本国内では原則的に禁止されているが、ポストハーベスト農薬を利用した農産物が世界各国から輸入されている。

かぼす（香橙）
Kabosu 1個=100〜150g

ミカン科。ゆずの近縁種で枝には鋭いとげがある。熟すと果皮が黄色くなり、独特の酸味と香りが薄くなるため、未熟なうちに利用する。
利用法：果汁を刺身、酢の物、焼き魚、鍋物等に利用。
旬：8〜10月。
産地：大分の特産品。

可食部100 g あたり　Tr：微量　( )：推定値または推計値　－：未測定

ミネラル（無機質）							ビタミン															食塩相当量	備考
亜鉛	銅	マンガン	ヨウ素	セレン	クロム	モリブデン	A レチノール活性当量	A レチノール	A β-カロテン当量	D	E α-トコフェロール	K	B_1	B_2	ナイアシン当量	B_6	B_{12}	葉酸	パントテン酸	ビオチン	C		①試料 ②廃棄部位 ③ビタミンC：酸化防止用として添加品あり
mg	mg	mg	µg	µg	µg	µg	µg	µg	µg	µg	mg	µg	mg	mg	mg	mg	µg	µg	mg	µg	mg	g	
0.1	0.04	0.07	-	-	-	-	13	(0)	160	(0)	0.1	(0)	0.06	0.03	(0.4)	0.07	(0)	19	0.36	-	35	0	②果皮、じょうのう膜及び種子
0.1	0.05	0.08	0	0	0	0	87	(0)	1000	(0)	0.4	(0)	0.07	0.04	(0.2)	0.07	(0)	24	0.21	0.3	35	0	②果皮
0.1	0.03	0.07	0	0	0	Tr	84	(0)	1000	(0)	0.4	(0)	0.10	0.03	0.4	0.06	(0)	22	0.23	0.5	32	0	②果皮
0.1	0.04	0.06	-	-	-	-	92	(0)	1100	(0)	0.4	(0)	0.07	0.03	(0.2)	0.07	(0)	24	0.15	-	35	0	②果皮及びじょうのう膜
0.1	0.03	0.05	Tr	0	0	Tr	92	(0)	1100	(0)	0.4	(0)	0.09	0.03	(0.4)	0.05	(0)	22	0.23	0.4	33	0	②果皮及びじょうのう膜
Tr	0.02	0.03	1	Tr	1	Tr	35	(0)	420	(0)	0.2	(0)	0.06	0.01	0.2	0.03	(0)	15	0.14	0.3	29	0	(100 g：97mL、100 mL：103g)
Tr	0.02	0.03	-	-	-	-	51	(0)	610	(0)	0.2	-	0.06	0.04	0.2	0.04	(0)	20	0.26	-	30	0	(100 g：97mL、100 mL：103g)
Tr	0.01	0.03	-	-	-	-	18	(0)	220	(0)	0.1	-	0.02	0.01	(0.1)	0.01	(0)	0	0.08	-	12	0	果粒（砂じょう）20%を含む
Tr	0.01	0.01	-	-	-	-	23	(0)	280	(0)	0.1	-	0.03	0.01	(0.1)	0.02	(0)	8	0.10	-	18	0	
Tr	0.01	Tr	-	-	-	-	10	(0)	120	(0)	0.1	-	0.01	0.01	0	0.01	(0)	2	0	-	7	0	③
0.1	0.02	0.03	-	-	-	-	34	(0)	410	(0)	0.5	(0)	0.05	0.02	0.3	0.03	(0)	12	0.09	-	15	0	①ライトシラップ漬　内容総量に対する果肉分：60%
0.1	0.01	0.02	-	-	-	-	0	0	Tr	(0)	0	(0)	0.04	0.02	0.3	0.03	(0)	12	0.05	-	15	0	①同上　内容総量に対する液汁分：40%
0.1	0.06	0.06	0	0	0	0	11	(0)	130	(0)	0.3	(0)	0.07	0.04	0.4	0.06	(0)	34	0.28	0.6	60	0	②果皮、じょうのう膜及び種子
0.2	0.06	0.05	0	0	0	1	10	(0)	120	(0)	0.3	(0)	0.10	0.03	(0.6)	0.07	(0)	32	0.36	0.9	40	0	②果皮、じょうのう膜及び種子
Tr	0.04	0.02	0	0	3	1	3	(0)	35	(0)	0.2	-	0.07	0.01	0.3	0.06	(0)	25	0.14	0.7	22	0	(100 g：97mL、100 mL：103g)
0.1	0.03	0.03	1	0	Tr	Tr	4	(0)	47	(0)	0.3	-	0.07	0.02	(0.3)	0.06	(0)	27	0.23	0.3	42	0	(100 g：97mL、100 mL：103g)
Tr	0.02	0.02	-	-	-	-	1	(0)	8	(0)	0.1	(0)	0.04	0.01	(0.1)	0.03	0	12	0.01	-	16	0	
Tr	0.01	0.01	-	-	-	-	(0)	(0)	0	(0)	0.1	(0)	0.02	0.01	(0.1)	0.02	(0)	8	0.04	-	10	0	
Tr	0.01	0.02	-	-	-	-	2	(0)	24	(0)	0.3	(0)	0.01	0	(0.1)	0.02	(0)	2	0	-	5	0	(100 g：74mL、100 mL：135g)
Tr	0.01	0.03	-	-	-	-	5	(0)	56	(0)	0.4	(0)	0.01	0	(0.2)	0.02	(0)	3	0	-	4	0	(100 g：74mL、100 mL：135g)
0.2	0.06	0.05	0	0	0	1	10	(0)	120	(0)	0.3	-	0.10	0.03	0.6	0.07	(0)	32	0.36	0.9	60	0	②果皮、じょうのう膜及び種子
0.1	0.05	0.02	-	-	-	-	Tr	(0)	5	(0)	0.3	-	0.09	0.02	(0.4)	0.04	0	34	0.47	-	38	0	②果皮、じょうのう膜及び種子
Tr	0.03	0.04	-	-	-	-	1	(0)	10	(0)	0.1	-	0.02	0.02	0.2	0.03	(0)	13	0.15	-	42	0	全果に対する果汁分：35%

Q A みかんは袋ごと食べた方がいいの？▶みかんの袋はじょうのう膜といい（➡p.154）、食物繊維とフラボノイドに富んでいるので、そのまま食べた方がいい。柑橘系は、果皮ごと食べるきんかん（➡p.162）、砂じょうのみを食べるいよかんやなつみかん、白いわたを一緒に食べるひゅうがなつ（➡p.164）までいろいろだ。

かわちばんかん

きよみ

きんかん

グレープフルーツ（紅肉種）

グレープフルーツ（白肉種）

グレープフルーツジュース

さんぼうかん

かわちばんかん（河内晩柑）

Kawachi-bankan　1個=250～450g

ぶんたんの自然雑種で、1935年に熊本県河内芳野村（現熊本市）で偶然発見された。外見から和製グレープフルーツとも称されるが苦味はなく、甘味が強く果汁が多い。熟成させるとさっぱりとした甘味になる。

利用法：生食。

旬：3～8月。**産地**：愛媛、熊本等。

きよみ（清見）

Kiyomi　1個=200～250g

みかんとオレンジの交配種で、日本で最初に育成・公表されたタンゴール（皮が手で簡単にむける、柑橘類とスイートオレンジとの交雑種）。果肉はやわらかくジューシーで芳香がある。

利用法：生食。

旬：2～4月。

産地：愛媛、和歌山等。

きんかん（金柑）

Kumquats　1個=10g

ミカン科。かんきつ類の果実ではいちばん小さい。果皮に甘味と芳香があるので果皮ごと食べる。煎じて咳止めの薬としても利用。

栄養成分：カロテン、カルシウム等。

利用法：生食、砂糖煮、マーマレード、ゼリー等。

旬：11～3月。

産地：宮崎、鹿児島等。

グレープフルーツ

Grapefruit　1個=350～400g

ミカン科。ぶんたん類の一種。まるでぶどう（grape）のように木に実るのでこの名がある。

種類：**白肉種**は果肉が白っぽく、ビタミンAを含まない。**紅肉種**は果肉はβカロテンとリコピンによる色素のため赤く、白肉種よりも甘い。

栄養成分：ビタミンB_1・C等。

利用法：生食、ジュース等。

旬：4月。

産地：アメリカ、イスラエル等。

さんぼうかん（三宝柑）

Sanbokan　1個=200～250g

ミカン科。別名**壺柑（つぼかん）**。果頂部が突きだしており、その形からだるま柑ともいう。甘味とさわやかな芳香がある。

利用法：生食、マーマレード。

旬：3～4月。

産地：和歌山等。

シークヮーサー

Shiikuwasha　1個=25g

ミカン科。別名**ひらみレモン**、**シイクワシャー**。直径3～4cmほどで熟すと果皮が黄色くなり、さわやかな香りと強い酸味がある。緑色の未熟果のうちに収穫したものは非常に酸味が強い。黄色く熟したものは甘味があるので生食する。

ざぼん→p.164ぶんたん、スイーティー→p.160オロブランコ

食品番号	食品名	廃棄率	エネルギー	2015年版の値	水分	たんぱく質	アミノ酸組成によるたんぱく質	脂質	脂肪酸のトリアシルグリセロール当量	脂肪酸 飽和	脂肪酸 一価不飽和	脂肪酸 多価不飽和	コレステロール	炭水化物	利用可能炭水化物（質量計）	食物繊維 食物繊維総量（プロスキー変法）	食物繊維 食物繊維総量（AOAC法）	ミネラル（無機質） ナトリウム	カリウム	カルシウム	マグネシウム	リン	鉄
		%	kcal	kcal	g	g	g	g	g	g	g	g	mg	g	g	g	g	mg	mg	mg	mg	mg	mg
07162	**かわちばんかん**　砂じょう　生	55	**38**	35	90.0	**0.7**	(0.4)	**0.2**	-	-	-	-	(0)	**8.8**	-	0.6	-	1	160	**10**	10	21	**0.1**
07163	**きよみ**　砂じょう　生	40	**45**	41	88.4	**0.8**	(0.4)	**0.2**	-	-	-	-	(0)	**10.3**	-	0.6	-	1	170	**11**	11	21	**0.1**
07056	**きんかん**　全果　生	6	**67**	71	80.8	**0.5**	-	**0.7**	0.3	0.09	0.06	0.18	0	**17.5**	-	4.6	-	2	180	**80**	19	12	**0.3**
	グレープフルーツ																						
07062	白肉種　砂じょう　生	30	**40**	38	89.0	**0.9**	0.5	**0.1**	(0.1)	(0.01)	(0.01)	(0.02)	0	**9.6**	7.3	0.6	-	1	140	**15**	9	17	**Tr**
07164	紅肉種　砂じょう　生	30	**40**	38	89.0	**0.9**	(0.7)	**0.1**	0.1	-	-	-	0	**9.6**	(6.3)	0.6	-	1	140	**15**	9	17	**Tr**
07063	果実飲料　ストレートジュース	0	**44**	40	88.7	**0.6**	-	**0.1**	(0.1)	(0.01)	(0.01)	(0.03)	(0)	**10.3**	(8.7)	0.1	-	1	180	**9**	9	12	**0.1**
07064	濃縮還元ジュース	0	**38**	35	90.1	**0.7**	-	**0.1**	(0.1)	(0.01)	(0.01)	(0.03)	(0)	**8.8**	(7.7)	0.2	-	1	160	**9**	9	12	**0.1**
07065	50% 果汁入り飲料	0	**45**	46	88.4	**0.3**	-	**Tr**	-	-	-	-	(0)	**11.1**	-	0.1	-	4	90	**7**	6	6	**0.1**
07066	20% 果汁入り飲料	0	**39**	39	90.1	**0.1**	-	**Tr**	-	-	-	-	(0)	**9.7**	-	0	-	2	34	**3**	2	3	**0.1**
07067	缶詰	0	**60**	70	82.1	**0.5**	-	**Tr**	-	-	-	-	(0)	**17.1**	(15.2)	0.6	-	2	110	**13**	6	10	**0.1**
07074	**さんぼうかん**　砂じょう　生	55	**47**	44	87.6	**0.7**	(0.4)	**0.3**	-	-	-	-	(0)	**10.9**	-	0.9	-	2	280	**23**	11	19	**0.2**
07075	**シークヮーサー**　果汁　生	0	**35**	25	90.9	**0.8**	-	**0.1**	-	-	-	-	(0)	**7.9**	-	0.3	-	2	180	**17**	15	8	**0.1**
07076	10% 果汁入り飲料	0	**48**	48	88.1	**0.1**	-	**Tr**	-	-	-	-	(0)	**11.8**	-	0	-	2	13	**5**	1	1	**0.1**
07165	**しらぬひ**　砂じょう　生	30	**56**	51	85.8	**0.8**	(0.5)	**0.2**	-	-	-	-	(0)	**12.9**	-	0.6	-	Tr	170	**9**	9	18	**0.1**
07078	**すだち**　果皮　生	0	**55**	68	80.7	**1.8**	-	**0.3**	-	-	-	-	(0)	**16.4**	-	10.1	-	1	290	**150**	26	17	**0.4**
07079	果汁　生	0	**29**	20	92.5	**0.5**	-	**0.1**	-	-	-	-	(0)	**6.6**	-	0.1	-	1	140	**16**	15	11	**0.2**
07166	**せとか**　砂じょう　生	20	**50**	47	86.9	**0.8**	(0.5)	**0.2**	-	-	-	-	(0)	**11.7**	-	0.7	-	1	170	**11**	10	17	**0.1**
07085	**セミノール**　砂じょう　生	40	**53**	49	86.0	**1.1**	-	**0.1**	-	-	-	-	(0)	**12.4**	-	0.8	-	2	200	**24**	16	18	**0.2**
07083	**だいだい**　果汁　生	0	**35**	24	91.2	**0.3**	-	**0.2**	-	-	-	-	(0)	**8.0**	-	0	-	1	190	**10**	10	8	**0.1**

+PLUS+　**要注意です●**グレープフルーツには、薬の血中濃度を上げる物質（フラノクマリン）が含まれることがわかっている。このため、薬によっては効き過ぎたり副作用が通常よりも強く現れてしまう場合があるらしい。薬を飲むときはちょっと注意しよう。

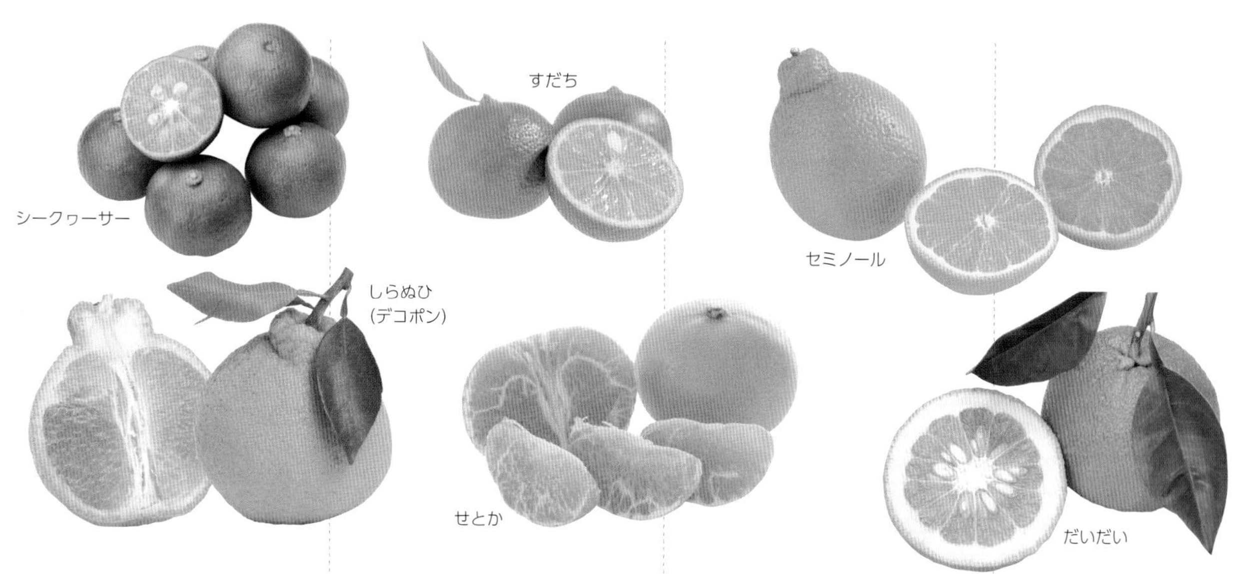

栄養成分：ビタミンB1・C。
利用法：未熟果は果汁を搾って刺身、焼き魚、鍋物、酢の物等に利用したり、飲料にする。
旬：4～5月。
産地：沖縄。

しらぬひ (不知火)

Shiranuhi　1個=200～300g

きよみとぽんかんの交配種で1972年に誕生。果皮がやわらかくてむきやすく、果肉は甘味が強くてジューシー。**デコポン**は、糖度13度以上、酸度1度以下でへたのまわりがぽっこりと盛り上がっているものをいい、“おでこがあるきよみぽんかん”を略した名前をつけて1993年に商標登録したもの。
利用法：生食。
旬：12～5月。
産地：熊本、愛媛、和歌山、広島、佐賀等。

すだち (酢橘)

Sudachi　1個=30～40g

ミカン科。ゆずの近縁種で、日本では古来から馴染みのある柑橘類。古くから料理に酢として利用されたことから酢橘（すたちばな）といわれたため、この名になったといわれる。熟すと果皮が黄色くなるが、一般的に緑色の未熟果を利用する。
栄養成分：カロテン、ビタミンB6・C等。
利用法：果皮はすりおろしたり薄くそいだりして薬味として使う。果汁を刺身、焼き魚、鍋物等に利用。
旬：9～12月。
産地：徳島の特産品。

せとか

Setoka　1個=200～300g

きよみとアンコールの交配種に、さらにマーコットを交配した品種で、1984年に誕生し2001年に品種登録された。果皮が薄いためむきやすく、さわやかな香りで甘味が強くジューシー。
利用法：生食。
旬：1～3月。
産地：愛媛、佐賀、広島等。

セミノール

Seminole　1個=150～200g

ミカン科。ダンカングレープフルーツとダンシイタンゼリンの一代雑種で、アメリカで生まれた。果汁が非常に多く、味は濃厚で独特の強い香りがある。
栄養成分：カロテン、ビタミンC等。
旬：4～5月。
産地：和歌山、大分、三重等。

だいだい (橙)

Sour oranges　1個=200g

ミカン科。別名サワーオレンジ、ビターオレンジ。青い果実が冬に熟して果皮が橙色になるが、落果せず、翌夏に緑色に戻る。
利用法：果汁を刺身、焼き魚、鍋物等に、果肉・果皮をマーマレードに利用。
旬：2～3月。
産地：和歌山、静岡等。

可食部100gあたり　Tr：微量　( )：推定値または推計値　-：未測定

ミネラル（無機質）							ビタミン															食塩相当量	備考
亜鉛	銅	マンガン	ヨウ素	セレン	クロム	モリブデン	A レチノール活性当量	A レチノール	A β-カロテン当量	D	E α-トコフェロール	K	B1	B2	ナイアシン当量	B6	B12	葉酸	パントテン酸	ビオチン	C		①試料　②廃棄部位　③ビタミンC：酸化防止用として添加品あり
mg	mg	mg	µg	µg	µg	µg	µg	µg	µg	µg	mg	µg	mg	mg	mg	mg	µg	µg	mg	µg	mg	g	
0.1	0.03	0.02	-	-	-	-	4	(0)	43	(0)	0.2	(0)	0.06	0.02	(0.4)	0.05	(0)	13	0.13	-	36	0	②果皮、じょうのう膜及び種子　露地栽培品
0.1	0.04	0.05	(0)	(0)	(1)	(0)	45	(0)	540	(0)	0.3	(0)	0.10	0.02	(0.4)	0.08	(0)	24	0.27	(0.3)	42	0	②果皮、じょうのう膜及び種子　露地栽培品
0.1	0.03	0.11	-	-	-	-	11	(0)	130	(0)	2.6	(0)	0.10	0.06	0.7	0.06	(0)	20	0.29	-	49	0	②種子及びへた
0.1	0.04	0.01	0	0	0	1	(0)	(0)	0	(0)	0.3	(0)	0.07	0.03	0.4	0.04	(0)	15	0.39	0.5	36	0	②果皮、じょうのう膜及び種子
0.1	0.04	0.01	0	0	0	1	34	(0)	410	(0)	0.3	(0)	0.07	0.03	(0.5)	0.04	(0)	15	0.39	0.5	36	0	②果皮、じょうのう膜及び種子
Tr	0.03	0.01	-	-	-	-	(0)	(0)	0	(0)	0.2	Tr	0.04	0.01	0.3	0.03	(0)	11	0.23	-	38	0	(100 g：97mL、100 mL：103g)
Tr	0.04	0.01	-	-	-	-	10	(0)	110	(0)	0.2	(0)	0.06	0.02	0.4	0.03	(0)	10	0.25	-	53	0	(100 g：97mL、100 mL：103g)
Tr	0.02	0.01	-	-	-	-	(0)	(0)	0	(0)	0.1	(0)	0.02	Tr	0.2	0.02	(0)	5	0	-	19	0	
Tr	0.01	Tr	-	-	-	-	(0)	(0)	0	(0)	0.2	(0)	0	0	Tr	0.01	(0)	2	0	-	8	0	
0.1	0.03	0.01	-	-	-	-	0	0	0	(0)	0.1	-	0.03	Tr	0.3	0.03	(0)	9	0.16	-	26	0	①ライトシラップ漬　液汁を含んだもの（液汁 40%）
0.1	0.06	0.05	-	-	-	-	4	(0)	51	(0)	0.2	(0)	0.07	0.03	(0.5)	0.06	(0)	16	0.35	-	39	0	②果皮、じょうのう膜及び種子
0.1	0.06	0.06	-	-	-	-	7	(0)	89	(0)	0.5	-	0.08	0.03	0.4	0.03	(0)	7	0.10	-	11	0	全果に対する果汁分：20%
Tr	0.01	0.01	-	-	-	-	1	(0)	14	(0)	0.1	-	0	0	Tr	0	(0)	0	0	-	2	0	
0.1	0.03	0.07	(0)	(0)	(1)	(0)	30	(0)	360	(0)	0.3	(0)	0.09	0.03	(0.4)	0.04	(0)	17	0.25	(0.4)	48	0	②果皮、じょうのう膜及び種子　ハウス栽培品及び露地栽培品
0.4	0.09	0.18	-	-	-	-	44	(0)	520	(0)	5.2	-	0.04	0.09	0.8	0.16	(0)	35	0.23	-	110	0	全果に対する果皮分：30%
0.2	0.03	0.05	-	-	-	-	0	0	Tr	(0)	0.3	-	0.03	0.02	0.3	0.08	(0)	13	0.13	-	40	0	全果に対する果汁分：25%
0.1	0.03	0.09	-	-	-	-	77	(0)	930	(0)	0.4	(0)	0.08	0.03	(0.4)	0.05	(0)	29	0.13	-	57	0	②果皮、じょうのう膜及び種子　ハウス栽培品及び露地栽培品
0.1	0.04	0.10	-	-	-	-	89	(0)	1100	(0)	0.3	(0)	0.01	0.04	0.5	0.09	(0)	27	0.45	-	41	0	②果皮、じょうのう膜及び種子
Tr	0.02	0.02	-	-	-	-	2	(0)	18	(0)	0.1	-	0.03	0.02	0.5	0.02	(0)	13	0.12	-	35	0	全果に対する果汁分：30%

Q A　果物を食べると太りそうなんだけど……？▶果物に含まれる果糖は砂糖よりも甘く感じるため、甘い＝高カロリーと誤解されているのかも。果物のカロリーは約50kcal（100gあたりの平均）しかないので、特別心配する必要はない。多くのビタミンを含むので、毎日摂るように心がけよう。

なつみかん

はっさく

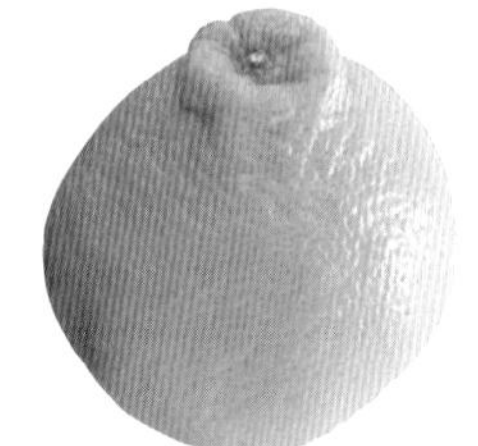

はるみ

ひゅうがなつ

ぶんたん

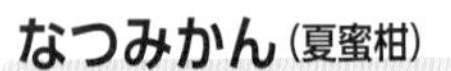

なつみかん(夏蜜柑)

Natsudaidai　1個=400g

ミカン科。別名**夏だいだい**、夏かん。甘味が少なく酸味が強いが、現在主に出回っているのは、なつみかんの変異種で甘味が強い甘夏みかん。18世紀初め、山口県長門市青海島の海岸に流れ着いた果実の種子をまいて育てたのが栽培の始まり。原木は天然記念物に指定されている。

利用法：生食、ジュース、マーマレード等。

旬：4～6月。

産地：愛媛、和歌山、静岡、熊本等。

はっさく(八朔)

Hassaku　1個=400g

ミカン科。はっさくは1860年、広島県尾道市の恵日山浄土寺の境内で住職が偶然に発見したもの。早くから酸が抜け、陰暦の八月朔日(ついたち)頃から食べられることからこの名がついた。

利用法：生食、酢の物、和え物等。

旬：2～4月。

産地：愛媛、和歌山、徳島等。

はるみ

Harumi　1個=180～200g

きよみとぽんかんの交配種で、春を予見させる味と香りにちなんで名付けられた。果皮がむきやすく、甘味と酸味が強くジューシーで、砂じょうの粒がぷちぷちした食感。

利用法：生食。

旬：1～3月。

産地：愛媛、広島、静岡等。

ひゅうがなつ(日向夏)

Hyuga-natsu　1個=200g

ミカン科。別名**ニューサマーオレンジ**、**小夏みかん**。1820年代に宮崎市の真方安太郎の宅地内で発見された。他のかんきつ類と異なり、果皮(フラベド)の下にある白いわた(アルベド)と果肉を一緒に食べる。果汁は甘味が強く酸味が少ない。

栄養成分：ビタミンB_1・B_2等。

利用法：りんごのように外側の皮を薄くむき、白いわたをつけたままの果肉を縦に切り、一緒に食べる。

旬：4～6月。

産地：宮崎、高知、愛媛、静岡等。

ぶんたん(文旦)

Pummelo　1個=600g～2kg

ミカン科。別名**ざぼん**、**ぼんたん**。かんきつ類の果実では最大の大きさで、晩白柚(ばんぺいゆ)のような球形ないし扁球形のもの、洋なし型のもの等、品種によって形が異なる。果肉は淡黄色系と紅色系があり、香りが高くわずかな苦味があり、果汁は少ない。

利用法：果肉は生食やジャム等。果皮はざぼん漬。

保存法：風通しのよい涼しいところで保存。

旬：3～9月。

ネーブル→p.160オレンジ

食品番号	食品名	廃棄率 %	エネルギー kcal	2015年版の値 kcal	水分 g	たんぱく質 g	アミノ酸組成によるたんぱく質 g	脂質 g	脂肪酸のトリアシルグリセロール当量 g	脂肪酸 飽和 g	脂肪酸 一価不飽和 g	脂肪酸 多価不飽和 g	コレステロール mg	炭水化物 g	利用可能炭水化物(質量計) g	食物繊維 食物繊維総量(プロスキー変法) g	食物繊維 食物繊維総量(AOAC法) g	ミネラル(無機質) ナトリウム mg	カリウム mg	カルシウム mg	マグネシウム mg	リン mg	鉄 mg
07093	**なつみかん** 砂じょう 生	45	**42**	40	88.6	**0.9**	0.5	**0.1**	-	-	-	-	0	**10.0**	-	1.2	-	1	190	**16**	10	21	**0.2**
07094	缶詰	0	**80**	81	79.7	**0.5**	-	**0.1**	-	-	-	-	(0)	**19.4**	-	0.5	-	4	92	**11**	8	12	**0.1**
07105	**はっさく** 砂じょう 生	35	**47**	45	87.2	**0.8**	(0.5)	**0.1**	-	-	-	-	(0)	**11.5**	-	1.5	-	1	180	**13**	10	17	**0.1**
07167	**はるみ** 砂じょう 生	30	**52**	48	86.5	**0.9**	(0.5)	**0.2**	-	-	-	-	(0)	**12.1**	-	0.8	-	0	170	**9**	10	16	**0.1**
	ひゅうがなつ																						
07112	じょうのう及びアルベド 生	30	**46**	45	87.2	**0.6**	(0.3)	**0.1**	-	-	-	-	(0)	**11.7**	-	2.1	-	1	130	**23**	8	11	**0.2**
07113	砂じょう 生	55	**35**	33	90.7	**0.6**	(0.3)	**0.1**	-	-	-	-	(0)	**8.3**	-	0.7	-	1	110	**5**	6	9	**0.1**
07126	**ぶんたん** 砂じょう 生	50	**41**	38	89.0	**0.7**	(0.4)	**0.1**	-	-	-	-	(0)	**9.8**	-	0.9	-	1	180	**13**	7	19	**0.1**
07127	ざぼん漬	0	**338**	344	14.0	**0.2**	(0.1)	**0.1**	-	-	-	-	(0)	**85.5**	-	2.7	-	13	8	**22**	6	3	**0.3**
07129	**ぽんかん** 砂じょう 生	35	**42**	40	88.8	**0.9**	(0.5)	**0.1**	-	-	-	-	(0)	**9.9**	-	1.0	-	1	160	**16**	9	16	**0.1**
07142	**ゆず** 果皮 生	0	**50**	59	83.7	**1.2**	0.9	**0.5**	0.1	0.03	0.01	0.04	(0)	**14.2**	-	6.9	-	5	140	**41**	15	9	**0.3**
07143	果汁 生	0	**30**	21	92.0	**0.5**	(0.4)	**0.1**	-	-	-	-	(0)	**7.0**	-	0.4	-	1	210	**20**	11	11	**0.1**
07145	**ライム** 果汁 生	0	**39**	27	89.8	**0.4**	(0.3)	**0.1**	-	-	-	-	(0)	**9.3**	(1.9)	0.2	-	1	160	**16**	9	16	**0.2**
07155	**レモン** 全果 生	3	**43**	54	85.3	**0.9**	-	**0.7**	0.2	0.05	0.02	0.11	0	**12.5**	2.6	4.9	-	4	130	**67**	11	15	**0.2**
07156	果汁 生	0	**24**	26	90.5	**0.4**	0.3	**0.2**	(0.1)	(0.02)	(0.01)	(0.03)	0	**8.6**	1.5	Tr	-	2	100	**7**	8	9	**0.1**

+PLUS+　**海賊以上に怖いもの!?**●大航海時代にもっとも恐れられたのは、海賊もさることながら、ビタミンCの不足から生じる壊血病(かいけつびょう)。バスコ・ダ・ガマのインド航路発見の航海では、180人の船員のうち100人がこの病気で死亡したらしい。イギリス海軍では予防のためライムやレモンジュースを飲むことが義務づけられた。

ぽんかん

ざぼん漬

ゆず

ゆず（果皮）

ライム

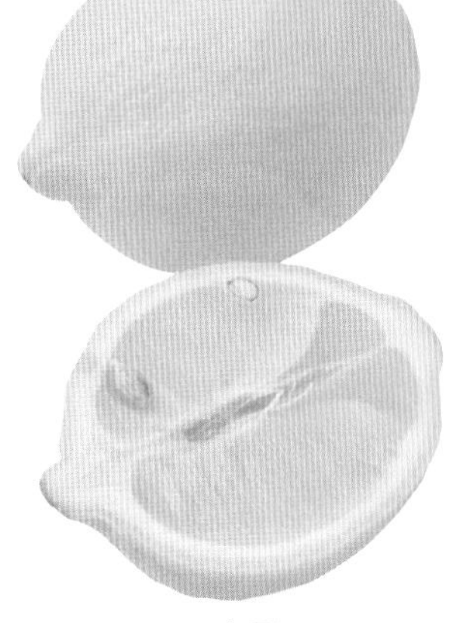

レモン

産地：高知等。

ざぼん漬

ざぼんの表皮と果肉の間のやわらかい部分を、煮詰めた砂糖の蜜で煮込み、最後に砂糖をまぶしたもの。

ぽんかん（椪柑）

Ponkan mandarins　1個＝200～250g

ミカン科。インド原産で、1896年に台湾から鹿児島県に苗木を導入して栽培が始まった。果肉は多汁で香りが高く、甘味が強くて酸味が少ない。加熱すると苦味が出る。果皮はむきやすくて食べやすい。

栄養成分：カロテン、ビタミンB_1等。

利用法：生食する。

旬：11月。

旬：1～2月。

産地：愛媛、鹿児島、高知等。

ゆず（柚子）

Yuzu　1個＝100g　果皮1個分＝12g

ミカン科。実の表面に凸凹が多い。香りや酸味を加えるために、果汁や果皮を利用する。緑色の未熟果も黄色の完熟果も両方使う。冬至の日にはゆず湯に入る風習がある。

栄養成分：ビタミンC等。

利用法：果実を刺身、焼き魚、鍋物等に添える。果皮は吸い口や薬味、ゆずみそ、ゆべし、マーマレード、佃煮等。

産地：高知、徳島、愛媛等。

ライム

Limes　1個＝50g

ミカン科。果皮は緑色で果肉は酸味が強く、甘味が少ない。レモンに似ているが、レモンと比べると小さめで丸く、皮が薄い。皮の色は緑がかっており、果肉もいくらか緑色をしている。酸味が強く、独特の苦味に似た風味がある。

栄養成分：ビタミンC、カリウム等。

利用法：果汁を料理、ジュース・カクテル等の飲料に利用。

産地：アメリカ、メキシコ等。

レモン（檸檬）

Lemons　1個＝100g　果汁1個分＝50g

ミカン科。別名を枸櫞（くえん）ともいい、クエン酸の名はこれに由来する。酸味が強く、pHは2を示す。

栄養成分：クエン酸、ビタミンC等。

利用法：果汁を料理、レモネードやレモンスカッシュ、カクテル等の飲料、菓子等に利用。果皮は砂糖で煮てグラニュー糖をまぶしてレモンピールにする。

産地：アメリカ。広島、愛媛、和歌山等。

可食部100gあたり　Tr：微量　（ ）：推定値または推計値　－：未測定

ミネラル（無機質）							ビタミン															食塩相当量	備考 ①試料 ②廃棄部位 ③ビタミンC：酸化防止用として添加品あり
亜鉛	銅	マンガン	ヨウ素	セレン	クロム	モリブデン	A レチノール活性当量	レチノール	β-カロテン当量	D	E α-トコフェロール	K	B_1	B_2	ナイアシン当量	B_6	B_{12}	葉酸	パントテン酸	ビオチン	C		
mg	mg	mg	μg	μg	μg	μg	μg	μg	μg	μg	mg	μg	mg	mg	mg	mg	μg	μg	mg	μg	mg	g	
0.1	0.05	0.04	-	-	-	-	7	(0)	85	(0)	0.3	(0)	0.08	0.03	0.5	0.05	(0)	25	0.29	-	38	0	なつかん、あまなつみかんを含む ②果皮、じょうのう膜及び種子
0.1	0.03	0.03	-	-	-	-	1	(0)	11	(0)	0.2	(0)	0.04	Tr	0.3	0.03	(0)	12	0.07	-	14	0	なつかん、あまなつみかんを含む ①ヘビーシラップ漬　液汁を含んだもの（液汁45%）
0.1	0.04	0.03	-	-	-	-	9	(0)	110	(0)	0.3	(0)	0.06	0.03	(0.3)	0.07	(0)	16	0.30	-	40	0	②果皮、じょうのう膜及び種子
0.1	0.03	0.05	-	-	-	-	57	(0)	690	(0)	0.3	(0)	0.11	0.02	(0.3)	0.05	(0)	19	0.21	-	40	0	②果皮、じょうのう膜及び種子　露地栽培品
0.1	0.03	0.08	-	-	-	-	1	(0)	11	(0)	0.3	(0)	0.05	0.03	(0.4)	0.06	(0)	16	0.23	-	26	0	②フラベド（果皮の外側の部分）及び種子
Tr	0.02	0.04	-	-	-	-	1	(0)	9	(0)	0.1	(0)	0.06	0.03	(0.3)	0.05	(0)	13	0.27	-	21	0	②果皮（フラベドとアルベド）、じょうのう膜及び種子
0.1	0.04	0.02	-	-	-	-	1	(0)	15	(0)	0.5	(0)	0.03	0.04	(0.4)	0	(0)	16	0.32	-	45	0	②果皮、じょうのう膜及び種子
Tr	0.01	0.01	-	-	-	-	Tr	(0)	4	(0)	0.1	(0)	0	0.02	(Tr)	0	(0)	2	0	-	Tr	0	
Tr	0.02	0.09	-	-	-	-	52	(0)	620	(0)	0.2	(0)	0.08	0.04	(0.3)	0.05	(0)	13	0.24	-	40	0	②果皮、じょうのう膜及び種子
0.1	0.02	0.12	0	0	0	1	20	(0)	240	(0)	3.4	-	0.07	0.10	0.7	0.09	(0)	21	0.89	3.6	160	0	全果に対する果皮分：40%
0.1	0.02	0.10	-	-	-	-	1	(0)	7	(0)	0.2	-	0.05	0.02	(0.2)	0.02	(0)	11	0.29	-	40	0	全果に対する果汁分：25%
0.1	0.03	0.01	-	-	-	-	(0)	(0)	0	(0)	0.2	(1)	0.03	0.02	(0.1)	0.05	(0)	17	0.16	-	33	0	全果に対する果汁分：35%
0.1	0.08	0.05	0	1	0	1	2	(0)	26	(0)	1.6	(0)	0.07	0.07	0.4	0.08	(0)	31	0.39	1.2	100	0	②種子及びへた
0.1	0.02	0.03	0	0	0	1	1	(0)	6	(0)	0.1	(0)	0.04	0.02	0.1	0.05	(0)	19	0.18	0.3	50	0	全果に対する果汁分：30%

Q A 塩レモンってどんなもの？▶モロッコで使われてきた万能調味料。レモンを10%の塩で1か月ほど漬けて発酵させたもので、長く漬けるほど酸味と塩分がまろやかになる。作るのが簡単、材料費が安い、保存がきく、さまざまな料理に活用できる等の利点がある。皮ごと漬けるので、作るときは無農薬レモンを選ぼう。

キウイフルーツ
（緑肉種）

グァバ（白肉種）

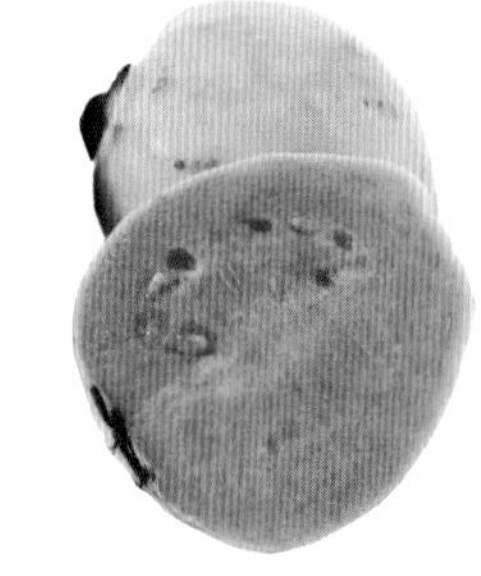

グァバ（紅肉種）

キウイフルーツ
（黄肉種）

キワノ

くこ

ぐみ

ココナッツと
ココナッツウォーター

キウイフルーツ

Kiwifruit　1個=100g

マタタビ科。中国原産品をニュージーランドで品種改良したもの。果実が褐色の毛でおおわれており、キィーウィーというニュージーランドの鳥にちなんでこの名がついた。ニュージーランドからの輸入品が多かったが、近年は国内でも盛んに栽培され、家庭用果樹としても人気がある。果肉は緑色だが、近年、果肉が黄色い**ゴールデンキウイ**も出回るようになった。収穫後に追熟が必要。

栄養成分：ビタミンC、カリウム等。

利用法：生食、サラダ、菓子、ソース等。たんぱく質分解酵素のアクチニジンを含むので、果汁に肉を漬けておくとやわらかくなる。

選び方：形がよく、うぶ毛がびっしり生えているものがよい。

旬：11～12月。

産地：ニュージーランド。愛媛、福岡、和歌山、神奈川、静岡等。

きはだ

Amur corktree

ミカン科。実のアイヌ名はシケレペで、はっかに苦みを加えたような味。アイヌ民族の伝統食で、生か乾燥させたものを香辛料や薬として利用する。内樹皮は胃腸薬や染料にする。

利用法：煮物、和え物など。

キワノ

Kiwano　1個=200g

ウリ科。アフリカ熱帯地方原産のトロピカルフルーツ。黄橙色で表面にとげのような突起が何本もある。別名**キワノフルーツ**、**ツノニガウリ**、ツノメロン。緑色のゼリー状の果肉の中に多数の種を含む。果肉は甘酸っぱく、香りはさわやかで、バナナ、ライム、パッションフルーツをあわせたような味わい。

利用法：生食、ジュース等。

産地：アメリカ、ニュージーランド。

グァバ

Guava　1個=100g

フトモモ科。熱帯アメリカ原産のトロピカルフルーツ。別名**ばんじろう**、

きんかん・グレープフルーツ→p.162、ココナッツパウダー→p.100、ごれんし→p.168スターフルーツ

食品番号	食品名	廃棄率 %	エネルギー kcal	2015年版の値 kcal	水分 g	たんぱく質 g	アミノ酸組成によるたんぱく質 g	脂質 g	脂肪酸のトリアシルグリセロール当量 g	脂肪酸 飽和 g	脂肪酸 一価不飽和 g	脂肪酸 多価不飽和 g	コレステロール mg	炭水化物 g	利用可能炭水化物（質量計） g	食物繊維 食物繊維総量（プロスキー変法） g	食物繊維 食物繊維総量（AOAC法） g	ミネラル（無機質） ナトリウム mg	カリウム mg	カルシウム mg	マグネシウム mg	リン mg	鉄 mg
07054	**キウイフルーツ**　緑肉種　生	15	**51**	53	84.7	**1.0**	0.8	**0.2**	0.2	0.02	0.03	0.12	0	**13.4**	9.5	2.6	-	1	300	**26**	14	30	**0.3**
07168	黄肉種　生	20	**63**	59	83.2	**1.1**	-	**0.2**	(0.2)	(0.05)	(0.02)	(0.09)	(0)	**14.9**	(11.9)	1.4	-	2	300	**17**	12	25	**0.2**
07183	**きはだ**　実　乾	0	**378**	341	13.1	**7.3**	-	**9.8**	-	-	-	-	-	**65.1**	-	-	-	17	2100	**230**	88	240	**1.7**
07055	**キワノ**　生	40	**41**	41	89.2	**1.5**	-	**0.9**	-	-	-	-	0	**8.0**	-	2.6	-	2	170	**10**	34	42	**0.4**
	グァバ																						
07057	赤肉種　生	30	**33**	38	88.9	**0.6**	(0.3)	**0.1**	0.1	-	-	-	(0)	**9.9**	(3.6)	5.1	-	3	240	**8**	8	16	**0.1**
07169	白肉種　生	30	**33**	38	88.9	**0.6**	(0.3)	**0.1**	0.1	-	-	-	(0)	**9.9**	-	5.1	-	3	240	**8**	8	16	**0.1**
07058	果実飲料　20% 果汁入り飲料（ネクター）	0	**49**	51	87.4	**0.1**	-	**0.1**	-	-	-	-	(0)	**12.3**	(9.9)	0.8	-	4	49	**3**	2	3	**0.2**
07059	10% 果汁入り飲料	0	**50**	51	87.4	**0.1**	-	**0.1**	-	-	-	-	(0)	**12.3**	-	0.2	-	7	28	**3**	20	2	**0.1**
07185	**くこ**　実　乾	0	**387**	346	4.8	**12.3**	(6.6)	**4.1**	-	-	-	-	-	**75.3**	-	-	-	510	1400	**47**	77	180	**4.0**
07061	**ぐみ**　生	10	**72**	68	81.0	**1.3**	-	**0.2**	-	-	-	-	(0)	**17.2**	-	2.0	-	2	130	**10**	4	24	**0.2**
07157	**ココナッツ**　ココナッツウォーター	0	**22**	20	94.3	**0.2**	(0.2)	**0.1**	0.1	-	-	-	(0)	**5.0**	(7.8)	0	-	11	230	**11**	6	11	**0.1**
07158	ココナッツミルク	0	**157**	150	78.8	**1.9**	(1.8)	**16.0**	14.9	13.20	0.76	0.13	0	**2.8**	(8.9)	0.2	-	12	230	**5**	28	49	**0.8**
07170	ナタデココ	0	**80**	73	79.7	**0**	-	**Tr**	-	-	-	-	(0)	**20.2**	-	0.5	-	2	0	**1**	1	Tr	**0**
07070	**さくらんぼ**　国産　生	10	**64**	60	83.1	**1.0**	(0.8)	**0.2**	(0.1)	(0.04)	(0.05)	(0.05)	(0)	**15.2**	-	1.2	-	1	210	**13**	6	17	**0.3**
07071	米国産　生	9	**64**	66	81.1	**1.2**	(1.0)	**0.1**	(0.1)	(0.02)	(0.02)	(0.03)	(0)	**17.1**	(13.7)	1.4	-	1	260	**15**	12	23	**0.3**
07072	缶詰	15	**70**	74	81.5	**0.6**	-	**0.1**	(0.1)	(0.02)	(0.02)	(0.03)	(0)	**17.6**	(13.6)	1.0	-	3	100	**10**	5	12	**0.4**
07073	**ざくろ**　生	55	**63**	56	83.9	**0.2**	-	**Tr**	-	-	-	-	(0)	**15.5**	-	0	-	1	250	**8**	6	15	**0.1**

+PLUS+　**ざくろが四季の起源**●ギリシャ神話によると、豊穣の女神デメテルの娘が冥界に連れ去られた悲しみにより、地上は荒野に。ゼウスにより娘は帰れたが、娘が冥界のざくろを4粒食べために年に4か月は冥界に戻るはめになり、再び娘がいなくなる悲しさがわくと秋、いない4か月は冬になるというように、四季の起源となった。

さくらんぼ
(佐藤錦)

アメリカン
チェリー

ざくろ

ココナッツ
ミルク

ナタデココ

ばんざくろ。果肉は白色、紅色、ピンク等で、果汁が多く甘味が強い。葉は、お茶として利用。
栄養成分：ビタミンC、食物繊維等。赤肉種は白肉種よりもビタミンA含有量が多い。
利用法：生食、ジュース、ジャム等。皮の上から押して、少し弾力を感じたら食べ頃。
旬：8〜10月。
産地：ブラジル、メキシコ、アメリカ、ニュージーランド等。沖縄。

くこ

Chinese wolfberry　10粒＝1g

ナス科。別名**ゴジベリー**、**ウルフベリー**。乾燥品を、中国では薬食両用の食品とし、北米ではドライフルーツとして利用。
利用法：ハーブティー、スープ、デザート、菓子、果実酒等。
産地：中国、韓国等。

ぐみ（胡頽子）

Oleasters　1個＝2g

グミ科。庭木や生け垣として利用されており、長円形や球形の小さな実は、熟すと赤くなる。甘酸っぱく、渋味もある。
栄養成分：カロテン等。
利用法：生食、果実酒等。
旬：6月。

ココナッツ

Coconut

ヤシ科。ココナッツについてはp.101［種実類］も参照のこと。

ココナッツウォーター
未成熟のココナッツの種子の中央に溜まった水状の液体で、ほのかに甘い。そのまま飲んだり、スープや煮物等に使う。

ココナッツミルク
種子の内側にできる固形胚乳をすりおろし、水と一緒に弱火で煮込んでから裏ごしたもの。熱帯アジア各地ではごく普通の材料であり、特に東南アジアやポリネシアではさまざまな料理に使う。缶入りや冷凍品が一般的。

ナタデココ
フィリピンの伝統食品で、ココナッツウォーターを酢酸菌の一種のナタ菌で発酵させ、上に浮かぶゲル状の膜が適度な厚みになったときに取り出して、さいころ状に切ったもの。スペイン語でナタは液体表面の皮、ココはココナッツの意味。しこしこした独特の歯ごたえがあり、1993年に日本でブームになってデザートとして定着した。食物繊維が多くカロリーが低いので、ダイエット食やおなかの調子を整える特定保健用食品にも利用される。

さくらんぼ（桜桃）

Sweet cherries

国産1個＝6〜8g 米国産1個＝10g

バラ科。別名**おうとう**、**スイートチェリー**。「国産」は、甘味が強くさわやかな酸味がある佐藤錦、香りが高いナポレオン等、淡黄色に紅色が入ったような種類が多い。「米国産」のアメリカンチェリーは赤紫色で、甘味が強く大粒。
種類：スイートチェリー（甘果）、サワーチェリー（酸果）、デュークチェリー（甘果と酸果の雑種）に分けられ、日本ではスイートチェリーが栽培されている。
利用法：生食、缶詰、びん詰、シラップ漬、ジャム、洋酒漬、菓子等。
旬：6〜7月。
産地：山形、北海道、山梨等。

ざくろ（石榴）

Pomegranates　1個＝300g

ザクロ科。ペルシア原産。熟すと裂け、内部には種子を包んだ果肉のつぶつぶがたくさん詰まっている。1つの実にたくさんの種子をもつため、子孫繁栄の象徴とされる。
栄養成分：抗酸化作用のあるポリフェノールが豊富。
利用法：生食、グレナデンシロップ、果実酒等。
旬：9〜10月。
産地：アメリカ等。

可食部100gあたり　Tr：微量　( )：推定値または推計値　-：未測定

ミネラル（無機質）							ビタミン															食塩相当量	備考
亜鉛	銅	マンガン	ヨウ素	セレン	クロム	モリブデン	A レチノール活性当量	レチノール	β-カロテン当量	D	E αトコフェロール	K	B1	B2	ナイアシン当量	B6	B12	葉酸	パントテン酸	ビオチン	C		①試料　②廃棄部位　③ビタミンC：酸化防止用として添加品あり
mg	mg	mg	µg	µg	µg	µg	µg	µg	µg	µg	mg	µg	mg	mg	mg	mg	µg	µg	mg	µg	mg	g	
0.1	0.10	0.09	0	1	0	Tr	**4**	(0)	53	(0)	1.3	6	**0.01**	**0.02**	0.5	0.11	(0)	37	0.31	1.4	**71**	0	②果皮及び両端
0.1	0.07	0.04	-	-	-	-	**3**	(0)	41	(0)	2.5	(6)	**0.02**	**0.02**	(0.5)	0.14	(0)	32	0.26	-	**140**	0	②果皮及び両端
0.6	0.36	0.69	6	1	3	110	**5**	-	60	-	1.3	87	**0.17**	**0.18**	2.6	0.53	-	12	1.83	23.0	**0**	0	
0.4	0.09	0.13	-	-	-	-	**3**	(0)	36	(0)	0.7	-	**0.03**	**0.01**	0.5	0.04	0	2	0.14	-	**2**	0	②果皮
0.1	0.06	0.09	-	-	-	-	**50**	(0)	600	(0)	0.3	(2)	**0.03**	**0.04**	(0.9)	0.06	(0)	41	0.32	-	**220**	0	②果皮及び種子
0.1	0.06	0.09	-	-	-	-	**(0)**	(0)	0	(0)	0.3	(2)	**0.03**	**0.04**	(0.9)	0.06	(0)	41	0.32	-	**220**	0	②果皮及び種子
Tr	0.01	0.03	-	-	-	-	**2**	(0)	24	(0)	0.1	-	**0**	**0.01**	0.1	0.01	(0)	9	0	-	**19**	0	果肉（ピューレー）分：20%　③
Tr	0.01	0.02	-	-	-	-	**1**	(0)	10	(0)	Tr	-	**0**	**0**	0.1	0.01	(0)	3	0	-	**9**	0	③
1.2	0.69	0.71	2	3	6	13	**250**	-	3000	0	5.7	10	**0.28**	**0.40**	(4.6)	0.32	Tr	99	0.71	24.0	**9**	1.3	ビタミンD：抽出残さの影響により定量下限を変更
0.1	0.10	0.15	-	-	-	-	**32**	(0)	380	(0)	2.2	-	**0.01**	**0.04**	0.5	0.02	(0)	15	0.45	-	**5**	0	②種子及び果柄
0.1	Tr	0.16	-	-	-	-	**0**	0	Tr	(0)	0	-	**0.01**	**0.01**	(0.1)	0	(0)	1	0	-	**2**	0	全果に対する割合：20% (100 g：98mL、100 mL：102g)
0.3	0.22	0.59	-	-	-	-	**0**	0	0	(0)	Tr	-	**0.01**	**0**	(0.8)	0.02	0	4	0	-	**0**	0	①缶詰　(100 g：98mL、100 mL：102g)
0	0	0	-	-	-	-	**0**	(0)	0	(0)	0	-	**0**	**0**	0	0	(0)	0	0	-	**0**	0	シラップ漬（甘味料、酸味料含む）　液汁を除いたもの
0.1	0.05	-	0	0	Tr	1	**8**	(0)	98	(0)	0.5	(2)	**0.03**	**0.03**	(0.3)	0.02	(0)	38	0.24	0.7	**10**	0	②核及び果柄
0.1	0.08	0.11	-	-	-	-	**2**	(0)	23	(0)	0.5	(2)	**0.03**	**0.03**	(0.4)	0.02	(0)	42	0.29	-	**9**	0	②核及び果柄
0.5	0.06	0.08	-	-	-	-	**3**	(0)	41	(0)	0.5	(1)	**0.01**	**0.01**	0.2	0.01	(0)	12	0	-	**7**	0	①ヘビーシラップ漬　液汁を除いたもの 内容総量に対する果肉分：50%　②核及び果柄　③
0.2	0.06	0.05	-	-	-	-	**(0)**	(0)	0	(0)	0.1	(12)	**0.01**	**0.01**	0.2	0.04	(0)	6	0.32	-	**10**	0	②皮及び種子　廃棄率：輸入品（大果）の場合 60%

Q&A キィーウィー（キウイ）って、どんな鳥？▶ニュージーランドの固有種で、絶滅の恐れがある。ニワトリ程度の大きさで、ダチョウと同様に翼は退化して飛ぶことはできない。「キーウィー」と鳴くらしい。翼がないため全体的に丸っこく、うずくまったようすなどは、たしかにキウイフルーツと似ているといえば、似ているかもしれない。

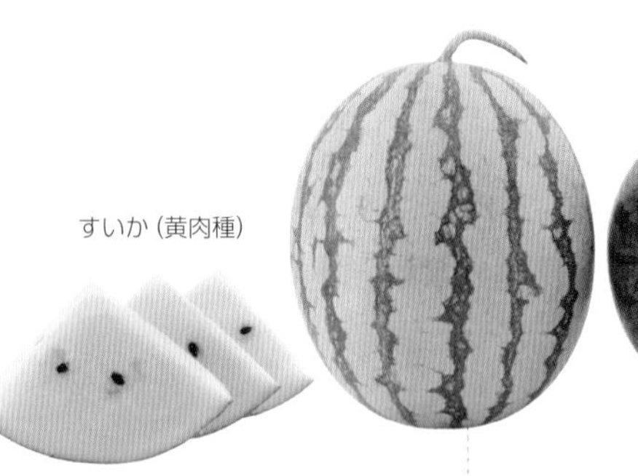

すいか（黄肉種）

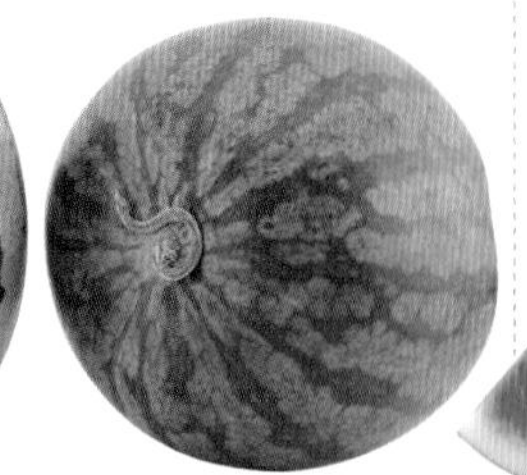

すいか（赤肉種）

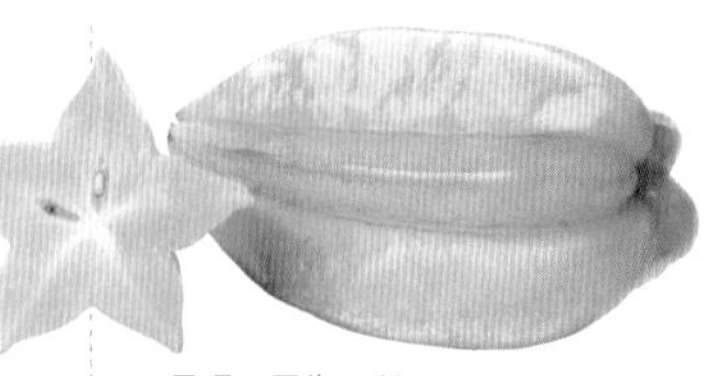

スターフルーツ

ホワイトプラム

グーズベリー

カシス

にほんすもも

ソルダム

すいか（西瓜）

Watermelon　中1個=4kg

ウリ科。16世紀頃に渡来したが、栽培が盛んになったのは明治中期に優良品種が渡来してから。

種類：大玉や小玉、形は球形や長円形、果皮の色は緑色や暗緑色、果皮の縞の有無、果肉の色は赤や黄色等さまざま。

栄養成分：利尿作用の高いシトルリンというアミノ酸やカリウムが豊富。赤肉種は黄肉種よりもビタミンA含有量が多い。

利用法：生食、シャーベット等。

旬：5～8月。

産地：熊本、千葉、山形、新潟等。

すぐり類（酸塊類）

Ribes

カシス　10粒=10g

ユキノシタ科。別名ブラックカラント、**くろふさすぐり**、**くろすぐり**。房状に実る。酸味とえぐみのため生食には向かない。

利用法：ゼリー、ジャム、アイスクリーム、菓子、果実酒等。

グーズベリー　1個=10g

ユキノシタ科。別名**グズベリー**、**西洋すぐり**、**まるすぐり**、**おおすぐり**。果皮の色は黄緑色、赤色、紫色等。

栄養成分：カリウム、カロテン等。

利用法：生食、ジャム、ソース、果実酒等。

旬：7月。

産地：北海道等。

スターフルーツ

Carambola　1個=50g

カタバミ科。別名**ごれんし**（**五斂子**）。熱帯アジア原産のトロピカルフルーツ。多汁多肉で酸味があるが、熟すにしたがって甘味が増す。輪切りにすると横断面が星形。果皮はつやつやして薄く、熟すと黄色になる。

種類：甘味種と酸味種がある。

利用法：生食、サラダ、ジャム、ゼリー、ジュース、ピクルス、蜜漬等。

旬：7～8月。

産地：沖縄、鹿児島等。

すもも類（李類）

Plums　1個=60～100g

バラ科。おもに、ヨーロッパ系、アジア系、アメリカ系に分けられる。ヨーロッパ系は雨の少ない地域で改良されたため、雨の多い日本での栽培は難しい。

にほんすもも（日本李）

バラ科。別名**すもも**、**巴旦杏**（**はたんきょう**）、**プラム**。現在栽培されているものは、アメリカで品種改良されたにほんすももを逆輸入したもの。果実や果肉が赤色、黄色、紫色等、品種によって異なる。代表的な品種は、果肉が赤紫色のソルダム、果皮が赤く果肉が黄色いサンタローザ等がある。また、新たに品種改良された紫峰、月光、貴陽等がある。

利用法：生食、ジャム、ゼリー、コンポート、果実酒等。

旬：6～8月。

産地：山梨、和歌山、長野等。

プルーン　1個=10g

バラ科。別名**ヨーロッパすもも**。西洋すももの一種で、赤紫色の実をつけ、種子があるままドライフルーツ

ざぼん→p.164ぶんたん、さんぼうかん→p.162、シイクワシャー→p.162シークヮーサー、スイーティー→p.160オロブランコ、すだち・だいだい→p.162、タンゼロ→p.162セミノール

食品番号	食品名	廃棄率	エネルギー	2015年版の値	水分	たんぱく質	アミノ酸組成によるたんぱく質	脂質	脂肪酸のトリアシルグリセロール当量	脂肪酸 飽和	脂肪酸 一価不飽和	脂肪酸 多価不飽和	コレステロール	炭水化物	利用可能炭水化物（質量計）	食物繊維 食物繊維総量（プロスキー変法）	食物繊維 食物繊維総量（AOAC法）	ミネラル（無機質） ナトリウム	カリウム	カルシウム	マグネシウム	リン	鉄
		%	kcal	kcal	g	g	g	g	g	g	g	g	mg	g	g	g	g	mg	mg	mg	mg	mg	mg
07077	**すいか**　赤肉種　生	40	**41**	37	89.6	**0.6**	0.3	**0.1**	(0.1)	(0.01)	(0.02)	(0.03)	0	**9.5**	-	0.3	-	1	120	**4**	11	8	**0.2**
07171	黄肉種　生	40	**41**	37	89.6	**0.6**	(0.3)	**0.1**	0.1	-	-	-	0	**9.5**	-	0.3	-	1	120	**4**	11	8	**0.2**
07182	（すぐり類）　**カシス**　冷凍	0	**62**	67	79.4	**1.6**	1.1	**1.6**	1.1	0.17	0.13	0.77	-	**13.4**	-	-	6.4	Tr	270	**40**	19	54	**0.5**
07060	**グーズベリー**　生	1	**51**	52	85.2	**1.0**	-	**0.1**	-	-	-	-	0	**13.2**	(10.9)	2.5	-	1	200	**14**	10	24	**1.3**
07069	**スターフルーツ**　生	4	**30**	30	91.4	**0.7**	(0.5)	**0.1**	(0.1)	(0.01)	(0.01)	(0.06)	0	**7.5**	-	1.8	-	1	140	**5**	9	10	**0.2**
	（すもも類）																						
07080	**にほんすもも**　生	7	**46**	44	88.6	**0.6**	0.4	**1.0**	-	-	-	-	0	**9.4**	-	1.6	-	1	150	**5**	5	14	**0.2**
07081	**プルーン**　生	5	**49**	49	86.2	**0.7**	(0.5)	**0.1**	(0.1)	(0.01)	(0.05)	(0.02)	0	**12.6**	(10.7)	1.9	-	1	220	**6**	7	14	**0.2**
07082	乾	0	**211**	234	33.3	**2.4**	(1.6)	**0.2**	(0.1)	(0.04)	(0.02)	(0.03)	0	**62.3**	(41.7)	7.1	-	1	730	**57**	40	69	**1.1**
07086	**チェリモヤ**　生	20	**82**	78	78.1	**1.3**	(0.8)	**0.3**	(0.2)	(0.10)	(0.02)	(0.08)	0	**19.8**	(13.7)	2.2	-	8	230	**9**	12	20	**0.2**
07111	**ドラゴンフルーツ**　生	35	**52**	50	85.7	**1.4**	-	**0.3**	-	-	-	-	0	**11.8**	-	1.9	-	Tr	350	**6**	41	29	**0.3**
07087	**ドリアン**　生	15	**140**	133	66.4	**2.3**	-	**3.3**	2.8	1.18	1.18	0.28	0	**27.1**	-	2.1	-	Tr	510	**5**	27	36	**0.3**

+PLUS+　**グーズベリーは頭としっぽを取る**●青いうちはとっても酸っぱいが、熟すと酸味が抜けてくるので生食もできるグーズベリー。実を収穫した後、頭とおしりの部分についている茎や花殻を取り除かなくてはならない。ちょっと手間がかかるので、イギリスなどでは料理や菓子に利用するときは缶詰を利用することが多いそうだ。

プルーン

ドライプルーン

ドラゴンフルーツ

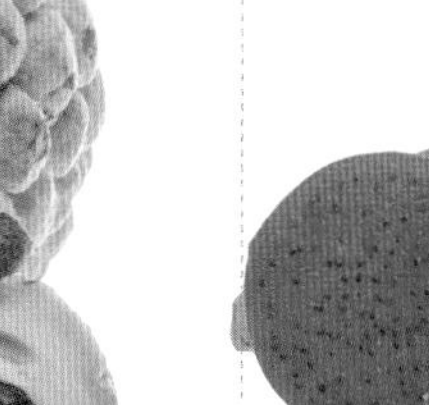

（ホワイト）

（レッド）

チェリモヤ

ドリアン

にすることが多い。乾燥させたドライプルーンは甘味があり、栄養豊富で保存性がよい。また、疲労回復、食欲増進、貧血改善、便秘改善等に効果があるといわれている。ドライプルーンを加水抽出して調節したものがプルーンジュース、これを濃縮したものがプルーンエキス。
利用法：生食よりも、ドライプルーンやエキスに加工することが多い。
旬：8～9月。
産地：アメリカ等。長野、北海道等。

チェリモヤ

Cherimoya　1個=600g

バンレイシ科。南米アンデス山脈が原産。スペインではアイスクリームの木、アメリカではカスタードアップルと呼ぶ。世界三大美果のひとつ。果皮が鱗状で未熟果は黄緑色、熟すと暗褐色になる。果肉は乳白色で芳香があり非常に甘く、クリーム状。収穫後に追熟させる。
栄養成分：ビタミンC、食物繊維等。
利用法：生食、サラダ、シャーベット等。
選び方：果皮が茶色くなり、表面がやわらかくなって香りが強いものが食べ頃。
旬：国産8～12月。輸入ものは通年。
産地：アメリカ等。和歌山。

ドラゴンフルーツ

Pitaya　1個=300g

サボテン科。メキシコ、中米、南米北部原産の数種の柱サボテンの果実。別名**ピタヤ**。赤皮赤果肉のレッド、赤皮白果肉のホワイト、黄皮白果肉のゴールデン等多種の品種があり、大きさも多様。果肉には小さな種が無数にあるが、食感には影響しない。
栄養成分：カリウム、マグネシウム等。
利用法：果肉は生食、ゼリー、ジュース、サラダ、清涼飲料、シャーベット等。つぼみと新芽は天ぷら、和え物、炒め物等。花はスープの具や和え物等。茎は芯を取り除いて炒め物等。
旬：6～8月。
産地：アメリカ、メキシコ、ベトナム、台湾。沖縄、鹿児島。

ドリアン

Durian　1個=2～3kg

パンヤ科。マレーシア原産。木は30mにもなる。褐色の表面にとげ状の突起があり、内部は5室に分かれている。果肉はクリーム状で粘りけがあり甘いが、強烈な刺激臭がある。味のよさから「熱帯産果実の王様」といわれるが、臭気から「悪魔の果物」という人もいる。ホテルや飛行機への持ち込みを断られることも。
栄養成分：カリウム、ビタミンB_1・B_2等。
利用法：生食、アイスクリーム、菓子、塩漬等。
旬：5～6月。
産地：マレーシア、インドネシア、タイ。

可食部100gあたり　Tr：微量　（ ）：推定値または推計値　－：未測定

ミネラル（無機質）							ビタミン															食塩相当量	備考
亜鉛	銅	マンガン	ヨウ素	セレン	クロム	モリブデン	A レチノール活性当量	A レチノール	A β-カロテン当量	D	E αトコフェロール	K	B_1	B_2	ナイアシン当量	B_6	B_{12}	葉酸	パントテン酸	ビオチン	C		①試料　②廃棄部位　③ビタミンC：酸化防止用として添加品あり
mg	mg	mg	µg	µg	µg	µg	µg	µg	µg	µg	mg	µg	mg	mg	mg	mg	µg	µg	mg	µg	mg	g	
0.1	0.03	0.03	0	0	0	1	**69**	(0)	830	(0)	0.1	0	**0.03**	**0.02**	0.3	0.07	(0)	3	0.22	0.9	**10**	0	②果皮及び種子　廃棄率：小玉種の場合 50%
0.1	0.03	0.03	0	0	0	1	**1**	(0)	10	(0)	0.1	0	**0.03**	**0.02**	(0.3)	0.07	(0)	3	0.22	0.9	**10**	0	②果皮及び種子　廃棄率：小玉種の場合 50%
0.2	0.08	0.26	0	0	1	4	**9**	-	110	-	2.1	30	**0.03**	**0.03**	0.6	-	-	-	-	5.7	**-**	0	タンニン：0.8 g、ポリフェノール：0.6 g
0.1	0.05	0.15	-	-	-	-	**10**	(0)	130	(0)	1.0	-	**0.02**	**0.02**	0.4	0.02	0	47	0.40	-	**22**	0	②両端
0.2	0.02	0.10	-	-	-	-	**6**	(0)	74	(0)	0.2	(0)	**0.03**	**0.02**	(0.4)	0.02	0	11	0.38	-	**12**	0	②種子及びへた
0.1	0.03	0.07	0	0	1	1	**7**	(0)	79	(0)	0.6	-	**0.02**	**0.02**	0.3	0.04	(0)	37	0.14	0.2	**4**	0	②核
0.1	0.06	0.09	-	-	-	-	**40**	(0)	480	(0)	1.3	(20)	**0.03**	**0.03**	(0.7)	0.06	0	35	0.22	-	**4**	0	②核及び果柄
0.4	0.27	0.36	-	-	-	-	**100**	(0)	1200	(0)	1.3	92	**0.07**	**0.07**	(2.6)	0.34	(0)	3	0.32	0	**0**	0	廃棄率：核付きの場合 20%
0.1	0.08	0.07	-	-	-	-	**Tr**	(0)	4	(0)	0.2	-	**0.09**	**0.09**	(1.1)	0.23	0	90	0.36	-	**34**	0	②果皮、種子及びへた
0.3	0.03	0.09	-	-	-	-	**(0)**	(0)	0	(0)	0.4	-	**0.08**	**0.06**	0.6	0.05	0	44	0.53	-	**7**	0	①レッドピタヤ　②果皮
0.3	0.19	0.31	0	1	0	10	**3**	(0)	36	(0)	2.3	-	**0.33**	**0.20**	1.8	0.25	0	150	0.22	5.9	**31**	0	①果皮を除いた冷凍品　②種子

QA　世界三大美果とは？▶本書にすべて載っているので調べてみよう……では不親切ですね、チェリモヤ（➡p.168）、マンゴー（➡p.174）、マンゴスチン（➡p.174）。とはいえ、好みは人それぞれ。あなたにとっての三大美果は何だろう？

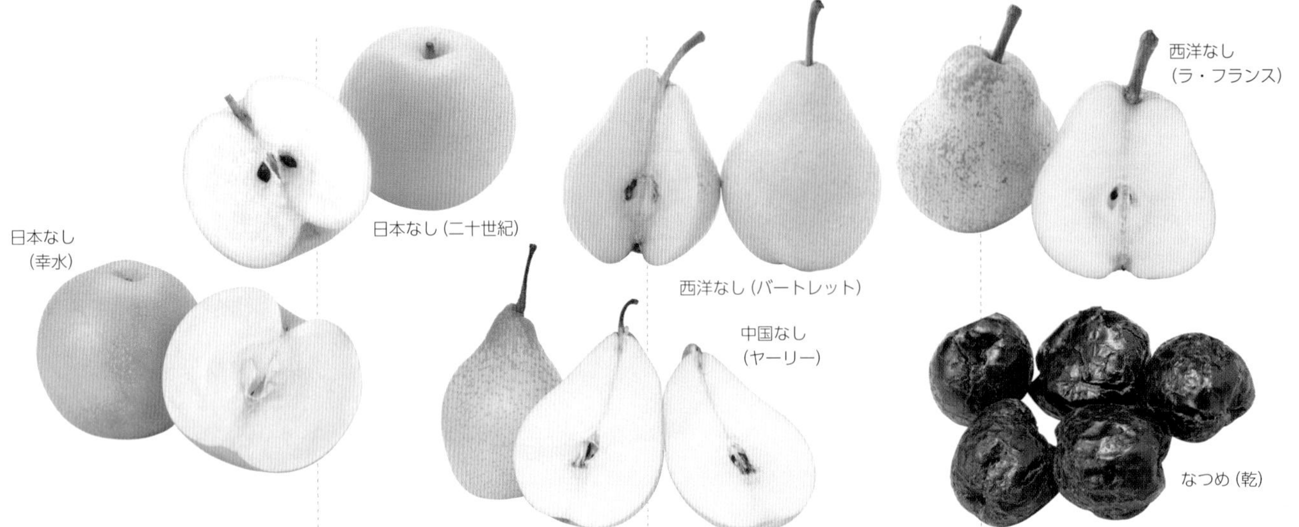

なし類 (梨類)

Pears

日本なし (日本梨) 1個=300g

バラ科。"無し" に通じる縁起が悪い名前として、逆に "有りの実" の別名がある。ざらざらした食感をもつが、これは細胞膜がかたく石のようになった石細胞の含有率が高いため。

種類：果皮が茶褐色で甘味が強い赤なし系と、果皮が緑がかっていて水けが多い青なし系とに分けられる。赤なし系の代表は、長十郎、幸水、新水、南水、豊水等。青なし系は二十世紀、新世紀等。

利用法：生食する。

選び方：皮がざらざらしていて色むらがなく、はりがあって重みがあるものがよい。赤なしは尻の部分まで色づいたもの。青なしは黄色地にほんのり緑色の残るものがよい。

旬：7～11月。

産地：千葉、茨城、栃木等。

中国なし (中国梨) 1個=300～400g

バラ科。西洋なしに似た形で淡白な味だが、独特の芳香がある。追熟させて食べる。鴨梨 (ヤーリー) と慈梨 (ツーリー) が有名。日本なしより果肉がやわらかい。

利用法：生食、シラップ漬、ジャム、菓子、缶詰等。

旬：10～11月。

産地：中国等。北海道、山梨。

西洋なし (西洋梨) 1個=250g

バラ科。別名**洋なし**。果肉がやわらかくねっとりとしているため、バターフルーツとも呼ばれる。フランス原産のラ・フランス、イギリス原産のバートレット等が有名。実を採取してから2週間ほど追熟させると果皮が薄緑色から黄色に変わり、果肉がとろけるようにやわらかくなり甘さと芳香が出る。追熟の温度管理が難しいため、日本では産地で追熟してすぐ食べられるようにして出荷することが多い。

利用法：生食、シラップ煮、ジャム、菓子、缶詰等。

旬：8～11月。

産地：山形、長野等。

なつめ (棗)

Jujube 1個=5g

クロウメモドキ科。熟すと暗赤色になり、甘酸っぱい。生食もできるが、主に干しなつめ等に加工される。赤いので紅棗 (こうそう) ともいう。中国ではなつめは漢方五果 (桃、栗、杏、李、棗) のひとつとして数えられ、「1日3個なつめを食べれば年を取らない」ということわざがある。庭先果樹としても用いる。

旬：9～10月。

産地：中国、韓国。福井等。

なつめやし (棗椰子)

Dates 1個=5g

ヤシ科。別名**デーツ**。古くからアラブで主食的に利用。紅色に熟すと果肉がやわらかくなる。なつめやしの木は乾燥に強く、砂漠のような雨がほとんど降らないところでも育ち、実、葉、幹、すべてが利用できるため古来より富の象徴とされた。

栄養成分：鉄、ビタミンA・B_1・B_2・B_6、食物繊維。

利用法：生食、干しなつめやし、シロップ漬、酢、酒等。干しなつめやしはそのまま食べたり、煮物、スープ、菓子等にする。

産地：エジプト、サウジアラビア、イラン等。

なつみかん→p.164、ネクタリン→p.176、はっさく→p.164

食品番号	食品名	廃棄率 %	エネルギー kcal	2015年版の値 kcal	水分 g	たんぱく質 g	アミノ酸組成によるたんぱく質 g	脂質 g	脂肪酸のトリアシルグリセロール当量 g	脂肪酸 飽和 g	一価不飽和 g	多価不飽和 g	コレステロール mg	炭水化物 g	利用可能炭水化物(質量計) g	食物繊維 食物繊維総量(プロスキー変法) g	食物繊維総量(AOAC法) g	ミネラル(無機質) ナトリウム mg	カリウム mg	カルシウム mg	マグネシウム mg	リン mg	鉄 mg
	(なし類)																						
07088	**日本なし** 生	15	38	43	88.0	0.3	0.2	0.1	(0.1)	(0.01)	(0.02)	(0.02)	0	11.3	8.1	0.9	-	Tr	140	2	5	11	0
07089	缶詰	0	76	78	80.5	0.1	(0.1)	0.1	(0.1)	(0.01)	(0.02)	(0.02)	(0)	19.1	-	0.7	-	4	75	3	4	6	0.2
07090	**中国なし** 生	15	49	47	86.8	0.2	(0.1)	0.1	(0.1)	(0.01)	(0.02)	(0.02)	(0)	12.7	-	1.4	-	1	140	2	5	8	0.1
07091	**西洋なし** 生	15	48	54	84.9	0.3	(0.2)	0.1	(0.1)	(0.02)	(0.06)	(0.07)	(0)	14.4	(9.2)	1.9	-	Tr	140	5	4	13	0.1
07092	缶詰	0	79	85	78.8	0.2	(0.1)	0.1	(0.1)	(0.01)	(0.02)	(0.02)	(0)	20.7	(16.5)	1.0	-	1	55	4	4	5	0.1
07095	**なつめ** 乾	15	294	287	21.0	3.9	-	2.0	-	-	-	-	0	71.4	-	12.5	-	3	810	65	39	80	1.5
07096	**なつめやし** 乾	5	281	266	24.8	2.2	(1.2)	0.2	(Tr)	(0.02)	(0.02)	(0.01)	(0)	71.3	(59.0)	7.0	-	Tr	550	71	60	58	0.8
	パインアップル																						
07097	生	45	54	53	85.2	0.6	0.4	0.1	(0.1)	(0.01)	(0.02)	(0.05)	0	13.7	12.2	1.2	-	Tr	150	11	14	9	0.2
07177	焼き	0	74	77	78.2	0.9	(0.7)	0.2	0.1	-	-	-	(0)	20.1	16.5	1.7	-	Tr	190	16	18	13	0.3
07098	果実飲料 ストレートジュース	0	46	41	88.2	0.3	-	0.1	(0.1)	(0.01)	(0.01)	(0.04)	(0)	11.0	(9.9)	0	-	1	210	22	10	13	0.4
07099	濃縮還元ジュース	0	45	41	88.3	0.1	-	0.1	(0.1)	(0.01)	(0.01)	(0.04)	(0)	11.1	(9.9)	0	-	1	190	9	10	12	0.3
07100	50% 果汁入り飲料	0	50	51	87.3	0.3	-	0.1	(0.1)	(0.01)	(0.01)	(0.04)	(0)	12.1	-	0	-	1	95	6	4	5	0.1
07101	10% 果汁入り飲料	0	50	50	87.6	Tr	-	Tr	-	-	-	-	(0)	12.4	-	0	-	1	18	2	2	1	0.2
07102	缶詰	0	76	84	78.9	0.4	(0.3)	0.1	(0.1)	(0.01)	(0.01)	(0.03)	(0)	20.3	(19.4)	0.5	-	1	120	7	9	7	0.3
07103	砂糖漬	0	349	351	12.0	0.5	(0.4)	0.2	(0.1)	(0.02)	(0.02)	(0.07)	(0)	86.8	(87.6)	1.3	-	58	23	31	5	5	2.5
07104	**ハスカップ** 生	0	55	53	85.5	0.7	-	0.6	-	-	-	-	0	12.8	-	2.1	-	Tr	190	38	11	25	0.6
07106	**パッションフルーツ** 果汁 生	0	67	64	82.0	0.8	-	0.4	-	-	-	-	(0)	16.2	(4.0)	0	-	5	280	4	15	21	0.6

+PLUS+ **なしと歌舞伎**●日本では歌舞伎界を "梨園" (りえん) という。これは中国の玄宗皇帝が音楽や舞踏の愛好家で、自ら舞楽を教えた場所が梨が多く植えられている梨園だったことから、音楽や舞踏を学ぶ者を梨園の弟子といい、転じて演劇の中でも特に歌舞伎の世界をさすようになった。

なつめやし

なつめやし（乾）

茎の先端で成長する

砂糖漬

パインアップル

スナックパイン

缶詰

ハスカップ

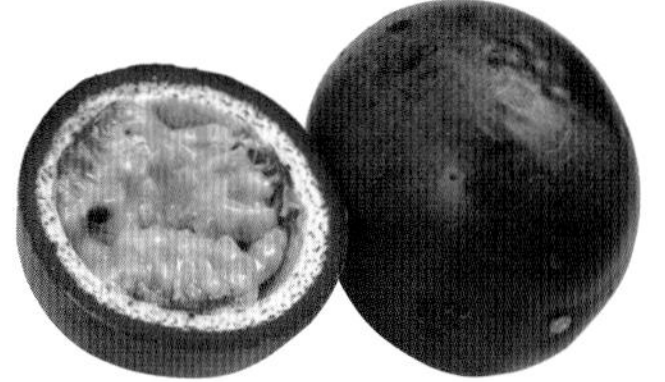

パッションフルーツ

パインアップル
Pineapple　1個=2kg

パインアップル科。ブラジル原産のトロピカルフルーツ。表面の鱗片が松ぼっくり（パインコーン）に似ており、味がりんご（アップル）のように甘酸っぱいのでこの名がついた。別名**パイナップル**。

利用法：生食、ジュース、ドライフルーツ、缶詰等。また、肉料理に利用。

選び方：香りがよく、皮が赤みがかってつやがあり、下部が大きく重みのあるものがよい。

産地：沖縄、鹿児島。フィリピン、ハワイ、台湾等。

ハスカップ
Blue berried honeysuckle　1個=2g

スイカズラ科。名前はアイヌ語の「ハシカプ」に由来し、枝の上に実るものという意味。ユノミともいわれることもあるが、これもアイヌ語の“エ・ノミ・タンネ（細長い実）”に由来。和名**くろみのうぐいすかぐら**。実は黒紫色で果汁はルビー色、独特の酸味とほろ苦さがある。

栄養成分：ビタミンC等。

利用法：生食、ジュース、ジャム、ワイン、シラップ等。

旬：7～8月。

産地：北海道。

パッションフルーツのパッションとは？

熱い情熱！……ではなく、「キリストの受難」を意味する。17世紀、宣教師が南米でこの果物の花を見て、キリストが十字架にかけられたときの印（十字架やいばらの冠）を見て取り、名づけた。和名は時計草というのも、めしべを時計の針に見立てたことによる。

パッションフルーツ
Passion fruit　1個=80～100g

トケイソウ科。ブラジル原産のトロピカルフルーツ。和名**くだもの時計草**。果肉はゼリー状でたくさんの種子を包み込んでいる。独特な香りと酸味がある。

栄養成分：カロテン、ビタミンC等。

利用法：ジュース、ジャム、ゼリー、キャンディ等。生食する場合は果肉を種ごとかまずに食べる。

旬：7～8月。

産地：ニュージーランド、コロンビア等。鹿児島、沖縄等。

可食部100gあたり　Tr：微量　（ ）：推定値または推計値　－：未測定

ミネラル（無機質）							ビタミン															食塩相当量	備考
亜鉛	銅	マンガン	ヨウ素	セレン	クロム	モリブデン	A レチノール活性当量	A レチノール	A β-カロテン当量	D	E αトコフェロール	K	B_1	B_2	ナイアシン当量	B_6	B_{12}	葉酸	パントテン酸	ビオチン	C		①試料　②廃棄部位　③ビタミンC：酸化防止用として添加品あり
mg	mg	mg	μg	μg	μg	μg	μg	μg	μg	μg	mg	μg	mg	mg	mg	mg	μg	μg	mg	μg	mg	g	
0.1	0.06	0.04	0	0	0	Tr	(0)	(0)	0	(0)	0.1	(5)	0.02	Tr	0.2	0.02	(0)	6	0.14	0.5	3	0	②果皮及び果しん部
0.1	0.04	0.02	-	-	-	-	0	0	0	(0)	0.1	(7)	Tr	0	(0.1)	0.02	(0)	3	0	-	0	0	①ヘビーシラップ漬　液汁を含んだもの（液汁 40%）③
Tr	0.05	0.03	-	-	-	-	0	0	0	(0)	0.2	-	0.02	0.01	(0.2)	0.02	(0)	6	0.14	-	6	0	②果皮及び果しん部
0.1	0.12	0.04	0	0	0	1	(0)	(0)	0	(0)	0.3	(4)	0.02	0.01	(0.2)	0.02	(0)	4	0.09	0.3	3	0	②果皮及び果しん部
0.1	0.05	0.03	-	-	-	-	0	0	Tr	(0)	0.2	(Tr)	0.01	0.02	(0.3)	0.01	(0)	4	0	-	Tr	0	①ヘビーシラップ漬　液汁を含んだもの（液汁 40%）③
0.8	0.24	0.46	-	-	-	-	1	(0)	7	(0)	0.1	-	0.10	0.21	2.3	0.14	0	140	0.86	-	1	0	②核
0.4	0.40	0.38	-	-	-	-	13	(0)	160	(0)	1.4	(3)	0.07	0.04	(2.0)	0.16	(0)	19	0.94	-	0	0	②へた及び核
0.1	0.11	1.33	0	0	0	Tr	3	(0)	38	(0)	Tr	1	0.09	0.02	0.3	0.10	(0)	12	0.23	0.2	35	0	②はく皮及び果しん部
0.1	0.14	1.67	0	0	Tr	1	4	(0)	46	(0)	0.1	2	0.11	0.02	(0.5)	0.12	(0)	14	0.64	0.3	41	0	はく皮及び果しん部を除いたもの
0.1	0.03	0.87	-	-	-	-	1	(0)	9	(0)	Tr	0	0.04	0.01	0.3	0.07	(0)	9	0.19	-	6	0	(100 g：98mL、100 mL：103g)
0.1	0.03	1.16	-	-	-	-	1	(0)	12	(0)	Tr	0	0.05	0.02	0.2	0.05	(0)	7	0.17	-	5	0	(100 g：98mL、100 mL：103g)
Tr	0.02	0.33	-	-	-	-	Tr	(0)	4	(0)	Tr	0	0.03	0.01	0.2	0.04	(0)	0	0.07	-	3	0	③
Tr	Tr	0.18	-	-	-	-	0	0	Tr	(0)	Tr	(0)	0	0	0	0.01	(0)	1	0	-	0	0	③
0.1	0.07	1.58	-	-	-	-	1	0	12	(0)	0	(Tr)	0.07	0.01	(0.3)	0.06	(0)	7	0.06	-	7	0	①ヘビーシラップ漬　液汁を含んだもの（液汁 37%）
0.1	0.06	0.45	-	-	-	-	1	0	17	(0)	0.1	(6)	0	0.02	(0.2)	0.01	(0)	2	0	-	0	0.1	
0.1	0.06	-	-	-	-	-	11	0	130	(0)	1.1	-	0.02	0.03	0.6	0.04	0	7	0.29	-	44	0	果実全体
0.4	0.08	0.10	-	-	-	-	89	(0)	1100	(0)	0.2	(1)	0.01	0.09	2.0	0.18	(0)	86	0.63	-	16	0	全果に対する果汁分：30%

Q A ちぎって食べるパインアップル？▶ 2000種類も存在するとされるパインアップルの品種の中でも、特に近年に品種改良されてできたボゴールという品種は、皮をつまんでむしるようにすると簡単に手でちぎれるため、スナックパインと呼ばれている。小さめだけど、非常に甘味が強くて酸味が少なく、芯も甘くて食べられるのが特徴。

バナナ

Bananas　1本=100～150g

バショウ科。東南アジア原産のトロピカルフルーツ。高さ数mになるが、樹木ではなく草。
皮も果肉も黄色いもののほか、皮が赤いモラードや、果実が小型のモンキーバナナもある。また、でん粉を多く含む料理用バナナもあり、揚げる、煮る等して主食のように利用する地域もある。日本では熟したものは輸入できないので、まだ青い未熟のうちに収穫・輸入し、エチレンガスで追熟させる。
「乾燥バナナ」は完熟したものを果皮つきのまま乾燥させてから皮を取り除き、さらに乾燥させたもの。
栄養成分：炭水化物、カリウム等が豊富。栄養バランスがよい。
利用法：生食、菓子、ドライフルーツ等。
選び方：果皮が黄色くて茶色の斑点が出ているものが食べ頃。
保存法：室温で保存。冷蔵庫に入れると皮が黒くなる。
産地：フィリピン、エクアドル、台湾等。

パパイア

Papaya　1個=500g～1kg

パパイア科。熱帯アメリカ原産のトロピカルフルーツ。別名**パパイヤ**、パウパウ、ママオ、ツリーメロン。
黄色い「完熟」果は果肉が黄色や紅色でやわらかく、独特の香りと甘味がある。緑色の「未熟」果は、皮をむいた果肉をせん切りにして炒め物にする等、野菜として利用する。
栄養成分：ビタミンC、カロテン、食物繊維等。
利用法：完熟したものは生食、ジャム、ソルベ等。未熟果は、サラダ、和え物、ピクルス、漬け物等。また、肉料理に利用する。
産地：ハワイ等。沖縄、宮崎、和歌山等。

びわ (枇杷)

Loquats　1個=50g

バラ科。果皮はうぶ毛に包まれ、種子が大きい。葉は古くから健康によいとされ、患部にあてたり煎じて茶のように飲んだりして用いる。
栄養成分：カロテン等。
利用法：生食、ジャム、ゼリー、缶詰、菓子等。
選び方：香りがあり、うぶ毛が密集していて果皮にはりがあり、傷や変色のないものがよい。
旬：5～7月。
産地：長崎、千葉、愛媛、鹿児島等。

ぶどう (葡萄)

Grapes　生1粒=2g　中1房=150g

ブドウ科。5000以上の種類があり、世界でもっとも生産量の多い果物だが、その半分以上がワインの原料になる。日本ではほとんどを食用にする。鎌倉時代初期に甲斐国勝沼（山梨県甲府市）で栽培が始められ、明

ピタヤ→p.168ドラゴンフルーツ、ひゅうがなつ→p.164、プルーン→p.168、ぶんたん→p.164

食品番号	食品名	廃棄率	エネルギー	2015年版の値	水分	たんぱく質	アミノ酸組成によるたんぱく質	脂質	脂肪酸のトリアシルグリセロール当量	脂肪酸 飽和	脂肪酸 一価不飽和	脂肪酸 多価不飽和	コレステロール	炭水化物	利用可能炭水化物(質量計)	食物繊維 食物繊維総量(プロスキー変法)	食物繊維 食物繊維総量(AOAC法)	ミネラル(無機質) ナトリウム	カリウム	カルシウム	マグネシウム	リン	鉄
		%	kcal	kcal	g	g	g	g	g	g	g	g	mg	g	g	g	g	mg	mg	mg	mg	mg	mg
07107	バナナ　生	40	93	86	75.4	1.1	0.7	0.2	(0.1)	(0.07)	(0.02)	(0.04)	0	22.5	18.5	1.1	-	Tr	360	6	32	27	0.3
07108	乾	0	314	299	14.3	3.8	(2.4)	0.4	(0.2)	(0.15)	(0.03)	(0.07)	(0)	78.5	(64.5)	7.0	-	1	1300	26	92	84	1.1
07109	パパイア　完熟　生	35	33	38	89.2	0.5	(0.2)	0.2	(0.2)	(0.06)	(0.06)	(0.04)	(0)	9.5	(7.1)	2.2	-	6	210	20	26	11	0.2
07110	未熟　生	25	35	39	88.7	1.3	(0.6)	0.1	(0.1)	(0.03)	(0.03)	(0.02)	(0)	9.4	(7.4)	2.2	-	5	190	36	19	17	0.3
07114	びわ　生	30	41	40	88.6	0.3	(0.2)	0.1	(0.1)	(0.02)	(Tr)	(0.05)	(0)	10.6	(5.9)	1.6	-	1	160	13	14	9	0.1
07115	缶詰	0	80	81	79.6	0.3	(0.2)	0.1	(0.1)	(0.02)	(Tr)	(0.05)	(0)	19.8	-	0.6	-	2	60	22	5	3	0.1
07116	ぶどう　皮なし　生	15	58	59	83.5	0.4	0.2	0.1	Tr	0.01	Tr	0.01	0	15.7	(14.4)	0.5	-	1	130	6	6	15	0.1
07178	皮つき　生	0	69	64	81.7	0.6	0.4	0.2	Tr	0.02	Tr	0.02	(0)	16.9	17.0	0.9	-	0	220	8	7	23	0.2
07117	干しぶどう	0	324	300	14.5	2.7	(2.0)	0.2	(0.1)	(0.03)	(0.01)	(0.03)	(0)	80.3	(60.3)	4.1	-	12	740	65	31	90	2.3
07118	果実飲料　ストレートジュース	0	54	54	84.8	0.3	(0.3)	0.2	(0.1)	(0.03)	(0.01)	(0.03)	(0)	14.3	(13.9)	0.1	-	1	30	3	14	7	0.1
07119	濃縮還元ジュース	0	46	47	87.2	0.3	(0.3)	0.3	(0.1)	(0.04)	(0.01)	(0.04)	(0)	12.0	(11.7)	0.1	-	2	24	5	9	7	0.3
07120	70% 果汁入り飲料	0	52	53	86.8	0.2	(0.2)	Tr	(Tr)	(0.01)	(Tr)	(0.01)	(0)	12.9	-	0.1	-	15	17	4	6	5	0.1
07121	10% 果汁入り飲料	0	52	53	86.9	Tr	-	Tr	(Tr)	(0.01)	(Tr)	(0.01)	(0)	13.1	-	Tr	-	6	3	3	1	1	0.1
07122	缶詰	0	83	84	78.9	0.4	(0.3)	0.1	(Tr)	(0.01)	(Tr)	(0.01)	(0)	20.4	-	0.2	-	3	88	10	4	10	0.9
07123	ジャム	0	189	193	51.4	0.5	(0.3)	0.1	(Tr)	(0.01)	(Tr)	(0.01)	(0)	47.5	(47.2)	1.5	-	18	130	16	10	23	3.3
07124	ブルーベリー　生	0	48	49	86.4	0.5	(0.3)	0.1	(0.1)	(0.01)	(0.01)	(0.04)	0	12.9	(8.6)	3.3	-	1	70	8	5	9	0.2
07125	ジャム	0	174	181	55.1	0.7	(0.4)	0.3	(0.2)	(0.03)	(0.04)	(0.13)	0	43.8	(41.3)	4.3	-	1	75	8	5	12	0.3
07172	乾	0	280	286	21.9	2.7	(1.5)	1.9	(1.5)	(0.15)	(0.30)	(0.98)	(0)	72.5	-	17.6	-	4	400	43	28	63	1.2

+PLUS+ **種なしぶどうの作り方**●種なしぶどうは、もととなる種をまいて育て、受精前の花を、植物の生長を促進するジベレリンという植物ホルモンにつける。すると子房が早く生長して果実ができる。しかし、受精はしていないので種子はできないのだ。

ぶどう（巨峰）

ぶどう（ピオーネ）

ぶどう（ロザリオビアンコ）

干しぶどう

ブルーベリージャム

ブルーベリー

治時代以前はそこの特産品だった。ぶどうの渋味は抗酸化作用をもつポリフェノールによる。
栄養成分：タンニン、ペクチン等。
利用法：生食、ジャム、ジュース、干しぶどう、ワイン等。
旬：8～11月。
産地：山梨、長野、山形、岡山等。

干しぶどう（干し葡萄）
別名**レーズン**。ぶどうを乾燥させたもの。ビタミンやミネラル、食物繊維等が豊富で、サラダやパン、菓子等に入れたり、そのまま食べたりする。

ブルーベリー
Blueberries　1個=1～4g

ツツジ科。熟すと青紫色になり、甘酸っぱい。アイスクリームやヨーグルトに添えることが多い。青紫色は抗酸化作用のあるアントシアニンによるもので、目によいとされる。
種類：寒冷地や高冷地で生育するハイブッシュ、野生種のローブッシュ、成熟する前に果実がピンク色になるラビットアイの3種類が主流。
栄養成分：マンガン、ビタミンE、食物繊維等。
利用法：生食、ジャム、ジュース、シラップ漬、ソース、果実酒、菓子等。
旬：7～10月。
産地：アメリカ、カナダ等。長野、群馬、茨城等。

ワインとぶどう

ワインの歴史は古く、古代バビロニアの英雄詩『ギルガメッシュ叙情詩』にワインの醸造についての記述が残されている。
ワインの原料となるぶどうは約100種類あるが、同じ品種でも栽培される土壌や気候、栽培法によってもワインの品質に影響する。一般にワイン用の品種は小粒で酸味・甘味が強く、皮が薄くつぶれやすい特徴がある。

白ワイン用品種

シャルドネ
フランス・ブルゴーニュ地方、カリフォルニアの代表的品種。良質な辛口ワインの原料。

セミヨン
フランス・ボルドー地方で多く栽培される。甘口ワインの原料となる。

赤ワイン用品種

カベルネ・ソーヴィニヨン
フランス・ボルドー地方で栽培される最高級の黒ぶどう。タンニンと酸のバランスがとれたワインとなる。

メルロー
フランス・ボルドー地方で栽培される。口あたりがまろやかなワインとなる。

可食部100gあたり　Tr：微量　（ ）：推定値または推計値　－：未測定

ミネラル（無機質）							ビタミン																食塩相当量	備考
亜鉛	銅	マンガン	ヨウ素	セレン	クロム	モリブデン	A レチノール活性当量	A レチノール	A β-カロテン当量	D	E αトコフェロール	K	B1	B2	ナイアシン当量	B6	B12	葉酸	パントテン酸	ビオチン	C			①試料　②廃棄部位　③ビタミンC：酸化防止用として添加品あり
mg	mg	mg	µg	µg	µg	µg	µg	µg	µg	µg	mg	µg	mg	mg	mg	mg	µg	µg	mg	µg	mg	g	
0.2	0.09	0.26	0	1	0	7	**5**	(0)	56	(0)	0.5	(Tr)	**0.05**	**0.04**	0.9	0.38	(0)	26	0.44	1.4	**16**	0	②果皮及び果柄
0.6	0.25	1.31	-	-	-	-	**70**	(0)	840	(0)	1.4	(2)	**0.07**	**0.12**	(2.0)	1.04	(0)	34	1.13	-	**Tr**	0	
0.1	0.05	0.04	0	Tr	0	1	**40**	(0)	480	(0)	0.3	(2)	**0.02**	**0.04**	(0.4)	0.01	(0)	44	0.42	0.2	**50**	0	②果皮及び種子
0.1	0.03	0.02	-	-	-	-	**10**	(0)	120	(0)	0.1	(2)	**0.03**	**0.04**	(0.7)	0.01	(0)	38	0.55	-	**45**	0	②果皮及び種子
0.2	0.04	0.27	0	0	0	0	**68**	(0)	810	(0)	0.1	-	**0.02**	**0.03**	(0.3)	0.06	(0)	9	0.22	0.1	**5**	0	②果皮及び種子
0.1	0.17	0.10	-	-	-	-	**39**	(0)	470	(0)	0.2	-	**0.01**	**0.01**	(0.3)	0.02	(0)	9	0	-	**Tr**	0	①ヘビーシラップ漬　液汁を含んだもの（液汁45%）③
0.1	0.05	0.12	0	0	0	Tr	**2**	(0)	21	(0)	0.1	-	**0.04**	**0.01**	0.1	0.04	(0)	4	0.10	0.7	**2**	0	②果皮及び種子　廃棄率：大粒種の場合20%
Tr	0.07	0.03	0	0	0	1	**3**	(0)	39	(0)	0.4	22	**0.05**	**0.01**	0.2	0.05	(0)	19	0.04	1.0	**3**	0	ポリフェノール：0.2g
0.3	0.39	0.20	3	Tr	9	12	**1**	(0)	11	(0)	0.5	-	**0.12**	**0.03**	(1.0)	0.23	(0)	9	0.17	4.3	**Tr**	0	ポリフェノール：0.4g
0.1	0.02	0.13	0	0	9	3	**(0)**	(0)	0	(0)	0	-	**0.02**	**0.01**	(0.1)	0.05	(0)	1	0.06	1.9	**Tr**	0	ポリフェノール：0.2g　(100g：98mL、100mL：103g)
Tr	0.02	0.07	Tr	0	1	1	**(0)**	(0)	0	(0)	0	-	**0.02**	**Tr**	(0.2)	0.06	(0)	1	0.04	1.7	**Tr**	0	ポリフェノール：0.1g　(100g：98mL、100mL：103g)
Tr	0.01	0.11	-	-	-	-	**(0)**	(0)	0	(0)	0	(0)	**Tr**	**0**	(0)	0.05	(0)	Tr	0	-	**0**	0	③
Tr	0.01	0.08	-	-	-	-	**(0)**	(0)	0	(0)	0	(0)	**0**	**0**	0	0.01	(0)	Tr	0	-	**0**	0	③
0.2	0.09	0.02	-	-	-	-	**1**	0	10	(0)	0.2	-	**0.02**	**0.01**	(0.1)	0.03	(0)	2	0	-	**0**	0	①ヘビーシラップ漬　液汁を含んだもの（液汁37%）
0.1	0.11	0.10	-	-	-	-	**(0)**	(0)	0	(0)	0.2	-	**0.02**	**0.01**	(0.1)	0.04	(0)	2	0.11	-	**0**	0	③　(100g：80mL、100mL：125g)
0.1	0.04	0.26	0	0	Tr	1	**5**	(0)	55	(0)	1.7	(15)	**0.03**	**0.03**	(0.2)	0.05	0	12	0.12	1.1	**9**	0	①ハイブッシュブルーベリー　果実全体
0.1	0.06	0.62	-	-	-	-	**2**	(0)	26	(0)	1.9	(23)	**0.03**	**0.02**	(0.4)	0.04	0	3	0.11	-	**3**	0	①ハイブッシュブルーベリー　(100g：80mL、100mL：125g)
0.4	0.23	1.94	(0)	(0)	(2)	(4)	**7**	(0)	81	(0)	5.1	89	**0.12**	**0.10**	(1.7)	0.20	(0)	13	0.26	-	**Tr**	0	ドライフルーツ　①有機栽培品含む

Q A ぶどうやブルーベリーの表面についた粉状のものって、何？▶ひょっとして農薬では……？と勘違いする人もいるけど、これは熟した新鮮な果物から分泌されるブルーム（果粉）というもの。水をはじいたり、病気から果物を守っている。果物だけではなく、きゅうりなどの野菜からも出ている。

ホワイトサポテ

アップルマンゴー

イエローマンゴー（カラバオ種）

まくわうり（金銘）

マルメロ

マンゴーの収穫

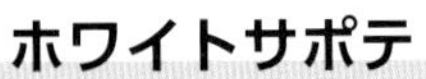

ホワイトサポテ
White sapote　1個=200g

ミカン科。中央アメリカの高地帯が原産のトロピカルフルーツ。果皮はかたく、熟すと黄緑色になる。果肉は淡黄色でやわらかくクリーミー、とても甘いが少し苦味がある。
栄養成分：カリウム、銅等。
利用法：生食、シャーベット。
旬：7〜10月。
産地：アメリカ、スリランカ、ニュージーランド等。和歌山、鹿児島、沖縄等。

まくわうり（甜瓜）
Oriental melon

ウリ科。北アフリカ原産で、中国を経て、日本へ渡来したといわれる。岐阜県の真桑村が名産地だったことからこの名がついた。1962年、まくわうりと西洋種のメロンを交配させたプリンスメロンが発表されると、まくわうり自体の栽培は衰退していった。現在ではわずかながら各地で独自の品種が栽培されている。
種類：白肉種と黄肉種がある。
栄養成分：黄肉種は白肉種よりビタミンAの含有量が多い。
利用法：生食する。
旬：6〜8月。

マルメロ
Common guinces　1個=200〜350g

バラ科。中央アジア原産で、1634年に長崎に渡来した。名前はポルトガル語の“Marmelo”に由来するとされている。かりんと似ているが、果実は丸みがあり、果皮にうぶ毛が密生する点がかりんとは異なる。
利用法：砂糖漬、果実酒、はちみつ漬、菓子、ゼリー、ジャム、缶詰等。果肉はかたく、生食できない。
選び方：うぶ毛が密生していて重みがあるものがよい。
旬：10〜11月。
産地：長野、青森、秋田、北海道等。

マンゴー
Mangoes　1個=250〜500g

ウルシ科。熱帯・亜熱帯地域で広く栽培されるトロピカルフルーツ。世界三大美果のひとつ。ウルシ科のため、人によっては食物アレルギーに注意が必要。マンゴーの果皮は緑色、黄色、桃紅色等があり、果肉は黄色から橙紅色でやわらかくねっとりとしており多汁で、甘味と香りが濃い。
種類：果皮が黄色いカラバオ種（フィリピン）。果皮が赤いアップルマンゴーは日本の栽培の9割以上を占める。
栄養成分：カロテン、ビタミンC、葉酸、食物繊維等。
利用法：完熟果は生食、ジャム、ジュース、缶詰、ドライフルーツ等。未熟果は、塩漬、甘酢漬、インド料理の薬味のチャツネ、炒め物等。
選び方：果皮がしっとりしていて色が鮮やかなものがよい。
保存法：ポリ袋に入れて冷蔵庫で保存。
旬：7〜9月。
産地：メキシコ、フィリピン等。沖縄、宮崎、鹿児島等。

ぽんかん→p.164、みかん→p.160うんしゅうみかん、ゆず・ライム・レモン→p.164

食品番号	食品名	廃棄率	エネルギー	2015年版の値	水分	たんぱく質	アミノ酸組成によるたんぱく質	脂質	脂肪酸のトリアシルグリセロール当量	脂肪酸 飽和	脂肪酸 一価不飽和	脂肪酸 多価不飽和	コレステロール	炭水化物	利用可能炭水化物（質量計）	食物繊維 食物繊維総量（プロスキー変法）	食物繊維 食物繊維総量（AOAC法）	ミネラル（無機質） ナトリウム	カリウム	カルシウム	マグネシウム	リン	鉄
		%	kcal	kcal	g	g	g	g	g	g	g	g	mg	g	g	g	g	mg	mg	mg	mg	mg	mg
07128	**ホワイトサポテ**　生	35	**73**	74	79.0	**1.5**	(1.2)	**0.1**	0.1	-	-	-	0	**18.9**	(15.8)	3.1	-	Tr	220	**13**	17	28	**0.2**
07130	**まくわうり**　黄肉種　生	40	**34**	32	90.8	**0.8**	(0.6)	**0.1**	0.1	-	-	-	(0)	**7.8**	(7.4)	1.0	-	1	280	**6**	12	8	**0.2**
07173	白肉種　生	40	**34**	32	90.8	**0.8**	(0.6)	**0.1**	0.1	-	-	-	(0)	**7.8**	(7.4)	1.0	-	1	280	**6**	12	8	**0.2**
07131	**マルメロ**　生	25	**48**	56	84.2	**0.3**	-	**0.1**	(0.1)	(0.01)	(0.04)	(0.05)	0	**15.1**	(9.4)	5.1	-	1	160	**11**	7	14	**0.1**
07132	**マンゴー**　生	35	**68**	64	82.0	**0.6**	(0.5)	**0.1**	(0.1)	(0.02)	(0.04)	(0.02)	(0)	**16.9**	(13.4)	1.3	-	1	170	**15**	12	12	**0.2**
07179	ドライマンゴー	0	**339**	321	9.3	**3.1**	2.3	**0.7**	0.3	0.11	0.14	0.07	(0)	**84.9**	66.8	6.4	-	1	1100	**37**	57	81	**0.5**
07133	**マンゴスチン**　生	70	**71**	67	81.5	**0.6**	-	**0.2**	-	-	-	-	0	**17.5**	-	1.4	-	1	100	**6**	18	12	**0.1**
07134	**メロン**　温室メロン　生	50	**40**	42	87.8	**1.1**	(0.7)	**0.1**	(0.1)	(0.03)	(Tr)	(0.04)	(0)	**10.3**	(9.3)	0.5	-	7	340	**8**	13	21	**0.3**
07135	露地メロン　緑肉種　生	45	**45**	42	87.9	**1.0**	0.6	**0.1**	(0.1)	(0.03)	(Tr)	(0.04)	0	**10.4**	9.2	0.5	-	6	350	**6**	12	13	**0.2**
07174	赤肉種　生	45	**45**	42	87.9	**1.0**	(0.6)	**0.1**	0.1	-	-	-	0	**10.4**	(9.2)	0.5	-	6	350	**6**	12	13	**0.2**

+PLUS+　べたな命名？●アンデスメロンを作り出したのは日本人。安心して栽培でき、安心して食べることができるメロンであるという“安心です”からアンデスと名づけたという。

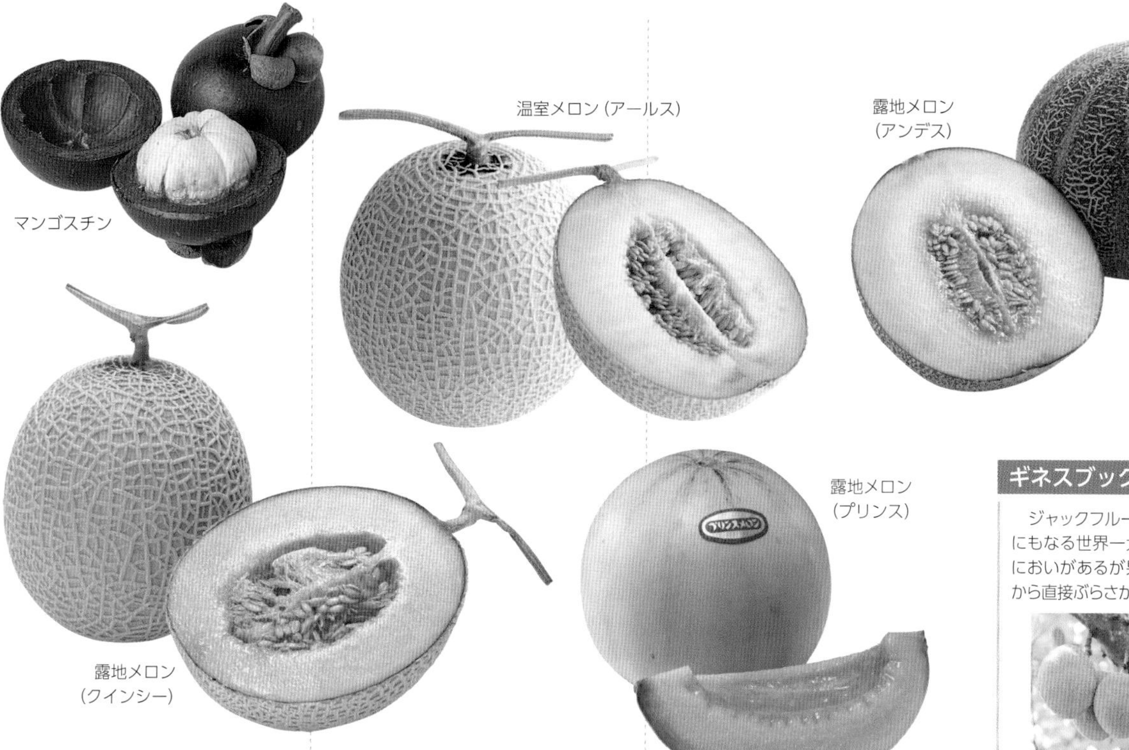

マンゴスチン

Mangosteen 1個=100g

オトギリソウ科。果皮は暗紫色でかたく、果肉は5～8個の房状に分かれている。果肉は白く多汁質で、甘味と酸味のバランスがよい優れた味と上品な香りをもっているため、「熱帯果物の女王」ともいわれる。世界三大美果のひとつ。日本では生での輸入は2004年に解禁されたばかりで、冷凍品が多く輸入されている。

栄養成分：ビタミンC・B₁等。
利用法：生食、塩漬、砂糖煮、ジュース、ゼリー、缶詰等。
旬：2～7月。
産地：コロンビア、タイ、ベトナム、ミャンマー等。

メロン

Muskmelon 1個=500g～1kg

ウリ科。果皮の形、果肉の色等は品種によりさまざま。メロンは、収穫後に追熟するとおいしくなる。気温が20～25℃のところで保管し、果皮が青緑色からやや黄色になって、香りが強くなったら食べ頃。

果皮に網目のあるネットメロンはマスクメロンとも呼ばれるが、マスクは麝香（じゃこう。musk：雄鹿からとる香料）のことで、芳香のあるメロンという意味。日本ではこの香りをもつアールス系の品種をマスクメロンと呼ぶ。

栄養成分：カリウム、ビタミンC等。
利用法：生食、ジュース、シャーベット、生ハムを添えて前菜等。未熟果は漬物等。長時間冷蔵すると味が落ちるので、食べる3～5時間前にラップで包んで冷蔵庫に入れる。
選び方：ネットメロンの場合、ネット（網目）が細かく均一にたくさん張ったものがよい。
旬：5～8月。
産地：茨城、北海道、熊本、山形、青森等。

温室メロン

温室内で栽培されるもので、アールスナイト、クレストアールス等がある。

露地メロン

露地栽培で育てられるメロンのこと。病気や湿気に強く栽培しやすいように品種改良されて作り出され、広く普及した。

種類：緑肉種の代表品種はアンデスメロン、アムスメロン、プリンスメロン等。赤肉種は、緑肉種よりビタミンAの含有量が多い。代表品種は夕張メロン、クインシーメロン、ルピアレッド等。

ギネスブック認定

ジャックフルーツは、重さが40kgにもなる世界一大きい果物。独特のにおいがあるが果実は甘い。実は幹から直接ぶらさがる。

すっぱいものを甘くする

ミラクルフルーツを食べてからすっぱいものを食べると甘く感じる。効果は2時間ほど持続する。

可食部100gあたり　Tr：微量　（ ）：推定値または推計値　－：未測定

ミネラル（無機質）							ビタミン																	
亜鉛	銅	マンガン	ヨウ素	セレン	クロム	モリブデン	A レチノール活性当量	A レチノール	A β-カロテン当量	D	E αトコフェロール	K	B_1	B_2	ナイアシン当量	B_6	B_{12}	葉酸	パントテン酸	ビオチン	C	食塩相当量	備考 ①試料 ②廃棄部位 ③ビタミンC：酸化防止用として添加品あり
mg	mg	mg	µg	µg	µg	µg	µg	µg	µg	µg	mg	µg	mg	mg	mg	mg	µg	µg	mg	µg	mg	g	
0.2	0.09	0.09	-	-	-	-	1	(0)	13	(0)	0.4	-	0.05	0.05	(1.4)	0.06	0	36	0.22	-	18	0	②果皮及び種子
0.1	0.02	0.05	-	-	-	-	15	(0)	180	(0)	0.1	-	0.03	0.03	(0.8)	0.06	(0)	50	0.16	-	30	0	②果皮及び種子
0.1	0.02	0.05	-	-	-	-	(0)	(0)	0	(0)	0.1	-	0.03	0.03	(0.8)	0.06	(0)	50	0.16	-	30	0	②果皮及び種子
0.2	0.05	0.02	-	-	-	-	4	(0)	51	(0)	1.0	-	0.02	0.02	0.3	0.05	0	12	0.25	-	18	0	②果皮及び果しん
0.1	0.08	0.10	0	0	0	0	51	(0)	610	(0)	1.8	(3)	0.04	0.06	(0.9)	0.13	(0)	84	0.22	0.8	20	0	②果皮及び種子
0.6	0.20	0.53	2	2	1	2	500	(0)	6100	(0)	6.8	16	0.27	0.21	4.0	0.43	(0)	260	0.46	5.3	69	0	
0.2	0.07	0.35	0	1	0	0	(0)	(0)	0	(0)	0.6	-	0.11	0.03	0.6	0.04	0	20	0.33	0.6	3	0	①冷凍品　②果皮及び種子
0.2	0.05	0.04	0	2	1	4	3	(0)	33	(0)	0.2	(3)	0.06	0.02	(0.6)	0.10	(0)	32	0.19	0.9	18	0	①アールス系（緑肉種）　②果皮及び種子
0.2	0.04	0.02	0	1	0	2	12	(0)	140	(0)	0.2	(3)	0.05	0.02	0.9	0.11	(0)	24	0.16	0.9	25	0	②果皮及び種子
0.2	0.04	0.02	0	1	0	2	300	(0)	3600	(0)	0.2	(3)	0.05	0.02	(0.9)	0.11	(0)	24	0.16	0.9	25	0	②果皮及び種子

QA ふしぎな味のホワイトサポテ▶バナナ・もも・西洋なしを混ぜたような、かきのような、あんずのような……これ全部ホワイトサポテを食べた人の感想。食べるときは追熟が必要だ。完熟前の青い状態で収穫されるので、果皮の色が黄色がかってしわしわになるぐらいまで常温で追熟させて、冷蔵庫で2～3時間冷やすとよい。

もも

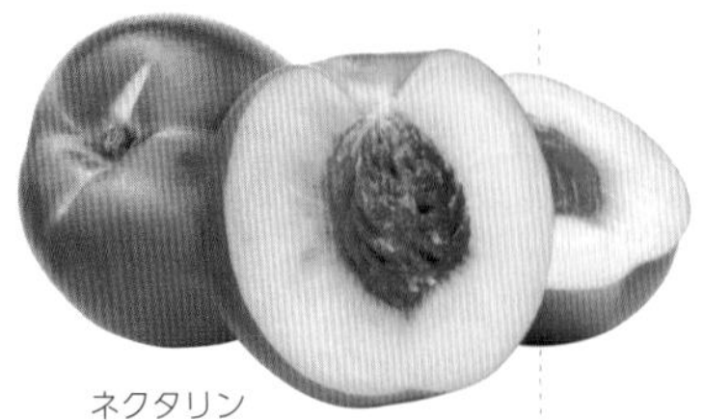
ネクタリン

ランブータン
名前の由来はマレー語の「毛がある果実」(ランブタン)から。半透明乳白色の果肉はライチーに似た味で、甘味と酸味が調和している。

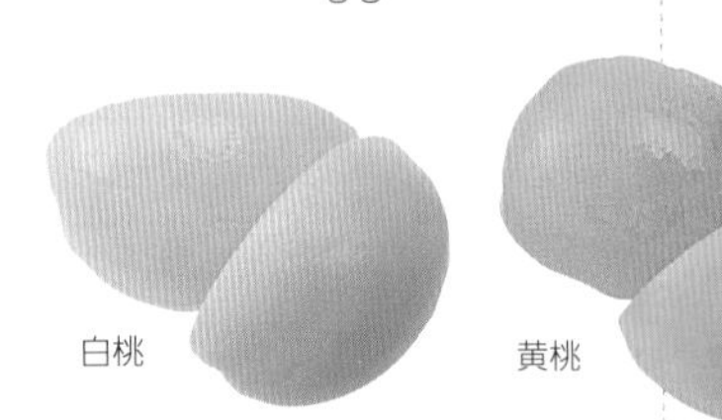
白桃　黄桃

ライチー

やまもも

もも類 (桃類)
Peaches

もも (桃) 中1個=250g
バラ科。中国原産で、縄文時代には渡来していた。アーモンドと近縁。果皮にうぶ毛が密生している。別名**毛桃**。
種類：果肉が白色の白肉種(白桃)と黄色い黄肉種(黄桃)に分けられる。白肉種は多汁でやわらかいため生食に向く。黄肉種は果肉がかたく酸味が強いため、おもに缶詰にする。
栄養成分：カリウム、食物繊維。
利用法：生食、ゼリー、ソース、缶詰等。冷やしすぎると香りも甘味も落ちるので、食べる2～3時間前に冷蔵庫に入れる。
旬：6～9月。
産地：山梨、福島、長野、和歌山等。

ネクタリン 1個=150g
別名**油桃**。バラ科。果皮にうぶ毛がなくつるつるしている。ももよりも小さく、果肉は赤紅色や黄色で肉質はしまっており、強い甘味と適度な酸味がある。

やまもも (山桃)
Red bayberries 1個=20g

ヤマモモ科。台湾、中国南部が原産。大気汚染や乾燥に強いので、庭木や公園木等としても植栽される。果実は直径約2cmの球形で、表面に汁を含んだ小さな突起が多数ある。熟すと赤紫色になり、果肉は多汁で甘酸っぱい。果肉がやわらかく、輸送中の管理に手間がかかるため、あまり店頭に並ばない。
利用法：生食、ジャム、ゼリー、果実酒、シラップ漬等。
旬：6～7月。
産地：徳島、高知等。

ライチー (茘枝)
Lychees 1個=20g

ムクロジ科。別名**れいし**。中国南部からベトナム北部原産のトロピカルフルーツ。果皮は紅褐色で薄くかたく、果肉は白色半透明で多汁、甘く芳香がある。世界三大美女の一人である中国の楊貴妃が好み、華南から都の長安まで早馬で運ばせたという。
利用法：生食、ドライフルーツ、缶詰等。冷凍品が多く輸入されている。
旬：4～6月。
産地：中国、台湾、メキシコ。沖縄、鹿児島等。

ラズベリー
Red raspberries 1個=2～3g

バラ科。仏名フランボワーズ。別名**レッドラズベリー、西洋きいちご**。木いちごの仲間で甘味が強い。果皮の色は赤、黒、紫がある。香り成分のラズベリーケトンには、活性酸素の働きを抑制したり体脂肪の燃焼を促進する等の効果があるといわれる。
栄養成分：鉄、食物繊維等。
利用法：生食、ジャム、ゼリー、菓子等。
旬：7～8月。

食品番号	食品名	廃棄率	エネルギー	2015年版の値	水分	たんぱく質	アミノ酸組成によるたんぱく質	脂質	脂肪酸のトリアシルグリセロール当量	脂肪酸 飽和	脂肪酸 一価不飽和	脂肪酸 多価不飽和	コレステロール	炭水化物	利用可能炭水化物(質量計)	食物繊維 食物繊維総量(プロスキー変法)	食物繊維 食物繊維総量(AOAC法)	ミネラル(無機質) ナトリウム	カリウム	カルシウム	マグネシウム	リン	鉄
		%	kcal	kcal	g	g	g	g	g	g	g	g	mg	g	g	g	g	mg	mg	mg	mg	mg	mg
	(もも類)																						
07136	**もも** 白肉種 生	15	**38**	40	88.7	**0.6**	0.4	**0.1**	(0.1)	(0.01)	(0.03)	(0.03)	0	**10.2**	8.0	1.3	-	1	180	**4**	7	18	**0.1**
07184	黄肉種 生	15	**48**	51	85.4	**0.5**	0.4	**0.2**	Tr	0.02	Tr	0.02	-	**13.4**	11.0	-	1.9	0	210	**3**	6	21	**0.1**
07137	30%果汁入り飲料 (ネクター)	0	**46**	48	88.0	**0.2**	-	**0.1**	(0)	(0.01)	(0)	(Tr)	(0)	**11.6**	(11.7)	0.4	-	3	35	**2**	2	4	**0.2**
07138	缶詰 白肉種 果肉	0	**82**	85	78.5	**0.5**	(0.3)	**0.1**	(0.1)	(0.01)	(0.03)	(0.04)	(0)	**20.6**	(16.3)	1.4	-	4	80	**3**	4	9	**0.2**
07175	黄肉種 果肉	0	**83**	85	78.5	**0.5**	(0.4)	**0.1**	-	-	-	-	(0)	**20.6**	(16.3)	1.4	-	4	80	**3**	4	9	**0.2**
07139	液汁	0	**81**	81	79.5	**0.3**	-	**0.1**	-	-	-	-	(0)	**19.8**	-	0.3	-	4	80	**2**	4	7	**0.2**
07140	**ネクタリン** 生	15	**39**	43	87.8	**0.7**	(0.4)	**0.3**	(0.2)	(0.02)	(0.08)	(0.11)	(0)	**10.7**	(7.7)	1.7	-	1	210	**5**	10	16	**0.2**
07141	**やまもも** 生	10	**47**	44	87.8	**0.5**	-	**0.2**	-	-	-	-	0	**11.3**	-	1.1	-	4	120	**4**	7	5	**0.4**
07144	**ライチー** 生	30	**61**	63	82.1	**1.0**	(0.6)	**0.1**	(0.1)	(0.02)	(0.03)	(0.03)	0	**16.4**	(14.9)	0.9	-	Tr	170	**2**	13	22	**0.2**
07146	**ラズベリー** 生	0	**36**	41	88.2	**1.1**	-	**0.1**	-	-	-	-	0	**10.2**	(5.6)	4.7	-	1	150	**22**	21	29	**0.7**
07147	**りゅうがん** 乾	60	**310**	283	19.4	**5.1**	(3.2)	**0.4**	(0.3)	(0.09)	(0.11)	(0.12)	(0)	**72.9**	-	2.8	-	2	1000	**30**	43	94	**1.7**
07148	**りんご** 皮なし 生	15	**53**	57	84.1	**0.1**	0.1	**0.2**	Tr	0.01	Tr	0.03	(0)	**15.5**	12.2	1.4	-	Tr	120	**3**	3	12	**0.1**
07176	皮つき 生	8	**56**	61	83.1	**0.2**	(0.1)	**0.3**	(0.1)	(0.04)	(0.01)	(0.08)	(0)	**16.2**	12.7	1.9	-	Tr	120	**4**	5	12	**0.1**
07180	焼き	0	**86**	83	77.2	**0.2**	(0.2)	**0.4**	-	-	-	-	(0)	**21.9**	17.0	2.5	-	1	170	**5**	7	17	**0.1**
07149	果実飲料 ストレートジュース	0	**43**	44	87.7	**0.2**	-	**0.1**	(Tr)	(0.01)	(Tr)	(0.02)	(0)	**11.8**	10.7	Tr	-	3	77	**2**	3	6	**0.4**
07150	濃縮還元ジュース	0	**47**	43	88.1	**0.1**	-	**0.2**	(0.1)	(0.02)	(Tr)	(0.04)	(0)	**11.4**	(10.3)	Tr	-	6	110	**3**	4	9	**0.1**
07151	50%果汁入り飲料	0	**46**	47	88.3	**0.1**	-	**Tr**	(Tr)	(Tr)	(0)	(0.01)	(0)	**11.5**	-	0	-	2	55	**2**	2	4	**0.1**
07152	30%果汁入り飲料	0	**46**	46	88.5	**Tr**	-	**Tr**	(0)	(Tr)	(0)	(Tr)	(0)	**11.4**	-	0	-	8	24	**2**	1	3	**Tr**
07153	缶詰	0	**81**	83	79.4	**0.3**	(0.2)	**0.1**	(Tr)	(0.01)	(Tr)	(0.02)	(0)	**20.1**	-	0.4	-	2	30	**4**	2	4	**0.2**
07154	ジャム	0	**203**	213	46.9	**0.2**	(0.2)	**0.1**	(Tr)	(0.01)	(Tr)	(0.02)	(0)	**52.7**	(51.0)	0.8	-	7	33	**6**	2	4	**0**

+PLUS+ ベリー系フルーツって、同じ種類なの？●ストロベリー (バラ科→p.156 いちご)、グーズベリー (ユキノシタ科→p.168)、ブルーベリー (ツツジ科→p.172) などのように、同じベリーという名称でもまったく別の種類である。「水分を多く含む小さな果実」を総称してベリー (berry) というようだ。

ブラックラズベリー　レッドラズベリー

りんご（津軽）

りんご（王林）

りんご（陸奥）

りゅうがん

りんご（ふじ）

りんご（果汁飲料）

産地：カナダ、アメリカ。山梨、北海道、長野、秋田等。

りゅうがん（龍眼）

Longans　1個=5〜10g

ムクロジ科。インド、中国原産のトロピカルフルーツ。樹形も果実もライチーに似ているが別属。果皮は淡褐色で薄くかたく、果肉は半透明のゼリー状で甘い。半透明ゼリー状の球形が竜の目玉に見立てられた。

利用法：生食、ドライフルーツ（龍眼肉）、缶詰等。冷凍品や缶詰が多く輸入されている。

旬：8〜9月。

産地：中国、台湾、東南アジア。

りんご（苹果、林檎）

Apples　中1個=250g

バラ科。明治初期に本格的に導入され、昭和に入ってから積極的に品種改良され栽培が盛んになった。品種は非常に多いが、実際に流通しているのは20種類ほど。

果肉が空気に触れると褐変するのは、りんごに含まれるポリフェノール類が酸化されるため。食塩水につけたりレモン汁をかけると褐変が防げる。

栄養成分：カリウム、食物繊維等。

利用法：生食、ジャム、ジュース、菓子、酢、酒等。

旬：9〜12月。

産地：青森、長野、岩手、山形等。

りんごの秘密

①りんごで成熟

りんごは、ほかの植物の成熟を早める成熟ホルモン（＝エチレン）を発する。例えばバナナと一緒に保存すると、バナナがどんどん黒くなってしまうので、注意。りんごはポリ袋に入れて口をしっかり閉めて冷蔵庫で保存するようにしよう。逆に、追熟が必要な未熟な果実は、熟したりんごと同じ袋に入れておくと早く熟しておいしく食べられるようになる。

②表面のベタベタってまさか…？

りんごの表面のべたつき……。ひょっとして見栄えをよくするためのワックス？　いいえ、ちがいます。これはりんご自身が自分を保護するために分泌するロウ質の物質。このおかげで水分の蒸発を防ぎ、新鮮さを保つことができる。

③蜜入りりんごって？

琥珀色の「蜜」はソルビトールという糖が細胞の間にたまったもの。これ自体の甘さは砂糖の半分程度だが、蜜が入っているりんごは全体として糖度が高いので、結果としては「蜜入りりんごは甘い」といって間違いはない。

可食部100gあたり　Tr：微量　（ ）：推定値または推計値　－：未測定

ミネラル（無機質）							ビタミン																食塩相当量	備考
亜鉛	銅	マンガン	ヨウ素	セレン	クロム	モリブデン	A レチノール活性当量	レチノール	β-カロテン当量	D	E αトコフェロール	K	B1	B2	ナイアシン当量	B6	B12	葉酸	パントテン酸	ビオチン	C			①試料　②廃棄部位　③ビタミンC：酸化防止用として添加品あり
mg	mg	mg	µg	µg	µg	µg	µg	µg	µg	µg	mg	µg	mg	mg	mg	mg	µg	µg	mg	µg	mg	g	
0.1	0.05	0.04	0	0	0	1	Tr	(0)	5	(0)	0.7	(1)	0.01	0.01	0.6	0.02	(0)	5	0.13	0.3	8	0	①白肉種　②果皮及び核
0.1	0.06	0.03	0	0	0	2	17	-	210	-	1.3	1	0.02	0.02	0.7	0.01	0	8	0.15	0.2	6	0	②果皮及び核タンニン：Tr、ポリフェノール：0.1 g
Tr	0.01	0.02	-	-	-	-	0	0	Tr	(0)	0.4	(1)	Tr	0.01	0.2	Tr	(0)	2	0.10	-	2	0	果肉（ピューレー）分：30%　③（100 g：103mL、100 mL：97g）
0.2	0.04	0.03	-	-	-	-	(0)	(0)	Tr	(0)	1.2	(3)	0.01	0.02	(0.3)	0.01	(0)	4	0.07	-	2	0	①ヘビーシラップ漬　内容総量に対する果肉分：60%　③
0.2	0.04	0.03	-	-	-	-	17	(0)	210	(0)	1.2	(3)	0.01	0.02	(0.4)	0.01	(0)	4	0.07	-	2	0	内容総量に対する果肉分：60%　③
0.1	0.04	0.03	-	-	-	-	0	0	Tr	(0)	0	-	0.01	0.01	0.4	0.01	(0)	3	0	-	2	0	内容総量に対する液汁分：40%　③
0.1	0.08	0.06	-	-	-	-	20	(0)	240	(0)	1.4	(2)	0.02	0.03	(0.8)	0.01	(0)	12	0.20	-	10	0	②果皮及び核
0.1	0.03	0.22	-	-	-	-	2	(0)	19	(0)	0.3	-	0.04	0.03	0.4	0.05	0	26	0.21	-	4	0	①栽培品　②種子
0.2	0.14	0.17	-	-	-	-	(0)	(0)	0	(0)	0.1	(Tr)	0.02	0.06	(1.0)	0.09	0	100	0	-	36	0	①冷凍品　②果皮及び種子
0.4	0.12	0.50	-	-	-	-	2	(0)	19	(0)	0.8	(6)	0.02	0.04	0.8	0.07	0	38	0.43	-	22	0	果実全体
0.7	0.68	0.20	-	-	-	-	0	0	Tr	(0)	0.1	-	0.03	0.74	(2.5)	0.20	(0)	20	0	-	0	0	②果皮及び種子
Tr	0.05	0.02	0	0	1	0	1	(0)	15	(0)	0.1	Tr	0.02	Tr	0.1	0.04	(0)	2	0.03	0.5	4	0	②果皮及び果しん部
0.1	0.05	0.04	0	0	0	1	2	(0)	27	(0)	0.4	2	0.02	0.01	(0.1)	0.04	(0)	3	0.05	0.7	6	0	②果しん部
0.1	0.07	0.05	1	0	Tr	1	3	(0)	39	(0)	0.7	3	0.03	0.01	(0.2)	0.06	(0)	4	0.05	0.9	7	0	果しん部を除いたもの
Tr	0.03	0.03	0	0	1	Tr	(0)	(0)	0	(0)	0.1	-	0.01	0.01	0.1	0.03	(0)	3	0.21	0.5	3	0	(100 g：98mL、100 mL：103g)
Tr	0.02	0.04	-	-	-	-	(0)	(0)	0	(0)	0.1	-	Tr	Tr	0.1	0.02	(0)	2	0.11	-	1	0	(100 g：98mL、100 mL：103g)
Tr	0.01	0.01	-	-	-	-	0	0	0	(0)	Tr	-	0	0	Tr	0.01	(0)	1	0	-	Tr	0	③
Tr	0.01	0.01	-	-	-	-	0	0	0	(0)	0	-	0	0	0	0.01	(0)	0	0	-	Tr	0	③
0.1	0.02	0.01	-	-	-	-	1	0	9	(0)	0.1	-	0.01	0.01	(0.2)	0.01	(0)	3	0	-	Tr	0	①ヘビーシラップ漬　液汁を含んだもの（液汁 50%）③
Tr	0.02	0.01	1	0	2	Tr	Tr	(0)	4	(0)	0.1	-	0.01	0	(Tr)	0.03	(0)	1	0	0.3	Tr	0	③（100 g：80mL、100 mL：125g）

Q A 「古事記」の中で、イザナギが黄泉の国から逃れるために、追っ手の黄泉醜女（ヨモツシコメ）に投げつけたといわれる果物は次のうちどれ？［かき　もも　びわ］▶もも。逃れることができたイザナギは、桃に大神実命（オオカムヅミノミコト）の名を与えた。桃は古くは中国でも、不老長寿とともに邪気を払う植物とされている。

08 きのこ類 MUSHROOMS

枯れ木に自生するきくらげ

きのこ類とは

きのこは、大型の胞子組織を形成する菌類。日本は気候が温暖・多雨で、きのこの生育に適しており、その種類は400種に達するといわれる。毒性を持つものも多く、見分け方もむずかしい。食用にされるのは約100種で、市場に出回るのは15種ほど。まつたけ以外のほとんどのきのこは人工栽培されており、季節に関係なく一年中出回っている。

1 栄養上の特徴

水分が多く、成分は野菜に似ているが、ビタミンCはほとんど含まない点が大きな違いである。低カロリー食品であるが、食物繊維、亜鉛、銅、ビタミンB_1・B_2・Dなどを多く含む。

しいたけの香気成分はレンチオニンといい、免疫力を高め、がん抑制効果があるとされている。また、免疫機能を高めるβ-グルカン（高分子たんぱく多糖体）も多く含まれ、栄養的価値の高い食品といえる。

●きのこ類の栄養成分比較

※可食部100gあたり（%）

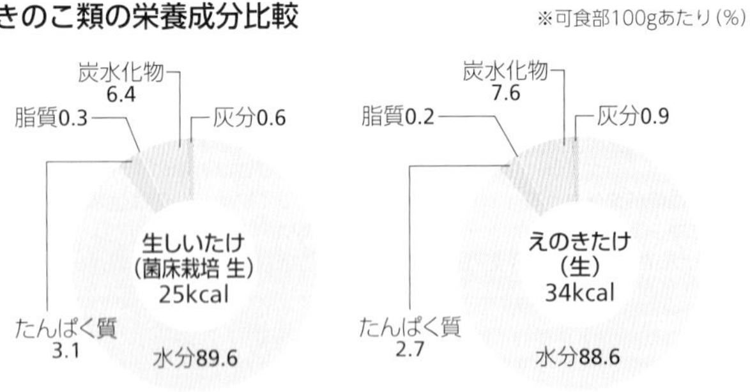

●日光を当てると、ビタミンDが増える!

きのこには、カルシウム吸収のためには欠かせないビタミンDが豊富に含まれる。このビタミンDは、きのこに日光（紫外線）を当てることで増加させることができる。これは、きのこに含まれるプロビタミンD_2（エルゴステロール）が、紫外線に触れるとビタミンDに変化するためである。紫外線に30分当てる程度でビタミンDの量は増加する。

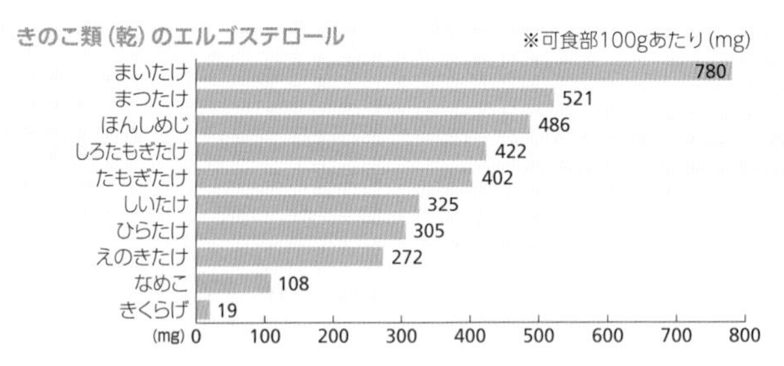

（小山尚子・青柳康夫・菅原龍幸「食用キノコ類の脂肪酸組成およびエルゴステロール含量」『日本食品工業学会誌 31巻11号』より）

2 選び方・保存方法

	選び方	保存方法
しいたけ	かさが肉厚で大きいもの。鮮度が落ちるとかさが開ききるので、七、八分開きのもの。かさの裏は白く、ひだのうぶ毛がきれいで、傷やしみのないもの。	ぬれると傷みやすいため、水気に触れないようにする。新聞などでくるんでからポリ袋に入れて冷蔵庫の野菜室で保存。
えのきたけ	みずみずしい白色で、茶色に変色していないもの。軸にはりがあり、かさが開いていないものがよい。根元が変色していたり、かさのべたつくものは古い。	袋詰のものは冷蔵庫の野菜室で保存。
しめじ	かさは丸くはりがあり、密集しているものがよい。根元は白く太いものがよい。	ぬれると傷みやすいため、水気に触れないようにする。ラップで包み冷蔵庫の野菜室で保存。
なめこ	身がかたくしまり、かさが傷んでないもの。ぬめりが強く、にごっていないもの。	パックのまま冷蔵庫の野菜室で保存。ぬめりは変質しやすいので、早めに食べきる。
マッシュルーム	かさが開かず、丸くすべすべしているもの。ホワイトマッシュルームは白いもののほうがよいが、あまり白いものは漂白処理している可能性もある。	ホワイト種は、切ると変色するので、すぐ使いきるか、レモン汁などをかけておく。
エリンギ	全体にしなびたり、変色しているものは避ける。軸が太く弾力があるものがよい。かさはあまり開いていないもの。	ラップに包み、冷蔵庫の野菜室で保存。早めに食べきること。

●きのこの構造と各部位の呼称

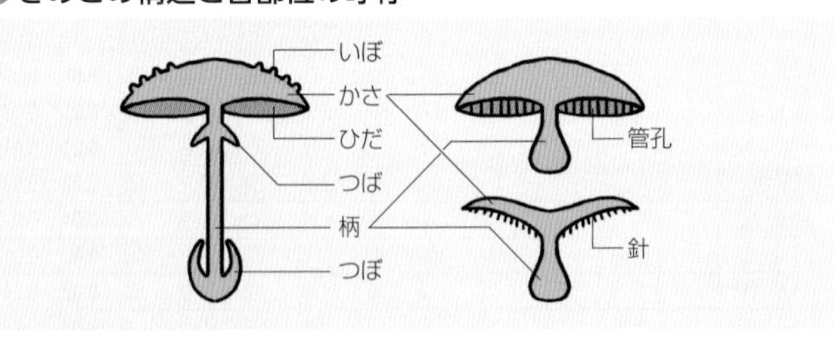

●生態面から見た分類

菌の種類	生態	名称
腐生菌	動植物の遺体の有機物を分解する	ひとよたけ、ぶなしめじ
木材腐朽菌	木材を分解する	しいたけ、えのきたけ、なめこ、ひらたけ、きくらげ、ならたけ
菌根菌	生きた樹木の根に菌根をつくり、その樹木と共生または寄生する	まつたけ、はつたけ、ほんしめじ

3 加工と加工品

ここでは、保存を目的としたきのこ類の加工方法をあげる。

自然乾燥法	びん詰法	冷凍保存法
汚れを取り除き、天日で乾燥させ、乾燥剤を入れた密閉容器で保存する。うま味や香りが増す。しいたけ、まいたけ、しめじ、エリンギなどに向く。ぬめりのあるもの、やわらかいもの、かたすぎるものには不向き。	きのこを煮てびんに入れ、煮汁を9分目くらいまで入れる。空気が逃げられるように軽くふたをして、沸騰した湯を入れた鍋などでびんごと30分ほど煮る。冷暗所や冷蔵庫で保存する。酢漬、オイル漬、かす漬等の方法もある。	ゆでてから1食分ずつに分けて、ゆで汁と共に密閉容器に入れ、冷凍する。歯ごたえや風味は落ちるが保存や使用が簡単。なめこなど乾燥に向かないきのこの保存法。香りのあるもの、やわらかいものには不向き。
		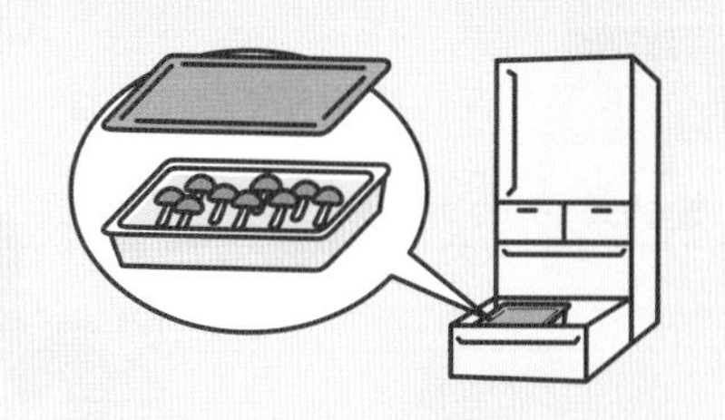

4 調理性

◎:適 ○:可 △:不適 ×:否

特徴	おもなきのこ ＼ 料理	味噌汁	すまし汁	酢の物	和え物	塩焼き	揚げ物	油炒め	煮物	つくだ煮	雑炊鍋物	洋風スープ	洋風ソース	マリネ	ピラフ	コロッケ	グラタン	オムレツ	中華スープ	中華油炒め	しゅうまい	ぎょうざ	あんかけ	焼飯	ホイル焼き	生食
肉質がしっかりしていて、歯ごたえがよく、味にくせがないきのこ	ひらたけ ほんしめじ まいたけ	○	○	○	○	○	○	◎	◎	◎	○	○	◎	◎	○	○	◎	◎	○	○	○	○	◎	○	○	×
最初から、または調理することでぬめりが出るきのこ	えのきたけ なめこ	◎	◎	◎	◎	○	△	○	△	△	○	○	○	◎	×	×	○	○	◎	△	×	×	○	△	○	△
香りや味に独特のくせのあるきのこ	しいたけ まつたけ	◎	◎	△	△	◎	◎	◎	◎	◎	○	○	△	○	◎	○	△	×	○	△	○	△	○	△	◎	×
だしが出て料理にうま味を与えるが、肉質はよくないきのこ	くりたけ ならたけ	◎	◎	○	○	○	◎	◎	△	△	△	○	△	◎	△	×	×	△	△	◎	×	×	○	△	○	×

(「きのこクッキング」晶文社などより)

5 食文化その他

●地域別に見るきのこの呼び名

きのこは、地域によって、同じものでもその呼び名が異なることが多い。

	ほんしめじ	ならたけ	ひらたけ	えのきたけ	さくらしめじ
一般的な名称					
地域別の呼び名	だいこくしめじ(北海道) ねずみ(青森) うえっこ、くろふ、しろふ(山形) かんこ(長野) しめんじ(滋賀) こもちしめじ(兵庫)	ぼりぼり(北海道) さもだし(青森) じょうけんぼう(栃木) ならせんぼん(埼玉) おりみき、おれみき、やちきのこ、かすぼたし(山形) あまだれごけ(新潟) ゆたけ(兵庫) もとあし(鳥取)	あおけ(秋田) むくたけ(和歌山) かたひら(熊本)	ゆきのした(北海道) あしぐろなめこ(山形) なめこ、ずらくら(新潟) なめたけ、かきたけ(兵庫) かごたけ(熊本)	あかきのこ、あかもたす、さくらもたす(秋田) どひょうもたし、あかきのこ(山形) あかんぼう、かきしめじ(新潟) ぬのびき、あかたけ(兵庫) あかなば(熊本)

(「きのこクッキング」晶文社などより)

えのきたけ

ブラウンえのき
栽培用の白い品種と野生種をかけあわせて、自然の色に近づけたもの。歯ごたえがよい。

あらげきくらげ

味付け瓶詰
(なめたけ)

きくらげ(乾)

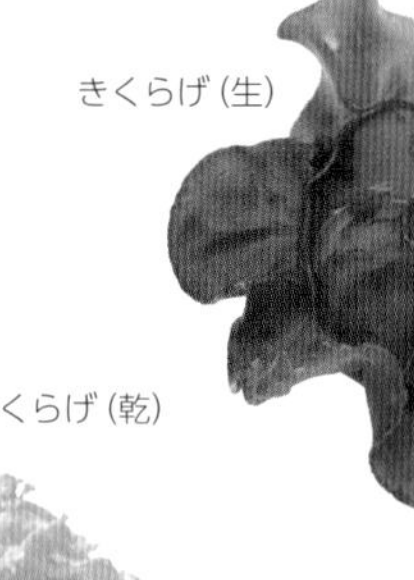
きくらげ(生)

しろきくらげ(乾)

くろあわびたけ

えのきたけ(榎茸)

Winter mushrooms　1袋=100g

キシメジ科。別名なめたけ、なめすすき、ゆきのした。広葉樹の枯れ木や切り株に発生する。流通しているものの大部分は、おがくず等の培地で光を当てずに菌床栽培したもやし状態のもので、天然のものとは異なる。天然のものや光を当てて栽培したものは茶褐色や黄褐色になる。

調理法：鍋物、和え物、炒め物、ホイル包み焼き、瓶詰等。加熱するとぬめりが出る。

選び方：軸が密に重なり、かさが開ききっておらず変色していないものがよい。

旬：11～1月。

産地：長野等。

味付け瓶詰

別名**なめたけ**。醤油で味付けをして瓶詰にしたもの。

きくらげ類(木耳類)

Tree ears　乾10個=5g

形が人間の耳に似ていることから木耳と書くが、寒天質で歯ざわりがくらげに似ていることから木水母と書くこともある。特徴であるこりこりとした歯ざわりは、にかわ質によるもの。精進料理の食材としてもよく利用される。中国料理に欠かせない食材でもある。

調理法：酢の物、和え物、焼き物、煮物、炒め物、揚げ物、汁物等。

産地：日本各地。中国、台湾。

あらげきくらげ(あらげ木耳)

キクラゲ科。別名**裏白きくらげ**。温帯熱帯に生える。きくらげよりやや大きく肉厚で、背面の毛が多い。黒きくらげの名称で市販されることもある。

きくらげ(木耳)

キクラゲ科。天然物は北方の桑や柳の枯れ木に発生する。楢や栗の木等に菌を植える原木栽培や、広葉樹のおがくず培地での菌床栽培が行われる。これも黒きくらげの名称で市販。

栄養成分：ビタミンD、カリウム、

食品番号	食品名	廃棄率	エネルギー	2015年版の値	水分	たんぱく質	アミノ酸組成によるたんぱく質	脂質	脂肪酸のトリアシルグリセロール当量	脂肪酸 飽和	脂肪酸 一価不飽和	脂肪酸 多価不飽和	コレステロール	炭水化物	利用可能炭水化物(質量計)	食物繊維 食物繊維総量(プロスキー変法)	食物繊維 食物繊維総量(AOAC法)	ミネラル(無機質) ナトリウム	カリウム	カルシウム	マグネシウム	リン	鉄
		%	kcal	kcal	g	g	g	g	g	g	g	g	mg	g	g	g	g	mg	mg	mg	mg	mg	mg
08001	**えのきたけ** 生	15	**34**	22	88.6	**2.7**	1.6	**0.2**	0.1	0.02	0.01	0.08	0	**7.6**	0.9	3.9	-	2	340	**Tr**	15	110	**1.1**
08002	ゆで	0	**34**	22	88.6	**2.8**	(1.6)	**0.1**	(0.1)	(0.01)	(Tr)	(0.04)	(0)	**7.8**	(0.9)	4.5	-	2	270	**Tr**	11	110	**1.0**
08037	油いため	0	**71**	58	83.3	**3.0**	(1.7)	**3.9**	(3.7)	(0.28)	(2.20)	(1.04)	(0)	**8.8**	(1.1)	4.6	-	3	380	**Tr**	16	120	**1.2**
08003	味付け瓶詰	0	**76**	85	74.1	**3.6**	2.4	**0.3**	(0.2)	(0.02)	(0.01)	(0.11)	(0)	**16.9**	9.9	4.1	-	1700	320	**10**	26	150	**0.8**
	(きくらげ類)																						
08054	**あらげきくらげ** 生	4	**14**	13	93.6	**0.7**	0.5	**0.1**	0.1	0.01	0.01	0.02	0	**5.4**	0.1	5.6	-	7	59	**10**	9	16	**0.1**
08004	乾	0	**184**	171	13.1	**6.9**	4.5	**0.7**	0.4	0.08	0.11	0.19	(0)	**77.0**	0.9	79.5	-	46	630	**82**	110	110	**10.0**
08005	ゆで	0	**38**	35	82.3	**1.2**	(0.8)	**0.1**	(0.1)	(0.01)	(0.02)	(0.03)	(0)	**16.1**	(0.4)	16.3	-	10	75	**35**	24	11	**1.7**
08038	油いため	0	**110**	107	64.2	**2.3**	(1.5)	**5.2**	(5.0)	(0.38)	(3.01)	(1.36)	(0)	**27.8**	(0.6)	28.6	-	11	130	**29**	37	18	**4.3**
08006	**きくらげ** 乾	0	**216**	167	14.9	**7.9**	5.3	**2.1**	1.3	0.29	0.33	0.62	0	**71.1**	2.6	57.4	-	59	1000	**310**	210	230	**35.0**
08007	ゆで	0	**14**	13	93.8	**0.6**	(0.4)	**0.2**	(0.1)	(0.03)	(0.03)	(0.06)	(0)	**5.2**	(0.2)	5.2	-	9	37	**25**	27	10	**0.7**
08008	**しろきくらげ** 乾	0	**170**	162	14.6	**4.9**	3.4	**0.7**	0.5	0.10	0.23	0.15	(0)	**74.5**	3.4	68.7	-	28	1400	**240**	67	260	**4.4**
08009	ゆで	0	**15**	14	92.6	**0.4**	(0.3)	**Tr**	-	-	-	-	(0)	**6.7**	(0.3)	6.4	-	2	79	**27**	8	11	**0.2**
08010	**くろあわびたけ** 生	10	**28**	19	90.2	**3.7**	(2.3)	**0.4**	(0.2)	(0.03)	(0.01)	(0.11)	(0)	**4.9**	1.3	4.1	-	3	300	**2**	18	100	**0.5**

+PLUS+　**加熱すると美味なきのこ**●きのこのおいしさはおもにアミノ酸のひとつであるグアニル酸によるもので、加熱すると酵素の働きによってつくられる。加熱してうま味が増えるのは、えのきたけ、しいたけ、なめこ、ひらたけ、まいたけ、まつたけ等。きくらげは加熱してもうま味は増えない。

きのこはダイエットに最適！

きのこのヘルシー効果に、注目が集まっている。

その理由は、第一に、きのこは海藻やこんにゃくに匹敵するほど低カロリーであること。第二に、便秘解消に有効な食物繊維が豊富に含まれていることがあげられる。また、食物繊維には血中コレステロールを下げる働きもあるので、生活習慣病の予防にもつながる。しいたけを３個食べると、約60gとして食物繊維は約3g。これはレタスなら中１個分以上の食物繊維に相当する。

食物繊維は同じ量

きのこの生産量と輸入量

きのこの生産量は国内産が約45万t、輸入が約６万tとなっている。2001年には輸入量が増加し、生しいたけについては外国からの輸入を緊急制限（セーフガード）したこともある。

（千t）

えのきたけ 129 ／ ぶなしめじ 119 ／ 生しいたけ 71 ／ まいたけ51 ／ エリンギ38 ／ なめこ24 ／ その他25 ／ 輸入 62

（農林水産省「令和元年度　食料需給表」
林野庁「令和元年の特用林産物の生産動向等について」より）

近寄るな！ 危険な毒きのこ

つきよたけ

かさが30cmにもなり、ブナの樹肌に重なって発生。暗闇では青白く発光する。日本ではもっとも中毒事故が多く、ときには死に至ることもある。

べにてんぐたけ

かさが６～15cm。表面は鮮赤色で、全面に白い斑点。夏から秋の針葉樹林や広葉樹林に発生する。筋肉のけいれん、精神錯乱、幻覚、視聴覚障害、嘔吐など。

どくつるたけ

致死量は１本（約８ｇ）で毒性が非常に強いうえに、食べてから６～24時間後に症状が出るため死亡率が非常に高い。そのため、いちころ、てっぽうたけ、やたらたけ等のぶっそうな別名がある。

すぎひらたけ

かつては食用きのことされていたが、2004（平成16）年以降、すぎひらたけを食べたことが原因と考えられる急性脳症が多数報告されるようになったため、摂取しないようにと政府が呼びかけている。

にがくりたけ

ほぼ一年中、切り株に群生する。硫黄色のかさの中央部が褐色をおびるものもある。食用のくりたけに似ているが味が苦いので区別できる。誤食すると強い消化器系の中毒症状が起きるので要注意。

くさうらべにたけ

ほんしめじ、はたけしめじなどの灰色のかさをもった食用きのこと間違えやすく、事故も多い。激しい腹痛や嘔吐、下痢をともなう。

鉄、食物繊維等。

選び方：大きくてつやがあり、よく乾燥しているものがよい。

旬：8～11月。

しろきくらげ（白木耳）

シロキクラゲ科。天然物は桑やざくろ等の広葉樹の倒木や枯れ枝等に発生する。乳白色で中国では銀耳（インアル）といい、不老長寿の薬として珍重されてきたが、栽培可能となり多く出回るようになった。

調理法：氷砂糖でつくったシロップで煮てデザートにしたり、スープ等にする。

くろあわびたけ（黒鮑茸）

Abalone mushrooms　1個=20g

ヒラタケ科。別名おおひらたけ、あわびたけ。台湾、タイ等で栽培される亜熱帯産のきのこで、ひらたけの近種。ひらたけよりもかさが大きく色は茶褐色で、しこっとした歯ざわりがあわびに似ている。おがくず培地や原木で栽培する。

調理法：焼き物、煮物、炒め物、揚げ物、汁物等。

産地：沖縄等。

可食部100ｇあたり　Tr：微量　（ ）：推定値または推計値　－：未測定

ミネラル（無機質）							ビタミン															食塩相当量	備考
亜鉛	銅	マンガン	ヨウ素	セレン	クロム	モリブデン	A レチノール活性当量	レチノール	β-カロテン当量	D	E αトコフェロール	K	B1	B2	ナイアシン当量	B6	B12	葉酸	パントテン酸	ビオチン	C		①試料は栽培品　②廃棄部位　③ビタミンC：酸化防止用として添加品あり
mg	mg	mg	µg	µg	µg	µg	µg	µg	µg	µg	mg	µg	mg	mg	mg	mg	µg	µg	mg	µg	mg	g	
0.6	0.10	0.07	0	1	0	Tr	**(0)**	0	(0)	0.9	0	0	**0.24**	**0.17**	7.4	0.12	(0)	75	1.40	11.0	**0**	0	①　②柄の基部（いしづき）
0.6	0.06	0.05	(0)	2	(0)	Tr	**(0)**	0	(0)	0.8	(0)	0	**0.19**	**0.13**	(4.3)	0.09	(0)	30	0.96	11.0	**0**	0	①　柄の基部（いしづき）を除いたもの
0.6	0.11	0.08	-	-	-	-	**(0)**	(0)	(0)	0.8	(0.6)	(4)	**0.26**	**0.18**	(7.8)	0.10	(0)	47	1.47	-	**0**	0	①　柄の基部（いしづき）を除いたもの　植物油（なたね油）
0.6	0.08	0.24	-	3	-	6	**(0)**	0	(0)	0.1	(0)	0	**0.26**	**0.17**	4.9	0.09	(0)	39	1.04	6.9	**0**	4.3	①　液汁を除いたもの　③
0.1	0.01	0.02	Tr	1	1	1	**(0)**	(0)	(0)	0.1	(0)	(0)	**-**	**0.05**	0.6	0.01	Tr	5	0.10	1.9	**0**	0	①　②柄の基部（いしづき）
0.8	0.18	1.15	25	10	4	10	**(0)**	(0)	(0)	130.0	(0)	0	**0.01**	**0.44**	3.9	0.08	(0)	15	0.61	21.0	**(0)**	0.1	①
0.1	0.04	0.20	1	2	1	1	**(0)**	(0)	(0)	25.0	(0)	0	**0**	**0.07**	(0.5)	0.01	(0)	1	0	1.2	**(0)**	0	①
0.3	0.06	0.33	-	-	-	-	**(0)**	(0)	(0)	38.0	(0.8)	(6)	**0**	**0.11**	(0.9)	0.02	(0)	4	0.06	-	**0**	0	水戻し後、油いため　①　植物油（なたね油）
2.1	0.31	6.18	7	9	27	6	**(0)**	(0)	(0)	85.0	0	0	**0.19**	**0.87**	5.5	0.10	(0)	87	1.14	27.0	**0**	0.1	①
0.2	0.03	0.53	0	Tr	2	Tr	**(0)**	(0)	(0)	8.8	(0)	0	**0.01**	**0.06**	(0.2)	0.01	(0)	2	0	1.3	**0**	0	①
3.6	0.10	0.18	0	1	7	1	**(0)**	0	(0)	15.0	(0)	0	**0.12**	**0.70**	3.7	0.10	(0)	76	1.37	87.0	**0**	0.1	①
0.3	0.01	0.01	0	0	0	0	**(0)**	0	(0)	1.2	(0)	0	**0**	**0.05**	(0.1)	0.01	(0)	1	0	4.4	**0**	0	①
0.7	0.15	0.07	0	3	Tr	1	**(0)**	0	(0)	0.3	0	0	**0.21**	**0.22**	(3.6)	0.09	(0)	65	1.32	10.0	**0**	0	①　②柄の基部（いしづき）

Q A　毒きのこの見分け方で正しいのは？［派手な色のものは毒きのこ　縦に裂けるきのこは食用］▶どっちも誤り。毒きのこの確実な見分け方はないと思った方がよい。経験を積んだ専門家の目による判断に任せるしかない。経験を積んだ人でも誤ることもあるというから、素人は決して手を出さないようにしよう（➡コラム参照）。

生しいたけ　乾しいたけ（香菇）　乾しいたけ（冬菇）　乾しいたけ（香信）　はたけしめじ

しいたけ（椎茸）

Shiitake　かさの径=4〜10cm

キシメジ科。日本特産。グアニル酸とグルタミン酸の相乗効果によるうま味がある。1mほどに切ったくぬぎ、こなら、あべまき等ブナ科の樹木に穴をあけて種菌を植え込む原木栽培や、近年は管理しやすく収穫量の多い、おがくず培地による菌床栽培が増えている（コラム参照）。

栄養成分：紫外線に当てるとビタミンDになるエルゴステロールや、血中コレステロール値を低下させるエリタデニン（アミノ酸の一種）がある。

産地：群馬、福島、大分等。

生しいたけ（生椎茸）　1枚=10〜30g

日光に当てるとビタミンDが生成される。

調理法：焼き物、煮物、炒め物、揚げ物、汁物等。

選び方：かさが肉厚で大きくて裏が白く、かさが七、八分程度開いたものがよい。

旬：3〜5月、9〜11月。

乾しいたけ（乾椎茸）　大1個=5g

しいたけは乾燥することによってうま味と香りが濃厚になる。水でもどしてから利用するが、もどし汁はだしとして利用できる。早くもどしたいときは、砂糖を少量入れたぬるま湯に浸ける。

種類：肉厚でかさがあまり開かないうちに採取した冬菇（どんこ）、薄手でかさが開いてから採取した香信（こうしん）、冬菇と香信の中間の時期に収穫した香菇（こうこ）がある。冬菇が大きく育つと香菇、さらに育つと香信になる。冬から春先にかけて収穫する冬菇が最高級品。

調理法：煮物、スープ、炊き込みご飯等。

選び方：かさの表面が黄褐色、裏が黄白色で、よく乾燥したものがよい。

しめじ類（占地類）

Shimeji　1パック=100g

キシメジ科。"香りまつたけ、味しめじ"といわれるほど味がよい。うま味成分はグルタミン酸やアスパラギン酸、リシン等である。

栄養成分：ナイアシン、ビタミンB_2等。

調理法：酢の物、和え物、焼き物、煮物、炒め物、揚げ物、汁物等。

選び方：かさが小さく黒褐色で、軸が太くて短めのものがよい。

旬：9〜11月。

食品番号	食品名	廃棄率	エネルギー	2015年版の値	水分	たんぱく質	アミノ酸組成によるたんぱく質	脂質	脂肪酸のトリアシルグリセロール当量	脂肪酸 飽和	脂肪酸 一価不飽和	脂肪酸 多価不飽和	コレステロール	炭水化物	利用可能炭水化物（質量計）	食物繊維 食物繊維総量（プロスキー変法）	食物繊維 食物繊維総量（AOAC法）	ミネラル（無機質） ナトリウム	カリウム	カルシウム	マグネシウム	リン	鉄
		%	kcal	kcal	g	g	g	g	g	g	g	g	mg	g	g	g	g	mg	mg	mg	mg	mg	mg
	しいたけ																						
08039	生しいたけ　菌床栽培　生	20	**25**	20	89.6	**3.1**	2.0	**0.3**	0.2	0.04	0.01	0.15	0	**6.4**	0.7	4.6	4.9	1	290	**1**	14	87	**0.4**
08040	ゆで	0	**22**	17	91.5	**2.5**	(1.6)	**0.4**	(0.3)	(0.05)	(0.01)	(0.19)	(0)	**5.1**	(0.6)	4.4	-	1	200	**1**	11	65	**0.3**
08041	油いため	0	**65**	57	84.7	**3.3**	(2.0)	**4.1**	(3.8)	(0.30)	(2.23)	(1.13)	(0)	**7.3**	(0.7)	4.7	-	1	300	**2**	16	92	**0.4**
08057	天ぷら	0	**201**	211	64.1	**3.4**	-	**14.0**	13.7	0.94	8.35	3.79	-	**17.8**	13.1	-	4.4	32	230	**40**	13	84	**0.3**
08042	原木栽培　生	20	**34**	23	88.3	**3.1**	1.9	**0.4**	0.2	0.04	0.01	0.16	(0)	**7.6**	0.7	5.5	-	1	270	**2**	16	61	**0.4**
08043	ゆで	0	**27**	19	90.8	**2.4**	(1.5)	**0.4**	(0.3)	(0.05)	(0.01)	(0.19)	(0)	**5.9**	(0.6)	4.8	-	Tr	170	**1**	10	45	**0.2**
08044	油いため	0	**84**	73	81.3	**3.8**	(2.3)	**5.4**	(5.1)	(0.40)	(3.01)	(1.49)	(Tr)	**8.8**	(0.9)	6.4	-	1	330	**2**	18	75	**0.4**
08013	乾しいたけ　乾	20	**258**	180	9.1	**21.2**	14.1	**2.8**	(1.7)	(0.33)	(0.05)	(1.22)	0	**62.5**	11.2	46.7	-	14	2200	**12**	100	290	**3.2**
08014	ゆで	0	**40**	27	86.2	**3.1**	(2.0)	**0.3**	(0.2)	(0.04)	(0.01)	(0.13)	-	**9.9**	(1.7)	6.7	-	3	200	**4**	9	38	**0.5**
08053	甘煮	0	**116**	132	64.7	**3.3**	2.4	**0.4**	-	-	-	-	0	**28.9**	15.2	6.7	-	1000	90	**13**	14	44	**0.7**
	（しめじ類）																						
08015	**はたけしめじ**　生	15	**25**	15	92.0	**2.6**	-	**0.3**	-	-	-	-	(0)	**4.5**	-	2.7	-	4	260	**1**	8	64	**0.6**
08045	ゆで	0	**25**	17	91.3	**2.6**	-	**0.3**	-	-	-	-	(0)	**5.1**	-	4.6	-	3	200	**1**	8	61	**0.5**
08016	**ぶなしめじ**　生	10	**26**	17	91.1	**2.7**	1.6	**0.5**	0.2	0.05	0.02	0.15	0	**4.8**	1.3	3.5	3.0	2	370	**1**	11	96	**0.5**
08017	ゆで	0	**22**	17	91.1	**2.7**	(1.6)	**0.2**	(0.1)	(0.02)	(0.01)	(0.07)	(0)	**5.2**	(1.3)	4.1	4.2	2	280	**2**	9	90	**0.4**
08046	油いため	0	**65**	63	85.9	**3.0**	(1.7)	**5.5**	(4.9)	(0.39)	(2.84)	(1.45)	(0)	**4.8**	(1.3)	4.3	3.7	2	420	**1**	12	110	**0.6**
08055	素揚げ	0	**168**	155	70.5	**3.9**	2.4	**14.3**	13.9	1.00	8.28	4.02	1	**10.1**	2.1	-	6.2	2	570	**1**	15	130	**1.1**
08056	天ぷら	0	**248**	261	55.5	**3.4**	2.5	**17.1**	16.5	1.22	9.90	4.71	1	**23.2**	19.2	-	4.8	46	230	**58**	10	78	**0.5**
08018	**ほんしめじ**　生	20	**21**	12	93.6	**2.5**	-	**0.4**	-	-	-	-	(0)	**2.8**	-	1.9	-	1	310	**2**	8	76	**0.6**
08047	ゆで	0	**26**	16	92.1	**2.8**	-	**0.6**	-	-	-	-	(0)	**4.1**	-	3.3	-	1	210	**2**	8	67	**0.6**

+PLUS+　**普通のきのこでがん予防**●きのこのがん予防効果はよく知られており、民間ではさるのこしかけというきのこの効果が伝えられていた。しかし、えのきたけ、しいたけ、なめこ、ぶなしめじ等の普通の食用きのこのほうが効果が高いという研究結果が出ている。

ぶなしめじ

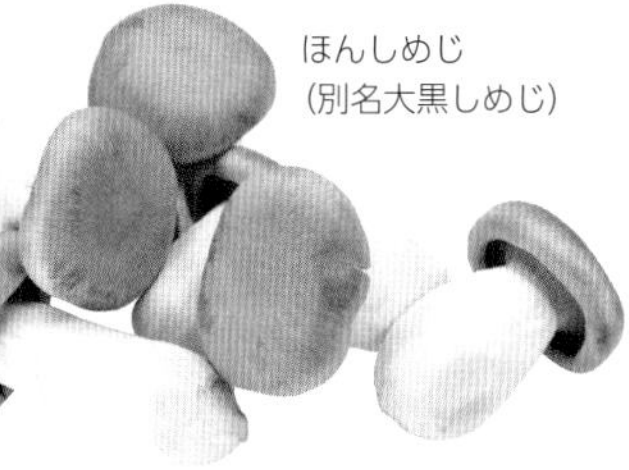

ほんしめじ
(別名大黒しめじ)

白しめじ

はたけしめじ(畑占地)
木の樹皮を堆肥化したバーク堆肥で菌床栽培する。歯ごたえがしゃきしゃきしており、よいだしが出る。
旬:3〜5月、9〜11月。

ぶなしめじ(ぶな占地)
ぶなやかえで等の広葉樹の枯れ木に発生する。ほんしめじによく似ており、ほんしめじの商品名で販売されているのはぶなしめじの栽培ものが多い。おがくず培地で菌床栽培する。まろやかなだしが出る。ぶなしめじは活性酸素を消去する成分があり、免疫力を高めたり発がん抑制作用があるといわれる。

ほんしめじ(本占地)
柄の根元が太くふくらんでいるので、大黒(だいこく)様の腹に見立てて**大黒しめじ**ともいう。人工栽培が困難で近年まで栽培できなかったが、大麦等の穀物粒を培地の主成分とした栽培法が成功したため、人工栽培品が出回りつつある。天然ものの収穫量は非常に少ない。

きのこの栽培方法

きのこの人工栽培には、古くから行われてきた原木栽培と、おがくず等を使用した菌床栽培がある。

原木栽培
原木に穴をあけて種菌を植え込み、1年間、林間地など自然環境下できのこを発生させる方法。自然に近い方法で行っていることから、収量・品質などが左右されやすいのが欠点。

しいたけの原木栽培は、くぬぎやこならの丸太に種菌を植える。

菌床栽培
おがくずとふすまなどの栄養体を混合した培地を菌床袋に詰めて固めたものに種菌を接種し、3か月ほど、空調設備などを備えた施設内において菌を蔓延させてきのこを発生させる方法。しいたけの国内生産においては、ほぼ9割の割合となっている。

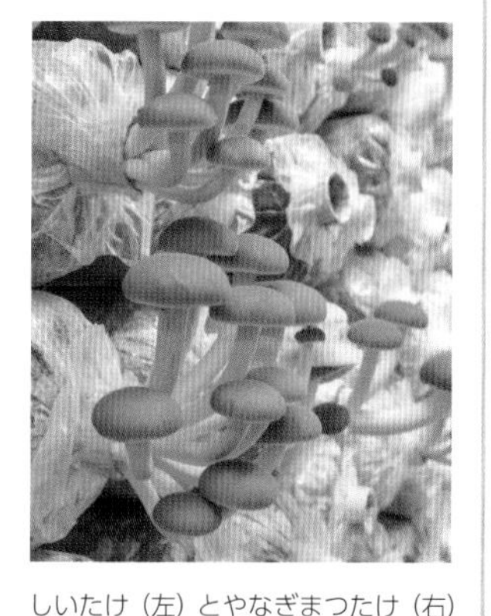

しいたけ(左)とやなぎまつたけ(右)の菌床栽培。

可食部100gあたり　Tr:微量　( ):推定値または推計値　-:未測定

ミネラル(無機質) 亜鉛 mg	銅 mg	マンガン mg	ヨウ素 µg	セレン µg	クロム µg	モリブデン µg	ビタミン A レチノール活性当量 µg	A レチノール µg	A β-カロテン当量 µg	D µg	E αトコフェロール mg	K µg	B1 mg	B2 mg	ナイアシン当量 mg	B6 mg	B12 µg	葉酸 µg	パントテン酸 mg	ビオチン µg	C mg	食塩相当量 g	備考 ①試料は栽培品 ②廃棄部位 ③ビタミンC:酸化防止用として添加品あり
0.9	0.10	0.21	0	5	1	4	0	0	0	0.3	0	0	0.13	0.21	4.0	0.21	0	49	1.21	7.6	0	0	① ②柄全体 廃棄率:柄の基部(いしづき)のみを除いた場合5%
0.8	0.06	0.16	-	-	-	-	(0)	(0)	(0)	0.5	(0)	(0)	0.08	0.11	(2.5)	0.12	(0)	14	0.71	-	0	0	① 柄全体を除いた傘のみ
1.0	0.09	0.24	-	-	-	-	(0)	(0)	(0)	0.5	(0.6)	(4)	0.16	0.18	(4.0)	0.18	(0)	20	1.28	-	0	0	① 柄全体を除いた傘のみ 植物油(なたね油)
0.7	0.08	0.25	0	4	1	5	1	-	15	0.3	2.4	17	0.11	0.18	2.9	0.13	0	12	0.94	5.2	0	0.1	① 柄全体を除いた傘のみ 植物油(なたね油)
0.7	0.06	0.27	0	1	Tr	1	(0)	(0)	(0)	0.4	(0)	(0)	0.13	0.22	4.0	0.19	(0)	75	0.95	7.7	0	0	① ②柄全体 廃棄率:柄の基部(いしづき)のみを除いた場合5%
0.5	0.05	0.19	-	-	-	-	(0)	(0)	(0)	0.4	(0)	(0)	0.06	0.12	(2.5)	0.10	(0)	25	0.56	-	0	0	① 柄全体を除いた傘のみ
0.7	0.08	0.32	-	-	-	-	(0)	(0)	(0)	0.5	(0.8)	(6)	0.14	0.26	(5.2)	0.18	(0)	51	1.15	-	0	0	① 柄全体を除いた傘のみ 植物油(なたね油)
2.7	0.60	0.96	4	5	5	3	(0)	0	(0)	17.0	0	0	0.48	1.74	23.0	0.49	-	270	8.77	41.0	20	0	どんこ、こうしんを含む ① ②柄全体
0.3	0.07	0.12	0	1	2	1	(0)	0	(0)	1.4	-	-	0.05	0.26	(2.6)	0.07	-	35	0.86	7.0	-	0	どんこ、こうしんを含む ① 柄全体を除いた傘のみ
0.9	0.09	0.25	2	3	4	10	0	0	0	0.2	0	0	0.01	0.06	1.1	0.04	Tr	11	0.10	5.5	4	2.6	
0.4	0.13	0.14	-	-	-	-	(0)	(0)	(0)	0.9	0	(0)	0.12	0.44	5.7	0.11	(0)	20	2.08	-	0	0	①及び天然物 ②柄の基部(いしづき)
0.4	0.13	0.13	-	-	-	-	(0)	(0)	(0)	1.1	(0)	(0)	0.08	0.28	4.0	0.07	(0)	6	1.53	-	0	0	①及び天然物 柄の基部(いしづき)を除いたもの
0.5	0.06	0.16	1	2	0	6	(0)	0	(0)	0.5	0	0	0.15	0.17	6.4	0.09	0.1	29	0.81	8.7	0	0	① ②柄の基部(いしづき)
0.6	0.05	0.16	0	2	0	3	(0)	0	(0)	0.9	(0)	0	0.12	0.10	(4.6)	0.06	(0)	24	1.07	7.3	0	0	① 柄の基部(いしづき)を除いたもの
0.6	0.06	0.18	-	-	-	-	(0)	(0)	(0)	0.5	(0.6)	(5)	0.17	0.19	(6.8)	0.09	(0)	28	0.73	-	0	0	① 柄の基部(いしづき)を除いたもの 植物油(なたね油)
0.8	0.07	0.24	0	3	Tr	9	(0)	(0)	(0)	0.4	2.8	28	0.20	0.26	7.8	0.11	Tr	30	1.19	11.0	(0)	0	① 柄の基部(いしづき)を除いたもの 植物油(なたね油)
0.3	0.05	0.21	1	1	Tr	5	2	0	24	0.2	3.0	27	0.09	0.18	3.6	0.06	0	13	0.42	4.2	-	0.1	① 柄の基部(いしづき)を除いたもの
0.7	0.32	0.18	-	-	-	-	(0)	(0)	(0)	0.6	(0)	(0)	0.07	0.28	5.5	0.19	(0)	24	1.59	-	0	0	①及び天然物 ②柄の基部(いしづき)
0.9	0.29	0.17	-	-	-	-	(0)	(0)	(0)	1.2	(0)	(0)	0.06	0.17	4.2	0.11	(0)	11	1.11	-	0	0	①及び天然物 柄の基部(いしづき)を除いたもの

QA 乾しいたけ?干ししいたけ?▶日本食品標準成分表では「ほししいたけ」を漢字で「乾しいたけ」と表記している。「ほし〜」という他の食材、例えば干しぶどう、干しえび、干しがきなどは「干し」を使用している(さくいん➡p.427)。「乾」を使用するのは、しいたけだけ。

なめこ　ジャンボなめこ　ぬめりすぎたけ　たもぎたけ　うすひらたけ

たもぎたけ（たも木茸）

Tamogitake　1パック=100g

ヒラタケ科。別名**にれたけ**、**たもきのこ**。中部以北の深い山や北海道の広葉樹の切り株や倒木に発生する。おがくず等の培地で菌床栽培したものが出回っている。味がよいきのこで、濃く深い味わいのだしが出る。免疫力を高め、抗ウイルス作用、抗がん作用のあるβ-グルカンが、きのこ類の中でも非常に多く含まれている。

調理法：鍋物、汁物、サラダ、天ぷら、オムレツ、グラタン、炒め物等。

産地：北海道等。

なめこ（滑子）

Nameko　1袋=100g

モエギタケ科。別名**なめたけ**、ぬめりたけ。秋にぶなの倒木や枯れた幹に発生する。ぶな、栃、桜、柳類等の樹木で原木栽培したり、おがくず培地で菌床栽培したりする。

全体を覆うぬめりの成分はペクチンで、腸内コレステロールや発がん性物質を吸収して体外に排出するため、動脈硬化やがんの予防に効果があるとされる。市販されているのはかさが開かない若いものである。

調理法：汁物、なめこおろし、和え物、酢の物、瓶詰、缶詰等。

旬：9〜11月。

産地：山形、福島等。

ぬめりすぎたけ（滑杉茸）

Numerisugitake

モエギタケ科。秋にぶなやみずなら等の広葉樹の倒木に発生する。おがくず培地で菌床栽培する。なめこによく似ているが、かさにささくれがある。ぬめりやこくがある。

調理法：汁物、鍋物、炒め物等。

旬：秋。

ひらたけ類（平茸類）

Oyster mushrooms　1パック=100g

ヒラタケ科。うすひらたけやひらたけは、しめじの名前で売られることが多い。

調理法：酢の物、和え物、焼き物、煮物、炒め物、揚げ物、汁物、バターソテー等。

うすひらたけ（薄平茸）

各種の広葉樹の枯れ木に発生する。ひらたけに比べてかさの厚みは薄く、肉もやわらかい。湿っているときは弱い粘性がある。おがくず等の培地で菌床栽培する。

旬：梅雨期〜秋。

エリンギ

食品番号	食品名	廃棄率 %	エネルギー kcal	2015年版の値 kcal	水分 g	たんぱく質 g	アミノ酸組成によるたんぱく質 g	脂質 g	脂肪酸のトリアシルグリセロール当量 g	脂肪酸 飽和 g	脂肪酸 一価不飽和 g	脂肪酸 多価不飽和 g	コレステロール mg	炭水化物 g	利用可能炭水化物（質量計） g	食物繊維 食物繊維総量（プロスキー変法） g	食物繊維 食物繊維総量（AOAC法） g	ミネラル（無機質） ナトリウム mg	カリウム mg	カルシウム mg	マグネシウム mg	リン mg	鉄 mg
08019	**たもぎたけ**　生	15	23	16	91.7	3.6	(2.2)	0.3	(0.1)	(0.02)	(0.01)	(0.08)	(0)	3.7	0.4	3.3	-	1	190	2	11	85	0.8
08020	**なめこ**　株採り　生	20	21	15	92.1	1.8	1.0	0.2	0.1	0.02	0.02	0.07	1	5.4	2.4	3.4	-	3	240	4	10	68	0.7
08021	ゆで	0	22	14	92.7	1.6	(0.9)	0.1	(0.1)	(0.01)	(0.01)	(0.04)	(0)	5.1	(2.2)	2.8	-	3	210	4	10	56	0.6
08058	カットなめこ　生	0	14	10	94.9	1.1	0.7	0.1	0.1	0.01	0.01	0.04	-	3.6	1.8	-	1.9	3	130	2	6	36	0.5
08022	水煮缶詰	0	13	9	95.5	1.0	(0.6)	0.1	(0.1)	(0.01)	(0.01)	(0.03)	(0)	3.2	(1.4)	2.5	-	8	100	3	5	39	0.8
08023	**ぬめりすぎたけ**　生	8	23	15	92.6	2.3	(1.3)	0.4	(0.2)	(0.04)	(0.04)	(0.14)	(0)	4.1	1.9	2.5	-	1	260	1	9	65	0.6
	（ひらたけ類）																						
08024	**うすひらたけ**　生	8	37	23	88.0	6.1	(3.7)	0.2	(0.1)	(0.02)	(0.01)	(0.05)	(0)	4.8	1.5	3.8	-	1	220	2	15	110	0.6
08025	**エリンギ**　生	6	31	19	90.2	2.8	1.7	0.4	0.2	0.04	0.04	0.12	(0)	6.0	2.9	3.4	-	2	340	Tr	12	89	0.3
08048	ゆで	0	32	21	89.3	3.2	(2.0)	0.5	(0.3)	(0.05)	(0.05)	(0.15)	(0)	6.5	(3.1)	4.8	-	2	260	Tr	10	88	0.3
08049	焼き	0	41	29	85.3	4.2	(2.6)	0.5	(0.3)	(0.06)	(0.05)	(0.17)	(0)	9.1	(4.3)	5.4	-	3	500	Tr	17	130	0.4
08050	油いため	0	69	55	84.2	3.2	(2.0)	3.7	(3.5)	(0.28)	(2.03)	(1.00)	(0)	8.1	(3.7)	4.2	-	3	380	Tr	13	100	0.3
08026	**ひらたけ**　生	8	34	20	89.4	3.3	2.1	0.3	0.1	0.02	0.01	0.08	(0)	6.2	1.3	2.6	-	2	340	1	15	100	0.7
08027	ゆで	0	33	21	89.1	3.4	(2.1)	0.2	(0.1)	(0.02)	(0.01)	(0.05)	(0)	6.6	(1.3)	3.7	-	2	260	1	10	86	0.7

+PLUS+　**世界最大の生物はきのこ●**菌類は明確な寿命がなく、条件次第では大きく成長する。2003年に発見されたキシメジ科おにならたけの菌糸体は総面積が965ヘクタール（東京ドーム206個分）、推定重量約600tで生物としては世界最大で、推定年齢が少なくとも約2400歳！きのこは栄養さえとれればずっと生き続けられるらしい。

天然のひらたけ

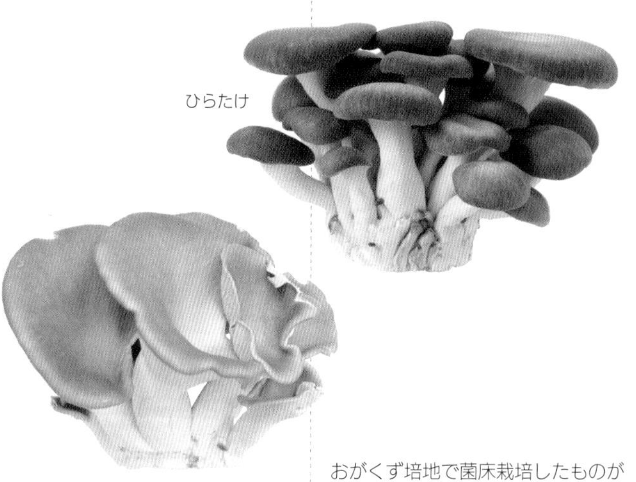
ひらたけ

ヒマラヤひらたけ
発生温度が幅広く、栽培が簡単なため、世界中で広く栽培されている。

エリンギ 1本=30g
別名白あわびたけ、かおりひらたけ、みやましめじ。ヨーロッパから中央アジア、北アフリカの草原に分布し、特にイタリアでは昔から大変人気が高い。セリ科植物の枯死した根部に発生する。肉質がしっかりしていて歯ごたえがあり、日持ちが大変よい。日本では自生しないため、榎、柳、ポプラ等の樹木で原木栽培したり、おがくず培地で菌床栽培したものが出回っている。
調理法：水で洗うと水っぽくなるので、汚れはぬれぶきんでふき取る。
選び方：かさが開きすぎず、軸が太くて弾力があり、白いものがよい。
産地：愛知、静岡、長野等。

ひらたけ（平茸）
別名**かんたけ**、オイスターマッシュルーム。味にくせがなく、香りも少ないので、多くの料理に使われる。原木栽培も行われるが、広葉樹のおがくずに米ぬかかふすまを混ぜた菌床栽培が主流。
旬：晩秋～春。

きのこの役割

きのこは腐生菌と菌根菌に大きく分けられる。

腐生菌のきのこは、落ち葉や倒木、動物の遺体等の有機物を分解するため、「森の掃除屋」と呼ばれる。もしもきのこが滅亡したら、地球上は落ち葉や倒木などで埋もれてしまうだろう。

菌根菌は樹木と共生するきのこ。植物の根に着生した糸状菌を菌根というが、この菌根が根を包み込んで乾燥などの種々のストレスや微生物などから護ったり（防衛共生）、窒素やリン酸などの養分を供給し、植物からは光合成によってつくられた炭水化物などをもらう（栄養共生）。アカマツがないと生きられないまつたけのように、特定の木への依存性が高いきのこもある。

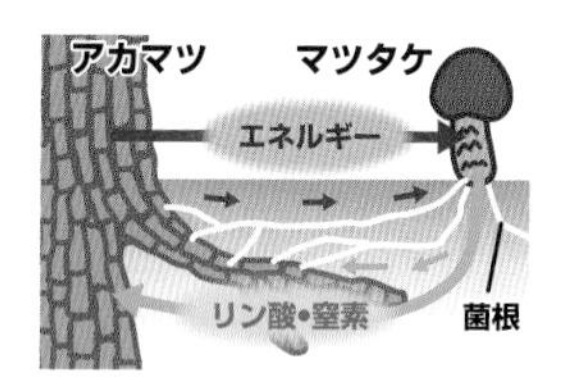

きのこ料理「べからず」集

洗うべからず
きのこを水で洗うと風味が損なわれてしまうので洗ってはいけない。汚れていれば、表面を軽くふくだけでよい。しいたけは、かさを軽くたたいて、ほこりを取るだけでOK。

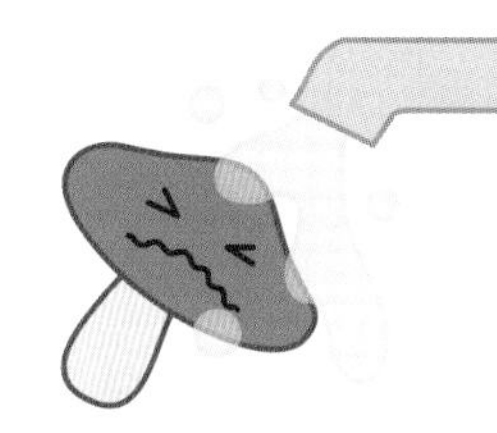

しいたけの軸は捨てるべからず
しいたけの軸は固くて食感が悪いが、栄養分はかさと同じ。細く裂いて味付けをすればおいしく食べられる。

大量の油で炒めるべからず
きのこは油を吸いやすい食材。大量の油を使うと風味も悪くなり、ダイエット効果にも影響する。調理するときは、あらかじめ湯通ししておくとよい。

煮すぎるべからず
生のきのこは、煮すぎると縮んで食感が悪くなり、風味も損なわれてしまう。きのこは最後に入れるのがコツ。

しいたけの裏側を焼くべからず
焼きしいたけは、しいたけ本来の風味を楽しめる料理であるが、焼くときはかさの表側だけで十分。ウラまで焼くと食感が悪くなってしまう。

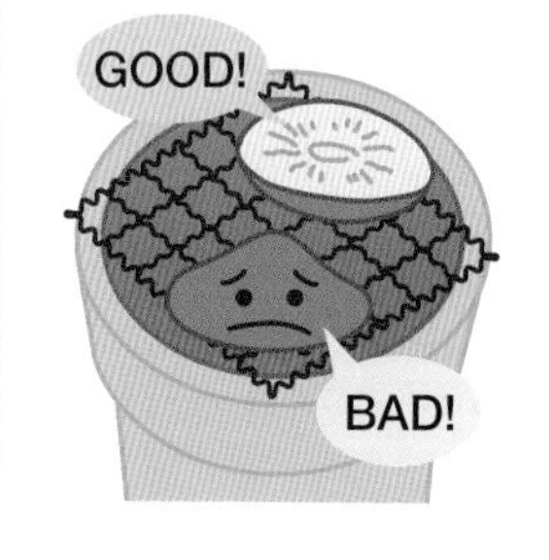

可食部100gあたり　Tr：微量　（ ）：推定値または推計値　－：未測定

ミネラル（無機質） 亜鉛	銅	マンガン	ヨウ素	セレン	クロム	モリブデン	ビタミン A レチノール活性当量	レチノール	β-カロテン当量	D	E αトコフェロール	K	B1	B2	ナイアシン当量	B6	B12	葉酸	パントテン酸	ビオチン	C	食塩相当量	備考 ①試料は栽培品 ②廃棄部位 ③ビタミンC：酸化防止用として添加品あり
mg	mg	mg	µg	µg	µg	µg	µg	µg	µg	µg	mg	µg	mg	mg	mg	mg	µg	µg	mg	µg	mg	g	
0.6	0.32	0.06	1	4	0	Tr	(0)	0	(0)	0.8	0	0	**0.17**	**0.33**	(13.0)	0.12	(0)	80	1.32	23.0	**0**	0	① ②柄の基部（いしづき）
0.5	0.11	0.06	Tr	2	Tr	1	(0)	(0)	(0)	0	0	(0)	**0.07**	**0.12**	5.5	0.05	Tr	60	1.29	7.4	**0**	0	① ②柄の基部（いしづき）（柄の基部を除いた市販品の場合：0%）
0.5	0.12	0.06	-	-	-	-	(0)	(0)	(0)	0	(0)	(0)	**0.06**	**0.10**	(4.8)	0.04	(0)	67	1.33	-	**(0)**	0	① 柄の基部（いしづき）を除いたもの
0.4	0.04	0.04	0	1	Tr	1	0	0	0	0	0	0	**0.03**	**0.08**	3.7	0.04	0.1	57	0.48	4.3	**0**	0	①
0.5	0.04	0.08	0	2	1	1	(0)	0	(0)	0.1	(0)	0	**0.03**	**0.07**	(2.2)	0.02	(0)	13	0.52	3.3	**0**	0	① 液汁を除いたもの ③
0.4	0.19	0.05	1	2	0	1	(0)	0	(0)	0.4	0	0	**0.16**	**0.34**	(6.1)	0.08	(0)	19	1.77	9.9	**1**	0	① ②柄の基部（いしづき）
0.9	0.15	0.11	1	7	1	2	(0)	0	(0)	2.4	0	0	**0.30**	**0.41**	(8.1)	0.23	(0)	100	2.44	26.0	**0**	0	① ②柄の基部（いしづき）
0.6	0.10	0.06	1	2	0	2	(0)	(0)	(0)	1.2	0	(0)	**0.11**	**0.22**	6.7	0.14	(0)	65	1.16	6.9	**0**	0	① ②柄の基部（いしづき）
0.7	0.09	0.06	-	-	-	-	(0)	(0)	(0)	2.6	(0)	(0)	**0.08**	**0.16**	(5.0)	0.10	(0)	20	1.02	-	**0**	0	① 柄の基部（いしづき）を除いたもの
0.9	0.15	0.11	-	-	-	-	(0)	(0)	(0)	3.1	(0)	(0)	**0.18**	**0.31**	(10.0)	0.17	(0)	53	1.66	-	**0**	0	① 柄の基部（いしづき）を除いたもの
0.7	0.11	0.07	-	-	-	-	(0)	(0)	(0)	1.4	(0.5)	(4)	**0.13**	**0.24**	(7.5)	0.13	(0)	36	1.31	-	**0**	0	① 柄の基部（いしづき）を除いたもの 植物油（なたね油）
1.0	0.15	0.16	0	6	1	1	(0)	0	(0)	0.3	(0)	0	**0.40**	**0.40**	11.0	0.10	(0)	92	2.40	12.0	**0**	0	① ②柄の基部（いしづき）
1.4	0.11	0.15	(0)	-	0	1	(0)	0	(0)	0.5	(0)	0	**0.30**	**0.27**	(7.6)	0.06	(0)	71	2.36	13.0	**0**	0	① 柄の基部（いしづき）を除いたもの

Q A きのこは植物にたとえるとどの部分？▶きのこの本体は細い糸のような菌糸で、土や落ち葉などの中に広がって暮らしている。子孫を残すときに菌糸が集まり、子実体と呼ばれるものをつくる。この子実体がいわゆる「きのこ」。地中などに広がる本体の菌糸を木の幹としたら、きのこは花に相当するのだ。

まいたけ

マッシュルーム（ブラウン）

マッシュルーム（ホワイト）

白まいたけ

マッシュルーム缶詰

まつたけ

まいたけ（舞茸）

Maitake 1パック=100g

タコウキン科。ぶな等の広葉樹の倒木や切り株に発生するが、天然ものはほとんど市場に出ないため幻のきのこと呼ばれていた。現在では人工栽培が可能になり、原木栽培や、広葉樹のおがくずに米ぬか等を混ぜ合わせた菌床栽培で生産している。体内の免疫機能を高め、抗がん作用があるといわれるグルカンという多糖類を含む。

調理法：天ぷら、酢の物、和え物、焼き物、煮物、炒め物、揚げ物、汁物等。

選び方：かさが肉厚で色が濃く、軸が白くてはりがあるものがよい。

旬：9～11月。

マッシュルーム

Common mushrooms 生1個=10g

ハラタケ科。別名つくりたけ、西洋まつたけ。ヨーロッパ原産で、世界中で最も多く栽培されている。日本へは明治初年に渡来。わら等を発酵させた堆肥に栄養剤を加えた培地で菌床栽培する。成長するにしたがい、ひだの色が、灰色か淡いピンク色→茶色→黒色になる。成熟してひだが黒くなったもののほうがよりうま味が濃いが、日本では若いマッシュルームに人気がある。最近はマッシュルームの消臭作用が注目されている。抽出エキスを食べることで、口臭や体臭、便臭の抑制にも効果があるということがわかり、さまざまな商品が製品化されている。

種類：ホワイト種とブラウン種がある。ブラウン種のほうが味も香りも強い。缶詰にするのはホワイト種。クリーム種もある。

栄養成分：うま味成分のひとつであるグアニル酸はしいたけの約3倍。

調理法：炒め物、煮物、スープ、シチュー、グラタン、サラダ等。ホワイト種は変色しやすいので、レモン汁をかけて防止する。

旬：3～6月、11～12月。

産地：千葉、岡山、茨城等。アメリカ、フランス、中国、オランダ。

まつたけ（松茸）

Matsutake 中1本=30g

キシメジ科。日本の代表的なきのこ。“香りまつたけ、味しめじ”というように、まつたけの香りは日本人の好みに合う。香り成分は桂皮酸メチル、マツタケオール、イソマツタケオールであり、消化酵素の分泌を促し、食欲増進、ストレスの解消に効果があるとされる。おもに赤松林に発生するが、松林の減少と人工栽培が困難であることによって国産品は少なくなり、輸入ものが多く流通している。

縦に裂いて、軽く塩を振り、炭火であぶる。汗をかいたら裏返す。取り分けてすだちをかける。

食品番号	食品名	廃棄率	エネルギー	2015年版の値	水分	たんぱく質	アミノ酸組成によるたんぱく質	脂質	脂肪酸のトリアシルグリセロール当量	脂肪酸 飽和	脂肪酸 一価不飽和	脂肪酸 多価不飽和	コレステロール	炭水化物	利用可能炭水化物(質量計)	食物繊維 食物繊維総量(プロスキー変法)	食物繊維 食物繊維総量(AOAC法)	ミネラル(無機質) ナトリウム	カリウム	カルシウム	マグネシウム	リン	鉄
		%	kcal	kcal	g	g	g	g	g	g	g	g	mg	g	g	g	g	mg	mg	mg	mg	mg	mg
08028	**まいたけ** 生	10	**22**	15	92.7	**2.0**	1.2	**0.5**	0.3	0.06	0.07	0.14	(0)	**4.4**	0.3	3.5	-	0	230	**Tr**	10	54	**0.2**
08029	ゆで	0	**27**	18	91.1	**1.6**	(0.9)	**0.5**	(0.3)	(0.07)	(0.08)	(0.16)	(0)	**6.4**	(0.3)	4.3	-	0	110	**Tr**	8	36	**0.2**
08051	油いため	0	**67**	57	85.5	**2.6**	1.7	**4.4**	4.1	0.34	2.47	1.16	0	**6.8**	(0.4)	4.7	-	0	300	**Tr**	13	72	**0.2**
08030	乾	0	**273**	181	9.3	**21.9**	(12.8)	**3.9**	(2.4)	(0.52)	(0.63)	(1.18)	(0)	**59.9**	(3.4)	40.9	-	3	2500	**2**	100	700	**2.6**
08031	**マッシュルーム** 生	5	**15**	11	93.9	**2.9**	1.7	**0.3**	0.1	0.03	Tr	0.10	0	**2.1**	0.1	2.0	-	6	350	**3**	10	100	**0.3**
08032	ゆで	0	**20**	16	91.5	**3.8**	(2.2)	**0.2**	(0.1)	(0.02)	(Tr)	(0.07)	(0)	**3.7**	(0.2)	3.3	-	6	310	**4**	11	99	**0.3**
08052	油いため	0	**57**	56	86.4	**3.6**	(2.1)	**4.5**	(4.2)	(0.33)	(2.50)	(1.21)	(0)	**4.5**	(0.2)	3.4	-	8	450	**4**	12	120	**0.4**
08033	水煮缶詰	0	**18**	14	92.0	**3.4**	(1.9)	**0.2**	(0.1)	(0.02)	(Tr)	(0.07)	(0)	**3.3**	(0.2)	3.2	-	350	85	**8**	5	55	**0.8**
08034	**まつたけ** 生	3	**32**	23	88.3	**2.0**	1.2	**0.6**	0.2	0.06	0.10	0.06	(0)	**8.2**	1.5	4.7	-	2	410	**6**	8	40	**1.3**
08036	**やなぎまつたけ** 生	10	**20**	13	92.8	**2.4**	-	**0.1**	(Tr)	(0.01)	(0.02)	(0.01)	(0)	**4.0**	0.7	3.0	-	1	360	**Tr**	13	110	**0.5**

+PLUS+ **舞茸（まいたけ）の名の由来●**舞茸はさわやかな香りと独特の歯ごたえがあり、濃厚なだしが出て大変おいしいきのこだ。そのため、これを見つけた人は喜びのあまり舞い踊ったためこの名がついたといわれている。また、きのこの形が踊っているように見えるためという説もある。

やなぎまつたけ

調理法：焼き物、土瓶（どびん）蒸し、炊き込みご飯、天ぷら、すき焼き、吸い物等。
乾いた布で軽く汚れを取ってから調理する。虫が食っているものは水に浸けておくと虫が出てくる。
選び方：かさが開ききっていないもので、香りが強く、軸が太くて押さえてもしっかりかたくてふわふわせず、湿り気のあるものがよい。
保存法：新聞紙で包んで冷蔵庫で保存。冷凍保存もできる。
旬：9～11月。
産地：韓国、中国、モロッコ、カナダ等。近畿地方、長野、岐阜等。

やなぎまつたけ（柳松茸）
Yanagimatsutake

オキナタケ科。柳類やかえでの枯れ木、切り株に発生する。柳類に発生してまつたけのような香りがあるということでこの名がついたが、なめこの近縁のきのこである。栽培に成功しており量は多くないが市場に出回っている。味にくせがなく歯切れがよく「しゃっきりたけ」等の商品名がつけられている。
調理法：焼き物、煮物、炒め物、揚げ物、汁物等。
旬：5～9月。

これも食べられるきのこ！?

トリュフ

世界三大珍味のひとつ。地中に発生するが強い香りを持つため、訓練された犬や豚が探し当てる。白トリュフと黒トリュフがあるが白いほうが香りが強く高価。チョコレート菓子のトリュフは、形が似ているために名付けられたもの。

ポルチーニ

イタリア料理によく使われる。うま味成分が豊富でナッツの風味がある。人工栽培が開発されていないため自然のものを採取するしかなく、採れる量が少ないために高級食材となっている。日本で主に流通するのはスライスした乾燥品。

きぬがさたけ

梅雨時期や秋に、竹林で発生することが多い。直径2～3cmほどのかさの内側から白いレース状の部分が地面まで伸びている姿から、「きのこの女王」と呼ばれる。中国では高級食材で、栽培もされており、乾燥させたものを利用する。

たまごたけ

最初は卵のような形の白くて厚い膜に包まれており、それが割れて赤いきのこが顔を出して成長する。色が鮮やかなので見た目は毒きのこのようだが、食べられるしおいしい。壊れやすいため、一般にはほとんど流通していない。

さるのこしかけ

木の幹から半円状に突き出したような形を、猿が腰かけるいすに見立てて名付けられた。多くの種類があるが、霊芝（れいし）と呼ばれるまんねんたけが、病気の予防に役立つ、血液をサラサラにする、がんに効果がある等といわれる。

ほうきたけ

根本は太く、先端は珊瑚の枝のように分岐する。歯切れがよく美味で、香りもよく、よいだしが出るため、炊き込みご飯や鍋物によく利用される。しかし、毒きのこのはなほうきたけやきほうきたけに似ているので十分な注意が必要。

あみたけ

初夏と秋に松林で発生し、発生量も多い。かさは粘性があり黄褐色で、加熱すると赤紫色になる。歯切れがよく、ぬめりもあり、野生の食用きのことしてはとても人気が高い。ぬめりをいかして、みそ汁や大根おろし和えなどにする。

あみがさたけ

網目のようなかさの色には、白、黄色、褐色、黒等がある。フランスではモリーユと呼ばれ、高級食材とされる。おいしいが、生だと有毒なので必ず加熱して食べる。加熱しても大量に摂食するとめまいやふらつき等を起こすことがある。

やまぶしたけ

全体に乳白色で、細い糸状の突起が無数に垂れ下がる。山伏の胸に付ける飾りに似ていることにちなんでその名がついた。淡白で歯切れがよい。乾燥したものは漢方薬としても利用される。うさぎたけ、はりせんぼんとも呼ばれる。

ふくろたけ

中国や台湾から水煮の缶詰が輸入される。なめらかな舌ざわりと歯切れのよさ、ユニークな形が特徴。発生初期は卵形の厚い袋の中にかさをつぼめたきのこが入っているためこの名がついた。中国料理ではこの形のものを利用する。

可食部100gあたり　Tr：微量　（ ）：推定値または推計値　－：未測定

ミネラル（無機質）							ビタミン																食塩相当量	備考
亜鉛	銅	マンガン	ヨウ素	セレン	クロム	モリブデン	A レチノール活性当量	レチノール	β-カロテン当量	D	E α-トコフェロール	K	B_1	B_2	ナイアシン当量	B_6	B_{12}	葉酸	パントテン酸	ビオチン	C			①試料は栽培品　②廃棄部位　③ビタミンC：酸化防止用として添加品あり
mg	mg	mg	μg	μg	μg	μg	μg	μg	μg	μg	mg	μg	mg	mg	mg	mg	μg	μg	mg	μg	mg		g	
0.7	0.22	0.04	0	2	1	1	**(0)**	(0)	(0)	4.9	(0)	(0)	**0.09**	**0.19**	5.4	0.06	(0)	53	0.56	24.0	**0**		0	①　②柄の基部（いしづき）
0.6	0.14	0.03	(0)	3	0	Tr	**(0)**	(0)	(0)	5.9	(0)	(0)	**0.04**	**0.07**	(2.1)	0.03	(0)	24	0.63	22.0	**-**		0	①　柄の基部（いしづき）を除いたもの
0.8	0.27	0.06	-	-	-	-	**(0)**	(0)	(0)	7.7	(0.6)	(5)	**0.11**	**0.21**	6.7	0.07	(0)	57	0.80	-	**0**		0	①　柄の基部（いしづき）を除いたもの 植物油（なたね油）
6.9	1.78	0.47	1	14	2	9	**(0)**	(0)	(0)	20.0	(0)	0	**1.24**	**1.92**	(69.0)	0.28	(0)	220	3.67	240.0	**(0)**		0	①　柄の基部（いしづき）を除いたもの
0.4	0.32	0.04	1	14	0	2	**(0)**	0	(0)	0.3	0	0	**0.06**	**0.29**	3.6	0.11	(0)	28	1.54	11.0	**0**		0	①　②柄の基部（いしづき）
0.6	0.36	0.05	0	11	(0)	2	**(0)**	0	(0)	0.5	(0)	0	**0.05**	**0.28**	(3.5)	0.08	(0)	19	1.43	12.0	**0**		0	①　柄の基部（いしづき）を除いたもの
0.5	0.40	0.05	-	-	-	-	**(0)**	(0)	(0)	0.8	(0.6)	(5)	**0.08**	**0.38**	(4.5)	0.12	(0)	23	1.67	-	**0**		0	①　柄の基部（いしづき）を除いたもの 植物油（なたね油）
1.0	0.19	0.04	1	5	(0)	2	**(0)**	0	(0)	0.4	(0)	0	**0.03**	**0.24**	(1.7)	0.01	(0)	2	0.11	10.0	**0**		0.9	①　液汁を除いたもの　③
0.8	0.24	0.12	3	82	14	1	**(0)**	0	(0)	0.6	(0)	0	**0.10**	**0.10**	8.3	0.15	(0)	63	1.91	18.0	**0**		0	試料：天然物　②柄の基部（いしづき）
0.6	0.20	0.08	1	2	0	2	**(0)**	0	(0)	0.4	0	0	**0.27**	**0.34**	6.5	0.11	(0)	33	2.61	11.0	**0**		0	①　②柄の基部（いしづき）

Q A 普通のまいたけと白まいたけでは、どういう違いがあるの？▶普通のまいたけは、調理すると栄養素が流れ出て煮汁が黒くにごってしまう。このため品種改良を重ねて、栄養素が流れ出てもにごらないように、白い品種が開発されたとのこと。栄養上の大きな差はないらしい。

09 藻類 ALGAE

海中のこんぶ

藻類とは

藻類は、おもに胞子で繁殖し水中で成長する植物の「海藻」と、種子で繁殖しあまり食用にならない「海草」とに区別されている。海藻は岩礁に、海草は砂泥底に生育するものが多い。
現在、世界中で約8000種の海藻が知られているが、日本近海から産するものは約1200種である。生のまま、または乾燥させてほしのりやつくだ煮などに加工される。沿岸部においては、古くから肥料としても利用されていた。

1 栄養上の特徴

藻類は、低カロリーである一方、カルシウム、カリウム、ヨウ素、鉄分などのミネラルやビタミン類を豊富に含んでいる。海藻表面のぬるぬるした物質は粘質多糖類で、注目される成分として「アルギン酸」と「フコイダン」がある。

アルギン酸は水溶性食物繊維で、コレステロールを排泄して動脈硬化や脂質異常症を予防する作用や、食物の消化吸収速度を遅くして血糖値の急激な上昇を防ぐ作用があるといわれる。

フコイダンには殺菌作用があり、胃潰瘍の原因ともいわれるピロリ菌が胃壁につくのを防いだり、がん細胞を消滅させる効果があるという研究もある。また、ナトリウムを排泄するカリウムに富むことから、血圧を下げ、動脈硬化を予防する働きもある。こうした効果から、近年は、日本のみならず海外でも健康食品として注目されている。

●ヨウ素に注目！

ヨウ素は、のどにある甲状腺から分泌される甲状腺ホルモンの材料であり、新陳代謝をうながす大切な物質であるため、人間にとって必須元素のひとつである。これが不足すると体力低下、心身成長障害、脱毛、皮膚疾患などの障害が発生する。海藻のなかでもこんぶは他の食品に比べヨウ素が圧倒的に多く含まれている（➡p.27）。

●藻類の栄養成分比較

※可食部100gあたり（%）

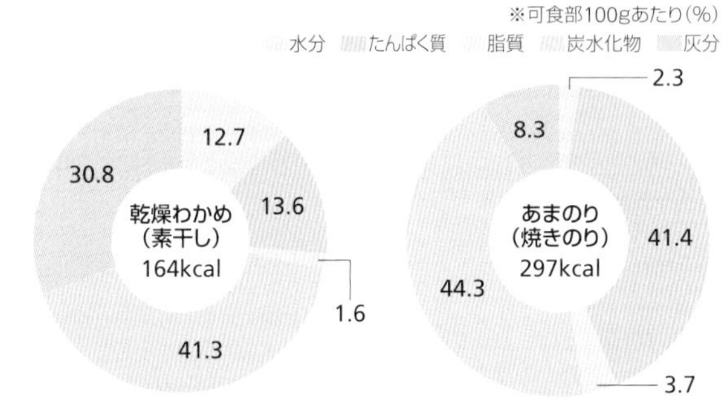

●ヨウ素と放射性ヨウ素

原子力発電所の事故の際によく耳にした放射性ヨウ素と、栄養素としてのヨウ素とは別物である。しかし甲状腺に蓄積する点は同じ。被曝の恐れがある場合は、安定ヨウ素剤を摂取してあらかじめ甲状腺を満たすことで、放射性ヨウ素の蓄積を防ぐ効果がある。安定剤1錠で100mg＝100,000μgのヨウ素を含むが、これに相当する量をこんぶやわかめから摂取することは、かなり困難である。

2 選び方・保存方法

	選び方	保存方法
こんぶ	肉厚で黒いもの、よく乾燥したものがよい。袋詰めの場合は内部に水滴のあるものは避ける。	いずれも、乾燥した冷暗所で密封容器に入れて保存する。湿度が高い場合は、食品用の乾燥剤を入れておく。塩蔵品の場合は、冷蔵庫の野菜室で保存する。
のり	厚みがあり、光沢のあるもの。ところどころ穴の空いたものは避ける。	
ひじき	大きさがそろっていて、黒くて光沢があり、よく乾燥しているものがよい。	
もずく	生のものは、ぬめりがあって磯のよい香りがするものが良品。	
わかめ	塩蔵わかめは濃緑色のもの。塩が目立つものは避ける。乾燥品は、十分に乾燥しているか確認。しけたりかびのあるものは避ける。	

●藻類の分類

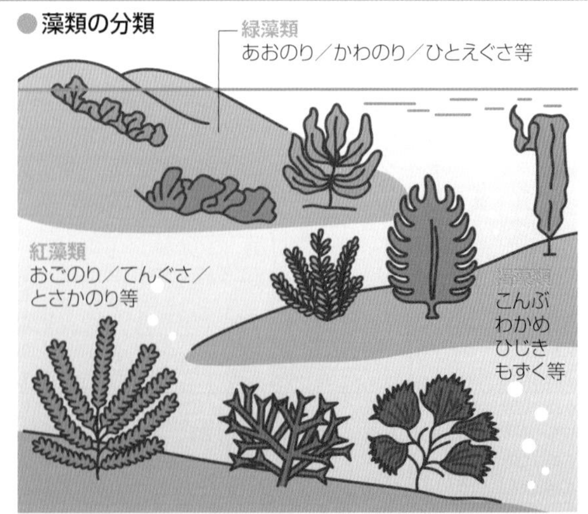

（「日本産海藻目録」による）

3 加工と加工品

●乾燥
ほしのり、カットわかめ、寒天

●塩蔵
塩蔵わかめ、うみぶどう

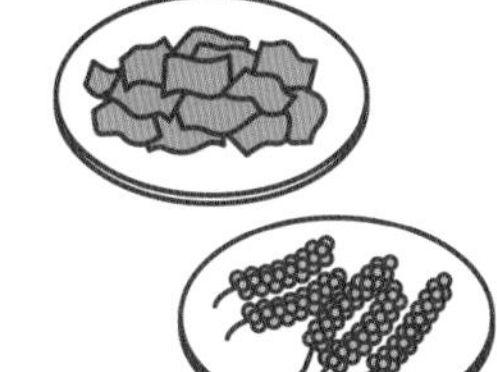

●つくだ煮
のり、こんぶ

●菓子、飲料
おしゃぶりこんぶ、こぶ茶

4 調理性

●藻類の色
含まれる色素の割合で藻類の色は決定される。
緑………クロロフィル
黄・橙…カロテノイド
赤………フィコエリトリン
青………フィコシアン

干したのり
黒色または紫黒色
クロロフィル
フィコエリトリン
フィコシアン

古くなると赤紫色になる
古くなると、クロロフィル（緑）が分解、フィコエリトリン（赤）が目立つようになるため。

焼くと緑色になる
焼くとフィコエリトリン（赤）が消失し、クロロフィル（緑）やカロテノイド（黄）が目立つため。

5 食文化その他

●こんぶの「うま味」発見！
こんぶは、吸い物や鍋物などのだしには欠かせないが、このおいしさの成分は「グルタミン酸」というアミノ酸の一種。1908年に東京帝国大学の池田菊苗博士が発見した。グルタミン酸はすでに知られた物質であったが、これがうま味であることを発見したのである。「うま味」は池田博士の造語で、現在は「UMAMI」として世界に通用する。
当時（明治時代）の人々の栄養状態の改善のために、池田博士はおいしく食べるための研究に取り組み、おいしさの素があると考えたこんぶから、グルタミン酸を結晶状に分離することに成功した。その後、化学調味料であるグルタミン酸ナトリウムの製法を確立し、これが現在われわれが使っている「味の素」に代表される「うま味調味料」である。

●食料以外の海藻利用
海藻はかなり昔から、世界各国の沿岸地域などで作物の肥料や家畜の飼料に利用されてきた。2世紀のローマ時代の資料には、海藻を農業に利用したという記述があるという。現代では、農業・園芸分野で海藻の粉末や抽出エキスの効用・応用法が研究されており、環境破壊の阻止や安全資材への認識が高まってきたこともあって、海藻が評価されてきている。
また、中国などでは古くから、海から遠く離れた地域で起きる甲状腺腫などの治療には、海藻を焼いた灰が用いられていた。現在では、ヨウ素が甲状腺ホルモンの合成に必要な栄養で、体内でつくることができないことはよく知られているが、実はこのヨウ素が発見されたのは、19世紀のフランスにおいてだった。爆薬研究の過程で海藻の灰からヨウ素が発見され、研究されるようになったのである。

●北海道におけるこんぶの分布と名称

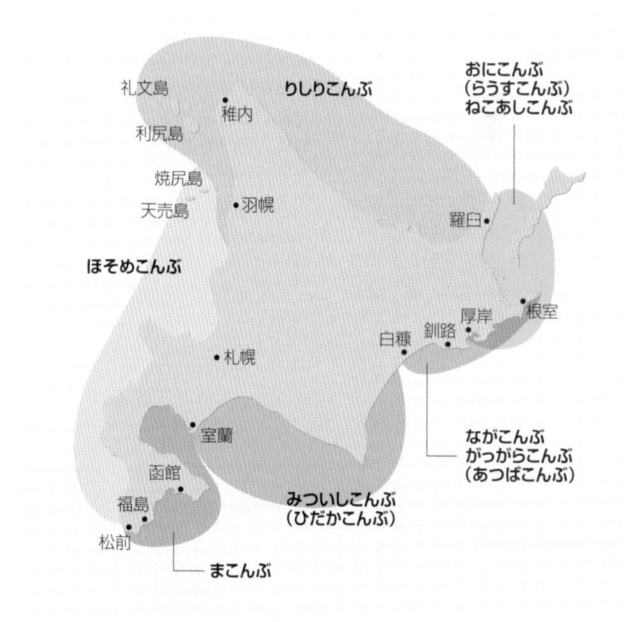

●海藻類の生産量内訳（乾燥重量）

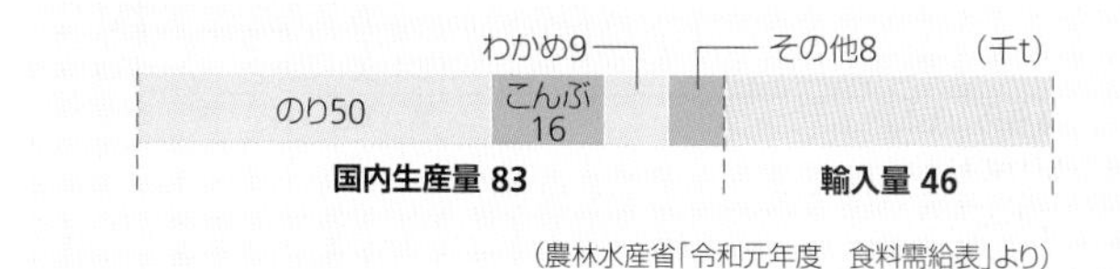

（農林水産省「令和元年度　食料需給表」より）

あおさ

あおのり

海中のあおのり

あまのり（ほしのり）

あまのり（味付けのり）

あまのり（焼きのり）

のりの養殖

乾燥する前のあまのり（あさくさのり）

あおさ（石蓴）
Sea lettuce

アオサ科。沖縄ではアーサーと呼ぶ。食用にするのは大きくなるにつれて大小の穴がたくさんあくあなあおさで、海岸に近い岩に付着している。香りが大変によい。胃の不快な症状の改善に効果があるといわれる。

調理法：汁の実、酢の物等。あおのりの代用にされる。また、のりのつくだ煮の原料にする。

旬：3月。

産地：九州周辺から西日本の太平洋沿岸地域、朝鮮半島等。

あおのり（青海苔）
Green laver　小1=2g

アオサ科。すじあおのり、うすばあおのり、ひらあおのり、ぼうあおのり等の総称。寒帯から熱帯までの、海水と淡水が混じりあう汽水域に広く分布し、養殖も行われている。独特の香りと鮮やかな緑色が特徴で、料理の彩りや香りづけに利用する。採取後、水洗いして風で乾燥して出荷する。あぶって粉末にしたものをもみあおのりという。

調理法：汁物、天ぷら、ふりかけ、つくだ煮等。また、のりと混ぜて板のりをつくる。

旬：1～2月。

産地：高知県四万十川産が特に有名。岡山、愛媛、和歌山等。

あまのり（甘海苔）
Purple laver

ウシケノリ科。熱帯から寒帯までの全世界の沿岸域に広く分布する紅色の薄い膜状のアマノリ属の総称で、日本には約30種が分布。市販品ののりは同属のすさびのりやあさくさのり等で、日本各地の内湾や入江で養殖している。

栄養成分：たんぱく質、ビタミンA等。

旬：1～4月。

産地：有明海、瀬戸内海、東京湾等。

ほしのり（干し海苔）　1枚=2g

あまのりを細かく刻んですき、乾燥したもの。ほしのりは、10枚で1帖（じょう）という単位で数える。

調理法：火であぶり、のりまきやおにぎりに使う、もんだり刻んだりしてお茶漬け等に振りかける。

選び方：色は黒で光沢があり、厚みが均一で薄く、手ざわりがしなやかで特有の香りがあるものがよい。

保存法：水分、高温、日光を嫌うので、保存用のパック等に入れ、密閉して冷蔵庫や冷凍庫で保存。

焼きのり（焼き海苔）

ほしのりを160～180℃の高温で30～60秒加熱したもの。

味付けのり（味付け海苔）　1人分=3g

ほしのりに調味液を塗り、加熱乾燥させたもの。

あらめ（荒布）
Arame

コンブ科。わかめより肉質が厚く荒々しい感じがするのでこの名がついた。日本各地で古くから食用にされてきた。塩干し、煮干し、塩抜き、刻みあらめ等があるが、一般的には

食品番号	食品名	廃棄率 %	エネルギー kcal	2015年版の値 kcal	水分 g	たんぱく質 g	アミノ酸組成によるたんぱく質 g	脂質 g	脂肪酸のトリアシルグリセロール当量 g	脂肪酸 飽和 g	脂肪酸 一価不飽和 g	脂肪酸 多価不飽和 g	コレステロール mg	炭水化物 g	利用可能炭水化物（質量計） g	食物繊維 食物繊維総量（プロスキー変法） g	食物繊維 食物繊維総量（AOAC法） g	ミネラル（無機質） ナトリウム mg	カリウム mg	カルシウム mg	マグネシウム mg	リン mg	鉄 mg
09001	**あおさ** 素干し	0	**201**	130	16.9	**22.1**	16.9	**0.6**	0.4	0.12	0.05	0.17	1	**41.7**	-	29.1	-	3900	3200	**490**	3200	160	**5.3**
09002	**あおのり** 素干し	0	**249**	164	6.5	**29.4**	21.4	**5.2**	3.3	0.97	0.50	1.65	Tr	**41.0**	0.2	35.2	-	3200	2500	**750**	1400	390	**77.0**
09003	**あまのり** ほしのり	0	**276**	173	8.4	**39.4**	30.7	**3.7**	2.2	0.55	0.20	1.39	21	**38.7**	0.4	31.2	-	610	3100	**140**	340	690	**11.0**
09004	焼きのり	0	**297**	188	2.3	**41.4**	32.0	**3.7**	2.2	0.55	0.20	1.39	22	**44.3**	1.7	36.0	-	530	2400	**280**	300	700	**11.0**
09005	味付けのり	0	**301**	359	3.4	**40.0**	31.5	**3.5**	(2.1)	(0.52)	(0.19)	(1.31)	21	**41.8**	13.5	25.2	-	1700	2700	**170**	290	710	**8.2**
09006	**あらめ** 蒸し干し	0	**183**	140	16.7	**12.4**	(9.9)	**0.7**	(0.4)	(0.10)	(0.04)	(0.26)	0	**56.2**	-	48.0	-	2300	3200	**790**	530	250	**3.5**
09007	**いわのり** 素干し	0	**228**	151	8.4	**34.8**	(27.1)	**0.7**	(0.4)	(0.10)	(0.04)	(0.26)	30	**39.1**	(0.4)	36.4	-	2100	4500	**86**	340	530	**48.0**
09012	**うみぶどう** 生	0	**6**	4	97.0	**0.5**	-	**0.1**	Tr	0.02	Tr	0.02	0	**1.2**	-	0.8	-	330	39	**34**	51	10	**0.8**
09008	**えごのり** 素干し	0	**179**	143	15.2	**9.0**	-	**0.1**	-	-	-	-	14	**62.2**	-	53.3	-	2400	2300	**210**	570	110	**6.8**
09009	おきうと	0	**7**	6	96.9	**0.3**	-	**0.1**	-	-	-	-	1	**2.5**	-	2.5	-	20	22	**19**	16	3	**0.6**

+PLUS+　**ほしのりは2枚重ねて**●ほしのりをおいしく焼くコツは、2枚重ねて表側だけを交互に軽く火であぶること。こうすると香りを逃がさずにきれいな緑色になる。

海岸の岩にはりつくいわのり

いわのり

うみぶどう

おきうと

あらめ

海中のあらめ

蒸したものを圧搾機（あっさくき）にかけて水分を搾り、かんなで削った刻みあらめが用いられる。また、水溶性食物繊維のアルギン酸を抽出し、安定剤として食品添加物にする。
調理法：水で戻し、かき回してとろろ状にして食べる、ふりかけ、みそ漬等。
旬：4〜6月。
産地：刻みあらめは伊勢の名産品。

いわのり（岩海苔）

Iwa-nori　　素干し1枚=10g

ウシケノリ科。養殖されない天然のりで、岩にはりついて生育し、冬から春に繁殖する。へらやあわびの殻等で掻き取り、冷水で洗ってからごみを取り除き、つくだ煮にしたり、すいてほしのりにする。丹後地方の岩のり掻きは冬の風物詩。
種類：うるっぷいのり、くろのり、つくしあまのり等。
調理法：汁物、つくだ煮、ほしのり等。
旬：12〜2月。
産地：日本海沿岸の、激しい波に洗われ、海水の飛沫（ひまつ）をかぶっている岩礁。出雲十六島のうるっぷいのりや伊豆半島のいずのりが有名。

うみぶどう（海葡萄）

Green caviar　　1パック=50g

イワヅタ科。別名**くびれず（づ）た**、長命草。薄緑色で、直径1〜2mmの粒状の葉がつく。ぷちぷちとした歯ごたえからグリーンキャビアともいわれる。産地以外では塩漬や海水漬が出回っているが、塩漬は粒がしぼんでしまい、ぷちぷち感がなくなる。塩水漬は生に近い食感が味わえる。養殖も行われている。
調理法：酢じょうゆ等で食べる。
旬：6〜10月。
産地：宮古島より南の沖縄の特産品。

えごのり（恵胡海苔）

Ego-nori

イギス科。ホンダワラ類に付着して生育するため、ホンダワラ類が繁茂する日本海側に多く分布する。

おきうと　　1食分=60g

別名**おきゅうと**、えごてん、えごもち、えごねり。天日乾燥したえごのりを煮出し、冷まして固めたもの。海藻こんにゃくといった感じのもので、短冊状に切って、酢じょうゆや酢みそで食べる。
産地：福岡の名産。新潟、佐渡、能登等でもよく利用する。

黒い紙はうまい！

のりを食べている日本人を見た西洋人が「日本人は黒い紙を食べる」と驚いたのはよく知られているエピソードだが、低カロリーでビタミンやミネラルなどの栄養素がバランスよく含まれ、味もよいことから、最近ではアメリカ等でものりの人気が高まっている。
のりのおいしさは、こんぶ、チーズ、緑茶などに大量に含まれるうま味成分であるグルタミン酸、かつお節のうま味成分であるイノシン酸、しいたけのうま味成分であるグアニル酸を多く含むことによる。さらに他にも、甘味成分のアラニンとグリシン糖アルコール、香味成分のタウリン等を含んでいる。

可食部100gあたり　Tr：微量　（ ）：推定値または推計値　－：未測定

ミネラル（無機質）							ビタミン																
亜鉛	銅	マンガン	ヨウ素	セレン	クロム	モリブデン	A レチノール活性当量	A レチノール	A β-カロテン当量	D	E αトコフェロール	K	B_1	B_2	ナイアシン当量	B_6	B_{12}	葉酸	パントテン酸	ビオチン	C	食塩相当量	備考
mg	mg	mg	µg	µg	µg	µg	µg	µg	µg	µg	mg	µg	mg	mg	mg	mg	µg	µg	mg	µg	mg	g	
1.2	0.80	17.00	2200	8	160	23	**220**	(0)	2700	(0)	1.1	5	**0.07**	**0.48**	16.0	0.09	1.3	180	0.44	31.0	**25**	9.9	
1.6	0.58	13.00	2700	7	39	18	**1700**	(0)	21000	(0)	2.5	3	**0.92**	**1.66**	14.0	0.50	32.0	270	0.57	71.0	**62**	8.1	
3.7	0.62	2.51	1400	7	5	93	**3600**	(0)	43000	(0)	4.3	2600	**1.21**	**2.68**	20.0	0.61	78.0	1200	0.93	41.0	**160**	1.5	すき干ししたもの
3.6	0.55	3.72	2100	9	6	220	**2300**	(0)	27000	(0)	4.6	390	**0.69**	**2.33**	20.0	0.59	58.0	1900	1.18	47.0	**210**	1.3	
3.7	0.59	2.35	-	-	-	-	**2700**	(0)	32000	(0)	3.7	650	**0.61**	**2.31**	20.0	0.51	58.0	1600	1.28	-	**200**	4.3	
1.1	0.17	0.23	-	-	-	-	**220**	0	2700	(0)	0.6	260	**0.10**	**0.26**	(4.7)	0.02	0.1	110	0.28	-	**(0)**	5.8	
2.3	0.39	1.58	-	-	-	-	**2300**	(0)	28000	(0)	4.2	1700	**0.57**	**2.07**	(13.0)	0.38	40.0	1500	0.71	-	**3**	5.3	すき干ししたもの
Tr	0.01	0.08	80	0	Tr	Tr	**10**	(0)	120	(0)	0.2	35	**Tr**	**0.01**	(0.1)	0	0	4	0	0.1	**Tr**	0.8	
2.0	0.31	5.73	-	-	-	-	**1**	(0)	8	(0)	0.4	230	**0.04**	**0.29**	2.2	0.03	5.1	44	0.38	-	**0**	6.1	
0.1	0.01	0.34	-	-	-	-	**(0)**	(0)	0	(0)	Tr	1	**0**	**0.01**	Tr	0	0.2	7	0	-	**0**	0.1	

Q A 韓国のりって、日本の味付けのりとどう違うの？▶日本でも、韓国料理の人気とともに、韓国のりも入手しやすくなっている。これは、のりにごま油を塗って粗塩を振り、味付けした加工品。日本の味付けのりは、しょうゆや砂糖からつくる調味液を塗って乾燥させたもの。

おごのり

かわのりの天日干し

おごのり (海髪)

Ogo-nori　大1=4g

オゴノリ科。原藻を塩蔵もしくは湯通ししてから石灰に漬けて保存し、それを水洗いしたものを食用にする。石灰処理すると緑色になる。石灰処理しないものは食中毒を引き起こすことがある。

調理法：刺身のつま、サラダ等。

旬：3〜6月。

産地：チリ。

かわのり (川海苔)

Kawa-nori

カワノリ科。ほしのりのようにすいて製品とする。かたくて香りも少ないが、採取量が非常に少ないため珍味とされている。

調理法：酢の物、椀だね、つくだ煮、焼きのり等にする。

産地：東北地方南部から九州にかけての太平洋岸に注ぐ河川の上流。

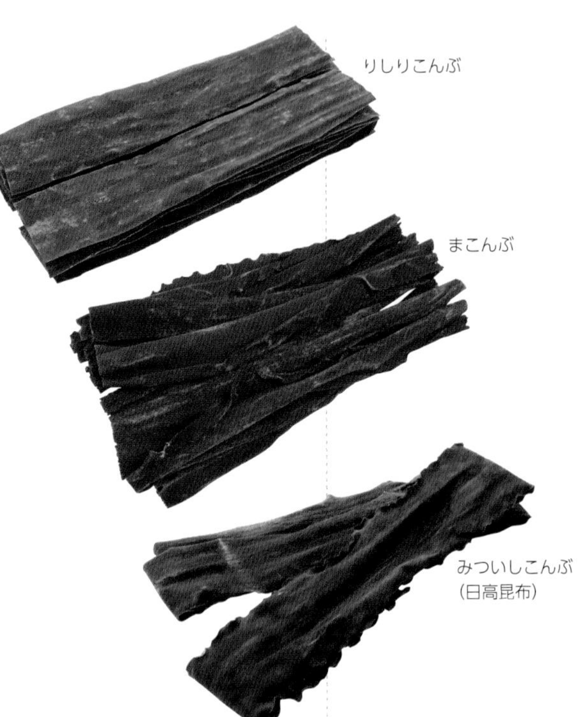

こんぶ類 (昆布類)

Kombu　素干し10cm角=5g

コンブ科。うま味成分のグルタミン酸を多量に含む。こんぶの表面についている白い粉はうま味成分のマンニットである。こんぶとかつお節でとるだしは、日本料理の基本となっている。ぬめりは水溶性食物繊維の一種のアルギン酸による。一般に乾燥品が市販される。

栄養成分：ヨウ素、カルシウム、カリウム、食物繊維等が豊富。

調理法：だし、煮物、炒め物、昆布巻き、つくだ煮等。こんぶは洗わずに、汚れはかたくしぼったふきんで軽く拭き取る。だしをとるときは水から入れて加熱し、くさみと苦味が出ないように、沸騰直前に取り出す。

選び方：肉厚で、よく乾燥したものがよい。

産地：北海道。

えながおにこんぶ (えながおに昆布)

長さ=1.5〜3m、幅=20〜30cm。りしりこんぶの変種で、羅臼(らうす)で採れたえながおにこんぶを羅臼昆布(らうすこんぶ)と呼ぶ。質がよく、濃いだしが出る。

がごめこんぶ (がごめ昆布)

長さ=2m、幅=20〜50cm。北海道の函館周辺海域に分布する。強いぬめりがあり、細く刻んで納豆こんぶ等にする。

こんぶの天日干し

ながこんぶ (長昆布)

長さ=7〜10m、幅=6〜15cm。長いものは20mにもなるこんぶ。昆布巻き、つくだ煮、おでん種等にする。産地は北海道の釧路や根室、千島列島。

ほそめこんぶ (細目昆布)

長さ=1.3〜1.6m、幅=6〜9cm。粘りけが多い。削り昆布、つくだ煮、昆布巻き等にする。産地は北海道西海岸等。

まこんぶ (真昆布)

長さ=2〜6m、幅=30cm。幅が広く肉厚のこんぶで、こんぶ類ではもっとも味がよい。だし用にするほか、おぼろ昆布、とろろ昆布、白板昆布、塩昆布等にする。

みついしこんぶ (三石昆布)

長さ=2〜6m、幅=6〜10cm。産地は北海道南海岸等。日高で採れ

おきうと→p.190えごのり、かんてん→p.194てんぐさ

食品番号	食品名	廃棄率	エネルギー	2015年版の値	水分	たんぱく質	アミノ酸組成によるたんぱく質	脂質	脂肪酸のトリアシルグリセロール当量	脂肪酸 飽和	脂肪酸 一価不飽和	脂肪酸 多価不飽和	コレステロール	炭水化物	利用可能炭水化物(質量計)	食物繊維 食物繊維総量(プロスキー変法)	食物繊維 食物繊維総量(AOAC法)	ミネラル(無機質) ナトリウム	カリウム	カルシウム	マグネシウム	リン	鉄
		%	kcal	kcal	g	g	g	g	g	g	g	g	mg	g	g	g	g	mg	mg	mg	mg	mg	mg
09010	**おごのり** 塩蔵 塩抜き	0	**26**	21	89.0	**1.3**	-	**0.1**	-	-	-	-	11	**8.8**	-	7.5	-	130	1	**54**	110	14	**4.2**
09011	**かわのり** 素干し	0	**247**	167	13.7	**38.1**	(29.7)	**1.6**	(1.0)	(0.24)	(0.09)	(0.60)	1	**41.7**	(0.4)	41.7	-	85	500	**450**	250	730	**61.0**
	(こんぶ類)																						
09013	**えながおにこんぶ** 素干し	0	**224**	138	10.4	**11.0**	(8.8)	**1.0**	0.7	0.18	0.12	0.35	Tr	**55.7**	-	24.9	-	2400	7300	**650**	490	340	**2.5**
09014	**がごめこんぶ** 素干し	0	**216**	142	8.3	**7.9**	(6.3)	**0.5**	(0.4)	(0.13)	(0.11)	(0.12)	0	**62.1**	-	34.2	-	3000	5700	**750**	660	320	**3.3**
09015	**ながこんぶ** 素干し	0	**205**	140	10.0	**8.3**	(6.7)	**1.5**	(1.1)	(0.40)	(0.34)	(0.36)	0	**58.5**	-	36.8	-	3000	5200	**430**	700	320	**3.0**
09016	**ほそめこんぶ** 素干し	0	**227**	147	11.3	**6.9**	(5.5)	**1.7**	(1.3)	(0.45)	(0.38)	(0.41)	0	**62.9**	-	32.9	-	2400	4000	**900**	590	140	**9.6**
09017	**まこんぶ** 素干し 乾	0	**170**	146	9.5	**5.8**	5.1	**1.3**	1.0	0.35	0.29	0.32	0	**64.3**	0.1	27.1	32.1	2600	6100	**780**	530	180	**3.2**
09056	水煮	0	**28**	27	83.9	**1.1**	1.0	**0.3**	0.2	0.08	0.07	0.07	(0)	**11.6**	Tr	-	8.7	370	890	**200**	120	24	**0.7**
09018	**みついしこんぶ** 素干し	0	**235**	153	9.2	**7.7**	(6.2)	**1.9**	(1.5)	(0.50)	(0.43)	(0.46)	0	**64.7**	-	34.8	-	3000	3200	**560**	670	230	**5.1**
09019	**りしりこんぶ** 素干し	0	**211**	138	13.2	**8.0**	(6.4)	**2.0**	(1.5)	(0.53)	(0.45)	(0.48)	0	**56.5**	-	31.4	-	2700	5300	**760**	540	240	**2.4**
09020	**刻み昆布**	0	**119**	105	15.5	**5.4**	(4.3)	**0.5**	0.2	0.11	0.08	0.05	0	**50.2**	0.4	39.1	-	4300	8200	**940**	720	300	**8.6**
09021	**削り昆布**	0	**177**	117	24.4	**6.5**	(5.2)	**0.9**	0.6	0.27	0.24	0.08	0	**50.2**	-	28.2	-	2100	4800	**650**	520	190	**3.6**
09022	**塩昆布**	0	**193**	110	24.1	**16.9**	-	**0.4**	-	-	-	-	0	**37.0**	-	13.1	-	7100	1800	**280**	190	170	**4.2**
09023	**つくだ煮**	0	**150**	168	49.6	**6.0**	4.7	**1.0**	0.9	0.16	0.32	0.33	0	**33.3**	19.8	6.8	-	2900	770	**150**	98	120	**1.3**
09024	**すいぜんじのり** 素干し 水戻し	0	**10**	7	96.1	**1.5**	-	**Tr**	-	-	-	-	Tr	**2.1**	-	2.1	-	5	12	**63**	18	7	**2.5**

+PLUS+ **うま味の最強コンビ**●こんぶに含まれるうま味成分のグルタミン酸は、魚(かつお節など)に含まれるイノシン酸と出会うと相乗効果によってさらにうま味を増す。こうした混合だしは、日本料理の基本となっている。

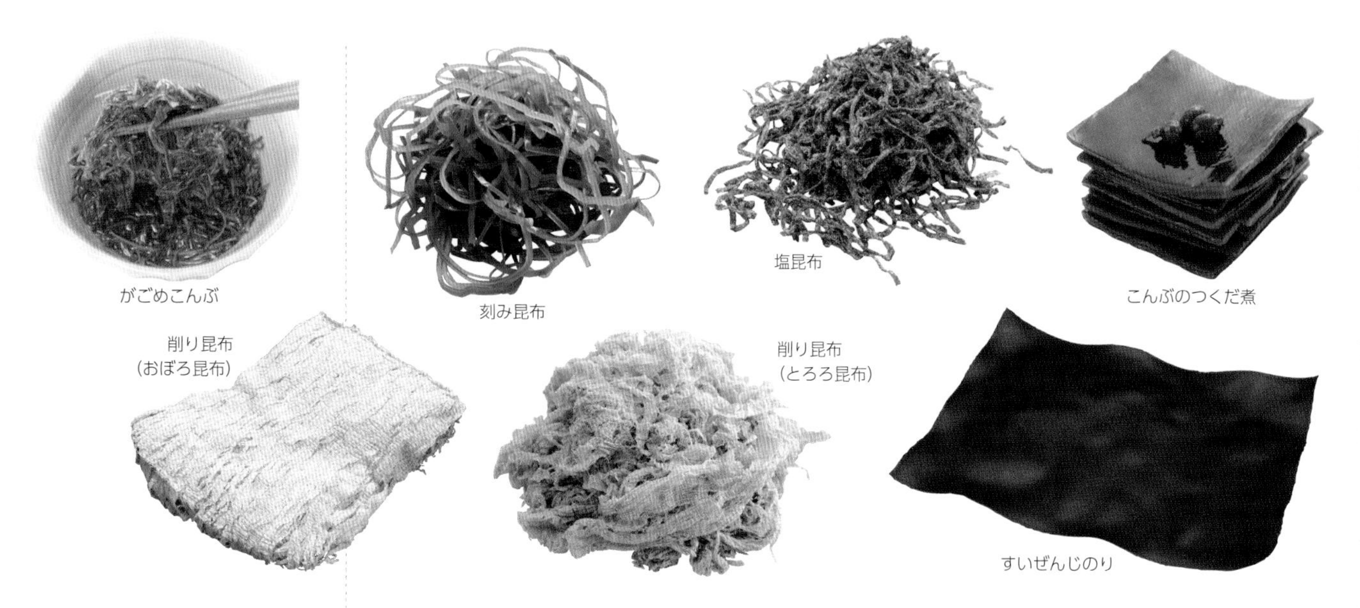
がごめこんぶ　刻み昆布　塩昆布　こんぶのつくだ煮

削り昆布（おぼろ昆布）　削り昆布（とろろ昆布）　すいぜんじのり

たものを日高昆布と呼ぶ。繊維が少なくてやわらかいため煮えやすい。だし用にするほか、昆布巻き、つくだ煮等にする。

りしりこんぶ（利尻昆布）

長さ＝1～3m、幅＝5～10cm。まこんぶの変種で、高級料理や吸い物、湯豆腐等のだし用にするほか、高級おぼろ昆布、とろろ昆布にも加工する。

刻み昆布

こんぶを糸状に刻んだもの。

削り昆布

食酢でしめらせてやわらかくしたまこんぶやりしりこんぶを削って薄片にしたもの。幅が広いものを**おぼろ昆布**、糸状のものを**とろろ昆布**と呼ぶ。

塩昆布

小さく切ったこんぶを、しょうゆ、みりん、砂糖等の調味液で煮て乾燥したもの。

つくだ煮（佃煮）

しょうゆを主体とした調味液で煮詰めたもの。

すいぜんじのり（水前寺苔）

Suizenji-nori　素干し1枚=10g

クロオコックス科。別名かわたけ。淡水産の藻類で、清水が湧き出る砂地で育つ。熊本市水前寺公園の池に生育していたが水前寺公園では絶滅し、下流の上江津湖で天然記念物として保護されている。福岡県朝倉市の養殖場で管理育成され、食用に供される。寒天状のやわらかいかたまりで、すりつぶしてから板状に乾燥したものが市販されている。

調理法：水でもどしてから、酢の物、和え物、吸い物、刺身のつま、つくだ煮等にする。

産地：福岡の特産品。

こんぶで長生き？

長寿県沖縄では、こんぶは採れないが郷土料理の食材としてこんぶをふんだんに食べていることから、健康食としてのこんぶのパワーが注目されている。

こんぶに含まれる鉄分は、ほうれんそうとほぼ同量、カルシウムは牛乳の5倍以上も含まれる。また、体内のナトリウムを排出し、血圧を下げる働きをするカリウムも多い。さらに、あのヌルヌルした物質である水溶性食物繊維「アルギン酸」には、血圧を下げ、肝臓でのコレステロール分解を促進し、これを減らす働きもあるといわれている。長寿県沖縄をささえる要因のひとつかもしれない。

可食部100gあたり　Tr：微量　（ ）：推定値または推計値　－：未測定

ミネラル（無機質）							ビタミン															食塩相当量	備考
亜鉛	銅	マンガン	ヨウ素	セレン	クロム	モリブデン	A レチノール活性当量	レチノール	β-カロテン当量	D	E αトコフェロール	K	B1	B2	ナイアシン当量	B6	B12	葉酸	パントテン酸	ビオチン	C		
mg	mg	mg	µg	µg	µg	µg	µg	µg	µg	µg	mg	µg	mg	mg	mg	mg	µg	µg	mg	µg	mg	g	
0.2	0.03	1.63	-	-	-	-	**65**	(0)	780	(0)	0.1	160	**0.02**	**0.18**	0.3	0	0	3	0	-	**0**	0.3	
5.5	0.60	2.07	-	-	-	-	**580**	(0)	6900	(0)	3.2	4	**0.38**	**2.10**	(11.0)	0.36	5.7	1200	1.20	-	**0**	0.2	すき干ししたもの
1.0	0.07	0.20	-	-	-	-	**120**	0	1400	(0)	0.7	110	**0.10**	**0.25**	(3.6)	0.03	0.1	190	0.27	-	**3**	6.1	
0.8	0.03	0.22	-	-	-	-	**98**	(0)	1200	(0)	0.6	170	**0.21**	**0.32**	(3.0)	0.03	0	42	0.13	-	**0**	7.6	
0.9	0.19	0.41	210000	2	5	15	**65**	(0)	780	(0)	0.3	240	**0.19**	**0.41**	(3.7)	0.02	0.1	38	0.20	16.0	**20**	7.6	
1.1	0.06	0.61	-	-	-	-	**150**	(0)	1800	(0)	1.5	96	**0.06**	**0.28**	(2.9)	0.03	0	310	0.24	-	**25**	6.1	
0.9	0.11	0.21	200000	2	14	11	**130**	(0)	1600	(0)	2.6	110	**0.26**	**0.31**	2.3	0.03	(0)	240	0.35	9.7	**29**	6.6	
0.3	0.03	0.05	19000	Tr	2	1	**30**	(0)	360	(0)	0.6	32	**0.03**	**0.03**	0.4	Tr	0	16	0.04	1.8	**1**	0.9	
1.3	0.07	0.21	-	-	-	-	**230**	(0)	2700	(0)	1.3	270	**0.40**	**0.60**	(4.0)	0.03	0	310	0.28	-	**10**	7.6	
1.0	0.05	0.22	-	-	-	-	**71**	(0)	850	(0)	1.0	110	**0.80**	**0.35**	(3.5)	0.02	0	170	0.24	-	**15**	6.9	
1.1	0.07	0.34	230000	2	33	14	**5**	(0)	61	(0)	0.3	91	**0.15**	**0.33**	(2.2)	0.01	0	17	0.09	12.0	**0**	10.9	
1.1	0.08	0.19	-	-	-	-	**64**	(0)	760	(0)	0.8	150	**0.33**	**0.28**	(2.2)	0.02	0	32	0.14	-	**19**	5.3	
0.7	0.04	0.56	-	-	-	-	**33**	(0)	390	(0)	0.4	74	**0.04**	**0.23**	3.6	0.07	0	19	0.33	-	**0**	18.0	
0.5	0.06	0.46	11000	3	6	19	**5**	0	56	0	0.1	310	**0.05**	**0.05**	1.1	0.05	0	15	0.12	4.7	**Tr**	7.4	試料：ごま入り
0.1	0.02	1.57	-	-	-	-	**9**	(0)	110	(0)	0.1	320	**0.02**	**0.01**	0.3	0.01	0.4	2	0.07	-	**0**	0	

藻類

Q A　"こんぶだし"をとるときにやってはいけないことは、次のどれ？［沸騰している湯で煮立てる　沸騰寸前まで火にかけ取り出す　1～3時間水に浸す］▶答は「沸騰している湯で煮立てる」。こんぶの組織は熱に弱いので、沸騰するほど加熱すると、うま味をそこなう成分が溶け出してしまう。沸騰寸前で取り出せば、こんぶのおいしいだしがとれる。

ところてん

てんぐさ

てんぐさ（天草）
Tengusa

テングサ科。まくさ、ひらくさ、おばくさ、ゆいきり、しまてんぐさの総称だが、一般にはまくさを指す。
調理法：ところてん、寒天、サラダ等。
栄養成分：食物繊維が豊富。
旬：4～10月。
産地：日本各地の沿岸、朝鮮半島、インド洋、大西洋等。

ところてん（心太） 1食分=150g
てんぐさを煮溶かして寒天質を抽出して凝固させたもの。天突きで糸状にして、酢じょうゆをかけたり黒蜜をかけたりして食べる。奈良時代にはすでに食用としていた。

角寒天 1本=7～8g
別名**棒寒天**。てんぐさを煮てろ過した液を箱に入れて凝固させ、凍結・解凍を繰り返して脱水し、乾燥させたもの。乾燥させたものにはほかに糸寒天、粉寒天等もある。寒天は、江戸時代の初期にところてんの残りを寒い戸外に出しておいたところ、自然に凍って偶然にできたものといわれる。
調理法：ようかん等の和菓子、寄せ物料理、杏仁豆腐等。

角寒天

糸寒天

粉寒天

寒天
角寒天等を煮溶かし、ゼリー状にしたもの。

粉寒天
粉末状で、凝固力が強い。

とさかのり（鶏冠海苔）
Tosaka-nori 大1=4g

ミリン科。にわとりのとさかに似ているためこの名がついた。赤、青（緑）、白などのとさかのりが市販されているが、原藻は同じ。白とさかのりは、原藻をさらして脱色したもの。
調理法：海藻サラダ、酢の物、刺身のつま等。また、煮溶かして冷やし固めたものを、精進料理の刺身がわりにする。
旬：5～6月。
産地：房総半島から九州南部・西部や奄美諸島にかけて分布。

角寒天の生産

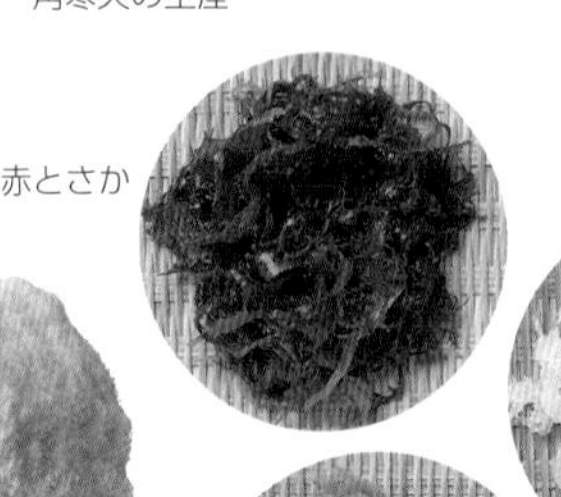

赤とさか

白とさか

青とさか

赤とさか（赤鶏冠）
鮮紅色の原藻をそのまま塩蔵したもの。

青とさか（青鶏冠）
とさかのりを石灰水に浸して赤色を抜き、緑色に処理して塩蔵したもの。

海岸に生えたひじき

ひじき（鹿尾菜）
Hijiki

ホンダワラ科。生ひじきは渋味が強いため、数時間水煮して渋味を抜く。乾燥品はそれを乾燥したもの。茎の部分だけにしたものを長ひじき、茎ひじき等という。茎以外の部分や芽の部分だけにしたものを芽ひじき、姫ひじき、米ひじき等という。
栄養成分：カルシウム、鉄、ヨウ素。
調理法：炒め煮、煮物、酢の物、サラダ、炊き込みご飯やおこわの具等。油と相性がよい。
旬：2～4月。

のり→p.190あまのり

食品番号	食品名	廃棄率 %	エネルギー kcal	2015年版の値 kcal	水分 g	たんぱく質 g	アミノ酸組成によるたんぱく質 g	脂質 g	脂肪酸のトリアシルグリセロール当量 g	脂肪酸 飽和 g	脂肪酸 一価不飽和 g	脂肪酸 多価不飽和 g	コレステロール mg	炭水化物 g	利用可能炭水化物（質量計） g	食物繊維 食物繊維総量（プロスキー変法） g	食物繊維 食物繊維総量（AOAC法） g	ミネラル（無機質） ナトリウム mg	カリウム mg	カルシウム mg	マグネシウム mg	リン mg	鉄 mg
09025	**てんぐさ** 素干し	0	**194**	144	15.2	**16.1**	-	**1.0**	-	-	-	-	51	**53.8**	-	47.3	-	1900	3100	**230**	1100	180	**6.0**
09026	ところてん	0	**2**	2	99.1	**0.2**	(0.1)	**0**	-	-	-	-	Tr	**0.6**	-	0.6	-	3	2	**4**	4	1	**0.1**
09027	角寒天	0	**159**	154	20.5	**2.4**	(1.0)	**0.2**	(0.1)	(0.04)	(0.02)	(0.07)	Tr	**74.1**	-	74.1	-	130	52	**660**	100	34	**4.5**
09028	寒天	0	**3**	3	98.5	**Tr**	-	**Tr**	-	-	-	-	0	**1.5**	-	1.5	-	2	1	**10**	2	1	**0.2**
09049	粉寒天	0	**160**	165	16.7	**0.2**	0.1	**0.3**	(0.2)	(0.05)	(0.02)	(0.09)	0	**81.7**	0.1	79.0	-	170	30	**120**	39	39	**7.3**
09029	**とさかのり** 赤とさか 塩蔵 塩抜き	0	**19**	14	92.1	**1.5**	-	**0.1**	-	-	-	-	9	**5.1**	-	4.0	-	270	37	**70**	31	11	**1.2**
09030	青とさか 塩蔵 塩抜き	0	**17**	13	92.2	**0.9**	-	**0.2**	-	-	-	-	9	**4.9**	-	4.1	-	320	40	**160**	220	12	**0.8**
	ひじき																						
09050	ほしひじき ステンレス釜 乾	0	**180**	149	6.5	**9.2**	7.4	**3.2**	1.7	0.59	0.37	0.63	Tr	**58.4**	0.4	51.8	-	1800	6400	**1000**	640	93	**6.2**
09051	ゆで	0	**11**	10	94.5	**0.7**	0.5	**0.3**	(0.2)	(0.06)	(0.04)	(0.06)	0	**3.4**	0	3.7	-	52	160	**96**	37	2	**0.3**
09052	油いため	0	**51**	51	89.0	**0.8**	0.6	**4.7**	(4.4)	(0.37)	(2.62)	(1.19)	0	**4.1**	0	4.5	-	64	200	**110**	44	3	**0.3**
09053	鉄釜 乾	0	**186**	145	6.5	**9.2**	-	**3.2**	-	-	-	-	Tr	**56.0**	-	51.8	-	1800	6400	**1000**	640	93	**58.0**
09054	ゆで	0	**13**	10	94.5	**0.7**	-	**0.3**	-	-	-	-	0	**3.4**	-	3.7	-	52	160	**96**	37	2	**2.7**
09055	油いため	0	**54**	51	89.0	**0.8**	-	**4.7**	-	-	-	-	0	**4.1**	-	4.5	-	64	200	**110**	44	3	**2.9**
09032	**ひとえぐさ** 素干し	0	**172**	130	16.0	**16.6**	-	**1.0**	-	-	-	-	Tr	**46.3**	-	44.2	-	4500	810	**920**	880	280	**3.4**
09033	つくだ煮	0	**148**	154	56.5	**14.4**	11.2	**1.3**	0.5	0.21	0.04	0.20	1	**21.1**	22.9	4.1	-	2300	160	**28**	94	63	**3.6**
09034	**ふのり** 素干し	0	**207**	148	14.7	**13.8**	(10.7)	**1.0**	(0.6)	(0.15)	(0.05)	(0.38)	24	**57.8**	-	43.1	-	2700	600	**330**	730	130	**4.8**

+PLUS+ **刺身のつまも食べてる？**●刺身に添えられているとさかのりや大根のせん切り、青じその葉などを「つま」という。特に細切りにした野菜は「けん」ともいう。つまには口の中をさっぱりさせたり、味がうつらないようにする効果がある。刺身だけでなく、つまも食べよう。

ゆでひじき　長ひじき　芽ひじき　海岸に生えたひとえぐさ　ひとえぐさ（つくだ煮）　生ふのり　乾燥ふのり

産地：北海道日高地方より南の太平洋岸、瀬戸内海、兵庫県付近より西の日本海側、九州沿岸に分布。

ほしひじき（干し鹿尾菜）　大1=2g

水で戻すと7～10倍になる。新しいものと古いものでは、戻り方がかなり違う。

ひじきの原藻を煮るときは1.5～6時間かかるので、釜の材質による影響が考えられるため、「ステンレス釜」で煮た製品と「鉄釜」によるものを区別して表記している。現在はステンレス釜によるものが主流。

ひとえぐさ（一重草）

Hitoegusa　小1=7g

ヒトエグサ科。太平洋岸の中部から南部、九州、南西諸島に分布。養殖が行われる。あおのりの名称で市販されている。葉を水で洗い、そのまま天日干ししたものを青ばら、刻んでのりのようにすいて乾燥品にしたものを青板と呼ぶ。

調理法：汁の実、青のり、**のりのつくだ煮**等。

旬：12～5月。

産地：三重、愛知、徳島、香川等。

ふのり（布海苔）

Fu-nori

フノリ科。煮溶かすと糊状（ふのり液という）になるためにこの名がついた。別名**のげのり**。寒いときのものほど風味がよい。天日干ししたものが一般的だが、生や塩蔵品もある。食用にするほか、糊、洗髪剤、化粧品の付着剤等として利用する。また、古くから胆石を下す薬としても用いられてきた。かつては抽出した糊状液を洗濯物の洗い張り等に使っていた。

種類：まふのり、ふくろふのり、いとふのり、はなふのり、みなみふのり等。

調理法：刺身のつま、汁の実、サラダ等。

旬：1～6月。

産地：日本全国の海岸に分布。

ひじきの鉄分

ほしひじきについて、鉄釜で煮たものの鉄分がステンレス釜のものの約10倍との数値が出ているが、日本ひじき協議会は、鉄分含有量の違いを釜の材質によるものとすることに疑問を呈している。

その理由として、ステンレス釜で煮ている韓国産と中国産のものの鉄分が鉄釜で煮たものに近い数値であること、国内流通の乾燥ひじきの多くは日本標準食品成分表にある「煮熟後乾燥」ではなく「蒸煮後乾燥」したものなので、蒸す場合には釜の材質による影響が考えられないことの2つがあげられている。

可食部100gあたり　Tr：微量　（ ）：推定値または推計値　－：未測定

ミネラル（無機質）							ビタミン																
亜鉛	銅	マンガン	ヨウ素	セレン	クロム	モリブデン	A レチノール活性当量	A レチノール	A β-カロテン当量	D	E αトコフェロール	K	B_1	B_2	ナイアシン当量	B_6	B_{12}	葉酸	パントテン酸	ビオチン	C	食塩相当量	備考
mg	mg	mg	μg	μg	μg	μg	μg	μg	μg	μg	mg	μg	mg	mg	mg	mg	μg	μg	mg	μg	mg	g	
3.0	0.24	0.63	-	-	-	-	**17**	(0)	200	(0)	0.2	730	**0.08**	**0.83**	4.9	0.08	0.5	93	0.29	-	**Tr**	4.8	
Tr	0.01	0.01	240	Tr	Tr	1	**(0)**	(0)	0	(0)	0	0	**0**	**0**	0	0	0	0	0	Tr	**Tr**	0	
1.5	0.02	3.19	-	-	-	-	**(0)**	(0)	(0)	(0)	0	0	**0.01**	**0**	(0.2)	Tr	0	0	0.46	-	**0**	0.3	細寒天（糸寒天）を含む
Tr	Tr	0.04	21	0	1	0	**(0)**	(0)	0	(0)	0	0	**Tr**	**0**	0	0	0	0	0	0	**0**	0	角寒天をゼリー状にしたもの　角寒天 2.2g 使用
0.3	0.04	1.01	81	0	39	5	**0**	(0)	0	(0)	0	Tr	**0**	**Tr**	0.1	0	0.2	1	0	0.1	**0**	0.4	試料：てんぐさ以外の粉寒天も含む
0.2	0.02	0.10	630	0	Tr	1	**1**	(0)	15	(0)	0	17	**0**	**0.04**	0.3	Tr	0.1	0	0.08	0.6	**0**	0.7	
0.6	0.02	1.47	-	-	-	-	**24**	(0)	280	(0)	0	26	**0**	**0.02**	0.2	Tr	0	7	0.05	-	**0**	0.8	石灰処理したもの
1.0	0.14	0.82	45000	7	26	17	**360**	(0)	4400	(0)	5.0	580	**0.09**	**0.42**	4.4	0	0	93	0.30	17.0	**0**	4.7	ステンレス釜で煮熟後乾燥したもの
0.1	0.01	0.06	960	Tr	1	1	**28**	(0)	330	(0)	0.4	40	**Tr**	**0**	0.2	0	0	1	0	0.7	**0**	0.1	ほしひじきステンレス釜乾を水もどし後、ゆで
0.1	0.01	0.08	1300	0	2	1	**33**	(0)	390	(0)	1.3	43	**0.01**	**Tr**	0.2	0	0	2	0	0.9	**0**	0.2	ほしひじきステンレス釜乾を水もどし後、油いため　植物油（なたね油）
1.0	0.14	0.82	45000	7	26	17	**360**	(0)	4400	(0)	5.0	580	**0.09**	**0.42**	3.4	0	0	93	0.30	17.0	**0**	4.7	鉄釜で煮熟後乾燥したもの
0.1	0.01	0.06	960	Tr	1	1	**28**	(0)	330	(0)	0.4	40	**Tr**	**0**	0.1	0	0	1	0	0.7	**0**	0.1	ほしひじき鉄釜乾を水もどし後、ゆで
0.1	0.01	0.08	1300	0	2	1	**33**	(0)	390	(0)	1.3	43	**0.01**	**Tr**	0.1	0	0	2	0	0.9	**0**	0.2	ほしひじき鉄釜乾を水もどし後、油いため　植物油（なたね油）
0.6	0.86	1.32	-	-	-	-	**710**	(0)	8600	(0)	2.5	14	**0.30**	**0.92**	5.2	0.03	0.3	280	0.88	-	**38**	11.4	すき干ししたもの
0.9	0.15	-	-	-	-	-	**23**	(0)	270	(0)	0.1	12	**0.06**	**0.26**	1.3	0.03	0	23	0.19	-	**0**	5.8	
1.8	0.38	0.65	-	-	-	-	**59**	(0)	700	(0)	0.7	430	**0.16**	**0.61**	(4.6)	0.13	0	68	0.94	-	**1**	6.9	

藻類

Q&A ところてんを「心太」と書くのはなぜ？▶ところてんの製法を遣唐使が持ち帰った当時、ところてんを「心太」と書いてそのまま「こころふと」と呼んでいた。これは、原料のてんぐさを凝る藻（こるもは）と呼び、凝ったものを「こころふと」と呼びあてたことによるらしい（清水屋 Web サイトより）。

まつも

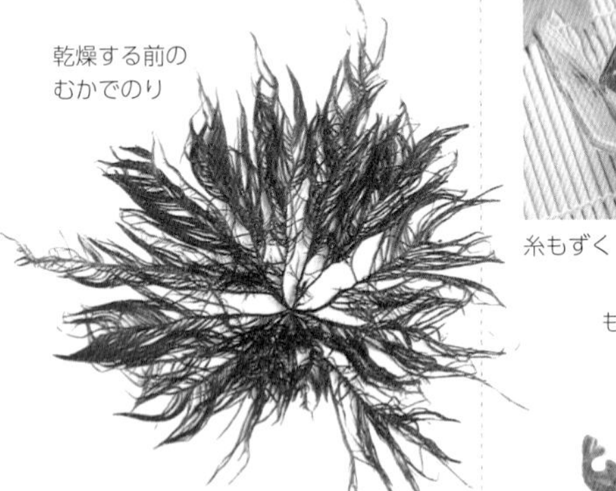

乾燥する前の
むかでのり

おきなわもずく

糸もずく

もずく

乾燥する前の
わかめ

まつも（松藻）
Matsumo

ナガマツモ科。水草のマツモとは異なる。千島、北海道、三陸海岸を経て千葉県犬吠埼まで分布。つるつるしたぬめりとしゃきっとした歯ごたえがある。塩蔵品や、のりのようにすいた乾燥品が市販されている。
調理法：乾燥品を焼いてのりのかわりに利用したり、水で戻して、酢の物、汁の実等にする。
旬：12～3月。

むかでのり（百足海苔）
Mukade-nori

ムカデノリ科。形と色がムカデに似ているためこの名がついた。細長いリボン状の主枝の両縁から多くの小さい側枝が出てムカデ状となる。乾燥品や塩漬が市販される。かつては食用以外に、抽出した糊状液を洗濯物の洗い張り等に使っていた。壁用ののりとして用いることもある。
調理法：海藻サラダ、刺身のつま等。また、煮てから冷やし固めて寒天状にし、みそ漬にする。
旬：4~8月。
産地：宮崎等。

もずく類（海蘊類、水雲類）
Mozuku　　1食分=50g

モズク科。ほかの海藻に巻きついて生息するため、"藻付く"が名前の由来。糸状で独特のぬめりがある。もずくのぬめりはおきなわもずくといともずくで種類が異なる。
種類：おきなわもずくといともずくが食用にされるが、流通の90%以上をおきなわもずくが占める。
栄養成分：ぬめりは水溶性食物繊維のアルギン酸やフコイダンによるもの。フコイダンの含有量はこんぶの5～6倍。
調理法：酢の物、汁の実、和え物、天ぷら、ぞうすい等。
旬：5～7月。
産地：太平洋岸中・南部、日本海岸中・南部、九州、南西諸島等に広く分布。

おきなわもずく（沖縄海蘊、沖縄水雲）
ナガマツモ科。多くが沖縄で養殖される。沖縄ではすぬいと呼ぶ。太くてやわらかく、ぬめりがある。

食品番号	食品名	廃棄率	エネルギー	2015年版の値	水分	たんぱく質	アミノ酸組成によるたんぱく質	脂質	脂肪酸のトリアシルグリセロール当量	脂肪酸 飽和	一価不飽和	多価不飽和	コレステロール	炭水化物	利用可能炭水化物（質量計）	食物繊維 食物繊維総量（プロスキー変法）	食物繊維総量（AOAC法）	ミネラル（無機質） ナトリウム	カリウム	カルシウム	マグネシウム	リン	鉄
		%	kcal	kcal	g	g	g	g	g	g	g	g	mg	g	g	g	g	mg	mg	mg	mg	mg	mg
09035	**まつも**　素干し	0	**252**	159	12.6	**27.9**	(23.5)	**4.9**	(2.9)	(1.31)	(0.40)	(1.10)	1	**40.8**	-	28.5	-	1300	3800	**920**	700	530	**11.0**
09036	**むかでのり**　塩蔵　塩抜き	0	**12**	10	93.7	**0.6**	-	**0.1**	0.1	0.01	0.01	0.05	2	**4.2**	-	4.2	-	220	6	**85**	120	9	**0.8**
	（もずく類）																						
09037	**おきなわもずく**　塩蔵　塩抜き	0	**7**	6	96.7	**0.3**	0.2	**0.2**	0.1	0.05	0.02	0.04	Tr	**2.0**	0	2.0	-	240	7	**22**	21	2	**0.2**
09038	**もずく**　塩蔵　塩抜き	0	**4**	4	97.7	**0.2**	0.2	**0.1**	(0.1)	(0.03)	(0.01)	(0.02)	0	**1.4**	-	1.4	-	90	2	**22**	12	2	**0.7**
	わかめ																						
09039	原藻　生	35	**24**	16	89.0	**1.9**	(1.4)	**0.2**	(0.1)	(0.01)	(Tr)	(0.06)	0	**5.6**	-	3.6	-	610	730	**100**	110	36	**0.7**
09040	乾燥わかめ　素干し	0	**164**	117	12.7	**13.6**	(10.4)	**1.6**	(0.7)	(0.10)	(0.03)	(0.52)	0	**41.3**	-	32.7	-	6600	5200	**780**	1100	350	**2.6**
09041	水戻し	0	**22**	17	90.2	**2.0**	(1.5)	**0.3**	(0.1)	(0.02)	(0.01)	(0.10)	0	**5.9**	-	5.8	-	290	260	**130**	130	47	**0.5**
09042	板わかめ	0	**200**	134	7.2	**16.7**	(13.0)	**1.2**	(0.5)	(0.08)	(0.03)	(0.39)	1	**47.4**	-	31.7	-	3900	7400	**960**	620	330	**6.4**
09043	灰干し　水戻し	0	**9**	7	96.0	**1.1**	(0.9)	**0.1**	(Tr)	(0.01)	(Tr)	(0.03)	1	**2.2**	-	2.2	-	48	60	**140**	55	16	**0.7**
09044	カットわかめ　乾	0	**186**	138	9.2	**17.9**	14.0	**4.0**	1.7	0.25	0.09	1.29	0	**42.1**	0	35.4	39.2	9300	430	**870**	460	300	**6.5**
09058	水煮（沸騰水で短時間加熱したもの）	0	**17**	14	93.6	**1.3**	(1.0)	**0.8**	(0.4)	(0.05)	(0.02)	(0.27)	-	**3.8**	-	-	3.2	310	15	**76**	37	22	**0.6**
09059	水煮の汁	0	**0**	0	99.8	**-**	-	**-**	-	-	-	-	-	**0.1**	-	-	0	68	3	**1**	1	Tr	**0**
09045	湯通し塩蔵わかめ　塩抜き　生	0	**16**	11	93.3	**1.5**	1.3	**0.3**	0.2	0.04	0.02	0.15	0	**3.4**	0	3.2	2.9	530	10	**50**	16	30	**0.5**
09057	ゆで	0	**7**	5	97.5	**0.6**	0.5	**0.1**	0.1	0.02	0.01	0.07	(0)	**1.4**	0	-	1.1	130	2	**19**	5	10	**0.3**
09046	くきわかめ　湯通し塩蔵　塩抜き	0	**18**	15	84.9	**1.1**	(0.8)	**0.3**	(0.1)	(0.02)	(0.01)	(0.10)	0	**5.5**	-	5.1	-	3100	88	**86**	70	34	**0.4**
09047	めかぶわかめ　生	0	**14**	11	94.2	**0.9**	0.7	**0.6**	0.5	0.22	0.15	0.11	0	**3.4**	0	3.4	-	170	88	**77**	61	26	**0.3**

＋PLUS＋ **フコイダンのパワー**●もずくのぬめりの正体はフコイダン。強い殺菌作用があり、胃かいようの原因といわれるピロリ菌もコロリと一撃。普通の小鉢一杯でも効果があるという。さらに、最近ではがんを予防する効果や、病原性大腸菌 O157 を殺す効果もあるとされている。

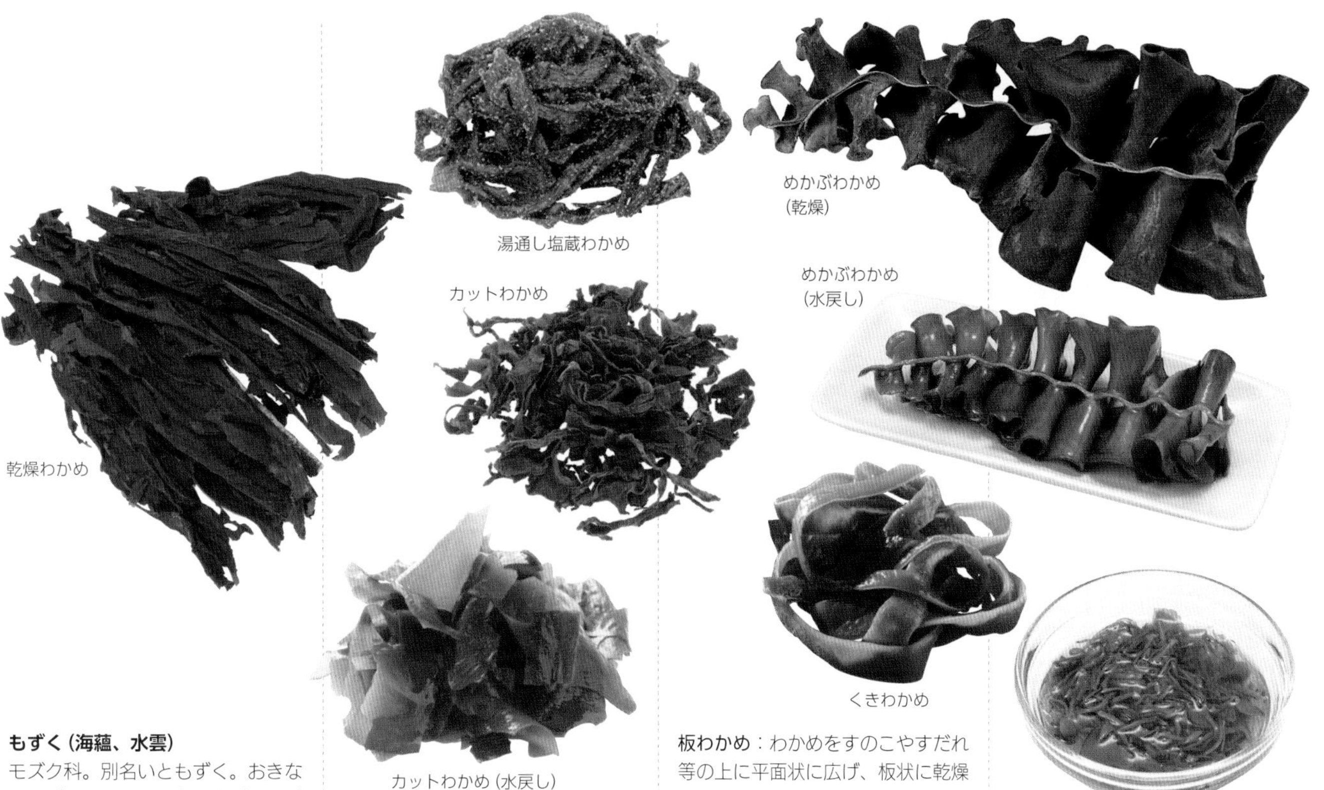

もずく(海蘊、水雲)
モズク科。別名いともずく。おきなわもずくより細く、少し歯ごたえがある。

わかめ(若布)

Wakame　生、水戻し1食分=10g

チガイソ科。北海道南西部から九州にかけての海岸で、黒潮の影響が強い地域以外に分布。独特のぬめりは水溶性食物繊維のアルギン酸によるもの。

種類:海の深い場所に生息し、大型で茎が長い北方型の南部わかめ(三陸沿岸中心)と、浅い場所に生息し、茎が短くて葉状部と胞子葉がつながっている南方型の鳴門わかめ(鳴門地方中心)がある。

調理法:酢の物、和え物、汁の実、煮物等。乾燥品や塩蔵品は、水で戻してから熱湯をかけて、冷水にさらすと色が鮮やかになる。

旬:2〜6月。

産地:岩手、宮城、徳島で生産量の80%以上を占める。

乾燥わかめ(乾燥若布)　1人分=2g

素干し:生わかめを乾燥させたもの。

板わかめ:わかめをすのこやすだれ等の上に平面状に広げ、板状に乾燥させたもの。出雲地方では、めのはと呼ぶ。

灰干し:わかめに草木灰をまぶして乾燥したもの。灰には色素保持と軟化防止の効果がある。特に、徳島県鳴門海峡沿岸で生産するものを鳴門わかめという。

カットわかめ(カット若布)
湯通し塩蔵わかめを食塩水で洗ってから乾燥させ、適当な大きさにカットしたもの。

湯通し塩蔵わかめ(湯通し塩蔵若布)
わかめを湯通ししてから冷水で冷却し、塩蔵したもの。**生わかめ**として売られているものは、湯通し塩蔵わかめを塩抜きしたもの。

くきわかめ(茎若布)
塩蔵等に加工するさいに取り除く茎等の部分。

めかぶわかめ(めかぶ若布)
成長したわかめの茎の根元にできるひだ状のもの。刻むと粘りが出てとろ状になる。

可食部100gあたり　Tr:微量　( ):推定値または推計値　-:未測定

ミネラル(無機質)							ビタミン															食塩相当量	備考
亜鉛	銅	マンガン	ヨウ素	セレン	クロム	モリブデン	A レチノール活性当量	A レチノール	A β-カロテン当量	D	E αトコフェロール	K	B1	B2	ナイアシン当量	B6	B12	葉酸	パントテン酸	ビオチン	C		
mg	mg	mg	μg	μg	μg	μg	μg	μg	μg	μg	mg	μg	mg	mg	mg	mg	μg	μg	mg	μg	mg	g	
5.2	0.26	1.25	-	-	-	-	**2500**	(0)	30000	(0)	13.0	1100	**0.48**	**1.61**	(14.0)	0.06	0	720	1.24	-	**5**	3.3	すき干ししたもの
0.1	0.01	0.41	-	-	-	-	**2**	(0)	30	(0)	0	16	**0**	**Tr**	16.0	0	0	0	0	-	**0**	0.6	石灰処理したもの
Tr	0.01	0.01	140	1	0	0	**18**	(0)	220	(0)	0.1	18	**Tr**	**0.09**	0.1	0	0	2	0	0.4	**0**	0.6	
0.3	0.01	0.03	-	-	-	-	**15**	(0)	180	(0)	0.1	14	**Tr**	**0.01**	0.1	Tr	0.1	2	0	-	**0**	0.2	
0.3	0.02	0.05	1600	1	1	3	**79**	(0)	940	(0)	0.1	140	**0.07**	**0.18**	(1.5)	0.03	0.3	29	0.19	4.2	**15**	1.5	基部を除いたもの　廃棄部位:茎、中肋及びめかぶ
0.9	0.08	0.32	-	-	-	-	**650**	(0)	7800	(0)	1.0	660	**0.39**	**0.83**	(14.0)	0.09	0.2	440	0.46	-	**27**	16.8	
0.1	0.02	0.06	1900	1	1	2	**100**	(0)	1200	(0)	0.2	120	**0.05**	**0.08**	(0.9)	0.02	Tr	46	0.05	3.6	**3**	0.7	
5.2	0.13	1.59	-	-	-	-	**710**	(0)	8500	(0)	2.6	1800	**0.62**	**1.50**	(14.0)	0.23	0.2	510	0.48	-	**20**	9.9	
0.3	0.08	-	-	-	-	-	**3**	0	37	(0)	0	70	**0**	**0.03**	(0.3)	0	0.2	1	0.05	-	**0**	0.1	
2.8	0.13	0.46	10000	9	19	10	**190**	0	2200	0	0.5	1600	**0.07**	**0.08**	5.6	0.01	2.0	18	0.06	25.0	**0**	23.5	
0.3	0.01	0.04	720	1	1	0	**15**	-	180	-	Tr	-	**Tr**	**0**	(0.4)	0	0.1	1	0	2.6	**0**	0.8	
0	0	0	36	0	0	0	**-**	-	-	-	0	-	**Tr**	**0**	0	0	0	0	0	0	**0**	0.2	
0.2	0.04	0.03	810	Tr	1	Tr	**17**	(0)	210	(0)	0.1	110	**0.01**	**0.01**	0.5	Tr	0	6	0.07	1.9	**0**	1.4	
0.1	0.02	0.01	200	0	1	0	**5**	(0)	63	(0)	Tr	50	**0.01**	**0**	0.2	0	(0)	0	0	0.6	**(0)**	0.3	
0.1	0.02	0.04	-	-	-	-	**5**	(0)	56	(0)	0	33	**0.02**	**0.02**	(0.9)	Tr	0	2	0.07	-	**0**	7.9	
0.2	0.02	0.03	390	Tr	1	2	**20**	(0)	240	(0)	0.1	40	**0.02**	**0.03**	0.4	0.01	0	36	0.05	2.2	**2**	0.4	試料:冷凍品

Q A 海藻は白髪を黒くするって本当?▶黒々とした色合いや、さまざまなミネラルを含む海藻は、白髪のみならず髪にとってとてもよさそうなイメージがある。しかし残念ながら、海藻の摂取と「髪が黒くなる」「髪の量が増える」ということとの関連は証明されていない。あくまでもバランスのよい食事と、頭皮を清潔にすることが大切だ。

10 魚介類 FISHES and SHELLFISHES

かつおの水揚げ

魚介類とは

魚介類とは、魚類と貝類を中心にした食用水産生物の総称である。日本人にとって、古くから重要なたんぱく質供給源であり、その種類は約1200種（海産物約1100種、淡水魚約100種）にのぼる。
魚介類にはさまざまな分類法があるが、魚についてはその肉の性質によって、赤身魚、白身魚、淡水魚と分けられる（別の分類➡p.225）。その他は貝類、甲殻類、軟体動物等のように分類される。

1 栄養上の特徴

平均してたんぱく質を約20%含み、必須アミノ酸のリシンが多い。脂質の含有量は魚介の種類によって異なるが、不飽和脂肪酸が多いのが特徴である。特に、イコサペンタエン酸＝IPAやドコサヘキサエン酸＝DHAは、血栓を予防する効果があるとされている。ミネラルは1%前後含まれるが、カルシウム以外にも微量元素の亜鉛、銅、ヨウ素を多く含む。特にヨウ素を多く含む点は鳥獣類と大きく異なる特徴である。ビタミン類では、脂溶性ビタミンのA・Dが血合（ちあい）肉等に多く含まれ、水溶性ビタミンのB_2はうなぎなどに多く含まれている。

また、血合肉と普通肉を比較すると、血合肉のほうが脂質含有量が多く、脂肪酸組成や、含まれる無機質も異なる。

●イコサペンタエン酸（IPA）

エイコサペンタエン酸（EPA）ともいう多価不飽和脂肪酸のひとつ。善玉コレステロールを増やし、悪玉コレステロールや中性脂肪を減らし、血液をサラサラにすることで、動脈硬化や脳血栓、心筋梗塞、高血圧などを予防するとされている。

●ドコサヘキサエン酸（DHA）

多価不飽和脂肪酸のひとつ。脳や神経組織の発育、機能維持に不可欠の成分で、人間のからだでは脳細胞に多く存在し、記憶力の向上や脳の老化防止に効果があるとされる。

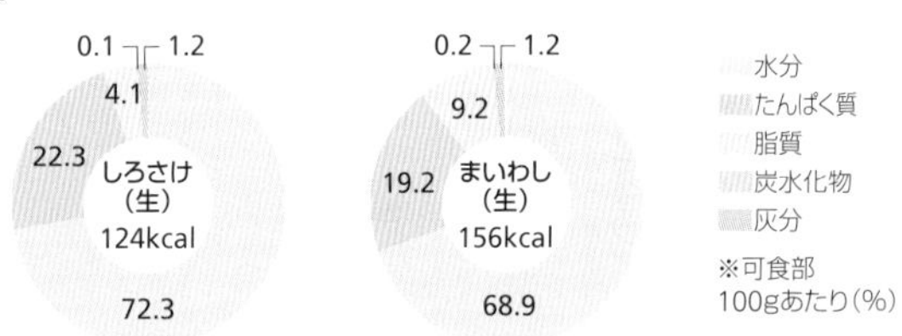

2 選び方・保存方法

●選び方

1尾の場合
- ●眼がしっかりして、にごりがないもの。
- ●えらが真っ赤で、血の色が鮮やかなもの。
- ●全体に張りがあり、色つやがよいもの。
- ●内臓がしっかりし、胴のかたいもの。鮮度が落ちると腹部が軟化する。
- ●生臭くないもの。

切り身の場合
- ●白身は身に弾力があり、透明感があるもの。
- ●赤身は色の鮮やかなもの。
- ●血合の鮮やかなものは新鮮。
- ●ドリップ（液汁）のあるものは、解凍後時間がたっているので避ける。

貝類
- ●貝のむき身は透明感があり、しまったもの。

新鮮な魚の頭

鮮度の悪い魚の頭

●保存方法

内臓やえらを取り出し、水気を切ってバットに入れ、ぬらした紙をかぶせて冷蔵する。刺身の冷蔵保存は1日が限度。

まぐろの部位

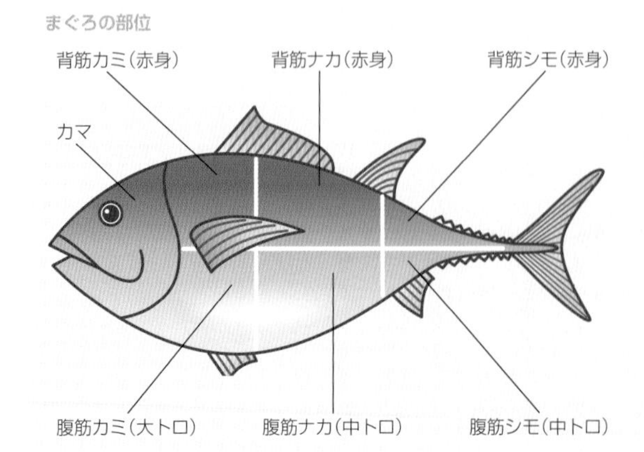

魚の断面図

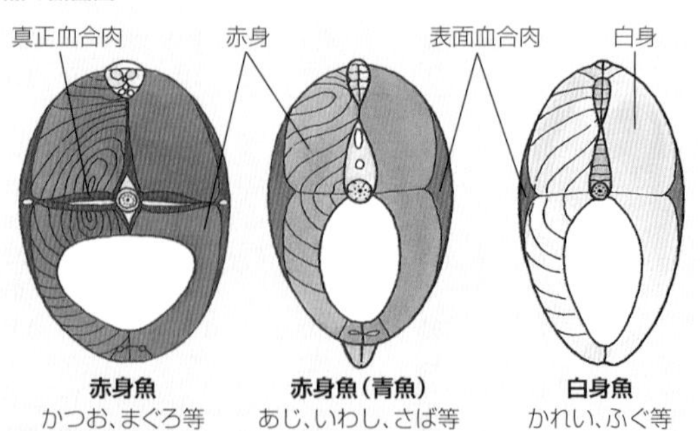

一般に、赤身魚は味が濃く、白身魚は味が淡白であるといわれている。
青魚は赤身魚の中で、背の皮が青いものを指す。

3 加工と加工品

●魚介類の加工品

乾燥	しらす干し、ちりめんじゃこ、たたみいわし、するめ
干物	あじ、ほっけ、ししゃも
節類	かつお、まぐろ、さば
塩辛・塩蔵	いか、かつお、くらげ
みそ漬	さわら、あまだい、ぎんだら
南蛮漬	小あじ、ししゃも、さけ、さば
つくだ煮	あさり、えび
甘露煮	こい
すり身	いわし、たら、メルルーサ、ぐち
魚卵加工品	イクラ、たらこ、キャビア

●すり身とは？

すけとうだらなどの白身魚の肉を水にさらし、脱水してすりつぶし、裏ごしして小骨や皮を取り除いたものがすり身。かまぼこやちくわなどの練り製品に使われる。1960年代に冷凍すり身が誕生して、生産量が増えた。

4 調理性

●いかの切り目

いかに火を通す際には、必ず二方向に切り目を入れる。これは加熱による収縮を防ぐためである。

いかの皮は4層からなり、普通に皮をむいても3層目と4層目は残る。それぞれに長いたんぱく質の繊維が直交するように走っているため、そのまま加熱すると、残った皮に含まれる繊維の収縮力が内側の身の部分よりも大きいために、いかが反り返ってしまう。そこで、二方向から皮に切り込みを入れて、表面の収縮を防ぐようにする。

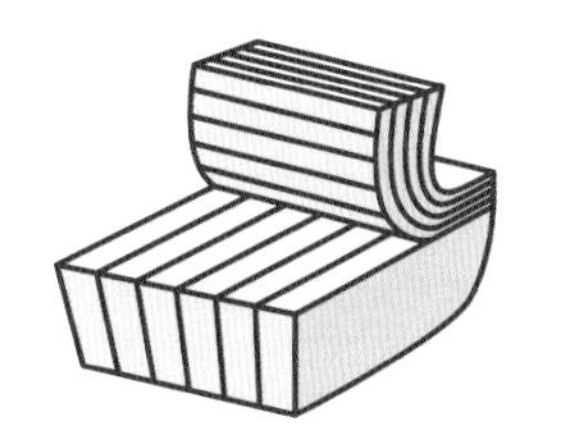

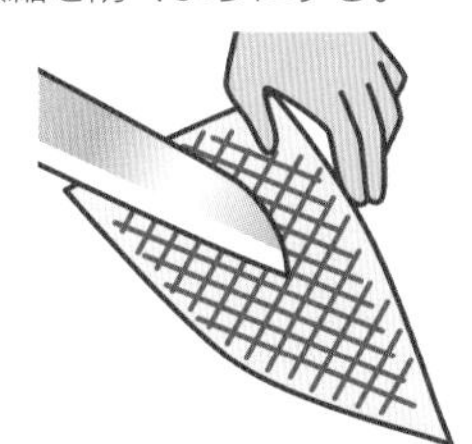

●甲殻類の加熱による色の変化

えびやかにのような甲殻類には、アスタキサンチンというカロテノイド色素が含まれている。生体ではたんぱく質と結びついて青緑色をしているが、加熱によってたんぱく質と分離し、本来の赤系の色となる。さらに酸化によって鮮やかな赤となる。

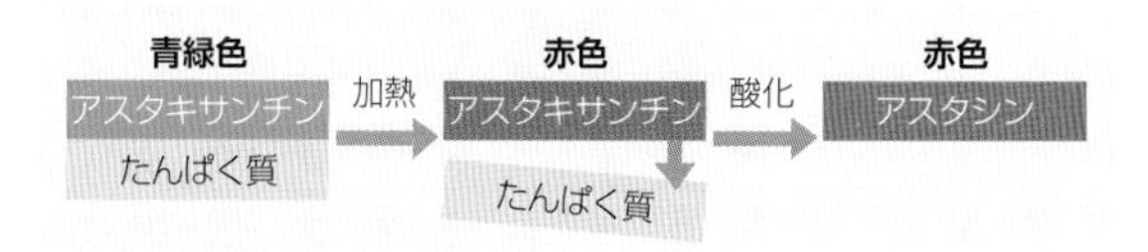

●かつおとたらを煮たとき、どっちがかたい？

赤身魚のかつおと、白身魚のたらを煮た場合、かたくなるのはどちらだろう？　結論からいうと、かつおのほうがかたくなるが、では、なぜだろう？

まず、水分量ではかつおのほうが10%前後少ないため、肉が熱凝固した場合、水分の少ないほうがかたくなると考えられる。また、かたくなるのはたんぱく質なので、多いほうがかたくなる。なかでも、熱凝固したかたまりやすい球状たんぱく質が多いことが、かたくなる原因と考えられる。

	水分	たんぱく質	球状たんぱく質
かつお(春獲り)	72.2%	25.8%	30%以上
まだら	80.9%	17.6%	20%前後

球状たんぱく質	アルブミン、グロブリン(熱凝固してかたまる)
繊維状たんぱく質	ミオシン、アクチン
肉基質たんぱく質	どの魚でも約3%と一定(牛や豚の肉は20～30%のため、かたい)

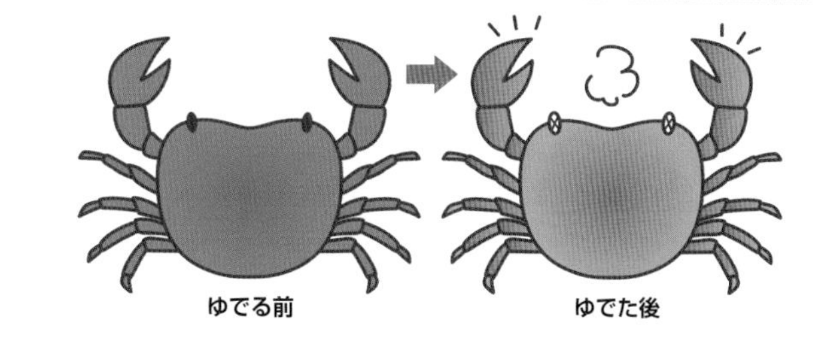

5 食文化その他

●まぐろ類の漁獲量と輸入量（2020年）

日本は、世界で獲れるまぐろの約6分の1を消費する世界一のまぐろ消費大国。国内生産（漁獲）のほかに、台湾や地中海沿岸、オーストラリアなどから大量に輸入している。

また、最近では中国沿岸地域での消費が急増していることなどを背景に、資源保護のため、世界中の海域でまぐろの漁獲制限の動きが強まっている。日本の過剰漁獲が発覚したみなみまぐろに加えて、枯渇(こかつ)懸念のある最高級のくろまぐろは地中海や太平洋で漁獲制限ルールを導入。また、まぐろの流通の8割以上を占めるめばちまぐろやきはだまぐろの漁獲制限についても議論が始まっている。

●まぐろ類の漁獲量と輸入量（2020年）

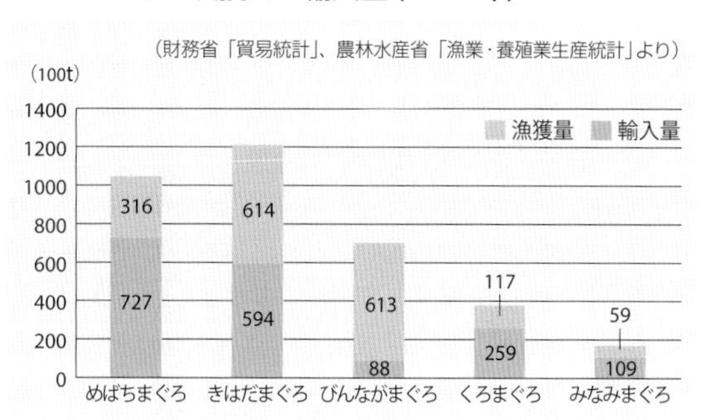

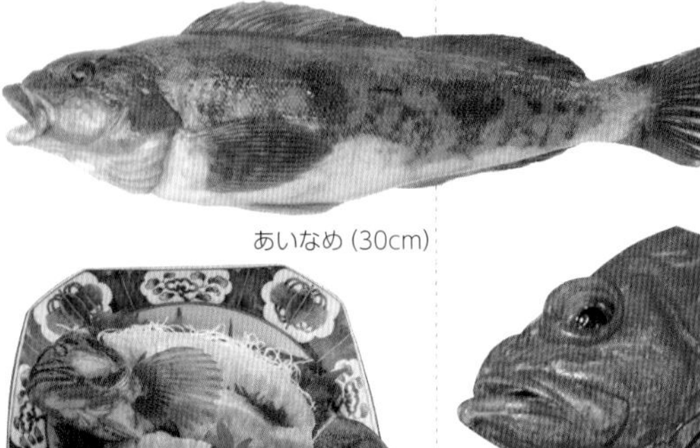

あいなめ (30cm)

あいなめの姿造り

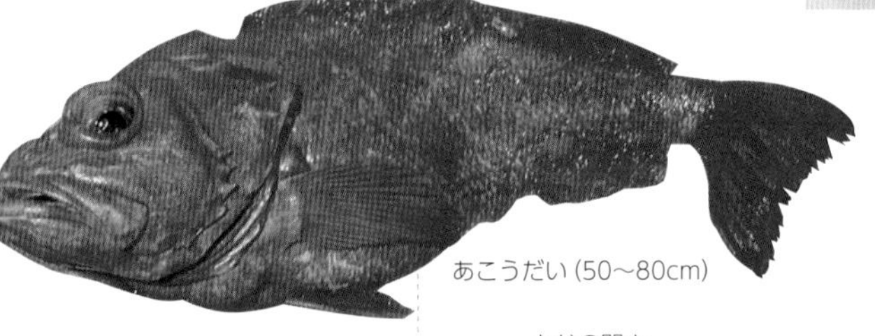

あこうだい (50～80cm)

あこうだいの刺身

あじフライ

あじの開き

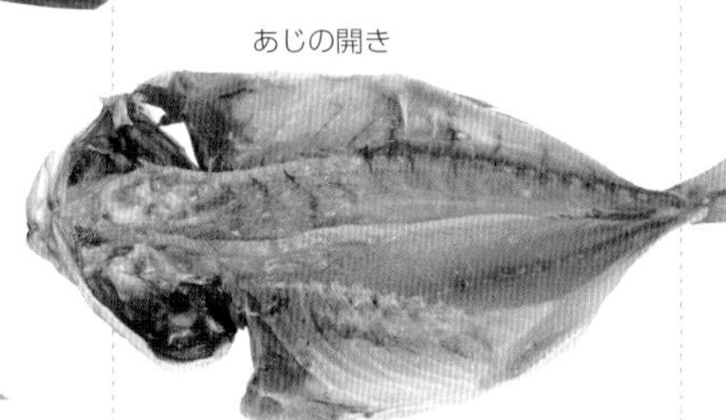

まあじ
(10～40cm)

あいなめ (鮎並)
Fat greenling　1尾=450g

体長＝30cm。アイナメ科。別名**あぶらめ、あぶらこ**。白身でうま味が多く身がやわらかい。産卵期の雄の体色は鮮やかな黄色になる。
調理法：刺身、寿司だね、煮つけ、焼き魚、唐揚げ、鍋物等。
旬：3～6月。
生息地：北海道より南の浅海の岩場。

あこうだい (阿侯鯛)
Matsubara's red rockfish　1尾=300g

体長＝50～80cm。フサカサゴ科。体が赤いのでこの名がついたが、たいの仲間ではない。白身でやわらかい深海魚。
調理法：刺身、焼き魚、煮つけ、みそ漬等。
旬：12～2月。
生息地：青森から三重にかけての太平洋側。駿河湾と相模湾に多く生息。

あじ類 (鯵類)
Horse mackerels

アジ科。味がよいためこの名がついたといわれる。体側線に沿って、ぜんご（ぜいご）と呼ばれるかたくて鋭い鱗（うろこ）がある。一般にあじといえばまあじを指す。15cmまでを小あじ、30cm以上を大あじという。
生息地：全世界の熱・温帯。日本近海はアジ科魚類の分布の北限で約20種が生息。

まあじ (真鯵)　中1尾=70～100g

体長＝10～40cm。漁獲するのは体長10～20cmの若魚。回遊するまあじを、日本沿岸のほか、遠洋漁業で年間を通して漁獲する。回遊せずに浅瀬に根づいているあじを“地もの”といい高値がつく。特に一本釣りしたものは“釣りもの”といって珍重され、有名なものに愛媛県佐多岬と大分県佐賀関の間の早い潮流で捕れる“関（せき）あじ”（大分県側で漁獲）、“岬（はな）あじ”（愛媛県側で漁獲）等がある。

切=切り身

食品番号	食品名	廃棄率 %	エネルギー kcal	2015年版の値 kcal	水分 g	たんぱく質 g	アミノ酸組成によるたんぱく質 g	脂質 g	脂肪酸のトリアシルグリセロール当量 g	脂肪酸 飽和 g	一価不飽和 g	多価不飽和 g	コレステロール mg	炭水化物 g	利用可能炭水化物(質量計) g	食物繊維 食物繊維総量(プロスキー変法) g	食物繊維総量(AOAC法) g	ミネラル(無機質) ナトリウム mg	カリウム mg	カルシウム mg	マグネシウム mg	リン mg	鉄 mg
	〈魚類〉																						
10001	**あいなめ** 生	50	**105**	113	76.0	**19.1**	(15.8)	**3.4**	2.9	0.76	1.05	0.99	76	**0.1**	(0.1)	-	-	150	370	**55**	39	220	**0.4**
切 10002	**あこうだい** 生	0	**86**	93	79.8	**16.8**	14.6	**2.3**	1.8	0.23	1.19	0.27	56	**0.1**	(0.1)	-	-	75	310	**15**	24	170	**0.3**
	(あじ類)																						
10003	**まあじ** 皮つき 生	55	**112**	126	75.1	**19.7**	16.8	**4.5**	3.5	1.10	1.05	1.22	68	**0.1**	(0.1)	-	-	130	360	**66**	34	230	**0.6**
10389	皮なし 生	0	**108**	123	75.6	**19.7**	16.5	**4.1**	3.0	0.97	0.90	1.01	56	**0.2**	(0.2)	-	-	110	360	**12**	31	220	**0.9**
10004	皮つき 水煮	40	**136**	151	70.3	**22.4**	(19.1)	**5.9**	4.6	1.45	1.42	1.56	81	**0.1**	(0.1)	-	-	130	350	**80**	36	250	**0.7**
10005	焼き	35	**157**	170	65.3	**25.9**	(22.0)	**6.4**	5.1	1.57	1.52	1.76	94	**0.1**	(0.1)	-	-	180	470	**100**	44	320	**0.8**
10390	フライ	0	**270**	276	52.3	**20.1**	16.6	**18.2**	17.0	2.25	9.23	4.75	80	**7.9**	7.8	-	-	160	330	**100**	35	250	**0.8**
10006	開き干し 生	35	**150**	168	68.4	**20.2**	(17.2)	**8.8**	6.7	2.35	2.23	1.78	73	**0.1**	(0.1)	-	-	670	310	**36**	27	220	**0.8**
10007	焼き	30	**194**	220	60.0	**24.6**	(20.9)	**12.3**	9.2	3.23	3.10	2.47	96	**0.1**	(0.1)	-	-	770	350	**57**	38	270	**0.9**
10391	小型 骨付き 生	10	**114**	123	73.4	**17.8**	15.1	**5.0**	3.7	1.16	1.05	1.35	130	**0.1**	(0.1)	-	-	120	330	**780**	43	570	**1.1**
10392	から揚げ	0	**268**	278	50.3	**24.0**	19.5	**18.6**	16.8	2.25	8.91	4.90	140	**3.5**	4.0	-	-	140	420	**900**	54	700	**0.9**
10393	**まるあじ** 生	50	**133**	147	71.2	**22.1**	18.1	**5.6**	4.6	1.76	1.09	1.56	66	**0.2**	(0.1)	-	-	59	410	**53**	33	260	**1.2**
10394	焼き	25	**175**	194	62.4	**28.7**	23.7	**7.7**	6.2	2.28	1.64	2.02	88	**0.2**	(0.1)	-	-	93	540	**94**	41	330	**1.5**
切 10008	**にしまあじ** 生	0	**156**	169	69.9	**19.6**	17.5	**9.1**	8.1	2.48	3.04	2.20	78	**0.1**	(0.1)	-	-	160	360	**26**	37	230	**1.0**
10009	水煮	40	**160**	175	68.0	**21.7**	18.4	**8.8**	7.6	2.42	2.79	2.06	94	**0.1**	(0.1)	-	-	180	350	**30**	40	230	**1.1**
10010	焼き	35	**186**	203	63.0	**24.7**	21.3	**10.4**	9.1	2.91	3.39	2.44	100	**0.1**	(0.1)	-	-	220	440	**58**	44	300	**1.2**
10011	**むろあじ** 生	45	**147**	166	67.7	**23.6**	(19.7)	**6.9**	4.8	1.79	1.11	1.66	64	**0.4**	(0.4)	-	-	56	420	**19**	35	280	**1.6**
10012	焼き	25	**167**	186	61.9	**29.7**	(24.7)	**6.2**	4.1	1.60	0.94	1.42	86	**0.6**	(0.5)	-	-	74	480	**28**	40	330	**1.8**
10013	開き干し	35	**140**	155	67.9	**22.9**	(19.1)	**6.2**	4.7	1.60	1.36	1.53	66	**0.1**	(0.1)	-	-	830	320	**43**	35	260	**1.4**
10014	くさや	30	**223**	240	38.6	**49.9**	(41.6)	**3.0**	2.0	0.80	0.37	0.77	110	**0.3**	(0.3)	-	-	1600	850	**300**	65	810	**3.2**

+PLUS+ **なめろうさんがどうしたの？？**●千葉の名物「なめろう」「さんが」。なめろうは、あじやいわしの身にしそ、ねぎ、しょうが、みそ等を加えて包丁で細かくたたいたもの。さんがはそれを焼いたもの。ともにご飯のおかずにもってこい。お父さんの酒の肴（さかな）にも。

あじの塩焼き

くさや

開き干し

あじのたたき

調理法：たたき、刺身、焼き魚、煮魚、酢の物、揚げ物、ムニエル等。
旬：5〜8月。
生息地：北海道より南、朝鮮、東シナ海等。
郷土料理："なめろう"や"さんが"が千葉県外房名物。

まるあじ（丸鰺）
体長＝40cm。まあじによく似ているが断面が丸いためこの名がついた。また、まあじよりもやや青味が強いのであおあじと呼ばれることが多い。一年を通じて味の変動があまりないため、まあじの味が落ちる寒い時期にも鮮魚としての利用が多い。
調理法：刺身、たたき、塩焼き、酢じめ、フライ、干物等。
旬：秋から春。
生息地：南日本から東シナ海にかけての沿岸域から沖合。

にしまあじ（西真鰺）
市販通称名ドーバーあじ等。大西洋産のまあじで、少し頭が大きく、全体に大ぶりでほかのあじより脂肪分が多い。おもに干物にする。

むろあじ（室鰺）
体長＝40cm。うま味が少なく肉質がしまっているため干物、特にくさやに向く。
旬：6〜8月。
生息地：太平洋西部からインド洋、太平洋東部、大西洋東部。日本では北海道南部より南の沿岸。
くさや：1枚＝130g。伊豆七島の特産品。開いて内臓を取り除き、魚汁を長期間熟成・発酵させた食塩水（くさや汁）に漬けてから乾燥させたもの。強い臭気がある。

IPA を多く含む食品

アミノ酸に食物から摂らなければならない必須アミノ酸があるように、脂肪酸にも成長や健康維持のために必要な必須脂肪酸がある。それがアラキドン酸、IPA（イコサペンタエン酸）、DHA（ドコサヘキサエン酸）の3種類。善玉コレステロールを増やすなどの働きをしてくれる。

1食分のめやすとなる分量（可食部）	IPA 含有量
たいせいようさば（1切）=80g	1440mg
うなぎかば焼（1串）=80g	600mg
まいわし（1尾）=80g	624mg
きちじ（1尾）=100g	1300mg
ぶり（1切）=100g	940mg

可食部100gあたり　Tr：微量　（ ）：推定値または推計値　-：未測定

ミネラル（無機質）							ビタミン																食塩相当量	備考
亜鉛	銅	マンガン	ヨウ素	セレン	クロム	モリブデン	A レチノール活性当量	A レチノール	A β-カロテン当量	D	E α-トコフェロール	K	B1	B2	ナイアシン当量	B6	B12	葉酸	パントテン酸	ビオチン	C		①廃棄率　②廃棄部位　③試料
mg	mg	mg	μg	μg	μg	μg	μg	μg	μg	μg	mg	μg	mg	mg	mg	mg	μg	μg	mg	μg	mg	g	
0.5	0.06	-	-	-	-	-	6	6	(0)	9.0	1.7	(0)	0.24	0.26	(6.1)	0.18	2.2	8	0.98	-	2	0.4	②頭部、内臓、骨、ひれ等（三枚おろし）
0.4	0.02	Tr	-	-	-	-	26	26	(0)	1.0	3.4	(0)	0.11	0.04	4.1	0.05	0.7	3	0.35	-	Tr	0.2	魚体全体から調理する場合、①60%、②頭部、内臓、骨、ひれ等
1.1	0.07	0.01	20	46	1	0	7	7	0	8.9	0.6	Tr	0.13	0.13	9.2	0.30	7.1	5	0.41	3.3	Tr	0.3	②頭部、内臓、骨、ひれ等（三枚おろし）
0.6	0.09	0.01	20	42	0	(0)	7	7	(0)	7.9	0.9	(Tr)	0.14	0.20	10.0	0.41	9.8	9	0.53	4.7	Tr	0.3	
1.3	0.07	0.01	14	64	Tr	0	8	8	0	11.0	0.3	Tr	0.13	0.12	(9.5)	0.25	5.9	5	0.38	5.2	0	0.3	内臓等を除き水煮したもの　②頭部、骨、ひれ等
1.5	0.08	0.01	27	78	2	0	8	8	0	12.0	0.7	Tr	0.15	0.15	(12.0)	0.27	7.1	5	0.47	5.3	0	0.4	内臓等を除き焼いたもの　②頭部、骨、ひれ等
1.2	0.08	0.11	-	-	-	-	16	16	1	7.0	3.4	23	0.12	0.15	8.2	0.15	7.5	10	0.53	-	0	0.4	三枚におろしたもの
0.7	0.09	0.01	24	50	0	0	(Tr)	Tr	(Tr)	3.0	0.7	(0)	0.10	0.15	(7.6)	0.31	6.3	6	0.81	4.5	(0)	1.7	②頭部、骨、ひれ等
0.9	0.10	0.01	-	-	-	-	(Tr)	Tr	(Tr)	2.6	1.0	(0)	0.12	0.14	(9.4)	0.32	8.5	6	0.75	-	(0)	2.0	②頭部、骨、ひれ等
1.2	0.07	0.05	41	52	2	(0)	33	33	(0)	5.1	0.9	-	0.19	0.17	7.9	0.26	5.6	11	0.47	4.4	1	0.3	②内臓、うろこ等
1.5	0.09	0.08	30	53	1	(0)	39	39	(0)	4.8	4.0	-	0.19	0.21	9.7	0.16	6.7	12	0.55	6.3	0	0.3	内臓、うろこ等を除いて、調理したもの
1.3	0.09	0.01	-	-	-	-	11	11	0	19.0	1.2	1	0.10	0.19	12.0	0.47	9.9	8	0.59	-	Tr	0.2	②頭部、内臓、骨、ひれ等（三枚おろし）
1.5	0.09	0.02	-	-	-	-	15	15	0	15.0	1.3	1	0.09	0.18	14.0	0.24	9.4	8	0.53	-	0	0.2	内臓等を除き焼いたもの　②頭部、骨、ひれ等
0.9	0.08	0.01	41	47	0	0	16	16	(Tr)	8.0	0.3	(0)	0.10	0.21	9.8	0.29	8.1	11	0.59	4.0	Tr	0.4	魚体全体から調理する場合、①50%、②頭部、内臓、骨、ひれ等
0.9	0.08	0.01	41	55	0	0	12	12	(Tr)	9.6	0.3	(0)	0.11	0.18	9.0	0.24	7.0	11	0.50	4.1	Tr	0.5	②頭部、骨、ひれ等　内臓等を除き水煮したもの
1.2	0.10	0.02	49	65	0	Tr	13	13	(Tr)	7.2	0.4	(0)	0.12	0.21	11.0	0.34	6.3	13	0.59	4.8	Tr	0.6	②頭部、骨、ひれ等　内臓等を除き焼いたもの
1.0	0.13	0.02	-	-	-	-	4	4	(0)	6.0	0.6	(0)	0.18	0.32	(20.0)	0.57	13.0	5	0.74	-	Tr	0.1	②頭部、内臓、骨、ひれ等（三枚おろし）
1.2	0.15	0.03	-	-	-	-	5	5	(0)	7.0	0.8	(0)	0.28	0.30	(22.0)	0.52	13.0	6	0.76	-	Tr	0.2	内臓等を除き焼いたもの　②頭部、骨、ひれ等
0.8	0.14	0.02	-	-	-	-	(Tr)	Tr	(Tr)	7.0	0.4	(0)	0.17	0.30	(18.0)	0.59	9.4	5	0.62	-	Tr	2.1	②頭部、骨、ひれ等
3.2	0.26	-	-	-	-	-	(Tr)	Tr	(0)	2.0	1.2	(0)	0.24	0.40	(26.0)	0.64	12.0	26	1.09	-	(0)	4.1	②頭部、骨、ひれ等

Q&A IPAとEPAって同じ？ 違う？▶実は同じものをさしている。本文にあるIPAは、かつてEPA（エイコサペンタエン酸）とも表記したが、「日本食品標準成分表（文科省）」ではIPAの表記を採用している。このため本書でもIPAという表記で統一している。

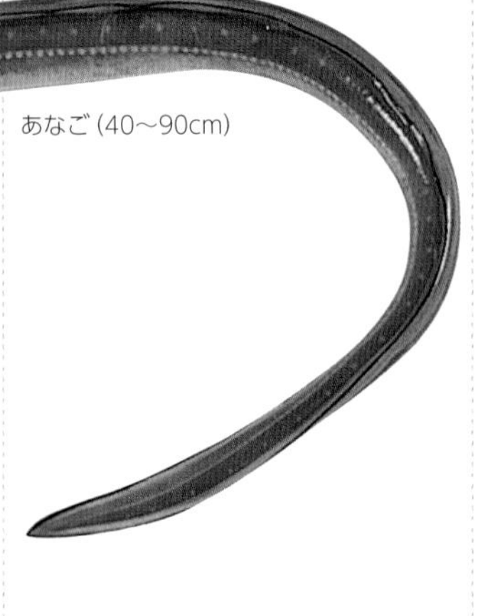

あなご(40～90cm)

あなごの寿司

あなご丼

あまごの塩焼き

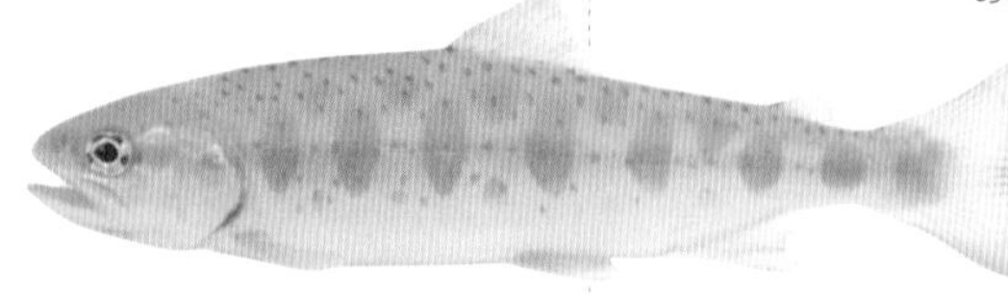

あまご(25cm)

あまだい(30～60cm)

あまだいの干物

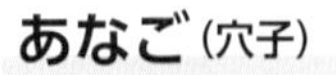

あなご(穴子)

Common japanese conger 1尾=50～150g

体長＝まあなご雄40cm、雌90cm。アナゴ科。一般にあなごといえばまあなごを指す。うなぎに似ているが、鱗(うろこ)がなく、脂も少なく淡白。血液に弱い毒をもつ。

種類：まあなご、くろあなご、ごてんあなご、ぎんあなご等。

栄養成分：ビタミンA等が豊富。

調理法：かば焼、天ぷら、酢の物、寿司だね、八幡巻き、練り製品等。

旬：6～8月。

生息地：まあなごは、北海道より南から東シナ海の浅海の砂泥底。

あまご(天魚)

Amago salmon 1尾=120g

体長＝25cm。サケ科。"渓流の女王"として釣り人に人気。やまめに似ているが、あまごには赤いはんてんがある。以前はやまめと分布が分かれていたが、近年盛んになった人工孵化(ふか)の放流により分布が乱れ、混在しているところがある。養殖もされる。一度海へ降りて再び川に遡上(そじょう)するものは、さつきますと呼ばれる。

調理法：焼き魚、フライ、くん製等。

旬：5～7月。

生息地：神奈川県西部より西の太平洋岸、四国、九州の一部で水温が20℃以下の渓流。

郷土料理：あまごの姿寿司(徳島)。

あまだい(甘鯛)

Tile fish 1尾=500g～1kg

体長＝30～60cm。アマダイ科。体色によって、あかあまだい、きあまだい、しろあまだいがあるが、一般にあまだいといえばあかあまだいを指す。関西で人気の高級魚。食用にするのは体長30～40cmのもの。やわらかい白身で淡白だが甘味がある。

調理法：焼き魚、酒蒸し、昆布締め、揚げ物、バター焼き、ムニエル、炒め物、みそ漬、かす漬、干物等。

旬：11～3月。

生息地：あかあまだい、きあまだいは本州中部より南から東シナ海、しろあまだいは南シナ海。

郷土料理：干物の興津鯛(おきつだい)は静岡の特産品。

(切)=切り身

食品番号	食品名	廃棄率 %	エネルギー kcal	2015年版の値 kcal	水分 g	たんぱく質 g	アミノ酸組成によるたんぱく質 g	脂質 g	脂肪酸のトリアシルグリセロール当量 g	脂肪酸 飽和 g	脂肪酸 一価不飽和 g	脂肪酸 多価不飽和 g	コレステロール mg	炭水化物 g	利用可能炭水化物(質量計) g	食物繊維 食物繊維総量(プロスキー変法) g	食物繊維 食物繊維総量(AOAC法) g	ミネラル(無機質) ナトリウム mg	カリウム mg	カルシウム mg	マグネシウム mg	リン mg	鉄 mg
10015	**あなご** 生	35	**146**	161	72.2	**17.3**	14.4	**9.3**	8.0	2.26	3.70	1.65	140	**Tr**	(Tr)	-	-	150	370	**75**	23	210	**0.8**
(切) 10016	蒸し	0	**173**	194	68.5	**17.6**	(14.7)	**12.7**	10.4	3.00	4.99	1.93	180	**Tr**	(Tr)	-	-	120	280	**64**	26	180	**0.9**
10017	**あまご** 養殖 生	50	**102**	112	76.8	**18.3**	(15.0)	**3.6**	2.8	0.68	1.03	0.94	66	**0.1**	(0.1)	-	-	49	380	**27**	27	250	**0.4**
10018	**あまだい** 生	50	**102**	113	76.5	**18.8**	16.0	**3.6**	2.5	0.80	0.81	0.83	52	**Tr**	(Tr)	-	-	73	360	**58**	29	190	**0.3**
(切) 10019	水煮	0	**113**	125	74.2	**20.7**	(17.6)	**4.0**	2.8	0.87	0.86	0.94	71	**Tr**	(Tr)	-	-	91	350	**34**	30	160	**0.4**
(切) 10020	焼き	0	**110**	119	73.6	**22.5**	(19.1)	**2.6**	1.9	0.58	0.51	0.69	89	**Tr**	(Tr)	-	-	110	410	**54**	33	220	**0.5**
10021	**あゆ** 天然 生	45	**93**	100	77.7	**18.3**	15.0	**2.4**	1.9	0.65	0.61	0.54	83	**0.1**	(0.1)	-	-	70	370	**270**	24	310	**0.9**
10022	焼き	55	**149**	177	64.0	**26.6**	(21.8)	**6.8**	3.0	0.98	1.02	0.86	140	**0.1**	(0.1)	-	-	110	510	**480**	35	460	**5.5**
10023	内臓 生	0	**180**	206	68.6	**9.5**	-	**17.5**	14.2	5.90	4.24	3.37	200	**0.3**	(0.3)	-	-	90	210	**43**	44	180	**24.0**
10024	焼き	0	**161**	194	58.6	**23.0**	-	**10.1**	7.5	3.26	2.50	1.37	230	**0.4**	(0.4)	-	-	170	520	**140**	76	470	**63.0**
10025	養殖 生	50	**138**	152	72.0	**17.8**	14.6	**7.9**	6.6	2.44	2.48	1.40	110	**0.6**	(0.5)	-	-	55	360	**250**	24	320	**0.8**
10026	焼き	55	**202**	241	59.3	**22.6**	(18.6)	**15.1**	9.6	3.43	3.78	1.98	170	**0.8**	(0.7)	-	-	79	430	**450**	31	430	**2.0**
10027	内臓 生	0	**485**	550	36.6	**7.4**	-	**55.0**	46.8	17.44	17.35	9.95	220	**0.3**	(0.3)	-	-	75	160	**55**	11	120	**8.0**
10028	焼き	0	**500**	558	31.5	**15.2**	-	**52.3**	45.6	16.39	16.71	10.53	260	**0.4**	(0.4)	-	-	100	270	**130**	9	190	**19.0**
10029	うるか	0	**157**	171	59.6	**11.4**	-	**13.1**	10.3	3.71	3.95	2.22	260	**1.8**	(1.6)	-	-	5100	190	**16**	15	210	**4.0**
(切) 10030	**アラスカめぬけ** 生	0	**96**	105	78.4	**17.2**	(14.3)	**3.4**	2.6	0.49	1.46	0.59	52	**0.1**	(0.1)	-	-	81	290	**22**	26	170	**0.2**

+PLUS+ **琵琶湖のあゆは他の河川に放流してはダメ**●あゆは秋に孵化して海に下り、春に川に上って秋に繁殖して死ぬのがふつうだが、琵琶湖のあゆは海には下らないため、海水では生きられない。琵琶湖産のあゆが他の河川のあゆと交雑すると、稚魚は海では生きられない性質となり、その河川本来のあゆが激減するおそれがあるのだ。

あゆ(稚魚)の放流

あゆ(20～30cm)

あゆの甘露煮

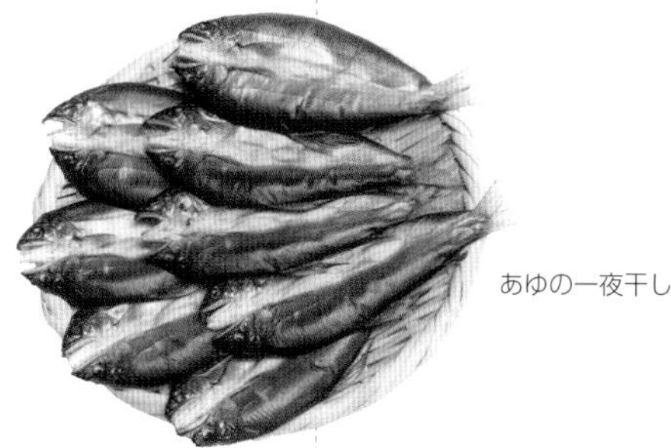
あゆの一夜干し

あゆの塩焼

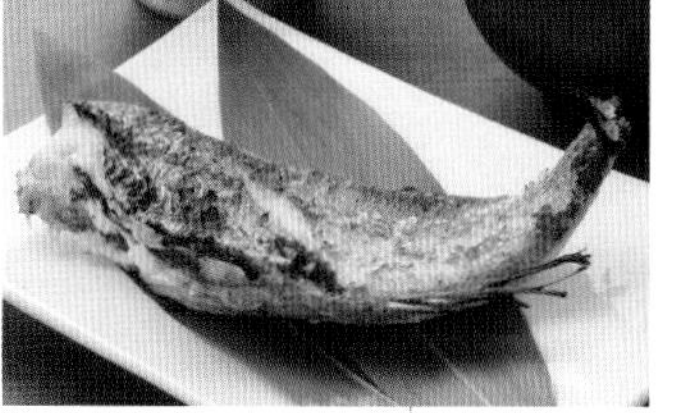
アラスカめぬけの西京焼

アラスカめぬけ
(40cm)

あゆ (鮎)

Ayu sweetfish 1尾=60g

体長＝20～30cm。アユ科。川を下るという意味の古語“あゆる”からこの名がついた。寿命が1年であることから年魚、香りがよいことから香魚(こうぎょ)ともいう。日本の代表的な淡水魚で清流にすむ。孵化(ふか)した稚魚は川から海に入り、春に川を遡上(そじょう)して秋に産卵する。近年はダム等によって川を遡上できないため、人工孵化させた稚魚を放流している。天然もののすいかのような特有の香りは、えさのこけ(珪藻)に由来する。流通しているもののほとんどが人工飼料で養殖したもの。人工飼料に珪藻を配合して天然ものに近づける工夫をしているところもある。

なわばりを作り侵入者を追い払う習性を利用したのが友釣り。針のついたおとりのあゆに体当たりしたところを引っかけて釣り上げる。

調理法：焼き魚、姿寿司、なます、甘露煮、揚げ物、かす漬等。

旬：6～8月。

うるか

あゆのはらわたや卵巣、精巣等を塩辛にしたもの。

アラスカめぬけ (アラスカ眼抜)

Pacific Ocean perch

体長＝40cm。フサカサゴ科。深海から急激に引き上げられ、減圧のため目玉が飛び出る(目が抜ける)ことからこの名がついた。白身でくせがない。鮮魚で見かけることが極めて少なく、ロシア、アメリカ、カナダから冷凍物で大量に輸入され、加工されて**あかうお**の名称で流通している。

調理法：かす漬、西京漬、しょうゆ漬、干物等で流通している。煮物、焼き物も美味。

旬：春。

生息地：宮城沖より北、北海道沖からオホーツク海、ベーリング海。

可食部100gあたり　Tr：微量　( )：推定値または推計値　-：未測定

ミネラル(無機質)							ビタミン															食塩相当量	備考
亜鉛	銅	マンガン	ヨウ素	セレン	クロム	モリブデン	A 活性当量 レチノール	A レチノール	A β-カロテン当量	D	E α-トコフェロール	K	B₁	B₂	ナイアシン当量	B₆	B₁₂	葉酸	パントテン酸	ビオチン	C		①廃棄率 ②廃棄部位 ③試料
mg	mg	mg	µg	µg	µg	µg	µg	µg	µg	µg	mg	µg	mg	mg	mg	mg	µg	µg	mg	µg	mg	g	
0.7	0.04	0.20	15	39	0	0	**500**	500	(0)	0.4	2.3	Tr	**0.05**	**0.14**	6.2	0.10	2.3	9	0.86	3.3	2	0.4	③まあなご ②頭部、内臓、骨、ひれ等
0.8	0.04	0.22	-	-	-	-	**890**	890	(0)	0.8	2.9	Tr	**0.04**	**0.11**	(5.8)	0.10	2.5	15	0.79	-	1	0.3	③まあなご
0.8	0.04	0.01	-	-	-	-	**7**	7	(0)	9	1.5	(0)	**0.15**	**0.16**	(7.0)	0.24	5.5	6	0.51	-	1	0.1	②頭部、内臓、骨、ひれ等(三枚おろし)
0.3	0.02	Tr	41	75	1	0	**27**	27	(0)	1	1.3	(0)	**0.04**	**0.06**	4.9	0.08	2.1	6	0.43	1.7	1	0.2	③あかあまだい ②頭部、内臓、骨、ひれ等(三枚おろし)
0.4	0.03	Tr	-	-	-	-	**11**	11	(0)	0.3	1.1	(0)	**0.04**	**0.06**	(5.1)	0.08	2.1	5	0.39	-	1	0.2	③あかあまだい
0.5	0.04	Tr	-	-	-	-	**26**	26	(0)	1	1.1	(0)	**0.04**	**0.06**	(5.8)	0.08	3.5	5	0.46	-	Tr	0.3	③あかあまだい
0.8	0.06	0.16	13	14	1	0	**35**	35	(0)	1	1.2	(0)	**0.13**	**0.15**	(6.5)	0.17	10.0	27	0.67	5.6	2	0.2	②頭部、内臓、骨、ひれ等(三枚おろし)
1.2	0.06	0.41	-	-	-	-	**120**	120	(0)	1.5	1.7	(0)	**0.23**	**0.24**	(8.8)	0.16	12.0	33	1.34	-	2	0.3	②頭部、内臓、骨、ひれ等
2.0	0.34	3.03	-	-	-	-	**1700**	1700	(Tr)	5	1.9	40	**0.12**	**0.55**	5.4	0.16	60.0	220	1.56	-	5	0.2	
2.7	0.44	6.19	-	-	-	-	**2000**	2000	(Tr)	4	3.2	80	**0.28**	**1.00**	12.0	0.17	50.0	250	1.67	-	5	0.4	魚体全体を焼いた後、取り出したもの
0.9	0.05	Tr	-	-	-	-	**55**	55	(0)	8	5.0	(0)	**0.15**	**0.14**	6.8	0.28	2.6	28	1.22	-	2	0.1	②頭部、内臓、骨、ひれ等(三枚おろし)
1.3	0.07	Tr	-	-	-	-	**480**	480	(0)	17.0	8.2	(0)	**0.20**	**0.18**	(8.2)	0.24	6.0	38	1.67	-	2	0.2	②頭部、内臓、骨、ひれ等
1.3	0.14	0.13	-	-	-	-	**4400**	4400	(Tr)	8	7.4	11	**0.16**	**0.44**	3.8	0.11	9.6	260	1.46	-	2	0.2	
1.8	0.15	0.31	-	-	-	-	**6000**	6000	(Tr)	8.6	24.0	16	**0.34**	**0.68**	6.6	0.15	7.8	280	1.33	-	1	0.3	魚体全体を焼いた後、取り出したもの
1.4	0.10	Tr	-	-	-	-	**2000**	2000	14	15.0	6.7	6	**0.06**	**0.38**	3.9	0.11	10.0	100	1.31	-	0	13.0	
0.4	0.02	0.01	-	-	-	-	**20**	20	0	3	1.0	(0)	**0.04**	**0.05**	(4.2)	0.07	1.6	2	0.24	-	Tr	0.2	

Q&A 川魚は生で食べないほうがいいって本当？▶海水魚にも寄生虫がいるが、淡水魚には特に深刻な健康被害をおこす寄生虫が多いため、生で食べないほうがよい。調理するときに、目に見えない寄生虫が手やまな板、包丁等の調理器具を介して感染することがあるので、調理後は手や調理器具をよく洗浄し、調理器具は洗浄後に熱湯で消毒しよう。

あんこう
(50cm〜1.5m)

あんこう(裏側)

あんきも

あんこう鍋

いかなご(15〜25cm)

いかなごの
くぎ煮

いさきの刺身

いさき(30〜40cm)

あんこう(鮟鱇)

Anglerfish　1切=60〜80g

体長=きあんこう50cm〜1.5m。アンコウ科。市場で普通に流通するのはきあんこう。身は淡白でやわらかく、ほとんどの部位が食べられる。身は淡白だが、「きも」(あんきも)はこってりした味わいで珍重され、和製フォアグラともいわれる。
魚体がやわらかくぬめりもあるので"つるし切り"にする。これは、下あごにかぎをかけてつるし、魚体を安定させて切り分ける方法(➡p.205コラム)。
調理法：唐揚げ、鍋物等。あんこう鍋はしょうゆ味とみそ味がある。しょうゆ味の鍋ではきもをゆでて鍋の具とするが、みそ味の鍋ではきもは生のまま崩して汁に混ぜ合わせる。
旬：12〜3月。
生息地：太平洋北西部の深海。
郷土料理：あんこうから出る水分だけで煮る鍋物の"どぶ汁"は茨城県北部の名物。

いかなご(玉筋魚)

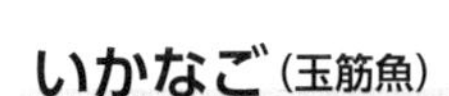

Japanese sand lance

体長=15〜25cm。イカナゴ科。小型のものを**こうなご**ともいう。水面を長い群(玉)になって泳ぐため、玉筋魚の字を当てる。三陸ではめろうどと呼ぶ。鮮度が落ちやすいため、塩ゆでした釜揚げ、干したちりめん等の流通が多い。
栄養成分：丸ごと食べるので、カルシウムの補給源になる。
調理法：5cm弱の稚魚はくぎ煮、しらす干し、かき揚げ等。5〜12cmの成魚は塩ゆで、唐揚げ等。それより大型のものは干物、塩焼き、刺身、煮つけ等。
旬：5〜6月。
生息地：瀬戸内海より北の穏やかな内湾。
郷土料理：くぎ煮は兵庫県明石や瀬戸内の名産。めろうどの干物は三陸名産。

切=切り身　イクラ➡p.218

食品番号	食品名	廃棄率 %	エネルギー kcal	2015年版の値 kcal	水分 g	たんぱく質 g	アミノ酸組成によるたんぱく質 g	脂質 g	脂肪酸のトリアシルグリセロール当量 g	脂肪酸 飽和 g	脂肪酸 一価不飽和 g	脂肪酸 多価不飽和 g	コレステロール mg	炭水化物 g	利用可能炭水化物(質量計) g	食物繊維 食物繊維総量(プロスキー変法) g	食物繊維 食物繊維総量(AOAC法) g	ミネラル(無機質) ナトリウム mg	カリウム mg	カルシウム mg	マグネシウム mg	リン mg	鉄 mg
切 10031	**あんこう** 生	0	**54**	58	85.4	**13.0**	(10.8)	**0.2**	0.1	0.02	0.02	0.04	78	**0.3**	(0.3)	-	-	130	210	**8**	19	140	**0.2**
10032	きも 生	0	**401**	445	45.1	**10.0**	7.9	**41.9**	36.9	9.29	14.15	11.88	560	**2.2**	(2.0)	-	-	110	220	**6**	9	140	**1.2**
10033	**いかなご** 生	0	**111**	125	74.2	**17.2**	14.1	**5.5**	3.9	1.13	1.03	1.61	200	**0.1**	(0.1)	-	-	190	390	**500**	39	530	**2.5**
10034	煮干し	0	**218**	245	38.0	**43.1**	(35.3)	**6.1**	3.1	0.86	0.58	1.53	510	**1.5**	(1.4)	-	-	2800	810	**740**	130	1200	**6.6**
10035	つくだ煮	0	**271**	282	26.9	**29.4**	(24.1)	**4.6**	2.4	0.66	0.47	1.19	280	**30.7**	-	-	-	2200	670	**470**	80	820	**2.3**
10036	あめ煮	0	**268**	279	28.1	**25.6**	(21.0)	**3.7**	1.6	0.48	0.34	0.70	270	**35.8**	-	-	-	1700	430	**550**	92	730	**3.4**
10037	**いさき** 生	45	**116**	127	75.8	**17.2**	(14.3)	**5.7**	4.8	1.63	1.29	1.65	71	**0.1**	(0.1)	-	-	160	300	**22**	32	220	**0.4**
10038	**いしだい** 生	55	**138**	156	71.6	**19.5**	(16.2)	**7.8**	5.7	1.89	2.14	1.41	56	**Tr**	(Tr)	-	-	54	390	**20**	26	240	**0.3**
切 10039	**いとよりだい** 生	0	**85**	93	78.8	**18.1**	15.6	**1.7**	1.0	0.32	0.19	0.49	70	**0.1**	(0.1)	-	-	85	390	**46**	26	200	**0.5**
10040	すり身	0	**90**	91	76.9	**16.7**	(14.4)	**0.4**	0.3	0.11	0.05	0.10	38	**5.1**	(4.6)	-	-	290	17	**26**	12	110	**0.1**
10041	**いぼだい** 生	45	**132**	149	74.0	**16.4**	(13.6)	**8.5**	6.4	2.24	2.68	1.22	57	**Tr**	(Tr)	-	-	190	280	**41**	30	160	**0.5**

+PLUS+ **あんこう食べ尽くし●**おもに東日本の冬の味覚で、「東のあんこう、西のふぐ」といわれる。「あんこうの七つ道具」という言葉があるが、これは、肉、きも、水袋(胃)、ぬの(卵巣)、えら、ひれ、皮のことをいい、すべて食べることができる。

いしだい
(30～80cm)

いしだいの刺身

あんこうのつるし切り

あんこうは、大きくて身がやわらかく、表面がヌルヌルしているので、まな板の上ではさばきにくい。そのため、下あごを金具にかけてつるした状態で解体することが多い。これを「あんこうのつるし切り」という。

粗塩でぬめりをとってから金具につるし、口から水を流しこんで安定させる。そして、「あんこうの七つ道具」(➡p.204 Plus) とよばれる７つの部位に解体していくと、金具には最後に大きな口が残る。

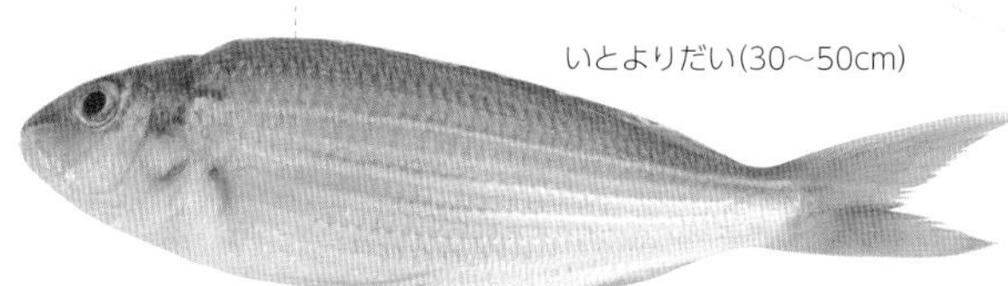

いとよりだい(30～50cm)

いぼだい (20cm)

いとよりだいの煮つけ

いぼだいの干物

いさき (伊佐幾、伊佐木)
Three-line grunt　中1尾=140g

体長＝30～40cm。イサキ科。地方名が多い。漁獲量が少ないため珍重される。脂は多いが味は淡白で磯魚特有の香りがある。骨とひれが非常にかたく、熱を通すと骨がさらに強くなる。

調理法：刺身、焼き魚、煮つけ、揚げ物、ムニエル、鍋物等。

旬：5～8月。

生息地：本州中部より南から南シナ海の岩礁。千葉が北限。

いしだい (石鯛)
Japanese parrot fish　1尾=1～1.5kg

体長＝30～80cm。イシダイ科。幼魚のときは黒褐色の7本の縞模様があるため、しまだいとも呼ぶ。また、老成した雄は口のあたりが黒くなるため、**くちぐろ**とも呼ぶ。釣りの対象として人気があるが、流通量は少ない。

調理法：焼くと肉がかたくなるため、刺身、煮つけ等に向く。

旬：6～8月。

生息地：南日本の岩礁地帯。

いとよりだい (糸縒鯛)
Golden-thread

体長＝30～50cm。イトヨリダイ科。別名**いとより**。体側に6本ほどの黄色の縦縞がある。名前の由来は、泳ぐと黄色の縦縞が金糸がねじれる(よれる)ように見えるからという説や、糸状に伸びた尾びれの上端が糸をよるように揺れるからという説等がある。

調理法：刺身、寿司だね、蒸し煮、焼き魚、椀だね、煮つけ、バター焼き、潮汁、みそ漬、高級かまぼこ等。

旬：9～2月。

生息地：本州中部より南からオーストラリアにいたる西太平洋、東シナ海。

いぼだい (疣鯛)
Butterfish　1尾=120g

体長＝20cm。イボダイ科。別名**えぼだい**。関西ではうぼぜ、四国ではぼうぜ、いぼせ、北九州ではしずとも呼ぶ。皮が薄く、鱗(うろこ)がはがれやすい。体表から粘液を出し、バターを塗ったように見えることが英名の由来。粘液が多く透明なら鮮度がよい。脂は多いが味は淡白。

調理法：刺身、酒蒸し、煮つけ、焼き魚、揚げ物、バター焼き、ムニエル、干物、みそ漬等。

旬：9～10月、2～3月。

生息地：岩手、新潟より南から東シナ海。

郷土料理：丸のままの姿寿司“ぼうぜの寿司”は、四国では祭のごちそうとする。

可食部100gあたり　Tr：微量　( )：推定値または推計値　－：未測定

ミネラル (無機質)							ビタミン															食塩相当量	備考
亜鉛	銅	マンガン	ヨウ素	セレン	クロム	モリブデン	A レチノール活性当量	A レチノール	A β-カロテン当量	D	E αトコフェロール	K	B_1	B_2	ナイアシン当量	B_6	B_{12}	葉酸	パントテン酸	ビオチン	C		①廃棄率　②廃棄部位　③試料
mg	mg	mg	μg	μg	μg	μg	μg	μg	μg	μg	mg	μg	mg	mg	mg	mg	μg	μg	mg	μg	mg	g	
0.6	0.04	Tr	-	-	-	-	**13**	13	0	1	0.7	(0)	**0.04**	**0.16**	(4.1)	0.11	1.2	5	0.21	-	1	0.3	③きあんこう　魚体全体から調理する場合、① 65%、②頭部、内臓、骨、ひれ等
2.2	1.00	-	96	200	Tr	5	**8300**	8300	(0)	110.0	14.0	(0)	**0.14**	**0.35**	3.8	0.11	39.0	88	0.89	13.0	1	0.3	③きあんこう　肝臓
3.9	0.08	0.49	-	-	-	-	**200**	200	1	21.0	0.8	(0)	**0.19**	**0.81**	7.9	0.15	11.0	29	0.77	-	1	0.5	小型魚体全体
5.9	0.13	0.37	-	-	-	-	**10**	10	(0)	54.0	0.8	(0)	**0.27**	**0.18**	(12.0)	0.06	4.6	50	1.15	-	0	7.1	
3.6	0.09	0.45	-	-	-	-	**(Tr)**	Tr	(Tr)	23.0	0.8	(0)	**0.02**	**0.27**	(16.0)	0.09	7.8	85	0.76	-	(0)	5.6	
3.4	0.11	0.51	-	-	-	-	**(Tr)**	Tr	(Tr)	21.0	0.4	(0)	**0.02**	**0.28**	(16.0)	0.07	7.2	75	0.67	-	(0)	4.3	
0.6	0.04	0.01	-	-	-	-	**41**	41	(0)	15.0	0.9	(0)	**0.06**	**0.12**	(7.1)	0.31	5.8	12	0.77	-	Tr	0.4	②頭部、内臓、骨、ひれ等 (三枚おろし)
0.6	0.03	0.01	-	-	-	-	**39**	39	(0)	3	2.1	(0)	**0.15**	**0.15**	(8.4)	0.34	1.3	2	0.31	-	Tr	0.1	②頭部、内臓、骨、ひれ等 (三枚おろし)
0.4	0.05	0.02	84	33	Tr	0	**28**	28	(0)	11.0	0.6	Tr	**0.04**	**0.08**	5.7	0.27	3.0	5	0.50	3.7	2	0.2	魚全体から調理する場合、① 50%、②頭部、内臓、骨、ひれ等
0.3	0.01	0.01	-	-	-	-	**2**	2	(0)	3	0.2	(0)	**Tr**	**0.02**	(3.3)	0.01	0.3	1	0.31	-	0	0.7	
0.8	0.03	0.01	-	-	-	-	**95**	95	(0)	2	0.7	(0)	**0.04**	**0.19**	(7.7)	0.29	2.7	7	0.57	-	1	0.5	②頭部、内臓、骨、ひれ等 (三枚おろし)

Q&A “いしだい” の縞もようは横縞？ 縦縞？▶ “いしだい” には背から腹にかけて縞もようがある。上から下にあるものだから縦縞と思いがちだが、実際は横縞。魚に限らず生物はすべて頭を上にした状態で考えるので、魚の場合も頭から見ると横縞ということになる。

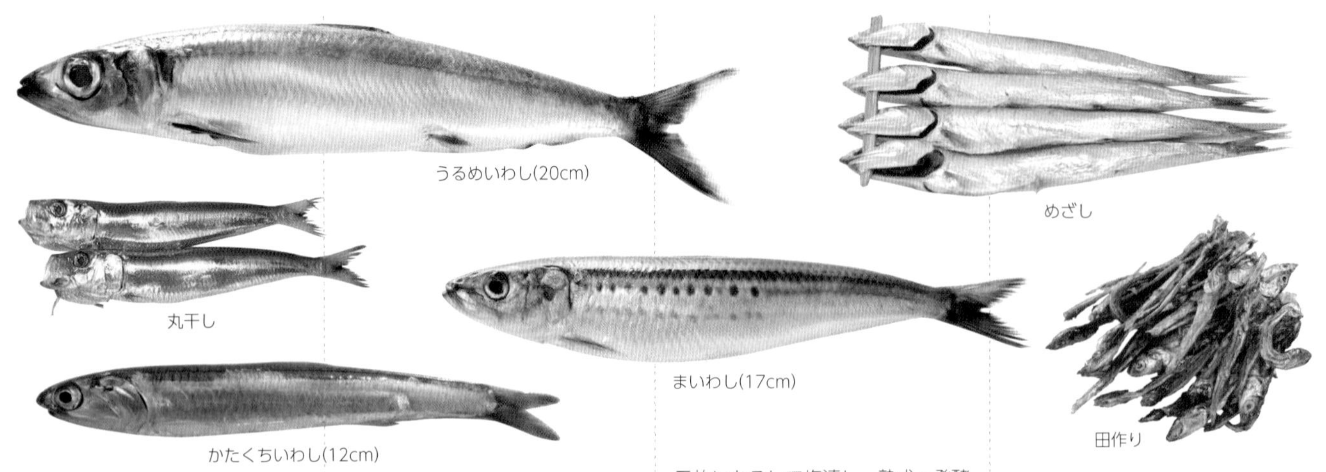

うるめいわし(20cm)

めざし

丸干し

まいわし(17cm)

田作り

かたくちいわし(12cm)

煮干し

いわし類 (鰯類)

Sardines

ニシン科。うるめいわし、かたくちいわし、まいわし等200種以上の総称。群れで回遊し、旬は地方によって異なるため一年中獲れる。漁獲量全体から見ると養殖魚のえさにする量が最大の比率を占める。酸敗をおこしやすいので、加工品には脂が少ないもののほうが向く。

栄養成分：不飽和脂肪酸が豊富。

生息地：世界中の温帯域。

うるめいわし (潤目鰯)

体長＝20cm。南日本で多く獲れる。目が大きくうるんで見えるのでこの名がついた。脂が少ないため干物にするほうがおいしい。鮮魚の出荷はまれ。

調理法：「丸干し」等の干物、うるめ節等。

旬：12～2月。

かたくちいわし (片口鰯)

体長＝12cm。別名**しこいわし**、**ひしこ**、**せぐろ**。下あごが小さく、上あご(片方の口)しかないように見えるのでこの名がついた。鮮度落ちが早いため、鮮魚として出荷するのは漁獲された当日でないとむずかしい。

調理法：稚魚はたたみいわし等、成魚は干物、めざし等。小型のものを三枚におろして塩漬し、熟成・発酵させたアンチョビ(➡p.208)にもする。

旬：12～2月。

生息地：日本各地に生息。特に本州中部より南の太平洋岸を回遊する。

煮干し：10尾＝20g。別名**いりこ**、**ちりめん**。小型のものを食塩水でゆでて乾燥させたもの。だしの材料。

田作り：10尾＝5g。小型のものを素干しにしたもので**ごまめ**ともいう。

まいわし (真鰯) 1尾=80g

体長＝17cm。7個前後のはんてんがあるため、七つ星とも呼ぶ。体長が3～4cm以下のものをしらす、9～10cm以下を小羽(こば)、13cm以下を中羽(ちゅうば)、それ以上を大羽(おおば)と区別する。

調理法：刺身、たたき、塩焼き、酢の物、フライ、つみれ、ぬか漬等。

旬：8～10月。

生息地：サハリン東岸のオホーツク海、朝鮮半島東部、中国南部沿岸、台湾、日本各地。

塩いわし：大羽の塩漬品。

生干し：中羽か大羽を塩水につけてから短時間乾燥させたもの。

丸干し：乾燥度が高いもの。

めざし (目刺) 1尾=10～15g

かたくちいわしやまいわしで、中羽ほどの大きさのものを丸干しにして、数尾まとめてわら等で目を貫いたもの。

しらす

かたくちいわし、まいわし等の稚魚。色素が少ないため、生きているものは白く透明なのでこの名がついた。いわし類以外の稚魚もしらすと呼ば

切=切り身

食品番号	食品名	廃棄率	エネルギー	2015年版の値	水分	たんぱく質	アミノ酸組成によるたんぱく質	脂質	脂肪酸のトリアシルグリセロール当量	脂肪酸 飽和	脂肪酸 一価不飽和	脂肪酸 多価不飽和	コレステロール	炭水化物	利用可能炭水化物(質量計)	食物繊維 食物繊維総量(プロスキー変法)	食物繊維 食物繊維総量(AOAC法)	ミネラル(無機質) ナトリウム	カリウム	カルシウム	マグネシウム	リン	鉄
		%	kcal	kcal	g	g	g	g	g	g	g	g	mg	g	g	g	g	mg	mg	mg	mg	mg	mg
	(いわし類)																						
10042	うるめいわし 生	35	124	136	71.7	21.3	18.4	4.8	3.6	1.39	0.94	1.14	60	0.3	(0.3)	-	-	95	440	85	37	290	2.3
10043	丸干し	15	219	239	40.1	45.0	(38.8)	5.1	3.6	1.40	0.74	1.27	220	0.3	(0.3)	-	-	2300	820	570	110	910	4.5
10044	かたくちいわし 生	45	171	192	68.2	18.2	15.3	12.1	9.7	3.79	2.65	2.78	70	0.3	(0.3)	-	-	85	300	60	32	240	0.9
10045	煮干し	0	298	332	15.7	64.5	(54.1)	6.2	2.8	1.27	0.61	0.83	550	0.3	(0.3)	-	-	1700	1200	2200	230	1500	18.0
10046	田作り	0	304	336	14.9	66.6	(55.9)	5.7	2.8	1.18	0.45	1.01	720	0.3	(0.3)	-	-	710	1600	2500	190	2300	3.0
10047	まいわし 生	60	156	169	68.9	19.2	16.4	9.2	7.3	2.55	1.86	2.53	67	0.2	(0.2)	-	-	81	270	74	30	230	2.1
10048	水煮	20	182	178	61.7	22.4	(19.1)	8.7	6.8	2.37	1.75	2.42	68	0.2	(0.2)	-	-	80	280	82	32	250	2.3
10049	焼き	35	199	196	57.8	25.3	(21.5)	9.4	7.3	2.53	1.83	2.66	80	0.2	(0.2)	-	-	100	350	98	36	300	2.5
10395	フライ	0	384	396	37.8	20.0	15.9	30.3	28.0	3.90	14.66	8.22	78	10.7	10.3	-	-	150	290	78	33	240	2.2
10050	塩いわし	45	143	163	66.3	16.8	(14.3)	9.6	7.2	2.43	1.64	2.80	74	0.4	(0.4)	-	-	2400	300	70	43	210	1.7
10051	生干し	40	217	242	59.6	20.6	(17.5)	16.0	13.2	5.02	3.65	3.93	68	1.1	(1.0)	-	-	690	340	65	34	270	1.6
10052	丸干し	15	177	193	54.6	32.8	(27.9)	5.5	4.3	1.48	1.11	1.50	110	0.7	(0.6)	-	-	1500	470	440	100	570	4.4
10053	めざし 生	15	206	257	59.0	18.2	(15.2)	18.9	11.0	4.33	3.05	3.17	100	0.5	(0.5)	-	-	1100	170	180	31	190	2.6
10054	焼き	15	200	244	56.2	23.7	(19.7)	15.0	8.4	3.40	2.38	2.26	120	0.7	(0.6)	-	-	1400	220	320	50	290	4.2
10396	しらす 生	0	67	76	81.8	15.0	11.6	1.3	0.8	0.28	0.09	0.43	140	0.1	(0.1)	-	-	380	340	210	67	340	0.4
10445	釜揚げしらす	0	84	90	77.4	17.6	(13.6)	1.7	(1.1)	(0.35)	(0.12)	(0.54)	170	Tr	(Tr)	-	-	840	120	190	48	320	0.3
10055	しらす干し 微乾燥品	0	113	124	67.5	24.5	19.8	2.1	1.1	0.34	0.14	0.60	250	0.1	(0.1)	-	-	1700	170	280	80	480	0.6
10056	半乾燥品	0	187	206	46.0	40.5	33.1	3.5	1.8	0.54	0.20	0.95	390	0.5	(0.5)	-	-	2600	490	520	130	860	0.8
10057	たたみいわし	0	348	372	10.7	75.1	(61.4)	5.6	4.5	1.53	1.41	1.35	710	0.7	(0.6)	-	-	850	790	970	190	1400	2.6
10058	みりん干し かたくちいわし	0	330	340	18.5	44.3	(37.2)	7.0	5.0	1.40	1.34	2.03	110	25.0	-	-	-	1100	420	800	73	660	3.7
10059	まいわし	0	314	332	33.5	31.4	(26.7)	15.7	12.1	3.64	3.22	4.70	76	16.3	-	-	-	670	290	240	54	360	4.3

+PLUS+ いわしの名の由来●いわしは陸に揚げるとすぐに弱ってしまうため、よわし→いわしとなったという説がある。また、上等な魚ではないため、卑(いや)し→いわしとなったという説もある。

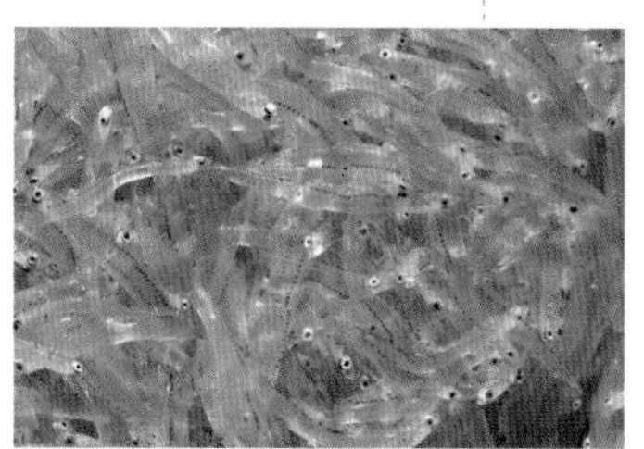

生しらす

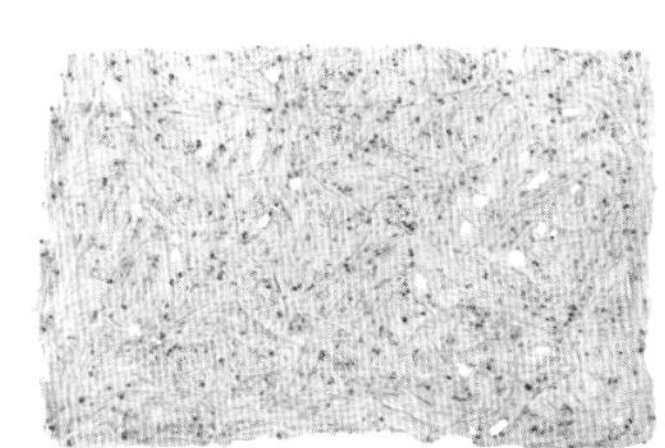

たたみいわし

釜揚げしらす

しらす干し 微乾燥品

しらす干し 半乾燥品
(ちりめんじゃこ)

みりん干し

れることが多い。

釜揚げしらす 大1=7g
しらすを塩ゆでしてから冷まし、水を切ったもの。しっとり感がありやわらかい。鮮度を保つため、ゆで汁が蒸発する程度に軽く天日干しすることが多い。

しらす干し 大1=5g
微乾燥品：しらすを塩水でゆでて軽く乾燥させたもの。やわらかめで関東で好まれる。
半乾燥品：別名ちりめんじゃこ。よく乾燥させたもので、関西で好まれる。

たたみいわし (畳鰯) 1枚=5g
ごく小型の稚魚を、のりをすくように簀(す)のうえで四角にすきあげ、乾燥させたもの。

みりん干し (味醂干し) 1枚=20g
腹開きにして内臓を取り除き、しょうゆとみりんを主体とした調味液に漬けて乾燥させたもの。

いわしが高級魚に!?

近年、まいわしの漁獲量が大幅に減っている。もともとまいわしは漁獲量の変動が激しく、数十年から百年くらいの周期で豊漁と不漁を繰り返している。最近のピークは昭和63年で、今はその6分の1ほどしか獲れていない。不漁の原因は、増えすぎるとえさが足りなくなることや、乱獲、温暖化などにより環境が変わってきたことが考えられている。

(農林水産省「令和3年　漁業・養殖業生産統計」より)

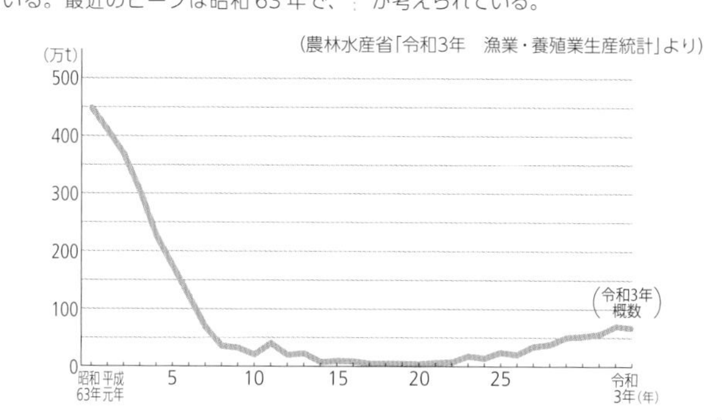

可食部100gあたり　Tr：微量　( )：推定値または推計値　-：未測定

ミネラル(無機質)							ビタミン																食塩相当量	備考
亜鉛	銅	マンガン	ヨウ素	セレン	クロム	モリブデン	A レチノール活性当量	レチノール	β-カロテン当量	D	E α-トコフェロール	K	B1	B2	ナイアシン当量	B6	B12	葉酸	パントテン酸	ビオチン	C		①廃棄率　②廃棄部位　③試料
mg	mg	mg	µg	µg	µg	µg	µg	µg	µg	µg	mg	µg	mg	mg	mg	mg	µg	µg	mg	µg	mg	g	
1.3	0.16	-	-	-	-	-	**130**	130	(0)	9	1.6	(0)	**0.08**	**0.36**	12.0	0.55	14.0	16	1.25	-	**1**	0.2	②頭部、内臓、骨、ひれ等 (三枚おろし)
2.7	0.23	0.12	-	-	-	-	**(0)**	0	(0)	8	0.1	Tr	**0.25**	**0.43**	(25.0)	0.69	25.0	44	0.92	-	**Tr**	5.8	②頭部、ひれ等
1.0	0.17	0.13	38	40	0	0	**11**	11	(0)	4	0.4	(0)	**0.03**	**0.16**	13.0	0.58	14.0	19	1.07	18.0	**1**	0.2	②頭部、内臓、骨、ひれ等 (三枚おろし)
7.2	0.39	-	-	-	-	-	**(Tr)**	Tr	(0)	18.0	0.9	(0)	**0.10**	**0.10**	(28.0)	0.28	41.0	74	1.81	-	**(0)**	4.3	魚体全体
7.9	0.39	0.79	-	-	-	-	**(Tr)**	Tr	(0)	30.0	0.8	(0)	**0.10**	**0.11**	(29.0)	0.37	65.0	230	3.74	-	**(0)**	1.8	幼魚の乾燥品 (調理前)
1.6	0.20	0.04	24	48	Tr	Tr	**8**	8	0	32.0	2.5	1	**0.03**	**0.39**	11.0	0.49	16.0	10	1.14	15.0	**0**	0.2	②頭部、内臓、骨、ひれ等 (三枚おろし)
1.7	0.23	0.06	-	-	-	-	**5**	5	0	13.0	1.3	Tr	**0.05**	**0.29**	(10.0)	0.35	18.0	7	0.87	-	**0**	0.2	頭部、内臓等を除き水煮したもの　②骨、ひれ等
2.3	0.23	0.08	-	-	-	-	**8**	8	0	14.0	1.9	Tr	**0.12**	**0.43**	(14.0)	0.39	22.0	12	1.33	-	**0**	0.3	内臓等を除き焼いたもの　②頭部、骨、ひれ等
1.7	0.21	0.16	-	-	-	-	**15**	15	1	21.0	5.7	37	**0.04**	**0.39**	10.0	0.28	14.0	14	1.15	-	**0**	0.4	三枚におろしたもの
1.4	0.20	0.05	-	-	-	-	**(Tr)**	Tr	(0)	10.0	0.3	(0)	**0.03**	**0.35**	(11.0)	0.54	17.0	22	1.46	-	**(0)**	6.1	②頭部、内臓、骨、ひれ等
0.9	0.12	0.13	-	-	-	-	**(0)**	0	(0)	11.0	0.2	Tr	**Tr**	**0.22**	(16.0)	0.48	16.0	11	1.21	-	**Tr**	1.8	②頭部、内臓、骨、ひれ等
1.8	0.21	0.10	-	-	-	-	**40**	40	(0)	50.0	0.7	1	**0.01**	**0.41**	(22.0)	0.68	29.0	31	1.00	-	**Tr**	3.8	②頭部、ひれ等
1.2	0.10	1.04	-	-	-	-	**77**	77	(0)	11.0	0.3	(0)	**0.01**	**0.21**	(14.0)	0.37	15.0	34	1.27	-	**Tr**	2.8	原材料：かたくちいわし、まいわし等　②頭部、ひれ等
1.5	0.13	1.26	-	-	-	-	**95**	95	(0)	11.0	0.4	(0)	**0.01**	**0.26**	(17.0)	0.38	13.0	36	1.71	-	**Tr**	3.6	原材料：かたくちいわし、まいわし等　②頭部、ひれ等
1.1	0.02	0.07	-	-	-	-	**110**	110	Tr	6.7	0.9	Tr	**0.02**	**0.07**	6.4	0.17	4.2	56	0.51	-	**5**	1.0	かたくちいわし、まいわし等の幼魚
1.1	0.03	0.09	13	39	3	1	**140**	140	-	4.2	0.8	-	**0.07**	**0.04**	(5.3)	0.05	1.5	26	0.30	9.9	**Tr**	2.1	原材料：かたくちいわし、まいわし等の稚魚
1.7	0.06	0.10	27	61	3	1	**190**	190	0	12.0	1.1	0	**0.11**	**0.03**	7.5	0.05	3.2	27	0.50	12.0	**0**	4.2	原材料：かたくちいわし、まいわし等の稚魚 主として関東向け
3.0	0.07	0.17	-	-	-	-	**240**	240	(0)	61.0	1.5	(0)	**0.22**	**0.06**	15.0	0.04	6.3	58	0.72	-	**Tr**	6.6	原材料：かたくちいわし、まいわし等の幼魚 主として関西向け
6.6	0.13	-	-	-	-	-	**410**	410	(0)	50.0	2.7	(0)	**0.15**	**0.33**	(23.0)	0.27	16.0	300	2.95	-	**(0)**	2.2	原材料：かたくちいわし、まいわし等の幼魚 ビタミンC：酸化防止用として添加品あり
3.5	0.32	0.36	-	-	-	-	**13**	13	(0)	25.0	1.1	(0)	**0.02**	**0.24**	(16.0)	0.38	15.0	23	1.77	-	**(0)**	2.8	
2.3	0.27	0.11	-	-	-	-	**16**	16	(0)	53.0	0.9	(0)	**Tr**	**0.50**	(15.0)	0.37	14.0	19	1.41	-	**(0)**	1.7	

Q A 「いわし雲」と呼ばれている雲の正式名称は次のどれ？［巻層雲　巻積雲　高積雲　積雲］▶巻積雲 (けんせきうん)。小さいかたまり状の雲がうろこ状や、さざ波状に並ぶ雲で、いわし雲、うろこ雲などと呼ばれている。

缶詰
「水煮」は塩、「味付け」は砂糖としょうゆの調味液、「トマト漬」はトマトピューレで味つけしたもの。「油漬」は別名**オイルサーディン**。油で煮てから缶詰にしたもの。「かば焼」はいわしを開いて焼き上げ、甘辛く味つけしたもの。「アンチョビ」は「かたくちいわし」で解説したものの油漬。

いわな（岩魚）
Char　1尾＝70g

体長＝25cm。サケ科の淡水魚。淡白な味の白身の魚で、体側に赤色のはんてんがある。蛇を食べるほど貪食（どんしょく）。にっこういわな、やまといわな、あめます、ごぎの4種がある。
近年養殖が盛んに行われるようになり、河川への人工種苗を盛んに行ったため、かつていなかった川でも獲れるようになった反面、自然生態系への影響が懸念されている。
調理法：焼き魚、揚げ物、ムニエル等。
旬：5～8月。
生息地：渓谷を流れる水の冷たい渓流の上流。夏でも水温が15℃以下の冷水を好む。

うぐい（鯎）
Japanese dace

体長＝15～30cm。コイ科の淡水魚。別名はや、あかはら。産卵期に体側に赤色の婚姻色が現れる。淡水（陸封）型と降海型がある。成分値は淡水型。
調理法：焼き魚、酢みそ和え、魚田（➡p.219コラム）、天ぷら、甘露煮等。
旬：1～4月。
生息地：沖縄を除く日本全国の河川や湖。

うなぎ（鰻）
Eel　中1尾＝150～200g

体長＝1m。ウナギ科。脂がのると腹側が黄色くなるため“胸黄（むなき）”と呼ばれたのがうなぎの語源といわれる。遠くグアム島近海で産卵・孵化（ふか）し、しらすうなぎとなって日本の河川、湖沼等に上って淡水で成長する。流通しているものの98%は稚魚を採取して大きくした「養殖」ものである。近年は、台湾や中国で養殖・加工された輸入物が多い。血液にイクシオトキシン

切＝切り身　うるか→p.202

食品番号	食品名	廃棄率	エネルギー	2015年版の値	水分	たんぱく質	アミノ酸組成によるたんぱく質	脂質	脂肪酸のトリアシルグリセロール当量	脂肪酸 飽和	脂肪酸 一価不飽和	脂肪酸 多価不飽和	コレステロール	炭水化物	利用可能炭水化物（質量計）	食物繊維 食物繊維総量（プロスキー変法）	食物繊維 食物繊維総量（AOAC法）	ミネラル（無機質） ナトリウム	カリウム	カルシウム	マグネシウム	リン	鉄
		%	kcal	kcal	g	g	g	g	g	g	g	g	mg	g	g	g	g	mg	mg	mg	mg	mg	mg
10060	**缶詰** 水煮	0	**168**	188	66.3	**20.7**	(17.2)	**10.6**	8.5	2.71	2.22	3.17	80	**0.1**	(0.1)	-	-	330	250	**320**	44	360	**2.6**
10061	味付け	0	**203**	212	59.1	**20.4**	(17.0)	**11.9**	10.3	3.56	2.55	3.70	85	**5.7**	-	-	-	560	240	**370**	38	380	**2.3**
10062	トマト漬	0	**167**	172	68.1	**17.5**	(14.6)	**10.8**	9.6	3.32	2.51	3.40	85	**1.3**	-	-	-	280	310	**360**	35	320	**1.9**
10063	油漬	0	**351**	359	46.2	**20.3**	(16.9)	**30.7**	29.1	7.05	6.83	13.96	86	**0.3**	(0.3)	-	-	320	280	**350**	36	370	**1.4**
10064	かば焼	0	**234**	242	56.1	**16.2**	(13.5)	**15.6**	14.0	4.61	3.87	4.87	70	**9.3**	-	-	-	610	270	**220**	31	290	**2.0**
10397	アンチョビ	0	**157**	158	54.3	**24.2**	21.3	**6.8**	6.0	1.09	2.84	1.85	89	**0.1**	(0.1)	-	-	5200	140	**150**	39	180	**2.6**
10065	**いわな** 養殖 生	50	**101**	114	76.1	**19.0**	-	**3.6**	2.8	0.69	1.04	0.91	80	**0.1**	(0.1)	-	-	49	380	**39**	29	260	**0.3**
10066	**うぐい** 生	50	**93**	100	77.0	**20.1**	(16.7)	**1.5**	1.2	0.29	0.40	0.43	93	**0.2**	(0.2)	-	-	83	340	**69**	27	240	**0.7**
10067	**うなぎ** 養殖 生	25	**228**	255	62.1	**17.1**	14.4	**19.3**	16.1	4.12	8.44	2.89	230	**0.3**	(0.3)	-	-	74	230	**130**	20	260	**0.5**
10068	きも 生	0	**102**	118	77.2	**13.0**	-	**5.3**	4.1	1.20	1.80	0.93	430	**3.5**	(3.2)	-	-	140	200	**19**	15	160	**4.6**
10069	白焼き	0	**300**	331	52.1	**20.7**	(17.4)	**25.8**	22.6	6.59	11.95	3.10	220	**0.1**	(0.1)	-	-	100	300	**140**	18	280	**1.0**
10070	かば焼	0	**285**	293	50.5	**23.0**	(19.3)	**21.0**	19.4	5.32	9.85	3.39	230	**3.1**	-	-	-	510	300	**150**	15	300	**0.8**
10071	**うまづらはぎ** 生	65	**75**	80	80.2	**18.2**	15.1	**0.3**	0.2	0.05	0.03	0.11	47	**Tr**	(Tr)	-	-	210	320	**50**	87	160	**0.4**
10072	味付け開き干し	9	**289**	292	21.5	**58.9**	(48.9)	**1.6**	1.1	0.36	0.15	0.57	140	**10.4**	-	-	-	2400	310	**190**	84	370	**1.5**
切 10073	**えい** 生	0	**79**	84	79.3	**19.1**	(9.5)	**0.3**	0.1	0.05	0.03	0.06	80	**0.1**	(0.1)	-	-	270	110	**4**	18	170	**0.9**

+PLUS+　**うなぎのかば焼、東西対決**●さまざまな場面で文化の違いのある関東と関西。かば焼にもこだわりが！　○関西の流儀　頭はつけたまま→腹開き→蒸さずにたれをつけながら焼く→頭を落とす→切り分ける。○関東の流儀　頭を落とす→背開き→切り分ける→白焼き→蒸す→たれをつけながら焼く。蒸すのは泥のくさみを消すためらしい。

うな重

うまづらはぎの天日干し

うまづらはぎ(30cm)

土用の丑の日とうなぎの関係

夏の「土用の丑（うし）の日」には、うなぎを食べる習慣がある（「土用」とは立春・立夏・立秋・立冬前の 18 日間のこと）。この起源はうなぎ屋の商売上の戦略だったという説が有力だ。

…江戸時代のある日、まだ夏にうなぎを食べる習慣がなく、商売がうまく行かないうなぎ屋が平賀源内に相談をもちかけた。源内は､「丑の日に『う』の字がつく物を食べると夏負けしない」という言い伝えをもとに、「本日丑の日」と書いて店先に貼ることを勧めた。これが大当たり。そのうなぎ屋は大変繁盛し、ほかのうなぎ屋もそれをまねるようになり、土用の丑の日にうなぎを食べる風習が定着した…というもの。

「う」の字がつく物なら夏負けしない、というのは眉唾物だが、うなぎに限っては、豊富な脂肪分のほか、ビタミンA・B・D・Eは肉、卵、乳に比べても多く含まれ、特にビタミンB類が豊富なため、夏バテ、食欲減退防止には効果的であり、理にかなっているといえる。

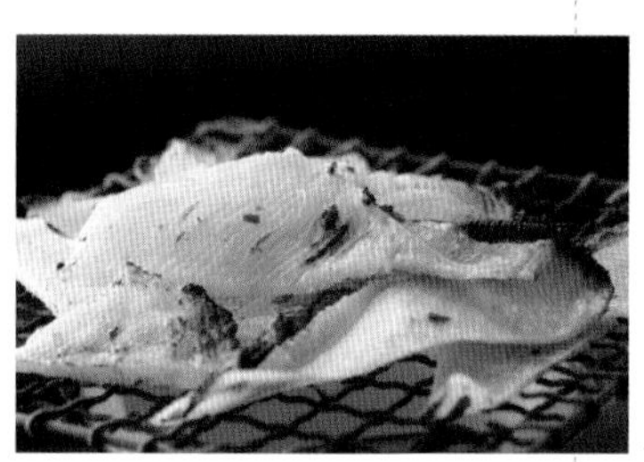
えいひれ

という毒を含むため生食はできないが、熱を加えると毒性が消える。
種類：ヨーロッパ種と国産種があるが、栄養成分は大差ない。
栄養成分：ビタミンA・B_1・B_2、不飽和脂肪酸が豊富。夏バテ対策に適した食材。「きも」にはビタミンA・B_2等が豊富。
調理法：かば焼、白焼き、八幡巻き、酢の物、和え物、くん製等。
ヨーロッパではワイン煮、ゼリー寄せ、スープ、油焼き等。
旬：初秋。
産地：養殖ものの主産地は静岡、愛知、三重。
生息地：日本各地の河川や湖沼。特に本州中部から南に多い。東南アジアにも生息。

白焼き 1串=80g
うなぎを開いて串を打ち、たれをつけずに焼いたもの。

かば焼 1串=80g
たれをつけて焼いたもの。関東と関西では製法が異なる（➡p.208Plus）。

うまづらはぎ（馬面剥）
Filefish

体長＝30cm。カワハギ科。馬の顔に似たかわはぎなのでこの名がついた。別名はげ、うまはげ等で地方名が多い。岩等に付着している小型の甲殻類、貝類、藻類等をかたい歯で貪欲に食べるため、近年は養殖の網の掃除役として、いっしょに網の中に入れられる。
調理法：刺身、焼き魚、煮つけ、味噌汁、鍋物、フライ、ムニエル、椀だね等。きもや白子（精巣）も美味。
旬：11～2月。
生息地：北海道より南の日本各地の沿岸。

えい（鱝）
Rays

体長＝1m。アカエイ科。一般にはあかえいを指す。別名**かすべ**。昔から食用として利用され、縄文時代の貝塚からもその骨が出土している。細長い尾の中ほどに鋭い毒の棘（とげ）がある。多くの種は胎生。
種類：あかえい、がんぎえい、とびえい等。
調理法：煮つけ、甘酢あんかけ、煮こごり、干物、かす漬、練り製品等。えいのひれはみりん干しにする。くさみ消しの薬味をきかせ、味つけは少し濃い目にするとよい。
旬：6～8月。
生息地：東北南部から東シナ海。
郷土料理：ひれの干物の煮込みは伊勢地方のハレの日の料理。

可食部100gあたり　Tr：微量　( )：推定値または推計値　－：未測定

ミネラル（無機質）							ビタミン															食塩相当量	備考
亜鉛	銅	マンガン	ヨウ素	セレン	クロム	モリブデン	A レチノール活性当量	A レチノール	A β-カロテン当量	D	E αトコフェロール	K	B_1	B_2	ナイアシン当量	B_6	B_{12}	葉酸	パントテン酸	ビオチン	C		①廃棄率　②廃棄部位　③試料
mg	mg	mg	µg	µg	µg	µg	µg	µg	µg	µg	mg	µg	mg	mg	mg	mg	µg	µg	mg	µg	mg	g	
1.4	0.19	0.13	-	-	-	-	**9**	9	(0)	6.0	2.6	(0)	**0.03**	**0.30**	(12.0)	0.16	16.0	7	0.63	-	(0)	0.8	まいわし製品　液汁を除いたもの
1.9	0.19	0.25	-	-	-	-	**9**	9	(0)	20.0	2.1	(0)	**0.03**	**0.30**	(12.0)	0.27	13.0	6	0.61	-	(0)	1.4	まいわし製品　液汁を除いたもの
1.7	0.19	0.18	-	-	-	-	**12**	12	(Tr)	20.0	2.4	(0)	**0.01**	**0.25**	(9.6)	0.27	10.0	14	0.68	-	0	0.7	まいわし製品　液汁を除いたもの
2.1	0.20	0.22	-	-	-	-	**25**	25	(0)	7.0	8.2	(0)	**0.08**	**0.32**	(12.0)	0.34	18.0	10	0.81	-	0	0.8	まいわし製品　液汁を含んだもの
1.2	0.13	0.17	-	-	-	-	**32**	32	(0)	17.0	1.8	(0)	**0.01**	**0.24**	(9.3)	0.24	12.0	15	0.74	-	0	1.5	まいわし製品　液汁を含んだもの
3.7	0.24	0.09	62	52	1	-	**4**	4	(0)	1.7	1.9	-	**0**	**0.31**	11.0	0.21	14.0	23	0.48	22.0	0	13.1	かたくちいわし製品　液汁を除いたもの
0.8	0.04	0.02	-	-	-	-	**5**	5	2	5.0	1.6	(0)	**0.09**	**0.12**	6.6	0.21	4.2	5	0.68	-	1	0.1	②頭部、内臓、骨、ひれ等（三枚おろし）
3.4	0.05	0.04	-	-	-	-	**41**	41	(0)	19.0	0.8	(0)	**0.03**	**0.11**	(7.2)	0.16	8.5	8	1.11	-	Tr	0.2	②頭部、内臓、骨、ひれ等（三枚おろし）
1.4	0.04	0.04	17	50	0	5	**2400**	2400	1	18.0	7.4	(0)	**0.37**	**0.48**	5.3	0.13	3.5	14	2.17	6.1	2	0.2	②頭部、内臓、骨、ひれ等
2.7	1.08	0.08	-	-	-	-	**4400**	4400	(0)	3.0	3.9	17	**0.30**	**0.75**	6.2	0.25	2.7	380	2.95	-	2	0.4	内臓
1.9	0.04	0.04	-	-	-	-	**1500**	1500	(0)	17.0	5.3	(0)	**0.55**	**0.45**	(6.2)	0.09	2.7	16	1.16	-	Tr	0.3	
2.7	0.07	-	77	42	2	2	**1500**	1500	(0)	19.0	4.9	(0)	**0.75**	**0.74**	(7.1)	0.09	2.2	13	1.29	10.0	Tr	1.3	
0.5	0.05	0.02	-	-	-	-	**(0)**	0	(0)	8.0	1.1	(0)	**0.01**	**0.13**	7.3	0.40	1.4	4	0.50	-	Tr	0.5	②頭部、内臓、骨、皮、ひれ等（三枚おろし）
2.4	0.10	0.10	-	-	-	-	**(Tr)**	Tr	(0)	69.0	0.7	(0)	**0.02**	**0.05**	(20.0)	0.34	4.0	16	0.74	-	(0)	6.1	②骨、ひれ等
0.5	0.04	0.01	-	-	-	-	**2**	2	(0)	3.0	0.7	(0)	**0.05**	**0.12**	(4.8)	0.25	3.7	3	0.55	-	1	0.7	魚体全体から調理する場合、①60%、②頭部、内臓、骨、ひれ等

Q A 「かば焼」の語源は何だろう？▶しょうゆ・みりん・砂糖・酒などをあわせたたれをつけて焼く料理法がかば焼。うなぎが代表的だが、さんまやいわしなどを使うこともある。開かずに丸のままぶつ切りにして、串に刺して焼いた状態が蒲（がま）の穂に似ていたため、蒲焼き（がまやき）がなまって蒲焼き（かばやき）になったという説がある。

えそのすり身（天ぷら）

おおさが（60cm）

えそ（30～60cm）

おにおこぜ（30cm）

おいかわ（20cm）

えそ（狗母魚）
Lizardfish

体長＝30～60cm。エソ科。エソ科の魚の総称だが、一般にはまえそを、南日本ではあかえそを指す。まえそは胸びれが腹びれに届くぐらい長く、尾びれの下半分が白い。あかえそは体が赤っぽく、胴体に8～9本の褐色の横縞がある。白身で美味。
種類：**まえそ**、あかえそ、**わにえそ**、**とかげえそ**、しんかいえそ等。
調理法：小骨が多いため、身も骨もすりつぶして練り製品原料にする。
生息地：熱帯、亜熱帯の浅海。

おいかわ（追河）
Pale chub

体長＝20cm。コイ科。別名**はや**、**やまべ**。尻びれが長いのが特徴。産卵期になると雄の体側が赤みをおびる。本来は琵琶湖～九州北部に分布したが、琵琶湖産あゆの稚魚に混じって放流されて各地に広がった。
調理法：揚げ物、甘露煮、南蛮漬等。苦玉（にがだま＝胆のう）をつぶさないように調理する。
旬：12～2月。
生息地：関東以西の本州、四国、九州の池や河川の上流。

おおさが（大佐賀、大逆）
Angry rockfish

体長＝60cm。カサゴ科。別名**こうじんめぬけ**。高級魚で、一般には出回らない。北海道では正月にまだいのかわりに用いる。
調理法：刺身、鍋物、焼き魚、煮つけ等。
旬：冬。
生息地：千葉県銚子より北。

おこぜ（虎魚）
Devil stinger

体長＝30cm。フカカサゴ科、オニオコゼ科等の魚の総称。一般にはオニオコゼ科の**おにおこぜ**を指す。すむ場所で体色が黒、赤、黄等になる。鱗（うろこ）はなく、背びれにある毒が英名“悪魔の棘（とげ）”の由来。白身で可食部は少ないが、味は淡白で美味。
調理法：刺身、煮つけ、汁物、揚げ物、ちり鍋、ブイヤベース等。塩を振ってぬめりを洗い流して調理する。皮にはゼラチン質が多く美味。
旬：6～8月。
生息地：太平洋側は房総より南、日本海側は新潟より南の南日本沿岸から、台湾・東シナ海の浅海。

おひょう（大鮃）
Pacific halibut　1切＝80g

体長＝1～2m。カレイ科。別名**おおひらめ**。大きいものは3mをこえ、体重は200kgに達する。目のある側は暗褐色で、反対側は白色。身はよく締まった白身で、脂が少なく淡白。肝臓からは肝油が採れる。
調理法：刺身、ムニエル、フライ、くん製等。イギリス料理のフィッシュ・アンド・チップスは、おひょうやたらとじゃがいもを揚げたもの。
生息地：北洋からオホーツク海、ベーリング海、北極海等の冷たい海の大陸棚。

（切）＝切り身　かずのこ→p.230

	食品番号	食品名	廃棄率	エネルギー	2015年版の値	水分	たんぱく質	アミノ酸組成によるたんぱく質	脂質	脂肪酸のトリアシルグリセロール当量	脂肪酸 飽和	脂肪酸 一価不飽和	脂肪酸 多価不飽和	コレステロール	炭水化物	利用可能炭水化物（質量計）	食物繊維 食物繊維総量（プロスキー変法）	食物繊維 食物繊維総量（AOAC法）	ミネラル（無機質） ナトリウム	カリウム	カルシウム	マグネシウム	リン	鉄
			%	kcal	kcal	g	g	g	g	g	g	g	g	mg	g	g	g	g	mg	mg	mg	mg	mg	mg
切	10074	**えそ** 生	0	**87**	93	77.6	**20.1**	17.6	**0.8**	0.6	0.19	0.11	0.25	74	**0.1**	(0.1)	-	-	120	380	**80**	36	260	**0.3**
	10075	**おいかわ** 生	55	**124**	136	73.8	**19.2**	(15.9)	**5.8**	4.7	1.21	1.89	1.41	91	**0.1**	(0.1)	-	-	48	240	**45**	23	210	**0.6**
切	10076	**おおさが** 生	0	**131**	144	74.7	**16.3**	(13.5)	**8.0**	6.6	1.06	4.50	0.79	55	**0.1**	(0.1)	-	-	71	310	**16**	22	160	**0.2**
	10077	**おこぜ** 生	60	**81**	85	78.8	**19.6**	(16.2)	**0.2**	0.1	0.03	0.02	0.05	75	**0.2**	(0.2)	-	-	85	360	**31**	26	200	**0.4**
切	10078	**おひょう** 生	0	**93**	100	77.0	**19.9**	(16.5)	**1.7**	1.2	0.27	0.53	0.39	49	**0.1**	(0.1)	-	-	72	400	**7**	28	260	**0.1**
切	10079	**かさご** 生	0	**83**	93	79.1	**19.3**	16.7	**1.1**	0.9	0.27	0.27	0.35	45	**0.1**	(0.1)	-	-	120	310	**57**	27	180	**0.3**
	10080	**かじか** 生	0	**98**	111	76.4	**15.0**	(12.4)	**5.0**	3.4	0.86	1.25	1.17	220	**0.2**	(0.2)	-	-	110	260	**520**	31	400	**2.8**
	10081	水煮	0	**108**	122	73.5	**15.8**	(13.1)	**5.8**	4.1	1.01	1.51	1.36	250	**0.2**	(0.2)	-	-	90	210	**630**	40	440	**2.6**
	10082	つくだ煮	0	**293**	302	23.8	**29.4**	(24.4)	**5.5**	3.6	0.85	0.98	1.63	360	**33.8**	-	-	-	1700	460	**880**	59	670	**5.8**
		（かじき類）																						
切	10083	**くろかじき** 生	0	**93**	99	75.6	**22.9**	18.6	**0.2**	0.1	0.04	0.02	0.05	48	**0.1**	(0.1)	-	-	70	390	**5**	34	260	**0.5**
切	10084	**まかじき** 生	0	**107**	115	73.8	**23.1**	(18.7)	**1.8**	1.4	0.47	0.35	0.52	46	**0.1**	(0.1)	-	-	65	380	**5**	35	270	**0.6**
切	10085	**めかじき** 生	0	**139**	153	72.2	**19.2**	15.2	**7.6**	6.6	1.63	3.55	1.11	72	**0.1**	(0.1)	-	-	71	440	**3**	29	260	**0.5**
切	10398	焼き	0	**202**	220	59.9	**27.5**	22.4	**11.1**	9.8	2.44	5.29	1.65	99	**0**	0	-	-	110	630	**5**	41	370	**0.6**

+PLUS+　**おこぜを見せると喜ぶ神様**●山の神は非常に醜い女神だが、おこぜを見ると自分より醜いものがいると思って喜ぶといわれる。そのため、猟師が山に入るときなどには、おこぜの干物を山の神に捧げたり持ち歩いたりして、山の神の怒りを受けないように、困ったときには助けてくれるようにと願う風習があった。

おひょう (1〜2m)
かじか (15cm)
めかじき (4.5m)
かさご (25cm)

かさご (笠子)
Scorpionfish

体長＝25cm。フサカサゴ科。磯魚の代表格でめばると似ているが別種で、頭から背にかけて鋭いとげがある。日本各地に生息する胎生魚で、12〜4月にかけて稚魚を産む。アイスランド、ロシア等から冷凍品を輸入している。
調理法：刺身、煮つけ、汁物、ブイヤベース等。皮がじょうぶなので、煮つけ等のときは皮に包丁を入れてから調理する。
旬：12〜2月。
生息地：北海道から東シナ海の岩礁、転石、海藻帯。
郷土料理：小型のかさご (あらかぶ) を一匹丸煮にした味噌汁の“あらかぶ煮”は博多の名物。

かじか (鰍)
Japanese sculpin　1尾＝50g

体長＝15cm。カジカ科。別名**ごり**。日本の固有種。淡水で過ごす河川型と、仔魚は海で成魚は川で過ごす型がある。成分値はまごりと呼ばれる河川型の数値。河川の汚染のため、あまり見かけられない魚になっている。
調理法：焼き魚、汁物、天ぷら、卵とじ、つくだ煮、甘露煮等。
生息地：北海道南部、本州、四国、九州北西部。
郷土料理：金沢市では、つくだ煮、唐揚げ、照り焼き、白味噌仕立てのごり汁等のごり料理が名物。

めかじきの切り身

かじき類 (梶木類)
Marlins and swordfishes

マカジキ科とメカジキ科の海産魚の総称。「かじきまぐろ」と俗称されるが、まぐろとは別種。種類によって形や大きさが異なる。上あごが下あごの数倍あり、剣状に長く鋭く突き出している。
旬：6〜8月。

くろかじき (黒梶木)　1切＝140g
体長＝4.5m。別名**くろかわ**。体全体が黒か紫色をおびている。
調理法：刺身、寿司だね、焼き魚、練り製品等。
生息地：インド洋、太平洋の熱帯〜亜熱帯域の外洋域。

まかじき (真梶木)　1切＝140g
体長＝4m。体側に何本もの青い横縞があり、かじき類の中で最も美味で高級な魚とされる。
調理法：刺身、寿司だね、フライ、ムニエル等。
生息地：南日本、インド洋、太平洋の熱帯から温帯にかけての外洋域。

めかじき (目梶木)　1切＝140g
体長＝4.5m。別名**めか**。成魚になると鱗 (うろこ) がなくなる。輸出用の冷凍品や缶詰にしたり、練り製品の原料にする割合が多い。欧米では食用としても人気が高い。非常にどう猛で、スポーツフィッシングの対象として人気が高い。
栄養成分：不飽和脂肪酸、ビタミンE等が豊富。
調理法：焼き魚、ステーキ、くん製、練り製品等。
生息地：世界の熱帯から温帯。

可食部100gあたり　Tr：微量　( )：推定値または推計値　－：未測定

ミネラル (無機質)							ビタミン																食塩相当量	備考
亜鉛	銅	マンガン	ヨウ素	セレン	クロム	モリブデン	A レチノール活性当量	レチノール	β-カロテン当量	D	E αトコフェロール	K	B1	B2	ナイアシン当量	B6	B12	葉酸	パントテン酸	ビオチン	C		①廃棄率　②廃棄部位　③試料
mg	mg	mg	µg	µg	µg	µg	µg	µg	µg	µg	mg	µg	mg	mg	mg	mg	µg	µg	mg	µg	mg	g	
0.4	0.02	0.17	17	27	0	0	**(0)**	0	(0)	1	0.1	(0)	**0.07**	**0.10**	7.2	0.24	1.7	13	0.51	1.7	2	0.3	③わにえそ、とかげえそ、まえそ等　①三枚におろす場合45%　②頭部、内臓、骨、ひれ等
2.5	0.06	0.04	-	-	-	-	**10**	10	(0)	10.0	0.9	(0)	**0.01**	**0.16**	(7.5)	0.21	11.0	21	1.02	-	2	0.1	②頭部、内臓、骨、ひれ等 (三枚おろし)
0.4	0.02	0.01	-	-	-	-	**85**	85	0	3	4.9	(0)	**0.01**	**0.03**	(4.0)	0.05	3.3	1	0.21	-	1	0.2	魚体全体から調理する場合、①60%、②頭部、内臓、骨、ひれ等
0.7	0.03	0.21	-	-	-	-	**2**	2	(0)	1	0.4	(0)	**0.01**	**0.12**	(6.0)	0.08	0.6	3	0.51	-	0	0.2	③おにおこぜ　②頭部、内臓、骨、ひれ等 (三枚おろし)
0.5	0.02	0.01	-	-	-	-	**13**	13	(0)	3	0.8	(0)	**0.09**	**0.07**	(11.0)	0.41	2.1	12	0.47	-	Tr	0.2	
0.5	0.01	0.01	48	50	1	0	**3**	3	(0)	2	0.3	(0)	**0.03**	**0.06**	5.1	0.06	1.2	3	0.47	0.8	1	0.3	魚体全体から調理する場合、①65%、②頭部、内臓、骨、ひれ等
1.7	0.15	0.31	-	-	-	-	**180**	180	(0)	3	1.3	1	**0.07**	**0.38**	(4.2)	0.08	28.0	15	0.54	-	1	0.3	魚体全体
2.3	0.24	0.37	-	-	-	-	**290**	290	(0)	4.9	2.5	1	**0.06**	**0.30**	(4.0)	0.07	28.0	21	0.42	-	Tr	0.2	魚体全体を水煮したもの
3.0	0.15	1.64	-	-	-	-	**370**	370	(0)	2	3.4	(0)	**0.07**	**0.48**	(7.7)	0.05	16.0	53	0.80	-	0	4.3	
0.7	0.03	0.01	-	-	-	-	**2**	2	(0)	38.0	0.9	(0)	**0.05**	**0.06**	18.0	0.44	1.5	6	0.29	-	1	0.2	切り身 (皮なし)
0.6	0.04	0.01	11	55	0	0	**8**	8	(0)	12.0	1.2	(0)	**0.09**	**0.07**	(15.0)	0.44	4.3	5	1.25	13.0	2	0.2	切り身 (皮なし)
0.7	0.04	0	16	59	Tr	0	**61**	61	0	8.8	4.4	1	**0.06**	**0.09**	11.0	0.37	1.9	8	0.39	2.7	1	0.2	切り身 (皮なし)
0.9	0.05	0	-	-	-	-	**85**	85	0	10.0	6.1	1	**0.07**	**0.11**	15.0	0.35	2.4	8	0.46	-	0	0.3	切り身 (皮なし)

QA いきがよいかどうかの基準は？▶魚の死後硬直がとけるかとけないかが基準。死後硬直がとけると食感がぐっと悪くなるし、微生物が急速に繁殖する。死後硬直がとける前のいきのよい魚のうちでも、鮮度のよい魚を鮮魚、鮮魚のうち特に鮮度のよい魚を生鮮魚と呼ぶ。ちなみに、生きている魚は活魚 (かつぎょ) と呼ぶ。

かつお (50cm〜1m)

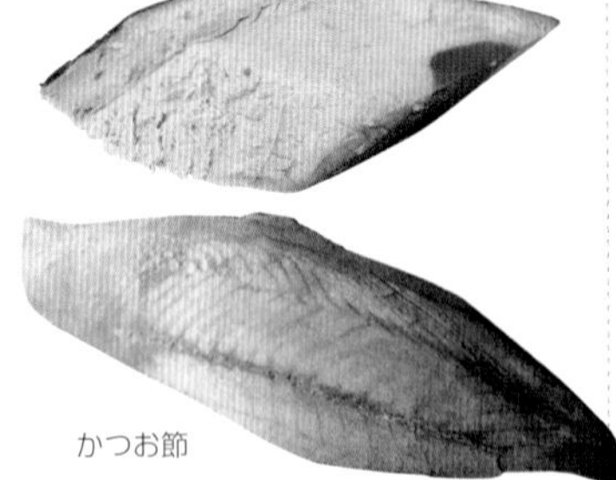

なまり

かつお節

削り節

かつお類 (鰹類)

Skipjacks and frigate mackerels

サバ科。身は暗赤色で血合が多い、代表的な赤身魚。

かつお (鰹) 1切＝100g

体長＝50cm〜1m。別名**ほんがつお、まがつお**。春に九州から北海道南部に北上し、秋には南下する太平洋の回遊魚の代表。これをかつお一本釣り漁船が追う。大型漁船による沖合漁業が盛んで、急速冷凍されて一年中出回る。

春獲り：通称**初がつお**、上りがつお。春に北上するかつおで脂は少なくさっぱりとした味。江戸時代には非常に珍重された。

秋獲り：通称**戻りがつお**。秋に産卵のために南下するかつおで、脂がのっている。

調理法：刺身、たたき、焼き魚、角煮、バター焼き等。たたきは、節におろしたかつおに串を打ち、皮つきのまま強火で表面だけを焼いてから刺身にして、にんにく、ねぎ、しょうが、しそ等の香味野菜と調味料を振りかけて軽くたたき、味をしみこませたもの。

郷土料理：かつおのたたきは"土佐造り"とも呼ばれる高知県の名物料理。"手こね寿司"は三重県志摩半島の名物料理。

旬：5〜6月、9〜10月。

生息地：北海道より南のほとんど全世界の暖海。

そうだがつお (宗太鰹)

鮮度落ちが早いため、産地でのみ出回る。体側が丸みをおびたまるそうだと、体側が平たいひらそうだがある。まるそうだは血合肉が多いため刺身には向かず、そうだ節に加工する。ひらそうだは刺身、焼き魚、煮つけ、そうだ節等にする。

生息地：全世界の温帯〜熱帯域。

加工品

なまり：かつおの身を蒸したもの。

なまり節：1本＝300g。生節ともいい、煮てから軽くあぶり乾燥させたもの。いぶしをかけたものを若節と呼ぶ。

裸節：別名赤はぎ。なまり節を、いぶしながら乾燥させる焙乾（ばいかん）を繰り返して荒節（鬼節）にし、表面についたタールなどの汚れを取り除いて形を整えたもの。

かつお節：なまり節にかびをつけ、さらに乾燥させたもの。かつお節のうま味はイノシン酸による。何度もかびをつけて熟成させ、水分を抜いた枯節（かれぶし）は高級品。

削り節：かつお節を薄く削ったもの。パック入り商品が出回る。

角煮：ゆでてから軽く乾燥させ、角切りにして調味液で煮たもの。

塩辛：かつおの内臓を塩辛にしたも

切＝切り身 からしめんたいこ→p.228、からすみ→p.236

食品番号	食品名	廃棄率 %	エネルギー kcal	2015年版の値 kcal	水分 g	たんぱく質 g	アミノ酸組成によるたんぱく質 g	脂質 g	脂肪酸のトリアシルグリセロール当量 g	脂肪酸 飽和 g	脂肪酸 一価不飽和 g	脂肪酸 多価不飽和 g	コレステロール mg	炭水化物 g	利用可能炭水化物（質量計） g	食物繊維 食物繊維総量（プロスキー変法） g	食物繊維 食物繊維総量（AOAC法） g	ミネラル（無機質） ナトリウム mg	カリウム mg	カルシウム mg	マグネシウム mg	リン mg	鉄 mg
	（かつお類）																						
切 10086	**かつお** 春獲り 生	0	**108**	114	72.2	**25.8**	20.6	**0.5**	0.4	0.12	0.06	0.19	60	**0.1**	(0.1)	-	-	43	430	**11**	42	280	**1.9**
10087	秋獲り 生	35	**150**	165	67.3	**25.0**	20.5	**6.2**	4.9	1.50	1.33	1.84	58	**0.2**	(0.2)	-	-	38	380	**8**	38	260	**1.9**
10088	**そうだがつお** 生	40	**126**	136	69.9	**25.7**	(20.9)	**2.8**	2.1	0.74	0.48	0.84	75	**0.3**	(0.3)	-	-	81	350	**23**	33	230	**2.6**
10089	**加工品** なまり	0	**126**	134	66.9	**29.8**	(24.3)	**0.7**	0.4	0.16	0.09	0.17	80	**0.4**	(0.4)	-	-	110	300	**11**	32	300	**3.7**
10090	なまり節	0	**162**	173	58.8	**38.0**	(30.9)	**1.1**	0.7	0.27	0.16	0.22	95	**0.5**	(0.5)	-	-	95	630	**20**	40	570	**5.0**
10446	裸節	0	**309**	334	22.6	**71.6**	(59.6)	**3.3**	(2.1)	(0.70)	(0.37)	(0.91)	160	**0.2**	(0.2)	-	-	310	780	**15**	76	570	**6.5**
10091	かつお節	0	**332**	356	15.2	**77.1**	64.2	**2.9**	1.8	0.62	0.33	0.81	180	**0.8**	(0.7)	-	-	130	940	**28**	70	790	**5.5**
10092	削り節	0	**327**	351	17.2	**75.7**	64.0	**3.2**	1.9	0.71	0.35	0.79	190	**0.4**	(0.4)	-	-	480	810	**46**	91	680	**9.0**
10093	削り節つくだ煮	0	**233**	237	36.1	**19.5**	(16.5)	**3.3**	2.6	0.60	0.80	1.09	57	**32.3**	-	-	-	3100	410	**54**	69	290	**8.0**
10094	角煮	0	**221**	224	41.4	**31.0**	(25.2)	**1.6**	1.1	0.35	0.28	0.39	56	**21.4**	-	-	-	1500	290	**10**	40	220	**6.0**
10095	塩辛	0	**58**	62	72.9	**12.0**	(9.7)	**1.5**	0.7	0.33	0.14	0.24	210	**Tr**	(Tr)	-	-	5000	130	**180**	37	150	**5.0**
10096	**缶詰** 味付け フレーク	0	**139**	141	65.8	**18.4**	(14.9)	**2.7**	2.4	0.78	0.58	0.94	53	**10.7**	-	-	-	650	280	**29**	30	190	**2.6**
10097	油漬 フレーク	0	**289**	293	55.5	**18.8**	(15.3)	**24.2**	23.4	3.48	5.45	13.44	41	**0.1**	(0.1)	-	-	350	230	**5**	23	160	**0.9**
10098	**かます** 生	40	**137**	148	72.7	**18.9**	15.5	**7.2**	6.4	2.09	2.23	1.80	58	**0.1**	(0.1)	-	-	120	320	**41**	34	140	**0.3**
10099	焼き	40	**134**	145	70.3	**23.3**	(19.1)	**4.9**	4.1	1.36	1.32	1.23	83	**0.1**	(0.1)	-	-	150	360	**59**	42	190	**0.5**
	（かれい類）																						
切 10100	**まがれい** 生	0	**89**	95	77.8	**19.6**	17.8	**1.3**	1.0	0.23	0.29	0.43	71	**0.1**	(0.1)	-	-	110	330	**43**	28	200	**0.2**
10101	水煮	35	**97**	101	75.6	**21.4**	(19.5)	**1.1**	0.9	0.21	0.25	0.38	87	**0.1**	(0.1)	-	-	100	320	**56**	29	200	**0.3**
10102	焼き	35	**104**	112	73.9	**23.4**	(21.3)	**1.3**	1.0	0.24	0.28	0.44	100	**0.1**	(0.1)	-	-	130	370	**70**	32	240	**0.3**
10103	**まこがれい** 生	55	**86**	93	79.0	**18.0**	15.6	**1.8**	1.3	0.31	0.35	0.56	66	**0.1**	(0.1)	-	-	120	320	**46**	24	190	**0.4**
10399	焼き	0	**138**	147	66.2	**28.5**	23.7	**2.8**	2.0	0.50	0.55	0.89	110	**0.2**	(0.1)	-	-	180	490	**75**	39	300	**0.8**
10104	**子持ちがれい** 生	40	**123**	143	72.7	**19.9**	-	**6.2**	4.8	1.13	1.72	1.70	120	**0.1**	(0.1)	-	-	77	290	**20**	27	200	**0.2**
10105	水煮	15	**137**	162	69.3	**22.3**	-	**7.2**	5.3	1.33	1.97	1.74	140	**0.1**	(0.1)	-	-	83	270	**40**	28	210	**0.3**
10106	**干しかれい**	40	**104**	117	74.6	**20.2**	-	**3.4**	2.5	0.73	0.85	0.85	87	**Tr**	(Tr)	-	-	430	280	**40**	29	170	**0.1**

+PLUS+ **かつお節にはキャベツの葉を**●かつお節を上手に削るには、かつお節に湿り気が必要だが、水で洗ったりすると生臭くなる。削る部分を毎日新しいキャベツの葉で包んでおくと、適度の湿り気が与えられるため上手に削れる。

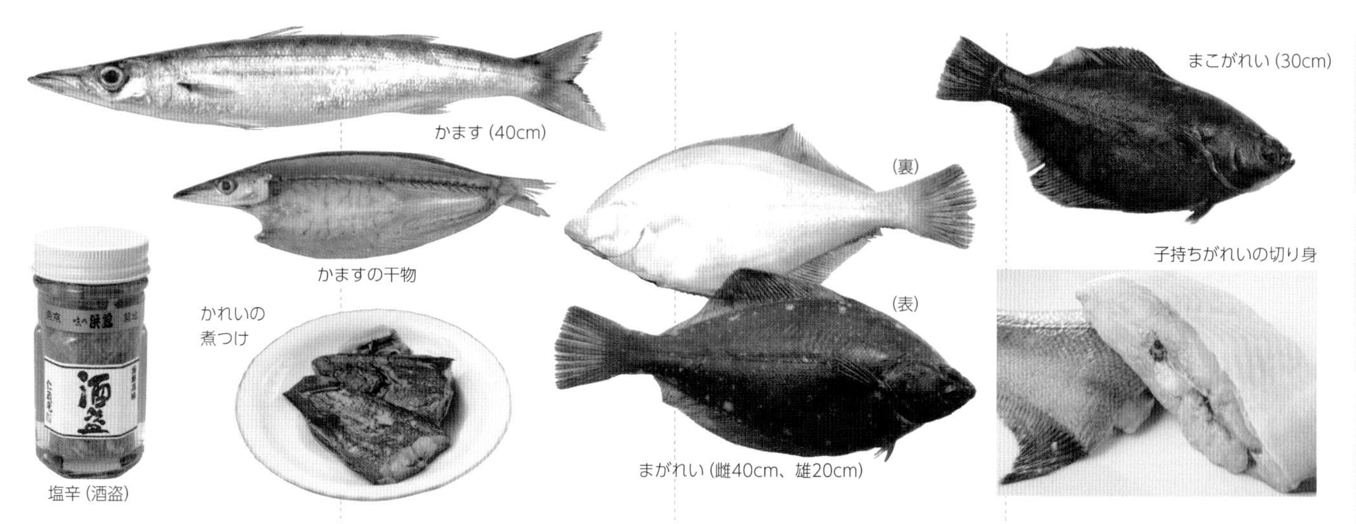

かます (40cm)
かますの干物
かれいの煮つけ
塩辛 (酒盗)
(裏)
(表)
まがれい (雌40cm、雄20cm)
まこがれい (30cm)
子持ちがれいの切り身

の。高知では**酒盗**という。
缶詰：別名**ツナ缶**。水煮、味付け、油漬など。

かます (魳)

Barracuda 1尾＝100g

体長＝あかかます40cm。カマス科。カマス科の海産魚の総称で、一般にはあかかますを指す。肉は白身で淡白だが水っぽいので干物にするとうま味が増す。
種類：やまとかます、おおかます、おおめかます、たいわんかます等。
調理法：刺身、焼き魚、揚げ物、姿寿司、干物、塩辛、練り製品等。
旬：11～12月。
生息地：熱帯・温帯沿岸のさんご礁や岩礁。

かれい類 (鰈類)

Righteye flounders

カレイ科。カレイ科の海産魚の総称で、日本近海には20種類ほどが生息する。体が平らで目が片側に寄っており、目のあるほうは茶色で裏は白く、ひらめ(➡p.233)と似ている。俗に「左ひらめに右かれい」といい、目が体の左にあるものをひらめ、右にあるものをかれいと見分けるが、例外も多い。
種類：まがれい、まこがれい、めいたがれい、ほしがれい、あかがれい、いしがれい、おひょう等。
調理法：刺身、焼き魚、煮つけ、揚げ物、バター焼き、素干し等。

まがれい (真鰈) 中1尾＝200g
体長＝雌40cm、雄20cm。尾のつけ根のあたりが黄色く、両目の間に鱗(うろこ)がないのが特徴。かれい類の中では最も高級とされる。
旬：5月。
生息地：瀬戸内海、山陰地方より北の砂泥底や岩礁。

まこがれい (真子鰈) 中1尾＝150g
体長＝30cm。目のない側が白で、両目の間に鱗(うろこ)がある。一年中水揚げが多く、関東でかれいというとまこがれいを指す。美味なかれいとして“城下(しろした)がれい”が有名。
旬：6～9月。
生息地：北海道南部より南から大分県の砂泥底。

子持ちがれい (子持ち鰈) 1切=200g
卵を持っているかれいのこと。やなぎむしがれい、むしがれいが出回る。

干しかれい
鱗(うろこ)や内臓を取り除いて塩漬し、乾燥させたもの。あかがれい、ばばがれいが出回る。

可食部100gあたり　Tr：微量　( )：推定値または推計値　－：未測定

ミネラル(無機質) 亜鉛 mg	銅 mg	マンガン mg	ヨウ素 µg	セレン µg	クロム µg	モリブデン µg	ビタミン A レチノール活性当量 µg	A レチノール µg	A β-カロテン当量 µg	D µg	E α-トコフェロール mg	K µg	B1 mg	B2 mg	ナイアシン当量 mg	B6 mg	B12 µg	葉酸 µg	パントテン酸 mg	ビオチン µg	C mg	食塩相当量 g	備考 ①廃棄率 ②廃棄部位 ③試料
0.8	0.11	0.01	11	43	0	0	**5**	5	0	4	0.3	(0)	**0.13**	**0.17**	24.0	0.76	8.4	6	0.70	2.6	Tr	0.1	魚体全体から調理する場合、① 35%、②頭部、内臓、骨、ひれ等
0.9	0.10	0.01	25	100	Tr	Tr	**20**	20	0	9	0.1	(0)	**0.10**	**0.16**	23.0	0.76	8.6	4	0.61	5.7	Tr	0.1	②頭部、内臓、骨、ひれ等 (三枚おろし)
1.2	0.15	0.02	-	-	-	-	**9**	9	0	22.0	1.2	(0)	**0.17**	**0.29**	(21.0)	0.54	12.0	14	1.29	-	Tr	0.2	③まるそうだ、ひらそうだ ②頭部、内臓、骨、ひれ等 (三枚おろし)
0.9	0.17	0.02	-	-	-	-	**(Tr)**	Tr	(0)	4	0.2	(0)	**0.19**	**0.18**	(22.0)	0.46	21.0	16	0.58	-	(0)	0.3	
1.2	0.20	0.03	-	-	-	-	**(Tr)**	Tr	(0)	21.0	0.4	(0)	**0.40**	**0.25**	(42.0)	0.36	11.0	10	0.70	-	(0)	0.2	
1.9	0.29	0.03	60	240	3	2	**10**	10	-	6.7	1.5	1	**0.01**	**0.35**	(60.0)	0.65	16.0	14	0.86	15.0	-	0.8	
2.8	0.27	-	45	320	1	1	**(Tr)**	Tr	(0)	6	1.2	(0)	**0.55**	**0.35**	61.0	0.53	15.0	11	0.82	15.0	(0)	0.3	
2.5	0.43	0.05	-	-	-	-	**24**	24	0	4	1.1	(0)	**0.38**	**0.57**	54.0	0.53	22.0	15	0.97	-	Tr	1.2	③包装品
1.3	0.18	0.35	-	-	-	-	**(Tr)**	Tr	(0)	6	0.4	(0)	**0.13**	**0.10**	(16.0)	0.19	5.3	27	0.57	-	(0)	7.9	
0.7	0.09	0.26	-	-	-	-	**(Tr)**	Tr	(0)	5	0.5	(0)	**0.15**	**0.12**	(23.0)	0.21	4.0	15	0.42	-	(0)	3.8	
12.0	0.07	0.07	-	-	-	-	**90**	90	(0)	120.0	0.7	2	**0.10**	**0.25**	(4.0)	0.05	4.5	48	0.43	-	(0)	12.7	
0.7	0.15	0.11	-	-	-	-	**(Tr)**	Tr	(0)	9	1.0	(0)	**0.14**	**0.13**	(19.0)	0.29	8.3	9	0.37	-	(0)	1.7	液汁を含んだもの
0.5	0.07	0.02	-	-	-	-	**(Tr)**	Tr	(0)	4	2.6	(0)	**0.12**	**0.11**	(19.0)	0.40	2.8	7	0.24	-	(0)	0.9	液汁を含んだもの
0.5	0.04	0.01	-	-	-	-	**12**	12	(0)	11.0	0.9	(0)	**0.03**	**0.14**	8.0	0.31	2.3	8	0.47	-	Tr	0.3	③あかかます ②頭部、内臓、骨、ひれ等 (三枚おろし)
0.6	0.05	0.01	-	-	-	-	**13**	13	(0)	10.0	0.9	(0)	**0.03**	**0.14**	(8.5)	0.31	3.3	13	0.52	-	Tr	0.4	③あかかます 内臓等を除き焼いたもの ②頭部、骨、ひれ等
0.8	0.03	0.01	21	110	0	0	**5**	5	(0)	13.0	1.5	(0)	**0.03**	**0.35**	6.3	0.15	3.1	4	0.66	22.0	1	0.3	魚体全体から調理する場合、① 50%、②頭部、内臓、骨、ひれ等
0.9	0.03	0.02	15	77	0	0	**5**	5	(0)	17.0	2.0	(0)	**0.03**	**0.27**	(6.8)	0.14	3.3	4	0.73	15.0	Tr	0.3	②頭部、骨、ひれ等 内臓等を除き水煮したもの
1.0	0.04	0.02	22	97	Tr	0	**7**	7	(0)	18.0	2.5	(0)	**0.03**	**0.41**	(7.6)	0.13	4.1	6	0.75	27.0	1	0.3	②頭部、骨、ひれ等 内臓等を除き焼いたもの
0.8	0.02	0.03	-	-	-	-	**6**	5	4	6.7	1.5	0	**0.12**	**0.32**	6.1	0.21	1.8	8	0.67	-	1	0.3	②頭部、内臓、骨、ひれ等 (五枚おろし)
1.2	0.03	0.06	-	-	-	-	**6**	6	2	9.2	2.1	1	**0.17**	**0.44**	9.7	0.15	3.0	14	1.25	-	1	0.5	五枚におろしたもの
0.8	0.03	0.04	-	-	-	-	**12**	12	0	4	2.9	Tr	**0.19**	**0.20**	5.7	0.15	4.3	20	2.41	-	4	0.2	③あかがれい及びばばがれい ②頭部、内臓、骨、ひれ等
1.0	0.04	0.04	-	-	-	-	**11**	11	0	4.7	4.2	Tr	**0.25**	**0.22**	6.4	0.15	4.9	23	2.58	-	3	0.2	③あかがれい及びばばがれい 頭部、内臓等を除き水煮したもの ②骨、ひれ等
0.4	0.01	0.02	-	-	-	-	**2**	2	0	1	2.3	(0)	**0.25**	**0.10**	8.5	0.11	1.6	11	0.71	-	1	1.1	③ (原材料)：やなぎむしがれい及びむしがれい (生干しひと塩品) ②頭部、骨、ひれ等

QA かつお節の種類を教えて！▶ 3kg 以上のかつおは、3 枚におろした左右の身をさらに背側・腹側に切り分けて、背節 (雄節)・腹節 (雌節) 各 2 本、計 4 本の本節とする。腹節は脂が多く濃いだしに、背節はすっきりとした上品なだしに向く。小さめのかつおは、3 枚におろした左右の身をそのまま 2 本の亀節とする。

かわはぎ (20cm)
かんぱち (1.5m)
きす (20cm)
結びきす
きすの天ぷら
かんぱちの刺身

かわはぎ (皮剥)
Leatherfish

体長＝20cm。カワハギ科。ざらざらした鱗（うろこ）におおわれた皮をはいで料理することから、また、皮を簡単にはがせることからこの名がついた。別名**はげ**。地方名が多い。体が菱形で、口が細く小さい。白身で歯ごたえがあり、味は淡白。味も食感もふぐに匹敵するといわれる。

栄養成分：ビタミンDが非常に豊富。

調理法：刺身、焼き魚、煮つけ、揚げ物、ムニエル、干物、みそ漬等。肝は、あんこうの肝に似た濃厚な味。刺身のときは、肝をしょうゆに溶かした肝じょうゆで食べる。

旬：11〜2月。

生息地：北海道より南、東シナ海までの浅海の岩礁。

かんぱち (間八)
Amberjack　1さく＝250g

体長＝1.5m。アジ科。若魚のうちは、頭部に八の字の模様があることからこの名がついた。ぶりに似ており、脂が多い。ほとんどが養殖もので、50cmほどのものが多く出回る。養殖ものは、稚魚を捕獲して大きく育てたもの。

調理法：刺身、寿司だね、焼き魚、煮つけ等。

旬：夏〜秋。

生息地：東北地方より南の太平洋側。黒潮や対馬海流等の暖流に乗って、沿岸から沖合いにかけて回遊する。

きす (鱚)
Japanese whiting　中1尾＝40g

体長＝しろぎす20cm。キス科。キス科の海産魚の総称だが、一般にしろぎすを指し、体長15cmほどのものが出回る。鮮度のよいものは側線がはっきりしている。味も姿も上品で、海のあゆとも呼ばれる。

種類：しろぎす、あおぎす、ほしぎす等。

調理法：刺身、寿司だね、結びきす（尾をつけたまま三枚おろしにしたものを結んだもの）、吸い物、焼き魚、酢の物、天ぷら、干物等。

旬：6〜8月。

生息地：北海道より南からフィリピン近海の、岩礁帯の入り混じった水の澄んだ砂泥底。

きちじ (喜知次)
Kichiji rockfish　1尾＝100g

体長＝30cm。フサカサゴ科。関東や北海道では**きんき**、東北では**きんきん**とも呼ぶ。卵胎生の深海魚。肉がやわらかく脂が多い。昭和の中頃までは肥料や練り物の原料にした下魚扱いだったが、乱獲によって漁獲量が減少した今では高級魚である。東北の太平洋側の地域では、正月のお供えにする等、祝い魚としてたいにかわり古くから珍重してきた。

栄養成分：脂質、不飽和脂肪酸等が豊富。

調理法：刺身、塩焼き、煮つけ、揚げ物、鍋物、開き干し、かまぼこ等。

旬：12〜2月。

生息地：カラフト、千島から駿河湾までの太平洋側。

切＝切り身

食品番号	食品名	廃棄率	エネルギー	2015年版の値	水分	たんぱく質	アミノ酸組成によるたんぱく質	脂質	脂肪酸のトリアシルグリセロール当量	脂肪酸 飽和	一価不飽和	多価不飽和	コレステロール	炭水化物	利用可能炭水化物(質量計)	食物繊維 食物繊維総量(プロスキー変法)	食物繊維総量(AOAC法)	ミネラル(無機質) ナトリウム	カリウム	カルシウム	マグネシウム	リン	鉄
		%	kcal	kcal	g	g	g	g	g	g	g	g	mg	g	g	g	g	mg	mg	mg	mg	mg	mg
切 10107	**かわはぎ** 生	0	**77**	83	79.9	**18.8**	16.3	**0.4**	0.3	0.08	0.05	0.14	47	**Tr**	(Tr)	-	-	110	380	**13**	28	240	**0.2**
切 10108	**かんぱち** 三枚おろし 生	0	**119**	129	73.3	**21.0**	(17.4)	**4.2**	3.5	1.12	1.03	1.24	62	**0.1**	(0.1)	-	-	65	490	**15**	34	270	**0.6**
切 10424	背側 生	0	**95**	106	76.1	**22.2**	18.8	**1.2**	0.9	0.30	0.25	0.31	48	**0.1**	(0.1)	-	-	54	470	**6**	29	250	**0.4**
10109	**きす** 生	55	**73**	80	80.8	**18.5**	16.1	**0.2**	0.1	0.04	0.02	0.06	88	**0**	0	-	-	100	340	**27**	29	180	**0.1**
10400	天ぷら	2	**234**	241	57.5	**18.4**	16.0	**15.2**	14.0	1.06	8.60	3.77	81	**7.8**	7.7	0.7	-	110	330	**90**	31	210	**0.2**
切 10110	**きちじ** 生	0	**238**	262	63.9	**13.6**	12.2	**21.7**	19.4	3.95	10.68	3.97	74	**Tr**	(Tr)	-	-	75	250	**32**	32	130	**0.3**
10111	**きびなご** 生	35	**85**	93	78.2	**18.8**	(15.6)	**1.4**	0.8	0.33	0.18	0.24	75	**0.1**	(0.1)	-	-	150	330	**100**	34	240	**1.1**
10112	調味干し	0	**241**	274	32.2	**47.9**	(39.7)	**7.4**	3.6	1.74	0.77	0.95	370	**0.5**	(0.5)	-	-	2600	660	**1400**	170	1200	**5.9**
10113	**キャビア** 塩蔵品	0	**242**	263	51.0	**26.2**	(22.6)	**17.1**	13.0	3.15	6.36	2.91	500	**1.1**	(1.0)	-	-	1600	200	**8**	30	450	**2.4**
切 10114	**キングクリップ** 生	0	**73**	78	80.5	**18.2**	(15.1)	**0.1**	0.1	0.01	0.01	0.03	56	**Tr**	(Tr)	-	-	140	340	**47**	28	170	**0.3**
切 10115	**ぎんだら** 生	0	**210**	232	67.4	**13.6**	12.1	**18.6**	16.7	4.50	9.87	1.59	50	**Tr**	(Tr)	-	-	74	340	**15**	26	180	**0.3**
切 10401	水煮	0	**253**	287	61.2	**14.9**	14.6	**23.8**	21.6	5.89	12.69	2.08	59	**0**	0	-	-	63	280	**15**	25	150	**0.3**

+PLUS+ **キャビアのひとくちメモ●**ちょうざめとはいわゆるさめの仲間ではなく、1億年以上前から存在するといわれる古生代の回遊魚。27種類ほど知られているが、キャビアがとれるのは数種類で、ベルーガからいちばん大粒の卵がとれるが、卵を産むようになるまで20年近くかかる。

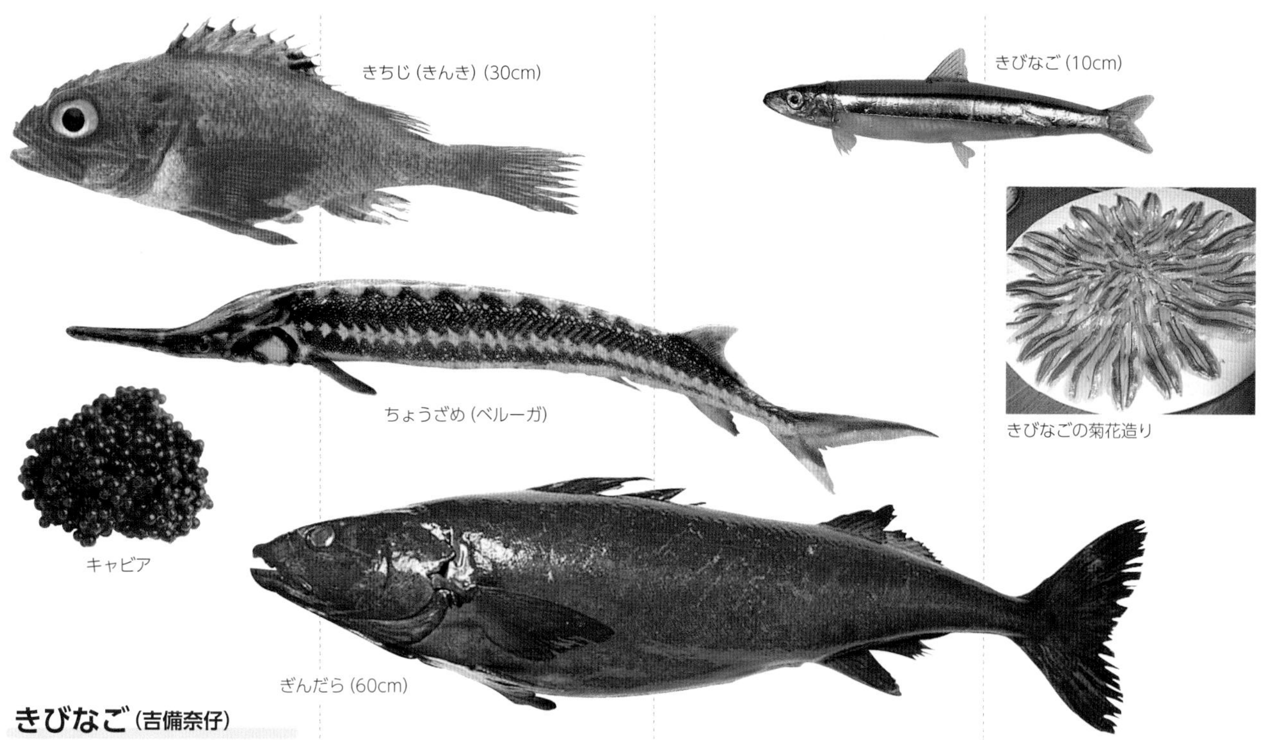

きびなごの菊花造り

きびなご（吉備奈仔）

Blue sprat　10尾=100g

体長=10cm。ニシン科。別名きびいわし。うるめいわしの仲間で、半透明で体側に銀青色の帯がある。産卵期に沿岸に近づくところを漁獲する。鹿児島では夏を代表する魚として珍重する。

栄養成分：不飽和脂肪酸が豊富。
調理法：刺身、天ぷら、酢の物、マリネ、つくだ煮、甘露煮、一夜干し、煮干し等。また、ベトナムの魚醤（ぎょしょう）ナンプラーの原料。
旬：4～8月。
生息地：房総半島より南。
郷土料理：手開きにして菊の花をかたどって並べた刺身“菊花造り”や“きびなご寿司”は鹿児島の名物。“きびなご鍋”は熊本の天草地方の名物。

キャビア

Caviar　大1=5g

ちょうざめの卵を塩漬したもので、世界三大珍味のひとつ。缶詰や瓶詰等で輸入している。大粒で薄い緑色や灰色のものを上質とする。黒色で比較的安価なものはランプフィッシュの卵を塩蔵した代用品。最近ではちょうざめの漁獲高が激減しているために養殖が試みられている。

調理法：オードブル、カナッペ等、適度に冷やし、軽くトーストしたパンの上にそのままのせて食べる。
産地：ロシア、イラン等。

ぎんだらの西京焼き

キングクリップ

Kingclip

体長=80cm～1.5m。アシロ科。南半球では魚の王様と呼ばれる。小骨が少なく、肉質は白身で淡白。輸入白身魚の代表格である。

調理法：バター焼き、フライ、みそ漬、かす漬等。
生息地：ニュージーランド、オーストラリア、アルゼンチン等の沿岸。

ぎんだら（銀鱈）

Sablefish　1切=130g

体長=60cm。ギンダラ科。深海魚で、たら類とは異なる。白身で、たんぱく質より脂質が多いという珍しい魚。アラスカ、カナダ等から頭を取り除いた冷凍品やチルド品を輸入する。

栄養成分：ビタミンA・D・E、不飽和脂肪酸等が豊富。
調理法：煮つけ、塩焼き、揚げ物、鍋物、でんぶ、くん製等。
生息地：北海道からアリューシャン海域等の北の海。

可食部100gあたり　Tr：微量　( )：推定値または推計値　-：未測定

ミネラル（無機質）							ビタミン																食塩相当量	備考
亜鉛	銅	マンガン	ヨウ素	セレン	クロム	モリブデン	A レチノール活性当量	A レチノール	A β-カロテン当量	D	E αトコフェロール	K	B_1	B_2	ナイアシン当量	B_6	B_{12}	葉酸	パントテン酸	ビオチン	C		①廃棄率　②廃棄部位　③試料
mg	mg	mg	μg	μg	μg	μg	μg	μg	μg	μg	mg	μg	mg	mg	mg	mg	μg	μg	mg	μg	mg	g	
0.4	0.03	0.02	33	35	0	0	**2**	2	(0)	43.0	0.6	(0)	**0.02**	**0.07**	6.6	0.45	1.3	6	0.17	0.9	**Tr**	0.3	魚体全体から調理する場合、①65%、②頭部、内臓、骨、ひれ等
0.7	0.05	0.01	11	29	0	0	**4**	4	(0)	4.0	0.9	(0)	**0.15**	**0.16**	(12.0)	0.32	5.3	10	0.52	2.4	**Tr**	0.2	魚体全体から調理する場合、①40%、②頭部、内臓、骨、ひれ等
0.4	0.04	Tr	53	63	0	0	**4**	4	0	1.4	1.1	0	**0.15**	**0.08**	14.0	0.56	1.0	4	0.28	1.6	**1**	0.1	魚体全体から調理する場合、①80%、②頭部、内臓、骨、ひれ等
0.4	0.02	0.01	21	37	1	-	**1**	1	(0)	0.7	0.4	-	**0.09**	**0.03**	6.1	0.22	2.2	11	0.18	2.3	**1**	0.3	③しろぎす　②頭部、内臓、骨、ひれ等（三枚おろし）
0.5	0.03	0.08	22	33	0	-	**3**	2	14	0.6	3.2	18	**0.09**	**0.06**	5.9	0.15	2.0	9	0.30	2.2	**1**	0.3	頭部、内臓、骨、ひれ等を除いたもの　②尾
0.4	0.11	-	84	58	0	0	**65**	65	(0)	4.0	2.4	(0)	**0.03**	**0.07**	3.1	0.04	1.0	2	0.20	0.8	**2**	0.2	魚体全体から調理する場合、①60%、②頭部、内臓、骨、ひれ等
1.9	0.10	0.03	-	-	-	-	**(0)**	0	(0)	10.0	0.3	Tr	**0.02**	**0.25**	(9.6)	0.44	8.3	8	0.87	-	**3**	0.4	②頭部、内臓、骨、ひれ等（三枚おろし）
0.7	0.19	0.41	-	-	-	-	**(0)**	0	(0)	24.0	0.4	(0)	**0.02**	**0.64**	(22.0)	0.26	24.0	36	1.36	-	**1**	6.6	
2.5	0.07	0.12	-	-	-	-	**60**	59	6	1.0	9.3	(0)	**0.01**	**1.31**	(6.3)	0.24	19.0	49	2.38	-	**4**	4.1	
0.5	0.02	0.01	-	-	-	-	**5**	5	(0)	Tr	0.2	(0)	**0.03**	**0.07**	(4.8)	0.09	1.3	4	0.42	-	**1**	0.4	
0.3	0.02	0	-	-	-	-	**1500**	1500	0	3.5	4.6	1	**0.05**	**0.10**	4.1	0.09	2.8	1	0.21	-	**0**	0.2	
0.3	0.03	0	-	-	-	-	**1800**	1800	0	4.2	5.4	1	**0.04**	**0.08**	4.6	0.09	2.6	1	0.13	-	**0**	0.2	

Q A 築地市場はどんなところ？▶東京都中央区に、1935年に開設された公設の卸売市場（水産物と青果が中心）で、日本最大（世界でも有数）の規模を誇った。近年はマグロの競りの様子などが観光客にも人気だった。移転先の土壌汚染などを懸念する声もあったが、築地市場の老朽化にともない、江東区の豊洲新市場へ移転した（2018年10月）。

きんめだい (50cm)

きんめだいの干物

きんめだいの煮つけ

こい (30〜60cm)

しろぐち (40cm)

こいの切り身

きんめだい (金眼鯛)

Alfonsino 1尾=300g

体長＝50cm。キンメダイ科。たいとは別種で、眼が大きく瞳孔が金色で、胴体の色が真っ赤なためこの名がついた。深海底に生息しているときは黒色に見える。白身でやわらかく、脂が多い。別名**きんめ**。

調理法：刺身、焼き魚、煮つけ、鍋物、フライ、ムニエル、みそ漬、かす漬等。

旬：冬

生息地：日本の南方から太平洋、大西洋、インド洋の沿岸、ニュージーランドやオーストラリアの沖合。

ぐち (石魚、魚免)

Croaker 1尾=100g

体長＝しろぐち40cm。ニベ科。ニベ科の海産魚の総称。成分値はしろぐちの数値。浮き袋を使ってグーグーと鳴くのが釣り上げられて愚痴を言っているようなのでこの名がついた。頭部にある耳石が大きいため、別名**いしもち**(**石持ち**)。白身で身が崩れにくいが、すり身にすると弾力が出るため練り製品にすることが多い。

種類：しろぐち (いしもち)、きぐち、くろぐち、にべ、おおにべ、ほんにべ等。

調理法：焼き魚、煮つけ、鍋物、丸揚げ、高級練り製品等。乾燥した浮き袋は中国料理の高級材料“魚肚(ユィドゥ)”となる。

旬：しろぐちは6〜8月、12〜2月。

生息地：東シナ海に多い。

こい (鯉)

Carp 中1尾=700g

体長＝30〜60cm。コイ科。河川や湖岸に生息する淡水魚で、20年以上の長命。流通しているもののほとんどが養殖。毒性のある苦玉 (にがだま＝胆のう) は、つぶすと苦味が身に回るため、調理のときは注意が必要。生食の際は寄生虫 (肝臓ジストマの幼虫) にも注意。

種類：まごい、かわごい、かがみごい等。観賞用としてひごい (緋鯉) やにしきごい (錦鯉) 等がある。

調理法：こいこく (みそで煮込んだ汁)、揚げ物、甘煮、甘露煮、洗い等。くせがあるので、味つけを濃くしたり、香辛料を利用する。

旬：12〜2月。

生息地：日本全国。長野県佐久市のこいは味がよいと有名。

(切)=切り身 くさや→p.200

食品番号	食品名	廃棄率	エネルギー	2015年版の値	水分	たんぱく質	アミノ酸組成によるたんぱく質	脂質	脂肪酸のトリアシルグリセロール当量	脂肪酸 飽和	脂肪酸 一価不飽和	脂肪酸 多価不飽和	コレステロール	炭水化物	利用可能炭水化物(質量計)	食物繊維 食物繊維総量(プロスキー変法)	食物繊維 食物繊維総量(AOAC法)	ミネラル(無機質) ナトリウム	カリウム	カルシウム	マグネシウム	リン	鉄
		%	kcal	kcal	g	g	g	g	g	g	g	g	mg	g	g	g	g	mg	mg	mg	mg	mg	mg
10116	**きんめだい** 生	60	**147**	160	72.1	**17.8**	14.6	**9.0**	7.9	2.15	3.80	1.60	60	**0.1**	(0.1)	-	-	59	330	**31**	73	490	**0.3**
10117	**ぐち** 生	60	**78**	83	80.1	**18.0**	15.3	**0.8**	0.6	0.18	0.17	0.20	66	**Tr**	(Tr)	-	-	95	260	**37**	28	140	**0.4**
10118	焼き	45	**100**	106	74.3	**23.4**	(19.9)	**0.8**	0.6	0.18	0.17	0.20	85	**Tr**	(Tr)	-	-	140	330	**51**	34	180	**0.6**
10119	**こい** 養殖 生	50	**157**	171	71.0	**17.7**	14.8	**10.2**	8.9	2.03	4.67	1.85	86	**0.2**	(0.2)	-	-	49	340	**9**	22	180	**0.5**
10120	水煮	15	**190**	208	66.3	**19.2**	(16.0)	**13.4**	11.8	2.65	6.10	2.49	100	**0.2**	(0.2)	-	-	47	330	**13**	22	180	**0.6**
10121	内臓 生	0	**258**	287	62.6	**9.0**	-	**25.9**	22.6	5.22	10.06	6.31	260	**1.3**	(1.2)	-	-	95	240	**9**	19	130	**3.1**
	(こち類)																						
10122	**まごち** 生	55	**94**	100	75.4	**22.5**	(18.6)	**0.5**	0.3	0.10	0.08	0.14	57	**0.2**	(0.2)	-	-	110	450	**51**	33	260	**0.2**
(切) 10123	**めごち** 生	0	**73**	78	81.1	**17.1**	17.3	**0.6**	0.4	0.11	0.07	0.18	52	**0.1**	(0.1)	-	-	160	280	**40**	30	160	**0.2**
10124	**このしろ** 生	50	**146**	160	70.6	**19.0**	15.6	**8.3**	7.1	2.29	2.51	1.95	68	**0.4**	(0.4)	-	-	160	370	**190**	27	230	**1.3**
10125	甘酢漬	0	**184**	193	61.5	**19.1**	(15.7)	**10.1**	8.2	3.00	2.75	2.11	74	**6.4**	-	-	-	890	120	**160**	16	170	**1.8**
	(さけ・ます類)																						
(切) 10126	**からふとます** 生	0	**139**	154	70.1	**21.7**	(18.0)	**6.6**	5.1	1.23	2.12	1.58	58	**0.1**	(0.1)	-	-	64	400	**13**	29	260	**0.4**
(切) 10127	焼き	0	**175**	191	62.1	**28.1**	(23.3)	**7.7**	6.2	1.43	2.63	1.89	88	**0.1**	(0.1)	-	-	85	520	**20**	41	370	**0.6**
10128	塩ます	30	**146**	160	64.6	**20.9**	(17.3)	**7.4**	6.1	1.51	2.60	1.76	62	**0.6**	(0.5)	-	-	2300	310	**27**	34	250	**0.4**
10129	水煮缶詰	0	**145**	156	69.7	**20.7**	(17.2)	**7.2**	6.5	1.29	3.18	1.80	89	**0.1**	(0.1)	-	-	360	300	**110**	36	320	**1.5**

+PLUS+ **魚の旬は脂ののりにあり**●魚の脂肪には、組織脂肪としていつも一定量が蓄えられているものと、栄養状態によって増減する貯蔵脂肪の2種類がある。一般に、産卵に備えて盛んにえさを食べて貯蔵脂肪を蓄える時期が、魚の旬となる。

こち類 (鯒類)
Flatheads

コチ科。平たい形の底生魚。

まごち (真鯒)

体長＝50～60cm。別名**こち**、**がらごち**、**ぜにごち**、**ほんごち**。白身の高級魚。漁獲が少なくほとんどが高級料理屋に直行するため、一般にはほとんど出回らない。

調理法：刺身、煮物、天ぷら、椀だね、高級かまぼこ等。

旬：6～8月。

生息地：千葉、新潟以西。

めごち (雌鯒)

体長＝20cm。くせがなく上品な白身。関東でめごちというものの多くは、ネズッポ科のネズミゴチ、ぬめりごち等の別種で鱗(うろこ)がない。

調理法：煮つけ、塩焼き、かまぼこ等。

旬：11～3月。

生息地：南日本から東シナ海。

このしろ (鰶)
Gizzard shad　1尾＝40g

体長＝25cm。ニシン科。別名**つなし**。成長につれて名前が変わる出世魚で15cm前後の小型魚を**こはだ**という。小骨の多い魚だが、酢漬にすると骨がやわらかくなる。江戸前寿司にはなくてはならない一品。

調理法：寿司だね、酢の物、マリネ、焼き魚、揚げ物、粟漬、うのはな漬等。

旬：こはだ8～9月。このしろ11～2月。

生息地：東北地方から九州、中国東部、台湾。

からふとますの雄 (70cm)

さけ・ます類 (鮭・鱒類)
Salmons and trouts

生1切＝80g　焼き1切＝60g

サケ科。さけは、降海型のサケ科 (川で生まれて海に下り、数年かけて成長し生まれた川に戻って産卵し、死亡する) につけられる名称。ますは、淡水生活をするサケ科につけられる名称。しかし、分類学上の明確な区別はなく、両者は同じ仲間である。身は赤いが、生物学的には白身魚に分類される。数日間冷凍すると寄生虫は死滅する。

からふとます (樺太鱒)

体長＝70cm。成熟した雄は背中が盛り上がり、雌とは異なる姿になる。別名**あおます**。

調理法：缶詰、塩ざけ、くん製、塩焼き、ムニエル等。

旬：9～11月。

生息地：岩手より北、ロシア、アラスカからカリフォルニア北部。

可食部100 g あたり　Tr：微量　( )：推定値または推計値　－：未測定

ミネラル (無機質)							ビタミン															食塩相当量	備考
亜鉛	銅	マンガン	ヨウ素	セレン	クロム	モリブデン	A 活性当量レチノール	A レチノール	A β-カロテン当量	D	E αトコフェロール	K	B1	B2	ナイアシン当量	B6	B12	葉酸	パントテン酸	ビオチン	C		①廃棄率 ②廃棄部位 ③試料
mg	mg	mg	μg	μg	μg	μg	μg	μg	μg	μg	mg	μg	mg	mg	mg	mg	μg	μg	mg	μg	mg	g	
0.3	0.02	0.01	-	-	-	-	**63**	63	(0)	2.0	1.7	(0)	**0.03**	**0.05**	5.8	0.28	1.1	9	0.23	-	**1**	0.1	②頭部、内臓、骨、ひれ等 (三枚おろし)
0.6	0.03	0.01	-	-	-	-	**5**	5	(0)	2.9	0.5	(0)	**0.04**	**0.28**	6.2	0.18	2.5	6	0.46	-	**Tr**	0.2	③しろぐち ②頭部、内臓、骨、ひれ等 (三枚おろし)
0.8	0.03	0.01	-	-	-	-	**7**	7	(0)	3.3	0.7	(0)	**0.05**	**0.25**	(7.5)	0.11	2.8	9	0.45	-	**Tr**	0.4	③しろぐち 内臓等を除き焼いたもの ②頭部、骨、ひれ等
1.2	0.05	0.01	-	-	-	-	**4**	4	(0)	14.0	2.0	(0)	**0.46**	**0.18**	6.3	0.13	10.0	10	1.48	-	**Tr**	0.1	②頭部、内臓、骨、ひれ等 (三枚おろし)
1.8	0.06	0.01	-	-	-	-	**3**	3	(0)	12.0	2.0	(0)	**0.37**	**0.17**	(6.4)	0.11	7.5	9	1.51	-	**1**	0.1	頭部、尾及び内臓等を除き水煮したもの ②骨、ひれ等
7.0	0.31	0.10	-	-	-	-	**500**	500	(Tr)	9.0	3.8	1	**0.07**	**0.54**	6.8	0.05	16.0	110	2.53	-	**2**	0.2	胆のうを除いたもの
0.6	0.02	0.01	-	-	-	-	**1**	1	(0)	1.0	0.1	(0)	**0.07**	**0.17**	(8.6)	0.34	1.7	4	0.38	-	**1**	0.3	②頭部、内臓、骨、ひれ等 (三枚おろし)
0.6	0.01	0.04	26	44	Tr	0	**2**	2	3	11.0	0	(0)	**0.02**	**0.08**	5.8	0.14	3.0	6	0.16	1.1	**Tr**	0.4	魚体全体から調理する場合、① 60%、②頭部、内臓、骨、ひれ等
0.7	0.16	-	35	31	1	0	**(Tr)**	Tr	(0)	9.0	2.5	(0)	**Tr**	**0.17**	5.6	0.33	10.0	8	1.13	7.4	**0**	0.4	②頭部、内臓、骨、ひれ等 (三枚おろし)
0.9	0.06	0.09	-	-	-	-	**(Tr)**	Tr	(0)	7.0	0.5	(0)	**Tr**	**0.17**	(5.7)	0.15	8.1	1	0.41	-	**(0)**	2.3	
0.6	0.07	0.01	-	-	-	-	**13**	13	(0)	22.0	0.7	(0)	**0.25**	**0.18**	(12.0)	0.49	4.6	16	1.30	-	**1**	0.2	
0.7	0.09	0.01	-	-	-	-	**15**	15	(0)	31.0	0.9	(0)	**0.24**	**0.27**	(15.0)	0.36	7.9	19	1.60	-	**1**	0.2	
0.5	0.06	0.01	-	-	-	-	**19**	19	0	20.0	0.4	(0)	**0.21**	**0.17**	(11.0)	0.48	2.1	10	1.07	-	**1**	5.8	②頭部、骨、ひれ等
0.9	0.10	0.08	-	-	-	-	**(Tr)**	Tr	(0)	7.0	0.7	(0)	**0.15**	**0.13**	(9.8)	0.25	3.4	15	0.66	-	**(0)**	0.9	液汁を除いたもの

Q A 「鯉 (こい) の滝登り」の意味は？▶立身出世することのたとえとして、鯉の滝登りという言葉がある。鯉が滝を登りきると龍になるという中国の伝説に由来する (実際には滝を登らない)。鯉は縁起がよい魚とされ、神社の供物や祝い事の料理、端午 (たんご) の節句の鯉のぼり等にされた。

ぎんざけ (85cm)

切り身

イクラ寿司

しろさけ (80cm～1m)

すじこ

イクラ

ぎんざけ (銀鮭)
体長＝85cm。別名**ぎんます**。北太平洋に生息し、日本にはほとんど回遊しない。チリ等からの輸入ものが多い。卵を輸入し東北地方で海面養殖している。
調理法：塩焼き、ステーキ、マリネ、塩ざけ、くん製、缶詰等。
旬：8～10月。
産地：アメリカ、ロシア、チリ等。

さくらます (桜鱒)
体長＝60cm。別名**ます**。ますの名がつくが降海型の魚。河川に残留するもの（陸封型）はやまめ(➡p.238)と呼ぶ。体色は銀色だが、産卵期になると桃色がかった婚姻色となる。
調理法：焼き魚、みそ煮、フライ等。
旬：4～6月。
郷土料理：富山の"鱒寿司"。

しろさけ (白鮭)
体長＝80cm～1m。一般に**さけ**と呼ばれるもの（標準和名）。サケ科では肉の赤色が最も弱いためこの名がついた。秋に産卵のために生まれた川の沿岸へ戻ってくるが、これを**あきさけ**、**あきあじ**という。産卵期の雄は鼻がかぎ状に大きく曲がる。成熟していない回遊中のさけが、たまたま、あきさけと一緒に獲れたものを鮭児（けいじ）という。数が希少で幻の鮭といわれる。脂質が大変多い。
調理法：焼き魚、酒蒸し、鍋物、ムニエル、フライ、テリーヌ、新巻、塩ざけ、くん製、缶詰。熱を加えすぎると身がぼそぼそになる。頭は酢に漬けて氷頭（ひず）なますにする。
旬：9～11月。
産地：北海道、新潟等。
郷土料理："石狩鍋"や"チャンチャン焼き"（鉄板焼き）、"三平汁"等は北海道の名物。新潟県村上市の塩引きさけの"酒浸し（さかびたし）"も有名。
新巻き：内臓を除いて塩で漬け、わらのむしろで巻いたもの。
イクラ：大1＝18g。卵粒を一粒ずつに分離して塩蔵したもの。
すじこ：分離せずに卵膜がついたまま塩蔵したもの。卵が筋のようにつながっているためこの名がついた。
めふん：背骨沿いにある腎臓（背わた）を塩辛にしたもの。

さくらます (60cm)

鱒寿司

切＝切り身

食品番号	食品名	廃棄率 %	エネルギー kcal	2015年版の値 kcal	水分 g	たんぱく質 g	アミノ酸組成によるたんぱく質 g	脂質 g	脂肪酸のトリアシルグリセロール当量 g	脂肪酸 飽和 g	脂肪酸 一価不飽和 g	脂肪酸 多価不飽和 g	コレステロール mg	炭水化物 g	利用可能炭水化物（質量計） g	食物繊維 食物繊維総量（プロスキー変法） g	食物繊維 食物繊維総量（AOAC法） g	ナトリウム mg	カリウム mg	カルシウム mg	マグネシウム mg	リン mg	鉄 mg
切 10130	**ぎんざけ** 養殖 生	0	**188**	204	66.0	**19.6**	16.8	**12.8**	11.4	2.30	4.87	3.74	60	**0.3**	(0.3)	-	-	48	350	**12**	25	290	**0.3**
切 10131	焼き	0	**236**	257	56.7	**25.2**	21.0	**15.8**	14.1	2.84	6.08	4.62	88	**0.4**	(0.4)	-	-	61	460	**16**	34	320	**0.4**
切 10132	**さくらます** 生	0	**146**	161	69.8	**20.9**	(17.3)	**7.7**	6.2	1.60	2.42	1.89	54	**0.1**	(0.1)	-	-	53	390	**15**	28	260	**0.4**
切 10133	焼き	0	**208**	233	57.4	**28.4**	(23.5)	**12.0**	9.1	2.42	3.58	2.73	77	**0.1**	(0.1)	-	-	71	520	**26**	38	370	**0.5**
切 10134	**しろさけ** 生	0	**124**	133	72.3	**22.3**	18.9	**4.1**	3.7	0.80	1.69	1.01	59	**0.1**	(0.1)	-	-	66	350	**14**	28	240	**0.5**
切 10135	水煮	0	**142**	152	68.5	**25.5**	21.0	**4.7**	4.1	0.91	1.93	1.09	78	**0.1**	(0.1)	-	-	63	340	**19**	29	250	**0.6**
切 10136	焼き	0	**160**	171	64.2	**29.1**	23.7	**5.1**	4.6	1.01	2.17	1.24	85	**0.1**	(0.1)	-	-	82	440	**19**	35	310	**0.6**
切 10137	新巻き 生	0	**138**	154	67.0	**22.8**	(19.3)	**6.1**	4.4	0.98	1.83	1.43	70	**0.1**	(0.1)	-	-	1200	380	**28**	29	230	**1.0**
切 10138	焼き	0	**177**	198	59.5	**29.3**	(24.9)	**7.9**	5.5	1.22	2.32	1.74	95	**0.1**	(0.1)	-	-	830	480	**44**	36	300	**1.7**
切 10139	塩ざけ	0	**183**	199	63.6	**22.4**	19.4	**11.1**	9.7	2.19	4.34	2.81	64	**0.1**	(0.1)	-	-	720	320	**16**	30	270	**0.3**
10140	イクラ	0	**252**	272	48.4	**32.6**	(28.8)	**15.6**	11.7	2.42	3.82	4.97	480	**0.2**	(0.2)	-	-	910	210	**94**	95	530	**2.0**
10141	すじこ	0	**263**	282	45.7	**30.5**	27.0	**17.4**	13.5	2.72	4.02	6.17	510	**0.9**	(0.8)	-	-	1900	180	**62**	80	490	**2.7**
10142	めふん	0	**74**	77	65.4	**16.9**	-	**0.9**	0.5	0.18	0.13	0.18	300	**0.4**	(0.4)	-	-	5800	300	**35**	28	220	**6.8**
10143	水煮缶詰	0	**156**	170	68.2	**21.2**	(18.0)	**8.5**	7.5	1.79	3.76	1.59	66	**0.1**	(0.1)	-	-	230	290	**190**	34	310	**0.4**
10447	サケ節 削り節	0	**346**	359	14.3	**77.4**	(65.7)	**3.4**	(3.0)	(0.66)	(1.40)	(0.84)	290	**0.2**	(0.2)	-	-	300	840	**51**	81	620	**2.0**

人造イクラの秘密●代表的なコピー食品（他の材料を使って似せてつくった加工品）。原料の海藻エキスと食用油を着色・味付けしてつくる。見た目・味・食感ともに本物そっくりで見分けることはむずかしい。含まれるたんぱく質量が少ないため、熱湯に入れても白濁しない点が簡単な見分け方だが、それはヤボってもんだろう。

おもな魚介類の旬

さけの珍味あれこれ

さけとば

さけを皮つきのまま縦に細長く切って海水で洗い、冷たい潮風にあてて干した保存食。かなり硬い。

めふん

さけの背骨に沿ってついている血腸（腎臓）を取り出し、塩漬けにして熟成させた塩辛。アイヌ語で腎臓のことを「メフル」という。

鮭児（ケイジ）

11月上旬〜中旬にかけて、知床から網走付近でとれる脂ののった若いさけ。1万匹中1〜2匹しかおらず、幻のさけと呼ばれる。

サカナの調理用語

魚田（ぎょでん）

田楽の一種で、素焼きにした魚にみそを塗って焼く。切り身やあゆ、ます、やまめなどの小ぶりの魚に適している。

洗い（あらい）

刺身のつくり方のひとつ。切ってから氷水で洗うことで身を引き締め、歯切れをよくする。脂肪分も抜けるため淡白な味になる。こい、すずき、たいなどの白身魚に適している。

可食部100 gあたり　Tr：微量　（ ）：推定値または推計値　－：未測定

ミネラル（無機質）							ビタミン															食塩相当量	備考
亜鉛	銅	マンガン	ヨウ素	セレン	クロム	モリブデン	A レチノール活性当量	レチノール	β-カロテン当量	D	E αトコフェロール	K	B_1	B_2	ナイアシン当量	B_6	B_{12}	葉酸	パントテン酸	ビオチン	C		①廃棄率　②廃棄部位　③試料
mg	mg	mg	µg	µg	µg	µg	µg	µg	µg	µg	mg	µg	mg	mg	mg	mg	µg	µg	mg	µg	mg	g	
0.6	0.05	0.01	9	29	1	0	**36**	36	Tr	15.0	1.8	(0)	**0.15**	**0.14**	9.0	0.32	5.2	9	1.37	4.5	**1**	0.1	魚体全体から調理する場合、① 35%、②頭部、内臓、骨、ひれ等
0.8	0.07	0.01	10	37	Tr	0	**37**	37	Tr	21.0	2.7	(0)	**0.13**	**0.19**	12.0	0.31	7.5	10	1.65	6.1	**1**	0.2	
0.5	0.06	0.01	-	-	-	-	**63**	63	(0)	10.0	2.3	(0)	**0.11**	**0.14**	(13.0)	0.52	7.6	21	0.97	-	**1**	0.1	魚体全体から調理する場合、① 30%、②頭部、内臓、骨、ひれ等
0.7	0.08	0.01	-	-	-	-	**55**	55	(0)	15.0	3.3	(0)	**0.12**	**0.23**	(15.0)	0.32	9.2	26	1.28	-	**1**	0.2	
0.5	0.07	0.01	5	31	1	0	**11**	11	(0)	32.0	1.2	(0)	**0.15**	**0.21**	11.0	0.64	5.9	20	1.27	9.0	**1**	0.2	魚体全体から調理する場合、① 40%、②頭部、内臓、骨、ひれ等
0.6	0.08	0.01	6	34	2	0	**13**	13	(0)	34.0	1.1	(0)	**0.15**	**0.23**	12.0	0.51	5.3	21	1.21	10.0	**Tr**	0.2	
0.7	0.08	0.01	5	41	3	0	**14**	14	(0)	39.0	1.4	(0)	**0.17**	**0.26**	14.0	0.57	6.0	24	1.67	12.0	**1**	0.2	
0.4	0.07	0.02	-	-	-	-	**(Tr)**	Tr	(0)	21.0	0.7	(0)	**0.18**	**0.20**	(11.0)	0.56	6.0	24	1.45	-	**1**	3.0	魚体全体から調理する場合、① 30%、②頭部、骨、ひれ等
0.6	0.08	0.03	-	-	-	-	**(Tr)**	Tr	(0)	25.0	1.0	(0)	**0.22**	**0.24**	(13.0)	0.52	6.3	40	1.80	-	**1**	2.1	
0.4	0.05	0.01	18	43	0	0	**24**	24	(0)	23.0	0.4	(0)	**0.14**	**0.15**	12.0	0.58	6.9	11	0.95	11.0	**1**	1.8	魚体全体から調理する場合、① 20%、②頭部、骨、ひれ等
2.1	0.76	0.06	-	-	-	-	**330**	330	(0)	44.0	9.1	(0)	**0.42**	**0.55**	(6.1)	0.06	47.0	100	2.36	-	**6**	2.3	
2.2	0.73	0.07	-	-	-	-	**670**	670	0	47.0	11.0	Tr	**0.42**	**0.61**	6.0	0.23	54.0	160	2.40	-	**9**	4.8	卵巣を塩蔵したもの
1.5	0.13	0.03	-	-	-	-	**250**	250	(0)	20.0	0.4	1	**Tr**	**6.38**	5.5	0.07	330.0	60	0.91	-	**(0)**	14.7	腎臓を塩辛にしたもの
0.8	0.07	0.03	-	-	-	-	**(Tr)**	Tr	(0)	8.0	0.6	(0)	**0.15**	**0.12**	(11.0)	0.10	6.0	10	0.41	-	**(0)**	0.6	液汁を除いたもの
1.8	0.24	0.05	31	120	1	1	**3**	3	-	33.0	2.0	0	**0.04**	**0.52**	(27.0)	0.46	22.0	27	1.95	33.0	**-**	0.8	③包装品

QA ルイべって、なに？▶アイヌ語の「ルイ・イペ（とけた食べ物）」に由来し、冷凍魚の刺身のこと。北海道の郷土料理。さけやたらなどの魚が用いられる。薄切りにしてわさびじょうゆなどで食べる。冷凍して水分が抜けていくときに脂も落ち、さけ自体の風味が増すといわれる。

ますのすけ (キングサーモン) (1.5m)

べにざけ (ひめます) (30cm)

にじます(30cm)

スモークサーモン

たいせいようさけ (大西洋鮭)
体長＝1.4m。別名**アトランティックサーモン**。英語のサーモン(salmon)は、本来これを指す。ほかのサケ属と異なって産卵後も多くの個体が生き残り、数回産卵できる。天然ものは激減し、現在では北欧や南米での養殖が盛ん。成長が早く、注文に応じて時期、サイズ、量を調整して出荷できるという利点がある。
調理法：ステーキ、ムニエル等。
産地：カナダ、チリ、ノルウェー等大西洋北部。

にじます (虹鱒)
体長＝30cm。別名**スチールヘッドトラウト、サーモントラウト**。河川の冷水域に生息する陸封型の魚。産卵期の雄の体側に出る帯状の虹色斑からこの名がついた。明治初期の輸入以来「淡水養殖」が行われているが、近年は大型の改良種が「海面養殖」されて一般に流通している。
調理法：焼き魚、洗い、揚げ物、姿寿司、赤ワイン煮込み、ムニエル、冷製、甘露煮等。米原駅の“鱒寿し”、新山口駅の“鱒すし”等が有名。

べにざけ (紅鮭)
体長＝50〜70cm。降海型の魚。北太平洋に生息し、日本にはほとんど回遊しない。ロシアやカナダ等からの輸入物が中心。身の赤みが濃く、産卵期になると、雄は体表やひれが紅色になって背中が盛り上がり、雌は黒っぽくなる。河川に残留して育つもの(陸封型)をひめますと呼び、体長は30cm程度。
調理法：缶詰、くん製(スモークサーモン)、塩ざけ、ルイベ(➡p.219 Q&A)等。くん製には次の3種類ある。
冷燻：素材に熱を加えず、15〜25℃前後で煙を長時間かけてじっくりとつくる方法。
温燻：30〜80℃の熱を加えながら3〜8時間くん煙する方法。
熱燻：80〜100℃前後の熱を加えながら、1〜4時間の短時間でくん煙する方法で保存はきかない。
旬：6〜8月。
生息地：北洋、カナダ等。

ますのすけ (鱒の介)
体長＝1.5m。別名**キングサーモン**。脂が多く美味で、さけの中では最も高価。日本には分布せず、ロシアに回帰する一部が北海道で漁獲されるが、量は極めて少ない。アメリカ、カナダ等からの輸入が多い。
調理法：ステーキ、スモークサーモン、ルイベ等。
旬：4〜6月。
産地：北米太平洋、アラスカ等。

切＝切り身

	食品番号	食品名	廃棄率 %	エネルギー kcal	2015年版の値 kcal	水分 g	たんぱく質 g	アミノ酸組成によるたんぱく質 g	脂質 g	脂肪酸のトリアシルグリセロール当量 g	脂肪酸 飽和 g	脂肪酸 一価不飽和 g	脂肪酸 多価不飽和 g	コレステロール mg	炭水化物 g	利用可能炭水化物(質量計) g	食物繊維総量(プロスキー変法) g	食物繊維総量(AOAC法) g	ナトリウム mg	カリウム mg	カルシウム mg	マグネシウム mg	リン mg	鉄 mg
		たいせいようさけ																						
切	10144	養殖 皮つき 生	0	218	241	62.1	20.1	17.3	16.5	14.4	2.18	7.15	4.43	72	0.1	(0.1)	-	-	43	370	9	27	240	0.3
切	10433	水煮	0	236	268	58.6	22.5	19.8	18.4	17.4	2.69	8.66	5.25	82	0.1	(0.1)	-	-	40	330	12	27	230	0.3
切	10434	蒸し	0	230	250	60.2	23.8	20.0	15.8	15.3	2.41	7.57	4.66	79	0.1	(0.1)	-	-	49	360	10	28	250	0.3
切	10435	電子レンジ調理	0	223	242	61.2	22.9	19.0	15.4	14.8	2.40	7.23	4.53	72	0.1	(0.1)	-	-	47	380	8	29	260	0.3
切	10145	焼き	0	270	290	54.6	24.5	19.8	19.7	19.1	3.06	9.40	5.78	93	0.3	(0.3)	-	-	55	460	17	34	310	0.3
切	10436	ソテー	0	266	285	54.6	25.2	22.3	20.4	19.6	2.83	9.93	5.98	79	0.1	(0.1)	-	-	55	450	10	33	300	0.3
切	10437	天ぷら	0	282	285	52.6	21.0	18.2	20.1	19.5	2.32	10.56	5.79	65	5.1	-	-	-	66	410	27	26	240	0.4
切	10438	皮なし 生	0	223	243	62.5	19.6	16.7	17.0	15.7	2.38	7.87	4.82	64	0.1	(0.1)	-	-	43	380	5	28	250	0.3
切	10439	水煮	10	244	265	58.7	22.7	19.1	17.9	16.8	2.61	8.39	5.10	75	0.1	(0.1)	-	-	39	350	5	28	240	0.3
切	10440	蒸し	8	228	247	60.3	23.2	19.4	15.8	15.1	2.31	7.51	4.58	70	0.1	(0.1)	-	-	49	360	13	29	250	0.3
切	10441	電子レンジ調理	8	231	252	60.2	22.7	18.5	16.5	15.7	2.56	7.69	4.81	70	0.1	(0.1)	-	-	47	400	6	30	270	0.3
切	10442	焼き	10	229	249	59.8	23.9	19.2	15.7	15.0	2.36	7.44	4.53	72	0.1	(0.1)	-	-	52	440	5	31	280	0.3
切	10443	ソテー	10	269	292	53.2	25.8	22.3	21.0	20.0	2.84	10.16	6.10	78	0.1	(0.1)	-	-	54	450	7	34	300	0.3
切	10444	天ぷら	10	266	269	54.8	20.0	17.3	18.6	17.9	2.15	9.64	5.34	58	5.5	-	-	-	62	390	27	25	230	0.3
切	10146	**にじます** 海面養殖 皮つき 生	0	201	224	63.0	21.4	18.7	14.2	11.7	3.09	5.04	3.07	69	0.1	(0.1)	-	-	64	390	13	28	250	0.3
切	10402	皮なし 生	0	176	189	67.5	20.5	17.8	10.8	10.1	1.65	4.67	3.31	52	0.2	(0.2)	-	-	50	420	8	29	250	0.3
切	10147	皮つき 焼き	0	238	266	55.3	27.2	(23.9)	15.8	13.3	3.58	5.75	3.38	98	0.4	(0.4)	-	-	68	490	22	55	350	0.3
	10148	淡水養殖 皮つき 生	45	116	127	74.5	19.7	16.2	4.6	3.7	0.94	1.36	1.26	72	0.1	(0.1)	-	-	50	370	24	28	240	0.2
切	10149	**べにざけ** 生	0	127	138	71.4	22.5	(18.6)	4.5	3.7	0.81	1.75	1.03	51	0.1	(0.1)	-	-	57	380	10	31	260	0.4
切	10150	焼き	0	163	177	63.4	28.5	(23.6)	6.0	4.9	1.06	2.29	1.30	76	0.1	(0.1)	-	-	72	490	16	39	340	0.5
切	10151	くん製	0	143	161	64.0	25.7	-	5.5	4.4	0.97	2.04	1.23	50	0.1	(0.1)	-	-	1500	250	19	20	240	0.8
切	10152	**ますのすけ** 生	0	176	200	66.5	19.5	(16.2)	12.5	9.7	2.50	4.78	1.97	54	Tr	(Tr)	-	-	38	380	18	28	250	0.3
切	10153	焼き	0	238	269	54.9	26.4	(21.9)	16.7	13.1	3.44	6.57	2.56	79	Tr	(Tr)	-	-	48	520	30	33	330	0.4

+PLUS+ **サケ節はさけのかつお節バージョン**●かつお節に比べて、うま味成分は3倍以上、甘味成分はほたてがいやえびの2倍以上で、うま味と甘みが濃いのにあっさりした上品な風味。節類には油脂が少ないものが適しているが、サケ節は、脂肪が減少するため廃棄されていた採卵後のさけを利用するため、資源の有効活用にもなる。

魚図鑑

魚介類の大きさを比べてみましょう。

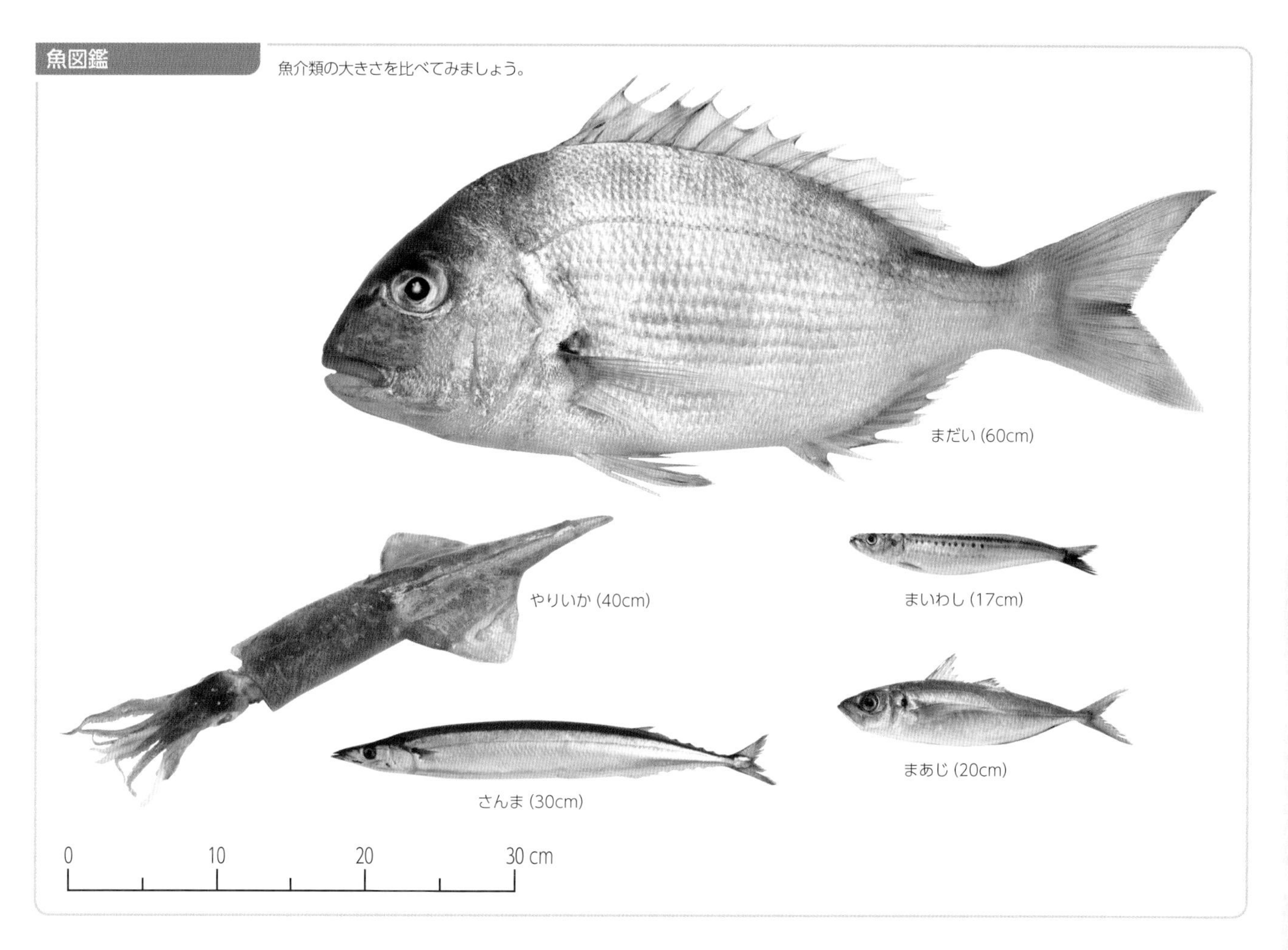

可食部100 gあたり　Tr：微量　( )：推定値または推計値　−：未測定

ミネラル（無機質）							ビタミン															食塩相当量	備考
亜鉛	銅	マンガン	ヨウ素	セレン	クロム	モリブデン	A レチノール活性当量	A レチノール	A β-カロテン当量	D	E α-トコフェロール	K	B_1	B_2	ナイアシン当量	B_6	B_{12}	葉酸	パントテン酸	ビオチン	C		①廃棄率　②廃棄部位　③試料
mg	mg	mg	μg	μg	μg	μg	μg	μg	μg	μg	mg	μg	mg	mg	mg	mg	μg	μg	mg	μg	mg	g	
0.5	0.05	0.01	5	19	0	0	**14**	14	0	8.3	3.8	6	**0.23**	**0.10**	11.0	0.45	7.2	27	1.31	6.3	**2**	0.1	
0.4	0.05	0.01	5	20	0	Tr	**15**	15	(0)	7.5	4.9	8	**0.26**	**0.10**	11.0	0.50	7.3	17	1.16	5.7	**1**	0.1	
0.3	0.06	0.01	8	24	0	Tr	**16**	16	(0)	7.5	3.4	6	**0.25**	**0.11**	12.0	0.52	8.4	18	1.11	7.1	**2**	0.1	
0.3	0.06	0.01	7	23	Tr	Tr	**18**	18	(0)	6.1	2.9	6	**0.29**	**0.11**	12.0	0.61	8.9	17	1.24	6.5	**2**	0.1	
0.5	0.05	0.01	8	26	0	Tr	**17**	17	0	11.0	4.4	8	**0.24**	**0.13**	13.0	0.43	5.6	28	1.69	8.8	**3**	0.1	
0.3	0.06	0.01	8	23	0	Tr	**22**	22	(0)	6.9	5.8	9	**0.31**	**0.13**	14.0	0.51	7.9	23	1.61	7.6	**2**	0.1	植物油（なたね油）
0.5	0.05	0.05	5	18	0	1	**6**	5	8	5.6	5.7	19	**0.27**	**0.14**	12.0	0.45	4.2	23	1.26	6.1	**2**	0.2	
0.4	0.05	0.01	6	17	0	0	**14**	14	(0)	7.3	3.6	6	**0.24**	**0.08**	12.0	0.49	8.0	25	1.30	6.1	**2**	0.1	刺身と同等
0.3	0.05	0.01	5	21	0	0	**16**	16	(0)	7.0	4.7	8	**0.27**	**0.10**	11.0	0.55	7.5	17	1.25	5.9	**2**	0.1	②皮、小骨
0.3	0.06	0.01	7	24	0	Tr	**17**	17	(0)	7.3	3.4	6	**0.25**	**0.10**	12.0	0.57	9.3	18	1.09	7.7	**2**	0.1	②皮、小骨
0.3	0.07	0.01	7	24	0	Tr	**22**	22	(0)	6.4	3.1	7	**0.29**	**0.11**	12.0	0.58	9.7	21	1.12	6.8	**2**	0.1	②皮、小骨
0.3	0.07	0.01	7	24	0	Tr	**21**	21	(0)	7.7	3.7	7	**0.25**	**0.11**	13.0	0.52	9.4	17	1.22	8.7	**1**	0.1	②皮、小骨
0.3	0.06	0.01	7	23	0	Tr	**22**	22	(0)	6.6	6.0	10	**0.31**	**0.13**	15.0	0.50	7.9	24	1.56	7.8	**2**	0.1	②皮、小骨　植物油（なたね油）
0.4	0.05	0.05	5	17	0	1	**5**	4	8	5.3	5.4	19	**0.27**	**0.13**	12.0	0.51	3.7	18	1.15	5.7	**2**	0.2	②皮、小骨
0.5	0.04	0.01	4	22	0	(0)	**57**	57	(0)	11.0	5.5	-	**0.17**	**0.10**	11.0	0.45	5.2	12	1.78	5.4	**2**	0.2	
0.4	0.04	0.01	3	21	0	(0)	**27**	27	(0)	7.0	3.8	-	**0.21**	**0.12**	11.0	0.59	3.8	9	1.74	5.5	**3**	0.1	
0.6	0.05	0.01	-	-	-	(0)	**74**	74	(0)	12.0	5.9	-	**0.20**	**0.15**	(12.0)	0.30	2.8	15	2.68	-	**5**	0.2	
0.6	0.04	0.01	-	-	-	-	**17**	17	0	12.0	1.2	(0)	**0.21**	**0.10**	7.3	0.36	6.0	13	1.63	-	**2**	0.1	②頭部、内臓、骨、ひれ等（三枚おろし）
0.5	0.07	0.01	-	-	-	-	**27**	27	(0)	33.0	1.3	(0)	**0.26**	**0.15**	(10.0)	0.41	9.4	13	1.23	-	**Tr**	0.1	
0.7	0.08	0.01	-	-	-	-	**35**	35	(0)	38.0	1.8	(0)	**0.27**	**0.22**	(12.0)	0.39	3.8	15	1.49	-	**2**	0.2	
0.5	0.07	0.01	-	-	-	-	**43**	43	(0)	28.0	1.2	(0)	**0.23**	**0.23**	13.0	0.52	8.0	10	1.50	-	**(0)**	3.8	皮の割合：10%
0.4	0.06	0.01	-	-	-	-	**160**	160	0	16.0	3.3	(0)	**0.13**	**0.12**	(11.0)	0.43	3.4	12	1.38	-	**1**	0.1	
0.6	0.05	0.01	-	-	-	-	**200**	200	0	17.0	3.8	(0)	**0.14**	**0.20**	(13.0)	0.36	4.1	15	1.77	-	**Tr**	0.1	

Q A 海水魚は淡水でも育つ？▶好適環境水ならば育つ。ナトリウム、カリウム、カルシウムを適正な比率で真水に加えたもので、2006 年に岡山理科大学で開発された。好適環境水だと海水のないところで海水魚を養殖できる、魚の成長が早い、病気や寄生虫等が発生しにくいため抗生物質や消毒薬等によるリスクが低い等、さまざまな利点がある。

まさば (50cm)

しめさば

さばの缶詰

さば節

ごまさば (30〜50cm)

さばの姿寿司

さば類 (鯖類)

Mackerels 1切=80g

サバ科の総称だが、一般にまさばを指す。代表的な青魚。歯が非常に小さいことから小歯（さば）と名づけられ、背が青いことから鯖という字が当てられた。

「さばの生き腐れ」といわれるほど鮮度の低下が早い。これは死後に内臓の自己消化が急速に進むことや、食中毒をおこす有害物質ヒスタミンに変化するヒスチジンを多く含むためである。寄生虫のアニサキスがいることがあるので、生食は避けたほうがよい。脂が多いため、みそや酢を使った料理に向く。

栄養成分：脂質、不飽和脂肪酸等が豊富。

調理法：しめさば、酢の物、焼き魚、揚げ物、ムニエル、みそ煮、棒ずし、くん製、塩さば、干物等。

まさば (真鯖) 中1尾=800g

体長＝50cm。別名**さば**、ほんさば、ひらさば。日本近海では、春〜夏に産卵しながら北上し、秋〜冬は南下する季節回遊をする。一定の場所に居着くものもいる。ブランド化したまさばに、大分県佐賀関の“関（せき）さば”等がある。

旬：9〜11月。

生息地：日本各地の沿岸、世界の温帯から熱帯の沿岸域。

ごまさば (胡麻鯖)

体長＝30 〜 50cm。腹側にごまを散らしたような斑点があるためにこの名がついた。別名まるさば、こもんさば、ほしさば等。さば節の原料になる。まさばより脂肪が少ないが季節的な味の変化が少ないため、まさばの味が落ちる夏に重宝される。ブランド化したごまさばとして、屋久島周辺でとれる屋久さば、一本釣りしたごまさばを一定期間生けすで生かし、締めて出荷する高知県土佐清水市の清水さば等がある。

調理法：刺身、酢じめ、たたき、塩焼き、煮つけ、揚げ物等。

生息地：インド洋や太平洋の温帯地域の沿岸。日本付近では南シナ海、東シナ海に分布し、黒潮に乗って三陸沖まで回遊する。まさばより高温を好む。

(切)=切り身

	食品番号	食品名	廃棄率	エネルギー	2015年版の値	水分	たんぱく質	アミノ酸組成によるたんぱく質	脂質	脂肪酸のトリアシルグリセロール当量	脂肪酸 飽和	脂肪酸 一価不飽和	脂肪酸 多価不飽和	コレステロール	炭水化物	利用可能炭水化物(質量計)	食物繊維 食物繊維総量(プロスキー変法)	食物繊維 食物繊維総量(AOAC法)	ミネラル(無機質) ナトリウム	カリウム	カルシウム	マグネシウム	リン	鉄
			%	kcal	kcal	g	g	g	g	g	g	g	g	mg	g	g	g	g	mg	mg	mg	mg	mg	mg
		(さば類)																						
	10154	**まさば** 生	50	**211**	247	62.1	**20.6**	17.8	**16.8**	12.8	4.57	5.03	2.66	61	**0.3**	(0.3)	-	-	110	330	**6**	30	220	**1.2**
(切)	10155	水煮	0	**253**	309	57.4	**22.6**	(19.6)	**22.6**	17.3	6.12	6.62	3.79	80	**0.3**	(0.3)	-	-	94	280	**7**	29	210	**1.3**
(切)	10156	焼き	0	**264**	318	54.1	**25.2**	(21.8)	**22.4**	17.1	5.87	6.68	3.84	79	**0.4**	(0.3)	-	-	120	370	**10**	34	280	**1.6**
(切)	10403	フライ	0	**316**	332	47.2	**20.0**	16.7	**25.1**	21.9	4.68	10.11	6.17	70	**6.5**	6.2	-	-	130	310	**14**	30	210	**1.3**
	10404	**ごまさば** 生	50	**131**	146	70.7	**23.0**	19.9	**5.1**	3.7	1.20	0.87	1.48	59	**0.3**	(0.2)	-	-	66	420	**12**	33	260	**1.6**
(切)	10405	水煮	0	**139**	155	68.8	**24.8**	20.9	**5.2**	3.8	1.23	0.89	1.48	62	**0.2**	(0.2)	-	-	56	350	**13**	31	240	**1.8**
(切)	10406	焼き	0	**174**	195	60.8	**31.1**	25.5	**6.6**	4.7	1.55	1.11	1.87	74	**0.3**	(0.3)	-	-	88	540	**19**	46	350	**2.2**
	10157	さば節	0	**330**	360	14.6	**73.9**	(64.0)	**5.1**	2.8	1.02	0.77	0.90	300	**Tr**	(Tr)	-	-	370	1100	**860**	140	1200	**7.2**
(切)	10158	**たいせいようさば** 生	0	**295**	326	54.5	**17.2**	15.3	**26.8**	23.4	5.19	9.79	7.46	68	**0.4**	(0.4)	-	-	99	320	**7**	28	210	**0.9**
(切)	10159	水煮	0	**310**	348	51.4	**18.6**	16.3	**28.5**	24.0	5.54	10.36	7.05	78	**0.4**	(0.4)	-	-	96	280	**9**	27	210	**1.0**
(切)	10160	焼き	0	**326**	370	47.0	**21.8**	18.2	**29.3**	23.8	5.67	10.62	6.55	80	**0.5**	(0.5)	-	-	120	390	**12**	33	260	**1.2**
(切)	10161	**加工品** 塩さば	0	**263**	291	52.1	**26.2**	22.8	**19.1**	16.3	3.79	6.63	5.24	59	**0.1**	(0.1)	-	-	720	300	**27**	35	200	**2.0**
	10162	開き干し	25	**303**	348	50.1	**18.7**	16.4	**28.5**	22.7	6.57	8.60	6.58	65	**0.2**	(0.2)	-	-	680	300	**25**	25	200	**2.0**
	10163	しめさば	0	**292**	339	50.6	**18.6**	17.5	**26.9**	20.6	5.79	8.26	5.69	65	**1.7**	-	-	-	640	200	**9**	24	160	**1.1**
	10164	**缶詰** 水煮	0	**174**	190	66.0	**20.9**	(17.4)	**10.7**	9.3	2.42	3.47	3.03	84	**0.2**	(0.2)	-	-	340	260	**260**	31	190	**1.6**
	10165	みそ煮	0	**210**	217	61.0	**16.3**	(13.6)	**13.9**	12.5	3.70	4.41	3.88	70	**6.6**	-	-	-	430	250	**210**	29	250	**2.0**
	10166	味付け	0	**208**	215	59.6	**21.4**	(17.8)	**12.6**	11.2	3.35	3.87	3.53	95	**4.0**	-	-	-	530	260	**180**	35	300	**2.0**
		(さめ類)																						
(切)	10167	**あぶらつのざめ** 生	0	**138**	159	72.4	**16.8**	(8.3)	**9.4**	6.6	1.72	2.88	1.76	50	**Tr**	(Tr)	-	-	100	450	**6**	19	200	**1.0**
(切)	10168	**よしきりざめ** 生	0	**79**	85	79.2	**18.9**	9.4	**0.6**	0.2	0.07	0.05	0.10	54	**Tr**	(Tr)	-	-	210	290	**5**	19	150	**0.4**
	10169	**ふかひれ**	0	**344**	342	13.0	**83.9**	(41.7)	**1.6**	0.5	0.17	0.12	0.16	250	**Tr**	(Tr)	-	-	180	3	**65**	94	36	**1.2**

+PLUS+ 「さばを読む」の秘密●いい加減な数字で、数や年齢をごまかすことをいう。これは、さばは傷みやすく、また漁獲量が多かったため、早口で数えて実際の数と合わなくても、いい加減な数でごまかしたことに由来するらしい。

ふかひれ

ふかひれの姿煮

ふかひれスープ

気仙沼の漁港に水揚げされたよしきりざめ (3~4m)

さば節：脂の少ないごまさばを三枚におろして煮て、いぶして乾燥させたもの。かつお節のようにかびつけをするものもある。香りが強くうま味のあるだしがとれる。

たいせいようさば (大西洋鯖)

体長＝50cm。背中の縞模様が濃くはっきりしている。ノルウェーからの輸入が多く、別名**ノルウェーさば**。塩さばや塩干品、冷凍切り身等として出回る。

生息地：北大西洋、地中海、黒海等。

加工品

塩さば：三枚におろして塩蔵したもの。

開き干し：背開きにして、薄塩で生干ししたもの。

しめさば：片身＝150g。三枚におろし、塩でしめてから酢に漬けたもの。

缶詰 1缶=200g

水煮：塩味だけで煮たもの。

みそ煮：みそを主体にした甘味をきかせた調味料で煮たもの。

味付け：トマト味やしょうゆ味等のもの。

さめ類 (鮫類)

Sharks

サメ類の海産魚の総称で、日本近海には80種類以上いる。体に比べて小さな目“狭目”であることからこの名がついた。

東日本では特に大きなさめを“ふか”と呼ぶが、西日本では呼び名が逆。さめとふかは同じもので、学術的にはさめと呼ぶのが正しい。

体内の尿素が、死後アンモニアに変化して強く臭うため料理にはあまり使わず、ほとんどを練り物の原料とする。

あぶらつのざめ (油角鮫)

体長＝雌1.2m、雄1m。ツノザメ科。別名**あぶらざめ**。70年以上生きる卵胎生のさめで、ヨーロッパで人気。

調理法：煮つけ、煮こごり、唐揚げ、ムニエル、干物、練り製品等。肝臓から油もとる。

旬：冬。

生息地：全世界の寒・温帯域のやや深海。

よしきりざめ (葦切鮫)

体長＝3~4m。メジロザメ科。別名みずぶか。人を襲うこともある。胎生型で一度に50匹前後も子ざめを産む。三陸沖合にも来遊する。食用以外に、骨は薬品や化粧品用のコラーゲンの原料、肝臓はスクワレンの原料、皮はベルト、財布、靴等、さまざまに利用される。さめ類中では最も漁獲量が多い。

調理法：練り製品、ふかひれ等。

生息地：温・熱帯海域。

ふかひれ (鱶鰭) 1食分=5g

さめ類のひれ (尾ひれが多い) の乾燥品。よしきりざめが高級品とされる。別名**さめひれ、きんし**。中国料理の高級素材で魚翅 (ユーチー) と呼ばれ、スープ、煮物、炒め物等にする。中国、台湾等に輸出している。

産地：宮城県気仙沼等。

可食部100gあたり　Tr：微量　( )：推定値または推計値　-：未測定

ミネラル (無機質)							ビタミン															食塩相当量	備考
亜鉛	銅	マンガン	ヨウ素	セレン	クロム	モリブデン	A レチノール活性当量	レチノール	β-カロテン当量	D	E αトコフェロール	K	B_1	B_2	ナイアシン当量	B_6	B_{12}	葉酸	パントテン酸	ビオチン	C		①廃棄率 ②廃棄部位 ③試料
mg	mg	mg	µg	µg	µg	µg	µg	µg	µg	µg	mg	µg	mg	mg	mg	mg	µg	µg	mg	µg	mg	g	
1.1	0.12	0.01	21	70	2	0	**37**	37	1	5.1	1.3	2	**0.21**	**0.31**	16.0	0.59	13.0	11	0.66	4.9	**1**	0.3	②頭部、内臓、骨、ひれ等 (三枚おろし)
1.1	0.14	0.01	23	66	6	0	**31**	31	0	4.3	2.0	-	**0.25**	**0.30**	(15.0)	0.48	19.0	13	0.75	8.5	**0**	0.2	
1.4	0.16	0.01	24	21	6	1	**34**	34	0	4.9	2.1	4	**0.30**	**0.37**	(18.0)	0.54	22.0	13	0.79	8.2	**0**	0.3	
1.1	0.13	0.08	-	-	-	-	**42**	42	1	3.5	3.2	19	**0.20**	**0.30**	14.0	0.33	11.0	16	0.70	-	**0**	0.3	
1.1	0.13	0.01	-	-	-	-	**8**	8	0	4.3	1.2	4	**0.17**	**0.28**	20.0	0.65	13.0	10	0.72	-	**Tr**	0.2	②頭部、内臓、骨、ひれ等 (三枚おろし)
1.2	0.15	0.01	-	-	-	-	**8**	8	0	4.9	1.1	4	**0.15**	**0.28**	18.0	0.51	14.0	12	0.76	-	**0**	0.1	
1.4	0.14	0.01	-	-	-	-	**11**	11	0	5.7	1.7	5	**0.21**	**0.36**	24.0	0.55	17.0	18	1.01	-	**0**	0.2	
8.4	0.43	0.05	-	-	-	-	**(Tr)**	Tr	(0)	12.0	0.9	(0)	**0.25**	**0.85**	(29.0)	0.68	6.0	30	1.55	-	**(0)**	0.9	
0.9	0.06	0.01	69	45	0	0	**44**	44	0	10.0	0.7	(0)	**0.14**	**0.35**	10.0	0.35	8.1	12	0.72	6.6	**1**	0.3	魚体全体から調理する場合、① 35% ②頭部、内臓、骨、ひれ等
1.0	0.07	0.01	67	45	0	0	**42**	42	0	6.6	0.6	(0)	**0.19**	**0.34**	9.1	0.28	12.0	13	0.72	8.2	**Tr**	0.2	
1.1	0.09	0.01	89	59	0	0	**63**	63	0	11.0	0.8	(0)	**0.22**	**0.38**	12.0	0.33	8.8	16	0.93	10.0	**Tr**	0.3	
0.6	0.07	0.02	110	78	1	0	**9**	9	(0)	11.0	0.5	(0)	**0.16**	**0.59**	17.0	0.41	7.1	10	0.59	5.9	**(0)**	1.8	
1.0	0.09	-	110	110	0	0	**9**	9	(0)	12.0	2.4	(0)	**0.13**	**0.59**	12.0	0.42	11.0	11	0.63	8.9	**0**	1.7	②頭部、骨、ひれ等
0.4	0.18	0.01	430	73	1	Tr	**14**	14	(0)	8.0	0.5	(0)	**0.13**	**0.28**	12.0	0.36	11.0	4	0.71	7.6	**Tr**	1.6	
1.7	0.14	0.02	-	-	-	-	**(Tr)**	Tr	(0)	11.0	3.2	(0)	**0.15**	**0.40**	(12.0)	0.36	12.0	12	0.55	-	**(0)**	0.9	液汁を除いたもの
1.2	0.14	0.09	-	-	-	-	**42**	42	(0)	5.0	1.9	(0)	**0.04**	**0.37**	(9.0)	0.30	9.6	21	0.50	-	**0**	1.1	液汁を含んだもの
1.3	0.16	0.09	-	-	-	-	**31**	31	(0)	5.0	2.4	(0)	**0.03**	**0.27**	(11.0)	0.33	11.0	24	0.52	-	**0**	1.3	液汁を除いたもの
0.3	0.04	0.01	-	-	-	-	**210**	210	(0)	1.0	2.2	(0)	**0.04**	**0.08**	(3.0)	0.33	1.7	2	0.73	-	**Tr**	0.3	
0.5	0.06	-	-	-	-	-	**9**	9	(0)	0	0.9	(0)	**0.11**	**0.11**	3.2	0.24	0.3	4	0.49	-	**Tr**	0.5	
3.1	0.06	0.09	-	-	-	-	**(0)**	(0)	(0)	1.0	0.4	(0)	**Tr**	**Tr**	(11.0)	0.02	0.9	23	0.24	-	**(0)**	0.5	

Q A 山の中なのにさめ料理が名物なのはなぜ？▶広島県三次市の名物は、その地方ではわにと呼ばれるさめの料理。昔は、海から遠い山間部で食べられる海の魚は干物か塩漬け。しかし、さめ肉にはアンモニアが非常に多く含まれるため腐敗しにくく、2週間たっても生で食べられたため珍重され、いろいろな料理が工夫されたのだ。

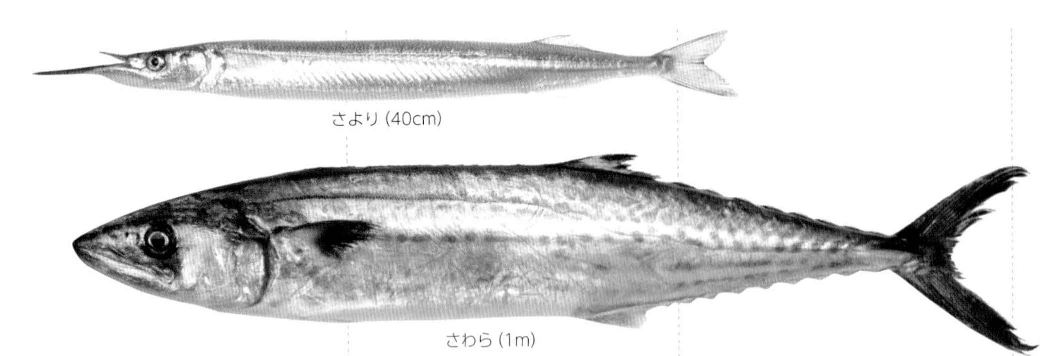

さより (40cm)

さわら (1m)

さよりの寿司

さより (細魚)

Halfbeak　1尾=70g

体長=40cm。サヨリ科。地方名が多い。下あごが口ばし状に伸びて体は細長い。背中は青緑色で腹側が透き通って美しいが、腹膜は黒い。そのため、姿は美しいけれど腹黒い女性をさよりのようだと評した。脂が少なく淡白な味の白身の高級魚。

調理法：刺身、寿司だね、椀だね、焼き魚、酢の物、昆布締め、蒸し物、天ぷら、丸干し等。

旬：春、秋。

生息地：カラフトの西側から台湾にかけての北西太平洋、日本海、黄海、渤海湾の陸地近海。日本では北海道より南の沿岸。

さわら (鰆)

Spanish mackerel　1切=120g

体長=1m。サバ科。体に比べ腹が狭いため"狭腹"から名づけられた。出世魚で、体長50cmまでをさごし、70cmまでをなぎ(またはやなぎ)、それ以上をさわらと呼ぶ。白身で脂が多く、やわらかいため身が割れやすい。寄生虫がいることがあるので、生食のときは注意する。

種類：かますさわら、よこしまさわら。

調理法：刺身、焼き魚、酢の物、フライ、グラタン、西京漬等。

旬：地域によって旬が異なる。瀬戸内海では春、駿河湾や伊豆では秋、相模湾では冬から春。

生息地：北海道南部から朝鮮半島、オーストラリア沿岸。

郷土料理：岡山ではばら寿司の具、"さわらの炒り焼き"、さわらの卵で作る"からすみ"等。香川では、"押し抜きずし"や、みそ漬、真子(卵)の煮つけ、白子のみそ汁等。

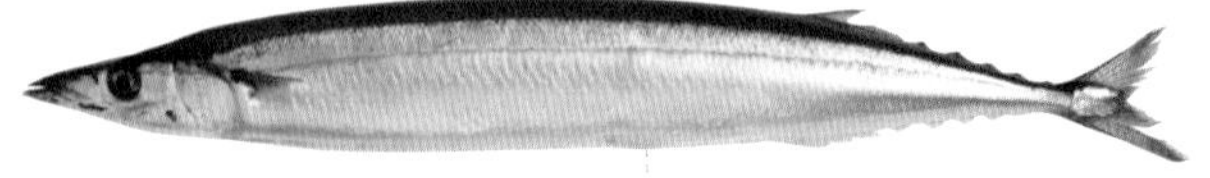

さんま (30cm)

さわらの西京漬

さんまの一夜干し

さんまのかば焼

さんま (秋刀魚)

Pacific saury　1尾=120〜150g　開き干し1枚=140g

体長=30cm。サンマ科。別名**さいら**。代表的な青魚のひとつ。日本近海のものは、春〜夏にはオホーツク海を回遊し、秋に産卵のために寒流に乗って太平洋の日本近海を南下し、冬には沖縄のあたりまで回遊する。脂ののり方が季節によって異なり、秋がいちばん多くなる。口の先や尾のつけ根が黄色いものは脂がのっている。この時期に捕獲して冷凍したものが一年中流通する。秋の味覚の代表格だが、一般的に食べられるようになったのは江戸後期になってから。

栄養成分：不飽和脂肪酸、ビタミンB_2・D等が豊富。

調理法：焼き魚、煮魚、かば焼、缶詰等。脂が少ないものは、刺身、酢の物、姿寿司、みりん干し等。

旬：10月。

郷土料理：三重の"姿寿司"は、熊野灘を南下して肉が引き締まり、脂が適度に落ちたさんまを使う名物。

しいら (鱪、鱰)

Dolphinfish

体長=1.5m。シイラ科。別名**まんびき**。成長するにつれて雄の頭がおでこのようにふくれる。山陰・九州

切=切り身

食品番号	食品名	廃棄率 %	エネルギー kcal	2015年版の値 kcal	水分 g	たんぱく質 g	アミノ酸組成によるたんぱく質 g	脂質 g	脂肪酸のトリアシルグリセロール当量 g	脂肪酸 飽和 g	脂肪酸 一価不飽和 g	脂肪酸 多価不飽和 g	コレステロール mg	炭水化物 g	利用可能炭水化物(質量計) g	食物繊維 食物繊維総量(プロスキー変法) g	食物繊維 食物繊維総量(AOAC法) g	ミネラル(無機質) ナトリウム mg	カリウム mg	カルシウム mg	マグネシウム mg	リン mg	鉄 mg
10170	**さより** 生	40	**88**	95	77.9	**19.6**	(16.2)	**1.3**	0.9	0.26	0.21	0.42	100	**Tr**	(Tr)	-	-	190	290	**41**	37	190	**0.3**
切 10171	**さわら** 生	0	**161**	177	68.6	**20.1**	18.0	**9.7**	8.4	2.51	3.45	2.05	60	**0.1**	(0.1)	-	-	65	490	**13**	32	220	**0.8**
切 10172	焼き	0	**184**	202	63.8	**23.6**	(21.1)	**10.8**	9.2	2.75	3.85	2.22	87	**0.1**	(0.1)	-	-	90	610	**22**	36	310	**0.9**
切 10173	**さんま** 皮つき 生	0	**287**	318	55.6	**18.1**	16.3	**25.6**	22.7	4.84	10.58	6.35	68	**0.1**	(0.1)	-	-	140	200	**28**	28	180	**1.4**
切 10407	皮なし 生	0	**277**	311	57.0	**17.8**	15.7	**25.0**	21.7	4.72	10.02	6.09	54	**0.2**	(0.1)	-	-	120	200	**15**	25	160	**1.3**
10174	皮つき 焼き	35	**281**	313	53.2	**23.3**	19.3	**22.8**	19.8	4.31	9.03	5.61	72	**0.2**	(0.2)	-	-	130	260	**37**	30	220	**1.7**
10175	開き干し	30	**232**	261	59.7	**19.3**	(17.5)	**19.0**	15.8	3.49	7.66	3.94	80	**0.1**	(0.1)	-	-	500	260	**60**	28	140	**1.1**
10176	みりん干し	15	**382**	409	25.1	**23.9**	(21.6)	**25.8**	20.3	4.56	10.28	4.65	98	**20.4**	-	-	-	1400	370	**120**	50	250	**2.2**
10177	缶詰 味付け	0	**259**	268	53.9	**18.9**	(17.1)	**18.9**	17.2	3.77	7.98	4.70	98	**5.6**	-	-	-	540	160	**280**	37	350	**1.9**
10178	かば焼	0	**219**	225	57.0	**17.4**	(15.7)	**13.0**	11.7	2.55	5.65	3.04	80	**9.7**	-	-	-	600	250	**250**	37	260	**2.9**
切 10179	**しいら** 生	0	**100**	108	75.5	**21.3**	(17.7)	**1.9**	1.4	0.50	0.33	0.55	55	**Tr**	(Tr)	-	-	50	480	**13**	31	250	**0.7**
	(ししゃも類)																						
10180	**ししゃも** 生干し 生	10	**152**	166	67.6	**21.0**	(17.4)	**8.1**	7.1	1.62	3.40	1.73	230	**0.2**	(0.2)	-	-	490	380	**330**	48	430	**1.6**
10181	焼き	10	**162**	177	64.1	**24.3**	(20.1)	**7.8**	6.6	1.53	3.11	1.63	300	**0.2**	(0.2)	-	-	640	400	**360**	57	540	**1.7**
10182	**からふとししゃも** 生干し 生	0	**160**	177	69.3	**15.6**	12.6	**11.6**	9.9	1.95	5.52	2.03	290	**0.5**	(0.5)	-	-	590	200	**350**	55	360	**1.4**
10183	焼き	0	**170**	186	66.4	**18.2**	(14.7)	**11.3**	9.9	2.01	5.45	2.06	370	**0.6**	(0.5)	-	-	770	210	**380**	65	450	**1.6**

+PLUS+ さんまを見られる唯一の水族館●飼育がむずかしいので、水族館でさんまを見ることはまずない。世界で唯一さんまを飼育し、繁殖にも成功したのは、福島県のアクアマリンふくしま。東日本大震災による津波の被害により、多くの生き物を失うこととなってしまったが、再オープンし、さんまの展示もおこなわれている。

しいら (1.5m)

からふとししゃも (15~18cm)

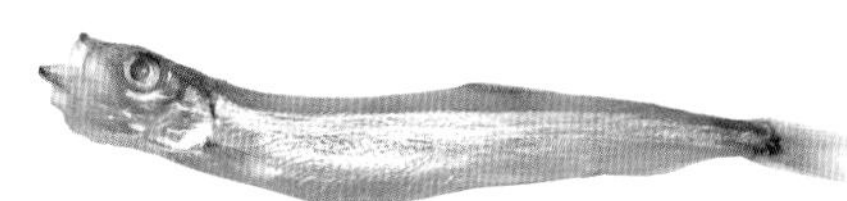

からふとししゃも生干し (15cm)

地方でよく利用する魚。高知では"雌雄仲のよい魚"とされ、塩干品が結納に使われた。欧米では高級魚。ハワイではマヒマヒと呼ぶ。
調理法：刺身、焼き魚、ムニエル、バター焼き、フライ、塩干し（塩まんびき）、練り製品等。
旬：7~9月。
生息地：世界の温熱帯域。日本では本州中部より南。
郷土料理：熊本市の藤崎八旛宮で行われる秋の例大祭（通称ボシタ祭り）では、まんびき（しいら）の煮びたしをごちそう料理とする。

ししゃも類 (柳葉魚類)

Shishamo　1尾=22g

キュウリウオ科。産卵期になっても脂が多くて味が落ちないため、雌が子持ちししゃもとして喜ばれる。生干しが一般に出回っている。成分値は子持ちの雌の数値。
栄養成分：骨ごと食べられるのでカルシウムの補給源になる。
調理法：焼き魚、天ぷら、甘露煮、酢漬、昆布巻き、マリネ、生干し等。
旬：10~12月。

ししゃも（柳葉魚）
体長=15cm。日本固有種。子持ちの雌が珍重されるが、雄も美味。鱗（うろこ）が大きくはっきりしている。全体に銀白色がかっているが、産卵期の成長した雄の体色は黒褐色になる。秋に産卵のために北海道南部の太平洋岸の限られた河川に上ってくるが希少で、資源保護のために漁は10~11月のみ。輸入のからふとししゃもが代用品として流通する。

からふとししゃも（樺太柳葉魚）
体長=15~18cm。別名**カペリン**。ししゃもに比べて体が細長く、鱗（うろこ）が小さくてほとんどないように見える。河川に遡上（そじょう）せずに海で産卵する。北大西洋と北太平洋で大量に獲れ、日本のししゃもに比べて安価なため、ししゃもとして流通するものの9割を占める。

ししゃもの
天日干し

魚介類の分類

- 海水産魚類
  - 遠洋回遊魚類 ………… えい、かじき、かつお、まぐろ、しいら、さめ
  - 近海回遊魚類 ………… あじ、いわし、さば、さんま、とびうお、ぶり、にしん、はまち
  - 沿岸魚類 ………… いさき、かます、しらうお、すずき、ふぐ、ぼら、たかべ
  - 底生魚類 ………… あなご、あんこう、かれい、ぎんだら、たい、たちうお、ひらめ
  - 遡河回(かいゆう)遊魚類（川で産卵し、海で成育する）……… さけ、ます
  - 降河回遊魚類(こうがかいゆう)（海で産卵し、川で成育する）………… うなぎ、やつめうなぎ
- 淡水産魚 ………… あゆ、ふな、はぜ、なまず、こい、わかさぎ、どじょう、にじます
- 甲殻類 ………… あみ、えび、かに、しゃこ
- 軟体動物 ………… いか、たこ
- 貝類 ………… あかがい、あさり、あわび、かき、さざえ、しじみ、とりがい、はまぐり、ほたてがい
- 棘皮(きょくひ)動物 ………… うに、なまこ
- その他 ………… ほや、くらげ、くじら

可食部100gあたり　Tr：微量　( )：推定値または推計値　-：未測定

ミネラル（無機質）							ビタミン															食塩相当量	備考
亜鉛	銅	マンガン	ヨウ素	セレン	クロム	モリブデン	A レチノール活性当量	レチノール	β-カロテン当量	D	E αトコフェロール	K	B1	B2	ナイアシン当量	B6	B12	葉酸	パントテン酸	ビオチン	C		①廃棄率　②廃棄部位　③試料
mg	mg	mg	µg	µg	µg	µg	µg	µg	µg	µg	mg	µg	mg	mg	mg	mg	µg	µg	mg	µg	mg	g	
1.9	0.03	0.02	-	-	-	-	(Tr)	Tr	(0)	3.0	0.9	(0)	Tr	**0.12**	(8.8)	0.33	5.5	10	0.44	-	2	0.5	②頭部、内臓、骨、ひれ等（三枚おろし）
1.0	0.03	0.01	-	-	-	-	**12**	12	(0)	7.0	0.3	(0)	**0.09**	**0.35**	13.0	0.40	5.3	8	1.16	-	Tr	0.2	魚体全体から調理する場合、① 30%　②頭部、内臓、骨、ひれ等
1.1	0.05	0.01	-	-	-	-	**16**	16	(0)	12.0	1.1	(0)	**0.09**	**0.34**	(16.0)	0.29	5.3	8	1.12	-	Tr	0.2	
0.8	0.12	0.02	22	32	2	1	**16**	16	0	16.0	1.7	1	**0.01**	**0.28**	11.0	0.54	16.0	15	0.74	7.4	0	0.4	魚体全体から調理する場合、① 35%　②頭部、内臓、骨、ひれ等
0.6	0.13	0.01	30	25	Tr	-	**26**	26	(0)	11.0	2.6	-	**0**	**0.32**	11.0	0.58	15.0	12	0.57	8.4	1	0.3	
0.9	0.15	0.03	25	45	1	1	**11**	11	0	13.0	1.0	Tr	Tr	**0.30**	14.0	0.42	16.0	17	0.93	9.4	0	0.3	②頭部、内臓、骨、ひれ等　魚体全体を焼いたもの
0.7	0.12	0.02	-	-	-	-	**25**	25	(0)	14.0	1.5	(0)	Tr	**0.30**	(8.0)	0.54	10.0	10	0.84	-	(0)	1.3	②頭部、骨、ひれ等
1.3	0.22	0.07	-	-	-	-	**31**	31	(0)	20.0	0.5	(0)	Tr	**0.30**	(7.9)	0.35	11.0	14	1.34	-	(0)	3.6	②骨、ひれ等
1.1	0.16	0.08	-	-	-	-	**25**	25	(0)	13.0	2.8	(0)	Tr	**0.20**	(7.4)	0.30	12.0	29	0.55	-	(0)	1.4	液汁を除いたもの
0.1	0.14	0.09	-	-	-	-	**28**	28	(0)	12.0	2.4	(0)	Tr	**0.27**	(9.8)	0.28	12.0	12	0.55	-	(0)	1.5	液汁を含んだもの
0.5	0.05	0.01	-	-	-	-	**8**	8	(0)	5.0	0.5	(0)	**0.20**	**0.15**	(13.0)	0.46	2.6	3	0.36	-	1	0.1	魚体全体から調理する場合、① 55%　②頭部、内臓、骨、ひれ等
1.8	0.10	0.11	74	35	1	1	**100**	100	6	0.6	0.8	1	**0.02**	**0.25**	(5.5)	0.07	7.5	37	1.95	18.0	1	1.2	③ひと塩品　②頭部及び尾
2.1	0.11	0.18	-	-	-	-	**76**	75	11	0.6	1.1	1	**0.04**	**0.29**	(5.3)	0.07	8.7	36	1.93	-	1	1.6	③ひと塩品　②頭部及び尾
2.0	0.06	0.04	27	41	1	1	**120**	120	0	0.4	1.6	Tr	Tr	**0.31**	4.8	0.08	8.7	21	1.20	17.0	1	1.5	③ひと塩品　魚体全体
2.4	0.07	0.06	-	-	-	-	**90**	90	0	0.5	2.1	Tr	**0.01**	**0.37**	(4.6)	0.08	10.0	20	1.19	-	1	2.0	③ひと塩品　魚体全体

QA ししゃもって？▶アイヌ語で柳の葉を意味する「シュシュハム」がししゃもの語源らしい。飢饉（ききん）に苦しむアイヌの人々を救うために、女神様が柳の葉を魚に変えて贈ってくれたという伝説が伝えられている。

したびらめ（舌鮃）
Sole　1尾=150g

体長＝くろうしのした25～35cm。ウシノシタ科とササウシノシタ科の総称で、ひらめやかれいの近縁。形から牛の舌ともいう。関東ではくろうしのした、関西ではあかしたびらめが好まれる。ヨーロッパではドーバー海峡産のドーバーソール（ほんささうしのした）が高級品。
種類：くろうしのした、あかしたびらめ、ささうしのした等があるが、成分値には大差ない。
調理法：ムニエル、バター焼き、蒸し焼き、フライ、グラタン、煮つけ等。
生息地：くろうしのしたは北海道小樽から南シナ海、あかしたびらめは南日本から南シナ海の深い海底。

しまあじ（縞鯵）
Striped jack　1尾=2～3kg

体長＝1m。アジ科。別名こせあじ、ひらあじ、かつおあじ。1mほどのものはおおかみともいう。体側の中央に走る幅広の黄色の線が特徴。体長40cmほどのものが最も美味とされる高級魚。養殖ものや、ニュージーランド等からの輸入が増えている。
調理法：刺身、寿司だね、焼き魚、蒸し物等。
旬：夏～秋。
生息地：西太平洋からインド洋、西大西洋、地中海等の暖かい海の沿岸部。日本沿岸では、岩手県南部より南の暖かい海の沿岸部。

しらうお（白魚）
Japanese icefish　10尾=25g

体長＝5～10cm。シラウオ科。ほとんど無色透明で、死後は白色不透明になる。体側に黒点が2列並んでいる。産卵のため2～4月に河川や湖沼に上る。おどりぐい（生きたまま二杯酢で食べる）で有名なしろうお（素魚）はハゼ科の別種で体長5cm程度。
調理法：卵とじ、椀だね、天ぷら、おろし和え、すまし汁等。
旬：2～4月。
産地：宍道湖、霞ヶ浦、有明海等。
生息地：北海道から九州。

シルバー
Silver warehou

体長＝40～65cm。イボダイ科。別名**銀ひらす**、**銀ワレフー**。体表から大量に粘液を分泌する。日本へは切り身の冷凍品で輸入される。
調理法：焼き魚、揚げ物、蒸し物、ムニエル、かす漬等。
生息地：ニュージーランド、アルゼンチン、チリ沖。

すずき（鱸）
Japanese sea bass　中1尾=1kg

体長＝1m。スズキ科。白身が美しく、"すすきたるような（すすぎ洗いしたような）"からこの名がついた。成長するにつれて、こっぱ（5cm）→せいご（～25cm）→ふっこ（～60cm）→すずき（60cm以上）と名前が変わる出世魚。地方名が多い。すずきの大きさになるまでは、春に川を上って秋に海へ下ることを繰り返して成長するが、すずきになると川に上らずに海で暮らすようになる。
調理法：刺身、洗い、焼き魚、蒸し物、フライ、椀だね、鍋物、パイ包み焼き等。
旬：6～8月。
産地：宍道湖、瀬戸内海のものが高級品とされる。
生息地：日本沿岸から南シナ海。
郷土料理：島根県松江市の名物が"奉書焼き"。全体に塩を振って水でぬらした奉書紙で包んで蒸し焼きにする。

切＝切り身

食品番号	食品名	廃棄率	エネルギー	2015年版の値	水分	たんぱく質	アミノ酸組成によるたんぱく質	脂質	脂肪酸のトリアシルグリセロール当量	脂肪酸 飽和	一価不飽和	多価不飽和	コレステロール	炭水化物	利用可能炭水化物（質量計）	食物繊維 食物繊維総量（プロスキー変法）	食物繊維総量（AOAC法）	ミネラル（無機質） ナトリウム	カリウム	カルシウム	マグネシウム	リン	鉄
		%	kcal	kcal	g	g	g	g	g	g	g	g	mg	g	g	g	g	mg	mg	mg	mg	mg	mg
10184	**したびらめ** 生	45	**89**	96	78.0	**19.2**	(15.9)	**1.6**	1.2	0.34	0.33	0.45	75	**Tr**	(Tr)	-	-	140	310	**36**	31	160	**0.3**
10185	**しまあじ** 養殖 生	55	**153**	168	68.9	**21.9**	(18.2)	**8.0**	6.6	1.88	2.37	2.04	71	**0.1**	(0.1)	-	-	53	390	**16**	29	250	**0.7**
10186	**しらうお** 生	0	**70**	77	82.6	**13.6**	(11.3)	**2.0**	1.4	0.34	0.30	0.69	220	**0.1**	(0.1)	-	-	170	250	**150**	39	270	**0.4**
切 10187	**シルバー** 生	0	**138**	153	72.4	**18.6**	(15.4)	**7.9**	6.5	1.85	2.85	1.49	46	**Tr**	(Tr)	-	-	85	440	**11**	31	220	**0.6**
切 10188	**すずき** 生	0	**113**	123	74.8	**19.8**	(16.4)	**4.2**	3.5	1.04	1.20	1.08	67	**Tr**	(Tr)	-	-	81	370	**12**	29	210	**0.2**
	（たい類）																						
10189	**きだい** 生	60	**100**	108	76.9	**18.6**	(15.4)	**3.1**	2.5	0.87	0.83	0.68	67	**0.2**	(0.2)	-	-	73	390	**23**	30	210	**0.2**
10190	**くろだい** 生	55	**137**	150	71.4	**20.4**	(16.9)	**6.7**	5.4	1.78	2.33	1.07	78	**0.3**	(0.3)	-	-	59	400	**13**	36	250	**0.3**
切 10191	**ちだい** 生	0	**97**	105	76.8	**19.4**	16.6	**2.4**	1.9	0.66	0.60	0.59	74	**0.1**	(0.1)	-	-	75	390	**33**	32	230	**0.6**
10192	**まだい** 天然 生	50	**129**	142	72.2	**20.6**	17.8	**5.8**	4.6	1.47	1.59	1.38	65	**0.1**	(0.1)	-	-	55	440	**11**	31	220	**0.2**
10193	養殖 皮つき 生	55	**160**	177	68.5	**20.9**	18.1	**9.4**	7.8	2.26	2.72	2.44	69	**0.1**	(0.1)	-	-	52	450	**12**	32	240	**0.2**
10194	水煮	20	**182**	206	65.0	**22.2**	(19.1)	**11.9**	9.3	2.88	3.17	2.86	90	**0.1**	(0.1)	-	-	50	440	**20**	29	220	**0.2**
10195	焼き	35	**186**	210	63.8	**22.7**	(19.6)	**12.0**	9.4	2.88	3.18	2.95	91	**0.1**	(0.1)	-	-	55	500	**24**	32	260	**0.2**
切 10408	皮なし 生	0	**131**	146	71.9	**21.2**	18.5	**5.9**	4.8	1.29	1.78	1.52	60	**0.2**	(0.1)	-	-	43	490	**7**	33	260	**0.2**

+PLUS+ **たいの見分け方**●くろだいは色からしてわかりやすいが、食品成分表にのっている残りの３つのたいは、以下の点で区別するとよい。「まだい」は青い斑点（はんてん）があり尾びれの後端が黒い。「ちだい」はまだいと似ているが、尾びれの後端が黒くない。「きだい」は青い斑点がなく、尾びれの後端が黒くない。

きだい（35cm）

くろだい（50cm）

ちだい（40cm）

たいの刺身

まだい（さくらだい）

たいの煮つけ

まだい（60cm）

たい類（鯛類）

Sea breams　1切＝80g

タイ科。タイ科の海産魚の総称だが、一般にはまだいを指す。日本では古くからめでたい魚とされ、祝いの魚として尾頭つきで用いられてきた。100g以下のものをかすごと呼ぶ。日本では、タイ科以外の魚でも、大型で赤っぽい体色の白身の魚等には“～だい”の和名がついていることが多く 200 種以上もある。

種類：まだい、ちだい、きだい、ひれこだい、くろだい、へだい、きちぬ等。

きだい（黄鯛）

体長＝35cm。別名**れんこだい**。背、口、目のあたりが黄色いためこの名がついた。縁起をかついで喜鯛とも書く。まだいに比べると割安で、祝い事の鯛の塩焼きにはきだいが使われることが多い。

調理法：焼き魚、煮つけ等。

生息地：茨城、新潟より南からオーストラリア。特に東シナ海に多い。瀬戸内海には分布しない。

くろだい（黒鯛）

体長＝50cm。体色からこの名がついた。別名**ちぬ**。出世魚で、関東ではちん→ちんちん→けいず、かいず→くろだい（30cm以上）と呼ぶ。海から淡水域にも上るため、冷蔵庫のない時代には真水で生かせる便利な魚として扱われた。

調理法：洗い、刺身、焼き魚、ムニエル、みそ漬等。

旬：春、秋。

生息地：北海道より南からインド、オーストラリアまでの太平洋の沿岸。

ちだい（血鯛）

体長＝40cm。別名**はなだい**。えらの縁が血がにじんだように赤いためこの名がついた。

調理法：刺身、洗い、たい飯、焼き魚、潮汁、塩だい、たいみそ、かす漬等。

旬：春～夏。

生息地：北海道南部から鹿児島、朝鮮半島南部、東シナ海、台湾。

まだい（真鯛）

中1尾＝400～500g

体長＝60cm。たいの中では最も大きく、20～30年ほど生きる。春先に体色が特に美しくなるため、この時期のものをさくらだいと呼ぶ。1.5～2kgのものが味がよい。300gほどのものは小だいとして出荷される。瀬戸内海ものは特に有名で味もよく値も高い。養殖も盛んで、市場の7割以上を占める。

調理法：刺身、洗い、たい飯、焼き魚、潮汁、塩だい、たいみそ、かす漬等。たいの鱗（うろこ）は油で揚げて塩を振るとつまみになる。

旬：冬～春。

生息地：太平洋北西部、北海道南部より南から南シナ海北部。

可食部100gあたり　Tr：微量　（ ）：推定値または推計値　－：未測定

ミネラル（無機質）							ビタミン															食塩相当量	備考
亜鉛	銅	マンガン	ヨウ素	セレン	クロム	モリブデン	A レチノール活性当量	レチノール	β-カロテン当量	D	E αトコフェロール	K	B1	B2	ナイアシン当量	B6	B12	葉酸	パントテン酸	ビオチン	C		①廃棄率　②廃棄部位　③試料
mg	mg	mg	μg	μg	μg	μg	μg	μg	μg	μg	mg	μg	mg	mg	mg	mg	μg	μg	mg	μg	mg	g	
0.5	0.02	0.02	-	-	-	-	**30**	30	0	2.0	0.6	(0)	**0.06**	**0.14**	(6.8)	0.20	2.6	12	0.26	-	**1**	0.4	③くろうしのした、あかしたびらめ　②頭部、内臓、骨、ひれ等（五枚おろし）
1.1	0.04	0.01	-	-	-	-	**10**	10	0	18.0	1.6	(0)	**0.25**	**0.15**	(12.0)	0.52	3.2	2	0.88	-	**Tr**	0.1	②頭部、内臓、骨、ひれ等（三枚おろし）
1.2	0.03	0.09	-	-	-	-	**50**	50	(0)	1.0	1.8	(0)	**0.08**	**0.10**	(4.3)	0.12	3.3	58	0.94	-	**4**	0.4	
0.5	0.06	0.01	-	-	-	-	**100**	100	(0)	3.0	3.1	(0)	**0.08**	**0.18**	(11.0)	0.50	1.8	4	0.48	-	**0**	0.2	
0.5	0.02	0.01	-	-	-	-	**180**	180	0	10.0	1.2	(0)	**0.02**	**0.20**	(7.5)	0.27	2.0	8	0.93	-	**3**	0.2	魚体全体から調理する場合、① 55%　②頭部、内臓、骨、ひれ等
0.4	0.02	0.01	-	-	-	-	**50**	50	0	4.0	1.5	(0)	**0.03**	**0.04**	(6.2)	0.20	3.2	8	0.38	-	**1**	0.2	②頭部、内臓、骨、ひれ等（三枚おろし）
0.8	0.03	0.01	-	-	-	-	**12**	12	0	4.0	1.4	(0)	**0.12**	**0.30**	(9.2)	0.42	3.7	14	0.62	-	**3**	0.1	②頭部、内臓、骨、ひれ等（三枚おろし）
0.4	0.03	0.01	24	43	Tr	0	**21**	21	(0)	2.0	1.3	(0)	**0.03**	**0.10**	8.6	0.33	3.0	3	0.49	4.3	**2**	0.2	魚体全体から調理する場合、① 55%　②頭部、内臓、骨、ひれ等
0.4	0.02	0.01	-	-	-	-	**8**	8	0	5.0	1.0	(0)	**0.09**	**0.05**	9.8	0.31	1.2	5	0.64	-	**1**	0.1	②頭部、内臓、骨、ひれ等（三枚おろし）
0.5	0.02	0	6	36	1	0	**11**	11	0	7.0	2.4	-	**0.32**	**0.08**	9.6	0.40	1.5	4	1.34	7.7	**3**	0.1	②頭部、内臓、骨、ひれ等（三枚おろし）
0.5	0.03	0	11	44	Tr	1	**10**	10	0	4.7	3.4	-	**0.16**	**0.07**	(10.0)	0.35	2.6	3	1.23	8.2	**2**	0.1	頭部、内臓等を除き水煮したもの　②骨、ひれ等
0.5	0.02	0.01	8	46	Tr	Tr	**17**	17	0	5.6	4.6	-	**0.14**	**0.09**	(11.0)	0.32	2.6	3	1.25	9.4	**3**	0.1	内臓等を除き焼いたもの　②頭部、骨、ひれ等
0.4	0.02	0	9	32	Tr	-	**10**	10	(0)	4.5	2.6	-	**0.31**	**0.08**	12.0	0.56	1.8	4	1.40	9.0	**3**	0.1	

Q A　次のうち、実は“たい”ではない魚はどれとどれ？［まだい　あこうだい　くろだい　きんめだい］▶“あこうだい”と“きんめだい”。“あこうだい”はフサカサゴ科に属する深海魚で、“きんめだい”は、キンメダイ科の赤い魚。たいの名はついているが、それぞれ“たい”とは別種。

たかさご (30cm)　すけとうだら (60cm)　たらこ　からしめんたいこ　たちうお (1.5m)　たちうおの切り身

たかべ (20cm)

たかさご (高砂)

Double-lined fusilier

体長＝30cm。フエダイ科。沖縄県の県魚で、沖縄ではぐるくんと呼ぶ。一年中獲れる白身魚。海中では全身青く見えるが、水揚げされると赤っぽくなる。

調理法：刺身、焼き魚、煮魚、揚げ物、かまぼこ等。

旬：春。

生息地：沖縄や奄美地方、インドネシアからニューカレドニアまでの太平洋西部のさんご礁。

たかべ (鰖)

Yellowstriped butterfish　1尾＝120g

体長＝20cm。タカベ科。身がやわらかい。背から尾に黄色の線が1本あり、体の高い辺に黄色の線が走っているところからこの名がついた。関東では初夏から夏によく出回る魚。

調理法：焼き魚、干物、煮魚、刺身、練り製品等。

旬：7〜9月。

産地：伊豆七島等。

生息地：千葉より南の太平洋側の岩礁。

たちうお (太刀魚)

Hairtail　1尾＝700g

体長＝1.5m。タチウオ科。姿が太刀に似ているため、また、立ち泳ぎする＝立魚 (たちうお) からこの名がついた。

腹びれと尾びれがない。表面が銀色なのは、鱗 (うろこ) がなく体表面のグアニン質が直接見えるためで、鮮度が落ちるとこの銀の部分がくさみの原因となる。グアニン質の銀粉は、模造真珠、銀箔紙等の原料となる。

調理法：刺身、焼き魚、煮魚、酢の物、揚げ物、ムニエル、みそ漬、かす漬、練り製品等。

旬：6〜8月。

生息地：全世界の温帯域。日本では北海道南部より南に生息し、春〜夏に北上し、秋〜冬に南下する。

たら類 (鱈類)

Cod fishes　1切＝80g

タラ科。タラ科の魚の総称だが、一般にまだらを指す。やわらかく、加熱すると身くずれをおこしやすい。

すけとうだら (介党鱈)

体長＝60cm。まだらより細く小さい。別名**すけそう**、**すけそうだら**、**すけとう**。韓国や朝鮮では明太 (めんたい) と呼ぶ。生食するときは寄生虫に注意。

調理法：鍋物、汁物、煮魚、シチュー、フライ、干物、かす漬、でんぶ、練り製品等。

旬：12〜2月。

生息地：北太平洋と日本海、ベーリング海、オホーツク海。日本近海では、太平洋側は宮城より北、日本海側では山口より北の沿岸と沖合。

すきみだら：三枚におろして骨、皮、ひれを取り除き、塩干ししたもの。

たらこ：1腹＝50g。卵を塩漬したもの。別名**もみじこ**。西日本では、めんたいこ (明太子) と呼ぶ。

からしめんたいこ (辛子明太子)：たらこを、だし汁、みりん、酒、とう

(切)＝切り身　テラピア→p.230ナイルティラピア

食品番号	食品名	廃棄率	エネルギー	2015年版の値	水分	たんぱく質	アミノ酸組成によるたんぱく質	脂質	脂肪酸のトリアシルグリセロール当量	脂肪酸 飽和	脂肪酸 一価不飽和	脂肪酸 多価不飽和	コレステロール	炭水化物	利用可能炭水化物(質量計)	食物繊維 食物繊維総量(プロスキー変法)	食物繊維 食物繊維総量(AOAC法)	ミネラル(無機質) ナトリウム	カリウム	カルシウム	マグネシウム	リン	鉄
		%	kcal	kcal	g	g	g	g	g	g	g	g	mg	g	g	g	g	mg	mg	mg	mg	mg	mg
10196	**たかさご** 生	40	**93**	100	76.7	**20.2**	(16.7)	**1.5**	1.1	0.43	0.24	0.36	50	**0.1**	(0.1)	-	-	48	510	**51**	36	290	**0.5**
10197	**たかべ** 生	40	**148**	164	71.0	**18.7**	(15.5)	**9.0**	7.4	2.71	2.17	2.16	70	**Tr**	(Tr)	-	-	120	380	**41**	34	210	**0.6**
10198	**たちうお** 生	35	**238**	266	61.6	**16.5**	14.6	**20.9**	17.7	5.83	7.26	3.87	72	**Tr**	(Tr)	-	-	88	290	**12**	29	180	**0.2**
	(たら類)																						
(切) 10199	**すけとうだら** 生	0	**72**	83	81.6	**17.4**	14.2	**1.0**	0.5	0.12	0.08	0.27	76	**0.1**	(Tr)	-	-	100	350	**13**	24	180	**0.2**
(切) 10409	フライ	0	**195**	207	61.9	**19.2**	16.5	**11.9**	11.3	1.00	6.63	3.17	89	**5.7**	6.5	-	-	140	340	**34**	27	190	**0.4**
10200	すり身	0	**98**	98	75.1	**17.5**	(14.3)	**0.2**	0.1	0.03	0.02	0.08	27	**6.6**	-	-	-	120	130	**7**	21	130	**0.1**
10201	すきみだら	0	**165**	174	38.2	**40.5**	(33.0)	**0.3**	0.2	0.06	0.04	0.12	140	**0.1**	(0.1)	-	-	7400	540	**130**	54	340	**1.9**
10202	たらこ 生	0	**131**	140	65.2	**24.0**	21.0	**4.7**	2.9	0.71	0.81	1.28	350	**0.4**	(0.4)	-	-	1800	300	**24**	13	390	**0.6**
10203	焼き	0	**158**	170	58.6	**28.3**	(24.8)	**6.1**	3.7	0.91	1.04	1.64	410	**0.5**	(0.5)	-	-	2100	340	**27**	15	470	**0.7**
10204	からしめんたいこ	0	**121**	126	66.6	**21.0**	(18.4)	**3.3**	2.3	0.54	0.59	1.09	280	**3.0**	-	-	-	2200	180	**23**	11	290	**0.7**
(切) 10205	**まだら** 生	0	**72**	77	80.9	**17.6**	14.2	**0.2**	0.1	0.03	0.03	0.07	58	**0.1**	(0.1)	-	-	110	350	**32**	24	230	**0.2**
(切) 10206	焼き	0	**103**	109	72.8	**25.2**	(20.4)	**0.2**	0.2	0.05	0.04	0.11	100	**0.2**	(0.2)	-	-	140	480	**48**	33	280	**0.4**
10207	しらこ 生	0	**60**	62	83.8	**13.4**	(7.3)	**0.8**	0.4	0.09	0.12	0.20	360	**0.2**	(0.2)	-	-	110	390	**6**	23	430	**0.2**
(切) 10208	塩だら	0	**61**	65	82.1	**15.2**	(12.3)	**0.1**	Tr	0.01	0.01	0.02	60	**Tr**	(Tr)	-	-	790	290	**23**	22	170	**0.3**
10209	干しだら	45	**299**	317	18.5	**73.2**	(59.1)	**0.8**	0.6	0.16	0.13	0.24	240	**0.1**	(0.1)	-	-	1500	1600	**80**	89	840	**0.1**
10210	**加工品** でんぶ	0	**276**	278	26.9	**25.5**	(20.6)	**1.1**	0.6	0.17	0.15	0.31	130	**41.5**	-	-	-	1600	120	**260**	31	220	**1.3**
10448	桜でんぶ	0	**351**	368	5.6	**10.6**	9.6	**0.5**	0.1	0.03	0.03	0.03	73	**80.2**	79.4	-	-	930	43	**300**	17	180	**0.4**
10211	**ちか** 生	45	**82**	88	78.3	**19.5**	(16.2)	**0.6**	0.4	0.09	0.08	0.20	89	**Tr**	(Tr)	-	-	250	340	**35**	41	240	**0.3**

+PLUS+ **たらのたらふく？**●たらは、えさを食べ過ぎて胃かいようになることがある。一度に非常にたくさんのえさを食べることから「たらふく食べる」という言葉ができたというから、日頃の行いには気をつけたい・・・。

まだら（1m）

しらこ

ちか（20cm）

たらの切り身

でんぶ

棒だら

がらし等でつくった調味料に漬けたもの。

まだら（真鱈）

体長＝1m。体表のまだら模様からこの名がついた。別名**たら**。市販品はアメリカからの輸入ものが多い。肝臓からとった脂が“肝油”でビタミンA・Dが豊富。

しらこ（白子）：大1＝10g。雄の精巣で色は白くひだ状で、別名きくこ（菊子）等。まだらは白子を持っている雄のほうが高価。

調理法：鍋物、フライ、バター焼き、蒸し煮、塩だら、かす漬、干しだら、棒だら（天日干し）、**でんぶ**（干物や焼いたたらの身をほぐして調味、着色したもの。別名そぼろ、おぼろ）等。しらこは鍋物や酢の物等。卵は甘辛く煮つける。

生息地：北方の深海。日本では北海道周辺に多く、太平洋岸は茨城、日本海側は島根が南限。

旬：12～2月。

郷土料理：棒だらと京いもを炊き合わせた“芋棒”は京都の名物料理。

ちか（鮇）

Japanese surfsmelt

体長＝20cm。キュウリウオ科。わかさぎによく似ており、混同されて流通する。ちかは海水域に生息し、春に川水の流れ込む岸辺の砂浜に卵を産む。わかさぎと異なり、池や沼には入らない。

調理法：焼き魚、天ぷら、フライ、つくだ煮等。

旬：12～2月、5～6月。

生息地：東北地方より北の太平洋側。

魚卵の脂質量

代表的な魚卵としてイクラ・キャビア・たらこ・かずのこがあげられるが、100gあたりの脂質の量には大きな差がある。

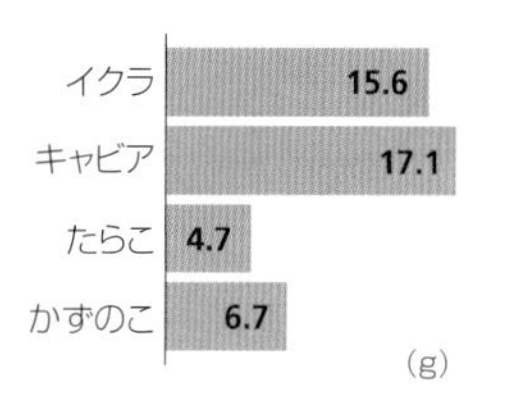

上記のように、イクラ・キャビアに比べて、たらこ・かずのこの脂質は約1/3程度である。この差はイクラはさけの卵、キャビアはちょうざめの卵である一方、たらこはたらの、かずのこはにしんの卵であるように、淡水で産卵するのか海で産卵するのかが関係しているらしい。詳しいことは今後の研究が待たれる。

可食部100gあたり　Tr：微量　（ ）：推定値または推計値　－：未測定

ミネラル（無機質）							ビタミン																	食塩相当量	備考
亜鉛	銅	マンガン	ヨウ素	セレン	クロム	モリブデン	A レチノール活性当量	A レチノール	A β-カロテン当量	D	E αトコフェロール	K	B_1	B_2	ナイアシン当量	B_6	B_{12}	葉酸	パントテン酸	ビオチン	C			食塩相当量	①廃棄率　②廃棄部位　③試料
mg	mg	mg	µg	µg	µg	µg	µg	µg	µg	µg	mg	µg	mg	mg	mg	mg	µg	µg	mg	µg	mg			g	
0.7	0.04	0.01	-	-	-	-	7	7	0	2.0	0.1	(0)	0.03	0.07	(8.0)	0.20	4.4	3	0.46	-	Tr			0.1	②頭部、内臓、骨、ひれ等（三枚おろし）
1.3	0.04	0.01	-	-	-	-	16	16	(0)	4.0	1.4	(0)	0.06	0.18	(7.1)	0.23	2.0	3	0.48	-	1			0.3	②頭部、内臓、骨、ひれ等（三枚おろし）
0.5	0.02	0.02	-	-	-	-	52	52	0	14.0	1.2	(0)	0.01	0.07	6.9	0.20	0.9	2	0.56	-	1			0.2	②頭部、内臓、骨、ひれ等（三枚おろし）
0.5	0.03	0	160	25	0	0	10	10	0	0.5	0.9	0	0.05	0.11	4.4	0.09	2.9	12	0.20	2.5	1			0.3	魚体全体から調理する場合、①65%　②頭部、内臓、骨、ひれ等
0.7	0.05	0.08	-	-	-	-	18	18	1	0.4	3.2	18	0.05	0.13	5.0	0.08	2.5	19	0.31	-	Tr			0.4	
0.3	0.03	0.01	-	-	-	-	5	5	0	1.0	0.6	(0)	0.03	0.05	(3.4)	0.01	0.6	4	0.19	-	0			0.3	
0.1	0.09	0.02	-	-	-	-	(Tr)	Tr	(0)	1.0	1.1	(0)	0.13	0.18	(9.2)	0.10	2.5	7	0.43	-	0			18.8	
3.1	0.08	0.04	130	130	1	Tr	24	24	0	1.7	7.1	Tr	0.71	0.43	54.0	0.25	18.0	52	3.68	18.0	33			4.6	
3.8	0.10	0.05	-	-	-	-	34	34	0	1.6	8.1	Tr	0.77	0.53	(62.0)	0.27	23.0	50	3.68	-	21			5.3	
2.7	0.08	0.04	-	-	-	-	41	37	46	1.0	6.5	1	0.34	0.33	(24.0)	0.17	11.0	43	2.16	-	76			5.6	ビタミンC：添加品を含む
0.5	0.04	0.01	350	31	0	0	10	10	0	1.0	0.8	(0)	0.10	0.10	4.4	0.07	1.3	5	0.44	2.5	Tr			0.3	魚体全体から調理する場合、①65%　②頭部、内臓、骨、ひれ等
0.9	0.05	0.02	-	-	-	-	9	9	0	0.7	1.3	(0)	0.09	0.12	(5.6)	0.09	3.9	7	0.53	-	Tr			0.4	
0.7	0.03	0.01	-	-	-	-	8	8	0	2.0	1.8	(0)	0.24	0.13	(2.2)	0.01	3.1	11	0.68	-	2			0.3	
0.4	0.02	0.01	-	-	-	-	(Tr)	Tr	(0)	3.0	0.7	(0)	0.13	0.20	(4.6)	0.11	1.4	6	0.26	-	Tr			2.0	
1.8	0.16	0.03	-	-	-	-	(Tr)	Tr	(0)	6.0	0.3	(0)	0.20	0.30	(16.0)	0.34	8.6	22	1.37	-	(0)			3.8	③無頭開き干し品　②骨、皮等
1.0	0.44	0.19	-	-	-	-	(Tr)	Tr	(0)	0.5	0.8	(0)	0.04	0.08	(6.2)	0.04	0.4	16	0.15	-	(0)			4.2	③しょうゆ添加品
0.6	0.03	0.03	58	14	4	Tr	2	2	-	0	0.1	-	0.01	0.01	2.3	Tr	0.6	3	0.06	0.9	-			2.4	
1.3	0.08	0.03	-	-	-	-	4	4	(0)	1.0	0.9	(0)	0	0.14	(6.2)	0.19	5.4	7	0.71	-	Tr			0.6	②頭部、内臓、骨、ひれ等（三枚おろし）

Q A　明太子＝辛子明太子じゃないの？▶東日本では、同じ意味で使われることが多いが、本来明太子は単にたらこを指すことばである。朝鮮ではすけとうだらのことをミョンテといい、明太と書くことから、その子（卵＝たらこ）を明太子といった。辛子明太子は、もともとは朝鮮でキムチ同様、たらこをとうがらしなどで漬けた日常的な惣菜だった。

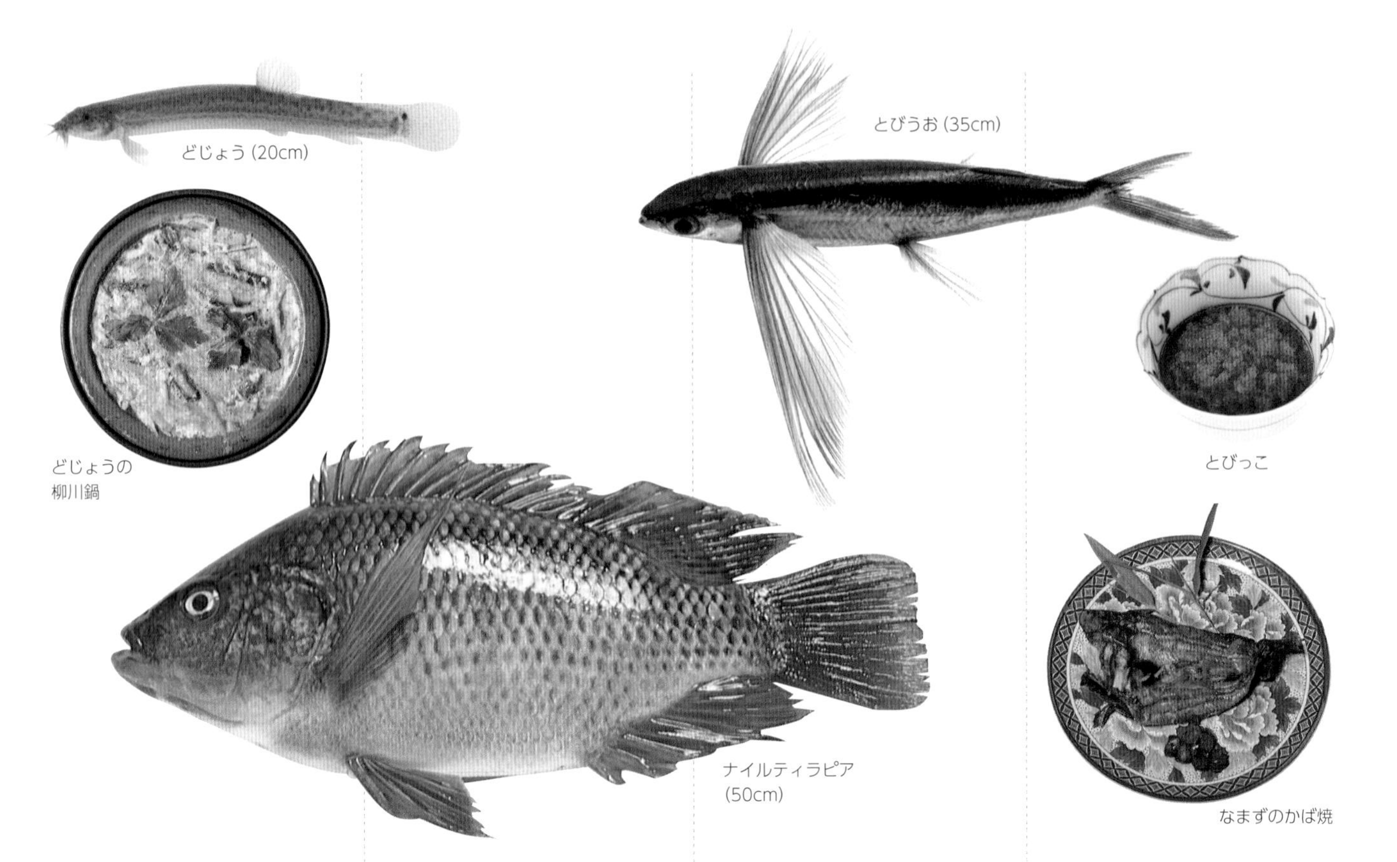

どじょう (20cm)

どじょうの柳川鍋

とびうお (35cm)

とびっこ

ナイルティラピア (50cm)

なまずのかば焼

どじょう（泥鰌）

Loach　1尾=5~10g

体長=20cm。ドジョウ科。円筒形の細長い形の鱗（うろこ）がない淡水魚で、冬は泥の中で冬眠する。養殖も盛ん。

どじょう料理店の“どぜう”という表記は造語で、歴史的仮名遣いでは“どぢやう”が正しい。

栄養成分：ビタミンA・D、鉄等が豊富。丸ごと食べられるので、カルシウムの補給源ともなる。

調理法：柳川鍋、汁物、天ぷら等。泥臭いので、泥を吐かせてから利用する。泥臭さを消すために、ごぼうやねぎと共に調理することが多い。

旬：5~7月。

生息地：日本、中国、台湾、朝鮮半島等の湖沼、水田等。

とびうお（飛魚）

Flying fish　1尾=300g

体長=35cm。トビウオ科の海産魚の総称。別名**あご**。胸びれを広げて海面上を滑空するためこの名がついた。 300m以上飛ぶこともある。日本近海には約20種類が生息する。小骨の多い魚だが、脂が少なく淡白。西日本の各地では、料理のだしをとるのに“焼きあご”、“あご干し”、“とび節”を使う。島根県の県魚。

種類：とびうお、あかとび、ほそとびうお、あやとびうお等。

調理法：刺身、焼き魚、揚げ物、練り製品、丸干し、くさや等。卵はとびっこといい、寿司だね等にする。

旬：春、夏。

生息地：太平洋、インド洋、大西洋の亜熱帯から温帯。

郷土料理：山陰地方の“あご竹輪”、八丈島のくさやが有名。

ナイルティラピア

Nile tilapia

体長=50cm。カワスズメ科。別名**いずみだい、ちかだい、テラピア**。雌は口内で卵を孵化（ふか）させる。淡水魚でアフリカ原産。現在は世界中の暖かい地域で養殖している。日本には1962年にアラブ首長国連邦から養殖用として移入された。水質汚濁に強いため、水温の高い水域では自然繁殖している。

調理法：刺身、煮物、焼き物、鍋物、揚げ物等。

(切)=切り身

食品番号	食品名	廃棄率 %	エネルギー kcal	2015年版の値 kcal	水分 g	たんぱく質 g	アミノ酸組成によるたんぱく質 g	脂質 g	脂肪酸のトリアシルグリセロール当量 g	脂肪酸 飽和 g	脂肪酸 一価不飽和 g	脂肪酸 多価不飽和 g	コレステロール mg	炭水化物 g	利用可能炭水化物(質量計) g	食物繊維 食物繊維総量(プロスキー変法) g	食物繊維 食物繊維総量(AOAC法) g	ミネラル(無機質) ナトリウム mg	カリウム mg	カルシウム mg	マグネシウム mg	リン mg	鉄 mg
10213	**どじょう** 生	0	**72**	79	79.1	**16.1**	13.5	**1.2**	0.6	0.16	0.16	0.22	210	**Tr**	(Tr)	-	-	96	290	**1100**	42	690	**5.6**
10214	水煮	0	**76**	83	77.9	**17.1**	(14.3)	**1.2**	0.5	0.15	0.14	0.21	220	**Tr**	(Tr)	-	-	100	330	**1200**	47	750	**6.4**
10215	**とびうお** 生	40	**89**	96	76.9	**21.0**	18.0	**0.7**	0.5	0.15	0.07	0.22	59	**0.1**	(0.1)	-	-	64	320	**13**	37	340	**0.5**
10421	煮干し	0	**325**	358	12.5	**80.0**	68.0	**2.2**	1.1	0.37	0.14	0.53	280	**0.1**	(0.1)	-	-	610	1200	**1200**	170	1300	**2.2**
10422	焼き干し	0	**309**	341	11.8	**73.4**	61.5	**3.3**	1.5	0.56	0.26	0.58	300	**0.1**	(0.1)	-	-	690	1100	**3200**	200	2300	**2.7**
(切) 10212	**ナイルティラピア** 生	0	**124**	134	73.5	**19.8**	17.0	**5.3**	4.6	1.41	1.89	1.06	59	**0.2**	(0.2)	-	-	60	370	**29**	24	180	**0.5**
10216	**なまず** 生	55	**145**	159	72.0	**18.4**	(15.5)	**8.6**	7.3	1.76	3.48	1.75	73	**Tr**	(Tr)	-	-	46	320	**18**	23	170	**0.4**
10217	**にぎす** 生	45	**84**	91	78.5	**18.7**	(15.5)	**1.2**	0.9	0.25	0.23	0.35	120	**0.1**	(0.1)	-	-	190	320	**70**	27	220	**0.4**
10218	**にしん** 生	45	**196**	216	66.1	**17.4**	14.8	**15.1**	13.1	2.97	7.18	2.39	68	**0.1**	(0.1)	-	-	110	350	**27**	33	240	**1.0**
10219	身欠きにしん	9	**224**	246	60.6	**20.9**	(17.8)	**16.7**	14.6	3.46	8.33	2.18	230	**0.2**	(0.2)	-	-	170	430	**66**	38	290	**1.5**
10220	開き干し	25	**239**	264	59.8	**18.5**	(15.7)	**19.7**	17.1	3.85	9.21	3.35	85	**0.2**	(0.2)	-	-	360	350	**25**	33	260	**1.9**
10221	くん製	45	**280**	305	43.9	**23.1**	(19.6)	**22.1**	19.9	4.53	11.43	3.13	86	**Tr**	(Tr)	-	-	3900	280	**150**	36	400	**3.5**
10222	かずのこ 生	0	**139**	162	66.1	**25.2**	(27.1)	**6.7**	3.4	0.85	0.93	1.45	370	**0.2**	(0.2)	-	-	320	210	**50**	34	140	**1.2**
10223	乾	0	**358**	385	16.5	**65.2**	(70.1)	**13.6**	8.4	2.37	2.09	3.57	1000	**0.5**	(0.5)	-	-	1400	46	**65**	150	500	**1.9**
10224	塩蔵　水戻し	0	**80**	89	80.0	**15.0**	(16.1)	**3.0**	1.6	0.52	0.45	0.52	230	**0.6**	(0.5)	-	-	480	2	**8**	4	94	**0.4**

+PLUS+ **なまずといえば、やはり地震！？**●「地震をおこすなまずを茨城の鹿島神社の要石（かなめいし）が押さえつけている」という信仰が古くからある。1855（安政 2）年の安政の大地震の前にもなまずが騒いだという記録がある。その後、大なまずを押さえつけている“なまず絵”が地震よけのお守りとして売り出された。

なまず (50cm)

にぎす (30cm)

にしん (30cm)

かずのこ

身欠きにしん

なまず (鯰)

Catfish

体長＝50cm。ナマズ科。鱗（うろこ）がなく、粘液で体表がおおわれる淡水魚。冬は水の温かい場所の泥に穴を掘って越冬する。地震の前になまずが騒ぐといわれるが、その関連性は不明。

種類：まなまず、びわこおおなまず（琵琶湖固有種）、いわとこなまず（琵琶湖固有種）の3種が在来種。北アメリカや東南アジア原産のなまずが定着しているところもある。

調理法：かば焼、みそ汁、煮魚、天ぷら等。

旬：11〜1月。

生息地：日本全国の流れのゆるやかな河川や湖沼の砂泥底。

にぎす (似鱚)

Japanese argentine

体長＝30cm。ニギス科。体型がきすに似ているためこの名がついた。漁場が遠く、沖で数日間操業を続ける沖合底びき網によって漁獲されるため、練り製品や干物にすることが多い。 富山県では日帰り操業による新鮮なものが上がるため、刺身で食べられている。

調理法：天ぷら、干物、練り製品等。

旬：晩秋。

生息地：相模湾より南の太平洋岸、青森より南の日本海岸から東シナ海。

にしん (鰊)

Pacific herring　1尾=300g

体長＝30cm。ニシン科。別名**かどいわし**。にしん漁業はかつて北海道の一大産業。春に産卵のため沿岸に大群で押しよせたため、春告魚（はるつげうお）とも呼ぶ。この大群を群来（くき）といい、北海道を代表する民謡である「ソーラン節」はにしん漁の労働歌として生まれた。しかし1955年以降は漁獲量が激減し、ロシアやカナダからの輸入品が大半を占めるようになった。生食では寄生虫に注意。

調理法：焼き魚、みそ煮、ムニエル、フライ、マリネ、かす漬、昆布巻き、くん製、身欠き等。

旬：3〜5月。

生息地：北日本、朝鮮半島、オホーツク海、ベーリング海、カリフォルニア、北極海、北太平洋。

郷土料理：身欠きにしんを使う“にしんそば”は京都名物。

身欠きにしん　1本=15〜20g

えらや内臓を取り除いて、背身と腹身に分けて乾燥したもの。かたくなるまで乾燥させた本干しと、やわらかいソフトがある。本干しは、乾燥中に酸化が進んで過酸化脂質ができ、特有の渋味やくさみが生じる。渋味を除き、やわらかくするために昔から米のとぎ汁を使ってもどした。鮮魚が手に入りにくい場所では、身欠きにしんは重要な食材であった。

かずのこ (数の子)　1本=30g

塩漬にした卵のこと。塩出ししてからおせち料理等に利用する。

可食部100gあたり　Tr：微量　( )：推定値または推計値　-：未測定

ミネラル（無機質）							ビタミン																	
亜鉛	銅	マンガン	ヨウ素	セレン	クロム	モリブデン	A レチノール活性当量	レチノール	β-カロテン当量	D	E αトコフェロール	K	B1	B2	ナイアシン当量	B6	B12	葉酸	パントテン酸	ビオチン	C	食塩相当量	備考 ①廃棄率 ②廃棄部位 ③試料
mg	mg	mg	μg	μg	μg	μg	μg	μg	μg	μg	mg	μg	mg	mg	mg	mg	μg	μg	mg	μg	mg	g	
2.9	0.08	0.38	-	-	-	-	15	13	25	4.0	0.6	1	0.09	1.09	6.7	0.10	8.5	16	0.66	-	1	0.2	魚体全体
3.1	0.06	0.43	-	-	-	-	15	13	23	5.5	0.4	1	0.08	1.00	(7.1)	0.08	6.3	11	0.43	-	Tr	0.3	魚体全体
0.8	0.06	0.01	-	-	-	-	3	3	0	2.0	2.3	(0)	0.01	0.10	11.0	0.47	3.3	8	0.42	-	1	0.2	②頭部、内臓、骨、ひれ等（三枚おろし）
3.3	0.20	0.10	42	120	1	2	9	9	0	3.9	4.0	1	0	0.32	32.0	0.24	13.0	22	0.62	14.0	0	1.5	頭部等を除いたもの
5.4	0.23	0.26	62	140	4	4	17	17	0	3.3	2.4	1	Tr	0.32	29.0	0.21	15.0	40	0.82	14.0	0	1.8	頭部等を除いたもの
0.4	0.02	0.01	-	-	-	-	3	3	0	11.0	1.9	(0)	0.04	0.20	6.8	0.67	2.3	5	1.08	-	1	0.2	魚体全体から調理する場合、① 55%、②頭部、内臓、骨、ひれ等
0.6	0.03	0.02	-	-	-	-	71	70	7	4.0	6.3	(0)	0.33	0.10	(4.2)	0.16	2.3	10	0.81	-	0	0.1	③なまず（国産）、アメリカなまず　②頭部、内臓、骨、ひれ等（三枚おろし）
0.4	0.03	0.01	-	-	-	-	75	75	(0)	Tr	0.5	(0)	0.12	0.26	(6.9)	0.15	3.4	8	0.77	-	1	0.5	②頭部、内臓、骨、ひれ等（三枚おろし）
1.1	0.09	0.02	-	-	-	-	18	18	0	22.0	3.1	(0)	0.01	0.23	7.3	0.42	17.0	13	1.06	-	Tr	0.3	②頭部、内臓、骨、ひれ等（三枚おろし）
1.3	0.10	0.04	-	-	-	-	(Tr)	Tr	(0)	50.0	2.7	(0)	0.01	0.03	(8.6)	0.21	13.0	12	1.24	-	(0)	0.4	②頭部、内臓、骨、ひれ等
1.0	0.11	0.02	-	-	-	-	(Tr)	Tr	(0)	36.0	2.1	(0)	0.01	0.03	(8.2)	0.25	9.0	7	1.28	-	(0)	0.9	②頭部、骨、ひれ等
1.1	0.16	0.03	-	-	-	-	(Tr)	Tr	(0)	48.0	0.5	(0)	0.01	0.35	(9.3)	0.10	15.0	16	1.74	-	(0)	9.9	②頭部、骨、ひれ等
2.3	0.07	0.06	-	-	-	-	15	15	(0)	13.0	5.1	Tr	0.15	0.22	(10.0)	0.26	11.0	120	1.37	-	Tr	0.8	
5.4	0.08	0.07	-	-	-	-	7	7	0	32.0	6.4	0	Tr	0.07	(22.0)	0.28	4.8	23	1.13	-	0	3.6	
1.3	0.06	0.02	-	-	-	-	2	2	0	17.0	0.9	0	Tr	0.01	(5.2)	0.04	4.5	0	0	-	0	1.2	

Q A 数の子の語源は何？▶にしんの卵巣を数の子というが、にしんは別名かどいわし（通称かど）といったため、かどの子＝かずの子（数の子）になった。かつては黄色いダイヤモンドというほど高級だった。なお、つぶつぶの数の子が産み付けられた昆布を子持ち昆布という。

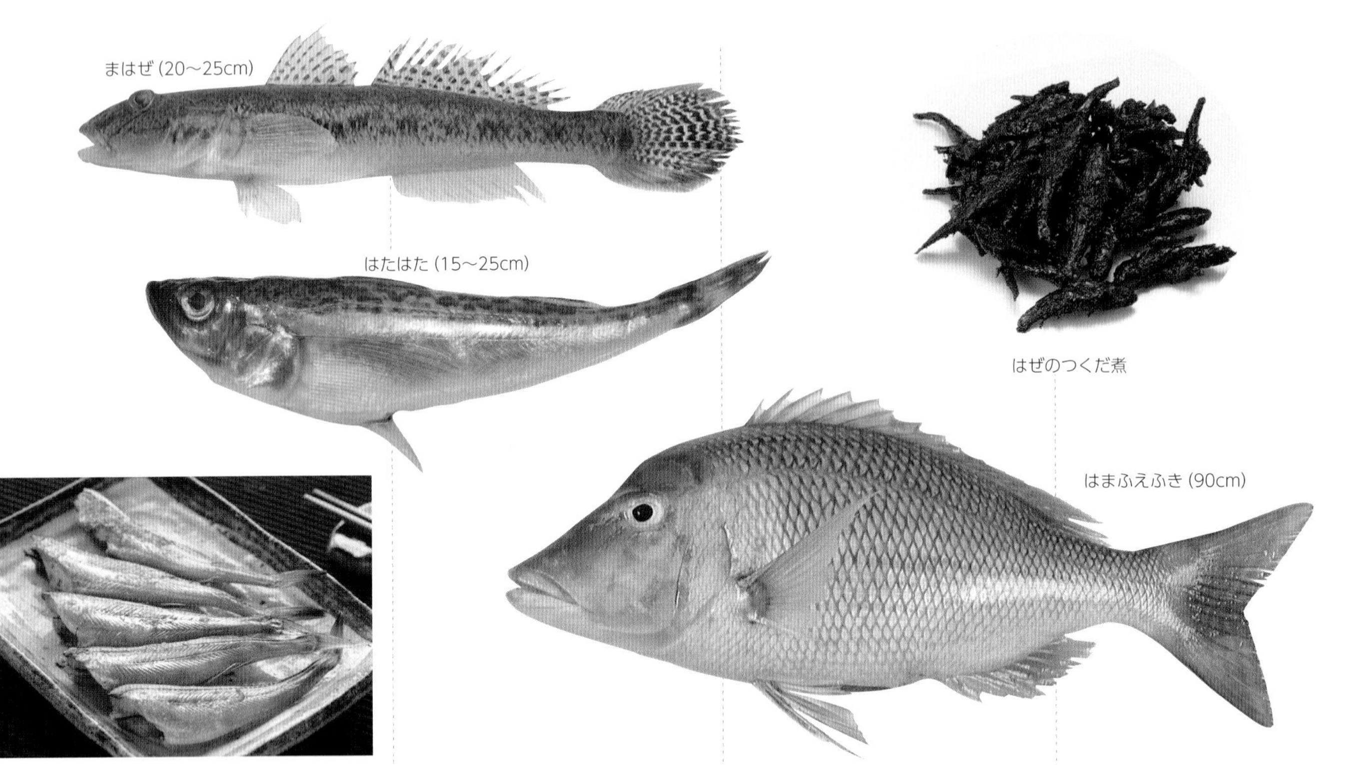

まはぜ (20～25cm)

はたはた (15～25cm)

はぜのつくだ煮

はまふえふき (90cm)

はたはたの丸干し

はぜ (沙魚)

Yellowfin goby　1尾=15～25g　甘露煮大1=22g

まはぜ体長＝20～25cm。ハゼ科に属する海産魚や淡水魚の総称だが、一般にはまはぜを指す。

種類：まはぜ、はぜちく、ちちぶ等。

調理法：刺身、天ぷら、唐揚げ、煮浸し、昆布締め、甘露煮、つくだ煮、南蛮漬等。

旬：冬。

生息地：全世界の淡水域、汽水域、浅い海水域。

はたはた (鰰、鱩)

Sandfish　1尾=50g

体長＝15～25cm。ハタハタ科。鱗(うろこ) がない深海魚。初冬のかみなりが鳴る頃に産卵のために岸に近寄るため、かみなりうおとも呼ばれる。秋田県の県魚。開発による海洋環境の変化と乱獲等によって激減したため、1992年から3年間、自主禁漁した。禁漁期間中は稚魚を放流した。解禁後も漁獲量の割り当て配分が行われ、"育てる漁業" が実践されている。

調理法：焼き魚、煮魚、天ぷら、なれずし、干物等。また、塩漬にして発酵させてしょっつるという調味料(魚醤) を作る。卵はぶりこといい、酢の物、和え物等にするが、卵膜が厚く、かむとぱちぱちと音がする。

旬：12～2月。

生息地：太平洋北部、特に日本海、オホーツク海、アリューシャン列島の泥や砂の海底。日本では北海道、東北、山陰地方沿岸。

郷土料理：秋田県の"はたはたずし"(なれずし) や"しょっつる鍋" 等が有名。秋田では小鍋料理のことをかやき (貝焼き) と呼ぶため、"しょっつるかやき" とも呼ぶ。

はまふえふき (浜笛吹き)

Spangled emperor

体長＝90cm。フエフキダイ科。口の形が笛を吹いているようなのでこの名がついた。別名**たまみ**、くちび、くちみ。沖縄でよく利用する白身魚。寿命は20年をこえる。

調理法：洗い、刺身、煮魚、焼き魚等。

生息地：千葉より南、東シナ海、太平洋西～中部、インド・西太平洋域のさんご礁の周囲。

はも (鱧)

Conger pike　1尾=500g

体長＝2m。ハモ科。鋭い歯で噛みつくことから "はむ" (噛む) →はもとなった。背びれと尾びれが連続し、鱗 (うろこ) がない魚で、うなぎやあなごに似ている。東北地方でははなごをはもと呼ぶ。京都の祇園祭には欠かせない魚で、祇園祭を俗にはも祭りとも呼ぶ。

小骨が多いため、開いた身の3cm (一寸) につき24筋ほどの切れ込みを入れて小骨を切断し、しかも皮を切らないという "骨切り" という下処理が必要。この骨切りを丁寧にしたものは、熱湯に通すと反り返って白い花のように開く。これを湯引きはも、ぼたんはもと呼ぶ。

(切)=切り身　はまち→p.234、バラクーダ→p.238みなみくろたち、ふかひれ→p.222

食品番号	食品名	廃棄率	エネルギー	2015年版の値	水分	たんぱく質	アミノ酸組成によるたんぱく質	脂質	脂肪酸のトリアシルグリセロール当量	脂肪酸 飽和	一価不飽和	多価不飽和	コレステロール	炭水化物	利用可能炭水化物(質量計)	食物繊維 食物繊維総量(プロスキー変法)	食物繊維総量(AOAC法)	ミネラル(無機質) ナトリウム	カリウム	カルシウム	マグネシウム	リン	鉄
		%	kcal	kcal	g	g	g	g	g	g	g	g	mg	g	g	g	g	mg	mg	mg	mg	mg	mg
10225	**はぜ** 生	60	**78**	83	79.4	**19.1**	16.1	**0.2**	0.1	0.03	0.02	0.04	92	**0.1**	(0.1)	-	-	93	350	**42**	27	190	**0.2**
10226	つくだ煮	0	**277**	284	23.2	**24.3**	(20.5)	**3.0**	1.6	0.53	0.32	0.68	270	**39.9**	-	-	-	2200	480	**1200**	73	820	**12.0**
10227	甘露煮	0	**260**	265	29.5	**21.1**	(17.8)	**2.2**	1.1	0.38	0.26	0.38	210	**40.3**	-	-	-	1500	200	**980**	58	650	**4.2**
(切) 10228	**はたはた** 生	0	**101**	113	78.8	**14.1**	12.8	**5.7**	4.4	0.92	1.95	1.35	100	**Tr**	(Tr)	-	-	180	250	**60**	18	120	**0.5**
10229	生干し	50	**154**	167	71.1	**16.7**	14.8	**10.3**	9.2	2.01	3.78	3.04	130	**Tr**	(Tr)	-	-	510	240	**17**	23	180	**0.3**
10230	**はまふえふき** 生	55	**85**	90	77.7	**20.5**	(17.0)	**0.3**	0.2	0.07	0.05	0.07	47	**0.1**	(0.1)	-	-	80	450	**43**	29	250	**0.3**
(切) 10231	**はも** 生	0	**132**	144	71.0	**22.3**	18.9	**5.3**	4.3	1.36	1.28	1.45	75	**Tr**	(Tr)	-	-	66	450	**79**	29	280	**0.2**
(切) 10233	**ひらまさ** 生	0	**128**	142	71.1	**22.6**	(18.8)	**4.9**	3.6	1.09	1.15	1.18	68	**0.1**	(0.1)	-	-	47	450	**12**	36	300	**0.4**
10234	**ひらめ** 天然 生	40	**96**	103	76.8	**20.0**	(17.6)	**2.0**	1.6	0.43	0.48	0.61	55	**Tr**	(Tr)	-	-	46	440	**22**	26	240	**0.1**
10235	養殖 皮つき 生	40	**115**	126	73.7	**21.6**	19.0	**3.7**	3.1	0.80	0.95	1.17	62	**Tr**	(Tr)	-	-	43	440	**30**	30	240	**0.1**
(切) 10410	皮なし 生	0	**100**	113	76.0	**21.2**	17.5	**2.5**	1.9	0.49	0.57	0.72	53	**0.1**	(0.1)	-	-	41	470	**8**	31	230	**0.1**

+PLUS+ **だぼはぜって、どんなはぜ？**●何にでも飛びつく人を "だぼはぜ" ということがあるが、だぼはぜという特定の種類のはぜはいない。一般に小型のはぜを指し、簡単にいくらでも釣れる小魚程度の意味で使われるのだが、はぜにとっては迷惑な話。

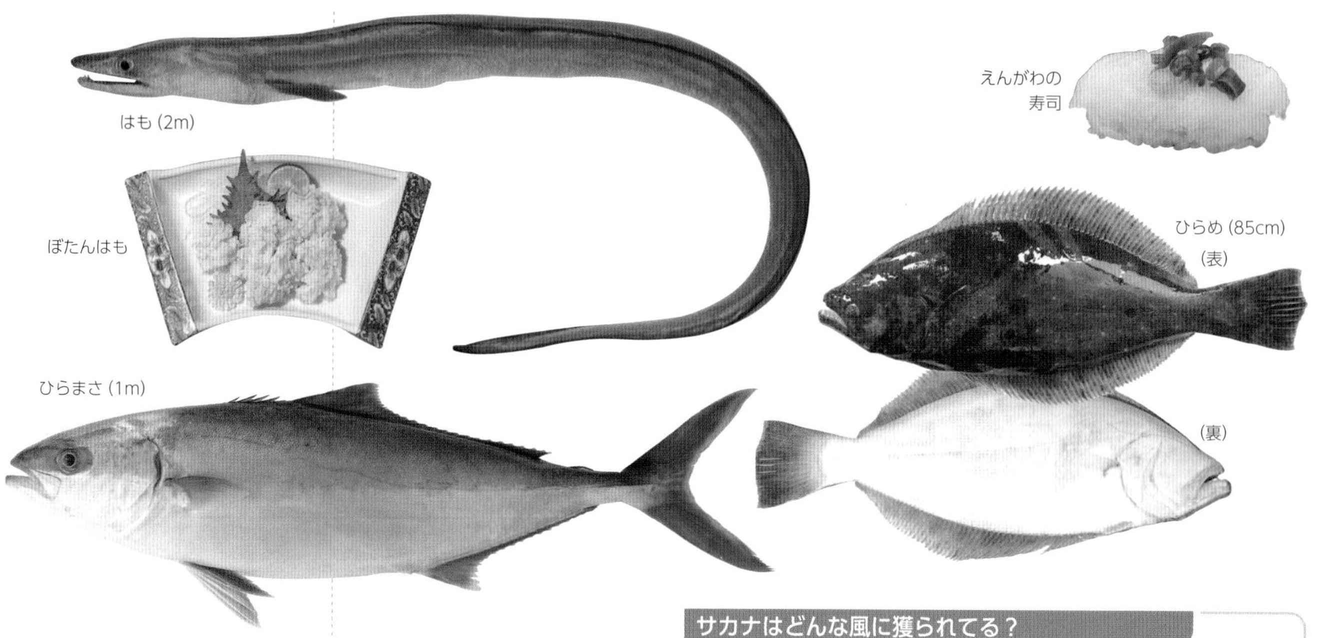

調理法：かば焼、ぼたんはも、はもきゅう（はもときゅうりの酢の物）、照り焼き、天ぷら、椀だね、高級練り製品等。
旬：6～8月。
生息地：福島より南、東シナ海の沿岸寄りの海底。特に瀬戸内海と九州に多い。

ひらまさ（平政）

Goldstriped amberjack　1切=120g

体長=1m。アジ科。ぶりによく似ているが、ぶりより体が平たく、縦縞の黄色が鮮やかで、ぶりより温暖な地域を好む。養殖もされている。
調理法：脂が多く血合が少ないため刺身に向くが、照り焼き、煮魚、酢の物等さまざまに利用できる。このほかに、寿司だね、焼き魚、かす漬、みそ漬、バター焼き等。
旬：6～8月。
生息地：世界の温帯、熱帯。日本では北海道南部より南の沖合いの岩礁。

ひらめ（鮃）

Bastard halibut　中1尾=800g

体長=85cm。ヒラメ科。地方名が多い。かれい（➡p.213）に似ているが、かれいより口が大きく、歯も大きくて鋭い。両目とも頭部の左側半分にあるものが多い。また、かれいよりも成長が早いため、養殖が盛ん。日本ではたいと並ぶ高級魚で、特にひれのつけ根の部分の身は脂がのって歯ごたえがあり、縁側（えんがわ）と呼ばれて珍重される。青森県、茨城県、鳥取県の県魚。
調理法：刺身、寿司だね、揚げ物、煮つけ、蒸し物、和え物、酢の物等。
旬：9～2月。
生息地：千島列島、カラフト、日本、朝鮮半島等の沿岸から南シナ海。

サカナはどんな風に獲られてる？

地びき網
船で沖合に張った網を、浜に引き揚げる。あじ・いわし・さばなど。

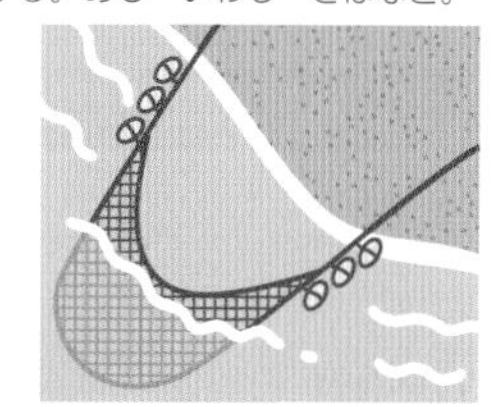

一本釣り
手釣り・竿釣りなどで魚を1尾ずつ釣り上げる。かつお・まぐろ・かじきなど。

底びき網
沖合に張った網を、船で引っ張る。たい・あじ・いかなど。

定置網
海中に網を常設して魚を待ち受け、毎日、定時に網をたぐり寄せて獲る。ぶり・さけ・まぐろなど。

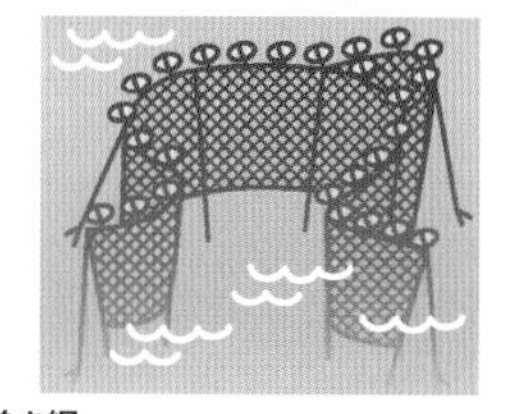

巻き網
上に浮き、下に重りをつけて海中に網を巻いて立て、魚群が中に入ると下部の輪を締める。あじ・いわし・さばなど。

棒受け網
網のはしに棒状の浮きをつけ、魚群が集まったところで引き揚げる。あじ・いわし・さば・さんまなど。

可食部100gあたり　Tr：微量　（ ）：推定値または推計値　-：未測定

ミネラル（無機質）							ビタミン																食塩相当量	備考
亜鉛	銅	マンガン	ヨウ素	セレン	クロム	モリブデン	A レチノール活性当量	レチノール	β-カロテン当量	D	E αトコフェロール	K	B1	B2	ナイアシン当量	B6	B12	葉酸	パントテン酸	ビオチン	C			①廃棄率　②廃棄部位　③試料
mg	mg	mg	µg	µg	µg	µg	µg	µg	µg	µg	mg	µg	mg	mg	mg	mg	µg	µg	mg	µg	mg	g	
0.6	0.02	0.10	-	-	-	-	7	6	9	3.0	1.0	(0)	0.04	0.04	4.8	0.07	2.7	8	0.42	-	1	0.2	②頭部、内臓、骨、ひれ等（三枚おろし）
3.2	0.08	1.20	-	-	-	-	160	150	51	5.0	2.4	(0)	0.11	0.41	(6.7)	0.06	6.8	230	0.79	-	0	5.6	
2.7	0.05	1.27	-	-	-	-	22	21	10	6.0	0.6	(0)	0.05	0.11	(4.7)	0.03	5.8	15	0.23	-	0	3.8	
0.6	0.06	-	32	37	Tr	0	20	20	(0)	2.0	2.2	(0)	0.02	0.14	5.6	0.08	1.7	7	0.50	3.3	0	0.5	魚体全体から調理する場合、① 60%、②頭部、内臓、骨、ひれ等
0.8	0.04	0.01	37	37	1	0	22	22	0	1.0	2.8	(0)	0.05	0.05	3.7	0.08	3.5	11	0.50	3.6	3	1.3	②頭部、骨、ひれ等
0.5	0.03	0	-	-	-	-	8	8	0	11.0	0.6	(0)	0.15	0.07	(10.0)	0.30	3.7	3	0.40	-	Tr	0.2	②頭部、内臓、骨、ひれ等（三枚おろし）
0.6	0.03	0.07	-	-	-	-	59	59	0	5.0	1.1	(0)	0.04	0.18	7.8	0.23	1.9	21	0.46	-	1	0.2	魚体全体から調理する場合、① 40%、②頭部、内臓、骨、ひれ等
0.7	0.04	0.01	-	-	-	-	19	19	0	5.0	1.4	(0)	0.20	0.14	(12.0)	0.52	2.1	8	0.26	-	3	0.1	魚体全体から調理する場合、① 40%、②頭部、内臓、骨、ひれ等
0.4	0.03	0.01	-	-	-	-	12	12	0	3.0	0.6	(0)	0.04	0.11	(8.6)	0.33	1.0	16	0.82	-	3	0.1	②頭部、内臓、骨、ひれ等（五枚おろし）
0.5	0.02	0.03	8	47	Tr	0	19	19	0	1.9	1.6	-	0.12	0.34	10.0	0.44	1.5	13	0.89	10.0	5	0.1	②頭部、内臓、骨、ひれ等（五枚おろし）
0.3	0.02	0.01	11	41	0	(0)	9	9	(0)	2.3	1.6	-	0.22	0.07	11.0	0.48	1.1	12	0.86	8.4	10	0.1	

Q A “かれい”や“ひらめ”の目は生まれたときから片側に寄っているの？▶“かれい”も“ひらめ”も生まれたときは体も平たくないし、目も普通の魚と同じ。1か月くらいたつと、“かれい”は左目が右に、“ひらめ”は右目が左に寄ってくる。目が一方に寄ることで、海底で生活しているとき、えさを見つけるのに都合がいいのだ。

とらふぐ（70cm）

まふぐ（45cm）

ぎんぶな（20〜40cm）

ふなの甘露煮

ふぐ類（河豚類）

Puffers

フグ科。山口県下関では縁起をかついでふく（福）と呼ぶ。関西では「当たれば命が危ない」という意味でふぐを“てっぽう”（鉄砲）と呼ぶ。刺身は“てっぽうの刺身”を省略して“てっさ”とも呼ぶ。興奮させると、腹部（胃）をふくらませる。

多くの種が内臓（特に卵巣と肝臓）、血液、皮膚にテトロドトキシンという毒を持つため、都道府県ごとにふぐ調理師免許制度とふぐ調理施設の届出制度がある。皮はコラーゲンを多量に含み、独特の歯ごたえがある。

調理法：刺身（ふぐ刺）、鍋物（ふぐちり等）、みりん干し等。生の身は弾力が強いため、刺身は身を薄く引く薄造り（ふぐ造り）にする。ひれは干してひれ酒等にし、皮は酢の物や煮こごり等にする。

郷土料理：“ふぐの卵巣のぬか漬”は石川県だけで製造される。テトロドトキシンは、卵巣を1年間塩漬した後に3年間ぬか漬すると、食べられる程度に毒性が低くなる。

とらふぐ（虎河豚）

体長＝70cm。背と腹に小さなとげがある。ふぐの中でも最高級品とされる。

旬：11〜2月。

生息地：太平洋北西部、日本海西部、黄海、東シナ海等。

まふぐ（真河豚）

体長＝45cm。体表はなめらかでとげはない。

生息地：北海道より南の日本各地、東シナ海。

ふな（鮒）

Crucian carp

1尾=150g
甘露煮1尾=40g

体長＝20〜40cm。コイ科。日本各地の河川、湖沼に生息する淡水魚で、きんぶな、ぎんぶな、げんごろうぶな、ながぶな、にごろぶなの総称。げんごろうぶな以外をまぶなと呼び区別する。へらぶなと呼ぶのはげんごろうぶなを改良したもの。色素変異によって体色が赤くなったものをひぶなと呼ぶ。ひぶなをさらに品種改良したのが金魚である。

栄養成分：ビタミンB_1等が豊富。

調理法：ふな汁、甘露煮、酢の物、雀焼き（小さいふなを竹串に刺し、たれをつけて焼く）等。洗いなどの生食は寄生虫（肝臓ジストマの幼虫）に注意する。ふな汁は鱗（うろこ）と苦玉（にがだま＝胆のう）を除き、筒切りにしてみそで一昼夜煮たもの。

旬：冬。

生息地：日本、ユーラシア大陸の、河川、湖沼、溜池、用水路等、水の流れのゆるい淡水域。

郷土料理：塩漬にしたにごろぶなを飯とこうじで乳酸発酵させる“鮒寿司”は、滋賀県大津の名物。愛知・岐阜・三重の“鮒味噌”、岡山の“鮒飯”等も有名。

ぶり（鰤）

Yellowtail

1切=100g

体長＝1m。アジ科。成長するにつれて名前が変わる出世魚（➡p.235コラム参照）。地方名も多い。日本沿岸で季節回遊をするが、冬場のぶりは“寒ぶり”と呼ばれ、脂がのって美味。日本海側では、晩秋から初冬にかけての北陸の雷や時化（しけ）を“ぶり起こし”と呼ぶ。関西や北陸地方では祝い事等に欠かせない食材とされる。

稚魚を捕獲して養殖しており、養殖ものは天然ものの約3倍の量が出回っている。養殖ものは脂が多く、身の色が天然ものより白っぽい。

栄養成分：不飽和脂肪酸等が豊富。うま味成分のタウリン（アミノ酸の一種）が多く、特に血合部分に豊富なため、はまちの血合はくせが気にならずに食べられる。

調理法：刺身、寿司だね、焼き魚、西京漬、塩ぶり、巻きぶり、干しぶり、くん製等。

旬：12〜1月。

生息地：日本からハワイ沿岸までの太平洋北西部および日本海。

郷土料理：“ぶり寿司”は富山県の名物。

はまち（魬）

体長＝40cm。刺身や寿司だねにする。現在では、はまちといえば養殖ぶりのことを指す。これは出荷される養殖ぶりがはまちの大きさである

(切)=切り身

食品番号	食品名	廃棄率 %	エネルギー kcal	2015年版の値 kcal	水分 g	たんぱく質 g	アミノ酸組成によるたんぱく質 g	脂質 g	脂肪酸のトリアシルグリセロール当量 g	脂肪酸 飽和 g	脂肪酸 一価不飽和 g	脂肪酸 多価不飽和 g	コレステロール mg	炭水化物 g	利用可能炭水化物（質量計） g	食物繊維 食物繊維総量（プロスキー変法） g	食物繊維 食物繊維総量（AOAC法） g	ミネラル（無機質） ナトリウム mg	カリウム mg	カルシウム mg	マグネシウム mg	リン mg	鉄 mg
	（ふぐ類）																						
(切) 10236	**とらふぐ** 養殖 生	0	**80**	85	78.9	**19.3**	(15.9)	**0.3**	0.2	0.06	0.04	0.10	65	**0.2**	(0.2)	-	-	100	430	**6**	25	250	**0.2**
(切) 10237	**まふぐ** 生	0	**78**	84	79.3	**18.9**	15.6	**0.4**	0.3	0.07	0.04	0.13	55	**Tr**	(Tr)	-	-	83	470	**5**	24	260	**0.2**
10238	**ふな** 生	50	**93**	101	78.0	**18.2**	15.3	**2.5**	2.0	0.52	0.72	0.69	64	**0.1**	(0.1)	-	-	30	340	**100**	23	160	**1.5**
10239	水煮	35	**104**	112	75.6	**20.3**	(17.1)	**2.8**	2.3	0.59	0.84	0.73	84	**0.1**	(0.1)	-	-	46	310	**140**	24	230	**1.5**
10240	甘露煮	0	**266**	272	28.7	**15.5**	(13.1)	**3.6**	2.4	0.60	0.64	1.05	160	**44.4**	-	-	-	1300	240	**1200**	58	710	**6.5**
10449	ふなずし	20	**181**	193	57.0	**21.3**	19.1	**7.9**	5.6	1.50	1.89	1.95	300	**9.2**	-	-	-	1500	64	**350**	20	240	**0.9**
(切) 10241	**ぶり** 成魚 生	0	**222**	257	59.6	**21.4**	18.6	**17.6**	13.1	4.42	4.35	3.72	72	**0.3**	(0.3)	-	-	32	380	**5**	26	130	**1.3**
(切) 10242	焼き	0	**260**	304	51.8	**26.2**	(22.7)	**20.4**	14.5	4.87	4.83	4.15	89	**0.3**	(0.3)	-	-	40	440	**6**	28	170	**2.3**
(切) 10243	はまち 養殖 皮つき 生	0	**217**	251	61.5	**20.7**	17.8	**17.2**	13.4	3.96	5.83	3.05	77	**0.3**	(0.3)	-	-	38	340	**19**	29	210	**1.0**
(切) 10411	皮なし 生	0	**180**	203	66.4	**21.0**	17.6	**12.0**	9.9	2.81	4.11	2.57	78	**0.3**	(0.3)	-	-	36	390	**5**	29	220	**1.1**
10244	**ほうぼう** 生	50	**110**	122	74.9	**19.6**	(16.2)	**4.2**	3.0	0.96	1.04	0.85	55	**Tr**	(Tr)	-	-	110	380	**42**	34	200	**0.4**
(切) 10245	**ホキ** 生	0	**78**	84	80.4	**17.0**	(14.1)	**1.3**	1.0	0.24	0.42	0.29	49	**Tr**	(Tr)	-	-	160	330	**20**	24	160	**0.3**
10246	**ほっけ** 生	50	**103**	115	77.1	**17.3**	15.4	**4.4**	3.2	0.70	1.21	1.19	73	**0.1**	(0.1)	-	-	81	360	**22**	33	220	**0.4**
10247	塩ほっけ	40	**113**	123	72.4	**18.1**	(16.1)	**4.9**	4.1	1.03	1.76	1.14	60	**0.1**	(0.1)	-	-	1400	350	**20**	30	220	**0.5**
10248	開き干し 生	35	**161**	176	67.0	**20.6**	18.0	**9.4**	8.3	1.99	3.48	2.45	86	**0.1**	(0.1)	-	-	690	390	**170**	37	330	**0.5**
10412	焼き	25	**179**	200	63.7	**23.1**	19.6	**10.9**	9.4	2.21	4.02	2.76	100	**0.2**	(0.2)	-	-	770	410	**180**	41	360	**0.6**

+PLUS+ **ふぐの毒**●テトロドトキシンは、青酸カリの1000分の1で致死量というかなり強い毒である。もともとはえさについていた細菌がつくりだした毒で、これがふぐの体内で蓄積されたもの。このためえさの種類を変えて養殖すると、同じ種でもテトロドトキシンが少なかったり、全くなくなる場合がある。

ほっけの開き干し

ことから定着した呼び名。

ほうぼう（魴鮄）

Gurnard　1尾＝100g

体長＝40cm。ホウボウ科。幼魚は全身が黒いが、大きくなるにつれ体色が赤っぽく、胸びれが緑になってゆく。胸びれの一部を脚のように動かして海底を歩く。このひれには味蕾（みらい）があり、砂の中のえさを探すことができる。また、浮き袋を使ってグーグーと音を出して鳴くことができる。ほうぼうの名前は、海底を方々歩き回ることからついたという説や、鳴き声からついたという説等がある。

調理法：刺身、焼き魚、煮魚、鍋物、揚げ物等。

旬：12～4月。

生息地：北海道南部より南から黄海、東シナ海、南シナ海。

ホキ

Hoki

体長＝1m。マクルロヌス科。マクルロヌス科は最近の研究で独立した科として認められた（ホキはかつてはメルルーサ科に含まれていた）。尾部が長く、尾びれがない。1969年から日本の漁船によって本格的な水産資源開発が行われた魚である。淡白な白身で、フライやすり身に適し、ファストフードや白身魚フライの弁当、惣菜屋等で多く使われている。

調理法：揚げ物、焼き魚、蒸し煮、かまぼこ等。

生息地：ニュージーランド、南オーストラリアの大陸棚。

ほっけ（𩸽）

Atka mackerel　1尾＝500g

体長＝60cm。アイナメ科。成長とともに、体色が緑色がかった青色から暗褐色へと変わる。成長の過程で、青ぼっけ→ろうそくぼっけ→真ぼっけ→根ぼっけと名称が変わる。鮮度が落ちやすいため開き干しが多く流通しているが、これには真ぼっけを使う。

調理法：焼き魚、煮魚、干物等。

旬：11～1月。

生息地：太平洋側は茨城より北、日本海側は対馬海峡より北、黄海、ロシア沿海地方、オホーツク海。

郷土料理：北海道では刺身にする。

出世魚

成長するにつれて呼び名が変わる魚を「出世魚」という。戦国武将が何度も名前を変えながら出世を遂げたことによる。すずき・まだい・くろまぐろ等が知られるが、なかでもぶりは代表的な出世魚で、多くの地方名を持つ。

出世魚は、縁起のよい魚として、正月や端午の節句などの祝膳に供される。

	関東	大阪	富山
10cm 以下			つばえそ
20cm 前後	わかし	つばす	ふくらぎ
40cm 前後	いなだ	はまち	ぶり、にまいづる
60cm 前後	わらさ	めじろ	ぶり、さんか
100cm 前後	ぶり	ぶり	おおぶり

可食部100gあたり　Tr：微量　（ ）：推定値または推計値　－：未測定

ミネラル（無機質）							ビタミン																食塩相当量	備考
亜鉛	銅	マンガン	ヨウ素	セレン	クロム	モリブデン	A レチノール活性当量	レチノール	β-カロテン当量	D	E αトコフェロール	K	B1	B2	ナイアシン当量	B6	B12	葉酸	パントテン酸	ビオチン	C		①廃棄率　②廃棄部位　③試料
mg	mg	mg	µg	µg	µg	µg	µg	µg	µg	µg	mg	µg	mg	mg	mg	mg	µg	µg	mg	µg	mg	g	
0.9	0.02	0.01	-	-	-	-	**3**	3	0	4.0	0.8	(0)	**0.06**	**0.21**	(9.6)	0.45	1.9	3	0.36	-	**Tr**	0.3	魚体全体から調理する場合、①80%、②頭部、内臓、骨、皮、ひれ等
1.5	0.02	0	-	-	-	-	**7**	7	0	6.0	0.6	(0)	**0.04**	**0.17**	11.0	0.50	3.0	3	0.23	-	**0**	0.2	魚体全体から調理する場合、①75%、②頭部、内臓、骨、皮、ひれ等
1.9	0.04	0.02	-	-	-	-	**12**	12	(0)	4.0	1.5	(0)	**0.55**	**0.14**	5.3	0.11	5.5	14	0.69	-	**1**	0.1	②頭部、内臓、骨、ひれ等（三枚おろし）
2.1	0.04	0.02	-	-	-	-	**15**	15	(0)	3.8	1.5	(0)	**0.49**	**0.12**	(5.0)	0.10	4.4	8	0.71	-	**Tr**	0.1	内臓等を除去後水煮したもの　②頭部、骨、ひれ等
5.2	0.11	0.62	-	-	-	-	**61**	60	10	2.0	0.5	(0)	**0.16**	**0.16**	(3.9)	0.03	6.7	13	0.24	-	**0**	3.3	
2.9	0.23	0.34	24	48	1	36	**43**	43	-	3.6	4.6	4	**Tr**	**0.07**	4.1	0.03	7.4	15	0.14	28.0	**0**	3.9	②頭部、ひれ、尾　③魚の表面に付着した飯をヘラ等で軽く拭ったもの
0.7	0.08	0.01	24	57	Tr	0	**50**	50	(0)	8.0	2.0	(0)	**0.23**	**0.36**	14.0	0.42	3.8	7	1.01	7.7	**2**	0.1	魚体全体から調理する場合、①40%、②頭部、内臓、骨、ひれ等
0.9	0.10	0.01	-	-	-	-	**42**	42	(0)	5.4	2.1	(0)	**0.24**	**0.39**	(15.0)	0.38	3.8	6	1.38	-	**2**	0.1	
0.8	0.09	0.01	14	32	Tr	0	**32**	32	0	4.0	4.6	-	**0.16**	**0.21**	13.0	0.45	4.6	9	0.99	6.4	**2**	0.1	魚体全体から調理する場合、①40%、②頭部、内臓、骨、ひれ等
0.5	0.10	0.01	14	35	0	(0)	**41**	41	(0)	4.4	5.5	-	**0.17**	**0.23**	12.0	0.53	6.6	9	0.99	6.4	**3**	0.1	
0.5	0.04	0.05	-	-	-	-	**9**	9	(0)	3.0	0.5	(0)	**0.09**	**0.15**	(8.6)	0.44	2.2	5	0.82	-	**3**	0.3	②頭部、内臓、骨、ひれ等（三枚おろし）
0.4	0.02	0.01	-	-	-	-	**43**	43	(0)	1.0	0.9	(0)	**0.03**	**0.16**	(4.4)	0.07	0.7	13	0.42	-	**0**	0.4	
1.1	0.10	0.01	-	-	-	-	**25**	25	0	3.0	1.7	(0)	**0.09**	**0.17**	5.5	0.17	11.0	9	1.16	-	**1**	0.2	②頭部、内臓、骨、ひれ等（三枚おろし）
0.4	0.04	0.01	-	-	-	-	**20**	20	(0)	3.0	0.7	(0)	**0.10**	**0.27**	(6.0)	0.18	7.3	2	0.79	-	**Tr**	3.6	②骨、ひれ、皮等
0.9	0.05	0.03	15	31	1	0	**30**	30	0	4.6	1.3	-	**0.10**	**0.24**	7.1	0.21	5.3	7	0.65	3.7	**4**	1.8	②頭部、骨、ひれ等
1.0	0.06	0.03	17	34	1	(0)	**39**	39	(0)	3.5	1.6	-	**0.14**	**0.26**	7.7	0.17	5.3	11	0.65	4.5	**2**	2.0	②頭部、骨、ひれ等

QA 鮒寿司（ふなずし）はどういうもの？▶魚を保存する知恵として古くから伝わる熟寿司（なれずし）のひとつ。塩漬けにした魚を炊いた飯とともに重石で漬け、発酵させたもの。郷土料理として各地に残っている。独特のにおいと酸味があり、このにおいが「うまい！」「かんべんして！」と評価は二分。現代のにぎり寿司の原型ともいわれる。

ぼら (鯔、鰡)

Striped mullet

体長＝80cm。ボラ科。河口や湾内といった汽水域に生息するが、産卵期には外洋へ出る。冬季の脂がのったものを寒ぼらといって珍重する。呼び名が変わる出世魚で、関東では、おぼこ→いなっこ→すばしり→いな→ぼら→とど。関西では、はく→おぼこ→すばしり→いな→ぼら→とど。

調理法：刺身、洗い、焼き魚、フライ、魚田、みそ漬等。

旬：10〜1月。

生息地：世界の暖海、熱帯。日本では北海道より南の沿岸。

郷土料理：能登半島穴水湾の"ぼら茶漬け"、香川や三重の"ぼら飯"等。

からすみ 1腹=80g

ぼらなどの卵巣を塩蔵し、塩抜きしてから乾燥させた珍味で、長崎の名産品。薄く切ってそのままか、あぶって食べる。形が唐墨（からすみ。中国の墨）に似ていたことからこの名がついた。

ほんもろこ (本諸子)

Willow shiner

体長＝10cm。コイ科。別名**もろこ**。琵琶湖原産の淡水魚。琵琶湖の固有種だったが、近年では福井県の三方五湖、山梨県の山中湖などにも移植され、関東の河川にも生息する。埼玉県等でも養殖している。冬季の寒もろこが珍重される。

調理法：焼き魚、煮魚、天ぷら、つくだ煮、昆布巻き等。

旬：12〜3月。

郷土料理：冬に獲れる"子持ちもろこ"は琵琶湖の名物。

まぐろ類 (鮪類)

Tunas 刺身1切=20g

サバ科。外洋性の回遊魚で、高速で泳ぐ大型魚である。「赤身」と「脂身（＝**とろ**）」に分けられる。縄文時代から食べられており、戦前までは大衆魚として、主として赤身が好まれた。脂身＝とろは腐敗しやすいため加工用だったが、冷凍保存技術の進歩と生活の洋風化による味覚の濃厚化にともない、1960年代以降は生食用に珍重されている。

調理法：刺身、寿司だね、酢みそ和え、焼き魚、角煮、ステーキ、フライ等。

選び方：さくは、すじが平行で、適度に間隔があるものがよい。

きはだ (黄肌)

体長＝2m。別名**きはだまぐろ**、**きわだ**。めばちまぐろとほぼ同じ範囲に生息し、夏から秋にかけて日本近

切＝切り身

食品番号	食品名	廃棄率 %	エネルギー kcal	2015年版の値 kcal	水分 g	たんぱく質 g	アミノ酸組成によるたんぱく質 g	脂質 g	脂肪酸のトリアシルグリセロール当量 g	脂肪酸 飽和 g	脂肪酸 一価不飽和 g	脂肪酸 多価不飽和 g	コレステロール mg	炭水化物 g	利用可能炭水化物（質量計） g	食物繊維 食物繊維総量（プロスキー変法） g	食物繊維 食物繊維総量（AOAC法） g	ミネラル（無機質） ナトリウム mg	カリウム mg	カルシウム mg	マグネシウム mg	リン mg	鉄 mg
10249	**ぼら** 生	50	**119**	128	74.7	**19.2**	15.5	**5.0**	4.3	1.18	1.40	1.56	65	**0.1**	(0.1)	-	-	87	330	**17**	24	170	**0.7**
10250	からすみ	0	**353**	423	25.9	**40.4**	-	**28.9**	14.9	2.68	5.71	5.83	860	**0.3**	(0.3)	-	-	1400	170	**9**	23	530	**1.5**
10251	**ほんもろこ** 生	0	**103**	113	75.1	**17.5**	(14.8)	**4.1**	3.2	0.82	1.23	1.06	210	**0.1**	(0.1)	-	-	86	320	**850**	39	640	**1.3**
	（まぐろ類）																						
切 10252	**きはだ** 生	0	**102**	112	74.0	**24.3**	20.6	**1.0**	0.6	0.21	0.12	0.25	37	**Tr**	(Tr)	-	-	43	450	**5**	37	290	**2.0**
切 10253	**くろまぐろ** 天然 赤身 生	0	**115**	125	70.4	**26.4**	22.3	**1.4**	0.8	0.25	0.29	0.19	50	**0.1**	(0.1)	-	-	49	380	**5**	45	270	**1.1**
切 10254	脂身 生	0	**308**	344	51.4	**20.1**	16.7	**27.5**	23.5	5.91	10.20	6.41	55	**0.1**	(0.1)	-	-	71	230	**7**	35	180	**1.6**
切 10450	養殖 赤身 生	0	**153**	177	68.8	**24.8**	20.5	**7.6**	6.7	1.73	2.53	2.15	53	**0.3**	(0.3)	-	-	28	430	**3**	38	270	**0.8**
切 10451	水煮	0	**173**	194	64.1	**27.2**	22.5	**8.3**	6.8	1.92	2.71	1.90	59	**0.3**	(0.2)	-	-	25	400	**3**	38	270	**1.0**
切 10452	蒸し	0	**187**	212	62.0	**28.0**	22.9	**9.9**	8.1	2.29	3.30	2.13	62	**0.2**	(0.2)	-	-	26	410	**3**	39	270	**0.9**
切 10453	電子レンジ調理	0	**191**	211	60.0	**30.4**	24.9	**8.7**	7.2	1.96	2.84	2.12	65	**0.3**	(0.3)	-	-	33	490	**4**	44	310	**1.1**
切 10454	焼き	0	**202**	223	59.6	**29.0**	24.0	**10.6**	9.2	2.49	3.57	2.74	66	**0.3**	(0.2)	-	-	33	500	**3**	42	290	**0.9**
切 10455	ソテー	0	**194**	205	61.6	**28.0**	23.1	**10.2**	9.2	2.20	3.71	2.87	61	**0.3**	(0.3)	-	-	29	470	**3**	43	300	**0.9**
切 10456	天ぷら	0	**222**	227	57.8	**25.1**	20.7	**12.6**	11.6	2.11	5.57	3.41	57	**3.2**	-	-	-	38	440	**13**	40	280	**1.0**
切 10255	**びんなが** 生	0	**111**	117	71.8	**26.0**	21.6	**0.7**	0.6	0.15	0.19	0.23	49	**0.2**	(0.2)	-	-	38	440	**9**	41	310	**0.9**
切 10256	**みなみまぐろ** 赤身 生	0	**88**	95	77.0	**21.6**	16.9	**0.4**	0.2	0.06	0.05	0.09	52	**0.1**	(0.1)	-	-	43	400	**5**	27	240	**1.8**
切 10257	脂身 生	0	**322**	352	50.3	**20.3**	16.6	**28.3**	25.4	6.06	10.62	7.68	59	**0.1**	(0.1)	-	-	44	280	**9**	29	210	**0.6**
切 10258	**めじまぐろ** 生	0	**139**	152	68.7	**25.2**	(20.4)	**4.8**	3.8	1.09	0.99	1.55	58	**0.1**	(0.1)	-	-	42	410	**9**	40	290	**1.8**
切 10425	**めばち** 赤身 生	0	**115**	130	72.2	**25.4**	21.9	**2.3**	1.7	0.49	0.54	0.57	41	**0.3**	(0.3)	-	-	39	440	**3**	35	270	**0.9**
切 10426	脂身 生	0	**158**	173	67.8	**23.9**	20.0	**7.5**	6.8	1.78	2.63	2.07	52	**0.4**	(0.3)	-	-	100	400	**4**	31	240	**0.7**
10260	**缶詰** 水煮 フレーク ライト	0	**70**	71	82.0	**16.0**	(13.0)	**0.7**	0.5	0.18	0.11	0.18	35	**0.2**	(0.2)	-	-	210	230	**5**	26	160	**0.6**
10261	ホワイト	0	**96**	97	77.6	**18.3**	(14.8)	**2.5**	2.2	0.64	0.71	0.73	34	**0.4**	(0.4)	-	-	260	280	**6**	34	200	**1.0**
10262	味付け フレーク	0	**134**	136	65.7	**19.0**	(15.4)	**2.3**	1.8	0.58	0.49	0.68	58	**9.9**	-	-	-	760	280	**24**	31	350	**4.0**
10263	油漬 フレーク ライト	0	**265**	267	59.1	**17.7**	(14.4)	**21.7**	21.3	3.37	4.86	12.16	32	**0.1**	(0.1)	-	-	340	230	**4**	25	160	**0.5**
10264	ホワイト	0	**279**	288	56.0	**18.8**	(15.3)	**23.6**	21.8	4.85	4.24	11.73	38	**0.1**	(0.1)	-	-	370	190	**2**	27	270	**1.8**

+PLUS+ ぼらに由来する言葉●"とどのつまり"とは、最終的にはとどになるということで、"結局"という意味。"おぼこ"は、ぼらの幼魚のように幼く初々しいこと、"いなせ"は、江戸日本橋魚河岸の若者が髪を鯔背銀杏（いなせいちょう）に結っていたことから、粋で威勢がいいようすのこと。

びんなが (1m)

まぐろの刺身

脂身 (とろ)

まぐろのさく 赤身

まぐろの寿司

まぐろの缶詰 (ツナ缶)

まぐろのブロック

海に回遊する。背びれと尻びれが黄色で、身は薄紅色。秋から初冬に獲れるものは身の赤味が濃い。鮮度落ちが早い。
旬：6〜7月、10〜11月。

くろまぐろ (黒鮪)
体長＝3m。別名**まぐろ**、**ほんまぐろ**、**しび**。まぐろの中で最も大型で、200〜300kg程度になる。夏に北海道の南岸に回遊する。肉質はまぐろ類の中で最も優れ、漁獲量が少ないため高価。
成長によって名前が変わる出世魚で、めじ (生後1年前後、〜20kg) →ちゅうぼう (2年〜5年、20〜40kg) →まぐろと呼ぶ。特に大きなものをしびと呼ぶことがある。幼魚はかきのたねとも呼ぶ。
旬：12〜2月。
生息地：世界中の熱帯、温帯。

びんなが (鬢長)
体長＝1m。別名**びんちょう**、**びんながまぐろ**。胸びれが大きく長いため別名**とんぼ**ともいう。まぐろの中で最も小型で、6月頃に日本の沖合に回遊する。全体に脂が少なく、肉質は白くやわらかい。ツナ缶の原料。
調理法：刺身、水煮、缶詰等。
旬：11〜12月。
生息地：太平洋と大西洋の熱・温帯。

みなみまぐろ (南鮪)
体長＝2m。南半球に生息しているためこの名がついた。別名**インドまぐろ**。肉質や色がくろまぐろと似ている。
調理法：刺身、寿司だね等。
生息地：オーストラリア、ニュージーランド、南アフリカ沖の低温水域。

めじまぐろ (めじ鮪)
別名**まめじ**、**よこわ**。くろまぐろの幼魚。
旬：11〜3月。

めばち (眼撥)
体長＝2m。まぐろの中で最も漁獲量が多い。目が大きくぱっちりしているためこの名がついた。別名**ばちまぐろ**、**めばちまぐろ**。脂がのっている割にはあっさりしていて甘味がある。小型をだるまとも呼ぶ。
旬：4〜5月、10〜2月。
生息地：南洋、ハワイ、インド洋の、赤道から南北に緯度35度の範囲。

缶詰 1缶=200g
別名**ツナ缶**。びんながを原料とした缶詰をホワイトミート、きはだを原料としたものをライトミートと呼ぶ。シーチキンは商標名。

可食部100 g あたり　Tr：微量　( )：推定値または推計値　-：未測定

ミネラル (無機質)							ビタミン															食塩相当量	備考
亜鉛	銅	マンガン	ヨウ素	セレン	クロム	モリブデン	A レチノール活性当量	レチノール	β-カロテン当量	D	E αトコフェロール	K	B1	B2	ナイアシン当量	B6	B12	葉酸	パントテン酸	ビオチン	C		①廃棄率 ②廃棄部位 ③試料
mg	mg	mg	µg	µg	µg	µg	µg	µg	µg	µg	mg	µg	mg	mg	mg	mg	µg	µg	mg	µg	mg	g	
0.5	0.06	0.01	-	-	-	-	**8**	8	0	10.0	1.6	(0)	**0.16**	**0.26**	8.1	0.43	4.7	4	0.66	-	**1**	0.2	②頭部、内臓、骨、ひれ等 (三枚おろし)
9.3	0.19	0.04	-	-	-	-	**350**	350	8	33.0	9.7	7	**0.01**	**0.93**	9.4	0.26	28.0	62	5.17	-	**10**	3.6	
3.4	0.07	0.21	-	-	-	-	**250**	250	0	5.0	2.9	(0)	**0.03**	**0.20**	(5.4)	0.13	9.0	37	0.73	-	**2**	0.2	魚体全体
0.5	0.06	0.01	14	74	1	0	**2**	2	Tr	6.0	0.4	(0)	**0.15**	**0.09**	22.0	0.64	5.8	5	0.36	1.4	**0**	0.1	切り身 (皮なし)
0.4	0.04	0.01	14	110	0	0	**83**	83	0	5.0	0.8	Tr	**0.10**	**0.05**	19.0	0.85	1.3	8	0.41	1.9	**2**	0.1	切り身 (皮なし)
0.5	0.04	Tr	-	-	-	-	**270**	270	0	18.0	1.5	(0)	**0.04**	**0.07**	14.0	0.82	1.0	8	0.47	-	**4**	0.2	切り身 (皮なし)
0.5	0.02	Tr	31	79	0	0	**840**	840	-	4.0	1.5	-	**0.16**	**0.05**	20.0	0.51	2.5	10	0.27	1.1	**2**	0.1	蓄養を含む
0.6	0.02	Tr	34	88	0	0	**900**	900	-	4.1	1.8	-	**0.16**	**0.04**	20.0	0.40	3.2	12	0.28	1.3	**2**	0.1	蓄養を含む
0.6	0.02	0.01	38	91	0	0	**990**	990	-	4.3	1.9	-	**0.17**	**0.04**	20.0	0.31	3.4	11	0.27	1.3	**2**	0.1	蓄養を含む
0.6	0.02	0.01	39	94	0	0	**970**	970	-	4.3	1.8	-	**0.19**	**0.05**	24.0	0.29	3.4	9	0.25	1.4	**2**	0.1	蓄養を含む
0.6	0.02	0.01	42	94	Tr	0	**1100**	1100	-	5.0	2.0	-	**0.19**	**0.04**	24.0	0.33	3.3	11	0.33	1.5	**2**	0.1	蓄養を含む
0.6	0.02	0.01	36	90	Tr	0	**910**	910	-	4.4	1.9	-	**0.18**	**0.05**	23.0	0.42	3.2	10	0.25	1.4	**2**	0.1	蓄養を含む　植物油 (なたね油)
0.5	0.04	0.04	33	88	0	1	**820**	820	-	4.1	2.5	-	**0.17**	**0.06**	20.0	0.25	3.1	6	0.30	1.5	**1**	0.1	蓄養を含む　植物油 (なたね油)
0.5	0.05	0.01	12	71	1	0	**4**	4	0	7.0	0.7	(0)	**0.13**	**0.10**	26.0	0.94	2.8	4	0.31	1.2	**1**	0.1	切り身 (皮なし)
0.4	0.04	0.01	5	73	0	0	**6**	6	0	4.0	1.0	(0)	**0.03**	**0.05**	15.0	1.08	2.2	5	0.30	2.2	**Tr**	0.1	切り身 (皮なし)
0.4	0.05	0.01	38	120	1	0	**34**	34	0	5.0	1.5	(0)	**0.10**	**0.06**	15.0	1.00	1.5	4	0.29	4.4	**5**	0.1	切り身 (皮なし)
0.5	0.09	0.01	-	-	-	-	**61**	61	0	12.0	1.2	(0)	**0.19**	**0.19**	(24.0)	0.73	6.9	6	0.59	-	**1**	0.1	くろまぐろの幼魚　切り身 (皮なし)
0.4	0.03	Tr	18	75	Tr	0	**17**	17	0	3.6	0.9	Tr	**0.09**	**0.05**	20.0	0.76	1.4	5	0.15	1.5	**1**	0.1	切り身 (皮なし)
0.4	0.03	Tr	42	74	Tr	0	**37**	37	Tr	8.1	2.0	1	**0.07**	**0.05**	18.0	0.80	1.0	5	0.17	1.5	**1**	0.3	切り身 (皮なし)
0.7	0.05	0.01	-	-	-	-	**10**	10	0	3.0	0.4	(0)	**0.01**	**0.04**	(13.0)	0.26	1.1	4	0.13	-	**0**	0.5	原材料：きはだ　液汁を含んだもの
0.7	0.04	0.02	-	-	-	-	**(Tr)**	Tr	(0)	2.0	0.4	(0)	**0.07**	**0.03**	(15.0)	0.15	1.4	7	0.13	-	**(0)**	0.7	原材料：びんなが　液汁を含んだもの
1.0	0.12	0.13	-	-	-	-	**(Tr)**	Tr	(0)	5.0	0.7	(0)	**0.07**	**0.03**	(12.0)	0.16	3.7	13	0.23	-	**(0)**	1.9	液汁を含んだもの
0.3	0.04	0.01	-	-	-	-	**8**	8	0	2.0	2.8	44	**0.01**	**0.03**	(12.0)	0.26	1.1	3	0.09	-	**0**	0.9	原材料：きはだ　液汁を含んだもの
0.4	0.03	0.02	-	-	-	-	**(Tr)**	Tr	(0)	4.0	8.3	-	**0.05**	**0.13**	(16.0)	0.15	2.0	2	0.12	-	**(0)**	0.9	原材料：びんなが　液汁を含んだもの

Q A ツナってまぐろ？かつお？▶ツナ (tuna) は、スズキ目サバ科マグロ族の総称。まぐろはマグロ族マグロ属、かつお (➡p.212) はマグロ族カツオ属に分類され、ともに「ツナ」である。ツナ缶といった場合は、原料がどちらかはわからない。成分表では、かつお系の缶詰とまぐろ系の缶詰はそれぞれ別に掲載されている。

まながつお (30〜60cm)

むつ (1.5m)

むつの切り身

みなみくろたち (2m)

めじな (50cm)

マジェランあいなめ(マジェラン鮎並)
Patagonian toothfish

体長＝40〜60cm。ノトセニア(ノトテニア)科。別名**メロ**、**おおくち**、**マゼランあいなめ**。以前は銀むつ名で流通したが、むつとは全く違う種類の魚であるため、JAS法改正を受けて、銀むつ名では販売されない。チリ、アルゼンチン、南アフリカ、ニュージーランド等で漁獲され、頭と内臓を落とした冷凍品で輸入される。十数年から50年程度の寿命があるらしい。

調理法：煮魚、焼き魚、かす漬等。

生息地：チリ、南アフリカ沖合等の南氷洋の深海。

まながつお(真魚鰹、鯧)
Silver pomfret　1切=150g

体長＝30〜60cm。マナガツオ科。かつおとは別種で、平たい菱形で腹びれがないのが特徴。きめの細かい白身で関西では高級魚として珍重されている。

調理法：刺身、焼き魚、みそ漬、西京漬等。

旬：冬〜初夏。

生息地：紀伊半島より南。西日本の四国や九州に多い。

みなみくろたち
Barracouta

体長＝2m。クロタチカマス科。別名**バラクータ**、**みなみおおすみやき**、**おおしびかます**。おきさわらの名称で流通している。くせのない白身だが骨が多く身がやわらかいため、すり身にして利用するのに向く。

調理法：焼き魚、煮魚、ムニエル、グラタン、練り製品等。

生息地：太平洋、大西洋、インド洋の温帯。

みなみだら(南鱈)
Southern blue whiting

体長＝40cm。タラ科。肉質は白身で淡白。すけとうだらの減少にともない、代替品として注目され、冷凍物で輸入してかまぼこや白身フライに使用している。卵巣はたらこの代用品にしている。

調理法：おもにすり身にするが、煮魚にも向く。

生息地：ニュージーランド南部、アルゼンチン、チリ南部。

むつ(鯥)
Gnomefish　1切=80g

体長＝1.5m。ムツ科。冬に脂がのったものを寒むつと呼ぶ。卵はむつこと呼び、身より珍重される。

調理法：刺身、焼き魚、煮魚、鍋物、酢の物等。卵と白子(精巣)は煮つけたり、鍋物等にする。

旬：12〜2月。

生息地：北海道南部から台湾北部。

めじな(眼仁奈)
Girella

体長＝50cm。メジナ科。静岡県ではくしろ、関西や四国では**ぐれ**と呼ぶ。やや磯くさいが、寒い時期には気にならない。白子は非常に美味で、"ふぐの白子に勝る"といわれる。

調理法：刺身、焼き魚、煮魚等。

旬：10〜1月。

生息地：北海道より南、東シナ海までの岩礁。

めばる(眼張)
Japanese stingfish　1尾=300g

体長＝30cm。フサカサゴ科。目を見張っているような大きな目からこの名がついた。生育環境(水深)によって体色が赤色、黒色、白色等に変化するため、体色によって赤めばる、黒めばる、白めばると区別して呼ぶこともある。小骨が多いが上品な味の白身魚。

調理法：刺身、焼き魚、煮魚、揚げ物、椀だね、みそ漬、かす漬等。

旬：10〜1月。

切=切り身　ます類→p.216〜220

	食品番号	食品名	廃棄率 %	エネルギー kcal	2015年版の値 kcal	水分 g	たんぱく質 g	アミノ酸組成によるたんぱく質 g	脂質 g	脂肪酸のトリアシルグリセロール当量 g	脂肪酸 飽和 g	脂肪酸 一価不飽和 g	脂肪酸 多価不飽和 g	コレステロール mg	炭水化物 g	利用可能炭水化物(質量計) g	食物繊維 食物繊維総量(プロスキー変法) g	食物繊維 食物繊維総量(AOAC法) g	ミネラル(無機質) ナトリウム mg	カリウム mg	カルシウム mg	マグネシウム mg	リン mg	鉄 mg
切	10265	**マジェランあいなめ** 生	0	**243**	272	62.8	**13.3**	(11.0)	**22.9**	19.6	4.15	13.33	1.31	59	**0.1**	(0.1)	-	-	65	300	**10**	18	210	**0.1**
	10266	**まながつお** 生	40	**161**	175	70.8	**17.1**	(13.9)	**10.9**	9.7	3.80	3.98	1.52	70	**Tr**	(Tr)	-	-	160	370	**21**	25	190	**0.3**
切	10232	**みなみくろたち** 生	0	**112**	120	73.8	**21.7**	(18.0)	**3.0**	2.6	0.75	0.69	1.03	63	**0.1**	(0.1)	-	-	120	460	**22**	34	240	**0.6**
切	10267	**みなみだら** 生	0	**68**	72	81.9	**16.4**	(13.6)	**0.3**	0.2	0.05	0.04	0.11	65	**Tr**	(Tr)	-	-	220	320	**23**	41	160	**0.3**
切	10268	**むつ** 生	0	**175**	189	69.7	**16.7**	14.5	**12.6**	11.6	1.69	8.59	0.81	59	**Tr**	(Tr)	-	-	85	390	**25**	20	180	**0.5**
切	10269	水煮	0	**161**	173	68.3	**22.2**	(19.3)	**8.4**	7.7	1.14	5.65	0.56	70	**Tr**	(Tr)	-	-	80	410	**49**	23	230	**0.6**
切	10270	**めじな** 生	0	**113**	125	74.7	**19.4**	(16.1)	**4.5**	3.4	1.17	1.09	1.01	56	**0.1**	(0.1)	-	-	91	380	**27**	30	240	**0.3**
	10271	**めばる** 生	55	**100**	109	77.2	**18.1**	15.6	**3.5**	2.8	0.79	0.92	0.95	75	**Tr**	(Tr)	-	-	75	350	**80**	27	200	**0.4**
切	10272	**メルルーサ** 生	5	**73**	77	81.1	**17.0**	14.6	**0.6**	0.5	0.11	0.15	0.19	45	**Tr**	(Tr)	-	-	140	320	**12**	38	150	**0.2**
	10273	**やつめうなぎ** 生	55	**245**	273	61.5	**15.8**	-	**21.8**	18.8	3.76	9.57	4.65	150	**0.2**	(0.2)	-	-	49	150	**7**	15	180	**2.0**
	10274	干しやつめ	20	**449**	508	14.3	**50.3**	-	**31.2**	24.3	6.57	9.15	7.50	480	**0.5**	(0.5)	-	-	130	650	**16**	49	240	**32.0**
	10275	**やまめ** 養殖 生	45	**110**	119	75.6	**18.4**	(15.1)	**4.3**	3.7	0.91	1.39	1.20	65	**0.3**	(0.3)	-	-	50	420	**85**	28	280	**0.5**
	10276	**わかさぎ** 生	0	**71**	77	81.8	**14.4**	11.8	**1.7**	1.2	0.29	0.32	0.56	210	**0.1**	(0.1)	-	-	200	120	**450**	25	350	**0.9**
	10277	つくだ煮	0	**308**	317	19.3	**28.7**	(23.6)	**5.5**	3.6	1.02	0.83	1.58	450	**38.2**	-	-	-	1900	480	**970**	69	780	**2.6**
	10278	あめ煮	0	**301**	313	21.0	**26.3**	(21.6)	**5.1**	2.8	0.87	0.50	1.30	400	**40.4**	-	-	-	1600	410	**960**	66	740	**2.1**

+PLUS+ **深海魚はいかが？**●図鑑などでは奇っ怪な姿として登場する深海魚。あんこう(➡p.204)は代表的例だが、その姿はなかなかインパクトがある。技術の進歩にともない、マジェランあいなめやメルルーサは比較的最近登場してきた新顔だ。多くの場合切り身で流通し、全体のもとの姿を見ることはまずない。

やまめの塩焼き

生息地：北海道南部より南、朝鮮半島南部の岩礁。

メルルーサ

Hake　1切=80g

体長＝1m。メルルーサ科。別名**ヘイク**。昭和40年代に遠方の漁場を開拓して発見されたもの。すけとうだらに似た姿の深海魚で、味も似ている。日本では冷凍品の切り身が出回る。
調理法：フライ、チリソース煮、かす漬、みそ漬、すり身等。
生息地：アフリカ、南アメリカ、ニュージーランド等の大陸棚。

やつめうなぎ (八目鰻)

Lamprey

体長＝かわやつめ50~60cm。円口類 (無顎類) ヤツメウナギ科に属し、魚類のうなぎとは異なる。吸盤状の口でほかの魚の体液を吸う。目の後ろに7対のえら穴があり、目が8対あるように見えることからこの名がついた。一般にかわやつめを指す。うなぎに似ているが体表はざらっとしており、皮膚の粘液には毒性がある。
栄養成分：ビタミンAが多いため、昔から夜盲症や脚気 (かっけ) の薬として利用された。
調理法：かば焼、鍋物等。
旬：12~2月。
生息地：日本海側では島根より北、太平洋側では茨城より北の河川。特に新潟、山形、秋田の河川に多い。

やまめ (山女)

Seema

体長＝20cm。サケ科。別名**やまべ**。さくらます (➡p.218) と同種。やまめは、サケ科のさくらますのうち陸封型 (海に下らずに一生を河川で過ごすもの) のこと。養殖もされる。近年盛んになった放流によってその地域に本来生息していた個体と混血し、分布が乱れている。
調理法：焼き魚、フライ、煮魚、甘露煮、かす漬等。寄生虫がいることがあるので、生食には注意する。
生息地：北海道から九州までの川の上流等の冷水域。

わかさぎ (鰙、公魚)

Pond smelt　中1尾=10g

体長＝15cm。キュウリウオ科。川を上って産卵し、川を下って成魚となる。本来は、島根県と千葉県より北の沿岸域やこれに繋がる河川・湖沼に生息していたが、淡水や汽水域に生息できるため、約100年前から全国各地へ移植され、今では鹿児島まで広く生息している。凍った湖面に穴をあけて行うわかさぎ釣りは冬の風物詩。
漢字で“公魚”とも書くのは、かつての常陸国麻生藩で公儀御用魚とされたことに由来する。
栄養成分：丸ごと食べられるので、カルシウムの補給源になる。
調理法：天ぷら、フライ、甘酢漬、マリネ、つくだ煮、焼き干し等。
旬：12~3月。
生息地：南西諸島と伊豆・小笠原諸島を除く日本各地。

サカナの生態用語

陸封型 (りくふうがた)
一生を河川などの淡水域で過ごす魚の生態。やまめはさくらますの、ひめますはべにざけの陸封型。

降海型 (こうかいがた)
海へ一時的に下る魚の生態。代表的なのはさけで、河川で生まれて海へ下り、数年かけて成長して生まれた河川に戻って産卵し、死亡する。

可食部100gあたり　Tr：微量　( )：推定値または推計値　-：未測定

ミネラル (無機質)							ビタミン																食塩相当量	備考
亜鉛	銅	マンガン	ヨウ素	セレン	クロム	モリブデン	A レチノール活性当量	レチノール	β-カロテン当量	D	E αトコフェロール	K	B1	B2	ナイアシン当量	B6	B12	葉酸	パントテン酸	ビオチン	C			①廃棄率　②廃棄部位　③試料
mg	mg	mg	μg	μg	μg	μg	μg	μg	μg	μg	mg	μg	mg	mg	mg	mg	μg	μg	mg	μg	mg		g	
0.3	0.01	0.01	-	-	-	-	**1800**	1800	0	17.0	2.2	(0)	**0.02**	**0.08**	(3.3)	0.04	0.6	5	0.29	-	Tr		0.2	
0.5	0.02	0.01	-	-	-	-	**90**	90	(0)	5.0	1.4	(0)	**0.22**	**0.13**	(6.9)	0.30	1.4	7	1.37	-	1		0.4	②頭部、内臓、骨、ひれ等 (三枚おろし)
0.5	0.05	0.03	-	-	-	-	**55**	55	(0)	2.0	1.9	(0)	**0.06**	**0.20**	(11.0)	0.50	6.5	4	0.85	-	1		0.3	
0.3	0.04	0.02	-	-	-	-	**6**	6	(0)	7.0	0.8	(0)	**0.03**	**0.27**	(4.7)	0.09	1.6	11	0.44	-	0		0.6	
0.4	0.03	0.01	-	-	-	-	**8**	8	(0)	4.0	0.9	(0)	**0.03**	**0.16**	5.5	0.10	1.9	6	0.31	-	Tr		0.2	魚体全体から調理する場合、① 50%、②頭部、内臓、骨、ひれ等
0.4	0.03	0.01	-	-	-	-	**11**	11	(0)	3.6	0.6	(0)	**0.04**	**0.16**	(6.9)	0.13	2.5	4	0.25	-	Tr		0.2	
0.9	0.03	0.01	-	-	-	-	**55**	55	0	1.0	0.8	(0)	**0.05**	**0.38**	(6.2)	0.16	1.8	2	0.44	-	0		0.2	魚体全体から調理する場合、① 55%、②頭部、内臓、骨、ひれ等
0.4	0.05	-	-	-	-	-	**11**	11	(0)	1.0	1.5	(0)	**0.07**	**0.17**	5.0	0.11	1.5	5	0.37	-	2		0.2	②頭部、内臓、骨、ひれ等 (三枚おろし)
0.4	0.02	0.01	-	-	-	-	**5**	5	(0)	1.0	1.3	(0)	**0.09**	**0.04**	4.1	0.07	0.8	5	0.32	-	Tr		0.4	②皮
1.6	0.15	0.03	-	-	-	-	**8200**	8200	0	3.0	3.8	(0)	**0.25**	**0.85**	5.6	0.20	4.9	19	1.18	-	2		0.1	③かわやつめ　②頭部、内臓、骨、ひれ等
5.9	1.80	0.10	-	-	-	-	**1900**	1900	0	12.0	2.4	(0)	**0.33**	**1.69**	15.0	0.14	55.0	100	5.76	-	(0)		0.3	③かわやつめ　内臓を含んだもの　②頭部、皮等
0.8	0.04	0.01	-	-	-	-	**15**	15	Tr	8.0	2.2	(0)	**0.15**	**0.16**	(6.9)	0.22	6.6	13	1.48	-	3		0.1	②頭部、内臓、骨、ひれ等 (三枚おろし)
2.0	0.19	0.13	29	22	1	1	**99**	99	2	2.0	0.7	Tr	**0.01**	**0.14**	4.0	0.17	7.9	21	0.51	4.0	1		0.5	
4.4	0.11	1.74	-	-	-	-	**460**	460	32	8.0	4.2	(0)	**0.24**	**0.32**	(8.3)	0.06	9.4	59	0.77	-	Tr		4.8	
5.2	0.08	2.29	-	-	-	-	**420**	420	53	9.0	3.6	(0)	**0.28**	**0.35**	(8.1)	0.06	11.0	52	0	-	0		4.1	

QA いきなり漢字クイズ！▶さて、読めるかな？　①鮭　②鯛　③鯖　④鮪　⑤鰻　⑥鯵　⑦鰆　⑧鰈　⑨鱚　⑩鱸　⑪鯉　⑫鰊　⑬鱧　⑭鰯　⑮鮎
答え：①さけ　②たい　③さば　④まぐろ　⑤うなぎ　⑥あじ　⑦さわら　⑧かれい　⑨きす　⑩すずき　⑪こい　⑫にしん　⑬はも　⑭いわし　⑮あゆ

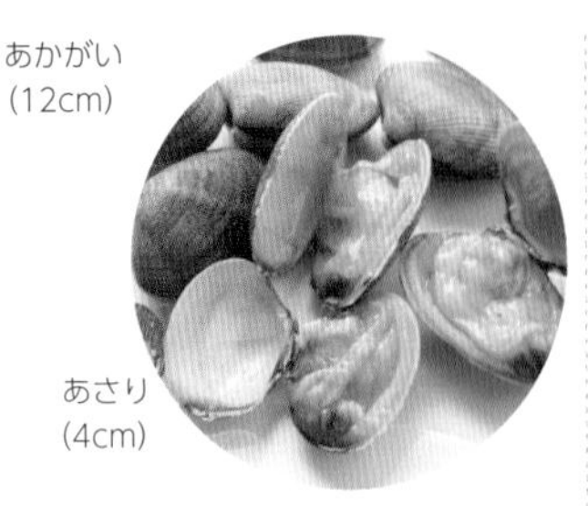

あかがい (赤貝)

Bloody clam　中身1個=15～20g

殻長＝12cm。フネガイ科の二枚貝。殻の表面に42本前後の放射状の溝がある。赤く見えるのは、貝類には珍しく血色素としてヘモグロビンを持っているため。養殖もされる。赤貝缶詰は、さるぼう(➡p.242)が原料。

調理法：刺身、寿司だね、ゆで貝、酢の物、焼き物、汁物、煮物等。

旬：12～3月。

生息地：北海道南部から東シナ海の湾、内海。

あげまき (揚巻)

Jackknife clam　1個=40g

殻長＝10cm。ナタマメガイ科の二枚貝。干潟になるような浅瀬で、砂泥域に垂直に穴を掘って生息する。養殖もしているが韓国等からの輸入物が多い。

調理法：焼き物、吸い物、卵とじ、バター焼き、天ぷら、煮物、汁物、つくだ煮、干し貝等。泥を含む場合は、殻からはずして泥を洗い落とす。

旬：6～8月。

生息地：瀬戸内海、九州西岸、朝鮮半島から中国沿岸の河口域。

あさりの酒蒸し

あさり (浅蜊)

Short-necked clam　中身1個=2～3g

殻長＝4cm。マルスダレガイ科の二枚貝。岸近くの貝は貝殻が丸くて黒っぽく、沖合のものは扁平(へんぺい)で横幅があり、はっきりした模様がある。大あさりというのは別種のうちむらさき貝。漁獲量激減により、北朝鮮、韓国、中国等からの輸入品が増えている。

調理法：汁物、酒蒸し、バター炒め等。むき身は、あさり飯、和え物、酢の物、かき揚げ等。砂を吐かせる場合は、海水程度の濃度(3%)の塩水に浸ける。

旬：春、秋の産卵前。

生息地：日本全国、サハリン、朝鮮半島、中国、台湾の汽水域の河口や砂泥質の浅瀬。

くろあわび

あわび (鮑)

Abalone　1個=250～300g

ミミガイ科の巻き貝。くろあわび、えぞあわび、まだかあわび、めがいあわび等の総称。雄の肝はクリーム色に近い茶色、雌の肝は緑色をしている。人工飼料やアラメ等を与えた稚貝は緑～青の殻をつくるため、殻頂部分が緑色(グリーンマークと呼ぶ)であり、これが放流貝の目印。

調理法：二杯酢やわさびじょうゆ等で生食、酒蒸し、バター焼き、コキール等。

旬：6～10月。

生息地：くろあわびは北海道や東北、まだかあわびは東海地方より南、めがいあわびは東北から九州。

くろあわび

別名おがい、おんがい、あおがい。身がかためで、うま味が豊か。あわびの中で最も食味がよく、刺身に向いている。旬は初夏から夏。房総半島から九州にかけて生息。

干しあわび

殻から身を外してもみ洗いしたあわびを、ゆでてから乾燥させたもの。素材のうま味が凝縮され、調理すると生より風味がある。中国四大海味(つばめの巣、ふかのひれ、なまこ、干しあわび)の中でも最高位とされる。

いがい (貽貝)

Mediterranean mussel　1個=8～15g

殻長＝13cm。イガイ科の二枚貝。日本産はほとんど出回らず、輸入のむらさきいがい(**ムール貝**)が流通している。

調理法：焼き物、煮物、酢の物、クリーム煮、ブイヤベース、パエリア等。中国料理では乾燥したものを高級食材とする。

旬：夏、冬。

生息地：世界中の温帯域。

いたやがい (板屋貝)

Japanese baking scallop

殻長＝12cm。イタヤガイ科の二枚貝。貝殻を利用してしゃくしをつくることから、**しゃくしがい**、ひしゃくがいとも呼ぶ。一般にはあまり出回らない。

あおやぎ→p.244ばかがい、あかがい(赤貝)味付け缶詰→p.242さるぼう

食品番号	食品名	廃棄率	エネルギー	2015年版の値	水分	たんぱく質	アミノ酸組成によるたんぱく質	脂質	脂肪酸のトリアシルグリセロール当量	脂肪酸 飽和	一価不飽和	多価不飽和	コレステロール	炭水化物	利用可能炭水化物(質量計)	食物繊維 食物繊維総量(プロスキー変法)	食物繊維総量(AOAC法)	ミネラル(無機質) ナトリウム	カリウム	カルシウム	マグネシウム	リン	鉄
		%	kcal	kcal	g	g	g	g	g	g	g	g	mg	g	g	g	g	mg	mg	mg	mg	mg	mg
	〈貝類〉																						
10279	**あかがい** 生	75	**70**	74	80.4	**13.5**	10.6	**0.3**	0.1	0.03	0.01	0.04	46	**3.5**	(3.2)	-	-	300	290	**40**	55	140	**5.0**
10280	**あげまき** 生	35	**44**	48	87.1	**8.1**	(5.9)	**0.6**	0.3	0.10	0.07	0.14	38	**2.0**	(1.8)	-	-	600	120	**66**	49	120	**4.1**
10281	**あさり** 生	60	**27**	30	90.3	**6.0**	4.6	**0.3**	0.1	0.02	0.01	0.04	40	**0.4**	(0.4)	-	-	870	140	**66**	100	85	**3.8**
10282	つくだ煮	0	**218**	225	38.0	**20.8**	(16.1)	**2.4**	1.0	0.32	0.21	0.47	61	**30.1**	-	-	-	2900	270	**260**	79	300	**19.0**
10283	缶詰 水煮	0	**102**	114	73.2	**20.3**	(15.7)	**2.2**	0.9	0.34	0.21	0.31	89	**1.9**	(1.7)	-	-	390	9	**110**	46	260	**30.0**
10284	味付け	0	**124**	130	67.2	**16.6**	(12.8)	**1.9**	0.9	0.24	0.23	0.38	77	**11.5**	-	-	-	640	35	**87**	44	180	**28.0**
10427	**あわび** くろあわび 生	55	**76**	83	79.5	**14.3**	11.2	**0.8**	0.3	0.09	0.06	0.11	110	**3.6**	3.3	-	-	430	160	**25**	69	82	**2.2**
10428	まだかあわび 生	55	**74**	79	80.0	**14.6**	(11.5)	**0.4**	0.1	0.04	0.03	0.05	100	**3.3**	(2.9)	-	-	330	250	**21**	58	130	**1.8**
10429	めがいあわび 生	55	**74**	82	80.1	**12.2**	8.8	**0.3**	0.1	0.04	0.03	0.05	110	**6.8**	(6.1)	-	-	320	230	**19**	50	110	**0.7**
10286	干し	0	**257**	273	27.9	**38.0**	(29.7)	**1.6**	0.6	0.22	0.14	0.23	390	**23.8**	(21.4)	-	-	2900	490	**39**	110	300	**2.0**
10287	塩辛	0	**93**	100	72.5	**14.8**	(11.6)	**3.9**	2.6	0.91	0.89	0.67	190	**1.4**	(1.3)	-	-	2600	180	**55**	88	160	**34.0**
10288	水煮缶詰	0	**85**	90	77.2	**19.4**	(15.2)	**0.4**	0.3	0.07	0.06	0.13	140	**1.0**	(0.9)	-	-	570	130	**20**	58	230	**1.8**
10289	**いがい** 生	60	**63**	72	82.9	**10.3**	7.5	**1.6**	0.8	0.24	0.12	0.39	47	**3.2**	2.8	-	-	540	230	**43**	73	160	**3.5**
10290	**いたやがい** 養殖 生	65	**55**	59	84.9	**10.8**	(7.8)	**0.8**	0.4	0.13	0.07	0.21	33	**1.5**	(1.4)	-	-	450	260	**48**	74	170	**2.0**
10291	**エスカルゴ** 水煮缶詰	0	**75**	82	79.9	**16.5**	(12.0)	**1.0**	0.4	0.07	0.06	0.21	240	**0.8**	(0.7)	-	-	260	5	**400**	37	130	**3.9**
10292	**かき** 養殖 生	75	**58**	70	85.0	**6.9**	4.9	**2.2**	1.3	0.41	0.21	0.60	38	**4.9**	2.3	-	-	460	190	**84**	65	100	**2.1**
10293	水煮	0	**90**	105	78.7	**9.9**	7.3	**3.6**	2.2	0.64	0.34	1.13	60	**7.1**	6.5	-	-	350	180	**59**	42	140	**2.9**
10430	フライ	0	**256**	262	46.6	**7.6**	5.5	**11.1**	10.0	1.01	5.45	3.09	36	**32.9**	14.2	-	-	380	180	**67**	53	110	**1.8**
10294	くん製油漬缶詰	0	**294**	298	51.2	**12.5**	(8.8)	**22.6**	21.7	6.18	3.94	10.66	110	**11.2**	(10.1)	-	-	300	140	**35**	42	260	**4.5**

+PLUS+ **♂♀の運命は栄養次第●**かきは5～6月に産卵し、産卵が終わると中性になるが、翌年の産卵期の前にあまり栄養を取れなかったかきは雄に、栄養を取ったかきは雌になる。栄養状態によって雄になるか雌になるか決まるなんて、何とも落ち着かないなぁ。

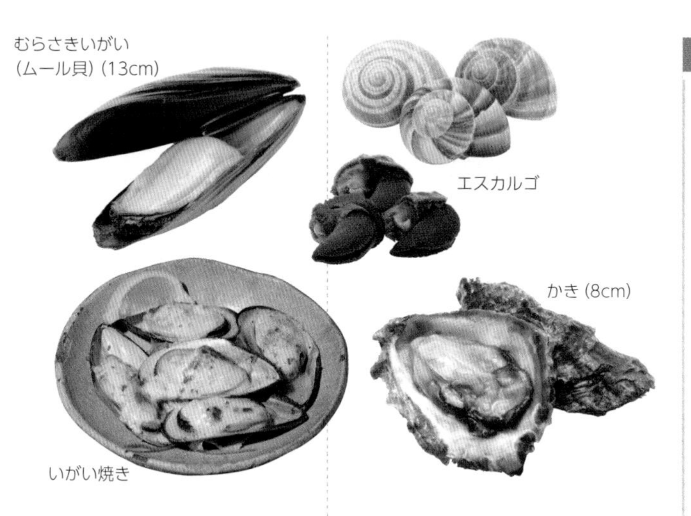
むらさきいがい
(ムール貝) (13cm)
エスカルゴ
かき (8cm)
いがい焼き

調理法：刺身、焼き物、酢の物、揚げ物、椀だね等。
旬：2〜3月。
生息地：北海道南部より南の砂地の浅瀬。養殖もされる。

エスカルゴ
Escargot Apple snails 1個＝10g

マイマイ科。食用かたつむり。陸生巻き貝の中で食用にするものは、黄褐色の殻のブルゴーニュ種と、濃い褐色の殻をしたクラシック種。ブルゴーニュ種はフランスでは絶滅の危機にあり、法律によって採取条件が定められている。現在はおもに東ヨーロッパで採取される。
エスカルゴは冬が近づくと冬眠に入るが、その直前が最も美味といわれる。ローマ時代から食べられており、その頃から養殖もされていた。缶詰や冷凍品が流通している。
調理法：生を料理するときは直前10日間絶食させるとよい。
産地：中部ヨーロッパ。

かき (牡蛎)
Pacific oysters 中身1個＝8〜15g

まがき殻長＝8cm。イタボガキ科の二枚貝。流通しているのはほとんどが養殖まがき。ローマ時代から養殖されたが、日本では17世紀に広島で始められた。栄養価が高く、海のミルクと呼ばれる。市販品はウイルス数で“生食用”と“加熱用”に区分される。生食用は洗浄してあり、ウイルス数は少ない。加熱用は鮮度がよくてもウイルス数が多いので、生食してはいけない。
種類：まがき、いぼたがき、すみのえがき、いわがき等。
栄養成分：グリコーゲンが豊富。
調理法：生がき、酢がき、フライ、コキール、チャウダー、炒め物、鍋物等。かきの殻でケガをしないように軍手等の手袋を用いて処理する。
選び方：肉が太っており、乳白色で光沢があるものがよい。
旬：11〜2月。
産地：広島、気仙沼、松島、志摩、浜名湖等。

かきの養殖

養殖の歴史
古代ローマ時代から、人々はかきに目がなかったらしく、すでにこの頃から初歩的な養殖は行われていたという。縄文期の日本でも、貝塚からの出土例を見ると、はまぐりに次いで多く食べられていた。
日本で養殖が始まった約300年前は、石や瓦を海底において付着させる方式であったが、大正時代に、いかだの下にかきの付着した貝殻を縄で連ねたものをつるす、垂下式養殖が考案された。産卵後、貝殻に稚がきが付いたら抑制棚に移して1年くらい置き、その後、貝殻をいかだにつるして、約3年で10cmほどに成熟する。この方法によって養殖の範囲は拡大され、生産量は約15万9千t (世界第4位) と、飛躍的に増大した。

かきがおいしいのは冬
西洋では「かきはRのつかない月 (5〜8月) は食べるな」、日本では「花見過ぎたらかき食ううな」といわれるが、これは、まがきは5〜8月は産卵期のため、うま味の素であるグリコーゲンを大量に消費し、身がやせて味が落ちるため。しかし、冬には再びグリコーゲンが蓄積され、旬を迎える。だが、春から夏が旬の岩がき等もあるので、まがきに限らないならば1年を通して食べることができる。
夏のかきを避ける理由のもうひとつは、流通の過程で鮮度が落ちやすく、食中毒の心配があるためである。かきの食中毒は細菌ではなく、食中毒ウイルスであるノロウイルスによっておきる。

おもな漁港の年間水揚げ量

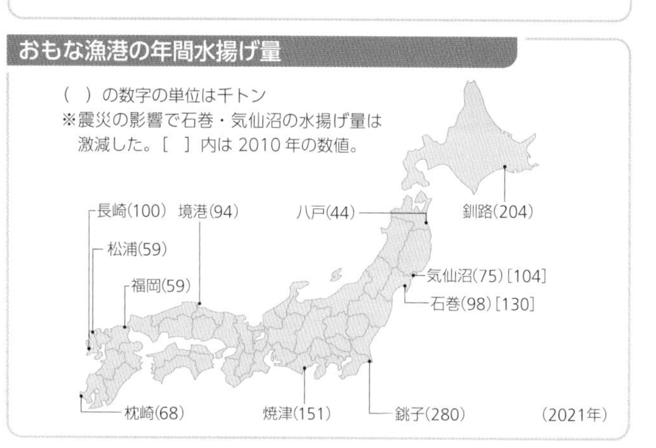

可食部100gあたり Tr：微量 ( )：推定値または推計値 -：未測定

ミネラル(無機質) 亜鉛 mg	銅 mg	マンガン mg	ヨウ素 µg	セレン µg	クロム µg	モリブデン µg	ビタミン A レチノール活性当量 µg	レチノール µg	β-カロテン当量 µg	D µg	E αトコフェロール mg	K µg	B1 mg	B2 mg	ナイアシン当量 mg	B6 mg	B12 µg	葉酸 µg	パントテン酸 mg	ビオチン µg	C mg	食塩相当量 g	備考 ①廃棄率 ②廃棄部位 ③試料
1.5	0.06	-	-	-	-	-	35	30	60	(0)	0.9	1	0.20	0.20	4.6	0.10	59.0	20	1.02	-	2	0.8	②貝殻及び内臓
1.5	0.40	0.20	-	-	-	-	27	20	85	1.0	0.8	(0)	0.30	0.14	(2.5)	0.04	59.0	11	0.37	-	1	1.5	②貝殻
1.0	0.06	0.10	55	38	4	9	4	2	22	0	0.4	Tr	0.02	0.16	2.4	0.04	52.0	11	0.39	23.0	1	2.2	②貝殻
2.8	0.18	0.94	-	-	-	-	43	26	200	(0)	1.4	4	0.02	0.18	(4.4)	0.09	15.0	42	0.40	-	0	7.4	
3.4	0.29	1.24	-	-	-	-	6	3	35	(0)	2.7	3	Tr	0.09	(4.0)	0.01	64.0	10	0	-	(0)	1.0	液汁を除いたもの
3.2	0.24	1.23	-	-	-	-	6	3	36	(0)	2.3	4	Tr	0.06	(3.9)	0.01	36.0	1	0	-	(0)	1.6	液汁を除いたもの
-	-	0.01	200	8	6	15	1	0	17	(0)	0.3	-	0.15	0.09	2.6	0.02	0.4	20	2.44	1.2	1	1.1	②貝殻及び内臓
-	-	0.01	190	8	5	14	2	0	28	(0)	1.1	-	0.02	0.10	(3.4)	0.02	0.4	22	2.05	1.1	2	0.8	②貝殻及び内臓
-	-	0.01	190	8	5	14	1	0	9	(0)	0.3	-	0.16	0.09	2.5	0.02	0.4	29	1.71	1.1	1	0.8	②貝殻及び内臓
1.6	0.74	0.05	-	-	-	-	4	0	47	(0)	1.2	3	0.36	0.11	(8.2)	0.05	2.4	87	0.71	-	Tr	7.4	
2.2	0.25	0.11	-	-	-	-	58	Tr	700	(0)	2.5	92	0.20	0.70	(3.4)	0.10	12.0	130	1.13	-	(0)	6.6	
0.6	0.42	0.02	-	-	-	-	Tr	Tr	Tr	(0)	1.5	0	0.04	0.04	(3.5)	0.02	0.7	3	0.23	-	(0)	1.4	液汁を除いたもの
1.0	0.05	0.86	65	37	5	9	34	34	Tr	(0)	1.1	Tr	0.01	0.37	3.7	0.02	10.0	42	0.63	6.4	5	1.4	②貝殻、足糸等
6.1	0.10	4.90	-	-	-	-	6	5	9	(0)	0.4	(0)	0	0.20	(2.9)	0.07	13.0	14	0.24	-	Tr	1.1	②貝殻
1.5	3.07	0.38	-	-	-	-	(0)	0	-	0	0.6	5	0	0.09	(2.3)	0	0.6	1	0	-	0	0.7	液汁を除いたもの
14.0	1.04	0.39	67	46	3	4	24	24	6	0.1	1.3	0	0.07	0.14	2.6	0.07	23.0	39	0.54	4.8	3	1.2	③まがき ②貝殻
18.0	1.44	0.37	71	62	4	5	43	42	11	0.1	2.9	Tr	0.07	0.15	3.3	0.07	24.0	31	0.41	7.4	3	0.9	③まがき むき身
12.0	0.87	0.37	50	44	3	6	19	18	12	0.1	3.1	21	0.07	0.16	2.6	0.07	30.0	33	0.39	4.4	2	1.0	③まがき むき身
25.0	2.81	1.03	-	-	-	-	2	Tr	18	(0)	9.5	0	0.05	0.09	(3.5)	0.02	32.0	25	0.56	-	(0)	0.8	③まがき 液汁を含んだもの

Q A フランスのかきは日本のかき？▶フランスでも高級食材であったかきが、1960年代に寄生虫などで壊滅的な打撃を受けたことがあった。これを救ったのが、宮城から贈られたかき。このかきを養殖して見事に復活、現在にいたっている。

さざえ（10cm）

さざえのつぼ焼き

しじみ（3cm）

しじみのみそ汁

さるぼう（5cm）

さるぼうの缶詰

たいらがい（30cm）

さざえ（栄螺）
Turban shell 中身1個=30〜50g

殻高＝10cm。リュウテンサザエ科の巻き貝。波の荒い外海のものほど管状の突起が大きく、内湾や静かな海のものは小さい。流通しているものの多くは輸入もの。はらわたの先端部分はほろ苦く、独特のうま味がある。

調理法：刺身、つぼ焼き（殻ごと焼いたもの）等。

選び方：大人のげんこつぐらいの大きさで、振ったときに音がせず、ふたがかたく閉じているものがよい。

旬：初夏〜夏。

生息地：北海道より南〜九州、朝鮮半島南部、中国の浅い海の岩礁等。

さるぼう（猿頬）
Ark shells

殻長＝5cm。稚貝が藻場の海藻に付着するために**もがい**とも呼ばれる。あかがいを小さくしたような貝で、殻の表面に32本ほどの放射状の溝がある。身は血色素としてヘモグロビンをもつため赤く見える。

さるぼうの缶詰は、**赤貝味付け缶詰**の通称で市販されている。これはさるぼうをあかがいと呼ぶ地域があることと、慣習的に赤貝と表記してきたため。

調理法：刺身、煮物、ゆで貝等。

旬：春。

生息地：日本中部より南、西部太平洋。

しじみ（蜆）
Freshwater clams 10個=30g

殻長＝3cm。シジミガイ科の二枚貝の総称で、一般的なのはやまとしじみ、最も美味とされるのはせたしじみ。底が泥っぽい場所のものは黒く、貝殻の筋が粗い。底が砂地等で、きれいな水質の場所のものは明るい茶色で光沢があり、貝殻の筋が細い。近年は汚染や開発による激減で、中国や北朝鮮等からたいわんしじみ等の輸入が増大している。養殖もされる。肝臓や目によいといわれる。

種類：やまとしじみ、ましじみ、せたしじみ等。

栄養成分：うま味のもとであるコハク酸が多く、ビタミンB_2・B_{12}、カルシウム、鉄等が豊富。

調理法：みそ汁、つくだ煮等。

旬：冬と夏。

産地：島根の宍道湖、茨城の涸沼川・利根川、青森の十三湖・小川原湖等。特に宍道湖のものは種苗として全国に供給もされている。

生息地：やまとしじみは全国の河口や潟等の汽水域。ましじみは本州や九州等の川の清流。せたしじみは琵琶湖の瀬田川。

たいらがい（平貝）
Pen shells 貝柱1個=30g

殻長＝30cm。ハボウキガイ科の二枚貝。別名**たいらぎ**。貝殻の細いほうを海底の泥にもぐらせて立っているので、たちがいとも呼ぶ。大きな貝柱を食用にする。美味だが近年は干拓による影響等によってほとんど漁獲されなくなり、輸入ものが流通している。

調理法：刺身、寿司だね、酢の物、天ぷら、昆布締め、かす漬、焼き物、鍋物、フライ、バター焼き、コキール等。

旬：12〜3月。

生息地：東京湾より南の太平洋側の浅海。

郷土料理：有明海特産の“筑紫漬（ちくしづけ）”は貝柱をみりん漬にしたもの。

たにし（田螺）
Pond snails

殻高＝3.5〜6cm。アクキガイ科の

食品番号	食品名	廃棄率	エネルギー	2015年版の値	水分	たんぱく質	アミノ酸組成によるたんぱく質	脂質	脂肪酸のトリアシルグリセロール当量	脂肪酸 飽和	脂肪酸 一価不飽和	脂肪酸 多価不飽和	コレステロール	炭水化物	利用可能炭水化物（質量計）	食物繊維 食物繊維総量（プロスキー変法）	食物繊維 食物繊維総量（AOAC法）	ミネラル（無機質） ナトリウム	カリウム	カルシウム	マグネシウム	リン	鉄
		%	kcal	kcal	g	g	g	g	g	g	g	g	mg	g	g	g	g	mg	mg	mg	mg	mg	mg
10295	**さざえ** 生	85	**83**	89	78.0	**19.4**	14.2	**0.4**	0.1	0.05	0.02	0.06	140	**0.8**	(0.7)	-	-	240	250	**22**	54	140	**0.8**
10296	焼き	85	**91**	97	75.6	**21.3**	(15.6)	**0.4**	0.1	0.05	0.02	0.06	170	**0.9**	(0.8)	-	-	280	220	**29**	67	120	**0.9**
10318	**さるぼう** 味付け缶詰	0	**131**	135	66.1	**15.9**	(12.3)	**2.2**	1.3	0.37	0.32	0.58	110	**12.9**	(11.6)	-	-	870	55	**60**	41	140	**11.0**
10297	**しじみ** 生	75	**54**	64	86.0	**7.5**	5.8	**1.4**	0.6	0.24	0.14	0.19	62	**4.5**	(4.1)	-	-	180	83	**240**	10	120	**8.3**
10413	水煮	80	**95**	113	76.0	**15.4**	12.3	**2.7**	1.2	0.45	0.27	0.46	130	**5.5**	(5.0)	-	-	100	66	**250**	11	200	**15.0**
10298	**たいらがい** 貝柱 生	0	**94**	100	75.2	**21.8**	(15.8)	**0.2**	0.1	0.02	0.01	0.04	23	**1.5**	(1.4)	-	-	260	260	**16**	36	150	**0.6**
10299	**たにし** 生	30	**73**	80	78.8	**13.0**	(9.4)	**1.1**	0.3	0.08	0.10	0.14	72	**3.6**	(3.2)	-	-	23	70	**1300**	77	140	**19.0**
10300	**つぶ** 生	0	**82**	86	78.2	**17.8**	13.6	**0.2**	0.1	0.02	0.01	0.05	110	**2.3**	(2.1)	-	-	380	160	**60**	92	120	**1.3**
10301	**とこぶし** 生	60	**78**	84	78.9	**16.0**	(11.6)	**0.4**	0.1	0.04	0.03	0.05	150	**3.0**	(2.7)	-	-	260	250	**24**	55	160	**1.8**
10303	**とりがい** 斧足 生	0	**81**	86	78.6	**12.9**	10.1	**0.3**	0.1	0.04	0.02	0.02	22	**6.9**	(6.2)	-	-	100	150	**19**	43	120	**2.9**

+PLUS+ **ジャンボたにしの運命は？**●田んぼなどに繁殖するのが見られるようになったジャンボたにしは、もともとは南米原産。食用として輸入・養殖したが、需要が伸びなかったため、業者の放棄で野生化してしまった。繁殖力が強く、田植えしたばかりの稲に食害が出て、すっかり悪役に。ジャンボたにしのせいじゃないのにね。

たにしの煮つけ

とこぶし (7cm)

とりがい (9cm)

つぶ (えぞばい) (7cm)

貝の部位

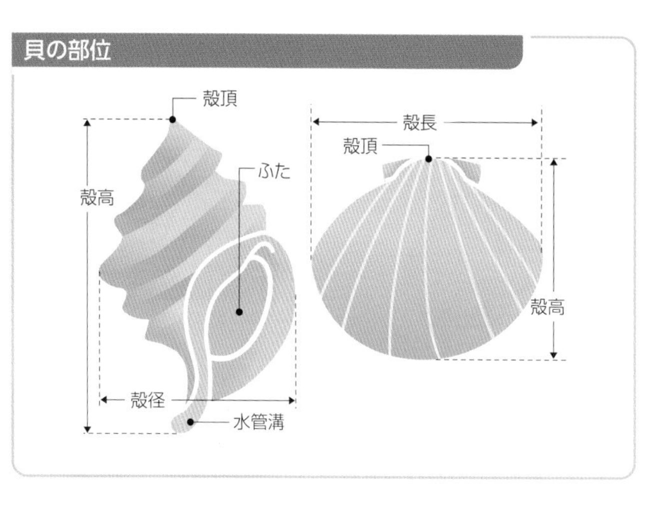

二枚貝と巻き貝

貝類の貝殻の形には、二枚貝と巻き貝がある。二枚貝は二枚の貝が合わさった形のもので、はまぐり・あさり・ほたてがいなど。貝柱が伸び縮みして、殻を開閉する。

巻き貝は、殻がらせん状で、ばいがい・さざえなど。

さて、あわびやとこぶしはどっちでしょう？ 平べったいので二枚貝の一種に見えるけど、らせんが急に大きくなり入り口部分が広がった形の巻き貝である。

淡水産巻き貝。以前は農村等の貴重なたんぱく源だった。肝吸虫（ジストマ）等の寄生虫の中間宿主なので、よく加熱する必要がある。
種類：まるたにし、ひめたにし、おおたにし、ながたにし。
栄養成分：カルシウム、鉄、ビタミンB_{12}等が豊富。
調理法：酢の物、和え物、つくだ煮等。泥を吐かせた後、ゆでて殻から身を抜いて調理する。
生息地：日本全国の水田、用水路、池等。ながたにしは琵琶湖だけに生息する固有種。
郷土料理：信越地方では貝殻のままみそ汁（つぶ汁）にする。

つぶ（螺）
Whelks

殻高＝7cm。エゾバイ科の巻き貝で北海性のものの総称。日本海側でばいと呼ぶものを、太平洋側でつぶと呼ぶことが多い。
種類：ひめえぞぼら、えぞばい、えぞぼら、かどばりばい、えぞぼらもどき等。
調理法：刺身、煮物、酢の物、和え物、つくだ煮等。種類によっては唾液腺に弱い毒（テトラミン）を含むため、必ず取り除く。
旬：7～3月。
産地：北海道。

とこぶし（常節）
Japanese abalone　中身1個=30g

殻長＝7cm。ミミガイ科の巻き貝。近隣種のあわびによく似ているが小型。あわびは、殻の背面に並ぶ穴が4～5個だが、とこぶしでは6～8個ある。
調理法：わさびじょうゆ等で生食、焼き物、煮物、蒸し物、和え物、ソテー等。
旬：4～7月。
生息地：北海道南部から台湾までの浅海。潮間帯（潮の干満により干上がったり海の中になったりする場所）の岩礁に生息。
郷土料理：山口県ではずんべと呼び、"ずんべ飯"（炊き込みご飯）がある。

とりがい（鳥貝）
Cockles　中身1個=6g

殻長＝9cm。ザルガイ科の二枚貝。「斧足」とは足部筋肉のことで、この部分を食用にする。貝殻から出ている斧足の形が、鳥のくちばしに似ていることからこの名がついた。一般に流通しているのは、殻をはずして斧足を開き、湯通ししたもの。
調理法：寿司だね、酢の物、和え物等。
旬：4～7月。
産地：伊勢湾、瀬戸内海。
生息地：陸奥湾から九州、朝鮮半島、中国。

可食部100gあたり　Tr：微量　（ ）：推定値または推計値　-：未測定

ミネラル（無機質）							ビタミン															食塩相当量	備考
亜鉛	銅	マンガン	ヨウ素	セレン	クロム	モリブデン	A レチノール活性当量	A レチノール	A β-カロテン当量	D	E αトコフェロール	K	B_1	B_2	ナイアシン当量	B_6	B_{12}	葉酸	パントテン酸	ビオチン	C		①廃棄率　②廃棄部位　③試料
mg	mg	mg	μg	μg	μg	μg	μg	μg	μg	μg	mg	μg	mg	mg	mg	mg	μg	μg	mg	μg	mg	g	
2.2	0.39	0.02	97	19	6	5	**31**	Tr	360	(0)	2.3	3	**0.04**	**0.09**	4.1	0.05	1.3	16	0.24	1.9	1	0.6	②貝殻及び内臓
2.5	0.73	0.03	-	-	-	-	**44**	Tr	530	(0)	2.8	2	**0.04**	**0.10**	(4.1)	0.06	1.1	22	0.30	-	1	0.7	②貝殻及び内臓
4.1	0.13	1.39	-	-	-	-	**8**	Tr	90	(0)	2.5	(0)	**0.01**	**0.07**	(4.1)	0.04	25.0	11	0.19	-	(0)	2.2	液汁を除いたもの
2.3	0.41	2.78	-	-	-	-	**33**	25	100	0.2	1.7	2	**0.02**	**0.44**	3.1	0.10	68.0	26	0.53	-	2	0.4	②貝殻
4.0	0.61	7.30	-	-	-	-	**76**	57	230	0.6	3.9	5	**0.02**	**0.57**	5.0	0.04	82.0	37	0.35	-	1	0.3	②貝殻
4.3	0.01	0.03	-	-	-	-	**Tr**	Tr	Tr	(0)	0.8	(0)	**0.01**	**0.09**	(4.6)	0.06	-	25	0.51	-	2	0.7	
6.2	1.90	2.10	-	-	-	-	**95**	15	960	(0)	0.5	1	**0.11**	**0.32**	(3.8)	0.05	18.0	28	0.52	-	Tr	0.1	③まるたにし、ひめたにし　②貝殻
1.2	0.06	0.04	-	-	-	-	**2**	0	19	(0)	1.8	(0)	**Tr**	**0.12**	3.4	0.11	6.5	15	0.59	-	Tr	1.0	③えぞぼら、ひめえぞぼら、えぞばい　むき身（貝全体の場合、①70%、②貝殻及び内臓）
1.4	0.30	0.06	-	-	-	-	**5**	0	58	(0)	1.3	(0)	**0.15**	**0.14**	(4.0)	0.07	3.2	24	1.57	-	1	0.7	②貝殻及び内臓
1.6	0.05	0.11	-	-	-	-	**Tr**	Tr	Tr	(0)	1.2	(0)	**0.16**	**0.06**	3.7	0.04	10.0	18	1.10	-	1	0.3	

QA 貝の種類はどのくらいあるの？▶日本でおもに食べられている貝類には巻き貝類（さざえ、あわび）と、二枚貝類（あさり、はまぐり）など、そのほかにはつのがい類などがある。貝は世界で11万種類もあるといわれている。なかでも日本は、海に囲まれ寒流と暖流がぶつかり合う環境にあり、7,000種類が生息しているといわれる。

ばい (7cm)

ゆでたばかがい

ばかがい (8.5cm)

ほたてがいの水煮

はまぐりの酒蒸し

はまぐり (8.5cm)

ちょうせんはまぐり

ばい (蛽)

Ivory shells　1個=20～30g

殻高＝7cm。エゾバイ科の巻き貝の総称。日本海側でばいと呼ぶものを太平洋側で**つぶ**と呼ぶことが多い。殻つきの生貝で売られているものを指す呼称としても使われる。
種類：ばい、えっちゅうばい、おおえっちゅうばい、つばい、かがばい等。
調理法：煮物、酒蒸し、酢の物、和え物、つくだ煮、寿司だね等。
旬：3～7月。
生息地：北海道南部から九州、朝鮮半島。

ばかがい (馬鹿貝)

Hen clams　中身10個=40g

殻長＝8.5cm。バカガイ科の二枚貝。死ぬとオレンジ色をした大きな足が殻の外にだらりと出る姿がだらしなく見えることからこの名がついた。別名の**あおやぎ**は、千葉県市原市青柳でよく採れたことに由来する。貝柱を"小柱"や"あられ"、特に大きい貝柱は"おお星"、足の部分を"舌切り"と呼ぶ。
調理法：貝柱は、寿司だね、和え物、酢の物、かき揚げ、椀だね等。足は、刺身、酢の物、椀だね等。
旬：1～4月。
生息地：サハリン、オホーツク海から九州にかけての浅海の砂泥地。

はまぐり類 (蛤類)

Hard clams

ハマグリ科の二枚貝。はまぐりの貝殻は、ペアになっている殻以外とはぴったりと形が合わないために、夫婦和合や貞節を表すものとして結婚式やももの節句等の料理に用いられる。また貝殻は、平安時代の玩具"貝合わせ"になった。
栄養成分：うま味成分のコハク酸を多く含む。
調理法：焼きはまぐり、酒蒸し、椀だね、鍋物、串焼き、寿司だね、クリーム煮、炒め物、干し貝等。

はまぐり (蛤)　中身1個=7～25g
殻長＝8.5cm。縄文時代の貝塚から出る貝殻の約80%がはまぐりであるように、昔から重要な食用貝。あさりよりも水質の変化に敏感なため、水質汚濁と埋立てによる干潟の消失によって、絶滅の危機にある。そのため、ちょうせんはまぐりなどが大量に市場に出回っている。また、輸入したものを日本の浅海域で一時畜養して国産や地はまぐりと称している。
旬：12～3月。
産地：三重、熊本、瀬戸内海西部の周防灘の一部等。
生息地：北海道南部から九州、東シナ海の内湾の砂地。

ちょうせんはまぐり (朝鮮蛤)
碁石の白の材料となるので碁石はまぐりとも呼ぶ。殻が厚く身が薄い。はまぐりよりも味が落ちるとされたが、はまぐりの激減によって値が上がった。

ほたてがい (帆立貝)

Scallops　中身1個=50g

殻長＝20cm　貝柱生1個＝25g。イタヤガイ科の二枚貝。開いた殻を帆のようにして水上を走るという俗説からこの名がついた。貝柱は大きくて甘く、美味。貝柱周辺の外套膜

もがい→p.242さるぼう

食品番号	食品名	廃棄率	エネルギー	エネルギー 2015年版の値	水分	たんぱく質	アミノ酸組成によるたんぱく質	脂質	脂肪酸のトリアシルグリセロール当量	脂肪酸 飽和	脂肪酸 一価不飽和	脂肪酸 多価不飽和	コレステロール	炭水化物	利用可能炭水化物(質量計)	食物繊維 食物繊維総量(プロスキー変法)	食物繊維 食物繊維総量(AOAC法)	ミネラル(無機質) ナトリウム	カリウム	カルシウム	マグネシウム	リン	鉄
		%	kcal	kcal	g	g	g	g	g	g	g	g	mg	g	g	g	g	mg	mg	mg	mg	mg	mg
10304	**ばい** 生	55	**81**	87	78.5	**16.3**	(11.8)	**0.6**	0.3	0.06	0.04	0.15	110	**3.1**	(2.8)	-	-	220	320	**44**	84	160	**0.7**
10305	**ばかがい** 生	65	**56**	61	84.6	**10.9**	8.5	**0.5**	0.2	0.06	0.04	0.08	120	**2.4**	(2.2)	-	-	300	220	**42**	51	150	**1.1**
	(はまぐり類)																						
10306	**はまぐり** 生	60	**35**	39	88.8	**6.1**	4.5	**0.6**	0.3	0.09	0.05	0.13	25	**1.8**	(1.6)	-	-	780	160	**130**	81	96	**2.1**
10307	水煮	75	**79**	89	78.6	**14.9**	(10.9)	**1.5**	0.6	0.19	0.11	0.29	79	**2.9**	(2.6)	-	-	490	180	**130**	69	190	**3.9**
10308	焼き	70	**70**	77	79.8	**13.3**	(9.7)	**1.0**	0.4	0.13	0.07	0.19	65	**2.8**	(2.5)	-	-	770	230	**140**	87	140	**3.3**
10309	つくだ煮	0	**211**	219	40.1	**27.0**	(19.7)	**2.8**	1.2	0.41	0.28	0.51	100	**21.4**	-	-	-	2800	320	**120**	95	340	**7.2**
10310	**ちょうせんはまぐり** 生	60	**41**	47	88.1	**6.5**	4.6	**1.0**	0.5	0.18	0.10	0.23	27	**2.7**	1.2	-	-	510	170	**160**	69	94	**5.1**
10311	**ほたてがい** 生	50	**66**	72	82.3	**13.5**	10.0	**0.9**	0.4	0.18	0.09	0.15	33	**1.5**	(1.4)	-	-	320	310	**22**	59	210	**2.2**
10312	水煮	60	**89**	100	76.8	**17.6**	(13.0)	**1.9**	0.8	0.27	0.15	0.30	52	**1.9**	(1.7)	-	-	250	330	**24**	57	250	**2.8**
10313	貝柱 生	0	**82**	88	78.4	**16.9**	12.3	**0.3**	0.1	0.03	0.01	0.06	35	**3.5**	(3.1)	-	-	120	380	**7**	41	230	**0.2**
10414	焼き	0	**123**	122	67.8	**23.8**	18.0	**0.3**	0.1	0.02	0.01	0.05	52	**4.6**	(4.2)	-	-	150	480	**13**	56	320	**0.3**
10314	煮干し	0	**301**	322	17.1	**65.7**	(49.9)	**1.4**	0.5	0.13	0.05	0.26	150	**7.6**	(6.8)	-	-	2500	810	**34**	120	610	**1.2**
10315	水煮缶詰	0	**87**	94	76.4	**19.5**	(14.8)	**0.6**	0.2	0.06	0.03	0.10	62	**1.5**	(1.4)	-	-	390	250	**50**	37	170	**0.7**
10316	**ほっきがい** 生	65	**66**	73	82.1	**11.1**	(8.1)	**1.1**	0.3	0.10	0.10	0.10	51	**3.8**	(3.4)	-	-	250	260	**62**	75	160	**4.4**
10317	**みるがい** 水管 生	80	**77**	82	78.9	**18.3**	(13.3)	**0.4**	0.1	0.04	0.02	0.05	36	**0.3**	(0.3)	-	-	330	420	**55**	75	160	**3.3**

+PLUS+　**はまぐりだったとは●**非行に走ることを"ぐれる"というが、はまぐりに由来するとはあまり知られていない。ペアではない殻を合わせようとしても食い違って合わないことを、はまぐりをひっくり返して"ぐりはま"というようになり、これが、ぐれはま→ぐれとなって動詞化したものが"ぐれる"である。

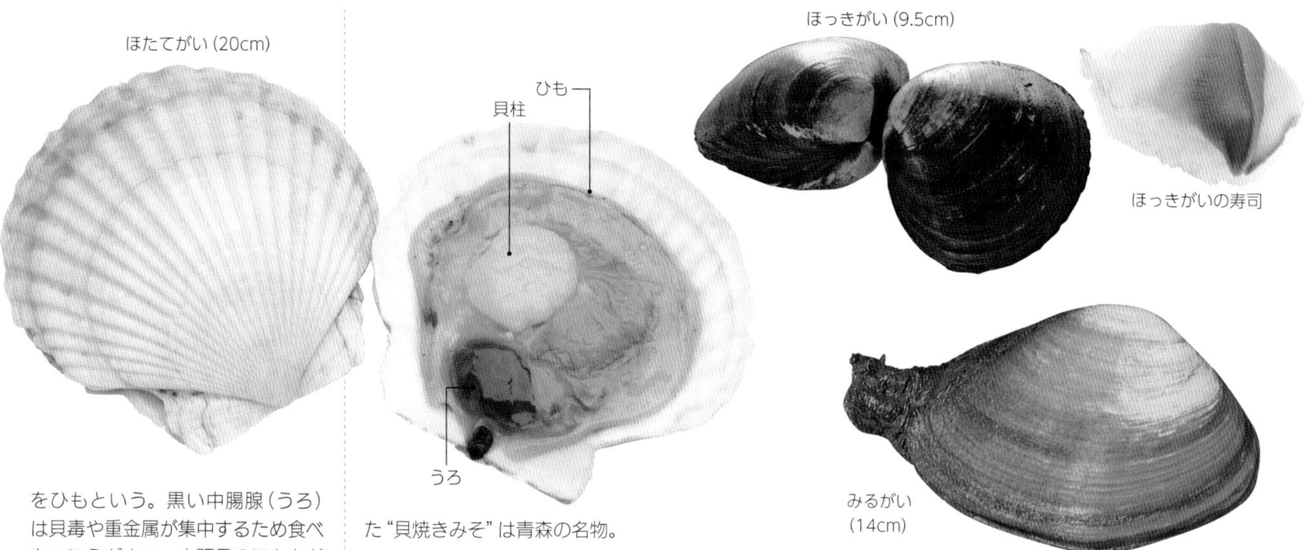

をひもという。黒い中腸腺（うろ）は貝毒や重金属が集中するため食べないほうがよい。市販品のほとんどが青森、岩手、北海道等での養殖もの。稚貝をある程度育てて海に放流する「地まき」という方法によるものを天然ものとしている。

栄養成分：アミノ酸、グルタミン酸、コハク酸、タウリン、グリコーゲン等が豊富。

調理法：刺身、寿司だね、バター焼き、酒蒸し、煮物、揚げ物、コキール、干し貝柱等。中国料理では干した貝柱（乾貝：カンペイ）を高級食材とする。ひもは、和え物や珍味等にする。

旬：12～4月。

生息地：東北より北からオホーツク海、朝鮮半島東岸から沿州海。

郷土料理：青森では大きなほたてがいの貝殻を鍋として使う料理を貝焼（かや）きという。貝殻に水とかつお節を入れ、沸騰したらみそを溶かし、これに卵を溶き入れてかき混ぜた“貝焼きみそ”は青森の名物。

ほっきがい（北寄貝）

Surf clams　　1個=100g

殻長=9.5cm。ウバガイ科の二枚貝。標準和名**うばがい**。成長が遅く、一般に流通している大きさになるまでに20年かかるといわれる。生息地によって貝殻の色合いが、クリーム色、薄茶色、焦茶色、黒等になる。身は灰白色で、ゆでると紅色になる。また、貝柱やひもからは濃いうま味が出る。

調理法：刺身、寿司だね、酢の物、焼き物、汁物、炊き込みご飯、干物等。熱を通すと甘味とうま味が増す。

旬：冬～春。

生息地：鹿島灘より北、日本海北部から沿海州、オホーツク海の浅い砂地。

郷土料理：宮城や福島では、炊き込みご飯（まぜご飯）の“ほっきめし”が名物。

はまぐりが蜃気楼をつくる？

遠くの景色が通常とは違ったように見える蜃気楼（しんきろう）は、日本では富山県の魚津市の沖合で発生するものが有名で、蜃気楼予報が出されるほどである。この蜃気楼だが、中国では昔、大はまぐり（蜃）の吐き出す気が楼閣（高層のりっぱな建物）のように見えるのだとか、大はまぐりの見た夢が外にもれる現象だと思われていた。中国や日本では、大はまぐりが蜃気楼をつくっているところを題材にした工芸品もつくられている。

実際には、蜃気楼とは光の異常屈折現象のひとつ。光は、温かい空気から冷たい空気へ入るときや、その逆の場合も屈折するが、この光の屈折により、遠景が上下に伸びたり、さかさまになったりして見えるのが蜃気楼である。海の蜃気楼は、冷たい海水面の上に密度の高い冷えた空気ができ、その上に温かい密度の低い空気層が流れ込むことによっておこる。

みるがい（海松貝）

Keen's gaper

殻長=14cm。バカガイ科の二枚貝。標準和名**みるくい**。水管が長く、常に殻の外にはみ出している。この水管に海藻のミルが着生しているのを、貝がミルを食べていると誤解したことが名前の由来。貝殻を開けて水管を開き、湯通しして黒褐色の皮をはぎ、淡紅色の身を食用にする。貝の中でも最高級品。

調理法：刺身、寿司だね、酢の物等。

旬：1～3月。

生息地：北海道より南、朝鮮半島の浅海の砂泥底。

可食部100gあたり　Tr：微量　（ ）：推定値または推計値　-：未測定

ミネラル（無機質）							ビタミン																食塩相当量	備考
亜鉛	銅	マンガン	ヨウ素	セレン	クロム	モリブデン	A レチノール活性当量	レチノール	β-カロテン当量	D	E α-トコフェロール	K	B_1	B_2	ナイアシン当量	B_6	B_{12}	葉酸	パントテン酸	ビオチン	C			①廃棄率　②廃棄部位　③試料
mg	mg	mg	μg	μg	μg	μg	μg	μg	μg	μg	mg	μg	mg	mg	mg	mg	μg	μg	mg	μg	mg		g	
1.3	0.09	0.04	-	-	-	-	**1**	0	10	(0)	2.2	0	**0.03**	**0.14**	(3.6)	0.11	4.3	14	1.02	-	2		0.6	③ちじみえぞぼら、おおえっちゅうばい等　②貝殻及び内臓
1.8	0.05	0.07	-	-	-	-	**5**	4	5	(0)	0.8	(0)	**0.14**	**0.06**	3.8	0.08	7.9	18	0.79	-	1		0.8	②貝殻及び内臓
1.7	0.10	0.14	-	-	-	-	**9**	7	25	(0)	0.6	Tr	**0.08**	**0.16**	2.1	0.08	28.0	20	0.37	-	1		2.0	②貝殻
2.5	0.23	0.30	-	-	-	-	**16**	12	50	(0)	2.8	1	**0.15**	**0.27**	(4.1)	0.05	20.0	23	0.45	-	1		1.2	②貝殻
2.4	0.20	0.30	-	-	-	-	**16**	12	48	(0)	2.3	Tr	**0.13**	**0.29**	(4.1)	0.12	33.0	27	0.57	-	2		2.0	液汁を含んだもの　②貝殻
4.2	0.20	1.03	-	-	-	-	**Tr**	Tr	Tr	(0)	1.9	2	**0.02**	**0.10**	(6.1)	0.11	45.0	49	0.34	-	(0)		7.1	
1.2	0.11	0.22	27	21	4	6	**6**	3	30	(0)	0.5	0	**0.13**	**0.12**	2.2	0.07	19.0	21	0.57	13.0	1		1.3	②貝殻
2.7	0.13	0.12	-	-	-	-	**23**	10	150	(0)	0.9	1	**0.05**	**0.29**	3.4	0.07	11.0	87	0.66	-	3		0.8	②貝殻
3.1	0.17	0.12	-	-	-	-	**34**	15	230	(0)	1.7	2	**0.04**	**0.29**	(4.1)	0.06	18.0	83	0.64	-	2		0.6	②貝殻
1.5	0.03	0.02	2	18	3	1	**1**	1	0	0	0.8	0	**0.01**	**0.06**	4.1	0.11	1.7	61	0.28	1.7	2		0.3	
2.2	0.04	0.03	-	-	-	-	**1**	1	0	0	1.1	Tr	**0.01**	**0.08**	5.9	0.14	2.1	41	0.34	-	1		0.4	
6.1	0.08	0.10	-	-	-	-	**Tr**	Tr	Tr	(0)	2.5	(0)	**0.12**	**0.30**	(14.0)	0.12	5.2	22	0.75	-	(0)		6.4	
2.7	0.03	0.07	-	-	-	-	**Tr**	Tr	Tr	(0)	1.1	(0)	**Tr**	**0.05**	(3.7)	0.09	2.6	7	0	-	(0)		1.0	液汁を除いたもの
1.8	0.15	0.11	-	-	-	-	**7**	6	10	(0)	1.4	(0)	**0.01**	**0.16**	(3.5)	0.12	48.0	45	0.20	-	2		0.6	②貝殻
1.0	0.04	0.16	-	-	-	-	**Tr**	Tr	Tr	(0)	0.6	(0)	**Tr**	**0.14**	(4.6)	0.05	9.1	13	0.64	-	1		0.8	②貝殻及び内臓

Q&A ほたてがいは本当に帆を立てるの？▶江戸時代中期に出版された挿絵入り百科事典ともいえる「和漢三才図会」に、ほたてがいは「口を開いて一の殻は舟のごとく一の殻は帆のごとくにし、風にのって走る」とあるが、実際は、取り込んだ海水を海中でジェット噴流のように吐き出し、その勢いで移動する。昔の人の想像力もなかなかのものだ。

あまえび（12cm）

あまえびの刺身

いせえび（35cm）

くるまえび（20cm）

アメリカンロブスター（ウミザリガニ科。別名オマールエビ）

えび類（海老類）
Prawns and shrimps

およそ3000種と種類が大変多いが、歩行類（いせえび類、ざりがに類、うちわえび類等）と、遊泳類（くるまえび類、たらばえび類、てながえび類等）に大別される。
特有のうま味成分であるベタイン、グリシン、グルタミン酸等を含む。加熱すると赤くなるのは、色素たんぱく質が変性して、赤い色素が遊離するため。
腰が曲がっていることとひげが長いことを海の老人に例えて海老の字を当て、長寿の縁起物として使っている。日本人はえびを特に好み、世界中から輸入している。

あまえび（甘海老） 1尾=10g
体長＝12cm。タラバエビ科。生で食べると強い甘味があるためこの名がついた。標準和名**ほっこくあかえび**。赤いとうがらし（南蛮）の実に似ていることから、なんばんえびとも呼ぶ。北欧産が大量に輸入されている。
調理法：刺身、寿司だね等。
旬：春、秋。
生息地：富山以北の日本海北部沿岸から北太平洋の深海砂泥底。

いせえび（伊勢海老） 1尾=250g
体長＝35cm。イセエビ科。名前は伊勢が主産地であるためとも、磯えび→いせえびになったともいわれる。大きくて立派なため、昔から正月の飾り、長寿を祝う縁起物等に使われてきた。養殖は成功しているが、事業化にはいたっていない。オーストラリア、アフリカ等からの輸入が多い。
調理法：刺身、鬼殻焼き、具足煮、みそ汁、オードブル等。
旬：11～2月。
生息地：房総半島より南から台湾までの西太平洋沿岸と九州、朝鮮半島南部の沿岸域の岩礁やさんご礁。

くるまえび（車海老） 1尾=40g
体長＝20cm。クルマエビ科。縞模様があり、体を丸めると車輪に見えるためこの名がついた。20g以下のものをさいまきという。えび類で最も美味といわれる。おがくずの中に詰めて冷やすと長時間生きるため、この状態で出荷・流通する。えび類の養殖ではくるまえびが最初に行われた。
調理法：刺身、揚げ物、焼き物、煮物、椀だね、塩ゆで等。
旬：11～2月。
生息地：北海道南部より南の西太平洋、インド洋、地中海南部の波が穏やかな内湾や汽水域の砂泥底。

さくらえび（桜海老） 1C=80g
体長＝5cm。サクラエビ科。体は透明だが皮膚に赤い色素が多く、体

食品番号	食品名	廃棄率	エネルギー	2015年版の値	水分	たんぱく質	アミノ酸組成によるたんぱく質	脂質	脂肪酸のトリアシルグリセロール当量	脂肪酸 飽和	一価不飽和	多価不飽和	コレステロール	炭水化物	利用可能炭水化物（質量計）	食物繊維 食物繊維総量（プロスキー変法）	食物繊維総量（AOAC法）	ミネラル（無機質） ナトリウム	カリウム	カルシウム	マグネシウム	リン	鉄
		%	kcal	kcal	g	g	g	g	g	g	g	g	mg	g	g	g	g	mg	mg	mg	mg	mg	mg
	〈えび・かに類〉																						
	（えび類）																						
10319	**あまえび** 生	65	**85**	98	78.2	**19.8**	15.2	**1.5**	0.7	0.17	0.21	0.34	130	**0.1**	(0.1)	-	-	300	310	**50**	42	240	**0.1**
10320	**いせえび** 生	70	**86**	92	76.6	**20.9**	17.4	**0.4**	0.1	0.03	0.03	0.07	93	**Tr**	(Tr)	-	-	350	400	**37**	39	330	**0.1**
10321	**くるまえび** 養殖 生	55	**90**	97	76.1	**21.6**	18.2	**0.6**	0.3	0.08	0.05	0.12	170	**Tr**	(Tr)	-	-	170	430	**41**	46	310	**0.7**
10322	ゆで	55	**116**	124	69.3	**28.2**	(23.8)	**0.5**	0.2	0.06	0.05	0.11	240	**Tr**	(Tr)	-	-	200	500	**61**	57	390	**1.0**
10323	焼き	55	**97**	103	74.4	**23.5**	(19.9)	**0.4**	0.2	0.06	0.04	0.09	200	**Tr**	(Tr)	-	-	180	400	**55**	49	330	**1.4**
10431	**さくらえび** 生	0	**78**	89	78.9	**16.6**	12.0	**2.0**	1.2	0.34	0.33	0.45	200	**0.1**	(0.1)	-	-	270	310	**630**	69	330	**0.3**
10324	ゆで	0	**82**	91	75.6	**18.2**	(13.2)	**1.5**	0.7	0.19	0.22	0.25	230	**Tr**	(Tr)	-	-	830	250	**690**	92	360	**0.5**
10325	素干し	0	**286**	312	19.4	**64.9**	(46.9)	**4.0**	2.1	0.59	0.63	0.75	700	**0.1**	(0.1)	-	-	1200	1200	**2000**	310	1200	**3.2**
10326	煮干し	0	**252**	273	23.2	**59.1**	(42.8)	**2.5**	1.1	0.35	0.33	0.38	700	**0.1**	(0.1)	-	-	3400	680	**1500**	260	860	**3.0**
10327	**大正えび** 生	55	**89**	95	76.3	**21.7**	(17.9)	**0.3**	0.1	0.04	0.04	0.06	160	**0.1**	(0.1)	-	-	200	360	**34**	45	300	**0.1**
10328	**しばえび** 生	50	**78**	83	79.3	**18.7**	15.7	**0.4**	0.2	0.06	0.04	0.08	170	**0.1**	(0.1)	-	-	250	260	**56**	30	270	**1.0**
10415	**バナメイえび** 養殖 生	20	**82**	91	78.6	**19.6**	16.5	**0.6**	0.3	0.10	0.05	0.15	160	**0.7**	(0.6)	-	-	140	270	**68**	37	220	**1.4**
10416	天ぷら	10	**194**	199	62.0	**20.0**	17.1	**10.3**	9.6	0.79	5.87	2.52	160	**6.5**	6.5	0.9	-	140	250	**96**	36	200	**0.5**

+PLUS+ さくらえび漁事始め●明治27（1894）年に静岡県由比であじの網引き漁をしていたときに、なぜか網が深く潜ってしまった。必死で引き上げたところ、網には大量のさくらえびが獲れたことがさくらえび漁の始まりだという。災い転じて福となす。単なるタナボタかな？

駿河湾のさくらえび

さくらえび（煮干し）

表には160個ほどの発光器官がある。水揚げすると桜色になるため、この名がついた。
駿河湾だけで漁獲されるが、現在は資源管理のため春漁と秋漁だけが行われる。近年、刺身で食べられる生さくらえびが流通している。
調理法：素干し、釜揚げ、煮干し等。料理の色合いとして利用することが多い。干しさくらえびをかき揚げ等の具に使うときは、フライパンで軽く炒ると格段に香りが増す。

バナメイえび（14～20cm）

旬：12～2月。
生息地：駿河湾、東京湾、相模湾、台湾東方沖。

大正えび（大正海老） 1尾=40g
体長＝20cm。クルマエビ科。標準和名**こうらいえび**。大正時代に流通し始めたが、当時は商品名が複数あったためにおもな水産会社が協議してこの名をつけた。くるまえびに似ているが模様はなく、尾だけが黒っぽい。日本ではほとんど獲れないため、中国等から輸入している。
調理法：揚げ物、炒め物、クリーム煮等。
旬：10～1月。
生息地：黄海、渤海、東シナ海等。

しばえび（芝海老） 1尾=8g
体長＝10～15cm。クルマエビ科。昔は東京の芝浦沖でよく獲れたためこの名がついた。
調理法：寿司だね、焼き物、揚げ物、酢の物、椀だね、グラタン等。
旬：10～1月。
生息地：東京湾より南の内海、内湾、南シナ海、東シナ海、黄海等。

バナメイえび
体長＝14～20cm。クルマエビ科。別名パンナムえび。薄い灰色で加熱しても赤色は薄い。南米エクアドル等で養殖が始まり、ブラックタイガーに比べて病気に強いため、1990年代には中国、東南アジアを含む世界中で養殖がおこなわれるようになった。現在ではブラックタイガーの養殖量を上回っており、市販のむきえびの多くを占めている。多くをタイ等の養殖ものの輸入に依存しているが、立地条件を問わずに安全に大量に生産できる閉鎖循環式の「屋内型エビ生産システム」が開発されたため、日本での養殖が期待されている。
調理法：揚げ物、ゆで物、グラタン、スープ。
生息地：東太平洋のメキシコからペルー沿岸。

えびの部位

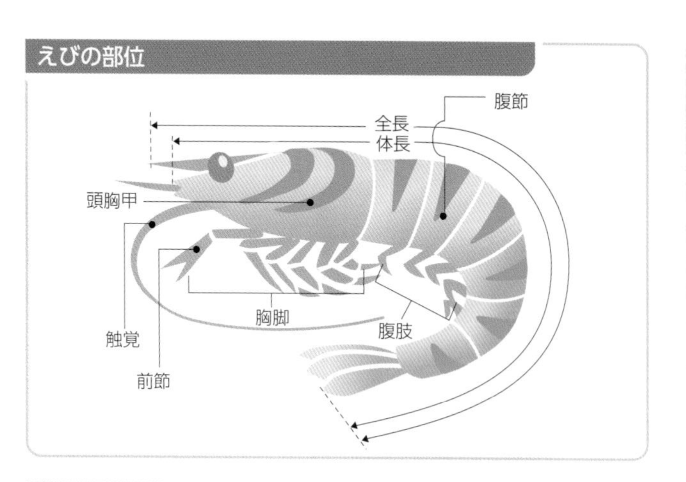

くるまえびの子育てはスパルタ？

一般にえび類の雌は、産卵すると卵を抱え、孵化（ふか）するまで腹の足を動かして卵に新鮮な海水を送るが、くるまえびは産卵後、そのまま海中へ放卵する。抱卵と放卵、発音は同じでも、意味は大きく違う。
くるまえびは養殖物と天然物の味の差がほとんどなく、養殖が盛んに行われているが、くるまえびの養殖成功は、漁業が「獲る漁業」から「つくる漁業」へと転換する大きなきっかけとなった。1960年代から幼生を大量に養殖する技術が確立され、現在では、卵から成体になるまでのすべてを人工管理できるようになっており、年間5億尾以上が放流されている。

可食部100gあたり　Tr：微量　（ ）：推定値または推計値　－：未測定

亜鉛 mg	銅 mg	マンガン mg	ヨウ素 µg	セレン µg	クロム µg	モリブデン µg	A レチノール活性当量 µg	レチノール µg	β-カロテン当量 µg	D µg	E αトコフェロール mg	K µg	B1 mg	B2 mg	ナイアシン当量 mg	B6 mg	B12 µg	葉酸 µg	パントテン酸 mg	ビオチン µg	C mg	食塩相当量 g	備考 ①廃棄率 ②廃棄部位 ③試料
ミネラル（無機質）							ビタミン																
1.0	0.44	0.02	18	33	Tr	1	**3**	3	0	(0)	3.4	(0)	**0.02**	**0.03**	4.4	0.04	2.4	25	0.21	2.1	Tr	0.8	②頭部、殻、内臓、尾部等
1.8	0.65	0.02	-	-	-	-	**0**	0	0	(0)	3.8	(0)	**0.01**	**0.03**	5.2	0.14	0.3	15	0.41	-	1	0.9	②頭部、殻、内臓、尾部等
1.4	0.42	0.02	4	35	0	1	**4**	0	49	(0)	1.6	(0)	**0.11**	**0.06**	7.0	0.12	1.9	23	1.11	2.6	Tr	0.4	②頭部、殻、内臓、尾部等
1.8	0.62	0.03	-	-	-	-	**5**	0	56	(0)	2.3	(0)	**0.09**	**0.05**	(8.6)	0.08	2.0	17	1.07	-	Tr	0.5	②頭部、殻、内臓、尾部等
1.6	0.58	0.02	-	-	-	-	**4**	0	53	(0)	2.7	(0)	**0.11**	**0.05**	(7.0)	0.08	2.3	15	1.06	-	1	0.5	②頭部、殻、内臓、尾部等
1.3	0.90	0.05	110	64	1	3	**2**	1	6	0.1	2.3	0	**0.10**	**0.08**	5.1	0.10	4.5	94	0.29	5.2	1	0.7	殻つき
1.4	2.05	0.09	-	-	-	-	**7**	6	3	(0)	2.8	0	**0.10**	**0.08**	(4.2)	0.09	4.3	41	0.37	-	0	2.1	殻つき
4.9	3.34	0.23	-	-	-	-	**(Tr)**	Tr	(0)	(0)	(7.2)	(0)	**0.17**	**0.15**	(17.0)	0.21	11.0	230	1.16	-	0	3.0	殻つき
4.1	2.61	0.20	-	-	-	-	**(Tr)**	Tr	(0)	(0)	(3.4)	(0)	**0.16**	**0.11**	(14.0)	0.05	3.5	82	0.51	-	0	8.6	殻つき
1.4	0.61	0.02	-	-	-	-	**6**	6	4	(0)	1.8	(0)	**0.03**	**0.04**	(5.8)	0.07	2.1	45	0.61	-	1	0.5	②頭部、殻、内臓、尾部等
1.0	0.35	0.11	-	-	-	-	**4**	3	20	(0)	1.7	(0)	**0.02**	**0.06**	5.5	0.10	1.1	57	0.38	-	2	0.6	②頭部、殻、内臓、尾部等
1.2	0.33	0.10	10	27	2	-	**0**	0	(0)	0	1.7	(0)	**0.03**	**0.04**	6.8	0.14	1.2	38	0.23	1.9	1	0.3	②殻及び尾部
1.3	0.29	0.11	9	28	1	-	**1**	0	16	0	3.6	13	**0.04**	**0.06**	6.8	0.10	1.1	34	0.23	1.8	Tr	0.3	頭部、殻、内臓等除いたもの　②殻及び尾部

Q A 英語でえびってどういうの？▶英語表記はえびの大きさにより使い分ける。いせえびサイズでLobster、くるまえびサイズをPrawn、小さなえびはShrimpという。ちなみに漢字では「海老」「蛯」は海底を歩く歩行類、「蝦」は海中を泳ぐ遊泳類とされているが、あまり厳密ではない。本書では「海老」で統一した。

ブラックタイガー 1尾=40g
体長=20cm。クルマエビ科。標準和名**うしえび**。くるまえびに似ているが、全身が黒っぽく、加熱すると鮮やかな赤色になる。大型で成長も早いため、東南アジア各地で養殖され、日本へ輸出している。
調理法：揚げ物、刺身、寿司だね、焼き物、酢の物、椀だね、グラタン等。
生息地：東京湾より南の西太平洋、インド洋の沿岸域。
加工品
干しえび：中国料理ではうま味のもととして欠かせない。原材料のさるえびは、北海道南部から西太平洋、インド洋に広く分布し、唐揚げやむきえび等にもする。

かに類(蟹類)
Crabs

日本近海でも約1000種類生息している。雌雄の区別は、かにの腹部のいわゆるふんどしと呼ばれる部分が△型のものは雄、半円形のものは雌である。加熱によって赤くなるのは、色素たんぱく質が変性して、赤い色素が遊離するため。おもに脚肉を食用にするが、かにみそと呼ばれる中腸腺(うろ)は、他の動物でいうと肝臓と膵臓(すいぞう)の働きをする臓器で、肝膵臓とも呼ばれ、脂肪やグリコーゲンを豊富に含む。「かには食ってもがに食うな」といわれる“がに”は、えらの部分。
生きたままの活けがにや、冷凍がにを解凍して生状態にしたのを生がにという。活けがにをゆでたものを、浜ゆでがにといい、ゆでてから輸入したものをボイルがにという。
栄養成分：うま味に関係するグルタミン酸やグリシン等が豊富。

がざみ(蝤蛑) 1匹=180g
甲幅=15cm。ワタリガニ科。海中を遊泳して浅い海を広く移動するので、別名**わたりがに**。雄が雌より大きい。稚がにを育ててから放流する種苗放流も行われている。中国、台湾から輸入している。
調理法：ゆでがに、焼きがに等。殻がやわらかくて食べやすく、身の量もある。かにみそや卵巣も美味。
旬：夏。
生息地：北海道から台湾までの内海。

毛がに(毛蟹) 1匹=400g
甲幅=9cm。クリガニ科。甲羅に毛が生えているためこの名がついた。身は甘味があり非常に美味で、かにの中では最高値で取引される。毛がにのかにみそは最も美味とされる。ロシア等からの輸入が増えている。

食品番号	食品名	廃棄率	エネルギー	2015年版の値	水分	たんぱく質	アミノ酸組成によるたんぱく質	脂質	脂肪酸のトリアシルグリセロール当量	脂肪酸 飽和	脂肪酸 一価不飽和	脂肪酸 多価不飽和	コレステロール	炭水化物	利用可能炭水化物(質量計)	食物繊維 食物繊維総量(プロスキー変法)	食物繊維 食物繊維総量(AOAC法)	ミネラル(無機質) ナトリウム	カリウム	カルシウム	マグネシウム	リン	鉄
		%	kcal	kcal	g	g	g	g	g	g	g	g	mg	g	g	g	g	mg	mg	mg	mg	mg	mg
10329	**ブラックタイガー** 養殖 生	15	**77**	82	79.9	**18.4**	(15.2)	**0.3**	0.1	0.04	0.03	0.06	150	**0.3**	(0.3)	-	-	150	230	**67**	36	210	**0.2**
10330	**加工品** 干しえび	0	**213**	233	24.2	**48.6**	(40.0)	**2.8**	1.2	0.45	0.33	0.40	510	**0.3**	(0.3)	-	-	1500	740	**7100**	520	990	**15.0**
10331	つくだ煮	0	**239**	244	31.8	**25.9**	(21.3)	**2.2**	1.3	0.36	0.35	0.49	230	**30.1**	-	-	-	1900	350	**1800**	110	440	**3.9**
	(かに類)																						
10332	**がざみ** 生	65	**61**	65	83.1	**14.4**	(10.8)	**0.3**	0.1	0.04	0.04	0.05	79	**0.3**	(0.3)	-	-	360	300	**110**	60	200	**0.3**
10333	**毛がに** 生	70	**67**	72	81.9	**15.8**	12.1	**0.5**	0.3	0.05	0.06	0.15	47	**0.2**	(0.2)	-	-	220	340	**61**	38	260	**0.5**
10334	ゆで	60	**78**	83	79.2	**18.4**	(13.8)	**0.5**	0.3	0.05	0.06	0.14	53	**0.2**	(0.2)	-	-	240	280	**66**	39	200	**0.6**
10335	**ずわいがに** 生	70	**59**	63	84.0	**13.9**	10.6	**0.4**	0.2	0.03	0.06	0.13	44	**0.1**	(0.1)	-	-	310	310	**90**	42	170	**0.5**
10336	ゆで	55	**65**	69	82.5	**15.0**	(11.2)	**0.6**	0.3	0.05	0.09	0.19	61	**0.1**	(0.1)	-	-	240	240	**120**	55	150	**0.7**
10337	水煮缶詰	0	**69**	73	81.1	**16.3**	(12.2)	**0.4**	0.2	0.04	0.05	0.09	70	**0.2**	(0.2)	-	-	670	21	**68**	29	120	**0.5**
10338	**たらばがに** 生	70	**56**	64	84.7	**13.0**	10.1	**0.9**	0.5	0.09	0.12	0.25	34	**0.2**	(0.2)	-	-	340	280	**51**	41	220	**0.3**
10339	ゆで	60	**77**	89	80.0	**17.5**	14.3	**1.5**	0.8	0.14	0.22	0.42	53	**0.3**	(0.3)	-	-	310	230	**48**	51	190	**0.2**
10340	水煮缶詰	0	**85**	90	77.0	**20.6**	(15.4)	**0.3**	0.1	0.03	0.04	0.07	60	**0.1**	(0.1)	-	-	580	90	**52**	34	220	**0.2**
10341	**加工品** がん漬	0	**58**	59	54.7	**8.4**	(6.3)	**0.4**	0.2	0.07	0.05	0.09	36	**5.4**	-	-	-	7500	250	**4000**	530	200	**1.7**

+PLUS+ **たらばがにの○○の数に注意●**たらばがにの脚の本数のことは、上記本文を読んでね。もうひとつ、たらばの甲羅（こうら）にある突起は６つが本当。４つの物が流通することもあるが、これはあぶらがにという別物で、ゆでる前の色もちょっと薄い。むやみに安売りしてるときは要注意。

たらばがに（甲幅25cm）
ゆでると右のように赤くなる
（➡p.199）。

ずわいがに
（甲幅13cm）

ずわいがにの
水煮缶詰

かにの部位

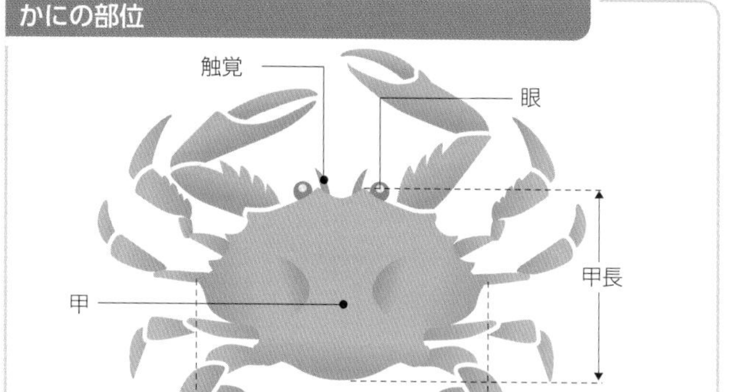

かに缶の身が紙で包まれているわけ

かにやえびを缶の中に長く入れておくと、かにやえびに含まれている成分と、缶の鉄やすずが化学変化をおこしてガラス片のようなものをつくり出す。この物質は毒性のものではないが、食品としての印象は損なわれる。また、かにやえびの肉のたんぱく質には硫黄を出しやすい性質があるため、肉に黒いしみができる。これらを防ぐために、酸性パーチと呼ばれる紙で包んでいるのだ。

しかし、酸性パーチを入れるとなぜ化学変化を防げるかという理由はまだはっきりと解明されておらず、この紙を入れてもガラス片のようなものの発生を確実に防げるわけではない。

現在の缶は表面から鉄が出てこないように工夫されているため、紙は必要ないかもしれないが、紙で包むと高級そうなイメージが生まれることもあって、かに缶にはまだ紙が入れてあるという。

調理法：ゆでがに等。
旬：12〜2月。
生息地：日本海側では鳥取、太平洋側では茨城より北の砂泥底。

ずわいがに（ずわい蟹） 脚1本=80g
甲幅＝13cm。クモガニ科。一般には雄を指すが、別名を北陸地方で“えちぜんがに”、山陰地方で“**まつばがに**”、山形等では“よしがに”と呼ぶ。身もかにみそも美味。雄が脚を広げると70cmほどになるが、雌は最初の産卵以後は脱皮しないために雄の半分程度。雌は北陸地方で“香箱（こうばこ）”、山陰地方で“せいこ”等と呼ぶ。ロシア、アラスカ、北朝鮮等からの輸入ものが国産ものの10倍ほども流通している。
調理法：ゆでがに、焼きがに、天ぷら、汁の実等。
旬：12〜2月。
生息地：山口より北の日本海、茨城より北の北太平洋、オホーツク海、ベーリング海の深海の砂泥底。

たらばがに（鱈場蟹） 脚1本=130g
甲幅＝25cm。タラバガニ科。たらが獲れる漁場に生息しているためこの名がついた。脚を広げると1m以上にもなる。ハサミと脚を合わせて4対であること等から、分類学的にはやどかりの仲間。寿命は雄で30年、雌で25年ほど。資源確保のため漁獲は11〜3月に制限されている。アラスカ等からの輸入ものが多い。
調理法：焼きがに、ゆでがに、酢の物、汁物、鍋物、コキール等。かにみそはゆでると液体になり、身にしみると味が落ちるため、ゆでるときはかにみそを取り除く。
旬：1〜2月。
生息地：アラスカ沿岸の北極海、ベーリング海、北米太平洋岸、オホーツク海、日本海、千島列島から北海道の太平洋岸等。

加工品
がん漬：佐賀県有明海の干潟で獲れたしおまねきやありあけがにを丸ごとつぶし、とうがらし、塩、しょうゆ等で調味し、熟成させた塩辛。

可食部100gあたり　Tr：微量　（ ）：推定値または推計値　－：未測定

ミネラル（無機質）							ビタミン															食塩相当量	備考
亜鉛	銅	マンガン	ヨウ素	セレン	クロム	モリブデン	A レチノール活性当量	レチノール	β-カロテン当量	D	E αトコフェロール	K	B1	B2	ナイアシン当量	B6	B12	葉酸	パントテン酸	ビオチン	C		①廃棄率　②廃棄部位　③試料
mg	mg	mg	μg	μg	μg	μg	μg	μg	μg	μg	mg	μg	mg	mg	mg	mg	μg	μg	mg	μg	mg	g	
1.4	0.39	0.02	4	26	2	1	1	1	0	(0)	1.4	(0)	**0.07**	**0.03**	(5.5)	0.07	0.9	15	0.59	1.9	Tr	0.4	無頭、殻つき　②殻及び尾部
3.9	5.17	3.93	-	-	-	-	14	14	5	(0)	2.5	(0)	**0.10**	**0.19**	(12.0)	0.19	11.0	46	0.72	-	0	3.8	③（原材料）：さるえび
3.1	1.56	1.24	-	-	-	-	(Tr)	Tr	(0)	(0)	6.3	(0)	**0.14**	**0.11**	(9.1)	0.08	6.3	35	0.65	-	(0)	4.8	
3.7	1.10	0.06	-	-	-	-	1	0	7	(0)	1.8	(0)	**0.02**	**0.15**	(6.3)	0.18	4.7	22	0.78	-	Tr	0.9	②殻、内臓等
3.3	0.47	0.03	-	-	-	-	(Tr)	Tr	(0)	(0)	2.2	(0)	**0.07**	**0.23**	4.5	0.16	1.9	13	0.41	-	Tr	0.6	②殻、内臓等
3.8	0.46	0.02	-	-	-	-	(Tr)	Tr	(0)	(0)	3.7	(0)	**0.07**	**0.23**	(5.1)	0.13	2.5	10	0.40	-	Tr	0.6	殻つきでゆでたもの　②殻、内臓等
2.6	0.35	0.02	58	97	1	2	(Tr)	Tr	(0)	(0)	2.1	(0)	**0.24**	**0.60**	10.0	0.13	4.3	15	0.48	3.0	Tr	0.8	②殻、内臓等
3.1	0.56	0.02	-	-	-	-	(Tr)	Tr	(0)	(0)	2.6	(0)	**0.21**	**0.57**	(8.3)	0.11	7.2	9	0.54	-	Tr	0.6	殻つきでゆでたもの　②殻、内臓等
4.7	0.35	0.10	-	-	-	-	(0)	0	(0)	(0)	2.0	(0)	**0**	**0.03**	(2.5)	Tr	0.2	1	0	-	0	1.7	液汁を除いたもの
3.2	0.43	0.03	43	25	1	1	1	0	7	(0)	1.9	(0)	**0.05**	**0.07**	4.3	0.14	5.8	21	0.65	4.9	1	0.9	②殻、内臓等
4.2	0.41	0.04	62	35	1	2	1	0	8	(0)	3.0	(0)	**0.07**	**0.06**	5.1	0.13	9.9	15	0.48	5.4	Tr	0.8	②殻、内臓等　殻つきでゆでたもの
6.3	0.58	0.06	-	-	-	-	(Tr)	Tr	(0)	(0)	2.9	(0)	**0.02**	**0.10**	(3.3)	0.04	6.1	4	0.26	-	(0)	1.5	液汁を除いたもの
2.4	1.36	4.43	-	-	-	-	Tr	Tr	Tr	(0)	1.8	1	**0.10**	**0.50**	(3.2)	0.07	2.2	7	0.26	-	(0)	19.1	しおまねきの塩辛

Q&A キチン？キトサン？とは？▶えびやかにの殻から得られる動物性の食物繊維。キチンは不溶性だが、化学処理して得られるキトサンは水溶性である。両者をあわせてキチン質という。免疫力を高める効果があるとされているが、まだ研究段階である。

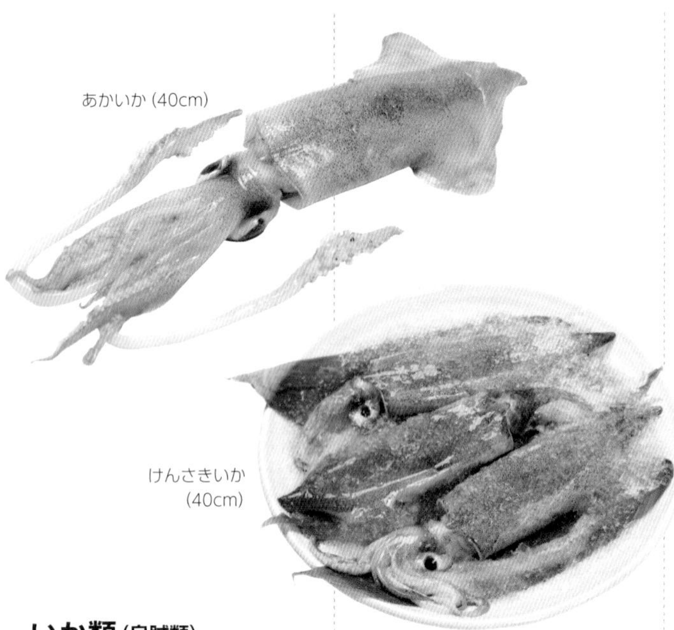
あかいか (40cm)

けんさきいか (40cm)

こういか (18cm)

かみなりいか
コウイカ科、胴長37cm。別名もんごういか。市場では大型のこういかをもんごういかと呼ぶが、別種。

いか類 (烏賊類)

Squids and cuttlefishes 中1杯＝300g

軟体動物で頭、胴、腕からなる頭足類に属する。全世界では約500種、日本近海では約130種類ほど生息する。石灰質の甲を持つコウイカ目と、甲が薄く木の葉状またはひも状の軟甲を持つツツイカ目に大別される。10本の腕のうち2本が餌等を捕まえる長い触腕で、胴には耳またはえんぺらと呼ばれるひれがあり、腹部に墨袋がある。正式名称のほかに地方名がさまざまあるが、同じ名前で別のものを指す場合もある。一般に、加熱しすぎるとかたくなる。

いかを夜釣りで漁獲するときに漁船がともす集魚灯は、漁火 (いさりび) として有名。

あかいか (赤烏賊)

胴長＝40cm。ツツイカ目アカイカ科。体色が暗赤褐色で、加工食品の原料にすることが多い。関東ではまるいか、日本海ではしろいか、北海道では**ばかいか**、**むらさきいか**とも呼ぶ。

調理法：焼き物、いか飯、炒め物、天ぷら、くん製、塩辛、するめ等。

旬：6〜8月。

生息地：世界中の温帯。

けんさきいか (剣先烏賊)

胴長＝40cm。ツツイカ目ジンドウイカ科。別名ぶどういか、まるいか、あかいか、しろいか、ごとういか等。生きているときは透明感のある体色をしていて、環境や感情により体色を変える。

調理法：刺身、焼き物、煮物、天ぷら、するめ等。

旬：4〜7月。

生息地：本州中部から四国、九州。特に長崎の五島列島が本場。

こういか (甲烏賊)

胴長＝18cm。コウイカ目コウイカ科。別名**すみいか**、まいか。胴部に大きくて厚い甲を持つ。身がややわらかく厚い。

調理法：刺身、寿司だね、天ぷら、煮物、焼き物、するめ等。

旬：冬〜春。

生息地：本州中部から四国、九州。

するめいか (鯣烏賊)

胴長＝30cm。ツツイカ目アカイカ科。日本海全域を暖流にのって回遊する。三陸から北海道の太平洋側と、日本海沖で獲れる。国内で漁獲するいかの半分以上を占める。

調理法：いかそうめん、刺身、焼き物、煮物、揚げ物、干物等。

旬：7〜10月。

産地：日本海沿岸、北海道、三陸。

ほたるいか (蛍烏賊) 1杯＝5g

胴長＝5〜7cm。ツツイカ目ホタルイカモドキ科。体表の数百の発光器から青白い光を発するためこの名がついた。富山県富山市水橋から魚津市の海岸に、4〜5月の深夜に産卵のために雌が海面に浮上してくる。大群で海岸近くまで押し寄せるのは富山湾独特の現象で、国の特別天然記念物に指定されている。

調理法：生食、ゆで煮、煮物、つくだ煮、干物、酢みそ和え、足だけを

食品番号	食品名	廃棄率	エネルギー	2015年版の値	水分	たんぱく質	アミノ酸組成によるたんぱく質	脂質	脂肪酸のトリアシルグリセロール当量	脂肪酸 飽和	脂肪酸 一価不飽和	脂肪酸 多価不飽和	コレステロール	炭水化物	利用可能炭水化物(質量計)	食物繊維 食物繊維総量(プロスキー変法)	食物繊維 食物繊維総量(AOAC法)	ミネラル(無機質) ナトリウム	カリウム	カルシウム	マグネシウム	リン	鉄
		%	kcal	kcal	g	g	g	g	g	g	g	g	mg	g	g	g	g	mg	mg	mg	mg	mg	mg
	〈いか・たこ類〉																						
	(いか類)																						
10342	**あかいか** 生	25	**81**	90	79.3	**17.9**	13.4	**1.5**	0.8	0.21	0.07	0.45	280	**Tr**	(Tr)	-	-	200	330	**12**	46	280	**0.1**
10343	**けんさきいか** 生	20	**77**	84	80.0	**17.5**	(12.7)	**1.0**	0.4	0.16	0.04	0.22	350	**0.1**	(0.1)	-	-	210	330	**12**	46	260	**0.1**
10344	**こういか** 生	35	**64**	75	83.4	**14.9**	10.6	**1.3**	0.6	0.19	0.05	0.33	210	**0.1**	(0.1)	-	-	280	220	**17**	48	170	**0.1**
10345	**するめいか** 生	30	**76**	83	80.2	**17.9**	(13.4)	**0.8**	0.3	0.11	0.03	0.19	250	**0.1**	(0.1)	-	-	210	300	**11**	46	250	**0.1**
10346	水煮	0	**98**	101	74.6	**21.9**	(16.4)	**0.9**	0.4	0.11	0.04	0.21	310	**0.1**	(0.1)	-	-	230	310	**14**	52	280	**0.1**
10347	焼き	0	**108**	109	71.8	**23.6**	(17.7)	**1.0**	0.4	0.12	0.04	0.22	350	**0.1**	(0.1)	-	-	330	360	**14**	57	300	**0.2**
10417	胴 皮つき 生	0	**78**	86	79.8	**18.6**	13.8	**0.7**	0.4	0.12	0.03	0.26	210	**0.1**	(0.1)	-	-	200	330	**10**	48	280	**0.1**
10418	皮なし 生	0	**80**	85	79.1	**18.6**	13.8	**0.6**	0.3	0.09	0.02	0.19	180	**0.1**	(0.1)	-	-	200	340	**10**	48	270	**0.1**
10419	天ぷら	0	**175**	189	64.9	**16.7**	13.1	**10.8**	9.8	0.82	5.84	2.69	150	**6.3**	8.2	0.8	-	180	280	**26**	40	230	**0.1**
10420	耳・足 生	0	**75**	80	80.8	**16.9**	13.0	**0.9**	0.6	0.16	0.04	0.35	290	**0**	0	-	-	230	270	**13**	45	210	**0.1**
10348	**ほたるいか** 生	0	**74**	84	83.0	**11.8**	7.8	**3.5**	2.3	0.58	0.69	0.94	240	**0.2**	(0.2)	-	-	270	290	**14**	39	170	**0.8**
10349	ゆで	0	**91**	104	78.1	**17.7**	(11.7)	**2.9**	1.5	0.36	0.31	0.74	380	**0.4**	(0.4)	-	-	240	240	**22**	32	200	**1.1**
10350	くん製	0	**305**	325	23.0	**43.1**	(28.6)	**7.5**	3.4	1.15	1.29	0.83	930	**21.3**	-	-	-	1500	240	**55**	56	650	**10.0**
10351	つくだ煮	0	**245**	260	39.8	**27.0**	(17.9)	**6.7**	3.8	1.02	1.29	1.29	390	**22.9**	-	-	-	1200	96	**26**	31	270	**2.7**
10352	**やりいか** 生	25	**79**	85	79.7	**17.6**	13.1	**1.0**	0.5	0.18	0.05	0.26	320	**0.4**	(0.4)	-	-	170	300	**10**	42	280	**0.1**

+PLUS+ **刺身の話 1**●「日本人は生の魚を食べる」ことは世界でも有名だが、魚を生で刺身として食べるようになったのは室町時代中期からといわれる。それ以前にはなます（細かく切って二杯酢や甘酢、酢味噌等の酢で和えた料理）にして食べていた。

いかそうめん

するめいか (30cm)

いかの天日干し

ほたるいか (生) (5~7cm)

ほたるいかの寿司

やりいか (40cm)

刺身にした竜宮そうめん等。 内臓には旋尾線虫という寄生虫がいるので、十分に加熱するかマイナス30℃以下で4日間以上冷凍、または内臓を取り去ることが必要。

栄養成分：ビタミンA・B_{12}・E等が豊富。

旬：4~6月。

生息地：日本海一帯、本州と四国の太平洋側の深海。特に富山湾。

やりいか (槍烏賊)

胴長＝40cm。ツツイカ目ヤリイカ科。姿が槍の穂に似るためこの名がついた。やりいかは非常に太い神経繊維、巨大なシナプスをもっていることから、生物学では神経生理のモデル生物としても用いる。

調理法：刺身、干物等。

旬：2~4月。

生息地：沖縄以外の日本沿岸。

いかの部位

ひれ (耳、えんぺら)
外套膜 (がいとうまく)
漏斗 (ろうと)
触腕
眼
外套長 (胴部)
頭部
腕

海の怪物「だいおういか」

北欧神話に、ときおり海面に現れては漁船を水中に引きずり込むクラーケンという怪物の話がある。世界各地に同じような伝説があるが、このモデルのひとつになったのがだいおういか。20世紀における最大の記録として信用できるものは、1966年にバハマで発見された全長14.3mのもの。19世紀には27mのものが見つかったという話も伝えられている。だいおういかは広い範囲で発見例があるものの、深海に生息するため生きている個体を観察できた例がほとんどなく、生態は謎に包まれている。くさみが強く食用には向かないそうだが、まっこうくじらは深海にまでもぐり、主食にしているらしい。

可食部100gあたり　Tr：微量　( )：推定値または推計値　-：未測定

ミネラル (無機質)							ビタミン															食塩相当量	備考
亜鉛	銅	マンガン	ヨウ素	セレン	クロム	モリブデン	A レチノール活性当量	レチノール	β-カロテン当量	D	E αトコフェロール	K	B_1	B_2	ナイアシン当量	B_6	B_{12}	葉酸	パントテン酸	ビオチン	C		①廃棄率 ②廃棄部位 ③試料
mg	mg	mg	µg	µg	µg	µg	µg	µg	µg	µg	mg	µg	mg	mg	mg	mg	µg	µg	mg	µg	mg	g	
1.2	0.21	0.02	5	28	1	1	**4**	4	0	(0)	2.2	(0)	**0.01**	**0.02**	4.7	0.10	2.3	2	0.31	4.0	**1**	0.5	②内臓等
1.3	0.16	0.02	-	-	-	-	**7**	7	0	(0)	1.6	(0)	**0.01**	**0.02**	(5.0)	0.11	2.5	4	0.28	-	**2**	0.5	②内臓等
1.5	0.45	0.02	4	23	0	0	**5**	5	Tr	(0)	2.2	(0)	**0.03**	**0.05**	3.3	0.06	1.4	3	0.52	1.6	**1**	0.7	②内臓等
1.5	0.29	Tr	7	41	Tr	1	**13**	13	0	0.3	2.1	-	**0.07**	**0.05**	(6.5)	0.21	4.9	5	0.34	4.9	**1**	0.5	②内臓等　胴55.9%、足・耳44.1%
1.8	0.40	0.01	10	42	0	0	**16**	16	0	0	2.5	-	**0.05**	**0.06**	(8.0)	0.23	5.3	5	0.42	5.4	**1**	0.6	内臓等を除き水煮したもの
1.9	0.41	Tr	10	46	0	Tr	**22**	22	0	0	2.5	-	**0.09**	**0.07**	(9.1)	0.26	5.4	7	0.44	6.3	**1**	0.8	内臓等を除き焼いたもの
1.4	0.27	0.01	6	40	Tr	-	**12**	12	(0)	0.3	1.9	-	**0.06**	**0.04**	7.8	0.27	4.4	6	0.36	5.3	**2**	0.5	
1.5	0.27	0.01	6	38	1	-	**11**	11	(0)	0.2	1.5	-	**0.06**	**0.04**	7.4	0.29	4.3	2	0.31	5.3	**2**	0.5	
1.3	0.16	0.06	5	31	Tr	-	**11**	10	13	0.2	3.0	6	**0.07**	**0.07**	6.6	0.24	3.8	3	0.31	4.4	**1**	0.4	
1.6	0.31	0	8	42	Tr	-	**15**	15	(0)	0.4	2.4	-	**0.09**	**0.06**	5.0	0.14	5.6	4	0.32	4.4	**1**	0.6	
1.3	3.42	0.05	-	-	-	-	**1500**	1500	Tr	(0)	4.3	Tr	**0.19**	**0.27**	4.6	0.15	14.0	34	1.09	-	**5**	0.7	内臓等を含んだもの
1.9	2.97	0.08	-	-	-	-	**1900**	1900	Tr	(0)	4.5	1	**0.20**	**0.30**	(5.3)	0.09	14.0	29	0.64	-	**Tr**	0.6	内臓等を含んだもの
5.2	12.00	0.34	-	-	-	-	**150**	150	Tr	(0)	2.3	1	**0.40**	**0.50**	(12.0)	0.04	27.0	25	1.28	-	**0**	3.8	
3.3	6.22	0.19	-	-	-	-	**690**	690	Tr	(0)	1.9	1	**0.09**	**0.21**	(5.9)	0.03	17.0	10	0.64	-	**0**	3.0	
1.2	0.25	0.02	-	-	-	-	**8**	8	0	(0)	1.4	(0)	**0.04**	**0.03**	5.9	0.10	1.1	5	0.27	-	**2**	0.4	②内臓等

QA いかとたこの墨の違いは何？▶敵に襲われたときに墨を吐くことで両者とも有名だ。たこの墨は拡散して煙幕となり、いか墨は粘りが強く拡散せずに、身代わりとなる分身の術にたとえられる。この粘りが強いのはアミノ酸＝うま味が多いためであり、料理に向くのもいか墨である。それにしても、最初にいか墨を食べた人はすごい。

するめ

さきいか

いいだこ
(20cm)

まだこ
(ゆで)

まだこ
(60cm〜1m)

みずだこ

たこ類(蛸類)
Octopuses

加工品

するめ:1枚＝100g。胴を開いて内臓等を取り除き、乾燥させたもの。けんさきいかのものが最上品とされる。

さきいか:胴肉を皮をはいでからゆで、味つけ後、焼いてから裂いたもの。やわらかい食感を出すために水分を多くしてある。

くん製:胴肉を味つけしてから、くん製にして乾燥したもの。裂き状やリング状等がある。

切りいかあめ煮:切ったするめを甘く煮たもの。

いかあられ:のしたいかを食べやすく切り、やわらかく甘めに炊き上げたもの。

たこ類(蛸類)

軟体動物の頭足綱八腕目に分類される海洋性の軟体動物。体に鱗(うろこ)や殻がなく、体表の色素細胞を使い、周囲の環境によって体色を変える。窮地のときは墨を吐き、敵から身を隠して逃げる。日本人にはなじみ深く、ユーモラスなイメージがあるが、外国ではデビルフィッシュ(悪魔の魚)の異名を持つ嫌われもので、食べるのはイタリア等ごく少数の国。

種類:食用にするのは、まだこ、てながだこ、みずだこ、いいだこ等。

栄養成分:細胞に栄養素や情報を取り入れる、細胞膜を安定させる、細胞の機能を維持する等の働きを持つタウリンが豊富。神経を休める働きを持つアセチルコリンも含む。

いいだこ(飯蛸) 1杯＝40g

体長＝20cm。マダコ科。出回るのは体長10cmほどのもの。産卵期になると、頭のように見える胴体いっぱいに飯粒そっくりの卵をびっしりと持つためこの名がついた。

調理法:煮つけ、和え物、おでんだね、椀だね、つくだ煮、干しだこ等。

旬:11〜3月。

生息地:日本から中国の浅い砂泥質の海底。

まだこ(真蛸) 足1本＝150g

体長＝60cm〜1m。マダコ科。モロッコ、モーリタニア等、アフリカ諸国産のものが多く流通している。ゆでると、輸入物は薄いピンク色っぽくなり、吸盤の中が白いが、国産ものは吸盤の中まであずき色になる。春から初夏にかけて房状の卵塊を産みつけるが、藤の花のような形のため海藤花(かいとうげ)と呼ばれる。

調理法:刺身、寿司だね、たこわさ、酢だこ、和え物、煮物等。海藤花は塩漬にして酢の物や椀だねにする。

旬:4〜8月。

選び方:生は灰白色ではんてんがあり、吸盤に指をあてると吸いつくものがよい。ゆでだこの場合は、足の先までしっかりかたく巻いているもの、皮がむけていないものがよい。

生息地:世界中の温帯海域沿岸。

みずだこ 1杯＝10〜30kg

体長＝3m。マダコ科。別名おおだこ。肉質は水っぽく、ゆでてもかたくならない。

調理法:煮物、焼き物、天ぷら、マリネ、酢だこ、煮だこ等。

生息地:日本海、相模湾以北等。

あみ(醤蝦)
Opossum shrimps 大1＝10g

体長＝1〜2cm。アミ科。おきあみ

このわた→p.254

食品番号	食品名	廃棄率	エネルギー	2015年版の値	水分	たんぱく質	アミノ酸組成によるたんぱく質	脂質	脂肪酸のトリアシルグリセロール当量	脂肪酸 飽和	脂肪酸 一価不飽和	脂肪酸 多価不飽和	コレステロール	炭水化物	利用可能炭水化物(質量計)	食物繊維総量(プロスキー変法)	食物繊維総量(AOAC法)	ナトリウム	カリウム	カルシウム	マグネシウム	リン	鉄
		%	kcal	kcal	g	g	g	g	g	g	g	g	mg	g	g	g	g	mg	mg	mg	mg	mg	mg
10353	**加工品** するめ	0	**304**	334	20.2	**69.2**	(50.2)	**4.3**	1.7	0.60	0.12	0.89	980	**0.4**	(0.4)	-	-	890	1100	**43**	170	1100	**0.8**
10354	さきいか	0	**268**	279	26.4	**45.5**	(34.2)	**3.1**	0.8	0.25	0.08	0.43	370	**17.3**	-	-	-	2700	230	**23**	82	430	**1.6**
10355	くん製	0	**202**	206	43.5	**35.2**	(26.4)	**1.5**	0.7	0.24	0.07	0.40	280	**12.8**	-	-	-	2400	240	**9**	34	330	**0.7**
10356	切りいかあめ煮	0	**310**	318	22.8	**22.7**	(16.5)	**4.7**	3.1	0.71	0.78	1.48	360	**46.1**	-	-	-	1100	210	**65**	81	300	**0.8**
10357	いかあられ	0	**289**	293	26.7	**20.0**	(14.5)	**1.8**	1.0	0.28	0.12	0.57	190	**49.1**	-	-	-	700	230	**18**	41	260	**0.4**
10358	塩辛	0	**114**	117	67.3	**15.2**	(11.0)	**3.4**	2.7	0.74	0.57	1.24	230	**6.5**	-	-	-	2700	170	**16**	48	210	**1.1**
10359	味付け缶詰	0	**127**	133	66.9	**21.4**	(15.5)	**1.8**	0.7	0.25	0.07	0.37	420	**7.7**	-	-	-	700	110	**16**	38	220	**0.6**
	(たこ類)																						
10360	**いいだこ** 生	0	**64**	70	83.2	**14.6**	(10.6)	**0.8**	0.4	0.11	0.06	0.20	150	**0.1**	(0.1)	-	-	250	200	**20**	43	190	**2.2**
10361	**まだこ** 生	15	**70**	76	81.1	**16.4**	11.7	**0.7**	0.2	0.07	0.03	0.14	150	**0.1**	(0.1)	-	-	280	290	**16**	55	160	**0.6**
10362	ゆで	0	**91**	99	76.2	**21.7**	(15.4)	**0.7**	0.2	0.06	0.02	0.12	150	**0.1**	(0.1)	-	-	230	240	**19**	52	120	**0.2**
10432	**みずだこ** 生	20	**61**	66	83.5	**13.4**	9.4	**0.9**	0.4	0.09	0.04	0.23	100	**0.1**	(0.1)	-	-	430	270	**19**	60	150	**0.1**
	〈その他〉																						
10363	**あみ** つくだ煮	0	**230**	233	35.0	**19.1**	(13.0)	**1.8**	1.1	0.30	0.24	0.55	120	**35.1**	-	-	-	2700	350	**490**	100	410	**7.1**
10364	塩辛	0	**62**	65	63.7	**12.9**	(8.8)	**1.1**	0.6	0.18	0.15	0.25	140	**0.8**	-	-	-	7800	280	**460**	82	270	**0.5**
10365	**うに** 生うに	0	**109**	120	73.8	**16.0**	11.7	**4.8**	2.5	0.63	0.77	1.02	290	**3.3**	(3.0)	-	-	220	340	**12**	27	390	**0.9**
10366	粒うに	0	**172**	183	51.8	**17.2**	(12.6)	**5.8**	3.5	1.40	1.04	0.89	280	**15.6**	-	-	-	3300	280	**46**	63	310	**1.1**
10367	練りうに	0	**166**	170	53.1	**13.5**	(9.9)	**2.9**	2.1	0.96	0.65	0.39	250	**22.4**	-	-	-	2800	230	**38**	41	220	**1.8**
10368	**おきあみ** 生	0	**84**	94	78.5	**15.0**	10.2	**3.2**	2.1	0.70	0.66	0.70	60	**0.2**	(0.2)	-	-	420	320	**360**	85	310	**0.8**
10369	ゆで	0	**78**	86	79.8	**13.8**	(9.4)	**3.0**	2.1	0.69	0.50	0.80	62	**Tr**	(Tr)	-	-	620	200	**350**	110	310	**0.6**
10370	**くらげ** 塩蔵 塩抜き	0	**21**	22	94.2	**5.2**	-	**0.1**	Tr	0.03	0.01	0	31	**Tr**	(Tr)	-	-	110	1	**2**	4	26	**0.3**
10371	**しゃこ** ゆで	0	**89**	98	77.2	**19.2**	15.3	**1.7**	0.8	0.25	0.23	0.32	150	**0.2**	(0.2)	-	-	310	230	**88**	40	250	**0.8**

+PLUS+ 刺身の話2●生の魚の切り身だから切り身と呼べばいいのに、なぜ刺身と呼ぶのだろう。魚は切り身にすると何の魚だかわからなくなるため、以前はその魚のひれ等を切り身に刺して名前がわかるようにしていた。そこから刺身と呼ばれるようになったという。

あみのつくだ煮

うに

くらげ（塩蔵塩抜き）

しゃこ（15cm）

たこの部位

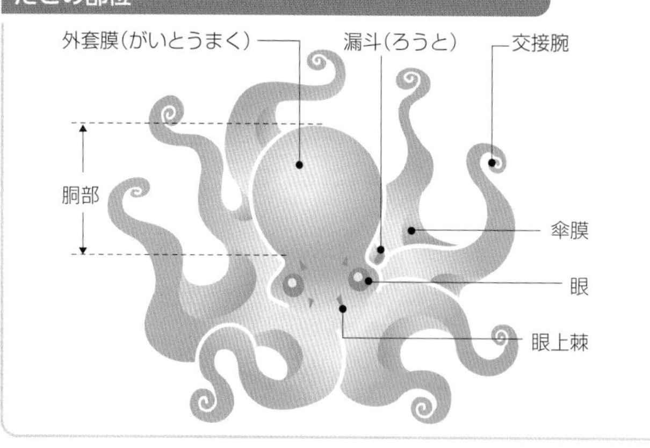

とよく似ているが別種で、甲殻綱アミ目の節足動物の総称。淡水や海水中に生息する。
種類：標準和名にほんいさざあみ、こませあみ等。
栄養成分：カルシウム等が豊富。
調理法：つくだ煮、干しあみ等。
生息地：霞ヶ浦、浜名湖、瀬戸内海、有明海等。

うに（海胆、海栗、雲丹）

Sea urchin　中身1個=5g

棘皮（きょくひ）動物ウニ綱に属するものの総称。とげのある殻の内部にある生殖腺（精巣・卵巣）を食用にする。特にばふんうにが美味とされる。とげの長さや色は種類によって違う。一般に、殻から取り出した生うにを、みょうばんを溶かした海水に浸して身を引き締め、箱に盛りつけたものが市販されている。
種類：食用とされるのは、えぞばふんうに、むらさきうに、あかうに、ばふんうに等。
調理法：寿司だね、前菜、練りうに、塩蔵等。
旬：ばふんうに2～4月。
生息地：日本全国の浅瀬の砂地や岩礁。

粒うに
塩やアルコールを混ぜてビンに詰め、熟成させたもの。

練りうに
塩、アルコール、調味料等を混ぜて練りつぶしたもの。

おきあみ（沖醤蝦）

Antarctic krills

体長＝1～3cm。オキアミ科。あみとは別種で、甲殻綱オキアミ目に属する。漁獲後すぐに冷凍して、釣りえさや養殖用えさに利用する。新鮮なものは生食する。
調理法：かき揚げ、干しおきあみ、塩辛等。
生息地：なんきょくおきあみは南氷洋で大量に漁獲される。

くらげ（水母、海月）

Jellyfish　中1枚=300g

刺胞動物門ヒドロ虫綱、箱虫綱、鉢虫綱に属する動物のうちクラゲ状になる種の総称。食材としては生の状態で出回るものもあるが、ほとんどは塩蔵品や、それを干した乾燥品。
種類：びぜんくらげ、あかくらげ等。
調理法：酢の物、和え物、中国料理の前菜等。

しゃこ（蝦蛄）

Mantis shrimp　1尾=30g

体長＝15cm。シャコ科。別名がさえび、しゃっぱ。節足動物で、頭部にはかまきりのような鎌状の大きな捕脚が一対ある。かつぶしと呼ばれる卵を抱えた子持ちしゃこが珍重される。
調理法：寿司だね、天ぷら等。腐敗が早いので、ゆでたものが多く流通する。灰青褐色の体色がゆでると紫褐色になるので、はさみで殻のふちと頭を切り取り、殻をむいて身を取り出す。鎌状の第2胸脚の中身を取り出したものをしゃこつめといい、酒のつまみや酢の物等にする。
旬：春、秋。
生息地：北海道より南の暖かい海の内湾や内海の砂泥底。

可食部100gあたり　Tr：微量　（ ）：推定値または推計値　－：未測定

ミネラル（無機質）							ビタミン															食塩相当量	備考
亜鉛	銅	マンガン	ヨウ素	セレン	クロム	モリブデン	A レチノール活性当量	A レチノール	A β-カロテン当量	D	E αトコフェロール	K	B1	B2	ナイアシン当量	B6	B12	葉酸	パントテン酸	ビオチン	C		①廃棄率　②廃棄部位　③試料
mg	mg	mg	μg	μg	μg	μg	μg	μg	μg	μg	mg	μg	mg	mg	mg	mg	μg	μg	mg	μg	mg	g	
5.4	0.99	0.06	-	-	-	-	**22**	22	0	(0)	4.4	(0)	**0.10**	**0.10**	(24.0)	0.34	12.0	11	1.57	-	**0**	2.3	
2.8	0.27	0.07	-	-	-	-	**3**	3	(0)	(0)	1.7	(0)	**0.06**	**0.09**	(15.0)	0.32	6.9	1	0.47	-	**0**	6.9	
2.1	0.26	0.02	-	-	-	-	**(Tr)**	Tr	(0)	(0)	1.8	(0)	**0.10**	**0.15**	(14.0)	0.10	5.3	2	0.17	-	**(0)**	6.1	
2.2	0.50	0.12	-	-	-	-	**(Tr)**	Tr	(0)	(0)	1.9	(0)	**0.06**	**0.10**	(10.0)	0.10	10.0	12	0.17	-	**(0)**	2.8	
1.3	0.02	0.12	-	-	-	-	**(Tr)**	Tr	(0)	(0)	1.1	(0)	**0.07**	**0.10**	(9.8)	0.14	3.3	6	0.31	-	**(0)**	1.8	
1.7	1.91	0.03	-	-	-	-	**200**	200	1	(0)	3.3	Tr	**Tr**	**0.10**	(5.5)	0.31	17.0	13	0.61	-	**Tr**	6.9	③赤作り
2.5	1.12	0.05	-	-	-	-	**7**	7	(0)	(0)	2.8	(0)	**0.02**	**0.07**	(5.2)	0.11	3.8	4	0.20	-	**0**	1.8	液汁を除いたもの
3.1	2.96	0.06	-	-	-	-	**36**	35	9	(0)	2.7	(0)	**0.01**	**0.08**	(5.3)	0.11	2.0	37	0.70	-	**1**	0.6	内臓等を含んだもの
1.6	0.30	0.03	-	-	-	-	**5**	5	(0)	(0)	1.9	Tr	**0.03**	**0.09**	4.3	0.07	1.3	4	0.24	-	**Tr**	0.7	②内臓等
1.8	0.43	0.04	8	28	1	1	**5**	5	0	(0)	1.9	(0)	**0.03**	**0.05**	(4.6)	0.07	1.2	2	0.17	5.6	**Tr**	0.6	内臓等を除きゆでたもの
1.6	0.64	0.04	8	46	0	1	**4**	4	0	0.1	1.1	0	**0.04**	**0.05**	3.7	0.05	0.8	6	0.43	2.4	**1**	1.1	②頭部、内臓
1.7	0.97	0.63	-	-	-	-	**170**	170	16	(0)	4.7	7	**0.13**	**0.21**	(4.7)	0.08	7.0	35	0.78	-	**0**	6.9	
0.8	0.70	0.13	-	-	-	-	**65**	65	0	(0)	2.4	0	**0.07**	**0.07**	(3.8)	0.09	2.7	22	0.61	-	**0**	19.8	
2.0	0.05	0.05	-	-	-	-	**58**	0	700	(0)	3.6	27	**0.10**	**0.44**	4.4	0.15	1.3	360	0.72	-	**3**	0.6	③むらさきうに、ばふんうに　生殖巣のみ　①95%（うに全体の場合）、②殻等
1.9	0.10	0.05	-	-	-	-	**83**	Tr	1000	(0)	3.6	22	**0.14**	**0.65**	(4.9)	0.07	5.4	98	1.32	-	**0**	8.4	
1.3	0.06	0.05	-	-	-	-	**25**	Tr	300	(0)	4.4	15	**Tr**	**0.30**	(3.5)	0.06	4.8	87	1.22	-	**0**	7.1	
1.0	2.30	0.15	-	-	-	-	**180**	180	16	(0)	2.5	(0)	**0.15**	**0.26**	4.2	0.09	6.2	49	0.50	-	**2**	1.1	③なんきょくおきあみ、冷凍品（殻つき）
0.9	1.83	0.11	-	-	-	-	**150**	150	13	(0)	2.2	(0)	**0.21**	**0.25**	(3.5)	0.07	4.0	36	0.30	-	**1**	1.6	③なんきょくおきあみ　海水でゆでた後冷凍したもの
Tr	0.06	Tr	-	-	-	-	**0**	0	0	(0)	0	(0)	**Tr**	**0.01**	0.9	0	0.2	3	0	-	**0**	0.3	
3.3	3.46	0.13	-	-	-	-	**180**	180	15	(0)	2.8	(0)	**0.26**	**0.13**	4.8	0.06	13.0	15	0.30	-	**0**	0.8	ゆでしゃこ（むきみ）

QA エチゼンクラゲって、食べられるの？▶東シナ海～日本海に生息する大型のクラゲで、食用としても利用されている。かさの直径が2m、重さ200kgにもなるビッグサイズのクラゲが、近年大量発生を繰り返して、漁業に大きな被害を与え、食用以前に、駆除対象となった。

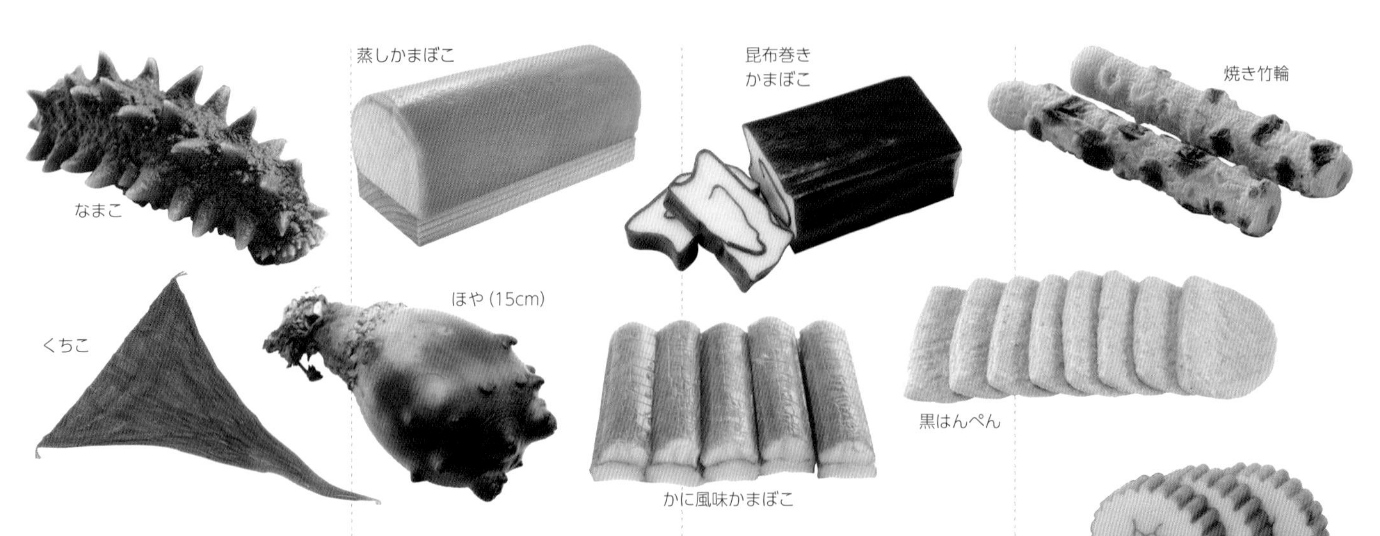

なまこ（海鼠）

Sea cucumber　中1匹＝100～200g

棘皮（きょくひ）動物ナマコ綱に属するものの総称。食用のまなまこには、青なまこと、赤なまこがある。色の黒いものを黒なまこともいう。青なまこは比較的やわらかく、赤なまこは歯ごたえがある。

種類：食用にするのは、まなまこ、おきなまこ、きんこ、じゃのめなまこ等。

調理法：酢の物等。中国料理では内臓を除いて煮てから乾燥させた“いりこ”を“海参（ハイシェン）”と呼び高級素材として煮物等に使う。

旬：12～1月。

生息地：沖縄以外の日本各地。

このわた

なまこの腸管の塩辛。卵巣を干物にしたものを、くちこ、このこ、ばち等という。

ほや（海鞘）

Sea squirt　1個＝250g

体長＝15cm。原索動物ホヤ目の総称。形がランプシェードに相当するほや（火屋、火舎）に似ているためこの名がついた。暗赤色から橙赤色の外皮は革状で厚く、多くのいぼ状突起がある。この姿から、海のパイナップルとも呼ぶ。体の下部からは海藻の根のような突起を出して岩等に付着する。宮城県、岩手県等で養殖している。独特の香りと食感がある。

種類：食用にするのはまぼや、あかぼや等。

調理法：生食、酢の物、焼きほや、天ぷら、塩辛等。生食するときは、まず下部を切って体内の水をボールにとっておく。そして二つ割りにして皮をはぎ、内側の黒い部分や透明なわたを取り除いてきれいに洗い、刺身に切る。これを、取り出した水と共に器に盛って食べる。

旬：6～8月。

生息地：日本と朝鮮の各地の沿岸。

水産練り製品

Surimi Products

水産練り製品は、魚肉の水さらし肉に食塩等を加えてすりつぶし、加熱凝固させたもの。すけとうだらをよく利用する。特有の弾力のことを“こし”、または“あし”というが、原料や製造法によって違いが出る。

調理法：そのまま食べたり、酢の物、和え物、おでん、煮物、炒め物、揚げ物等、幅広く使える。

かまぼこ

平安時代にはすでに食べられており、その形が植物の蒲の穂に似ていた。蒲の穂は鉾（ほこ）のような形だったことから、蒲と鉾→がまほこ→かまぼこと呼ばれるようになったと伝えられている。

加熱方法によって次のように分類される。

蒸す：蒸し板かまぼこ、焼き板かまぼこ（蒸し板かまぼこの表面を焼く）、す巻き等。

焼く：焼き抜きかまぼこ、焼き竹輪、笹かまぼこ、だて巻等。

揚げる：揚げかまぼこ（関東ではさつま揚げ、関西では天ぷら、鹿児島ではつけ揚げ等と呼ぶ）。

ゆでる：はんぺん、なると、つみれ、すじ等。

食品番号	食品名	廃棄率	エネルギー	2015年版の値	水分	たんぱく質	アミノ酸組成によるたんぱく質	脂質	脂肪酸のトリアシルグリセロール当量	脂肪酸 飽和	脂肪酸 一価不飽和	脂肪酸 多価不飽和	コレステロール	炭水化物	利用可能炭水化物（質量計）	食物繊維 食物繊維総量（プロスキー変法）	食物繊維 食物繊維総量（AOAC法）	ミネラル（無機質） ナトリウム	カリウム	カルシウム	マグネシウム	リン	鉄
		%	kcal	kcal	g	g	g	g	g	g	g	g	mg	g	g	g	g	mg	mg	mg	mg	mg	mg
10372	**なまこ**　生	20	**22**	23	92.2	**4.6**	3.6	**0.3**	0.1	0.04	0.04	0.05	1	**0.5**	(0.5)	-	-	680	54	**72**	160	25	**0.1**
10373	このわた	0	**54**	64	80.2	**11.4**	-	**1.8**	0.7	0.10	0.19	0.35	3	**0.5**	(0.5)	-	-	1800	330	**41**	95	170	**4.0**
10374	**ほや**　生	80	**27**	30	88.8	**5.0**	-	**0.8**	0.5	0.14	0.11	0.23	33	**0.8**	(0.7)	-	-	1300	570	**32**	41	55	**5.7**
10375	塩辛	0	**69**	72	79.7	**11.6**	-	**1.1**	0.6	0.16	0.16	0.29	34	**3.8**	-	-	-	1400	79	**14**	25	75	**3.0**
	〈水産練り製品〉																						
10376	**かに風味かまぼこ**	0	**89**	90	75.6	**12.1**	(11.3)	**0.5**	0.4	0.11	0.10	0.16	17	**9.2**	-	-	-	850	76	**120**	19	77	**0.2**
10423	**黒はんぺん**	0	**119**	125	70.4	**11.2**	9.5	**2.9**	2.0	0.68	0.69	0.52	35	**13.7**	12.9	0.9	-	560	110	**110**	17	150	**1.0**
10377	**昆布巻きかまぼこ**	0	**83**	84	76.4	**8.9**	-	**0.5**	0.3	0.20	0.04	0.06	17	**11.0**	-	-	-	950	430	**70**	39	55	**0.3**
10378	**す巻きかまぼこ**	0	**89**	90	75.8	**12.0**	(11.2)	**0.8**	0.6	0.25	0.12	0.25	19	**8.7**	-	-	-	870	85	**25**	13	60	**0.2**
10379	**蒸しかまぼこ**	0	**93**	95	74.4	**12.0**	11.2	**0.9**	0.5	0.13	0.09	0.23	15	**9.7**	-	-	-	1000	110	**25**	14	60	**0.3**
10380	**焼き抜きかまぼこ**	0	**102**	103	72.8	**16.2**	(15.1)	**1.0**	0.8	0.38	0.18	0.20	27	**7.4**	-	-	-	930	100	**25**	16	60	**0.2**
10381	**焼き竹輪**	0	**119**	121	69.9	**12.2**	(11.3)	**2.0**	1.7	0.48	0.46	0.72	25	**13.5**	-	-	-	830	95	**15**	15	110	**1.0**
10382	**だて巻**	0	**190**	196	58.8	**14.6**	-	**7.5**	6.3	1.78	2.95	1.26	180	**17.6**	-	-	-	350	110	**25**	11	120	**0.5**
10383	**つみれ**	0	**104**	113	75.4	**12.0**	-	**4.3**	2.6	0.89	0.75	0.89	40	**6.5**	-	-	-	570	180	**60**	17	120	**1.0**
10384	**なると**	0	**80**	80	77.8	**7.6**	-	**0.4**	0.3	0.15	0.03	0.08	17	**11.6**	-	-	-	800	160	**15**	11	110	**0.5**
10385	**はんぺん**	0	**93**	94	75.7	**9.9**	-	**1.0**	0.9	0.18	0.19	0.44	15	**11.4**	-	-	-	590	160	**15**	13	110	**0.5**
10386	**さつま揚げ**	0	**135**	139	67.5	**12.5**	-	**3.7**	3.0	0.51	0.85	1.49	20	**13.9**	-	-	-	730	60	**60**	14	70	**0.8**
10387	**魚肉ハム**	0	**155**	158	66.0	**13.4**	(12.0)	**6.7**	6.1	2.22	2.63	1.00	28	**11.1**	-	-	-	900	110	**45**	15	50	**1.0**
10388	**魚肉ソーセージ**	0	**158**	161	66.1	**11.5**	10.3	**7.2**	6.5	2.53	2.78	0.91	30	**12.6**	-	-	-	810	70	**100**	11	200	**1.0**

＋PLUS＋　どこからが魚のしっぽ？●魚の体は頭部、胴部、尾部の３つに区分されるが、頭部は口からえらぶたのへりまで、胴部はえらぶたのへりから肛門まで。ということで、魚のしっぽは肛門から後ろ。尾びれはしっぽの一部分なのだ。

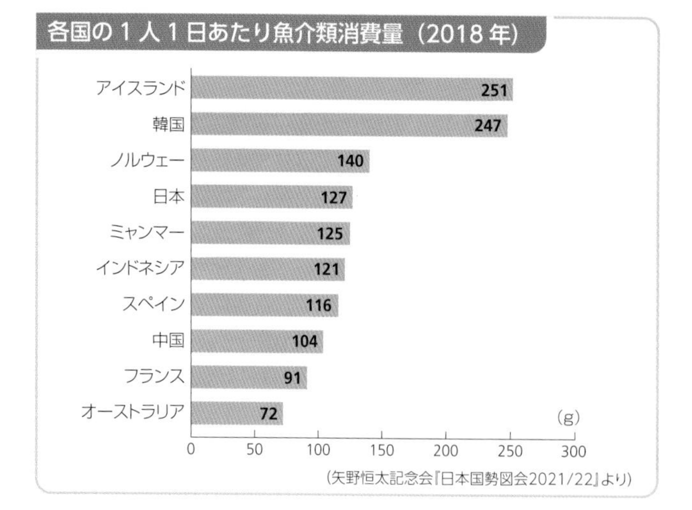

各国の1人1日あたり魚介類消費量（2018年）

（矢野恒太記念会『日本国勢図会2021/22』より）

かに風味かまぼこ（蟹風味蒲鉾）
市販通称名**かにかま**。すけとうだらのすり身をかにの脚肉状、かにつめ風、フレーク状等に成形し、かにの風味をつけて赤く着色してつくったもの。海外でも彩りのよさとヘルシーさで人気が高く輸出も多い。

黒はんぺん 1枚=15g
静岡県の焼津・清水周辺の特産品。さばやいわし等を骨ごとすりつぶすため独特のざらつきがある。水さらしをしないためにできあがりが灰色がかっているのでこの名がついた。

昆布巻きかまぼこ（昆布巻き蒲鉾）
魚のすり身を昆布で巻いた、板なし蒸しかまぼこ。富山の名産品。

す巻きかまぼこ（簀巻き蒲鉾）
円筒形に成形した魚のすり身を麦わら等で巻いた板なしの蒸しかまぼこで、表面に波形がつき、甘味が少なく弾力が強い。中国・四国地方の特産品。

蒸しかまぼこ（蒸し蒲鉾） 1本=250g
魚のすり身を蒸したもので、板にすり身を盛りつけたあとに蒸し上げたものを蒸し板かまぼこという。蒸気での加熱は江戸時代から行われ、現在ではかまぼこといえば蒸し板かまぼこが一般的。特に小田原かまぼこは有名。

焼き抜きかまぼこ（焼き抜き蒲鉾）
蒸さずにあぶり焼くだけで加熱したかまぼこ。関西地方では特に焼き通しかまぼこと呼ぶ。京阪神地方の特産品。

焼き竹輪 1本=50g
魚肉のすり身を竹や太い串に塗りつけて焼いたもの。愛知県豊橋産が有名。

だて巻（伊達巻）
白身魚のすり身に卵、調味料、だしを加えて板状に焼き、巻いたもの。

つみれ（摘入） 1個=20～30g
魚肉に調味料と卵等を加えて練ったすり身を、つみとりながら湯に入れてゆでるので、つみ入れと呼ばれたのが語源。中央がくぼんだだんご状にするのは、火の通りをよくするため。

なると（鳴門） 1切=5g
かまぼこの一種で、すり身を紅白2色にして重ね、巻いて渦巻き状に模様をつくって蒸し上げたもの。鳴門海峡の渦のような模様なのでこの名がついた。ラーメンやうどんの具としても人気がある。

はんぺん（半片） 1切=25g
さめのすり身に、すりおろしたやまいもと卵白を混ぜて、気泡をたくさん抱き込ませてゆでたもの。駿河の料理人半平（はんぺい）が創案したことからこの名がついたといわれる。

さつま揚げ（薩摩揚げ） 1個=30～50g
別名**あげはん**。すり身を油で揚げるため風味は濃厚。

魚肉ハム 1枚=25g
別名**フィッシュハム**。魚肉の塩漬や、魚肉の塩漬に食肉の塩漬や脂肪等を加えたものに調味料や結着剤等を混ぜ、ハムに似せてフィルム状のチューブに充填して加熱してつくったもの。

魚肉ソーセージ 1本=100g
別名**フィッシュソーセージ**。魚肉を主体にして、調味料・香辛料・植物油脂等を加えて練り混ぜ、フィルム状の細いチューブに充填してソーセージに似せて成形し、加熱してつくったもの。

可食部100gあたり Tr：微量 （ ）：推定値または推計値 －：未測定

ミネラル（無機質）							ビタミン															食塩相当量	備考
亜鉛	銅	マンガン	ヨウ素	セレン	クロム	モリブデン	A レチノール活性当量	A レチノール	A β-カロテン当量	D	E αトコフェロール	K	B1	B2	ナイアシン当量	B6	B12	葉酸	パントテン酸	ビオチン	C		①廃棄率 ②廃棄部位 ③試料
mg	mg	mg	µg	µg	µg	µg	µg	µg	µg	µg	mg	µg	mg	mg	mg	mg	µg	µg	mg	µg	mg	g	
0.2	0.04	0.03	78	37	2	3	Tr	0	5	(0)	0.4	(0)	0.05	0.02	0.7	0.04	2.3	4	0.71	2.6	0	1.7	②内臓等
1.4	0.10	0.44	-	-	-	-	66	60	75	(0)	0.4	23	0.20	0.50	6.5	0.13	11.0	78	2.13	-	0	4.6	内臓を塩辛にしたもの
5.3	0.19	-	-	-	-	-	Tr	Tr	0	(0)	1.2	(0)	0.01	0.13	1.3	0.02	3.8	32	0.33	-	3	3.3	③まぼや、あかぼや ②外皮及び内臓
2.5	0.10	0.08	-	-	-	-	(Tr)	Tr	(0)	(0)	1.3	(0)	0.01	0.18	2.5	0.03	5.6	13	0.07	-	(0)	3.6	
0.2	0.04	0.02	-	-	-	-	21	21	0	1.0	0.9	0	0.01	0.04	(2.5)	0.01	0.7	3	0.08	-	1	2.2	
0.6	0.07	0.05	13	30	2	2	4	4	0	4.8	0.1	Tr	Tr	0.10	4.6	0.10	4.8	3	0.25	4.2	0	1.4	
0.2	0.03	0.03	-	-	-	-	6	Tr	75	Tr	0.3	(0)	0.03	0.08	1.9	0.01	0	7	0.05	-	Tr	2.4	昆布 10%を使用したもの
0.2	0.03	0.03	-	-	-	-	(Tr)	Tr	(0)	1.0	0.3	(0)	Tr	0.01	(2.8)	0.01	0.5	2	0.06	-	(0)	2.2	
0.2	0.03	0.03	-	-	-	-	(Tr)	Tr	(0)	2.0	0.2	(0)	Tr	0.01	2.8	0.01	0.3	5	0	-	0	2.5	蒸し焼きかまぼこを含む
0.2	0.02	0.05	-	-	-	-	(Tr)	Tr	(0)	2.0	0.3	(0)	0.05	0.08	(3.8)	0.02	0.1	2	0.04	-	(0)	2.4	
0.3	0.03	0.03	-	-	-	-	(Tr)	Tr	(0)	1.0	0.4	(0)	0.05	0.08	(3.1)	0.01	0.8	4	0.04	-	(0)	2.1	
0.6	0.04	0.03	-	-	-	-	60	60	Tr	1.0	1.8	(0)	0.04	0.20	2.6	0.03	0.3	16	0.52	-	(0)	0.9	
0.6	0.06	0.06	-	-	-	-	(Tr)	Tr	(0)	5.0	0.2	(0)	0.02	0.20	6.5	0.09	2.2	3	0.15	-	(0)	1.4	
0.2	0.01	0.02	-	-	-	-	(Tr)	Tr	(0)	Tr	0.1	(0)	Tr	0.01	2.0	Tr	0.4	1	0.04	-	(0)	2.0	
0.1	0.02	0.01	-	-	-	-	(Tr)	Tr	(0)	Tr	0.4	(0)	Tr	0.01	2.4	0.07	0.4	7	0.10	-	(0)	1.5	
0.3	0.08	0.04	-	-	-	-	(Tr)	Tr	(0)	1.0	0.4	(0)	0.05	0.10	2.6	0.02	1.2	5	0.04	-	(0)	1.9	
0.7	0.06	0.11	-	-	-	-	(Tr)	Tr	(0)	1.6	0.6	(0)	0.20	0.60	(7.3)	0.05	0.4	5	0.21	-	(0)	2.3	
0.4	0.06	0.11	-	-	-	-	(Tr)	Tr	(0)	0.9	0.2	(0)	0.20	0.60	7.0	0.02	0.3	4	0.06	-	(0)	2.1	

Q A 成分表の食材名って、独特だよね？▶「日本食品標準成分表」に掲載されている食材の見出し名は、結構独特のものがある。例えば、「焼き竹輪」「蒸しかまぼこ」は、単に「竹輪」「かまぼこ」ではないかなぁと。本書のさくいんでは、別名や通称でも検索できるようにしているので、活用してください。

11 肉類 MEATS

豚肉の各種加工品

肉類とは

野生のものは古くから食用とされ、畜産の歴史も古いが、実際に日本で畜産物としての食肉需要が急激に増加したのは1960年代後半から。一般に飼育されている品種には、「純粋種」を交配・改良してつくった「交雑種」が多い。畜産物のなかでも、牛・豚はハム・ソーセージ・ベーコンなどの加工品も多く、鶏とともにもっともよく利用される。食肉の副生物（副品目）である内臓各種も、栄養価が高く安価である。

1 栄養上の特徴

肉の種類・部位・飼育条件により違いはあるが、たんぱく質・脂質・鉄分・ビタミンの供給源である。ただし、脂肪は飽和脂肪酸が多いので摂りすぎに注意。内臓には、ビタミン・ミネラルが多い。

食肉は解体直後は肉質もかたく、うま味も乏しいが、一定期間冷却しながら保存すると肉は再びやわらかくなり、保存性も増しておいしくなる。この過程を「エイジング（熟成）」という。一般的に、食肉は加熱調理するが、加熱によってたんぱく質が熱変化し、消化吸収が容易となる。

牛肉……ビタミンB群、鉄分が多い。
豚肉……ビタミンB_1が多い。
鶏肉……比較的低カロリー。ビタミンAが多い。

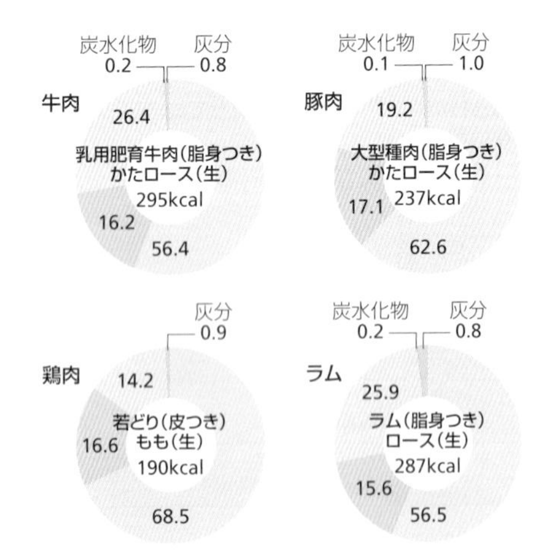

水分
たんぱく質
脂質
炭水化物
灰分※
※灰分：ミネラルの総量。
＊可食部100gあたり（%）

2 選び方・保存方法

	選び方	保存方法
牛肉	赤身はきめ細かくしまっていて、つやのある鮮紅色のものがよい。古くなると赤色が褐色に変化する。脂肪は粘りのある白色または乳白色のものがよい。古くなると肉汁がにじんでくる。 副生物のタンやレバーは、色つやがよく、色合いが鮮やかなもの。	ラップに包みチルド室で保存。5日がめやす。冷凍すれば1か月程度は保存可能。 ひき肉は翌日には食べきる。冷凍する場合は加熱してから保存する。
豚肉	淡いつやのあるピンク色で、表面脂肪以外の脂肪が少ないもの。表面脂肪は白く、つやと粘りのあるものがよく、黄色いものは鮮度が落ちる。	牛肉と同様に保存するが、冷蔵保存は3日がめやす。冷凍保存する際は小分けにすると利用しやすい。
鶏肉	肉に厚みがあり、処理後4～8時間がおいしい。毛穴が盛り上がり、肉の色が鮮やかで、皮と脂肪に透明感があるものがよい。	非常に傷みやすいため、なるべく早く使いきる。冷凍保存する場合は下ごしらえする。
ハム	淡いピンク色で香りがよいもの。賞味期限の新しいもの。	スライスしたものは開封後は密封容器で冷蔵する。一本ものは切り口をラップで包み冷蔵する。
ベーコン	赤身と脂身がきれいな層になっているもの。真空パックに空気が入っているものは鮮度が落ちている。	ラップで包みチルド室で保存。
ソーセージ	新しくて弾力のあるもの。包装袋がふくれきっているものは鮮度が落ちている。真空パックに空気が入っているものも同様。	冷蔵保存し、賞味期限内に使いきる。

3 加工と加工食品

ハム (Ham)	ベーコン (Bacon)	ソーセージ (Sausage)	コンビーフ (Corned Beef)
ハムの語源は豚のもも肉のこと。成形後に加熱・塩漬、燻煙して蒸煮（湯煮）した保存食。塩漬・発酵させ低温燻煙しただけの生ハムもある。	豚のばら肉をもともとベーコンといった。塩漬、熟成させ燻煙したもの。ハムとの違いはケーシング充填（フィルムなどで包み込むこと）と熱加工をしないこと。	牛肉、または塩漬したひき肉を原料として香辛料や調味料を加えて腸詰めにした保存食。ハムとの違いは原料にひき肉を使うこと。豚のほか、羊・馬・魚なども原料となる。	塩漬した牛肉に高温高圧をかけ、筋繊維をばらばらにし、香辛料・調味料を加えて缶詰にした保存食。原材料に牛肉と馬肉を用いたニューコンビーフもある。

塩漬（えんせき）：食塩と発色剤を原料肉に加え、冷蔵して熟成風味をつける工程のこと。塩漬け（しおづけ）と異なり、必ず発色剤を加える。
燻煙（くんえん）：桜などの木材をいぶして、煙の成分が肉表面につくことで色が赤褐色となり、保存性が高まり、風味も増す。脂質酸化も抑制される。
加熱食肉製品は60℃以上の熱燻、非加熱食肉製品は20℃以下の冷燻で行われる。

4 調理性

●生肉の赤色（ミオグロビン：肉色素）

牛肉の色は、色素を含んだ水溶性たんぱく質のミオグロビンによる。ミオグロビンは暗赤色をしているが、空気（酸素）に触れるとオキシミオグロビンに変化し、鮮赤色となる。このため、切ったばかりの肉の断面は暗赤色で、空気に触れると表面は鮮赤色となる。しかし、この鮮赤色もさらに酸化したり、加熱するとメトミオグロビンに変化し、灰褐色となる。

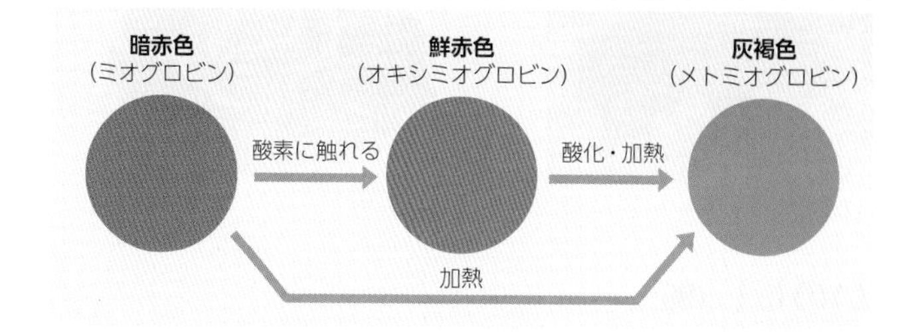

●牛肉の加熱と内部の状態

加熱温度	中心部の温度（℃）	中心部の色	状態	体積の収縮	両面焼き時間
レア	60	鮮赤色	生焼きの状態。やわらかく、肉汁が多い。	ほとんどなし	3～4分
ミディアム	65～70	淡紅色	中程度の加熱状態。淡紅色の肉汁が多く出る。	わずかに収縮	5～7分
ウェルダン	77	赤色なし。灰色	加熱が十分な状態。肉汁は少なく、かたい。	収縮が大	8～10分

●焼き肉のプラス効果

たんぱく質はその高次構造ゆえにさまざまな機能をもつ。加熱処理をすることでもたんぱく質の性質は変わり、焼き肉では肉に次のような効果がもたらされる。

- 表面から内部にかけて適度なかたさとやわらかさになる。
- 酵素作用を受けやすくなることで、消化されやすくなる。
- 有害な寄生生物や微生物が死滅する。
- 色や香りがよくなる。

●加熱牛肉の香り

加熱処理することで、揮発性成分が生成される（各種カルボニル化合物、フラン類、アルコール類など200種以上）。しかし、焼き肉の香気中に、単独で焼き肉の香りを示す成分は見いだされていない。

5 食文化その他

●国産牛＝和牛!?

JAS法では、畜産物の名称と原産地の表示が義務づけられている（国産、オーストラリア産など）。原産地は「一番長く育てられた場所」となるため、国産牛と表示されていても、日本で生まれたとは限らない。例えばオーストラリアで生まれても日本に輸入されて長い期間育てられれば国産牛となり、輸入牛の多くは「国産牛」と表示されて流通している。その他、国産牛と表示されているものにはホルスタイン種に代表される乳用牛がある。去勢された雄で成長が早く、大衆向けに広く流通している。

一方、「和牛*」は品種を示しており、原産地とは直接関係ない。オーストラリアで育てられても「オーストラリア産和牛」と表示することは可能である。

また、松阪牛や飛騨牛といった「ブランド=銘柄」表示は任意であり、すべてのブランド名が原産地や品種を示しているとは限らない（ただし、産地銘柄と原産地が異なる場合は原産地を明示しなければならない）。

なお、牛肉トレーサビリティについては、p.371参照。

*和牛：黒毛和種・褐毛和種・日本短角種・無角和種の4種（➡p.259）とこれらどうしの交配種に限定される。

●食肉のタブー

食肉のタブーは、おもに宗教的な背景によるものが多いが、地域性および歴史的背景によるものもある。最近欧米では捕鯨がタブーとされるが、近代までは灯油用の鯨油をとるために大量に捕獲していた*。また世界各地に犬食文化が存在し（➡p.283）、日本でもかつてあったとされる。何を食べ、何を食べないかはその地域や国の歴史や文化と密接に結びついており、お互いの習慣を尊重することが必要となっている**。

一方で、生活の都市化・近代化によって、タブーが緩やかになっていく傾向もある。

食肉タブーの例

動物	地域	理由
豚	イスラム社会	イスラム教
牛	ヒンドゥ社会	ヒンドゥ教
馬	イギリス・アメリカなど	食習慣による
鯨	ヨーロッパ・アメリカなど	食習慣による

*江戸末期にペリーが来航した理由の1つは、北太平洋における捕鯨船の寄港地を求めたためといわれる。日本で本格的な「鯨食文化」が生まれたのは、明治以前までの獣肉食タブーの時代に、鯨を魚と見なして貴重なたんぱく源としてきたためといわれている。

**右上のカードは、イスラム教徒たのめに「この料理には豚肉は一切使われていない」ことを証明する機内食向けのカード（Turkish Airlines）。

いのしし

ぼたん肉

いのぶた

うさぎ

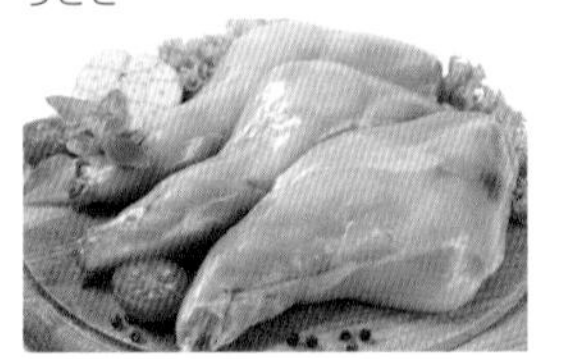
うさぎの肉

いのしし（猪）
Wild boar　1食分=100g

「ぼたん肉」とも呼ばれる。ぶたの原種で、日本では古くから食されていた記録がある。肉食禁止の時代（明治以前）にも「山くじら」と呼び名を変えて食された。北海道を除く全国の山に野生種が生息しており、狩猟が解禁となる11月15日から2月頃まで、天然物が出回る。肉の色は豚肉よりも赤みが濃く、脂身は真っ白。味は、脂肪のうま味に特徴があるため、繁殖期を迎える前の、12月中旬までにとれた雄が極上とされる。

調理法：みそ仕立ての「ぼたん鍋」が有名。ごぼうやせり等の香りの強い野菜を加えることで、野生種の肉特有の臭みがなくなる。また、煮込むほどにやわらかくなるため、煮込み料理にも適する。

いのぶた（猪豚）
Inobuta　1食分=100g

雌のぶた（黒豚）と雄のいのししとの交雑種。天然のいのししよりも、肉の色が淡くやわらかで、臭みも少ない。また、豚肉より肉の甘味とうま味が強い。

栄養成分：いのししと比べ、ビタミンA・B_1・Dが豊富。特にビタミンAとDは豚肉にも勝る。

調理法：いのしし肉の代用として、ぼたん鍋のほか、脂肪交雑（霜降り）が入るのでステーキ等にも。

産地：静岡、京都、兵庫等。

うさぎ（兎）
Rabbit

食用は飼育された「家うさぎ」がほとんど。日本ではなじみが薄いが、ヨーロッパでは良質のたんぱく質と低脂肪で人気が高い。肉質、味ともに鶏肉に似ている。色は鶏肉よりも白く、粘性が強い。

栄養成分：カリウムがほかの肉類より多い。

調理法：鶏肉と同様の料理のほか、粘性を利用して、テリーヌやハム、ソーセージのつなぎとして利用される。

うし（牛）
Beef　1食分=100g

現在は普通に食べられているが、肉食禁止の影響もあり、日本で牛肉が本格的に普及したのは、第二次世界大戦後のこと。

種類と品種：食品成分表では、食用牛肉を「和牛肉」「乳用肥育牛肉」「交雑牛肉」「輸入牛肉」「子牛肉」に分けて表示。

栄養成分：肉はすべて重要なたんぱく質源であるが、なかでも牛肉は必須アミノ酸をバランスよく含んでいる。また、豚肉や鶏肉に比べ、鉄分（体内に吸収されやすいヘム鉄）が多いのが特徴。

選び方：肉にしまりがあり、きめが

食品番号	食品名	廃棄率 %	エネルギー kcal	2015年版の値 kcal	水分 g	たんぱく質 g	アミノ酸組成によるたんぱく質 g	脂質 g	脂肪酸のトリアシルグリセロール当量 g	脂肪酸 飽和 g	脂肪酸 一価不飽和 g	脂肪酸 多価不飽和 g	コレステロール mg	炭水化物 g	利用可能炭水化物（質量計） g	食物繊維 食物繊維総量（プロスキー変法） g	食物繊維 食物繊維総量（AOAC法） g	ミネラル（無機質） ナトリウム mg	カリウム mg	カルシウム mg	マグネシウム mg	リン mg	鉄 mg
	〈畜肉類〉																						
11001	**いのしし** 肉 脂身つき 生	0	**249**	268	60.1	**18.8**	(16.7)	**19.8**	18.6	5.83	9.37	2.55	86	**0.5**	(0.5)	-	-	45	270	**4**	20	170	**2.5**
11002	**いのぶた** 肉 脂身つき 生	0	**275**	304	56.7	**18.1**	(16.1)	**24.1**	23.2	9.23	10.15	2.81	66	**0.3**	(0.3)	-	-	50	280	**4**	19	150	**0.8**
11003	**うさぎ** 肉 赤肉 生	0	**131**	146	72.2	**20.5**	18.0	**6.3**	4.7	1.92	1.29	1.29	63	**Tr**	(Tr)	-	-	35	400	**5**	27	300	**1.3**
	うし																						
	[和牛肉]																						
11004	**かた** 脂身つき 生	0	**258**	286	58.8	**17.7**	-	**22.3**	20.6	7.12	11.93	0.66	72	**0.3**	(0.3)	-	-	47	280	**4**	19	150	**0.9**
11005	皮下脂肪なし 生	0	**239**	265	60.7	**18.3**	-	**19.8**	18.3	6.35	10.51	0.61	71	**0.3**	(0.3)	-	-	48	290	**4**	19	160	**0.8**
11006	赤肉 生	0	**183**	201	66.3	**20.2**	-	**12.2**	11.2	4.01	6.22	0.44	66	**0.3**	(0.3)	-	-	52	320	**4**	21	170	**2.7**
11007	脂身 生	0	**692**	751	17.8	**4.0**	-	**78.0**	72.8	24.27	43.38	1.89	110	**0**	0	-	-	19	81	**2**	4	35	**0.6**
11008	**かたロース** 脂身つき 生	0	**380**	411	47.9	**13.8**	(11.8)	**37.4**	(35.0)	(12.19)	(20.16)	(1.06)	89	**0.2**	(0.2)	-	-	42	210	**3**	14	120	**0.7**
11009	皮下脂肪なし 生	0	**373**	403	48.6	**14.0**	(11.9)	**36.5**	(34.1)	(11.88)	(19.68)	(1.04)	88	**0.2**	(0.2)	-	-	42	210	**3**	14	120	**0.7**
11010	赤肉 生	0	**293**	316	56.4	**16.5**	(13.9)	**26.1**	24.4	8.28	14.17	0.83	84	**0.2**	(0.2)	-	-	49	240	**3**	16	140	**2.4**
11011	**リブロース** 脂身つき 生	0	**514**	573	34.5	**9.7**	8.4	**56.5**	53.4	19.81	29.80	1.39	86	**0.1**	(0.1)	-	-	39	150	**2**	10	84	**1.2**
11249	ゆで	0	**539**	601	29.2	**12.6**	11.3	**58.2**	54.8	20.33	30.66	1.40	92	**0.1**	(0.1)	-	-	20	75	**2**	8	62	**1.4**
11248	焼き	0	**541**	597	27.7	**14.6**	12.9	**56.8**	54.3	20.33	30.24	1.33	95	**0.2**	(0.2)	-	-	50	200	**3**	13	110	**1.6**
11012	皮下脂肪なし 生	0	**502**	556	36.1	**10.3**	9.4	**54.4**	51.5	19.18	28.71	1.33	85	**0.1**	(0.1)	-	-	41	160	**3**	10	88	**1.3**
11013	赤肉 生	0	**395**	436	47.2	**14.0**	12.1	**40.0**	38.5	14.75	21.04	0.97	76	**0.2**	(0.2)	-	-	53	210	**3**	14	120	**1.7**
11014	脂身 生	0	**674**	752	17.7	**4.2**	4.6	**78.0**	72.9	26.44	41.28	1.93	100	**0**	0	-	-	20	69	**2**	4	39	**0.6**
11015	**サーロイン** 脂身つき 生	0	**460**	498	40.0	**11.7**	(10.2)	**47.5**	(44.4)	(16.29)	(25.05)	(1.12)	86	**0.3**	(0.3)	-	-	32	180	**3**	12	100	**0.9**
11016	皮下脂肪なし 生	0	**422**	456	43.7	**12.9**	11.4	**42.5**	(39.8)	(14.64)	(22.34)	(1.00)	83	**0.3**	(0.3)	-	-	34	200	**3**	13	110	**0.8**
11017	赤肉 生	0	**294**	317	55.9	**17.1**	(14.5)	**25.8**	24.1	9.14	13.29	0.62	72	**0.4**	(0.4)	-	-	42	260	**4**	18	150	**2.0**
11018	**ばら** 脂身つき 生	0	**472**	517	38.4	**11.0**	(9.6)	**50.0**	45.6	15.54	26.89	1.12	98	**0.1**	(0.1)	-	-	44	160	**4**	10	87	**1.4**
11019	**もも** 脂身つき 生	0	**235**	259	61.2	**19.2**	(16.2)	**18.7**	16.8	6.01	9.51	0.54	75	**0.5**	(0.5)	-	-	45	320	**4**	22	160	**2.5**
11020	皮下脂肪なし 生	0	**212**	233	63.4	**20.2**	17.4	**15.5**	13.9	5.34	7.49	0.40	73	**0.6**	(0.5)	-	-	47	330	**4**	23	170	**2.7**
11251	ゆで	0	**302**	328	50.1	**25.7**	23.1	**23.3**	20.9	7.89	11.34	0.69	110	**0.2**	(0.2)	-	-	23	120	**4**	15	120	**3.4**
11250	焼き	0	**300**	333	49.5	**27.7**	23.9	**22.7**	20.5	7.64	11.28	0.67	100	**0.5**	(0.5)	-	-	50	350	**5**	25	190	**3.8**
11021	赤肉 生	0	**176**	193	67.0	**21.3**	(17.9)	**10.7**	9.7	3.53	5.31	0.39	70	**0.6**	(0.5)	-	-	48	350	**4**	24	180	**2.8**
11022	脂身 生	0	**664**	728	20.3	**4.4**	(4.1)	**75.4**	69.2	24.22	40.31	1.58	110	**0**	0	-	-	24	99	**2**	5	44	**0.8**

+PLUS+ **うさぎは鳥？**●うさぎは、1羽･2羽と鳥と同様の数え方をする。この由来には諸説あるが、仏教で四足の動物を食べることが禁じられていた時代に、大きく長い耳を鳥の羽に見たてて「鳥」として扱って食に供することで、たんぱく源の補給をしたためと考えられている。

黒毛和種（くろげわしゅ）
もともとは明治時代に在来種と多くの外国種が交配されてできた役肉兼用種。おもに九州・東北・中国地方で飼育される。もっとも肉質がすぐれ、極上の霜降り肉ができる。和牛の9割以上を占める。

褐毛和種（あかげわしゅ）
熊本と高知で在来種にシンメンタール種を交配させ、改良を重ねて肥後のあか牛と土佐のあか牛をつくりあげたが、それを1944（昭和19）年に一括して「褐毛和種」と命名し、日本固有の肉用種に認定したもの。

日本短角種（にほんたんかくしゅ）
東北の在来種に外国種が交配されてできた。色は褐色である。肉質的にはやや劣るが、発育が早く放牧に適する。東北や北海道がおもな産地。

外国種（ヘレフォード）
昭和40年代に4千頭以上も輸入されたイギリス・ヘレフォード州原産の外国種。アメリカ、アルゼンチンでの飼育が多い。

細かいもの。肉色が鮮やかなものがよい。解凍の過程で肉汁（ドリップ）が出ると、味が格段に下がるので注意が必要。冷凍肉は低温でゆっくり解凍する。

流通：牛肉は食肉加工された直後はかたく、食用に適さない。これをエイジング（一定期間低温貯蔵し熟成させること。牛の場合は1～2週間）したものが店に並ぶ。パックされた牛肉は、原産地、部位を表示する義務がある。輸入牛肉に対しても原産国名を表示するように定められている。

和牛肉
日本で食肉専用に改良された牛で「黒毛和種」「褐毛和種」「日本短角種」「無角和種」の4種類があるが、そのうちの9割以上が黒毛和種。松坂牛（三重）、近江牛（滋賀）、常陸牛（茨城）、米沢牛（山形）、神戸牛（兵庫）などが有名。上記のような銘柄牛は、肥育方法が違うだけで、特別な品種が存在するわけではない。また、その地で生まれたという意味でもない。筋繊維の細い肉の間に脂肪が細かく沈着（霜降り）し、牛肉の中でもっとも肉質がすぐれていると評される。

牛の種類と品種

牛
- 乳用牛 ── 乳用種（ホルスタイン、ジャージーなど）（➡p.289）
- 肉用牛
  - 肉専用和種
    - 黒毛和種
    - 褐毛和種
    - 日本短角種
    - 無角和種
  - 乳用種（去勢した雄　ホルスタインなど）
  - 交雑種（おもにホルスタインと和種の交配による）
  - 外国種（ヘレフォード、シャロレーなど）

乳用肥育牛肉
「国産牛」と表示されて売られる一般的な牛肉。ホルスタイン種の雄を20か月程度肥育したものがほとんど。脂肪が少なく赤身の多い肉質。乳の出なくなった雌も食用になる。

可食部100gあたり　Tr：微量　（ ）：推定値または推計値　－：未測定

ミネラル（無機質）							ビタミン															食塩相当量	備考
亜鉛	銅	マンガン	ヨウ素	セレン	クロム	モリブデン	A レチノール活性当量	レチノール	β-カロテン当量	D	E αトコフェロール	K	B1	B2	ナイアシン当量	B6	B12	葉酸	パントテン酸	ビオチン	C		①試料　②皮下脂肪及び筋間脂肪を除いたもの　③皮下脂肪及び筋間脂肪　④ビタミンC：酸化防止用として添加された食品を含む
mg	mg	mg	µg	µg	µg	µg	µg	µg	µg	µg	mg	µg	mg	mg	mg	mg	µg	µg	mg	µg	mg	g	
3.2	0.12	0.01	0	11	Tr	1	4	4	Tr	0.4	0.5	1	0.24	0.29	(9.0)	0.35	1.7	1	1.02	5.0	1	0.1	
1.8	0.06	0.01	-	-	-	-	11	11	(0)	1.1	0.4	3	0.62	0.16	(9.9)	0.48	0.7	Tr	1.23	-	1	0.1	
1.0	0.05	0.01	-	-	-	-	3	3	Tr	0	0.5	1	0.10	0.19	12.0	0.53	5.6	7	0.74	-	1	0.1	①家うさぎ
																							①黒毛和種（去勢）
4.9	0.07	0	-	-	-	-	Tr	Tr	Tr	0	0.4	7	0.08	0.21	7.3	0.32	1.5	6	1.00	-	1	0.1	皮下脂肪 4.3%、筋間脂肪 11.0%
5.1	0.08	0	-	-	-	-	Tr	Tr	Tr	0	0.4	6	0.08	0.22	7.6	0.33	1.6	6	1.04	-	1	0.1	筋間脂肪 11.5%
5.7	0.09	0	-	-	-	-	0	0	Tr	0	0.3	4	0.09	0.24	8.3	0.37	1.7	7	1.14	-	1	0.1	②
0.4	0.02	0	-	-	-	-	3	3	(0)	0	0.9	23	0.02	0.03	1.7	0.06	0.5	1	0.24	-	0	0	③
4.6	0.06	0.01	-	-	-	-	3	3	1	0	0.5	8	0.06	0.17	(5.9)	0.18	1.1	6	0.90	-	1	0.1	皮下脂肪 1.8%、筋間脂肪 17.0%
4.6	0.06	0.01	-	-	-	-	3	3	1	0	0.5	8	0.06	0.17	(6.1)	0.18	1.1	6	0.91	-	1	0.1	筋間脂肪 17.4%
5.6	0.07	0.01	-	-	-	-	3	3	Tr	0	0.4	7	0.07	0.21	(7.1)	0.21	1.2	7	1.07	-	1	0.1	②
2.6	0.03	0	1	8	0	1	11	10	3	0	0.6	8	0.04	0.09	4.2	0.15	1.1	3	0.35	1.1	1	0.1	皮下脂肪 8.8%、筋間脂肪 34.6%
3.2	0.03	0	1	9	0	Tr	8	8	3	0	0.7	8	0.03	0.08	3.9	0.13	1.2	3	0.20	1.2	0	0.1	
3.6	0.04	0	1	11	Tr	1	8	7	3	0	0.7	9	0.05	0.12	5.6	0.19	1.7	5	0.49	1.5	1	0.1	
2.8	0.03	0	1	8	0	1	10	10	3	0	0.6	8	0.04	0.09	4.5	0.16	1.2	4	0.37	1.1	1	0.1	筋間脂肪 37.9%
3.9	0.04	0	1	11	0	1	7	6	2	0	0.4	7	0.05	0.13	6.3	0.23	1.5	5	0.50	1.4	1	0.1	②
0.9	0.01	0	Tr	4	1	Tr	16	15	4	0	0.9	10	0.02	0.03	1.6	0.05	0.7	2	0.15	0.7	Tr	0.1	③
2.8	0.05	0	-	-	-	-	3	3	1	0	0.6	10	0.05	0.12	(5.8)	0.23	1.1	5	0.66	-	1	0.1	皮下脂肪 11.5%、筋間脂肪 24.5%
3.1	0.05	0	-	-	-	-	3	3	1	0	0.5	9	0.05	0.13	6.5	0.26	1.1	6	0.72	-	1	0.1	筋間脂肪 27.7%
4.2	0.07	0	-	-	-	-	2	2	Tr	0	0.4	7	0.07	0.17	(8.7)	0.35	1.4	8	0.93	-	1	0.1	②
3.0	0.09	0	-	-	-	-	3	3	Tr	0	0.6	16	0.04	0.11	(5.2)	0.16	1.2	2	0.74	-	1	0.1	
4.0	0.07	0.01	-	-	-	-	Tr	Tr	0	0	0.3	6	0.09	0.20	(9.6)	0.34	1.2	8	1.09	-	1	0.1	皮下脂肪 5.6%、筋間脂肪 6.8%
4.3	0.08	0.01	1	14	Tr	Tr	0	0	0	0	0.2	5	0.09	0.21	10.0	0.36	1.2	9	1.14	2.1	1	0.1	筋間脂肪 7.2%
6.4	0.10	0	Tr	19	1	1	0	0	0	0	0.4	11	0.05	0.19	9.0	0.23	1.3	6	0.89	2.5	0	0.1	
6.3	0.10	0	Tr	19	1	1	0	0	0	0	0.4	10	0.09	0.24	12.0	0.35	1.9	7	1.18	2.9	1	0.1	
4.5	0.08	0.01	-	-	-	-	0	0	0	0	0.2	4	0.10	0.22	(11.0)	0.38	1.3	9	1.19	-	1	0.1	②
0.6	0.02	0	-	-	-	-	3	3	0	0	0.7	24	0.02	0.02	(1.7)	0.07	0.4	1	0.35	-	1	0.1	③

QA 日本人はいつ頃から牛肉を食べていたの？▶飛鳥時代、仏教の浸透とともに、牛、馬などの殺生や、牛肉などを食べることが禁じられた。それにともない長い間、牛肉を食べる習慣はなかった。しかし、明治時代に西洋文化とともに牛肉を食べる文化も広まり、「牛鍋」が一大ブームとなった。その後、日本の本格的な肉食文化が始まった。

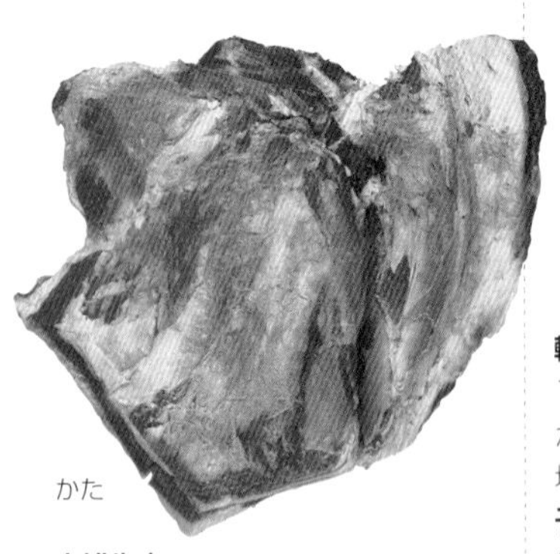
かた

交雑牛肉
乳用種の雌と和牛の雄を交配して肥育した国産牛肉で、ほとんどがホルスタイン種の雌と黒毛和牛種の雄の交雑種。F1牛(一代雑種牛)とも呼ばれる。和種の肉質の良さとホルスタインの成長の良さを兼ね備え、純粋種に比べて病気に対する抵抗力が強く、全国で飼育されている。肉質は赤身が多くやわらかい。

かたロース(和牛)

輸入牛肉
1991年に輸入が解禁されて、海外からの輸入牛肉は急増し、現在は市場の半分以上を占めている。

子牛肉
生後10か月未満の幼齢牛。生後6か月未満の牛は特にビール(veal)と呼ばれる。フランス料理では日常的に用いられるが、日本ではまだあまり流通していない。

牛肉の各部位

牛肉の部位は、食肉小売品質基準(農林水産省制定)によって以下の9つに分けられる。かた、かたロース、リブロース、サーロイン、ばら、もも、そともも、ランプ、ヒレに分類。その他はすね肉、ネック等。精肉部分(食肉部位)は体重の約4割。

かたロース

かた(肩) 厚切り1枚=100g
前足のつけ根にある肩甲骨の外側にある筋肉。関西では「うで」とも呼ばれる。そとももと同様、よく運動する部位のため、筋や筋膜が多く、肉質はややかたい。

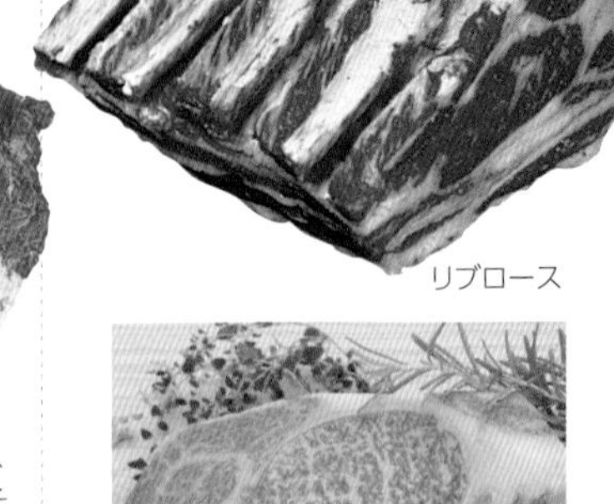
リブロース

リブロース(和牛)

調理法：薄切り肉はすき焼きやしゃぶしゃぶ。ゼラチン質も多いので、角切り肉では長時間煮込むカレーやシチュー等。

食品番号	食品名	廃棄率	エネルギー	2015年版の値	水分	たんぱく質	アミノ酸組成によるたんぱく質	脂質	脂肪酸のトリアシルグリセロール当量	脂肪酸 飽和	脂肪酸 一価不飽和	脂肪酸 多価不飽和	コレステロール	炭水化物	利用可能炭水化物(質量計)	食物繊維 食物繊維総量(プロスキー変法)	食物繊維 食物繊維総量(AOAC法)	ミネラル(無機質) ナトリウム	カリウム	カルシウム	マグネシウム	リン	鉄
		%	kcal	kcal	g	g	g	g	g	g	g	g	mg	g	g	g	g	mg	mg	mg	mg	mg	mg
11023	**そともも** 脂身つき 生	0	244	265	60.8	17.8	(15.5)	20.0	(18.2)	(6.29)	(10.59)	(0.51)	68	0.5	(0.5)	-	-	46	310	3	20	170	1.1
11024	皮下脂肪なし 生	0	219	237	63.3	18.7	(16.2)	16.6	(15.1)	(5.19)	(8.77)	(0.44)	66	0.5	(0.5)	-	-	47	320	3	21	180	1.0
11025	赤肉 生	0	159	172	69.0	20.7	(17.9)	8.7	7.8	2.63	4.53	0.29	59	0.6	(0.5)	-	-	50	360	3	23	200	2.4
11026	**ランプ** 脂身つき 生	0	319	347	53.8	15.1	(13.2)	29.9	(27.5)	(9.71)	(15.78)	(0.76)	81	0.4	(0.4)	-	-	40	260	3	17	150	1.4
11027	皮下脂肪なし 生	0	293	318	56.3	16.0	(14.0)	26.4	(24.3)	(8.59)	(13.89)	(0.70)	78	0.4	(0.4)	-	-	42	270	3	18	150	1.3
11028	赤肉 生	0	196	211	65.7	19.2	(16.6)	13.6	12.5	4.51	6.98	0.47	69	0.5	(0.5)	-	-	47	320	3	22	180	2.9
11029	**ヒレ** 赤肉 生	0	207	223	64.6	19.1	(16.6)	15.0	13.8	5.79	6.90	0.49	66	0.3	(0.3)	-	-	40	340	3	22	180	2.5
	[乳用肥育牛肉]																						
11030	**かた** 脂身つき 生	0	231	260	62.0	17.1	-	19.8	18.0	7.23	9.10	0.83	66	0.3	(0.3)	-	-	59	290	4	18	160	2.1
11309	ゆで	0	298	312	54.9	20.8	-	23.8	-	-	-	-	75	0.1	(0.1)	-	-	22	88	3	12	89	2.3
11310	焼き	0	322	338	50.3	23.0	-	25.5	-	-	-	-	77	0.2	(0.1)	-	-	67	290	4	20	170	2.8
11031	皮下脂肪なし 生	0	193	217	65.9	17.9	-	14.9	13.4	5.39	6.78	0.67	60	0.4	(0.2)	-	-	59	310	4	20	170	0.9
11032	赤肉 生	0	138	150	71.7	20.4	17.4	6.7	5.7	2.20	2.90	0.39	57	0.2	(0.1)	-	-	69	340	4	22	190	2.5
11301	ゆで	0	174	189	63.2	27.9	24.5	7.1	6.0	2.14	3.21	0.38	77	1.0	(0.9)	-	-	43	220	4	19	160	3.4
11302	焼き	0	175	190	63.4	26.9	23.6	7.7	6.7	2.48	3.45	0.45	71	0.8	(0.7)	-	-	71	380	4	25	220	3.1
11033	脂身 生	0	650	709	21.9	4.5	-	73.3	67.7	27.48	34.60	2.59	110	0	0	-	-	21	84	2	5	44	0.7
11034	**かたロース** 脂身つき 生	0	295	318	56.4	16.2	(13.7)	26.4	(24.7)	(10.28)	(12.31)	(1.00)	71	0.2	(0.2)	-	-	50	260	4	16	140	0.9
11035	皮下脂肪なし 生	0	285	308	57.3	16.5	(13.9)	25.2	(23.5)	(9.78)	(11.75)	(0.96)	70	0.2	(0.2)	-	-	51	270	4	17	140	0.9
11036	赤肉 生	0	196	212	65.9	19.1	(16.1)	13.9	12.7	5.10	6.42	0.59	67	0.2	(0.2)	-	-	57	310	4	19	160	2.4
11037	**リブロース** 脂身つき 生	0	380	409	47.9	14.1	12.5	37.1	35.0	15.10	16.99	1.32	81	0.2	(0.2)	-	-	40	230	4	14	120	1.0
11039	ゆで	0	428	478	39.1	17.2	16.8	43.0	40.0	17.08	19.60	1.52	100	0.3	(0.3)	-	-	26	130	5	12	96	1.2
11038	焼き	0	457	511	33.4	20.4	18.9	45.0	42.3	18.21	20.51	1.68	110	0.3	(0.3)	-	-	53	290	4	18	160	1.4
11040	皮下脂肪なし 生	0	351	378	50.7	15.0	(13.0)	33.4	31.4	13.60	15.21	1.20	81	0.2	(0.2)	-	-	42	240	4	15	130	0.9
11041	赤肉 生	0	230	248	62.2	18.8	16.2	17.8	16.4	7.27	7.72	0.67	78	0.3	(0.3)	-	-	51	300	4	19	160	2.1
11042	脂身 生	0	703	773	15.6	3.7	3.2	80.5	76.7	32.71	37.81	2.78	89	0	0	-	-	18	72	3	4	37	0.6
11043	**サーロイン** 脂身つき 生	0	313	334	54.4	16.5	(14.0)	27.9	(26.7)	(11.36)	(13.10)	(1.01)	69	0.4	(0.4)	-	-	48	270	4	16	150	1.0
11044	皮下脂肪なし 生	0	253	270	60.0	18.4	16.0	20.2	(19.3)	(8.23)	(9.48)	(0.75)	66	0.5	(0.5)	-	-	53	300	4	17	170	0.8
11045	赤肉 生	0	167	177	68.2	21.1	(18.0)	9.1	8.8	3.73	4.27	0.38	62	0.6	(0.5)	-	-	60	340	4	20	190	2.1
11046	**ばら** 脂身つき 生	0	381	426	47.4	12.8	11.1	39.4	37.3	12.79	21.87	0.99	79	0.3	(0.2)	-	-	56	190	3	12	110	1.4
11252	焼き	0	451	484	38.7	15.9	13.8	44.2	41.7	14.56	24.16	1.17	88	0.3	(0.2)	-	-	60	220	3	14	120	1.8
11047	**もも** 脂身つき 生	0	196	209	65.8	19.5	(16.0)	13.3	12.6	5.11	6.39	0.56	69	0.4	(0.4)	-	-	49	330	4	22	180	1.4
11048	皮下脂肪なし 生	0	169	181	68.2	20.5	17.1	9.9	9.2	3.68	4.67	0.45	67	0.4	(0.4)	-	-	50	340	4	23	190	1.3
11050	ゆで	0	235	252	56.4	28.4	25.0	13.8	12.8	5.07	6.58	0.56	94	0.6	(0.5)	-	-	35	220	5	20	160	1.7
11049	焼き	0	227	245	56.9	28.0	23.4	13.2	12.0	4.84	6.15	0.47	87	0.6	(0.5)	-	-	65	430	5	28	230	1.7
11051	赤肉 生	0	130	140	71.7	21.9	(17.9)	4.9	4.2	1.56	2.13	0.29	65	0.4	(0.4)	-	-	52	360	4	24	200	2.7
11052	脂身 生	0	594	626	30.2	5.1	(4.8)	64.1	63.8	26.54	32.16	2.25	92	0.2	(0.2)	-	-	30	140	2	7	56	1.1

+PLUS+ **一度で二度おいしい**●ロースとヒレ肉をせき柱ごとカットすると、断面の骨の形がTの字になるため、Tボーンステーキと呼ばれる。豪快なイメージと2種類の肉を楽しめるので人気があったが、BSE(牛海綿状脳症)の影響で2001年10月に食用禁止とされた。しかし2013年2月からふたたび食用可能となり、人気も復活した。

「脂身つき」「皮下脂肪なし」「赤肉」はどう違う？

食品成分表では同じ部位を「脂身つき」、「皮下脂肪なし」、「赤肉」に分けて表示している。

「脂身つき」の場合、皮下脂肪が厚いものは、市販品に準じて皮下脂肪の厚さを5mmにした肉（皮下脂肪＋筋間脂肪）の成分値を求めた。また、もともとの皮下脂肪の厚さが5mm以下の場合は、その厚さにした。

「皮下脂肪なし」は、皮下脂肪を完全に除去しているが、筋間脂肪を含む肉のこと。

「赤肉」は、皮下脂肪と筋間脂肪を除去した肉のこと。

注）筋間脂肪とは肉の内側にある脂肪のこと。

牛の部位

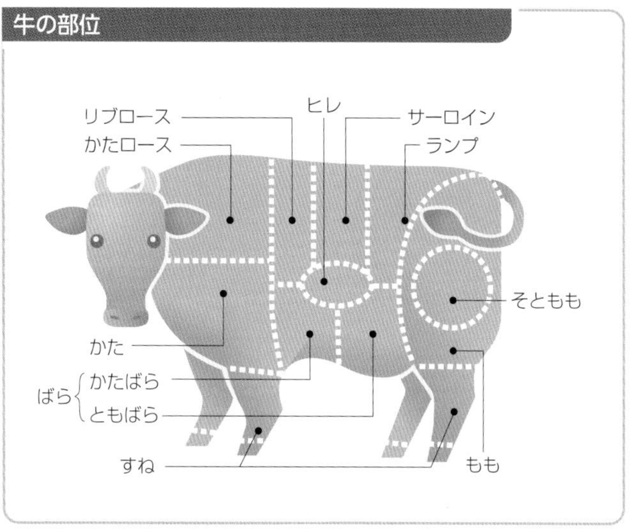

可食部100gあたり　Tr：微量　（ ）：推定値または推計値　－：未測定

ミネラル（無機質）							ビタミン																食塩相当量	備考
亜鉛	銅	マンガン	ヨウ素	セレン	クロム	モリブデン	A レチノール活性当量	A レチノール	A β-カロテン当量	D	E αトコフェロール	K	B_1	B_2	ナイアシン当量	B_6	B_{12}	葉酸	パントテン酸	ビオチン	C		①試料 ②皮下脂肪及び筋間脂肪を除いたもの ③皮下脂肪及び筋間脂肪 ④ビタミンC：酸化防止用として添加された食品を含む
mg	mg	mg	µg	µg	µg	µg	µg	µg	µg	µg	mg	µg	mg	mg	mg	mg	µg	µg	mg	µg	mg	g	
3.7	0.07	0	-	-	-	-	**1**	1	0	0	0.3	8	**0.08**	**0.18**	(9.4)	0.39	1.1	5	0.89	-	**1**	0.1	皮下脂肪 6.0%、筋間脂肪 11.4%
3.9	0.08	0	-	-	-	-	**Tr**	Tr	0	0	0.2	7	**0.08**	**0.19**	(9.9)	0.41	1.1	5	0.92	-	**1**	0.1	筋間脂肪 12.2%
4.3	0.09	0	-	-	-	-	**0**	0	Tr	0	0.2	5	**0.09**	**0.22**	(11.0)	0.46	1.2	6	1.00	-	**1**	0.1	②
3.8	0.08	0	-	-	-	-	**2**	2	0	0	0.5	10	**0.08**	**0.19**	(7.3)	0.33	1.2	7	1.22	-	**1**	0.1	皮下脂肪 7.4%、筋間脂肪 19.8%
4.0	0.08	0	-	-	-	-	**2**	2	0	0	0.4	9	**0.09**	**0.20**	(7.7)	0.35	1.3	8	1.29	-	**1**	0.1	筋間脂肪 21.4%
4.9	0.10	0	-	-	-	-	**1**	1	Tr	0	0.4	5	**0.10**	**0.25**	(9.5)	0.42	1.6	9	1.54	-	**1**	0.1	②
4.2	0.09	0.01	-	-	-	-	**1**	1	Tr	0	0.4	4	**0.09**	**0.24**	(8.4)	0.37	1.6	8	1.28	-	**1**	0.1	
																							①ホルスタイン種（去勢、肥育牛）
4.5	0.07	0.01	Tr	14	0	1	**5**	5	1	0	0.4	9	**0.08**	**0.20**	6.7	0.33	2.8	6	1.00	1.7	**1**	0.2	皮下脂肪 7.9%、筋間脂肪 12.2%
5.5	0.08	0	0	15	0	0	**1**	Tr	1	0	0.5	12	**0.05**	**0.16**	5.2	0.22	3.1	3	0.56	2.1	**0**	0.1	
5.8	0.10	0	1	15	0	0	**0**	0	1	0	0.5	13	**Tr**	**0.01**	9.9	0.05	4.0	50	0.40	2.6	**0**	0.1	
4.5	0.09	Tr	-	-	-	-	**4**	4	0	0	0.4	6	**0.09**	**0.21**	7.3	0.34	2.3	7	1.15	-	**1**	0.1	筋間脂肪 13.1%
5.5	0.08	0.01	1	17	0	1	**3**	3	1	0	0.3	5	**0.10**	**0.24**	8.9	0.40	3.4	8	1.16	2.2	**1**	0.2	②
7.2	0.12	0.01	1	25	0	Tr	**1**	1	-	0.1	0.5	8	**0.08**	**0.26**	11.0	0.34	2.9	9	0.82	2.9	**1**	0.1	②
6.3	0.10	0.01	1	23	0	1	**1**	1	-	0.1	0.5	8	**0.12**	**0.30**	12.0	0.48	3.3	11	1.27	2.8	**1**	0.2	②
0.5	0.02	0.01	-	-	-	-	**17**	17	(0)	0	0.8	23	**0.02**	**0.03**	2.1	0.08	0.5	1	0.42	-	**1**	0.1	③
4.7	0.06	0.01	-	-	-	-	**7**	7	3	0.1	0.5	8	**0.06**	**0.17**	(6.7)	0.21	1.7	7	0.84	-	**1**	0.1	皮下脂肪 2.2%、筋間脂肪 16.6%
4.8	0.07	0.01	-	-	-	-	**7**	7	3	0.1	0.5	8	**0.06**	**0.17**	(6.9)	0.22	1.7	7	0.85	-	**1**	0.1	筋間脂肪 16.9%
5.7	0.08	0.01	-	-	-	-	**5**	5	Tr	0.1	0.5	6	**0.07**	**0.20**	(7.9)	0.25	2.0	8	0.97	-	**1**	0.1	②
3.7	0.05	0.01	Tr	10	2	Tr	**13**	12	8	0.1	0.5	10	**0.05**	**0.12**	6.6	0.22	1.0	6	0.64	1.1	**1**	0.1	皮下脂肪 7.7%、筋間脂肪 23.1%
4.9	0.04	0	Tr	13	2	Tr	**14**	13	9	0.1	0.4	12	**0.04**	**0.11**	6.9	0.17	1.0	7	0.38	1.3	**0**	0.1	
5.3	0.06	0.01	1	15	4	Tr	**14**	13	10	0.1	0.6	12	**0.07**	**0.17**	9.3	0.25	1.4	10	0.58	1.7	**1**	0.1	
4.0	0.05	0.01	Tr	11	2	0	**12**	12	7	0.1	0.4	9	**0.05**	**0.13**	(7.1)	0.23	1.1	6	0.67	1.1	**1**	0.1	筋間脂肪 24.9%
5.2	0.06	0.01	Tr	14	2	Tr	**10**	10	4	0.2	0.3	7	**0.06**	**0.17**	9.0	0.29	1.3	8	0.81	1.1	**2**	0.1	②
0.5	0.02	0.01	0	2	1	0	**18**	17	15	0	0.8	17	**0.02**	**0.02**	1.6	0.05	0.4	1	0.26	0.9	**1**	0	③
2.9	0.06	Tr	-	-	-	-	**8**	8	4	0	0.4	7	**0.06**	**0.10**	(8.4)	0.38	0.8	6	0.66	-	**1**	0.1	皮下脂肪 12.7%、筋間脂肪 13.7%
3.3	0.06	Tr	-	-	-	-	**7**	7	2	0	0.4	6	**0.06**	**0.11**	9.5	0.43	0.8	7	0.72	-	**1**	0.1	筋間脂肪 15.6%
3.8	0.07	0	-	-	-	-	**5**	5	Tr	0	0.3	4	**0.07**	**0.12**	(11.0)	0.50	0.9	8	0.80	-	**2**	0.2	②
2.8	0.04	0	Tr	10	1	Tr	**13**	13	2	0	0.6	11	**0.05**	**0.12**	5.4	0.21	1.9	3	0.60	1.5	**1**	0.1	
3.6	0.05	0	1	13	1	1	**12**	12	2	0	0.8	13	**0.06**	**0.14**	6.9	0.26	2.1	5	0.60	1.9	**Tr**	0.2	
4.5	0.08	0.01	-	-	-	-	**3**	3	0	0	0.6	5	**0.08**	**0.20**	(8.9)	0.32	1.2	9	1.02	-	**1**	0.1	皮下脂肪 6.2%、筋間脂肪 8.0%
4.7	0.08	0.01	Tr	20	1	Tr	**2**	2	0	0	0.5	4	**0.08**	**0.21**	9.4	0.33	1.2	9	1.06	2.1	**1**	0.1	筋間脂肪 8.5%
6.6	0.11	0.01	Tr	25	0	0	**0**	0	0	0	0.1	7	**0.07**	**0.23**	10.0	0.40	1.5	11	0.78	2.5	**0**	0.1	
6.4	0.11	0.02	1	24	Tr	1	**0**	0	0	0	0.2	6	**0.10**	**0.27**	13.0	0.39	1.9	12	1.08	2.5	**1**	0.2	
5.1	0.09	0.01	-	-	-	-	**1**	1	0	0	0.4	2	**0.09**	**0.22**	(10.0)	0.35	1.3	10	1.12	-	**1**	0.1	②
0.7	0.02	0.01	-	-	-	-	**17**	17	0	0	1.9	23	**0.03**	**0.03**	(2.4)	0.11	0.4	2	0.43	-	**1**	0.1	③

QA 牛を一番多く飼っているのはどこの国？【アメリカ　インド　中国　ブラジル】▶1位はブラジルで2億1500万頭を飼育している（2019年）。2位はインドで1億9300万頭。アメリカは9500万頭。中国は6300万頭。ちなみに日本は390万頭。なお、インドは飼育頭数は多いがほとんど食用にしない。

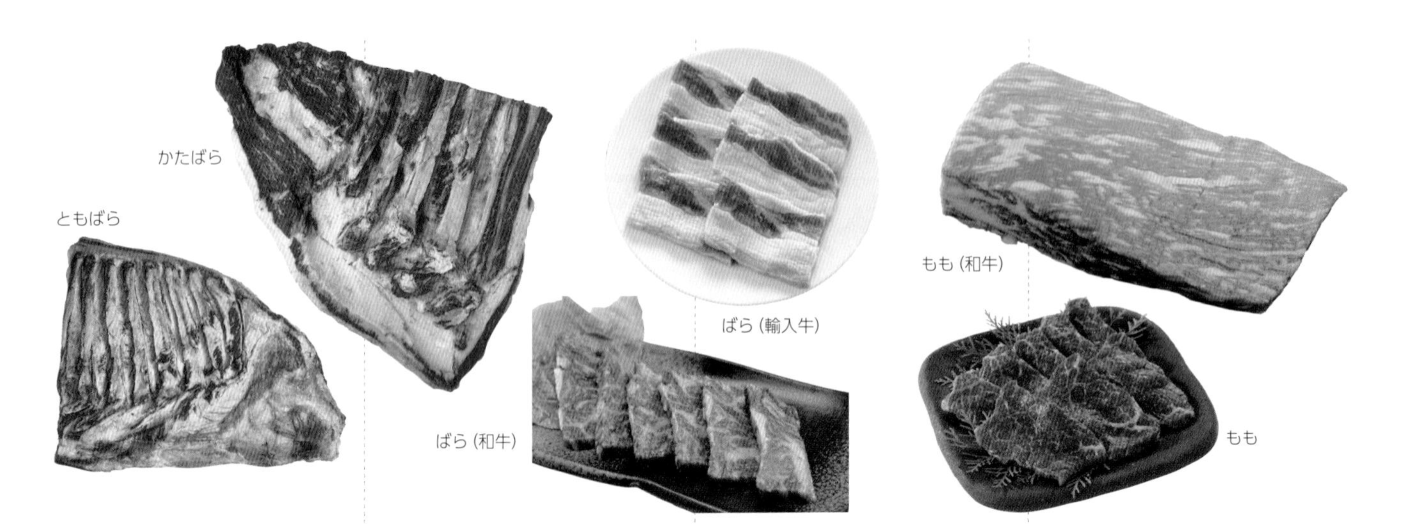

かた（肩）ロース　すき焼き1人分=150g
ロース（背骨の両側に沿っている肉）のうち、頭に近い部分からリブロースに近い部分の間の肉。適度に脂肪を含んでいるため、薄切りにして幅広い料理に利用できる。ロースの中では筋がやや多く、歯ごたえがある。
調理法：すき焼き、しゃぶしゃぶ、焼肉などの薄切りを使った料理。

リブロース　厚切り1枚=150g
肋骨部の背中側の肉で、肩ロースとサーロインの間の部分。ロースの中でも厚みがある。肉質はやわらかく、筋も少ない。霜降りが入りやすく、きめ細かいためヒレやサーロインに並ぶ高級肉として扱われる。表示にただの「ロース」と書かれているものは、リブロースをさす。
調理法：肉本来の味を楽しむ料理に向く。ステーキやすき焼き、しゃぶしゃぶ等。

サーロイン　ステーキ1人分=150g
リブロースに続く背中側の肉。
肉質がきめ細かく、やわらかい。ロインとは牛肉のうち、背側の肩からももにかけての総称で、リブロイン（リブロース）、サーロイン、テンダーロイン（ヒレ）の3つがある。サーロインはサー（Sir）の称号を与えられたと伝えられる最高級部位。
調理法：形もよく、大きさのそろった切り身がとりやすいため、ステーキに向く。

ばら　薄切り1枚=30g
別名**カルビ**。腹部の肉。細かく分けると、肋骨の外側のかたばらとサー

食品番号	食品名	廃棄率 %	エネルギー kcal	2015年版の値 kcal	水分 g	たんぱく質 g	アミノ酸組成によるたんぱく質 g	脂質 g	脂肪酸のトリアシルグリセロール当量 g	脂肪酸 飽和 g	脂肪酸 一価不飽和 g	脂肪酸 多価不飽和 g	コレステロール mg	炭水化物 g	利用可能炭水化物（質量計） g	食物繊維 食物繊維総量（プロスキー変法） g	食物繊維 食物繊維総量（AOAC法） g	ミネラル（無機質） ナトリウム mg	カリウム mg	カルシウム mg	マグネシウム mg	リン mg	鉄 mg
11053	**そともも**　脂身つき　生	0	**220**	233	64.0	**18.2**	(15.0)	**16.3**	(15.9)	(6.46)	(8.09)	(0.66)	68	**0.6**	(0.5)	-	-	55	310	**4**	20	150	**1.4**
11054	皮下脂肪なし　生	0	**179**	190	67.8	**19.6**	(16.0)	**11.1**	(10.7)	(4.28)	(5.47)	(0.49)	66	**0.6**	(0.5)	-	-	57	330	**4**	21	160	**1.3**
11055	赤肉　生	0	**131**	140	72.0	**21.3**	(17.4)	**5.0**	4.6	1.71	2.40	0.29	63	**0.7**	(0.6)	-	-	61	360	**4**	23	170	**2.4**
11056	**ランプ**　脂身つき　生	0	**234**	248	62.1	**18.6**	(15.3)	**17.8**	(17.1)	(7.05)	(8.55)	(0.75)	65	**0.6**	(0.5)	-	-	54	300	**4**	20	150	**1.4**
11057	皮下脂肪なし　生	0	**203**	216	64.9	**19.7**	(16.1)	**13.9**	(13.2)	(5.41)	(6.57)	(0.62)	63	**0.6**	(0.5)	-	-	56	310	**4**	21	160	**1.3**
11058	赤肉　生	0	**142**	153	70.2	**22.0**	(17.9)	**6.1**	5.3	2.13	2.59	0.37	59	**0.7**	(0.6)	-	-	60	340	**4**	23	180	**2.7**
11059	**ヒレ**　赤肉　生	0	**177**	195	67.3	**20.8**	17.7	**11.2**	10.1	4.35	4.80	0.50	60	**0.5**	(0.4)	-	-	56	380	**4**	23	200	**2.4**
11253	焼き	0	**238**	259	56.3	**27.2**	24.8	**15.2**	13.6	5.74	6.70	0.54	74	**0.4**	(0.4)	-	-	74	440	**5**	28	230	**3.5**
	[交雑牛肉]																						
11254	**リブロース**　脂身つき　生	0	**489**	539	36.2	**12.0**	10.3	**51.8**	49.6	18.15	27.71	1.55	88	**0.3**	(0.2)	-	-	42	190	**3**	11	99	**1.2**
11256	ゆで	0	**540**	588	29.1	**13.2**	12.4	**56.5**	54.5	19.84	30.65	1.58	100	**0.1**	(0.1)	-	-	16	58	**2**	7	56	**1.3**
11255	焼き	0	**575**	627	26.4	**14.5**	12.6	**60.1**	58.2	21.12	32.78	1.71	100	**0.2**	(0.2)	-	-	47	190	**3**	12	100	**1.5**
11257	皮下脂肪なし　生	0	**438**	484	41.0	**13.6**	11.7	**45.2**	43.3	15.98	24.06	1.35	84	**0.3**	(0.3)	-	-	48	220	**3**	13	110	**1.3**
11258	赤肉　生	0	**338**	376	50.5	**16.7**	14.5	**32.3**	31.0	11.75	16.89	0.98	75	**0.4**	(0.4)	-	-	59	270	**3**	16	140	**1.7**
11259	脂身　生	0	**759**	831	10.6	**3.6**	2.9	**86.7**	83.0	29.61	47.13	2.56	110	**0**	0	-	-	13	39	**2**	2	25	**0.3**
11260	**ばら**　脂身つき　生	0	**445**	470	41.4	**12.2**	10.8	**44.4**	42.6	14.13	25.33	1.28	98	**0.3**	(0.3)	-	-	59	200	**3**	12	110	**1.4**
11261	**もも**　脂身つき　生	0	**312**	343	53.9	**16.4**	14.6	**28.9**	28.0	9.63	16.18	0.95	85	**0.4**	(0.3)	-	-	63	270	**3**	17	140	**2.1**
11262	皮下脂肪なし　生	0	**250**	282	59.5	**18.3**	16.2	**21.6**	20.4	6.92	11.81	0.75	76	**0.4**	(0.4)	-	-	68	300	**3**	19	160	**2.3**
11264	ゆで	0	**331**	375	49.8	**25.7**	22.7	**28.2**	26.6	8.99	15.68	0.74	98	**0.2**	(0.2)	-	-	29	130	**3**	15	120	**2.8**
11263	焼き	0	**313**	367	49.7	**25.0**	21.4	**27.6**	25.0	8.77	14.46	0.68	93	**0.5**	(0.4)	-	-	63	320	**4**	21	190	**2.9**
11265	赤肉　生	0	**222**	248	62.7	**19.3**	17.1	**17.5**	16.9	5.73	9.75	0.64	71	**0.5**	(0.4)	-	-	71	320	**4**	20	170	**2.4**
11266	脂身　生	0	**682**	734	17.6	**4.8**	4.6	**75.8**	73.7	25.62	42.57	2.25	140	**0.1**	(0.1)	-	-	29	81	**2**	4	37	**0.5**
11267	**ヒレ**　赤肉　生	0	**229**	251	62.3	**19.0**	16.8	**18.0**	16.4	6.59	8.46	0.63	60	**0.4**	(0.4)	-	-	56	330	**4**	21	180	**2.7**
	[輸入牛肉]																						
11060	**かた**　脂身つき　生	0	**160**	180	69.4	**19.0**	-	**10.6**	9.3	4.35	4.20	0.30	59	**0.1**	(0.1)	-	-	54	320	**4**	20	170	**1.1**
11061	皮下脂肪なし　生	0	**138**	157	71.5	**19.6**	-	**7.8**	6.6	3.06	3.01	0.25	59	**0.1**	(0.1)	-	-	56	330	**4**	21	180	**1.0**
11062	赤肉　生	0	**114**	130	73.9	**20.4**	-	**4.6**	3.6	1.59	1.64	0.20	59	**0.1**	(0.1)	-	-	58	340	**4**	22	180	**2.4**
11063	脂身　生	0	**537**	599	32.0	**7.1**	-	**60.5**	56.5	27.32	25.53	1.10	65	**0**	0	-	-	24	140	**6**	7	65	**0.9**
11064	**かたロース**　脂身つき　生	0	**221**	240	63.8	**17.9**	(15.1)	**17.4**	(15.8)	(7.54)	(7.10)	(0.48)	69	**0.1**	(0.1)	-	-	49	300	**4**	18	150	**1.2**
11065	皮下脂肪なし　生	0	**219**	237	64.0	**18.0**	(15.2)	**17.1**	(15.5)	(7.39)	(6.99)	(0.47)	69	**0.1**	(0.1)	-	-	49	300	**4**	18	150	**1.2**
11066	赤肉　生	0	**160**	173	69.8	**19.7**	(16.6)	**9.5**	8.6	3.72	4.12	0.38	69	**0.1**	(0.1)	-	-	54	320	**4**	20	170	**2.4**

+PLUS+ **レアもウェルダンも卵料理だった**●ステーキの焼き方にはレア、ミディアム、ウェルダンがあるが、レアは卵の半熟のことであり、ウェルダンは卵を十分にゆでることだった。この用語がステーキの焼き方に使われるようになったのは 20 世紀半ばかららしい。

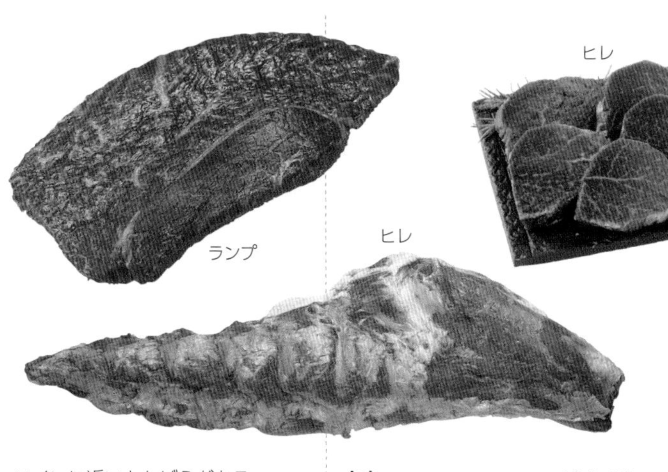

ヒレ

牛ひき肉

合いびき肉
(牛肉と豚肉)

ロインに近いともばらがある。
赤身肉と脂肪が交互に層をなすため、三枚肉とも呼ばれている。呼吸や横隔膜の運動で、始終動いている部位なので、肉質はきめ細かいがややかたく、脂肪も多い。
調理法：角煮やポトフ等、形のままじっくり煮込むもの。脂肪の風味を生かして、薄切りの炒め物や牛丼。または筋の多い部分を厚めに切り焼肉（カルビ）等。

もも 1食分=100g
内側のももの肉でうちももともいう。牛肉の中でもっとも脂肪の少ない部位。大きな赤身のかたまり肉なので扱いやすい。肉のきめは粗く、かため。同重量のほかの部位の肉よりも高たんぱく、低脂肪のため、健康に気を使う食事にも重宝する。
うちももの下にあり、同様の赤身肉の部位をしんたまという。内側はきめ細かくやわらかい。
調理法：ブロックのままローストビーフ。またはさく取りしてからスライスして刺身にしたり、たたきとしても利用される。アメリカでは健康志向から、ラウンドステーキとして人気。

肉の市販表示

牛肉は、あらかじめ調理方法に適した部位・形状にして販売されることも多いため、一般的に以下の表示も使われる。

こま切れ
さまざまな部位がまざっている。厚さはふぞろいだが小さめにカットされている。比較的安価。

ひき肉
ハンバーグやミートボール用にひいてある。部位が書いていない場合はネックやすね肉、または数種の部位を混合していることもある。脂肪の量によりカロリーに差があるので注意が必要。

ステーキ用
特に部位の表示のないものは、リブロース、またはもも肉が使われる。盛りつけたときに見栄えがするように、特に形のよい部分を厚切りにしてある。

カレーまたはシチュー用
おもにかた肉の角切り。煮込み料理用に、やや大きめの1口大に切ってある。

可食部100gあたり　Tr：微量　( )：推定値または推計値　ー：未測定

ミネラル（無機質）							ビタミン															食塩相当量	備考
亜鉛	銅	マンガン	ヨウ素	セレン	クロム	モリブデン	A レチノール活性当量	A レチノール	A β-カロテン当量	D	E αトコフェロール	K	B1	B2	ナイアシン当量	B6	B12	葉酸	パントテン酸	ビオチン	C		①試料　②皮下脂肪及び筋間脂肪を除いたもの　③皮下脂肪及び筋間脂肪　④ビタミンC：酸化防止用として添加された食品を含む
mg	mg	mg	μg	μg	μg	μg	μg	μg	μg	μg	mg	μg	mg	mg	mg	mg	μg	μg	mg	μg	mg	g	
3.2	0.06	Tr	-	-	-	-	**5**	5	0	0	0.5	8	**0.08**	**0.17**	(8.1)	0.34	1.6	6	0.91	-	**1**	0.1	皮下脂肪 9.9%、筋間脂肪 9.3%
3.5	0.07	Tr	-	-	-	-	**4**	4	0	0	0.4	6	**0.09**	**0.19**	(8.7)	0.37	1.7	6	0.96	-	**1**	0.1	筋間脂肪 10.4%
3.8	0.07	0	-	-	-	-	**2**	2	Tr	0	0.2	5	**0.09**	**0.21**	(9.5)	0.40	1.9	7	1.02	-	**1**	0.2	②
3.7	0.08	Tr	-	-	-	-	**6**	6	0	0	0.7	8	**0.08**	**0.19**	(7.5)	0.30	1.6	6	0.93	-	**1**	0.1	皮下脂肪 7.7 %、筋間脂肪 12.4%
3.9	0.09	Tr	-	-	-	-	**5**	5	0	0	0.6	6	**0.09**	**0.20**	(8.0)	0.31	1.7	6	0.98	-	**1**	0.1	筋間脂肪 13.4%
4.4	0.10	0	-	-	-	-	**3**	3	Tr	0	0.4	4	**0.10**	**0.23**	(8.8)	0.34	1.9	7	1.06	-	**2**	0.2	②
3.4	0.08	0.01	1	15	0	1	**4**	4	2	0	0.5	4	**0.12**	**0.26**	9.2	0.43	3.0	11	0.90	2.1	**1**	0.1	
6.0	0.12	0.01	1	19	1	1	**3**	3	1	0	0.3	6	**0.16**	**0.35**	12.0	0.45	4.9	10	1.16	3.9	**Tr**	0.2	
3.0	0.03	0	1	10	1	1	**3**	3	2	0	0.6	7	**0.05**	**0.10**	5.4	0.21	1.1	6	0.45	1.4	**1**	0.1	皮下脂肪 15.8%、筋間脂肪 20.0%
3.7	0.03	0	Tr	11	1	Tr	**Tr**	0	2	0	0.7	9	**0.03**	**0.08**	4.1	0.14	1.3	3	0.25	1.6	**0**	0	
3.8	0.04	0	1	11	1	1	**0**	0	2	0	0.7	10	**0.06**	**0.11**	5.8	0.20	1.8	14	0.50	1.8	**Tr**	0.1	
3.5	0.04	0	1	11	1	1	**3**	3	2	0	0.5	6	**0.05**	**0.11**	6.2	0.24	1.2	6	0.50	1.5	**1**	0.1	筋間脂肪 23.7%
4.5	0.04	0	1	14	1	2	**2**	2	1	0	0.4	4	**0.07**	**0.14**	7.9	0.31	1.4	7	0.61	1.6	**1**	0.1	②
0.3	0.01	0	1	2	1	Tr	**5**	4	4	0	0.9	11	**0.01**	**0.02**	0.9	0.02	0.7	5	0.16	0.9	**Tr**	0	③
3.0	0.03	0	1	10	1	Tr	**3**	3	2	0	0.5	10	**0.05**	**0.10**	5.5	0.23	1.7	6	0.40	1.6	**1**	0.2	
3.9	0.06	0	1	14	1	1	**2**	2	1	0	0.3	8	**0.08**	**0.16**	7.3	0.31	2.1	12	0.62	2.0	**1**	0.2	皮下脂肪 13.5%、筋間脂肪 6.0%
4.5	0.07	0	1	16	1	1	**1**	1	1	0	0.2	6	**0.09**	**0.18**	8.2	0.35	2.3	14	0.69	2.2	**1**	0.2	筋間脂肪 7.0%
5.8	0.08	0	1	27	1	Tr	**0**	0	1	0	0.6	7	**0.05**	**0.15**	8.8	0.32	1.6	12	0.38	2.6	**0**	0.1	
5.6	0.08	0	1	23	1	1	**1**	1	1	0	0.5	6	**0.09**	**0.18**	10.0	0.40	2.1	15	0.77	2.7	**1**	0.2	
4.8	0.07	0	1	17	1	1	**1**	1	1	0	0.2	5	**0.10**	**0.19**	8.7	0.38	2.4	15	0.73	2.3	**1**	0.2	②
0.4	0.01	0	1	3	2	1	**5**	4	4	0	0.8	19	**0.02**	**0.02**	1.6	0.04	0.8	3	0.17	1.1	**Tr**	0.1	③
3.8	0.07	0	Tr	15	0	1	**2**	2	1	0	0.1	2	**0.11**	**0.23**	8.6	0.39	2.0	9	0.85	1.8	**1**	0.1	
5.0	0.08	Tr	-	-	-	-	**7**	7	0	0.3	0.6	3	**0.08**	**0.22**	6.2	0.26	2.2	5	0.89	-	**1**	0.1	皮下脂肪 5.3%、筋間脂肪 5.4%
5.3	0.09	Tr	-	-	-	-	**5**	5	0	0.3	0.6	2	**0.08**	**0.23**	6.4	0.27	2.3	6	0.92	-	**1**	0.1	筋間脂肪 5.7%
5.5	0.09	0	-	-	-	-	**4**	4	Tr	0.2	0.6	1	**0.09**	**0.25**	6.6	0.27	2.4	6	0.95	-	**1**	0.1	②
1.1	0.03	0.01	-	-	-	-	**30**	30	(0)	1.2	1.2	15	**0.03**	**0.04**	2.8	0.14	0.5	3	0.36	-	**1**	0.1	③
5.8	0.07	0.01	-	-	-	-	**10**	10	2	0.4	0.7	5	**0.07**	**0.20**	(7.1)	0.25	1.8	7	1.00	-	**1**	0.1	皮下脂肪 0.5%、筋間脂肪 12.1%
5.8	0.07	0.01	-	-	-	-	**10**	10	2	0.4	0.7	5	**0.07**	**0.20**	(7.2)	0.25	1.8	8	1.00	-	**1**	0.1	筋間脂肪 12.1%
6.4	0.08	0.01	-	-	-	-	**7**	7	Tr	0.2	0.5	3	**0.07**	**0.23**	(7.9)	0.27	2.1	8	1.11	-	**2**	0.1	②

Q A ユッケは安全なの？▶牛肉を生のまま細切りにして調味料で味付けした韓国料理だが、2011年、大規模な食中毒事件が起きてしまった。もともと衛生基準を満たした「生食用」の牛肉の出荷はなされておらず、各店舗の責任でメニューとして提供されていたという。2012年より牛の生レバーは法律で禁じられた。

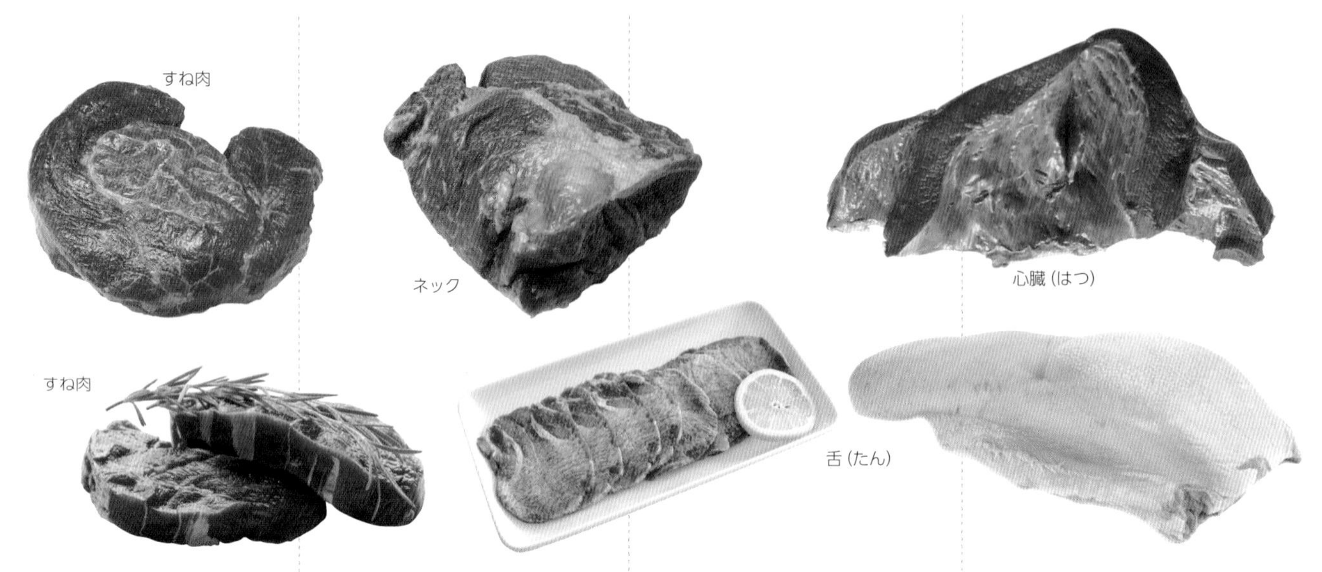

そともも　1食分=100g

外側のももの肉。運動する筋肉が一番集まっている部位なので、肉色は濃く、きめは粗く、ややかたい。そのため角切りや細切り、または薄切りなど、筋を切るようにして扱われることが多い。

調理法：薄切りにして焼肉。角切りでは長時間煮込むポトフ。細切りにして炒め物等。

加工品：塩漬してコンビーフ。

ランプ　1食分=150g

サーロインの後方で、腰からももにかかる部分。別名ラン。霜降りが入りにくい部位だが肉のきめは細かい。もも肉に次いで脂肪が少ないが、肉質はやわらかく、味に深みがある。

調理法：ほぼ牛肉料理全般に利用できる。厚切りにしてステーキ。薄切りにしてすき焼き。やや厚めの薄切りでは焼肉等。

ヒレ　1本=5～9kg　1枚＝150g

1本=50cm。背骨の内側に沿って2本ついている円錐形の肉。サーロインの内側に位置する。テンダーロインとも呼ばれる。1頭につき2本（重量にしても2～3%ほど）しかとれないため、値段は高い。脂肪は少なく、もっともやわらかい肉であるが、長時間加熱には不向き。

調理法：ステーキが主流だが、加熱しすぎるとかたくなるのでレアに近いほうがよい。コクを足すためにベーコンなどを巻いて調理されることも多い。

食品番号	食品名	廃棄率	エネルギー	2015年版の値	水分	たんぱく質	アミノ酸組成によるたんぱく質	脂質	脂肪酸のトリアシルグリセロール当量	脂肪酸 飽和	脂肪酸 一価不飽和	脂肪酸 多価不飽和	コレステロール	炭水化物	利用可能炭水化物（質量計）	食物繊維 食物繊維総量（プロスキー変法）	食物繊維 食物繊維総量（AOAC法）	ミネラル（無機質） ナトリウム	カリウム	カルシウム	マグネシウム	リン	鉄
		%	kcal	kcal	g	g	g	g	g	g	g	g	mg	g	g	g	g	mg	mg	mg	mg	mg	mg
11067	**リブロース** 脂身つき 生	0	212	231	63.8	20.1	17.3	15.4	14.2	7.15	6.00	0.39	66	0.4	(0.3)	-	-	44	330	4	20	170	2.2
11269	ゆで	0	307	335	50.2	25.8	23.0	23.9	21.9	11.03	9.31	0.57	94	0.1	(0.1)	-	-	18	130	2	14	110	2.7
11268	焼き	0	306	332	49.8	25.0	21.6	23.9	21.9	11.05	9.30	0.55	89	0.3	(0.3)	-	-	41	320	3	21	180	2.9
11068	皮下脂肪なし 生	0	203	223	64.5	20.3	(17.1)	14.4	13.1	6.38	5.73	0.38	66	0.4	(0.3)	-	-	45	330	4	20	170	2.2
11069	赤肉 生	0	163	179	68.6	21.7	(18.3)	9.1	8.2	3.80	3.70	0.32	65	0.4	(0.4)	-	-	47	350	4	21	180	2.3
11070	脂身 生	0	653	712	19.9	5.7	(4.7)	73.1	66.7	34.40	28.13	1.18	71	0.1	(0.1)	-	-	17	130	1	6	53	1.1
11071	**サーロイン** 脂身つき 生	0	273	298	57.7	17.4	(14.7)	23.7	(21.5)	(10.85)	(9.24)	(0.43)	59	0.4	(0.4)	-	-	39	290	3	18	150	1.4
11072	皮下脂肪なし 生	0	218	238	63.1	19.1	(16.1)	16.5	(14.9)	(7.42)	(6.49)	(0.32)	57	0.4	(0.4)	-	-	42	320	4	20	170	1.3
11073	赤肉 生	0	127	136	72.1	22.0	(18.5)	4.4	3.8	1.65	1.86	0.14	55	0.5	(0.5)	-	-	48	360	4	23	190	2.2
11074	**ばら** 脂身つき 生	0	338	371	51.8	14.4	-	32.9	31.0	13.05	16.05	0.54	67	0.2	(0.2)	-	-	52	230	4	14	130	1.5
11075	**もも** 脂身つき 生	0	148	165	71.4	19.6	(16.5)	8.6	7.5	3.22	3.69	0.25	61	0.4	(0.4)	-	-	41	310	3	21	170	2.4
11076	皮下脂肪なし 生	0	133	149	73.0	20.0	17.2	6.7	5.7	2.44	2.68	0.35	61	0.4	(0.4)	-	-	42	320	3	22	170	2.5
11271	ゆで	0	204	231	60.0	30.0	27.1	11.0	9.2	3.93	4.31	0.55	96	0.2	(0.2)	-	-	19	130	3	16	130	3.5
11270	焼き	0	205	253	60.4	28.0	24.1	14.1	11.9	5.37	5.41	0.63	89	0.4	(0.4)	-	-	41	320	4	23	190	3.3
11077	赤肉 生	0	117	132	74.2	21.2	(17.8)	4.3	3.6	1.48	1.72	0.19	62	0.4	(0.4)	-	-	44	340	4	23	180	2.6
11078	脂身 生	0	580	633	28.1	6.3	(6.0)	64.4	58.7	25.71	29.27	1.10	77	0.2	(0.1)	-	-	19	120	2	7	61	0.9
11079	**そともも** 脂身つき 生	0	197	215	65.8	18.7	(15.8)	14.3	(12.7)	(5.51)	(6.32)	(0.29)	65	0.3	(0.3)	-	-	48	320	4	20	170	1.1
11080	皮下脂肪なし 生	0	178	195	67.6	19.3	(16.3)	11.9	(10.5)	(4.54)	(5.22)	(0.25)	64	0.3	(0.3)	-	-	49	330	4	20	180	1.0
11081	赤肉 生	0	117	127	73.6	21.2	(17.8)	3.9	3.1	1.31	1.56	0.12	62	0.3	(0.3)	-	-	53	360	4	22	190	1.9
11082	**ランプ** 脂身つき 生	0	214	234	63.8	18.4	(15.6)	16.4	(14.7)	(6.47)	(7.20)	(0.37)	64	0.4	(0.4)	-	-	45	310	3	20	170	1.3
11083	皮下脂肪なし 生	0	174	190	67.7	19.7	(16.6)	11.1	(9.8)	(4.34)	(4.77)	(0.29)	62	0.5	(0.5)	-	-	47	330	4	21	190	1.1
11084	赤肉 生	0	112	121	73.8	21.6	(18.2)	3.0	2.4	1.10	1.04	0.17	60	0.5	(0.5)	-	-	52	360	4	23	210	2.6
11085	**ヒレ** 赤肉 生	0	123	133	73.3	20.5	(18.5)	4.8	4.2	1.99	1.79	0.22	62	0.3	(0.3)	-	-	45	370	4	24	180	2.8
	[子牛肉]																						
11086	**リブロース** 皮下脂肪なし 生	0	94	101	76.0	21.7	(17.9)	0.9	0.5	0.19	0.17	0.13	64	0.3	(0.3)	-	-	67	360	5	23	190	1.6
11087	**ばら** 皮下脂肪なし 生	0	113	122	74.5	20.9	(17.2)	3.6	2.9	1.31	1.25	0.25	71	0	0	-	-	100	320	6	19	160	1.7
11088	**もも** 皮下脂肪なし 生	0	107	116	74.8	21.2	(17.4)	2.7	2.1	0.90	0.89	0.21	71	0.2	(0.2)	-	-	54	390	5	23	200	1.3
11089	[ひき肉] 生	0	251	272	61.4	17.1	14.4	21.1	19.8	7.25	11.06	0.63	64	0.3	(0.3)	-	-	64	260	6	17	100	2.4
11272	焼き	0	280	311	52.2	25.9	22.7	21.3	18.8	6.61	10.83	0.52	83	0.4	(0.3)	-	-	92	390	8	26	150	3.4

+PLUS+　**ドライエイジングビーフ（乾燥熟成肉）**●牛肉の熟成方法として、無包装の牛肉を低温の専用熟成庫で風にあて、乾燥した状態で3週間から2か月ほど熟成させるドライエイジングが日本でも増えてきた。味が濃厚になり、焼くと芳香が生まれる。レストランで「熟成肉」とアピールしているものはこの方法で熟成させた牛肉のことだ。

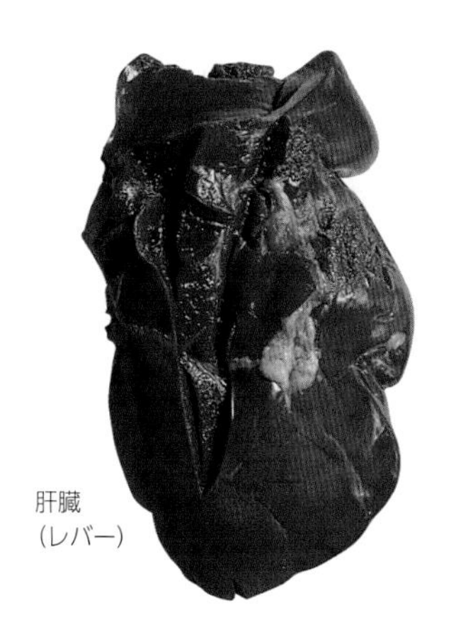
肝臓
(レバー)

じん臓(まめ)

牛　副生物

心臓や肝臓などの内臓に加え、舌や尾などをあわせて副生物という。

舌　1本=1.5kg
別名**たん**。表面の皮は食用にむかないので除く。最近は皮をむいたものが出回っている。つけ根の部分はやわらかく霜降り状。先端の肉質はかたいが、味は濃厚。ビタミンB_2や鉄分が豊富。
調理法:焼肉やシチュー等。

心臓　1個=2.5kg
別名**はつ**。くせがなくコリコリとした歯ざわりが特徴。
調理法:串焼き等。

すね肉
ふくらはぎの部分。肉色の濃い赤身肉。筋が多く、かたい部分だが、長時間煮込むとやわらかくなる。だしをとるには最適な部分。ひき肉としては最高の部位とされる。
調理法:圧力鍋でこってりと煮る煮込み料理。

ネック
首の部分。赤身が多く肉質はかたい。
調理法:焼いたり炒めたりには不向き。スープやひき肉料理等。

牛肉の格付け

牛枝肉取引規格に基づき、「脂肪交雑」「肉の色沢」「肉のしまりときめ」「脂肪の色沢と質」の4項目について5段階に評価され、総合的な判定から最終的に肉質等級が決定される。

脂肪交雑:霜降りの度合いを示す。BMS (Beef Marbling Standard) という12の判定基準によって5等級に評価。

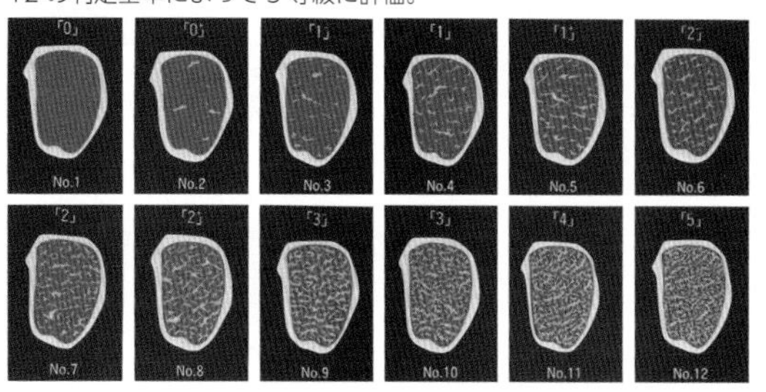

肉の色沢:肉の色と光沢を判断。BCS (牛肉色基準:Beef Color Standard) の判定基準によって5等級に評価。光沢は見た目で評価。

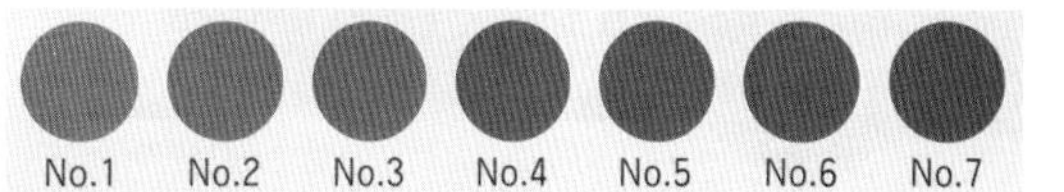

肉のしまりときめ:肉眼で5等級に評価。
脂肪の色沢と質:牛脂肪食基準 (BFS:Beef Fat Standard) によって5等級に評価。色が白またはクリーム色を基準に判定され、さらに光沢と質を考慮して評価される。

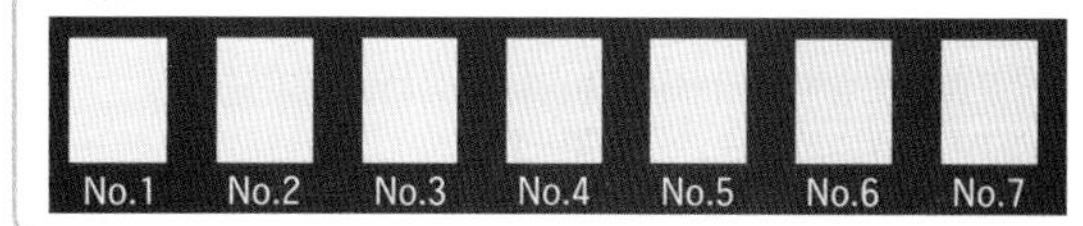

可食部100gあたり　Tr:微量　( ):推定値または推計値　-:未測定

ミネラル(無機質)							ビタミン															食塩相当量	備考
亜鉛	銅	マンガン	ヨウ素	セレン	クロム	モリブデン	A 活性当量 レチノール	A レチノール	A β-カロテン当量	D	E αトコフェロール	K	B_1	B_2	ナイアシン当量	B_6	B_{12}	葉酸	パントテン酸	ビオチン	C		①試料　②皮下脂肪及び筋間脂肪を除いたもの　③皮下脂肪及び筋間脂肪　④ビタミンC:酸化防止用として添加された食品を含む
mg	mg	mg	μg	μg	μg	μg	μg	μg	μg	μg	mg	μg	mg	mg	mg	mg	μg	μg	mg	μg	mg	g	
4.7	0.07	0.01	1	20	0	1	**9**	9	2	0.4	0.7	4	**0.08**	**0.16**	9.1	0.37	1.3	7	0.85	1.4	**2**	0.1	皮下脂肪 1.8%、筋間脂肪 8.2%
6.5	0.08	0	1	24	Tr	1	**14**	14	2	0.5	1.0	5	**0.04**	**0.14**	8.2	0.26	1.3	6	0.50	1.7	**0**	0	
6.3	0.08	Tr	1	23	Tr	1	**12**	12	2	0.5	1.1	5	**0.08**	**0.18**	10.0	0.40	1.6	7	1.07	1.9	**1**	0.1	
4.8	0.07	0.01	1	21	0	1	**9**	9	1	0.4	0.7	4	**0.08**	**0.16**	(9.2)	0.38	1.4	7	0.87	1.4	**2**	0.1	筋間脂肪 8.3%
5.2	0.07	0.01	1	22	0	1	**7**	7	0	0.2	0.6	3	**0.09**	**0.17**	(9.9)	0.40	1.5	7	0.93	1.5	**2**	0.1	②
1.1	0.02	0	Tr	4	Tr	0	**29**	28	17	2.2	1.6	16	**0.01**	**0.02**	(2.0)	0.11	0.3	2	0.21	0.5	**0**	0	③
3.1	0.06	0	-	-	-	-	**11**	10	5	0.6	0.7	5	**0.05**	**0.12**	(8.4)	0.42	0.6	5	0.52	-	**1**	0.1	皮下脂肪 12.8%、筋間脂肪 15.5%
3.4	0.07	0	-	-	-	-	**8**	8	3	0.4	0.6	4	**0.06**	**0.13**	(9.3)	0.46	0.7	5	0.57	-	**1**	0.1	筋間脂肪 17.8%
3.9	0.08	0	-	-	-	-	**4**	4	Tr	0	0.4	1	**0.06**	**0.16**	(11.0)	0.54	0.8	6	0.65	-	**2**	0.1	②
3.0	0.05	0	-	-	-	-	**24**	24	Tr	0.4	1.1	13	**0.05**	**0.12**	6.3	0.28	1.3	5	0.50	-	**1**	0.1	
3.8	0.08	0.01	-	-	-	-	**5**	5	2	0.2	0.5	4	**0.08**	**0.19**	(9.0)	0.44	1.5	8	0.78	-	**1**	0.1	皮下脂肪 3.4%、筋間脂肪 4.0%
3.9	0.08	0.01	1	12	0	1	**4**	4	1	0.1	0.4	4	**0.09**	**0.20**	9.2	0.45	1.5	8	0.78	1.9	**1**	0.1	筋間脂肪 4.2%
7.5	0.10	0.01	1	19	1	Tr	**8**	8	2	0	0.7	5	**0.05**	**0.18**	9.7	0.35	1.2	7	0.62	2.5	**Tr**	0	
6.6	0.09	0.02	1	17	1	1	**8**	8	1	0	0.6	8	**0.08**	**0.22**	11.0	0.53	1.7	10	0.88	2.6	**1**	0.1	
4.1	0.08	0.01	-	-	-	-	**3**	3	0	0.1	0.4	3	**0.09**	**0.21**	(9.7)	0.48	1.6	8	0.82	-	**1**	0.1	②
0.8	0.02	0.01	-	-	-	-	**38**	35	31	0.9	1.2	19	**0.02**	**0.03**	(2.2)	0.13	0.4	2	0.46	-	**1**	0	③
2.9	0.08	Tr	-	-	-	-	**9**	9	6	0.3	0.7	6	**0.06**	**0.16**	(8.1)	0.37	1.3	6	0.80	-	**1**	0.1	皮下脂肪 4.5%、筋間脂肪 12.2%
3.0	0.08	Tr	-	-	-	-	**8**	7	4	0.3	0.7	5	**0.06**	**0.17**	(8.3)	0.38	1.4	6	0.82	-	**1**	0.1	筋間脂肪 12.8%
3.3	0.09	0	-	-	-	-	**3**	3	Tr	0.2	0.7	3	**0.07**	**0.19**	(9.3)	0.42	1.5	7	0.87	-	**1**	0.1	②
3.4	0.10	Tr	-	-	-	-	**11**	10	7	0.4	0.8	5	**0.09**	**0.24**	(7.7)	0.44	1.9	7	0.91	-	**1**	0.1	皮下脂肪 9.7%、筋間脂肪 11.5%
3.7	0.11	Tr	-	-	-	-	**8**	8	4	0.3	0.8	4	**0.10**	**0.26**	(8.2)	0.47	2.0	7	0.96	-	**1**	0.1	筋間脂肪 12.8%
4.1	0.12	0	-	-	-	-	**4**	4	Tr	0.2	0.7	1	**0.11**	**0.29**	(9.0)	0.52	2.3	8	1.03	-	**1**	0.1	②
2.8	0.11	0.02	-	-	-	-	**4**	4	Tr	0.4	0.7	2	**0.10**	**0.25**	(8.7)	0.39	2.0	5	1.26	-	**1**	0.1	
2.8	0.07	0	-	-	-	-	**0**	0	Tr	0	0.1	Tr	**0.09**	**0.17**	(13.0)	0.48	1.2	6	0.72	-	**1**	0.2	
3.6	0.07	0	-	-	-	-	**3**	3	Tr	0	0.2	3	**0.10**	**0.18**	(9.7)	0.26	1.6	3	0.84	-	**1**	0.3	
2.3	0.06	0	-	-	-	-	**3**	3	Tr	0	0.1	1	**0.08**	**0.16**	(13.0)	0.44	0.8	5	0.72	-	**1**	0.1	
5.2	0.06	Tr	1	11	2	1	**13**	12	11	0.1	0.5	9	**0.08**	**0.19**	7.5	0.25	1.6	5	0.72	1.8	**1**	0.2	
7.6	0.09	0.01	1	15	3	2	**6**	5	13	0.1	0.7	9	**0.11**	**0.26**	11.0	0.34	1.7	7	1.02	2.9	**Tr**	0.2	

Q A 「ふくせいぶつ」って言い方、一般的?▶牛や豚の内臓のことで、「もつ」や「ホルモン」といったほうが通りがいいけど、正式には副生物という。ギョーカイ用語に近いかも。牛や豚の肉を主産物とすると、それ以外の部分(皮・内臓・骨・脂など)を副産物と呼び、さらにそこから皮などを除いた部分(内臓)を副生物と呼ぶそうだ。なお、鶏は副品目という。

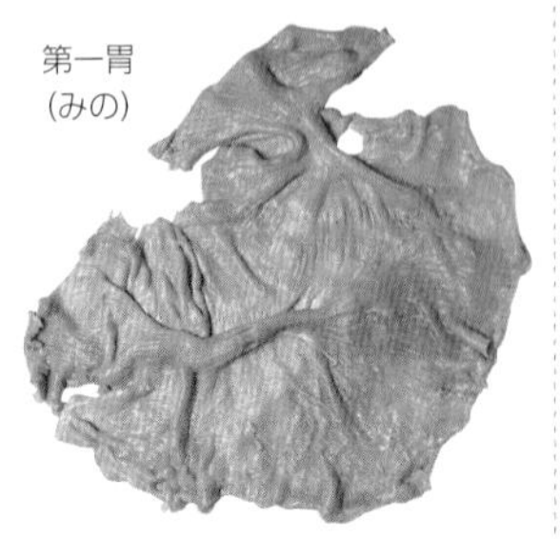

第一胃（みの）

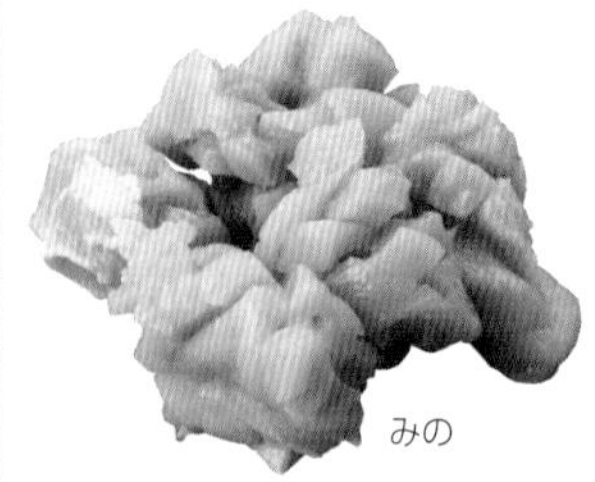

みの

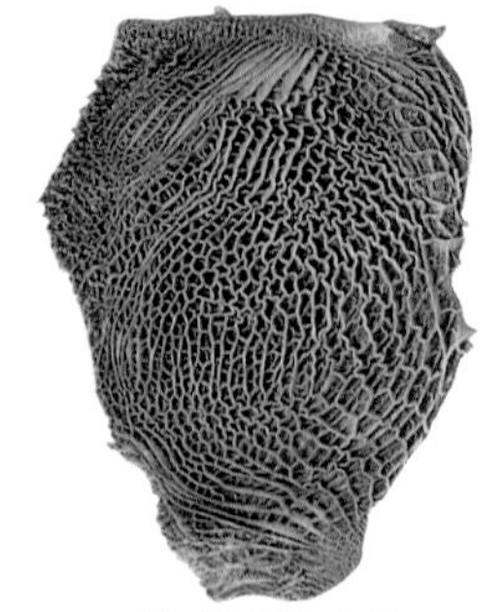

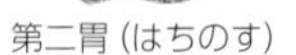

第二胃（はちのす）

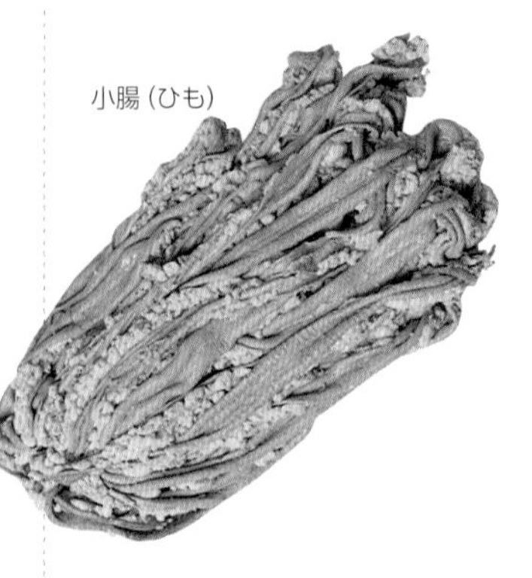

小腸（ひも）

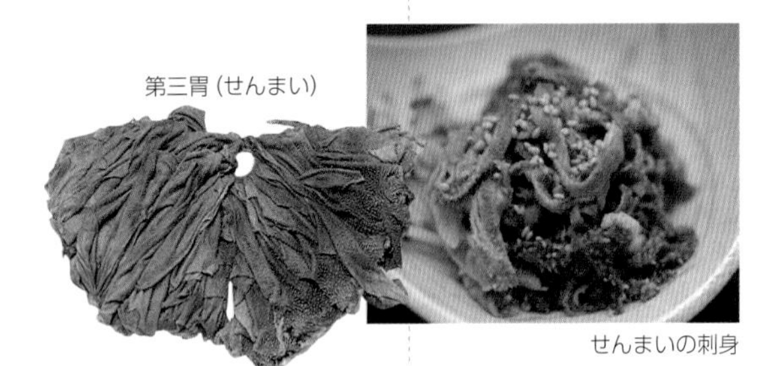

第三胃（せんまい）

せんまいの刺身

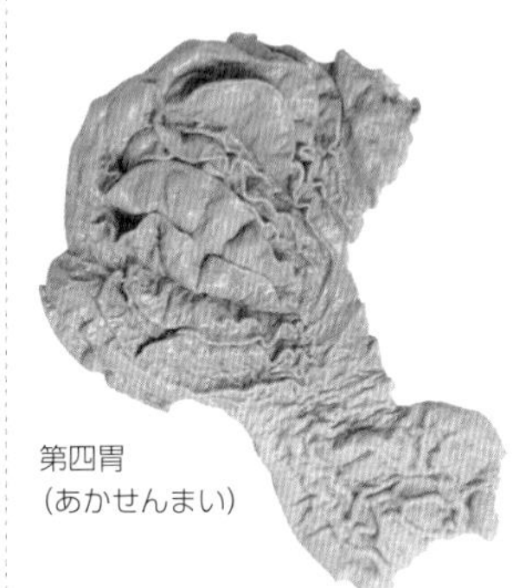

第四胃（あかせんまい）

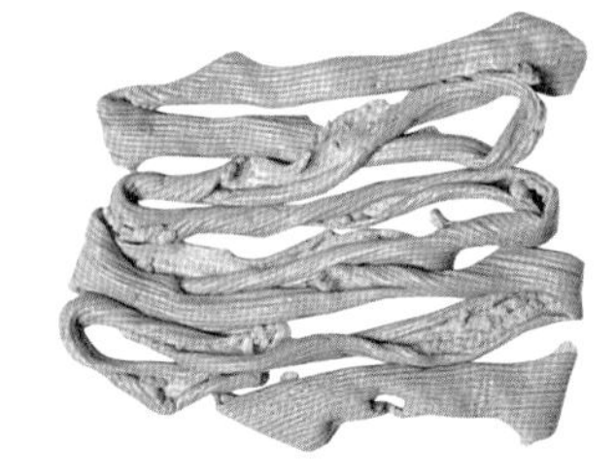

大腸（しまちょう）

肝臓 1個=4kg
別名**レバー**。内臓の中でもっとも大きな部位。独特の臭みがあるので、血抜きをして調理する。ビタミンAやB群、鉄などを豊富に含む。新鮮なものは弾力があり鮮明な赤褐色。以前はレバ刺しなど生食する食べ方もあったが、大規模な食中毒事件の発生（➡p.373）を受けて、2012年7月から食品衛生法により加熱用を除き生のレバーを販売・提供することは禁止されている。生食することで腸管出血性大腸菌による重い食中毒の発生が避けられないからである。
調理法：焼肉、パテなど。

じん臓 1個=800g
形が豆に似ているため別名**まめ**。キドニーとも呼ばれる。脂肪は少なく、ビタミンB群や鉄分を多く含んでいる。表面がなめらかで弾力のあるものがよい。
調理法：炒め物やスープ等。

第一胃
別名**みの、がつ**。胃の中で一番大きい。肉厚で色は白く、繊毛が密生している。淡白な味だが、非常にかたい部位。
調理法：焼肉やもつ煮等。

第二胃
別名**はちのす**。内壁に蜂の巣状のひだがある。胃の中ではもっとも味がよいとされている。かん水などでよく洗い、ゆでてぬめりを取ってから調理する。

調理法：もつ煮等。

第三胃
別名**せんまい**。内壁のひだが深く、無数にあり、灰色の布を何枚も重ねたような膜がある。くせは少ない。鉄分がレバーより多く、脂肪が少ない。
調理法：煮込み、炒め物、和え物等。

第四胃
別名**あかせんまい**。実際には腸のような役割をしているので「偽腹（ぎはら）」と呼ばれ、それがなまって**ギアラ**ともいう。ほかの胃よりも薄くてやわらかい。
調理法：もつ煮等。

小腸
別名**ひも**。30〜40mもの長さがあり、脂肪も厚く、かたいのが特徴。内壁をよく洗浄してから料理する。
調理法：みそ煮込み等。

大腸
別名**しまちょう**。**てっちゃん**とも呼ばれる。ゆでてからぶつ切りにしたものが市販されている。小腸のぶつ切りと一緒に「モツ」として売られることも多い。消化が早いのが特徴。
調理法：内側の脂肪を取り除き、みそ炒め、みそ煮込み等。

食品番号	食品名	廃棄率	エネルギー	2015年版の値	水分	たんぱく質	アミノ酸組成によるたんぱく質	脂質	脂肪酸のトリアシルグリセロール当量	脂肪酸 飽和	脂肪酸 一価不飽和	脂肪酸 多価不飽和	コレステロール	炭水化物	利用可能炭水化物（質量計）	食物繊維 食物繊維総量（プロスキー変法）	食物繊維 食物繊維総量（AOAC法）	ミネラル（無機質） ナトリウム	カリウム	カルシウム	マグネシウム	リン	鉄
		%	kcal	kcal	g	g	g	g	g	g	g	g	mg	g	g	g	g	mg	mg	mg	mg	mg	mg
11090	［副生物］ **舌** 生	0	**318**	356	54.0	**13.3**	12.3	**31.8**	29.7	11.19	15.98	1.25	97	**0.2**	(0.2)	-	-	60	230	**3**	15	130	**2.0**
11273	焼き	0	**401**	435	41.4	**20.2**	17.9	**37.1**	34.1	12.61	18.60	1.39	120	**0.2**	(0.2)	-	-	78	320	**4**	22	180	**2.9**
11091	**心臓** 生	0	**128**	142	74.8	**16.5**	13.7	**7.6**	6.2	3.11	2.49	0.33	110	**0.1**	(0.1)	-	-	70	260	**5**	23	170	**3.3**
11092	**肝臓** 生	0	**119**	132	71.5	**19.6**	17.4	**3.7**	2.1	0.93	0.48	0.64	240	**3.7**	(3.3)	-	-	55	300	**5**	17	330	**4.0**
11093	**じん臓** 生	0	**118**	131	75.7	**16.7**	13.6	**6.4**	5.0	2.59	1.78	0.45	310	**0.2**	(0.2)	-	-	80	280	**6**	12	200	**4.5**
11094	**第一胃** ゆで	0	**166**	182	66.6	**24.5**	(19.2)	**8.4**	6.9	2.73	3.35	0.51	240	**0**	0	-	-	51	130	**11**	14	82	**0.7**
11095	**第二胃** ゆで	0	**186**	200	71.6	**12.4**	(9.7)	**15.7**	14.7	5.69	7.83	0.53	130	**0**	0	-	-	39	64	**7**	6	55	**0.6**
11096	**第三胃** 生	0	**57**	62	86.6	**11.7**	(9.2)	**1.3**	0.9	0.38	0.41	0.10	120	**0**	0	-	-	50	83	**16**	10	80	**6.8**
11097	**第四胃** ゆで	0	**308**	329	58.5	**11.1**	(8.7)	**30.0**	28.7	12.78	13.73	0.89	190	**0**	0	-	-	38	51	**8**	8	86	**1.8**
11098	**小腸** 生	0	**268**	287	63.3	**9.9**	(7.8)	**26.1**	24.7	11.82	11.23	0.58	210	**0**	0	-	-	77	180	**7**	10	140	**1.2**
11099	**大腸** 生	0	**150**	162	77.2	**9.3**	(7.3)	**13.0**	12.2	3.94	7.30	0.47	150	**0**	0	-	-	61	120	**9**	8	77	**0.8**
11100	**直腸** 生	0	**106**	115	80.7	**11.6**	(9.1)	**7.0**	6.4	2.13	3.71	0.25	160	**0**	0	-	-	87	190	**9**	10	100	**0.6**
11101	**腱** ゆで	0	**152**	155	66.5	**28.3**	-	**4.9**	4.3	0.94	3.06	0.10	67	**0**	0	-	-	93	19	**15**	4	23	**0.7**
11102	**子宮** ゆで	0	**95**	106	78.2	**18.4**	-	**3.0**	2.4	0.99	1.16	0.16	150	**0**	0	-	-	79	74	**8**	7	63	**1.2**
11103	**尾** 生	40	**440**	492	40.7	**11.6**	-	**47.1**	43.7	13.20	27.24	1.30	76	**Tr**	(Tr)	-	-	50	110	**7**	13	85	**2.0**
11274	**横隔膜** 生	0	**288**	321	57.0	**14.8**	13.1	**27.3**	25.9	9.95	13.86	0.97	70	**0.3**	(0.3)	-	-	48	250	**2**	16	140	**3.2**
11296	ゆで	0	**414**	436	39.6	**21.3**	20.2	**36.7**	35.0	13.24	18.91	1.27	100	**0.2**	(0.2)	-	-	25	120	**3**	14	130	**4.2**
11297	焼き	0	**401**	441	39.4	**21.1**	19.8	**37.2**	35.5	13.45	19.13	1.34	100	**0.3**	(0.2)	-	-	49	270	**3**	19	170	**4.1**

+PLUS+ **牛に胃袋が4つもあるワケ●**草が主食の牛は、消化を助けるために胃が4つある。第一胃では胃内にいる微生物で草を分解・発酵させ、第二胃がそれを口内に押し戻す（反すう）。何度も反すうしてから、第三胃で水分や栄養分を吸収し、第四胃の胃液で消化する。こうして牛は1日に約15kgの飼料を食べる。

直腸

別名**てっぽう**。開いた形が拳銃のように見えるのでこう呼ばれる。やわらかく、こくがある。

調理法：煮込み、炒め物等。

腱

別名**すじ**。筋肉と骨を結合している組織。ゼラチン質の独特の食感がある。

調理法：煮込み、おでん等。

子宮

別名**こぶくろ**。雌牛の子宮のうち、筋層の部分を食用にする。

調理法：網焼き、煮込み等。

尾 1節＝150g

別名**テール**。髄や皮にコラーゲンを多く含み、煮込むとゼラチン化するため、長時間煮込む料理に使われる。骨がついているので関節で切り離して調理する。

調理法：シチューやスープ等。また、根元の部分は肉も多いのでステーキにも。

横隔膜

横隔膜の中心に近い部分を**さがり**、背中側の部分を**はらみ**と呼ぶ。関東では区別せず、両方をはらみと呼ぶことが多い。適度な脂肪があり、さがりはやわらかい。横隔膜は骨格筋だが、商慣行として内臓に分類される。

調理法：焼き肉、シチュー等。さがりはステーキにもする。

牛の部位（副生物）

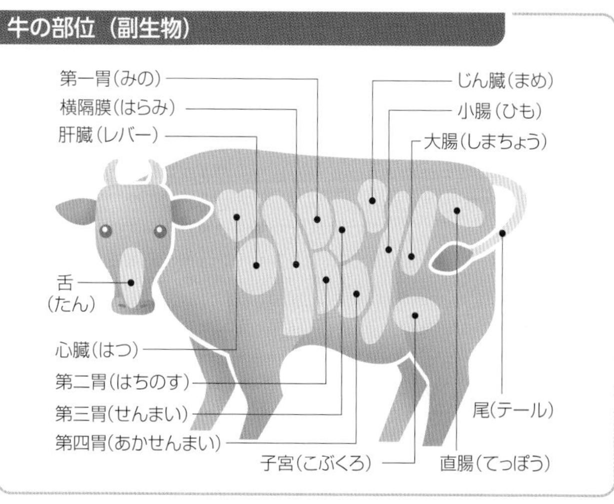

可食部100 g あたり　Tr：微量　( )：推定値または推計値　-：未測定

ミネラル（無機質）							ビタミン																食塩相当量	備考
亜鉛	銅	マンガン	ヨウ素	セレン	クロム	モリブデン	A レチノール活性当量	A レチノール	A β-カロテン当量	D	E αトコフェロール	K	B_1	B_2	ナイアシン当量	B_6	B_{12}	葉酸	パントテン酸	ビオチン	C			①試料　②皮下脂肪及び筋間脂肪を除いたもの　③皮下脂肪及び筋間脂肪　④ビタミンC：酸化防止用として添加された食品を含む
mg	mg	mg	μg	μg	μg	μg	μg	μg	μg	μg	mg	μg	mg	mg	mg	mg	μg	μg	mg	μg	mg	g	
2.8	0.09	0.01	1	10	0	2	**3**	3	5	0	0.9	9	**0.10**	**0.23**	6.4	0.14	3.8	14	0.68	1.9	**1**	0.2	
4.6	0.12	0.01	1	16	0	2	**3**	3	6	0	1.2	11	**0.11**	**0.36**	9.1	0.16	5.4	14	0.99	3.1	**1**	0.2	
2.1	0.42	-	-	-	-	-	**9**	9	Tr	0	0.6	5	**0.42**	**0.90**	9.4	0.29	12.0	16	2.16	-	**4**	0.2	
3.8	5.30	-	4	50	Tr	94	**1100**	1100	40	0	0.3	1	**0.22**	**3.00**	18.0	0.89	53.0	1000	6.40	76.0	**30**	0.1	①和牛
1.5	0.28	-	6	210	0	43	**5**	4	14	0	0.3	6	**0.46**	**0.85**	9.8	0.45	22.0	250	4.08	90.0	**3**	0.2	
4.2	0.08	0.03	-	-	-	-	**1**	1	(Tr)	Tr	0.4	6	**0.04**	**0.14**	(5.6)	0.01	2.0	3	0.49	-	**2**	0.1	
1.5	0.04	0.07	-	-	-	-	**3**	3	(Tr)	0.1	0.3	16	**0.02**	**0.10**	(3.0)	0.01	2.0	12	0.44	-	**0**	0.1	
2.6	0.08	0.07	-	-	-	-	**4**	4	(Tr)	0	0.1	4	**0.04**	**0.32**	(3.6)	0.02	4.6	33	0.64	-	**4**	0.1	
1.4	0.11	0.07	-	-	-	-	**5**	5	(Tr)	0.2	0.5	35	**0.05**	**0.14**	(2.4)	0.01	3.6	10	0.34	-	**0**	0.1	
1.2	0.07	0.10	-	-	-	-	**2**	2	(Tr)	0	0.3	9	**0.07**	**0.23**	(4.7)	0.05	21.0	15	1.21	-	**15**	0.2	
1.3	0.05	0.05	-	-	-	-	**2**	2	(Tr)	0	0.2	15	**0.04**	**0.14**	(3.6)	0.01	1.3	8	0.66	-	**6**	0.2	
1.7	0.05	0.04	-	-	-	-	**2**	2	(Tr)	0	0.2	12	**0.05**	**0.15**	(4.2)	0.01	1.7	24	0.85	-	**6**	0.2	
0.1	0.02	Tr	-	-	-	-	**(0)**	0	(Tr)	0	0.1	8	**0**	**0.04**	4.9	0	0.4	3	0.11	-	**0**	0.2	
1.7	0.06	0.02	-	-	-	-	**(0)**	0	(Tr)	0	0.2	5	**0.01**	**0.10**	3.6	0.01	1.7	10	0.35	-	**0**	0.2	
4.3	0.08	-	-	-	-	-	**20**	20	Tr	0	0.3	Tr	**0.06**	**0.17**	4.5	0.26	1.8	3	1.95	-	**1**	0.1	皮を除いたもの　廃棄部位：骨
3.7	0.13	0.01	1	14	0	1	**4**	4	3	0	0.7	5	**0.14**	**0.35**	7.1	0.18	3.8	6	1.06	2.9	**1**	0.1	
5.6	0.19	0.01	2	20	(0)	1	**5**	5	2	(0)	1.0	7	**0.08**	**0.35**	7.4	0.13	3.9	7	0.71	-	**Tr**	0.1	
5.3	0.19	0.01	2	19	(0)	1	**5**	4	3	(0)	1.1	7	**0.15**	**0.46**	9.6	0.21	6.3	9	1.29	-	**1**	0.1	

Q A ホルモンやモツの処理方法を教えて！▶生のものの場合、ハーブやスパイスを入れてゆでると、独特のくせを抜くことができる。レバーは牛乳に浸すと臭みが取れる。また、ぬめりを取るには、塩を使ってもみ洗いするとよい。一般に売られているものは処理済みなので、軽くゆでる程度で OK。

ローストビーフ

味付け缶詰

馬刺し

コンビーフ

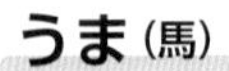

ビーフジャーキー

くじら肉

牛　加工品

Beef products

ローストビーフ　1枚=60g

もも肉またはランプの赤身のかたまり肉に、香辛料をすり込み、野菜などを敷いた天板にのせてオーブンで焼いたもの。中心まで火を通す必要はなく、切り分けたときの断面はピンク色である。

コンビーフ缶詰　大1缶=190g

塩漬した牛肉を高温･高圧で加熱し、ほぐして調味したもの。ニューコンミートは、馬肉を混合して牛肉を2割以上にしたもの。

味付け缶詰

しょうゆ、砂糖、しょうが等で煮たもの（大和煮）の缶詰。

ビーフジャーキー　1枚=5g

塩漬した赤身肉を乾燥させたもの。燻煙にすることも多い。薄切り肉のほか、ひき肉を板状にのばしてつくることもある。

スモークタン

牛たんを塩漬、乾燥させ、燻製にしたもの。

うま（馬）

Horse　さくら鍋1人分=100g

鉄分が多いため肉の色が赤みを帯びていることから、**さくら肉**とも呼ばれる。食肉用に太らせることはないので、脂肪が少なく、低カロリー。甘味のある味が特徴。ほとんどがアルゼンチン等からの輸入品。

栄養成分：鉄やビタミンB_{12}が豊富。

調理法：馬刺しにするときは臭みを消すためににんにくやしょうがを薬味とする。さくら鍋。

産地：熊本、福島、青森等。

くじら（鯨）

Whale　1切=20g

日本では縄文時代の遺跡からも出土するほど古くから食用とされ、戦後は学校給食にも供された。しかし、現在はわずかな量のみが流通（➡p.269コラム）。

種類：ミンク鯨、ツチ鯨、コビレゴンドウ等。

肉

ほとんどが冷凍肉。臭みがあるので下味をつけてから竜田揚げ等に利用される。

食品番号	食品名	廃棄率 %	エネルギー kcal	2015年版の値 kcal	水分 g	たんぱく質 g	アミノ酸組成によるたんぱく質 g	脂質 g	脂肪酸のトリアシルグリセロール当量 g	脂肪酸 飽和 g	脂肪酸 一価不飽和 g	脂肪酸 多価不飽和 g	コレステロール mg	炭水化物 g	利用可能炭水化物（質量計） g	食物繊維 食物繊維総量（プロスキー変法） g	食物繊維 食物繊維総量（AOAC法） g	ミネラル（無機質） ナトリウム mg	カリウム mg	カルシウム mg	マグネシウム mg	リン mg	鉄 mg
11104	[加工品] **ローストビーフ**	0	**190**	196	64.0	**21.7**	18.9	**11.7**	10.7	4.28	5.51	0.40	70	**0.9**	1.4	-	-	310	260	**6**	24	200	**2.3**
11105	**コンビーフ缶詰**	0	**191**	203	63.4	**19.8**	18.1	**13.0**	12.6	6.35	5.39	0.32	68	**1.7**	0.9	-	-	690	110	**15**	13	120	**3.5**
11106	**味付け缶詰**	0	**156**	156	64.3	**19.2**	17.4	**4.4**	4.1	1.83	1.95	0.16	48	**9.9**	12.3	-	-	720	180	**8**	16	110	**3.4**
11107	**ビーフジャーキー**	0	**304**	315	24.4	**54.8**	47.5	**7.8**	5.8	2.11	2.70	0.69	150	**6.4**	9.2	-	-	1900	760	**13**	54	420	**6.4**
11108	**スモークタン**	0	**273**	283	55.9	**18.1**	16.0	**23.0**	21.0	8.97	10.19	0.94	120	**0.9**	1.2	-	-	630	190	**6**	16	150	**2.6**
11109	**うま** 肉　赤肉　生	0	**102**	110	76.1	**20.1**	17.6	**2.5**	2.2	0.80	0.99	0.29	65	**0.3**	(0.3)	-	-	50	300	**11**	18	170	**4.3**
11110	**くじら** 肉　赤肉　生	0	**100**	106	74.3	**24.1**	19.9	**0.4**	0.3	0.08	0.11	0.06	38	**0.2**	(0.2)	-	-	62	260	**3**	29	210	**2.5**
11111	うねす　生	0	**328**	376	49.0	**18.8**	-	**31.4**	28.1	6.27	13.34	7.21	190	**0.2**	(0.2)	-	-	150	70	**8**	10	98	**0.4**
11112	本皮　生	0	**577**	689	21.0	**9.7**	-	**68.8**	52.4	12.49	23.88	13.74	120	**0.2**	(0.2)	-	-	59	44	**6**	3	33	**0.2**
11113	さらしくじら	0	**28**	31	93.7	**5.3**	-	**0.9**	0.8	0.11	0.51	0.14	16	**0**	0	-	-	1	Tr	**1**	Tr	13	**0**
	しか																						
11114	**あかしか**　赤肉　生	0	**102**	110	74.6	**22.3**	(18.9)	**1.5**	0.9	0.44	0.26	0.20	69	**0.5**	(0.5)	-	-	58	350	**4**	26	200	**3.1**
	にほんじか																						
11275	にほんじか　赤肉　生	0	**119**	140	71.4	**23.9**	22.0	**4.0**	3.0	1.41	1.06	0.42	59	**0.3**	(0.3)	-	-	55	390	**4**	27	230	**3.9**
11294	えぞしか　赤肉　生	0	**126**	147	71.4	**22.6**	20.8	**5.2**	4.5	2.08	1.83	0.34	59	**0.6**	(0.6)	-	-	52	350	**4**	26	210	**3.4**
11295	ほんしゅうじか・きゅうしゅうじか　赤肉　生	0	**107**	120	74.4	**22.6**	18.5	**2.5**	1.8	0.77	0.62	0.36	52	**0.1**	(0.1)	-	-	51	380	**3**	26	220	**3.9**
	ぶた																						
	[大型種肉]																						
11115	**かた**　脂身つき　生	0	**201**	216	65.7	**18.5**	-	**14.6**	14.0	5.25	6.50	1.65	65	**0.2**	(0.2)	-	-	53	320	**4**	21	180	**0.5**
11116	皮下脂肪なし　生	0	**158**	171	69.8	**19.7**	-	**9.3**	8.8	3.25	4.10	1.04	64	**0.2**	(0.2)	-	-	55	340	**4**	22	190	**0.4**
11117	赤肉　生	0	**114**	125	74.0	**20.9**	-	**3.8**	3.3	1.17	1.60	0.40	64	**0.2**	(0.2)	-	-	58	360	**4**	24	200	**1.1**
11118	脂身　生	0	**663**	704	22.0	**5.3**	-	**72.4**	71.3	27.09	32.73	8.31	68	**0**	0	-	-	23	98	**2**	5	54	**0.4**
11119	**かたロース**　脂身つき　生	0	**237**	253	62.6	**17.1**	(14.7)	**19.2**	18.4	7.26	8.17	2.10	69	**0.1**	(0.1)	-	-	54	300	**4**	18	160	**0.6**
11120	皮下脂肪なし　生	0	**212**	226	65.1	**17.8**	(15.2)	**16.0**	15.2	6.00	6.82	1.70	69	**0.1**	(0.1)	-	-	56	310	**4**	19	170	**0.5**
11121	赤肉　生	0	**146**	157	71.3	**19.7**	(16.7)	**7.8**	7.1	2.77	3.36	0.67	68	**0.1**	(0.1)	-	-	61	340	**4**	21	190	**1.1**
11122	脂身　生	0	**644**	688	23.6	**5.4**	(5.4)	**70.7**	69.1	27.57	29.89	8.60	73	**0**	0	-	-	21	110	**2**	5	56	**0.4**

+PLUS+　**コンビーフ缶詰の形って**●昔はコンビーフを手で缶に詰めており、台形だと空気が入らないように詰めることができた。現在では機械詰めなので台形にする必要はないが、台形のイメージが定着しているため昔のままの形にしているそうだ。

さらしくじら

くじらベーコン
（うねす）

しか肉

うねす
下あごから腹にかけて、縞状になった部分。くじらベーコンに使われる。

本皮
背側の黒皮およびすぐ下の脂肪の部分。油で揚げて絞ってから乾燥させたものをコロと呼ぶ。

さらしくじら
尾のつけ根の肉を塩蔵したものを薄く切り、煮沸して脂を除いたもの。酢みそ和え等で食す。

しか（鹿）
Deer　1食分=100g

別名**もみじ**。淡白でさっぱりした味。肉を得る方法として、野生しかを狩猟する、野生しかを捕獲して一時的に飼育する（一時養鹿）、完全飼育する（完全養鹿）という方法がある。
栄養成分：高たんぱく、鉄分豊富。
調理法：ロースやもも肉はステーキやロースト、肩肉やすね肉はシチュー等の煮込み等。

あかしか（赤鹿）
にほんじかの近縁種。野生鳥獣肉を使うジビエ料理のなかでも最高級食材とされる。日本で流通しているほとんどがニュージーランド産の牧場飼育のもの。

鯨の部位

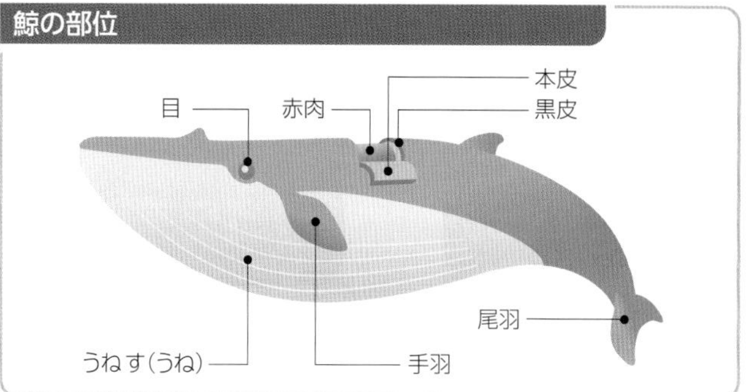

捕鯨の歴史
歴史

日本人は縄文時代からくじらを食べ、肉、脂肪、内臓、骨、ひげなどのすべてを利用してきた。江戸時代には、捕獲、解体、加工、運搬などを行う数百人からなる鯨組と呼ばれる組織が各地に誕生し、「くじら１頭捕れば七浦うるおう」といわれた。

江戸時代末期には、現在は反捕鯨国である欧米の大捕鯨船団が、灯油用の鯨油を採取するための乱獲により激減したくじらを追って、日本近海に来た。

明治時代には近代捕鯨法を導入し、昭和時代には南極海まで船団を派遣した。しかし近年、資源枯渇から捕鯨反対論が台頭し、日本は1988年に商業捕鯨から撤退して生態系調査名目の調査捕鯨に切りかえた。だが2014年には、国際司法裁判所が南極海での調査捕鯨停止の判決を下した。2019年６月30日、日本は国際捕鯨委員会（IWC）を脱退し、大型鯨類を対象とした捕鯨業を再開した。

にほんじか（日本鹿）
日本の野生しかの総称で７亜種が生息。増えすぎによる樹木や作物の食害が問題化している。
えぞしか：北海道に生息。アイヌ民族の主食級食料とされた。

ほんしゅうじか：本州に生息。奈良公園のしかは天然記念物。
きゅうしゅうじか：九州・四国に生息。中国地方のほんしゅうじかと同亜種とも考えられる。

可食部100gあたり　Tr：微量　（ ）：推定値または推計値　-：未測定

ミネラル（無機質）							ビタミン															食塩相当量	備考
亜鉛	銅	マンガン	ヨウ素	セレン	クロム	モリブデン	A レチノール活性当量	レチノール	β-カロテン当量	D	E αトコフェロール	K	B1	B2	ナイアシン当量	B6	B12	葉酸	パントテン酸	ビオチン	C		①試料　②皮下脂肪及び筋間脂肪を除いたもの　③皮下脂肪及び筋間脂肪　④ビタミンC：酸化防止用として添加された食品を含む
mg	mg	mg	µg	µg	µg	µg	µg	µg	µg	µg	mg	µg	mg	mg	mg	mg	µg	µg	mg	µg	mg	g	
4.1	0.10	0.01	1	15	1	1	**Tr**	Tr	Tr	0.1	0.3	4	**0.08**	**0.25**	11.0	0.47	1.6	9	0.98	2.1	**0**	0.8	④
4.1	0.11	0.04	9	10	4	1	**Tr**	Tr	Tr	0	0.8	5	**0.02**	**0.14**	12.0	0.04	1.3	5	0.20	1.6	**0**	1.8	
4.0	0.09	0.09	2	11	2	3	**Tr**	Tr	Tr	0	0.7	3	**0.33**	**0.19**	6.1	0.06	1.4	8	0.22	1.5	**0**	1.8	①大和煮缶詰　液汁（36%）を含んだもの
8.8	0.25	0.13	5	38	11	3	**5**	5	(0)	0.3	2.2	8	**0.13**	**0.45**	23.0	0.85	3.5	12	1.25	4.5	**1**	4.8	④（ビタミンEも）
4.2	0.12	0.02	3	18	2	3	**18**	18	(0)	0.3	0.6	16	**0.08**	**0.27**	6.9	0.13	4.7	4	1.12	4.5	**1**	1.6	④（ビタミンEも）
2.8	0.11	-	0	17	0	1	**9**	9	Tr	-	0.9	2	**0.10**	**0.24**	9.9	0.02	7.1	4	1.01	1.1	**1**	0.1	②
1.1	0.06	0.01	2	32	Tr	0	**7**	7	(0)	0.1	0.6	Tr	**0.06**	**0.23**	17.0	0.46	2.0	4	0.31	1.6	**1**	0.2	①ミンクくじら　②
3.3	0.03	Tr	-	-	-	-	**130**	130	(0)	0.8	3.1	2	**0.11**	**0.20**	5.5	0.06	0.7	3	0.29	-	**6**	0.4	①ミンクくじら
0.2	0.02	Tr	-	-	-	-	**130**	130	(0)	0.3	4.8	3	**0.11**	**0.05**	2.1	0.01	0.4	1	0.11	-	**5**	0.1	①ミンクくじら
Tr	0.01	0	-	-	-	-	**8**	8	Tr	0	0.1	Tr	**0**	**0**	0.9	0	0	0	0	-	**0**	0	①ミンクくじら
3.1	0.18	0.02	-	-	-	-	**3**	3	(0)	Tr	0.5	4	**0.21**	**0.35**	(8.0)	0.54	0.6	1	0.81	-	**1**	0.1	①冷凍品、ニュージーランド産
2.9	0.15	0.02	1	7	0	0	**4**	4	0	0	0.8	1	**0.20**	**0.35**	12.0	0.60	1.3	4	0.76	2.2	**1**	0.1	①えぞしか、ほんしゅうじか・きゅうしゅうじか
2.8	0.14	0.01	1	6	0	0	**5**	5	0	0	0.6	0	**0.21**	**0.32**	13.0	0.55	1.3	4	0.75	2.1	**1**	0.1	①えぞしか
2.7	0.15	0.02	Tr	6	Tr	0	**3**	3	0	0	0.8	2	**0.18**	**0.34**	10.0	0.58	1.1	3	0.70	2.0	**1**	0.1	①ほんしゅうじか・きゅうしゅうじか
2.7	0.09	0.01	-	-	-	-	**5**	5	0	0.2	0.3	1	**0.66**	**0.23**	8.0	0.32	0.4	2	1.16	-	**2**	0.1	皮下脂肪 8.2%、筋間脂肪 7.5%
2.9	0.09	0.01	-	-	-	-	**4**	4	0	0.2	0.3	1	**0.71**	**0.25**	8.6	0.34	0.4	2	1.23	-	**2**	0.1	筋間脂肪 8.0%
3.1	0.10	0.01	-	-	-	-	**3**	3	Tr	0.1	0.3	1	**0.75**	**0.27**	9.1	0.37	0.4	2	1.29	-	**2**	0.1	②
0.4	0.03	0.01	-	-	-	-	**16**	16	(0)	0.7	0.5	4	**0.20**	**0.05**	2.3	0.06	0.5	2	0.48	-	**1**	0.1	③
2.7	0.09	0.01	-	-	-	-	**6**	6	0	0.3	0.4	2	**0.63**	**0.23**	(7.0)	0.28	0.5	2	1.18	-	**2**	0.1	皮下脂肪 5.7%、筋間脂肪 12.4%
2.9	0.09	0.01	-	-	-	-	**6**	6	0	0.3	0.4	2	**0.66**	**0.25**	(7.2)	0.30	0.4	2	1.23	-	**2**	0.1	筋間脂肪 13.1%
3.2	0.10	0.01	-	-	-	-	**4**	4	Tr	0.2	0.3	1	**0.72**	**0.28**	(8.0)	0.33	0.4	2	1.34	-	**2**	0.2	②
0.6	0.03	0	-	-	-	-	**16**	16	(0)	0.7	0.8	4	**0.23**	**0.05**	(2.0)	0.07	0.5	2	0.48	-	**1**	0.1	③

QA　馬肉をタブー視する国は？［フランス　アメリカ　ベルギー］▶フランスやベルギーでは、一般的に食されているが、アメリカではタブー視されることが多く、法律で禁止している州もある。開拓時代からのパートナーというイメージが強く、食べることなど考えられないという。このほか、イギリスやイスラエルでもタブーである。

【ぶたの品種】

大ヨークシャー種
イギリス原産の白豚。赤肉と脂肪の割合が適度でベーコンなどの加工品にも適する。純粋種ではランドレース種の次に生産量が多い。

中ヨークシャー種
イギリス原産の白豚。昭和30年代までは日本の主要銘柄だったが、発育が遅いため、現在は大型種に押され、生産は少ない。

ランドレース種
デンマーク原産の白豚。繁殖能力が高く、発育が早いので、日本の豚肉生産の中心となっている。脂肪が少ないのが特徴。

ハンプシャー種
イギリス原産の豚をアメリカで改良した品種。毛色は黒だが、肩から前足まで帯のように白い。発育は早く赤身が多い。

ぶた(豚)
Pork

種類と品種：牛と違い、豚は品種も多く、世界中で数百種にのぼる。食用豚のほとんどが純粋種をかけ合わせた交雑種。日本で交雑種を生産するために飼育されている純粋種は、おもに上記の6品種。
食品成分表では、食用豚肉を「大型種肉」と「中型種肉」に分けて表示している。市販されている豚肉のほとんどが大型種で月齢5～6か月、体重100kg程度で食用にされる。
栄養成分：牛肉や鶏肉に比べ、疲労回復に効果のあるビタミンB_1が豊富なのが特徴。特にヒレやももに多く含まれる。牛肉、鶏肉のもも肉の成分と比較すると、わずかだが、ほかよりも高たんぱくで低カロリーである。
保存法：豚肉は牛肉よりも傷むのが早い。「牛肉は外から、豚肉は中から傷む」といわれるように、見た目でわからないことがあるので注意が必要。あまった場合は空気に触れないようにラップで包み、チルド室で保存する。スライスで3日以内、ブロックで5日以内に使いきるようにする。厚切り肉を冷凍する場合は1枚ずつラップに包み、さらにアルミ箔で包み、保存用のパックに入れ、解凍はチルド室で。ブロック肉は冷凍に向かないので厚切りや角切りにして同様に保存する。
流通：豚肉は、日本で非常に多く消費されている(実際の消費量についてはp.271コラム参照)。交雑種が市場の9割を占めるため、品種、年齢、性別に関係なく枝肉のまま格付けされ、出荷される。牛肉ほどのブランド性はないが、一部「黒豚」等のバークシャー種(中型種)が純粋種として出回る。国産のほか、輸入量も年々増加している。

豚肉の各部位

豚肉の部位は、食肉小売品質基準(農林水産省制定)によって、かた、かたロース、ロース、ばら、もも、そともも、ヒレに分けられる。約110kgの豚1頭から取れる精肉部分(食肉部位)は約50kgで、体重の半分程度。

かた(肩) 薄切り1枚=30g
前足のつけ根を中心とした部分。もっとも運動する部分のため、肉質はかたく、筋も多いが、うま味が多い。肉の色はほかに比べ濃い。
調理法：薄切りは焼き肉や炒め物。角切りはポークビーンズやカレー、煮込み等。

かた(肩)ロース 薄切り1枚=30g
肩肉の背中側の肉。肉質はロースよりもややかため。脂肪や筋が赤身肉に網状に入っている。
調理法：ソテーにする場合は赤身と脂肪の境にある筋を切ってから。焼き豚、酢豚、しょうが焼き、とんかつ等。

ロース 薄切り1枚=150g
かたロースに続く背中の中央部の肉。ロース全体の肉質と形が均一なため、牛のように細かく分類しない。肉質はきめ細かく、適度に脂肪がのり、やわらかい。
調理法：肉たたきで軽くたたいてから形を整えて調理をする。とんかつ、ソテー等。

食品番号	食品名	廃棄率	エネルギー	2015年版の値	水分	たんぱく質	アミノ酸組成によるたんぱく質	脂質	脂肪酸のトリアシルグリセロール当量	脂肪酸 飽和	一価不飽和	多価不飽和	コレステロール	炭水化物	利用可能炭水化物(質量計)	食物繊維 食物繊維総量(プロスキー変法)	食物繊維総量(AOAC法)	ミネラル(無機質) ナトリウム	カリウム	カルシウム	マグネシウム	リン	鉄
		%	kcal	kcal	g	g	g	g	g	g	g	g	mg	g	g	g	g	mg	mg	mg	mg	mg	mg
11123	**ロース** 脂身つき 生	0	248	263	60.4	19.3	17.2	19.2	18.5	7.84	7.68	2.21	61	0.2	(0.2)	-	-	42	310	4	22	180	0.3
11125	ゆで	0	299	329	51.0	23.9	21.7	24.1	23.4	9.90	9.73	2.78	77	0.3	(0.3)	-	-	25	180	5	19	140	0.4
11124	焼き	0	310	328	49.1	26.7	23.2	22.7	22.1	9.32	9.31	2.54	76	0.3	(0.3)	-	-	52	400	6	29	250	0.4
11276	とんかつ	0	429	450	31.2	22.0	19.0	35.9	35.1	8.90	18.60	6.03	60	9.8	8.8	0.7	-	110	340	14	27	200	0.6
11126	皮下脂肪なし 生	0	190	202	65.7	21.1	(18.4)	11.9	11.3	4.74	4.82	1.28	61	0.3	(0.3)	-	-	45	340	5	24	200	0.3
11127	赤肉 生	0	140	150	70.3	22.7	19.7	5.6	5.1	2.07	2.35	0.48	61	0.3	(0.3)	-	-	48	360	5	26	210	0.7
11128	脂身 生	0	695	740	18.3	5.1	5.3	76.3	74.9	32.03	30.08	9.48	62	0	0	-	-	15	110	1	5	54	0.2
11129	**ばら** 脂身つき 生	0	366	395	49.4	14.4	12.8	35.4	34.9	14.60	15.26	3.50	70	0.1	(0.1)	-	-	50	240	3	15	130	0.6
11277	焼き	0	444	496	37.1	19.6	16.5	43.9	41.9	17.59	18.57	3.87	81	0.1	(0.1)	-	-	56	270	4	17	140	0.7
11130	**もも** 脂身つき 生	0	171	183	68.1	20.5	(16.9)	10.2	9.5	3.59	4.24	1.24	67	0.2	(0.2)	-	-	47	350	4	24	200	0.7
11131	皮下脂肪なし 生	0	138	148	71.2	21.5	18.0	6.0	5.4	2.01	2.48	0.69	66	0.2	(0.2)	-	-	49	360	4	25	210	0.7
11133	ゆで	0	185	199	61.8	28.9	25.2	8.1	7.1	2.68	3.27	0.86	91	0.3	(0.3)	-	-	27	200	5	24	190	0.9
11132	焼き	0	186	200	60.4	30.2	26.8	7.6	6.7	2.52	3.08	0.78	88	0.3	(0.3)	-	-	58	450	5	33	270	1.0
11134	赤肉 生	0	119	128	73.0	22.1	(18.0)	3.6	3.1	1.12	1.48	0.37	66	0.2	(0.2)	-	-	50	370	4	26	220	0.9
11135	脂身 生	0	611	664	25.5	6.5	(6.5)	67.6	65.0	25.07	28.25	8.84	79	0	0	-	-	22	140	1	8	73	0.7
11136	**そともも** 脂身つき 生	0	221	235	63.5	18.8	(15.6)	16.5	15.9	5.80	7.40	2.00	69	0.2	(0.2)	-	-	51	320	4	22	190	0.5
11137	皮下脂肪なし 生	0	175	187	67.9	20.2	(16.6)	10.7	10.1	3.69	4.79	1.20	69	0.2	(0.2)	-	-	54	340	4	23	200	0.5
11138	赤肉 生	0	133	143	71.8	21.4	(17.5)	5.5	5.0	1.79	2.46	0.49	68	0.2	(0.2)	-	-	57	360	4	25	210	0.9
11139	脂身 生	0	631	669	24.9	6.6	(6.6)	68.1	67.2	24.63	30.54	9.04	76	0	0	-	-	22	130	1	7	64	0.5
11140	**ヒレ** 赤肉 生	0	118	130	73.4	22.2	18.5	3.7	3.3	1.29	1.38	0.45	59	0.3	(0.3)	-	-	56	430	3	27	230	0.9
11278	焼き	0	202	223	53.8	39.3	33.2	5.9	4.9	2.04	2.14	0.53	100	0.4	(0.4)	-	-	92	690	6	45	380	1.6
11279	とんかつ	0	379	388	33.3	25.1	21.8	25.3	24.0	2.72	14.46	5.82	71	14.9	14.2	0.9	-	140	440	17	33	260	1.3

+PLUS+ **イベリコ豚●**スペインの西部のみで飼育されるイベリア種の黒豚が、近年ブランド豚として流通している。ただし、飼育方法により3段階に分かれる。樫の森1haあたり1～2頭で放牧されどんぐりで育つ最高級のベジョータ、放牧されるが穀物飼料で補われたレセボ、穀物飼料・豚舎育ちのピエンソ(セボ)である。

バークシャー種
イギリス原産の黒豚。一般に「黒豚」と呼ばれるのはこの品種。日本では鹿児島で多く生産される。

デュロック種
アメリカ原産の赤色の品種。ほかの品種に比べ飼料の量が少なくて済むという、経済的な品種。

かた

かた
ロース

豚の部位

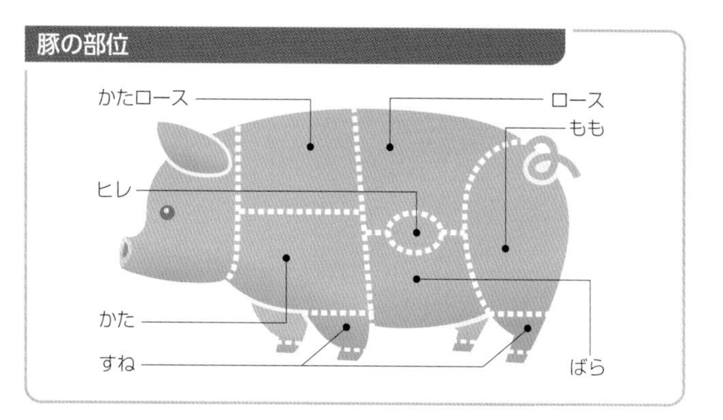

肉の国内生産量と輸入量（2020年度概算値）

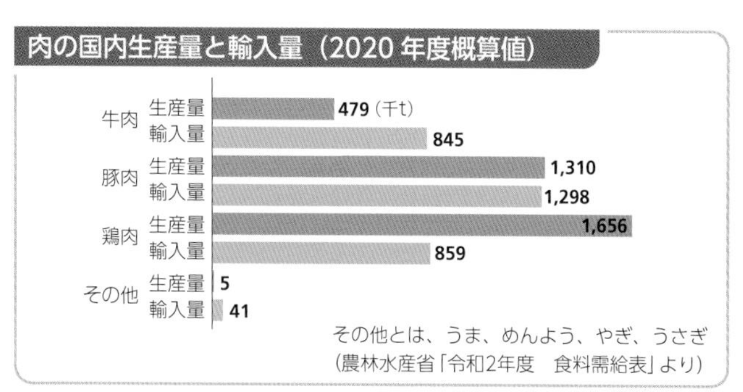

その他とは、うま、めんよう、やぎ、うさぎ
（農林水産省「令和2年度　食料需給表」より）

肉の国民1人1年あたり消費量（2020年度概算値）

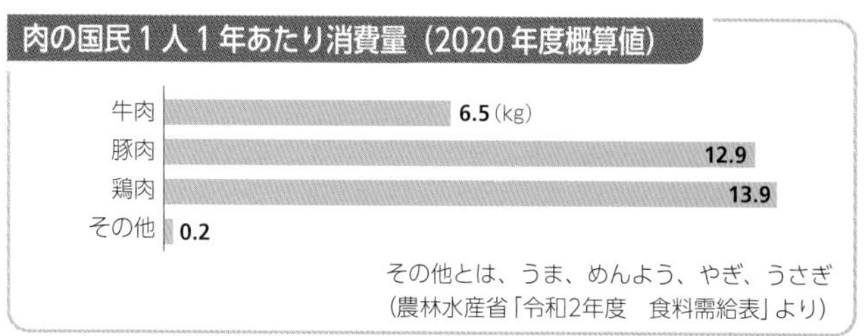

その他とは、うま、めんよう、やぎ、うさぎ
（農林水産省「令和2年度　食料需給表」より）

可食部100gあたり　Tr：微量　（ ）：推定値または推計値　－：未測定

ミネラル（無機質）							ビタミン															食塩相当量	備考
亜鉛	銅	マンガン	ヨウ素	セレン	クロム	モリブデン	A レチノール活性当量	レチノール	β-カロテン当量	D	E αトコフェロール	K	B1	B2	ナイアシン当量	B6	B12	葉酸	パントテン酸	ビオチン	C		①試料　②皮下脂肪及び筋間脂肪を除いたもの　③皮下脂肪及び筋間脂肪　④ビタミンC：酸化防止用として添加された食品を含む
mg	mg	mg	µg	µg	µg	µg	µg	µg	µg	µg	mg	µg	mg	mg	mg	mg	µg	µg	mg	µg	mg	g	
1.6	0.05	0.01	1	21	3	Tr	**6**	6	0	0.1	0.3	3	**0.69**	**0.15**	11.0	0.32	0.3	1	0.98	3.7	**1**	0.1	皮下脂肪 11.4%、筋間脂肪 7.9%
2.2	0.06	0.01	Tr	26	3	Tr	**3**	3	0	0.1	Tr	3	**0.54**	**0.16**	10.0	0.32	0.6	1	0.67	4.3	**Tr**	0.1	
2.2	0.07	0.01	2	29	2	1	**2**	2	0	0.1	0.1	3	**0.90**	**0.21**	15.0	0.33	0.5	1	1.19	5.2	**1**	0.1	
1.9	0.07	0.12	Tr	23	Tr	4	**11**	11	6	0.7	3.5	16	**0.75**	**0.15**	11.0	0.31	0.5	6	0.79	5.0	**1**	0.3	
1.8	0.06	0.01	1	23	3	Tr	**5**	5	0	0.1	0.3	2	**0.75**	**0.16**	(12.0)	0.35	0.3	1	1.05	3.3	**1**	0.1	筋間脂肪 8.9%
1.9	0.06	0.01	1	25	3	1	**4**	4	Tr	0.1	0.3	2	**0.80**	**0.18**	13.0	0.38	0.3	1	1.11	3.0	**1**	0.1	②
0.3	0.03	0	0	4	1	0	**15**	15	(0)	0.2	0.4	4	**0.22**	**0.05**	2.3	0.07	0.6	1	0.44	6.9	**1**	0	③
1.8	0.04	0.01	0	13	0	Tr	**11**	11	0	0.5	0.5	6	**0.51**	**0.13**	7.3	0.22	0.5	2	0.64	3.7	**1**	0.1	
2.2	0.05	0	Tr	18	1	1	**11**	11	0	0.6	0.6	8	**0.57**	**0.14**	10.0	0.27	0.7	1	0.68	4.7	**Tr**	0.1	
2.0	0.08	0.01	-	-	-	-	**4**	4	0	0.1	0.3	2	**0.90**	**0.21**	(10.0)	0.31	0.3	2	0.84	-	**1**	0.1	皮下脂肪 6.9%、筋間脂肪 3.4%
2.1	0.08	0.01	0	23	0	1	**3**	3	0	0.1	0.3	2	**0.94**	**0.22**	11.0	0.32	0.3	2	0.87	2.7	**1**	0.1	筋間脂肪 3.7%
3.0	0.12	0.01	0	34	Tr	1	**1**	1	0	0.1	Tr	3	**0.82**	**0.23**	12.0	0.38	0.4	2	0.74	3.4	**1**	0.1	
3.1	0.11	0.02	Tr	31	1	1	**1**	1	0	0.1	Tr	3	**1.19**	**0.28**	16.0	0.43	0.5	1	1.07	3.8	**1**	0.1	
2.2	0.08	0.01	-	-	-	-	**3**	3	Tr	0.1	0.3	2	**0.96**	**0.23**	(11.0)	0.33	0.3	2	0.88	-	**1**	0.1	②
0.5	0.04	0.01	-	-	-	-	**13**	13	(0)	0.5	0.7	6	**0.34**	**0.05**	(3.2)	0.13	0.5	1	0.49	-	**1**	0.1	③
1.9	0.07	0.01	-	-	-	-	**5**	5	0	0.2	0.4	2	**0.79**	**0.18**	(9.0)	0.36	0.3	1	0.97	-	**1**	0.1	皮下脂肪 10.2%、筋間脂肪 7.4%
2.1	0.07	0.01	-	-	-	-	**4**	4	0	0.2	0.4	2	**0.85**	**0.20**	(9.6)	0.39	0.3	1	1.04	-	**2**	0.1	筋間脂肪 8.3%
2.3	0.08	0.01	-	-	-	-	**3**	3	Tr	0.2	0.4	2	**0.90**	**0.21**	(10.0)	0.41	0.3	1	1.10	-	**2**	0.1	②
0.4	0.03	0	-	-	-	-	**16**	16	(0)	0.4	0.5	5	**0.27**	**0.05**	(2.9)	0.11	0.4	2	0.38	-	**1**	0.1	③
2.2	0.07	0.01	1	21	1	1	**3**	3	(0)	0.3	0.3	3	**1.32**	**0.25**	12.0	0.54	0.5	1	0.93	3.0	**1**	0.1	
3.6	0.12	0.01	1	40	0	1	**2**	2	0	0.3	0.3	6	**2.09**	**0.44**	21.0	0.76	0.9	1	1.55	6.4	**1**	0.2	
2.7	0.12	0.15	Tr	30	Tr	6	**3**	3	7	0.3	4.1	32	**1.09**	**0.32**	13.0	0.33	0.6	6	1.16	4.6	**1**	0.4	

Q&A 豚を生食しないのはなぜ？▶牛や馬、鶏のささ身などは、新鮮であればそれぞれレアステーキや刺身、鶏わさなどのように生や半生で食するメニューも多い。しかし、豚に関しては必ず火を通して食べること。これは、寄生虫感染や肝炎にかかるおそれがあるため。SPF豚といえども生食は避けるべき。

ロース

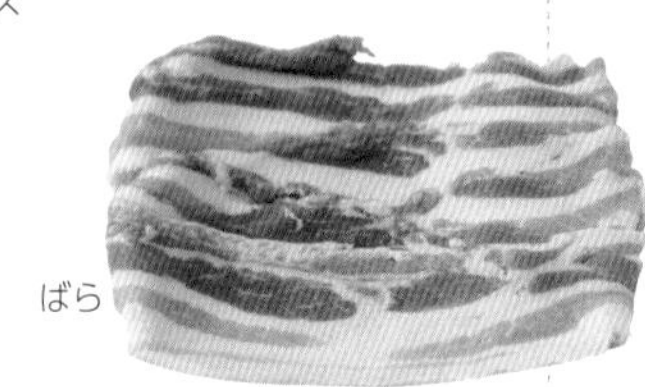

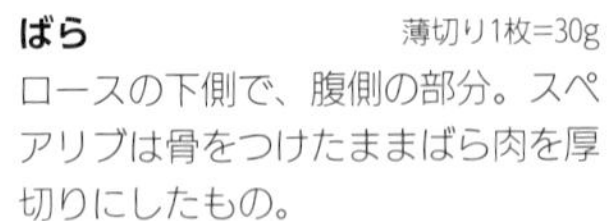

ばら

ばら

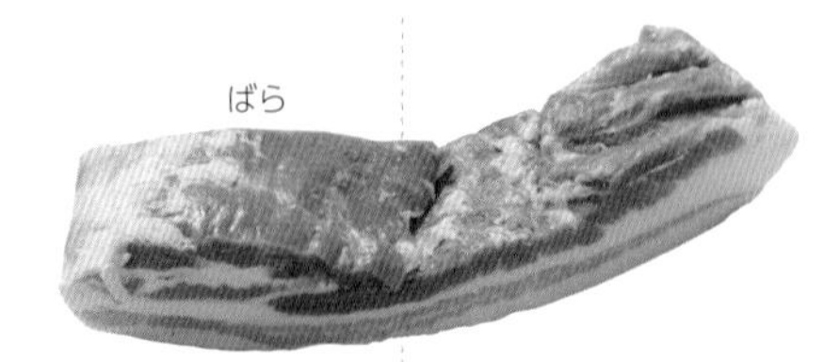

スペアリブ

もも

豚ひき肉

ばら 薄切り1枚=30g

ロースの下側で、腹側の部分。スペアリブは骨をつけたままばら肉を厚切りにしたもの。

脂肪層と赤身肉が3層になっているため「三枚肉」と呼ばれる。脂肪と赤身のバランスは同じぐらいの量できれいな層をつくっているものがよい。豚肉の脂肪は融点が低く、長時間煮てもパサつかないため、ブロックのまま煮込みや、ベーコン等の加工品としても利用される。

調理法：ブロックのままで角煮やゆで豚。薄切りにして炒め物。また、骨つきのスペアリブはバーベキュー等。

もも 薄切り1枚=30g

後ろ足を中心とした部分。おもにうちもものことをいう。

赤身が多く、やわらかい。大きなかたまりなので、形を生かしてハム等にも利用される。

調理法：ローストポーク、焼き豚、ステーキ、焼き肉等、肉そのものを味わう料理に。

そともも 薄切り1枚=30g

後ろ足の尻に近い部分。牛肉でいうランプとそとももものあたり。うちももよりもきめが粗く、肉質もかため。脂肪は少ない。

調理法：豚汁、シチュー等。

ヒレ 1食分=80g

ロースの内側に、左右1本ずつある棒状の肉。1本1kg程度で、2本合わせても、豚1頭の2%しかない貴重な部位。結合組織が少ないので、もっともきめが細かくやわらかい。脂肪もほとんどなく、ロースの1/5以下。

調理法：とんかつ、ソテー等。

ひき肉

いろいろな部位の肉を混合してひいたもの。筋の多い部位も食べやすくなる。脂肪の量によりカロリーに差が出るので、気になる場合は部位を指定してひいてもらうのがよい。

調理法：ハンバーグ、肉団子、手づくりソーセージ。

豚　副生物

舌 1本=600g

別名**たん**。全体的に肉質はやわらかく、根元の方ほど脂肪が多く、こくがある。ビタミンB_2、鉄分は肉より多く含まれる。

調理法：網焼き、煮込み等。

心臓 1個=200～300g

別名**はつ**。筋繊維が細かく、コリコリとした独特の歯ざわりがある。味は淡白で内臓類の中ではくせが少ない。ビタミンB_1、B_2、鉄が豊富。

食品番号	食品名	廃棄率	エネルギー	2015年版の値	水分	たんぱく質	アミノ酸組成によるたんぱく質	脂質	脂肪酸のトリアシルグリセロール当量	脂肪酸 飽和	脂肪酸 一価不飽和	脂肪酸 多価不飽和	コレステロール	炭水化物	利用可能炭水化物（質量計）	食物繊維 食物繊維総量（プロスキー変法）	食物繊維 食物繊維総量（AOAC法）	ミネラル（無機質） ナトリウム	カリウム	カルシウム	マグネシウム	リン	鉄
		%	kcal	kcal	g	g	g	g	g	g	g	g	mg	g	g	g	g	mg	mg	mg	mg	mg	mg
	[中型種肉]																						
11141	**かた** 脂身つき　生	0	**224**	239	63.6	**18.3**	-	**17.2**	16.8	6.24	8.04	1.75	69	**0**	0	-	-	53	320	**4**	20	180	**0.5**
11142	皮下脂肪なし　生	0	**172**	185	68.5	**19.7**	-	**10.8**	10.4	3.82	4.98	1.11	67	**0**	0	-	-	57	350	**5**	22	190	**0.5**
11143	赤肉　生	0	**113**	123	74.0	**21.4**	-	**3.5**	3.1	1.06	1.48	0.39	66	**0**	0	-	-	61	380	**5**	24	210	**1.2**
11144	脂身　生	0	**698**	733	19.1	**4.9**	-	**75.7**	75.4	28.38	36.07	7.57	80	**0**	0	-	-	20	91	**2**	5	50	**0.4**
11145	**かたロース** 脂身つき　生	0	**241**	256	62.0	**17.7**	(15.2)	**19.3**	18.6	7.37	8.43	2.00	76	**0**	0	-	-	55	310	**4**	20	180	**0.7**
11146	皮下脂肪なし　生	0	**212**	226	64.8	**18.5**	(15.8)	**15.7**	15.0	5.91	6.84	1.60	75	**0**	0	-	-	57	330	**4**	21	180	**0.6**
11147	赤肉　生	0	**140**	151	71.5	**20.6**	(17.4)	**6.8**	6.1	2.32	2.90	0.62	73	**0**	0	-	-	63	360	**4**	23	200	**1.3**
11148	脂身　生	0	**663**	699	22.3	**5.4**	(5.4)	**71.9**	71.3	28.60	31.69	7.84	88	**0**	0	-	-	22	110	**2**	6	59	**0.5**
11149	**ロース** 脂身つき　生	0	**275**	291	58.0	**18.3**	(15.6)	**22.6**	22.1	8.97	9.86	2.25	62	**0.2**	(0.2)	-	-	39	310	**3**	20	170	**0.3**
11150	皮下脂肪なし　生	0	**203**	216	64.6	**20.6**	17.8	**13.6**	13.1	5.26	5.92	1.32	62	**0.2**	(0.2)	-	-	43	340	**4**	23	190	**0.2**
11151	赤肉　生	0	**131**	141	71.2	**22.9**	(19.3)	**4.6**	4.1	1.55	1.97	0.39	61	**0.2**	(0.2)	-	-	47	380	**4**	26	210	**0.6**
11152	脂身　生	0	**716**	754	17.3	**4.1**	(4.1)	**78.3**	77.7	31.96	34.25	8.02	66	**0**	0	-	-	15	82	**1**	5	45	**0.2**
11153	**ばら** 脂身つき　生	0	**398**	434	45.8	**13.4**	(11.6)	**40.1**	39.0	15.39	18.42	3.51	70	**0**	0	-	-	43	220	**3**	14	120	**0.6**
11154	**もも** 脂身つき　生	0	**211**	225	64.2	**19.5**	(16.1)	**15.1**	14.3	5.47	6.71	1.52	71	**0.2**	(0.2)	-	-	48	330	**4**	22	190	**0.5**
11155	皮下脂肪なし　生	0	**153**	164	69.6	**21.3**	(17.4)	**7.8**	7.1	2.69	3.37	0.75	70	**0.2**	(0.2)	-	-	51	360	**4**	24	200	**0.5**
11156	赤肉　生	0	**133**	143	71.5	**21.9**	(17.9)	**5.3**	4.7	1.74	2.22	0.48	70	**0.2**	(0.2)	-	-	53	370	**4**	25	210	**0.9**
11157	脂身　生	0	**672**	716	20.7	**5.2**	(5.2)	**73.8**	72.3	27.78	33.60	7.73	81	**0**	0	-	-	18	110	**1**	6	58	**0.5**
11158	**そともも** 脂身つき　生	0	**252**	268	60.6	**18.0**	(14.9)	**20.3**	19.6	7.05	9.73	1.95	70	**0.2**	(0.2)	-	-	49	320	**4**	21	170	**0.6**
11159	皮下脂肪なし　生	0	**159**	169	69.2	**21.0**	(17.2)	**8.5**	8.0	2.83	3.99	0.79	68	**0.2**	(0.2)	-	-	55	360	**4**	25	190	**0.5**
11160	赤肉　生	0	**129**	138	72.0	**21.9**	(17.9)	**4.8**	4.3	1.50	2.18	0.43	68	**0.2**	(0.2)	-	-	57	380	**4**	26	200	**1.1**
11161	脂身　生	0	**660**	703	22.2	**4.9**	(4.9)	**72.5**	71.1	25.75	35.15	7.05	79	**0**	0	-	-	21	120	**1**	6	63	**0.5**
11162	**ヒレ** 赤肉　生	0	**105**	112	74.2	**22.7**	(18.5)	**1.7**	1.3	0.48	0.55	0.24	65	**0.1**	(0.1)	-	-	48	400	**4**	28	220	**1.2**
11163	[ひき肉]　生	0	**209**	236	64.8	**17.7**	15.9	**17.2**	16.1	6.24	7.55	1.62	74	**0.1**	(0.1)	-	-	57	290	**6**	20	120	**1.0**
11280	焼き	0	**289**	311	51.5	**25.7**	22.3	**21.5**	19.9	7.64	9.60	1.82	94	**0.1**	(0.1)	-	-	80	440	**7**	29	170	**1.6**

+PLUS+ 豚（トン）トロってなんだ？●焼き肉店などで目にする豚トロ。実はこれは首回りの肉をさす。1頭からわずか200～300gしか取れない貴重な部位。まぐろのトロのように霜降り状態なので、高カロリー。食べ過ぎには要注意。

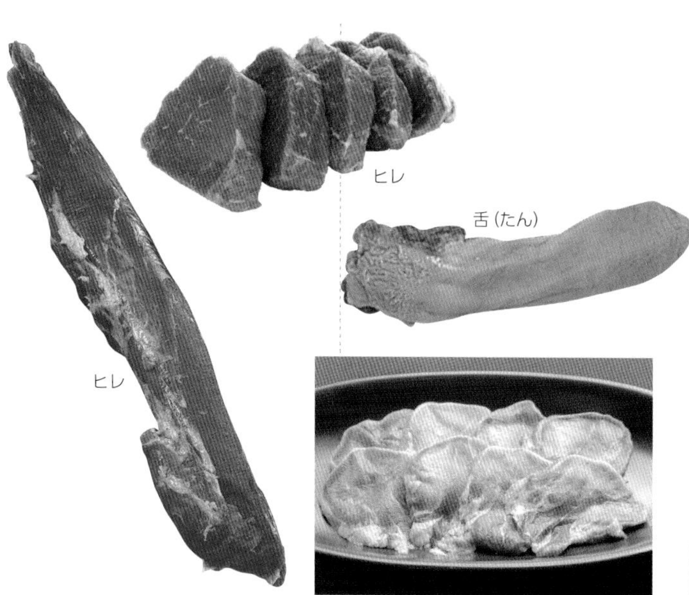

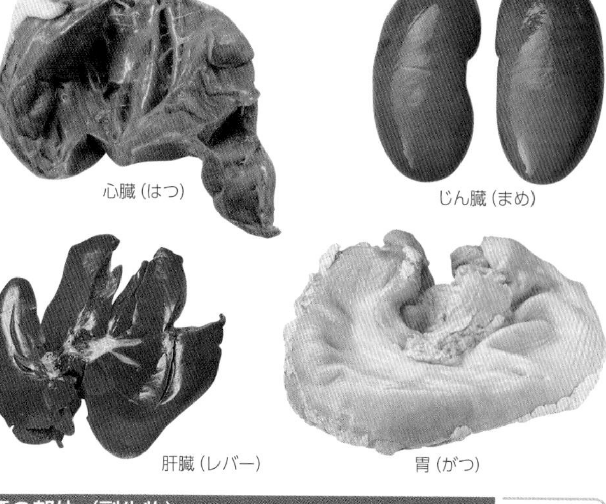

調理法：串焼き、唐揚げ等。

肝臓 1個=1kg

別名**レバー**。ビタミンA、B_1、B_2、鉄が豊富で、内臓類の中でも栄養価が高い。独特なくせがあるので、香辛料を用いたり、濃い味付けにするとよい。

調理法：串焼き、炒め物等。

じん臓 1個=100g

別名**まめ**。そらまめの形をしている。シコシコとした歯ざわり。脂肪は少なく低カロリー。ビタミン類、鉄分が豊富。

調理法：煮込み、炒め物等。

胃

別名**がつ、ぶたみの**。肌色の扁平（へんぺい）な形をしている。一般にはゆでて売られている。内臓類の中でも特に臭みが少ない。

調理法：長時間の煮込み料理、ホルモン焼き等。

豚の部位（副生物）

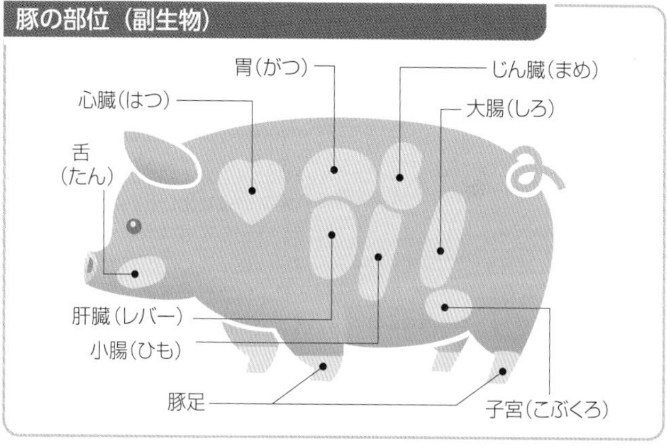

可食部100gあたり　Tr：微量　( )：推定値または推計値　−：未測定

亜鉛	銅	マンガン	ヨウ素	セレン	クロム	モリブデン	A レチノール活性当量	A レチノール	A β-カロテン当量	D	E αトコフェロール	K	B_1	B_2	ナイアシン当量	B_6	B_{12}	葉酸	パントテン酸	ビオチン	C	食塩相当量	備考 ①試料 ②皮下脂肪及び筋間脂肪を除いたもの ③皮下脂肪及び筋間脂肪 ④ビタミンC：酸化防止用として添加された食品を含む
mg	mg	mg	µg	µg	µg	µg	µg	µg	µg	µg	mg	µg	mg	mg	mg	mg	µg	µg	mg	µg	mg	g	
																							①バークシャー種
3.0	0.08	0.02	-	-	-	-	**5**	5	0	Tr	0.3	Tr	**0.70**	**0.22**	7.9	0.30	0.3	1	0.92	-	**1**	0.1	皮下脂肪 9.9%、筋間脂肪 9.1%
3.3	0.08	0.02	-	-	-	-	**3**	3	0	Tr	0.3	Tr	**0.75**	**0.24**	8.5	0.33	0.3	1	0.99	-	**1**	0.1	筋間脂肪 10.1%
3.6	0.09	0.02	-	-	-	-	**2**	2	Tr	0	0.3	0	**0.82**	**0.27**	9.2	0.36	0.3	1	1.07	-	**2**	0.2	②
0.4	0.04	0	-	-	-	-	**15**	15	(0)	0.2	0.4	1	**0.19**	**0.04**	2.2	0.07	0.3	1	0.28	-	**1**	0.1	③
3.2	0.09	0.01	-	-	-	-	**4**	4	0	Tr	0.3	Tr	**0.70**	**0.24**	(8.3)	0.33	0.4	1	0.98	-	**1**	0.1	皮下脂肪 6.6%、筋間脂肪 12.6%
3.4	0.09	0.01	-	-	-	-	**4**	4	0	Tr	0.3	Tr	**0.74**	**0.25**	(8.7)	0.35	0.4	1	1.01	-	**1**	0.1	筋間脂肪 13.6%
3.8	0.10	0.01	-	-	-	-	**3**	3	Tr	0	0.3	Tr	**0.82**	**0.29**	(9.6)	0.39	0.4	1	1.10	-	**2**	0.2	②
0.7	0.03	0	-	-	-	-	**11**	11	(0)	0.2	0.6	1	**0.21**	**0.04**	(2.7)	0.09	0.3	1	0.47	-	**0**	0.1	③
1.6	0.05	0.01	Tr	22	0	1	**6**	6	0	0.1	0.3	2	**0.77**	**0.13**	(11.0)	0.35	0.3	1	0.66	4.4	**1**	0.1	皮下脂肪 13.8%、筋間脂肪 10.6%
1.8	0.05	0.01	Tr	24	0	1	**5**	5	0	0.1	0.3	3	**0.86**	**0.14**	12.0	0.39	0.3	1	0.71	4.0	**1**	0.1	筋間脂肪 12.2%
2.0	0.05	0.01	Tr	27	0	1	**4**	4	Tr	0.1	0.3	3	**0.96**	**0.15**	(13.0)	0.43	0.3	1	0.77	3.6	**1**	0.1	②
0.3	0.02	0	0	7	0	1	**14**	14	(0)	0.1	0.4	1	**0.19**	**0.04**	(2.4)	0.08	0.4	1	0.31	7.1	**1**	0	③
1.6	0.04	0.01	-	-	-	-	**9**	9	Tr	0.1	0.4	1	**0.45**	**0.11**	(6.6)	0.23	0.3	2	0.62	-	**1**	0.1	
2.0	0.07	0.01	-	-	-	-	**5**	5	0	0.1	0.3	3	**0.90**	**0.19**	(11.0)	0.37	0.3	1	0.92	-	**1**	0.1	皮下脂肪 11.1%、筋間脂肪 3.2%
2.2	0.07	0.01	-	-	-	-	**4**	4	0	0.1	0.3	4	**0.98**	**0.20**	(12.0)	0.40	0.3	1	0.99	-	**1**	0.1	筋間脂肪 3.6%
2.3	0.07	0.01	-	-	-	-	**4**	4	Tr	0.1	0.3	4	**1.01**	**0.21**	(13.0)	0.42	0.3	1	1.02	-	**1**	0.1	②
0.4	0.03	0.01	-	-	-	-	**13**	13	(0)	0.1	0.3	1	**0.23**	**0.04**	(2.5)	0.08	0.3	1	0.30	-	**0**	0	③
2.2	0.08	0.02	-	-	-	-	**4**	4	0	Tr	0.3	Tr	**0.70**	**0.18**	(9.4)	0.34	0.3	1	0.76	-	**1**	0.1	皮下脂肪 18.4%、筋間脂肪 4.5%
2.6	0.09	0.02	-	-	-	-	**3**	3	0	Tr	0.3	Tr	**0.81**	**0.21**	(11.0)	0.41	0.3	1	0.86	-	**1**	0.1	筋間脂肪 5.5%
2.7	0.09	0.02	-	-	-	-	**3**	3	Tr	0	0.3	0	**0.84**	**0.22**	(11.0)	0.43	0.3	1	0.89	-	**1**	0.1	②
0.5	0.03	0	-	-	-	-	**10**	10	(0)	0.1	0.3	1	**0.24**	**0.05**	(3.0)	0.01	0.3	1	0.31	-	**0**	0.1	③
2.3	0.09	0.02	-	-	-	-	**2**	2	Tr	0	0.3	0	**1.22**	**0.25**	(10.0)	0.48	0.2	1	0.90	-	**1**	0.1	
2.8	0.07	0.01	1	19	2	1	**9**	9	0	0.4	0.5	5	**0.69**	**0.22**	8.9	0.36	0.6	2	1.22	3.3	**1**	0.1	
3.7	0.09	0.03	1	28	2	1	**10**	10	0	0.4	0.5	5	**0.94**	**0.30**	13.0	0.42	0.9	1	1.61	5.0	**1**	0.2	

Q&A ホルモンの語源は？▶内臓肉を使う料理にホルモンと名づけることが多いが、1920年代に精力を増強する料理のことをホルモン料理と呼ぶことが流行し、第2次世界大戦後、特に内臓料理にホルモンとつけるようになったとか。関西弁で「捨てるもの」を意味する「放（ほ）るもん」が語源となったというのは俗説らしい。

小腸（ひも）

豚足（足ティビチ）

軟骨（スライス）

大腸（しろ）

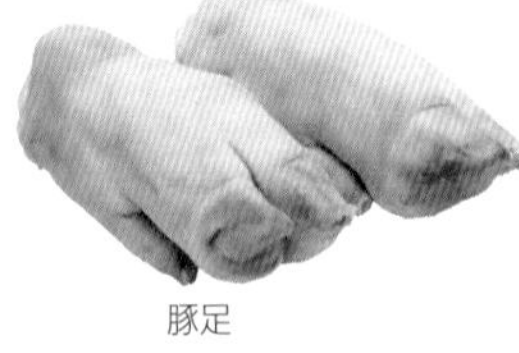

豚足

ボンレスハム

ロースハム

小腸
別名**ひも**。変質が早いので、脂肪を取り、ゆでたものが市販されているが、家庭ではさらにあくを抜いてから調理する。肉厚のものが味がよい。
調理法：みそ煮込み料理、串焼き等。中国の腸詰めには欠かせない。

大腸
別名**しろ、しろころ**。小腸とあわせてぶつ切りにし、「白モツ」として市販されている。
調理法：みそ煮込み、もつ焼き等。

子宮
別名**こぶくろ**。若い雌豚の子宮。やわらかく味は淡白。脂肪、ビタミン、ミネラルともに少ないが、たんぱく質は食肉と同じくらい含まれる。
調理法：焼き肉、和え物。

豚足（とんそく） 1本=400g
足の部分。骨と爪以外の、皮、肉、筋、軟骨を食べる。コラーゲンを豊富に含んでいるため、長時間煮込むとゼラチン化して食べやすくなる。沖縄では、昆布等と一緒に煮込む足ティビチという料理がある。
調理法：煮込み等。

軟骨
別名**ふえがらみ**ともいう。気管、食道の一部とそれに付随した軟骨部分。
調理法：ホルモン焼き等。

ハム類
Ham

ハムには「豚のもも肉」という意味がある。現在では広く「豚もも肉の加工品」をさしているが、日本ではもも肉以外の加工品もハムという。本来は肉の保存が目的であった。

骨付きハム
骨つきのままハムに加工したもの。一般的にはもも肉が使われる。非加熱の生ハムが多いが、加熱したものもある。

ボンレスハム
もも肉の骨を除き、塩漬、燻煙、加

食品番号	食品名	廃棄率	エネルギー	2015年版の値	水分	たんぱく質	アミノ酸組成によるたんぱく質	脂質	脂肪酸のトリアシルグリセロール当量	脂肪酸 飽和	脂肪酸 一価不飽和	脂肪酸 多価不飽和	コレステロール	炭水化物	利用可能炭水化物（質量計）	食物繊維 食物繊維総量（プロスキー変法）	食物繊維 食物繊維総量（AOAC法）	ミネラル（無機質） ナトリウム	カリウム	カルシウム	マグネシウム	リン	鉄
		%	kcal	kcal	g	g	g	g	g	g	g	g	mg	g	g	g	g	mg	mg	mg	mg	mg	mg
11164	[副生物] **舌** 生	0	**205**	221	66.7	**15.9**	12.6	**16.3**	15.2	5.79	7.34	1.38	110	**0.1**	(0.1)	-	-	80	220	**8**	15	160	**2.3**
11165	**心臓** 生	0	**118**	135	75.7	**16.2**	13.4	**7.0**	5.0	2.10	1.74	0.98	110	**0.1**	(0.1)	-	-	80	270	**5**	17	170	**3.5**
11166	**肝臓** 生	0	**114**	128	72.0	**20.4**	17.3	**3.4**	1.9	0.78	0.24	0.76	250	**2.5**	(2.3)	-	-	55	290	**5**	20	340	**13.0**
11167	**じん臓** 生	0	**96**	114	79.0	**14.1**	11.4	**5.8**	3.3	1.30	0.86	1.00	370	**Tr**	(Tr)	-	-	160	200	**7**	11	220	**3.7**
11168	**胃** ゆで	0	**111**	121	76.8	**17.4**	(13.9)	**5.1**	4.1	2.02	1.48	0.43	250	**0**	0	-	-	100	150	**9**	15	140	**1.5**
11169	**小腸** ゆで	0	**159**	171	73.7	**14.0**	(11.2)	**11.9**	11.1	5.93	3.88	0.85	240	**0**	0	-	-	13	14	**21**	13	130	**1.4**
11170	**大腸** ゆで	0	**166**	179	74.1	**11.7**	(9.4)	**13.8**	12.9	6.68	4.42	1.22	210	**0**	0	-	-	21	27	**15**	10	93	**1.6**
11171	**子宮** 生	0	**64**	70	83.8	**14.6**	(11.7)	**0.9**	0.5	0.18	0.15	0.11	170	**0**	0	-	-	130	150	**7**	8	100	**1.9**
11172	**豚足** ゆで	40	**227**	230	62.7	**20.1**	-	**16.8**	16.3	4.99	9.21	1.35	110	**Tr**	(Tr)	-	-	110	50	**12**	5	32	**1.4**
11173	**軟骨** ゆで	0	**229**	231	63.5	**17.8**	(15.1)	**17.9**	17.3	7.11	7.31	2.09	140	**0**	0	-	-	120	110	**100**	13	120	**1.6**
11174	[ハム類] **骨付きハム**	10	**208**	219	62.9	**16.7**	14.4	**16.6**	14.4	5.15	6.89	1.70	64	**0.8**	0.9	-	-	970	200	**6**	19	210	**0.7**
11175	**ボンレスハム**	0	**115**	118	72.0	**18.7**	15.8	**4.0**	3.4	1.18	1.49	0.56	49	**1.8**	1.1	-	-	1100	260	**8**	20	340	**0.7**
11176	**ロースハム**	0	**211**	212	61.1	**18.6**	16.0	**14.5**	13.5	5.35	5.94	1.61	61	**2.0**	1.1	-	-	910	290	**4**	20	280	**0.5**
11303	ゆで	0	**233**	235	58.9	**19.7**	17.4	**16.6**	15.6	6.15	7.26	1.51	69	**1.6**	0.9	-	-	730	220	**4**	21	250	**0.5**
11304	焼き	0	**240**	240	54.6	**23.6**	20.6	**15.1**	14.5	5.67	6.67	1.55	77	**2.4**	1.3	-	-	1100	370	**5**	24	340	**0.6**
11305	フライ	0	**432**	440	27.8	**17.3**	15.4	**32.3**	30.6	3.84	17.95	7.53	50	**20.0**	1.2	-	-	820	260	**24**	22	240	**0.6**
11177	**ショルダーハム**	0	**221**	231	62.7	**16.1**	13.9	**18.2**	16.2	5.91	7.40	2.21	56	**0.6**	1.1	-	-	640	290	**7**	19	270	**1.0**
11181	**生ハム** 促成	0	**243**	247	55.0	**24.0**	20.6	**16.6**	16.0	6.47	6.91	1.92	78	**0.5**	3.3	-	-	1100	470	**6**	27	200	**0.7**
11182	長期熟成	0	**253**	268	49.5	**25.7**	22.0	**18.4**	18.0	6.51	8.92	1.75	98	**0**	0.1	-	-	2200	480	**11**	25	200	**1.2**
11178	[プレスハム類] **プレスハム**	0	**113**	118	73.3	**15.4**	12.9	**4.5**	3.7	1.51	1.56	0.44	43	**3.9**	4.5	-	-	930	150	**8**	13	260	**1.2**
11180	**チョップドハム**	0	**132**	135	68.0	**11.7**	10.1	**4.2**	3.6	1.14	1.56	0.78	39	**12.7**	8.1	-	-	1000	290	**15**	17	260	**0.8**
11183	[ベーコン類] **ばらベーコン**	0	**400**	405	45.0	**12.9**	11.2	**39.1**	38.1	14.81	18.00	3.57	50	**0.3**	2.6	-	-	800	210	**6**	18	230	**0.6**
11184	**ロースベーコン**	0	**202**	211	62.5	**16.8**	14.6	**14.6**	12.8	4.92	5.11	2.20	50	**3.2**	1.3	-	-	870	260	**6**	19	270	**0.5**
11185	**ショルダーベーコン**	0	**178**	186	65.4	**17.2**	16.2	**11.9**	10.4	3.85	4.87	1.21	51	**2.5**	1.6	-	-	940	240	**12**	17	290	**0.8**
	[ソーセージ類]																						
11186	**ウインナーソーセージ**	0	**319**	334	52.3	**11.5**	10.5	**30.6**	29.3	10.98	13.42	3.59	60	**3.3**	3.1	-	-	740	180	**6**	12	200	**0.5**
11306	ゆで	0	**328**	342	52.3	**12.1**	10.9	**32.0**	30.7	11.58	14.08	3.73	62	**1.4**	1.8	-	-	700	170	**5**	12	200	**0.6**
11307	焼き	0	**345**	348	50.2	**13.0**	11.8	**31.8**	31.2	11.69	14.24	3.85	64	**2.4**	-	-	-	810	200	**6**	13	220	**0.6**
11308	フライ	0	**376**	382	45.8	**12.8**	11.2	**34.9**	33.8	11.10	16.22	5.00	60	**4.2**	-	-	-	730	180	**9**	13	210	**0.6**

+PLUS+ ベーコンは海の上で発明された!? ●紀元前数世紀、長い航海をする船乗りたちは保存食として塩漬け豚肉を積み込み、火であぶって食べていた。ある時、湿ったたきぎであぶってしまったら、煙でほどよくいぶす結果となり、ただの塩漬け豚肉より味も保存性もよくなった。これがベーコンの起源といわれている。

生ハム売り場

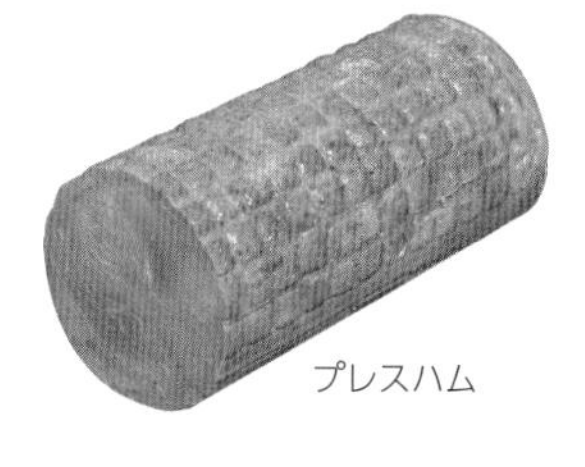
プレスハム

ばらベーコン

ウインナーソーセージ

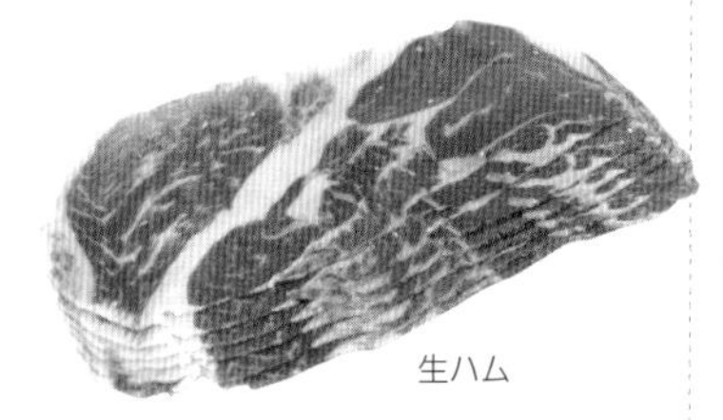
生ハム

熱したもの。

ロースハム 1枚=20g
もっとも消費量の多いハム。豚のロース部分をハムに加工したもの。

ショルダーハム
豚のかた肉をハムに加工したもの。ハムの中でも脂肪が少ない。

生ハム
「促成」はロースやももを塩漬けし低温乾燥・燻煙したもの。「長期熟成」は塩漬・乾燥・燻煙後に長期熟成したもの。

プレスハム類
Press ham

プレスハム
豚肉以外の畜肉を加えてつなぎ合わせたハムで、寄せハムとも呼ばれる。

チョップドハム
製法はプレスハムと同じだが、規格より肉の量が少なく、つなぎの割合が多いものをさす。

ベーコン類
Bacon 1枚=15～20g

もともと豚ばら肉を保存するために、塩漬けして熟成させ、長時間燻煙したもの。現在ではばら肉のほかに、ロースやかた肉でもつくられる。ハムとの違いは、ケーシング充填と熱加工をしない点である。

ばらベーコン
豚ばら肉を使った本来のベーコン。加熱してしみ出る脂肪も生かして調理される。

ロースベーコン
豚のロース部分をベーコンに加工したもの。脂肪が少ないためうま味に欠けるが、そのままでも加熱調理してもよい。

ショルダーベーコン
豚かた肉または豚かたロース肉をベーコンに加工したもの。形が大きく、ベーコンよりも脂肪が少ない。

ソーセージ類
Sausage

ハムはかたまり肉を使うのに対し、ソーセージはひき肉に香辛料等を加えて味付けし、腸（または人工のケーシング）に詰めたものを燻煙または加熱したもの。原材料や加工法によって分類される。

ケーシングの種類：牛腸、豚腸、羊腸の汚れを取り、塩漬または乾燥させて使う。生産量の増加により、コラーゲンを材料とした人工ケーシングも使用される。

ウインナーソーセージ 1本=15～25g
羊腸または径の太さが20mm未満の人工ケーシングに詰めて、ソーセージに加工したもの。

可食部100gあたり　Tr：微量　( )：推定値または推計値　-：未測定

ミネラル（無機質）							ビタミン															食塩相当量	備考
亜鉛	銅	マンガン	ヨウ素	セレン	クロム	モリブデン	A レチノール活性当量	レチノール	β-カロテン当量	D	E αトコフェロール	K	B1	B2	ナイアシン当量	B6	B12	葉酸	パントテン酸	ビオチン	C		①試料 ②皮下脂肪及び筋間脂肪を除いたもの ③皮下脂肪及び筋間脂肪 ④ビタミンC：酸化防止用として添加された食品を含む
mg	mg	mg	µg	µg	µg	µg	µg	µg	µg	µg	mg	µg	mg	mg	mg	mg	µg	µg	mg	µg	mg	g	
2.0	0.20	-	-	-	-	-	7	7	Tr	2.0	0.3	Tr	0.37	0.43	7.8	0.21	2.2	4	1.49	-	3	0.2	
1.7	0.35	-	-	-	-	-	9	9	Tr	0.7	0.4	1	0.38	0.95	9.5	0.32	2.5	5	2.70	-	4	0.2	
6.9	0.99	-	1	67	0	120	13000	13000	Tr	1.3	0.4	Tr	0.34	3.60	19.0	0.57	25.0	810	7.19	80.0	20	0.1	
2.4	0.41	-	2	240	0	72	75	75	Tr	1.7	0.2	8	0.33	1.75	9.7	0.43	15.0	130	4.36	100.0	15	0.4	
2.4	0.19	0.05	-	-	-	-	4	4	(0)	0.5	0.4	14	0.10	0.23	(6.4)	0.04	0.9	31	0.59	-	5	0.3	
2.0	0.08	0.04	-	-	-	-	15	15	(0)	0.3	0.3	5	0.01	0.03	(2.9)	0	0.4	17	0.24	-	0	0	
1.8	0.12	0.03	-	-	-	-	8	8	(0)	0.5	0.5	26	0.03	0.07	(2.4)	0	1.0	25	0.27	-	0	0.1	
1.3	0.11	0.01	-	-	-	-	8	8	(0)	0.2	0.2	5	0.06	0.14	(5.1)	0.01	3.8	8	0.38	-	11	0.3	
1.0	0.07	-	-	-	-	-	6	6	(0)	1.0	0.4	1	0.05	0.12	4.1	0.02	0.4	1	0.16	-	0	0.3	皮付きのもの　廃棄部位：骨
1.5	0.11	0.02	-	-	-	-	7	7	(0)	0.5	0.1	13	0.08	0.15	(2.3)	0.05	0.6	2	0.47	-	2	0.3	
1.6	0.05	0.01	1	24	6	1	4	4	(0)	0.5	0.2	4	0.24	0.24	7.0	0.25	1.1	Tr	0.66	3.9	39	2.5	廃棄部位：皮及び骨　④
1.6	0.07	0.01	1	19	4	1	(Tr)	Tr	(0)	0.6	0.2	2	0.90	0.28	10.0	0.24	1.3	1	0.70	2.1	49	2.8	④
1.6	0.04	0.01	0	21	12	1	3	3	0	0.2	0.1	6	0.70	0.12	11.0	0.28	0.5	1	0.71	3.8	25	2.3	④
1.8	0.04	0.01	0	24	11	1	3	3	-	0.3	0.1	5	0.64	0.12	10.0	0.28	0.6	1	0.72	4.0	19	1.9	ビタミンC：添加品を含む
1.8	0.05	0.01	0	30	11	1	3	3	-	0.2	0.1	4	0.86	0.16	15.0	0.32	0.6	1	1.03	4.2	27	2.8	ビタミンC：添加品を含む
1.3	0.07	0.19	0	20	8	6	1	1	0	0.1	0.7	2	0.52	0.13	9.0	0.20	0.3	9	0.59	3.8	15	2.1	ビタミンC：添加品を含む　植物油（なたね油）
2.0	0.09	0.02	1	17	1	1	4	4	(0)	0.2	0.3	2	0.70	0.35	9.0	0.27	1.9	2	0.92	3.9	55	1.6	④
2.2	0.08	0.02	180	19	1	1	5	5	(0)	0.3	0.3	7	0.92	0.18	15.0	0.43	0.4	3	1.36	3.3	18	2.8	ラックスハムを含む　④
3.0	0.11	0.03	1	28	1	1	5	5	(0)	0.8	0.3	12	0.90	0.27	13.0	0.52	0.6	2	1.81	5.6	Tr	5.6	プロシュートを含む
1.5	0.09	0.03	41	21	5	3	(Tr)	Tr	(0)	0.3	0.3	3	0.55	0.18	7.0	0.14	1.8	3	0.50	2.0	43	2.4	④
1.5	0.06	0.03	100	14	16	6	(Tr)	Tr	(0)	0.3	0.2	6	0.17	0.20	4.2	0.16	0.8	2	0.50	3.5	32	2.5	④
1.8	0.08	-	60	15	2	1	6	6	(0)	0.5	0.6	1	0.47	0.14	5.5	0.18	0.7	1	0.64	6.3	35	2.0	④
1.2	0.04	0.01	2	23	1	1	4	4	(0)	0.6	0.3	6	0.59	0.19	9.1	0.22	0.9	1	0.62	2.9	50	2.2	④
1.6	0.07	0.02	130	28	2	4	4	4	(0)	0.4	0.2	2	0.58	0.34	7.9	0.18	1.0	4	0.74	3.4	39	2.4	④
1.3	0.05	0.03	3	17	2	2	2	2	Tr	0.4	0.4	9	0.35	0.12	5.7	0.14	0.6	1	0.60	4.0	32	1.9	ビタミンC：添加品を含む
1.4	0.05	0.03	3	16	2	2	2	2	0	0.3	0.4	8	0.36	0.12	5.6	0.14	0.6	1	0.48	4.2	30	1.8	ビタミンC：添加品を含む
1.5	0.06	0.03	3	18	2	2	2	2	0	0.4	0.5	9	0.38	0.13	6.4	0.15	0.6	1	0.71	4.6	32	2.0	ビタミンC：添加品を含む
1.4	0.05	0.05	2	17	2	3	2	2	Tr	0.3	1.1	10	0.35	0.13	5.6	0.12	0.6	3	0.49	4.5	30	1.9	ビタミンC：添加品を含む　植物油（なたね油）

QA それってハム？▶肉のかたまりにだいず、卵白、乳たんぱく、海藻抽出物等のゼリー液を注射して増量したハムを、業界ではプリンハム等と呼んでいる。例えば100kgの肉から130kgのハムをつくるが、色や弾力を持たせるためにその他の食品添加物もよけいに使われている。

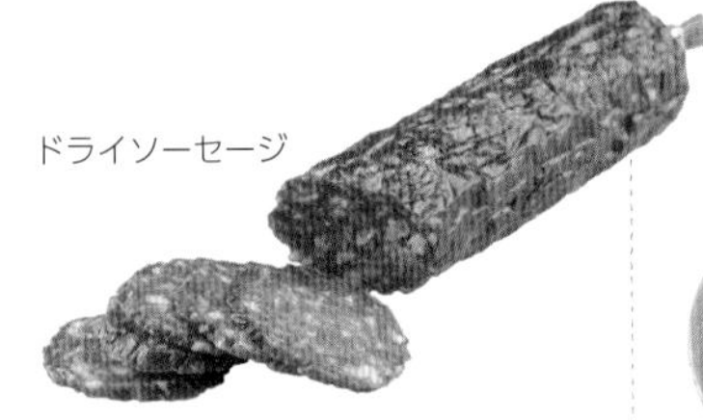

ドライソーセージ

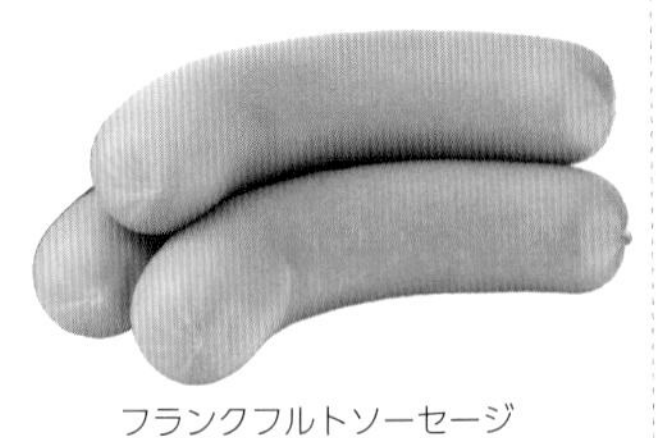

フランクフルトソーセージ

セミドライソーセージ 1枚＝10g
ソーセージの原料を塩漬後、加熱した後乾燥させたもの。ドライソーセージよりもややソフト。

ドライソーセージ 1枚＝10g
長期保存用ソーセージ。塩漬後、非加熱のまま、細菌が繁殖できなくなるまで低温乾燥させた、水分が35%以下のもの。代表的なものはサラミソーセージ。

フランクフルトソーセージ 1本＝50g
豚腸または径の太さが20mm以上36mm未満の人工ケーシングに詰めて、ソーセージに加工したもの。

ボロニアソーセージ

リオナソーセージ

ボロニアソーセージ
牛腸または径の太さが36mm以上の人工ケーシングに詰めて、ソーセージに加工したもの。

リオナソーセージ
豚肉や牛肉等の原料肉に、野菜・穀粒・肉製品・チーズ等を加えてつくる大型のもの。

レバーソーセージ
レバーに脂肪を加えて練り合わせ、ソーセージ風の形状につくったもの。

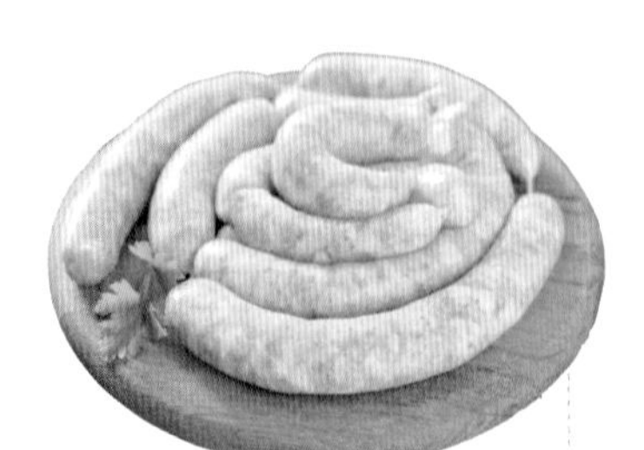

生ソーセージ

焼き豚

混合ソーセージ
肉のほかに魚肉を15%以上50%未満加えたもの。

生ソーセージ 1本＝30g
加熱加工していないソーセージ。別名フレッシュソーセージ。

焼き豚
Roast pork 1枚＝15～25g

豚肉をタレにつけてからあぶり焼きにしたもの。別名**チャーシュー**。

レバーペースト

スモークレバー

レバーペースト
Liver paste 大1＝15g

レバーをなめらかにすりつぶして調味したもの。レバー分を50%以上含む。

スモークレバー
Smoked liver

レバーを調味液につけた後、燻煙加工したもの。

食品番号	食品名	廃棄率 %	エネルギー kcal	2015年版の値 kcal	水分 g	たんぱく質 g	アミノ酸組成によるたんぱく質 g	脂質 g	脂肪酸のトリアシルグリセロール当量 g	脂肪酸 飽和 g	脂肪酸 一価不飽和 g	脂肪酸 多価不飽和 g	コレステロール mg	炭水化物 g	利用可能炭水化物（質量計） g	食物繊維 食物繊維総量（プロスキー変法） g	食物繊維 食物繊維総量（AOAC法） g	ミネラル（無機質） ナトリウム mg	カリウム mg	カルシウム mg	マグネシウム mg	リン mg	鉄 mg
11187	**セミドライソーセージ**	0	**335**	347	46.8	**16.9**	14.6	**29.7**	28.9	11.17	12.92	3.54	81	**2.9**	3.7	-	-	1200	240	**34**	17	210	**2.2**
11188	**ドライソーセージ**	0	**467**	495	23.5	**26.7**	23.1	**42.0**	39.8	15.61	17.98	4.47	95	**2.6**	3.3	-	-	1700	430	**27**	22	250	**2.6**
11189	**フランクフルトソーセージ**	0	**295**	298	54.0	**12.7**	11.0	**24.7**	24.2	8.78	11.26	3.07	59	**6.2**	4.5	-	-	740	200	**12**	13	170	**0.9**
11190	**ボロニアソーセージ**	0	**242**	251	60.9	**12.5**	11.0	**21.0**	20.5	7.70	9.51	2.39	64	**2.9**	3.0	-	-	830	180	**9**	13	210	**1.0**
11191	**リオナソーセージ**	0	**188**	192	65.2	**14.9**	13.4	**13.1**	12.4	4.55	5.43	1.83	49	**3.7**	1.5	-	-	910	200	**13**	16	240	**1.0**
11192	**レバーソーセージ**	0	**324**	368	47.7	**14.7**	12.8	**33.5**	24.7	9.43	10.90	3.31	86	**1.9**	2.0	-	-	650	150	**16**	14	200	**3.2**
11193	**混合ソーセージ**	0	**231**	270	58.2	**11.8**	10.2	**22.7**	16.6	6.75	7.24	1.89	39	**4.7**	9.7	-	-	850	110	**17**	13	190	**1.3**
11194	**生ソーセージ**	0	**269**	279	58.6	**14.0**	12.2	**24.4**	24.0	8.91	11.18	2.86	66	**0.8**	0.6	-	-	680	200	**8**	14	140	**0.9**
11195	［その他］ **焼き豚**	0	**166**	172	64.3	**19.4**	16.3	**8.2**	7.2	2.51	3.31	1.02	46	**5.1**	4.7	-	-	930	290	**9**	20	260	**0.7**
11196	**レバーペースト**	0	**370**	378	45.8	**12.9**	11.0	**34.7**	33.1	12.93	14.31	4.42	130	**3.6**	2.7	-	-	880	160	**27**	15	260	**7.7**
11197	**スモークレバー**	0	**182**	198	57.6	**29.6**	24.9	**7.7**	4.5	1.86	0.80	1.65	480	**2.6**	2.9	-	-	690	280	**8**	24	380	**20.0**
11198	**ゼラチン**	0	**347**	344	11.3	**87.6**	86.0	**0.3**	-	-	-	-	2	**0**	0	-	-	260	8	**16**	3	7	**0.7**
	めんよう																						
11199	［マトン］ **ロース** 脂身つき 生	0	**192**	223	68.2	**19.3**	17.7	**15.0**	13.4	6.80	5.52	0.50	65	**0.2**	(0.2)	-	-	62	330	**3**	17	180	**2.7**
11281	焼き	0	**305**	344	52.3	**25.8**	23.7	**24.9**	23.3	11.79	9.48	1.01	97	**0.2**	(0.2)	-	-	69	370	**4**	20	220	**3.6**
11245	皮下脂肪なし 生	0	**139**	163	72.3	**22.2**	17.6	**7.4**	6.3	3.11	2.62	0.32	66	**0**	0.1	-	-	61	350	**3**	23	190	**2.8**
11200	**もも** 脂身つき 生	0	**205**	224	65.0	**18.8**	17.2	**15.3**	13.6	6.88	5.53	0.57	78	**0.1**	(0.1)	-	-	37	230	**4**	21	140	**2.5**
11201	［ラム］ **かた** 脂身つき 生	0	**214**	233	64.8	**17.1**	14.9	**17.1**	15.3	7.62	6.36	0.61	80	**0.1**	(0.1)	-	-	70	310	**4**	23	120	**2.2**
11202	**ロース** 脂身つき 生	0	**287**	310	56.5	**15.6**	13.6	**25.9**	23.2	11.73	9.52	0.87	66	**0.2**	(0.2)	-	-	72	250	**10**	17	140	**1.2**
11282	焼き	0	**358**	388	43.5	**21.8**	19.0	**31.4**	27.2	14.26	10.53	1.18	88	**0.2**	(0.1)	-	-	80	290	**11**	21	160	**1.7**
11246	皮下脂肪なし 生	0	**128**	143	72.3	**22.3**	18.0	**5.2**	4.3	2.06	1.81	0.29	67	**0**	0	-	-	77	330	**7**	23	190	**1.9**
11203	**もも** 脂身つき 生	0	**164**	198	69.7	**20.0**	17.6	**12.0**	10.3	4.91	4.39	0.52	64	**0.3**	(0.3)	-	-	59	340	**3**	22	200	**2.0**
11283	焼き	0	**267**	312	53.5	**28.6**	25.0	**20.3**	18.4	9.19	7.45	0.95	99	**0.3**	(0.2)	-	-	64	370	**4**	24	220	**2.5**
11179	**混合プレスハム**	0	**100**	107	75.8	**14.4**	-	**4.1**	3.4	1.32	1.38	0.58	31	**3.0**	(2.7)	-	-	880	140	**11**	12	210	**1.1**

+PLUS+ **ソーセージの語源●**Sau（雌豚）とSage（香辛料のセージ）の合成語という説や、Sauce（塩水）+Age（熟成）＝塩漬熟成させた物がソーセージであるという説、さらにラテン語のSalsus（塩漬）からきたという説など諸説がある。

粉ゼラチン

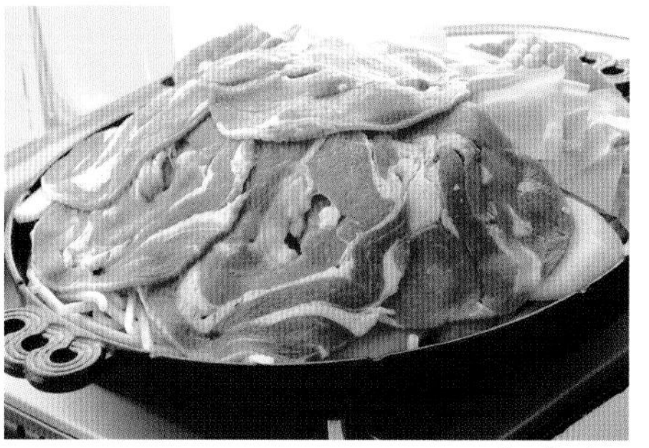
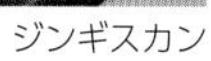
ジンギスカン

ラム　マトン

ゼラチン

Gelatin　小1＝3g

動物の結合組織（骨、皮、筋など）にあるコラーゲンを熱処理したもの。最近は魚由来のものもある。ゼリー等の凝固剤に使う。板状と粉末状のものがある。

板ゼラチン

ラム肉（骨付き）

めんよう（綿羊）

Sheep　1食分＝100g

ひつじの肉。体脂肪を燃焼させるL－カルニチンが豊富に含まれている。また、脂肪は融点が44℃と高いため、人間の体温では溶けにくく吸収されにくいとされる。成長年齢により肉質に差があるので、生後1年以上のものを「マトン」、1年未満のものを「ラム」と区別する。ほとんどがオーストラリアやニュージーランドから輸入されている。独特の風味は、ひつじの年齢が高くなるほど強くなる。

マトン

色は濃い紅色で独特の風味がある。

調理法：ジンギスカン。独特の風味は脂肪部分に多い。

ラム

マトンに比べ、肉質がやわらかく、色も淡い赤色。

調理法：ジンギスカン、ロースト、ステーキ等。

混合プレスハム

マトンを主原料に、ほかの畜肉や魚肉を加えた、日本独特のハム。

ジンギスカン鍋とは……？

ジンギスカン鍋はモンゴルの英雄ジンギスカンとは全く関係なく、1918年に羊毛の自給をめざす計画が立案されたことがきっかけで、羊肉消費をはかるために研究された日本の料理。

中央が盛り上がったジンギスカン鍋で羊肉の薄切りと野菜を焼いて食べる。たれは、肉の臭み消しのためにさまざまな香味野菜を使う等工夫されている。

北海道、岩手、山形、福島、長野等の郷土料理だが、2006年頃に全国的なブームとなった。その要因として、BSE（牛海綿状脳症）や鳥インフルエンザにより牛肉や鶏肉にかわる肉が求められたこと、羊肉には脂肪の燃焼を助けるL－カルニチンが豊富なことが注目されたことがあげられる。

可食部100gあたり　Tr：微量　（ ）：推定値または推計値　－：未測定

ミネラル（無機質）							ビタミン															食塩相当量	備考
亜鉛	銅	マンガン	ヨウ素	セレン	クロム	モリブデン	A レチノール活性当量	A レチノール	A β-カロテン当量	D	E αトコフェロール	K	B1	B2	ナイアシン当量	B6	B12	葉酸	パントテン酸	ビオチン	C		①試料　②皮下脂肪及び筋間脂肪を除いたもの　③皮下脂肪及び筋間脂肪　④ビタミンC：酸化防止用として添加された食品を含む
mg	mg	mg	µg	µg	µg	µg	µg	µg	µg	µg	mg	µg	mg	mg	mg	mg	µg	µg	mg	µg	mg	g	
2.7	0.12	0.08	1	17	2	2	**8**	8	(0)	0.7	0.8	12	**0.26**	**0.23**	14.0	0.20	1.3	4	0.61	4.3	**14**	2.9	ソフトサラミを含む　④
3.9	0.12	0.10	2	25	2	3	**3**	3	(0)	0.5	1.1	11	**0.64**	**0.39**	12.0	0.24	1.6	4	0.85	6.2	**3**	4.4	サラミを含む　④
1.8	0.08	0.05	36	15	4	4	**5**	5	(0)	0.4	0.4	6	**0.21**	**0.13**	4.6	0.15	0.4	2	0.61	4.3	**10**	1.9	④
1.5	0.10	0.05	3	13	2	3	**5**	5	(0)	0.3	0.4	5	**0.20**	**0.13**	4.9	0.15	0.4	4	0.88	3.8	**10**	2.1	④
1.7	0.11	0.06	9	13	1	2	**4**	4	0	0.4	0.4	4	**0.33**	**0.14**	5.9	0.20	0.4	5	0.68	3.1	**43**	2.3	④
2.2	0.14	0.16	6	36	13	60	**2800**	2800	(0)	0.5	0.4	4	**0.23**	**1.42**	9.8	0.16	4.7	15	1.36	34.0	**5**	1.7	
1.4	0.10	0.12	2	17	2	4	**3**	3	(0)	1.2	0.3	6	**0.12**	**0.10**	3.9	0.08	1.0	9	0.42	2.5	**35**	2.2	④
1.7	0.08	0.06	1	18	5	1	**12**	12	(0)	0.7	0.4	4	**0.51**	**0.14**	5.9	0.25	0.4	1	0.74	3.8	**2**	1.7	
1.3	0.06	0.04	6	17	2	5	**Tr**	Tr	Tr	0.6	0.3	6	**0.85**	**0.20**	17.0	0.20	1.2	3	0.64	3.3	**20**	2.4	①蒸し焼きしたもの　④
2.9	0.33	0.26	3	28	3	48	**4300**	4300	Tr	0.3	0.4	6	**0.18**	**1.45**	9.5	0.23	7.8	140	2.35	29.0	**3**	2.2	
8.7	0.92	0.30	4	81	1	190	**17000**	17000	(0)	0.9	0.6	1	**0.29**	**5.17**	26.0	0.66	24.0	310	7.28	130.0	**10**	1.8	
0.1	0.01	0.03	2	7	6	2	**(0)**	(0)	(0)	0	0	0	**(0)**	**(0)**	(0.1)	0	0.2	2	0.08	0.4	**(0)**	0.7	①家庭用　(100g：154mL、100mL：65g)
2.5	0.08	0.01	1	8	1	1	**12**	12	0	0.7	0.7	19	**0.16**	**0.21**	9.8	0.32	1.3	1	0.51	1.4	**1**	0.2	①ニュージーランド及びオーストラリア産
3.9	0.11	0	1	7	1	1	**14**	14	0	0.7	1.0	22	**0.16**	**0.26**	12.0	0.37	1.5	Tr	0.66	1.9	**Tr**	0.2	①ニュージーランド及びオーストラリア産
3.1	0.10	0.01	1	10	0	1	**8**	8	-	0.2	0.5	14	**0.14**	**0.24**	12.0	0.33	1.5	2	0.75	1.5	**1**	0.2	①オーストラリア産
3.4	0.13	0.01	-	-	-	-	**7**	7	(0)	0.4	1.3	18	**0.14**	**0.33**	8.5	0.30	1.6	1	1.12	-	**1**	0.1	①ニュージーランド及びオーストラリア産
5.0	0.13	-	-	-	-	-	**8**	8	(0)	0.9	0.5	23	**0.13**	**0.26**	7.5	0.12	2.0	2	0.94	-	**1**	0.2	①ニュージーランド及びオーストラリア産
2.6	0.08	0.01	1	8	1	Tr	**30**	30	0	0	0.6	22	**0.12**	**0.16**	7.3	0.23	1.4	1	0.64	2.0	**1**	0.2	①ニュージーランド及びオーストラリア産
3.3	0.11	0	1	5	1	1	**37**	37	Tr	0	0.6	29	**0.13**	**0.21**	9.8	0.27	2.1	1	0.69	2.7	**1**	0.2	①ニュージーランド及びオーストラリア産
2.7	0.12	0.01	1	11	0	Tr	**7**	7	-	0	0.1	11	**0.15**	**0.25**	13.0	0.36	1.6	1	0.77	1.8	**1**	0.2	① ニュージーランド及びオーストラリア産 筋間脂肪：6.4%
3.1	0.10	0.01	1	9	Tr	1	**9**	9	0	0.1	0.4	15	**0.18**	**0.27**	11.0	0.29	1.8	1	0.80	2.0	**1**	0.2	①ニュージーランド及びオーストラリア産
4.5	0.15	0	1	13	1	1	**14**	14	0	0	0.5	23	**0.19**	**0.32**	14.0	0.29	2.1	4	0.84	2.5	**Tr**	0.2	①ニュージーランド及びオーストラリア産
1.7	0.06	0.04	-	-	-	-	**(Tr)**	Tr	(0)	0.4	0.4	6	**0.10**	**0.18**	4.2	0.09	2.1	5	0.29	-	**31**	2.2	マトンに、つなぎとして魚肉を混合したもの ビタミンC：添加品を含む

Q&A 焼き豚の本物とは？▶日本では、よくラーメンにのせるしょうゆで煮込んだものを焼き豚と呼ぶが、これは中国では醤肉（ジャンロウ）と呼ぶ煮豚にあたる。本来の焼き豚は皮つきのばら肉に塩と香辛料を塗って専用の炉につるして焼く。またチャーシューは、ばら肉かもも肉に塩と紅糟（ホンサオ）という酒粕等を塗って焼いたものだ。

やぎ

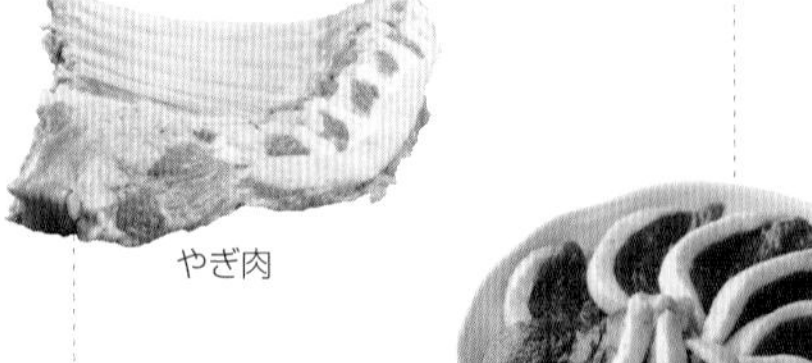
やぎ肉

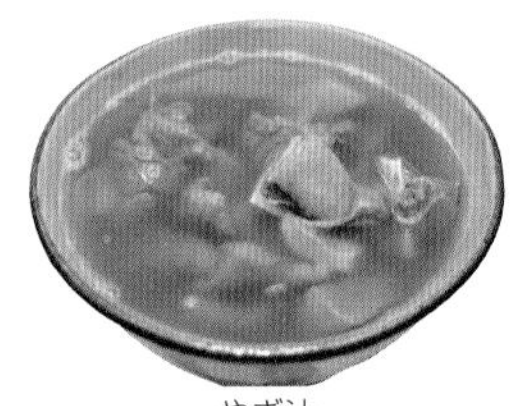

やぎ汁

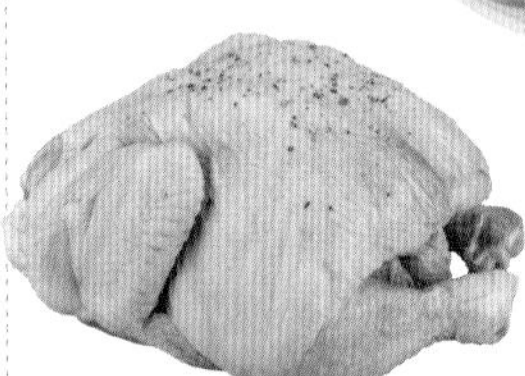
うずら肉

かも肉

フォアグラ

がちょう

まがも（左が雄、右が雌）

あいがも

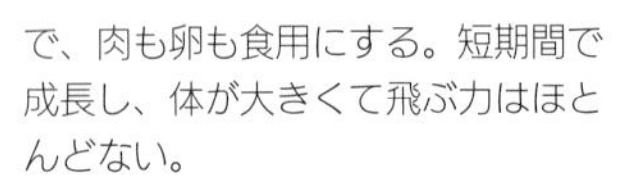
あいがものロースト

やぎ（山羊）

Goat　1食分＝100g

日本ではほとんどが沖縄、鹿児島で生産される。牛肉に比べ、高たんぱく、低脂肪。「山羊臭」と呼ばれる独特の臭みがある。沖縄郷土料理の「やぎ汁」は、臭み消しによもぎを使う。

調理法：鍋もの、焼き肉等。

うずら（鶉）

Japanese quail

キジ科の鳥。食肉としてだけでなく、採卵用にも飼育される。小型な鳥のため、丸ごと調理することが多い。

がちょう（鵞鳥）

Goose

カモ科。野生の雁(がん・かり)を非常に古い時代から飼い慣らした家禽で、肉も卵も食用にする。短期間で成長し、体が大きくて飛ぶ力はほとんどない。

フォアグラ　1食分=50g

がちょうにとうもろこしなどの飼料を強制的に与え肥育し、肥大した肝臓(脂肪肝)のことをさす。キャビア、トリュフとともに世界三大珍味のひとつ。かものフォアグラも多い。

ローマ時代から食されており、パイ包みやテリーヌ等、フランス料理に欠かせない高級素材。

かも（鴨）

Duck　むね肉1枚＝300g

カモ科の鳥のうち、雁より体が小さくて首があまり長くなく、繁殖期になると雄雌の色彩が異なるものの総称。

調理法：鍋物、焼き物、ロースト、煮込み、揚げ物等。

まがも（真鴨）

野生種で独特のこくがあり、肉色は濃い赤。日本へは冬に渡来して春に繁殖地に戻る冬鳥。繁殖期には雄の頭から首にかけてが緑色になるため、「青首」とも呼ばれる。現在では野生のものを狩猟することがむずかしいため、飼育ものが多く流通している。

あいがも（合鴨）　むね肉1枚＝300g

本来は野生のまがもとあひるの交雑種のこと。改良や交配を繰り返しているため区別があいまいになり、あひるが合鴨の名で流通することもある。北京種をもとにイギリスで改良されたチェリバレー種が、日本に多く輸入されている。脂肪が多い。

あひる（家鴨）

野生のまがもを改良して家畜化したもの。野生のまがもより脂が多く、肉はやわらかい。北京ダックで有名な北京種などがある。

食品番号	食品名	廃棄率	エネルギー	2015年版の値	水分	たんぱく質	アミノ酸組成によるたんぱく質	脂質	脂肪酸のトリアシルグリセロール当量	脂肪酸 飽和	脂肪酸 一価不飽和	脂肪酸 多価不飽和	コレステロール	炭水化物	利用可能炭水化物(質量計)	食物繊維 食物繊維総量(プロスキー変法)	食物繊維 食物繊維総量(AOAC法)	ミネラル(無機質) ナトリウム	カリウム	カルシウム	マグネシウム	リン	鉄
		%	kcal	kcal	g	g	g	g	g	g	g	g	mg	g	g	g	g	mg	mg	mg	mg	mg	mg
11204	**やぎ** 肉 赤肉 生	0	**99**	107	75.4	**21.9**	18.9	**1.5**	1.0	0.38	0.35	0.18	70	**0.2**	(0.2)	-	-	45	310	**7**	25	170	**3.8**
	〈鶏肉類〉																						
11207	**うずら** 肉 皮つき 生	0	**194**	208	65.4	**20.5**	(17.8)	**12.9**	11.9	2.93	3.85	4.60	120	**0.1**	(0.1)	-	-	35	280	**15**	27	100	**2.9**
11239	**がちょう** フォアグラ ゆで	0	**470**	510	39.7	**8.3**	(7.0)	**49.9**	48.5	18.31	27.44	0.61	650	**1.5**	(1.4)	-	-	44	130	**3**	10	150	**2.7**
11208	**かも** まがも 肉 皮なし 生	0	**118**	128	72.1	**23.6**	(19.8)	**3.0**	2.2	0.70	0.86	0.55	86	**0.1**	(0.1)	-	-	72	400	**5**	27	260	**4.3**
11205	あいがも 肉 皮つき 生	0	**304**	333	56.0	**14.2**	(12.4)	**29.0**	28.2	8.02	13.32	5.66	86	**0.1**	(0.1)	-	-	62	220	**5**	16	130	**1.9**
11206	あひる 肉 皮つき 生	0	**237**	250	62.7	**14.9**	(13.3)	**19.8**	18.2	4.94	7.81	4.67	85	**0.1**	(0.1)	-	-	67	250	**5**	17	160	**1.6**
11247	皮なし 生	0	**94**	106	77.2	**20.1**	17.2	**2.2**	1.5	0.46	0.50	0.44	88	**0.2**	(0.2)	-	-	84	360	**5**	26	230	**2.4**
11284	皮 生	0	**448**	462	41.3	**7.3**	7.6	**45.8**	42.9	11.55	18.58	10.90	79	**0**	0	-	-	42	84	**5**	5	59	**0.4**
11209	**きじ** 肉 皮なし 生	0	**101**	108	75.0	**23.0**	(19.7)	**1.1**	0.8	0.28	0.26	0.22	73	**0.1**	(0.1)	-	-	38	220	**8**	27	190	**1.0**
11210	**しちめんちょう** 肉 皮なし 生	0	**99**	106	74.6	**23.5**	19.8	**0.7**	0.4	0.15	0.13	0.15	62	**0.1**	(0.1)	-	-	37	190	**8**	29	140	**1.1**
11211	**すずめ** 肉 骨・皮つき 生	0	**114**	132	72.2	**18.1**	-	**5.9**	4.6	1.84	1.53	1.01	230	**0.1**	(0.1)	-	-	80	160	**1100**	42	660	**8.0**
	にわとり																						
11212	[親・主品目] **手羽** 皮つき 生	40	**182**	195	66.0	**23.0**	(20.8)	**10.4**	9.6	2.06	4.80	2.34	140	**0**	0	-	-	44	120	**16**	14	100	**1.2**
11213	**むね** 皮つき 生	0	**229**	244	62.6	**19.5**	(15.5)	**17.2**	16.5	5.19	8.20	2.37	86	**0**	0	-	-	31	190	**4**	20	120	**0.3**
11214	皮なし 生	0	**113**	121	72.8	**24.4**	(19.7)	**1.9**	1.5	0.40	0.62	0.42	73	**0**	0	-	-	34	210	**5**	26	150	**0.4**
11215	**もも** 皮つき 生	0	**234**	253	62.9	**17.3**	(17.4)	**19.1**	18.3	5.67	9.00	2.78	90	**0**	0	-	-	42	160	**8**	16	110	**0.9**
11216	皮なし 生	0	**128**	138	72.3	**22.0**	(18.5)	**4.8**	4.2	0.99	1.86	1.13	77	**0**	0	-	-	50	220	**9**	21	150	**2.1**
11217	[親・副品目] **ささみ** 生	5	**107**	114	73.2	**24.6**	(20.3)	**1.1**	0.8	0.23	0.27	0.22	52	**0**	0	-	-	40	280	**8**	21	200	**0.6**

＋PLUS＋ **欧米の童謡をマザーグース（がちょうおばあちゃん）と呼ぶわけ**●がちょうは家禽としては最古のもので、番犬がわりに飼われたりもし、おばあさんでも世話ができるくらい親しまれた。おばあさんはまた、童謡を歌ったりしながら孫たちの世話もしていた。そのため、がちょうとおばあさんと童謡が結びついたらしい。

北京ダック

きじ（手前が雌、後ろが雄）

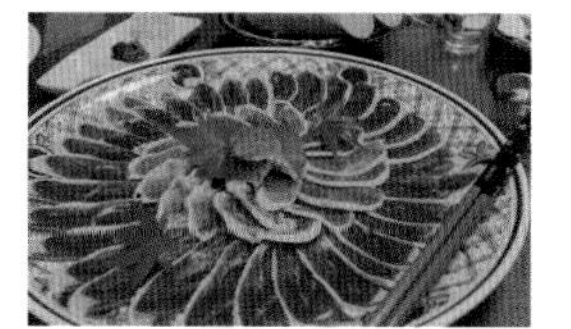

きじ肉

しちめんちょう

しちめんちょうの丸焼き

きじ（雉）

Common pheasant

しちめんちょうに次いで脂質が少なく、味は淡白でくせがない。きじ鍋、丸焼き等に使われる。

しちめんちょう（七面鳥）

Turkey　1羽＝1.5kg

キジ科の鳥。鳥肉の中でももっとも脂肪が少なく、低カロリー。ターキーの名で親しまれ、クリスマス等のパーティー料理に欠かせない食材。

すずめ（雀）

Sparrow

スズメ科。日本で飼育されるのでなく、焼き鳥用に加工、冷凍されて輸入されている。骨ごと食べるため、カルシウムを多く摂取できる。

にわとり（鶏）

Chicken

食肉の中では比較的安く、扱いやすい食材のため、日本でも非常に多く利用されている。

種類と品種：現在流通している鶏肉のおよそ90%はブロイラー（➡p.281）である。ブロイラーは食肉専用に改良された肉用若鶏の総称。飼育期間が約50日と短く、大量生産も可能。

一方、地方の在来種を改良した地鶏は、ブロイラーよりも飼育期間は長く、やや高価になるが、肉質や味にそれぞれの特徴があり、グルメブームにのって需要も増えている。

親：産卵率が低下した産卵鶏（廃鶏）。

若どり：飼育期間が50～60日の鶏。もっとも一般的な鶏肉。

フォアグラ論争

本文にもあるように、フォアグラのつくり方は、がちょうやかもにとっては強制的に肥満状態とさせられるなど、不健康の極みとなる。このことをもって動物虐待との声もあり、このため2004年9月カリフォルニア州（アーノルド・シュワルツェネッガー知事）では、州内で強制給餌によってつくられたフォアグラの生産と販売を禁止する法律が成立し、2012年から実施されている。欧州各国でも事実上禁止されている。

一方、主要生産国であるフランスでは2005年10月、国民議会でフォアグラはフランスの文化遺産であるとした内容を含む法案が全会一致で可決された。

食べものは身近な問題であるだけに、それぞれの文化や歴史と切り離せない側面があるが、捕鯨問題などともあわせて考えると、複雑だ。さて、あなたはどう考える？

栄養成分：肉自体には脂肪が少ないので、皮や肉のまわりの脂肪を除けば高たんぱく、低カロリーの食材。

選び方：肉に厚みがあり、毛穴の周囲が盛り上がっているのが上質。魚並みに鮮度が大切な食材のため、よく売れている店で買うのがよい。鶏肉が一番おいしいのは、処理後4℃の貯蔵で8時間といわれる。これはイノシン酸が一番多くなるため。買ったその日に調理する。

流通：鹿児島、宮崎、岩手の3県で鶏肉生産の約半分を占める。輸入先はブラジル、タイ、アメリカ等があるが、鳥インフルエンザ発生以降、減少傾向にある。

可食部100gあたり　Tr：微量　（ ）：推定値または推計値　－：未測定

ミネラル（無機質）							ビタミン																
亜鉛	銅	マンガン	ヨウ素	セレン	クロム	モリブデン	A レチノール活性当量	A レチノール	A β-カロテン当量	D	E αトコフェロール	K	B₁	B₂	ナイアシン当量	B₆	B₁₂	葉酸	パントテン酸	ビオチン	C	食塩相当量	備考 ①試料　②皮下脂肪及び筋間脂肪を除いたもの　③皮下脂肪及び筋間脂肪　④ビタミンC：酸化防止用として添加された食品を含む
mg	mg	mg	µg	µg	µg	µg	µg	µg	µg	µg	mg	µg	mg	mg	mg	mg	µg	µg	mg	µg	mg	g	
4.7	0.11	0.02	-	-	-	-	**3**	3	0	0	1.0	2	**0.07**	**0.28**	11.0	0.26	2.8	2	0.45	-	**1**	0.1	
0.8	0.11	0.02	-	-	-	-	**45**	45	Tr	0.1	0.8	53	**0.12**	**0.50**	(11.0)	0.53	0.7	11	1.85	-	**Tr**	0.1	
1.0	1.85	0.05	-	-	-	-	**1000**	1000	(0)	0.9	0.3	6	**0.27**	**0.81**	(4.4)	0.30	7.6	220	4.38	-	**7**	0.1	①調味料無添加品
1.4	0.36	0.03	-	-	-	-	**15**	15	Tr	3.1	Tr	14	**0.40**	**0.69**	(14.0)	0.61	3.5	3	2.17	-	**1**	0.2	①冷凍品　皮下脂肪を除いたもの
1.4	0.26	0.02	-	-	-	-	**46**	46	(0)	1.0	0.2	21	**0.24**	**0.35**	(6.5)	0.32	1.1	2	1.67	-	**1**	0.2	①冷凍品
1.6	0.20	0.01	7	16	Tr	2	**62**	62	0	0.8	0.5	41	**0.30**	**0.26**	(8.2)	0.34	2.1	10	1.20	4.0	**2**	0.2	皮及び皮下脂肪 40.4%
2.3	0.31	0.02	11	21	0	2	**9**	9	0	0.4	0.4	22	**0.46**	**0.41**	12.0	0.54	3.0	14	1.83	5.6	**3**	0.2	皮下脂肪を除いたもの
0.7	0.03	0	2	10	1	1	**140**	140	0	1.4	0.8	70	**0.07**	**0.05**	2.1	0.05	0.8	5	0.27	1.5	**2**	0.1	皮下脂肪を含んだもの
1.0	0.10	0.03	-	-	-	-	**7**	7	Tr	0.5	0.3	19	**0.08**	**0.24**	(14.0)	0.65	1.7	12	1.07	-	**1**	0.1	①冷凍品　皮下脂肪を除いたもの
0.8	0.05	0.02	-	-	-	-	**Tr**	Tr	Tr	0.1	Tr	18	**0.07**	**0.24**	12.0	0.72	0.6	10	1.51	-	**2**	0.1	皮下脂肪を除いたもの
2.7	0.41	0.12	-	-	-	-	**15**	15	Tr	0.2	0.2	4	**0.28**	**0.80**	5.8	0.59	5.0	16	4.56	-	**Tr**	0.2	①冷凍品　くちばし、内臓及び足先を除いたもの
1.7	0.05	0.01	-	-	-	-	**60**	60	Tr	0.1	0.1	70	**0.04**	**0.11**	(7.3)	0.20	0.7	10	1.33	-	**1**	0.1	廃棄部位：骨
0.7	0.05	0.01	-	-	-	-	**72**	72	Tr	0.1	0.2	50	**0.05**	**0.08**	(12.0)	0.35	0.3	5	0.97	-	**1**	0.1	皮及び皮下脂肪 32.8%
0.7	0.05	0.01	-	-	-	-	**50**	50	Tr	0	0.1	20	**0.06**	**0.10**	(13.0)	0.47	0.2	5	1.13	-	**1**	0.1	皮下脂肪を除いたもの
1.7	0.07	0.01	-	-	-	-	**47**	47	Tr	0.1	0.1	62	**0.07**	**0.23**	(7.6)	0.17	0.5	6	1.57	-	**1**	0.1	皮及び皮下脂肪 30.6%
2.3	0.09	0.01	-	-	-	-	**17**	17	Tr	0	0.1	38	**0.10**	**0.31**	(8.7)	0.22	0.6	7	2.15	-	**1**	0.1	皮下脂肪を除いたもの
2.4	0.09	-	-	-	-	-	**9**	9	Tr	0	0.1	18	**0.09**	**0.12**	(16.0)	0.66	0.1	7	1.68	-	**Tr**	0.1	廃棄部位：すじ

Q A「鴨がねぎをしょってくる」とは？▶鴨鍋でも食べようかと思っていたら、鴨がひょっこりやってきた。見れば背中にねぎまで背負ってるという、好都合が重なることをたとえたことわざ。転じて、「鴨にする」（鴨＝好都合な人）という言い方も出てきた。本当の鴨にとっては迷惑な話だ。

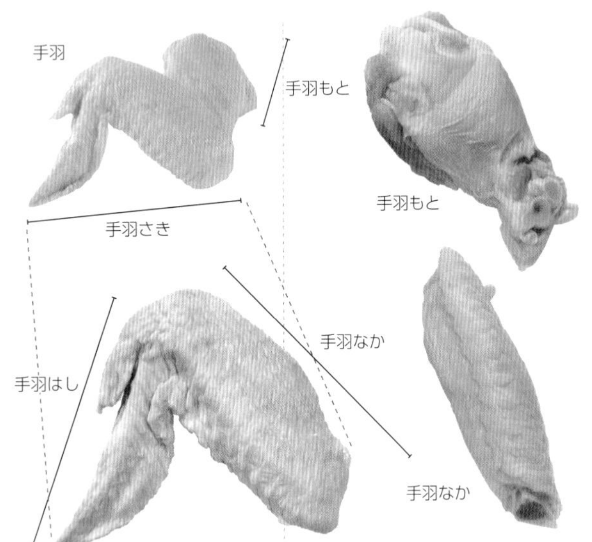

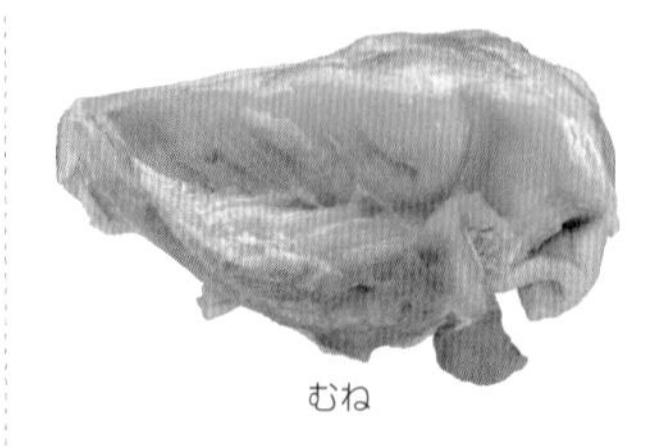

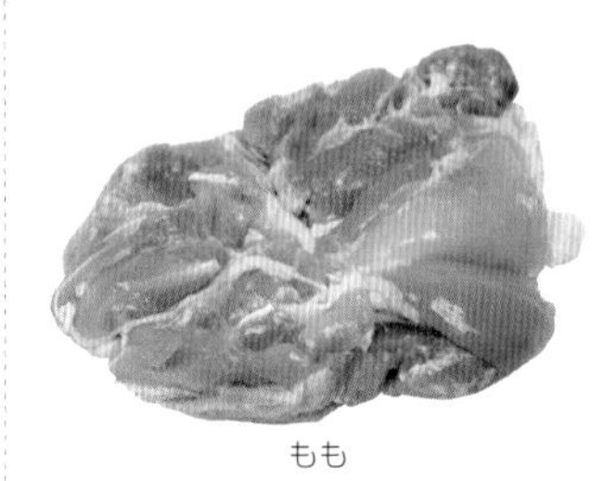

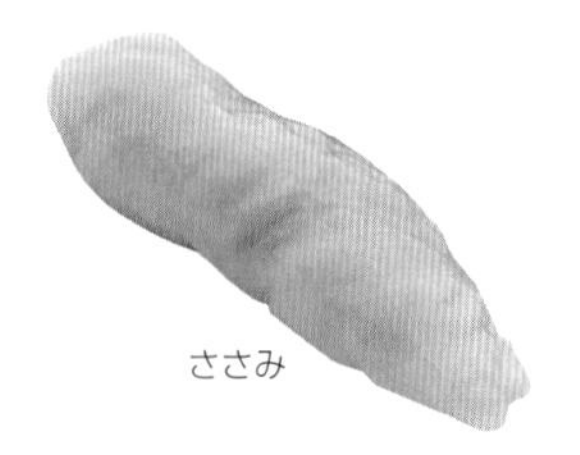

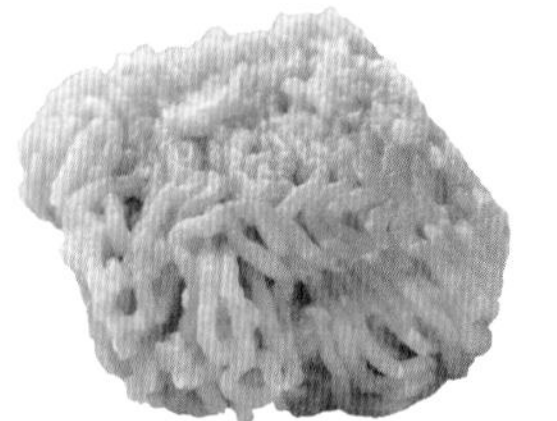

にわとり　主品目

手羽 1本=100g

腕から羽までの部分で、「手羽もと」「手羽さき」に分けられる。手羽もとはウイングスティックと呼ばれる上腕部分。手羽さきは手羽全体から手羽もとを除いた部分で、さらに手羽なかと手羽はしに分けられる。手羽なかはチューリップという形でも市販される。

手羽もと以外は肉部分が少なく、脂肪やゼラチン質が多い。

調理法：煮物、揚げ物等。

むね 1枚=250～300g

手羽を取り除いた胸の部分。脂肪が少なく、味は淡白。色も白く、低カロリー。

調理法：蒸し鶏、クリーム煮、チキンかつ等。

もも 1枚=200g

足からもものつけ根までの部分。よく運動する部位のため、肉質がしっかりしてこくがある。骨つきもも肉はレッグと呼ばれ、それを関節で切り離した足の部分をドラムスティック、太もも部分をサイと呼ぶ。通常は骨なしの状態で市販される。

調理法：ローストチキン、煮物、から揚げ等。

にわとり　二次品目

ひき肉

さまざまな部位を合わせてひいたものが多い。皮なしひき肉なら高たんぱくで低カロリー。

調理法：つくねだんご、松風焼き、そぼろ等。

にわとり　副品目

ささみ 1枚=40g

手羽の内側にある胸の肉。左右に1つずつある。形が笹の葉に似ているためこう呼ばれる。牛や豚のヒレ肉に相当する部分。肉質はやわらかく脂肪が少ない。

調理法：筋をはずし、さっとゆでるか蒸してサラダにする。新鮮なものは刺身等の生食も。

心臓

別名**はつ**。筋肉繊維なので歯ごたえがある。円錐形のコロンとした形で、まわりに脂肪がついている。牛や豚より鉄分が豊富。

調理法：まわりの脂肪を除き、半分に切って中の血も除いてから焼き鳥等に。

肝臓 焼き鳥1本=30g

別名**レバー**。牛や豚のレバーに比べ、きめが細かく、くせも少ない。ビタミンAは肉類の中でもっとも多い。鉄分やビタミンB群も豊富。かたく弾力のあるものがよい。

調理法：焼き鳥、炒め物等。

食品番号	食品名	廃棄率	エネルギー	2015年版の値	水分	たんぱく質	アミノ酸組成によるたんぱく質	脂質	脂肪酸のトリアシルグリセロール当量	脂肪酸 飽和	脂肪酸 一価不飽和	脂肪酸 多価不飽和	コレステロール	炭水化物	利用可能炭水化物(質量計)	食物繊維 食物繊維総量(プロスキー変法)	食物繊維 食物繊維総量(AOAC法)	ミネラル(無機質) ナトリウム	カリウム	カルシウム	マグネシウム	リン	鉄
		%	kcal	kcal	g	g	g	g	g	g	g	g	mg	g	g	g	g	mg	mg	mg	mg	mg	mg
11218	[若どり・主品目] **手羽** 皮つき 生	35	**189**	210	68.1	**17.8**	(16.5)	**14.3**	13.7	3.98	7.13	1.99	110	**0**	0	-	-	79	220	**14**	17	150	**0.5**
11285	**手羽さき** 皮つき 生	40	**207**	226	67.1	**17.4**	16.3	**16.2**	15.7	4.40	8.32	2.33	120	**0**	0	-	-	78	210	**20**	16	140	**0.6**
11286	**手羽もと** 皮つき 生	30	**175**	197	68.9	**18.2**	16.7	**12.8**	12.1	3.64	6.18	1.73	100	**0**	0	-	-	80	230	**10**	19	150	**0.5**
11219	**むね** 皮つき 生	0	**133**	145	72.6	**21.3**	17.3	**5.9**	5.5	1.53	2.67	1.03	73	**0.1**	(Tr)	-	-	42	340	**4**	27	200	**0.3**
11287	焼き	0	**215**	233	55.1	**34.7**	29.2	**9.1**	8.4	2.33	3.97	1.69	120	**0.1**	(0.1)	-	-	65	510	**6**	40	300	**0.4**
11220	皮なし 生	0	**105**	116	74.6	**23.3**	19.2	**1.9**	1.6	0.45	0.74	0.37	72	**0.1**	(0.1)	-	-	45	370	**4**	29	220	**0.3**
11288	焼き	0	**177**	195	57.6	**38.8**	33.2	**3.3**	2.8	0.78	1.22	0.65	120	**0.1**	(0.1)	-	-	73	570	**7**	47	340	**0.5**
11221	**もも** 皮つき 生	0	**190**	204	68.5	**16.6**	17.0	**14.2**	13.5	4.37	6.71	1.85	89	**0**	0	-	-	62	290	**5**	21	170	**0.6**
11223	ゆで	1	**216**	236	62.9	**22.0**	(22.1)	**15.2**	14.2	4.43	7.24	1.90	130	**0**	0	-	-	47	210	**9**	23	160	**1.0**
11222	焼き	1	**220**	241	58.4	**26.3**	(26.4)	**13.9**	12.7	4.02	6.41	1.73	130	**0**	0	-	-	92	390	**6**	29	230	**0.9**
11289	から揚げ	0	**307**	313	41.2	**24.2**	20.5	**18.1**	17.2	3.26	9.54	3.67	110	**13.3**	13.0	0.8	-	990	430	**11**	32	240	**1.0**
11224	皮なし 生	0	**113**	127	76.1	**19.0**	16.3	**5.0**	4.3	1.38	2.06	0.71	87	**0**	0	-	-	69	320	**5**	24	190	**0.6**
11226	ゆで	0	**141**	155	69.1	**25.1**	(21.1)	**5.2**	4.2	1.36	1.98	0.69	120	**0**	0	-	-	56	260	**10**	25	190	**0.8**
11225	焼き	0	**145**	161	68.1	**25.5**	(21.5)	**5.7**	4.5	1.41	2.14	0.75	120	**0**	0	-	-	81	380	**7**	29	220	**0.9**
11290	から揚げ	0	**249**	255	47.1	**25.4**	20.8	**11.4**	10.5	1.62	5.89	2.58	100	**12.7**	13.4	0.9	-	1100	440	**12**	34	250	**1.0**
11227	[若どり・副品目] **ささみ** 生	5	**98**	109	75.0	**23.9**	19.7	**0.8**	0.5	0.17	0.22	0.13	66	**0.1**	(Tr)	-	-	40	410	**4**	32	240	**0.3**
11229	ゆで	0	**121**	134	69.2	**29.6**	25.4	**1.0**	0.6	0.20	0.25	0.12	77	**0**	0	-	-	38	360	**5**	34	240	**0.3**
11228	焼き	0	**132**	147	66.4	**31.7**	26.9	**1.4**	0.8	0.28	0.35	0.18	84	**0**	0	-	-	53	520	**5**	41	310	**0.4**
11298	ソテー	0	**186**	195	57.3	**36.1**	30.6	**5.4**	4.6	0.58	2.61	1.22	100	**0.1**	(0.1)	-	-	61	630	**5**	44	340	**0.4**
11300	フライ	0	**246**	249	52.4	**26.8**	22.4	**12.8**	12.2	1.04	7.31	3.31	71	**6.7**	6.9	-	-	95	440	**14**	36	260	**0.4**
11299	天ぷら	0	**192**	195	59.3	**25.7**	22.2	**7.4**	6.9	0.65	4.07	1.87	71	**6.2**	6.5	-	-	65	430	**24**	34	250	**0.4**
11230	[二次品目] **ひき肉** 生	0	**171**	186	70.2	**17.5**	14.6	**12.0**	11.0	3.28	5.31	1.90	80	**0**	0	-	-	55	250	**8**	24	110	**0.8**
11291	焼き	0	**235**	255	57.1	**27.5**	23.1	**14.8**	13.7	4.17	6.64	2.29	120	**0**	0	-	-	85	400	**19**	37	170	**1.4**

+PLUS+ **軍鶏（しゃも）**●タイ原産のにわとりで、江戸時代に入ってきた。名称はタイをかつてシャムと呼んだことに由来する。「軍鶏」と書くことからわかるように、気性が荒く闘鶏用に飼育されるが、発達した肉質はうま味も多く、食用としても珍重される。

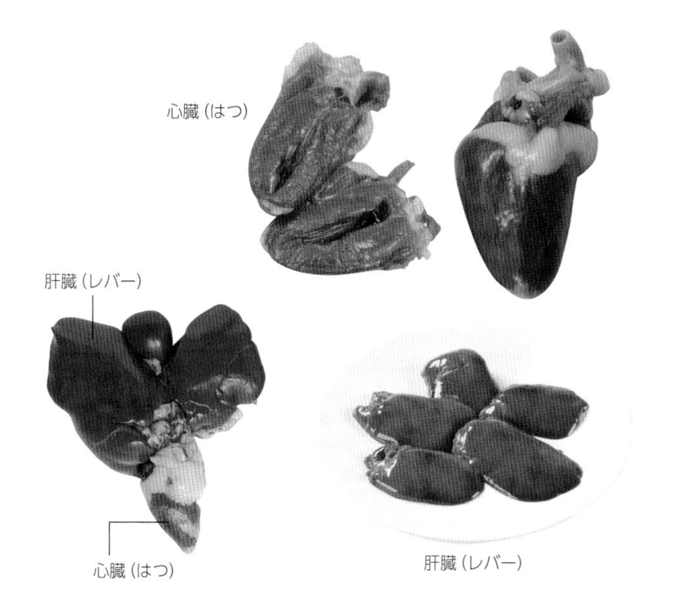

ブロイラーと地鶏

ブロイラー

ブロイラーという種の鶏がいるわけではない。白色コーニッシュ種の雄に白色プリマスロック種の雌を交配させ、短い期間で出荷するために改良された肉用若鶏の総称のことである。本来はブロイル（焼く、あぶる）専用の鶏という意味。肉質はやわらかく、あっさりした味で、どの調理法にも合う。

地鶏

地鶏とは、以下の特定 JAS 規格を満たす必要がある。

(1) 素びなが、日本在来種由来の血統を 50% 以上保有
(2) 平飼いで 80 日齢以上飼育
(3) 28 日齢以降、平飼いで飼育
(4) 28 日齢以降、1 ㎡あたり 10 羽以下で飼育

比内地鶏

名古屋種（名古屋コーチン）

例えば、比内地鶏（秋田県大館市）は、天然記念物の比内鶏に外国種を交配させたもの。名古屋コーチン（愛知県名古屋市。正式には名古屋種）も在来種に中国種を交配させたもの。

在来種とは、明治時代までに国内で成立、または導入・定着した品種。

鶏の部位

手羽
むね
ささみ
もも
手羽
手羽はし
手羽さき
手羽なか
手羽もと

鶏の部位（副品目）

肝臓（レバー）
心臓（はつ）
軟骨（やげん）
すなぎも（砂ぎも）

可食部100 g あたり　Tr：微量　（ ）：推定値または推計値　－：未測定

ミネラル（無機質）							ビタミン															食塩相当量	備考
亜鉛	銅	マンガン	ヨウ素	セレン	クロム	モリブデン	A レチノール活性当量	レチノール	β-カロテン当量	D	E αトコフェロール	K	B1	B2	ナイアシン当量	B6	B12	葉酸	パントテン酸	ビオチン	C		①試料　②皮下脂肪及び筋間脂肪を除いたもの　③皮下脂肪及び筋間脂肪　④ビタミンC：酸化防止用として添加された食品を含む
mg	mg	mg	µg	µg	µg	µg	µg	µg	µg	µg	mg	µg	mg	mg	mg	mg	µg	µg	mg	µg	mg	g	
1.2	0.02	0	2	14	1	4	**47**	47	0	0.4	0.6	42	**0.07**	**0.10**	(9.4)	0.38	0.4	10	0.87	3.1	**2**	0.2	廃棄部位：骨　手羽先 44.5%、手羽元 55.5%
1.5	0.02	0	1	14	2	4	**51**	51	0	0.6	0.6	45	**0.07**	**0.09**	8.2	0.30	0.5	8	0.84	3.0	**2**	0.2	廃棄部位：骨
1.0	0.02	0	2	14	1	4	**44**	44	0	0.3	0.5	39	**0.08**	**0.10**	10.0	0.45	0.3	12	0.89	3.1	**2**	0.2	廃棄部位：骨
0.6	0.03	0.01	0	17	1	2	**18**	18	0	0.1	0.3	23	**0.09**	**0.10**	15.0	0.57	0.2	12	1.74	2.9	**3**	0.1	皮及び皮下脂肪 9.0%
1.0	0.05	0.01	0	28	1	3	**27**	27	0	0.1	0.5	44	**0.12**	**0.17**	24.0	0.60	0.4	17	2.51	5.4	**3**	0.2	
0.7	0.02	0.02	0	17	Tr	2	**9**	9	0	0.1	0.3	16	**0.10**	**0.11**	17.0	0.64	0.2	13	1.92	3.2	**3**	0.1	皮下脂肪を除いたもの
1.1	0.04	0.01	0	29	1	4	**14**	14	0	0.1	0.5	29	**0.14**	**0.18**	27.0	0.66	0.3	18	2.58	5.3	**4**	0.2	皮下脂肪を除いたもの
1.6	0.04	0.01	Tr	17	0	2	**40**	40	-	0.4	0.7	29	**0.10**	**0.15**	8.5	0.25	0.3	13	0.81	3.5	**3**	0.2	皮及び皮下脂肪 21.2%
2.0	0.07	0.02	0	3	0	0	**47**	47	-	0.2	0.2	47	**0.07**	**0.21**	(9.4)	0.22	0.3	7	1.06	0.2	**2**	0.1	
2.5	0.05	0.01	Tr	29	0	3	**25**	25	-	0.4	0.2	34	**0.14**	**0.24**	(13.0)	0.28	0.5	8	1.20	5.6	**2**	0.2	
2.1	0.07	0.17	Tr	25	1	6	**28**	28	6	0.2	2.5	45	**0.12**	**0.23**	10.0	0.21	0.3	23	1.19	4.8	**2**	2.5	
1.8	0.04	0.01	0	19	0	2	**16**	16	-	0.2	0.6	23	**0.12**	**0.19**	9.5	0.31	0.3	10	1.06	3.6	**3**	0.2	皮下脂肪を除いたもの
2.2	0.05	0.01	-	-	-	-	**14**	14	-	0	0.3	25	**0.12**	**0.18**	(11.0)	0.36	0.3	8	0.99	-	**2**	0.1	皮下脂肪を除いたもの
2.6	0.06	0.01	-	-	-	-	**13**	13	-	0	0.3	29	**0.14**	**0.23**	(12.0)	0.37	0.4	10	1.33	-	**3**	0.2	皮下脂肪を除いたもの
2.3	0.07	0.18	Tr	25	1	6	**17**	16	7	0.2	2.2	33	**0.15**	**0.25**	12.0	0.23	0.4	22	1.11	5.6	**2**	2.7	皮下脂肪を除いたもの
0.6	0.03	0.01	0	22	0	4	**5**	5	Tr	0	0.7	12	**0.09**	**0.11**	17.0	0.62	0.2	15	2.07	2.8	**3**	0.1	廃棄部位：すじ
0.8	0.03	0.01	-	-	-	-	**4**	4	Tr	0	0.1	8	**0.09**	**0.13**	18.0	0.63	0.2	11	1.72	-	**2**	0.1	すじを除いたもの
0.8	0.04	0.02	-	-	-	-	**4**	4	Tr	0	0.1	11	**0.11**	**0.16**	25.0	0.59	0.2	13	2.37	-	**2**	0.1	すじを除いたもの
1.0	0.03	0.01	(0)	33	(0)	6	**8**	8	-	(0)	1.8	26	**0.10**	**0.18**	26.0	0.65	0.2	19	2.95	5.5	**4**	0.2	すじを除いたもの　植物油（なたね油）
0.8	0.04	0.08	2	26	Tr	5	**4**	4	4	-	3.2	35	**0.09**	**0.15**	17.0	0.39	0.1	15	1.84	3.9	**2**	0.2	すじを除いたもの　植物油（なたね油）
0.8	0.03	0.06	1	22	1	4	**5**	4	9	-	2.3	25	**0.09**	**0.16**	17.0	0.51	0.1	16	1.79	3.8	**3**	0.2	すじを除いたもの　植物油（なたね油）
1.1	0.04	0.01	2	17	1	2	**37**	37	0	0.1	0.9	26	**0.09**	**0.17**	9.3	0.52	0.3	10	1.40	3.3	**1**	0.1	
1.8	0.05	0.02	5	27	2	4	**47**	47	0	0.2	1.3	41	**0.14**	**0.26**	15.0	0.61	0.4	13	2.00	5.5	**1**	0.2	

Q A 銘柄鶏って？▶銘柄鶏とは、養鶏業者による独自の規定によって飼料や出荷日齢等に通常と異なる工夫を加えたもので、その内容は出荷段階のパッケージ等に明記される。ひなは、ブロイラーか褐色系の赤鶏が基本。出自にこだわる地鶏と、飼育方法にこだわる銘柄鶏は、ともに国産銘柄鶏と呼ばれる。

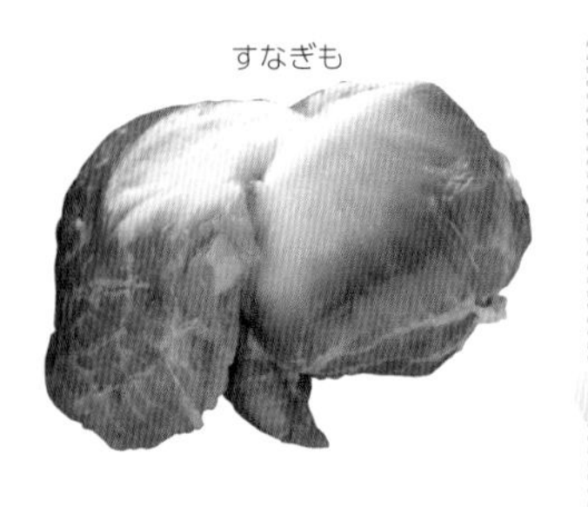

すなぎも

なんこつ（ヤゲン）

チキンナゲット

つくね

ほろほろちょう

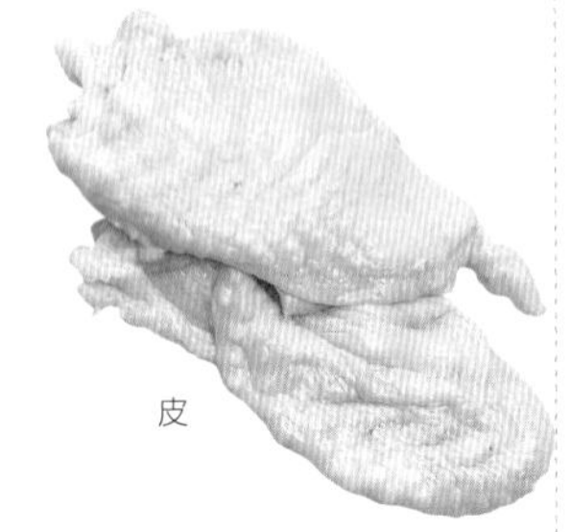

皮

焼き鳥缶詰

すなぎも（砂ぎも）　焼き鳥1本=30g
別名筋胃。鶏独特の内臓で、胃袋の筋肉部分。コリコリとした食感を楽しむ。たんぱく質が多い。
調理法：もつ焼き、唐揚げ等。

皮
脂肪が多くやわらかい。胴体よりも首の皮の方が味がある。
調理法：皮の裏の脂肪を除き、湯通ししてから和え物、炒め物等に。

なんこつ
胸骨の軟骨部分で、**ヤゲン**とも呼ばれる。
調理法：串焼き等。

焼き鳥缶詰
Roast meat with seasoning

鶏肉を調味してつけ焼きした缶詰。しょうゆベースのたれ味のほか、塩味のものもある。

チキンナゲット
Nuggets

ひき肉に調味料を混ぜて一口大に成形し、衣をつけて揚げたもの。その形や色から、天然の金塊を意味するGold nuggetが名前の由来とされる。

つくね
Tsukune

ひき肉に、調味料とみじん切りのたまねぎやすりおろししょうが等の副材料を加え、手でこねて丸く成形して加熱調理したもの。成分値は調味液等で調味したものの数値。

はと（鳩）
Pigeon

食用鳩は人工孵化は可能でも人工的にヒナを育てることができないため、量産はむずかしい。ビタミンB_1・B_2、鉄分が豊富で脂肪は少ない。野生の鳥に近い風味がある。

ほろほろちょう（珠鶏）
Guinea fowl

キジ科の鳥だが、キジ特有のにおいやくせがなく、肉質もやわらかい。生産量も需要も、フランスがもっとも多い。

いなご（蝗）
Rice hopper

バッタ科の昆虫。「稲子」とも書く稲の害虫。昔はたんぱく源としても食べられた。カルシウムも豊富で「畑のカルシウム」とも呼ばれる。おもにつくだ煮として食用される。

かえる（蛙）
Bullfrog

国により食用ガエルの種類が違うが、日本で食用ガエルといえばウシガエルをさす。フランスで使われるのはヨーロッパトノサマガエル、中国やインドネシアではトラフガエルやヌマガエル等があるが、いずれもアカガエル科に属する。食べるのは足の部分で、味は淡白で低脂肪。

すっぽん（鼈）
Chinese softshell turtle

河川や湖、沼にすむカメの一種。ほかの肉類に比べ、たんぱく質は少な

フォアグラ→がちょうp.278

食品番号	食品名	廃棄率	エネルギー	2015年版の値	水分	たんぱく質	アミノ酸組成によるたんぱく質	脂質	脂肪酸のトリアシルグリセロール当量	脂肪酸 飽和	脂肪酸 一価不飽和	脂肪酸 多価不飽和	コレステロール	炭水化物	利用可能炭水化物（質量計）	食物繊維 食物繊維総量（プロスキー変法）	食物繊維 食物繊維総量（AOAC法）	ミネラル（無機質） ナトリウム	カリウム	カルシウム	マグネシウム	リン	鉄
		%	kcal	kcal	g	g	g	g	g	g	g	g	mg	g	g	g	g	mg	mg	mg	mg	mg	mg
11231	［副品目］ **心臓** 生	0	**186**	207	69.0	**14.5**	12.2	**15.5**	13.2	3.86	6.46	2.27	160	**Tr**	(Tr)	-	-	85	240	**5**	15	170	**5.1**
11232	**肝臓** 生	0	**100**	111	75.7	**18.9**	16.1	**3.1**	1.9	0.72	0.44	0.63	370	**0.6**	(0.5)	-	-	85	330	**5**	19	300	**9.0**
11233	**すなぎも** 生	0	**86**	94	79.0	**18.3**	15.5	**1.8**	1.2	0.40	0.49	0.24	200	**Tr**	(Tr)	-	-	55	230	**7**	14	140	**2.5**
11234	**皮** むね 生	0	**466**	492	41.5	**9.4**	6.8	**48.1**	46.7	14.85	23.50	6.31	110	**0**	0	-	-	23	140	**3**	8	63	**0.3**
11235	もも 生	0	**474**	513	41.6	**6.6**	5.3	**51.6**	50.3	16.30	25.23	6.54	120	**0**	0	-	-	23	33	**6**	6	34	**0.3**
11236	**なんこつ**（胸肉） 生	0	**54**	54	85.0	**12.5**	-	**0.4**	0.3	0.09	0.12	0.03	29	**0.4**	(0.4)	-	-	390	170	**47**	15	78	**0.3**
11237	［その他］ **焼き鳥缶詰**	0	**173**	177	62.8	**18.4**	15.5	**7.8**	7.6	2.08	3.46	1.70	76	**8.2**	10.6	-	-	850	200	**12**	21	75	**2.9**
11292	**チキンナゲット**	0	**235**	245	53.7	**15.5**	13.0	**13.7**	12.3	3.28	6.20	2.26	45	**14.9**	12.6	1.2	-	630	260	**48**	24	220	**0.6**
11293	**つくね**	0	**235**	235	57.9	**15.2**	13.5	**15.2**	14.8	3.98	7.12	3.00	85	**9.3**	10.8	(1.9)	-	720	260	**33**	25	170	**1.1**
11238	**はと** 肉 皮なし 生	0	**131**	141	71.5	**21.8**	(19.0)	**5.1**	4.4	1.23	1.90	1.09	160	**0.3**	(0.3)	-	-	88	380	**3**	28	260	**4.4**
11240	**ほろほろちょう** 肉 皮なし 生	0	**98**	105	75.2	**22.5**	19.4	**1.0**	0.7	0.21	0.18	0.26	75	**0.2**	(0.2)	-	-	67	350	**6**	27	230	**1.1**
11241	〈その他〉 **いなご** つくだ煮	0	**243**	247	33.7	**26.3**	-	**1.4**	0.6	0.11	0.12	0.32	77	**32.3**	-	-	-	1900	260	**28**	32	180	**4.7**
11242	**かえる** 肉 生	0	**92**	99	76.3	**22.3**	-	**0.4**	0.2	0.07	0.06	0.09	43	**0.3**	(0.3)	-	-	33	230	**9**	23	140	**0.4**
11243	**すっぽん** 肉 生	0	**175**	197	69.1	**16.4**	-	**13.4**	12.0	2.66	5.43	3.36	95	**0.5**	(0.5)	-	-	69	150	**18**	10	88	**0.9**
11244	**はち** はちの子缶詰	0	**239**	250	44.3	**16.2**	-	**7.2**	6.8	2.45	2.61	1.39	55	**30.2**	(27.2)	-	-	680	110	**11**	24	110	**3.0**

+PLUS+　**にわとりからキンカンが出た……？**●このキンカン、もちろん柑橘系の果物ではない。副品目の一種で、雌鳥の卵巣のこと。成長途中の卵の黄身で、果物のキンカンに似ているためこの名がある。腹玉ともいう。甘辛く煮て食べたり、しょうゆ漬けにすることが多い。

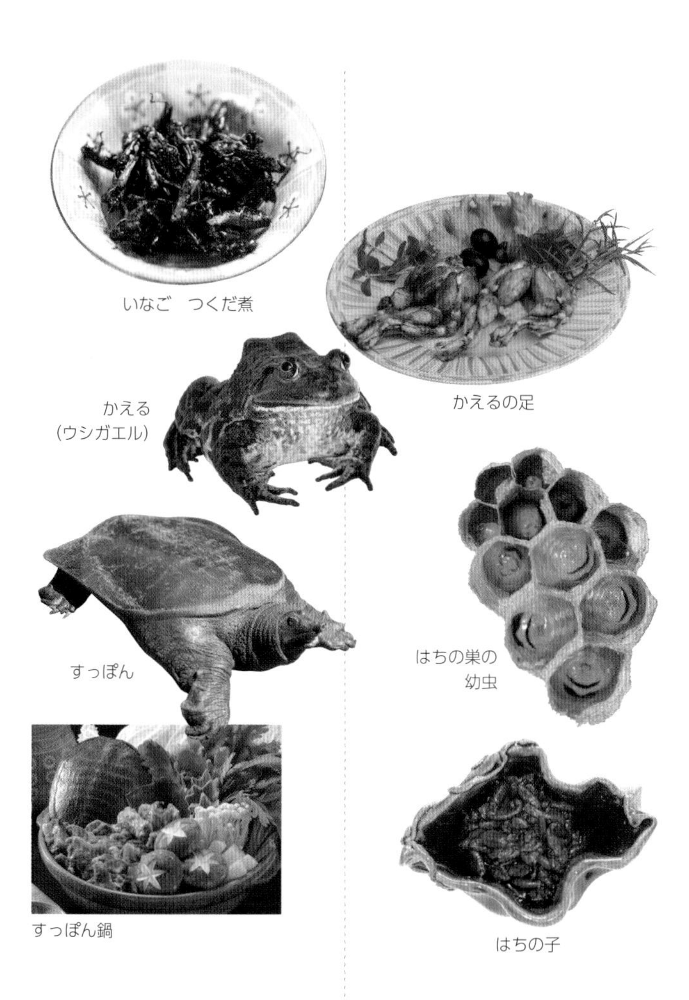

いなご　つくだ煮

かえるの足

かえる
（ウシガエル）

すっぽん

はちの巣の
幼虫

すっぽん鍋

はちの子

いが、多種類のアミノ酸が含まれている。ビタミン類、カルシウム、鉄分も豊富。中国では昔から漢方薬としても扱われていた。膀胱と胆のう以外はすべて食べられ、よいだしも出るため、鍋物等に利用される。関西ではすっぽん鍋を「まるなべ」と呼ぶ。

はち（蜂）
Wasp

はちの子は、クロスズメバチの幼虫をつくだ煮にしたもの。信州の特産品。いなごやかいこ等と並び、代表的な昆虫食であったが、いずれも現在では珍味として扱われる。

昆虫食が地球を救う？

虫を食べる昆虫食は古くから普遍的に行われており、牧畜や農業が行われる前は、狩猟の対象の多くは昆虫であったといわれる。古代ローマではかみきりむしの幼虫が好んで食べられており、フランスの貴族社会ではしらみが、中国ではかいこのさなぎやこおろぎが、日本ではいなごやはち以外でも、かみきりむしの幼虫、ざざむし、せみなどが食べられてきた。

この昆虫食だが、多くの昆虫は無毒のうえ、たんぱく質やミネラルなどの栄養素が豊富に含まれており、生息数は無限に近いため、人口増加や資源の枯渇等による食料難を解消する対処法として、未来の食事の中心になるとする説がある。

最近では、衛生的に繁殖した昆虫を粉末化して加工食品の原料とされることも普及しはじめている。

かいこのさなぎ

こおろぎ

こおろぎチップス

えっ!? 犬まで食べるの？

犬食の歴史は古い。犬を重要な益獣とする地域、生活のパートナーや人間と共存する存在とした地域（イギリス等）、宗教上のタブーがあるイスラム圏やユダヤ等では忌避されたが、それ以外では広く犬食がおこなわれた。

たとえば古代ギリシャ・ローマでは犬肉を常食した。フランスでは、1910年頃にパリで犬肉精肉店が開店。多種の犬肉料理本も販売されていた。ドイツにも犬肉屋が存在した。スイス山間部でも犬食の風習がある。

現在でも、中国、朝鮮半島、東南アジア、ポリネシア、ミクロネシア、オセアニアなどでは犬食の文化が残っている。たとえば韓国では、2008年にソウル市当局が正式に犬を食用家畜に分類すると発表した。

日本でも縄文時代から食べられたが、文明開化で欧米の習慣に触れ、愛玩動物を食べることは野蛮との概念が広まった。

現在、犬をペットやコンパニオンアニマルとみなす文化が広まっており、犬食地域に対して外国等から批判が向けられることもある。あなたは賛成？反対？

可食部100 gあたり　Tr：微量　（ ）：推定値または推計値　－：未測定

ミネラル（無機質）							ビタミン															食塩相当量	備考
亜鉛	銅	マンガン	ヨウ素	セレン	クロム	モリブデン	A レチノール活性当量	レチノール	β-カロテン当量	D	E αトコフェロール	K	B1	B2	ナイアシン当量	B6	B12	葉酸	パントテン酸	ビオチン	C		①試料　②皮下脂肪及び筋間脂肪を除いたもの　③皮下脂肪及び筋間脂肪　④ビタミンC：酸化防止用として添加された食品を含む
mg	mg	mg	μg	μg	μg	μg	μg	μg	μg	μg	mg	μg	mg	mg	mg	mg	μg	μg	mg	μg	mg	g	
2.3	0.32	-	-	-	-	-	**700**	700	Tr	0.4	1.0	51	**0.22**	**1.10**	9.4	0.21	1.7	43	4.41	-	**5**	0.2	
3.3	0.32	0.33	1	60	1	82	**14000**	14000	30	0.2	0.4	14	**0.38**	**1.80**	9.0	0.65	44.0	1300	10.00	230.0	**20**	0.2	
2.8	0.10	-	-	-	-	-	**4**	4	Tr	0	0.3	28	**0.06**	**0.26**	6.7	0.04	1.7	36	1.30	-	**5**	0.1	
0.5	0.05	0.01	-	-	-	-	**120**	120	0	0.3	0.4	110	**0.02**	**0.05**	7.6	0.11	0.4	3	0.64	-	**1**	0.1	皮下脂肪を含んだもの
0.4	0.02	0.01	1	9	3	1	**120**	120	Tr	0.3	0.2	120	**0.01**	**0.05**	3.5	0.04	0.3	2	0.25	2.9	**1**	0.1	皮下脂肪を含んだもの
0.3	0.03	0.02	-	-	-	-	**1**	1	(0)	0	Tr	5	**0.03**	**0.03**	5.7	0.03	0.1	5	0.64	-	**3**	1.0	
1.6	0.08	0.07	1	15	3	4	**60**	60	(0)	0	0.3	21	**0.01**	**0.18**	6.6	0.08	0.4	7	0.65	3.3	**(0)**	2.2	液汁（33%）を含んだもの
0.6	0.04	0.13	4	13	3	7	**24**	16	100	0.2	2.9	27	**0.08**	**0.09**	9.7	0.28	0.1	13	0.87	2.8	**1**	1.6	
1.4	0.07	0.21	38	16	4	12	**38**	38	6	0.4	1.0	47	**0.11**	**0.18**	6.7	0.16	0.3	18	0.74	5.5	**0**	1.8	
0.6	0.17	0.04	-	-	-	-	**16**	16	Tr	0.2	0.3	5	**0.32**	**1.89**	(16.0)	0.53	2.0	2	4.48	-	**3**	0.2	①冷凍品
1.2	0.10	0.02	-	-	-	-	**9**	9	0	0.4	0.1	32	**0.16**	**0.20**	(13.0)	0.57	0.5	2	1.13	-	**3**	0.2	①冷凍品　皮下脂肪を除いたもの
3.2	0.77	1.21	-	-	-	-	**75**	Tr	900	0.3	2.8	7	**0.06**	**1.00**	6.1	0.12	0.1	54	0.43	-	**(0)**	4.8	
1.2	0.05	0.01	-	-	-	-	**(0)**	0	(0)	0.9	0.1	1	**0.04**	**0.13**	7.8	0.22	0.9	4	0.18	-	**0**	0.1	①うしがえる、冷凍品
1.6	0.04	0.02	-	-	-	-	**94**	94	Tr	3.6	1.0	5	**0.91**	**0.41**	5.7	0.11	1.2	16	0.20	-	**1**	0.2	甲殻、頭部、脚、内臓、皮等を除いたもの
1.7	0.36	0.76	-	-	-	-	**42**	0	500	0	1.0	4	**0.17**	**1.22**	6.5	0.04	0.1	28	0.52	-	**(0)**	1.7	原材料：主として地ばち（くろすずめばち）の幼虫

Q A　ほろほろちょうはフランスの家庭ではよく食べられるの？▶日本では認知度が低いほろほろちょうだが、フランスは世界一の生産量をほこり、フランス全土で飼育されている。肉質は、少し野性味があるが、特有の臭みやくせなどはなく、上品な味である。フランスの家庭では、丸のままオーブンで焼いたり、煮込み料理にして食べられている。

12 卵類 EGGS

卵類とは

一般に食用とされている卵類は、にわとり、うずら、あひる、七面鳥等の卵だが、日本でもっとも広く利用されているのは鶏卵である。卵黄卵白ともに調理性が高く、食品加工にも広く用いられる。

鶏卵

1 栄養上の特徴

鶏卵には、ひよこが成長するために必要な成分がすべて含まれている。栄養の観点から見ると、良質のたんぱく質とそれが体内で代謝されるときに必要なビタミン（B_6など）や、必須脂肪酸とそれを代謝するのに必要なビタミンB_2も含み、卵黄には脂溶性ビタミンのA･D･E･Kが多い。人体に必要なミネラルもバランスよく含んでいる。このため「完全食品」との評価もある。一方、ビタミンCと食物繊維は含まれていない。これは、鶏は体内でビタミンCを作ることができることや（人はできない）、草などから食物繊維は豊富に摂取できることから必要ないためである。

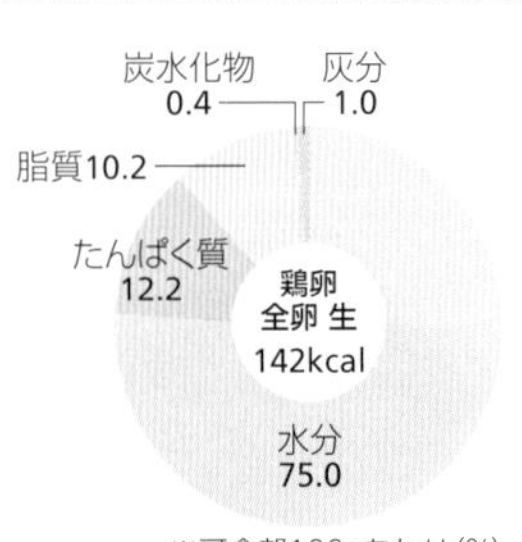

※可食部100gあたり(%)

殻の色と栄養価は無関係

有精卵と無精卵、赤玉と白玉

一般的に出回る鶏卵のほとんどは無精卵。一定の条件下でひなが生まれる有精卵も一部出回るが、両者の間に栄養上の違いはない。また、卵殻の色の違いから赤玉もあり、価格が高めなことから栄養価が高いと思われがちだが、こちらも栄養上の違いはほとんどない。

卵黄の色が濃いと栄養価が高いといわれるが、これも栄養成分とは関係なく、とうもろこしなどに含まれる色素によるものである。えさに赤色系の色素成分を加えると卵黄がオレンジ色になる。

鶏卵の構造

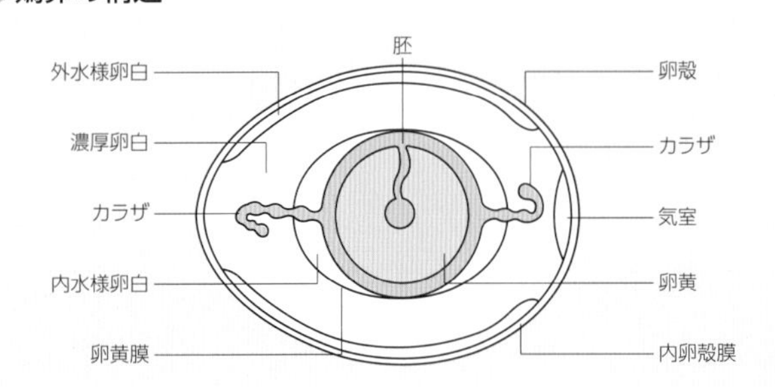

2 選び方・保存方法

選び方

卵の鮮度は、保管や輸送、取り扱いでも変わるので、涼しい売り場に置かれ、商品の回転が早い店で買うとよい。家庭では比重を利用したり、割って濃厚卵白の盛り上がりで鮮度を見分けられる。卵殻がザラザラしているものが新鮮とされていたが、最近は洗って出荷されるので鮮度の目安にはならない。

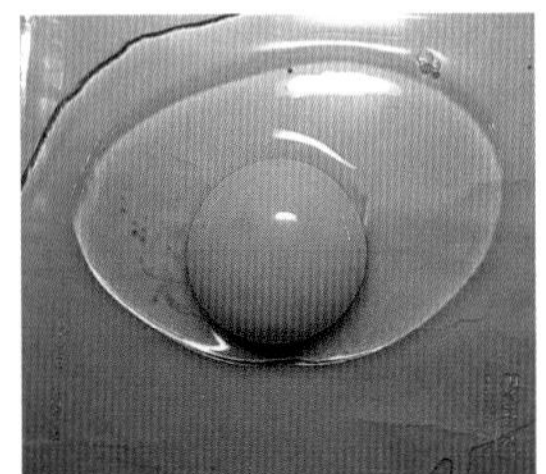
新鮮な卵

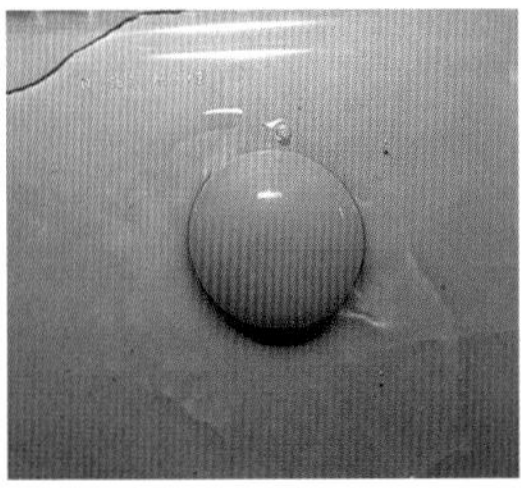

1週間後の卵

鶏卵の取引規格（農林水産省）

区分	基準［鶏卵1個の重量］	ラベルの色
LL	70g～76g未満	赤 ●
L	64g～70g未満	橙 ●
M	58g～64g未満	緑 ●
MS	52g～58g未満	青 ●
S	46g～52g未満	紫 ●
SS	40g～46g未満	茶 ●

保存方法

温度管理に注意する。5～10℃の冷蔵庫で、気室のある丸い方を上にして保存するとよい。これは、保存中の卵黄が気室にさえぎられて、外部の空気が出入りする殻に触れないようにするため。

においが移りやすいので、香りの強い食品を避ける。卵白は冷凍保存もできる。

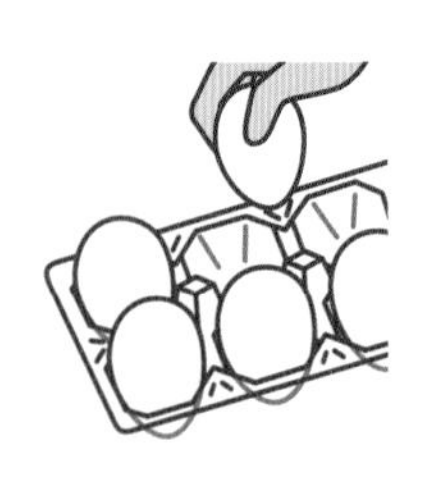

3 加工と加工食品

ゆで卵 **かたゆで卵**……100℃で14分ゆでる。
半熟卵……100℃で5分ゆで、卵黄が半熟状態のもの。
全半熟卵……70℃で15分ゆで、卵黄卵白ともに半熟状態のもの。
温泉卵……65～70℃で30分ゆでる。卵黄はかためにに、卵白は半熟状に仕上がる。
味付けゆで卵……塩やしょうゆであらかじめ味を付けた殻むきゆで卵。
うずら卵の水煮……ゆでて殻をむき、水と一緒に密封性の容器に詰める。
ロングエッグ……どこを切っても卵黄があるように円柱状に加工されたゆで卵。
ピータン……アヒルの卵を使った加工品のほかに、鶏卵やうずら卵のものもある。

4 調理性

鶏卵の調理性

性質	説明	おもな利用法
熱凝固性	熱を加えると固まる性質。卵黄は68℃前後、卵白は73℃以上で凝固する。 温泉卵	茶碗蒸し カスタードプリン 卵豆腐 ゆで卵等
卵白の起泡性	卵白を撹拌(かくはん)することで空気を含んで泡立つ性質。卵白のたんぱく質(グロブリン)の性質で、温めるとより泡立つ。 角が立った状態。かさが3倍に増え、なめらかである。 泡立ちすぎて、まとまりがなくなり、ボソボソした状態。	メレンゲ スポンジケーキ等
卵黄の乳化性	そのままでは分離してしまう水と油を、卵黄のレシチンが油を細かい油滴状にすることで安定した混合状態にする性質。 分離した状態 乳化した状態	マヨネーズ ドレッシング等

※油脂には卵白の気泡を壊す働きがあるので、泡立てる際に用いる容器は十分洗浄・乾燥させておく。

卵と温度の関係

半熟卵～完熟卵(95～100℃)

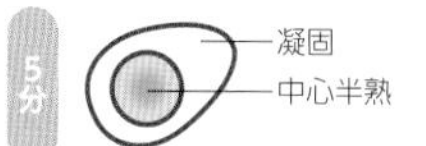

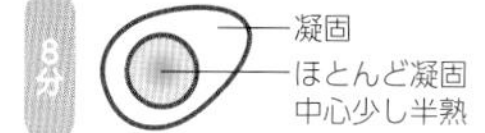

全半熟卵(70～75℃)

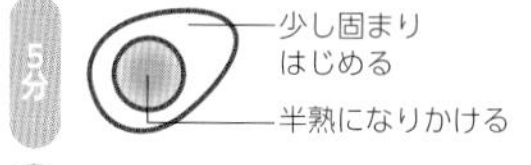

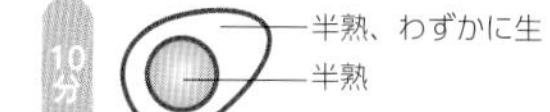

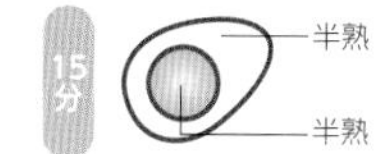

温泉卵(65～70℃)

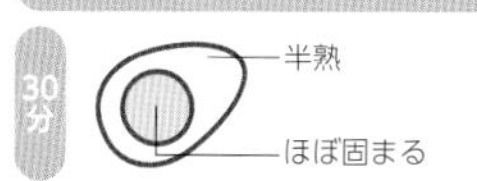

(『NEW調理と理論』同文書院)

卵の加熱による不思議な変化

すだち現象
プリンや茶碗蒸しなどをつくるときに、高温のまま加熱し続けると、卵のたんぱく質が固まり、そのまわりの水分が気化し、気泡ができてしまう(すが立つ)。90℃前後で加熱するとよい。

成功例　すだち現象

暗緑色の黄身
ゆで卵をつくるときにゆですぎると、黄身の周囲が暗緑色になってしまう。これは、卵白中の硫黄化合物が加熱されて硫化水素となり、卵黄中の鉄と結びついて硫化鉄となるため。

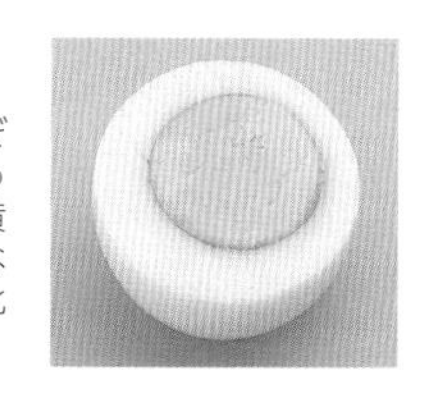

5 食文化その他

世界のおもな国のたまご年間1人あたり消費量(2019年)

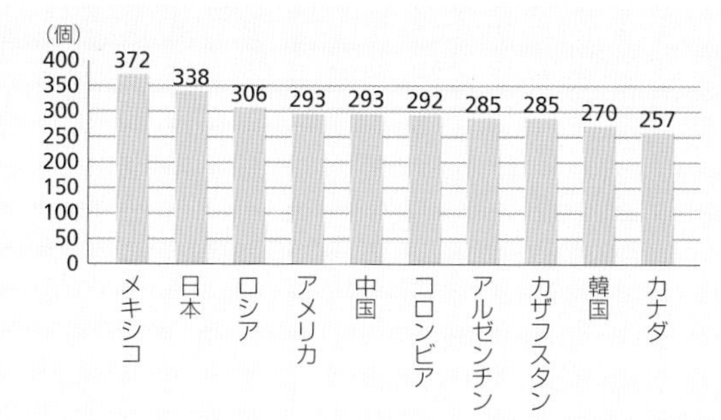

(鶏鳴新聞社Webサイトによる)

医療用にも大活躍

卵は医薬品としても優れた薬効があり、食卓だけでなく医療の世界でも役立っている。

例えば卵白に含まれるリゾチウムという酵素は、感染した細菌の細胞壁を分解して死滅させる、炎症時の組織修復をうながす、抗生物質の効き目をたすける、膿や鼻汁の排出をうながす、出血をおさえるなどの作用をもつため、慢性副鼻腔炎(蓄膿症)、風邪薬、点眼薬などの医薬品や食品の防腐剤に使われている。

また卵黄では、卵黄レシチンの乳化特性をいかして栄養注射などに、卵黄油が湿潤剤、栄養剤などに使われている。

あひる卵

Domesticated duck's eggs

1個＝70g

あひるの卵は鶏卵より大きく、卵黄の比率が高い。中国や東南アジアでは一般的な食材で、さまざまな料理に使う。

ピータン

生卵の殻に、生石灰、塩、木灰、天然ソーダ、紅茶浸出液等を混ぜたものを塗って浸透させ、卵の中身をアルカリで凝固させたもの。現在では、鶏卵で作られているものもある。

うこっけい卵

Silky fowl's eggs　1個＝50g

親は中国原産のにわとりの一種で、ふわふわした白い羽毛の下は、皮、肉、内臓、骨まで黒い。肉は薬膳料理に利用される。卵にも薬効があるといわれているが、栄養成分も味も、鶏卵とほとんど変わらない。品種改良されていないため、産卵数が少なく、高価である。

うずら卵

Japanese quail's eggs

1個＝10～12g

小さく、茶色のまだら模様が特徴的。鶏卵よりもビタミンA・B_1・B_2を多く含み、保存性も高い。卵料理というよりは、小さな形をいかして、飾り的に使われることが多い。

水煮缶詰

ゆでて食塩水につけてあるものが多い。そのまま椀だねや八宝菜等の具の一部、または飾りとして使われる。

鶏卵

Hen's eggs　Mサイズ殻付1個＝60g、卵黄1個分＝16g、卵白1個分＝35g

栄養価が高く、牛乳とともに完全食品といわれている。ただし、人間に必要なビタミンCと食物繊維が含まれない。コレステロール含有量が高いため、敬遠されることも多いが、血中コレステロール値を下げるレシチンも多く含む。価格が安定しているため、物価の優等生といわれる。

ゆで

沸騰した湯の中で加熱して調理する。ゆで時間により卵黄のかたさを調節する（➡p.285）。5分程度で半熟、13分程度でかたゆで卵になる。ゆでた後はすぐに冷水にとり、余熱が入らないようにする。

ポーチドエッグ

静かになべ底から泡が立つ程度の湯の中に少量の塩と酢を入れ、卵を静かに割り入れて、卵白で卵黄を包むように成形しながら3分ほど加熱したもの。古い卵だと卵白がまとまら

食品番号	食品名	廃棄率	エネルギー	2015年版の値	水分	たんぱく質	アミノ酸組成によるたんぱく質	脂質	脂肪酸のトリアシルグリセロール当量	脂肪酸 飽和	脂肪酸 一価不飽和	脂肪酸 多価不飽和	コレステロール	炭水化物	利用可能炭水化物（質量計）	食物繊維総量（プロスキー変法）	食物繊維総量（AOAC法）	ナトリウム	カリウム	カルシウム	マグネシウム	リン	鉄
		%	kcal	kcal	g	g	g	g	g	g	g	g	mg	g	g	g	g	mg	mg	mg	mg	mg	mg
12020	**あひる卵** ピータン	45	**188**	214	66.7	**13.7**	-	**16.5**	13.5	3.06	8.19	1.64	680	**0**	0	-	-	780	65	**90**	6	230	**3.0**
12001	**うこっけい卵** 全卵 生	15	**154**	176	73.7	**12.0**	(10.7)	**13.0**	10.5	3.60	4.54	1.92	550	**0.4**	(0.3)	-	-	140	150	**53**	11	220	**2.2**
12002	**うずら卵** 全卵 生	15	**157**	179	72.9	**12.6**	11.4	**13.1**	10.7	3.87	4.73	1.61	470	**0.3**	(0.3)	-	-	130	150	**60**	11	220	**3.1**
12003	水煮缶詰	0	**162**	182	73.3	**11.0**	(9.7)	**14.1**	11.9	4.24	5.36	1.79	490	**0.6**	(0.3)	-	-	210	28	**47**	8	160	**2.8**
12004	**鶏卵** 全卵 生	14	**142**	150	75.0	**12.2**	11.3	**10.2**	9.3	3.12	4.32	1.43	370	**0.4**	0.3	-	-	140	130	**46**	10	170	**1.5**
12005	ゆで	11	**134**	153	76.7	**12.5**	11.2	**10.4**	9.0	3.04	4.15	1.40	380	**0.3**	0.3	-	-	140	130	**47**	11	170	**1.5**
12006	ポーチドエッグ	0	**145**	164	74.9	**12.3**	(10.6)	**11.7**	9.7	3.21	4.17	1.86	420	**0.2**	(0.3)	-	-	110	100	**55**	11	200	**2.2**
12021	目玉焼き	0	**205**	219	67.0	**14.8**	12.7	**17.6**	15.5	3.81	7.89	3.08	470	**0.3**	(0.3)	-	-	180	150	**60**	14	230	**2.1**
12022	いり	0	**190**	205	70.0	**13.3**	12.1	**16.7**	14.6	3.47	7.53	2.95	400	**0.3**	(0.3)	-	-	160	140	**58**	13	200	**1.8**
12023	素揚げ	0	**321**	345	54.8	**14.3**	12.8	**31.9**	29.9	4.71	16.95	6.89	460	**0.3**	(0.2)	-	-	180	160	**58**	13	220	**2.0**
12007	水煮缶詰	0	**131**	146	77.5	**10.8**	(9.3)	**10.6**	9.1	2.97	4.06	1.68	400	**Tr**	(0.3)	-	-	310	25	**40**	8	150	**1.7**
12008	加糖全卵	0	**199**	217	58.2	**9.8**	(8.4)	**10.6**	8.9	2.96	4.17	1.40	330	**20.7**	21.7	-	-	100	95	**44**	10	160	**1.5**
12009	乾燥全卵	0	**542**	608	4.5	**49.1**	(42.3)	**42.0**	(35.3)	(12.29)	(15.32)	(6.12)	1500	**0.2**	(0.6)	-	-	490	560	**210**	35	700	**3.0**
12010	卵黄 生	0	**336**	394	49.6	**16.5**	13.8	**34.3**	28.2	9.39	13.00	4.54	1200	**0.2**	0.2	-	-	53	100	**140**	11	540	**4.8**
12011	ゆで	0	**330**	391	50.3	**16.1**	13.5	**34.1**	27.6	9.18	12.77	4.45	1200	**0.2**	0.2	-	-	58	87	**140**	12	530	**4.7**
12012	加糖卵黄	0	**327**	346	42.0	**12.1**	(9.9)	**23.9**	20.0	6.53	8.99	3.63	820	**20.7**	21.1	-	-	38	80	**110**	12	400	**2.0**
12013	乾燥卵黄	0	**638**	724	3.2	**30.3**	(24.8)	**62.9**	52.9	18.41	22.95	9.17	2300	**0.2**	(0.2)	-	-	80	190	**280**	29	1000	**4.4**
12014	卵白 生	0	**44**	46	88.3	**10.1**	9.5	**Tr**	0	Tr	Tr	Tr	1	**0.5**	0.4	-	-	180	140	**5**	10	11	**Tr**
12015	ゆで	0	**46**	47	87.9	**10.5**	9.9	**0.1**	Tr	0.01	0.02	0.01	2	**0.4**	0.4	-	-	170	140	**6**	11	12	**Tr**
12016	乾燥卵白	0	**350**	378	7.1	**86.5**	(77.0)	**0.4**	0.3	0.10	0.15	0.05	25	**0.2**	(3.0)	-	-	1300	1300	**60**	48	110	**0.1**
12017	**たまご豆腐**	0	**76**	82	(85.2)	**(6.5)**	(5.8)	**(5.3)**	(4.5)	(1.53)	(2.10)	(0.71)	(190)	**(0.9)**	(0.1)	-	-	(390)	(99)	**(26)**	(8)	(95)	**(0.8)**
12018	**たまご焼** 厚焼きたまご	0	**146**	152	(71.9)	**(10.5)**	(9.4)	**(9.2)**	(8.1)	(2.59)	(3.70)	(1.42)	(320)	**(6.5)**	(6.4)	-	-	(450)	(130)	**(41)**	(11)	(150)	**(1.3)**
12019	だし巻きたまご	0	**123**	129	(77.5)	**(11.0)**	(9.8)	**(9.2)**	(8.0)	(2.65)	(3.68)	(1.30)	(330)	**(0.5)**	(0.3)	-	-	(470)	(130)	**(42)**	(11)	(160)	**(1.3)**

＋PLUS＋　**ゆで卵の殻がきれいにむけない！？**●これは、産卵直後の新しい卵をゆでたときによくある話。新しい卵の内側では炭酸ガスが気化して内圧が高まり、卵白が殻に密着するためむきにくくなる。ガスは徐々に抜けていくので、数日おいた卵だときれいにむけるようになる。

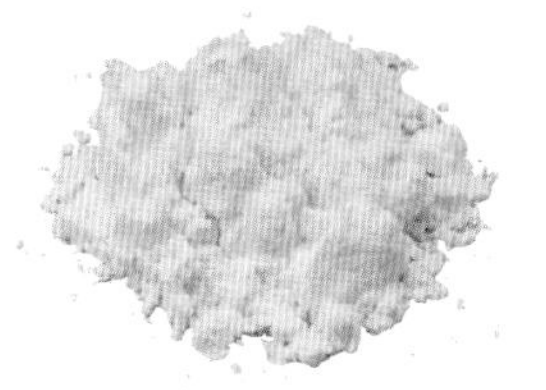

乾燥卵白

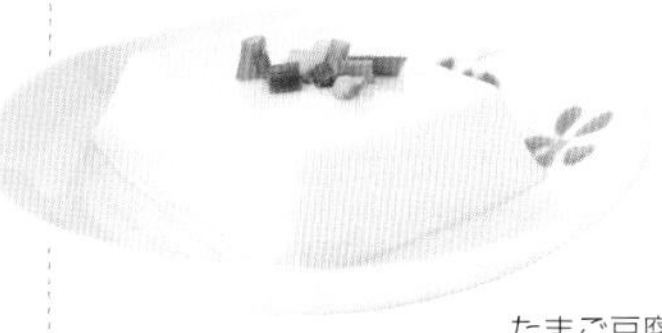

たまご豆腐

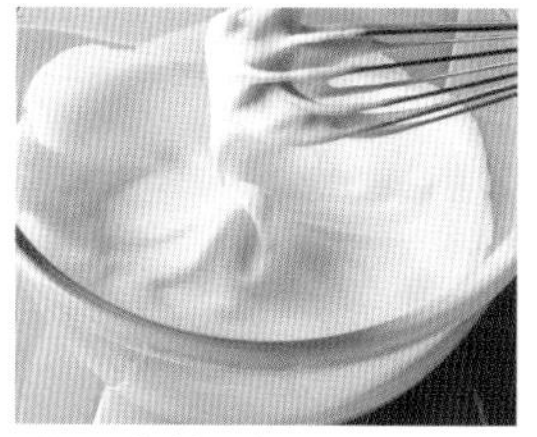

メレンゲ（卵白を泡立てて、
砂糖を加えたもの）

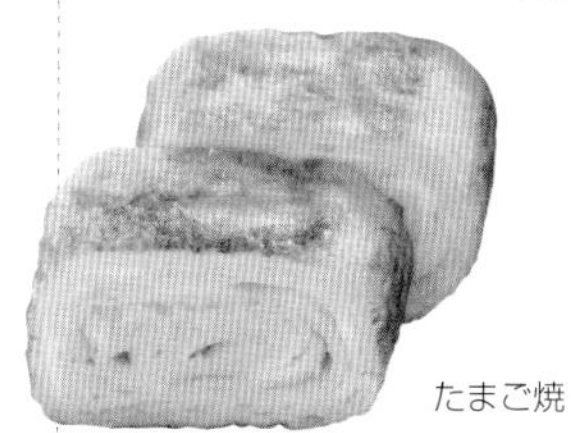

たまご焼

ない。

目玉焼き・いり・素揚げ

目玉焼きは別名**フライドエッグ**。フライパンを熱して油をひき、卵を割り入れて片面を焼いたもの。いりは別名**スクランブルエッグ**。塩こしょうを加えて混ぜた卵を、かき混ぜながら半熟状に焼いたもの。素揚げは別名**ディープフライドエッグ**。器に割り入れた卵を、熱した油の中に入れて揚げたもの。

水煮缶詰

ゆで卵を食塩水につけて缶詰にしたもの。

加糖全卵・加糖卵黄

加工食品の原材料としておもに使用される。しょ糖が20％程度加えられている。

乾燥全卵・乾燥卵黄・乾燥卵白

卵を乾燥させ、粉末にしたもの。麺類に練り込んだ「たまご麺」等、加工食品の原材料としておもに使用される。

たまご豆腐 小1パック＝100g

溶いた全卵にだし汁を加え、調味したものを流し缶に入れ、蒸した料理。

たまご焼 1切＝50g

厚焼きたまご：卵、だし、砂糖、しょうゆ、塩等を混ぜ、たまご焼用の四角い焼き器に油を引いて流し入れ、厚くなるように巻きながら焼いたもの。

だし巻きたまご：厚焼きたまごと焼き方は同じだが、砂糖を入れず、焼き目をつけずにやわらかく焼き上げたもの。

ゆで卵と生卵、保存性がいいのはどちら？

一般に、食品を保存する際は火を通した方が日もちするといわれている。ただし、卵だけは例外。卵は生の状態では、卵白に含まれるリゾチウム（たんぱく溶菌酵素）等によって、外からの雑菌から守られている。しかし加熱することで、その効果がなくなってしまうため、たまごは生で保管した方が長もちするというわけ。

卵とコレステロール

卵に含まれる脂質には、コレステロールが含まれている。このことから卵を敬遠する人もいるが、医師による制限がなければ、通常は心配する必要はない。むしろ、卵黄に含まれるレシチンには血中コレステロール値を下げる効果もある。ただし、コレステロール値がかなり高めな人や脂質異常症の人は、体内でのコレステロールがうまく調節できないことも考えられるので、注意が必要。

卵のいろいろ

ヨード卵

鶏の飼料に海藻などを混ぜ、100g あたり 1.3mg のヨウ素を含む。

DHA 卵

不飽和脂肪酸であるドコサヘキサエン酸を多く含む。飼料に魚油を添加する。

ビタミン強化卵

ビタミン E 強化卵が多い。卵 1 個中に 60mg 程度含有している。

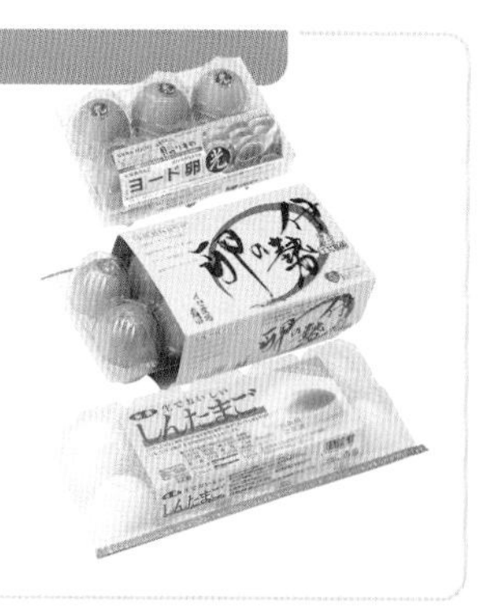

可食部100gあたり　Tr：微量　（ ）：推定値または推計値　－：未測定

ミネラル（無機質）							ビタミン															食塩相当量	備考
亜鉛	銅	マンガン	ヨウ素	セレン	クロム	モリブデン	A レチノール活性当量	レチノール	β-カロテン当量	D	E αトコフェロール	K	B_1	B_2	ナイアシン当量	B_6	B_{12}	葉酸	パントテン酸	ビオチン	C		①廃棄部位　②卵黄：卵白　③ビタミンD：ビタミンD活性代謝物を含む　④試料　⑤栄養成分が増減されていないもの
mg	mg	mg	µg	µg	µg	µg	µg	µg	µg	µg	mg	µg	mg	mg	mg	mg	µg	µg	mg	µg	mg	g	
1.3	0.11	0.03	34	29	Tr	5	**220**	220	22	6.2	1.9	26	**Tr**	**0.27**	2.4	0.01	1.1	63	0.94	16.0	(0)	2.0	①泥状物及び卵殻（卵殻：15%）
1.6	0.08	0.04	-	-	-	-	**160**	160	26	1.0	1.3	4	**0.10**	**0.32**	(2.8)	0.10	1.1	6	1.78	-	0	0.4	①付着卵白を含む卵殻（卵殻：13%）　②＝38：62
1.8	0.11	0.03	140	46	0	8	**350**	350	16	2.5	0.9	15	**0.14**	**0.72**	3.2	0.13	4.7	91	0.98	19.0	(0)	0.3	①付着卵白を含む卵殻（卵殻：12%）　②＝38：62
1.8	0.13	0.02	73	42	0	9	**480**	480	7	2.6	1.6	21	**0.03**	**0.33**	(2.7)	0.05	3.3	47	0.53	8.4	(0)	0.5	液汁を除いたもの
1.1	0.05	0.02	33	24	0	4	**210**	210	7	3.8	1.3	12	**0.06**	**0.37**	(3.2)	0.09	1.1	49	1.16	24.0	0	0.4	①卵殻（付着卵白を含む）　付着卵白を含まない卵殻：13%　②＝32：68　③（含まない場合：1.3µg）　④通常の鶏卵（⑤）
1.1	0.05	0.03	20	25	0	2	**170**	160	4	2.5	1.2	11	**0.06**	**0.32**	(3.3)	0.09	1.0	48	1.18	25.0	0	0.3	①卵殻　②＝31：69　③（含まない場合：0.8µg）　④通常の鶏卵（⑤）
1.5	0.09	0.03	-	-	-	-	**160**	160	21	0.9	1.0	13	**0.06**	**0.40**	(3.0)	0.08	1.1	46	1.45	-	(0)	0.3	
1.4	0.06	0.04	25	35	0	6	**200**	200	-	3.9	2.1	19	**0.07**	**0.41**	3.7	0.11	1.2	58	1.29	27.0	0	0.5	植物油（なたね油）　③（含まない場合：1.7µg）　④通常の鶏卵（⑤）、栄養強化卵
1.4	0.05	0.03	22	31	0	5	**180**	180	-	4.7	2.4	21	**0.07**	**0.42**	3.5	0.11	1.1	48	1.16	26.0	0	0.4	植物油（なたね油）　③（含まない場合：2.0µg）　④通常の鶏卵（⑤）、栄養強化卵
1.4	0.06	0.04	23	38	0	5	**200**	200	-	4.5	5.7	35	**0.08**	**0.43**	3.6	0.08	1.2	54	1.09	27.0	0	0.5	植物油（なたね油）　③（含まない場合：1.9µg）　④通常の鶏卵（⑤）、栄養強化卵
1.2	0.09	0.01	-	-	-	-	**85**	85	0	0.7	1.1	16	**0.02**	**0.31**	(2.6)	0.03	0.9	23	0.30	-	(0)	0.8	液汁を除いたもの
1.0	0.04	0.02	44	18	0	7	**130**	130	17	0.6	0.9	8	**0.06**	**0.38**	(2.4)	0.06	0.6	61	1.33	19.0	(0)	0.3	④冷凍品　しょ糖：21.4g
2.0	0.15	0.08	-	-	-	-	**420**	420	30	3.3	6.6	56	**0.29**	**1.24**	(12.0)	0.21	2.7	180	0.13	-	0	1.2	
3.6	0.13	0.08	110	47	0	12	**690**	690	24	12.0	4.5	39	**0.21**	**0.45**	3.8	0.31	3.5	150	3.60	65.0	0	0.1	③（含まない場合：4.5µg）　④通常の鶏卵（⑤）
3.3	0.14	0.07	200	36	0	13	**520**	520	41	7.1	3.6	37	**0.16**	**0.43**	3.7	0.29	3.1	140	2.70	54.0	0	0.1	③（含まない場合：2.9µg）　④通常の鶏卵（⑤）
1.2	0.05	0.05	50	34	1	19	**400**	390	31	2.0	3.3	16	**0.42**	**0.82**	(2.6)	0.15	1.6	99	1.85	36.0	(0)	0.1	④冷凍品　しょ糖：20.9g
2.9	0.16	0.12	-	-	-	-	**630**	630	45	4.9	9.9	83	**0.42**	**0.82**	(6.5)	0.31	3.8	250	0.18	-	(0)	0.2	
0	0.02	0	2	15	0	2	**0**	0	0	0	0	1	**0**	**0.35**	2.9	0	Tr	0	0.13	6.7	0	0.5	④通常の鶏卵（⑤）
0	0.02	0	4	15	0	2	**0**	0	0	0	0	1	**0.02**	**0.26**	3.0	0	0.1	0	0.33	11.0	0	0.4	④通常の鶏卵（⑤）
0.2	0.14	0.01	-	-	-	-	**(0)**	(0)	(0)	0	0.1	2	**0.03**	**2.09**	(23.0)	0.02	0.3	43	0.04	-	(0)	3.3	
(0.6)	(0.03)	(0.02)	(770)	(15)	0	(1)	**(83)**	(83)	(2)	(0.6)	(0.6)	-	**(0.04)**	**(0.17)**	(1.6)	(0.05)	(0.7)	(25)	(0.62)	(13.0)	0	(1.0)	
(0.9)	(0.05)	(0.03)	(540)	(22)	0	(2)	**(140)**	(140)	(4)	(2.1)	(1.1)	(11)	**(0.06)**	**(0.27)**	(2.1)	(0.08)	(1.0)	(40)	(0.99)	(21.0)	0	(1.2)	
(1.0)	(0.05)	(0.03)	(450)	(23)	0	(3)	**(140)**	(140)	(4)	(2.2)	(1.1)	(10)	**(0.06)**	**(0.28)**	(2.2)	(0.09)	(1.0)	(42)	(1.03)	(22.0)	0	(1.2)	

QA 双子卵を見つけたらラッキー？▶黄身が 2 つ入っている双子卵（二黄卵）は、卵黄が連続して排卵されたときに一緒に卵白に包まれて一つの卵になったもの。これが産まれる確立は卵生産量のほんの 1%程度なので、見つけたらとってもラッキー！　L～L L サイズで多少細長く見える卵は双子卵である可能性が高いそうだ。

13 乳類 MILKS

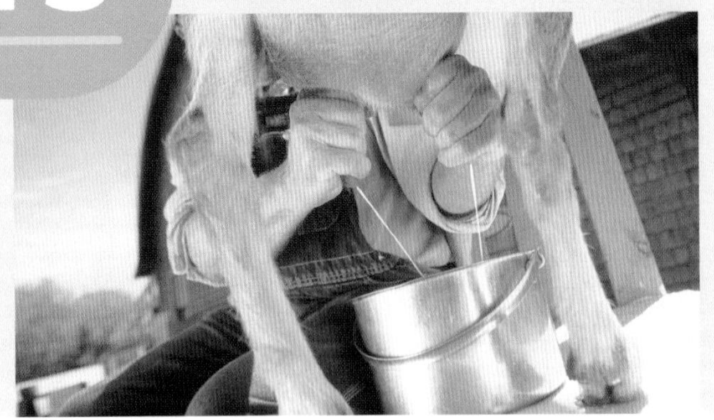

牛の搾乳（さくにゅう）

乳類とは

牛乳は、ほ乳動物の乳腺からの分泌物で、その動物の発育に必要な栄養素をすべて含んでいる。食用とされるのは、牛乳・山羊乳・羊乳などであるが、日本ではそのほとんどが牛乳である。牛乳からは加工品も多くつくられ、広く利用されている。

1 栄養上の特徴

牛乳はすぐれたたんぱく質源であり、日本人に不足しがちなカルシウムの供給源としても重要な食品である。おもな特徴は下記の通り。

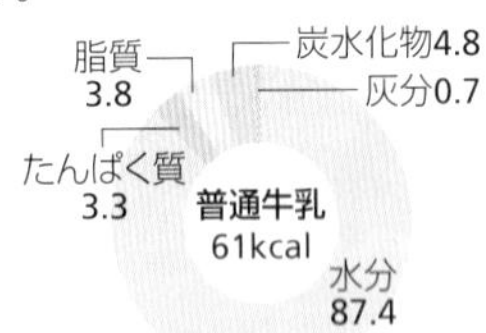

※可食部100gあたり（%）

- アミノ酸価100の良質たんぱく質を含み、消化もよい。
- ビタミンB_2を多く含み、牛乳200mLで1日必要量の1/3～1/4が摂取できる。
- 吸収率の高いカルシウムを多く含み、牛乳200mLで1日必要量の約1/4が摂取できる。
- 糖質の大部分が乳糖のため、これを分解する酵素の力が弱い人は冷たい牛乳を飲むと腹痛や下痢を起こす。日本人に多いため、あらかじめ乳糖を分解した牛乳も出回っている。

2 牛乳およびその加工品

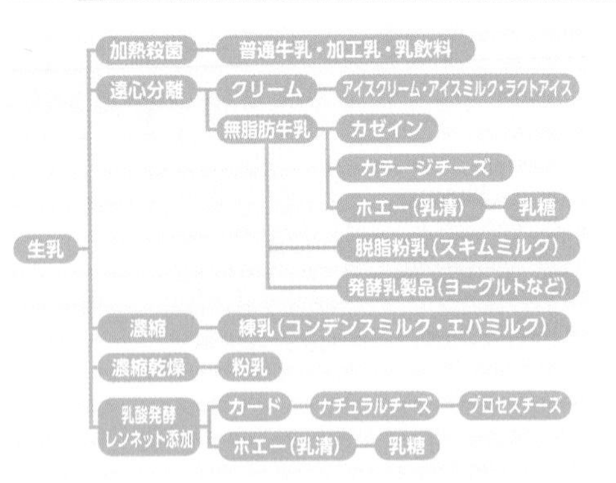

●牛乳の殺菌方法

温度	時間	殺菌方法	構成比
62～65℃	30分	低温保持殺菌法(LTLT)	2.5%
72℃以上	15秒以上	高温短時間殺菌法(HTST)	4.1%
75℃以上	15分以上	高温保持殺菌法(HTLT)	
120～130℃	2～3秒	超高温瞬間殺菌法(UHT)	91%
135～150℃	1～4秒	超高温滅菌殺菌法(UHL)	2.4%

（社団法人全国牛乳流通改善協会などより）

3 牛乳の性質と調理性

牛乳はそのまま飲むだけでなく、その性質を利用してさまざまな調理に利用される。

なめらかに仕上げる……ホットケーキ、クレープなど
酸を加えると凝固する……カテージチーズなど
こくをだす……シチュー、カレーなど
においを消す……カゼインが肉や魚の生臭さを消す
こげ色をつける……グラタン、フレンチトースト
濃度をつける……ホワイトソース、ポタージュなど
色を白くする……ホワイトソースなど

食品番号	食品名	廃棄率 %	エネルギー kcal	2015年版の値 kcal	水分 g	たんぱく質 g	アミノ酸組成によるたんぱく質 g	脂質 g	脂肪酸のトリアシルグリセロール当量 g	脂肪酸 飽和 g	脂肪酸 一価不飽和 g	脂肪酸 多価不飽和 g	コレステロール mg	炭水化物 g	利用可能炭水化物（質量計） g	食物繊維総量（プロスキー変法） g	食物繊維総量（AOAC法） g	ミネラル（無機質） ナトリウム mg	カリウム mg	カルシウム mg	マグネシウム mg	リン mg	鉄 mg
	〈牛乳及び乳製品〉																						
	（液状乳類）																						
13001	**生乳** ジャージー種	0	**77**	82	85.5	**3.9**	3.5	**5.2**	5.0	3.46	1.11	0.18	17	**4.7**	4.5	-	-	58	140	**140**	13	110	**0.1**
13002	ホルスタイン種	0	**63**	66	87.7	**3.2**	2.8	**3.7**	3.8	2.36	1.06	0.15	12	**4.7**	4.4	-	-	40	140	**110**	10	91	**Tr**
13003	**普通牛乳**	0	**61**	67	87.4	**3.3**	3.0	**3.8**	3.5	2.33	0.87	0.12	12	**4.8**	4.4	-	-	41	150	**110**	10	93	**0.02**
13006	**脱脂乳**	0	**31**	34	91.0	**3.4**	3.1	**0.1**	0.1	0.05	0.02	Tr	3	**4.8**	4.6	-	-	51	150	**100**	10	97	**0.1**
13004	**加工乳** 濃厚	0	**70**	74	86.3	**3.4**	3.0	**4.2**	4.2	2.75	1.14	0.14	16	**5.3**	4.8	-	-	55	170	**110**	13	100	**0.1**
13005	低脂肪	0	**42**	46	88.8	**3.8**	3.4	**1.0**	1.0	0.67	0.23	0.03	6	**5.5**	4.9	-	-	60	190	**130**	14	90	**0.1**
13059	**乳児用液体ミルク**	0	**66**	66	87.6	**1.5**	-	**3.6**	-	-	-	-	11	**7.1**	-	-	-	-	81	**45**	5	29	**0.6**
13007	**乳飲料** コーヒー	0	**56**	56	88.1	**2.2**	1.9	**2.0**	2.0	1.32	0.53	0.06	8	**7.2**	7.7	-	-	30	85	**80**	10	55	**0.1**
13008	フルーツ	0	**46**	46	88.3	**1.2**	-	**0.2**	0.2	0.13	0.04	0.01	2	**9.9**	-	-	-	20	65	**40**	6	36	**Tr**
	（粉乳類）																						
13009	**全粉乳**	0	**490**	500	3.0	**25.5**	(22.9)	**26.2**	25.5	16.28	7.17	0.72	93	**39.3**	(34.2)	-	-	430	1800	**890**	92	730	**0.4**
13010	**脱脂粉乳**	0	**354**	359	3.8	**34.0**	30.6	**1.0**	0.7	0.44	0.18	0.03	25	**53.3**	47.9	-	-	570	1800	**1100**	110	1000	**0.5**
13011	**乳児用調製粉乳**	0	**510**	514	2.6	**12.4**	10.8	**26.8**	26.0	11.27	8.44	5.07	63	**55.9**	51.3	-	-	140	500	**370**	40	220	**6.5**

Trだが利用上の便宜のため小数第2位まで記載

+PLUS+ **牛乳は薬だった●** 645年、百済からの帰化人の子である善那（ぜんな）が孝徳天皇に牛乳を献上したところ、典薬寮（てんやくりょう）の乳長上（ちちのおさのかみ）に任ぜられた。典薬寮は現代の大学の医学部や厚生労働省に相当する。つまり、牛乳は薬だと考えられたのだ。

普通牛乳

乳児用液体ミルク

液状乳類

Liquid milks　　1C=210g

生乳（せいにゅう）
乳牛から搾ったまま未殺菌のもの。日本で飼育されている乳牛はほとんどがホルスタイン種であるが、一部でジャージー種も飼育されている。ジャージー種はホルスタイン種よりもたんぱく質、脂質、カルシウムともに多く、濃厚な味。

普通牛乳
生乳を殺菌し、直接飲用に適するようにしたもの。無脂乳固形分が8.0%以上、乳脂肪分が3.0%以上のもの。生乳以外の原材料の添加は認められていないが、原料乳の混合による成分の調整は認められている。

脱脂乳
牛乳からクリームを分離した残りの部分。ほとんどの乳脂肪分を除去してある。脱脂粉乳やアイスクリームなどの乳製品の原材料として使われる。

加工乳（低脂肪）

加工乳（濃厚）

乳飲料（コーヒー）

乳飲料（フルーツ）

加工乳
無脂乳固形分を8.0%以上含み、生乳または牛乳を原料として加工した飲料。バターや生クリーム等を加えて乳脂肪分を増やした「濃厚」タイプと、脱脂して乳脂肪分を低くした「低脂肪」タイプがある。

乳児用液体ミルク
成分は乳児用調製粉乳と同様。乳児にそのまま飲ませられるように液状にして、容器に密封したもの。湯を沸かすなどの手間がかからないため、災害時や外出時、多忙なときなどに役立つ。

乳飲料
牛乳や乳製品を原料とし、味や香料、果汁などを加えた飲料。コーヒー牛乳やフルーツ牛乳等。

脱脂粉乳

全粉乳

粉乳類

Milk powders　　大1=6g

全粉乳
生乳または牛乳からほとんどの水分を除去し、粉末状にしたもの。ミルクパウダー、ドライミルクなどと呼ばれる。

脱脂粉乳
別名スキムミルク。生乳または牛乳の脂肪分を除去し、乾燥させた粉末状のもの。保存性がよく、飲用の他に料理にも使われる。また、加工乳や乳飲料の製造原料にもなる。

乳児用調製粉乳
別名育児用粉ミルク。牛乳や粉乳に、乳幼児に必要な乳糖やビタミン、ミネラル等を加えて粉末状にした乳児用栄養強化品。人乳の成分組成を参考にしている。成分値は用途やメーカーにより異なるため、容器に明記されている。

乳児用調製粉乳

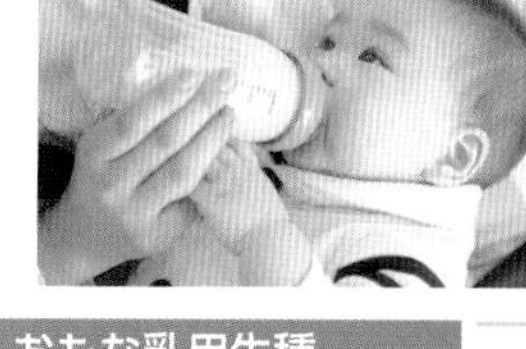

おもな乳用牛種

ホルスタイン種
乳用牛の代表格。オランダ・ドイツ北部原産で日本の乳牛のほとんどを占める。乳量は多いが、乳固形分とたんぱく質と脂質の含有量は少ない。

ジャージー種
イングランド・チャネル諸島原産。乳量はあまり多くないが、脂肪分とビタミンAが多い。

乳類

可食部100 gあたり　Tr：微量　（ ）：推定値または推計値　－：未測定

亜鉛 mg	銅 mg	マンガン mg	ヨウ素 µg	セレン µg	クロム µg	モリブデン µg	A レチノール活性当量 µg	A レチノール µg	A β-カロテン当量 µg	D µg	E αトコフェロール mg	K µg	B1 mg	B2 mg	ナイアシン当量 mg	B6 mg	B12 µg	葉酸 µg	パントテン酸 mg	ビオチン µg	C mg	食塩相当量 g	備考 ①鉄：Trであるが、利用上の便宜のため小数第2位まで記載 ②ビタミンD：ビタミンD活性代謝物を含む
0.4	0.01	0	22	4	0	5	**53**	51	27	0.1	0.1	1	**0.02**	**0.21**	1.0	0.03	0.4	3	0.25	2.1	**1**	0.1	未殺菌のもの (100 g：96.7 mL、100 mL：103.4 g)
0.4	Tr	Tr	14	3	0	4	**38**	37	8	Tr	0.1	1	**0.04**	**0.15**	0.8	0.03	0.3	5	0.53	2.4	**1**	0.1	未殺菌のもの (100 g：96.9 mL、100 mL：103.2 g)
0.4	0.01	Tr	16	3	0	4	**38**	38	6	0.3	0.1	2	**0.04**	**0.15**	0.9	0.03	0.3	5	0.55	1.8	**1**	0.1	(100 g：96.9 mL、100 mL：103.2 g) ①、②ビタミンD活性代謝物を含まない場合：Tr
0.4	0.01	0	25	3	0	3	**Tr**	Tr	0	Tr	Tr	0	**0.04**	**0.15**	0.9	0.04	0.6	0	0.60	3.1	**2**	0.1	(100 g：96.6 mL、100 mL：103.5 g)
0.4	Tr	0	24	3	0	4	**35**	34	14	Tr	0.1	1	**0.03**	**0.17**	0.9	0.05	0.4	0	0.52	3.5	**Tr**	0.1	(100 g：96.5 mL、100 mL：103.6 g)
0.4	0.01	0.01	19	3	0	4	**13**	13	3	Tr	Tr	Tr	**0.04**	**0.18**	1.0	0.04	0.4	Tr	0.52	2.0	**Tr**	0.2	(100 g：96.4 mL、100 mL：103.7 g)
0.4	0.04	-	-	2	-	-	**66**	-	-	1.1	1.9	4	**0.08**	**0.11**	0.9	0.05	0.2	21	0.68	2.5	**31**	0	(100 g：98mL、100 mL：101g)
0.2	Tr	0.01	8	1	0	2	**5**	5	Tr	Tr	0.1	1	**0.02**	**0.09**	0.6	Tr	0.1	Tr	0.27	1.7	**Tr**	0.1	(100 g：95.0 mL、100 mL：105.3 g)
0.1	Tr	0.01	-	-	-	-	**(0)**	(0)	(0)	Tr	Tr	Tr	**0.01**	**0.06**	0.3	Tr	0.1	Tr	0.15	-	**Tr**	0.1	(100 g：95.1 mL、100 mL：105.1 g)
2.5	0.04	0.02	-	-	-	-	**180**	170	70	0.2	0.6	8	**0.25**	**1.10**	(6.7)	0.13	1.6	2	3.59	-	**5**	1.1	(100 g：222mL、100 mL：45g)
3.9	0.10	-	120	27	1	35	**6**	6	Tr	Tr	Tr	Tr	**0.30**	**1.60**	(9.0)	0.27	1.8	1	4.17	19.0	**5**	1.4	(100 g：222mL、100 mL：45g)
2.8	0.34	0.05	41	8	4	16	**560**	560	85	9.3	5.5	24	**0.41**	**0.72**	8.1	0.35	1.6	82	2.20	4.4	**53**	0.4	育児用栄養強化品 (100 g：222mL、100 mL：45g)

Q&A 給食で牛乳を飲み始めたのはいつ頃？▶大正の初めに東京の小学校で牛乳を飲んでいたという記録があるが、一般に全国の小学校で牛乳が飲まれるようになったのは第二次大戦後のこと。当時は脱脂粉乳をお湯で溶いたものを飲んでいた。昭和30年代にかけてしだいに牛乳に変わり、現在ではほとんどの小・中学校で牛乳が飲まれている。

無糖練乳　加糖練乳

クリーム（乳脂肪）

クリーム（植物性脂肪）

コーヒーホワイトナー

（液状）　（粉末状）

ホイップクリーム

ヨーグルト

練乳類
Evaporated and condensed whole milk　大1＝21g

生乳または牛乳を濃縮したもの。そのまま濃縮した「無糖練乳」としょ糖を加えて濃縮した「加糖練乳」がある。無糖練乳は**エバミルク**、加糖練乳は**コンデンスミルク**とも呼ばれる。

クリーム類
Creams

クリーム　大1＝15g
生乳または牛乳から乳脂肪部分だけを取り出したもので、乳脂肪分が18％以上のものをいう。高脂肪と低脂肪のタイプがあり、30～48％の高脂肪のものはホイップに適しているため、製菓用に利用される。また、18～30％の低脂肪のものはおもにコーヒーや紅茶の渋味をマイルドにする目的で使われる。
パッケージにある「種類別」の表記で、「クリーム」とあるものは添加物を一切使用していないもの。「乳または乳製品を主要原料とする食品」とあるものは乳化剤や安定剤などが添加されている。
乳脂肪：脂肪分が乳脂肪のみのクリーム。純乳脂肪と表記されていることが多い。
乳脂肪・植物性脂肪：コンパウンドクリームとも呼ばれ、乳脂肪と植物性脂肪の混脂タイプ。
植物性脂肪：植物性脂肪を主原料とし、脱脂粉乳、乳化剤、安定剤等を添加したもの。泡立てすぎても分離しにくいので扱いやすいが、風味は乳脂肪のものより劣る。

ホイップクリーム　大1＝15g
クリームにグラニュー糖を加えて泡立てたもの。食品成分表で用いられているのは、10％の砂糖が含まれているもの。

コーヒーホワイトナー　1個＝6g
別名**コーヒー用ミルク**。脂肪含量が20％前後の低脂肪クリームで、コーヒーの風味を損なわないように加工したもの。液状と粉末状のものがある。

発酵乳・乳酸菌飲料
Fermented milk and lactic acid bacteria beverages

ヨーグルト　1C＝210g
乳または乳製品を原材料とした、乳酸菌による発酵製品。たんぱく質や吸収に優れたカルシウム、ビタミンA、B_1、B_2が豊富に含まれている。乳酸菌はたんぱく質の消化を助け、胃腸の働きを活発にする。
全脂無糖：別名**プレーンヨーグルト**。乳脂肪分を3％程度含む。
低脂肪無糖：プレーンヨーグルトのうち乳脂肪分がほぼ1％程度のもの。
無脂肪無糖：プレーンヨーグルトのうち乳脂肪分がほぼ0.5％未満のもの。
脱脂加糖：別名**普通ヨーグルト**。脱脂乳を原料として、砂糖、果糖等の糖類を添加してある。通常、ゼラチンや寒天などの凝固剤を加えたカッ

食品番号	食品名	廃棄率 %	エネルギー kcal	2015年版の値 kcal	水分 g	たんぱく質 g	アミノ酸組成によるたんぱく質 g	脂質 g	脂肪酸のトリアシルグリセロール当量 g	脂肪酸 飽和 g	脂肪酸 一価不飽和 g	脂肪酸 多価不飽和 g	コレステロール mg	炭水化物 g	利用可能炭水化物（質量計） g	食物繊維 食物繊維総量（プロスキー変法） g	食物繊維 食物繊維総量（AOAC法） g	ミネラル（無機質） ナトリウム mg	カリウム mg	カルシウム mg	マグネシウム mg	リン mg	鉄 mg
	（練乳類）																						
13012	**無糖練乳**	0	**135**	144	72.5	**6.8**	(6.2)	**7.9**	7.5	4.88	2.10	0.13	27	**11.2**	(10.8)	-	-	140	330	**270**	21	210	**0.2**
13013	**加糖練乳**	0	**314**	332	26.1	**7.7**	7.0	**8.5**	8.4	5.59	2.16	0.26	19	**56.0**	53.2	-	-	96	400	**260**	25	220	**0.1**
	（クリーム類）																						
13014	**クリーム**　乳脂肪	0	**404**	427	48.2	**1.9**	1.6	**43.0**	39.6	26.28	9.89	1.37	64	**6.5**	2.7	-	-	43	76	**49**	5	84	**0.1**
13015	乳脂肪・植物性脂肪	0	**388**	409	49.8	**4.4**	(3.9)	**42.1**	(40.2)	(18.32)	(18.74)	(1.17)	63	**3.0**	(2.8)	-	-	140	76	**47**	4	130	**0.2**
13016	植物性脂肪	0	**353**	374	55.5	**1.3**	1.1	**39.5**	37.6	26.61	7.38	1.73	21	**3.3**	2.5	-	-	40	67	**50**	6	79	**0**
	ホイップクリーム																						
13017	乳脂肪	0	**409**	425	44.3	**1.8**	(1.5)	**40.7**	(37.5)	(24.98)	(9.34)	(1.25)	110	**12.9**	(12.2)	-	-	24	72	**54**	4	45	**0.1**
13018	乳脂肪・植物性脂肪	0	**394**	413	44.0	**4.0**	(3.5)	**38.4**	(36.7)	(16.63)	(17.19)	(1.07)	57	**12.9**	(12.6)	-	-	130	69	**42**	3	120	**0.1**
13019	植物性脂肪	0	**399**	402	43.7	**6.3**	(5.5)	**36.1**	(35.8)	(8.30)	(25.01)	(0.88)	5	**12.9**	(13.8)	-	-	230	65	**30**	3	190	**0.2**
	コーヒーホワイトナー																						
13020	液状　乳脂肪	0	**205**	211	70.3	**5.2**	4.8	**18.3**	17.8	11.57	4.73	0.58	50	**5.5**	(1.6)	-	-	150	55	**30**	3	150	**0.1**
13021	乳脂肪・植物性脂肪	0	**227**	228	69.2	**4.8**	(4.2)	**21.6**	(21.2)	(8.66)	(10.98)	(0.59)	27	**3.7**	(1.7)	-	-	160	50	**26**	3	140	**0.1**
13022	植物性脂肪	0	**244**	248	68.4	**4.3**	(3.8)	**24.8**	24.6	5.70	17.18	0.61	3	**1.8**	(1.8)	-	-	160	45	**21**	2	130	**0.1**
13023	粉末状　乳脂肪	0	**504**	516	2.8	**7.6**	(6.5)	**27.3**	24.4	16.45	6.06	0.62	86	**60.4**	57.7	-	-	360	360	**87**	9	240	**0**
13024	植物性脂肪	0	**542**	560	2.7	**2.1**	(1.8)	**36.2**	32.8	31.00	0	0	1	**56.4**	27.1	-	-	720	220	**120**	1	600	**0.1**
	（発酵乳・乳酸菌飲料）																						
13025	**ヨーグルト**　全脂無糖	0	**56**	62	87.7	**3.6**	3.3	**3.0**	2.8	1.83	0.71	0.10	12	**4.9**	3.8	-	-	48	170	**120**	12	100	**Tr**
13053	低脂肪無糖	0	**40**	45	89.2	**3.7**	3.4	**1.0**	0.9	0.58	0.22	0.03	5	**5.2**	3.9	-	-	48	180	**130**	13	100	**Tr**
13054	無脂肪無糖	0	**37**	42	89.1	**4.0**	3.8	**0.3**	0.2	0.16	0.06	0.01	4	**5.7**	4.1	-	-	54	180	**140**	13	110	**Tr**
13026	脱脂加糖	0	**65**	67	82.6	**4.3**	4.0	**0.2**	0.2	0.13	0.06	0.01	4	**11.9**	11.2	-	-	60	150	**120**	22	100	**0.1**
13027	ドリンクタイプ　加糖	0	**64**	65	83.8	**2.9**	2.6	**0.5**	0.5	0.33	0.11	0.02	3	**12.2**	10.1	-	-	50	130	**110**	11	80	**0.1**
13028	**乳酸菌飲料**　乳製品	0	**64**	71	82.1	**1.1**	0.9	**0.1**	Tr	0.03	0.01	Tr	1	**16.4**	15.1	-	-	18	48	**43**	5	30	**Tr**
13029	殺菌乳製品	0	**217**	217	45.5	**1.5**	1.3	**0.1**	0.1	0.06	0.02	0.01	2	**52.6**	-	-	-	19	60	**55**	7	40	**0.1**
13030	非乳製品	0	**39**	43	89.3	**0.4**	0.3	**0.1**	0.1	0.04	0.02	0.03	1	**10.0**	9.2	0.2	-	10	44	**16**	3	13	**Tr**

+PLUS+　**醍醐味（だいごみ）は最上の乳製品**●仏教では、乳を精製する過程の五段階を「五味」といい、最後の段階の「醍醐」を純粋で最高の味であるとした。そこから転じて、醍醐味は深い味わい、本当のおもしろさ、物事の神髄（しんずい）などをいう言葉となった。

ヨーグルト

（全脂無糖）

（無脂肪無糖）

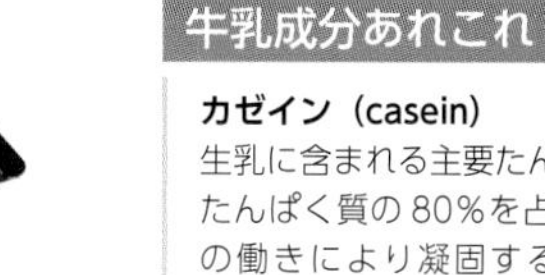

ヨーグルト（脱脂加糖）

ヨーグルト（ドリンクタイプ）

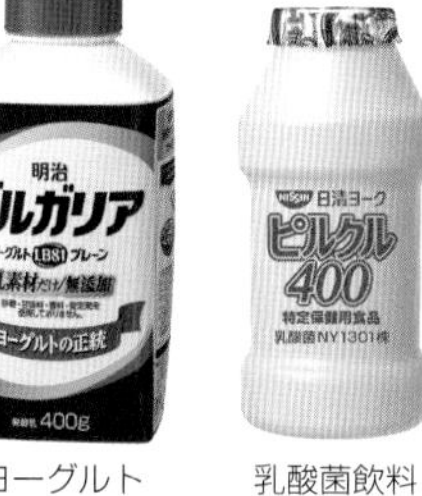

乳酸菌飲料（乳製品）

乳酸菌飲料（殺菌乳製品）

乳酸菌飲料（非乳製品）

プ入りのものが多い。

ドリンクタイプ　加糖：一般に「飲むヨーグルト」と呼ばれる。ヨーグルトを機械的に均一の液状にしたもので、ほとんどが加糖タイプ。

乳酸菌飲料

牛乳などを発酵させたものを原料とした飲み物で、無脂乳固形分が3%以上のもの。甘味料や香料、果汁などを添加したものが多く市販されている。

乳製品：発酵後の殺菌処理がなく、乳酸菌が生存しているもの。

殺菌乳製品：発酵後、殺菌処理をするため、乳酸菌自体はない。希釈して飲むタイプの飲料。

非乳製品：乳酸菌飲料のうち、無脂乳固形分が3%未満で、厚生労働省の乳等省令の乳酸菌飲料に該当しない製品。

牛乳成分あれこれ

カゼイン（casein）

生乳に含まれる主要たんぱく質で、乳たんぱく質の80%を占める。乳酸菌の働きにより凝固する性質があり、チーズやヨーグルトはこの性質を利用してつくる。

ホエー（whey）

「乳清」ともいう。チーズをつくるときに得られる水分約94%、固形成分約6%の液体で、身近には、ヨーグルトの上澄み液の形で見られる。乳糖を主成分とし、たんぱく質、無機質、水溶性ビタミン類を含む。

カード（curd）

「凝乳」ともいう。生乳に、乳酸菌がつくる酸および酵素（レンニン）を作用させてできる凝固物。乳からカゼインと乳脂肪を除いたものである乳清とは逆に、カゼインと乳脂肪分が主成分。栄養価が高く、チーズの原料となる。

レンニン（rennin）

仔牛の第四胃や特定のカビから抽出される、カゼインを凝固させる酵素（凝乳酵素）。これが作用すると、カゼインは消化しやすいパラカゼインとなり、カルシウムの存在により凝固・沈殿する。チーズ製造に用いられるレンネット（rennet）は、これを主とする酵素剤である。

乳酸菌の分類

乳酸菌のグループ	生息場所	利用した発酵食品
動物性乳酸菌（動物由来の乳酸菌）	動物の乳など（栄養バランスのよい環境で生息する）	西洋の食文化で生まれたヨーグルト、チーズなど
植物性乳酸菌（植物由来の乳酸菌）	果物の表面や植物の葉など（栄養バランスの悪い環境でも生息できる）	東洋の食文化で生まれた、みそ、しょうゆ、漬物、キムチなど

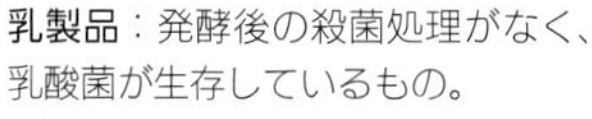

可食部100 gあたり　Tr：微量　（ ）：推定値または推計値　－：未測定

亜鉛	銅	マンガン	ヨウ素	セレン	クロム	モリブデン	ビタミンA レチノール活性当量	レチノール	β-カロテン当量	D	E αトコフェロール	K	B1	B2	ナイアシン当量	B6	B12	葉酸	パントテン酸	ビオチン	C	食塩相当量	備考 ①鉄：Trであるが、利用上の便宜のため小数第2位まで記載 ②ビタミンD：ビタミンD活性代謝物を含む
mg	mg	mg	µg	µg	µg	µg	µg	µg	µg	µg	mg	µg	mg	mg	mg	mg	µg	µg	mg	µg	mg	g	
1.0	0.02	-	-	-	-	-	**50**	48	18	Tr	0.2	3	**0.06**	**0.35**	(1.7)	0.01	0.1	1	1.10	-	**Tr**	0.4	(100 g：78mL、100 mL：128g)
0.8	0.02	0.01	35	6	0	9	**120**	120	20	0.1	0.2	0	**0.08**	**0.37**	1.9	0.02	0.7	1	1.29	3.2	**2**	0.2	しょ糖：44g (100 g：78mL、100 mL：128g)
0.2	0.02	-	8	2	1	14	**160**	150	110	0.3	0.4	14	**0.02**	**0.13**	0.4	Tr	0.2	0	0.13	1.2	**0**	0.1	(100 g：95mL、100 mL：105g)
0.3	0.02	0.01	8	2	2	8	**200**	190	110	0.3	0.4	8	**0.01**	**0.07**	(0.8)	Tr	0.1	2	0.09	1.0	**Tr**	0.4	脂質：乳脂肪由来 22.5g、植物性脂肪由来 19.6g
0.2	0.03	0	7	1	2	2	**9**	1	99	0.1	4.0	5	**0.01**	**0.07**	0.4	0.01	0.1	0	0.17	0.7	**0**	0.1	(100 g：99mL、100 mL：102g)
																							クリームにグラニュー糖を加えて泡だてたもの
0.2	0.02	-	7	2	1	13	**350**	340	99	0.5	0.7	13	**0.02**	**0.08**	(0.4)	Tr	0.2	Tr	0.12	1.1	**Tr**	0.1	
0.3	0.02	-	7	1	1	7	**180**	170	96	0.2	0.4	7	**0.01**	**0.06**	(0.8)	(Tr)	0.1	3	0.08	0.9	**(Tr)**	0.3	脂質：乳脂肪由来 19.1g、植物性脂肪由来 17.1g
0.4	0.02	-	6	1	2	2	**9**	1	94	0	0	2	**0**	**0.05**	(1.1)	0	0	3	0.05	0.7	**0**	0.6	
0.4	0.01	0.01	-	-	-	-	**150**	150	22	0.2	0.3	5	**0.01**	**0.05**	1.2	0.01	0.1	2	0.07	-	**Tr**	0.4	
0.3	0.01	0.01	-	-	-	-	**77**	75	24	0.1	0.1	3	**0.01**	**0.04**	(1.0)	0.01	0.1	2	0.05	-	**Tr**	0.4	脂質：乳脂肪由来 9.2g、植物性脂肪由来 12.4g
0.3	0.01	0.01	2	2	1	1	**3**	1	25	0	0	1	**0**	**0.03**	(0.8)	0	0	2	0.03	0.3	**Tr**	0.4	
0.4	0.02	0.01	15	3	Tr	10	**320**	310	100	0.2	0.8	5	**0.02**	**0.65**	(1.6)	0.03	0.2	10	0.25	7.9	**0**	0.9	(100 g：300mL、100 mL：33g)
0.2	0.02	0.01	Tr	1	1	1	**0**	0	0	0	1.0	0	**0**	**0.01**	(0.4)	0	0	2	0	Tr	**0**	1.8	(100 g：250mL、100 mL：40g)
0.4	0.01	Tr	17	3	0	4	**33**	33	3	0	0.1	1	**0.04**	**0.14**	0.9	0.04	0.1	11	0.49	2.5	**1**	0.1	
0.5	0.01	0	14	2	0	4	**12**	12	4	0	0	0	**0.04**	**0.19**	1.0	0.04	0.1	15	0.41	1.6	**2**	0.1	
0.4	0	0	16	3	0	4	**3**	3	2	0	0	0	**0.04**	**0.17**	1.1	0.04	0.2	16	0.35	2.1	**1**	0.1	
0.4	0.01	0.01	14	3	0	4	**(0)**	(0)	(0)	Tr	Tr	Tr	**0.03**	**0.15**	1.0	0.02	0.3	3	0.44	2.0	**Tr**	0.2	
Tr	Tr	0.01	10	2	0	3	**5**	5	1	Tr	Tr	Tr	**0.01**	**0.12**	0.8	0.03	0.2	1	0.30	1.2	**Tr**	0.1	(100 g：93mL、100 mL：108g)
0.4	Tr	-	6	1	0	1	**0**	0	0	0	Tr	Tr	**0.01**	**0.05**	0.2	Tr	Tr	Tr	0.11	0.6	**Tr**	0	無脂乳固形分 3.0%以上 (100 g：92.9 mL、100 mL：107.6 g)
0.2	0.01	0.01	10	1	0	2	**(0)**	(0)	(0)	Tr	Tr	Tr	**0.02**	**0.08**	0.4	Tr	Tr	Tr	0.09	0.6	**0**	0	無脂乳固形分 3.0%以上　希釈後飲用 (100 g：81.0 mL、100 mL：123.5 g)
Tr	0.01	0.02	2	0	1	1	**1**	1	1	0.1	Tr	0	**0.01**	**0.01**	0.1	0.01	Tr	Tr	0.05	0.4	**5**	0	無脂乳固形分 3.0%未満 (100 g：95.9 mL、100 mL：104.3 g)

Q A ヨーグルトと一緒に食べるとよいものは？▶ヨーグルトの健康効果を上げるには、ヨーグルトには含まれていない食物繊維、ビタミンC、オリゴ糖などを含む食品を一緒に摂ることが望ましい。果実がよいが、キウイフルーツやパインアップルは、それらが持つ酵素がたんぱく質から苦味を出す物質をつくるので、早めに食べよう。

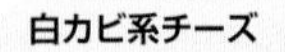

白カビ系チーズ

ブリー
フランスのブリー地方に、1000年前から伝わる。

カマンベール
ブリーの製法が1790年にカマンベール村に伝えられ生産が始まった。

ウォッシュ系チーズ

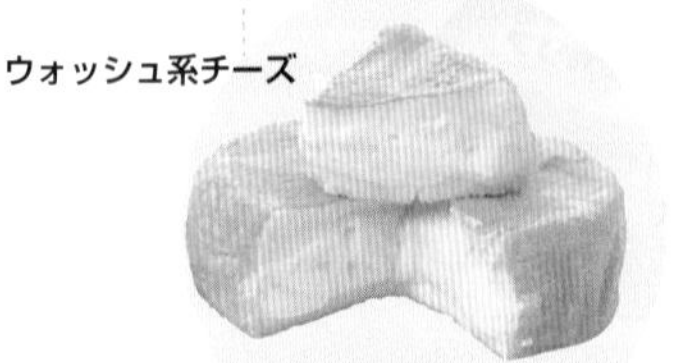

マンステール
フランスアルザス地方産。

ハード系チーズ（グリュイエール）の熟成

フレッシュ系チーズ

カテージ

モッツァレラ

マスカルポーネ

クリーム

フェタ
羊乳を使ったギリシアのチーズ。

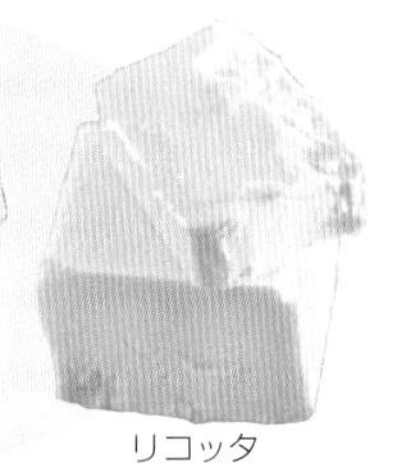

リコッタ

青カビ系チーズ

ブルー各種

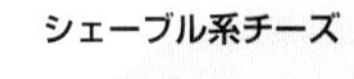

シェーブル系チーズ

サント・モール

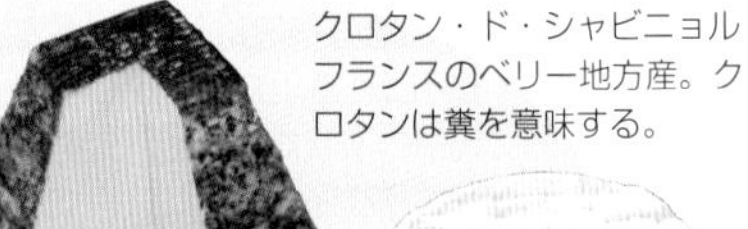

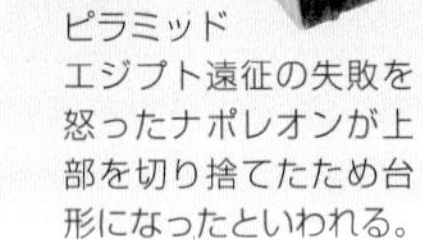

ピラミッド
エジプト遠征の失敗を怒ったナポレオンが上部を切り捨てたため台形になったといわれる。

クロタン・ド・シャビニョル
フランスのベリー地方産。クロタンは糞を意味する。

チーズ類

Cheeses　1切＝30g

チーズは、乳等省令により、ナチュラルチーズとプロセスチーズに大別される。

ナチュラルチーズ
乳、バターミルク、クリームなどを乳酸菌で発酵させ、または酵素を加えて凝固させたもの。

エダム：オランダのエダム原産の硬質チーズ。厚い円盤形で、表面に赤いワックスがかけられているため、赤玉とも呼ばれる。くせがなくマイルド。

エメンタール：スイス原産の硬質チーズ。多数のガス孔が特徴。フォンデュに欠かせない。1つが100kg前後あり、世界でもとくに大きなチーズといえる。

カテージ：大1＝10g。フレッシュチーズの一種。脱脂乳を原料とするので高たんぱくで低カロリー。サラダ等に利用される。家庭でもつくることができる（➡p.295）。

カマンベール：中はとろりとした白カビ系軟質チーズ。クリーミーで食べやすく、人気が高い。円盤状なので放射状に切ってオードブル等に。

クリーム：生クリームを加えてつくる、熟成させないフレッシュチーズ。脂肪分が多い。なめらかな口当たりで、軽い酸味がある。加工しやすい。

ゴーダ：オランダのゴーダ原産の半硬質チーズ。くせは少なく、スライスしてサンドイッチやピザ等に利用される。

食品番号	食品名		廃棄率 %	エネルギー kcal	2015年版の値 kcal	水分 g	たんぱく質 g	アミノ酸組成によるたんぱく質 g	脂質 g	脂肪酸のトリアシルグリセロール当量 g	脂肪酸 飽和 g	脂肪酸 一価不飽和 g	脂肪酸 多価不飽和 g	コレステロール mg	炭水化物 g	利用可能炭水化物（質量計） g	食物繊維 食物繊維総量（プロスキー変法） g	食物繊維 食物繊維総量（AOAC法） g	ミネラル（無機質） ナトリウム mg	カリウム mg	カルシウム mg	マグネシウム mg	リン mg	鉄 mg
	（チーズ類）																							
13031	**ナチュラルチーズ**	エダム	0	**321**	356	41.0	**28.9**	(29.4)	**25.0**	22.6	15.96	4.94	0.53	65	**1.4**	(0)	-	-	780	65	**660**	40	470	**0.3**
13032		エメンタール	0	**398**	429	33.5	**27.3**	(27.2)	**33.6**	29.5	18.99	8.12	0.87	85	**1.6**	(0)	-	-	500	110	**1200**	32	720	**0.3**
13033		カテージ	0	**99**	105	79.0	**13.3**	13.2	**4.5**	4.1	2.73	1.00	0.13	20	**1.9**	0.5	-	-	400	50	**55**	4	130	**0.1**
13034		カマンベール	0	**291**	310	51.8	**19.1**	17.7	**24.7**	22.5	14.87	5.71	0.70	87	**0.9**	0	-	-	800	120	**460**	20	330	**0.2**
13035		クリーム	0	**313**	346	55.5	**8.2**	7.6	**33.0**	30.1	20.26	7.40	0.89	99	**2.3**	2.4	-	-	260	70	**70**	8	85	**0.1**
13036		ゴーダ	0	**356**	380	40.0	**25.8**	(26.3)	**29.0**	26.2	17.75	6.39	0.67	83	**1.4**	-	-	-	800	75	**680**	31	490	**0.3**
13037		チェダー	0	**390**	423	35.3	**25.7**	23.9	**33.8**	32.1	20.52	9.09	0.81	100	**1.4**	(0.4)	-	-	800	85	**740**	24	500	**0.3**
13038		パルメザン	0	**445**	475	15.4	**44.0**	(41.1)	**30.8**	27.6	18.15	7.11	0.94	96	**1.9**	(0)	-	-	1500	120	**1300**	55	850	**0.4**
13039		ブルー	0	**326**	349	45.6	**18.8**	(17.5)	**29.0**	26.1	17.17	6.76	0.80	90	**1.0**	(0)	-	-	1500	120	**590**	19	440	**0.3**
13055		マスカルポーネ	0	**273**	293	62.4	**4.4**	4.1	**28.2**	25.3	16.77	6.40	0.81	83	**4.3**	3.5	-	-	35	140	**150**	10	99	**0.1**
13056		モッツァレラ	0	**269**	276	56.3	**18.4**	-	**19.9**	-	-	-	-	62	**4.2**	(0)	-	-	70	20	**330**	11	260	**0.1**
13057		やぎ	0	**280**	296	52.9	**20.6**	18.5	**21.7**	20.1	13.37	4.88	0.74	88	**2.7**	1.0	-	-	480	260	**130**	20	270	**0.1**
13058		リコッタ	0	**159**	162	72.9	**7.1**	-	**11.5**	-	-	-	-	57	**6.7**	-	-	-	160	210	**340**	20	200	**0.1**

+PLUS+ **つくり方から名前がついたチーズ**●モッツァレラは、一度固めたチーズを細かく砕いて熱湯で溶かし、練りあげて繊維質の組織をつくって塩水につけて仕上げる。イタリア語のモッツァーレ（=引きちぎる）が名前の由来。本来は水牛のミルクでつくられるが、現在では牛のミルクからつくるものが多い。

ハード・セミハード系チーズ

エダム

エメンタール

チェダー

ゴーダ

ミモレット
フランスのフランドル地方産。熟成が進むとからすみのような濃厚なこくがでる。

粉チーズ

パルメザン

ナチュラルチーズの分類と特徴

硬さ	タイプ	熟成方法	特徴	例
軟質	フレッシュ	非熟成	乳に酸や酵素を加えて凝固させ水分を抜いたもので、熟成させないチーズ。ソフトで軽い酸味があり、さわやかな風味。	カテージ、モッツァレラ、クリーム、リコッタ
	白カビ	カビ熟成	白カビを表面に繁殖させ熟成。たんぱく質を分解する力の強い白カビが、表面から中心部に向かって熟成させる。	カマンベール、ブリー
	ウォッシュ	表面洗浄 細菌熟成	表皮を塩水や土地の酒(ワインやビール)で洗いながら、チーズの表皮についている特殊な菌で熟成。においが強烈。	ポン・レヴェック、マンステール
	シェーブル (やぎ乳)	カビ熟成 細菌熟成	やぎ乳でつくるチーズの総称。やぎ乳特有の風味がある。フレッシュからハードタイプまであり、熟成が進むと香りも味も濃くなる。	ピラミッド、サント・モール
半硬質 水分量 38~48%	青カビ (ブルー)	カビ熟成	青カビをカードに混ぜ、中から熟成させる。独特の青カビの風味がある。よく熟成したものは強烈な風味があり、味も濃厚。	ロックフォール、ゴルゴンゾーラ
	セミハード	細菌熟成	比較的硬く、チーズの中でも保存のきくタイプ。熟成期間や大きさ、脂肪の量などもさまざまでもっとも種類が多い。味はマイルド。	ゴーダ、ラクレット
硬質 水分量 32~38%	ハード	細菌熟成	かなり強く圧搾して水分を抜き、熟成期間も長く長期保存ができる。深い味わいとこくがあり、そのまま食べるほか、料理にも幅広く利用される。	エメンタール、エダム、チェダー
超硬質 水分量 32%以下	ハード	細菌熟成	1年から2年以上じっくり熟成させてつくるもっとも硬いチーズ。長く熟成させたものほど風味が豊かになる。おろして粉末にし、料理にも利用される。	パルメザン

(一般社団法人Jミルク「牛乳・乳製品の知識」、小学館「食材図典Ⅱ」より)

チェダー：イギリスのチェダー谷原産の硬質チーズ。オレンジ色のレッド・チェダーと、無着色のホワイト・チェダーがある。生産量は世界最多。

パルメザン：大1＝6g。イタリア原産の超硬質チーズ。日本では製造工程が簡略化された粉チーズのこともいう。スパゲッティなどに振りかけて使う。

ブルー：青カビによって熟成された軟質～半硬質チーズ。強い刺激と塩気がある。フランスのロックフォール、イタリアのゴルゴンゾーラが有名。

マスカルポーネ：生クリームを原料とする、脂肪分が多いフレッシュチーズ。ティラミス等イタリアのデザートに使われる。

モッツァレラ：くせがなく、加熱するとなめらかに溶けて糸を引くようによく伸びるため、ピザやグラタンによく使われる。サラダや前菜にも利用される。

やぎ：別名**シェーブルチーズ**。独特の風味があり、フレッシュから熟成品までさまざまなタイプがある。形もいろいろで、木炭の粉をまぶしたもの等多種。

リコッタ：チーズ製造時に出るホエー(乳清)を利用するフレッシュチーズ。料理や菓子、デザートに利用される。

可食部100gあたり　Tr：微量　( )：推定値または推計値　－：未測定

ミネラル(無機質) 亜鉛 mg	銅 mg	マンガン mg	ヨウ素 µg	セレン µg	クロム µg	モリブデン µg	ビタミン A レチノール活性当量 µg	レチノール µg	β-カロテン当量 µg	D µg	E αトコフェロール mg	K µg	B₁ mg	B₂ mg	ナイアシン当量 mg	B₆ mg	B₁₂ µg	葉酸 µg	パントテン酸 mg	ビオチン µg	C mg	食塩相当量 g	備考 ①鉄：Trであるが、利用上の便宜のため小数第2位まで記載 ②ビタミンD：ビタミンD活性代謝物を含む
4.6	0.03	0.01	-	-	-	-	**250**	240	150	0.2	0.8	14	**0.04**	**0.42**	(6.9)	0.06	2.8	39	0.17	-	(0)	2.0	
4.3	0.76	0.01	-	-	-	-	**220**	200	180	0.1	1.3	8	**0.02**	**0.48**	(6.9)	0.07	1.0	10	0.72	-	(0)	1.3	
0.5	0.03	-	9	14	0	4	**37**	35	20	0	0.1	2	**0.02**	**0.15**	3.2	0.03	1.0	21	0.48	2.2	(0)	1.0	クリーム入りを含む
2.8	0.02	0.01	17	14	1	8	**240**	230	140	0.2	0.9	1	**0.03**	**0.48**	4.7	0.08	1.3	47	0.49	6.3	(0)	2.0	
0.7	0.01	0.01	14	7	0	10	**250**	240	170	0.2	1.2	12	**0.03**	**0.22**	2.1	0.03	0.1	11	0.42	2.2	(0)	0.7	
3.6	0.02	0.01	-	-	-	-	**270**	260	170	0	0.8	12	**0.03**	**0.33**	(6.2)	0.05	1.9	29	0.32	-	(0)	2.0	
4.0	0.07	-	20	12	0	7	**330**	310	210	0	1.6	12	**0.04**	**0.45**	5.5	0.07	1.9	32	0.43	2.7	(0)	2.0	
7.3	0.15	-	-	-	-	-	**240**	230	120	0.2	0.8	15	**0.05**	**0.68**	(10.0)	0.05	2.5	10	0.50	-	(0)	3.8	粉末状
2.5	0.02	0.01	-	-	-	-	**280**	270	170	0.3	0.6	11	**0.03**	**0.42**	(5.4)	0.15	1.1	57	1.22	-	(0)	3.8	
0.5	0.01	0	16	3	1	8	**390**	390	77	0.2	0.6	10	**0.03**	**0.17**	1.1	0.03	0.2	2	0.31	2.0	0	0.1	
2.8	0.02	0.01	-	-	-	-	**280**	280	-	0.2	0.6	6	**0.01**	**0.19**	3.1	0.02	1.6	9	0.06	-	-	0.2	
0.5	0.07	0.03	-	-	-	-	**290**	290	0	0.3	0.4	10	**0.09**	**0.88**	6.3	0.23	0.3	100	1.16	-	-	1.2	
0.3	0.02	Tr	-	-	-	-	**160**	160	-	0	0.2	3	**0.04**	**0.21**	1.3	0.06	0.2	4	0.52	-	-	0.4	

Q A チーズに生えるカビは毒ではないの？▶カビには、人間にとって良いカビと悪いカビの2種類があり、チーズに生えるのは前者のカビで毒素をもっていない。そのため身体には害がない。また、これらのカビは悪いカビの繁殖を防ぎ、チーズの脂肪やたんぱく質を分解してよりおいしくする働きがある。

プロセスチーズ

スモークチーズ
くせのないチーズを燻製したもので、香りが豊か。

氷菓
果汁や砂糖、香料を加えて凍らせた菓子で、アイスクリーム類とは区別されている。

アイスクリーム

アイスミルク

チーズスプレッド

ラクトアイス

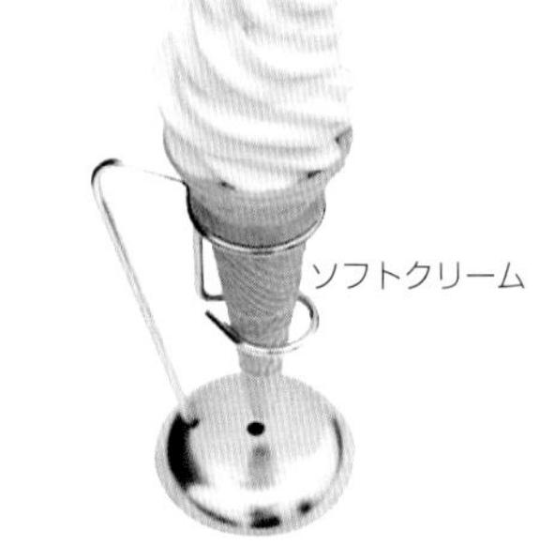

ソフトクリーム

シャーベット

プロセスチーズ
ナチュラルチーズを混ぜ合わせて加熱・乳化・成形したもの。殺菌してあるため熟成が止まり、保存性も高い。日本ではもっとも一般的なチーズ。

チーズスプレッド
パンなどに塗るタイプのチーズ。プロセスチーズの一種で、ナチュラルチーズにバターや乳化剤等が加えられている。

アイスクリーム類

Ice creams　中1個＝80g

乳製品を主原料にし、卵、砂糖、香料、安定剤などを加えて空気を含ませて凍らせた氷菓。－18℃以下で保存すれば雑菌が繁殖しにくいことから、賞味期限表示は省略されることがある。乳成分の割合などで、以下の分類がある。

アイスクリーム
乳固形分15％以上、うち乳脂肪分8％以上のもの。乳固形分と乳脂肪分がもっとも多く含まれ、ミルクの風味が豊か。

アイスミルク
乳固形分10％以上、うち乳脂肪分3％以上のもの。植物性脂肪を加えたものが多いので、アイスクリームよりも脂質が高くなるものもある。

ラクトアイス
乳固形分3％以上のもの。植物性脂肪を使っているものが主。

ソフトクリーム
液状のアイスクリームミックスをフリーザーにかけ、硬化させずに絞り出したもの。－18℃以下で保存するアイスクリームなどと異なり、ソフトクリームの温度は－５～－７℃。このため氷結晶が少なく、かつ氷の結晶が小さいため、なめらかで口あたりがよい。

カゼイン

Casein

乳を構成しているたんぱく質のうち80％を占める。栄養補助剤や安定化剤等に使用される。

シャーベット

Sherbet　1個＝100g

果汁などに甘味料や香料等を添加し、凍らせた氷菓。乳固形分は3％以下のもの。

Trだが利用上の便宜のため小数第2位まで記載

食品番号	食品名	廃棄率 %	エネルギー kcal	2015年版の値 kcal	水分 g	たんぱく質 g	アミノ酸組成によるたんぱく質 g	脂質 g	脂肪酸のトリアシルグリセロール当量 g	脂肪酸 飽和 g	脂肪酸 一価不飽和 g	脂肪酸 多価不飽和 g	コレステロール mg	炭水化物 g	利用可能炭水化物（質量計） g	食物繊維 食物繊維総量（プロスキー変法） g	食物繊維 食物繊維総量（AOAC法） g	ミネラル（無機質） ナトリウム mg	カリウム mg	カルシウム mg	マグネシウム mg	リン mg	鉄 mg
13040	**プロセスチーズ**	0	**313**	339	45.0	**22.7**	21.6	**26.0**	24.7	16.00	6.83	0.56	78	**1.3**	0.1	-	-	1100	60	**630**	19	730	**0.3**
13041	**チーズスプレッド**	0	**284**	305	53.8	**15.9**	-	**25.7**	23.1	15.75	5.51	0.63	87	**0.6**	-	-	-	1000	50	**460**	14	620	**0.2**
	（アイスクリーム類）																						
13042	**アイスクリーム** 高脂肪	0	**205**	212	61.3	**3.5**	3.1	**12.0**	10.8	7.12	2.79	0.34	32	**22.4**	17.3	0.1	-	80	160	**130**	14	110	**0.1**
13043	普通脂肪	0	**178**	180	63.9	**3.9**	3.5	**8.0**	7.7	4.64	2.32	0.36	53	**23.2**	17.1	0.1	-	110	190	**140**	13	120	**0.1**
13044	**アイスミルク**	0	**167**	167	65.6	**3.4**	(3.0)	**6.4**	6.5	4.64	1.35	0.16	18	**23.9**	-	-	-	75	140	**110**	14	100	**0.1**
13045	**ラクトアイス** 普通脂肪	0	**217**	224	60.4	**3.1**	2.7	**13.6**	14.1	9.11	3.67	0.62	21	**22.2**	20.0	0.1	-	61	150	**95**	12	93	**0.1**
13046	低脂肪	0	**108**	108	75.2	**1.8**	(1.6)	**2.0**	2.0	1.41	0.47	0.05	4	**20.6**	-	-	-	45	80	**60**	9	45	**0.1**
13047	**ソフトクリーム**	0	**146**	146	69.6	**3.8**	(3.4)	**5.6**	5.6	3.69	1.48	0.19	13	**20.1**	-	-	-	65	190	**130**	14	110	**0.1**
13048	（その他） **カゼイン**	0	**358**	378	10.6	**86.2**	83.4	**1.5**	1.4	1.02	0.30	0.05	26	**0**	-	-	-	10	2	**26**	3	120	**0.8**
13049	**シャーベット**	0	**128**	127	69.1	**0.9**	-	**1.0**	1.0	0.77	0.18	0.04	1	**28.7**	-	-	-	13	95	**22**	3	22	**0.1**
13050	**チーズホエーパウダー**	0	**339**	362	2.2	**12.5**	10.3	**1.2**	1.2	0.75	0.32	0.04	28	**77.0**	71.2	-	-	690	1800	**620**	130	690	**0.4**
13051	**〈その他〉 人乳**	0	**61**	65	88.0	**1.1**	0.8	**3.5**	3.6	1.32	1.52	0.61	15	**7.2**	(6.4)	-	-	15	48	**27**	3	14	**0.04**
13052	**やぎ乳**	0	**57**	63	88.0	**3.1**	(2.6)	**3.6**	3.2	2.19	0.77	0.09	13	**4.5**	(4.5)	-	-	35	220	**120**	12	90	**0.1**

+PLUS+ **5月9日はアイスクリームの日**●日本人で初めてアイスクリームを食べたのは、1860（万延元）年に江戸幕府がアメリカへ派遣した使節団の人々。日本では横浜で1869（明治2）年5月9日に売り出されたが、現在の物価に換算すると1個が8000円ほどしたという。

母乳と乳児用液体ミルクの比較（100g あたり）

母乳 100g の各栄養素を 100 とした場合の乳児用液体ミルクの比較。

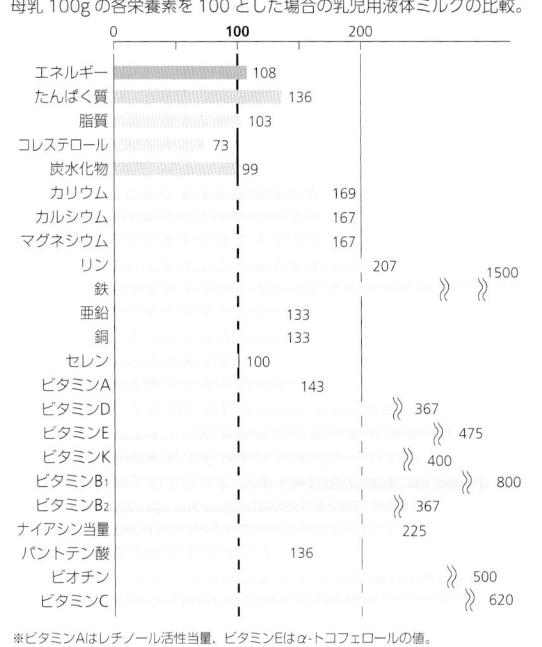

※ビタミンAはレチノール活性当量、ビタミンEはα-トコフェロールの値。

チーズホエーパウダー
Cheese whey powder

チーズ製造中にできる乳清（ホエー）を乾燥し、粉末にしたもの。パンや肉加工食品に使われる。

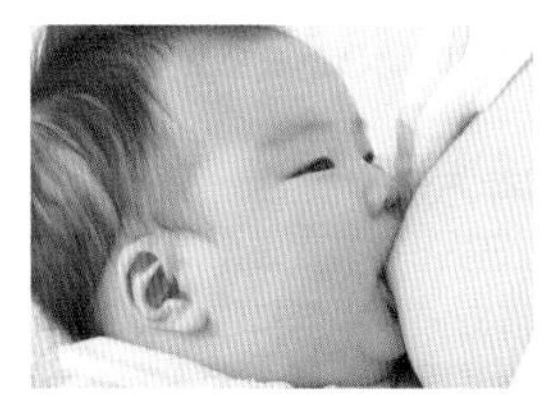
母乳を飲む乳児

人乳
Human milk

母乳。消化もよく、乳児にもっとも適した栄養源。牛乳に比べ、たんぱく質が少なく、糖質が多い。ヨウ素は母親の食事条件に影響されるため掲載を見送っている。

やぎ乳
Goat milk　　1C＝210g

牛乳に比べて脂肪球が小さいので消化吸収がよい。成分等が人乳に近い。チーズの原料になるほか、牛乳アレルギーがある人向けの代替飲料としても使われることがある。

チーズやバターをつくってみよう

●カテージチーズ

材料：低温殺菌牛乳 1L、レモン汁 大さじ2、酢 大さじ1、水 大さじ3

①牛乳を木べらでかき混ぜながら中火で90℃まで加熱後、鍋を火から下ろし正確に40℃まで冷ます。

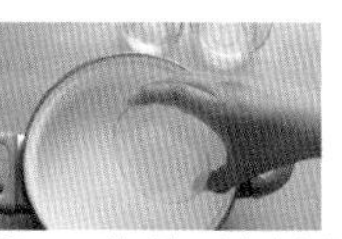
②レモン汁・酢・水を合わせて一気に流し込み、しばらく静かに混ぜる。

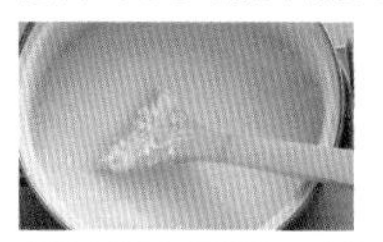
③酸の効果で固形物と水分が分離してくるのを待つ。

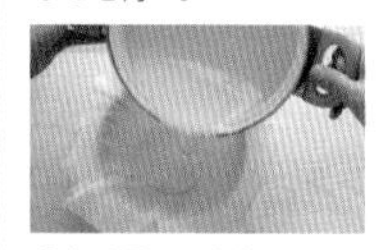
④白く固まった物をさらしやふきんで濾（こ）す。

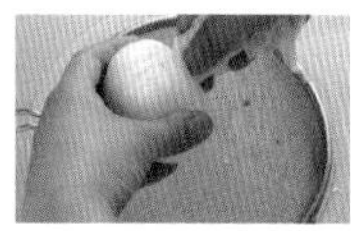
⑤これを包んで水中で酸をもみ出す。

⑥軽く搾ってできあがり。

●生クリームからバター

材料：生クリーム（純乳脂肪）200mL（1C）、塩 小さじ1/5

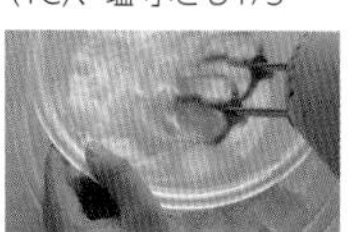
①ボールを氷水で冷やしながら、よく冷やした生クリームを泡立てる。

②角（つの）が立つくらいまで10分ほど泡立て、生クリームが黄色っぽくなるまでさらに5分くらいかき混ぜる。

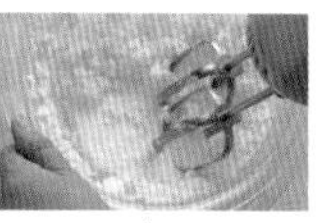
③さらに混ぜ続けると、水分が分離し、黄色いかたまりができる。

④1～2分続けて混ぜると水分が多くなり、固形分も多くなる。

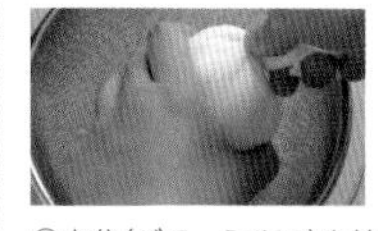
⑤水分（バターミルク）を搾る。

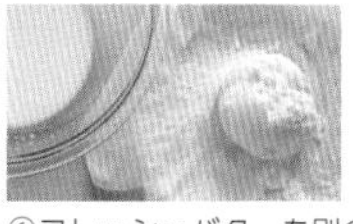
⑥フレッシュバターを別の器に入れ、好みで塩を加える。（保存する場合は、水で洗ってバターミルクをとる）。

可食部100gあたり　Tr：微量　（ ）：推定値または推計値　－：未測定

ミネラル（無機質）							ビタミン																食塩相当量	備考
亜鉛	銅	マンガン	ヨウ素	セレン	クロム	モリブデン	A レチノール活性当量	A レチノール	A β-カロテン当量	D	E αトコフェロール	K	B_1	B_2	ナイアシン当量	B_6	B_{12}	葉酸	パントテン酸	ビオチン	C			①鉄：Tr であるが、利用上の便宜のため小数第2位まで記載 ②ビタミンD：ビタミンD活性代謝物を含む
mg	mg	mg	µg	µg	µg	µg	µg	µg	µg	µg	mg	µg	mg	mg	mg	mg	µg	µg	mg	µg	mg		g	
3.2	0.08	-	19	13	2	10	**260**	240	230	Tr	1.1	2	**0.03**	**0.38**	5.0	0.01	3.2	27	0.14	2.1	**0**		2.8	
1.6	0.05	0.01	-	-	-	-	**190**	180	150	0.3	1.1	6	**0.02**	**0.35**	2.7	0.03	0.5	16	0.16	-	**(0)**		2.5	
0.5	0.01	-	13	4	0	7	**100**	100	45	0.1	0.2	5	**0.06**	**0.18**	0.9	0.03	0.4	Tr	0.72	2.6	**Tr**		0.2	乳固形分 15.0%以上、乳脂肪分 12.0%以上 試料：バニラアイスクリーム
0.4	0.01	0.01	17	4	Tr	6	**58**	55	30	0.1	0.2	3	**0.06**	**0.20**	1.0	0.02	0.2	Tr	0.50	2.7	**Tr**		0.3	乳固形分 15.0%以上、乳脂肪分 8.0% 試料：バニラアイスクリーム
0.3	Tr	0.01	-	-	-	-	**22**	21	9	0.1	0.1	1	**0.03**	**0.14**	(0.8)	0.02	0.3	Tr	0.43	-	**Tr**		0.2	乳固形分 10.0%以上、乳脂肪分 3.0%以上、植物性脂肪を含む
0.4	0.01	0.01	19	3	0	3	**10**	10	0	Tr	0.6	1	**0.03**	**0.15**	1.0	0.01	0.2	1	0.51	1.7	**Tr**		0.2	乳固形分 3.0%以上、主な脂質：植物性脂肪
0.1	0.01	0.04	-	-	-	-	**0**	0	0	Tr	0.2	1	**0.02**	**0.12**	(0.3)	0.01	0.1	1	0.15	-	**(0)**		0.1	乳固形分 3.0%以上、主な脂質：植物性脂肪
0.4	Tr	0.01	-	-	-	-	**18**	17	9	0.1	0.2	2	**0.05**	**0.22**	(0.9)	0.01	0.2	Tr	0.58	-	**(0)**		0.2	主な脂質：乳脂肪　コーンカップを除いたもの
2.6	0.09	0.02	7	40	1	14	**(Tr)**	Tr	(0)	Tr	Tr	Tr	**Tr**	**Tr**	19.0	0.01	2.3	6	0.17	2.4	**(0)**		0	試料：酸カゼイン
0.1	0.01	0.09	-	-	-	-	**(0)**	(0)	(0)	Tr	Tr	1	**0.04**	**0.05**	0.4	Tr	Tr	Tr	0.04	-	**0**		0	試料：乳成分入り氷菓
0.3	0.03	0.03	80	7	1	47	**12**	11	10	Tr	0	Tr	**0.22**	**2.35**	4.8	0.25	3.4	6	5.95	23.0	**3**		1.8	
0.3	0.03	Tr	*	2	0	0	**46**	45	12	0.3	0.4	1	**0.01**	**0.03**	0.4	Tr	Tr	Tr	0.50	0.5	**5**		0	試料：成熟乳　①　②ビタミンD活性代謝物を含まない場合：Tr　（100 g：98.3 mL、100 mL：101.7 g）
0.3	Tr	Tr	-	-	-	-	**36**	36	(0)	0	0.1	2	**0.04**	**0.14**	(0.9)	0.04	0	1	0.39	-	**1**		0.1	

* 本文参照

Q A ボタンと繊維、カゼインからできるものはどっち？▶両方ともカゼインから作り出せる。カゼインにホルムアルデヒドを加えて作られるカゼインプラスチックは加工や着色が簡単で、ボタンやはんこなどの材料として利用されている。絹に似た性質をもつプロミックスという繊維は、カゼインにアクリルニトリルを加えて作られる。

14 油脂類 FATS and OILS

オリーブと油

油脂類とは

食用の油脂は、植物性油脂と動物性油脂に大別される。植物性油脂は原料となる植物の果実や種実を圧縮・精製してつくる。動物性油脂は牛・豚・鶏などの脂を原料とし、それらを溶かし精製してつくる。常温（15〜20℃）で液体のものを油（oil）、固体のものを脂（fat）と分類する。

1 栄養上の特徴

油脂はそれぞれ特有の脂肪酸組成を持つ。一般に飽和脂肪酸を多く含む動物性油脂は常温で固体（fat）であり、不飽和脂肪酸を多く含む植物性油脂は常温で液体（oil）である。

油脂は1gあたりのカロリーが9kcalと多く、脂溶性ビタミン（ビタミンA・D・Eなど）の溶解・吸収に効果がある。ほうれんそうのソテー、にんじんのグラッセなどはこの効果を利用した調理例である。

また、あじ・さば・いわしなどの青魚に多く含まれるイコサペンタエン酸（IPA）、ドコサヘキサエン酸（DHA）は、動脈硬化、血栓症の予防によいといわれる。

●脂質1gあたりの脂肪酸

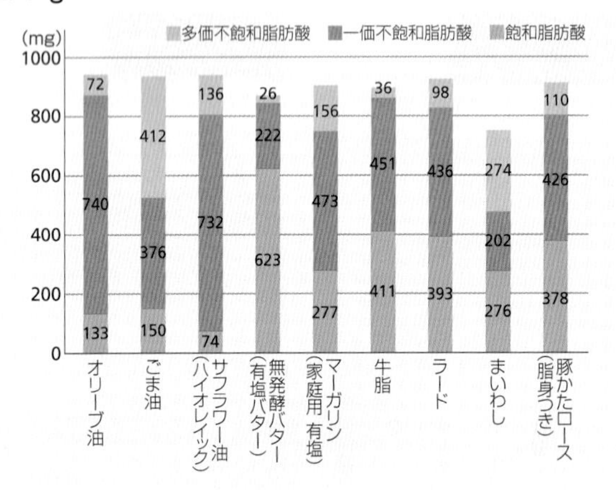

（「日本食品標準成分表2020年版　脂肪酸成分表編第3表」より）

2 選び方・保存方法

●選び方

植物油の場合

特有の香りがあり、にごりがなく、淡色のものがよい。JASマークがついたものには原材料が表示されているので確認する。

動物脂の場合

固有の色つやがあり、組織がなめらかで異臭のないものがよい。製造年月日の新しいものを選ぶ。

●保存方法

油が酸化する要因には熱・空気（酸素）・光がある。酸化の初期段階はにおいや風味に変化があらわれる。この程度なら使用できるが、酸化が進行すると不快臭がしたりベトつくようになる。このため、油は密封し、冷暗所に保存する。

また、揚げ物をした油は、熱による酸化に加え、揚げたものから成分が溶け出して酸化が促進されたり、色が褐色に変化したりすることもある。揚げ物に使用した油は、できるだけ早く使い切る。

●揚げ油の始末

揚げ物のあと、油が熱いうちにこすのが鉄則だ。それは、揚げ物をして180℃前後に上がった油には材料のさまざまな成分が溶け出し、時間がたつにつれて、油がそのにおいを吸収するからである。油が熱いうちにこし、光の通らない容器に保管するのが油を長持ちさせるコツ。200℃以上の高温にしなければ、新しい油を加えて何度か再利用することができる。ただし、にごってドロドロになったら、新聞紙などにしみこませて捨てるか、市販の薬剤で固めて捨てるようにする。そのまま流しに捨ててはいけない。

食品番号	食品名	廃棄率	エネルギー	2015年版の値	水分	たんぱく質	アミノ酸組成によるたんぱく質	脂質	脂肪酸のトリアシルグリセロール当量	脂肪酸 飽和	脂肪酸 一価不飽和	脂肪酸 多価不飽和	コレステロール	炭水化物	利用可能炭水化物（質量計）	食物繊維 食物繊維総量（プロスキー変法）	食物繊維 食物繊維総量（AOAC法）	ミネラル（無機質） ナトリウム	カリウム	カルシウム	マグネシウム	リン	鉄
		%	kcal	kcal	g	g	g	g	g	g	g	g	mg	g	g	g	g	mg	mg	mg	mg	mg	mg
	（植物油脂類）																						
14023	**あまに油**	0	**897**	921	Tr	**0**	-	**100**	99.5	8.09	15.91	71.13	2	**0**	-	-	-	0	0	**Tr**	0	0	**0**
14024	**えごま油**	0	**897**	921	Tr	**0**	-	**100**	99.5	7.64	16.94	70.60	0	**0**	-	-	-	Tr	Tr	**1**	Tr	1	**0.1**
14001	**オリーブ油**	0	**894**	921	0	**0**	-	**100**	98.9	13.29	74.04	7.24	0	**0**	-	-	-	Tr	0	**Tr**	0	0	**0**
14002	**ごま油**	0	**890**	921	0	**0**	-	**100**	98.1	15.04	37.59	41.19	0	**0**	-	-	-	Tr	Tr	**1**	Tr	1	**0.1**
14003	**米ぬか油**	0	**880**	921	0	**0**	-	**100**	96.1	18.80	39.80	33.26	0	**0**	-	-	-	0	Tr	**Tr**	0	Tr	**0**

+PLUS+ **酸化しにくいオリーブ油●**オリーブ油は、血液中の悪玉コレステロールを減らす、老化の原因とされる活性酸素の活動を抑える等の働きをし、不飽和脂肪酸の中でも最も酸化しにくいオレイン酸を70%以上も含むために健康的な油といわれる。

あまに油

アマの種子 アマ

オリーブ油

オリーブ

えごま油

えごま

太白ごま油　煎って採油したごま油

米ぬか油
米ぬか

植物油脂類

Vegetable fats and oils

小1=4g 大1=12g 1C=180g

あまに油（亜麻仁油）
アマの種子から採取される。必須脂肪酸のα-リノレン酸等が豊富で健康効果があることが知られるようになった。栄養サプリメントとしても利用される。

えごま油（荏胡麻油）
えごまの種子から採取される。必須脂肪酸のα-リノレン酸が豊富で、アレルギーに効果があるポリフェノールも含む。酸化しやすい。ドレッシングで生食することが推奨されている。

オリーブ油
別名**オリーブオイル**。ほとんどの植物油は種子から採られるが、オリーブは果肉から採油される。精製していないものを特にバージンオイルと呼ぶ。酸化しにくく加熱に強いオレイン酸を多く含む。

ごま油（胡麻油）
ごまを煎らずに生のまま採油し精製したもの。透明でくせがなく、抗酸化物質のゴマリグナンが豊富。太白（たいはく）と呼ばれる。ごまを煎って採油し、無精製でろ過したものは濃い色で特有の香りがある。一般にごま油と呼ばれるのはこちら。

米ぬか油（米糠油）
別名**米油**。米ぬかから採取される油。油脂の中で唯一、国産原料だけで製造されている。γ-オリザノールという米ぬか油特有の成分が含まれているため、加熱安定性が高く、保存性にも優れている。

見えるあぶらと見えないあぶら

過剰摂取が肥満につながり、生活習慣病を引き起こす原因として取り上げられることも多い油脂類。しかし、ただ油抜きの調理などにすると脂溶性ビタミンの吸収が妨げられてしまう。油脂類の摂取で注意すべきことは、その種類や特性を知った上でバランスのよい摂取を心がけることである。

また、調味料としての「見えるあぶら」だけでなく、食品に含まれる「見えないあぶら」の量も考慮して、摂取する食品を選ぶなどの姿勢が大切だ。実際に1人1日あたりの脂質摂取の内訳（下グラフ）によれば、調味料としての摂取量よりも食品に含まれる脂質の方が多いことがわかる。

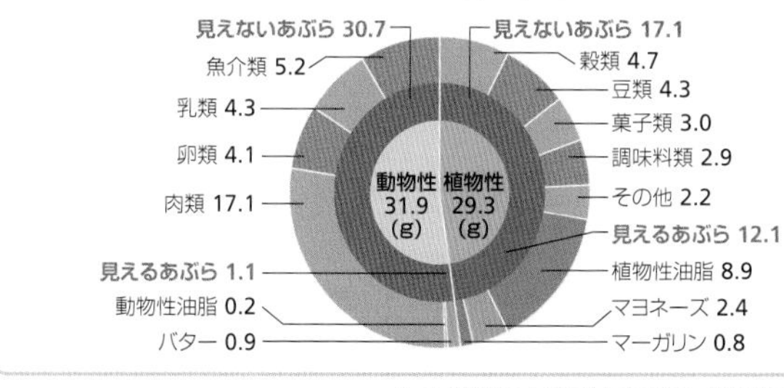

（厚生労働省「令和元年国民健康・栄養調査」より作成）

油脂類の分類

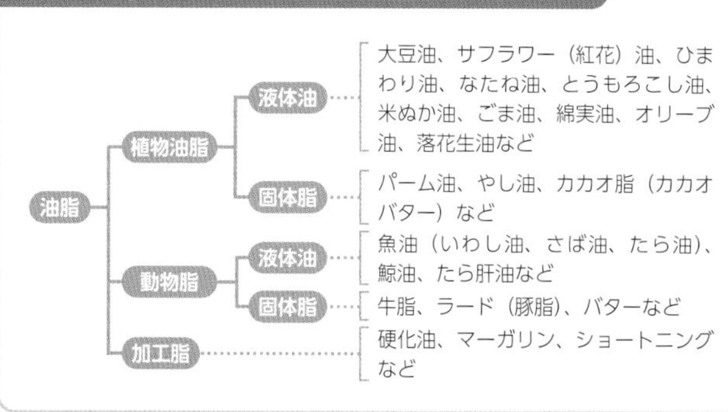

可食部100gあたり　Tr：微量　（ ）：推定値または推計値　－：未測定

ミネラル（無機質）							ビタミン															食塩相当量	備考
亜鉛	銅	マンガン	ヨウ素	セレン	クロム	モリブデン	A レチノール活性当量	A レチノール	A β-カロテン当量	D	E αトコフェロール	K	B_1	B_2	ナイアシン当量	B_6	B_{12}	葉酸	パントテン酸	ビオチン	C		①試料
mg	mg	mg	µg	µg	µg	µg	µg	µg	µg	µg	mg	µg	mg	mg	mg	mg	µg	µg	mg	µg	mg	g	
0	0	0	-	-	-	-	1	0	11	(0)	0.5	11	0	0	0	-	-	-	-	-	(0)	0	①食用油
0	0	0.01	-	-	-	-	2	0	23	(0)	2.4	5	0	0	0	-	-	-	-	-	(0)	0	①食用油
0	0	0	0	0	Tr	0	15	0	180	(0)	7.4	42	0	0	0	(0)	(0)	(0)	(0)	0	(0)	0	①エキストラバージンオイル（100g：200mL、100mL：91g）
Tr	0.01	0	0	1	1	0	0	0	Tr	(0)	0.4	5	0	0	0.1	(0)	(0)	(0)	(0)	0	(0)	0	①精製油　（100g：109mL、100mL：92g）
0	0	0	0	0	1	0	0	0	0	(0)	26.0	36	0	0	0	(0)	(0)	(0)	(0)	0	(0)	0	①精製油　（100g：109mL、100mL：92g）

Q A 油も凍ることはあるの？▶実は油も、低温の場所に置いておくと凍る。油はいろいろな種類の脂肪酸やグリセリンの混合物なので、凍る温度や凍り方はいろいろあるが、おもに白く濁ったり、結晶ができたりする。凍っても品質は変化しないので、湯せんにかけるなどして温めれば元に戻る。

サフラワー油

紅花の種子

とうもろこし油

大豆

大豆油

調合油
（サラダ油）

菜の花の種子

なたね油

菜の花

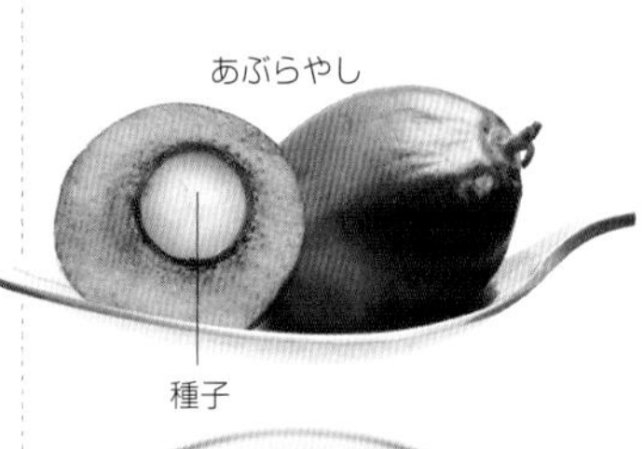

あぶらやし

種子

パーム油（液体状態）

サフラワー油
別名べにばな油、サフラワーオイル。紅花の種子から採取された油。あっさりしてくせがない。
ハイオレイック（高オレイン酸）：オレイン酸の含有量が多くなるように品種改良されたハイオレイック種から採取。オレイン酸を70％以上含む。酸化しにくく熱による変性も受けにくい。
ハイリノール（高リノール酸）：従来のリノール酸を多く含むハイリノレイック種から採取。長く加熱すると酸化しやすい。

大豆油
世界中で非常に生産量の多い油。加熱すると酸化しやすいため他の油と調合されて使われることも多い。骨へのカルシウム沈着を助けるビタミンKが豊富。

調合油
大豆油となたね油を調合したものが代表的。サラダ油、天ぷら油等と、用途に合わせて調合された油。サラダ油は生のままドレッシングやマヨネーズ等、天ぷら油は揚げ物等に使われる。

とうもろこし油（玉蜀黍油）
別名**コーンオイル、コーン油**。とうもろこしの胚芽から採取された油。アメリカで多く生産され、消費量も多い。

なたね油（菜種油）
別名**キャノーラ油、カノーラ油**。菜の花の種から採取された油。世界では大豆油、パーム油に次いで生産量が多い。かつては心疾患に影響があるエルカ酸が含まれていたが、現在のもの（キャノーラ品種）は改良されてほとんど含まない。

パーム油
あぶらやしの果肉から採取された油でオレンジ色をしている。常温で固形なので、マーガリン、ショートニングなどの原料に使われる。

パーム核油
あぶらやしの種子から採取される油脂。やし油と性状が似ており、ほぼ同様に扱われる。

ひまわり油（向日葵油）
採油用のひまわりの種子から採取された油。
ハイリノール：従来のハイリノレ

食品番号	食品名	廃棄率	エネルギー	2015年版の値	水分	たんぱく質	アミノ酸組成によるたんぱく質	脂質	脂肪酸のトリアシルグリセロール当量	脂肪酸 飽和	脂肪酸 一価不飽和	脂肪酸 多価不飽和	コレステロール	炭水化物	利用可能炭水化物（質量計）	食物繊維 食物繊維総量（プロスキー変法）	食物繊維 食物繊維総量（AOAC法）	ミネラル（無機質） ナトリウム	カリウム	カルシウム	マグネシウム	リン	鉄
		%	kcal	kcal	g	g	g	g	g	g	g	g	mg	g	g	g	g	mg	mg	mg	mg	mg	mg
14004	**サフラワー油** ハイオレイック	0	**892**	921	0	**0**	-	**100**	98.5	7.36	73.24	13.62	0	**0**	-	-	-	0	0	**0**	0	Tr	**0**
14025	ハイリノール	0	**883**	921	0	**0**	-	**100**	96.6	9.26	12.94	70.19	0	**0**	-	-	-	0	0	**0**	0	Tr	**0**
14005	**大豆油**	0	**885**	921	0	**0**	-	**100**	97.0	14.87	22.12	55.78	1	**0**	-	-	-	0	Tr	**0**	0	0	**0**
14006	**調合油**	0	**886**	921	0	**0**	-	**100**	97.2	10.97	41.10	40.94	2	**0**	-	-	-	0	Tr	**Tr**	0	Tr	**0**
14007	**とうもろこし油**	0	**884**	921	0	**0**	-	**100**	96.8	13.04	27.96	51.58	0	**0**	-	-	-	0	0	**Tr**	0	0	**0**
14008	**なたね油**	0	**887**	921	0	**0**	-	**100**	97.5	7.06	60.09	26.10	2	**0**	-	-	-	0	Tr	**Tr**	0	Tr	**0**
14009	**パーム油**	0	**887**	921	0	**0**	-	**100**	97.3	47.08	36.70	9.16	1	**0**	-	-	-	0	0	**Tr**	0	0	**0**
14010	**パーム核油**	0	**893**	921	0	**0**	-	**100**	98.6	76.34	14.36	2.43	1	**0**	-	-	-	0	Tr	**Tr**	0	Tr	**0**
14011	**ひまわり油** ハイリノール	0	**899**	921	0	**0**	-	**100**	99.9	10.25	27.35	57.94	0	**0**	-	-	-	0	0	**0**	0	0	**0**
14026	ミッドオレイック	0	**892**	921	0	**0**	-	**100**	98.4	8.85	57.22	28.09	0	**0**	-	-	-	0	0	**0**	0	0	**0**
14027	ハイオレイック	0	**899**	921	0	**0**	-	**100**	99.7	8.74	79.90	6.79	0	**0**	-	-	-	0	0	**0**	0	0	**0**
14028	**ぶどう油**	0	**882**	921	0	**0**	-	**100**	96.5	10.93	17.80	63.55	0	**0**	-	-	-	0	0	**0**	0	0	**0**

＋PLUS＋ **パーム油の生産量は世界一**●パーム油をとるギニアアブラヤシは、育つと 25m もの高さになり、うずらの卵くらいの大きさの果実をつける。実はたくさん集まって 40kg ほどの大きな果房になるので、一度にたくさんの実がとれる。さらに、1 年で 10 ～ 12 回も収穫できるため、生産量が多いのだ。

脂質摂取量の推移（1人1日あたり）

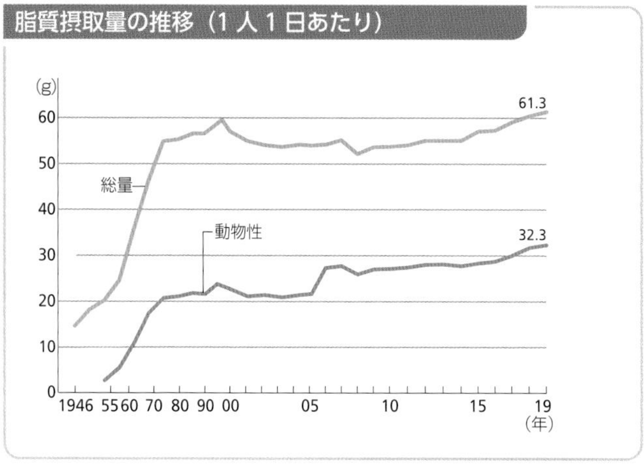

（厚生労働省「令和元年　国民健康・栄養調査」より）

ぶどう油

ひまわりの種子

ひまわり油

イック種から採取。リノール酸含有量が多い。

ミッドオレイック：オレイン酸の含有量がハイリノールより多く、ハイオレイックよりも少ない。

ハイオレイック：改良された品種から採取。オレイン酸を75％以上含む。

ぶどう油（葡萄油）

別名**グレープシードオイル**。ぶどうの種子から採取される油で、ワイン造りのときに取り除かれる種子を利用することが多い。さらさらしてくせがなくさっぱりした味。ビタミンEやポリフェノール類が豊富なため、健康食品として注目される。

トランス脂肪酸　化学

●トランス脂肪酸とは？

天然の不飽和脂肪酸のほとんどは、炭素間の二重結合がすべてシス（cis）型である。一方、トランス（trans）型の二重結合が一つ以上ある不飽和脂肪酸をまとめて「トランス脂肪酸（trans-fatty acid）」という。

トランス脂肪酸は、常温で液体の油脂に「水素添加」をして固体化する加工技術によって製造されるマーガリン、ファットスプレッド、ショートニングや、それらを使った菓子や揚げ物等のさまざまな食品に含まれている。

●健康への影響は？

トランス脂肪酸をとりすぎると、血液中のLDL（悪玉）コレステロールが増えてHDL（善玉）コレステロールが減る、心臓病のリスクを高める等の悪影響がある。

このため「食事、栄養及び慢性疾患予防に関するWHO/FAO合同専門家会合」は、トランス脂肪酸の摂取量を、総エネルギー摂取量の1％未満とするよう勧告している。アメリカの食品医薬品局（FDA）は、2018年6月18日以降、トランス脂肪酸を含む「部分水素添加油脂」の使用を禁止している。

●日本の状況は？

2008年の調査によって、日本の場合は平均総エネルギー摂取量の0.44～0.47％の摂取量であると推定されている。

また、農林水産省の調査によると、製造メーカーの努力もあり、含有量も大幅に減少している（下表参照）。

日本では今のところリスクは低いが、食事からとる脂質の量が多い場合にはトランス脂肪酸摂取量も多くなる。リスクの少ない食品を選び、食生活指針の基本を守って、いろいろな食品をバランスよく食べるように心がけよう。

●トランス脂肪酸含有量の変化

（g／食品100gあたり）

	2006～07年度		2014～15年度	
	調査数	中央値［範囲］	調査数	中央値［範囲］
マーガリン	20点	8.7 ［0.36～13］	46点	0.99 ［0.44～16］
ファットスプレッド	14点	6.1 ［0.99～10］	33点	0.69 ［0.32～4.4］
ショートニング	10点	12 ［1.2～31］	24点	1.0 ［0.46～24］
ラード	3点	1.0 ［0.64～1.1］	5点	0.91 ［0.83～1.6］

（農林水産省Webサイトより）

シス型

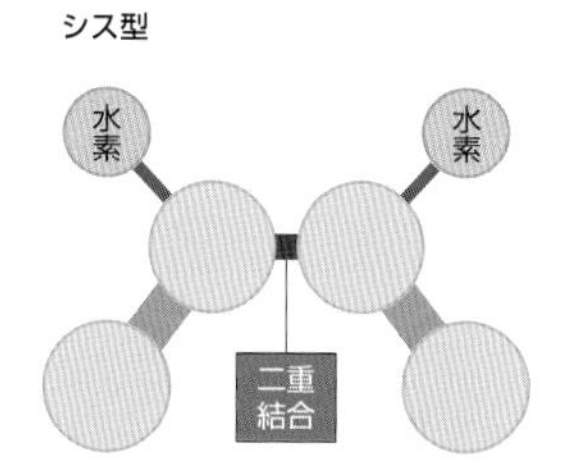

・一般の食品中に含まれる天然の不飽和脂肪酸はほとんどシス型

トランス型

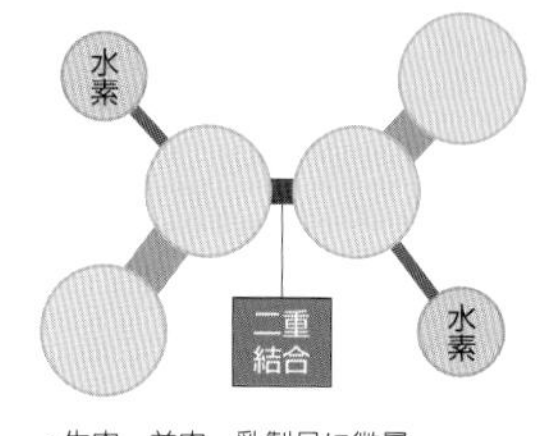

・牛肉、羊肉、乳製品に微量
・マーガリンやファットスプレッド、ショートニングなど油脂を化学的に加工したもの

可食部100gあたり　Tr：微量　（ ）：推定値または推計値　－：未測定

ミネラル（無機質）							ビタミン															食塩相当量	備考
亜鉛	銅	マンガン	ヨウ素	セレン	クロム	モリブデン	A レチノール活性当量	レチノール	β-カロテン当量	D	E αトコフェロール	K	B_1	B_2	ナイアシン当量	B_6	B_{12}	葉酸	パントテン酸	ビオチン	C		①試料
mg	mg	mg	μg	μg	μg	μg	μg	μg	μg	μg	mg	μg	mg	mg	mg	mg	μg	μg	mg	μg	mg	g	
0	0	0	-	-	-	-	0	0	0	(0)	27.0	10	0	0	0	(0)	(0)	(0)	(0)	-	(0)	0	①精製油　(100 g：200mL、100 mL：91g)
0	0	0	-	-	-	-	0	0	0	(0)	27.0	10	0	0	0	(0)	(0)	(0)	(0)	-	(0)	0	①精製油　(100 g：200mL、100 mL：91g)
0	0	0	0	0	0	0	0	0	0	(0)	10.0	210	0	0	0	(0)	(0)	(0)	(0)	0	(0)	0	①精製油及びサラダ油　(100 g：109mL、100 mL：92g)
Tr	0	0	0	0	0	0	0	0	0	(0)	13.0	170	0	0	0	(0)	(0)	(0)	(0)	0	(0)	0	①精製油及びサラダ油　配合割合：なたね油1、大豆油1 (100 g：111mL、100 mL：90g)
0	0	0	0	0	Tr	0	0	0	0	(0)	17.0	5	0	0	0	(0)	(0)	(0)	(0)	0	(0)	0	①精製油　(100 g：109mL、100 mL：92g)
Tr	0	0	0	0	0	0	0	0	0	(0)	15.0	120	0	0	0	(0)	(0)	(0)	(0)	0	(0)	0	①低エルカ酸の精製油及びサラダ油 (100 g：200mL、100 mL：91g)
0	0	0	-	-	-	-	0	0	0	(0)	8.6	4	0	0	0	(0)	(0)	(0)	(0)	-	(0)	0	①精製油　(100 g：111mL、100 mL：90g)
0	0	0	-	-	-	-	0	0	0	(0)	0.4	Tr	0	0	0	(0)	(0)	(0)	(0)	-	(0)	0	①精製油　(100 g：200mL、100 mL：91g)
0	0	0	-	-	-	-	0	0	0	(0)	39.0	11	0	0	0	(0)	(0)	(0)	(0)	-	(0)	0	①精製油　(100 g：109mL、100 mL：92g)
0	0	0	-	-	-	-	0	0	0	(0)	39.0	11	0	0	0	(0)	(0)	(0)	(0)	-	(0)	0	①精製油
0	0	0	-	-	-	-	0	0	0	(0)	39.0	11	0	0	0	(0)	(0)	(0)	(0)	-	(0)	0	①精製油　(100 g：200mL、100 mL：91g)
0	0.02	0	-	-	-	-	Tr	-	6	0	28.0	190	0	0	0	(0)	(0)	(0)	(0)	(0)	(0)	0	

Q A ひまわり油のリノール酸含有量を左右するのは肥料と気温のどっち？▶実は気温に左右される。開花期から収穫までの平均最低気温によって、リノール酸の含有量が大きく違ってくるのだ。平均気温が低いとリノール酸の含有量が増え、平均気温が高くなるとオレイン酸含有量が増える。

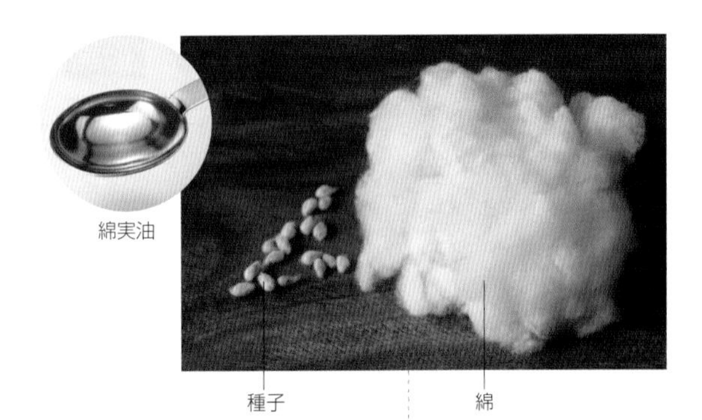
綿実油
種子
綿

落花生油

ココナッツ

胚乳

やし油

牛脂

ラード

綿実油
綿を採った後の綿の種子から採取された油。植物油の中でも風味がよいとされ、ビタミンE(α-トコフェロール)の含有量も多い。食用のほか、そうめんの製造過程にも不可欠な油。

やし油(椰子油)
別名**ココナッツオイル**。ココヤシの果実(ココナッツ)から得られたコプラ(乾燥した胚乳)から採取される。マーガリン、ショートニング、製菓用油脂のほか、石けんや高級アルコール原料としても利用される。

落花生油
別名**ピーナッツオイル**。落花生の実から採取される油。香りがよいので、調理用よりは風味付けに利用されることが多い。

動物油脂類
Animal fats　大1=12g

牛脂
別名**ヘット**。牛の脂身を溶かし、精製したもの。常温では白色の固体。体内でコレステロールや中性脂肪を増やす飽和脂肪酸を多く含むので、摂りすぎには注意が必要。融点が35〜55℃と高いので、口の中でも溶けにくい。また、冷めると風味が落ちるので、冷たい料理には不向き。

たらのあぶら
アイヌ名タラスム。すけとうだらの生の肝臓を、こげないように弱火で時間をかけて煎り、出てきた油をこしたもの。アイヌ民族の伝統食で、調味料として煮物や汁物等に利用する。

ラード
別名**豚脂**。豚の脂身を溶かし、精製したもの。豚脂だけを使った純正ラードのほか、他の油脂を配合した調整ラードもある。常温では白色の半流動体(クリーム状)。融点は牛脂より低く27〜40℃のため、冷えて固まっても口の中で溶けやすい。炒め油、揚げ油のほか、ラーメンスープの調味料としても広く利用されている。また、中華菓子にも利用される。

バター類
Butter　大1=12g

牛乳から分離した乳脂肪分(クリーム)をさらに攪拌(かくはん)して、

食品番号	食品名	廃棄率 %	エネルギー kcal	2015年版の値 kcal	水分 g	たんぱく質 g	アミノ酸組成によるたんぱく質 g	脂質 g	脂肪酸のトリアシルグリセロール当量 g	脂肪酸 飽和 g	脂肪酸 一価不飽和 g	脂肪酸 多価不飽和 g	コレステロール mg	炭水化物 g	利用可能炭水化物(質量計) g	食物繊維 食物繊維総量(プロスキー変法) g	食物繊維 食物繊維総量(AOAC法) g	ミネラル(無機質) ナトリウム mg	カリウム mg	カルシウム mg	マグネシウム mg	リン mg	鉄 mg
14012	**綿実油**	0	**883**	921	0	**0**	-	**100**	96.6	21.06	17.44	53.85	0	**0**	-	-	-	0	0	**0**	0	0	**0**
14013	**やし油**	0	**889**	921	0	**0**	-	**100**	97.7	83.96	6.59	1.53	1	**0**	-	-	-	0	0	**Tr**	0	0	**0**
14014	**落花生油**	0	**882**	921	0	**0**	-	**100**	96.4	19.92	43.34	29.00	0	**0**	-	-	-	0	0	**Tr**	0	Tr	**0**
	(動物油脂類)																						
14015	**牛脂**	0	**869**	940	Tr	**0.2**	-	**99.8**	93.8	41.05	45.01	3.61	100	**0**	-	-	-	1	1	**Tr**	0	1	**0.1**
14032	**たらのあぶら**	0	**853**	940	0.1	**0.1**	Tr	**99.8**	90.6	16.40	44.90	25.54	310	**0**	-	-	-	1	1	**Tr**	0	2	**Tr**
14016	**ラード**	0	**885**	941	0	**0**	-	**100**	97.0	39.29	43.56	9.81	100	**0**	-	-	-	0	0	**0**	0	0	**0**
	(バター類)																						
14017	**無発酵バター** 有塩バター	0	**700**	745	16.2	**0.6**	0.5	**81.0**	74.5	50.45	17.97	2.14	210	**0.2**	0.5	-	-	750	28	**15**	2	15	**0.1**
14018	食塩不使用バター	0	**720**	763	15.8	**0.5**	(0.4)	**83.0**	77.0	52.43	18.52	2.05	220	**0.2**	(0.6)	-	-	11	22	**14**	2	18	**0.4**
14019	**発酵バター** 有塩バター	0	**713**	752	13.6	**0.6**	(0.5)	**80.0**	74.6	50.56	17.99	2.15	230	**4.4**	-	-	-	510	25	**12**	2	16	**0.4**
	(マーガリン類)																						
14020	**マーガリン** 家庭用 有塩	0	**715**	769	14.7	**0.4**	0.4	**83.1**	78.9	23.04	39.32	12.98	5	**0.5**	0.8	-	-	500	27	**14**	2	17	**Tr**
14033	無塩	0	**715**	752	14.7	**0.4**	0.4	**83.1**	78.9	-	-	-	5	**0.5**	0.8	-	-	(Tr)	27	**14**	2	17	**Tr**
14029	業務用 有塩	0	**740**	778	14.8	**0.3**	(0.2)	**84.3**	80.3	39.00	28.86	8.78	5	**0.1**	-	-	-	490	27	**14**	2	17	**Tr**
14034	無塩	0	**740**	761	14.8	**0.3**	-	**84.3**	80.3	-	-	-	5	**0.1**	-	-	-	(Tr)	27	**14**	2	17	**Tr**
14021	**ファットスプレッド**	0	**579**	637	30.2	**0.2**	0.1	**69.1**	64.1	20.40	20.72	20.02	4	**0**	0.6	-	-	420	17	**8**	2	10	**Tr**
	(その他)																						
14022	**ショートニング** 家庭用	0	**889**	920	0.1	**0**	-	**99.9**	97.8	46.23	35.54	11.56	4	**0**	-	-	-	0	0	**0**	0	0	**0**
14030	業務用 製菓	0	**881**	921	Tr	**0**	-	**99.9**	96.3	51.13	32.58	8.13	4	**0**	-	-	-	0	0	**0**	0	0	**0**
14031	フライ	0	**886**	920	0.1	**0**	-	**99.9**	97.3	41.37	38.39	13.19	4	**0**	-	-	-	0	0	**0**	0	0	**0**

+PLUS+ やし油は母乳に似ている!?●スーパーモデルが愛用していることで注目されたココナッツオイルには、母乳に含まれていて免疫力を高めるラウリン酸が豊富に含まれている。また、ビタミンEが豊富で酸化しにくく、老化防止に効果的で、さまざまな健康効果があるといわれる。低温圧搾で作られた無添加のものがよいそうだ。

有塩バター

発酵バター

マーガリン

ファットスプレッド

ショートニング

乳脂肪の粒子を包んでいるたんぱく質の膜を壊し、脂肪だけを取り出して練ったもの。残ったものはバターミルクと呼ばれ、製菓材料になる。

無発酵バター
クリームを発酵させずにつくるバター。

有塩バター：バターを練り上げるときに2〜3%の塩分が添加されているもの。日本やアメリカなどではもっとも一般的なタイプ。

食塩不使用バター：別名**無塩バター**。製造過程で塩分を加えないバター。主に製菓用に利用される。

発酵バター
クリームを乳酸発酵させてからつくるバター。ヨーグルトのような淡い酸味があり、風味豊か。ヨーロッパでは発酵バターが一般的。

マーガリン類
Margarine　大1=12g

フランスでバターが不足していた時代に代替品として考案されたものが原型。バターの原料が牛乳なのに対し、マーガリンの原料は植物性・動物性の油脂。

マーガリン
食用油脂に、水、発酵乳、食塩、ビタミン類などを加えて乳化し、練り合わせたもの。JASの品質規格で油脂含有率は80%以上と決められている。
食塩を加えた有塩マーガリンは各種料理に、無塩は主に製菓・製パンに利用される。

ファットスプレッド
マーガリン類のうち、油脂含有率が80%未満のもの。風味原料となる果実や果実加工品、チョコレートやナッツのペーストなどを加えたものもある。

ショートニング
Shortening　大1=12g

植物油脂・動物油脂を原料とした固形状の油脂で、ラードの代用品として生まれた。クッキーやパイの原料として使うとさくさくした食感に仕上がるため、もろさを与えるという意味の英語（shorten）からこの名がついた。

アーモンド油

アーモンド油は、アーモンドの実の仁から抽出される。ビタミンEが非常に多いことが特徴で、オレイン酸などの必須脂肪酸や不溶性食物繊維も豊富。ビタミンA・B_2、カルシウム、カリウム等も含む。くせが少なく淡白な風味なのでドレッシングや、ケーキやクッキーなどにも利用できる。熱に強いため炒め物や揚げ物にも向く。
食用のほか、美容分野でも使われている。

バター・マーガリンの品質変化

保存温度が高いほど油脂の変敗がすすむ。

種類		保存温度	酸化(%) 試験開始	3か月後	6か月後	1年後
マーガリン	ソフトタイプ	5℃	0.44	0.50	0.53	0.55
		20℃	0.44	0.69	0.88	0.98
	ハードタイプ	5℃	0.39	0.45	0.49	0.63
		20℃	0.39	0.59	0.97	1.75
バター		5℃	0.93	0.98	1.08	1.60
		20℃	0.93	1.10	1.26	6.24

可食部100gあたり　Tr：微量　( )：推定値または推計値　-：未測定

ミネラル（無機質） 亜鉛 mg	銅 mg	マンガン mg	ヨウ素 µg	セレン µg	クロム µg	モリブデン µg	ビタミン A レチノール活性当量 µg	レチノール µg	β-カロテン当量 µg	D µg	E αトコフェロール mg	K µg	B_1 mg	B_2 mg	ナイアシン当量 mg	B_6 mg	B_{12} µg	葉酸 µg	パントテン酸 mg	ビオチン µg	C mg	食塩相当量 g	備考 ①試料
0	0	0	-	-	-	-	**0**	0	0	(0)	28.0	29	**0**	**0**	0	(0)	(0)	(0)	(0)	-	**(0)**	0	①精製油　(100 g：109mL、100 mL：92g)
Tr	0	0	-	-	-	-	**0**	0	0	(0)	0.3	Tr	**0**	**0**	0	(0)	(0)	(0)	(0)	-	**(0)**	0	①精製油　(100 g：200mL、100 mL：91g)
0	0	0	-	-	-	-	**0**	0	0	(0)	6.0	4	**0**	**0**	0	(0)	(0)	(0)	(0)	-	**(0)**	0	①精製油　(100 g：200mL、100 mL：91g)
Tr	Tr	-	-	-	-	-	**85**	85	0	0	0.6	26	**0**	**0**	Tr	-	-	-	-	-	**0**	0	①いり取りしたもの
0	Tr	0	450	9	Tr	0	**37000**	37000	0	8.7	14.0	5	**0**	**Tr**	0.1	0	-	1	0	Tr	**0**	0	
Tr	Tr	0	0	0	0	0	**0**	0	0	0.2	0.3	7	**0**	**0**	0	0	0	0	0	0	**0**	0	①精製品　(100 g：118mL、100 mL：85g)
0.1	Tr	0	2	Tr	1	3	**520**	500	190	0.6	1.5	17	**0.01**	**0.03**	0.1	Tr	0.1	Tr	0.06	0.4	**0**	1.9	
0.1	0.01	0.01	3	Tr	0	3	**800**	780	190	0.7	1.4	24	**0**	**0.03**	(0.1)	Tr	0.1	1	0.08	0.3	**0**	0	
0.1	0.01	0.01	-	-	-	-	**780**	760	180	0.7	1.3	30	**0**	**0.02**	(0.1)	0	0.1	1	0	-	**0**	1.3	
																							β-カロテン：着色料として添加品含む
0.1	Tr	Tr	2	1	0	2	**25**	0	300	11.0	15.0	53	**0.01**	**0.03**	0.1	0	0	Tr	Tr	0.2	**0**	1.3	ビタミンD：添加品含む
0.1	Tr	Tr	2	1	0	2	**25**	0	300	11.0	15.0	53	**0.01**	**0.03**	0.1	0	0	Tr	Tr	0.2	**0**	0	
0.1	Tr	Tr	2	1	0	2	**24**	0	290	11.0	15.0	53	**0.01**	**0.03**	(Tr)	0	0	Tr	Tr	0.2	**0**	1.3	ビタミンD：添加品含む
0.1	Tr	Tr	2	1	0	2	**24**	0	290	11.0	15.0	53	**0.01**	**0.03**	0.1	0	0	Tr	Tr	0.2	**0**	0	
Tr	Tr	Tr	1	0	Tr	1	**31**	0	380	1.1	16.0	71	**0.02**	**0.02**	Tr	0	0	Tr	Tr	0.1	**0**	1.1	
0	0	0	0	0	Tr	0	**0**	0	0	0.1	9.5	6	**0**	**0**	0	0	0	0	0	0	**0**	0	(100 g：125mL、100 mL：80g)
0	0	0	0	0	Tr	0	**0**	0	0	0.1	9.5	6	**0**	**0**	0	0	0	0	0	0	**0**	0	(100 g：125mL、100 mL：80g)
0	0	0	0	0	Tr	0	**0**	0	0	0.1	9.5	6	**0**	**0**	0	0	0	0	0	0	**0**	0	

QA ケーキ用マーガリンは、普通のマーガリンのように利用できる？▶できる。ケーキ用マーガリンは、水と油をうまく混ぜ合わせることができる乳化性や、かくはんすると空気を抱き込むホイップング性など、菓子作りに利用しやすいように開発された。しかし、パンに塗ったり料理に使ったりと、普通のマーガリンと同様に使える。

15 菓子類 CONFECTIONERIES

タルト（洋菓子）

菓子類とは

菓子とは、穀粉、砂糖、油脂、鶏卵、乳製品などを材料とし、これに他の食品材料を加えて加工した、し好食品である。西洋でははちみつの甘さの発見が、日本では果実が菓子の始まりといわれている。

菓子の役割には、成長期の子どものおやつとして食事だけでは不足する栄養を補う、甘い菓子で激しい運動や労働の疲労回復をはかる、気分転換・休息・心に潤いを与える、などがある。

1 全国の銘菓

2 菓子の分類

菓子は、明治以前に定着した伝統的な「和菓子」と、明治以降に欧米から入った「洋菓子」に大きく分類され、これ以外に「中華菓子」がある。さらに、水分の含有量によって、生菓子（30%以上）、半生菓子（20～30%）、干菓子（20%未満）に分類される。

菓子						
和菓子			洋菓子			中華菓子
生菓子	半生菓子	干菓子	生菓子	半生菓子	干菓子	
ねりきり	もなか	せんべい	ゼリー	ドーナツ	ビスケット	中華まんじゅう
きんつば	カステラ	らくがん	シュークリーム	バターケーキ	ガム	げっぺい
どら焼		かりんとう	パイ		スナック	

あん入り生八つ橋→生八つ橋p.306

食品番号	食品名	廃棄率 %	エネルギー kcal	2015年版の値 kcal	水分 g	たんぱく質 g	アミノ酸組成によるたんぱく質 g	脂質 g	脂肪酸のトリアシルグリセロール当量 g	脂肪酸 飽和 g	脂肪酸 一価不飽和 g	脂肪酸 多価不飽和 g	コレステロール mg	炭水化物 g	利用可能炭水化物（質量計） g	食物繊維 食物繊維総量（プロスキー変法） g	食物繊維 食物繊維総量（AOAC法） g	ミネラル（無機質） ナトリウム mg	カリウム mg	カルシウム mg	マグネシウム mg	リン mg	鉄 mg
	〈和生菓子・和半生菓子類〉																						
15001	甘納豆 あずき	0	283	295	26.2	3.4	(2.9)	0.3	(0.1)	(0.04)	(0.01)	(0.08)	0	69.5	(66.0)	4.8	-	45	170	11	17	38	0.7
15002	いんげんまめ	0	288	299	25.2	3.8	(3.3)	0.5	(0.2)	(0.04)	(0.02)	(0.15)	0	69.9	(66.3)	5.5	-	45	170	26	19	55	0.8
15003	えんどう	0	293	308	23.1	3.8	(3.1)	0.4	(0.3)	(0.05)	(0.08)	(0.12)	0	72.2	(68.7)	3.2	-	47	110	12	17	27	0.9
15005	今川焼 こしあん入り	0	217	221	(45.5)	(4.5)	(4.1)	(1.1)	(0.9)	(0.27)	(0.28)	(0.29)	(29)	(48.3)	(47.2)	(1.4)	-	(57)	(64)	(29)	(8)	(55)	(0.6)
15145	つぶしあん入り	0	220	223	(45.5)	(4.5)	(4.1)	(1.4)	(1.2)	-	-	-	(29)	(48.2)	(46.9)	(1.7)	-	(71)	(95)	(23)	(10)	(62)	(0.6)
15146	カスタードクリーム入り	0	224	229	(45.5)	(4.7)	(4.3)	(2.6)	(2.3)	-	-	-	(62)	(46.7)	(45.7)	(0.9)	-	(52)	(95)	(46)	(7)	(88)	(0.5)
15006	ういろう 白	0	181	182	(54.5)	(1.0)	(0.9)	(0.2)	(0.1)	(0.05)	(0.04)	(0.05)	0	(44.2)	(43.8)	(0.1)	-	(1)	(17)	(2)	(4)	(18)	(0.2)
15147	黒	0	174	178	(54.5)	(1.5)	(1.1)	(0.2)	(0.1)	-	-	-	(0)	(42.7)	(41.9)	(0.1)	-	(1)	(41)	(3)	(10)	(44	(0.4)
15007	うぐいすもち こしあん入り	0	236	241	(40.0)	(3.5)	(3.1)	(0.4)	(0.3)	(0.07)	(0.05)	(0.12)	0	(55.8)	(54.4)	(1.8)	-	(35)	(21)	(19)	(9)	(30)	(0.9)
15148	つぶしあん入り	0	237	241	(40.0)	(2.7)	(2.3)	(0.4)	(0.3)	-	-	-	(0)	(56.8)	(55.5)	(1.2)	-	(46)	(59)	(8)	(9)	(35	(0.7)
15008	かしわもち こしあん入り	0	203	207	(48.5)	(4.0)	(3.5)	(0.4)	(0.3)	(0.10)	(0.06)	(0.12)	0	(46.7)	(45.2)	(1.7)	-	(55)	(40)	(18)	(13)	(47)	(0.9)
15149	つぶしあん入り	0	204	207	(48.5)	(3.9)	(3.4)	(0.5)	(0.4)	-	-	-	0	(46.6)	(45.0)	(1.7)	-	(67)	(78)	(7)	(15)	(58)	(0.7)
15009	カステラ	0	313	320	(25.6)	(7.1)	(6.5)	(5.0)	(4.3)	1.51	1.74	0.91	(160)	(61.8)	(61.8)	(0.5)	-	(71)	(86)	(27)	(7)	(85)	(0.7)
15010	かのこ	0	260	265	(34.0)	(4.8)	(4.1)	(0.4)	(0.2)	(0.05)	(0.01)	(0.10)	-	(60.4)	(59.0)	(3.8)	-	(22)	(93)	(23)	(15)	(37)	(0.9)
15011	かるかん	0	226	230	(42.5)	(2.1)	(1.7)	(0.3)	(0.2)	(0.08)	(0.05)	(0.09)	0	(54.8)	(54.1)	(0.4)	-	(2)	(120)	(3)	(8)	(32)	(0.3)

+PLUS+ 和菓子のルーツ 1 ●和菓子のおおもとは果物や木の実だが、仏教の伝来とともに唐の国から米、小麦、あずき、だいず、ごま、甘味料等が素材の唐（から）菓子が伝わり、鎌倉時代には、まんじゅうやようかん等の原型が、室町時代にはこんぺいとう、カステラ等の南蛮（なんばん）菓子が渡来した。

甘納豆（いんげんまめ）　甘納豆（あずき）

甘納豆（えんどう）

ういろう

うぐいすもち

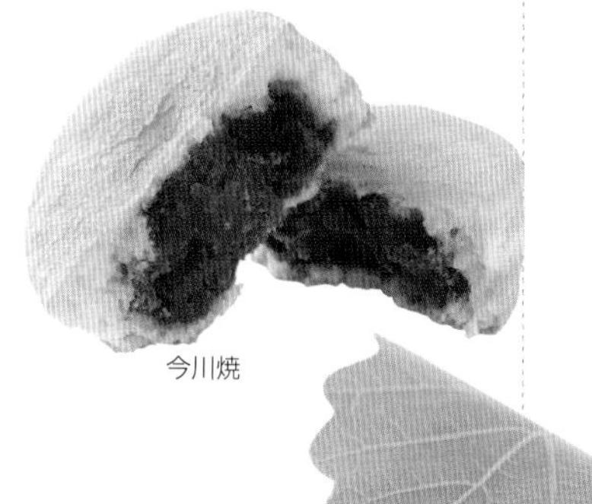

今川焼

かしわもち

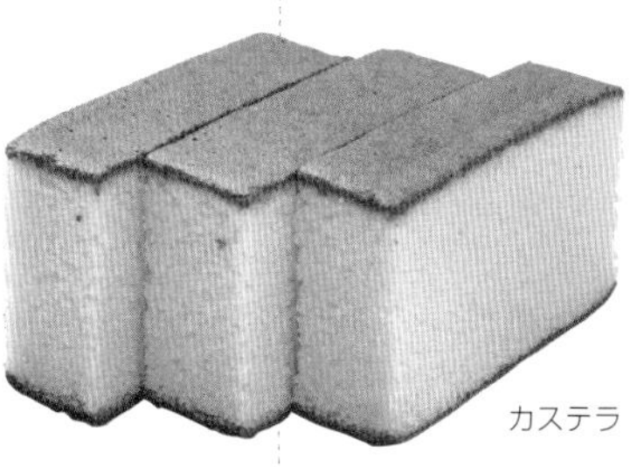

カステラ

かのこ

かるかん

和生菓子・和半生菓子類
Traditional fresh and semi-dry confectionery

甘納豆　あずき10粒＝6g
あずき、いんげん豆、えんどうなどの原料豆を糖蜜で煮詰め、砂糖をまぶしたもの。砂糖をまぶしていないものはぬれ甘納豆と呼ぶ。

今川焼　1個＝50g
地域により、**大判焼**、**回転焼**とも呼ぶ。小麦粉に卵、砂糖、膨張剤、水を加えて混ぜ、円盤型に流して焼いた2枚の生地にあんをはさんだもの。

ういろう（外郎）　1切＝40g
上新粉またはでん粉と砂糖を混ぜ、水を加えてのり状に練り、加熱して半流動体にした生地を枠に入れて蒸したもの。あずきや抹茶など色や味の違うものが多数出ている。

うぐいすもち（鶯餅）　1個＝50g
もち米または白玉粉に砂糖を加えた生地のもちであんを包み、うぐいすきなこ（青きなこ）をまぶしたもの。

かしわもち（柏餅）　1個＝50g
端午の節句に食べるもち菓子。上新粉でつくった生地であんを包み、柏の葉を二つ折りにしてはさんだもの。みそあんのものもある。

カステラ　1切＝50g
天正年間（1573～1592）の長崎で、ポルトガル人によって伝えられたといわれる焼き菓子。もとは洋菓子だが、日本での歴史が長いので和菓子として扱われている。原材料は小麦粉、卵、砂糖、はちみつなど。

かのこ（鹿の子）　1個＝60g
ぎゅうひやようかんを芯にして練りあんで包み、その上を甘煮したあずきで覆い、さらに寒天などで表面につやをつけたもの。表面のあずきが鹿の背中の斑紋に似ているためこの名がついた。

かるかん（軽羹）　1切＝40g
鹿児島など九州特産の菓子。すりおろしたやまのいもに砂糖を加えて泡立ててふくらませたものに、かるかん粉（うるち米を水に浸してからひいた粉）を混ぜ、蒸したもの。

どこのういろうが好き？

米粉を主原料とするういろうは、名古屋、小田原、京都など各地でつくられているが、山口のういろうはわらびの根から採る粉を使うため、くせのないとろりとした食感が特徴。県下の多くの地域でつくられている。

可食部100gあたり　Tr：微量　（ ）：推定値または推計値　-：未測定

ミネラル（無機質）							ビタミン															食塩相当量	備考
亜鉛	銅	マンガン	ヨウ素	セレン	クロム	モリブデン	A レチノール活性当量	A レチノール	A β-カロテン当量	D	E αトコフェロール	K	B1	B2	ナイアシン当量	B6	B12	葉酸	パントテン酸	ビオチン	C		①部分割合　②試料
mg	mg	mg	μg	μg	μg	μg	μg	μg	μg	μg	mg	μg	mg	mg	mg	mg	μg	μg	mg	μg	mg	g	
0.4	0.12	0.18	0	1	5	38	0	0	2	0	-	1	0.06	0.02	(0.9)	0.04	0	9	0.17	1.5	0	0.1	
0.4	0.13	0.34	0	0	0	11	0	0	1	0	-	1	0.09	0.03	(1.0)	0.03	0	13	0.06	1.5	0	0.1	
0.6	0.09	-	0	2	1	26	2	0	18	0	-	3	0.11	0.02	(0.9)	0	0	2	0.16	2.4	0	0.1	
(0.3)	(0.06)	(0.22)	(2)	(3)	(1)	(12)	(14)	(14)	(Tr)	(0.3)	(0.2)	(2)	(0.04)	(0.04)	(1.1)	(0.01)	(0.1)	(6)	(0.23)	(2.3)	(0)	(0.1)	小豆こしあん入り　①皮 2、あん 1
(0.3)	(0.08)	(0.22)	(2)	(3)	(1)	(16)	(15)	(15)	(Tr)	(0.3)	(0.2)	(2)	(0.04)	(0.04)	(1.1)	(0.02)	(0.1)	(8)	(0.27)	(2.4)	(0)	(0.2)	小豆つぶしあん入り　①皮 2、あん 1
(0.4)	(0.04)	(0.15)	(10)	(6)	(1)	(5)	(51)	(51)	(3)	(0.8)	(0.4)	(3)	(0.06)	(0.08)	(1.3)	(0.04)	(0.3)	(14)	(0.50)	(5.2)	(Tr)	(0.1)	カスタードクリーム入り　①皮 2、あん 1
(0.2)	(0.04)	(0.13)	0	(1)	(1)	(13)	0	0	0	0	-	0	(0.02)	(Tr)	(0.5)	(0.02)	0	(2)	(0.11)	(0.2)	0	0	②白ういろう　食塩添加品あり
(0.4)	(0.08)	(0.31)	(Tr)	(2)	(1)	(32)	(0)	(0)	(0)	(0)	(0.1)	(0)	(0.04)	(0.01)	(1.1)	(0.05)	(0)	(5)	(0.28)	(0.5)	(0)	(0)	
(0.5)	(0.09)	(0.28)	(1)	(1)	(Tr)	(25)	0	0	0	0	0	(2)	(0.01)	(0.01)	(0.8)	(Tr)	0	(3)	(0.02)	(0.9)	0	(0.1)	小豆こしあん入り　①もち 10、あん 8、きな粉 0.05
(0.5)	(0.11)	(0.25)	(1)	(1)	(1)	(29)	(0)	(0)	(Tr)	(0)	(Tr)	(2)	(0.01)	(0.01)	(0.8)	(0.01)	(0)	(6)	(0.06)	(0.8)	(0)	(0.1)	小豆つぶしあん入り　①もち 10、あん 8、きな粉 0.05
(0.5)	(0.11)	-	(Tr)	(1)	(1)	(36)	0	0	0	0	-	(2)	(0.03)	(0.02)	(1.2)	(0.04)	0	(4)	(0.21)	(0.9)	0	(0.1)	小豆こしあん入り　①皮 3、あん 2　葉を除いたもの
(0.6)	(0.13)	-	(Tr)	(2)	(1)	(44)	0	0	0	0	-	(2)	(0.04)	(0.02)	(1.2)	(0.06)	0	(7)	(0.31)	(0.9)	0	(0.2)	小豆つぶしあん入り　①皮 3、あん 2　葉を除いたもの
(0.6)	(0.03)	(0.10)	(8)	(15)	(Tr)	(4)	(91)	(90)	(7)	(2.3)	(2.3)	(6)	(0.05)	(0.18)	(1.9)	(0.05)	(0.4)	(22)	(0.54)	(11.0)	0	(0.2)	②長崎カステラ
(0.4)	(0.11)	(0.25)	(0)	(Tr)	(3)	(31)	(0)	(0)	(1)	(0)	(0)	(2)	(0.03)	(0.02)	(0.8)	(0.02)	(0)	(5)	(0.10)	(1.3)	(0)	(0.1)	
(0.3)	(0.08)	(0.17)	(Tr)	(1)	0	(17)	0	0	(1)	0	(0.1)	0	(0.05)	(0.01)	(0.8)	(0.04)	0	(5)	(0.29)	(0.7)	(1)	0	

QA おやつが3時の理由は？▶おやつは漢字で「御八つ」と書く。昔、1日2食だった時代に、夕食までの空腹感を紛らすために、午後2時から午後4時の間（八刻-やつどき）に軽くものを食べていた。おやつが3時なのは、この習慣のなごりだといわれる。江戸時代に入って菓子が普及するまでは、おやつは漬物やいも、豆やもちなどだった。

きんぎょく糖

草もち

くずもち（小麦でん粉製品）

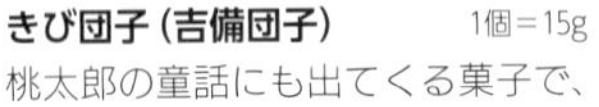

きび団子

きんつば

くし団子

きび団子（吉備団子） 1個＝15g
桃太郎の童話にも出てくる菓子で、岡山名物。吉備は現在の岡山あたりの地名。丸めたぎゅうひに砂糖をまぶしたもの。元はきびを利用した。

ぎゅうひ（求肥）
白玉粉やもち粉に水を加えて蒸したりゆでたりしてから練り、加熱しながら砂糖や水あめを加えて練りあげた、やわらかいもち状のもの。かのこやねりきり等に使われる。

きりざんしょ（切山椒）
上新粉に砂糖を加えた生地を蒸し、粉山椒を加えてつき、薄くのばして算木形、または拍子木形に細長く切ったもの。

きんぎょく糖（錦玉糖・金玉糖）
寒天に水飴を加えて固めたゼリー状のもの。

きんつば（金鍔） 1個＝50g
水溶きした小麦粉をあんにつけて焼いたものを衣かけきんつば、角きんつばと呼ぶ。小麦粉と砂糖をこねた生地であんを包み、両面と側面を焼いたものを包みきんつばと呼ぶ。

草もち（草餅） 1個＝60g
上新粉によもぎを加えてつくったもちであんを包んだもの。

くし団子（串団子） 1串＝60g
上新粉でつくったもちを団子に丸め、串に刺し、あんや甘辛いしょうゆだれをつけたもの。

くずもち（葛餅・久寿餅） 1個＝80g
くずでん粉製品：くずでん粉、砂糖、水を混ぜて加熱して練り、型に入れて冷やしたもの。透明感がある。おもに関西で流通。
小麦でん粉製品：小麦でん粉を乳酸菌で約15か月発酵させ、型に流し込んで蒸したもの。砂糖入りのきな粉や黒蜜をつけて食べる。おもに関東で流通。

げっぺい（月餅） 1個＝60g
中国の菓子。日本の中秋の名月にあたる中秋節に供えられるもののひとつ。小麦粉、砂糖等でつくった皮生地で、あずきあん、くるみなどが入っ

くずきり ゆで→p.76

食品番号	食品名	廃棄率 %	エネルギー kcal	2015年版の値 kcal	水分 g	たんぱく質 g	アミノ酸組成によるたんぱく質 g	脂質 g	脂肪酸のトリアシルグリセロール当量 g	脂肪酸 飽和 g	脂肪酸 一価不飽和 g	脂肪酸 多価不飽和 g	コレステロール mg	炭水化物 g	利用可能炭水化物（質量計） g	食物繊維 食物繊維総量（プロスキー変法） g	食物繊維 食物繊維総量（AOAC法） g	ミネラル（無機質） ナトリウム mg	カリウム mg	カルシウム mg	マグネシウム mg	リン mg	鉄 mg
15012	**きび団子**	0	298	303	(24.4)	(1.6)	(1.4)	(0.2)	(0.2)	(0.06)	(0.06)	(0.08)	0	(73.7)	(72.9)	(0.1)	-	(1)	(2)	(2)	(1)	(11)	(0.3)
15013	**ぎゅうひ**	0	253	257	(36.0)	(1.3)	(1.2)	(0.2)	(0.2)	(0.05)	(0.05)	(0.07)	0	(62.4)	(61.7)	(0.1)	-	(1)	(1)	(1)	(1)	(10)	(0.2)
15014	**きりざんしょ**	0	245	248	(38.0)	(2.1)	(1.8)	(0.3)	(0.3)	(0.10)	(0.07)	(0.10)	0	(59.3)	(58.5)	(0.2)	-	(66)	(31)	(2)	(8)	(32)	(0.3)
15015	**きんぎょく糖**	0	282	288	(28.0)	(Tr)	(Tr)	0	0	-	-	-	0	(71.9)	(71.2)	(0.8)	-	(2)	(2)	(7)	(1)	(Tr)	(0.1)
15016	**きんつば**	0	260	265	(34.0)	(6.0)	(5.3)	(0.7)	(0.4)	(0.12)	(0.03)	(0.23)	0	(58.6)	(56.1)	(5.5)	-	(120)	(160)	(20)	(22)	(73)	(1.4)
15017	**草もち** こしあん入り	0	224	229	(43.0)	(4.2)	(3.6)	(0.4)	(0.3)	(0.10)	(0.06)	(0.12)	0	(52.1)	(50.4)	(1.9)	-	(17)	(46)	(22)	(14)	(50)	(1.0)
15150	つぶしあん入り	0	227	230	(43.0)	(4.8)	(4.4)	(0.7)	(0.6)	-	-	-	0	(51.1)	(49.1)	(2.7)	-	(30)	(90)	(13)	(16)	(60)	(0.9)
15018	**くし団子** あん こしあん入り	0	198	201	(50.0)	(3.8)	(3.3)	(0.4)	(0.4)	(0.12)	(0.08)	(0.14)	0	(45.4)	(43.9)	(1.2)	-	(22)	(43)	(13)	(13)	(50)	(0.7)
15151	つぶしあん入り	0	199	201	(50.0)	(3.8)	(3.3)	(0.5)	(0.4)	-	-	-	0	(45.4)	(43.8)	(1.3)	-	(24)	(68)	(6)	(15)	(57)	(0.6)
15019	みたらし	0	194	197	(50.5)	(3.2)	(2.7)	(0.4)	(0.4)	(0.13)	(0.10)	(0.14)	0	(44.9)	(43.5)	(0.3)	-	(250)	(59)	(4)	(13)	(52)	(0.4)
15121	**くずもち** 関西風 くずでん粉製品	0	93	91	(77.4)	(0.1)	-	(0.1)	-	-	-	-	0	(22.5)	(22.5)	-	-	(1)	(1)	(5)	(1)	(3)	(0.5)
15122	関東風 小麦でん粉製品	0	94	91	(77.4)	(0.1)	-	(0.1)	-	-	-	-	0	(22.4)	(22.4)	-	-	(1)	(2)	(4)	(1)	(9)	(0.2)
15020	**げっぺい**	0	348	357	(20.9)	(4.7)	(4.3)	(8.5)	(8.3)	(2.81)	(2.46)	(2.64)	(Tr)	(65.5)	(62.6)	(2.1)	-	(2)	(64)	(41)	(24)	(64)	(1.1)
15123	**五平もち**	0	178	181	(54.7)	(3.0)	(2.5)	(0.5)	(0.5)	(0.13)	(0.11)	(0.27)	0	(40.9)	(35.2)	(0.8)	(1.3)	(240)	(58)	(10)	(9)	(41)	(0.4)
15022	**桜もち** 関西風 こしあん入り	2	196	200	(50.0)	(3.5)	(3.0)	(0.3)	(0.1)	(0.05)	(0.02)	(0.06)	0	(46.0)	(44.7)	(1.7)	-	(33)	(22)	(18)	(8)	(27)	(0.7)
15153	つぶしあん入り	2	197	201	(50.0)	(3.0)	(2.6)	(0.3)	(0.2)	-	-	-	0	(46.5)	(45.2)	(1.3)	-	(26)	(43)	(5)	(7)	(25)	(0.4)
15021	関東風 こしあん入り	2	235	239	(40.5)	(4.5)	(4.0)	(0.4)	(0.3)	(0.08)	(0.03)	(0.17)	0	(54.2)	(52.6)	(2.6)	-	(45)	(37)	(26)	(11)	(37)	(1.0)
15152	つぶしあん入り	2	237	240	(40.5)	(4.2)	(3.8)	(0.6)	(0.5)	-	-	-	0	(54.4)	(52.7)	(2.5)	-	(44)	(82)	(12)	(11)	(41)	(0.7)
15124	**笹だんご** こしあん入り	0	227	239	(40.5)	(4.0)	(3.5)	(0.5)	(0.4)	(0.13)	(0.09)	(0.17)	0	(54.6)	(50.8)	(1.9)	-	(18)	(88)	(15)	(15)	(50)	(0.5)
15154	つぶしあん入り	0	228	240	(40.5)	(4.7)	(4.1)	(0.6)	(0.5)	-	-	-	0	(53.8)	(49.8)	(2.3)	-	(32)	(91)	(17)	(17)	(61)	(0.7)
15143	**ずんだあん**	0	190	202	(52.7)	(6.3)	(5.4)	(3.4)	(3.2)	-	-	-	0	(36.6)	(34.1)	(2.5)	-	(87)	(270)	(42)	(40)	(94)	(1.4)
15144	**ずんだもち**	0	212	216	(47.8)	(4.9)	(4.4)	(1.7)	(1.6)	-	-	-	0	(45.1)	(40.9)	(1.3)	-	(35)	(130)	(19)	(19)	(51)	(0.6)
15023	**大福もち** こしあん入り	0	223	235	(41.5)	(4.6)	(4.1)	(0.5)	(0.3)	(0.12)	(0.07)	(0.14)	0	(53.2)	(49.3)	(1.8)	-	(33)	(33)	(18)	(10)	(32)	(0.7)
15155	つぶしあん入り	0	223	236	(41.5)	(4.7)	(4.2)	(0.6)	(0.4)	-	-	-	0	(52.8)	(48.6)	(2.7)	-	(56)	(86)	(10)	(13)	(44)	(0.7)
15024	**タルト**（和菓子）	0	288	293	(30.0)	(5.9)	(5.4)	(3.0)	(2.6)	(0.87)	(1.15)	(0.50)	(91)	(60.7)	(60.1)	(1.5)	-	(38)	(64)	(27)	(9)	(66)	(0.9)
15025	**ちまき**	0	150	153	(62.0)	(1.3)	(1.1)	(0.2)	(0.2)	(0.06)	(0.04)	(0.06)	0	(36.5)	(35.9)	(0.1)	-	(1)	(17)	(1)	(4)	(18)	(0.2)
15026	**ちゃつう**	0	320	329	(22.5)	(6.2)	(5.5)	(4.3)	(4.1)	(0.62)	(1.46)	(1.82)	0	(66.4)	(63.6)	(3.8)	-	(5)	(63)	(120)	(41)	(79)	(1.9)

和菓子のルーツ２●菓子は間食として利用されることが多かったが、江戸時代初期のさとうきびの精糖法の伝来後、甘さを楽しむ嗜好品（しこうひん）としての和菓子が確立した。明治時代に西洋菓子が伝えられてからは、洋風の和菓子もつくられている。

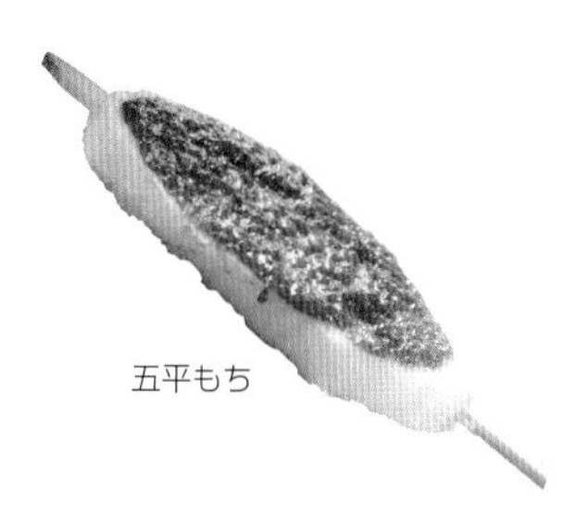
五平もち

ずんだもち

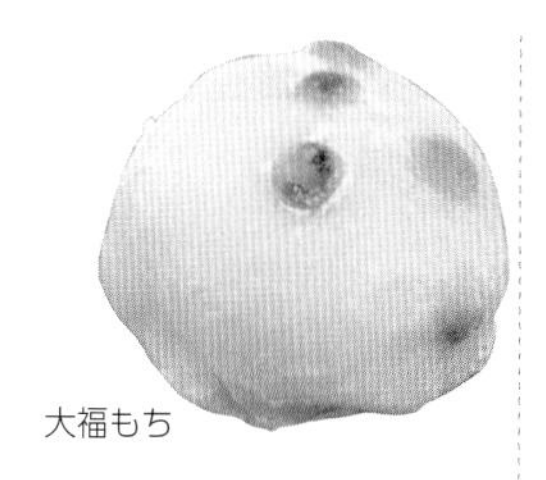
大福もち

ちまき

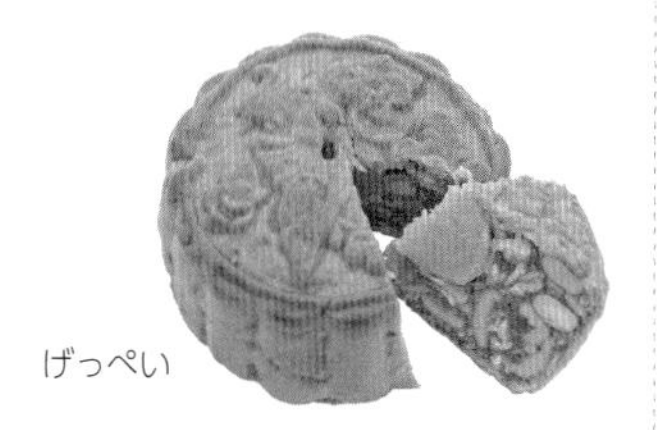
げっぺい

(関東風)
(関西風)

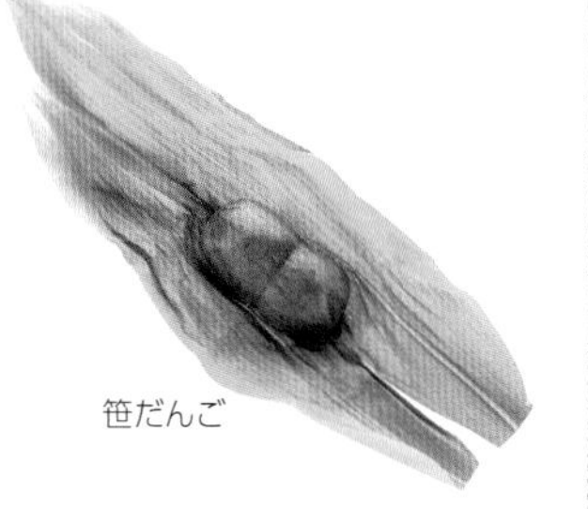
笹だんご

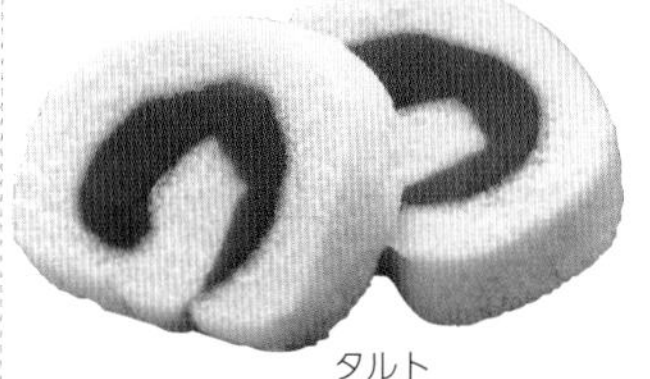
タルト
(和菓子)

たあんを包み、型に入れて表面に独特の模様をほどこし、焼いたもの。

五平もち (五平餅)
飯をつぶし、串や細長い板に練りつけてたれを塗ってこうばしく焼いたもの。長野、岐阜、愛知、静岡、富山の山間部の郷土料理。

桜もち (桜餅) 1個＝50g
薄紅色に着色した生菓子で、塩漬けにした桜の葉で包んだもの。関東と関西とでは外側の生地が異なる。
関西風：別名**道明寺**。道明寺粉を蒸してあんを包み、俵型に丸めたもの。
関東風：小麦粉に白玉粉を混ぜた生地を薄く焼き、あんを包んだもの。

笹だんご (笹団子)
よもぎ、うるち米粉、もち米粉でつくったよもぎだんごであんを包み、笹の葉で俵型に包んで蒸したもの。新潟名物。

ずんだあん・ずんだもち 1個＝20g
ずんだあんは、えだまめをゆでてすりつぶしたずんだに、砂糖を加えた緑色のあん。ずんだもちは、もちにずんだあんをまぶしたもので、東北の郷土菓子。

大福もち (大福餅) 1個＝60g
あんをもちの皮で包んだもの。昔は塩あんで、昼飯の代用としても食べられていた。現在は甘いあんが主流。皮のもちに赤えんどうを混ぜた豆大福や、あんにいちごを入れたいちご大福等、バラエティーに富んでいる。

タルト (和菓子)
愛媛の郷土菓子。あんをカステラ生地でロールケーキのように巻いたもの。ゆずの香りを加えているのが特徴。洋菓子のタルトとは異なる。

ちまき (粽)
もち米やうるち米の粉でつくったもちを笹やまこもの葉で円錐形に巻き上げて蒸したもの。

ちゃつう (茶通)
小麦粉、卵白、砂糖、抹茶を混ぜた生地であんを包み、上になる部分にお茶の葉を飾り、両面を焼いたもの。

可食部100gあたり　Tr：微量　( )：推定値または推計値　-：未測定

ミネラル(無機質) 亜鉛 mg	銅 mg	マンガン mg	ヨウ素 µg	セレン µg	クロム µg	モリブデン µg	ビタミン A レチノール活性当量 µg	A レチノール µg	A β-カロテン当量 µg	D µg	E α-トコフェロール mg	K µg	B₁ mg	B₂ mg	ナイアシン当量 mg	B₆ mg	B₁₂ µg	葉酸 µg	パントテン酸 mg	ビオチン µg	C mg	食塩相当量 g	備考 ①部分割合 ②試料
(0.3)	(0.05)	(0.14)	(1)	(1)	(Tr)	(14)	0	0	0	0	0	0	(0.01)	(Tr)	(0.5)	(Tr)	0	(3)	0	(0.3)	0	0	
(0.3)	(0.04)	(0.12)	(1)	(1)	0	(12)	0	0	0	0	0	0	(0.01)	(Tr)	(0.4)	(Tr)	0	(3)	0	(0.2)	0	0	
(0.3)	(0.07)	(0.25)	(Tr)	(1)	(Tr)	(26)	0	0	0	0	(0.1)	0	(0.03)	(0.01)	(0.9)	(0.04)	0	(4)	(0.22)	(0.4)	0	(0.2)	
(Tr)	(0.01)	(0.03)	0	0	0	0	0	0	0	0	0	0	0	0	0	0	0	0	(Tr)	(Tr)	0	0	
(0.7)	(0.19)	(0.41)	0	(1)	(1)	(47)	0	0	0	0	(0.1)	(6)	(0.03)	(0.03)	(1.2)	(0.03)	0	(8)	(0.22)	(1.7)	0	(0.3)	小豆つぶしあん入り ①皮 1、あん 9
(0.6)	(0.12)	(0.40)	(Tr)	(1)	(1)	(36)	(13)	0	(150)	0	(0.1)	(11)	(0.03)	(0.02)	(1.3)	(0.04)	0	(5)	(0.21)	(0.9)	0	0	小豆こしあん入り ①皮 6、あん 4
(0.6)	(0.14)	(0.42)	(Tr)	(2)	(1)	(43)	(18)	(0)	(210)	(0)	(0.2)	(15)	(0.04)	(0.02)	(1.4)	(0.05)	(0)	(9)	(0.30)	(0.9)	(0)	(0.1)	小豆つぶしあん入り ①皮 6、あん 4
(0.5)	(0.11)	(0.40)	(Tr)	(2)	(1)	(39)	0	0	0	0	(0.1)	(1)	(0.04)	(0.02)	(1.3)	(0.05)	0	(5)	(0.27)	(0.8)	0	(0.1)	小豆こしあん入り ①団子 8、あん 3 くしを除いたもの
(0.6)	(0.12)	(0.41)	(1)	(2)	(1)	(44)	0	0	0	0	(0.1)	(1)	(0.04)	(0.01)	(1.2)	(0.06)	0	(7)	(0.34)	(0.8)	0	(0.1)	①団子 8、あん 3 くしを除いたもの
(0.5)	(0.09)	(0.39)	(1)	(2)	(1)	(37)	0	0	0	0	(0.1)	0	(0.04)	(0.02)	(1.3)	(0.06)	0	(7)	(0.33)	(1.1)	0	(0.6)	①団子 9、たれ 2 くしを除いたもの
0	(0.01)	(0.01)	-	-	-	-	0	0	0	0	-	0	0	0	0	0	0	0	0	-	0	0	
(Tr)	(0.01)	(0.02)	-	-	-	-	0	0	0	0	-	0	0	0	0	0	0	0	0	-	0	0	
(0.7)	(0.18)	(0.53)	(Tr)	(1)	(1)	(36)	0	0	(1)	0	(0.6)	(2)	(0.05)	(0.03)	(1.5)	(0.06)	0	(8)	(0.23)	(1.1)	0	0	あん（小豆あん、くるみ、水あめ、ごま等）入り ①皮 5、あん 4
(0.6)	(0.10)	(0.29)	0	(1)	0	(25)	0	0	0	0	(Tr)	(1)	(0.02)	(0.02)	(1.0)	(0.02)	0	(5)	(0.21)	(0.4)	0	(0.6)	みそだれ付き
(0.5)	(0.09)	(0.32)	0	0	0	(14)	0	0	0	0	0	(2)	(0.01)	(0.01)	(0.8)	(0.01)	0	(1)	(0.05)	(0.6)	0	(0.1)	小豆こしあん入り ①道明寺種皮 3、あん 2 廃棄部位：桜葉
(0.6)	(0.10)	(0.33)	0	0	0	(9)	0	0	0	0	(Tr)	(1)	(0.01)	(0.01)	(0.6)	(0.02)	0	(3)	(0.10)	(0.3)	0	(0.1)	小豆つぶしあん入り ①道明寺種皮 3、あん 2 廃棄部位：桜葉
(0.4)	(0.09)	(0.31)	0	(1)	(1)	(22)	0	0	0	0	(Tr)	(2)	(0.02)	(0.02)	(1.0)	(Tr)	0	(2)	(0.10)	(1.0)	0	(0.1)	小豆こしあん入り ①小麦粉皮 4、あん 5 廃棄部位：桜葉
(0.3)	(0.09)	(0.26)	0	(1)	(1)	(21)	0	0	0	0	(0.1)	(2)	(0.04)	(0.02)	(0.9)	(0.02)	0	(5)	(0.20)	(0.9)	0	(0.1)	小豆つぶしあん入り ①小麦粉皮 4、あん 6 廃棄部位：桜葉
(0.7)	(0.14)	(0.51)	0	(1)	0	(28)	(34)	0	(400)	-	(0.3)	(26)	(0.06)	(0.02)	(1.2)	(0.05)	0	(10)	(0.25)	(0.7)	0	0	小豆こしあん入り
(0.8)	(0.16)	(0.57)	0	(1)	(1)	(33)	(33)	0	(400)	-	(0.3)	(27)	(0.05)	(0.02)	(1.3)	(0.04)	0	(10)	(0.26)	(0.8)	0	(0.1)	小豆つぶしあん入り
(0.7)	(0.20)	(0.41)	0	0	0	0	(13)	0	(160)	0	(0.3)	(18)	(0.13)	(0.07)	(1.6)	(0.04)	0	(140)	(0.25)	0	(8)	(0.2)	
(0.8)	(0.16)	(0.51)	0	(1)	0	(34)	(5)	0	(64)	0	(0.2)	(7)	(0.07)	(0.03)	(1.2)	(0.03)	0	(60)	(0.31)	(0.4)	(3)	(0.1)	①ずんだ 4、もち 6
(0.8)	(0.13)	(0.51)	0	(1)	0	(46)	0	0	0	0	(Tr)	(2)	(0.02)	(0.01)	(1.1)	(0.02)	0	(3)	(0.22)	(0.9)	0	(0.1)	小豆こしあん入り ①もち皮 10、あん 7
(0.8)	(0.16)	(0.51)	0	(1)	(1)	(54)	0	0	0	0	(0.1)	(3)	(0.03)	(0.02)	(0.9)	(0.03)	0	(6)	(0.28)	(1.1)	0	(0.1)	小豆つぶしあん入り ①もち皮 10、あん 7
(0.5)	(0.07)	(0.19)	(9)	(7)	(Tr)	(13)	(54)	(54)	(2)	(1)	(0.4)	(4)	(0.04)	(0.11)	(1.4)	(0.03)	(0.3)	(14)	(0.39)	(6.7)	(1)	(0.1)	あん入りロールカステラ 柚子風味小豆こしあん入り ①皮 2、あん 1
(0.2)	(0.04)	(0.15)	0	(1)	0	(15)	0	0	0	0	(Tr)	0	(0.02)	(Tr)	(0.5)	(0.02)	0	(3)	(0.12)	(0.2)	0	0	上新粉製品
(0.9)	(0.23)	(0.50)	0	(1)	(1)	(33)	0	0	(1)	0	(Tr)	(4)	(0.08)	(0.05)	(1.8)	(0.05)	0	(8)	(0.10)	(2.1)	0	0	小豆こしあん入り ①皮 1、あん 9

Q A どうして大福もちっていうの？▶もともとは、薄いもちで塩あんを包んだ丸い外見が、うずらに見えたことから「うずらもち」と呼ばれていた。これがのちに食べるとお腹が一杯になることから「腹太もち」と呼ばれ、さらにあんを甘くして小ぶりにした「大腹もち」に変わり、福のほうが縁起がよいと、「腹」が「福」に変えられ現在に至るという。

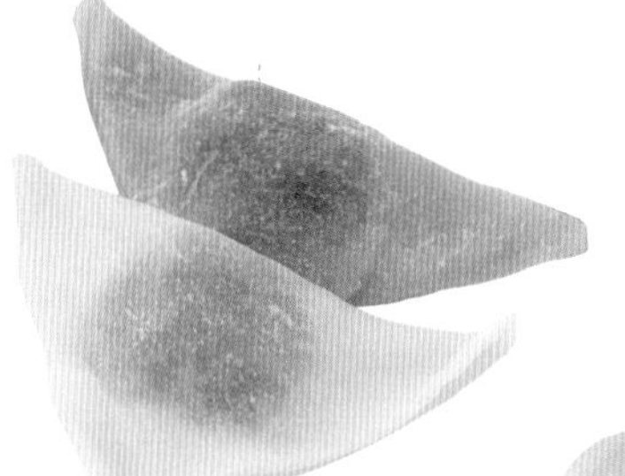

生八つ橋

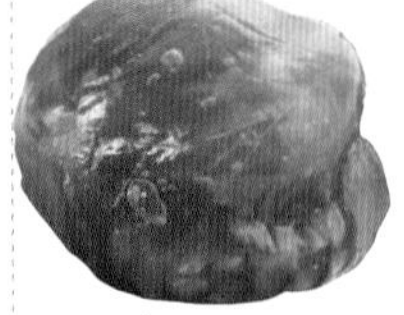

くずまんじゅう

蒸しまんじゅう

どら焼

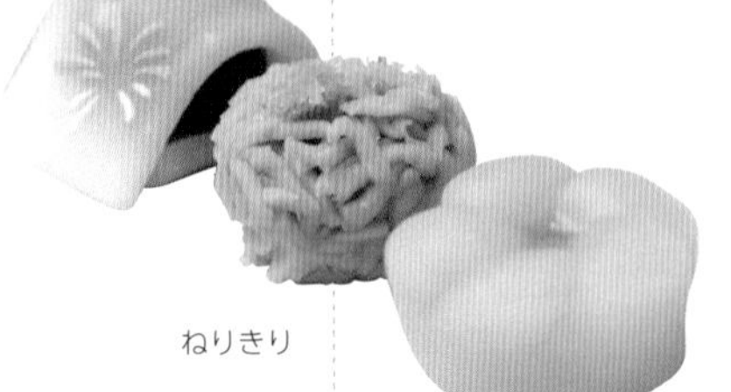

ねりきり

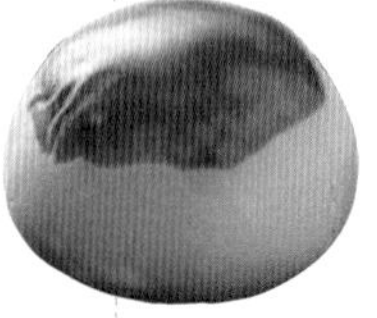

くりまんじゅう

どら焼（銅鑼焼） 1個＝90g
小麦粉、卵、砂糖等を混ぜた生地を円形に焼き、2枚合わせて間にあんをはさんだもの。形がどら（銅鑼）に似ているためこの名がついた。

生八つ橋 1個＝25g
米粉を蒸して砂糖、ニッキなどを加えて練った八つ橋生地で、つぶしあんなどを包んだもの。京都の名物。

ねりきり（練切）
抽象的な形やデザインで仕上げられる上生菓子と呼ばれる生菓子。白あんに砂糖と、つなぎにぎゅうひやみじん粉等を加えてつくった練り切りあんを使う。

まんじゅう（饅頭）
あんを穀物の粉でつくった皮で包んだ菓子。生地やあんの種類、蒸す、焼くなどの製法も多様である。

カステラまんじゅう：カステラ生地であんを包み、焼き上げたもの。

かるかんまんじゅう：丸い型にかるかん生地とあんを入れ、さらに生地をかぶせて包み、蒸し上げたもの。鹿児島の銘菓。

くずまんじゅう：別名くずざくら。くず粉と砂糖に水を加え、半透明になるまで加熱しながら練った生地であんを包み、さらに透明になるまで蒸したもの。

くりまんじゅう：栗あん、または白あんに栗を混ぜたものを包んだ、小判型のまんじゅう。表面が栗の皮のようなつやのある茶色をしているのが特徴。

とうまんじゅう（唐饅頭）：小麦粉、卵、砂糖などでつくった生地を型に流し、あんを入れて両面を焼いたもの。今川焼に似ている。

蒸しまんじゅう：1個＝50g。膨張剤を加えた小麦粉の生地であんを包んで蒸したもの。酒種を生地に加えて発酵させてつくった「酒まんじゅう」、生地に山芋をすってつなぎに入れた「薯蕷（じょうよ）まんじゅう」もこの一種。

中華まんじゅう：1個＝80g。「肉まん」「あんまん」という名称で親しまれている。肉まんは関西では「豚まん」と呼ばれる。小麦粉生地に酵母が使われており、むっちりしたパンのような皮が特徴。

食品番号	食品名	廃棄率	エネルギー	2015年版の値	水分	たんぱく質	アミノ酸組成によるたんぱく質	脂質	脂肪酸のトリアシルグリセロール当量	脂肪酸 飽和	一価不飽和	多価不飽和	コレステロール	炭水化物	利用可能炭水化物（質量計）	食物繊維 食物繊維総量（プロスキー変法）	食物繊維総量（AOAC法）	ミネラル（無機質） ナトリウム	カリウム	カルシウム	マグネシウム	リン	鉄
		%	kcal	kcal	g	g	g	g	g	g	g	g	mg	g	g	g	g	mg	mg	mg	mg	mg	mg
15156	**どら焼** こしあん入り	0	282	288	(31.5)	(6.6)	(6.0)	(3.1)	(2.8)	-	-	-	(97)	(58.4)	(57.2)	(1.5)	-	(120)	(61)	(31)	(12)	(65)	(1.1)
15027	つぶしあん入り	0	292	289	(31.5)	(6.6)	(6.0)	(3.2)	(2.8)	(0.92)	(1.15)	(0.62)	(98)	(57.9)	(59.9)	(1.9)	-	(140)	(120)	(22)	(15)	(78)	(1.1)
15157	**生八つ橋** あん入り こしあん入り	0	274	279	(30.5)	(3.6)	(3.1)	(0.3)	(0.3)	-	-	-	0	(65.4)	(64.0)	(1.6)	-	(2)	(35)	(17)	(12)	(42)	(0.8)
15004	こしあん・つぶしあん混合	0	274	279	(30.5)	(3.5)	(2.9)	(0.3)	(0.2)	(0.08)	(0.04)	(0.11)	(0)	(65.5)	(64.1)	(2.1)	-	(17)	(71)	(18)	(15)	(52)	(1.0)
15158	つぶしあん入り	0	275	279	(30.5)	(3.7)	(3.2)	(0.5)	(0.3)	-	-	-	(0)	(65.1)	(63.5)	(2.3)	-	(32)	(110)	(12)	(17)	(60)	(1.0)
15028	**ねりきり**	0	259	265	(34.0)	(5.3)	(4.6)	(0.3)	(0.2)	(0.04)	(0.01)	(0.09)	0	(60.1)	(58.2)	(3.6)	-	(2)	(33)	(39)	(16)	(46)	(1.5)
	まんじゅう																						
15029	カステラまんじゅう こしあん入り	0	292	297	(27.9)	(6.7)	(6.0)	(2.1)	(1.8)	(0.56)	(0.64)	(0.48)	(56)	(62.6)	(61.6)	(2.4)	-	(47)	(77)	(45)	(14)	(77)	(1.3)
15159	つぶしあん入り	0	292	297	(27.9)	(6.9)	(6.2)	(2.3)	(2.0)	-	-	-	(57)	(62.2)	(60.3)	(3.2)	-	(83)	(160)	(33)	(18)	(96)	(1.2)
15160	かるかんまんじゅう こしあん入り	0	226	230	(42.5)	(3.0)	(2.5)	(0.3)	(0.2)	-	-	-	(0)	(53.8)	(53.4)	(1.4)	-	(45)	(65)	(24)	(13)	(39)	(1.0)
15161	つぶしあん入り	0	226	230	(42.5)	(3.1)	(2.6)	(0.4)	(0.2)	-	-	-	(0)	(53.6)	(53.0)	(1.9)	-	(78)	(140)	(12)	(16)	(54)	(1.0)
15030	くずまんじゅう こしあん入り	0	216	220	(45.0)	(3.1)	(2.7)	(0.2)	(0.1)	(0.02)	(0.01)	(0.05)	0	(51.4)	(50.3)	(2.2)	-	(48)	(22)	(24)	(10)	(30)	(0.9)
15162	つぶしあん入り	0	218	220	(45.0)	(1.3)	(1.1)	(0.1)	(0.1)	-	-	-	(0)	(53.4)	(52.9)	(1.3)	-	(60)	(75)	(10)	(11)	(37)	(0.7)
15031	くりまんじゅう こしあん入り	0	296	311	(24.0)	(6.5)	(5.8)	(1.4)	(1.1)	(0.35)	(0.39)	(0.32)	(30)	(68.1)	(64.1)	(3.3)	-	(25)	(62)	(38)	(14)	(62)	(1.2)
15163	つぶしあん入り	0	295	310	(24.0)	(6.7)	(6.0)	(1.6)	(1.2)	-	-	-	(31)	(67.0)	(62.6)	(4.7)	-	(66)	(160)	(26)	(20)	(87)	(1.3)
15032	とうまんじゅう こしあん入り	0	299	302	(28.0)	(6.8)	(6.1)	(3.1)	(2.7)	(0.88)	(1.10)	(0.59)	(97)	(61.6)	(61.8)	(1.7)	-	(25)	(57)	(33)	(13)	(62)	(1.2)
15164	つぶしあん入り	0	294	302	(28.0)	(6.9)	(6.3)	(3.3)	(2.9)	-	-	-	(99)	(61.3)	(59.5)	(2.3)	-	(60)	(140)	(23)	(18)	(84)	(1.3)
15033	蒸しまんじゅう こしあん入り	0	254	261	(35.0)	(4.6)	(4.1)	(0.5)	(0.3)	(0.09)	(0.03)	(0.20)	(0)	(59.5)	(57.5)	(2.4)	-	(60)	(48)	(33)	(12)	(46)	(1.0)
15165	つぶしあん入り	0	257	261	(35.0)	(4.7)	(4.2)	(0.7)	(0.4)	-	-	-	(0)	(59.1)	(57.2)	(3.4)	-	(95)	(130)	(20)	(16)	(63)	(1.0)
15034	中華まんじゅう あんまん こしあん入り	0	273	280	(36.6)	(6.1)	(5.6)	(5.6)	(5.3)	(1.63)	(2.01)	(1.41)	(3)	(51.3)	(48.8)	(2.6)	-	(11)	(65)	(58)	(23)	(57)	(1.1)
15166	つぶしあん入り	0	279	284	(36.6)	(6.2)	(5.7)	(6.0)	(5.7)	-	-	-	(3)	(51.3)	(48.8)	(3.3)	-	(29)	(110)	(55)	(26)	(67)	(1.1)
15035	肉まん	0	242	260	(39.5)	(10.0)	(8.7)	(5.1)	(4.7)	(1.60)	(1.97)	(0.88)	(16)	(43.4)	(39.0)	(3.2)	-	(460)	(310)	(28)	(20)	(87)	(0.8)
15036	**もなか** こしあん入り	0	277	285	(29.0)	(4.9)	(4.3)	(0.3)	(0.2)	(0.06)	(0.02)	(0.09)	0	(65.5)	(63.2)	(3.1)	-	(2)	(32)	(33)	(14)	(41)	(1.2)
15167	つぶしあん入り	0	278	285	(29.0)	(6.4)	(5.6)	(0.7)	(0.3)	-	-	-	0	(63.3)	(60.1)	(6.1)	-	(59)	(170)	(21)	(25)	(80)	(1.6)
15037	**ゆべし**	0	321	327	(22.0)	(2.4)	(2.1)	(3.5)	(3.6)	(0.40)	(0.54)	(2.51)	0	(71.2)	(69.8)	(0.5)	-	(230)	(62)	(6)	(15)	(41)	(0.4)
15038	**ようかん** 練りようかん	0	289	296	(26.0)	(3.6)	(3.1)	(0.2)	(0.1)	(0.03)	(0.01)	(0.06)	0	(69.9)	(68.0)	(3.1)	-	(3)	(24)	(33)	(12)	(32)	(1.1)
15039	水ようかん	0	168	172	(57.0)	(2.6)	(2.3)	(0.2)	(0.1)	(0.02)	(Tr)	(0.04)	0	(39.9)	(38.7)	(2.2)	-	(57)	(17)	(23)	(8)	(23)	(0.8)
15040	蒸しようかん	0	237	242	(39.5)	(4.4)	(3.8)	(0.3)	(0.2)	(0.05)	(0.02)	(0.11)	0	(55.4)	(53.8)	(2.8)	-	(83)	(32)	(30)	(13)	(37)	(1.1)

+PLUS+ **人の頭が起源の菓子●**中国の三国志の時代（3世紀）、蜀の宰相で軍師の諸葛孔明が、川の氾濫をしずめるために生きた人間の首を切って川にささげる風習を改めさせるため、小麦粉でつくった皮に牛や羊の肉を詰めたものを人の頭に見立てて捧げたのがまんじゅうの起源とされる。日本に伝来後、あんを入れた菓子になった。

もなか

練りようかん

蒸しようかん（栗入り）

中華まんじゅう（肉まん）

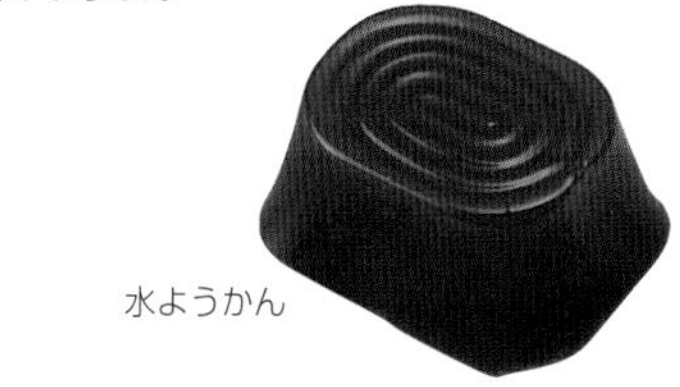
ゆべし

水ようかん

もなか（最中） 1個=50g
もち米でつくった生地を型にはさんで焼き、それを２枚合わせて間にあんを詰めたもの。形もあんもさまざま。

ゆべし（柚餅子）
うるち米粉またはもち米粉、ゆず皮、くるみ、砂糖等を混ぜてつくった生地を蒸し、切り分けたもの。

ようかん（羊羹） 1切=50g
棒状につくって小口切りにする「棹もの菓子」で、数も1棹、2棹と数える。

練りようかん：あんに砂糖を入れ、溶かした寒天を加えて練りながら煮詰め、型に流して固めたもの。

水ようかん：練りようかんとほぼ同じつくり方だが、水分量が多く、口溶けをよくしたもの。冷やして供される。

蒸しようかん：練りあんに小麦粉、くず粉等と水を入れて練った生地を型に入れて蒸したもの。甘く煮た栗を乗せて蒸す「栗むし羊羹」もある。

ちまきの歴史

歴史

紀元前 278 年５月５日、陰謀により失脚した中国の楚の政治家で詩人の屈原（くつげん）が、汨羅（べきら）川に身を投げた。とむらうために供物を川にささげたが、悪龍が盗むため、悪龍が苦手とする楝樹（れんじゅ）の葉で餅米を包み、邪気を払う五色の糸で縛って川へ流すようになり、ちまきが誕生した。そして５月５日に厄除けとして食べる風習ができたとされる。

平安時代に端午の節句が伝来したときにちまきも伝えられ、やがて魔よけの菓子としてつくられるようになった。茅（ちがや）の葉で巻くためちまきと呼ばれるが、まこもや笹等の葉も利用される。

中国、台湾、東南アジアなどでは、もち米と、味つけした肉、干しえび、野菜等を竹の皮やバナナの葉で包んで蒸した食事用のちまきと、デザート用の甘く味つけしたものがある。

中国で売られているちまき

可食部100gあたり　Tr：微量　（ ）：推定値または推計値　－：未測定

ミネラル（無機質）							ビタミン															食塩相当量	備考
亜鉛	銅	マンガン	ヨウ素	セレン	クロム	モリブデン	A レチノール活性当量	A レチノール	A β-カロテン当量	D	E αトコフェロール	K	B1	B2	ナイアシン当量	B6	B12	葉酸	パントテン酸	ビオチン	C		①部分割合　②試料
mg	mg	mg	µg	µg	µg	µg	µg	µg	µg	µg	mg	µg	mg	mg	mg	mg	µg	µg	mg	µg	mg	g	
(0.5)	(0.09)	(0.27)	(6)	(5)	(1)	(18)	(39)	(39)	(1)	(0.7)	(0.3)	(4)	(0.04)	(0.09)	(1.5)	(0.02)	(0.2)	(11)	(0.33)	(5.4)	(0)	(0.3)	小豆こしあん入り　①皮 5、あん 4
(0.6)	(0.12)	(0.27)	(7)	(6)	(1)	(26)	(40)	(40)	(1)	(0.7)	(0.4)	(5)	(0.04)	(0.09)	(1.6)	(0.04)	(0.2)	(15)	(0.41)	(5.6)	(0)	(0.4)	小豆つぶしあん入り　①皮 5、あん 4
(0.5)	(0.10)	(0.34)	(Tr)	(1)	(Tr)	(32)	0	0	0	0	(Tr)	(1)	(0.03)	(0.02)	(0.9)	(0.03)	0	(3)	(0.18)	(0.8)	0	0	小豆こしあん入り　①皮 4、あん 6
(0.6)	(0.13)	(0.37)	(Tr)	(1)	(1)	(38)	(0)	(0)	(0)	(0)	(0.1)	(3)	(0.03)	(0.02)	(1.1)	(0.03)	(0)	(5)	(0.19)	(1.1)	(0)	(0)	あん（小豆こしあん、小豆つぶしあん）入り　①皮 4、あん 6
(0.6)	(0.15)	(0.37)	(Tr)	(1)	(1)	(43)	(0)	(0)	(0)	(0)	(0.1)	(3)	(0.03)	(0.02)	(1.1)	(0.04)	(0)	(7)	(0.23)	(1.2)	(0)	(0.1)	小豆つぶしあん入り　①皮 4、あん 6
(0.6)	(0.13)	(0.39)	0	(Tr)	(1)	(33)	0	0	0	0	0	(4)	(0.01)	(0.03)	(1.0)	0	0	(1)	(0.04)	(1.3)	0	0	
(0.6)	(0.11)	(0.35)	(4)	(4)	(1)	(24)	(23)	(23)	(1)	(0.4)	(0.2)	(4)	(0.04)	(0.07)	(1.5)	(0.02)	(0.1)	(8)	(0.27)	(3.7)	(0)	(0.1)	小豆こしあん入り　①皮 5、あん 7
(0.6)	(0.15)	(0.35)	(4)	(4)	(1)	(35)	(24)	(24)	(1)	(0.4)	(0.3)	(5)	(0.05)	(0.07)	(1.6)	(0.04)	(0.1)	(13)	(0.36)	(4.0)	(0)	(0.2)	小豆つぶしあん入り　①皮 5、あん 7
(0.5)	(0.10)	(0.30)	(Tr)	(1)	(Tr)	(25)	(0)	(0)	(Tr)	(0)	(Tr)	(2)	(0.02)	(0.02)	(0.9)	(0.02)	(0)	(2)	(0.13)	(1.1)	(Tr)	(0.1)	小豆こしあん入り　①皮 1、あん 2
(0.5)	(0.15)	(0.30)	(0)	(1)	(1)	(35)	(0)	(0)	(Tr)	(0)	(0.1)	(3)	(0.03)	(0.02)	(0.9)	(0.03)	(0)	(6)	(0.22)	(1.2)	(Tr)	(0.2)	小豆つぶしあん入り　①皮 1、あん 2
(0.3)	(0.08)	(0.23)	0	0	(1)	(19)	0	0	0	0	0	(2)	(0.01)	(0.02)	(0.6)	0	0	(1)	(0.02)	(0.8)	0	(0.1)	小豆こしあん入り　①皮 2、あん 3
(0.3)	(0.09)	(0.18)	(0)	(0)	(1)	(22)	(0)	(0)	(0)	(0)	(Tr)	(3)	(0.01)	(0.01)	(0.5)	(0.01)	(0)	(4)	(0.08)	(0.8)	(0)	(0.2)	小豆つぶしあん入り　①皮 2、あん 3
(0.5)	(0.11)	(0.37)	(3)	(3)	(1)	(24)	(17)	(17)	(2)	(0.3)	(0.2)	(4)	(0.03)	(0.05)	(1.4)	(0.01)	(0.1)	(6)	(0.22)	(3.0)	(0)	(0.1)	栗入り小豆こしあん入り　①皮 1、あん 2
(0.7)	(0.17)	(0.40)	(3)	(3)	(1)	(39)	(18)	(18)	(2)	(0.3)	(0.2)	(5)	(0.04)	(0.06)	(1.3)	(0.04)	(0.1)	(12)	(0.34)	(3.5)	0	(0.2)	栗入り小豆つぶしあん入り　①皮 1、あん 2
(0.6)	(0.10)	(0.30)	(6)	(5)	(1)	(21)	(34)	(34)	(1)	(0.6)	(0.3)	(4)	(0.03)	(0.08)	(1.4)	(0.02)	(0.2)	(10)	(0.29)	(4.8)	(0)	(0.1)	小豆こしあん入り　①皮 4、あん 5
(0.7)	(0.15)	(0.32)	(6)	(5)	(1)	(33)	(36)	(35)	(1)	(0.6)	(0.3)	(6)	(0.04)	(0.09)	(1.6)	(0.04)	(0.2)	(15)	(0.39)	(5.3)	(0)	(0.2)	小豆つぶしあん入り　①皮 4、あん 5
(0.4)	(0.10)	(0.33)	(0)	(1)	(1)	(22)	(0)	(0)	(0)	(0)	(Tr)	(2)	(0.03)	(0.02)	(1.1)	(0.01)	(0)	(2)	(0.12)	(1.1)	(0)	(0.2)	薬まんじゅう等　小豆こしあん入り　①皮 1、あん 2
(0.5)	(0.14)	(0.33)	(0)	(1)	(1)	(32)	(0)	(0)	(0)	(0)	(0.1)	(4)	(0.03)	(0.02)	(1.1)	(0.02)	(0)	(7)	(0.21)	(1.3)	(0)	(0.2)	小豆つぶしあん入り　①皮 10、あん 7
(0.6)	(0.14)	(0.36)	0	(7)	(1)	(20)	0	0	0	0	(0.1)	(2)	(0.08)	(0.03)	(1.7)	(0.04)	0	(9)	(0.27)	(1.4)	0	0	小豆こしあん入り　①皮 10、あん 7
(0.6)	(0.17)	(0.36)	0	(6)	(1)	(26)	0	0	(Tr)	0	(0.1)	(3)	(0.08)	(0.03)	(1.5)	(0.05)	0	(12)	(0.32)	(1.6)	0	(0.1)	小豆つぶしあん入り　①皮 1、あん 9
(1.2)	(0.12)	(0.45)	(Tr)	(12)	(1)	(9)	(3)	(2)	(20)	(0.1)	-	(9)	(0.23)	(0.10)	(3.9)	(0.16)	(0.1)	(38)	(0.80)	(1.9)	(7)	(1.2)	①皮 10、肉あん 4.5
(0.6)	(0.12)	(0.41)	0	(Tr)	(Tr)	(34)	0	0	0	0	0	(3)	(0.01)	(0.02)	(1.0)	(Tr)	0	(1)	(0.08)	(1.2)	0	0	小豆こしあん入り　①皮 1、あん 9
(0.8)	(0.23)	(0.49)	0	(1)	(1)	(59)	0	0	0	0	(0.1)	(6)	(0.02)	(0.03)	(1.2)	(0.03)	0	(9)	(0.23)	(1.9)	0	(0.2)	小豆つぶしあん入り　①皮 1、あん 9
(0.4)	(0.11)	(0.38)	0	(1)	(Tr)	(18)	0	0	(1)	0	(0.1)	(Tr)	(0.03)	(0.02)	(0.9)	(0.06)	0	(8)	(0.19)	(0.7)	0	(0.6)	②くるみ入り
(0.4)	(0.09)	(0.30)	0	0	(Tr)	(22)	0	0	0	0	0	(3)	(0.01)	(0.02)	(0.7)	0	0	(1)	(0.03)	(0.9)	0	0	
(0.3)	(0.06)	(0.21)	0	0	0	(16)	0	0	0	0	0	(2)	(0.01)	(0.01)	(0.5)	0	0	(1)	(0.02)	(0.7)	0	(0.1)	
(0.4)	(0.10)	(0.32)	0	(Tr)	(1)	(24)	0	0	0	0	(Tr)	(3)	(0.02)	(0.02)	(0.9)	(Tr)	0	(1)	(0.06)	(1.1)	0	(0.2)	

QA　ようかんはなぜ羊羹と書くの？▶もともとは羊の羹（あつもの）、つまり羊の肉を煮たスープで、日本では羊のかわりにあずきが使われるようになり今のようになったという説や、あずきと砂糖で羊の肝に似せてつくる羊肝餅が日本に伝わったとき、肝と羹の音が似ているために混同され、羊肝ではなく羊羹の字が使われるようになったという説がある。

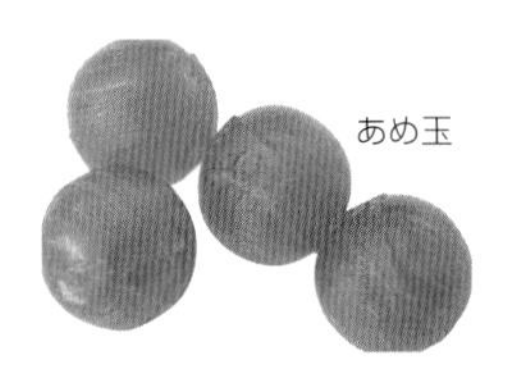
あめ玉

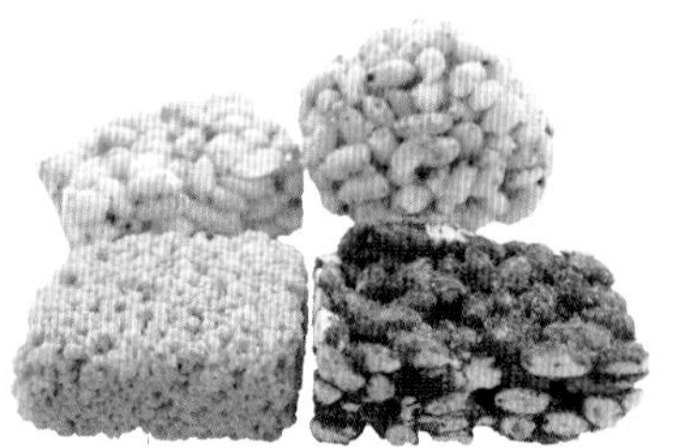
おこし

ごかぼう

巻きせんべい

芋かりんとう

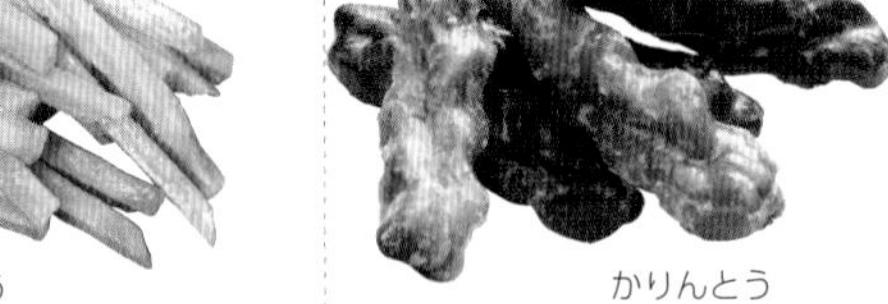
かりんとう

南部せんべい

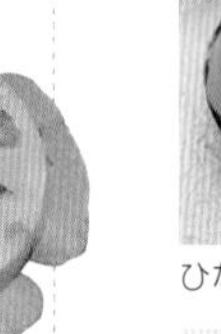
ひなあられ（関西風）

ひなあられ（関東風）

和干菓子類
Traditional dry confectionery

あめ玉（飴玉） 1個＝3g
砂糖と水飴を煮詰めて丸めたもの。香料等の副原材料により味も色もさまざま。主原材料の砂糖も、別の甘味料が使われることがある。

芋かりんとう（芋花林糖）
別名**芋けんぴ**。さつまいもを棒状に切って揚げた後、蜜がけしたもの。ほぼ同じつくり方の大学芋は、形が大きく水分量が多いため、半生菓子に分類される。

おこし（粔籹） 1個＝20g
おこし種（もち米を蒸してから乾燥し、煎ったもの）に蜜を混ぜて枠に入れて固め、切り分けたもの。

おのろけ豆
煎ったピーナッツに寒梅粉（新米でつくった餅を焼いてから粉にしたもの）を衣がけして焼いたもの。

かりんとう（花林糖） 1個＝3〜5g
小麦粉に膨張剤などを加えた生地を棒状にして揚げ、蜜がけし、乾燥させたもの。「黒かりんとう」は黒砂糖主体の蜜、「白かりんとう」は白砂糖主体の蜜。

ごかぼう（五家宝） 1本＝10g
おこし種に蜜を加えて円柱状にし、さらに蜜で練ったきなこでくるんだもの。埼玉の銘菓。

小麦粉せんべい（小麦粉煎餅） 1枚＝10g
関東では「せんべい」というと米菓も含めるが、本来は小麦粉が主原料の菓子。
磯部せんべい：炭酸を多く含む、磯部の鉱泉水を利用したせんべい。群馬の銘菓。
かわらせんべい：小麦粉に砂糖、卵等を加えた生地を薄く焼き、瓦の形に整えたもの。
巻きせんべい：別名**有平巻き**。小麦粉せんべいで、飴の一種の有平糖（あるへいとう）を巻いたもの。

中華風クッキー→p.314

食品番号	食品名	廃棄率 %	エネルギー kcal	2015年版の値 kcal	水分 g	たんぱく質 g	アミノ酸組成によるたんぱく質 g	脂質 g	脂肪酸のトリアシルグリセロール当量 g	脂肪酸 飽和 g	脂肪酸 一価不飽和 g	脂肪酸 多価不飽和 g	コレステロール mg	炭水化物 g	利用可能炭水化物（質量計） g	食物繊維 食物繊維総量（プロスキー変法） g	食物繊維 食物繊維総量（AOAC法） g	ミネラル（無機質） ナトリウム mg	カリウム mg	カルシウム mg	マグネシウム mg	リン mg	鉄 mg
	〈和干菓子類〉																						
15041	**あめ玉**	0	385	390	(2.5)	0	-	0	-	-	-	-	0	(97.5)	(97.5)	-	-	(1)	(2)	(1)	0	(Tr)	(Tr)
15042	**芋かりんとう**	0	465	476	(5.5)	(1.4)	(1.2)	(20.6)	(19.8)	(2.26)	(8.36)	(8.36)	(Tr)	(71.3)	(69.5)	(2.6)	-	(13)	(550)	(41)	(28)	(54)	(0.7)
15043	**おこし**	0	376	382	(5.0)	(3.8)	(3.2)	(0.7)	(0.6)	(0.16)	(0.21)	(0.23)	0	(90.2)	(88.5)	(0.4)	-	(95)	(25)	(4)	(5)	(22)	(0.2)
15044	**おのろけ豆**	0	438	448	(3.0)	(11.3)	(10.3)	(13.6)	(13.8)	(2.56)	(6.53)	(4.09)	0	(70.2)	(65.3)	(2.3)	-	(390)	(270)	(17)	(70)	(180)	(1.1)
15045	**かりんとう** 黒	0	420	439	(3.5)	(7.5)	(6.9)	(11.6)	(11.1)	(1.41)	(4.39)	(4.85)	(Tr)	(76.3)	(72.0)	(1.2)	-	(7)	(300)	(66)	(27)	(57)	(1.6)
15046	白	0	423	444	(2.5)	(9.7)	(8.9)	(11.2)	(10.7)	(1.41)	(4.09)	(4.72)	(Tr)	(76.2)	(70.8)	(1.7)	-	(1)	(71)	(17)	(27)	(68)	(0.8)
15047	**ごかぼう**	0	367	387	(10.0)	(10.6)	(9.8)	(6.4)	(6.0)	(0.92)	(1.45)	(3.41)	0	(71.7)	(65.7)	(4.5)	-	(1)	(500)	(48)	(64)	(170)	(2.0)
	小麦粉せんべい																						
15048	磯部せんべい	0	377	381	(4.2)	(4.3)	(3.9)	(0.8)	(0.7)	(0.17)	(0.07)	(0.39)	0	(89.3)	(87.9)	(1.3)	-	(500)	(59)	(11)	(6)	(31)	(0.3)
15049	かわらせんべい	0	390	396	(4.3)	(7.0)	(6.5)	(3.2)	(2.9)	(0.92)	(1.11)	(0.71)	(90)	(84.9)	(83.7)	(1.2)	-	(57)	(54)	(10)	(6)	(70)	(0.6)
15050	巻きせんべい	0	386	391	(3.5)	(4.3)	(4.0)	(1.4)	(1.3)	(0.39)	(0.40)	(0.42)	(30)	(90.4)	(89.2)	(1.0)	-	(39)	(71)	(22)	(5)	(53)	(0.3)
15051	南部せんべい ごま入り	0	423	433	(3.3)	(11.2)	(10.6)	(11.1)	(10.8)	(1.73)	(3.69)	(4.92)	0	(72.0)	(66.7)	(4.2)	-	(430)	(170)	(240)	(78)	(150)	(2.2)
15052	落花生入り	0	421	428	(3.3)	(11.7)	(11.0)	(9.5)	(9.2)	(1.74)	(4.06)	(3.03)	0	(73.9)	(69.9)	(3.5)	-	(340)	(230)	(26)	(40)	(120)	(0.7)
15053	**しおがま**	0	348	355	(10.0)	(2.6)	(2.2)	(0.2)	(0.2)	(0.08)	(0.04)	(0.05)	0	(85.5)	(84.2)	(0.6)	-	(580)	(42)	(14)	(7)	(17)	(0.2)
15056	**ひなあられ** 関西風	0	385	388	(2.6)	(8.0)	(7.1)	(1.4)	(1.3)	(0.45)	(0.33)	(0.49)	(0)	(85.8)	(76.8)	(1.3)	-	(680)	(100)	(8)	(17)	(56)	(0.3)
15055	関東風	0	380	387	(4.7)	(9.6)	(8.7)	(2.8)	(2.6)	(0.63)	(0.59)	(1.26)	(0)	(80.7)	(71.5)	(2.5)	-	(590)	(220)	(18)	(31)	(94)	(0.8)
15057	**米菓** 揚げせんべい	0	458	465	(4.0)	(5.6)	(4.9)	(17.4)	(16.9)	(2.08)	(7.02)	(7.09)	(Tr)	(71.3)	(69.0)	(0.5)	-	(490)	(82)	(5)	(21)	(87)	(0.7)
15058	甘辛せんべい	0	374	380	(4.5)	(6.7)	(5.8)	(0.9)	(0.8)	(0.28)	(0.20)	(0.30)	0	(86.2)	(83.1)	(0.6)	-	(460)	(120)	(7)	(28)	(110)	(0.9)
15059	あられ	0	378	380	(4.4)	(7.5)	(6.7)	(1.0)	(0.8)	(0.28)	(0.18)	(0.29)	0	(84.9)	(75.4)	(0.8)	-	(660)	(99)	(8)	(17)	(55)	(0.3)
15060	しょうゆせんべい	0	368	375	(5.9)	(7.3)	(6.3)	(1.0)	(0.9)	(0.30)	(0.22)	(0.33)	0	(83.9)	(80.4)	(0.6)	-	(500)	(130)	(8)	(30)	(120)	(1.0)
15061	**ボーロ** 小粒	0	391	391	(4.5)	(2.5)	(2.3)	(2.1)	(1.9)	(0.62)	(0.86)	(0.29)	(74)	(90.6)	(90.7)	-	-	(30)	(44)	(15)	(5)	(54)	(0.6)
15062	そばボーロ	0	398	406	(2.0)	(7.7)	(7.0)	(3.4)	(3.0)	(0.94)	(1.20)	(0.77)	(87)	(86.1)	(84.4)	(1.5)	-	(130)	(130)	(21)	(30)	(110)	(0.9)
15063	**松風**	0	378	381	(5.3)	(4.0)	(3.7)	(0.7)	(0.6)	(0.17)	(0.06)	(0.37)	0	(89.7)	(88.4)	(1.2)	-	(27)	(54)	(10)	(6)	(29)	(0.3)
15064	**みしま豆**	0	402	430	(1.6)	(12.3)	(11.5)	(8.6)	(8.2)	(1.20)	(1.98)	(4.70)	0	(75.8)	(68.6)	(6.0)	-	(1)	(680)	(65)	(86)	(220)	(2.7)
15065	**八つ橋**	0	390	394	(1.8)	(3.3)	(2.9)	(0.5)	(0.5)	(0.16)	(0.11)	(0.17)	0	(94.2)	(93.0)	(0.3)	-	(1)	(49)	(3)	(13)	(51)	(0.4)

＋PLUS＋ **せんべいは弘法大師から**●日本最古のせんべいは、弘法大師（空海）が唐で製法を知って伝えたもので、米粉とくず粉に甘い果物の汁と水を加えて亀甲形（きっこうがた）に焼いたものだという。ちなみに、しょうゆ味の米のせんべいは江戸時代に登場した。

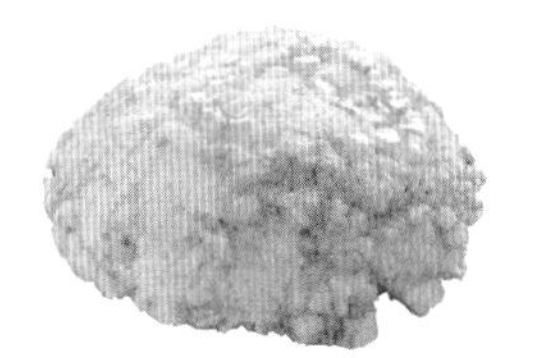
揚げせんべい

あられ

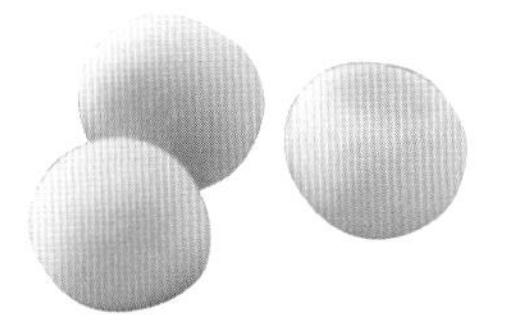
ボーロ（小粒）

八つ橋

甘辛せんべい

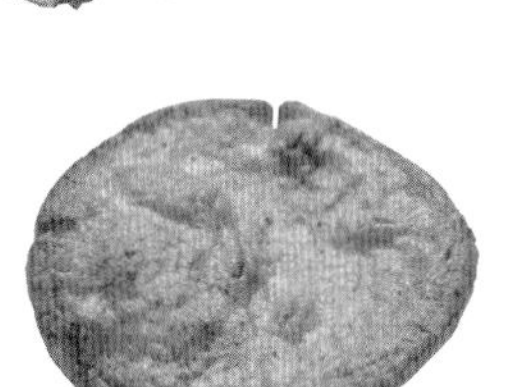
しょうゆせんべい

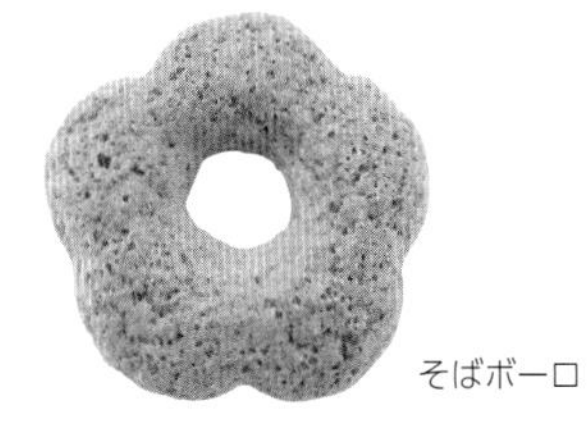
そばボーロ

南部せんべい：小麦粉に塩などを加えた生地を、ごまや落花生とともに焼き型に入れて焼いたもの。岩手の銘菓。

しおがま（塩竈）

もち米主体の粉に、蜜、塩、しそ等を加えて型に入れ、押し固めて成形した打ち菓子。宮城県塩竃市発祥。

ひなあられ（雛霰）

昔の携帯食料である「干飯（ほしいい）」が原点といわれている。ひな祭り用に売られる「ひなあられ」は、主体となるあられ、蜜がけした煎りだいず、甘納豆等を彩りよく配合してある。あられ自体の原料は、「関東風」はでん粉を用いたものが多く、「関西風」はもち米を用いたものが主流。

米菓　せんべい1枚＝6～14g

もち米を原料とする「あられ類」とうるち米を原料とする「せんべい類」の総称。

揚げせんべい：もち状に練ったうるち米を揚げて塩をまぶしたもの。独特のひび割れが特徴。

甘辛せんべい：別名**ざらめせんべい**。もち状に練ったうるち米の生地を板状にして型抜きし、乾燥させてから焼いたもの。甘辛の砂糖じょうゆ等で調味したり、ざらめ糖をまぶしたものである。

あられ：10個＝8g。もち米でつくった生地をさいの目に切って焼き上げ、調味料を塗ったもの。関西ではおかきとも呼ぶ。

しょうゆせんべい：甘辛せんべいとつくり方は同じ。焼いたものにしょうゆ主体の調味料を塗って仕上げる。

ボーロ

ポルトガル語で「球」「菓子」等の意味がある。小麦粉に卵、砂糖を混ぜた生地を鉄板で焼いたもの。中はカステラのようにしっとりしたタイプのものもある。

小粒：別名**たまごボーロ、衛生ボーロ**。離乳食によく用いられるため、カルシウムやビタミンを添加したものも多い。粒状の小さな焼き菓子。

そばボーロ：そば粉を混ぜた生地を薄く伸ばし、型抜きして焼いたもの。

松風

小麦粉、砂糖、水飴などが主体の生地を平らにならし、表面にけしの実やごま等をふりかけて焼いたもの。裏側は何もないことから「浦寂し、鳴るは松風」という謡曲の一節をかけてこの名がついた。

みしま豆

大豆を煎り、砂糖の衣をかけたもの。

八つ橋　1枚＝5g

上新粉に砂糖、はちみつ、シナモン等を加えた生地を薄くのばして焼き、琴の形に成形したもの。京都の銘菓。

可食部100 gあたり　Tr：微量　（ ）：推定値または推計値　－：未測定

ミネラル（無機質）							ビタミン															食塩相当量	備考
亜鉛	銅	マンガン	ヨウ素	セレン	クロム	モリブデン	A レチノール活性当量	A レチノール	A β-カロテン当量	D	E αトコフェロール	K	B1	B2	ナイアシン当量	B6	B12	葉酸	パントテン酸	ビオチン	C		①部分割合　②試料
mg	mg	mg	µg	µg	µg	µg	µg	µg	µg	µg	mg	µg	mg	mg	mg	mg	µg	µg	mg	µg	mg	g	
0	(0.01)	(Tr)	0	0	0	0	**0**	0	0	0	0	0	**0**	**0**	0	0	0	0	0	(0.1)	**0**	0	食塩添加品あり
(0.2)	(0.20)	(0.47)	(1)	(1)	(Tr)	(5)	**(3)**	0	(33)	0	(4.3)	(35)	**(0.13)**	**(0.05)**	(1.2)	(0.30)	0	(57)	(1.03)	(5.7)	**(33)**	0	
(0.8)	(0.12)	(0.48)	0	0	0	0	**0**	0	0	0	(Tr)	(1)	**(0.02)**	**(0.01)**	(1.1)	(0.02)	0	(3)	(0.12)	0	**0**	(0.2)	米おこし、あわおこしを含む
(1.6)	(0.33)	(1.14)	(1)	(4)	(1)	(85)	**0**	0	(2)	0	(2.9)	0	**(0.13)**	**(0.05)**	(9.3)	(0.21)	0	(24)	(1.09)	(28.0)	**0**	(1.0)	らっかせい製品
(0.7)	(0.16)	(0.53)	(3)	(28)	(4)	(19)	**0**	0	(3)	(Tr)	(1.6)	(18)	**(0.10)**	**(0.05)**	(2.4)	(0.21)	0	(25)	(0.84)	(9.7)	**0**	0	
(0.8)	(0.15)	(0.44)	0	(37)	(1)	(23)	**0**	0	0	(Tr)	(1.6)	(17)	**(0.12)**	**(0.05)**	(3.0)	(0.07)	0	(31)	(0.72)	(2.9)	**0**	0	
(1.4)	(0.33)	(0.89)	-	-	-	-	**0**	0	(1)	0	(0.4)	(6)	**(0.03)**	**(0.06)**	(3.1)	(0.13)	0	(55)	(0.30)	(7.4)	**0**	0	
(0.1)	(0.05)	(0.22)	0	(2)	(1)	(6)	**0**	0	0	0	(0.1)	0	**(0.06)**	**(0.02)**	(1.2)	(0.02)	0	(4)	(0.27)	(0.6)	**0**	(1.3)	
(0.4)	(0.05)	(0.21)	(8)	(8)	(1)	(7)	**(51)**	(51)	(1)	(0.3)	(0.4)	(3)	**(0.07)**	**(0.11)**	(1.9)	(0.04)	(0.3)	(16)	(0.54)	(6.4)	**0**	(0.1)	
(0.2)	(0.04)	(0.17)	(3)	(4)	(1)	(5)	**(17)**	(17)	(1)	(0.3)	(0.2)	(1)	**(0.05)**	**(0.04)**	(1.2)	(0.02)	(0.1)	(7)	(0.31)	(2.4)	**0**	(0.1)	
(1.3)	(0.38)	(0.80)	(Tr)	(6)	(2)	(28)	**0**	0	(2)	0	(0.3)	(1)	**(0.27)**	**(0.08)**	(4.2)	(0.14)	0	(25)	(0.59)	(3.2)	**0**	(1.1)	
(0.7)	(0.18)	(0.65)	(1)	(7)	(2)	(26)	**0**	0	(1)	0	(2.2)	0	**(0.17)**	**(0.05)**	(6.3)	(0.11)	0	(21)	(0.91)	(17.0)	**0**	(0.9)	
(0.6)	(0.09)	(0.40)	0	0	0	0	**(85)**	0	(510)	-	(0.2)	(33)	**(0.02)**	**(0.02)**	(0.8)	(0.02)	0	(7)	(1.33)	(Tr)	**0**	(1.5)	
(1.6)	(0.22)	(1.09)	(0)	(4)	(Tr)	(100)	**(0)**	(0)	(0)	(0)	(0.1)	(0)	**(0.06)**	**(0.03)**	(2.2)	(0.06)	(Tr)	(11)	(0.64)	(2.5)	**(0)**	(1.7)	①あられ 100
(1.7)	(0.28)	(1.16)	(0)	(4)	(1)	(110)	**(0)**	(0)	(1)	(0)	(0.2)	(2)	**(0.06)**	**(0.04)**	(2.7)	(0.08)	(0)	(26)	(0.61)	(4.0)	**(0)**	(1.5)	①あられ 88、甘納豆 6、いり大豆 6
(0.9)	(0.17)	(0.68)	(1)	(4)	(1)	(70)	**0**	0	0	0	(2.3)	(28)	**(0.08)**	**(0.02)**	(2.5)	(0.11)	0	(11)	(0.61)	(1.0)	**0**	(1.2)	
(1.0)	(0.19)	(0.81)	(1)	(5)	(1)	(79)	**0**	0	0	0	(0.2)	0	**(0.09)**	**(0.03)**	(2.8)	(0.13)	0	(14)	(0.69)	(2.1)	**0**	(1.2)	
(1.6)	(0.21)	(1.07)	0	(4)	(Tr)	(98)	**0**	0	0	0	(0.1)	0	**(0.06)**	**(0.03)**	(2.2)	(0.06)	(Tr)	(11)	(0.63)	(2.5)	**0**	(1.7)	
(1.1)	(0.20)	(0.88)	(1)	(5)	(1)	(86)	**0**	0	0	0	(0.2)	0	**(0.10)**	**(0.04)**	(3.0)	(0.14)	0	(16)	(0.75)	(2.3)	**0**	(1.3)	
(0.2)	(0.03)	(Tr)	(7)	(5)	(3)	(1)	**(42)**	(42)	(1)	(0.8)	(0.3)	(2)	**(0.01)**	**(0.07)**	(0.6)	(0.02)	(0.2)	(10)	(0.23)	(4.8)	**0**	(0.1)	乳児用としてカルシウム、ビタミン等の添加品あり
(0.7)	(0.12)	(0.32)	(8)	(8)	(1)	(11)	**(49)**	(49)	(2)	(0.9)	(0.4)	(3)	**(0.12)**	**(0.11)**	(2.6)	(0.07)	(0.3)	(21)	(0.68)	(8.1)	**0**	(0.3)	
(0.1)	(0.05)	(0.21)	0	(2)	(1)	(6)	**0**	0	0	0	(0.1)	0	**(0.05)**	**(0.02)**	(1.1)	(0.01)	0	(4)	(0.26)	(0.6)	**0**	(0.1)	
(1.4)	(0.38)	(0.92)	0	(2)	(4)	(130)	**0**	0	(1)	0	(0.6)	(9)	**(0.02)**	**(0.08)**	(3.6)	(0.17)	0	(75)	(0.34)	(10.0)	**0**	0	糖衣のいり大豆
(0.8)	(0.13)	(0.44)	0	(1)	0	(38)	**0**	0	0	0	(0.1)	0	**(0.04)**	**(0.01)**	(1.4)	(0.07)	0	(7)	(0.36)	(0.8)	**0**	0	

菓子類

Q A ひなあられのルーツって何？▶昔、ひな人形を山や川に連れて行くというひな遊びがあり、その携帯食用としてひしもちを砕いて塩味のあられにしたのがひなあられのルーツといわれる。今でも関西のひなあられは塩やしょうゆの味つけの、いわゆるあられせんべい。関東では、ご飯粒を干して保存したものなどを甘く味つけしたものになった。

らくがん

揚げパン

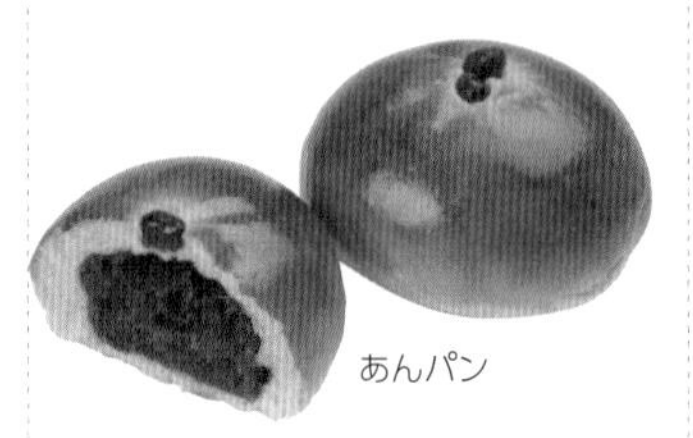

あんパン

カレーパン

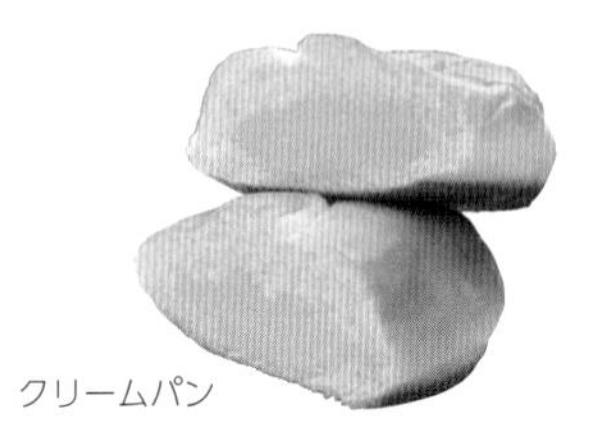

クリームパン

ジャムパン

チョココロネ

らくがん（落雁）
もち米、うるち米、大麦、そば、だいず、あずき、粟などを粉にして砂糖、水飴等を加えて、木型で成形して乾燥させた打ち菓子。季節の花や鶴亀などの縁起物などがかたどられ、日もちもするため、茶の湯や冠婚葬祭に用いられる。
らくがん：もち米、またはうるち米の粉主体でつくられたらくがん。
麦らくがん：麦こがし（大麦を煎った粉）でつくったらくがん。群馬県の銘菓。
もろこしらくがん：あずきの粉、またはさらしあんを主体にしてつくったらくがん。

菓子パン類

Bun with filling　1個＝60～80g

砂糖を多く含むパン生地を使い、さらにあんやジャム、クリーム等を包んで焼いているため、パン類でなく菓子類に分類されている。間食用。
揚げパン
コッペパンを油で揚げたもの。砂糖入りきな粉や砂糖入りココア等をまぶしたものは学校給食の人気メニュー。
あんパン（餡パン）
明治時代に東京・銀座の木村屋が考案した菓子パン。パン生地であんを包んで焼いたもの。表面にけしの実をふってあるものが多い。薄皮タイプはパンよりあんの量が多い。
カレーパン
汁気の少ないカレーをパン生地で包み､揚げたり焼いたりした総菜パン。
クリームパン
甘めのパン生地でカスタードクリームを包んで焼いたもの。このカスタードクリームは小麦粉を使ったフラワーペースト。製菓用のカスタードクリームより卵や油脂が少なく、ややかためののり状。菓子パン用に考案された。薄皮タイプはパンよりカスタードクリームの量が多い。
ジャムパン
甘めのパン生地でジャムを包んで焼いたもの。
チョココロネ
甘めのパン生地をホーン型に巻き付けて焼き、中にチョコレートペーストをしぼり入れたもの。
チョコパン
チョコレートクリームをパン生地で包んだり、パン生地に混ぜたパン。

食品番号	食品名	廃棄率	エネルギー	2015年版の値	水分	たんぱく質	アミノ酸組成によるたんぱく質	脂質	脂肪酸のトリアシルグリセロール当量	脂肪酸 飽和	脂肪酸 一価不飽和	脂肪酸 多価不飽和	コレステロール	炭水化物	利用可能炭水化物（質量計）	食物繊維 食物繊維総量（プロスキー変法）	食物繊維 食物繊維総量（AOAC法）	ミネラル（無機質） ナトリウム	カリウム	カルシウム	マグネシウム	リン	鉄
		%	kcal	kcal	g	g	g	g	g	g	g	g	mg	g	g	g	g	mg	mg	mg	mg	mg	mg
15066	**らくがん** らくがん	0	384	389	(3.0)	(2.4)	(2.0)	(0.2)	(0.2)	(0.07)	(0.04)	(0.05)	0	(94.3)	(93.4)	(0.2)	-	(2)	(19)	(3)	(3)	(17)	(0.2)
15067	麦らくがん	0	396	397	(2.4)	(4.8)	(4.2)	(1.8)	(1.5)	(0.49)	(0.17)	(0.76)	0	(90.4)	(88.7)	(5.4)	-	(2)	(170)	(16)	(46)	(120)	(1.1)
15068	もろこしらくがん	0	374	389	(2.5)	(6.6)	(5.7)	(0.3)	(0.2)	(0.05)	(0.02)	(0.09)	0	(89.9)	(84.4)	(6.9)	-	(130)	(51)	(16)	(22)	(58)	(1.8)
	〈菓子パン類〉																						
15125	**揚げパン**	0	369	377	27.7	8.7	7.5	18.7	17.8	3.34	9.03	4.61	3	43.5	-	1.8	-	450	110	42	19	86	0.6
15069	**あんパン** こしあん入り	0	267	273	(35.5)	(6.8)	(5.8)	(3.6)	(3.4)	(1.57)	(1.11)	(0.51)	(18)	(53.5)	(48.0)	(2.5)	-	(110)	(64)	(30)	(15)	(55)	(1.0)
15168	つぶしあん入り	0	266	274	(35.5)	(7.0)	(6.3)	(3.8)	(3.5)	-	-	-	(18)	(53.0)	(50.3)	(3.3)	-	(130)	(120)	(23)	(18)	(68)	(1.0)
15126	薄皮タイプ こしあん入り	0	256	265	(37.4)	(6.6)	(5.7)	(3.5)	(3.0)	(1.35)	(0.91)	(0.58)	(17)	(51.9)	(50.3)	(2.4)	-	(42)	(45)	(36)	(16)	(50)	(1.3)
15169	つぶしあん入り	0	258	266	(37.4)	(6.8)	(6.1)	(3.7)	(3.4)	-	-	-	(17)	(51.4)	(48.8)	(3.2)	-	(86)	(150)	(21)	(21)	(72)	(1.3)
15127	**カレーパン** 皮及び具	0	302	321	(41.3)	(6.6)	(5.7)	(18.3)	(17.3)	(7.04)	(7.11)	(2.41)	(13)	(32.3)	(29.5)	(1.6)	-	(490)	(130)	(24)	(17)	(91)	(0.7)
15128	皮のみ	0	363	384	30.8	7.2	6.2	22.4	21.2	8.55	8.61	3.13	14	38.4	35.3	1.3	-	390	100	23	16	100	0.7
15129	具のみ	0	168	180	64.5	5.3	4.5	9.3	8.7	3.69	3.80	0.79	11	18.8	16.7	2.4	-	710	200	28	19	69	0.7
15070	**クリームパン**	0	286	291	(35.5)	(7.9)	(6.7)	(7.4)	(6.8)	(3.16)	(2.39)	(0.95)	(98)	(48.3)	(42.3)	(1.3)	-	(150)	(120)	(57)	(15)	(110)	(0.8)
15130	薄皮タイプ	0	218	224	(52.2)	(6.0)	(5.2)	(7.1)	(6.3)	(2.87)	(2.29)	(0.83)	(140)	(33.9)	(31.1)	(0.6)	-	(83)	(110)	(72)	(11)	(120)	(0.7)
15071	**ジャムパン**	0	285	289	(32.0)	(5.3)	(4.5)	(3.9)	(3.7)	(1.73)	(1.23)	(0.57)	(20)	(58.1)	(52.5)	(1.6)	-	(120)	(84)	(20)	(12)	(47)	(0.5)
15072	**チョココロネ**	0	320	339	(33.5)	(5.8)	(4.9)	(15.3)	(14.6)	(6.06)	(5.93)	(1.97)	(21)	(44.4)	(40.9)	(1.1)	-	(160)	(160)	(78)	(18)	(92)	(0.6)
15131	**チョコパン** 薄皮タイプ	0	340	353	(35.0)	(4.7)	(4.0)	(19.4)	(18.5)	(7.39)	(7.85)	(2.43)	(16)	(40.0)	(38.2)	(0.8)	-	(150)	(190)	(100)	(19)	(100)	(0.5)
15132	**メロンパン**	0	349	366	20.9	8.0	6.7	10.5	10.2	4.93	3.44	1.31	37	59.9	56.2	(1.7)	-	210	110	26	16	84	0.6
15181	**菓子パン** あんなし	0	294	304	(30.7)	(8.2)	(7.6)	(6.1)	(5.8)	-	-	-	(31)	(54.1)	(51.1)	(1.7)	-	(190)	(92)	(26)	(16)	(67)	(0.6)
	〈ケーキ・ペストリー類〉																						
15073	**シュークリーム**	0	211	228	(56.3)	(6.0)	(5.5)	(11.4)	(10.4)	(6.28)	(2.95)	(0.66)	(200)	(25.5)	(23.8)	(0.3)	-	(78)	(120)	(91)	(9)	(150)	(0.8)
15074	**スポンジケーキ**	0	283	307	(32.0)	(7.9)	(7.3)	(7.5)	(6.0)	1.97	2.59	1.18	(170)	(52.1)	(49.3)	(0.7)	-	(65)	(92)	(27)	(8)	(94)	(0.8)
15075	**ショートケーキ** 果実なし	0	318	334	(35.0)	(6.9)	(6.4)	(15.2)	(13.8)	(5.80)	(6.34)	(1.03)	(140)	(42.3)	(41.7)	(0.6)	-	(80)	(86)	(31)	(7)	(100)	(0.6)
15170	いちご	0	314	330	(35.0)	(6.9)	(6.3)	(14.7)	(13.4)	-	-	-	(140)	(42.7)	(41.5)	(0.9)	-	(77)	(120)	(34)	(10)	(100)	(0.7)
15133	**タルト**（洋菓子）	0	247	262	(50.3)	(4.7)	(4.1)	(13.5)	(12.3)	(6.94)	(4.01)	(0.74)	(100)	(30.5)	(28.9)	(1.4)	-	(79)	(120)	(82)	(11)	(77)	(0.6)
15134	**チーズケーキ** ベイクドチーズケーキ	0	299	318	(46.1)	(8.5)	(7.9)	(21.2)	(19.3)	(12.11)	(5.30)	(0.94)	(160)	(23.3)	(23.0)	(0.2)	-	(180)	(86)	(53)	(8)	(98)	(0.5)
15135	レアチーズケーキ	0	349	363	(43.1)	(5.8)	(5.3)	(27.5)	(25.2)	(16.59)	(6.36)	(0.90)	(64)	(22.5)	(20.5)	(0.3)	-	(210)	(93)	(98)	(9)	(75)	(0.2)

+PLUS+　**バースデイケーキのろうそく**●古代ギリシアでは、月と狩りの女神アルテミスの誕生を祝うためのケーキに、月の光の象徴としてろうそくを飾ったという。その習慣が中世になってドイツで復活し、ろうそくを飾ったケーキで誕生日を祝うようになった。

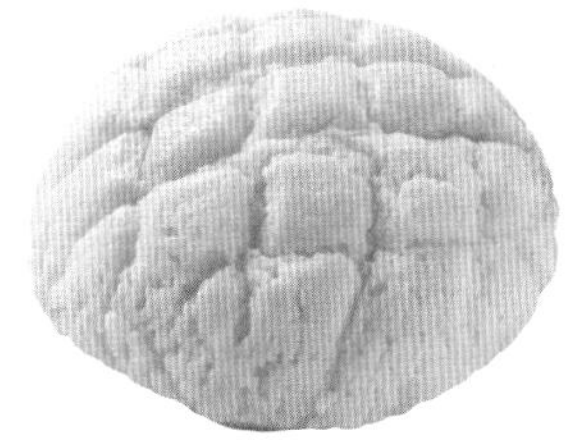

メロンパン

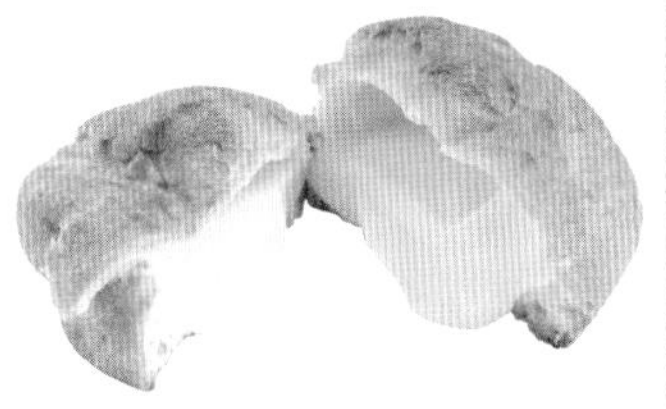

シュークリーム

ショートケーキ（いちご）

スポンジケーキ

タルト（いちご）

ベイクドチーズケーキ

レアチーズケーキ

「薄皮タイプ」は生地に対して中身のチョコクリームが多く入っているもの。

メロンパン
パン生地に甘いクッキー生地をかぶせて焼いたもの。一般に果物のメロンは使用しない。

菓子パン（あんなし）
菓子パン類のパンの部分。食パンやコッペパンに比べ、食塩の使用量が約半分、砂糖は2～3倍の量が使われている。

ケーキ・ペストリー類
Cake and Pastry

シュークリーム 1個＝60g
日本の呼び名はフランス語の「シュー・ア・ラ・クレーム」からきている。シューはキャベツのことで、皮の形がキャベツに似ていることからこの名がある。小麦粉と卵でつくった軽い皮にカスタードクリームやホイップクリームを詰めたもの。

スポンジケーキ 1個＝200g
小麦粉、卵、砂糖が主体の生地を、泡立てた卵の気泡性を利用して、スポンジのようにふわふわに焼いたもの。クリーム等で飾られ、ケーキの土台になる。

ショートケーキ 1個＝100g
スポンジケーキにホイップクリームをはさみ、また、まわりにも塗り、いちご等のフルーツを飾ったものが一般的。

タルト（洋菓子） 1個＝100～120g
パイ生地やビスケット生地を平らなタルト型にのせて押さえ、クリーム、果物、ナッツ等を詰めたもの。生地を焼いてから中身を詰めるタルトと、中身を詰めてから焼くタルトがある。

チーズケーキ 1個＝80～100g
ベイクドチーズケーキ：クリームチーズ、砂糖、卵、小麦粉、レモン汁をよく混ぜ、型に流し込んで焼いたもの。カテージチーズ、マスカルポーネ等のやわらかくて塩分の少ないフレッシュチーズを利用したり、生クリームを加えることも多い。
レアチーズケーキ：クリームチーズ、生クリーム、プレーンヨーグルト、砂糖、レモン汁、ゼラチン等をよく混ぜ、砕いたビスケットにバターを混ぜたものを敷いた型に流し込んで冷やし固めたもの。

可食部100gあたり　Tr：微量　（ ）：推定値または推計値　－：未測定

ミネラル（無機質）							ビタミン															食塩相当量	備考
亜鉛	銅	マンガン	ヨウ素	セレン	クロム	モリブデン	A レチノール活性当量	A レチノール	A β-カロテン当量	D	E αトコフェロール	K	B1	B2	ナイアシン当量	B6	B12	葉酸	パントテン酸	ビオチン	C		①部分割合　②試料
mg	mg	mg	µg	µg	µg	µg	µg	µg	µg	µg	mg	µg	mg	mg	mg	mg	µg	µg	mg	µg	mg	g	
(0.5)	(0.08)	(0.30)	0	0	(1)	0	0	0	0	0	0	0	(0.01)	(Tr)	(0.7)	(0.01)	0	(2)	(0.07)	(Tr)	0	0	みじん粉製品
(1.4)	(0.16)	(0.68)	0	0	0	0	0	0	0	0	(0.2)	0	(0.03)	(0.04)	(3.8)	(0.03)	0	(9)	(0.11)	(Tr)	0	0	麦こがし製品
(0.7)	(0.13)	(0.43)	(Tr)	(1)	(4)	(46)	0	0	0	0	(Tr)	(1)	(0.01)	(0.01)	(1.5)	(0.01)	0	(1)	(0.08)	(2.0)	0	(0.3)	さらしあん製品
0.7	0.09	0.29	22	13	1	11	2	1	3	0	4.3	(0)	0.18	0.13	2.7	0.05	0.1	33	0.32	4.0	0	1.1	揚げパン部分のみ
(0.6)	(0.10)	(0.26)	(2)	(13)	(1)	(21)	(10)	(10)	(Tr)	(0.2)	(0.4)	(2)	(0.06)	(0.07)	(1.8)	(0.03)	(0.1)	(27)	(0.35)	(3.3)	(0)	(0.3)	小豆こしあん入り　①パン 10、あん 7
(0.7)	(0.14)	(0.27)	(2)	(14)	(1)	(29)	(10)	(10)	(Tr)	(0.2)	(0.4)	(3)	(0.06)	(0.07)	(1.9)	(0.04)	(0.1)	(32)	(0.43)	(3.6)	(0)	(0.3)	ミニあんパン　小豆こしあん入り　①パン 22、あん 78
(0.6)	(0.12)	(0.35)	(1)	(5)	(1)	(28)	(4)	(4)	(Tr)	(0.1)	(0.1)	(3)	(0.03)	(0.04)	(1.3)	(0.01)	(Tr)	(11)	(0.16)	(2.1)	(0)	(0.1)	ミニあんパン　小豆こしあん入り　①パン 22、あん 78
(0.7)	(0.18)	(0.35)	(1)	(5)	(1)	(42)	(4)	(4)	(Tr)	(0.1)	(0.2)	(5)	(0.04)	(0.05)	(1.4)	(0.04)	(Tr)	(17)	(0.28)	(2.4)	(0)	(0.2)	ミニあんパン　小豆つぶしあん入り　①パン 22、あん 78
(0.6)	(0.07)	(0.28)	(4)	(14)	(3)	(11)	(34)	(7)	(320)	0	(2.1)	(8)	(0.11)	(0.15)	(2.2)	(0.05)	(0.1)	(17)	(0.26)	(3.3)	0	(1.2)	製品全体　①パン 69、具 31
0.6	0.08	0.28	3	18	2	13	10	9	11	0	2.7	9	0.11	0.18	2.4	0.04	0.1	21	0.26	3.7	0	1.0	
0.7	0.07	0.28	4	6	5	8	87	2	1000	0	0.7	5	0.11	0.07	2.0	0.07	0.1	9	0.24	2.3	0	1.8	
(0.9)	(0.08)	(0.15)	(14)	(20)	(1)	(13)	(66)	(66)	(4)	(1.1)	(0.8)	(4)	(0.10)	(0.14)	(2.4)	(0.07)	(0.4)	(46)	(0.82)	(8.1)	(Tr)	(0.4)	①パン 5、カスタードクリーム 3
(0.8)	(0.05)	(0.08)	(19)	(14)	(0)	(8)	(93)	(92)	(5)	(1.5)	(0.7)	(5)	(0.07)	(0.15)	(1.7)	(0.06)	(0.5)	(34)	(0.82)	(9.0)	(Tr)	(0.2)	ミニクリームパン　①パン 31、カスタードクリーム 69
(0.5)	(0.07)	(0.17)	(3)	(15)	(1)	(10)	(11)	(11)	(Tr)	(0.2)	(0.5)	(2)	(0.07)	(0.07)	(1.7)	(0.04)	(0.1)	(40)	(0.42)	(3.3)	(3)	(0.3)	①パン 5、いちごジャム 3
(0.6)	(0.09)	(0.12)	(6)	(12)	(2)	(9)	(30)	(26)	(47)	(0.4)	(2.1)	(9)	(0.08)	(0.14)	(1.8)	(0.04)	(0.2)	(25)	(0.60)	(3.2)	(Tr)	(0.4)	①パン 5、チョコクリーム 4
(0.6)	(0.08)	(0.10)	(6)	(7)	(2)	(6)	(36)	(30)	(68)	(0.4)	(2.7)	(12)	(0.07)	(0.16)	(1.4)	(0.03)	(0.2)	(14)	(0.60)	(2.3)	(Tr)	(0.4)	ミニチョコパン　①パン 31、チョコクリーム 69
0.6	0.09	0.28	4	15	1	12	40	37	31	0.2	1.2	3	0.09	0.10	2.4	0.05	0.1	29	0.38	3.2	0	0.5	
(0.7)	(0.09)	(0.18)	(4)	(24)	(1)	(15)	(17)	(17)	(1)	(0.4)	(0.7)	(1)	(0.10)	(0.11)	(2.6)	(0.05)	(0.1)	(49)	(0.61)	(5.0)	(0)	(0.5)	
(0.8)	(0.04)	(0.06)	(26)	(10)	(0)	(6)	(150)	(150)	(14)	(2.1)	(0.8)	(8)	(0.07)	(0.18)	(1.5)	(0.07)	(0.7)	(28)	(0.96)	(11.7)	(1)	(0.2)	エクレアを含む　①皮 1、カスタードクリーム 5
(0.6)	(0.05)	(0.14)	(15)	(12)	(1)	(6)	(120)	(120)	(9)	(1.7)	(0.7)	(6)	(0.06)	(0.18)	(2.1)	(0.05)	(0.5)	(24)	(0.68)	(11.0)	(0)	(0.2)	
(0.5)	(0.04)	(0.10)	(13)	(9)	(1)	(6)	(130)	(130)	(31)	(1.4)	(0.6)	(6)	(0.05)	(0.15)	(1.8)	(0.04)	(0.4)	(19)	(0.53)	(8.5)	(0)	(0.2)	デコレーションケーキを含む（果実などの具材は含まない）　スポンジとクリーム部分のみ　①スポンジケーキ 3、ホイップクリーム 1
(0.5)	(0.05)	(0.15)	(13)	(9)	(1)	(8)	(130)	(130)	(34)	(1.3)	(0.7)	(7)	(0.05)	(0.15)	(1.8)	(0.05)	(0.4)	(40)	(0.59)	(8.4)	(15)	(0.2)	①スポンジケーキ 3、ホイップクリーム 1、イチゴ 1
(0.4)	(0.05)	(0.19)	(9)	(5)	(1)	(7)	(120)	(120)	(32)	(0.7)	(0.7)	(6)	(0.05)	(0.11)	(1.2)	(0.04)	(0.2)	(42)	(0.50)	(4.6)	(21)	(0.2)	
(0.7)	(0.03)	(0.04)	(17)	(11)	(0)	(7)	(200)	(190)	(96)	(1.2)	(1.1)	(10)	(0.04)	(0.23)	(2.2)	(0.05)	(0.4)	(21)	(0.60)	(8.0)	(2)	(0.5)	
(0.4)	(0.03)	(0.08)	(10)	(4)	(1)	(8)	(160)	(150)	(93)	(0.2)	(0.7)	(8)	(0.04)	(0.16)	(1.3)	(0.03)	(0.1)	(8)	(0.34)	(1.9)	(2)	(0.5)	

Q A ショートケーキ（Short Cake）のショートって何？▶簡単に（短い時間で）作れるという説や、日持ちしないからという説などさまざまある。海外のショートケーキは日本のそれとはまったく異なり、サクサクした生地に生クリームやいちごをはさんだものをいう。short にはサクサクするという意味もあるからだ。

デニッシュペストリー（りんご）

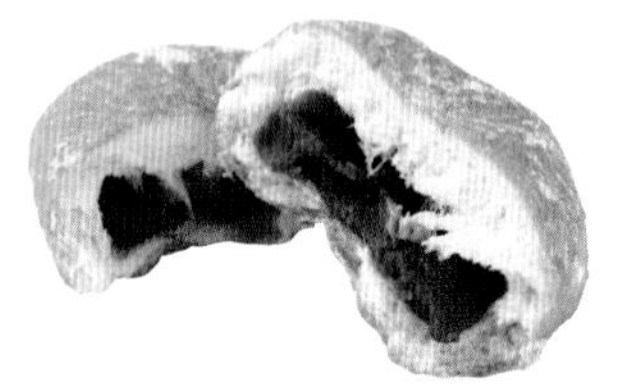

あんドーナッツ

イーストドーナッツ

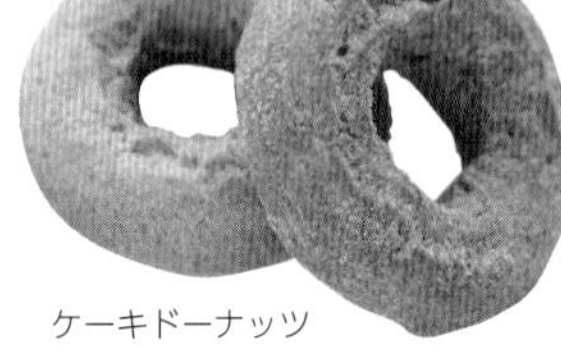

ケーキドーナッツ

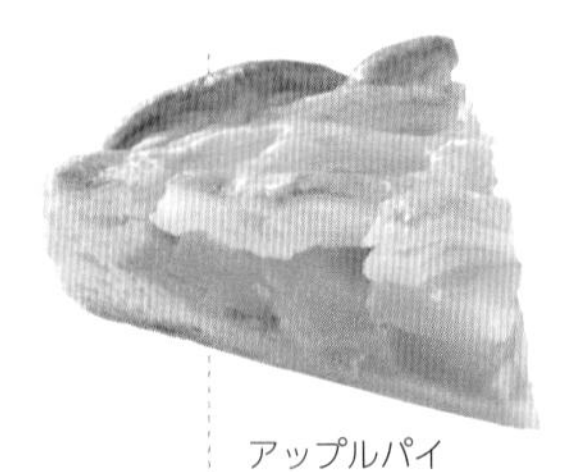

アップルパイ

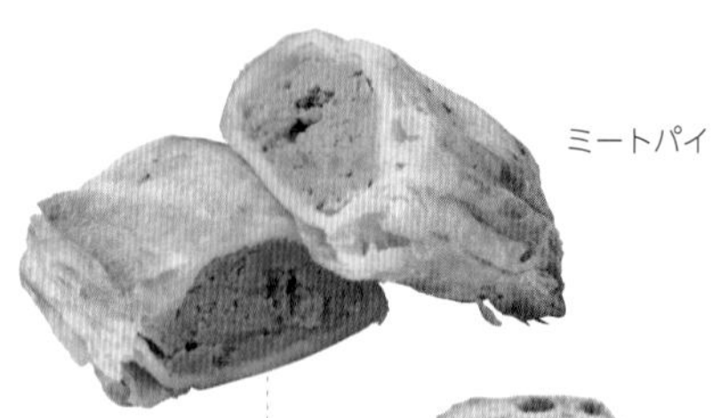

ミートパイ

バターケーキ

デニッシュペストリー 1個＝80g
デンマークのパンという意味。砂糖を多く含む生地に、パイのようにバターを折り込んで焼いたもの。カスタードクリームやフルーツの甘煮などをのせることが多い。
アメリカンタイプは、層が壊れにくいように油脂量を減らしたもの。デンマークタイプは一般的なデニッシュペストリー。

ドーナッツ 1個＝40～50g
小麦粉、卵、砂糖、バター等の生地を成形して揚げた菓子。でき上がったドーナッツにあんやクリームをはさんだアンドーナッツもある。
イーストドーナッツ：生地をあらかじめイーストで発酵させてから揚げたドーナッツ。
ケーキドーナッツ：膨張剤にベーキングパウダーを使ったドーナッツ。

パイ 1個＝80～150g
パイ皮：小麦粉と塩を合わせた生地の層と、バターやショートニング等の脂の層を交互に何重にも折りたたんだフランス式と、層にせずに練り込んだだけのアメリカ式がある。フランス式は、焼くと薄い小麦粉層が何枚も重なったように見える。
アップルパイ：パイ生地にりんごの甘煮をのせ、上からさらにパイ生地をかぶせて焼いた、伝統的なパイ菓子。
ミートパイ：パイ生地に、ひき肉と玉ねぎを調味したものを詰めて焼いたもの。

バターケーキ 1切＝40g
スポンジケーキ等と比べ、バターの配合率が高い。小麦粉、卵、砂糖、バターがすべて同じ割合で含まれるパウンドケーキや、マドレーヌ等が代表的。
ホットケーキ 1枚＝80g
小麦粉、砂糖、卵、牛乳、ベーキングパウダーでつくるゆるめの生地を、フライパンやホットプレート等で手軽に焼くパンケーキ。ホットケーキ用にミックスされた粉が市販されている。

食品番号	食品名	廃棄率	エネルギー	2015年版の値	水分	たんぱく質	アミノ酸組成によるたんぱく質	脂質	脂肪酸のトリアシルグリセロール当量	脂肪酸 飽和	一価不飽和	多価不飽和	コレステロール	炭水化物	利用可能炭水化物（質量計）	食物繊維 食物繊維総量（プロスキー変法）	食物繊維総量（AOAC法）	ミネラル（無機質） ナトリウム	カリウム	カルシウム	マグネシウム	リン	鉄
		%	kcal	kcal	g	g	g	g	g	g	g	g	mg	g	g	g	g	mg	mg	mg	mg	mg	mg
	デニッシュペストリー																						
15182	アメリカンタイプ　プレーン	0	382	279	(31.3)	(6.2)	(5.7)	(26.3)	(25.0)	-	-	-	(41)	(35.1)	(31.9)	(2.1)	-	(300)	(92)	(27)	(13)	(68)	(0.6)
15076	デンマークタイプ　プレーン	0	440	415	(25.5)	(6.5)	(5.8)	(34.0)	(32.3)	(16.95)	(10.76)	(3.12)	(62)	(33.2)	(29.3)	(2.7)	-	(220)	(80)	(17)	(13)	(70)	(0.7)
15183	アメリカンタイプ　あん入り　こしあん	0	330	271	(32.8)	(6.0)	(5.3)	(15.6)	(14.8)	-	-	-	(24)	(44.9)	(42.2)	(2.9)	-	(180)	(68)	(33)	(15)	(60)	(1.0)
15184	つぶしあん	0	323	264	(34.6)	(6.0)	(5.3)	(15.7)	(14.8)	-	-	-	(24)	(42.9)	(40.0)	(3.6)	-	(200)	(120)	(23)	(17)	(70)	(1.0)
15171	デンマークタイプ　あん入り　こしあん	0	384	322	(25.5)	(6.5)	(5.8)	(21.3)	(20.1)	-	-	-	(39)	(46.1)	(42.9)	(3.3)	-	(130)	(65)	(29)	(16)	(64)	(1.1)
15172	つぶしあん	0	387	322	(25.5)	(6.6)	(5.9)	(22.0)	(20.7)	-	-	-	(40)	(45.2)	(41.7)	(4.2)	-	(160)	(120)	(19)	(19)	(77)	(1.1)
15185	アメリカンタイプ　あん入り　カスタードクリーム	0	304	243	(42.8)	(5.8)	(5.2)	(19.3)	(18.1)	-	-	-	(93)	(31.2)	(29.0)	(1.4)	-	(200)	(100)	(51)	(11)	(97)	(0.6)
15173	デンマークタイプ　あん入り　カスタードクリーム	0	417	343	(25.5)	(7.3)	(6.6)	(29.6)	(27.8)	-	-	-	(130)	(36.6)	(33.5)	(2.1)	-	(180)	(120)	(56)	(14)	(120)	(0.9)
	ドーナッツ																						
15077	イーストドーナッツ　プレーン	0	379	386	(27.5)	(7.2)	(6.4)	(20.2)	(19.4)	(3.52)	(8.30)	(6.73)	(19)	(43.9)	(33.2)	(1.5)	-	(310)	(110)	(43)	(14)	(73)	(0.5)
15174	あん入り　こしあん	0	341	349	(27.5)	(6.8)	(6.1)	(12.6)	(12.0)	-	-	-	(12)	(52.2)	(44.8)	(2.6)	-	(190)	(85)	(45)	(16)	(66)	(1.0)
15175	つぶしあん	0	341	351	(27.5)	(7.0)	(6.3)	(13.0)	(12.4)	-	-	-	(12)	(51.5)	(43.7)	(3.4)	-	(220)	(140)	(36)	(19)	(78)	(1.0)
15176	カスタードクリーム	0	371	379	(27.5)	(7.7)	(7.0)	(18.9)	(17.7)	-	-	-	(97)	(44.6)	(36.3)	(1.2)	-	(250)	(140)	(75)	(15)	(120)	(0.7)
15078	ケーキドーナッツ　プレーン	0	367	375	(20.0)	(7.2)	(6.6)	(11.7)	(11.2)	(3.70)	(4.28)	(2.68)	(90)	(60.2)	(58.7)	(1.2)	-	(160)	(120)	(42)	(9)	(95)	(0.6)
15177	あん入り　こしあん	0	353	345	(20.0)	(8.3)	(7.6)	(5.4)	(7.7)	-	-	-	(120)	(63.7)	(62.2)	(2.4)	-	(110)	(90)	(46)	(13)	(83)	(1.1)
15178	つぶしあん	0	355	346	(20.0)	(8.6)	(7.8)	(5.7)	(8.0)	-	-	-	(120)	(63.1)	(61.3)	(3.4)	-	(130)	(150)	(36)	(16)	(96)	(1.1)
15179	カスタードクリーム	0	375	369	(20.0)	(9.6)	(8.8)	(10.5)	(12.7)	-	-	-	(250)	(56.7)	(55.8)	(0.7)	-	(140)	(150)	(76)	(11)	(140)	(0.8)
15079	**パイ**　パイ皮	0	373	394	(32.0)	(5.0)	(4.6)	(25.4)	(23.3)	5.26	9.97	7.06	(1)	(36.4)	(34.5)	(1.3)	-	(390)	(50)	(9)	(9)	(31)	(0.3)
15080	アップルパイ	0	294	304	(45.0)	(4.0)	(3.7)	(17.5)	(16.0)	(3.61)	(6.84)	(4.85)	(1)	(32.8)	(36.9)	(1.2)	-	(180)	(54)	(5)	(5)	(17)	(0.2)
15081	ミートパイ	0	381	397	(36.2)	(9.7)	(8.9)	(29.9)	(27.4)	(6.67)	(11.85)	(7.72)	(13)	(22.2)	(29.0)	(1.8)	-	(440)	(110)	(11)	(11)	(46)	(0.5)
15082	**バターケーキ**	0	422	443	(20.0)	(5.8)	(5.3)	(25.3)	(23.2)	(14.73)	(6.12)	(1.18)	(160)	(48.0)	(47.4)	(0.7)	-	(240)	(74)	(22)	(7)	(67)	(0.6)
15083	**ホットケーキ**	0	253	260	(40.0)	(7.7)	(7.0)	(5.4)	(4.9)	(2.33)	(1.61)	(0.76)	(77)	(45.3)	(43.8)	(1.1)	-	(260)	(210)	(110)	(13)	(160)	(0.5)
15084	**ワッフル**　カスタードクリーム入り	0	241	252	(45.9)	(7.3)	(6.6)	(7.9)	(7.0)	(3.18)	(2.55)	(0.97)	(140)	(38.1)	(37.0)	(0.8)	-	(63)	(160)	(99)	(12)	(150)	(0.8)
15085	ジャム入り	0	279	286	(33.0)	(4.9)	(4.5)	(4.2)	(3.9)	(1.75)	(1.32)	(0.60)	(53)	(57.3)	(55.9)	(1.3)	-	(43)	(120)	(44)	(10)	(68)	(0.4)
	〈デザート菓子類〉																						
15086	**カスタードプリン**	0	116	128	(74.1)	(5.7)	(5.3)	(5.5)	(4.5)	2.10	1.60	0.57	(120)	(14.0)	(13.8)	-	-	(69)	(130)	(81)	(9)	(110)	(0.5)
15136	**牛乳寒天**	0	61	65	(85.2)	(1.1)	(1.0)	(1.3)	(1.2)	(0.79)	(0.29)	(0.04)	(4)	(12.2)	(11.6)	(0.5)	-	(15)	(51)	(38)	(4)	(32)	(0.1)

+PLUS+ **ゼラチンと寒天を上手に使い分けよう●**ゼラチンの特徴は、冷やすと固まり常温で溶ける、泡を抱き込む力がある、たんぱく質分解酵素を含む果物などを生のままで使うと固まらない、口溶けがよい等があげられる。寒天は、常温で固まる、たんぱく質分解酵素を含む果物を使っても固まる、凝固力が強い等があげられる。

ホットケーキ

ワッフル
(カスタードクリーム入り)

カスタードプリン

牛乳寒天

ワッフル 1個＝50～70g
小麦粉、砂糖、バター、牛乳、卵でつくった生地を、格子状の凸凹の型等に流し入れて焼いたもの。ベルギーワッフルのように、しっかり両面を焼くかためのタイプもあるが、スポンジ状のふわふわ生地を、楕円形に焼き、カスタードクリームやジャムをのせて巻いたものが一般的。

デザート菓子類
Pudding and chilled dessert

カスタードプリン 1個＝100g
別名プリン、カスタードプディング。牛乳、砂糖、卵を合わせてこし、型に入れてオーブンなどで蒸し焼きにするシンプルな菓子。卵の熱凝固を利用するため、本来は凝固剤を使わないが、ゼリーのように冷やし固めるタイプのものも出回っている。メーカーによっては熱で固めたプリンを「焼きプリン」として区別している。また、生クリーム等を加えたものも多いので、カロリーは個別差が大きい。

牛乳寒天
別名ミルク寒天、牛乳ようかん。水に寒天を入れて煮溶かし、牛乳と砂糖を加えて冷やし固めたもの。

パンケーキ？ ホットケーキ??

2010年頃から始まったブームによってすっかり定着したパンケーキだが、ホットケーキとどう違うのだろう。実は明確な区別はない。日本では、パンケーキは薄めで甘くない食事系、ホットケーキは厚めではちみつ等をかけて食べるスイーツ系というイメージがあるようだ。海外では両方ともパンケーキと呼ぶのが一般的で、ホットケーキでは通じない地域が多いとか。

パンケーキ

可食部100gあたり Tr：微量 ( )：推定値または推計値 －：未測定

ミネラル(無機質)							ビタミン																
亜鉛	銅	マンガン	ヨウ素	セレン	クロム	モリブデン	A レチノール活性当量	A レチノール	A β-カロテン当量	D	E αトコフェロール	K	B_1	B_2	ナイアシン当量	B_6	B_{12}	葉酸	パントテン酸	ビオチン	C	食塩相当量	備考 ①部分割合 ②試料
mg	mg	mg	µg	µg	µg	µg	µg	µg	µg	µg	mg	µg	mg	mg	mg	mg	µg	µg	mg	µg	mg	g	
(0.7)	(0.07)	(0.11)	(4)	(14)	(Tr)	(9)	**(56)**	(53)	(42)	(1.6)	(3.1)	(9)	**(0.11)**	**(0.12)**	(2.3)	(0.05)	(0.1)	(63)	(0.50)	(5.4)	**(0)**	(0.8)	デニッシュ部分のみ
(0.7)	(0.07)	(0.10)	(5)	(14)	(Tr)	(8)	**(82)**	(78)	(52)	(2.1)	(3.9)	(11)	**(0.11)**	**(0.12)**	(2.3)	(0.06)	(0.1)	(62)	(0.51)	(6.0)	**(0)**	(0.5)	デニッシュ部分のみ
(0.6)	(0.10)	(0.24)	(3)	(9)	(Tr)	(19)	**(33)**	(31)	(24)	(0.9)	(1.8)	(7)	**(0.07)**	**(0.08)**	(1.7)	(0.03)	(0.1)	(38)	(0.31)	(3.7)	**0**	(0.5)	①デニッシュペストリープレーン 10、並練りあん7
(0.7)	(0.12)	(0.23)	(3)	(9)	(1)	(26)	**(33)**	(31)	(24)	(0.9)	(1.9)	(8)	**(0.07)**	**(0.08)**	(1.8)	(0.04)	(0.1)	(41)	(0.37)	(3.9)	**0**	(0.5)	①デニッシュペストリープレーン 10、つぶし練りあん7
(0.7)	(0.10)	(0.25)	(3)	(9)	(Tr)	(20)	**(51)**	(48)	(33)	(1.3)	(2.4)	(9)	**(0.07)**	**(0.09)**	(1.9)	(0.03)	(0.1)	(39)	(0.33)	(4.4)	**(0)**	(0.3)	①デニッシュペストリープレーン 10、並練りあん7
(0.7)	(0.14)	(0.24)	(3)	(9)	(1)	(27)	**(52)**	(50)	(33)	(1.3)	(2.5)	(10)	**(0.08)**	**(0.09)**	(1.9)	(0.05)	(0.1)	(43)	(0.41)	(4.6)	**0**	(0.4)	①デニッシュペストリープレーン 10、つぶし練りあん7
(0.7)	(0.06)	(0.08)	(12)	(12)	(Tr)	(8)	**(83)**	(80)	(29)	(1.7)	(2.2)	(8)	**(0.09)**	**(0.14)**	(1.9)	(0.06)	(0.3)	(50)	(0.65)	(7.4)	**(Tr)**	(0.5)	①デニッシュペストリープレーン 5、カスタードクリーム 3
(0.9)	(0.07)	(0.10)	(15)	(15)	(Tr)	(9)	**(120)**	(120)	(43)	(2.5)	(3.3)	(12)	**(0.11)**	**(0.17)**	(2.3)	(0.07)	(0.4)	(60)	(0.81)	(9.5)	**(Tr)**	(0.5)	①デニッシュペストリープレーン 5、カスタードクリーム 3
(0.6)	(0.07)	(0.17)	(5)	(17)	(1)	(12)	**(10)**	(10)	(Tr)	(0.2)	(2.5)	(25)	**(0.09)**	**(0.11)**	(2.2)	(0.05)	(0.1)	(37)	(0.56)	(3.9)	**(Tr)**	(0.8)	
(0.6)	(0.10)	(0.29)	(3)	(10)	(1)	(22)	**(6)**	(6)	(Tr)	(0.1)	(1.5)	(17)	**(0.06)**	**(0.08)**	(1.8)	(0.03)	(0.1)	(23)	(0.36)	(3.0)	**(0)**	(0.5)	①イーストドーナッツプレーン 10、並練りあん7
(0.7)	(0.14)	(0.29)	(3)	(11)	(1)	(29)	**(7)**	(7)	(Tr)	(0.1)	(1.6)	(18)	**(0.06)**	**(0.08)**	(1.9)	(0.04)	(0.1)	(27)	(0.43)	(3.2)	**(0)**	(0.6)	①イーストドーナッツプレーン 10、つぶし練りあん7
(0.8)	(0.07)	(0.15)	(16)	(17)	(1)	(11)	**(66)**	(65)	(4)	(1.1)	(2.2)	(22)	**(0.10)**	**(0.16)**	(2.3)	(0.07)	(0.4)	(40)	(0.84)	(7.9)	**(Tr)**	(0.6)	①イーストドーナッツプレーン 5、カスタードクリーム 3
(0.4)	(0.06)	(0.21)	(10)	(8)	(1)	(7)	**(54)**	(53)	(2)	(0.9)	(1.3)	(9)	**(0.07)**	**(0.12)**	(2.0)	(0.04)	(0.3)	(16)	(0.58)	(6.4)	**(0)**	(0.4)	
(0.6)	(0.10)	(0.32)	(6)	(5)	(1)	(20)	**(34)**	(34)	(1)	(0.6)	(0.9)	(8)	**(0.05)**	**(0.09)**	(1.7)	(0.03)	(0.2)	(11)	(0.39)	(4.7)	**(0)**	(0.3)	①ケーキドーナッツプレーン 10、並練りあん7
(0.6)	(0.13)	(0.32)	(6)	(5)	(1)	(27)	**(35)**	(35)	(1)	(0.6)	(0.9)	(9)	**(0.06)**	**(0.09)**	(1.8)	(0.04)	(0.2)	(14)	(0.46)	(5.0)	**(0)**	(0.3)	①ケーキドーナッツプレーン 10、つぶし練りあん7
(0.7)	(0.06)	(0.18)	(20)	(10)	(1)	(8)	**(100)**	(100)	(5)	(1.6)	(1.4)	(11)	**(0.09)**	**(0.17)**	(2.1)	(0.06)	(0.5)	(25)	(0.88)	(10.0)	**(Tr)**	(0.4)	①ケーキドーナッツプレーン 5、カスタードクリーム 3
(0.3)	(0.06)	(0.19)	0	(11)	(1)	(9)	**0**	0	0	(Tr)	(2.5)	(2)	**(0.05)**	**(0.02)**	(1.3)	(0.02)	0	(6)	(0.32)	(0.7)	**0**	(1.0)	
(0.1)	(0.04)	(0.09)	(0)	(5)	(1)	(4)	**(Tr)**	(0)	(4)	(Tr)	(1.2)	(1)	**(0.03)**	**(0.01)**	(0.6)	(0.02)	(0)	(3)	(0.15)	(0.5)	**(1)**	(0.4)	①パイ皮 1、甘煮りんご 1
(0.6)	(0.07)	(0.17)	(0)	(12)	(1)	(8)	**(36)**	(1)	(420)	(0.1)	(2.2)	(3)	**(0.14)**	**(0.05)**	(2.5)	(0.07)	(0.1)	(7)	(0.45)	(1.2)	**(Tr)**	(1.1)	
(0.4)	(0.04)	(0.12)	(10)	(8)	(1)	(5)	**(200)**	(190)	(54)	(1.2)	(0.8)	(8)	**(0.05)**	**(0.12)**	(1.5)	(0.03)	(0.3)	(16)	(0.48)	(7.0)	**0**	(0.6)	パウンドケーキ、マドレーヌを含む
(0.5)	(0.05)	(Tr)	(12)	(6)	(3)	(9)	**(52)**	(51)	(5)	(0.7)	(0.5)	(3)	**(0.08)**	**(0.16)**	(2.1)	(0.05)	(0.3)	(15)	(0.68)	(5.1)	**(Tr)**	(0.7)	
(0.8)	(0.05)	(0.13)	(24)	(10)	(Tr)	(7)	**(110)**	(110)	(7)	(1.7)	(0.8)	(6)	**(0.08)**	**(0.19)**	(1.9)	(0.07)	(0.6)	(25)	(0.96)	(10.2)	**(1)**	(0.2)	①皮 1、カスタードクリーム 1
(0.3)	(0.04)	(0.18)	(7)	(4)	(1)	(5)	**(32)**	(31)	(2)	(0.5)	(0.4)	(4)	**(0.05)**	**(0.09)**	(1.2)	(0.04)	(0.2)	(22)	(0.41)	(3.5)	**(6)**	(0.1)	①皮 1、いちごジャム 1
(0.6)	(0.02)	(0.01)	(20)	(9)	0	(4)	**(88)**	(87)	(6)	(1.4)	(0.5)	(5)	**(0.04)**	**(0.20)**	(1.5)	(0.05)	(0.5)	(18)	(0.69)	(8.4)	**(1)**	(0.2)	プリン部分のみ
(0.1)	(Tr)	(0.01)	(6)	(1)	0	(1)	**(13)**	(13)	(2)	(0.1)	(Tr)	(1)	**(0.01)**	**(0.05)**	(0.3)	(0.01)	(0.1)	(2)	(0.19)	(0.6)	**(Tr)**	0	杏仁豆腐を含む

Q&A ドーナッツの真ん中の穴は何のため？▶ヨーロッパで小麦粉を丸くして揚げていたものがアメリカに伝わり、油で揚げるときに火の通りをよくするために穴が空けられたといわれている。また、名前の由来はドー（パン生地）とナッツ（くるみ）を合わせたものという意味。

こんにゃくゼリー ポーションタイプ1個＝25g

果汁等をこんにゃく粉で固めたもので、弾力性が強い。ゲル化剤を用いて凝固させるため、こんにゃく特有のくさみがない。

ゼリー 1個＝100g

寒天、ゼラチン、ペクチンなどの冷やして固まるタイプの凝固剤を使い、果汁等を型に入れて冷やし固めた菓子。最近は、海草抽出物で、よりゼラチンの食感に似たカラギーナン等を凝固剤として使うものが増えた。カロリーのほとんどが糖分によるもの。

ババロア

生クリームを主体にし、牛乳、卵黄、砂糖とともにゼラチンで冷やし固めた菓子。乳脂肪分が多いため、冷菓の中ではカロリーが高い。

ビスケット類
Biscuits

ウエハース 1枚＝3g

小麦粉、砂糖、卵等を合わせた半流動体の生地を、格子模様の入った型にはさみ、薄く焼いた焼き菓子。軽くてパリッとした食感が特徴。消化がよいことから、幼児や病人食のおやつとして用いられるため、栄養補助としてカルシウム等が添加されているものが多い。クリームをはさんだ短冊形のものが一般的。アイスクリームに添えられることもある。

クラッカー 1枚＝3～4g

小麦粉主体の生地をイーストで発酵させ、高温で短時間に焼き上げた菓子。クラック（砕ける）が語源。焼き上げてから油をかける「オイルスプレークラッカー」と、重曹を加える「ソーダクラッカー」とに分けられる。塩味のものが多いので、チーズやペースト状のディップ等を乗せて、おつまみに使うことも多い。

サブレ 1枚＝10g

フランス語で「砂」という意味。小麦粉、油脂、卵、砂糖、膨張剤を合わせた生地をのばし、型抜きして、グラニュー糖をまぶして焼いたもの。現在はグラニュー糖をまぶしていない型抜きクッキーもサブレと呼ばれている。

中華風クッキー

油脂としてラードを使っているクッキー。アーモンドの入った「杏仁酥（しんれんすう）」等。

食品番号	食品名	廃棄率	エネルギー	2015年版の値	水分	たんぱく質	アミノ酸組成によるたんぱく質	脂質	脂肪酸のトリアシルグリセロール当量	脂肪酸 飽和	脂肪酸 一価不飽和	脂肪酸 多価不飽和	コレステロール	炭水化物	利用可能炭水化物（質量計）	食物繊維 食物繊維総量（プロスキー変法）	食物繊維 食物繊維総量（AOAC法）	ミネラル（無機質） ナトリウム	カリウム	カルシウム	マグネシウム	リン	鉄
		%	kcal	kcal	g	g	g	g	g	g	g	g	mg	g	g	g	g	mg	mg	mg	mg	mg	mg
15142	**こんにゃくゼリー**	0	65	66	(83.2)	0	-	(0.1)	-	-	-	-	0	(16.4)	11.5	(0.8)	-	(58)	(110)	(15)	(1)	(37)	(Tr)
15087	**ゼリー** オレンジ	0	80	89	(77.6)	(2.1)	(1.9)	(0.1)	(0.1)	(0.02)	(0.02)	(0.02)	0	(19.8)	(17.8)	(0.2)	-	(5)	(180)	(9)	(10)	(17)	(0.1)
15088	コーヒー	0	43	48	(87.8)	(1.6)	(1.4)	0	0	-	-	-	0	(10.3)	(9.6)	-	-	(5)	(47)	(2)	(5)	(5)	(Tr)
15089	ミルク	0	103	108	(76.8)	(4.3)	(4.0)	(3.7)	(3.4)	(2.27)	(0.85)	(0.11)	(12)	(14.4)	(14.1)	-	-	(43)	(150)	(110)	(10)	(91)	(Tr)
15090	ワイン	0	65	66	(84.1)	(1.7)	(1.7)	0	-	-	-	-	0	(13.2)	(13.1)	-	-	(5)	(11)	(1)	(1)	(1)	(0.1)
15091	**ババロア**	0	204	218	(60.9)	(5.6)	(5.0)	(12.9)	(11.7)	(5.27)	(5.13)	(0.78)	(150)	(19.9)	(19.9)	-	-	(52)	(90)	(72)	(6)	(130)	(0.6)
	〈ビスケット類〉																						
15092	**ウエハース**	0	439	454	2.1	7.6	(7.0)	13.6	12.0	5.95	4.59	0.89	18	75.3	(74.5)	1.2	-	480	76	21	9	63	0.6
15141	クリーム入り	0	492	489	(2.7)	(7.5)	(7.0)	(21.8)	(20.7)	(10.88)	(7.17)	(1.71)	(1)	(65.5)	(68.1)	(2.1)	-	(370)	(58)	(16)	(7)	(48)	(0.5)
15093	**クラッカー** オイルスプレークラッカー	0	481	492	2.7	8.5	(7.7)	22.5	21.1	9.03	8.34	2.76	-	63.9	-	2.1	-	610	110	180	18	190	0.8
15094	ソーダクラッカー	0	421	427	3.1	10.4	(9.6)	9.8	9.3	3.66	4.26	0.95	-	74.4	-	2.1	-	730	140	55	21	85	0.7
15095	**サブレ**	0	459	468	(3.1)	(6.1)	(5.7)	(16.6)	(16.1)	(7.27)	(5.80)	(2.27)	(54)	(73.5)	(71.7)	(1.3)	-	(73)	(110)	(36)	(8)	(84)	(0.5)
15054	**中華風クッキー**	0	513	533	(3.0)	(5.1)	(4.5)	(29.5)	(27.6)	(11.22)	(11.97)	(3.21)	(75)	(61.8)	(60.7)	(1.1)	-	(97)	(81)	(25)	(6)	(63)	(0.4)
15097	**ビスケット** ハードビスケット	0	422	432	2.6	7.6	6.4	10.0	8.9	3.98	3.42	1.12	10	77.8	71.9	2.3	-	320	140	330	22	96	0.9
15098	ソフトビスケット	0	512	522	3.2	5.7	(5.3)	27.6	23.9	12.42	8.81	1.56	58	62.6	(67.0)	1.4	-	220	110	20	12	66	0.5
15099	**プレッツェル**	0	465	480	1.0	9.9	(8.6)	18.6	16.8	5.05	9.61	1.35	-	68.2	-	2.6	-	750	160	36	22	140	0.9
15096	**リーフパイ**	0	558	566	2.5	5.8	(5.2)	35.5	(34.7)	(16.20)	(12.37)	(4.52)	1	55.8	(53.9)	1.7	-	54	77	14	8	42	0.4
15100	**ロシアケーキ**	0	486	497	(4.0)	(5.8)	(5.4)	(23.4)	(22.9)	(8.95)	(9.49)	(3.44)	(1)	(65.8)	(63.3)	(1.8)	-	(200)	(140)	(41)	(32)	(75)	(0.5)
	〈スナック類〉																						
15101	**小麦粉あられ**	0	472	481	(2.0)	(7.6)	(7.0)	(19.5)	(18.4)	(6.43)	(8.58)	(2.56)	(1)	(68.8)	(66.3)	(2.3)	-	(710)	(100)	(18)	(11)	(55)	(0.5)
15102	**コーンスナック**	0	516	526	0.9	5.2	(4.7)	27.1	25.4	9.97	9.68	4.65	(0)	65.3	-	1.0	-	470	89	50	13	70	0.4
15103	**ポテトチップス** ポテトチップス	0	541	554	2.0	4.7	(4.4)	35.2	(34.2)	(3.86)	(14.47)	(14.41)	Tr	54.7	-	4.2	-	400	1200	17	70	100	1.7
15104	成形ポテトチップス	0	515	540	2.2	5.8	(6.3)	32.0	28.8	12.96	12.29	2.25	-	57.3	-	4.8	-	360	900	49	53	140	1.2

＋PLUS＋ バレンタインデーの由来●ローマ帝国時代の聖バレンティヌス（バレンタイン）が皇帝の命令で結婚が禁じられていた兵士たちを結婚させたために逮捕・処刑された日が2月14日だったことに由来する。ただし日本でチョコレートを贈って愛を告白する日となったのは、製菓会社のキャンペーンがきっかけだったという説もある。

プレッツェル

リーフパイ

ロシアケーキ

小麦粉あられ

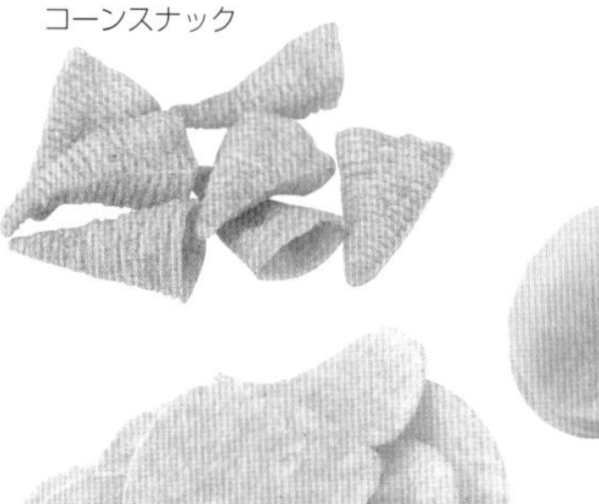

コーンスナック

ポテトチップス

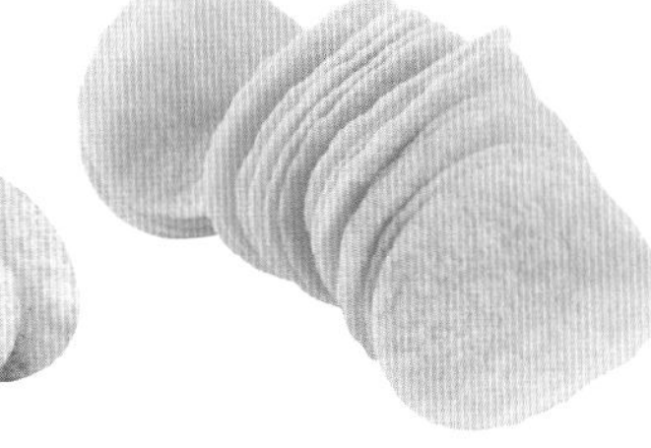

成形ポテトチップス

ビスケット 1袋＝80g

比較的グルテンの多い中力小麦粉を使った、歯ごたえのある「ハードビスケット」と、薄力小麦粉を使った、さっくりとした「ソフトビスケット」がある。ハードビスケットはガス抜きのための針穴があるのが特徴。通常クッキーと呼ばれるものはソフトビスケットに含まれる。

プレッツェル

小麦粉が主体の生地を、独特の結び方で成形して、水酸化ナトリウム水等のアルカリ水にくぐらせ、塩をまぶして焼いたもの。日本ではごく細い棒状のスナック菓子が主流。

リーフパイ 1枚＝7g

小麦粉を主体とした層と、油脂の層を、交互に何度も折り重ねて焼いた菓子。口当たりは軽いが、油の量が多いのでカロリーは高い。

ロシアケーキ 1個＝40g

ビスケットの上にマカロンの生地（ピーナッツ、アーモンド等を煎ってつぶし、砂糖を加えたもの）を絞って焼き、さらに粘度の高いジャム等で飾り付けした菓子。2度焼きしてあるため、少々かたく、ケーキというよりは2段構えの厚焼きクッキーのようである。

スナック類
Snacks

小麦粉あられ 10個＝10g

別名**小麦粉系スナック**。小麦粉に水を加え、加熱しながら練った生地を成形、乾燥して揚げたもの、または焼いたもの。生地自体にえび等の風味が練り込まれているものもある。

コーンスナック 1袋＝80g

コーングリッツ（とうもろこしの粉の一種）を主とした生地を膨張させ、乾燥、調味したもの。成形が自在なので、各メーカーでさまざまな形のものが出回っている。揚げてあるものも多いので、カロリーは高い。

ポテトチップス 1袋＝80g

通常の「ポテトチップス」は薄切りにしたじゃがいもを油で揚げて調味したもの。「成形ポテトチップス」は、乾燥マッシュポテトを主とした生地を同じ形に成形後、油で揚げて調味したもの。どちらにも脂質、塩分ともに多く含まれている。

ビスケットの日がある !?

ビスケットの語源はラテン語のビス・コクトゥス（bis coctus）で、意味はビス（2度）・コクトゥス（焼かれたもの）。16世紀にポルトガル人が伝えた南蛮菓子にビスケットも含まれていたが、日本人には人気がなかったという。

しかし、よく焼いてあり保存がきくことに江戸時代末期の水戸藩が注目し、兵糧用にするため、長崎に留学していた藩士の柴田方庵にビスケットの製法の入手を依頼した。方庵は長崎のオランダ商人に製法を学び、安政2（1855）年2月28日に製法書を水戸藩に送っている。(社) 全国ビスケット協会ではそれを記念して、2月28日をビスケットの日とした。

可食部100gあたり　Tr：微量　( )：推定値または推計値　-：未測定

亜鉛	銅	マンガン	ヨウ素	セレン	クロム	モリブデン	A レチノール活性当量	レチノール	β-カロテン当量	D	E αトコフェロール	K	B1	B2	ナイアシン当量	B6	B12	葉酸	パントテン酸	ビオチン	C	食塩相当量	備考 ①部分割合 ②試料
mg	mg	mg	µg	µg	µg	µg	µg	µg	µg	µg	mg	µg	mg	mg	mg	mg	µg	µg	mg	µg	mg	g	
(Tr)	(Tr)	(0.01)	0	0	(1)	0	**0**	0	(2)	0	0	0	**(Tr)**	**0**	(Tr)	(Tr)	0	0	0	(Tr)	**0**	(0.1)	
(0.1)	(0.03)	(0.03)	(1)	0	(1)	(1)	**(4)**	0	(45)	0	(0.3)	0	**(0.07)**	**(0.02)**	(0.3)	(0.06)	0	(26)	(0.22)	(0.3)	**(40)**	0	ゼラチンゼリー　ゼリー部分のみ
0	(Tr)	(0.02)	0	0	0	0	**0**	0	0	0	0	0	**0**	**(Tr)**	(0.6)	0	0	0	(Tr)	(1.1)	**0**	0	ゼラチンゼリー　ゼリー部分のみ
(0.4)	(0.01)	0	(16)	(3)	0	(4)	**(37)**	(37)	(6)	(0.3)	(0.1)	(2)	**(0.04)**	**(0.15)**	(0.7)	(0.03)	(0.3)	(5)	(0.54)	(1.8)	**(1)**	(0.1)	ゼラチンゼリー　ゼリー部分のみ
0	(Tr)	(0.02)	0	0	(Tr)	0	**0**	0	0	0	0	0	**0**	**0**	(Tr)	(Tr)	0	0	(0.01)	(0.2)	**0**	0	ゼラチンゼリー　ゼリー部分のみ
(0.6)	(0.02)	(0.01)	(21)	(7)	(Tr)	(5)	**(130)**	(130)	(24)	(1.6)	(0.6)	(7)	**(0.04)**	**(0.13)**	(1.0)	(0.05)	(0.6)	(20)	(0.67)	(8.4)	**(Tr)**	(0.1)	ババロア部分のみ
0.4	0.14	0.23	-	-	-	-	**17**	16	9	0	1.1	4	**0.03**	**0.08**	(2.2)	0.02	Tr	6	0.24	-	**0**	1.2	乳幼児用としてカルシウム、ビタミン等添加品あり
(0.3)	(0.11)	(0.18)	(0)	(0)	(0)	(0)	**(13)**	(12)	(7)	(Tr)	(1.9)	(4)	**(0.02)**	**(0.06)**	(1.6)	(0.02)	(0)	(5)	(0.18)	(0)	**(0)**	(0.9)	乳幼児用としてカルシウム、ビタミン等添加品あり
0.5	0.12	0.49	0	3	2	10	**(0)**	(0)	(0)	-	12.0	4	**0.08**	**0.04**	(2.5)	0.04	-	12	0.45	1.7	**(0)**	1.5	
0.4	0.14	0.55	-	-	-	-	**(0)**	(0)	(0)	-	1.5	1	**0.05**	**0.04**	(2.9)	0.04	-	22	0.54	-	**(0)**	1.9	
(0.3)	(0.06)	(0.23)	(5)	(6)	(1)	(7)	**(30)**	(30)	(1)	(0.6)	(1.7)	(3)	**(0.07)**	**(0.07)**	(1.7)	(0.03)	(0.2)	(12)	(0.45)	(4.1)	**(0)**	(0.2)	
(0.3)	(0.05)	(0.19)	(4)	(5)	(1)	(6)	**(27)**	(27)	(1)	(0.5)	(0.4)	(4)	**(0.06)**	**(0.06)**	(1.4)	(0.02)	(0.1)	(10)	(0.37)	(3.6)	**0**	(0.2)	ラードを用いたもの
0.5	0.12	0.58	4	4	2	9	**18**	18	6	Tr	0.9	2	**0.13**	**0.22**	2.4	0.06	-	16	0.63	2.2	**(0)**	0.8	乳幼児用としてカルシウム、ビタミン等添加品あり
0.4	0.08	0.33	3	4	1	9	**150**	130	180	Tr	2.2	6	**0.06**	**0.05**	(1.8)	0.04	-	7	0.45	2.3	**(0)**	0.6	クッキーを含む
0.5	0.12	0.43	-	-	-	-	**5**	(0)	59	-	2.6	7	**0.13**	**0.11**	(3.1)	0.06	-	27	0.51	-	**-**	1.9	
0.2	0.06	0.30	Tr	3	1	8	**0**	0	0	Tr	3.5	2	**0.08**	**0.02**	(1.6)	0.02	0	6	0.37	0.8	**0**	0.1	パルミエを含む
(0.4)	(0.14)	(0.37)	(Tr)	(3)	(1)	(4)	**(1)**	(1)	(1)	(Tr)	(4.5)	(1)	**(0.06)**	**(0.14)**	(1.8)	(0.02)	(Tr)	(9)	(0.27)	(1.0)	**0**	(0.5)	①ビスケット 4、マカロン 2、クリーム 1
(0.3)	(0.08)	(0.39)	(Tr)	(4)	(2)	(11)	**0**	0	0	(Tr)	(2.0)	(1)	**(0.10)**	**(0.03)**	(1.8)	(0.03)	0	(8)	(0.48)	(1.1)	**0**	(1.8)	
0.3	0.05	0.08	-	-	-	-	**11**	(0)	130	-	3.7	-	**0.02**	**0.05**	(1.3)	0.06	-	8	0.30	-	**(0)**	1.2	
0.5	0.21	0.40	260	0	3	10	**(0)**	(0)	(0)	-	6.2	-	**0.26**	**0.06**	(5.6)	-	-	70	0.94	1.6	**15**	1.0	
0.7	0.20	0.30	-	-	-	-	**0**	0	0	-	2.6	4	**0.25**	**0.05**	(5.2)	0.54	-	36	1.08	-	**9**	0.9	

Q A ビスケットとクッキーの違いは何？▶外国ではビスケットとクッキーの明確な違いはない。アメリカではビスケットというと柔らかい菓子パンのこと。イギリスでは日本でいうクッキーもビスケットと呼ぶ。日本だけはこの2つを区別しており、糖分と脂肪分の合計が40%以上のものをクッキー、それ以下のものをビスケットと定めている。

かわり玉　ゼリーキャンデー　ドロップ　マシュマロ　キャラメル　ゼリービーンズ　ブリットル　ラムネ

キャンデー類

Candy　1個＝3～4g

砂糖と水飴を主原料とした洋風のなめるタイプの菓子の総称。低温で煮詰めて仕上げるソフトキャンデーと、高温で煮詰めるハードキャンデーに分けられる。

かわり玉

別名**チャイナマーブル**。砂糖の核に色や味の違う糖液をかけながらつくる。

キャラメル　1個＝3g

砂糖、水飴、練乳などを、比較的低温（120～125℃）で煮詰め、四角く切ったもの。ソフトキャンデーのひとつ。

ゼリーキャンデー

砂糖、水飴に香料、色素などを添加したものをペクチン、ゼラチン、寒天などの凝固剤で固めたもの。

ゼリービーンズ

ゼリーキャンデーの表面に糖がけしたもの。糖衣の色も中の味もさまざまで、カラフルなものの代名詞にもなっている。

ドロップ

砂糖、水飴に香料等を加え、高温（約145℃）で煮詰め、型で打ち抜きしたハードキャンデー。

バタースコッチ

ドロップのフレーバーにバターを用いたハードキャンデー。

ブリットル

砕けやすいという意味の、ナッツが入ったハードキャンデー。気泡をつくるために膨張剤を使用。

マシュマロ

泡立てた卵白、糖液、ゼラチンを混ぜて成形し、コーンスターチをまぶしたソフトキャンデー。欧米では焼いて食べる。

ラムネ

砂糖主体の原料に果汁やミント等のフレーバーを加えて圧縮成型したタブレット菓子。

チョコレート類

Chocolate

カカオ豆を原料にした菓子。カカオマスと砂糖でつくられるスイートチョコレートと、それに乳製品を加えたミルクチョコレートがある。

アーモンドチョコレート

アーモンドをチョコレートで包んだもの。粒のままのアーモンドを香ばしく焙煎し、チョコレートで包んでアーモンドのような形に仕上げたものが多い。

ざぼん漬→p.164、ナタデココ→p.166、パインアップル 砂糖漬→p.170、黒蜜→p.82、ホイップクリーム→p.290

食品番号	食品名	廃棄率	エネルギー	2015年版の値	水分	たんぱく質	アミノ酸組成によるたんぱく質	脂質	脂肪酸のトリアシルグリセロール当量	脂肪酸 飽和	脂肪酸 一価不飽和	脂肪酸 多価不飽和	コレステロール	炭水化物	利用可能炭水化物（質量計）	食物繊維 食物繊維総量（プロスキー変法）	食物繊維 食物繊維総量（AOAC法）	ミネラル（無機質） ナトリウム	カリウム	カルシウム	マグネシウム	リン	鉄
		%	kcal	kcal	g	g	g	g	g	g	g	g	mg	g	g	g	g	mg	mg	mg	mg	mg	mg
	〈キャンデー類〉																						
15109	かわり玉	0	392	385	(0.5)	0	-	0	-	-	-	-	0	(99.5)	(99.5)	-	-	(1)	(2)	(1)	0	0	0
15105	キャラメル	0	426	433	5.4	4.0	(3.4)	11.7	10.4	7.45	2.06	0.35	14	77.9	-	-	-	110	180	190	13	100	0.3
15107	ゼリーキャンデー	0	334	336	(16.0)	(Tr)	(Tr)	0	0	-	-	-	0	(83.9)	(83.1)	(0.9)	-	(2)	(1)	(8)	(1)	(1)	(0.1)
15108	ゼリービーンズ	0	358	362	(9.5)	(Tr)	(Tr)	(Tr)	0	-	-	-	0	(90.4)	(89.5)	(0.9)	-	(2)	(6)	(10)	(2)	(6)	(0.2)
15110	ドロップ	0	389	392	(2.0)	0	-	0	-	-	-	-	0	(98.0)	(98.0)	-	-	(1)	(1)	(1)	0	(Tr)	(Tr)
15111	バタースコッチ	0	414	423	(2.0)	(Tr)	(Tr)	(6.5)	(6.0)	(4.10)	(1.45)	(0.16)	(17)	(91.0)	(91.1)	-	-	(150)	(4)	(2)	(Tr)	(2)	(Tr)
15112	ブリットル	0	506	521	(1.5)	(12.6)	(11.8)	(26.5)	(27.0)	(5.28)	(12.90)	(7.63)	0	(58.1)	(52.5)	(3.6)	-	(72)	(380)	(26)	(100)	(200)	(0.9)
15113	マシュマロ	0	324	326	(18.5)	(2.1)	(2.1)	0	-	-	-	-	0	(79.3)	(79.3)	-	-	(7)	(1)	(1)	0	(1)	(0.1)
15106	ラムネ	0	373	373	7.0	0	-	0.5	-	-	-	-	(0)	92.2	-	-	-	67	5	110	2	5	0.1
	〈チョコレート類〉																						
15137	アーモンドチョコレート	0	562	583	(2.0)	(11.4)	(10.4)	(40.4)	(39.6)	(14.19)	(18.68)	(5.02)	(12)	(43.3)	(38.2)	(6.1)	-	(41)	(550)	(240)	(150)	(320)	(2.8)
15114	カバーリングチョコレート	0	488	504	(2.0)	(7.1)	(6.0)	(24.3)	(23.1)	(13.43)	(7.55)	(1.09)	(15)	(64.2)	(62.2)	(3.2)	-	(140)	(320)	(160)	(50)	(180)	(1.6)
15115	ホワイトチョコレート	0	588	588	0.8	7.2	-	39.5	37.8	22.87	11.92	1.32	22	50.9	(55.4)	0.6	-	92	340	250	24	210	0.1
15116	ミルクチョコレート	0	550	558	0.5	6.9	(5.8)	34.1	32.8	19.88	10.38	1.08	19	55.8	(56.5)	3.9	-	64	440	240	74	240	2.4
	〈果実菓子類〉																						
15117	マロングラッセ	0	303	317	21.0	1.1	(0.9)	0.3	(0.2)	(0.05)	(0.03)	(0.15)	(0)	77.4	(75.0)	-	-	28	60	8	-	20	0.6
	〈チューインガム類〉																						
15118	板ガム	20	388	388	(3.1)	0	-	0	-	-	-	-	0	(96.9)	-	-	-	(3)	(3)	(3)	-	(Tr)	(0.1)
15119	糖衣ガム	20	390	390	(2.4)	0	-	0	-	-	-	-	0	(97.6)	-	-	-	(2)	(4)	(1)	-	(Tr)	(0.1)
15120	風船ガム	25	387	387	(3.3)	0	-	0	-	-	-	-	0	(96.7)	-	-	-	(3)	(4)	(3)	-	(Tr)	(0.1)
15138	〈その他〉 カスタードクリーム	0	174	188	(61.8)	(5.1)	(4.4)	(7.6)	(6.5)	(2.90)	(2.48)	(0.79)	(180)	(24.8)	(24.6)	(0.2)	-	(34)	(120)	(93)	(9)	(140)	(0.7)
15139	しるこ こしあん	0	211	216	(46.1)	(4.7)	(4.0)	(0.3)	(0.1)	(0.03)	(0.01)	(0.07)	0	(48.7)	(47.1)	(3.2)	-	(2)	(29)	(35)	(14)	(40)	(1.3)
15140	つぶしあん	0	179	183	(54.5)	(4.2)	(3.6)	(0.4)	(0.2)	(0.06)	(0.01)	(0.12)	0	(40.5)	(38.6)	(4.3)	-	(42)	(120)	(14)	(17)	(55)	(1.1)
15180	チョコレートクリーム	0	481	496	(14.6)	(4.6)	(4.0)	(32.0)	(30.6)	-	-	-	(15)	(47.3)	(47.0)	(0.6)	-	(200)	(310)	(160)	(26)	(150)	(0.6)

+PLUS+　**チョコレートは貴重品**●メキシコではカカオは「神様の食べ物」といわれ、16世紀ごろまでカカオ豆はアステカ族の通貨としても使われた。当時のチョコレートは、カカオ豆をすりつぶしてバニラやスパイスで香りをつけたどろどろした高価な飲み物だった。

ホワイトチョコレート　ミルクチョコレート

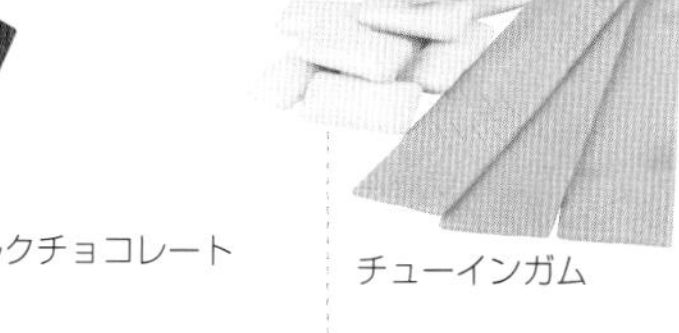

チューインガム

しるこ（つぶしあん）

アーモンド
チョコレート

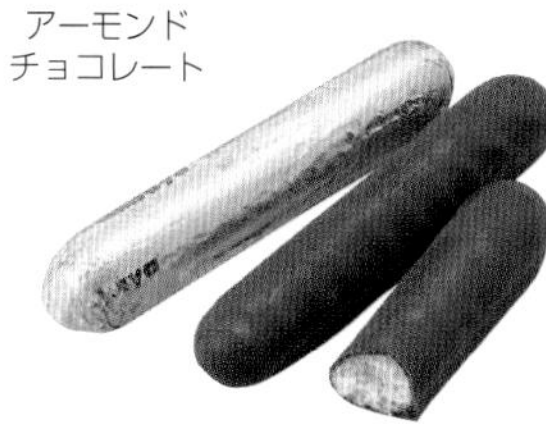

カバーリングチョコレート

マロングラッセ

カスタードクリーム

チョコレートクリーム

カバーリングチョコレート
別名**エンローバーチョコレート**。ビスケットなどをチョコレートでコーティングしたもの。

ホワイトチョコレート
カカオマスを用いず、カカオバターと砂糖でつくったチョコレート。

ミルクチョコレート　1枚＝50g
カカオマス、カカオバター、砂糖、粉乳を原料としたチョコレート。

果実菓子類
Candied Fruits　1個＝20g

マロングラッセ
栗を、糖度の低い砂糖液から高い液へと順次浸漬して糖分を浸透させ、加熱・乾燥したもの。

チューインガム類
Chewing gum　1枚＝3～4g

植物性樹脂、酢酸ビニル樹脂等のガムベースに砂糖や香料を加えたもの。昔ながらの板状に成形された「板ガム」、砂糖主体の衣にくるまれた「糖衣ガム」、破れにくい樹脂を使って風船のようにふくらませる楽しみをもたせた「風船ガム」等がある。

カスタードクリーム
Pastry Cream

牛乳、砂糖、卵黄、薄力小麦粉を混ぜ、よくかき混ぜながらゆっくり加熱してとろみをつけたもの。洋菓子の基本のクリーム。

しるこ
Sweet red bean soup　1杯＝150g

あずきを甘く煮たり、あずきのあんに砂糖を加えてつくる汁物。もちや白玉等を入れることが多い。
こしあん：別名**御膳しるこ**。関西ではこしあんでつくるものをしること呼ぶ。
つぶしあん：関西では粒あん（つぶしあん）のものを**ぜんざい**と呼び、関東では**田舎しるこ**とも呼ぶ。

チョコレートクリーム
Chocolate Cream

チョコレートとカスタードクリームでつくる。生クリームでつくるものはガナッシュという。

可食部100gあたり　Tr：微量　（ ）：推定値または推計値　-：未測定

亜鉛 mg	銅 mg	マンガン mg	ヨウ素 µg	セレン µg	クロム µg	モリブデン µg	A レチノール活性当量 µg	レチノール µg	β-カロテン当量 µg	D µg	E α-トコフェロール mg	K µg	B1 mg	B2 mg	ナイアシン当量 mg	B6 mg	B12 µg	葉酸 µg	パントテン酸 mg	ビオチン µg	C mg	食塩相当量 g	備考 ①部分割合 ②試料
ミネラル（無機質）							ビタミン																
0	(0.01)	0	0	0	0	0	**0**	0	0	0	0	0	**0**	**0**	0	0	0	0	0	(0.1)	**0**	0	
0.4	0.03	0.06	14	3	1	6	**110**	110	15	3.0	0.5	3	**0.09**	**0.18**	2.0	0.02	-	5	0.58	2.7	**(0)**	0.3	②ハードタイプ
(Tr)	(0.01)	(0.04)	0	0	0	0	**0**	0	0	0	0	0	**0**	**0**	0	0	0	0	(0.01)	0	**0**	0	寒天ゼリー
(Tr)	(0.01)	(0.04)	0	0	(1)	0	**0**	0	0	0	0	0	**0**	**0**	0	0	0	0	(0.01)	(Tr)	**0**	0	①糖衣 5、ゼリー 6
0	(0.01)	(Tr)	0	0	0	0	**0**	0	0	0	0	0	**0**	**0**	0	0	0	0	0	(Tr)	**0**	0	
0	(0.01)	(Tr)	0	0	0	(Tr)	**(62)**	(61)	(15)	(0.1)	(0.1)	(2)	**0**	**(Tr)**	0	0	0	0	(0.01)	(0.1)	**0**	(0.4)	
(1.5)	(0.35)	(1.08)	(Tr)	(1)	0	(48)	**0**	0	(3)	0	(5.4)	0	**(0.12)**	**(0.07)**	(14.0)	(0.23)	0	(29)	(1.10)	(53.0)	**0**	(0.2)	いり落花生入り
0	(0.01)	(Tr)	0	0	0	0	**0**	0	0	0	0	0	**0**	**0**	0	0	0	0	(Tr)	(Tr)	**0**	0	
0	0.05	0	1	0	1	Tr	**(0)**	(0)	(0)	(0)	(0)	(0)	**0**	**0**	0	0	0	Tr	0	0	**2**	0.2	
(2.3)	(0.77)	(1.14)	(12)	(4)	(15)	(7)	**(43)**	(41)	(28)	(0.6)	(11.0)	(4)	**(0.19)**	**(0.64)**	(4.3)	(0.10)	0	(35)	(1.18)	(4.9)	**0**	(0.1)	①チョコレート 27、アーモンド 15 テオブロミン：0.1g、カフェイン：0g、ポリフェノール：0.5g
(1.1)	(0.36)	(0.38)	(12)	(5)	(15)	(10)	**(42)**	(40)	(23)	(0.6)	(0.9)	(4)	**(0.15)**	**(0.27)**	(2.4)	(0.08)	(Tr)	(14)	(1.14)	(5.0)	**(0)**	(0.3)	ビスケット等をチョコレートで被覆したもの　①チョコレート 3、ビスケット 2 テオブロミン：0.1g、カフェイン：Tr、ポリフェノール：0.4g
0.8	0.02	0.02	20	5	1	8	**50**	47	39	Tr	0.8	9	**0.08**	**0.39**	1.4	0.05	-	8	1.05	4.4	**-**	0.2	ポリフェノール：Tr
1.6	0.55	0.41	19	6	24	11	**66**	63	37	1	0.7	6	**0.19**	**0.41**	(2.8)	0.11	-	18	1.56	7.6	**(0)**	0.2	テオブロミン：0.2 g、カフェイン：Tr、ポリフェノール：0.7 g
-	-	-	-	-	-	-	**1**	0	10	(0)	-	-	**-**	**0.03**	(0.3)	-	-	-	-	-	**0**	0.1	
-	-	-	-	-	-	-	**0**	0	0	(0)	-	-	**0**	**0**	0	-	-	-	-	-	**0**	0	廃棄部位：ガムベース
-	-	-	-	-	-	-	**0**	0	0	(0)	-	-	**0**	**0**	0	-	-	-	-	-	**0**	0	廃棄部位：ガムベース
-	-	-	-	-	-	-	**0**	0	0	(0)	-	-	**0**	**0**	0	-	-	-	-	-	**0**	0	廃棄部位：ガムベース
(0.9)	(0.02)	(0.04)	(18)	(10)	0	(5)	**(120)**	(120)	(12)	(1.9)	(2.5)	(7)	**(0.07)**	**(0.16)**	(1.3)	(0.07)	(0.6)	(26)	(0.83)	(11.0)	**(1)**	(0.1)	業務用
(0.5)	(0.11)	(0.35)	0	0	(Tr)	(28)	**0**	0	0	0	0	(3)	**(0.01)**	**(0.02)**	(0.9)	0	0	(1)	(0.03)	(1.2)	**0**	0	具材は含まない
(0.5)	(0.15)	(0.30)	0	0	(1)	(37)	**0**	0	0	0	(0.1)	(4)	**(0.01)**	**(0.02)**	(0.8)	(0.02)	0	(6)	(0.13)	(1.3)	**-**	(0.1)	具材は含まない
(0.6)	(0.10)	(0.07)	(10)	(2)	(6)	(4)	**(53)**	(45)	(95)	(3.2)	(4.3)	(16)	**(0.07)**	**(0.23)**	(1.1)	(0.03)	(0.3)	(3)	(0.77)	(1.8)	**(1)**	(0.5)	テオブロミン：Tr

QA 生チョコは「生」なの？▶カカオマスに生クリームや洋酒を練り込んだ、柔らかく口溶けのよい食感のチョコレートのこと。「生クリーム」を使っているという意味で、「加熱していない」というわけではない。ただし水分を多く含むため、賞味期限は短い。トリュフの核になるガナッシュを、日本でアレンジしたものが生チョコの始まりらしい。

16 し好飲料類 BEVERAGES

ハーブティー

し好飲料類とは

し好飲料類とは、栄養摂取をおもな目的とはせず、香味や刺激を楽しむための飲料である。アルコールを含む飲料（酒精飲料）とアルコールを含まない飲料（ソフトドリンク）に大別され、後者には、清涼飲料類（果実飲料、乳清飲料など）のほかに、コーヒー、ココア、茶などがある。現代のし好の多様化に応じて、さまざまな飲料がつくられている。

1 栄養上の特徴

アルコールは、胃の消化活動を活発にする働きがあり、適量であればメリットがあるが、飲み過ぎるとカロリーの過剰摂取、肝臓への負担など、健康に害を及ぼすので注意する。

茶やコーヒーには、カフェインやタンニンなどの成分が含まれている。ビタミンCは、緑茶類のみに含まれ、紅茶やウーロン茶、コーヒーには含まれない。

●カフェインとタンニンの量

種類	抹茶	玉露	せん茶	ウーロン茶	紅茶	コーヒー
カフェイン ○=1.0	3.2	3.5	2.3	2.4	2.7	1.3
タンニン ○=10.0	10.0	10.0	13.0	12.5	20.0	8.0

●カフェインとタンニンの作用・効用

成分	作用	効用
カフェイン	中枢神経刺激作用	覚醒作用・疲労回復・ストレス解消
	強心作用・利尿作用	血液循環の促進・新陳代謝の活性化
	頭痛の鎮静	特に偏頭痛に効く
タンニン（カテキン類）	抗酸化作用	老化防止
	コレステロール・脂質上昇抑制作用	動脈硬化の予防
	抗菌・抗ウイルス解毒作用	食中毒・下痢・インフルエンザ・虫歯の予防
	抗突然変異作用	発がん抑制

（小学館「食材図典」による）

●ポリフェノールって、何だろう?

植物に含まれる色素や苦味の成分のこと。カテキンやタンニンもポリフェノールの一種。人体に悪影響があるとされる活性酸素を除去する抗酸化力をもち、動脈硬化や胃かいよう、アルコール性肝障害の防止にも効果があるといわれている。ポリフェノールの効き目は2〜3時間。さまざまな食品を上手に利用して、こつこつ補給することが大切である。

●おもな市販飲料のポリフェノール含有量

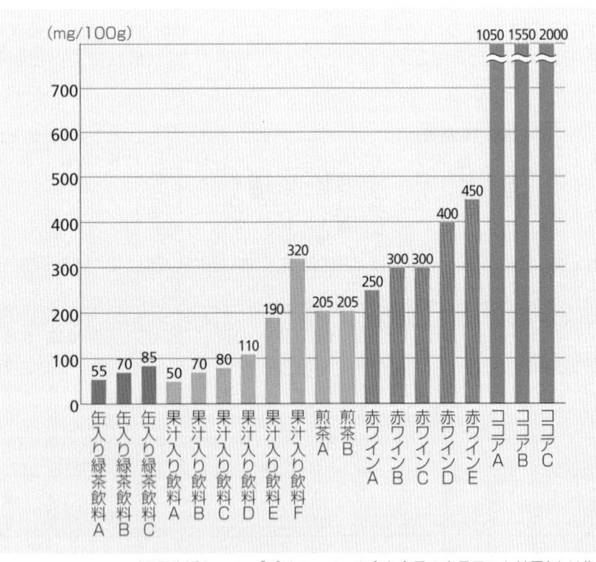

（国民生活センター「ポリフェノール含有食品の商品テスト結果」より作成）

食品番号	食品名	廃棄率 %	エネルギー kcal	2015年版の値 kcal	水分 g	たんぱく質 g	アミノ酸組成によるたんぱく質 g	脂質 g	脂肪酸のトリアシルグリセロール当量 g	脂肪酸 飽和 g	脂肪酸 一価不飽和 g	脂肪酸 多価不飽和 g	コレステロール mg	炭水化物 g	利用可能炭水化物（質量計） g	食物繊維 食物繊維総量（プロスキー変法） g	食物繊維 食物繊維総量（AOAC法） g	ミネラル（無機質） ナトリウム mg	カリウム mg	カルシウム mg	マグネシウム mg	リン mg	鉄 mg
	〈アルコール飲料類〉																						
	（醸造酒類）																						
16001	**清酒** 普通酒	0	**107**	109	82.4	**0.4**	0.3	**Tr**	0	0	0	0	0	**4.9**	2.5	0	-	2	5	**3**	1	7	**Tr**
16002	純米酒	0	**102**	103	83.7	**0.4**	(0.3)	**Tr**	0	0	0	0	0	**3.6**	(2.3)	0	-	4	5	**3**	1	9	**0.1**
16003	本醸造酒	0	**106**	107	82.8	**0.4**	(0.3)	**0**	0	0	0	0	0	**4.5**	(2.6)	0	-	2	5	**3**	1	8	**Tr**
16004	吟醸酒	0	**103**	104	83.6	**0.3**	(0.2)	**0**	0	0	0	0	0	**3.6**	(2.4)	0	-	2	7	**2**	1	7	**Tr**
16005	純米吟醸酒	0	**102**	103	83.5	**0.4**	(0.3)	**0**	0	0	0	0	0	**4.1**	(2.5)	0	-	3	5	**2**	1	8	**Tr**

+PLUS+ **醸造酒のアルコール分は 20 度が限界**●醸造酒は酵母で糖分をアルコールに変えてつくる酒だが、糖分がたくさんあっても、アルコールが増えると酵母の増殖が止まってしまう。自分でつくり出したアルコールに殺菌されてしまうのだ。

純米酒

本醸造酒

吟醸酒

純米吟醸酒

大吟醸酒

特別純米酒

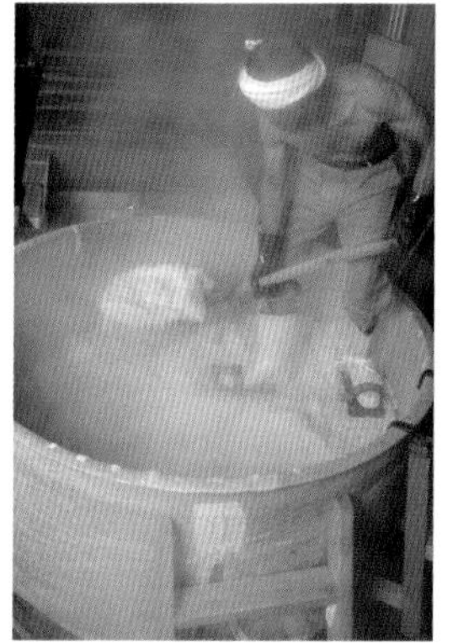
日本酒の醸造工程

酒造のタンク

アルコール飲料類

Alcoholic beverage

エチルアルコールが含まれている飲料。酒税法では、アルコール分を1度（1%）以上含むものをいう。酒に含まれるアルコール分は、ほとんどが酵母の作用によって糖がアルコール発酵したもの。なお、容量あたりの重さは備考欄参照のこと。

醸造酒類

Fermented alcoholic beverage

穀類、果実等の原料を酵母で発酵させたまま、またはろ過して製品化した酒。原料自体に含まれる糖分を直接発酵させた「単発酵酒」と、穀類等のでん粉質を糖化させてから発酵させた「複発酵酒」がある。

清酒　1合（180mL）=180g

別名**日本酒**。米、米こうじ、水を原料として発酵・濾過したもの。

普通酒：表に掲載している特定名称の清酒以外の日本酒のこと。レギュラー酒とも呼ばれる。

純米酒：米と米こうじ、水だけでつくられた日本酒。

本醸造酒：精米歩合70%以下の米と米こうじ、醸造アルコール、水を原料とした日本酒。

吟醸酒（ぎんじょう）：精米歩合60%以下の米と米こうじ、醸造アルコールを原料としてつくられた日本酒。

純米吟醸酒：吟醸酒で醸造アルコールを使用していないもの。

清酒の特定名称と基準

特定名称	使用原料	精米歩合	香味などの要件
吟醸酒	米、米こうじ、醸造アルコール	60%以下	吟醸造り　固有の香味、色沢が特に良好
大吟醸酒	米、米こうじ、醸造アルコール	50%以下	吟醸造り　固有の香味、色沢が良好
純米酒	米、米こうじ	―	香味、色沢が良好
純米吟醸酒	米、米こうじ	60%以下	吟醸造り　固有の香味、色沢が良好
純米大吟醸酒	米、米こうじ	50%以下	吟醸造り　固有の香味、色沢が特に良好
特別純米酒	米、米こうじ	60%以下　または特別な製造方法（要説明表示）	香味、色沢が特に良好
本醸造酒	米、米こうじ、醸造アルコール	70%以下	香味、色沢が良好
特別本醸造酒	米、米こうじ、醸造アルコール	60%以下　または特別な製造方法（要説明表示）	香味、色沢が特に良好

製法によるアルコール飲料の分類

製法		名称	原料	アルコール分（%）
醸造酒	原料を酵母で発酵させたもの	ワイン	ぶどう	12
		清酒	米など	15～17
		ビール	麦・ホップ	4～8
蒸留酒	醸造酒をさらに蒸留したもの	焼酎	米・麦・いもなど	20～35
		ウイスキー	麦・とうもろこし	39～43
		ブランデー	ワイン	39～43
混成酒	醸造酒、蒸留酒に香味を付けたもの	みりん	もち米	14～22
		リキュール類	醸造酒・蒸留酒	17～35
		白酒	もち米・みりん	8.5

（小学館「食材図典」による）

可食部100gあたり　Tr：微量　（ ）：推定値または推計値　－：未測定

ミネラル（無機質） 亜鉛 mg	銅 mg	マンガン mg	ヨウ素 µg	セレン µg	クロム µg	モリブデン µg	ビタミン A レチノール活性当量 µg	A レチノール µg	A β-カロテン当量 µg	D µg	E αトコフェロール mg	K µg	B1 mg	B2 mg	ナイアシン当量 mg	B6 mg	B12 µg	葉酸 µg	パントテン酸 mg	ビオチン µg	C mg	食塩相当量 g	備考 ①アルコール ②試料 ③カフェイン ④タンニン ⑤浸出法
0.1	Tr	0.16	1	0	0	1	0	0	0	0	0	0	Tr	0	Tr	0.07	0	0	0	0	0	0	① 15.4 容量%　(100g：100.1mL、100mL：99.9g)
0.1	Tr	0.18	-	-	-	-	0	0	0	0	0	0	Tr	0	(Tr)	0.12	0	0	0.02	-	0	0	① 15.4 容量%　(100g：100.2mL、100mL：99.8g)
0.1	Tr	0.19	-	-	-	-	0	0	0	0	0	0	Tr	0	(Tr)	0.09	0	0	0	-	0	0	① 15.4 容量%　(100g：100.2mL、100mL：99.8g)
0.1	0.01	0.16	-	-	-	-	0	0	0	0	0	0	0	0	(Tr)	0.12	0	0	0.06	-	0	0	① 15.7 容量%　(100g：100.3mL、100mL：99.7g)
0.1	0.01	0.20	-	-	-	-	0	0	0	0	0	0	0	0	(Tr)	0.14	0	0	0.06	-	0	0	① 15.1 容量%　(100g：100.2mL、100mL：99.8g)

Q A　アルコール度が一番高い酒は何？▶ポーランドでつくられているスピリタス。なんと70回以上の蒸留を繰り返すことで、96度という高アルコール度数に仕上げるのだ。ほんの少しの火種でも発火するため火気厳禁。たばこを吸いながら飲むなんて絶対ダメ。もっともそのまま飲むものではなく、果実酒作りや医療用に利用される酒なのだ。

びんビール　淡色　黒　スタウト

発泡酒

新ジャンル
（第三のビール）

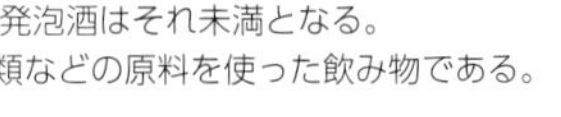

ビールは麦芽を50%以上使用しなければいけないが、発泡酒はそれ未満となる。
新ジャンル（第三のビール）は麦芽を使用しないで、豆類などの原料を使った飲み物である。

ホップ

ビール工場

ぶどう畑

発酵させるため、
樽に保存

赤　ロゼ　白

ビール
大びん1本=633mL　中1缶（350mL）=350g
麦芽、ホップ、水を原料として発酵させたもの。麦芽の使用割合が100%のものと、特定の副原料として麦・米・とうもろこし等を使用して発酵させたもので麦芽の割合が50%以上のものをビールと定めている。
淡色：ビールを色調によって分類すると「淡色」「中等色」「濃色」に分けられる。淡色は一番淡い。世界で最も一般的なビール。
黒：濃色ビールの一種。麦芽を強く熱して糖分をカラメル化してあるため、褐色になる。濃厚で焦げたような苦味が特徴。
スタウト：日本では、濃色の麦芽を原料の一部に用い、色が濃く、香味の特に強いビールのこと。非常に濃厚で、苦味も酸味も強く、アルコール度数も高め。

発泡酒　中1缶（350mL）=350g
麦芽または麦を原料の一部とした、発泡性の酒類。麦芽の割合が50%未満のもの、ビール製造に認められない原料を使用したもの、麦芽を使用せず麦を原料の一部としたものの総称。

ぶどう酒　グラス1杯（100mL）=100g
別名**ワイン**。ぶどうからつくられる醸造酒。色調の違いにより、白、赤、ロゼの3種類に分けられる。
白：ぶどうから搾った果汁だけを発酵させたもの。渋味はなくフルーティーで、すっきりした味わい。発酵を途中で止めて糖分を残したものは甘口に、最後まで発酵させると辛口になる。
赤：黒色のぶどうをつぶし、果皮ごと発酵させるため、皮の色素が出て濃い赤色になる。タンニンも同時に出るため、渋味がある。
ロゼ：赤と白の中間で、淡いばら色のワイン。製造法に決まりはない。赤ワインと同様につくって、途中で果皮を取り除く方法、黒ぶどうを強く搾り果汁を発酵させる方法、黒ぶどうと白ぶどうを混ぜて発酵させる方法等がある。

紹興酒（しょうこうしゅ）　1杯（30mL）=30g
中国浙江省の紹興市発祥の醸造酒。

食品番号	食品名	廃棄率	エネルギー	2015年版の値	水分	たんぱく質	アミノ酸組成によるたんぱく質	脂質	脂肪酸のトリアシルグリセロール当量	脂肪酸 飽和	脂肪酸 一価不飽和	脂肪酸 多価不飽和	コレステロール	炭水化物	利用可能炭水化物（質量計）	食物繊維 食物繊維総量（プロスキー変法）	食物繊維 食物繊維総量（AOAC法）	ミネラル（無機質） ナトリウム	カリウム	カルシウム	マグネシウム	リン	鉄
		%	kcal	kcal	g	g	g	g	g	g	g	g	mg	g	g	g	g	mg	mg	mg	mg	mg	mg
16006	**ビール** 淡色	0	**39**	40	92.8	**0.3**	0.2	**0**	0	0	0	0	0	**3.1**	Tr	0	-	3	34	**3**	7	15	**Tr**
16007	黒	0	**45**	46	91.6	**0.4**	(0.3)	**Tr**	0	0	0	0	0	**3.6**	-	0.2	-	3	55	**3**	10	33	**0.1**
16008	スタウト	0	**62**	64	88.4	**0.5**	(0.3)	**Tr**	0	0	0	0	0	**4.9**	-	0.3	-	4	65	**3**	14	43	**0.1**
16009	**発泡酒**	0	**44**	45	92.0	**0.1**	(0.1)	**0**	0	0	0	0	0	**3.6**	0	0	-	1	13	**4**	4	8	**0**
16010	**ぶどう酒** 白	0	**75**	73	88.6	**0.1**	-	**Tr**	-	-	-	-	(0)	**2.0**	(2.2)	-	-	3	60	**8**	7	12	**0.3**
16011	赤	0	**68**	73	88.7	**0.2**	-	**Tr**	-	-	-	-	(0)	**1.5**	(0.2)	-	-	2	110	**7**	9	13	**0.4**
16012	ロゼ	0	**71**	77	87.4	**0.1**	-	**Tr**	0	0	0	0	0	**4.0**	(2.5)	0	-	4	60	**10**	7	10	**0.4**
16013	**紹興酒**	0	**126**	127	78.8	**1.7**	-	**Tr**	-	-	-	-	(0)	**5.1**	-	Tr	-	15	55	**25**	19	37	**0.3**
	（蒸留酒類）																						
16014	**しょうちゅう** 連続式蒸留しょうちゅう	0	**203**	206	71.0	**0**	-	**0**	-	-	-	-	(0)	**0**	-	-	-	-	-	**-**	-	-	**-**
16015	単式蒸留しょうちゅう	0	**144**	146	79.5	**0**	-	**0**	-	-	-	-	(0)	**0**	-	-	-	-	-	**-**	-	-	**-**
16060	泡盛	0	**206**	209	70.6	**Tr**	-	**Tr**	-	-	-	-	-	**0**	-	-	-	1	1	**Tr**	0	0	**Tr**

+PLUS+　**米英のアルコール表示●**アメリカとイギリスではアルコール濃度をプルーフという単位で表すが、アメリカではアルコール 100%＝200 プルーフ、イギリスは 100%＝175 プルーフ。40 度の酒はアメリカでは 80 プルーフ、イギリスでは 70 プルーフになる。

連続式蒸留しょうちゅう

単式蒸留しょうちゅう(いも)

貯蔵・熟成のためのカメ

紹興酒

単式蒸留しょうちゅう(麦)

単式蒸留しょうちゅう(米)

単式蒸留しょうちゅう(そば)

単式蒸留しょうちゅう(泡盛)

もち米と麦こうじからつくられる。長期間貯蔵したものは「老酒(ラオチュウ)」と呼ばれる。

蒸留酒類

Distilled alcoholic beverage

発酵によってつくられた酒を、さらに蒸留した酒。アルコール分が高いのが特徴。原料は果実、穀類、いも類、糖蜜等。

しょうちゅう(焼酎) 1合(180mL)=180g
蒸留の方法により以下に分けられる。

連続式蒸留しょうちゅう：旧甲類。何度も蒸留した酒。アルコール分は35度が多い。ホワイトリカーとも呼ばれ、果実酒やチューハイのベースに使われる。原料は糖蜜(さとうきび等)を使用することが多い。

単式蒸留しょうちゅう：旧乙類。1回のみ蒸留した酒。アルコール分は25%が多い。本格焼酎と呼ばれる。よく使われる原料は、さつまいも、大麦、米、そば、黒糖等。原料の香りやうま味が残っているため、そのままロックで、またはお湯割り等で飲むことが多い。沖縄の泡盛もこの部類に含まれる。

泡盛：タイ米(インディカ米)を黒麹菌で麹にし、水と酵母を加えて発酵させたもろみを単式蒸留した酒。沖縄特産。

酒税のしくみ

酒税法ではアルコール分が1%以上の飲料を酒類と定め、「発泡性酒類」、「醸造酒類」、「蒸留酒類」、「混成酒類」の4種類に分類し、ジャンルの中のそれぞれに対して税率を設定している。

一般にアルコール度が高いほど税率は高くなるが、ビールはアルコール度が約5%と低いのに、酒税は突出して高い。1回に飲む量を比べてみると、ビールの税額は清酒やしょうちゅうの5倍ほどにもなる。そのため、安くてうまいビールの開発を目指したメーカーが、税率を低く抑えた発泡酒や新ジャンル(「その他の発泡性酒類」に分類)といったカテゴリーを生みだした。しかし、税収入の増加を目的に、2026年までに段階的に税率が変更され、一律155,000円となる。

●酒税額の例(1kLあたり)

分類	酒類	2022年現在	2026年10月～
発泡性酒類	ビール	200,000円	155,000円
	発泡酒(麦芽比率25～50%未満)	167,125円	
	発泡酒(麦芽比率25%未満)	134,250円	
	その他の発泡性酒類(新ジャンル)	108,000円	
醸造酒類	清酒	110,000円	100,000円
	果実酒	90,000円	
蒸留酒類	焼酎(アルコール分21度未満)※	200,000円	同左
	ウイスキーなど(同上38度未満)※	370,000円	

※アルコール1度あたり10,000円加算される

ウイスキーのおもな地域別分類

スコッチ・ウイスキー
スコットランドでつくられるウイスキー。仕込みの際に、泥炭(ピート)で麦芽を燻蒸するため、独特の香気(スモーキー・フレーバー)がある。

泥炭(ピート)

アイリッシュ・ウイスキー
アイルランドでつくられるウイスキー。大麦麦芽のほか、未発芽の大麦やライ麦、小麦等を原料として使用する。蒸留工程を3度経ることで、スコッチよりもまろやかに仕上がる。

バーボン・ウイスキー
ケンタッキー州バーボン郡で生まれた。とうもろこしを51%以上使用し、内面を焦がしたホワイトオークの新樽で2年以上熟成させたもの。

可食部100gあたり Tr：微量 ( )：推定値または推計値 －：未測定

ミネラル(無機質) 亜鉛	銅	マンガン	ヨウ素	セレン	クロム	モリブデン	ビタミン A レチノール活性当量	A レチノール	A β-カロテン当量	D	E αトコフェロール	K	B1	B2	ナイアシン当量	B6	B12	葉酸	パントテン酸	ビオチン	C	食塩相当量	備考 ①アルコール ②試料 ③カフェイン ④タンニン ⑤浸出法
mg	mg	mg	µg	µg	µg	µg	µg	µg	µg	µg	mg	µg	mg	mg	mg	mg	µg	µg	mg	µg	mg	g	
Tr	Tr	0.01	1	Tr	0	0	**0**	0	0	0	0	0	**0**	**0.02**	0.9	0.05	0.1	7	0.08	0.9	**0**	0	生ビールを含む ①4.6容量% (100g：99.2mL、100mL：100.8g)
Tr	Tr	0.02	-	-	-	-	**0**	0	0	0	0	0	**0**	**0.04**	(1.1)	0.07	Tr	9	0.04	-	**0**	0	生ビールを含む ①5.3容量% (100g：99.0mL、100mL：101.0g)
Tr	Tr	0.06	-	-	-	-	**0**	0	0	0	0	0	**0**	**0.05**	(1.1)	0.06	Tr	10	0.12	-	**0**	0	①7.6容量% (100g：98.1mL、100mL：101.9g)
Tr	Tr	0.01	-	-	-	-	**0**	0	0	0	0	0	**0**	**0.01**	(0.3)	0.01	0	4	0.10	-	**0**	0	①5.3容量% (100g：99.1mL、100mL：100.9g)
Tr	0.01	0.09	-	-	-	-	**(0)**	(0)	(0)	(0)	-	(0)	**0**	**0**	0.1	0.02	0	0	0.07	-	**0**	0	①11.4容量% (100g：100.2mL、100mL：99.8g)
Tr	0.02	0.15	Tr	0	2	1	**(0)**	(0)	(0)	(0)	-	(0)	**0**	**0.01**	0.1	0.03	0	0	0.07	1.9	**0**	0	①11.6容量% (100g：100.4mL、100mL：99.6g)
Tr	0.02	0.10	-	-	-	-	**0**	0	0	0	0	0	**0**	**0**	0.1	0.02	0	0	0	-	**0**	0	①10.7容量% (100g：99.8mL、100mL：100.2g)
0.4	0.02	0.49	-	-	-	-	**(0)**	(0)	(0)	(0)	-	(0)	**Tr**	**0.03**	0.9	0.03	Tr	1	0.19	-	**0**	0	①17.8容量% (100g：99.4mL、100mL：100.6g)
-	-	-	-	-	-	-	**(0)**	(0)	(0)	(0)	-	(0)	**(0)**	**(0)**	0	(0)	(0)	(0)	(0)	-	**(0)**	(0)	①35.0容量% (100g：104.4mL、100mL：95.8g)
-	-	-	-	-	-	-	**(0)**	(0)	(0)	(0)	-	(0)	**(0)**	**(0)**	0	(0)	(0)	(0)	(0)	-	**(0)**	-	①25.0容量% (100g：103.1mL、100mL：97.0g)
0	Tr	Tr	-	-	-	-	**-**	-	-	-	-	-	**-**	**-**	0	-	-	-	-	-	**-**	0	①35.4容量% (100g：104.4mL、100mL：95.8g)

QA 紹興酒を老酒(ラオチュウ)と呼ぶのはなぜ？▶実は、老酒が必ずしも紹興酒とは限らない。老酒は「永く寝かせた酒」という意味で、長期間熟成された醸造酒のことをさす。熟成に3年以上の期間をついやしてようやくおいしい酒になる紹興酒が老酒の中でも特に有名なため、日本では老酒といえば紹興酒のことをさすようになった。

モルトウイスキー　グレーンウイスキー　ブレンデッドウイスキー

ブランデー

梅酒

ウイスキーの蒸留釜

樽で保存

ウオッカ　ジン

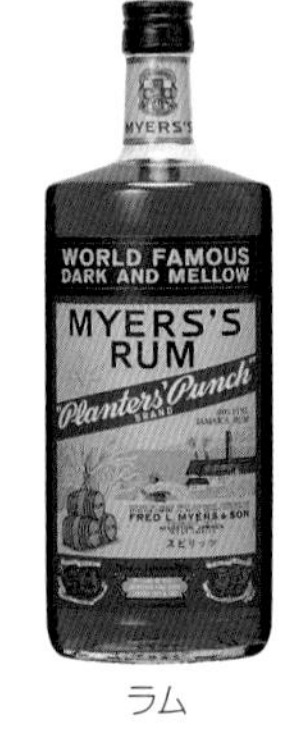

ラム

合成清酒

白酒

みりん（本みりん）

ウイスキー

1本=700mL　シングル（30mL）=28g

大麦麦芽等の穀物を原料とした蒸留酒。木製の樽で熟成されるため、琥珀色になる。大麦麦芽のみを原料につくったウイスキーを「モルトウイスキー」と呼び、とうもろこし、ライ麦、小麦等の穀類を原料にしたものを「グレーンウイスキー」と呼ぶ。また、モルトウイスキーとグレーンウイスキーを混合した「ブレンデッドウイスキー」がある。

ブランデー　1杯（30mL）=29g

ワインなどの果実酒を原料として醸造、蒸留した酒。ブランデーの語源はオランダ語の「ブランデウェイン（Brandewijn）」で、焼いたワインという意味。ウイスキー同様、蒸留後に樽で熟成させるが、ほとんどが新酒と古酒をブレンドしたもの。

ウオッカ　1杯（30mL）=29g

穀物（小麦、大麦、じゃがいも等）を主原料とした蒸留酒。高濃度で蒸留し、活性炭でろ過するため、ほとんど無味・無色・無臭。ロシアの代表的な酒。

ジン

コーンや大麦、ライ麦等を原料にした蒸留酒を、さらに香草類とともに再蒸留する。無色透明でさわやかな香味を持つ。香草にはジュニパー・ベリー、コリアンダー、アニス、フェンネル、カルダモン等の種子、柑橘類の果皮、シナモン等が使われる。発祥はオランダ。

ラム　1杯（30mL）=29g

さとうきびを原料にした蒸留酒。風味により「ヘビータイプ」「ミディアムタイプ」「ライトタイプ」の3種に、色により「ゴールド」と「ホワイト」

食品番号	食品名	廃棄率 %	エネルギー kcal	エネルギー 2015年版の値 kcal	水分 g	たんぱく質 g	アミノ酸組成によるたんぱく質 g	脂質 g	脂肪酸のトリアシルグリセロール当量 g	脂肪酸 飽和 g	脂肪酸 一価不飽和 g	脂肪酸 多価不飽和 g	コレステロール mg	炭水化物 g	利用可能炭水化物（質量計） g	食物繊維 食物繊維総量（プロスキー変法） g	食物繊維 食物繊維総量（AOAC法） g	ミネラル（無機質） ナトリウム mg	カリウム mg	カルシウム mg	マグネシウム mg	リン mg	鉄 mg
16016	**ウイスキー**	0	**234**	237	66.6	**0**	-	**0**	-	-	-	-	(0)	**0**	-	-	-	2	1	**0**	0	Tr	**Tr**
16017	**ブランデー**	0	**234**	237	66.6	**0**	-	**0**	-	-	-	-	(0)	**0**	-	-	-	4	1	**0**	0	Tr	**0**
16018	**ウオッカ**	0	**237**	240	66.2	**0**	-	**0**	-	-	-	-	(0)	**Tr**	-	-	-	Tr	Tr	**(0)**	-	(0)	**(0)**
16019	**ジン**	0	**280**	284	59.9	**0**	-	**Tr**	-	-	-	-	(0)	**0.1**	-	-	-	Tr	Tr	**(0)**	-	(0)	**(0)**
16020	**ラム**	0	**237**	240	66.1	**0**	-	**Tr**	-	-	-	-	(0)	**0.1**	-	-	-	3	Tr	**0**	0	Tr	**0**
16021	**マオタイ酒**	0	**317**	322	54.7	**0**	-	**0**	-	-	-	-	(0)	**0**	-	-	-	Tr	Tr	**2**	0	Tr	**0.3**
	（混成酒類）																						
16022	**梅酒**	0	**155**	156	68.9	**0.1**	-	**Tr**	-	-	-	-	-	**20.7**	-	-	-	4	39	**1**	2	3	**Tr**
16023	**合成清酒**	0	**108**	109	82.2	**0.1**	-	**0**	-	-	-	-	-	**5.3**	-	-	-	11	3	**2**	Tr	5	**0**
16024	**白酒**	0	**236**	235	44.7	**1.9**	-	**Tr**	-	-	-	-	-	**48.1**	-	-	-	5	14	**3**	4	14	**0.1**
16025	**みりん**　本みりん	0	**241**	241	47.0	**0.3**	0.2	**Tr**	-	-	-	-	-	**43.2**	26.6	-	-	3	7	**2**	2	7	**0**
16026	本直し	0	**179**	181	68.2	**0.1**	(0.1)	**Tr**	-	-	-	-	-	**14.4**	-	-	-	3	2	**2**	2	3	**0**
16027	**薬味酒**	0	**181**	182	62.6	**Tr**	-	**Tr**	-	-	-	-	-	**26.8**	-	-	-	1	14	**1**	1	2	**Tr**
16028	**キュラソー**	0	**319**	322	43.1	**Tr**	-	**Tr**	-	-	-	-	-	**26.4**	-	-	-	1	Tr	**Tr**	0	0	**0**
16029	**スイートワイン**	0	**125**	133	75.2	**0.1**	-	**0**	-	-	-	-	-	**13.4**	(12.2)	-	-	5	70	**5**	5	7	**0.3**
16030	**ペパーミント**	0	**300**	302	41.0	**0**	-	**0**	-	-	-	-	-	**37.6**	-	-	-	4	1	**Tr**	0	0	**0**
16031	**ベルモット**　甘口タイプ	0	**151**	152	71.3	**0.1**	-	**0**	-	-	-	-	-	**16.4**	-	-	-	4	29	**6**	5	7	**0.3**
16032	辛口タイプ	0	**113**	117	81.7	**0.1**	-	**0**	-	-	-	-	-	**3.7**	(3.0)	-	-	4	26	**8**	6	8	**0.3**
16059	**缶チューハイ**　レモン風味	0	**51**	52	91.4	**0**	-	**Tr**	-	-	-	-	(0)	**2.9**	1.8	0.1	-	10	13	**1**	Tr	Tr	**0**

+PLUS+　**マオタイ酒は乾杯の酒●**中国では蒸留酒を白酒（パイチュウ）というが、マオタイ酒は白酒中の絶品とされ、1915年開催のサンフランシスコ万国博覧会では金賞を受賞。国を代表する酒といわれ、祝い事の宴席などで乾杯に用いられる。1972年の日中国交回復の式典で、周恩来首相と田中角栄首相がこの酒で乾杯したことでも有名だ。

キュラソー　スイートワイン　ペパーミント　ベルモット　缶チューハイ

さまざまなカクテル

ハイボール
ウイスキー
＋
炭酸水

サイドカー
ブランデー
＋
ホワイトキュラソー
(オレンジのリキュール)
＋
レモンジュース

モスコミュール
ウォッカ
＋
ジンジャエール
＋
ライム

スクリュードライバー
ウォッカ
＋
オレンジジュース
＋
オレンジ

ブルームーン
ドライ・ジン
＋
クレーム・ド・バイオレット
(スミレのリキュール)
＋
レモンジュース

ジントニック
ドライ・ジン
＋
トニック・ウォーター
＋
ライム(レモン)

マルガリータ
テキーラ
＋
ホワイトキュラソー
＋
ライムジュース
＋
ライム

モヒート
ホワイトラム
＋
炭酸水
＋
ライム
＋
スペアミント

の2種に分類される。ホワイトラムは樽熟成の後に活性炭でろ過したもの。

マオタイ酒(茅台酒)
中国貴州省茅台鎮の原産。主原料はコウリャン。

混成酒類
Compound alcoholic beverage

醸造酒や蒸留酒を原料にして、草根木皮や果実等の浸出物や糖分等を加えたもの。

梅酒　1杯(30mL)＝32g
青梅に氷砂糖、ホワイトリカーを加えて梅の香りをつけた酒。

合成清酒
アルコールにぶどう糖やアミノ酸類、酸等を混ぜて清酒を加え、清酒のような風味にしたもの。

白酒
蒸したもち米とこうじに、焼酎等を加えて熟成させてから、軽くすりつぶしたもの。ひな祭り等に供えられる。甘酒(➡p.326)とは異なる。

みりん(味醂)　小1=6g 大1=18g 1C=230g
原材料はもち米、米こうじ、焼酎。こうじの作用でもち米のでん粉が糖分になるため、甘い。
本みりん：甘味や照りをだす調味料。酒類に属さない「みりん風調味料」(➡p.340)と区別するために「本みりん」と呼ぶ。
本直し：本みりんに焼酎を加えたもの。飲用にされる。

薬味酒
醸造酒または蒸留酒に、果実や香草類等の香りやエキスを移したもの。

キュラソー
ビターオレンジの果皮の風味を移したリキュール。種類が多い。

スイートワイン
酒税法上は果実酒類の甘味果実酒。製造工程で甘味を加えている。

ペパーミント
はっかの香りを移したリキュール。緑色に着色されたものがほとんど。

ベルモット
白ワインをベースに多くの香草を加えて風味をつけた酒。
甘口タイプ：イタリアンベルモット。カラメルが加えられてあり、甘味と色がついている。
辛口タイプ：フレンチベルモット。白ワインにブランデーを加えてある。糖分は少なく、無色に近い。

缶チューハイ　中1缶(350mL)＝350g
チューハイはしょうちゅうハイボールの略称で、しょうちゅう等の無色で香りのない蒸留酒を炭酸水で割ったもの。缶入り製品が発売されてから一般的に飲まれるようになった。

可食部100gあたり　Tr：微量　( )：推定値または推計値　－：未測定

ミネラル(無機質)							ビタミン																
亜鉛	銅	マンガン	ヨウ素	セレン	クロム	モリブデン	A レチノール活性当量	A レチノール	A β-カロテン当量	D	E α-トコフェロール	K	B₁	B₂	ナイアシン当量	B₆	B₁₂	葉酸	パントテン酸	ビオチン	C	食塩相当量	備考 ①アルコール ②試料 ③カフェイン ④タンニン ⑤浸出法
mg	mg	mg	µg	µg	µg	µg	µg	µg	µg	µg	mg	µg	mg	mg	mg	mg	µg	µg	mg	µg	mg	g	
Tr	0.01	0	-	-	-	-	(0)	(0)	(0)	(0)	-	(0)	(0)	(0)	0	(0)	(0)	(0)	(0)	-	(0)	0	① 40.0 容量% (100g：105.0mL、100mL：95.2g)
Tr	0.03	0	-	-	-	-	(0)	(0)	(0)	(0)	-	(0)	(0)	(0)	0	(0)	(0)	(0)	(0)	-	(0)	0	① 40.0 容量% (100g：105.0mL、100mL：95.2g)
-	-	-	-	-	-	-	(0)	(0)	(0)	(0)	-	(0)	(0)	(0)	0	(0)	(0)	(0)	(0)	-	(0)	0	① 40.4 容量% (100g：105.3mL、100mL：95.0g)
-	-	-	-	-	-	-	(0)	(0)	(0)	(0)	-	(0)	(0)	(0)	0	(0)	(0)	(0)	(0)	-	(0)	0	① 47.4 容量% (100g：106.4mL、100mL：94.0g)
Tr	Tr	0	-	-	-	-	(0)	(0)	(0)	(0)	-	(0)	(0)	(0)	0	(0)	(0)	(0)	(0)	-	(0)	0	① 40.5 容量% (100g：105.2mL、100mL：95.1g)
Tr	0.02	0.01	-	-	-	-	(0)	(0)	(0)	(0)	-	(0)	(0)	(0)	0	(0)	(0)	(0)	(0)	-	(0)	0	① 53.0 容量% (100g：107.5mL、100mL：93.0g)
Tr	0.01	0.01	0	0	1	Tr	(0)	(0)	(0)	-	-	-	0	0.01	Tr	0.01	0	0	0	0.1	0	0	① 13.0 容量% (100g：96.2mL、100mL：103.9g)
Tr	Tr	0	-	-	-	-	(0)	(0)	(0)	-	-	-	0	0	Tr	0.01	0	0	0	-	0	0	① 15.5 容量% (100g：99.7mL、100mL：100.3g)
0.3	0.08	0.27	-	-	-	-	(0)	(0)	(0)	-	-	-	0.02	0.01	0.4	0.02	0	1	0.10	-	1	0	① 7.4 容量% (100g：82.6mL、100mL：121.0g)
0	0.05	0.04	-	-	-	-	(0)	(0)	(0)	-	-	-	Tr	0	Tr	0.01	0	0	0	-	0	0	① 14.0 容量% (100g：85.5mL、100mL：117.0g)
Tr	Tr	0.06	-	-	-	-	(0)	(0)	(0)	-	-	-	0	0	0	0	0	0	0	-	0	0	① 22.4 容量% (100g：97.0mL、100mL：103.1g)
Tr	Tr	0.08	-	-	-	-	(0)	(0)	(0)	-	-	-	0	0	0.1	0.01	0	0	0	-	0	0	① 14.6 容量% (100g：91.5mL、100mL：109.3g)
Tr	0.01	0	-	-	-	-	(0)	(0)	(0)	-	-	-	0	0	0	0	0	0	0	-	0	0	②オレンジキュラソー ① 40.4 容量% (100g：95.0mL、100mL：105.3g)
Tr	Tr	0.01	-	-	-	-	(0)	(0)	(0)	-	-	-	0	Tr	Tr	0.01	0	0	0	-	0	0	① 14.5 容量%、酢酸：0.1g
Tr	Tr	0	-	-	-	-	(0)	(0)	(0)	-	-	-	0	0	0	0	0	0	0	-	0	0	① 30.2 容量% (100g：89.3mL、100mL：112.0g)
Tr	0.01	0.01	-	-	-	-	-	-	-	-	-	-	0	0	0.1	Tr	0	0	0.06	-	0	0	① 16.0 容量% (100g：95.5mL、100mL：104.7g)
Tr	0.01	0.01	-	-	-	-	-	-	-	-	-	-	0	0	0.1	Tr	0	0	0	-	0	0	① 18.0 容量% (100g：100.5mL、100mL：99.5g)
0	Tr	0	0	0	0	0	(0)	(0)	0	(0)	0	(0)	0	0	0	0	(0)	0	0	0	0	0	① 7.1 容量 % (100 g：99.9 ml、100 ml：100.1 g)

Q A ブランデーとコニャックって別のもの？▶コニャックはブランデーの一種。フランスのコニャック市を中心とする地域で生産される、ぶどうを原料としたブランデーで、法律で定める基準に該当したものだけがコニャックとして販売できる。ちなみに、フランスのアルマニャック地方でつくられるブランデーはアルマニャックと呼ぶ。

玉露
（日光を遮る）

玉露

せん茶

ほうじ茶

かまいり茶

茶畑

茶摘み

抹茶

番茶

玄米茶

茶類
Tea

茶類は、ツバキ科の茶樹の葉を加工して、湯で浸出して飲用にするもの。加工工程で発酵させない「緑茶」、半発酵させる「ウーロン茶」、発酵させる「紅茶」、蒸製堆積発酵茶の「黒茶」「プーアール茶」に大別される。

緑茶類
Green tea　大1=6g　1C=200g

不発酵茶。発酵させていないため、他の発酵茶よりビタミンA、C、Kがずば抜けて多い。また、抗酸化作用などがあるといわれる茶カテキンも豊富。

玉露
茶摘みの20日ほど前から直射日光を当てずに茶を育て、摘んだ若葉を蒸して揉み、乾燥させた高級茶。

抹茶　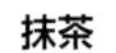小1=2g
玉露同様、茶摘み前に茶の木をむしろ等で覆い、摘んだ若葉を蒸し、揉まずに乾燥させてから茎や軸を除き、臼で粉末状にひいたもの。

せん茶（煎茶）
4〜5月に摘んだ若葉を、蒸し、揉みながら乾燥させたもの。日本茶の8割を占める。茶摘みの時期により、一番茶（新茶：5月初旬）から四番茶（8月）まである。

かまいり茶（釜炒茶）
緑茶を蒸さず、釜で煎ったお茶。九州地方でつくられている。

番茶
せん茶を摘んだ後の、少しかたくなった芽や、せん茶の粗大な部分を集めてつくったお茶。

ほうじ茶（焙茶）
中級のせん茶や番茶を高温で煎ったもの。煎ることで香ばしい香りがつき、色も茶色になる。

玄米茶
水に浸して蒸した玄米を煎り、番茶やせん茶に混ぜたもの。最近はお茶の色が鮮やかな緑色になるように、抹茶を加えたものが主流。

食品番号	食品名	廃棄率	エネルギー	2015年版の値	水分	たんぱく質	アミノ酸組成によるたんぱく質	脂質	脂肪酸のトリアシルグリセロール当量	脂肪酸 飽和	脂肪酸 一価不飽和	脂肪酸 多価不飽和	コレステロール	炭水化物	利用可能炭水化物（質量計）	食物繊維 食物繊維総量（プロスキー変法）	食物繊維 食物繊維総量（AOAC法）	ミネラル（無機質） ナトリウム	カリウム	カルシウム	マグネシウム	リン	鉄
		%	kcal	kcal	g	g	g	g	g	g	g	g	mg	g	g	g	g	mg	mg	mg	mg	mg	mg
	〈茶類〉																						
	（緑茶類）																						
16033	**玉露**　茶	0	**241**	329	3.1	**29.1**	(22.7)	**4.1**	-	-	-	-	(0)	**43.9**	-	43.9	-	11	2800	**390**	210	410	**10.0**
16034	浸出液	0	**5**	5	97.8	**1.3**	(1.0)	**(0)**	-	-	-	-	(0)	**Tr**	-	-	-	2	340	**4**	15	30	**0.2**
16035	**抹茶**　茶	0	**237**	324	5.0	**29.6**	23.1	**5.3**	3.3	0.68	0.34	2.16	(0)	**39.5**	1.5	38.5	-	6	2700	**420**	230	350	**17.0**
16036	**せん茶**　茶	0	**229**	331	2.8	**24.5**	(19.1)	**4.7**	2.9	0.62	0.25	1.94	(0)	**47.7**	-	46.5	-	3	2200	**450**	200	290	**20.0**
16037	浸出液	0	**2**	2	99.4	**0.2**	(0.2)	**(0)**	-	-	-	-	(0)	**0.2**	-	-	-	3	27	**3**	2	2	**0.2**
16038	**かまいり茶**　浸出液	0	**1**	0	99.7	**0.1**	(0.1)	**(0)**	-	-	-	-	(0)	**Tr**	-	-	-	1	29	**4**	1	1	**Tr**
16039	**番茶**　浸出液	0	**0**	0	99.8	**Tr**	-	**(0)**	-	-	-	-	(0)	**0.1**	-	-	-	2	32	**5**	1	2	**0.2**
16040	**ほうじ茶**　浸出液	0	**0**	0	99.8	**Tr**	-	**(0)**	-	-	-	-	(0)	**0.1**	-	-	-	1	24	**2**	Tr	1	**Tr**
16041	**玄米茶**　浸出液	0	**0**	0	99.9	**0**	-	**(0)**	-	-	-	-	(0)	**0**	-	0	-	2	7	**2**	1	1	**Tr**
	（発酵茶類）																						
16042	**ウーロン茶**　浸出液	0	**0**	0	99.8	**Tr**	-	**(0)**	-	-	-	-	(0)	**0.1**	-	-	-	1	13	**2**	1	1	**Tr**
16043	**紅茶**　茶	0	**234**	311	6.2	**20.3**	-	**2.5**	-	-	-	-	(0)	**51.7**	-	38.1	-	3	2000	**470**	220	320	**17.0**
16044	浸出液	0	**1**	1	99.7	**0.1**	-	**(0)**	-	-	-	-	(0)	**0.1**	-	-	-	1	8	**1**	1	2	**0**

+PLUS+　**茶によって異なる適温**●茶に含まれるタンニンは70度、アミノ酸は50度ぐらいから溶け出すため、アミノ酸を多く含む玉露は低い温度で入れるとうま味が十分に出る。玉露は50度、煎茶は70度、番茶は100度ぐらいの温度で入れるとよい。ウーロン茶や紅茶も100度の熱い湯がよい。

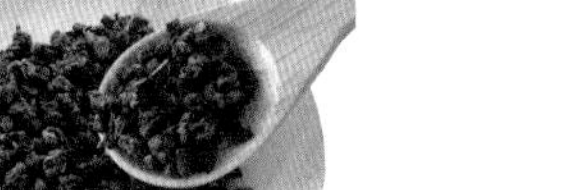

ウーロン茶

紅茶

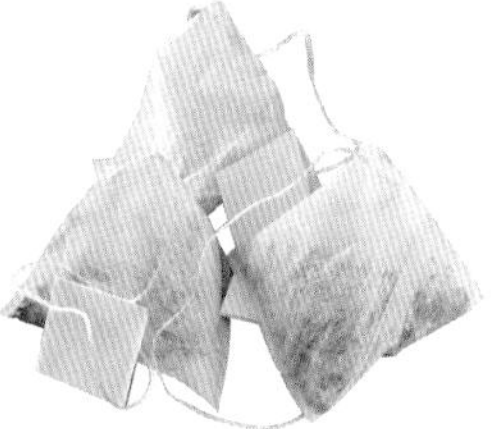

ティーバッグ

アフタヌーンティー
イギリス発祥の喫茶習慣。社交の場としての意味合いが大きい。紅茶はもちろん、サンドイッチやケーキ類といったお菓子が供される。

発酵茶類

Fermented tea 1C=200g

普通の食品の発酵とは違い、お茶の発酵とはおもに酸化のこと。微生物による発酵はごく一部のお茶（おもに中国茶）に限られる。

ウーロン茶（烏龍茶）
中国茶もその発酵の度合いや色等により、種類も豊富だが、日本でなじみが深いのは「青茶」と呼ばれる半発酵茶のウーロン茶。発酵度は15～70%とさまざまで、岩茶、鉄観音、鳳凰単叢、文山包種など種類が多い。発酵度の低いものは緑茶に、高いものは紅茶に近い味になる。

紅茶 大1=6g 1C=200g
摘んだ葉を蒸さずに自然乾燥させてから揉み、赤褐色になるまで発酵させたもの。茶葉をそのまま発酵させるため、お茶の木の産地によって味わいの違いがわかる。茶葉をアッサム、セイロン等と地名で呼ぶのはそのため。紅茶の種類は多様であるが、茶の木に種類があるわけではない。また、紅茶に花や香料で香りをつけた、アップルティー、アールグレー等のフレーバーティーも出回っている。

さまざまなハーブティー

ハーブには、その香りと薬効をいかして、ハーブティーとして楽しめるものもある。体を温めたり、体内循環を促進し、老廃物を排出する効果があるとされている。

カモミール
消化促進作用、鎮静作用

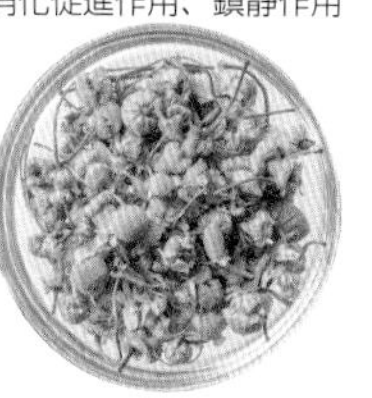

ラベンダー
鎮静作用、鎮痛作用

ローズ
鎮静作用、ホルモン様作用

ローズヒップ
保湿作用、抗酸化作用

マリーゴールド
血行の促進、解毒作用、発汗作用

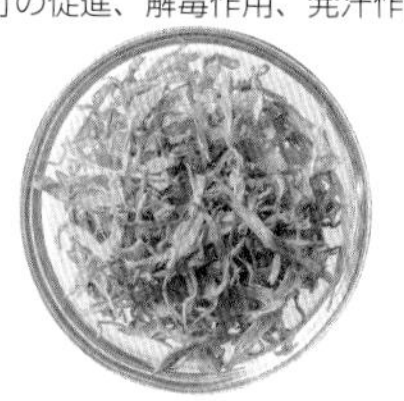

レモングラス
殺菌作用、消化促進作用

リコリス
抗アレルギー作用、ホルモン様作用

オレンジピール
抗うつ作用、鎮静作用

可食部100gあたり　Tr：微量　（ ）：推定値または推計値　－：未測定

ミネラル（無機質）							ビタミン															食塩相当量	備考
亜鉛	銅	マンガン	ヨウ素	セレン	クロム	モリブデン	A レチノール活性当量	レチノール	β-カロテン当量	D	E αトコフェロール	K	B1	B2	ナイアシン当量	B6	B12	葉酸	パントテン酸	ビオチン	C		①アルコール ②試料 ③カフェイン ④タンニン ⑤浸出法
mg	mg	mg	μg	μg	μg	μg	μg	μg	μg	μg	mg	μg	mg	mg	mg	mg	μg	μg	mg	μg	mg	g	
4.3	0.84	71.00	-	-	-	-	**1800**	(0)	21000	(0)	16.0	4000	**0.30**	**1.16**	(14.0)	0.69	(0)	1000	4.10	-	**110**	0	③3.5g ④10.0g
0.3	0.02	4.60	-	-	-	-	**(0)**	(0)	(0)	(0)	-	Tr	**0.02**	**0.11**	(1.0)	0.07	(0)	150	0.24	-	**19**	0	⑤茶 10g/60℃ 60mL、2.5分 ③0.16g ④0.23g
6.3	0.60	-	-	-	-	-	**2400**	(0)	29000	(0)	28.0	2900	**0.60**	**1.35**	12.0	0.96	(0)	1200	3.70	-	**60**	0	粉末製品 ③3.2g ④10.0g 硝酸イオン：Tr (100g：182mL、100mL：55g)
3.2	1.30	55.00	4	3	8	1	**1100**	(0)	13000	(0)	65.0	1400	**0.36**	**1.43**	(11.0)	0.46	(0)	1300	3.10	52.0	**260**	0	③2.3g ④13.0g
Tr	0.01	0.31	0	0	0	0	**(0)**	(0)	(0)	(0)	-	Tr	**0**	**0.05**	(0.3)	0.01	(0)	16	0.04	0.8	**6**	0	⑤茶 10g/90℃ 430mL、1分 ③0.02g ④0.07g
Tr	Tr	0.37	-	-	-	-	**(0)**	(0)	(0)	(0)	-	0	**0**	**0.04**	(0.1)	0.01	(0)	18	0	-	**4**	0	⑤茶 10g/90℃ 430mL、1分 ③0.01g ④0.05g
Tr	0.01	0.19	-	-	-	-	**(0)**	(0)	(0)	(0)	-	Tr	**0**	**0.03**	0.2	0.01	(0)	7	0	-	**3**	0	⑤茶 15g/90℃ 650mL、0.5分 ③0.01g ④0.03g
Tr	0.01	0.26	-	-	-	-	**(0)**	(0)	(0)	(0)	-	0	**0**	**0.02**	0.1	Tr	(0)	13	0	-	**Tr**	0	⑤茶 15g/90℃ 650mL、0.5分 ③0.02g ④0.04g
Tr	0.01	0.15	-	-	-	-	**(0)**	(0)	(0)	(0)	(0)	0	**0**	**0.01**	0.1	0.01	(0)	3	0	-	**1**	0	⑤茶 15g/90℃ 650mL、0.5分 ③0.01g ④0.01g
Tr	Tr	0.24	0	0	0	0	**(0)**	(0)	(0)	(0)	-	0	**0**	**0.03**	0.1	Tr	(0)	2	0	0.2	**0**	0	⑤茶 15g/90℃ 650mL、0.5分 ③0.02g ④0.03g
4.0	2.10	21.00	6	8	18	2	**75**	(0)	900	(0)	9.8	1500	**0.10**	**0.80**	13.0	0.28	(0)	210	2.00	32.0	**0**	0	③2.9g ④11.0g
Tr	0.01	0.22	0	0	0	0	**(0)**	(0)	(0)	(0)	-	6	**0**	**0.01**	0.1	0.01	(0)	3	0	0.2	**0**	0	⑤茶 5g/熱湯 360mL、1.5分～4分 ③0.03g ④0.10g

Q A プーアール茶は、どういうお茶？▶中国茶はその製法によって六大茶（黒茶・青茶・白茶・黄茶・紅茶・緑茶）に分類される。プーアール茶は、中国雲南省がおもな産地の黒茶（発酵茶の一種）で、発酵に黒麹菌を使った熟茶が一般的。黒麹菌を使わず、自然発酵させたタイプ（生茶という）もあり、高級品である。

コーヒー

コーヒー農園（エクアドル）

コーヒーの実

インスタントコーヒー

ミルクココア

コーヒー飲料

ピュアココア

カカオの実

甘酒

青汁

ケール

コーヒー・ココア類
Coffee and cocoa

コーヒー
Coffee

コーヒー豆（コーヒーの木の実から外皮と果肉を取り除いた種子）を焙煎し、その浸出液を飲む。気分転換や疲労回復・覚醒作用がある。コーヒー豆は原産国や産地の名前がついているものが多く、それぞれに酸味や渋味等のバランスに特徴があるため、好みでブレンドする。

浸出液 1C=200g
煎ったコーヒー豆をひき、熱湯で浸出したもの。レギュラーコーヒーと呼ばれる。

インスタントコーヒー 大1=6g
お湯を注ぐだけで手軽に飲めるコーヒー。

スプレードライ（噴霧乾燥法）タイプ：コーヒーの濃縮液を噴霧し熱風で直接乾燥させたもの。粒子が細かく溶けやすいのでアイスコーヒーや製菓用に適している。

フリーズドライ（凍結乾燥法）タイプ：コーヒー濃縮液を一度凍結し、粉砕した後、真空乾燥させたもの。香りが失われにくい。

コーヒー飲料 1缶=190g
別名**缶コーヒー**。乳製品や糖分等が添加された飲料。

ココア
Cocoa 大1=6g

カカオ豆を焙煎して、ココアバターを除いて粉末にしたもの。コーヒーと違い、浸出液ではなく、湯に溶かして飲む。

ピュアココア：別名**純ココア**。カカオ豆100%からつくられ、香料や添加物等を加えていない。

ミルクココア：別名**インスタントココア**。ココア粉末に、牛乳成分（粉末）や、砂糖、香料等を添加。湯を注げば飲める。

青汁
Kale juice, powder

緑葉野菜をすりつぶして搾った汁のことで、野菜を“青菜”と呼ぶことから青汁という。粉末タイプや冷凍タイプ等があり、野菜を手軽に摂取する方法として広まった。

ケール：ビタミン類とミネラルが豊富なケールは、独特の香りとくせがあるため、料理用としてより青汁用によく利用される。

甘酒
Ama-zake 1C=210g

本来は炊いたご飯と米こうじをあわせて50〜60度の温度を保ったまま寝かせ、糖化させてつくる日本古来の甘味飲料のこと。最近は、酒かすを湯で溶き、糖分を加えたものも甘酒という。どちらもアルコール分をほとんど含まないため「酒類」には含まれない。

食品番号	食品名	廃棄率	エネルギー	2015年版の値	水分	たんぱく質	アミノ酸組成によるたんぱく質	脂質	脂肪酸のトリアシルグリセロール当量	脂肪酸 飽和	脂肪酸 一価不飽和	脂肪酸 多価不飽和	コレステロール	炭水化物	利用可能炭水化物（質量計）	食物繊維 食物繊維総量（プロスキー変法）	食物繊維 食物繊維総量（AOAC法）	ミネラル（無機質） ナトリウム	カリウム	カルシウム	マグネシウム	リン	鉄
		%	kcal	kcal	g	g	g	g	g	g	g	g	mg	g	g	g	g	mg	mg	mg	mg	mg	mg
	〈コーヒー・ココア類〉																						
	コーヒー																						
16045	浸出液	0	**4**	4	98.6	**0.2**	(0.1)	**Tr**	(Tr)	(0.01)	(Tr)	(0.01)	0	**0.7**	(0)	-	-	1	65	**2**	6	7	**Tr**
16046	インスタントコーヒー	0	**287**	288	3.8	**14.7**	(6.0)	**0.3**	0.2	0.09	0.02	0.10	0	**56.5**	-	-	-	32	3600	**140**	410	350	**3.0**
16047	コーヒー飲料　乳成分入り　加糖	0	**38**	38	90.5	**0.7**	-	**0.3**	0.2	0.16	0.06	0.01	-	**8.2**	-	-	-	30	60	**22**	6	19	**0.1**
16048	**ココア**　ピュアココア	0	**386**	271	4.0	**18.5**	13.5	**21.6**	20.9	12.40	6.88	0.70	1	**42.4**	9.6	23.9	-	16	2800	**140**	440	660	**14.0**
16049	ミルクココア	0	**400**	412	1.6	**7.4**	-	**6.8**	6.6	3.98	2.05	0.24	-	**80.4**	-	5.5	-	270	730	**180**	130	240	**2.9**
	〈その他〉																						
16056	**青汁**　ケール	0	**312**	375	2.3	**13.8**	10.8	**4.4**	2.8	0.55	0.10	2.08	0	**70.2**	-	28.0	-	230	2300	**1200**	210	270	**2.9**
16050	**甘酒**	0	**76**	81	79.7	**1.7**	(1.3)	**0.1**	-	-	-	-	(0)	**18.3**	(16.9)	0.4	-	60	14	**3**	5	21	**0.1**
16051	**昆布茶**	0	**173**	95	1.4	**5.2**	7.5	**0.2**	-	-	-	-	0	**42.0**	33.4	2.8	-	20000	580	**88**	51	14	**0.5**
16057	**スポーツドリンク**	0	**21**	21	94.7	**0**	-	**Tr**	-	-	-	-	0	**5.1**	-	Tr	-	31	26	**8**	3	0	**Tr**
	（炭酸飲料類）																						
16052	**果実色飲料**	0	**51**	51	87.2	**Tr**	-	**Tr**	-	-	-	-	(0)	**12.8**	-	-	-	2	1	**3**	0	Tr	**Tr**
16053	**コーラ**	0	**46**	46	88.5	**0.1**	-	**Tr**	-	-	-	-	(0)	**11.4**	(12.0)	-	-	2	Tr	**2**	1	11	**Tr**
16054	**サイダー**	0	**41**	41	89.8	**Tr**	-	**Tr**	-	-	-	-	(0)	**10.2**	(9.0)	-	-	4	Tr	**1**	Tr	0	**Tr**
16058	**ビール風味炭酸飲料**	0	**5**	5	98.6	**0.1**	0.1	**Tr**	-	-	-	-	(0)	**1.2**	-	-	-	3	9	**2**	1	8	**0**
16061	**なぎなたこうじゅ**　浸出液	0	**0**	0	99.9	**0**	-	**Tr**	-	-	-	-	-	**Tr**	-	-	-	Tr	7	**1**	Tr	1	**Tr**
16055	**麦茶**　浸出液	0	**1**	1	99.7	**Tr**	-	**(0)**	-	-	-	-	(0)	**0.3**	-	-	-	1	6	**2**	Tr	1	**Tr**

+PLUS+ **清涼飲料水で死亡も**●甘い清涼飲料水を大量に飲むと血液中のぶどう糖濃度が高くなるため、尿中に多量のぶどう糖と水分を排出する。さらにのどが渇（かわ）くため、同じことが繰り返されると急性の糖尿病になり、急激に悪化して昏睡（こんすい）状態になる。これを「ペットボトル症候群」という。

昆布茶

スポーツドリンク　果実色飲料　コーラ　サイダー　ビール風味炭酸飲料

なぎなたこうじゅ　麦茶

六条大麦

麦茶のティーバッグ

昆布茶
Konbu-cha　小1=2g

昆布を乾燥させて粉末や角切りにし、調味料等を加えたもの。お湯を注いで飲む。ミネラル分が豊富だが、食塩相当量は高い。

スポーツドリンク
Sports drink　1本=500g

スポーツ等で失われた水分やミネラル分等を効率よく補給することを目的とした飲料。水に、糖分、クエン酸、アミノ酸、ビタミン、ミネラル等を加え、吸収しやすく調整したもの。

炭酸飲料類
Carbonated beverage

炭酸ガスが水に溶け込んだ、発泡性の飲料。清涼感を楽しむもので、ほとんどが水分と糖分からなる。

果実色飲料：フルーツをイメージした色に着色し、香料を加えたもの。
コーラ：複数の香料をブレンドした黒褐色の炭酸飲料。日本でも昭和30年代より製造、販売されている。
サイダー：透明な炭酸飲料で、英語では「SODA（ソーダ）」のこと。糖分の他に酸や香料を加えてある。
ビール風味炭酸飲料：別名**ノンアルコールビール**。ビールに似せた味の発泡性炭酸飲料。アルコール分を１％未満含むものもある。

なぎなたこうじゅ（薙刀香薷）
Elsholtzia ciliate

シソ科。アイヌ名エント、セタエント。しそとはっかを合わせたような香りでアイヌ民族が飲用。漢方薬にも利用される。

麦茶
Mugi-cha　1C=200g

大麦を焙煎し、その浸出液を飲むもので、お茶ではない。カフェインを全く含まない。

コーヒーをいれるおもな方法

ネル・ドリップ式
中びきの豆をネルの袋でこす方法。ペーパーでこす方法よりもコクがあり、通人好み。

エスプレッソ式
極細ひきの豆を蒸気の圧力で一気に浸出させる方法。濃いコーヒーができる。

ペーパー・ドリップ式
中びき、または中細ひきの豆を、ペーパー・フィルターでこす方法。

サイフォン式
細びきまたは中細ひきの豆を、フラスコとロート状の器具を使い、空気圧を利用していれる方法。

可食部100gあたり　Tr：微量　( )：推定値または推計値　-：未測定

ミネラル（無機質）							ビタミン															食塩相当量	備考
亜鉛	銅	マンガン	ヨウ素	セレン	クロム	モリブデン	A レチノール活性当量	A レチノール	A β-カロテン当量	D	E αトコフェロール	K	B1	B2	ナイアシン当量	B6	B12	葉酸	パントテン酸	ビオチン	C		①アルコール　②試料　③カフェイン　④タンニン　⑤浸出法
mg	mg	mg	μg	μg	μg	μg	μg	μg	μg	μg	mg	μg	mg	mg	mg	mg	μg	μg	mg	μg	mg	g	
Tr	0	0.03	0	0	0	0	**0**	0	0	0	0	0	**0**	**0.01**	(0.8)	0	0	0	0	1.7	**0**	0	⑤コーヒー粉末 10g/ 熱湯 150mL　③0.06g、④0.25g
0.4	0.03	1.90	8	5	2	7	**(0)**	(0)	0	(0)	0.1	Tr	**0.02**	**0.14**	(48.0)	0.01	0.1	8	0	88.0	**(0)**	0.1	顆粒製品　③4.0g、④12.0g
0.1	0.01	0.02	2	Tr	0	Tr	**(0)**	0	(0)	-	0	0	**0.01**	**0.04**	0.4	Tr	-	0	0.11	2.5	**(0)**	0.1	②缶製品　(100 g：98mL、100 mL：102g)
7.0	3.80	-	-	-	-	-	**3**	0	30	(0)	0.3	2	**0.16**	**0.22**	6.6	0.08	0	31	0.85	-	**0**	0	粉末製品　(100 g：222mL、100 mL：45g) テオブロミン：1.7g　③0.2g　ポリフェノール：4.1g
2.1	0.93	0.74	-	-	-	-	**8**	8	Tr	-	0.4	0	**0.07**	**0.42**	1.5	0.07	-	12	0.90	-	**(0)**	0.7	粉末製品　テオブロミン：0.3g ③Tr　ポリフェノール：0.9g
1.8	0.17	2.75	5	9	12	130	**860**	0	10000	0	9.4	1500	**0.31**	**0.80**	10.0	0.75	0	820	1.31	20.0	**1100**	0.6	粉末製品　硝酸イオン：0.7g
0.3	0.05	0.17	-	-	-	-	**(0)**	(0)	(0)	(0)	Tr	0	**0.01**	**0.03**	(0.6)	0.02	-	8	0	-	**(0)**	0.2	(100 g：96mL、100 mL：104g)
0.3	Tr	0.03	26000	2	13	1	**3**	0	31	0	Tr	13	**0.01**	**0.02**	0.1	Tr	0	11	0.01	0.5	**6**	51.3	粉末製品 (100 g：198mL、100 mL：51g)
0	0	0	-	-	-	-	**0**	0	0	0	0	0	**0**	**0**	0.8	0.12	0	0	Tr	-	**Tr**	0.1	(100 g：99mL、100 mL：101g)
0	Tr	0	1	0	0	0	**(0)**	(0)	0	(0)	-	-	**0**	**0**	0	-	-	-	-	0	**0**	0	②無果汁のもの　ビタミンC：添加品あり (100 g：98mL、100 mL：102g)
Tr	Tr	0	-	-	-	-	**(0)**	(0)	0	(0)	-	-	**0**	**0**	Tr	-	-	-	-	-	**0**	0	(100 g：98mL、100 mL：103g)
0.1	0.02	0	-	-	-	-	**(0)**	(0)	(0)	(0)	-	-	**0**	**0**	0	-	-	-	-	-	**0**	0	(100 g：98mL、100 mL：103g)
0	Tr	0	-	-	-	-	**(0)**	(0)	(0)	(0)	(0)	(0)	**0**	**0**	0.1	Tr	0	1	0.02	-	**8**	0	(100 g：99.5 mL、100 mL：100.5 g)
0	Tr	Tr	0	0	0	0	**-**	-	-	-	-	-	**0**	**0**	Tr	0	-	1	0	Tr	**0**	0	⑤焙煎した茎葉及び花 6g/ 水 2000mL、加熱・沸騰後 10 分煮出し　④0g
0.1	Tr	Tr	0	0	0	0	**(0)**	(0)	(0)	(0)	0	0	**0**	**0**	0	0	-	0	0	0.1	**(0)**	0	⑤麦茶 50g/ 湯 1500mL、沸騰後 5 分放置

Q A フェアトレード・コーヒーとは？▶途上国の生産物の価格が不当に安く抑えられていることが、そうした国々の発展を妨げ、貧困の拡大につながっているとして、フェア（公平）なトレード（貿易）を通じて経済的自立を援助しようとする運動がある。コーヒーもそのひとつで、基準をクリアした商品には認証マークがつけられている。

17 調味料・香辛料類 SEASONINGS and SPICES

香辛料各種

調味料・香辛料類とは

調味料は、味覚の基本である塩味・甘味・酸味・苦味・辛味・うま味を食品に与える材料で、人のし好を満たし食欲を増進させるもの。
香辛料は、特有の刺激性のある香味を利用し、調味料と同様の効果を食品に与えている。
塩、しょうゆ、酢などの調味料のほか、スパイスやハーブなど、し好の多様化とともにさまざまな香辛料類が食卓にのぼるようになってきている。

1 栄養上の特徴

調味料には、塩分が多く含まれている。1日の塩分摂取量は7.5〜9g以下が望ましく、とくに高血圧、じん臓障害のある人は要注意。減塩のためには、酢や香辛料を活用するとよい。

減塩に効果を発揮するとうがらしなどの辛味成分は「カプサイシン」という。脂肪分解酵素のリパーゼを活性化し、脂肪の燃焼を促進する。また、免疫力アップの効果もある。しかし、過剰摂取は味覚障害を引き起こすおそれもあるので、注意を要する。

●うま味成分を多く含む食品の番付表

番付	グルタミン酸	イノシン酸	グアニル酸
横綱	利尻昆布	煮干し	乾しいたけ
大関	チーズ	かつお節	まつたけ
関脇	しょうゆ	しらす干し	生しいたけ
小結	一番茶	あじ	えのきたけ
前頭	みそ いわし ブロッコリー トマト はくさい	さんま たい 豚肉 牛肉 くるまえび	しょうろきのこ 鯨肉 豚肉 牛肉 鶏肉

2 塩の調理性

浸透圧作用	野菜や魚に食塩をふって、水分をしみ出させる。
酵素停止作用	りんごを褐変させるポリフェノール酵素の作用を防止したり、青菜をゆでる際のクロロフィルの退色を防ぐ。
たんぱく質溶解作用	食塩を加えることにより、たんぱく質が溶け出し、小麦粉をこねて粘りを加えたり、魚肉のねり製品などに弾力性を与える。
たんぱく質凝固作用	さといものぬめり成分を凝固させる。
細胞軟化作用	食塩水の沸点の高さを利用して、野菜をやわらかくゆで上げる。
防腐効果	10%以上の塩水で食品中の水分を脱水して、雑菌の繁殖を抑える。
酸化防止作用	0.5%程度の食塩水によって、大気中の酸素による食品の酸化と変色、ビタミンCの酸化を防ぐ。

3 世界のおもな調味料の分布

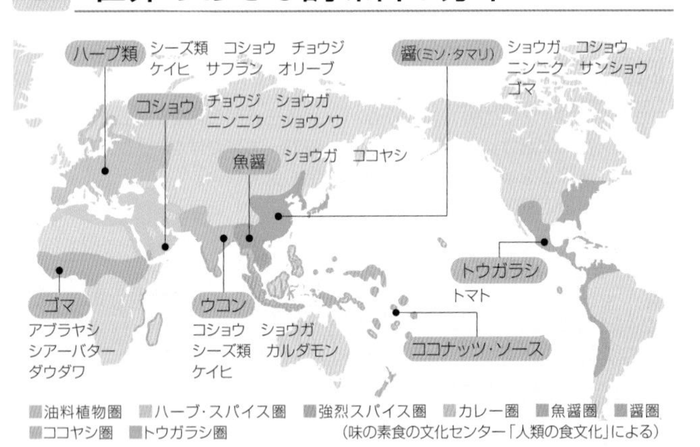

(味の素食の文化センター「人類の食文化」による)

食品番号	食品名	廃棄率 %	エネルギー kcal	2015年版の値 kcal	水分 g	たんぱく質 g	アミノ酸組成によるたんぱく質 g	脂質 g	脂肪酸のトリアシルグリセロール当量 g	脂肪酸 飽和 g	脂肪酸 一価不飽和 g	脂肪酸 多価不飽和 g	コレステロール mg	炭水化物 g	利用可能炭水化物(質量計) g	食物繊維 食物繊維総量(プロスキー変法) g	食物繊維 食物繊維総量(AOAC法) g	ミネラル(無機質) ナトリウム mg	カリウム mg	カルシウム mg	マグネシウム mg	リン mg	鉄 mg
	〈調味料類〉																						
	(ウスターソース類)																						
17001	**ウスターソース**	0	**117**	119	61.3	**1.0**	0.7	**0.1**	Tr	0.01	Tr	Tr	-	**27.1**	23.8	0.5	-	3300	190	**59**	24	11	**1.6**
17002	**中濃ソース**	0	**129**	131	60.9	**0.8**	0.5	**0.1**	Tr	0.01	Tr	0.01	-	**30.9**	26.6	1.0	-	2300	210	**61**	23	16	**1.7**
17003	**濃厚ソース**	0	**130**	132	60.7	**0.9**	-	**0.1**	-	-	-	-	-	**30.9**	(26.7)	1.0	-	2200	210	**61**	26	17	**1.5**
17085	**お好み焼きソース**	0	**144**	145	58.1	**1.6**	1.3	**0.1**	Tr	0.01	0.01	0.01	Tr	**33.7**	29.1	0.9	-	1900	240	**31**	20	28	**0.9**
	(辛味調味料類)																						
17004	**トウバンジャン**	0	**49**	60	69.7	**2.0**	-	**2.3**	1.8	0.34	0.29	1.12	3	**7.9**	-	4.3	-	7000	200	**32**	42	49	**2.3**
17005	**チリペッパーソース**	0	**58**	59	84.1	**0.7**	(0.5)	**0.5**	(0.4)	(0.07)	(0.04)	(0.26)	-	**12.8**	-	-	-	630	130	**15**	13	24	**1.5**
17006	**ラー油**	0	**887**	919	0.1	**0.1**	-	**99.8**	(97.5)	(14.58)	(35.51)	(43.15)	(0)	**Tr**	-	-	-	Tr	Tr	**Tr**	Tr	Tr	**0.1**

+PLUS+ 安さか、本物の味と安全か？１●新式醸造しょうゆは、まず油を搾り取ったあとのかすである脱脂大豆を塩酸で分解して、アミノ酸液をつくる。そこへグルタミン酸ナトリウム等の化学調味料や、甘味料、酸味料、増粘多糖類、色素、保存料等を混ぜたもの。本来の製造法と違うが、安い。

チリペッパーソース(タバスコ)

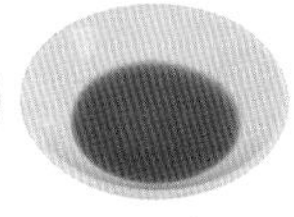

ウスターソース　中濃ソース　濃厚ソース　お好み焼きソース　トウバンジャン　ラー油

調味料類
SEASONINGS

ウスターソース類
Japanese Worcester sauces

大1=18g

イギリスのウースターシャー地方発祥のソース。野菜や果物の汁等に塩、砂糖、酢、香辛料等を加えて熟成させた液体調味料。JAS規格ではその粘度により「ウスターソース」「中濃ソース」「濃厚ソース」に分類している。

ウスターソース
粘度のほとんどない、サラサラの本来のウスターソース。塩分と酸味は一番強い。

中濃ソース
ウスターソースと濃厚ソースの中間にあたるソース。戦後に広まった濃厚ソースより一足遅れ、食卓の洋風化が進んだ昭和30年代に登場した。

濃厚ソース
ウスターソースに甘味と粘度を加えて日本人好みに調整されたソース。とんかつソースとも呼ばれる。また、たこ焼きソース、お好み焼きソース等、食品を特定して調整されたものも多い。

お好み焼きソース
お好み焼きに塗りやすいようにとろみをつけたソースで、甘味が強い。

辛味調味料類
Hot seasonings

小1=4g

トウバンジャン(豆板醤)
豆板はそら豆、醤はみそのことで、そら豆に唐辛子と塩を加えて熟成させたみそ。辛さに特徴のある四川料理に欠かせない調味料。加熱することにより辛さと風味が増す。

チリペッパーソース
カイエンヌ等の辛味の強い唐辛子に酢と食塩を混ぜて発酵させた辛味調味料。「タバスコ」は商標名で、メキシコ・タバスコ州原産のタバスコペッパーを使い、アメリカで考案された。青唐辛子(ハラペーニョ)を使った緑色のものは辛さがマイルド。ピザやパスタにかけるのは日本独自の使用法。

ラー油(辣油)
ごま油に唐辛子を入れてじっくり加熱し、辛味と風味を油に移したもの。餃子のタレ等に使われる。

チリ(中南米産唐辛子)の辛さのスケール

辛さ	種類	特徴・使い方
強	ハバネロ	中南米カリブ海原産の激辛で有名な唐辛子。サラダなどに少量使うとよい。
	カイエンヌ	南米大陸フランス領ギアナのカイエンヌ原産。どんな使用法でも料理に合う。
	セラノ	中米山岳地帯原産。心地いい酸味とシャープな辛さが特徴。
	ハラペーニョ	メキシコ原産。フレッシュな辛さの唐辛子。ししとうと同じ辛さ。ソースやピクルスに。
弱	ラージチェリー	肉厚ピーマンのような味。サラダやピクルス等に。

可食部100gあたり　Tr:微量　( ):推定値または推計値　-:未測定

ミネラル(無機質) 亜鉛 mg	銅 mg	マンガン mg	ヨウ素 µg	セレン µg	クロム µg	モリブデン µg	ビタミン A レチノール活性当量 µg	A レチノール µg	A β-カロテン当量 µg	D µg	E α-トコフェロール mg	K µg	B1 mg	B2 mg	ナイアシン当量 mg	B6 mg	B12 µg	葉酸 µg	パントテン酸 mg	ビオチン µg	C mg	食塩相当量 g	備考 ①液状だし ②試料 ③材料割合 ④塩事業センター及び日本塩工業会の品質規格では塩化ナトリウム ⑤塩事業センターの品質規格では塩化ナトリウム
0.1	0.10	-	3	1	9	4	**4**	(0)	47	(0)	0.2	1	**0.01**	**0.02**	0.3	0.03	Tr	1	0.15	6.5	0	8.5	(100g:83.7mL、100mL:119.5g)
0.1	0.18	0.23	3	1	7	3	**7**	(0)	87	(0)	0.5	2	**0.02**	**0.04**	0.4	0.04	Tr	1	0.18	5.8	(0)	5.8	(100g:86mL、100mL:116g)
0.1	0.23	0.23	-	-	-	-	**9**	(0)	110	(0)	0.5	2	**0.03**	**0.04**	0.8	0.06	Tr	1	0.21	-	(0)	5.6	
0.2	0.10	0.13	2	2	5	6	**17**	-	200	0	0.8	1	**0.03**	**0.03**	0.8	0.06	0.1	6	0.19	4.5	3	4.9	(100g:86mL、100mL:117g)
0.3	0.13	0.28	-	-	-	-	**120**	(0)	1400	(0)	3.0	12	**0.04**	**0.17**	1.3	0.20	0	8	0.24	-	3	17.8	(100g:88mL、100mL:113g)
0.1	0.08	0.10	-	-	-	-	**130**	(0)	1600	(0)	-	-	**0.03**	**0.08**	(0.5)	-	-	-	-	-	0	1.6	タバスコソース等を含む
Tr	0.01	-	-	-	-	-	**59**	(0)	710	(0)	3.7	5	**0**	**0**	0.1	-	-	-	-	-	(0)	0	使用油配合割合:ごま油8、とうもろこし油2

Q&A 辛さの単位▶1912年にウィルバー・スコヴィルによって、スコヴィル辛味単位が定められた(➔p.131)。辛味を感じなくなるまでどのくらい薄めるのかという方法によるため、数値は個人の主観に左右される。また、わさびなどの他の辛味成分は辛味を感じる仕組みが違うため、スコヴィル値では表すことはできない。

こいくち しょうゆ　減塩 しょうゆ　うすくち しょうゆ　たまり しょうゆ　さいしこみ しょうゆ　しろ しょうゆ　だし しょうゆ

しょうゆ類（醤油類）

Shoyu:Soy sauces　大1=18g

大豆と小麦に種こうじを加えてこうじをつくり、食塩水を加えて発酵させてできた「もろみ」を搾り、加熱殺菌したもの。香り成分はメチオニンが発酵したもの、うま味成分はグルタミン酸。JAS規格では、「こいくち」「うすくち」「たまり」「さいしこみ」「しろ」の5つに分類している。

こいくちしょうゆ（濃口醤油）
大豆と小麦がほぼ半々の割合でつくられ、塩分濃度14.5％。江戸時代に関東でつくられるようになり、全国に広がった。
主産地：千葉、香川。

減塩：食塩含有量を通常の50％以下にしたもの。通常のしょうゆを製造後、塩分だけを特殊な方法で取り除き、うま味、香りなどはそのまま残している。はじめから低塩分にして特別な工程で醸造する方法もある。低塩しょうゆは、食塩含有量を80％以下にしたもの。

うすくちしょうゆ（淡口醤油）
色や香りが淡いので、色をあまりつけないすまし汁等に使われる。色は薄いが塩分濃度は16％と、こいくちより高い。おもに関西で使用されてきた。
主産地：兵庫。

たまりしょうゆ（溜まり醤油）
大豆が主体で小麦はほとんど使われていない。刺身しょうゆとして、また、加熱するときれいな赤みが出るので照り焼きにも利用される。
主産地：愛知。

さいしこみしょうゆ（再仕込み醤油）
別名甘露しょうゆ。甘味がある。仕込みの際、食塩の代わりに生醤油（火入れしていないしょうゆ）を使うのが特徴。
主産地：山口。九州から山陰地方。

しろしょうゆ（白醤油）
小麦を主原料にしてつくられるしょうゆ。色はごく薄い黄金色。お吸い物等、しょうゆ色をつけたくない料理に使われる。
主産地：愛知（碧南地方）。

だししょうゆ（出汁醤油）
しょうゆにかつお節やこんぶ等のうま味成分を加え、うま味による減塩を目的としたもの。ほかにみりんや砂糖等を加えるものが多い。

照りしょうゆ（照り醤油）
魚等を焼くときに照りを出すために塗るたれで、しょうゆとみりんを混ぜたもの。砂糖や酒等を加えることもある。

食塩類

Edible salts　小1=6g

成分のほとんどが塩化ナトリウム。調味料の基本であり、体にも不可欠な成分だが、摂り過ぎに注意。

食品番号	食品名	廃棄率	エネルギー	2015年版の値	水分	たんぱく質	アミノ酸組成によるたんぱく質	脂質	脂肪酸のトリアシルグリセロール当量	脂肪酸 飽和	一価不飽和	多価不飽和	コレステロール	炭水化物	利用可能炭水化物（質量計）	食物繊維 食物繊維総量（プロスキー変法）	食物繊維総量（AOAC法）	ミネラル（無機質） ナトリウム	カリウム	カルシウム	マグネシウム	リン	鉄
		%	kcal	kcal	g	g	g	g	g	g	g	g	mg	g	g	g	g	mg	mg	mg	mg	mg	mg
	（しょうゆ類）																						
17007	**こいくちしょうゆ**	0	**76**	77	67.1	**7.7**	6.1	**0**	-	-	-	-	(0)	**7.9**	1.6	-	-	5700	390	**29**	65	160	**1.7**
17086	減塩	0	**68**	69	74.4	**8.1**	(6.4)	**Tr**	-	-	-	-	(0)	**9.0**	(1.3)	-	-	3300	260	**31**	74	170	**2.1**
17008	**うすくちしょうゆ**	0	**60**	60	69.7	**5.7**	4.9	**0**	-	-	-	-	(0)	**5.8**	2.6	-	-	6300	320	**24**	50	130	**1.1**
17139	低塩	0	**77**	77	70.9	**6.4**	5.5	**Tr**	-	-	-	-	(0)	**7.6**	2.5	-	(Tr)	5000	330	**19**	54	130	**1.0**
17009	**たまりしょうゆ**	0	**111**	111	57.3	**11.8**	9.2	**0**	-	-	-	-	(0)	**15.9**	-	-	-	5100	810	**40**	100	260	**2.7**
17010	**さいしこみしょうゆ**	0	**101**	103	60.7	**9.6**	(7.6)	**0**	-	-	-	-	(0)	**15.9**	(1.9)	-	-	4900	530	**23**	89	220	**2.1**
17011	**しろしょうゆ**	0	**86**	87	63.0	**2.5**	(2.0)	**0**	-	-	-	-	(0)	**19.2**	(1.8)	-	-	5600	95	**13**	34	76	**0.7**
17087	**だししょうゆ**	0	**39**	40	(83.2)	**(4.0)**	(3.1)	**0**	-	-	-	-	0	**(4.1)**	(0.8)	-	-	(2800)	(230)	**(16)**	(35)	(89)	**(0.9)**
17088	**照りしょうゆ**	0	**172**	172	(55.0)	**(2.4)**	(1.9)	**0**	-	-	-	-	0	**(35.7)**	(20.4)	-	-	(1600)	(110)	**(10)**	(20)	(51)	**(0.5)**
	（食塩類）																						
17012	**食塩**	0	**0**	0	0.1	**0**	-	**0**	-	-	-	-	(0)	**0**	-	-	-	39000	100	**22**	18	(0)	**Tr**
17013	**並塩**	0	**0**	0	1.8	**0**	-	**0**	-	-	-	-	(0)	**0**	-	-	-	38000	160	**55**	73	(0)	**Tr**
17146	**減塩タイプ食塩** 調味料含む	0	**50**	0	Tr	**(0)**	-	**(0)**	-	-	-	-	(0)	**(16.7)**	-	-	-	19000	19000	**2**	240	(0)	**0.1**
17147	調味料不使用	0	**0**	0	2.0	**(0)**	-	**(0)**	-	-	-	-	(0)	**0**	-	-	-	18000	25000	**390**	530	(0)	**0.1**
17014	**精製塩** 家庭用	0	**0**	0	Tr	**0**	-	**0**	-	-	-	-	(0)	**0**	-	-	-	39000	2	**0**	87	(0)	**0**
17089	業務用	0	**0**	0	Tr	**0**	-	**0**	-	-	-	-	(0)	**0**	-	-	-	39000	2	**0**	0	(0)	**0**
	（食酢類）																						
17090	**黒酢**	0	**54**	54	85.7	**1.0**	-	**0**	-	-	-	-	(0)	**9.0**	-	-	-	10	47	**5**	21	52	**0.2**
17015	**穀物酢**	0	**25**	25	93.3	**0.1**	-	**0**	-	-	-	-	(0)	**2.4**	-	-	-	6	4	**2**	1	2	**Tr**
17016	**米酢**	0	**46**	46	87.9	**0.2**	-	**0**	-	-	-	-	(0)	**7.4**	-	-	-	12	16	**2**	6	15	**0.1**
17091	**果実酢** バルサミコ酢	0	**99**	99	74.2	**0.5**	-	**0**	-	-	-	-	(0)	**19.4**	(16.4)	-	-	29	140	**17**	11	22	**0.7**
17017	ぶどう酢	0	**22**	22	93.7	**0.1**	-	**Tr**	-	-	-	-	0	**1.2**	-	0	-	4	22	**3**	2	8	**0.2**
17018	りんご酢	0	**26**	26	92.6	**0.1**	-	**0**	-	-	-	-	(0)	**2.4**	(0.5)	-	-	18	59	**4**	4	6	**0.2**

+PLUS+ 安さか、本物の味と安全か？２●丸大豆しょうゆの原料は大豆、小麦、塩で、１年ほど熟成させて作るため、複雑なうま味があり、新式醸造しょうゆよりは高い。酢、塩、みりん等もさまざまなものがある。料理の決め手となる調味料、どんなものを選ぶかで生活の質まで変わってくる。

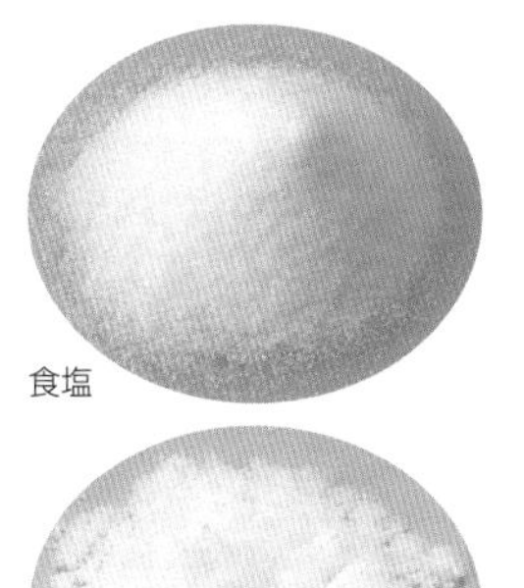

食塩

並塩

黒酢

穀物酢

米酢

バルサミコ酢

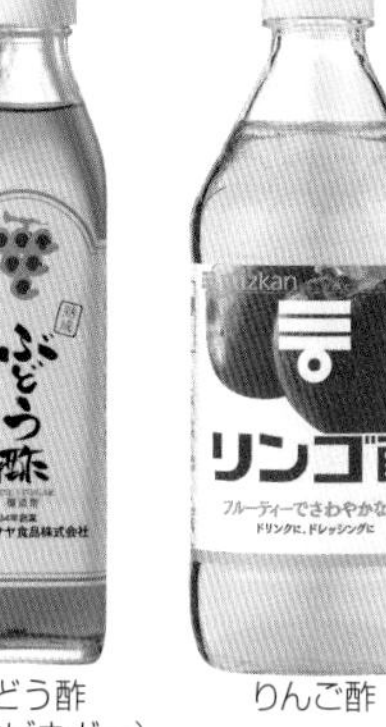

ぶどう酢（ワインビネガー）

りんご酢

食塩
海水を濃縮し、結晶させてつくる。塩化ナトリウム99%以上を含む乾燥塩。

並塩（なみじお）
天日塩を精製したもので、塩化ナトリウム95%以上、水分1.4%の湿った塩。別名**あら塩**。

減塩タイプ食塩
塩化ナトリウム以外の塩類が50%以上含まれているもの。

精製塩
並塩より不純物をさらに取り除いた乾燥塩。もっとも広く使われている塩。塩化ナトリウム99.5%以上。

食酢類

Vinegars　小1=5g

穀物や果汁等を醸造してつくられる、酸味が特徴の調味料。酸味成分は酢酸、クエン酸等の有機酸。食欲増進効果のほか、殺菌効果もある。

黒酢
鹿児島の特産品で、壺酢（つぼす）、米黒酢とも呼ばれる。屋外に並べた壺に蒸し米、米こうじ、水を入れ、１つの壺の中で糖化、アルコール発酵、酢酸発酵、熟成を完結させる珍しい製法で、１年以上かけて造られる。健康飲料としても利用される。

穀物酢
小麦、大麦、とうもろこし等の米以外の穀類を主原料にした酢。

米酢
米を主原料にした酢。味にコクと丸みがある。

果実酢
バルサミコ酢：甘味の強いワイン用ぶどうの搾り汁を50～30%まで煮詰め、素材の違う木の樽に移し替えながら長期熟成させたイタリアの特産品。イタリア語のバルサミコとは芳香があるという意味で、独特の香りとうま味があるので少量をアクセントとして利用する。イタリアでは法律で「モデナ産の伝統的なバルサミコ酢」の熟成期間は12年以上と決められているが、未熟成のぶどう酢に甘味や着色料等を加えてバルサミコと称したものが多く流通している。

ぶどう酢：別名**ワインビネガー**、**ワイン酢**。ワインを原料とした酢。

りんご酢：別名**サイダービネガー**。りんご果汁に酵母を加えて発酵させたりんご酒に、酢酸菌を加えて熟成させたもの。さわやかな酸味でお酢ドリンクとしても利用される。

塩で食器をメンテナンス

湯飲みの茶渋は、ぬらしたスポンジなどに塩をつけてこするときれいに落ちる。鍋のこげには塩を振りかけ、2時間くらいおいてからこする。ヨーロッパでは、コップなどのガラスの器に新聞紙を細かくちぎって入れ、水と塩を加えてから強く振ってすすぎ、きれいにする。また、皿や陶器を割れにくくするために塩水で煮る。

可食部100gあたり　Tr：微量　（ ）：推定値または推計値　－：未測定

亜鉛 mg	銅 mg	マンガン mg	ヨウ素 µg	セレン µg	クロム µg	モリブデン µg	A レチノール活性当量 µg	レチノール µg	β-カロテン当量 µg	D µg	E αトコフェロール mg	K µg	B1 mg	B2 mg	ナイアシン当量 mg	B6 mg	B12 µg	葉酸 µg	パントテン酸 mg	ビオチン µg	C mg	食塩相当量 g	備考 ①液状だし ②試料 ③材料割合 ④塩事業センター及び日本塩工業会の品質規格では塩化ナトリウム ⑤塩事業センターの品質規格では塩化ナトリウム
0.9	0.01	1.00	1	11	3	48	**0**	0	0	(0)	0	0	**0.05**	**0.17**	1.6	0.17	0.1	33	0.48	12.0	**0**	14.5	(100g：84.7mL、100mL：118.1g)
0.9	Tr	1.17	1	10	3	84	**-**	0	-	(0)	-	(0)	**0.07**	**0.17**	(1.8)	0.17	0	57	0.46	11.0	**(0)**	8.3	(100g：89.3mL、100mL：112.0g)
0.6	0.01	0.66	1	6	2	40	**0**	0	0	(0)	0	0	**0.05**	**0.11**	1.2	0.13	0.1	31	0.37	8.4	**0**	16.0	(100g：84.7mL、100mL：118.1g)
0.5	0	0.70	Tr	4	4	26	**0**	(0)	0	-	0	0	**0.25**	**0.08**	1.1	0.11	Tr	36	0.34	6.0	**4**	12.8	(100 g：87.8 mL、100 mL：113.9 g)
1.0	0.02	-	-	-	-	-	**0**	0	0	(0)	-	0	**0.07**	**0.17**	2.0	0.22	0.1	37	0.59	-	**0**	13.0	(100g：82.6mL、100mL：121.1g)
1.1	0.01	-	-	-	-	-	**0**	0	0	(0)	-	0	**0.17**	**0.15**	(1.7)	0.18	0.2	29	0.57	-	**0**	12.4	(100g：82.6mL、100mL：121.1g)
0.3	0.01	-	-	-	-	-	**0**	0	0	(0)	-	0	**0.14**	**0.06**	(1.0)	0.08	0.2	14	0.28	-	**0**	14.2	(100g：82.6mL、100mL：121.1g)
(0.4)	(Tr)	(0.50)	(750)	(8)	(1)	(24)	**0**	0	0	0	0	0	**(0.03)**	**(0.09)**	(1.2)	(0.09)	(0.2)	(17)	(0.26)	(6.2)	**0**	(7.3)	こいくちしょうゆ 1、かつお昆布だし 1
(0.2)	(0.04)	(0.31)	(Tr)	(3)	(1)	(13)	**0**	0	0	0	0	0	**(0.01)**	**(0.05)**	(0.5)	(0.06)	(Tr)	(9)	(0.13)	(3.4)	**0**	(4.0)	本みりん 126、こいくちしょうゆ 45
Tr	0.01	Tr	1	1	0	0	**(0)**	(0)	(0)	(0)	-	(0)	**(0)**	**(0)**	0	(0)	(0)	(0)	(0)	0	**(0)**	99.5	④99%以上　(100g：83mL、100mL：120g)
Tr	0.02	Tr	-	-	-	-	**(0)**	(0)	(0)	(0)	-	(0)	**(0)**	**(0)**	0	(0)	(0)	(0)	(0)	-	**(0)**	97.3	④95%以上　(100g：111mL、100mL：90g)
Tr	0	0.02	-	-	0	-	**(0)**	(0)	(0)	(0)	-	(0)	**(0)**	**(0)**	0	(0)	(0)	(0)	(0)	-	**(0)**	49.4	調味料（無機塩、有機酸）を含む
Tr	0	0.02	-	-	0	-	**(0)**	(0)	(0)	(0)	-	(0)	**(0)**	**(0)**	0	(0)	(0)	(0)	(0)	-	**(0)**	45.7	塩化カリウムを含む
0	Tr	0	-	-	-	-	**(0)**	(0)	(0)	(0)	-	(0)	**(0)**	**(0)**	0	(0)	(0)	(0)	(0)	-	**(0)**	99.6	⑤99.5%以上　(100g：83mL、100mL：120g)
0	Tr	0	-	-	-	-	**(0)**	(0)	(0)	(0)	-	(0)	**(0)**	**(0)**	0	(0)	(0)	(0)	(0)	-	**(0)**	99.6	⑤99.5%以上　(100g：83mL、100mL：120g)
0.3	0.01	0.55	0	0	2	9	**(0)**	(0)	(0)	(0)	(0)	(0)	**0.02**	**0.01**	0.8	0.06	0.1	1	0.07	1.0	**(0)**	0	
0.1	Tr	-	0	0	1	1	**0**	0	0	(0)	-	(0)	**0.01**	**0.01**	0.1	0.01	0.1	0	0	0.1	**0**	0	(100g：100mL、100mL：100g)
0.2	Tr	-	0	Tr	1	4	**0**	0	0	(0)	-	(0)	**0.01**	**0.01**	0.3	0.02	0.1	0	0.08	0.4	**0**	0	(100g：100mL、100mL：100g)
0.1	0.01	0.13	2	0	5	2	**(0)**	(0)	(0)	(0)	(0)	(0)	**0.01**	**0.01**	0.2	0.05	Tr	Tr	0.03	1.4	**(0)**	0.1	(100g：100mL、100mL：100g)
Tr	0.01	0.03	Tr	0	1	1	**(0)**	(0)	Tr	Tr	Tr	(Tr)	**Tr**	**Tr**	Tr	Tr	0.1	Tr	0.08	0.1	**Tr**	0	
0.1	Tr	-	-	-	-	-	**(0)**	0	(0)	(Tr)	-	Tr	**0**	**0.01**	0.1	0.01	0.3	0	0.06	-	**0**	0	

Q A ピンク色の塩はどこの塩？▶海水から塩を製造する日本の並塩と違って、海外では岩塩の利用が多い。岩塩とは、海が干上がって塩分が残り、長い年月をかけて自然にできたものなどのこと。特にヒマラヤ山脈のふもとで採取される岩塩はピンク色をしていることで知られている。

あご

昆布だし

鶏がらだし

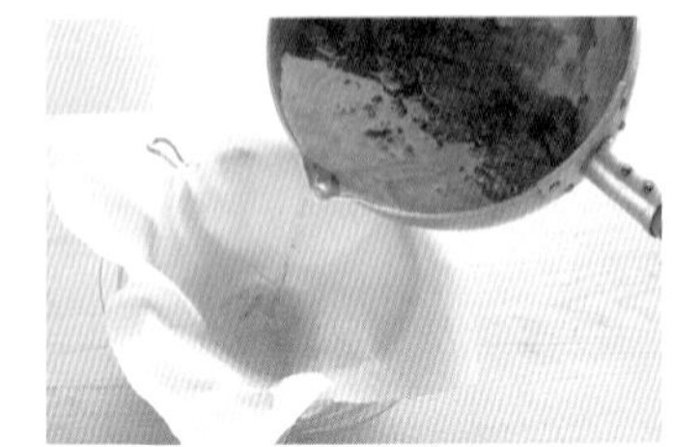

かつおだし

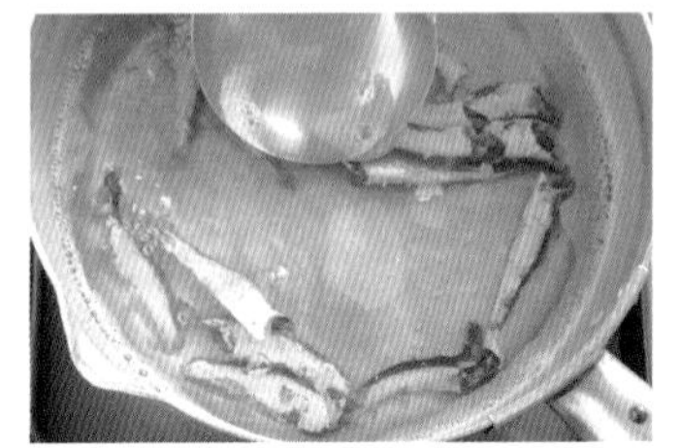

煮干しだし

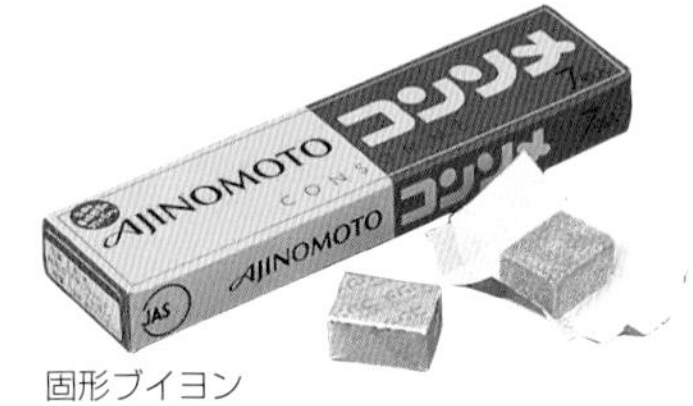

固形ブイヨン
(チキンコンソメ)

だし類
Soup stocks

動物性、または植物性のうま味成分を抽出した、料理の基本となる汁のこと。和食・洋食・中華の違いだけでなく、料理の目的によっても使い分ける。だしの取り方については、p.407参照のこと。

あごだし
とびうおの煮干しや焼き干しからとっただし。独特のうま味があり、くさみを感じにくいためさまざまな料理に合う。九州では高級食材とされてきた。

かつおだし
かつお節だけで取っただし。お吸い物、みそ汁、スープ等に。

昆布だし
水につけただけの「水出し」とお湯で煮出す「湯出し」の2種類の方法がある。精進料理等に。

かつお・昆布だし
かつおと昆布の混合だし。昆布だしにかつおを入れて取る。煮物、鍋物等、和食一般に広く使われる。

しいたけだし
乾しいたけの戻し汁をこした香りの強いだし。精進料理等に。

煮干しだし
煮干しの頭と内臓を除いて、水から煮て取るだし。みそ汁等に。

鶏がらだし
鳥がらを、アクを取りながら加熱し、液量が3/4になったら布でこしたもの。シチューやスープ等の洋風料理に。

中華だし
脂肪を除いた骨付き鶏肉、豚もも肉、ねぎ等をアクを取りながら加熱し、布でこしたもの。

食品番号	食品名	廃棄率 %	エネルギー kcal	2015年版の値 kcal	水分 g	たんぱく質 g	アミノ酸組成によるたんぱく質 g	脂質 g	脂肪酸のトリアシルグリセロール当量 g	脂肪酸 飽和 g	脂肪酸 一価不飽和 g	脂肪酸 多価不飽和 g	コレステロール mg	炭水化物 g	利用可能炭水化物(質量計) g	食物繊維 食物繊維総量(プロスキー変法) g	食物繊維 食物繊維総量(AOAC法) g	ミネラル(無機質) ナトリウム mg	カリウム mg	カルシウム mg	マグネシウム mg	リン mg	鉄 mg
	(だし類)																						
17130	**あごだし**	0	0	1	99.8	0.1	Tr	0	-	-	-	-	0	0	-	Tr	-	10	19	Tr	1	8	Tr
17019	**かつおだし** 荒節	0	2	2	99.4	0.4	0.2	Tr	-	-	-	-	0	0	-	0	-	21	29	2	3	18	Tr
17131	本枯れ節	0	2	2	99.4	0.5	0.2	0	-	-	-	-	0	Tr	-	0	-	21	32	Tr	3	18	Tr
17020	**昆布だし** 水出し	0	4	4	98.5	0.1	(0.1)	Tr	-	-	-	-	-	0.9	-	-	-	61	140	3	4	6	Tr
17132	煮出し	0	5	6	98.1	0.1	0.2	0	-	-	-	-	0	1.3	-	0.1	-	73	160	5	8	4	Tr
17021	**かつお・昆布だし** 荒節・昆布だし	0	2	2	99.2	0.3	(0.2)	Tr	-	-	-	-	-	0.3	-	-	-	34	63	3	4	13	Tr
17148	本枯れ節・昆布だし	0	2	3	99.2	0.3	0.1	0	-	-	-	-	-	0.4	-	Tr	-	30	58	1	3	11	Tr
17022	**しいたけだし**	0	4	4	98.8	0.1	-	0	-	-	-	-	-	0.9	-	-	-	3	29	1	3	8	0.1
17023	**煮干しだし**	0	1	1	99.7	0.1	-	0.1	-	-	-	-	-	Tr	-	-	-	38	25	3	2	7	Tr
17024	**鶏がらだし**	0	7	8	98.6	0.9	0.5	0.4	0.4	0.11	0.19	0.07	1	Tr	-	-	-	40	60	1	1	15	0.1
17025	**中華だし**	0	3	3	99.0	0.8	(0.7)	0	-	-	-	-	-	Tr	-	-	-	20	90	3	5	40	Tr
17026	**洋風だし**	0	6	6	97.8	1.3	(0.6)	0	-	-	-	-	-	0.3	-	-	-	180	110	5	6	37	0.1
17027	**固形ブイヨン**	0	233	235	0.8	7.0	(8.2)	4.3	4.1	2.12	1.73	0.03	Tr	42.1	-	0.3	-	17000	200	26	19	76	0.4
17092	**顆粒おでん用**	0	166	166	(0.9)	(9.6)	(9.9)	(0.1)	(0.1)	(0.02)	(0.01)	(0.03)	(7)	(31.7)	(20.3)	-	-	(22000)	(210)	(30)	(33)	(130)	(0.8)
17093	**顆粒中華だし**	0	210	211	1.2	12.6	10.6	1.6	1.5	0.55	0.67	0.17	7	36.6	-	-	-	19000	910	84	33	240	0.6
17028	**顆粒和風だし**	0	223	224	1.6	24.2	(26.8)	0.3	0.2	0.08	0.04	0.08	23	31.1	-	0	-	16000	180	42	20	260	1.0
17140	**なべつゆ** ストレート しょうゆ味	0	20	20	(93.0)	(1.0)	(0.8)	0	-	-	-	-	-	(4.1)	(3.1)	-	-	(700)	(53)	(4)	(8)	(23)	(0.2)
17029	**めんつゆ** ストレート	0	44	44	85.4	2.2	(2.0)	0	-	-	-	-	-	8.7	-	-	-	1300	100	8	15	48	0.4
17141	二倍濃縮	0	71	71	75.2	3.4	-	0	-	-	-	-	-	14.4	-	-	-	2600	160	12	25	67	0.6
17030	三倍濃縮	0	98	98	64.9	4.5	(4.1)	0	-	-	-	-	-	20.0	-	-	-	3900	220	16	35	85	0.8
	ラーメンスープ 濃縮																						
17142	しょうゆ味 ストレートしょうゆ味	0	157	159	(57.5)	(3.3)	(2.7)	(11.7)	(11.4)	-	-	-	(12)	(9.9)	(3.6)	-	-	(6700)	(200)	(22)	(31)	(69)	(0.6)
17143	みそ味 ストレートみそ味	0	187	192	(48.4)	(6.4)	(5.5)	(11.0)	(10.7)	-	-	-	(9)	(16.8)	(5.1)	(1.6)	-	(6500)	(270)	(61)	(43)	(100)	(1.8)

+PLUS+ 関東はかつおだし、関西は昆布だしが発達した理由●流通経路の問題で、江戸時代には質のよい昆布が関東に届きにくかった。また、昆布のうま味成分（グルタミン酸）は硬度の低い軟水だと溶け出しやすいが、関東の水質は硬水ということで、関東ではかつおだしがよく使われるようになり、関西では昆布だしが発達したといわれる。

顆粒
おでん用

顆粒和風だし

顆粒中華だし

めんつゆ

世界の「だし」

日本

かつおぶし・煮干し、干しこんぶ・乾しいたけなどからだしをとる。いずれも乾物のため短時間でだしがとれる。肉や油脂が少ない淡泊な味付けの日本料理に、だしは欠かせない。

西洋

牛すね・鶏がら・魚アラ・たまねぎ・にんじんなど、生鮮食品が多いためスープをとるのに長時間かかる。肉の臭み取りや風味付けに香草類を数種類束ねたブーケガルニを用いる。

中国

スープを湯（たん）という。主に鶏がら・豚骨・干しエビ・ネギ・白菜などを使う。乾物だけでなく生鮮食品からも湯をとるため、日本料理に比べて湯をとるのに時間がかかる。

洋風だし
牛もも肉をアクを取りながら加熱し、香味野菜と塩を入れてさらにアクを取りながら加熱し、布でこしたもの。別名**スープストック**。

固形ブイヨン 1個=5g
肉で取っただしを濃縮したもの。チキン味やビーフ味がある。別名**固形コンソメ**。

顆粒おでん用
別名おでんの素。塩、しょうゆ、昆布やかつお節のエキス、調味料等を原材料に、おでん用に調整したもの。和風だしの素としても利用される。

顆粒中華だし
塩、しょうゆ、砂糖、酵母エキス、チキンエキス、野菜エキス、香辛料、調味料等を原材料に、中華料理の味つけになるように調整したもの。

顆粒和風だし 大1=18g
かつお節、煮干し、こんぶ、貝柱、乾しいたけ等の粉末に、調味料を加えて乾燥し、顆粒状にしたもの。別名**顆粒風味調味料**。

なべつゆ
だしや調味料等をあわせて鍋物用に仕上げた汁。寄せ鍋、ちゃんこ鍋、キムチ鍋等各種ある。

めんつゆ
だし、しょうゆ、みりん等の調味料や風味原料を、めん類のつけ汁等に調整したもの。そのまま使うストレートタイプと、希釈する濃縮タイプがある。

ラーメンスープ
だしや調味料等をあわせてラーメン用に調整したもの。豚骨、白湯（パイタン）、あごだし、貝柱、トマト等、味は多様。

可食部100gあたり　Tr：微量　（ ）：推定値または推計値　-：未測定

ミネラル（無機質）							ビタミン															食塩相当量	備考
亜鉛	銅	マンガン	ヨウ素	セレン	クロム	モリブデン	A レチノール活性当量	レチノール	β-カロテン当量	D	E αトコフェロール	K	B1	B2	ナイアシン当量	B6	B12	葉酸	パントテン酸	ビオチン	C		①液状だし　②試料　③材料割合 ④塩事業センター及び日本塩工業会の品質規格では塩化ナトリウム ⑤塩事業センターの品質規格では塩化ナトリウム
mg	mg	mg	µg	µg	µg	µg	µg	µg	µg	µg	mg	µg	mg	mg	mg	mg	µg	µg	mg	µg	mg	g	
0	0	0	1	Tr	0	0	**0**	0	0	0	0	0	**0**	**0**	0.2	Tr	0.1	Tr	0	0	**0**	0	①　2%のあごでとっただし
Tr	Tr	0	1	4	0	0	**0**	0	0	0	0	0	**Tr**	**0.01**	1.4	0.02	0.4	0	0.04	0.1	**0**	0.1	①　3%の荒節でとっただし
Tr	0.01	0	1	3	0	0	**0**	0	0	0	0	0	**0**	**0.01**	1.4	0.01	0.2	0	Tr	0	**0**	0.1	①　3%の本枯れ節でとっただし
Tr	Tr	0.01	5300	0	0	0	**(0)**	(0)	0	-	0	0	**Tr**	**Tr**	(0)	0	0	2	0	0.1	**Tr**	0.2	①　3%の真昆布でとっただし
0	0.01	0	11000	0	0	0	**0**	0	0	0	0	0	**Tr**	**0.01**	Tr	Tr	0	1	0.01	0.1	**0**	0.2	①　3%の真昆布でとっただし
Tr	Tr	Tr	1500	4	0	0	**(Tr)**	(Tr)	0	-	0	0	**0.01**	**0.01**	(0.9)	0.01	0.3	1	0.04	0.1	**Tr**	0.1	①　2%の荒節と1%の真昆布でとっただし
Tr	Tr	0	2900	2	0	0	**0**	0	0	0	0	0	**0**	**Tr**	0.8	0.01	0.1	Tr	Tr	0	**0**	0.1	①　2%の本枯れ節と1%の真昆布でとっただし
Tr	0.01	-	-	-	-	-	**0**	0	0	0	0	0	**Tr**	**0.02**	0.6	0.02	0	2	0.57	-	**0**	0	①　7%のしいたけでとっただし
Tr	Tr	Tr	-	-	-	-	**-**	-	0	-	0	0	**0.01**	**Tr**	0.3	Tr	0.2	1	0	-	**0**	0.1	①　3%の煮干しでとっただし
Tr	0.01	0	Tr	1	0	1	**1**	1	0	0	Tr	2	**0.01**	**0.04**	1.1	0.02	0.1	2	0.31	0.5	**0**	0.1	②調理した液状だし　鶏がらからとっただし
Tr	Tr	0.01	-	-	-	-	**-**	-	0	-	0	0	**0.15**	**0.03**	(1.3)	0.05	0	1	0.26	-	**0**	0.1	①　鶏肉、豚もも肉、ねぎ、しょうがなどでとっただし
0.1	0.01	0.01	-	-	-	-	**-**	-	0	-	0	0	**0.02**	**0.05**	(1.1)	0.06	0.2	3	0.25	-	**0**	0.5	①　牛もも肉、にんじん、たまねぎ、セロリーなどでとっただし
0.1	0.10	0.10	1	2	2	2	**0**	0	0	Tr	0.7	2	**0.03**	**0.08**	(1.1)	0.40	0.1	16	0.28	0.5	**0**	43.2	顆粒状の製品を含む　固形だし
(0.4)	(0.05)	(0.33)	(2)	(26)	(3)	(15)	**0**	0	0	(0.2)	(Tr)	0	**(0.02)**	**(0.11)**	(2.5)	(0.07)	(0.4)	(14)	(0.20)	(4.9)	**0**	(56.4)	顆粒だし
0.5	0.05	0.16	31	8	8	6	**3**	2	8	0	0.9	-	**0.06**	**0.56**	8.5	0.29	0.3	170	1.48	5.1	**0**	47.5	粉末製品を含む　顆粒だし
0.5	0.12	0.09	5	74	8	1	**0**	0	0	0.8	0.1	0	**0.03**	**0.20**	(6.9)	0.06	1.4	14	0.18	3.8	**0**	40.6	粉末製品を含む　顆粒だし（100g：155mL、100mL：64g）
(0.1)	(Tr)	(0.12)	0	(2)	(Tr)	(6)	**0**	0	0	0	0	0	**(0.01)**	**(0.02)**	(0.5)	(0.02)	(Tr)	(4)	(0.06)	(1.5)	**0**	(1.8)	①
0.2	0.01	-	-	-	-	-	**0**	0	0	(0)	-	0	**0.01**	**0.04**	(1.2)	0.04	0.3	17	0.18	-	**0**	3.3	①
0.3	0.01	-	-	-	-	-	**0**	0	0	(0)	-	0	**0.03**	**0.06**	(1.9)	0.06	0.3	13	0.19	-	**0**	6.6	①
0.4	0.01	-	-	-	-	-	**0**	0	0	(0)	-	0	**0.04**	**0.07**	(1.4)	0.07	0.2	9	0.19	-	**0**	9.9	①（100g：86mL、100mL：116g）
(0.3)	(0.03)	(0.33)	(2)	(4)	(1)	(14)	**0**	0	(Tr)	(Tr)	(0.1)	(1)	**(0.03)**	**(0.08)**	(1.4)	(0.10)	(Tr)	(20)	(0.24)	(3.7)	**0**	(17.1)	ペーストタイプ
(0.6)	(0.14)	(0.09)	(2)	(4)	(1)	(31)	**(2)**	0	(22)	(Tr)	(0.3)	(5)	**(0.02)**	**(0.08)**	(2.2)	(0.08)	(Tr)	(27)	(0.20)	(6.5)	**0**	(16.5)	ペーストタイプ

Q&A だしとつゆは同じもの？▶だしとはうま味成分を抽出した液体のことで、つゆとはだしに調味料で味をつけたもののことだが、西日本では、だしといえばつゆのことをさすことが多い。関西の人が「関東のうどんはだしが濃い」と言ったら、「関東のうどんはつゆの味が濃い」という意味になる。

エビチリの素

オイスターソース

魚醤油（ナンプラー）

ごまだれ

調味ソース類
Seasoning sauces

甘酢
酢、砂糖、塩を混ぜた甘味の強い合わせ酢。砂糖のかわりにみりんを使うこともある。

エビチリの素
中華料理のエビチリ用に調整したソース。原材料は、中華だし、トマトケチャップ、トウバンジャン、酒、砂糖、香辛料、片栗粉、塩等。

オイスターソース 大1=16g
別名**かき油**。生がきから抽出した液汁に調味料とでん粉等を加えて加熱配合したもの。

黄身酢
卵黄、酢、砂糖、塩を混ぜた、とろみのある合わせ酢。和風マヨネーズと評される。

魚醤油
別名**魚醤**（ぎょしょう）。魚を塩で漬けて発酵させ、液体化したもの。特有の臭みがあるが、動物性たんぱく質に由来するアミノ酸を多く含むため濃厚なうま味を持つ。
いかなごしょうゆ：いかなご、いか、えび等が原料の香川の特産品。
いしる（いしり）：いかやいわし等が原料の石川県能登半島北部の特産品。
しょっつる：はたはたが原料の秋田の特産品。
ナンプラー：かたくちいわしでつくるタイの魚醤。

ごま酢（胡麻酢）
すりごまを、二杯酢や三杯酢等に混ぜた合わせ酢。

ごまだれ（胡麻だれ）
練りごま、しょうゆ、砂糖、酢、だし等を混ぜたたれで、和え衣やしゃぶしゃぶのたれ等に利用される。

三杯酢
酢、うすくちしょうゆ、砂糖、だしを混ぜた合わせ酢。砂糖のかわりにみりんを使う場合は、火にかけてアルコール分を飛ばしてから使う。

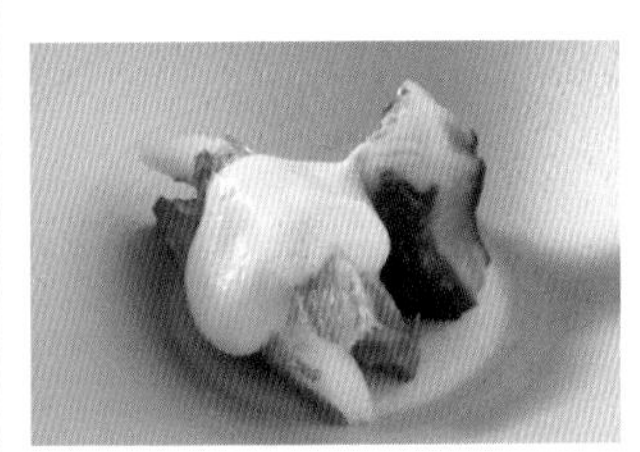
黄身酢

三杯酢

すし酢

二杯酢
酢、こいくちしょうゆを混ぜた合わせ酢。酢の味をやわらげたい場合はだしを加える。

すし酢（寿司酢）
すし飯の味つけ用に、米酢、砂糖、塩を混ぜたもの。具をちらしてのせる「ちらし」ずしと、甘辛い油揚げにすし飯を詰めた「稲荷（いなり）」ずし用のすし酢はもっとも甘味が強い。すし飯にネタをのせてにぎる「にぎり用」はもっとも甘味が少ない。のりにすし飯を敷いて具をのせて巻く「巻きずし」と、木型に入れたすし飯に具をのせて押してつくる「箱ずし」用は中間の甘さ。

食品番号	食品名	廃棄率	エネルギー	2015年版の値	水分	たんぱく質	アミノ酸組成によるたんぱく質	脂質	脂肪酸のトリアシルグリセロール当量	脂肪酸 飽和	脂肪酸 一価不飽和	脂肪酸 多価不飽和	コレステロール	炭水化物	利用可能炭水化物（質量計）	食物繊維 食物繊維総量（プロスキー変法）	食物繊維 食物繊維総量（AOAC法）	ミネラル（無機質） ナトリウム	カリウム	カルシウム	マグネシウム	リン	鉄
		%	kcal	kcal	g	g	g	g	g	g	g	g	mg	g	g	g	g	mg	mg	mg	mg	mg	mg
	（調味ソース類）																						
17094	**甘酢**	0	**116**	125	(67.2)	**(0.1)**	-	**0**	-	-	-	-	0	**(28.4)**	(26.6)	-	-	(470)	(5)	**(2)**	(1)	(1)	**0**
17095	**エビチリの素**	0	**54**	56	(85.8)	**(1.2)**	(0.8)	**(1.4)**	(1.3)	(0.17)	(0.53)	(0.59)	-	**(9.5)**	(7.5)	(0.6)	-	(680)	(150)	**(8)**	(10)	(45)	**(0.3)**
17031	**オイスターソース**	0	**105**	107	61.6	**7.7**	(6.1)	**0.3**	0.1	0.03	0.02	0.06	2	**18.3**	-	0.2	-	4500	260	**25**	63	120	**1.2**
17096	**黄身酢**	0	**219**	292	(52.6)	**(6.3)**	(5.6)	**(13.1)**	(11.2)	(3.04)	(4.97)	(2.69)	(460)	**(20.0)**	(19.4)	-	-	(2300)	(47)	**(57)**	(6)	(210)	**(1.8)**
17133	**魚醤油** いかなごしょうゆ	0	**64**	65	63.0	**13.9**	9.4	**0**	0	0	0	0	0	**2.1**	Tr	Tr	-	8300	480	**3**	14	180	**0.4**
17134	いしる （いしり）	0	**67**	68	61.2	**12.8**	8.4	**0**	0	0	0	0	0	**4.2**	0.1	0.3	-	8600	260	**25**	53	180	**1.5**
17135	しょっつる	0	**29**	29	69.4	**6.1**	4.4	**0**	0	0	0	0	0	**1.1**	Tr	0.1	-	9600	190	**6**	14	70	**0.2**
17107	ナンプラー	0	**47**	48	65.5	**9.1**	6.3	**0.1**	0	Tr	Tr	0	0	**2.7**	-	-	-	9000	230	**20**	90	57	**1.2**
17097	**ごま酢**	0	**212**	218	(53.2)	**(4.0)**	(3.6)	**(8.0)**	(7.6)	(1.12)	(2.82)	(3.34)	-	**(29.9)**	(24.0)	(1.9)	-	(670)	(110)	**(180)**	(61)	(100)	**(1.7)**
17098	**ごまだれ**	0	**282**	293	(40.7)	**(7.2)**	(6.7)	**(15.1)**	(14.2)	(2.10)	(5.29)	(6.18)	-	**(29.2)**	(19.9)	(3.0)	-	(1700)	(210)	**(220)**	(100)	(200)	**(2.3)**
17099	**三杯酢**	0	**85**	85	(76.2)	**(0.9)**	(0.6)	**0**	-	-	-	-	-	**(17.8)**	(12.3)	-	-	(780)	(56)	**(5)**	(11)	(27)	**(0.2)**
17100	**二杯酢**	0	**59**	60	(78.7)	**(3.5)**	(2.7)	**0**	-	-	-	-	0	**(7.6)**	(0.7)	-	-	(2500)	(180)	**(14)**	(32)	(81)	**(0.8)**
17101	**すし酢** ちらし・稲荷用	0	**150**	150	(55.5)	**(0.1)**	-	**0**	-	-	-	-	0	**(34.9)**	(30.1)	-	-	(2500)	(18)	**(3)**	(5)	(10)	**(0.1)**
17102	にぎり用	0	**70**	70	(72.0)	**(0.2)**	-	**0**	-	-	-	-	0	**(14.3)**	(8.2)	-	-	(3900)	(23)	**(4)**	(7)	(12)	**(0.1)**
17103	巻き寿司・箱寿司用	0	**107**	107	(64.1)	**(0.1)**	-	**0**	-	-	-	-	0	**(23.8)**	(18.3)	-	-	(3400)	(21)	**(4)**	(6)	(11)	**(0.1)**
17104	**中華風合わせ酢**	0	**153**	153	(60.5)	**(3.0)**	(2.3)	**(3.4)**	(3.3)	(0.51)	(1.27)	(1.39)	0	**(24.8)**	(19.6)	(Tr)	-	(2200)	(160)	**(12)**	(28)	(69)	**(0.7)**
17105	**デミグラスソース**	0	**82**	82	81.5	**2.9**	-	**3.0**	-	-	-	-	-	**11.0**	-	-	-	520	180	**11**	11	53	**0.3**
17106	**テンメンジャン**	0	**249**	256	37.5	**8.5**	-	**7.7**	-	-	-	-	0	**38.1**	-	3.1	-	2900	350	**45**	61	140	**1.6**
17108	**冷やし中華のたれ**	0	**114**	114	67.1	**2.1**	1.9	**1.2**	1.1	0.16	0.45	0.47	0	**23.1**	19.5	-	-	2300	89	**7**	13	29	**0.3**

+PLUS+ **エビチリ**●四川料理のひとつで、豆板醤を使った乾焼蝦仁（ガンシャオシャーレン）という料理を、日本人に合うようにケチャップなどを使用して考案された料理。辛さを抑え、入手しやすい調味料でつくられている。この他にもマヨネーズを使用したエビマヨなど、新たな創作料理が続々登場している。

テンメンジャン

デミグラスソース

冷やし中華のたれ

中華風合わせ酢
しょうゆ、酢、砂糖、ごま油、しょうが等を原材料に、中華料理用に調整した甘酢。

デミグラスソース
別名**ドミグラスソース**。西洋料理の基本的なソースの一つで肉料理に多く使われる。ブラウンソース（小麦粉をバターで炒めた茶褐色のブラウンルーに肉と野菜のだしを加えて煮込んだもの）に牛の骨やすね肉と香味野菜のだしを加えて煮詰め、洋酒で風味をつける。

テンメンジャン（甜麺醤）
小麦粉に水を加えて蒸し、麹と塩を加えて発酵させた黒や赤褐色のみそで、甘味とうま味が強い。**中華甘みそ**ともいう。北京ダックのつけみそや、回鍋肉（ホイコウロウ）に使われる調味料として有名。煮物や炒め物にも合う。

冷やし中華のたれ
原材料は中華だし、しょうゆ、酢、砂糖、ごま油等。

中国・韓国料理に使う調味料

XO醤
（エックスオージャン　中国）
干し貝柱・干しえび・干し魚・香味野菜などの高級食材を使用したみそ風の調味料。そのまま食べたり、炒め物などに利用し味に深みを加える。ブランデーの最高級品を表すエクストラオールドにあやかってXOと名づけた。

豆鼓醤
（トウチジャン　中国）
蒸した黒大豆を塩漬けにして発酵・乾燥させた豆鼓（トウチ）に、にんにくなどの香辛料やオイスターソースを加えたペースト。魚介類の炒め物・蒸し物・麻婆料理などに利用して独特の風味を加える。

芝麻醤
（チーマージャン　中国）
白ごまを煎ってよくすりつぶし、加熱したごま油などの植物油や調味料を加えてなめらかになるまで混ぜたもの。棒々鶏（バンバンジー）・担々麺（タンタンメン）・和え物・しゃぶしゃぶ・炒め物などに用いる。

コチュジャン
（韓国）
もち米を麹で糖化させてとうがらし粉・塩・しょうゆなどを混ぜ、発酵・熟成させたもので、甘味と辛味がある。大豆や小麦などを混ぜることもある。用途がきわめて広く日常の食事に欠かせない。

可食部100 gあたり　Tr：微量　（ ）：推定値または推計値　－：未測定

ミネラル（無機質）							ビタミン															食塩相当量	備考
亜鉛	銅	マンガン	ヨウ素	セレン	クロム	モリブデン	A レチノール活性当量	A レチノール	A β-カロテン当量	D	E αトコフェロール	K	B1	B2	ナイアシン当量	B6	B12	葉酸	パントテン酸	ビオチン	C		①液状だし　②試料　③材料割合　④塩事業センター及び日本塩工業会の品質規格では塩化ナトリウム　⑤塩事業センターの品質規格では塩化ナトリウム
mg	mg	mg	µg	µg	µg	µg	µg	µg	µg	µg	mg	µg	mg	mg	mg	mg	µg	µg	mg	µg	mg	g	
(0.1)	(Tr)	0	0	0	(1)	(1)	0	0	0	0	0	0	(0.01)	(0.01)	(0.1)	(0.01)	(0.1)	0	0	(0.1)	0	(1.2)	
(0.1)	(0.03)	(0.22)	0	(1)	(1)	(2)	(13)	-	(150)	0	(0.6)	(3)	(0.14)	(0.04)	(1.5)	(0.10)	0	(5)	(0.28)	(0.7)	(1)	(1.8)	
1.6	0.17	0.40	-	-	-	-	-	-	(Tr)	-	0.1	1	0.01	0.07	(0.8)	0.04	2.0	9	0.14	-	Tr	11.4	(100g：81mL、100mL：123g)
(1.4)	(0.05)	(0.03)	(41)	(18)	(Tr)	(5)	(270)	(260)	(9)	(4.6)	(1.7)	(15)	(0.08)	(0.18)	(1.5)	(0.12)	(1.4)	(59)	(1.38)	(25.0)	0	(5.7)	
1.0	0.01	0	150	43	1	Tr	0	0	0	0	0	0	0	0.31	6.1	0.09	1.0	51	0.65	17.0	0	21.2	(100 g：82.0 mL、100 mL：121.9 g)
4.5	1.45	0.05	61	140	19	3	0	0	0	0	0	0	0	0.25	3.1	0.16	3.9	66	0.98	32.0	0	21.9	(100 g：81.4 mL、100 mL：122.9 g)
0.2	0.01	0	29	11	11	1	0	0	0	0	0	0	0.03	0.06	1.2	0.03	1.9	5	0.31	3.0	0	24.3	(100 g：83.1 mL、100 mL：120.3 g)
0.7	0.03	0.03	27	46	5	1	0	0	0	0	0	-	0.01	0.10	4.3	0.10	1.6	26	0.56	7.9	0	22.9	(100g：81.9mL、100mL：122.1g)
(1.0)	(0.26)	(0.49)	0	(5)	(1)	(23)	0	0	(1)	0	(Tr)	(2)	(0.08)	(0.06)	(1.9)	(0.12)	(0.1)	(26)	(0.13)	(3.7)	0	(1.7)	
(1.6)	(0.42)	(0.75)	(Tr)	(10)	(2)	(46)	(4)	0	(2)	(Tr)	(Tr)	(1)	(0.11)	(0.09)	(3.5)	(0.19)	(0.1)	(38)	(0.20)	(6.1)	0	(4.3)	
(0.2)	(Tr)	(0.08)	(150)	(1)	(1)	(8)	0	0	0	0	0	0	(0.01)	(0.02)	(0.6)	(0.03)	(0.1)	(4)	(0.10)	(1.3)	0	(2.0)	③米酢 100、上白糖 18、うすくちしょうゆ 18、かつお・昆布だし 15
(0.5)	(Tr)	(0.44)	(1)	(5)	(2)	(24)	0	0	0	0	0	0	(0.03)	(0.08)	(1.3)	(0.09)	(0.1)	(15)	(0.26)	(5.7)	0	(6.4)	③米酢 10、こいくちしょうゆ 8
(0.1)	(Tr)	0	0	0	(1)	(3)	0	0	0	0	0	0	(0.01)	(0.01)	(0.2)	(0.01)	(0.1)	0	(0.05)	(0.3)	0	(6.5)	③米酢 15、上白糖 7、食塩 1.5
(0.2)	(Tr)	0	0	0	(1)	(3)	0	0	0	0	0	0	(0.01)	(0.01)	(0.3)	(0.02)	(0.1)	0	(0.07)	(0.3)	0	(9.8)	③米酢 10、上白糖 1、食塩 1.2
(0.1)	(Tr)	0	0	0	(1)	(3)	0	0	0	0	0	0	(0.01)	(0.01)	(0.2)	(0.01)	(0.1)	0	(0.06)	(0.3)	0	(8.6)	③米酢 12、上白糖 3、食塩 1.4
(0.4)	(0.01)	(0.47)	(Tr)	(4)	(1)	(20)	0	0	0	0	(Tr)	0	(0.02)	(0.07)	(1.1)	(0.08)	(0.1)	(13)	(0.22)	(4.9)	0	(5.5)	③こいくちしょうゆ 45、米酢 45、砂糖 22.5、ごま油 4、しょうが 2
0.3	0.03	0.09	2	1	7	3	-	-	-	-	-	-	0.04	0.07	2.1	0.05	0.2	25	0.18	1.8	-	1.3	
1.0	0.27	0.54	1	5	7	58	0	(0)	3	(0)	0.8	14	0.04	0.11	2.4	0.11	0	20	0.07	7.7	0	7.3	
0.2	Tr	0.18	1	3	1	11	0	0	1	0	Tr	0	0.22	0.03	0.3	0.03	Tr	6	0.07	1.7	0	5.8	(100g：87.6mL、100mL：114.1g)

Q&A 魚醤（ぎょしょう）とは？▶通常使用するしょうゆの主原料は大豆だが、魚介類を原料としたしょうゆを魚醤といい、アジア圏で利用されている。腐敗を避けるために塩分濃度が高い。国内では秋田のしょっつる、能登のいしる、東南アジアではタイのナンプラー、ベトナムのニョクマムが有名。

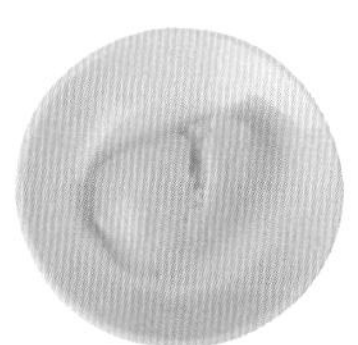

ホワイトソース

マーボー豆腐の素

ぽん酢しょうゆ

マリネ液

焼き鳥のたれ

焼き肉のたれ

ミートソース

ゆずこしょう

ホワイトソース
別名**ベシャメルソース**。小麦粉をこがさないようにバターで炒めたホワイトルーを牛乳で溶きのばしたもので、西洋料理の基本的なソースの一つ。クリーム煮、グラタン、パスタソース、クリームコロッケ、シチュー等に使われる。

ぽん酢しょうゆ
別名**ポン酢**。ゆず等の柑橘類の搾り汁としょうゆを混ぜた合わせ酢。和え物、サラダ、鍋等に利用される。

マーボー豆腐の素
豆腐を加えて煮込む半調理品。原材料は、豚肉、鶏肉、トウバンジャン、でん粉、調味料等。

マリネ液
白ワイン、酢、砂糖、塩、香辛料等を混ぜた漬け汁。肉、魚、野菜等の素材に味や香りをしみこませる、やわらかくする、保存性を高める等に利用する。

ミートソース
たまねぎ等の野菜、肉、トマトペースト、トマトピューレ等を原料とした調理済みソース。

焼きそば粉末ソース
原材料は、ソース、砂糖、だしエキス、調味料、香辛料等。

焼き鳥のたれ
しょうゆ、酒、みりん、砂糖等を原材料にした甘辛味のたれ。

焼き肉のたれ
焼き肉専用のたれとして、しょうゆ、砂糖、果実、調味料、植物油、香辛料等を混ぜたもの。

みたらしのたれ
だし、砂糖、しょうゆ、酒等を煮立て、片栗粉等でとろみをつけたたれで、みたらしだんごや和食のあんに利用される。

ゆずこしょう（柚子胡椒）
ゆずの青い皮、青唐辛子、塩をすりつぶし、ペースト状にして熟成させた薬味で九州名産。九州ではとうがらしをこしょうとも呼ぶのでこの名がついた。

食品番号	食品名	廃棄率	エネルギー	2015年版の値	水分	たんぱく質	アミノ酸組成によるたんぱく質	脂質	脂肪酸のトリアシルグリセロール当量	脂肪酸 飽和	脂肪酸 一価不飽和	脂肪酸 多価不飽和	コレステロール	炭水化物	利用可能炭水化物（質量計）	食物繊維 食物繊維総量（プロスキー変法）	食物繊維 食物繊維総量（AOAC法）	ミネラル（無機質） ナトリウム	カリウム	カルシウム	マグネシウム	リン	鉄
		%	kcal	kcal	g	g	g	g	g	g	g	g	mg	g	g	g	g	mg	mg	mg	mg	mg	mg
17109	**ホワイトソース**	0	99	99	81.7	1.8	(1.2)	6.2	(6.2)	(1.97)	(2.45)	(1.46)	6	9.2	(5.3)	0.4	-	380	62	34	5	42	0.1
17110	**ぽん酢しょうゆ**	0	49	49	(82.1)	(3.4)	(2.7)	(0.1)	-	-	-	-	0	(7.4)	(0.7)	(0.2)	-	(2300)	(280)	(24)	(33)	(72)	(0.7)
17137	市販品	0	59	61	77.0	3.7	3.2	0	-	-	-	-	0	10.8	6.9	(0.3)	-	3100	180	16	25	60	0.7
17032	**マーボー豆腐の素**	0	115	115	75.0	4.2	-	6.3	-	-	-	-	-	10.4	-	-	-	1400	55	12	-	35	0.8
17111	**マリネ液**	0	66	68	(83.9)	(0.1)	0	0	0	-	-	-	0	(10.9)	(10.5)	-	-	(370)	(26)	(4)	(3)	(6)	(0.2)
17033	**ミートソース**	0	96	101	78.8	3.8	-	5.0	-	-	-	-	-	10.1	(9.4)	-	-	610	250	17	-	47	0.8
17144	**焼きそば粉末ソース**	0	248	282	0.1	5.6	6.8	0.7	0.6	0.10	0.28	0.16	Tr	62.4	51.5	-	3.3	12000	82	110	10	18	0.6
17112	**焼き鳥のたれ**	0	131	132	(61.4)	(3.3)	(2.6)	0	0	-	-	-	-	(28.5)	(18.5)	-	-	(2300)	(160)	(13)	(27)	(71)	(0.7)
17113	**焼き肉のたれ**	0	164	166	(52.4)	(4.3)	(3.6)	(2.2)	(2.1)	(0.32)	(0.80)	(0.89)	(Tr)	(32.3)	(27.2)	(0.4)	-	(3300)	(230)	(23)	(35)	(90)	(0.9)
17114	**みたらしのたれ**	0	127	127	(66.3)	(0.9)	(0.8)	0	0	-	-	-	-	(30.8)	(28.2)	-	-	(650)	(120)	(6)	(10)	(24)	(0.2)
17115	**ゆずこしょう**	0	37	49	64.5	1.3	-	0.8	-	-	-	-	(0)	9.3	-	6.2	-	9900	280	61	44	24	0.6
	（トマト加工品類）																						
17034	**トマトピューレー**	0	44	41	86.9	1.9	(1.4)	0.1	(0.1)	(0.02)	(0.01)	(0.03)	(0)	9.9	(5.2)	1.8	-	19	490	19	27	37	0.8
17035	**トマトペースト**	0	94	89	71.3	3.8	(3.2)	0.1	(0.1)	(0.02)	(0.01)	(0.03)	(0)	22.0	(13.4)	4.7	-	55	1100	46	64	93	1.6
17036	**トマトケチャップ**	0	104	121	66.0	1.6	1.2	0.2	0.1	0.03	0.01	0.05	0	27.6	(24.0)	1.7	-	1200	380	16	18	35	0.5
17037	**トマトソース**	0	41	44	87.1	2.0	(1.9)	0.2	(0.1)	(0.03)	(0.02)	(0.06)	(0)	8.5	(5.3)	1.1	-	240	340	18	20	42	0.9
17038	**チリソース**	0	112	113	67.3	1.8	(1.7)	0.1	(0.1)	(0.02)	(0.01)	(0.03)	(0)	26.3	-	1.9	-	1200	500	27	23	32	0.9
	（ドレッシング類）																						
	半固形状ドレッシング																						
17042	マヨネーズ　全卵型	0	668	706	16.6	1.4	1.3	76.0	72.5	6.07	39.82	23.51	55	3.6	(2.1)	-	-	730	13	8	2	29	0.3
17043	卵黄型	0	668	686	19.7	2.5	2.2	74.7	72.8	10.37	27.69	31.54	140	0.6	(0.5)	-	-	770	21	20	3	72	0.6
17118	マヨネーズタイプ調味料　低カロリータイプ	0	262	282	60.9	2.9	2.6	28.3	26.4	3.04	12.49	9.77	58	3.3	2.6	0.8	-	1500	36	10	3	35	0.3

+PLUS+ ケチャップは中国語●ケチャップの語源は福建語で、塩漬にした魚の汁をいうコエチアプ。マレー半島に伝わってケチョプ、さらにヨーロッパに伝わる中で他の材料やさまざまなスパイスが加えられたりしてケチャップとなった。イギリスではマッシュルーム・ケチャップが一般的。

トマトピューレー

トマトケチャップ

トマトペースト

チリソース

トマトソース

マヨネーズ

マヨネーズ（低カロリータイプ）

トマト加工品類

Tomato processed goods　大1=15g

トマトピューレー
トマトを裏ごしまたは搾って濃縮し、少量の塩と香辛料を加えたもの。JAS規格では無塩可溶性固形分24%未満。別名**トマトピューレ**。

トマトペースト
ピューレーをペースト状になるまで濃縮したもの。無塩可溶性固形分24%以上。

トマトケチャップ
濃縮トマトにたまねぎや香辛料、酢、調味料等を加えたもの。可溶性固形分は30%以上。

トマトソース
濃縮トマトを原料として食塩と香辛料等を加えたもの。可溶性固形分は8〜25%。

チリソース
濃縮したトマトに、とうがらし、調味料、香辛料等を加えたもの。

ドレッシング類

Dressings　大1=15g

植物油脂、酢または柑橘類の果汁、調味料を合わせ、サラダ用の調味料として調整されたもの。半固体状、分離液状、乳化液状のものがある。

マヨネーズ
卵、酢、調味料に油を加えた半固体状のドレッシング。日本では卵黄のみを使用したコクのある「卵黄型」が主流。

マヨネーズタイプ調味料
「低カロリータイプ」は、カロリーをマヨネーズの50%以下にするために、植物油脂の量をJASのマヨネーズ基準（植物油脂65%以上）以下に減らしている。

可食部100gあたり　Tr：微量　（ ）：推定値または推計値　-：未測定

ミネラル（無機質）							ビタミン																食塩相当量	備考
亜鉛	銅	マンガン	ヨウ素	セレン	クロム	モリブデン	A レチノール活性当量	レチノール	β-カロテン当量	D	E αトコフェロール	K	B1	B2	ナイアシン当量	B6	B12	葉酸	パントテン酸	ビオチン	C		①液状だし　②試料　③材料割合 ④塩事業センター及び日本塩工業会の品質規格では塩化ナトリウム ⑤塩事業センターの品質規格では塩化ナトリウム
mg	mg	mg	µg	µg	µg	µg	µg	µg	µg	µg	mg	µg	mg	mg	mg	mg	µg	µg	mg	µg	mg	g	
0.2	0.01	0.03	5	1	1	2	-	-	-	-	0.6	2	0.01	0.05	(0.5)	0.02	0	3	0.17	0.9	0	1.0	
(0.4)	(0.02)	(0.46)	(1)	(4)	(1)	(19)	(1)	0	(4)	0	(0.1)	0	(0.05)	(0.08)	(1.2)	(0.08)	(Tr)	(20)	(0.37)	(4.9)	(24)	(5.8)	
0.3	0.01	0.36	*	3	2	18	0	0	1	0	Tr	0	0.02	0.05	0.7	0.06	Tr	17	0.17	3.1	Tr	7.8	(100 g：89.4 mL、100 mL：111.8 g)
-	-	-	-	-	-	-	9	4	63	-	-	-	0.05	0.03	1.7	-	-	-	-	-	2	3.6	②レトルトパウチのストレート製品
0	(0.01)	(0.04)	0	0	0	(Tr)	0	0	0	0	0	0	0	0	(Tr)	(0.01)	(Tr)	0	(0.04)	(Tr)	0	(0.9)	
-	-	-	-	-	-	-	49	5	530	-	-	-	0.14	0.05	2.0	-	-	-	-	-	6	1.5	②缶詰及びレトルトパウチ製品　(100g：94mL、100mL：107g)
0.1	0.02	0.47	4	2	7	3	4	0	43	0	0.4	7	0.01	0.01	0.3	0.03	0	4	0.08	0.8	0	30.6	
(0.4)	(0.02)	(0.46)	(1)	(5)	(1)	(20)	0	0	0	0	0	0	(0.02)	(0.07)	(0.7)	(0.10)	(Tr)	(13)	(0.20)	(5.0)	0	(5.8)	
(0.5)	(0.03)	(0.51)	(1)	(7)	(2)	(24)	(Tr)	0	(4)	(Tr)	(Tr)	0	(0.03)	(0.09)	(1.0)	(0.10)	(0.1)	(18)	(0.25)	(6.2)	(1)	(8.3)	
(0.1)	(0.01)	(0.13)	(2700)	(1)	(1)	(5)	0	0	0	0	0	0	(0.01)	(0.02)	(0.2)	(0.03)	0	(5)	(0.05)	(1.4)	0	(1.7)	
0.1	0.06	0.10	24	2	5	4	22	(0)	270	(0)	2.0	(0)	0.04	0.05	1.1	0.17	-	13	0.22	3.6	2	25.2	
0.3	0.19	0.19	0	1	2	9	52	0	630	(0)	2.7	10	0.09	0.07	(1.7)	0.20	-	29	0.47	8.9	10	0	食塩無添加品　(100g：95mL、100mL：105g)
0.6	0.31	0.38	-	-	-	-	85	0	1000	(0)	6.2	18	0.21	0.14	(4.2)	0.38	-	42	0.95	-	15	0.1	食塩無添加品
0.2	0.09	0.11	1	4	4	9	43	0	510	0	2.0	0	0.06	0.04	1.7	0.11	Tr	13	0.30	5.2	8	3.1	(100g：87mL、100mL：115g)
0.2	0.16	-	-	-	-	-	40	(0)	480	(0)	2.1	8	0.09	0.08	(1.6)	0.12	Tr	3	0.24	-	(Tr)	0.6	(100g：103mL、100mL：97g)
0.2	0.15	0.15	-	-	-	-	42	(0)	500	(0)	2.1	5	0.07	0.07	(1.8)	0.15	0	5	0.32	-	(Tr)	3.0	
0.2	0.01	0.01	3	3	1	1	24	24	1	0.3	13.0	120	0.01	0.03	0.2	0.02	0.1	1	0.16	3.1	0	1.9	使用油：なたね油、とうもろこし油、大豆油　(100g：95mL、100mL：105g)
0.5	0.02	0.02	9	8	1	2	54	53	3	0.6	11.0	140	0.03	0.07	0.5	0.05	0.4	3	0.43	7.2	0	2.0	使用油：なたね油、大豆油、とうもろこし油　(100g：95mL、100mL：105g)
0.2	0.01	0.01	4	5	Tr	2	46	20	310	0.3	4.8	53	0.02	0.05	0.4	0.02	0.1	3	0.19	3.1	0	3.9	使用油：なたね油、大豆油、とうもろこし油　カロテン：色素として添加品あり

Q A トマトソースはどうつくる？▶水分の少ないイタリアントマトがよいが、なければ普通のものでよい。基本は皮をむき、さいの目切りにしてとろ火で煮込むだけだ。ミキサーにかければ早く仕上がる。塩胡椒で味を調えれば、できあがり！　煮込む時間で水分を調整すれば、ソース、ピューレー、ペーストとなる。

フレンチ
ドレッシング
和風
ドレッシング
和風
ドレッシングタイプ
調味料
ごま
ドレッシング
サウザン
アイランド
ドレッシング
米みそ(甘みそ)
米みそ(赤色辛みそ)
米みそ(淡色辛みそ)
麦みそ

フレンチドレッシング
サラダ油、酢、砂糖、塩等が原料の基本のドレッシング。油の層が分離しているものと、乳化液状のものがある。

和風ドレッシング
しょうゆ、米酢、だし、おろししょうが等の日本料理の食材を利用し、植物油を加えたドレッシング。青じそ、わさび等も利用される。

和風ドレッシングタイプ調味料
しょうゆ等の和風調味料で調整したもの。別名**和風ノンオイルドレッシング**。

ごまドレッシング
練りごま、酢、しょうゆ、砂糖、植物油脂、卵等を原材料としたもの。

サウザンアイランドドレッシング
原料は、サラダ油、酢、トマトケチャップ、ピクルス、卵黄等。

みそ類(味噌類)

Miso　大1=18g

大豆を主原料に、米、麦、豆等のこうじ、塩を加えて発酵させてつくる。しょうゆとともに、日本料理には欠かせない調味料。

米みそ(米味噌)
大豆と米こうじでつくるみそ。みその全生産量の80%を占める。色や味は地方によりさまざま。
甘みそ:西京漬等に用いられる甘いみそ。色が白いことから白みそとも呼ばれる。別名**西京みそ**、**関西白みそ**等。
淡色辛みそ:**信州みそ**に代表される、淡黄色のみそ。
赤色辛みそ:淡色辛みそとの違いは、豆を蒸してから途中でかくはんすることで、大豆の表面の色素成分が褐変し、茶色いみそになる。
だし入りみそ(出汁入り味噌):みそ汁等をつくるときの手間を省くため、うま味成分をみそに加えたもの。

麦みそ(麦味噌)
大豆と麦こうじでつくるみそ。米みそよりも甘味がある。九州、山口、愛媛などが主産地。別名**田舎みそ**。

豆みそ(豆味噌)
大豆と豆こうじからつくられる。少し渋味のある濃厚な味が特徴。みそ煮込みうどん等に使われる。愛知、

食品番号	食品名	廃棄率	エネルギー	2015年版の値	水分	たんぱく質	アミノ酸組成によるたんぱく質	脂質	脂肪酸のトリアシルグリセロール当量	脂肪酸 飽和	一価不飽和	多価不飽和	コレステロール	炭水化物	利用可能炭水化物(質量計)	食物繊維 食物繊維総量(プロスキー変法)	食物繊維総量(AOAC法)	ミネラル(無機質) ナトリウム	カリウム	カルシウム	マグネシウム	リン	鉄
		%	kcal	kcal	g	g	g	g	g	g	g	g	mg	g	g	g	g	mg	mg	mg	mg	mg	mg
	分離液状ドレッシング																						
17040	フレンチドレッシング　分離液状	0	**325**	340	(47.8)	**(Tr)**	0	**(31.5)**	(30.6)	(3.46)	(12.95)	(12.90)	(1)	**(12.4)**	(11.3)	-	-	(2500)	(2)	**(1)**	(Tr)	(1)	**(Tr)**
17116	和風ドレッシング　分離液状	0	**179**	182	(69.4)	**(1.9)**	(1.6)	**(14.5)**	(14.0)	(1.68)	(5.79)	(5.90)	(1)	**(9.3)**	(6.5)	(0.2)	-	(1400)	(75)	**(7)**	(16)	(43)	**(0.4)**
17039	和風ドレッシングタイプ調味料　ノンオイルタイプ	0	**83**	78	71.8	**3.1**	-	**0.1**	-	-	-	-	-	**16.1**	-	0.2	-	2900	130	**10**	34	54	**0.3**
	乳化液状ドレッシング																						
17117	ごまドレッシング	0	**399**	420	(38.1)	**(2.7)**	(2.3)	**(38.3)**	(37.1)	(4.34)	(15.52)	(15.65)	(7)	**(15.0)**	(12.5)	(0.8)	-	(1800)	(91)	**(86)**	(34)	(66)	**(1.0)**
17041	サウザンアイランドドレッシング	0	**392**	407	(44.1)	**(0.3)**	(0.2)	**(39.2)**	(38.1)	(4.34)	(16.10)	(15.99)	(9)	**(12.8)**	(11.9)	(0.4)	-	(1200)	(32)	**(7)**	(3)	(9)	**(0.1)**
17149	フレンチドレッシング　乳化液状	0	**376**	391	(44.1)	**(0.1)**	(0.1)	**(38.8)**	(37.7)	-	-	-	(7)	**(9.3)**	(8.5)	-	-	(2500)	(3)	**(1)**	(Tr)	(3)	**(Tr)**
	(みそ類)																						
17044	**米みそ**　甘みそ	0	**206**	217	42.6	**9.7**	8.7	**3.0**	3.0	0.49	0.52	1.84	(0)	**37.9**	-	5.6	-	2400	340	**80**	32	130	**3.4**
17045	淡色辛みそ	0	**182**	192	45.4	**12.5**	11.1	**6.0**	5.9	0.97	1.11	3.61	(0)	**21.9**	11.8	4.9	-	4900	380	**100**	75	170	**4.0**
17046	赤色辛みそ	0	**178**	186	45.7	**13.1**	11.3	**5.5**	5.4	0.88	1.07	3.21	(0)	**21.1**	-	4.1	-	5100	440	**130**	80	200	**4.3**
17120	だし入りみそ	0	**167**	177	49.9	**11.0**	(10.0)	**5.6**	(5.2)	(0.87)	(0.98)	(3.13)	2	**20.6**	(9.7)	4.1	-	4700	420	**67**	61	160	**1.4**
17145	減塩	0	**164**	176	52.5	**10.3**	9.4	**5.1**	4.7	0.80	1.14	2.59	1	**22.2**	10.3	-	4.9	3800	410	**63**	55	150	**1.4**
17047	**麦みそ**	0	**184**	198	44.0	**9.7**	8.1	**4.3**	4.2	0.74	0.73	2.51	(0)	**30.0**	-	6.3	-	4200	340	**80**	55	120	**3.0**
17048	**豆みそ**	0	**207**	217	44.9	**17.2**	14.8	**10.5**	10.2	1.62	1.88	6.29	(0)	**14.5**	-	6.5	-	4300	930	**150**	130	250	**6.8**
17119	**減塩みそ**	0	**190**	200	46.0	**11.0**	9.1	**5.9**	(5.8)	(0.98)	(1.18)	(3.38)	(0)	**25.7**	12.5	4.3	-	4200	480	**62**	71	170	**1.7**
17049	**即席みそ**　粉末タイプ	0	**321**	343	2.4	**21.9**	(19.4)	**9.3**	7.4	1.23	1.37	4.52	(0)	**43.0**	(21.0)	6.6	-	8100	600	**85**	140	300	**2.8**
17050	ペーストタイプ	0	**122**	131	61.5	**8.9**	(7.9)	**3.7**	3.1	0.50	0.68	1.74	(0)	**15.4**	(8.3)	2.8	-	3800	310	**47**	54	130	**1.2**
17121	**辛子酢みそ**	0	**216**	221	(43.6)	**(5.0)**	(4.2)	**(2.1)**	(2.1)	(0.27)	(0.68)	(1.08)	0	**(44.6)**	(23.9)	(2.7)	-	(1300)	(170)	**(42)**	(20)	(69)	**(1.7)**
17122	**ごまみそ**	0	**245**	258	(42.7)	**(9.4)**	(8.6)	**(9.9)**	(9.5)	(1.43)	(3.14)	(4.51)	0	**(32.9)**	(5.2)	(5.5)	-	(1600)	(280)	**(230)**	(74)	(170)	**(3.7)**
17123	**酢みそ**	0	**211**	216	(44.2)	**(4.9)**	(4.4)	**(1.5)**	(1.5)	(0.25)	(0.26)	(0.93)	0	**(44.8)**	(25.1)	(2.8)	-	(1200)	(170)	**(41)**	(16)	(66)	**(1.7)**
17124	**練りみそ**	0	**267**	273	(29.9)	**(5.5)**	(4.8)	**(1.7)**	(1.7)	(0.27)	(0.29)	(1.04)	0	**(59.1)**	(36.9)	(3.2)	-	(1400)	(190)	**(46)**	(18)	(74)	**(1.9)**

+PLUS+ **定番はないサウザンアイランドドレッシング**●基本はマヨネーズとケチャップ。これに、たまねぎ・ケッパー・ピクルス・ピーマン・オリーブ・ゆで卵・パセリ・ナッツ等のみじん切り、レモン汁・ウスターソース・マスタード・タバスコ等の調味料類を混ぜればできあがり。好きな材料を使ってオリジナル品をつくってみよう。

豆みそ

だし入りみそ

減塩みそ

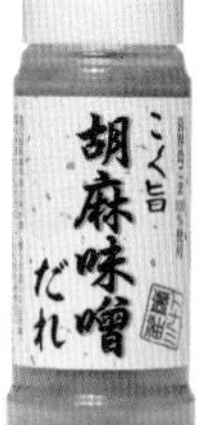

ごまみそ

即席みそ

辛子酢みそ

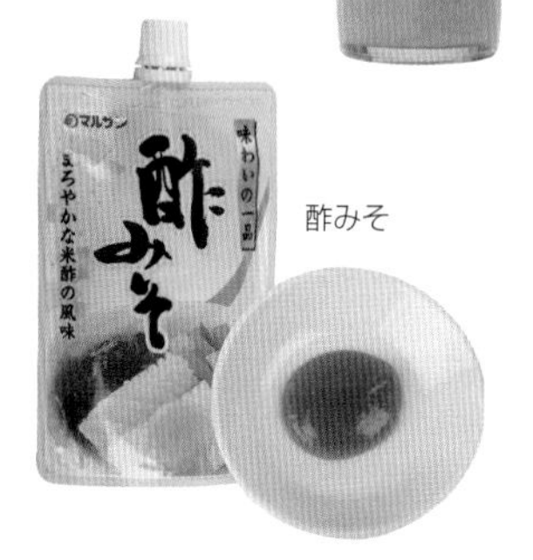

酢みそ

三重、岐阜が主産地。別名**東海豆みそ**。

減塩みそ（減塩味噌）
食塩含有量が通常のみその50％以下で、他の成分は変えていないもの。通常のみそに新しいこうじを混ぜる、はじめから低塩分にして特別な工程で醸造する等の方法でつくる。

即席みそ（即席味噌）
お湯を注ぐだけで手軽にみそ汁ができる。「粉末タイプ」のものと、「ペーストタイプ」（生）のものがある。別名インスタントみそ汁。

辛子酢みそ（辛子酢味噌）
甘みそ、砂糖、酢、練り辛子を混ぜたもの。

ごまみそ（胡麻味噌）
甘みそ、酒、すりごま、砂糖を混ぜたもの。

酢みそ（酢味噌）
甘みそ、砂糖、酢を混ぜたもの。

練りみそ（練り味噌）
甘みそに砂糖と酒を加え、火にかけながら練り合わせたもの。

みその種類

種類	味	塩分(%)	色	通称	産地
米みそ（米麹）	甘口	5～7	白	白みそ・西京みそ・讃岐みそ	近畿以西
			赤	江戸みそ	東京
	甘口	7～13	淡色	相白みそ	静岡・九州
			赤	御膳みそ	四国
	辛口	11～13	淡色	白辛みそ・信州みそ	長野・関東
			赤	赤みそ・越後みそ・佐渡みそ・仙台みそ・津軽みそ	東北以北
麦みそ（麦麹）	甘口 辛口	9～11 11～13	淡色	麦みそ・田舎みそ	中国以西
豆みそ（大豆麹）		10～12	褐色	豆みそ・八丁みそ・三州みそ	中部地方

可食部100 gあたり　Tr：微量　（ ）：推定値または推計値　－：未測定

ミネラル（無機質）							ビタミン															食塩相当量	備考
亜鉛	銅	マンガン	ヨウ素	セレン	クロム	モリブデン	A レチノール活性当量	レチノール	β-カロテン当量	D	E αトコフェロール	K	B1	B2	ナイアシン当量	B6	B12	葉酸	パントテン酸	ビオチン	C		①液状だし　②試料　③材料割合 ④塩事業センター及び日本塩工業会の品質規格では塩化ナトリウム ⑤塩事業センターの品質規格では塩化ナトリウム
mg	mg	mg	µg	µg	µg	µg	µg	µg	µg	µg	mg	µg	mg	mg	mg	mg	µg	µg	mg	µg	mg	g	
(Tr)	0	0	0	0	(Tr)	(Tr)	0	0	0	0	(4.0)	(54)	(Tr)	(Tr)	(0.1)	(Tr)	(Tr)	0	0	(Tr)	0	(6.3)	
(0.2)	(0.03)	(0.19)	0	(3)	(1)	(10)	(Tr)	0	(4)	-	(1.5)	-	(0.03)	(0.03)	(0.5)	(0.04)	(Tr)	(7)	(0.09)	(2.2)	0	(3.5)	オイル入り
0.2	0.01	-	-	-	-	-	Tr	(0)	3	(0)	0	1	0.02	0.03	0.8	0.04	0	6	0.11	-	(Tr)	7.4	
(0.6)	(0.12)	(0.32)	(1)	(4)	(1)	(15)	(4)	(4)	(1)	(0.1)	(4.4)	(60)	(0.04)	(0.05)	(1.0)	(0.07)	(Tr)	(16)	(0.14)	(3.3)	0	(4.4)	クリームタイプ
(0.1)	(0.02)	(0.01)	(1)	(1)	(Tr)	(1)	(8)	(4)	(43)	(0.1)	(5.2)	(72)	(Tr)	(0.01)	(0.2)	(0.02)	(Tr)	(3)	(0.05)	(0.8)	(2)	(3.0)	
(Tr)	(Tr)	0	(1)	0	0	(Tr)	(3)	(3)	0	(0.1)	(5.0)	(66)	(Tr)	(0.01)	(0.1)	(0.01)	(Tr)	(1)	(0.02)	(0.3)	(1)	(6.4)	
0.9	0.22	-	Tr	2	2	33	(0)	(0)	(0)	(0)	0.3	8	0.05	0.10	3.5	0.04	0.1	21	Tr	5.4	(0)	6.1	(100g：87mL、100mL：115g)
1.1	0.39	-	1	9	2	57	(0)	(0)	(0)	(0)	0.6	11	0.03	0.10	3.9	0.11	0.1	68	Tr	12.0	(0)	12.4	(100g：87mL、100mL：115g)
1.2	0.35	-	1	8	1	72	(0)	(0)	(0)	(0)	0.5	11	0.03	0.10	3.5	0.12	Tr	42	0.23	14.0	(0)	13.0	(100g：87mL、100mL：115g)
1.0	0.26	0.65	26	8	2	51	0	0	3	0.1	0.7	11	0.10	0.35	(2.8)	0.13	0.1	37	0.24	9.9	0	11.9	(100g：87mL、100mL：115g)
1.0	0.32	0.64	29	8	2	60	0	0	3	0	0.6	14	0.10	0.09	2.6	0.13	0.1	40	0.27	8.9	0	9.7	(100g：87mL、100mL：115g)
0.9	0.31	-	16	2	2	15	(0)	(0)	(0)	(0)	0.4	9	0.04	0.10	2.9	0.10	Tr	35	0.26	8.4	(0)	10.7	(100g：87mL、100mL：115g)
2.0	0.66	-	31	19	9	64	(0)	(0)	(0)	(0)	1.1	19	0.04	0.12	3.4	0.13	Tr	54	0.36	17.0	(0)	10.9	(100g：87mL、100mL：115g)
1.4	0.29	0.73	1	5	5	150	0	0	3	0	0.6	-	0.10	0.11	2.7	0.16	0.1	75	0.27	11.0	0	10.7	(100g：87mL、100mL：115g)
1.8	0.44	1.19	-	-	-	-	Tr	(0)	6	(0)	0.7	15	0.11	2.58	(4.9)	0.12	-	65	0.75	-	(0)	20.6	
0.9	0.25	0.47	-	-	-	-	0	(0)	1	(0)	0.5	6	0.04	0.27	(2.1)	0.07	-	29	0.42	-	(0)	9.6	
(0.5)	(0.12)	(0.02)	0	(1)	(1)	(16)	0	0	(1)	0	(0.1)	(4)	(0.04)	(0.05)	(1.8)	(0.02)	(0.1)	(10)	0	(2.6)	0	(3.3)	
(1.5)	(0.39)	(0.40)	0	(5)	(2)	(38)	0	0	(1)	0	(0.2)	(7)	(0.10)	(0.10)	(3.9)	(0.14)	(0.1)	(36)	(0.08)	(5.7)	0	(4.0)	
(0.5)	(0.11)	0	0	(1)	(1)	(17)	0	0	0	0	(0.2)	(4)	(0.03)	(0.05)	(1.8)	(0.02)	(0.1)	(11)	0	(2.8)	0	(3.1)	
(0.5)	(0.13)	(0.02)	0	(1)	(1)	(19)	0	0	0	0	(0.2)	(5)	(0.03)	(0.06)	(2.0)	(0.03)	(0.1)	(12)	(Tr)	(3.1)	0	(3.4)	

Q A みその正しい保存法は？▶みそは時間の経過と温度の影響によって色が変化し、味も変わるが、これは未開封の状態でも起こる。温度が高いと急速に変化するので、冷蔵庫で保存するとよい。保存しているうちに上に液体がたまることがあるが、これはエキス成分なので、みその部分と混ぜて使おう。

カレールウ

酒かす

ふりかけ

オールスパイス

即席すまし汁

みりん風調味料　料理酒

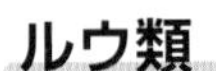

ルウ類

Roux　1人分＝15g

あらかじめ調合した調味料を小麦粉、油脂、でん粉等で固形状にしたもの。

カレールウ
カレー粉、小麦粉、油脂、調味料等が原料の固形状のもの。

ハヤシルウ
小麦粉、油脂、トマト、調味料等が原料の固形状のもの。

その他

Others

お茶漬けの素
飯に振りかけて熱湯を注ぐとお茶漬けができるインスタント製品。

さけ：原材料は、さけ、塩、あられ、和風だし、砂糖、抹茶、焼きのり等。

キムチの素
にんにく、とうがらし、食塩、砂糖、酢、だし、魚介エキス、野菜、果物等を混ぜ合わせた調味料。キムチ漬け、汁物、炒め物、和え物、鍋物等に利用。

酒かす
清酒をつくる際に、もろみをこして残ったかす。甘酒、かす汁等に使われる。

即席すまし汁
湯を注ぐとすまし汁ができるインスタント製品。原材料は、塩、しょうゆ、和風だし、乾燥ねぎ、焼きふ、焼きのり等。

ふりかけ
飯に振りかける副食物で、粉末状や粒子状のものがある。

たまご：原材料は、砂糖、ごま、乾燥卵黄、和風だし、小麦粉、干しのり、塩、抹茶等。彩りのきれいさからも人気がある。

みりん風調味料　大1＝18g
糖類にグルタミン酸や香料を配合したもの。本みりん（➡p.322）と同様に用いられる調味料だが、アルコール含有量が低いために調味料の扱いになる。

料理酒
素材の生ぐささを消す、やわらかくする、うま味を出す等の働きをする。飲用にできないように、酒税法に定められた以上の食塩や酢等を添加してある。

香辛料類

Spices　小1＝2g　練り小1＝4g

オールスパイス
別名**ピメント**。ジャマイカ原産の常緑高木、ピメントの未熟果を乾燥したもの。ナツメグ、クローブ、シナモンの3つの香りを持つことからこの名がつく。和漢名は百味胡椒（ひゃくみこしょう）。

利用法：シチュー等の肉料理からフルーツやパウンドケーキ等の菓子まで用途は幅広い。

オニオンパウダー
玉ねぎを粉末乾燥したもの。家庭料理のほか、スナック菓子等によく利用されている。玉ねぎ特有の刺激臭、辛味、そしてほのかな甘味を持つ。食塩を添加したオニオンソルトも出回っている。

利用法：肉料理、スープ等。

食品番号	食品名	廃棄率	エネルギー	2015年版の値	水分	たんぱく質	アミノ酸組成によるたんぱく質	脂質	脂肪酸のトリアシルグリセロール当量	脂肪酸 飽和	脂肪酸 一価不飽和	脂肪酸 多価不飽和	コレステロール	炭水化物	利用可能炭水化物（質量計）	食物繊維 食物繊維総量（プロスキー変法）	食物繊維 食物繊維総量（AOAC法）	ミネラル（無機質） ナトリウム	カリウム	カルシウム	マグネシウム	リン	鉄
		%	kcal	kcal	g	g	g	g	g	g	g	g	mg	g	g	g	g	mg	mg	mg	mg	mg	mg
	（ルウ類）																						
17051	**カレールウ**	0	**474**	511	3.0	**6.5**	5.7	**34.1**	32.8	14.84	14.85	1.65	20	**44.7**	35.1	3.7	6.4	4200	320	**90**	31	110	**3.5**
17052	**ハヤシルウ**	0	**501**	512	2.2	**5.8**	-	**33.2**	31.9	15.62	14.00	0.88	20	**47.5**	-	2.5	-	4200	150	**30**	21	55	**1.0**
	（その他）																						
17125	**お茶漬けの素** さけ	0	**251**	263	(2.9)	**(20.2)**	(18.0)	**(3.7)**	(2.7)	(0.68)	(1.03)	(0.88)	(64)	**(37.1)**	(27.9)	(3.5)	-	(13000)	(560)	**(72)**	(55)	(230)	**(2.1)**
17136	**キムチの素**	0	**125**	135	58.2	**5.3**	5.3	**1.0**	0.8	0.18	0.13	0.42	3	**26.0**	12.6	3.6	-	3600	350	**29**	31	52	**1.3**
17053	**酒かす**	0	**215**	227	51.1	**14.9**	(14.2)	**1.5**	-	-	-	-	(0)	**23.8**	-	5.2	-	5	28	**8**	9	8	**0.8**
17126	**即席すまし汁**	0	**194**	202	(2.8)	**(18.3)**	(17.0)	**(0.8)**	(0.5)	(0.16)	(0.06)	(0.30)	(16)	**(30.5)**	(10.4)	(3.3)	-	(18000)	(490)	**(76)**	(61)	(220)	**(2.3)**
17127	**ふりかけ** たまご	0	**428**	449	(2.5)	**(23.4)**	(20.9)	**(21.9)**	(19.7)	(4.75)	(7.72)	(6.33)	(420)	**(39.7)**	(29.3)	(5.1)	-	(3600)	(490)	**(390)**	(120)	(490)	**(4.5)**
17054	**みりん風調味料**	0	**225**	225	43.6	**0.1**	-	**0**	-	-	-	-	(0)	**55.7**	39.2	-	-	68	3	**Tr**	1	15	**0.1**
17138	**料理酒**	0	**88**	95	82.4	**0.2**	0.2	**Tr**	-	-	-	-	0	**4.7**	3.5	0	-	870	6	**2**	2	4	**Tr**
	〈香辛料類〉																						
17055	**オールスパイス** 粉	0	**364**	374	9.2	**5.6**	-	**5.6**	(3.7)	(1.64)	(0.43)	(1.52)	(0)	**75.2**	-	-	-	53	1300	**710**	130	110	**4.7**
17056	**オニオンパウダー**	0	**363**	364	5.0	**8.8**	(5.8)	**1.1**	(0.8)	(0.23)	(0.21)	(0.33)	(0)	**79.8**	-	-	-	52	1300	**140**	160	290	**3.1**
17057	**からし** 粉	0	**435**	436	4.9	**33.0**	-	**14.3**	(14.2)	(0.78)	(8.89)	(3.98)	(0)	**43.7**	-	-	-	34	890	**250**	380	1000	**11.0**
17058	練り	0	**314**	315	31.7	**5.9**	-	**14.5**	(14.4)	(0.80)	(9.01)	(4.04)	(0)	**40.1**	-	-	-	2900	190	**60**	83	120	**2.1**
17059	練りマスタード	0	**175**	174	65.7	**4.8**	(4.3)	**10.6**	(10.5)	(0.58)	(6.59)	(2.95)	(Tr)	**13.1**	(8.9)	-	-	1200	170	**71**	60	140	**1.8**
17060	粒入りマスタード	0	**229**	229	57.2	**7.6**	(6.9)	**16.0**	(15.9)	(0.88)	(9.94)	(4.45)	(Tr)	**12.7**	(5.1)	-	-	1600	190	**130**	110	260	**2.4**
17061	**カレー粉**	0	**338**	415	5.7	**13.0**	(10.2)	**12.2**	11.6	1.28	6.44	3.40	8	**63.3**	-	36.9	-	40	1700	**540**	220	400	**29.0**
17062	**クローブ** 粉	0	**398**	417	7.5	**7.2**	(5.1)	**13.6**	(9.8)	(4.13)	(1.46)	(3.77)	(0)	**66.4**	-	-	-	280	1400	**640**	250	95	**9.9**
17063	**こしょう** 黒 粉	0	**362**	364	12.7	**11.0**	(8.9)	**6.0**	(5.5)	(2.56)	(1.36)	(1.84)	(0)	**66.6**	(38.5)	-	-	65	1300	**410**	150	160	**20.0**
17064	白 粉	0	**376**	378	12.3	**10.1**	(7.0)	**6.4**	(5.9)	(2.73)	(1.45)	(1.96)	(0)	**70.1**	(38.7)	-	-	4	60	**240**	80	140	**7.3**
17065	混合 粉	0	**369**	371	12.5	**10.6**	(7.4)	**6.2**	(5.7)	(2.65)	(1.41)	(1.90)	(0)	**68.3**	(38.6)	-	-	35	680	**330**	120	150	**14.0**
17066	**さんしょう** 粉	0	**375**	375	8.3	**10.3**	-	**6.2**	-	-	-	-	(0)	**69.6**	-	-	-	10	1700	**750**	100	210	**10.0**

香辛料の作用●どんな香辛料でも、芳香をつける作用、味をつける作用、色をつける作用、素材のくさみを消す作用、腐敗や酸化を防ぐ作用、食欲を高める作用のうちの１つは必ず持っている。これらの作用を起こす成分は、おもに香辛料の揮発油（きはつゆ）に含まれている。

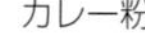

からし

クローブ

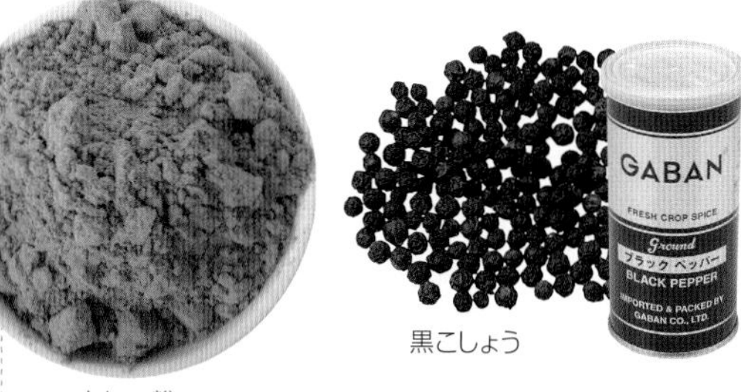

カレー粉

黒こしょう

白こしょう

木の芽

さんしょう

香辛料探しが進めた大航海時代 歴史

15世紀末から16世紀初めにかけて、ヨーロッパの国々が大西洋やインド洋に進出していったころを大航海時代と呼ぶが、その航海のいちばんの目的は香辛料だった。ヨーロッパでは家畜を秋に屠殺して保存し、冬の間に食べつないでいたが、こしょうなどの香辛料は腐りかけの肉のくさみを消しておいしくし、また薬や化粧品としても利用できたためたいへんな人気となり、ヨーロッパでは同じ重さの銀と交換された。

当時いちばんもうかる香辛料貿易を、スペインやポルトガルが香辛料産地のインドや東南アジアと行おうとしたが、地中海交易はすでにイタリア商人に独占されていた。そこで別のルートで直接到達する方法を探す必要が生じ、大航海が行われたのである。

からし

からし菜の種子を搾り、油を取り除いて粉砕、乾燥したものがからし粉。和からしと洋からしがあり、和は白色種、洋は黄色種を使うのが一般的。和からしは揮発性のツーンとくる辛味が特徴。「粒入りマスタード」は粗びきの実を酢で調整したもの。「練りマスタード」は別名**フレンチマスタード**、「粒入りマスタード」は別名**あらびきマスタード**。

利用法：和からしはおでんやカツ等。洋からしはサンドイッチ等。粒入りマスタードはソーセージ等に添えられる。

カレー粉

20～30種類の香辛料をカレー用に配合した混合香辛料。色の原料にターメリック、パプリカ等、辛味の原料に唐辛子、こしょう等、香りの原料にコリアンダー、カルダモン、クミン等が使われている。

利用法：カレー、炒め物等。

クローブ

丁字（ちょうじ）のつぼみを乾燥させたもの。非常に強い香りを持ち、肉料理のにおい消しや風味づけに使われる。インドや中国では痛み止めや胃腸薬としても用いられていた。

利用法：ローストポーク等の塊肉に刺して焼くのが一般的。

こしょう（胡椒）

インド原産。「黒こしょう（**ブラックペッパー**）」は未熟な実を乾燥させたもので、強い風味があり、肉料理に使われる。「白こしょう（**ホワイトペッパー**）」は完熟してから乾燥させ外皮をむいたもので、マイルドなので魚料理に使われる。

さんしょう（山椒）

ミカン科の常緑低木、山椒の完熟した実を粉末状にしたもの。ピリリとしたさわやかな風味が特徴。木の芽として使われるのは若葉。未熟な実もつくだ煮等に使われる。

利用法：うなぎやみそ汁の風味づけ等。

可食部100gあたり　Tr：微量　( )：推定値または推計値　-：未測定

亜鉛 mg	銅 mg	マンガン mg	ヨウ素 µg	セレン µg	クロム µg	モリブデン µg	A レチノール活性当量 µg	A レチノール µg	A β-カロテン当量 µg	D µg	E αトコフェロール mg	K µg	B1 mg	B2 mg	ナイアシン当量 mg	B6 mg	B12 µg	葉酸 µg	パントテン酸 mg	ビオチン µg	C mg	食塩相当量 g	備考 ①液状だし ②試料 ③材料割合 ④塩事業センター及び日本塩工業会の品質規格では塩化ナトリウム ⑤塩事業センターの品質規格では塩化ナトリウム
0.5	0.13	0.58	0	10	7	14	6	(0)	69	(0)	2.0	0	0.09	0.06	1.0	0.07	Tr	9	0.38	4.1	0	10.6	
0.3	0.12	0.32	-	-	-	-	95	(0)	1100	(0)	2.5	0	0.14	0.06	2.0	0.08	0	9	0.29	-	0	10.7	
(0.9)	(0.14)	(0.27)	(3700)	(27)	(2)	(12)	(180)	(10)	(2100)	(8.3)	(1.5)	(100)	(0.16)	(0.29)	(9.3)	(0.25)	(5.4)	(140)	(0.93)	(4.7)	(12)	(33.8)	
0.3	0.12	0.16	1900	11	18	6	190	17	2100	0	2.9	8	0.04	0.11	1.9	0.31	0.2	8	0.20	3.7	0	9.3	
2.3	0.39	-	-	-	-	-	(0)	(0)	(0)	(0)	0	0	0.03	0.26	(5.3)	0.94	0	170	0.48	-	(0)	0	
(1.0)	(0.13)	(0.60)	(140)	(39)	(3)	(29)	(200)	0	(2300)	(0.5)	(0.8)	(57)	(0.13)	(0.31)	(7.5)	(0.17)	(4.7)	(170)	(0.41)	(8.3)	(25)	(45.7)	
(2.9)	(0.47)	(0.71)	(86)	(15)	(2)	(29)	(360)	(100)	(3100)	(2.2)	(2.5)	(220)	(0.29)	(0.48)	(8.7)	(0.31)	(6.2)	(170)	(0.47)	(6.0)	(11)	(9.2)	
Tr	Tr	0	-	-	-	-	(0)	(0)	(0)	(0)	-	(0)	Tr	0.02	Tr	0	0	0	0	-	0	0.2	アルコール：0.5 容量%（100g：78.8mL、100mL：126.9g）
Tr	Tr	0.04	Tr	0	2	2	0	0	0	0	0	0	Tr	0	Tr	0.01	0	0	0	Tr	0	2.2	アルコール：13.6 容量%（100g：98.4mL、100mL：101.6g）
1.2	0.53	0.72	-	-	-	-	3	0	34	(0)	-	-	0	0.05	3.8	-	(0)	(0)	-	-	0	0.1	
3.2	0.55	1.90	-	-	-	-	(0)	(0)	Tr	(0)	-	-	0.30	0.10	(1.4)	-	(0)	-	-	-	10	0.1	食塩添加品あり
6.6	0.60	1.76	0	290	3	79	3	(0)	38	(0)	-	-	0.73	0.26	14.0	-	(0)	(0)	-	160.0	0	0.1	和がらし及び洋がらしを含む（100g：250mL、100mL：40g）
1.0	0.15	0.36	-	-	-	-	1	(0)	16	(0)	-	-	0.22	0.07	2.5	-	(0)	(0)	-	-	0	7.4	和風及び洋風を含む
0.8	0.10	0.41	0	70	4	15	4	0	54	(Tr)	1.2	6	0.14	0.04	(1.3)	0.10	0	14	0.27	25.0	Tr	3.0	
1.4	0.16	0.62	1	87	3	17	3	(0)	32	(Tr)	1.0	5	0.32	0.05	(3.0)	0.14	0.1	16	0.28	23.0	Tr	4.1	
2.9	0.80	4.84	5	18	21	42	32	0	390	(0)	4.4	86	0.41	0.25	(8.7)	0.59	0.1	60	2.06	28.0	2	0.1	
1.1	0.39	93.00	-	-	-	-	10	(0)	120	(0)	-	-	0.04	0.27	(1.5)	-	(0)	(0)	-	-	(0)	0.7	
1.1	1.20	6.34	5	5	30	14	15	(0)	180	(0)	-	-	0.10	0.24	(2.2)	-	(0)	(0)	-	20.0	(0)	0.2	
0.9	1.00	4.45	2	2	5	24	(0)	(0)	Tr	(0)	-	-	0.02	0.12	(1.2)	-	(0)	(0)	-	4.7	(0)	0	
1.0	1.10	-	3	2	12	17	7	(0)	89	(0)	-	-	0.06	0.18	(1.8)	-	0	0	-	15.0	1	0.1	
0.9	0.33	-	32	6	21	19	17	(0)	200	(0)	-	-	0.10	0.45	(4.5)	-	-	-	-	27.0	0	0	

Q A カレーライスとライスカレー、どっちが正しいの？▶英語では「curry and rice」という。歴史的に見ると「ライスカレー」という呼び方のほうが古く、後に「カレーライス」と呼び名が変わったらしい。また、ルウとライスが別になっているものがカレーライス、ライスの上にルウがかかっているものがライスカレー、という説もある。

シナモン
スリランカ原産のクスノキ科。別名**にっけい**、**にっき**。樹皮を乾燥させたもの。上品な甘い芳香が特徴。粉末とスティック状がある。
利用法：粉末はカプチーノやアップルパイ等の香りづけ。スティックは砂糖つぼに入れて香りを移す等。

しょうが（生姜） 小1＝6g
熱帯アジア原産のショウガ科の多年草。別名**ジンジャー**。根を香辛料や生薬として用いる。日本では生のまますりおろすことが多い（➡p.120）。

セージ
地中海原産のシソ科の多年草の葉。強い苦味、渋味、芳香をもつ。食肉加工品に利用されるため、ソーセージの語源のひとつともなっている。

タイム
シソ科の多年草の葉。乾燥のほか、生でも使われる。さわやかな香りと辛味をもつ。肉や魚のくさみを消すのに用いられる。
利用法：煮込み料理にブーケガルニ（ハーブを束ねたもの）として加え、香りを移す。

チリパウダー
メキシコ産の辛い唐辛子（チリペッパー）に、オレガノ、パプリカ、クミン等を配合した混合香辛料。西洋版の七味唐辛子。

とうがらし（唐辛子）
メキシコ原産のナス科の一年草の実（➡p.130）。別名**一味唐辛子**。日本では乾燥して用いることが多い。辛味成分はカプサイシン。

ナツメグ
東インド諸島、モルッカ諸島原産のニクズク科の常緑高木。別名**にくずく**。種子の中の仁を乾燥させ、粉末にしたもの。ひき肉料理に欠かせない香辛料。
利用法：ハンバーグ等。

にんにく
ユリ科の多年草（➡p.138）。パウダータイプは食塩添加のものが多い。

バジル
インド、熱帯アジア原産のシソ科の一年草（➡p.140）。別名**めぼうき**、**バジリコ**。葉を用いる。粉末、乾燥

食品番号	食品名	廃棄率	エネルギー	2015年版の値	水分	たんぱく質	アミノ酸組成によるたんぱく質	脂質	脂肪酸のトリアシルグリセロール当量	脂肪酸 飽和	脂肪酸 一価不飽和	脂肪酸 多価不飽和	コレステロール	炭水化物	利用可能炭水化物（質量計）	食物繊維 食物繊維総量（プロスキー変法）	食物繊維 食物繊維総量（AOAC法）	ミネラル（無機質） ナトリウム	カリウム	カルシウム	マグネシウム	リン	鉄
		%	kcal	kcal	g	g	g	g	g	g	g	g	mg	g	g	g	g	mg	mg	mg	mg	mg	mg
17067	**シナモン** 粉	0	356	364	9.4	3.6	(2.7)	3.5	(1.9)	(0.97)	(0.69)	(0.19)	(0)	79.6	-	-	-	23	550	1200	87	50	7.1
17068	**しょうが** 粉	0	365	365	10.6	7.8	(5.3)	4.9	-	-	-	-	(0)	72.5	(55.6)	-	-	31	1400	110	300	150	14.0
17069	おろし	0	41	43	88.2	0.7	(0.3)	0.6	(0.4)	(0.16)	(0.12)	(0.12)	(0)	8.6	(4.7)	-	-	580	140	16	17	14	0.3
17070	**セージ** 粉	0	377	384	9.2	6.4	-	10.1	(8.8)	(5.57)	(1.48)	(1.39)	(0)	66.9	-	-	-	120	1600	1500	270	100	50.0
17071	**タイム** 粉	0	342	352	9.8	6.5	-	5.2	(3.2)	(1.91)	(0.33)	(0.83)	(0)	69.8	-	-	-	13	980	1700	300	85	110.0
17072	**チリパウダー**	0	374	374	3.8	15.0	(9.2)	8.2	(8.2)	(1.41)	(1.84)	(4.60)	(0)	60.1	-	-	-	2500	3000	280	210	260	29.0
17073	**とうがらし** 粉	0	412	419	1.7	16.2	(9.9)	9.7	(8.3)	(1.83)	(1.54)	(4.70)	(0)	66.8	-	-	-	4	2700	110	170	340	12.0
17074	**ナツメグ** 粉	0	520	559	6.3	5.7	-	38.5	(30.6)	(11.31)	(13.28)	(5.22)	(0)	47.5	-	-	-	15	430	160	180	210	2.5
17075	**にんにく** ガーリックパウダー 食塩無添加	0	380	382	3.5	19.9	(17.2)	0.8	0.4	0.10	0.04	0.22	2	73.8	18.4	-	-	18	390	100	90	300	6.6
17128	食塩添加	0	382	382	3.5	19.9	(17.2)	0.8	-	-	-	-	2	73.8	(16.8)	-	-	3300	390	100	90	300	6.6
17076	おろし	0	170	171	52.1	4.7	(2.9)	0.5	(0.3)	(0.07)	(0.02)	(0.16)	(Tr)	37.0	(1.2)	-	-	1800	440	22	22	100	0.7
17077	**バジル** 粉	0	307	307	10.9	21.1	(17.3)	2.2	(2.2)	(1.17)	(0.67)	(0.27)	(0)	50.6	-	-	-	59	3100	2800	760	330	120.0
17078	**パセリ** 乾	0	341	341	5.0	28.7	(27.7)	2.2	(2.2)	(0.55)	(0.31)	(1.25)	(0)	51.6	(5.4)	-	-	880	3600	1300	380	460	18.0
17079	**パプリカ** 粉	0	385	389	10.0	15.5	(14.6)	11.6	(10.9)	(1.93)	(1.53)	(6.99)	(0)	55.6	-	-	-	60	2700	170	220	320	21.0
17080	**わさび** 粉 からし粉入り	0	384	384	4.9	16.5	(9.4)	4.4	-	-	-	-	(0)	69.7	-	-	-	30	1200	320	210	340	9.3
17081	練り	0	265	265	39.8	3.3	(1.9)	10.3	-	-	-	-	(0)	39.8	-	-	-	2400	280	62	39	85	2.0
	〈その他〉																						
17082	**酵母** パン酵母 圧搾	0	105	103	68.1	16.5	13.1	1.5	1.1	0.19	0.84	0.01	0	12.1	(2.5)	10.3	-	39	620	16	37	360	2.2
17083	乾燥	0	307	313	8.7	37.1	30.2	6.8	4.7	0.79	3.71	0.04	0	43.1	1.4	32.6	-	120	1600	19	91	840	13.0
17084	**ベーキングパウダー**	0	150	127	4.5	Tr	-	1.2	(0.6)	(0.22)	(0.02)	(0.36)	(0)	29.0	(35.0)	-	-	6800	3900	2400	1	3700	0.1

＋PLUS＋ **香辛料に湿気はタブー**●乾燥した香辛料はパウダー状でもホール状でもきわめて湿気に弱い。香辛料を加えるときは、小皿や手のひら等に香辛料を取り分けてから使うようにしよう。調理中の鍋の上から直接容器を振ることは避けること。

ナツメグ　パセリ　にんにく　パプリカ　バジル　ホースラディシュ　練りわさび

パン酵母（乾燥）

ベーキングパウダー

の他、イタリア料理には不可欠な香辛料。
利用法：ピザ、パスタ等。

パセリ
セリ科。パセリ（➡p.140）を乾燥させ粉末にしたもの。

パプリカ
ナス科。肉厚なカラーピーマン（➡p.142）で、唐辛子の一種だが辛味はない。赤く熟したものを乾燥させ、粉末にしたもの。

わさび　小1＝7g
「本わさび」と呼ばれるものは、アブラナ科の水生植物で、ツーンと鼻から頭に抜ける辛さが特徴。一般に市販されている粉わさびは、ホースラディシュ（➡p.144）と呼ばれる「西洋わさび」。辛味成分と香りが本わさびと同じだが、全くの別物。本わさびのイメージにあわせるために緑色に着色されている。

その他
OTHERS

酵母　小1＝3g
糖類を発酵させるために必要な菌類。ワイン用、ビール用等があるが、家庭用に使われるものとしては、パン用のイースト菌がある。酵母菌培養地を圧搾した「**イースト**」と、乾燥タイプの「**ドライイースト**」が市販されている。

ベーキングパウダー　小1＝4g
重曹に助剤（複数の酸性剤）や分散剤（コーンスターチ等）を加えた膨張剤。重曹だけを使った場合に比べ、色、臭気、苦味等が改善されている。小麦粉とあわせてふるい、洋菓子やまんじゅうの皮等に使われる。

可食部100gあたり　Tr：微量　（ ）：推定値または推計値　－：未測定

ミネラル（無機質）							ビタミン															食塩相当量	備考
亜鉛	銅	マンガン	ヨウ素	セレン	クロム	モリブデン	A レチノール活性当量	レチノール	β-カロテン当量	D	E αトコフェロール	K	B1	B2	ナイアシン当量	B6	B12	葉酸	パントテン酸	ビオチン	C		①液状だし　②試料　③材料割合 ④塩事業センター及び日本塩工業会の品質規格では塩化ナトリウム ⑤塩事業センターの品質規格では塩化ナトリウム
mg	mg	mg	μg	μg	μg	μg	μg	μg	μg	μg	mg	μg	mg	mg	mg	mg	μg	μg	mg	μg	mg	g	
0.9	0.49	41.00	6	3	14	3	**1**	(0)	6	(0)	-	-	**0.08**	**0.14**	(2.0)	-	(0)	(0)	-	1.4	**Tr**	0.1	
1.7	0.57	28.00	1	3	6	11	**1**	(0)	16	(0)	-	-	**0.04**	**0.17**	(6.4)	1.03	(0)	(0)	1.29	9.6	**0**	0.1	
0.1	0.04	3.58	0	1	1	1	**1**	(0)	7	(0)	-	-	**0.02**	**0.03**	(0.9)	-	-	-	-	0.3	**120**	1.5	②チューブ入り　ビタミンC: 添加品を含む
3.3	0.53	2.85	-	-	-	-	**120**	(0)	1400	(0)	-	-	**0.09**	**0.55**	3.8	-	(0)	-	-	-	**(0)**	0.3	
2.0	0.57	6.67	-	-	-	-	**82**	(0)	980	(0)	-	-	**0.09**	**0.69**	4.5	-	0	0	-	-	**0**	0	
2.2	1.00	1.62	-	-	-	-	**770**	(0)	9300	(0)	-	-	**0.25**	**0.84**	(8.5)	-	(0)	(0)	-	-	**(0)**	6.4	
2.0	1.20	-	3	5	17	41	**720**	(0)	8600	(0)	-	-	**0.43**	**1.15**	(13.0)	-	-	-	-	49.0	**Tr**	0	
1.3	1.20	2.68	-	-	-	-	**1**	(0)	12	(0)	-	-	**0.05**	**0.10**	1.5	-	(0)	(0)	-	-	**(0)**	0	
2.5	0.57	1.17	1	10	2	7	**(0)**	(0)	0	(0)	0.4	1	**0.54**	**0.15**	(3.4)	2.32	0	30	1.33	3.5	**(0)**	0	
2.5	0.57	1.17	1	10	2	7	**(0)**	(0)	0	(0)	0.4	1	**0.54**	**0.15**	(3.4)	2.32	0	30	1.33	3.5	**(0)**	8.4	
0.5	0.09	0.16	3	4	1	6	**Tr**	(0)	3	(0)	-	-	**0.11**	**0.04**	(1.0)	-	-	-	-	1.0	**0**	4.6	②チューブ入り
3.9	1.99	10.00	42	18	47	200	**210**	(0)	2500	(0)	4.7	820	**0.26**	**1.09**	(12.0)	1.75	0	290	2.39	62.0	**1**	0.1	
3.6	0.97	6.63	22	7	38	110	**2300**	(0)	28000	(0)	7.2	1300	**0.89**	**2.02**	(20.0)	1.47	0	1400	1.68	24.0	**820**	2.2	
10.0	1.08	1.00	17	10	33	13	**500**	(0)	6100	(0)	-	(0)	**0.52**	**1.78**	(14.0)	-	(0)	(0)	-	39.0	**(0)**	0.2	
4.4	0.45	1.11	3	4	8	4	**2**	(0)	20	(0)	-	-	**0.55**	**0.30**	(5.0)	-	-	-	-	24.0	**(0)**	0.1	②ホースラディシュ製品
0.8	0.11	0.23	-	-	-	-	**1**	(0)	15	(0)	-	-	**0.11**	**0.07**	(1.2)	-	-	-	-	-	**0**	6.1	②わさび及びホースラディシュ混合製品、チューブ入り
7.8	0.36	0.19	Tr	2	1	Tr	**Tr**	0	4	1.6	Tr	0	**2.21**	**1.78**	27.0	0.59	0	1900	2.29	99.0	**0**	0.1	
3.4	0.20	0.40	1	2	2	1	**0**	0	0	2.8	Tr	0	**8.81**	**3.72**	(28.0)	1.28	0	3800	5.73	310.0	**1**	0.3	
Tr	0.01	-	-	-	-	-	**0**	0	0	0	-	0	**0**	**0**	0	(0)	(0)	(0)	(0)	-	**0**	17.3	(100g：133mL、100mL：75g)

Q A　刺身にわさびをつけて食べるのはなぜ？▶わさびの辛味成分（アリルイソチオシアネート）には強い殺菌作用があるから。また、わさびの辛味は、涙が出るほど刺激的だがすぐに消えさっぱりしている。このため、たいやひらめのような淡白な味の刺身にも合っている。

18 調理済み流通食品類 PREPARED FOODS

テイクアウトされた中国料理

調理加工食品類とは

近年、スーパーのそう菜コーナーの充実や大規模調理施設（いわゆるセントラルキッチン）による学校・高齢者施設などへの配食事業が拡大するなど、調理済みの食品に接する機会が増えている。また、これまで家庭ごとに異なっていたそう菜も食の外部化などにより広い範囲で同一のレシピが適用されることが生じてきた。これらのことから公的な規格基準があるものや流通量が多いものを収載することとなった。

●調理加工食品の主な分類

レトルトパウチ食品

アルミ箔とプラスチックフィルムを3層に貼り合わせた袋（レトルトパウチ）に調理・加工済みの食品を入れ、空気を抜いて密封し、高圧釜（レトルト）で120℃・4分以上の高温・高圧で殺菌したもの。

●特徴
無菌状態で気密性・遮光性が高いため、保存料や殺菌料を使わずに常温で1 ～ 2年の長期保存が可能。風味・色・栄養分などがそこなわれにくい。軽くて持ち運びに便利。開封しやすい。容器の廃棄処理が容易。

●選び方・保存のしかた
包装容器に傷などのないものを選ぶ。常温で保存。

冷凍食品

前処理（下ごしらえ）し、-18℃以下になるよう急速冷凍して適切に包装し、-18℃以下で保管・流通しているもの。電子レンジで温めるだけで食べられるものが主流。自然解凍で食べられるものは弁当用などに利用される。

●特徴
冷凍下で微生物が増殖しないため、保存料・殺菌料が必要ない。1年間の長期保存ができる。簡単な調理や解凍加熱だけで食べられる。

●選び方・保存のしかた
冷凍室・冷凍庫で -18℃以下で保存する。

チルド食品

凍結しない程度の低温冷蔵で保存・輸送・販売される食品。一般的に0 ～ 10℃の温度で管理される。チルドとは冷却されたという意味。

●特徴
低温冷蔵することで酵素の活性や有害微生物の成育を抑制できるので食品の品質を保てるが、成育が止まるわけではないため、時間の経過とともに低温でも活動できる細菌が増殖する。

●選び方・保存のしかた
冷蔵庫で保存。冷凍はしない。

粉末状食品

一般的に、液状の食品を加工によって粉末状にし、食用時に水または湯で復元する食品。

●特徴
栄養価の損失が少ない。乾燥によって保存性がいちじるしく向上し、保存期間が長い。粉末化によってかさが大幅に減り、軽いため輸送や運搬に便利。

●選び方・保存のしかた
直射日光・高温多湿を避けて常温で保存する。

食品番号	食品名	廃棄率	エネルギー	2015年版の値	水分	たんぱく質	アミノ酸組成によるたんぱく質	脂質	脂肪酸のトリアシルグリセロール当量	脂肪酸 飽和	脂肪酸 一価不飽和	脂肪酸 多価不飽和	コレステロール	炭水化物	利用可能炭水化物(質量計)	食物繊維 食物繊維総量(プロスキー変法)	食物繊維 食物繊維総量(AOAC法)	ミネラル(無機質) ナトリウム	カリウム	カルシウム	マグネシウム	リン	鉄
		%	kcal	kcal	g	g	g	g	g	g	g	g	mg	g	g	g	g	mg	mg	mg	mg	mg	mg
	〈和風料理〉																						
18024	[和え物類] **青菜の白和え**	0	81	90	(79.7)	(4.2)	(3.9)	(3.4)	(2.6)	-	-	-	(Tr)	(10.5)	(7.2)	(2.4)	-	(500)	(180)	(95)	(42)	(69)	(1.2)
18025	**いんげんのごま和え**	0	77	83	(81.4)	(3.7)	(3.0)	(3.4)	(3.2)	-	-	-	(5)	(9.1)	(4.9)	(2.8)	-	(480)	(270)	(120)	(44)	(88)	(1.3)
18026	**わかめとねぎの酢みそ和え**	0	85	89	(76.3)	(3.8)	(3.0)	(0.9)	(0.8)	-	-	-	(17)	(16.3)	(10.5)	(2.5)	-	(730)	(140)	(40)	(20)	(56)	(0.9)
18028	[汁物類] **とん汁**	0	26	27	(94.4)	(1.5)	(1.3)	(1.5)	(1.4)	-	-	-	(3)	(2.0)	(0.9)	(0.5)	-	(220)	(63)	(10)	(6)	(18)	(0.2)
18027	[酢の物類] **紅白なます**	0	34	37	(90.3)	(0.6)	(0.6)	(0.6)	(0.7)	-	-	-	0	(7.2)	(6.1)	(0.9)	-	(230)	(130)	(22)	(9)	(16)	(0.2)
18029	[煮物類] **卯の花いり**	0	84	97	(79.1)	(4.4)	(3.1)	(4.1)	(3.5)	-	-	-	(7)	(10.7)	(3.9)	(5.1)	-	(450)	(190)	(47)	(24)	(68)	(0.8)
18030	**親子丼の具**	0	101	103	(79.4)	(8.4)	(7.9)	(5.2)	(5.1)	-	-	-	(130)	(5.6)	(3.0)	(0.4)	-	(380)	(120)	(21)	(12)	(88)	(0.7)
18031	**牛飯の具**	0	122	126	(78.8)	(4.1)	(3.5)	(9.4)	(8.8)	-	-	-	(18)	(6.4)	(4.0)	(1.0)	-	(400)	(110)	(18)	(10)	(45)	(0.6)
18032	**切り干し大根の煮物**	0	48	55	(88.2)	(2.3)	(1.9)	(2.5)	(1.9)	-	-	-	0	(5.7)	(3.2)	(2.0)	-	(370)	(76)	(46)	(18)	(39)	(0.5)
18033	**きんぴらごぼう**	0	84	91	(81.6)	(1.4)	(3.1)	(4.5)	(4.3)	-	-	-	(Tr)	(11.3)	(4.2)	(3.2)	-	(350)	(150)	(36)	(25)	(37)	(0.5)
18034	**ぜんまいのいため煮**	0	80	86	(82.3)	(3.4)	(3.0)	(4.2)	(3.9)	-	-	-	0	(8.7)	(4.9)	(2.2)	-	(420)	(67)	(47)	(19)	(50)	(0.7)

+PLUS+ **冷凍野菜の調理のコツ**●冷凍野菜の製造過程では、冷凍直前に 80%ほど茹（ゆ）でて急速冷凍している。これで栄養分を損なわず、美しい色を保ち、身くずれを防止している。調理の際は、残りの 20%程度を加熱するように心がけよう。加熱しすぎないのがコツ。

青菜の白和え

いんげんのごま和え

酢みその和えもの

とん汁

紅白なます

卵の花いり

親子丼の具

牛飯の具

切り干し大根の煮物

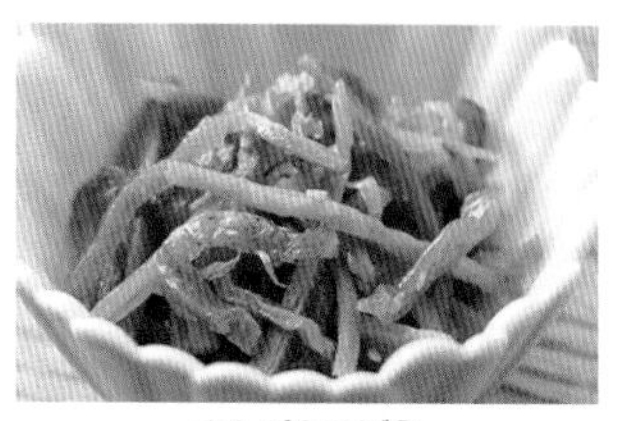
きんぴらごぼう

ぜんまいのいため煮

和風料理

和え物類
Dressed foods

和え物とは、各種の調味料を混ぜた和え衣で食材を和えた料理。ごま・梅肉なども利用する。

青菜の白和え
豆腐・白ごま・白みそをすり混ぜた白い和え衣で、ほうれんそうなどの青菜類を和えた料理。

いんげんのごま和え
ゆでたいんげんをすりごま・砂糖・しょうゆなどで和えた料理。ごまよごしともいう。

わかめとねぎの酢みそ和え
ゆでたわかめとねぎを、みそと酢等を混ぜた和え衣で和えた料理。

汁物類
Soup

汁物は汁を主とした料理。

とん汁
別名**豚汁(ぶたじる)**。とん汁は豚肉・多種の野菜・こんにゃくなどを煮込んでねぎと七味とうがらしを振った具だくさんのみそ汁。

酢の物類
Vinegared foods

酢の物は、酢・しょうゆ・だし汁などを混ぜた合わせ酢で調味する料理。

紅白なます
にんじん(赤)とだいこん(白)をせん切りにしてつくる。それぞれを源氏の白旗、平家の赤旗に見立てて、源平なますともいう。

煮物類
Boiled food

日本料理の献立の基本の一つ。煮汁の量、材料の下ごしらえ(素材の素焼き、揚げ、炒め)やとろみづけの有無により多様な料理がある。

卵の花いり
おから(卯の花)をいり煮した料理。下ごしらえしたおからを炒め、油揚げ・にんじん・ごぼう等を加えて炒め、溶き卵を加え調味料で仕上げる。

親子丼の具
とり肉とたまねぎを甘辛く煮て、溶き卵でとじたもの。これを飯にのせた料理が親子丼。とり肉と卵を使うため、親子の名がついた。

牛飯の具
牛肉とたまねぎを甘辛く煮たもの。丼に盛った飯にのせて紅しょうがやみつばなどを添える。牛飯の別名は牛丼。

切り干し大根の煮物
切り干し大根を水戻しして炒め、油揚げやにんじんなどを加えて、しょうゆ・砂糖などで煮汁がほとんどなくなるまで煮た料理。

きんぴらごぼう
ごぼうをささがきやせん切りにしてにんじんなどを加えて炒め、しょうゆ・砂糖などで調味し、とうがらしで辛味をつけた料理。

ぜんまいのいため煮
水戻しした乾燥ぜんまいを切って、炒め調味した料理。油揚げ・にんじん等を加えることもある。

可食部100gあたり　Tr：微量　( )：推定値または推計値　-：未測定

ミネラル(無機質)							ビタミン																食塩相当量	備考
亜鉛	銅	マンガン	ヨウ素	セレン	クロム	モリブデン	A レチノール活性当量	A レチノール	A β-カロテン当量	D	E α-トコフェロール	K	B_1	B_2	ナイアシン当量	B_6	B_{12}	葉酸	パントテン酸	ビオチン	C			
mg	mg	mg	µg	µg	µg	µg	µg	µg	µg	µg	mg	µg	mg	mg	mg	mg	µg	µg	mg	µg	mg		g	
(0.6)	(0.15)	(0.35)	(2)	(4)	(2)	(21)	**(130)**	0	(1600)	(Tr)	(0.6)	(70)	**(0.06)**	**(0.05)**	(1.2)	(0.07)	(Tr)	(32)	(0.11)	(2.9)	**(3)**		(1.3)	
(0.7)	(0.15)	(0.48)	(1)	(4)	(1)	(10)	**(73)**	(3)	(840)	(0.2)	(0.2)	(39)	**(0.08)**	**(0.10)**	(1.5)	(0.11)	(0.1)	(52)	(0.20)	(2.0)	**(5)**		(1.2)	
(0.4)	(0.10)	(0.06)	(120)	(4)	(1)	(8)	**(11)**	(1)	(120)	0	(0.3)	(24)	**(0.03)**	**(0.04)**	(1.3)	(0.06)	(0.3)	(31)	(0.10)	(2.5)	**(4)**		(1.8)	
(0.2)	(0.03)	(0.02)	0	(1)	0	(3)	**(17)**	0	(200)	(Tr)	(0.1)	(2)	**(0.03)**	**(0.01)**	(0.6)	(0.03)	(0.1)	(7)	(0.05)	(0.8)	**(1)**		(0.6)	
(0.1)	(0.02)	(0.05)	(2)	(1)	0	(3)	**(38)**	0	(460)	0	(Tr)	(2)	**(0.02)**	**(0.01)**	(0.3)	(0.03)	0	(19)	(0.08)	(0.5)	**(6)**		(0.6)	
(0.4)	(0.07)	(0.25)	(1)	(3)	(1)	(20)	**(38)**	(3)	(420)	(0.1)	(0.5)	(10)	**(0.06)**	**(0.04)**	(1.2)	(0.05)	(0.1)	(13)	(0.22)	(2.9)	**(1)**		(1.1)	
(0.7)	(0.04)	(0.08)	(7)	(8)	(Tr)	(3)	**(57)**	(51)	(69)	(0.7)	(0.4)	(14)	**(0.04)**	**(0.13)**	(2.4)	(0.09)	(0.4)	(20)	(0.53)	(7.3)	**(2)**		(1.0)	
(0.9)	(0.03)	(0.10)	0	(4)	(1)	(3)	**(4)**	(2)	(16)	0	(0.2)	(5)	**(0.02)**	**(0.04)**	(1.8)	(0.10)	(0.5)	(9)	(0.20)	(1.3)	**(2)**		(1.0)	
(0.3)	(0.02)	(0.18)	0	(2)	(Tr)	(5)	**(54)**	0	(640)	0	(0.2)	(6)	**(0.01)**	**(0.02)**	(0.9)	(0.02)	(0.1)	(7)	(0.08)	(1.2)	**(Tr)**		(0.9)	
(0.4)	(0.09)	(0.16)	0	(1)	0	(3)	**(86)**	0	(1000)	0	(0.7)	(7)	**(0.03)**	**(0.03)**	(0.6)	(0.07)	(Tr)	(32)	(0.14)	(1.0)	**(1)**		(0.9)	
(0.4)	(0.08)	(0.29)	0	(2)	(Tr)	(6)	**(42)**	0	(510)	0	(0.4)	(17)	**(0.01)**	**(0.02)**	(0.8)	(0.03)	(Tr)	(7)	(0.07)	(1.3)	**(Tr)**		(1.1)	

Q A　なますとは？▶『日本書紀』や『万葉集』に「膾」の表記で見られ、もともとは生の肉や魚を細く刻んだ食べ物をさした。その後、魚肉と野菜を細かく刻んで和えた物をさす言葉に変化し、現在のなますのように酢を使うようになったのは室町時代からと言われている。郷土料理として氷頭(ひず)なます、柿なますなどがある。

筑前煮

ひじきのいため煮

松前漬け　しょうゆ漬

クリームコロッケ

肉じゃが

アジの南蛮漬け

カレー類

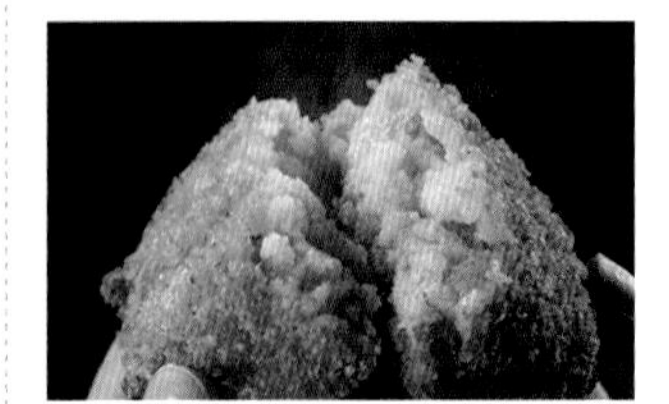
ポテトコロッケ

筑前煮
福岡県の郷土料理。別名いり鶏、がめ煮。とり肉・にんじん・ごぼう・れんこんなどを一口大に切り、炒めて甘みのあるしょうゆ味で調味し煮詰める。

肉じゃが
肉・たまねぎ・じゃがいもなどを炒め、だし汁としょうゆ・砂糖などで煮た料理。関西では牛肉、関東では豚肉を利用することが多い。

ひじきのいため煮
水戻しした乾燥ひじきとにんじんや油揚げなどを炒め、しょうゆ・砂糖などで煮汁がほとんどなくなるまで煮た料理。

その他

アジの南蛮漬け
南蛮漬けは肉や魚のから揚げを、とうがらしとたまねぎを加えた三杯酢に漬けた料理。名前は南蛮貿易で伝来したことに由来する。

松前漬け　しょうゆ漬
北海道松前地方の郷土料理。するめ・昆布・かずのこ等を混ぜ合わせ、しょうゆ・砂糖・みりん等の調味液に漬け込んだもの。

洋風料理

カレー類
Japanese curry

牛肉や鶏肉を強火で炒め、野菜と共にカレーソースで煮込んだ料理。カレーとはインド南部のタミル語(kari)でソースや汁を意味し、カレー粉やカレー料理の総称である。

チキンカレー
ビーフカレー
ポークカレー
鶏肉、牛肉または豚肉を、それぞれ強火で炒め、野菜とカレーソースで煮込んだ料理。

コロッケ類
Croquettes

揚げ物料理の一つ。成形した具材を、小麦粉・溶き卵・パン粉をつけて揚げた料理。

カニクリームコロッケ
コーンクリームコロッケ
具材を固めのホワイトソースに混ぜて、たわら型などに形を整えて、衣をつけて揚げる料理。かにやコーンを混ぜることもある。

ポテトコロッケ
ゆでて潰したじゃがいもにひき肉などを加え、衣をつけて揚げたもの。

食品番号	食品名	廃棄率	エネルギー	2015年版の値	水分	たんぱく質	アミノ酸組成によるたんぱく質	脂質	脂肪酸のトリアシルグリセロール当量	脂肪酸 飽和	脂肪酸 一価不飽和	脂肪酸 多価不飽和	コレステロール	炭水化物	利用可能炭水化物(質量計)	食物繊維 食物繊維総量(プロスキー変法)	食物繊維 食物繊維総量(AOAC法)	ミネラル(無機質) ナトリウム	カリウム	カルシウム	マグネシウム	リン	鉄
		%	kcal	kcal	g	g	g	g	g	g	g	g	mg	g	g	g	g	mg	mg	mg	mg	mg	mg
18035	**筑前煮**	0	85	90	(80.4)	(4.4)	(4.1)	(3.5)	(3.3)	-	-	-	(19)	(10.2)	(5.9)	(1.8)	-	(430)	(160)	(22)	(15)	(55)	(0.5)
18036	**肉じゃが**	0	78	81	(79.6)	(4.3)	(3.8)	(1.3)	(1.1)	-	-	-	(9)	(13.0)	(10.3)	(1.3)	-	(480)	(210)	(13)	(14)	(44)	(0.8)
18037	**ひじきのいため煮**	0	75	88	(80.8)	(3.1)	(2.8)	(4.0)	(3.5)	-	-	-	(Tr)	(9.9)	(6.5)	(3.4)	-	(560)	(180)	(100)	(43)	(45)	(0.6)
18038	[その他] **アジの南蛮漬け**	0	109	113	(78.0)	(8.1)	(6.7)	(6.1)	(5.6)	-	-	-	(27)	(6.2)	(4.6)	(0.9)	-	(290)	(190)	(37)	(19)	(110)	(0.4)
18023	**松前漬け　しょうゆ漬**	0	166	179	51.2	17.0	14.5	1.4	0.9	0.28	0.11	0.46	170	24.7	12.9	1.6	-	2000	310	41	59	170	0.6
	〈洋風料理〉																						
18040	[カレー類] **チキンカレー**	0	131	136	(75.2)	(5.6)	(5.4)	(8.8)	(8.4)	-	-	-	(29)	(8.4)	(5.6)	(1.2)	-	(540)	(170)	(20)	(13)	(58)	(0.7)
18001	**ビーフカレー**	0	119	123	(78.5)	(2.4)	(2.1)	(9.0)	(8.6)	-	-	-	(10)	(8.1)	(5.7)	(0.9)	-	(680)	(93)	(20)	(8)	(32)	(0.7)
18041	**ポークカレー**	0	116	119	(79.2)	(2.8)	(2.3)	(8.6)	(8.2)	-	-	-	(9)	(7.7)	(5.8)	(0.9)	-	(550)	(100)	(14)	(7)	(32)	(0.5)
18043	[コロッケ類] **カニクリームコロッケ**	0	255	263	(54.6)	(5.1)	(4.4)	(17.1)	(16.5)	-	-	-	(8)	(22.0)	(21.1)	(1.0)	-	(320)	(94)	(30)	(14)	(51)	(0.4)
18044	**コーンクリームコロッケ**	0	245	258	(54.1)	(5.1)	(4.4)	(16.0)	(15.3)	-	-	-	(7)	(23.4)	(21.6)	(1.4)	-	(330)	(150)	(47)	(18)	(76)	(0.4)
18018	**ポテトコロッケ**	0	226	236	(55.5)	(5.3)	(4.5)	(12.6)	(12.1)	-	-	-	(14)	(25.2)	(23.2)	(2.0)	-	(280)	(250)	(15)	(19)	(60)	(0.8)
18045	[シチュー類] **チキンシチュー**	0	124	128	(76.7)	(6.2)	(5.8)	(8.0)	(7.6)	-	-	-	(31)	(7.8)	(5.5)	(1.2)	-	(280)	(160)	(38)	(13)	(77)	(0.4)
18011	**ビーフシチュー**	0	153	158	(74.9)	(4.1)	(3.5)	(12.6)	(11.9)	-	-	-	(18)	(7.1)	(4.3)	(0.7)	-	(380)	(150)	(11)	(9)	(45)	(0.5)
18015	[素揚げ類] **ミートボール**	0	199	207	(62.1)	(10.2)	(9.0)	(12.5)	(11.4)	3.23	5.33	2.35	(23)	(13.4)	(10.8)	(1.3)	-	(460)	(240)	(22)	(26)	(86)	(0.8)
	[スープ類]																						
18042	**かぼちゃのクリームスープ**	0	73	81	(83.3)	(1.5)	(1.2)	(3.9)	(3.6)	-	-	-	(7)	(10.1)	(8.1)	(1.3)	-	(300)	(160)	(32)	(10)	(38)	(0.2)
18005	**コーンクリームスープ** コーンクリームスープ	0	62	64	(86.0)	(1.7)	(1.6)	(2.6)	(2.4)	-	-	-	(7)	(8.5)	(4.1)	(0.6)	-	(340)	(88)	(36)	(7)	(42)	(0.2)
18004	粉末タイプ	0	425	425	2.1	8.1	-	13.7	-	-	-	-	-	67.4	-	-	-	2800	470	120	-	190	1.2
	[ハンバーグステーキ類]																						
18050	**合いびきハンバーグ**	0	197	204	(62.8)	(13.4)	(11.7)	(12.2)	(11.2)	-	-	-	(47)	(10.0)	(4.3)	(1.1)	-	(340)	(280)	(29)	(23)	(110)	(1.3)
18051	**チキンハンバーグ**	0	171	176	(67.0)	(12.6)	(10.7)	(10.2)	(9.6)	-	-	-	(54)	(8.5)	(7.0)	(1.0)	-	(460)	(240)	(22)	(23)	(110)	(0.7)
18052	**豆腐ハンバーグ**	0	142	156	(71.2)	(9.9)	(8.8)	(9.2)	(8.5)	-	-	-	(41)	(8.4)	(6.8)	(1.3)	-	(250)	(200)	(68)	(42)	(120)	(1.3)

+PLUS+ **カレーライス VS ライスカレー●** 1868年にイギリスから伝わったカレー粉に、小麦粉を加えてとろみをつけた日本独自のカレーが誕生した。当初はライスにカレーをかけて「ライスカレー」と呼ばれていたが、カレーとライスを別々に出す食べ方を「カレーライス」というようになった。高度成長期以降、消費量が増え種類も多様化するとともに、後者の言い方が広まったと言われている。

チキンシチュー

ビーフシチュー

シチュー類
Stew

煮込み料理の総称。

チキンシチュー
鶏肉をホワイトソースで煮込んだ料理。ホワイトシチューには具材として鶏肉の他に魚介類なども使う。

ビーフシチュー
牛肉と野菜をブラウンソースで煮込んだ料理。ブラウンソースは小麦粉をバターで炒めて茶褐色にし、ブイヨンを加えて煮詰めたもの。

素揚げ類
Fried with no coat

材料に粉や衣をつけずに揚げる料理。「ミートボール」は肉団子ともい

ミートボール

かぼちゃのクリームスープ

コーンクリームスープ

い、中華風や和風など味つけが多様である。

スープ類
Soup

かぼちゃのクリームスープ
かぼちゃ・たまねぎ・ベーコンなどをコンソメスープで煮て、牛乳や生

合いびきハンバーグ

豆腐ハンバーグ

クリームを加えた料理。

コーンクリームスープ
スイートコーンが主原料のクリームスープ。粉末タイプは熱湯を注ぐとスープ状になるものが主流だが、冷たい牛乳を混ぜるだけのものもある。

ハンバーグステーキ類
Humburg steak

合いびきハンバーグ
牛肉と豚肉をあわせた合いびき肉を主原料にして楕円形にまとめ、両面を焼いた料理。起源は13世紀ごろヨーロッパに攻め込んだ騎馬民族タルタル人が食べていた生肉料理といわれる。

冷凍食品の発展

1920 年	日本で最初の冷凍食品事業開始
1930 年	日本初の市販冷凍食品（冷凍いちご）発売
1935 年	魚の冷凍加工品発売
1957 年	南極観測船「宗谷」に 70 種類、約 20 t の冷凍食品が積み込まれる
1961 年	フリーザー付冷蔵庫が発売
1963 年	ダイエーに冷凍食品売り場を設置（スーパー初）
1965 年	冷蔵庫の普及率が 50% を超える
1966 年	家庭用電子レンジ発売
1971 年	冷凍食品の管理温度が −18℃以下と設定される
1979 年	冷凍食品生産量が 50 万 t を超える
1997 年	電子レンジ普及率が 90% を超える
1999 年	自然解凍の調理冷凍食品発売
2017 年	冷凍食品の国内生産量が 160 万 t を超え過去最高となる

（冷食ONLINE、食品産業新聞社 Webサイトより）

チキンハンバーグ
鶏肉のひき肉を材料にしたもの。レトルトパウチ製品などもある。

豆腐ハンバーグ
ひき肉の一部か全部を豆腐に置き換えたもの。カロリーなどを抑えることができる。

可食部100 g あたり　Tr：微量　（ ）：推定値または推計値　−：未測定

ミネラル（無機質）							ビタミン															食塩相当量	備考
亜鉛	銅	マンガン	ヨウ素	セレン	クロム	モリブデン	A レチノール活性当量	レチノール	β-カロテン当量	D	E αトコフェロール	K	B1	B2	ナイアシン当量	B6	B12	葉酸	パントテン酸	ビオチン	C		
mg	mg	mg	μg	μg	μg	μg	μg	μg	μg	μg	mg	μg	mg	mg	mg	mg	μg	μg	mg	μg	mg	g	
(0.5)	(0.05)	(0.21)	0	(1)	0	(2)	**(80)**	(6)	(880)	(0.1)	(0.4)	(12)	**(0.04)**	**(0.05)**	(1.7)	(0.08)	(0.1)	(16)	(0.31)	(0.9)	**(4)**	(1.1)	
(0.9)	(0.07)	(0.14)	0	(3)	(1)	(5)	**(53)**	(1)	(630)	0	(0.2)	(3)	**(0.05)**	**(0.05)**	(1.6)	(0.14)	(0.1)	(14)	(0.30)	(1.4)	**(9)**	(1.2)	
(0.3)	(0.03)	(0.23)	(750)	(3)	(2)	(7)	**(84)**	0	(1000)	(Tr)	(0.7)	(40)	**(0.02)**	**(0.02)**	(1.0)	(0.03)	(0.1)	(6)	(0.08)	(2.2)	**(Tr)**	(1.4)	
(0.5)	(0.04)	(0.10)	(8)	(23)	(1)	(2)	**(39)**	(2)	(440)	(3.9)	(0.8)	(9)	**(0.06)**	**(0.06)**	(3.5)	(0.12)	(2.1)	(7)	(0.22)	(2.3)	**(3)**	(0.7)	
1.3	0.18	0.15	10000	33	3	3	**11**	2	100	1.0	1.7	7	**0.06**	**0.04**	4.5	0.08	4.5	15	0.16	5.1	**0**	5.2	液汁を除いたもの　するめ、昆布、かずのこ等を含む
(0.5)	(0.06)	(0.15)	(1)	(2)	(1)	(2)	**(46)**	(12)	(410)	(Tr)	(0.6)	(15)	**(0.04)**	**(0.07)**	(2.1)	(0.11)	(0.1)	(10)	(0.34)	(1.7)	**(3)**	(1.4)	
(0.4)	(0.04)	(0.12)	(1)	(2)	(1)	(2)	**(9)**	(1)	(90)	0	(0.4)	(3)	**(0.02)**	**(0.03)**	(0.8)	(0.05)	(0.2)	(4)	(0.14)	(0.9)	**(1)**	(1.7)	缶詰製品を含む
(0.3)	(0.04)	(0.10)	0	(3)	(1)	(2)	**(26)**	(1)	(300)	(0.1)	(0.4)	(3)	**(0.07)**	**(0.03)**	(1.2)	(0.06)	(0.1)	(5)	(0.16)	(1.3)	**(2)**	(1.4)	
(0.4)	(0.08)	(0.15)	(1)	(Tr)	0	(1)	**(9)**	(8)	(8)	(0.1)	(2.2)	(23)	**(0.05)**	**(0.07)**	(1.5)	(0.03)	(0.3)	(12)	(0.23)	(0.2)	**(Tr)**	(0.8)	
(0.5)	(0.06)	(0.18)	(1)	(Tr)	0	(1)	**(16)**	(15)	(19)	(0.1)	(1.8)	(21)	**(0.06)**	**(0.08)**	(1.6)	(0.04)	(0.1)	(27)	(0.34)	(0.2)	**(2)**	(0.8)	
(0.5)	(0.11)	(0.20)	(1)	(2)	(1)	(2)	**(10)**	(5)	(67)	(0.1)	(1.5)	(18)	**(0.11)**	**(0.05)**	(2.0)	(0.14)	(0.1)	(23)	(0.46)	(1.4)	**(10)**	(0.7)	フライ済みの食品を冷凍したもの
(0.6)	(0.04)	(0.07)	(4)	(1)	(1)	(2)	**(53)**	(17)	(430)	(0.1)	(0.7)	(26)	**(0.04)**	**(0.10)**	(2.2)	(0.10)	(0.1)	(15)	(0.50)	(1.1)	**(7)**	(0.7)	
(0.8)	(0.04)	(0.06)	(1)	(3)	(1)	(1)	**(58)**	(6)	(620)	(0.1)	(0.7)	(17)	**(0.03)**	**(0.06)**	(1.9)	(0.10)	(0.4)	(13)	(0.26)	(1.3)	**(4)**	(1.0)	缶詰製品を含む
(0.8)	(0.10)	(0.21)	(160)	(7)	(1)	(2)	**(27)**	(6)	(250)	(0.1)	(1.2)	(19)	**(0.15)**	**(0.12)**	(3.9)	(0.16)	(0.2)	(24)	(0.58)	(3.4)	**(1)**	(1.2)	
(0.2)	(0.03)	(0.06)	(4)	(1)	0	(1)	**(110)**	(19)	(1100)	(0.2)	(1.4)	(7)	**(0.03)**	**(0.06)**	(0.7)	(0.07)	(0.1)	(12)	(0.31)	(0.5)	**(9)**	(0.8)	
(0.2)	(0.02)	(0.03)	(5)	(1)	0	(2)	**(16)**	(14)	(22)	(0.2)	(0.2)	(2)	**(0.02)**	**(0.06)**	(0.6)	(0.02)	(0.1)	(6)	(0.22)	(0.9)	**(1)**	(0.9)	缶詰製品を含む　試料：ストレートタイプ
-	-	-	4	13	3	13	**8**	0	90	-	-	-	**0.15**	**0.41**	4.9	-	-	-	-	7.5	**2**	7.1	カルシウム：添加品あり
(2.4)	(0.09)	(0.14)	(1)	(9)	(1)	(1)	**(18)**	(11)	(84)	(0.2)	(0.6)	(7)	**(0.23)**	**(0.15)**	(5.3)	(0.20)	(0.5)	(17)	(0.71)	(2.5)	**(2)**	(0.9)	
(0.8)	(0.07)	(0.13)	(2)	(10)	(1)	(2)	**(29)**	(19)	(130)	(0.1)	(0.8)	(18)	**(0.09)**	**(0.11)**	(6.2)	(0.26)	(0.2)	(18)	(0.89)	(2.9)	**(2)**	(1.2)	
(0.9)	(0.13)	(0.31)	(5)	(5)	(2)	(24)	**(47)**	(15)	(380)	(0.2)	(0.8)	(13)	**(0.11)**	**(0.09)**	(3.6)	(0.14)	(0.2)	(21)	(0.46)	(4.7)	**(2)**	(0.6)	

Q A 日本で最初の冷凍食品は何？▶ 1930 年に販売されたシロップ漬けのいちご（コラム参照）。シロップに牛乳や生クリームを混ぜ、容器ごと凍結させて販売。以後、一般家庭に向けた、あらかじめ調理してある冷凍食品の販売が始まり、1964 年の東京オリンピックで選手の食料に利用された。その後冷蔵庫や電子レンジの普及に伴い一般に広まった。

いかフライ

白身フライ

コロッケ　冷凍

えびグラタン

えびフライ

メンチカツ

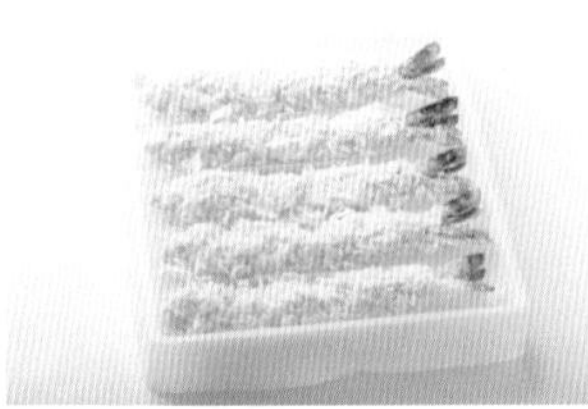
えびフライ　冷凍

えびピラフ

フライ類
Fried foods

肉類・魚介類の切り身に小麦粉・溶き卵・パン粉をつけて揚げた料理。肉類のフライはカツレツまたはカツともいう。一般的に英語のフライ(fry)は油をうすくひいて炒める調理法をいい、揚げる場合はディープフライ(deep fry)という。

フライ用冷凍食品
Frozen foods

購入後に油で揚げるものとフライを冷凍した製品があるが、成分表は前者の値である。

その他

えびグラタン
グラタンは下ごしらえした材料をソースでからめ、チーズやパン粉をふってオーブンで焼いた料理。えびの他、マカロニやチキンなど多くの種類がある。

えびピラフ
ピラフは中近東を起源とするトルコ風米料理のこと。生米・肉・野菜・香辛料などをバターで炒め、スープで炊きあげる。

中国料理

点心類
Chinese snacks

点心は中国料理の軽食。甘い味のものと甘くないものに分けられる。甘くない点心は、鹹点心(シャンディエンシン)で、ぎょうざ、しゅうまい、中華ちまき、めん類などをいう。

ぎょうざ
ひき肉にキャベツなどの野菜を加えたあんをぎょうざの皮で包むのが一般的。ここでは豚肉・とり肉・キャベツなどを材料とした焼きぎょうざを収載した。ひき肉の代わりに、えびを用いたものもある。

しゅうまい
ひき肉にねぎとしょうがなどを加え調味したものを皮で包み蒸す料理。ひき肉の代わりに、えびまたはかにを用いたものもある。

中華ちまき
もち米を蘆(あし)の葉または竹の葉に包み、蒸したりゆでたりする料理。日本では肉やしいたけ、しょうがなどを加えた塩味のものが一般的。

菜類
Chinese foods

菜(な)とは点心以外の主菜となる料理のこと。

食品番号	食品名	廃棄率	エネルギー	2015年版の値	水分	たんぱく質	アミノ酸組成によるたんぱく質	脂質	脂肪酸のトリアシルグリセロール当量	脂肪酸 飽和	脂肪酸 一価不飽和	脂肪酸 多価不飽和	コレステロール	炭水化物	利用可能炭水化物(質量計)	食物繊維 食物繊維総量(プロスキー変法)	食物繊維 食物繊維総量(AOAC法)	ミネラル(無機質) ナトリウム	カリウム	カルシウム	マグネシウム	リン	鉄
		%	kcal	kcal	g	g	g	g	g	g	g	g	mg	g	g	g	g	mg	mg	mg	mg	mg	mg
18019	[フライ類] いかフライ	0	227	234	(54.9)	(13.3)	(10.4)	(11.3)	(10.4)	-	-	-	(230)	(19.7)	(19.3)	(0.9)	-	(200)	(140)	(16)	(22)	(150)	(0.4)
18020	えびフライ	0	236	250	(50.5)	(15.9)	(13.2)	(11.6)	(11.0)	-	-	-	(120)	(20.5)	(20.0)	(1.0)	-	(340)	(200)	(69)	(36)	(200)	(0.6)
18021	白身フライ	0	299	300	50.7	9.7	-	21.8	-	-	-	-	-	16.2	-	-	-	340	240	47	-	100	0.5
18022	メンチカツ	0	273	286	(50.3)	(10.7)	(9.4)	(18.7)	(17.7)	-	-	-	(26)	(18.7)	(16.3)	(1.7)	-	(350)	(240)	(24)	(27)	(96)	(1.2)
	[フライ用冷凍食品]																						
18008	いかフライ　冷凍	0	146	146	64.5	10.6	-	2.0	-	-	-	-	-	21.4	-	-	-	300	180	16	-	110	0.4
18009	えびフライ　冷凍	0	139	139	66.3	10.2	-	1.9	-	-	-	-	-	20.3	-	-	-	340	95	42	-	90	1.5
18006	コロッケ クリームコロッケ　冷凍	0	159	159	67.0	4.7	-	6.3	-	-	-	-	-	20.9	-	-	-	270	160	43	-	63	0.5
18007	ポテトコロッケ　冷凍	0	157	164	63.5	4.6	3.9	4.9	3.5	0.94	1.22	1.19	2	25.3	-	-	-	290	300	20	-	62	0.7
18010	白身フライ　冷凍	0	148	148	64.5	11.6	-	2.7	-	-	-	-	-	19.3	-	-	-	340	240	47	-	100	0.5
18016	メンチカツ　冷凍	0	196	196	58.3	9.9	-	7.2	-	-	-	-	-	23.0	-	-	-	420	220	31	-	95	1.6
18003	[その他] えびグラタン	0	128	132	(74.1)	(5.5)	(4.8)	(6.9)	(6.4)	-	-	-	(23)	(12.1)	(3.0)	(0.9)	-	(380)	(140)	(97)	(17)	(110)	(0.3)
18014	えびピラフ	0	146	154	(62.9)	(3.3)	(2.8)	(2.3)	(2.2)	-	-	-	(8)	(29.8)	(27.1)	(0.6)	(1.2)	(560)	(63)	(11)	(9)	(45)	(0.2)
	〈中国料理〉																						
18002	[点心類] ぎょうざ	0	209	218	(57.8)	(6.9)	(5.8)	(11.3)	(10.0)	3.09	4.43	2.00	(19)	(22.3)	(19.7)	(1.5)	-	(460)	(170)	(22)	(16)	(62)	(0.6)
18012	しゅうまい	0	191	197	(60.2)	(9.1)	(7.5)	(9.2)	(8.7)	2.86	4.05	1.39	(27)	(19.5)	(15.9)	(1.7)	-	(520)	(260)	(26)	(28)	(92)	(0.9)
18046	中華ちまき	0	174	184	(59.5)	(5.9)	(5.0)	(5.5)	(5.2)	-	-	-	(16)	(27.7)	(25.6)	(0.5)	-	(420)	(100)	(6)	(11)	(45)	(0.3)
18047	[菜類] 酢豚	0	77	79	(83.4)	(4.6)	(4.0)	(3.3)	(3.1)	-	-	-	(15)	(7.6)	(6.0)	(0.8)	-	(210)	(130)	(9)	(10)	(52)	(0.3)
18048	八宝菜	0	64	67	(86.0)	(5.8)	(4.9)	(3.2)	(2.9)	-	-	-	(44)	(3.8)	(1.9)	(0.9)	-	(320)	(150)	(26)	(14)	(77)	(0.4)
18049	麻婆豆腐	0	104	108	(80.0)	(7.8)	(7.2)	(6.8)	(6.4)	-	-	-	(10)	(3.8)	(1.9)	(0.5)	(0.7)	(380)	(150)	(64)	(43)	(86)	(1.3)
18039	〈韓国料理〉[和え物類] もやしのナムル	0	70	77	(84.4)	(3.1)	(2.5)	(4.5)	(4.2)	-	-	-	0	(5.7)	(2.5)	(2.7)	-	(510)	(160)	(91)	(29)	(62)	(1.2)

+PLUS+ **冷凍食品に保存料は使われない**●冷凍食品は、製造工場で－30℃～－40℃という低温で急速冷凍され、流通段階でも－18℃以下の低温で保存される。この状態では腐敗や食中毒の原因となる細菌が活動できないため、保存料を使用する必要がないらしい。

ぎょうざ

中華ちまき

麻婆豆腐

もやしのナムル

しゅうまい

酢豚

八宝菜

酢豚
角切りの豚肉に下味をつけてかたくり粉をまぶして揚げ、炒めた野菜とともに甘酢あんをからめた広東料理。

八宝菜
別名五目うま煮。八宝は多くのよい食材という意味。豚肉・えび・いか・はくさい・しいたけなど多くの材料を炒めてスープを加え、調味してかたくり粉でとろみをつけた広東料理。

麻婆豆腐
豆腐・ひき肉・ねぎなどを、四川省特有の豆板醤（トウバンジャン）や豆鼓（トウチ）などの調味料で炒め煮した辛みのある四川料理。

韓国料理

和え物類
Dressed foods

もやしのナムル
ナムルは、野菜や山菜をごま油、しょうゆ、おろしにんにく、おろししょうが、とうがらしなどで和えた料理。ビビンバの具などに用いる。

中国料理

日本では下記の４つをの四大中国料理ということが多い。

北京料理　中国王朝が北京に首都を定めて以降から食べられている宮廷料理や、北京市民が日常的に食べている家庭料理、郷土料理をさす。北京ダック・酸辣湯・刀削麺・餃子など。

上海料理　中国の上海地方で食べられている中国料理の江蘇料理（淮揚料理）の菜系に該当する代表的な郷土料理のひとつ。上海蟹・小籠包など。

広東料理　広東省内の各地の名物料理の総称で、中国料理の中では最も世界中に広まっている。北京からきた宮廷料理人によって、急激に調理技術が発達した。点心(飲茶)・チャーシュー・酢豚・フカヒレスープなど。

四川料理　揚子江上流に位置する四川省とその周辺で発達した郷土料理。四川省は盆地で、夏は湿度や温度が高いため香辛料（唐辛子・胡椒・山椒）を多く使った料理が発達した。麻婆豆腐・担々麺など。

韓国料理

薬食同源　韓国料理には薬食同源（食べるものは全て薬になる）という考え方がある。食卓には、ご飯・スープ・メイン料理・おかず・キムチが必ず並び、バランスの良さが特長。

五味五色　青・赤・黄・白・黒の５色の食材を、それぞれ甘味・酸味・塩味・苦味・うま味の５種類の味付けで献立を作ることが良いとされている。

豊富な発酵食品　キムチや醤(ジャン)などの調味料の他にも、マッコリといったアルコール類まで発酵食品が多い。エイの発酵食品ホンオフェの臭いは世界有数の強烈さである。

金属製の食器　戦乱を通じて壊れにくい金属食器が用いられたという説がある。器を持ち上げるのはマナー違反なので、熱い料理も問題ないという。

可食部100 g あたり　Tr：微量　（ ）：推定値または推計値　－：未測定

ミネラル（無機質）							ビタミン																
亜鉛	銅	マンガン	ヨウ素	セレン	クロム	モリブデン	A レチノール活性当量	レチノール	β-カロテン当量	D	E α-トコフェロール	K	B1	B2	ナイアシン当量	B6	B12	葉酸	パントテン酸	ビオチン	C	食塩相当量	備考
mg	mg	mg	μg	μg	μg	μg	μg	μg	μg	μg	mg	μg	mg	mg	mg	mg	μg	μg	mg	μg	mg	g	
(0.9)	(0.11)	(0.15)	(5)	(24)	(1)	(2)	**(8)**	(8)	(1)	(0.1)	(2.1)	(15)	**(0.04)**	**(0.03)**	(3.2)	(0.04)	(0.8)	(13)	(0.25)	(4.2)	**(1)**	(0.5)	
(1.3)	(0.38)	(0.18)	(4)	(18)	(1)	(2)	**(13)**	(13)	(1)	(0.2)	(2.2)	(16)	**(0.08)**	**(0.05)**	(4.6)	(0.05)	(0.6)	(22)	(0.57)	(3.2)	**0**	(0.9)	
-	-	-	-	-	-	-	**57**	57	0	-	-	-	**0.10**	**0.10**	2.8	-	-	-	-	-	**1**	0.9	
(1.6)	(0.12)	(0.25)	(1)	(5)	(1)	(1)	**(10)**	(5)	(55)	(0.1)	(1.4)	(19)	**(0.14)**	**(0.09)**	(3.7)	(0.14)	(0.3)	(28)	(0.50)	(1.6)	**(1)**	(0.9)	
-	-	-	4	25	3	6	**3**	3	Tr	-	-	-	**0.10**	**0**	3.7	-	-	-	-	2.7	**Tr**	0.8	フライ前の食品を冷凍したもの
-	-	-	8	27	1	8	**Tr**	Tr	Tr	-	-	-	**0.04**	**0.07**	2.4	-	-	-	-	3.1	**1**	0.9	フライ前の食品を冷凍したもの
-	-	-	-	-	-	-	**240**	240	8	-	-	-	**0.06**	**0.10**	1.4	-	-	-	-	-	**2**	0.7	フライ前の食品を冷凍したもの
-	-	-	-	-	-	-	**71**	69	27	-	0.2	-	**0.09**	**0.06**	1.9	-	-	-	-	-	**7**	0.7	フライ前の食品を冷凍したもの
-	-	-	-	-	-	-	**57**	57	0	-	-	-	**0.10**	**0.10**	3.1	-	-	-	-	-	**1**	0.9	フライ前の食品を冷凍したもの
-	-	-	-	-	-	-	**36**	36	Tr	-	-	-	**0.13**	**0.14**	3.2	-	-	-	-	-	**1**	1.1	フライ前の食品を冷凍したもの
(0.6)	(0.09)	(0.14)	(6)	(9)	(1)	(6)	**(69)**	(32)	(440)	(0.2)	(0.6)	(23)	**(0.04)**	**(0.11)**	(1.4)	(0.04)	(0.3)	(13)	(0.38)	(1.6)	**(2)**	(1.0)	
(0.6)	(0.12)	(0.29)	0	(3)	0	(23)	**(23)**	(1)	(260)	(0.1)	(0.4)	(4)	**(0.02)**	**(0.02)**	(1.0)	(0.04)	(0.1)	(5)	(0.26)	(0.9)	**(2)**	(1.4)	
(0.6)	(0.07)	(0.20)	(1)	(5)	(1)	(4)	**(10)**	(3)	(77)	(0.1)	(0.6)	(28)	**(0.14)**	**(0.07)**	(2.6)	(0.11)	(0.1)	(22)	(0.44)	(1.8)	**(4)**	(1.2)	
(0.8)	(0.12)	(0.35)	(1)	(6)	(1)	(3)	**(6)**	(6)	(1)	(0.1)	(0.2)	(4)	**(0.16)**	**(0.10)**	(3.3)	(0.15)	(0.2)	(26)	(0.55)	(2.5)	**(1)**	(1.3)	
(0.7)	(0.07)	(0.33)	(8)	(5)	(Tr)	(28)	**(10)**	(6)	(56)	(0.1)	(0.4)	(8)	**(0.04)**	**(0.05)**	(2.4)	(0.10)	(0.1)	(6)	(0.48)	(1.6)	**0**	(1.1)	
(0.5)	(0.04)	(0.15)	0	(5)	(1)	(2)	**(50)**	(2)	(570)	(0.1)	(0.5)	(6)	**(0.17)**	**(0.05)**	(2.2)	(0.10)	(0.1)	(9)	(0.25)	(1.6)	**(4)**	(0.5)	
(0.6)	(0.08)	(0.16)	(3)	(7)	(1)	(1)	**(49)**	(13)	(440)	(0.3)	(0.6)	(25)	**(0.13)**	**(0.06)**	(2.3)	(0.08)	(0.3)	(20)	(0.28)	(1.3)	**(5)**	(0.8)	別名：五目うま煮
(0.9)	(0.12)	(0.32)	(4)	(6)	(3)	(31)	**(3)**	(1)	(17)	(0.1)	(0.3)	(6)	**(0.16)**	**(0.07)**	(2.4)	(0.10)	(0.1)	(13)	(0.21)	(3.7)	**(1)**	(1.0)	
(0.5)	(0.11)	(0.38)	0	(1)	(Tr)	(5)	**(140)**	0	(1700)	0	(1.1)	(160)	**(0.05)**	**(0.07)**	(0.9)	(0.08)	0	(64)	(0.24)	(1.3)	**(9)**	(1.3)	

Q&A　中華料理？　中国料理？？▶「中華料理」とは、日本人に食べやすいようにアレンジされた中国「風」料理のこと。ラーメン、焼きぎょうざ、天津飯などは日本発祥の食べ物で、日本ではこれらを含めて中華料理という。「中国料理」とは、中国で食べられている本格的な料理のこと。このため、中国では中華料理という言葉は使われない。

[凡例] 身体活動レベルⅡの 15 ～ 17 歳男女の栄養摂取基準の約 1/3 を示す。

	男子	女子
エネルギー	933kcal	767kcal
たんぱく質	21.7g	18.3g
脂質	25.9g	21.3g
炭水化物	134.2g	110.2g
カルシウム	267mg	217mg
鉄	3.3mg	3.5mg
ビタミンA	300μg	217μg
ビタミンB1	0.50mg	0.40mg
ビタミンB2	0.57mg	0.47mg
ビタミンC	33mg	33mg
食塩相当量	2.5g	2.2g

注
- 各企業の分析により発表された栄養価を元に左の凡例に対する充足値を示した。
- 有効桁数は食品成分表にそろえている。食塩相当量はナトリウム量に2.54を乗じた。
- 原材料は、量の多い順に表示されている。
- 成分の－は未測定、または非公表。

エッグマックマフィン®

内容量139g

イングリッシュマフィン・卵・カナディアンベーコン（ロースハム）・チェダースライスチーズ

1個食べたら	
エネルギー	311kcal
たんぱく質	19.2g
脂質	13.5g
炭水化物	27.1g
カルシウム	171mg
鉄	1.3mg
ビタミンA	118μg
ビタミンB1	0.13mg
ビタミンB2	0.31mg
ビタミンC	0mg
食塩相当量	1.6g

マクドナルド（2022年7月現在）

[ファストフード]

ハンバーガー

内容量104g

バンズ・ビーフパティ・オニオン・ピクルス

1個食べたら	
エネルギー	256kcal
たんぱく質	12.8g
脂質	9.4g
炭水化物	30.3g
カルシウム	30mg
鉄	1.2mg
ビタミンA	14μg
ビタミンB1	0.10mg
ビタミンB2	0.09mg
ビタミンC	1mg
食塩相当量	1.4g

マクドナルド（2022年7月現在）

ビッグマック®

内容量217g

バンズ・ビーフパティ・オニオン・ピクルス・レタス・チェダースライスチーズ

1個食べたら	
エネルギー	525kcal
たんぱく質	26.0g
脂質	28.3g
炭水化物	41.8g
カルシウム	143mg
鉄	2.2mg
ビタミンA	74μg
ビタミンB1	0.17mg
ビタミンB2	0.24mg
ビタミンC	2mg
食塩相当量	2.6g

マクドナルド（2022年7月現在）

フィレオフィッシュ®

内容量137g

バンズ・フィッシュポーション（スケソウダラ）・チェダースライスチーズ

1個食べたら	
エネルギー	326kcal
たんぱく質	14.3g
脂質	14.0g
炭水化物	36.1g
カルシウム	75mg
鉄	0.5mg
ビタミンA	28μg
ビタミンB1	0.11mg
ビタミンB2	0.09mg
ビタミンC	0mg
食塩相当量	1.6g

マクドナルド（2022年7月現在）

ミニッツメイドオレンジ(M)

内容量425g

1杯飲んだら	
エネルギー	143kcal
たんぱく質	3.3g
脂質	0g
炭水化物	33.8g
カルシウム	29mg
鉄	0.3mg
ビタミンA	13μg
ビタミンB1	0.33mg
ビタミンB2	0mg
ビタミンC	133mg
食塩相当量	0g

マクドナルド（2022年7月現在）

ファストフードの栄養価1 [マクドナルド]

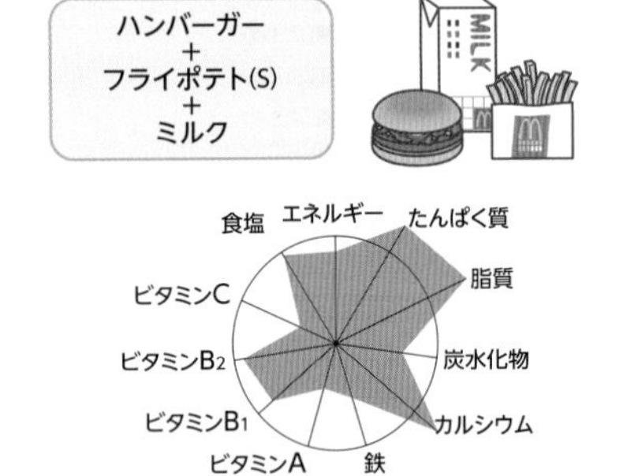

エネルギー	618kcal
たんぱく質	22.4g
脂質	28.5g
炭水化物	68.0g
カルシウム	267mg
鉄	1.8mg
ビタミンA	92μg
ビタミンB1	0.31mg
ビタミンB2	0.41mg
ビタミンC	12mg
食塩相当量	2.1g

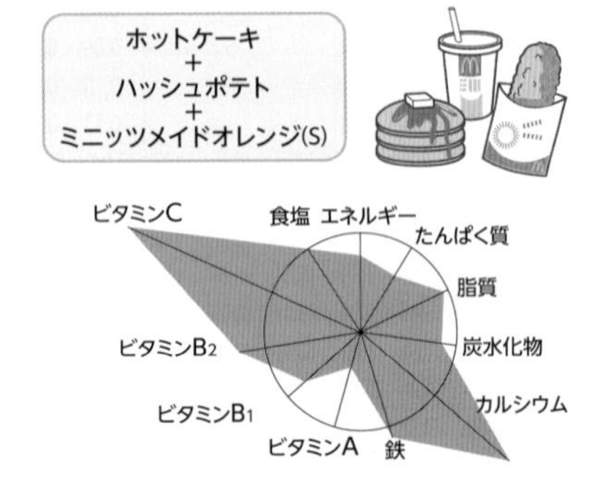

エネルギー	559kcal
たんぱく質	11.6g
脂質	18.9g
炭水化物	88.4g
カルシウム	416mg
鉄	3.7mg
ビタミンA	51μg
ビタミンB1	0.29mg
ビタミンB2	0.57mg
ビタミンC	87mg
食塩相当量	2.2g

※身体活動レベルⅡ（ふつう）15～17歳女子における1日の食事摂取基準の約1/3に対する比をグラフで示した。

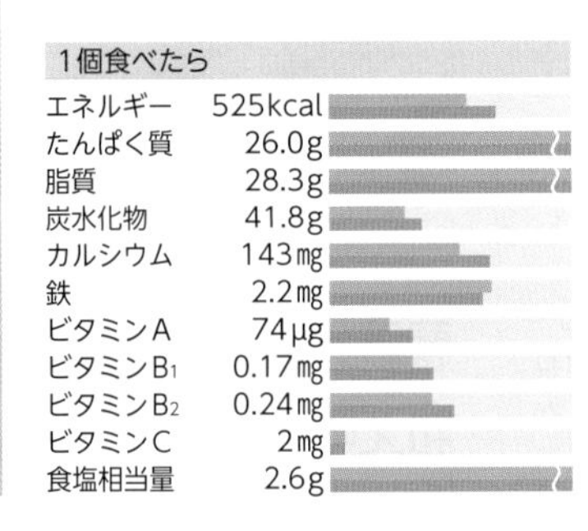

モスバーガー

内容量209g

バンズ・ハンバーガーパティ・トマト・オニオン・ミートソース・アメリカンマスタード・カロリーハーフマヨネーズタイプ

1個食べたら	
エネルギー	367kcal
たんぱく質	15.7g
脂質	15.5g
炭水化物	41.3g
カルシウム	32mg
鉄	1.2mg
ビタミンA	30μg
ビタミンB_1	0.10mg
ビタミンB_2	0.10mg
ビタミンC	10mg
食塩相当量	2.1g

モスバーガー

テリヤキバーガー

内容量168g

バンズ・ハンバーガーパティ＋テリヤキソース・レタス・カロリーハーフマヨネーズタイプ

1個食べたら	
エネルギー	378kcal
たんぱく質	14.7g
脂質	16.9g
炭水化物	41.6g
カルシウム	29mg
鉄	1.1mg
ビタミンA	19μg
ビタミンB_1	0.09mg
ビタミンB_2	0.11mg
ビタミンC	3mg
食塩相当量	2.6g

モスバーガー

モスライスバーガー（海鮮かきあげ（塩だれ））

内容量183g

ライスプレート・海鮮かきあげ・海鮮かきあげソース

1個食べたら	
エネルギー	373kcal
たんぱく質	8.5g
脂質	10.5g
炭水化物	61.5g
カルシウム	44mg
鉄	0.6mg
ビタミンA	56μg
ビタミンB_1	0.09mg
ビタミンB_2	0.04mg
ビタミンC	0mg
食塩相当量	1.9g

モスバーガー

アイスカフェラテ（M）

内容量210g

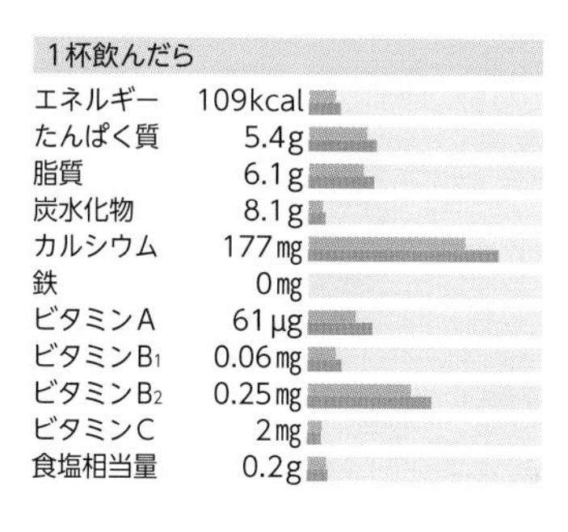

1杯飲んだら	
エネルギー	109kcal
たんぱく質	5.4g
脂質	6.1g
炭水化物	8.1g
カルシウム	177mg
鉄	0mg
ビタミンA	61μg
ビタミンB_1	0.06mg
ビタミンB_2	0.25mg
ビタミンC	2mg
食塩相当量	0.2g

モスバーガー

ロースカツバーガー

内容量175g

バンズ・ロースカツ＋カツソース・キャベツの千切り・アメリカンマスタード

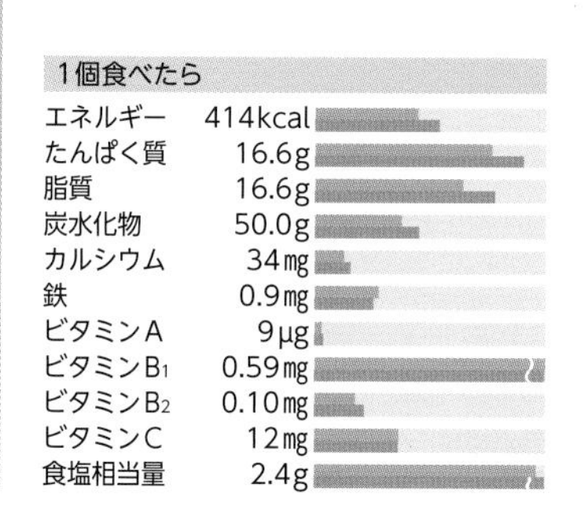

1個食べたら	
エネルギー	414kcal
たんぱく質	16.6g
脂質	16.6g
炭水化物	50.0g
カルシウム	34mg
鉄	0.9mg
ビタミンA	9μg
ビタミンB_1	0.59mg
ビタミンB_2	0.10mg
ビタミンC	12mg
食塩相当量	2.4g

モスバーガー

オニオンフライ

内容量80g

オニオン

1袋食べたら	
エネルギー	250kcal
たんぱく質	4.0g
脂質	14.5g
炭水化物	26.0g
カルシウム	112mg
鉄	0.4mg
ビタミンA	0μg
ビタミンB_1	0.03mg
ビタミンB_2	0.40mg
ビタミンC	2mg
食塩相当量	1.2g

モスバーガー

ファストフードの栄養価2 [モスバーガー]

モスバーガー＋モスチキン＋オレンジジュース(S)

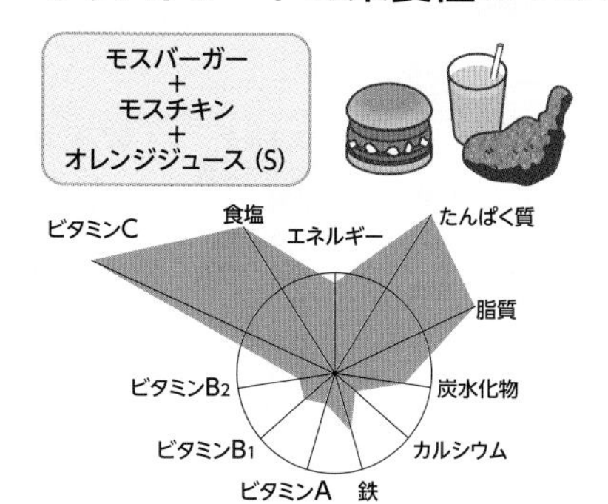

エネルギー	719kcal
たんぱく質	32.3g
脂質	32.1g
炭水化物	75.6g
カルシウム	59mg
鉄	2.0mg
ビタミンA	65μg
ビタミンB_1	0.15mg
ビタミンB_2	0.16mg
ビタミンC	90mg
食塩相当量	3.6g

ダブルモス野菜バーガー＋こだわりサラダ＋アイスカフェラテ(S)

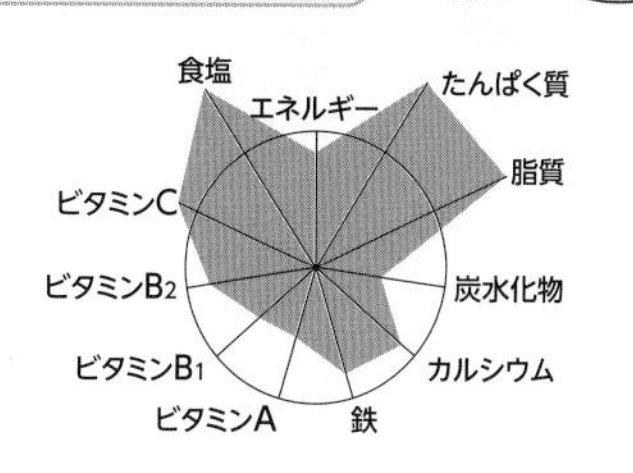

エネルギー	615kcal
たんぱく質	27.8g
脂質	32.4g
炭水化物	53.9g
カルシウム	180mg
鉄	2.7mg
ビタミンA	109μg
ビタミンB_1	0.21mg
ビタミンB_2	0.36mg
ビタミンC	36mg
食塩相当量	3.2g

チキンフィレバーガー

内容量161g

全粒粉バンズ・チキンフィレ・レタス・オリーブオイル入りマヨソース

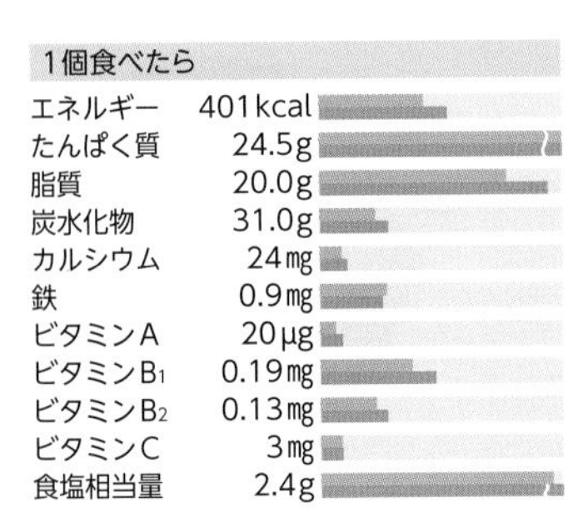

1個食べたら	
エネルギー	401kcal
たんぱく質	24.5g
脂質	20.0g
炭水化物	31.0g
カルシウム	24mg
鉄	0.9mg
ビタミンA	20μg
ビタミンB_1	0.19mg
ビタミンB_2	0.13mg
ビタミンC	3mg
食塩相当量	2.4g

ケンタッキーフライドチキン

和風チキンカツバーガー

内容量165g

全粒粉バンズ・チキンカツ・千切りキャベツ・特製マヨソース・醤油風味のテリヤキソース

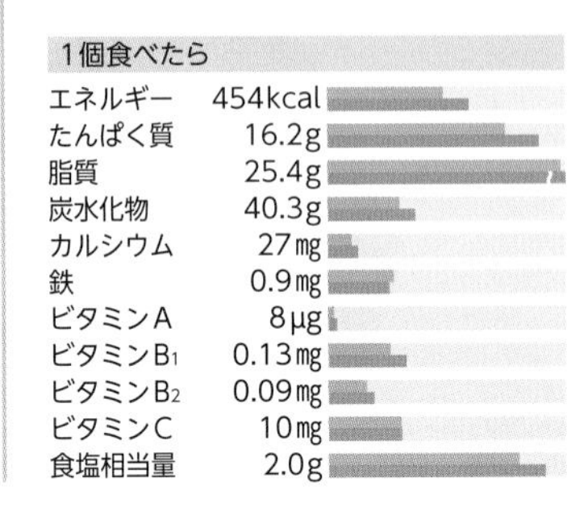

1個食べたら	
エネルギー	454kcal
たんぱく質	16.2g
脂質	25.4g
炭水化物	40.3g
カルシウム	27mg
鉄	0.9mg
ビタミンA	8μg
ビタミンB_1	0.13mg
ビタミンB_2	0.09mg
ビタミンC	10mg
食塩相当量	2.0g

ケンタッキーフライドチキン

オリジナルチキン

内容量87g
(可食部平均)

鶏肉・小麦粉・卵・牛乳・食塩・スパイス類

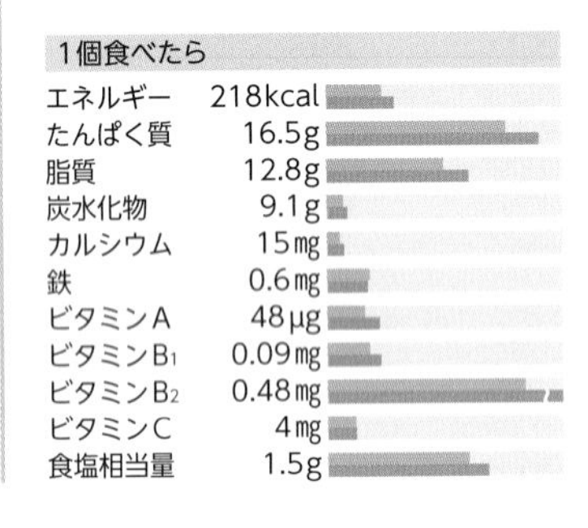

1個食べたら	
エネルギー	218kcal
たんぱく質	16.5g
脂質	12.8g
炭水化物	9.1g
カルシウム	15mg
鉄	0.6mg
ビタミンA	48μg
ビタミンB_1	0.09mg
ビタミンB_2	0.48mg
ビタミンC	4mg
食塩相当量	1.5g

ケンタッキーフライドチキン

ビスケット (ハニーメイプル付)

内容量51g
10g
(ハニーメイプル)

小麦粉・卵・ビスケットオイル・ハニーメイプル

ハニーメイプルをつけて1個食べたら	
エネルギー	229kcal
たんぱく質	3.2g
脂質	11.1g
炭水化物	28.7g
カルシウム	23mg
鉄	0.2mg
ビタミンA	3μg
ビタミンB_1	0.04mg
ビタミンB_2	0.03mg
ビタミンC	0mg
食塩相当量	0.9g

ケンタッキーフライドチキン

ペッパーマヨツイスター

内容量143g

トルティーヤ・カーネルクリスピー・レタス・ペッパー風味マヨネーズ・ピカンテサルサ

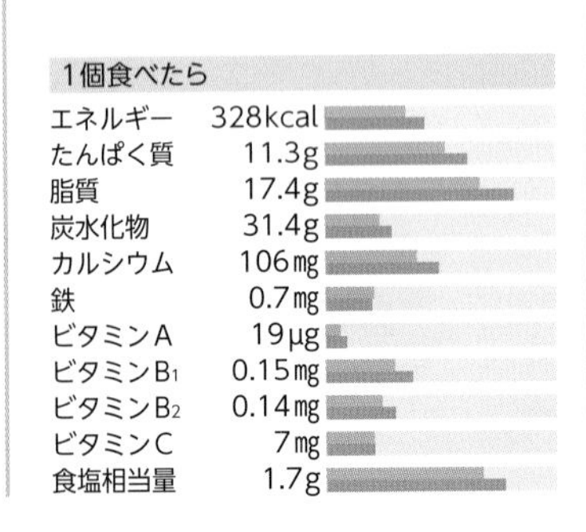

1個食べたら	
エネルギー	328kcal
たんぱく質	11.3g
脂質	17.4g
炭水化物	31.4g
カルシウム	106mg
鉄	0.7mg
ビタミンA	19μg
ビタミンB_1	0.15mg
ビタミンB_2	0.14mg
ビタミンC	7mg
食塩相当量	1.7g

ケンタッキーフライドチキン

コールスロー M

内容量130g

キャベツ・にんじん・たまねぎ風味が加わったコールスロードレッシング

1カップ食べたら	
エネルギー	137kcal
たんぱく質	1.6g
脂質	10.2g
炭水化物	10.3g
カルシウム	44mg
鉄	0.4mg
ビタミンA	43μg
ビタミンB_1	0.04mg
ビタミンB_2	0.04mg
ビタミンC	39mg
食塩相当量	0.9g

ケンタッキーフライドチキン

ファストフードの栄養価3 [KFC]

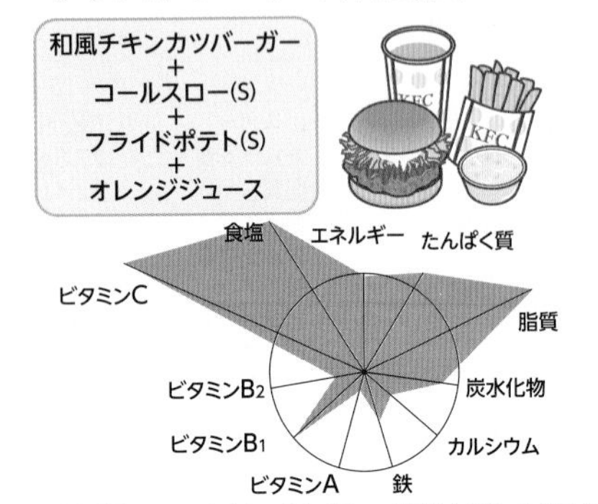

飲料の数値は非公開なので、一般的な値で代用した。

エネルギー	780kcal
たんぱく質	20.5g
脂質	39.6g
炭水化物	86.0g
カルシウム	73mg
鉄	1.7mg
ビタミンA	38μg
ビタミンB_1	0.38mg
ビタミンB_2	0.14mg
ビタミンC	86mg
食塩相当量	3.8g

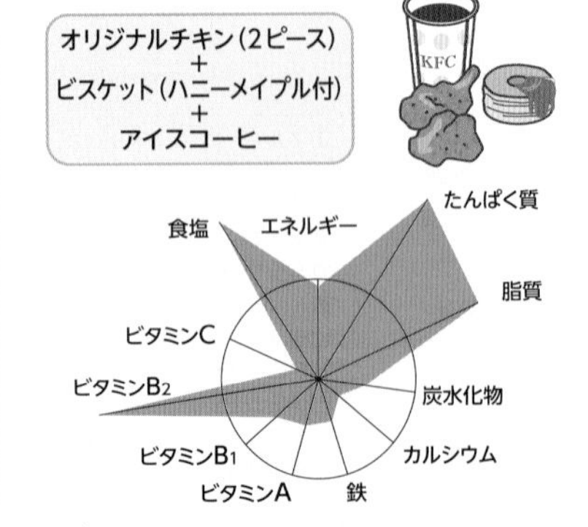

エネルギー	677kcal
たんぱく質	36.8g
脂質	36.7g
炭水化物	49.3g
カルシウム	54mg
鉄	1.4mg
ビタミンA	99μg
ビタミンB_1	0.22mg
ビタミンB_2	1.02mg
ビタミンC	8mg
食塩相当量	3.9g

※身体活動レベルⅡ (ふつう) 15～17歳女子における1日の食事摂取基準の約1/3に対する比をグラフで示した。

エビバーガー

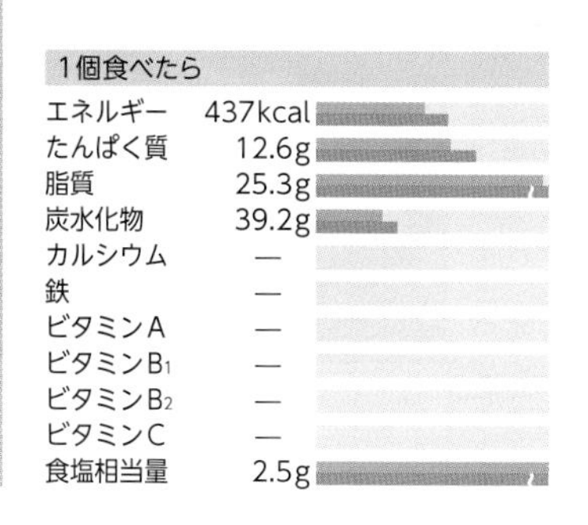

1個食べたら	
エネルギー	437kcal
たんぱく質	12.6g
脂質	25.3g
炭水化物	39.2g
カルシウム	—
鉄	—
ビタミンA	—
ビタミンB_1	—
ビタミンB_2	—
ビタミンC	—
食塩相当量	2.5g

ロッテリア

牛丼　並盛

1杯食べたら	
エネルギー	733kcal
たんぱく質	22.9g
脂質	25.0g
炭水化物	104.1g
カルシウム	14mg
鉄	1.4mg
ビタミンA	6μg
ビタミンB_1	0.1mg
ビタミンB_2	0.2mg
ビタミンC	2.2mg
食塩相当量	2.5g

すき家

フレンチフライポテト (S)

1袋食べたら	
エネルギー	210kcal
たんぱく質	2.4g
脂質	10.9g
炭水化物	26.3g
カルシウム	—
鉄	—
ビタミンA	—
ビタミンB_1	—
ビタミンB_2	—
ビタミンC	—
食塩相当量	0.5g

ロッテリア

牛カレー (並)

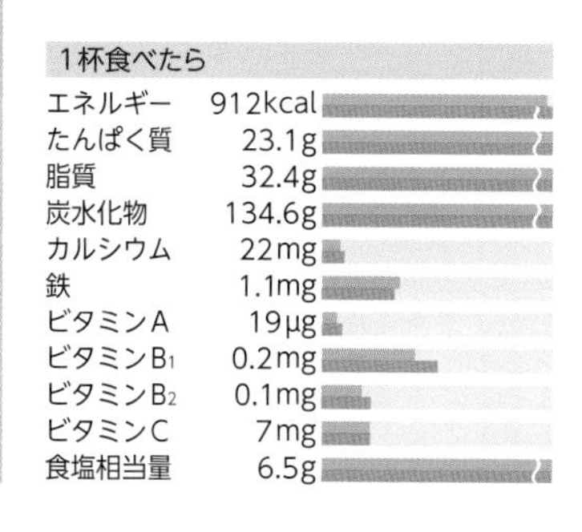

1杯食べたら	
エネルギー	912kcal
たんぱく質	23.1g
脂質	32.4g
炭水化物	134.6g
カルシウム	22mg
鉄	1.1mg
ビタミンA	19μg
ビタミンB_1	0.2mg
ビタミンB_2	0.1mg
ビタミンC	7mg
食塩相当量	6.5g

すき家

シェーキ (バニラ風味)

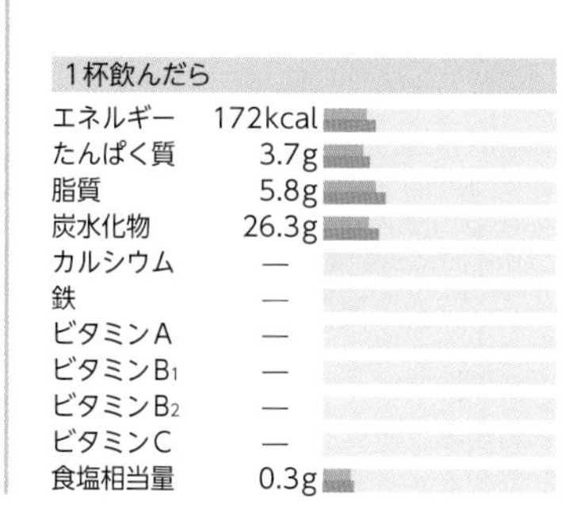

1杯飲んだら	
エネルギー	172kcal
たんぱく質	3.7g
脂質	5.8g
炭水化物	26.3g
カルシウム	—
鉄	—
ビタミンA	—
ビタミンB_1	—
ビタミンB_2	—
ビタミンC	—
食塩相当量	0.3g

ロッテリア

鮭朝食 (並)

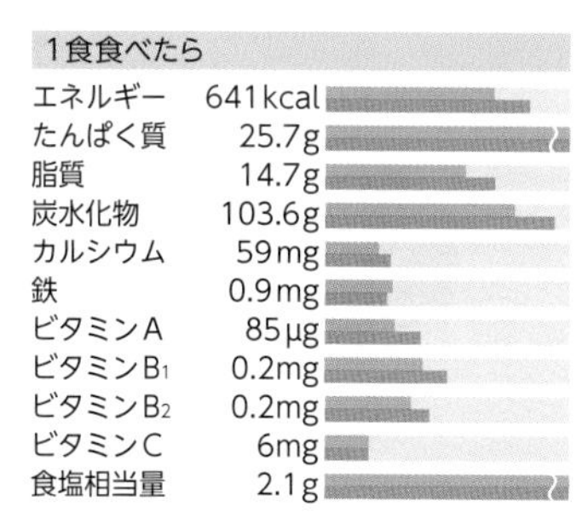

1食食べたら	
エネルギー	641kcal
たんぱく質	25.7g
脂質	14.7g
炭水化物	103.6g
カルシウム	59mg
鉄	0.9mg
ビタミンA	85μg
ビタミンB_1	0.2mg
ビタミンB_2	0.2mg
ビタミンC	6mg
食塩相当量	2.1g

すき家

ファストフードの栄養価4 [ロッテリア]

ハンバーガー
+
フレンチフライポテト(S)
+
コーンクリームスープ

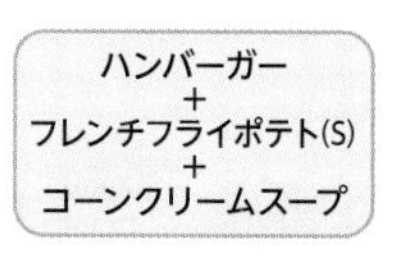

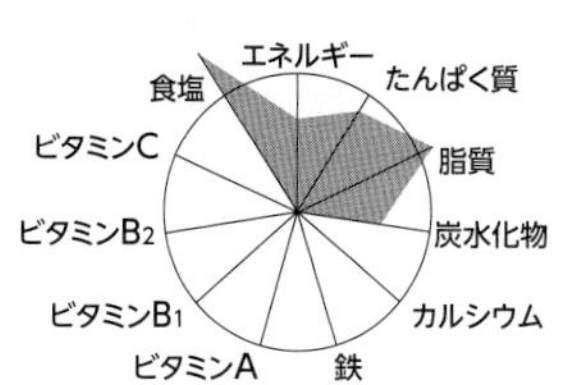

エネルギー	543kcal
たんぱく質	14.3g
脂質	23.1g
炭水化物	70.6g
カルシウム	— mg
鉄	— mg
ビタミンA	— μg
ビタミンB_1	— mg
ビタミンB_2	— mg
ビタミンC	— mg
食塩相当量	2.7g

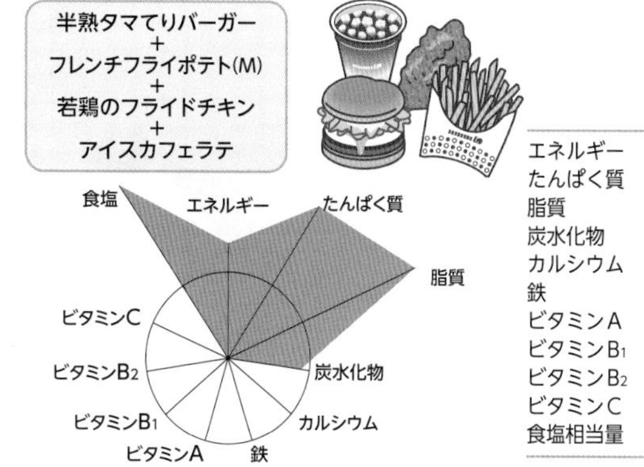

エネルギー	977kcal
たんぱく質	36.3g
脂質	50.7g
炭水化物	93.9g
カルシウム	— mg
鉄	— mg
ビタミンA	— μg
ビタミンB_1	— mg
ビタミンB_2	— mg
ビタミンC	— mg
食塩相当量	5.0g

デミたまハンバーグ

ハンバーグ、たまご、デミグラスソース、ポテト、枝豆、コーン

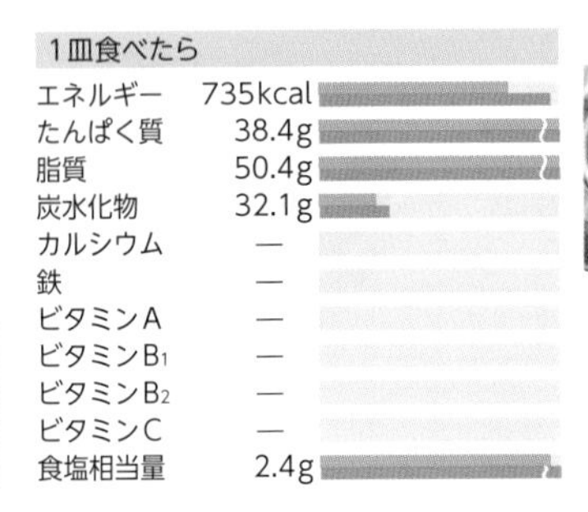

1皿食べたら	
エネルギー	735kcal
たんぱく質	38.4g
脂質	50.4g
炭水化物	32.1g
カルシウム	—
鉄	—
ビタミンA	—
ビタミンB_1	—
ビタミンB_2	—
ビタミンC	—
食塩相当量	2.4g

ガスト
(2022年7月現在)

ミックスグリル

ハンバーグ、チキン、ソーセージ、ドミソース、ガーリックソース、ハッシュポテト、枝豆、コーン

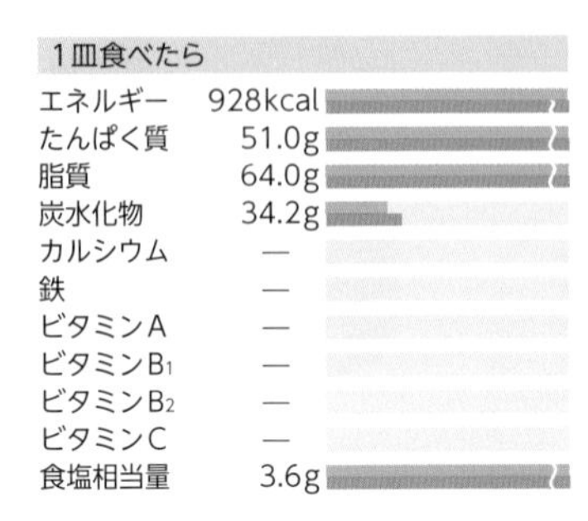

1皿食べたら	
エネルギー	928kcal
たんぱく質	51.0g
脂質	64.0g
炭水化物	34.2g
カルシウム	—
鉄	—
ビタミンA	—
ビタミンB_1	—
ビタミンB_2	—
ビタミンC	—
食塩相当量	3.6g

ガスト
(2022年7月現在)

ベイクドチーズケーキ

チーズ、牛乳、小麦粉、砂糖、卵、植物性油脂、バター、レモン果汁

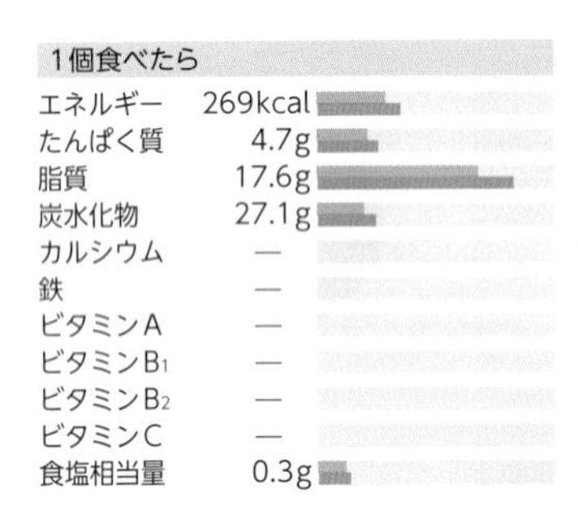

1個食べたら	
エネルギー	269kcal
たんぱく質	4.7g
脂質	17.6g
炭水化物	27.1g
カルシウム	—
鉄	—
ビタミンA	—
ビタミンB_1	—
ビタミンB_2	—
ビタミンC	—
食塩相当量	0.3g

ガスト
(2022年7月現在)

ハンバーグステーキ

牛肉、じゃがいも、コーン、ホワイトソース、卵　ほか

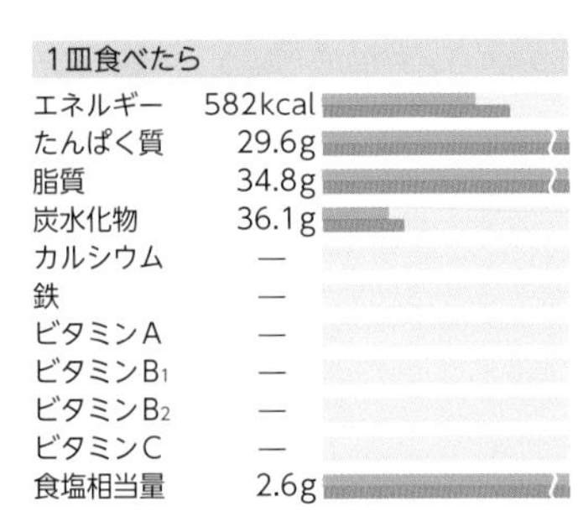

1皿食べたら	
エネルギー	582kcal
たんぱく質	29.6g
脂質	34.8g
炭水化物	36.1g
カルシウム	—
鉄	—
ビタミンA	—
ビタミンB_1	—
ビタミンB_2	—
ビタミンC	—
食塩相当量	2.6g

サイゼリヤ
(2022年7月現在)

ミラノ風ドリア

米、ホワイトソース、ミートソース、牛乳、粉チーズ　ほか

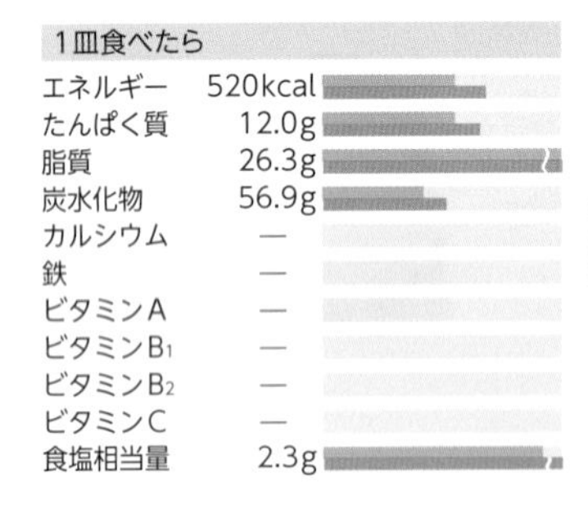

1皿食べたら	
エネルギー	520kcal
たんぱく質	12.0g
脂質	26.3g
炭水化物	56.9g
カルシウム	—
鉄	—
ビタミンA	—
ビタミンB_1	—
ビタミンB_2	—
ビタミンC	—
食塩相当量	2.3g

サイゼリヤ
(2022年7月現在)

小エビのサラダ

甘エビ、レタス、トマト、にんじん　ほか

1皿食べたら	
エネルギー	134kcal
たんぱく質	8.1g
脂質	8.3g
炭水化物	7.1g
カルシウム	—
鉄	—
ビタミンA	—
ビタミンB_1	—
ビタミンB_2	—
ビタミンC	—
食塩相当量	1.3g

サイゼリヤ
(2022年7月現在)

天丼

ご飯、天ぷら粉、たれ、えび、れんこん、漬物、アジ、揚げ油、おくら、のり

1杯食べたら	
エネルギー	602kcal
たんぱく質	16.4g
脂質	9.8g
炭水化物	107.0g
カルシウム	—
鉄	—
ビタミンA	—
ビタミンB_1	—
ビタミンB_2	—
ビタミンC	—
食塩相当量	2.7g

和食さと
(2022年7月現在)

ざるそば

そば、めんつゆ、青ネギ、わさび、のり

1枚食べたら	
エネルギー	277kcal
たんぱく質	13.0g
脂質	2.2g
炭水化物	51.6g
カルシウム	—
鉄	—
ビタミンA	—
ビタミンB_1	—
ビタミンB_2	—
ビタミンC	—
食塩相当量	2.0g

和食さと
(2022年7月現在)

生姜焼き
豚肉、玉ねぎ、キャベツ、タレ、調味料　ほか

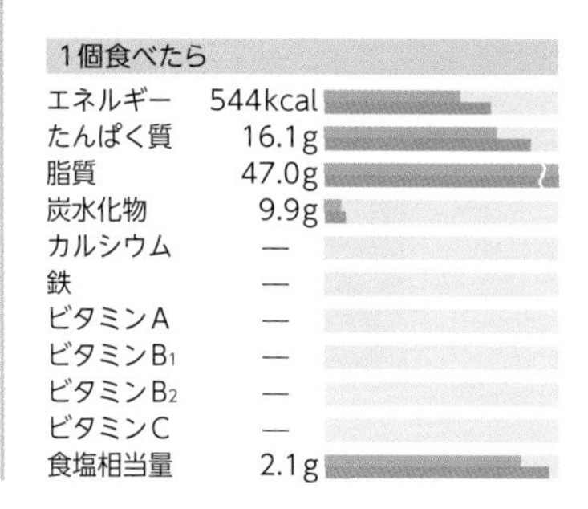

1個食べたら	
エネルギー	544kcal
たんぱく質	16.1g
脂質	47.0g
炭水化物	9.9g
カルシウム	—
鉄	—
ビタミンA	—
ビタミンB1	—
ビタミンB2	—
ビタミンC	—
食塩相当量	2.1g

オリジン弁当
(2022年7月現在)

タルタルのり弁当
ご飯、白身魚フライ、ちくわ天、きんぴらごぼう、しょうゆ、かつお節、のり、加工でん粉、調味料　ほか（別添タルタルソース、しょうゆ）

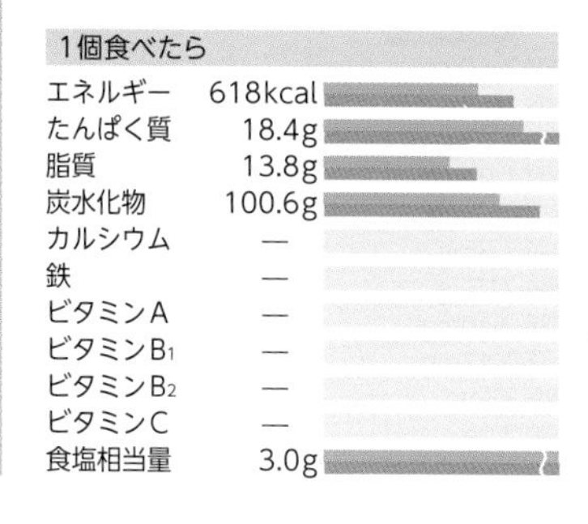

1個食べたら	
エネルギー	618kcal
たんぱく質	18.4g
脂質	13.8g
炭水化物	100.6g
カルシウム	—
鉄	—
ビタミンA	—
ビタミンB1	—
ビタミンB2	—
ビタミンC	—
食塩相当量	3.0g

オリジン弁当
(2022年7月現在)

海老とブロッコリーのサラダ
ブロッコリー、マヨネーズ、ゆで玉子、ボイルエビ、調味料　ほか

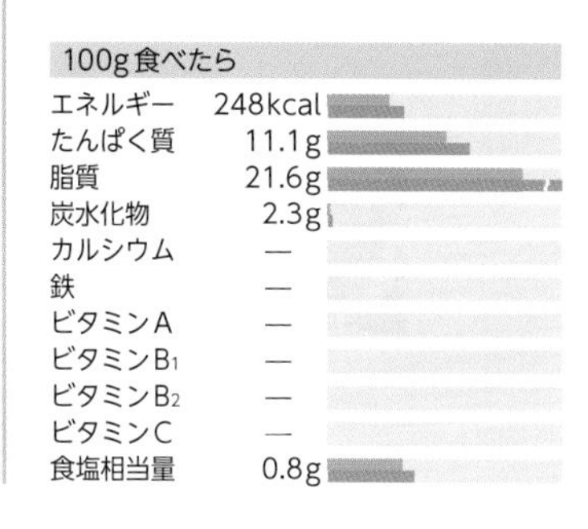

100g食べたら	
エネルギー	248kcal
たんぱく質	11.1g
脂質	21.6g
炭水化物	2.3g
カルシウム	—
鉄	—
ビタミンA	—
ビタミンB1	—
ビタミンB2	—
ビタミンC	—
食塩相当量	0.8g

オリジン弁当
(2022年7月現在)

のり弁当
米、のり、かつお節、こんぶ、だいこん、にんじん、ごぼう、魚のすり身、白身魚、小麦粉、パン粉、調味料　ほか

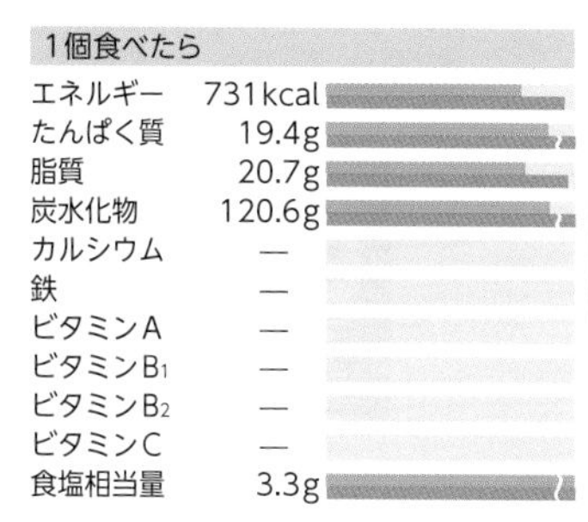

1個食べたら	
エネルギー	731kcal
たんぱく質	19.4g
脂質	20.7g
炭水化物	120.6g
カルシウム	—
鉄	—
ビタミンA	—
ビタミンB1	—
ビタミンB2	—
ビタミンC	—
食塩相当量	3.3g

ほっともっと
(2022年7月現在)

肉野菜炒め弁当
米、豚肉、枝豆、きゃべつ、もやし、たまねぎ、にんじん、調味料　ほか

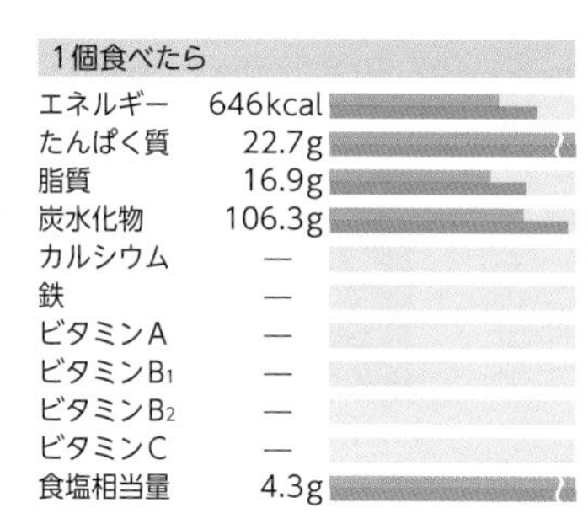

1個食べたら	
エネルギー	646kcal
たんぱく質	22.7g
脂質	16.9g
炭水化物	106.3g
カルシウム	—
鉄	—
ビタミンA	—
ビタミンB1	—
ビタミンB2	—
ビタミンC	—
食塩相当量	4.3g

ほっともっと
(2022年7月現在)

ロースかつ弁当
米、豚肉、卵、玉ねぎ、かつお節、だいこん、小麦粉、パン粉、調味料　ほか

1個食べたら	
エネルギー	944kcal
たんぱく質	31.7g
脂質	36.6g
炭水化物	126.5g
カルシウム	—
鉄	—
ビタミンA	—
ビタミンB1	—
ビタミンB2	—
ビタミンC	—
食塩相当量	4.3g

ほっともっと
(2022年7月現在)

デラックスMサイズ（ハンドトス）
小麦粉、チーズ、ペパロニサラミ、ベーコン、ピーマン、オニオン、トマトソース

1ピース（1/8枚）食べたら	
エネルギー	149kcal
たんぱく質	6.4g
脂質	6.1g
炭水化物	16.3g
カルシウム	—
鉄	—
ビタミンA	—
ビタミンB1	—
ビタミンB2	—
ビタミンC	—
食塩相当量	0.9g

ピザハット
(2022年7月現在)

ツナマイルドMサイズ（ハンドトス）
小麦粉、チーズ、ツナマヨ、ベーコン、オニオン、コーン、トマトソース

1ピース（1/8枚）食べたら	
エネルギー	158kcal
たんぱく質	7.0g
脂質	6.6g
炭水化物	16.8g
カルシウム	—
鉄	—
ビタミンA	—
ビタミンB1	—
ビタミンB2	—
ビタミンC	—
食塩相当量	1.0g

ピザハット
(2022年7月現在)

※パッケージは現在と異なる場合がある。

［凡例］身体活動レベルⅡの 15 ～ 17 歳男女の栄養摂取基準の約 1/3 を示す。

	男子	女子
エネルギー	933kcal	767kcal
たんぱく質	21.7g	18.3g
脂質	25.9g	21.3g
炭水化物	134.2g	110.2g
カルシウム	267mg	217mg
鉄	3.3mg	3.5mg
ビタミンA	300μg	217μg
ビタミンB1	0.50mg	0.40mg
ビタミンB2	0.57mg	0.47mg
ビタミンC	33mg	33mg
食塩相当量	2.5g	2.2g

注
- 各企業の分析により発表された栄養価を元に左の凡例に対する充足値を示した。
- 有効桁数は食品成分表にそろえている。食塩相当量はナトリウム量に2.54を乗じた。
- 原材料は、量の多い順に表示されている。
- 成分の－は未測定、または非公表。

日清スパ王プレミアム 海老のトマトクリーム

内容量304g

めん〔スパゲティ（デュラム小麦のセモリナ）（イタリア製造）〕・トマトペースト・えび・植物油脂・乳等を主要原料とする食品・野菜（ブロッコリー・たまねぎ）・豚脂・全粉乳・食塩・砂糖・野菜調味油・クリーム・野菜エキス・えび調味油・ガーリックペースト・アメリケーヌソース・トマトパウダー・プロセスチーズ・えび醤・魚介エキス・乾燥パセリ・香辛料　ほか

1袋食べたら	
エネルギー	459kcal
たんぱく質	14.3g
脂質	17.6g
炭水化物	60.8g
カルシウム	—
鉄	—
ビタミンA	—
ビタミンB1	—
ビタミンB2	—
ビタミンC	—
食塩相当量	2.5g

日清食品冷凍（株）
（2022年9月現在）

［冷凍食品］

具だくさんエビピラフ

内容量450g

米・野菜（にんじん・スイートコーン・さやいんげん・たまねぎ・赤ピーマン）・ボイルえび・マッシュルーム・食塩・野菜加工品・乳等を主要原料とする食品・砂糖・ブイヨン風調味料・ワイン・焦がしバター風味油・卵白・香辛料・なたね油・チキンエキス・でん粉・アサリエキス調味料・魚介エキス調味料・発酵調味料・いため油（ラード・なたね油）／調味料（アミノ酸等）　ほか

1/2袋（225g）食べたら	
エネルギー	308kcal
たんぱく質	6.8g
脂質	3.2g
炭水化物	63.0g
カルシウム	—
鉄	—
ビタミンA	—
ビタミンB1	—
ビタミンB2	—
ビタミンC	—
食塩相当量	2.2g

味の素冷凍食品（株）
（2022年8月現在）

えび&タルタルソース

内容量126g（6個）

タルタルソース〔植物油脂・砂糖・食酢・卵黄加工品・ピクルス（きゅうり）・食塩・卵白粉・ゼラチン・香辛料〕・たまねぎ・魚肉すりみ・衣（パン粉）

2個食べたら	
エネルギー	136kcal
たんぱく質	2.8g
脂質	9.6g
炭水化物	9.6g
カルシウム	—
鉄	—
ビタミンA	—
ビタミンB1	—
ビタミンB2	—
ビタミンC	—
食塩相当量	0.8g

マルハニチロ（株）
（2022年8月現在）

お弁当にGood!® からあげチキン

内容量126g（6個）

鶏肉（タイ産又は国産（5%未満））・しょうゆ・粒状植物性たん白・植物油脂・砂糖・鶏油・粉末状植物性たん白・香辛料・粉末卵白・チキンエキス・発酵調味料・酵母エキスパウダー・食塩・酵母エキス・衣（コーンフラワー・でん粉・食塩・小麦たん白加工品・香辛料・粉末しょうゆ・コーングリッツ・粉末卵白・モルトエキスパウダー）・揚げ油（大豆油）／加工でん粉・pH調整剤・増粘多糖類　ほか

3個食べたら	
エネルギー	132kcal
たんぱく質	6.6g
脂質	7.5g
炭水化物	9.3g
カルシウム	—
鉄	—
ビタミンA	—
ビタミンB1	—
ビタミンB2	—
ビタミンC	—
食塩相当量	1.2g

（株）ニチレイフーズ
（2022年8月現在）

ほしいぶんだけ パリッと具だくさん 五目春巻

内容量150g（6個）

野菜（たけのこ・にんじん・キャベツ）・ラード・粒状植物性たん白・豚肉・はるさめ・しょうゆ・はっ酵調味料・チャーシューペースト・砂糖・でん粉・おろししょうが・植物油脂・ポークエキス・がらスープ・XO醤・乾燥しいたけ・おろしにんにく・酵母エキス・香辛料・オイスターソース・酵母エキスパウダー・香味油・紹興酒・メンマパウダー　ほか

1個食べたら	
エネルギー	79kcal
たんぱく質	1.3g
脂質	4.9g
炭水化物	7.4g
カルシウム	—
鉄	—
ビタミンA	—
ビタミンB1	—
ビタミンB2	—
ビタミンC	—
食塩相当量	0.3g

日本水産（株）
（2022年8月現在）

ミックスベジタブル

内容量270g

スイートコーン・グリンピース・にんじん

1/3袋（90g）食べたら	
エネルギー	75kcal
たんぱく質	2.8g
脂質	1.1g
炭水化物	13.5g
カルシウム	—
鉄	—
ビタミンA	—
ビタミンB1	—
ビタミンB2	—
ビタミンC	—
食塩相当量	0.1g

味の素冷凍食品（株）
（2022年8月現在）

洋風野菜

内容量300g

ブロッコリー・カリフラワー・にんじん・ヤングコーン・いんげん

1/3袋（100g）食べたら	
エネルギー	32kcal
たんぱく質	1.9g
脂質	0.4g
炭水化物	5.3g
カルシウム	—
鉄	—
ビタミンA	—
ビタミンB1	—
ビタミンB2	—
ビタミンC	—
食塩相当量	0.1g

（株）ニチレイフーズ
（2022年8月現在）

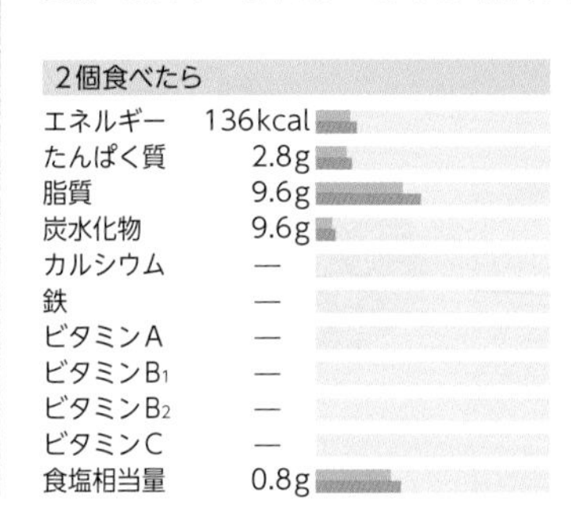

※パッケージは現在と異なる場合がある。

シーフードピラフ

米・えび・いか・マッシュルーム・コーン・にんじん・グリンピース・パセリ・にんにく・pH調整剤・グリシン・調味料・酢酸Na・メタリン酸Na・増粘剤・カロチノイド色素・香料・乳酸Ca・保存料・ビタミンB1

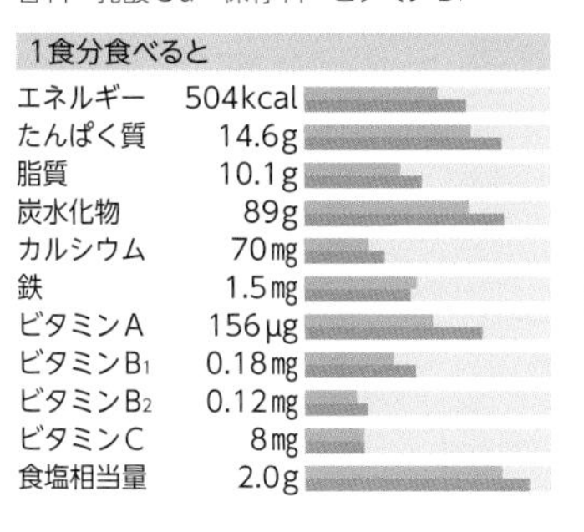

1食分食べると	
エネルギー	504kcal
たんぱく質	14.6g
脂質	10.1g
炭水化物	89g
カルシウム	70mg
鉄	1.5mg
ビタミンA	156μg
ビタミンB1	0.18mg
ビタミンB2	0.12mg
ビタミンC	8mg
食塩相当量	2.0g

すし (いなり・のり巻き)

米・のり・油あげ・かんぴょう・卵・きゅうり・しいたけ・でんぶ・調味料・甘味料・pH調整剤・ソルビット・リン酸塩・着色料

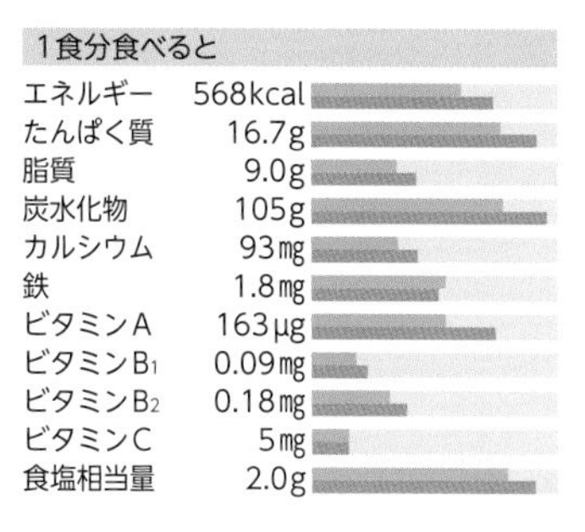

1食分食べると	
エネルギー	568kcal
たんぱく質	16.7g
脂質	9.0g
炭水化物	105g
カルシウム	93mg
鉄	1.8mg
ビタミンA	163μg
ビタミンB1	0.09mg
ビタミンB2	0.18mg
ビタミンC	5mg
食塩相当量	2.0g

牛丼

米・牛肉・たまねぎ・紅しょうが・しょうゆ・砂糖・調味料・pH調整剤・グリシン・着色料・酸味料・保存料・水酸化Ca

1食分食べると	
エネルギー	863kcal
たんぱく質	25.7g
脂質	30.8g
炭水化物	121g
カルシウム	27mg
鉄	2.0mg
ビタミンA	13μg
ビタミンB1	0.11mg
ビタミンB2	0.17mg
ビタミンC	3mg
食塩相当量	1.9g

ざるそば

そば (ゆで)・ねぎ・白ごま・わさび・めんつゆ

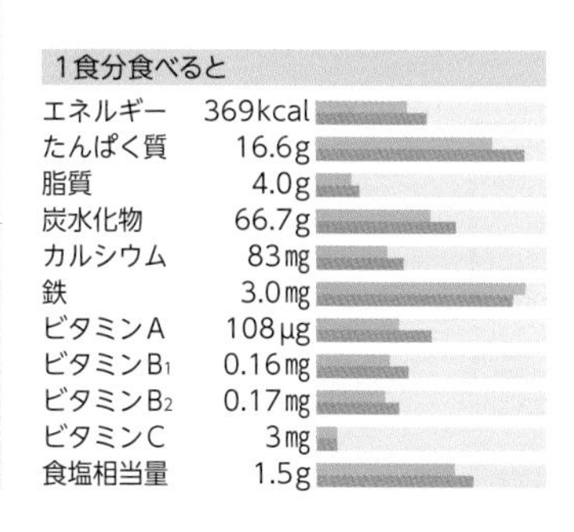

1食分食べると	
エネルギー	369kcal
たんぱく質	16.6g
脂質	4.0g
炭水化物	66.7g
カルシウム	83mg
鉄	3.0mg
ビタミンA	108μg
ビタミンB1	0.16mg
ビタミンB2	0.17mg
ビタミンC	3mg
食塩相当量	1.5g

コンビニのすしを食べるときは…

すし	ひじきの煮物	アセロラジュース
568kcal	123kcal	76kcal
		(200mL)

すしは、のりやだいず加工食品の油揚げを使っていて比較的栄養バランスがよいが、ビタミンB1やビタミンCが不足する。アセロラジュースを組み合わせて、ビタミンCを補う。また、ひじきの煮物を加えてカルシウムや鉄、ビタミンAを補えば、よりバランスのよい食事になる。

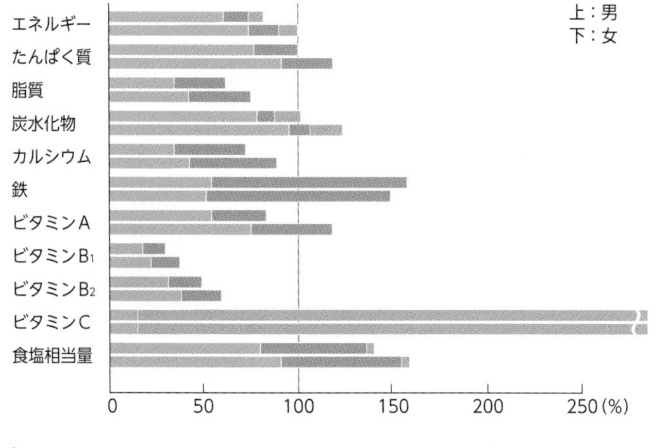

コンビニの牛丼を食べるときは…

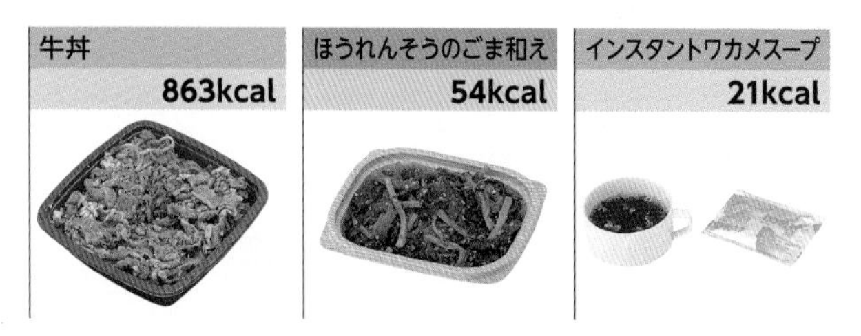

牛丼	ほうれんそうのごま和え	インスタントワカメスープ
863kcal	54kcal	21kcal

牛丼は、エネルギー・たんぱく質・脂質は単品でも100%前後。これに無機質やビタミン類を補強するには、ほうれんそうのごま和えを加えるとよい。ご飯物にスープはつきものだが、塩分が多いところに気をつけよう。

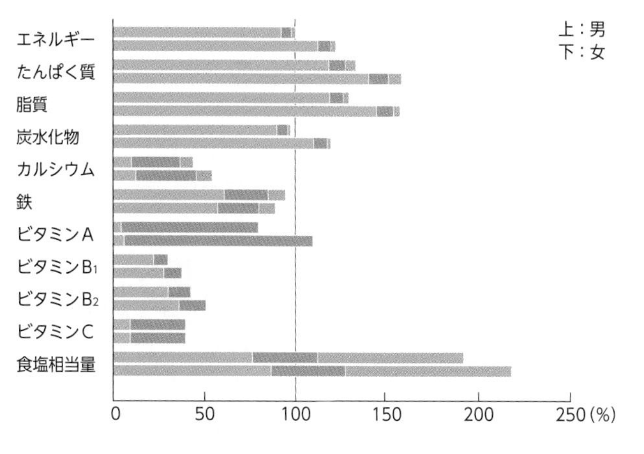

※グラフの100%はp.356凡例と同じく、身体活動レベルⅡ(ふつう) 15～17歳男女における1日の食事摂取基準の約1/3を示す。(以下同様)

※パッケージは現在と異なる場合がある。

カップヌードル

内容量 78 g（めん65 g）

油揚げめん（小麦粉（国内製造）・植物油脂・食塩・チキンエキス・ポークエキス・しょうゆ・ポーク調味料・たん白加水分解物・香辛料）・かやく（味付豚ミンチ・味付卵・味付えび・味付豚肉・ねぎ）・スープ（糖類・粉末しょうゆ・食塩・香辛料・たん白加水分解物・香味調味料・ポーク調味料・メンマパウダー）／加工でん粉・調味料（アミノ酸等）・炭酸Ca・カラメル色素・かんすい・増粘多糖類　ほか

1個食べたら	
エネルギー	351kcal
たんぱく質	10.5g
脂質	14.6g
炭水化物	44.5g
カルシウム	105mg
鉄	—
ビタミンA	—
ビタミンB_1	0.19mg
ビタミンB_2	0.32mg
ビタミンC	—
食塩相当量	4.9g

日清食品（株）
（2022年8月現在）

明星 中華三昧 榮林 酸辣湯麺

内容量 103 g（めん70 g）

めん（小麦粉（国内製造）・植物性たん白・植物油脂・食塩・卵粉・乳たん白・大豆食物繊維）・スープ（しょうゆ・植物油脂・鶏肉エキス・糖類・食塩・香味油・香味調味料・香辛料・醸造酢・たん白加水分解物・でん粉・デキストリン・黒酢・貝エキス・ねぎ）／調味料(アミノ酸等)・増粘剤(キサンタンガム・加工デンプン)・酸味料・かんすい・酒精・カラメル色素・微粒二酸化ケイ素・香料　ほか

1袋食べたら	
エネルギー	377kcal
たんぱく質	11.3g
脂質	9.4g
炭水化物	61.8g
カルシウム	—
鉄	—
ビタミンA	—
ビタミンB_1	—
ビタミンB_2	—
ビタミンC	—
食塩相当量	6.0g

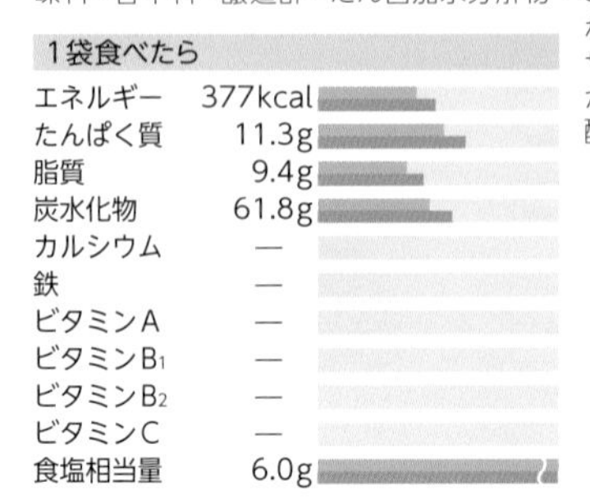

明星食品（株）
（2022年9月現在）

チキンラーメン

内容量 85 g

油揚げめん（小麦粉（国内製造）・植物油脂・しょうゆ・食塩・チキンエキス・香辛料・糖類・たん白加水分解物・卵粉・デキストリン・香味調味料・オニオンパウダー）／加工でん粉・調味料（アミノ酸等）・炭酸Ca・かんすい・酸化防止剤（ビタミンE）・ビタミンB_2・ビタミンB_1　ほか

1袋食べたら	
エネルギー	377kcal
たんぱく質	8.2g
脂質	14.5g
炭水化物	53.6g
カルシウム	278mg
鉄	—
ビタミンA	—
ビタミンB_1	0.61mg
ビタミンB_2	0.74mg
ビタミンC	—
食塩相当量	5.6g

日清食品（株）
（2022年8月現在）

日清焼そばU.F.O.

内容量 128 g（めん100 g）

油揚げめん（小麦粉（国内製造）・植物油脂・食塩・しょうゆ・香辛料）・ソース（ソース・糖類・植物油脂・還元水あめ・食塩・香辛料・ポークエキス・ポーク調味油・たん白加水分解物・香味油）・かやく（キャベツ・味付豚肉・青のり・紅生姜）／加工でん粉・カラメル色素・調味料（アミノ酸等）・炭酸Ca・かんすい・香料・酸味料・グリセリン・ベニコウジ色素　ほか

1個食べたら	
エネルギー	556kcal
たんぱく質	9.4g
脂質	20.9g
炭水化物	82.6g
カルシウム	167mg
鉄	—
ビタミンA	—
ビタミンB_1	0.47mg
ビタミンB_2	0.69mg
ビタミンC	—
食塩相当量	5.9g

日清食品（株）
（2022年8月現在）

日清ラ王 背脂醤油

内容量 112 g（めん75 g）

めん（小麦粉（国内製造）・食塩・植物油脂・チキン調味料・大豆食物繊維・卵粉）・スープ（しょうゆ・豚脂・チキンエキス・鶏脂・オニオン調味油・食塩・たん白加水分解物・にぼし調味料・さば調味油・香味油・糖類・魚粉・チキン調味料・香味調味料・香辛料）・かやく（チャーシュー・のり・ねぎ）／加工でん粉・調味料（アミノ酸等）・かんすい・リン酸Ca・カラメル色素・酒精・香料・カロチノイド色素・乳化剤・酸化防止剤（ビタミンE）　ほか

1個食べたら	
エネルギー	412kcal
たんぱく質	11.5g
脂質	13.4g
炭水化物	61.4g
カルシウム	139mg
鉄	—
ビタミンA	—
ビタミンB_1	0.22mg
ビタミンB_2	0.32mg
ビタミンC	—
食塩相当量	6.3g

日清食品（株）
（2022年8月現在）

スープはるさめ（ワンタン）

内容量 22 g

春雨（中国製造（でん粉・醸造酢））・かやく（ワンタン・卵・ねぎ）・スープ（食塩・ごま・粉末しょうゆ・チキン調味料・オニオンパウダー・たん白加水分解物・砂糖・香辛料・チキンパウダー・香味調味料・全卵粉）／調味料（アミノ酸等）・カラメル色素・香料・酸味料・カロチノイド色素・微粒二酸化ケイ素・酸化防止剤（ビタミンE）　ほか

1個食べたら	
エネルギー	78kcal
たんぱく質	1.3g
脂質	1.1g
炭水化物	16.0g
カルシウム	—
鉄	—
ビタミンA	—
ビタミンB_1	—
ビタミンB_2	—
ビタミンC	—
食塩相当量	2.1g

エースコック（株）
（2022年8月現在）

日清のどん兵衛きつねうどん（東）

内容量 96 g（めん74 g）

油揚げめん（小麦粉（国内製造）・植物油脂・食塩・植物性たん白・こんぶエキス・大豆食物繊維・糖類）・かやく（味付油揚げ・かまぼこ）・スープ（食塩・糖類・魚粉（そうだかつお・にぼし・かつお）・粉末しょうゆ・かつおぶし調味料・デキストリン・七味唐辛子・ねぎ）／加工でん粉・調味料(アミノ酸等)・増粘剤(アラビアガム)・炭酸Ca・リン酸塩（Na）・カラメル色素・香料・香辛料抽出物・酸味料　ほか

1個食べたら	
エネルギー	421kcal
たんぱく質	9.9g
脂質	17.4g
炭水化物	56.1g
カルシウム	203mg
鉄	—
ビタミンA	—
ビタミンB_1	0.20mg
ビタミンB_2	0.22mg
ビタミンC	—
食塩相当量	5.0g

日清食品（株）
（2022年8月現在）

緑のたぬき天そば（東）

内容量 101 g（めん72 g）

油揚げめん（小麦粉（国内製造）・そば粉・植物油脂・植物性たん白・食塩・とろろ芋・卵白）・かやく（小えびてんぷら・かまぼこ）・添付調味料（砂糖・食塩・しょうゆ・たん白加水分解物・粉末かつおぶし・香辛料・粉末そうだがつおぶし・ねぎ・香味油脂）／加工でん粉・調味料（アミノ酸等）・炭酸カルシウム・カラメル色素・リン酸塩（Na）・増粘多糖類・レシチン・酸化防止剤（ビタミンE）　ほか

1個食べたら	
エネルギー	482kcal
たんぱく質	11.8g
脂質	24.3g
炭水化物	53.9g
カルシウム	152mg
鉄	—
ビタミンA	—
ビタミンB_1	0.37mg
ビタミンB_2	0.32mg
ビタミンC	—
食塩相当量	5.8g

東洋水産（株）
（2022年10月現在）

※パッケージは現在と異なる場合がある。

ジャンボむしケーキ（プレーン）

内容量 122 g

砂糖（国内製造）・卵・小麦粉・食用加工油脂・乳等を主要原料とする食品・しょうゆ／ベーキングパウダー・乳化剤・調味料（アミノ酸等）・香料・（一部に小麦・卵・乳成分・大豆を含む）

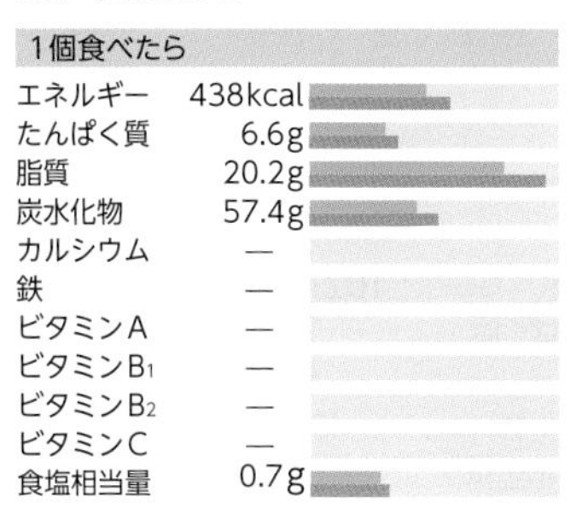

1個食べたら	
エネルギー	438kcal
たんぱく質	6.6g
脂質	20.2g
炭水化物	57.4g
カルシウム	—
鉄	—
ビタミンA	—
ビタミンB1	—
ビタミンB2	—
ビタミンC	—
食塩相当量	0.7g

（株）木村屋總本店
（2022年８月現在）

コッペパン（ジャム&マーガリン）

小麦粉（国内製造）・苺ジャム・マーガリン・糖類・ショートニング・脱脂粉乳・パン酵母・食塩・発酵風味料・発酵種・植物油脂／乳化剤・ゲル化剤（増粘多糖類）・酢酸（Na）・酸味料・香料・イーストフード・カロテノイド色素・V.C・（一部に乳成分・小麦・大豆を含む）

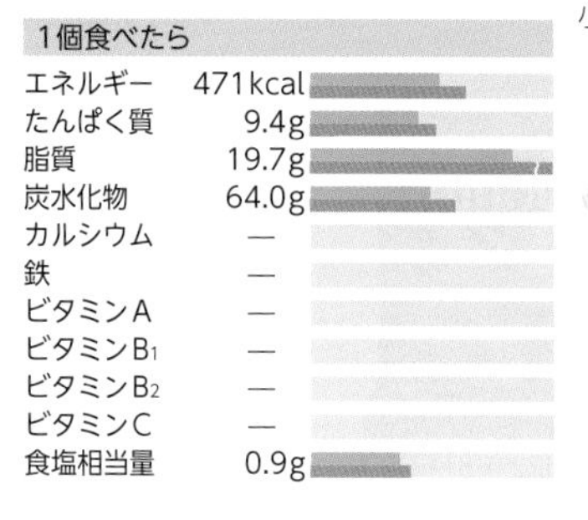

1個食べたら	
エネルギー	471kcal
たんぱく質	9.4g
脂質	19.7g
炭水化物	64.0g
カルシウム	—
鉄	—
ビタミンA	—
ビタミンB1	—
ビタミンB2	—
ビタミンC	—
食塩相当量	0.9g

山崎製パン（株）
（2022年８月現在）

あんぱん

内容量 95 g

小豆こしあん（国内製造）・小麦粉・砂糖・食用加工油脂・卵・酒種・パン酵母・脱脂粉乳・桜花塩漬け・バター・醗酵種・小麦たんぱく・食塩・ぶどう糖／乳化剤・pH調整剤・（一部に小麦・卵・乳成分・大豆を含む）

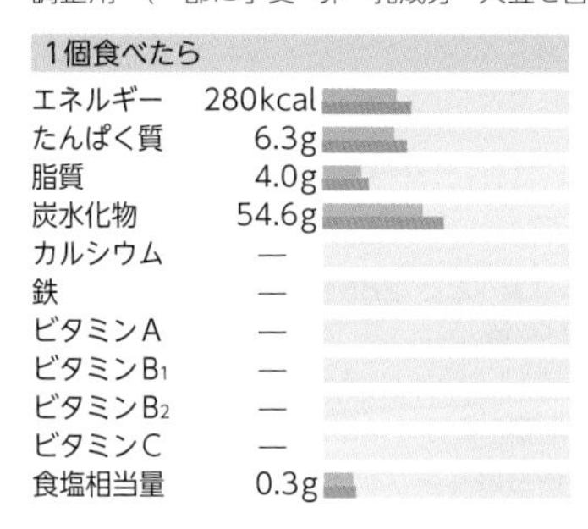

1個食べたら	
エネルギー	280kcal
たんぱく質	6.3g
脂質	4.0g
炭水化物	54.6g
カルシウム	—
鉄	—
ビタミンA	—
ビタミンB1	—
ビタミンB2	—
ビタミンC	—
食塩相当量	0.3g

（株）木村屋總本店
（2022年８月現在）

ランチパック（たまご）

内容量 2個

卵フィリング（卵・ドレッシング・その他）（国内製造）・小麦粉・砂糖混合異性化液糖・マーガリン・パン酵母・食塩・脱脂粉乳／増粘剤（加工デンプン・増粘多糖類）・酢酸Na・グリシン・乳化剤・調味料（アミノ酸）・pH調整剤・イーストフード・カロテノイド色素・V.C　ほか

1個食べたら	
エネルギー	146kcal
たんぱく質	4.3g
脂質	7.8g
炭水化物	14.7g
カルシウム	—
鉄	—
ビタミンA	—
ビタミンB1	—
ビタミンB2	—
ビタミンC	—
食塩相当量	0.8g

山崎製パン（株）
（2022年８月現在）

カップめんだけでは栄養不足

カップヌードル	切り干し大根	アセロラジュース
351kcal	112kcal	76kcal
		(200mL)

カップめんは脂質や塩分が多く、ミネラルは添加物としてある程度含まれているものの、これだけでは明らかに栄養不足。鉄やビタミンA（カロテン）を多く含む切り干しだいこんや、ビタミンCを含むジュースを組み合わせるのがよい。もう少しエネルギーを高めるのならば、デザートを加えてもよい。

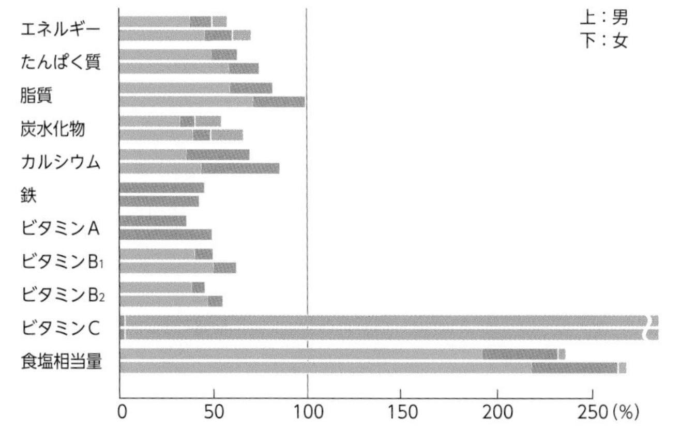

ビタミンA不足は野菜ジュースで解消

野菜ジュースのビタミンAは、1日の食事摂取基準の約1.5倍も含み、ビタミンA不足の解消には有効。焼きそばは塩分が多いので、ナトリウム代謝に役立つカリウムを多く含むひじきや、ビタミンCを多く含む野菜や果物を加えるとなおよい。

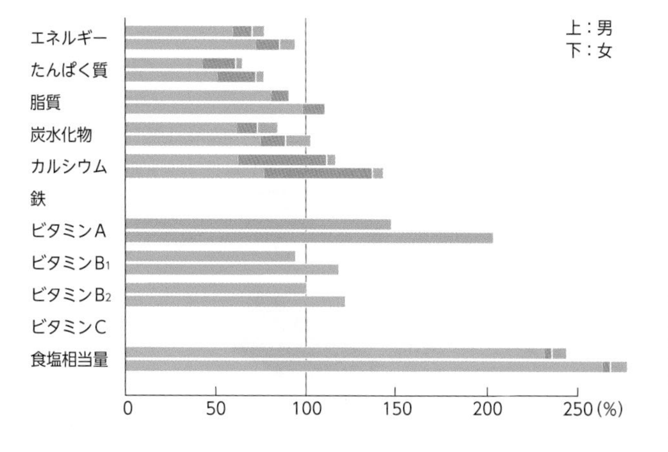

※各商品の栄養価は企業分析値のため、未発表の栄養素もある。

ドリトス（マイルドソルト味）

内容量165g

ジャパンフリトレー（株）

コーン（米国産）・植物油・食塩／調味料（アミノ酸等）

1/2袋食べたら	170 kcal
たんぱく質	2.2 g
脂質	8.6 g
炭水化物	20.9 g
食塩相当量	0.3 g

（2022年8月現在）

サッポロポテト（つぶつぶベジタブル）

内容量72g

カルビー（株）

小麦粉（国内製造）・植物油・じゃがいも・じゃがいもでん粉・乾燥じゃがいも・コーンスターチ・砂糖・ほうれんそう・食塩・上新粉・にんじん・ピーマン・かぼちゃパウダー・トマトペースト・オニオンパウダー・赤ピーマンペースト・レッドビートパウダー・たん白加水分解物・デキストリン　ほか

1/2袋食べたら	175 kcal
たんぱく質	2.2 g
脂質	7.6 g
炭水化物	24.5 g
食塩相当量	0.5 g

（2022年8月現在）

リッツ クラッカーS

内容量128g（13枚入り3パック）

モンデリーズ・ジャパン（株）

小麦粉・植物油脂・砂糖・ぶどう糖果糖液糖・食塩・モルトエキス／膨張剤・乳化剤・酸化防止剤（V.E・V.C）・（一部に小麦・大豆を含む）

6枚食べたら	102 kcal
たんぱく質	1.5 g
脂質	4.8 g
炭水化物	13.3 g
食塩相当量	0.3 g

（2022年8月現在）

じゃがいも心地（オホーツクの塩と岩塩）

内容量58g

（株）湖池屋

馬鈴薯（日本：遺伝子組換えでない）・植物油・でん粉分解物・食塩（オホーツクの塩50%・岩塩50%）・たんぱく加水分解物（鶏肉を含む）・鶏油／調味料（アミノ酸等）

1/2袋食べたら	157 kcal
たんぱく質	1.9 g
脂質	9.3 g
炭水化物	16.6 g
食塩相当量	0.4 g

（2022年8月現在）

チップスターS（うすしお味）

内容量50g

ヤマザキビスケット（株）

ポテトフレーク（アメリカ製造又はドイツ製造又はその他）・植物油脂・食塩／乳化剤・調味料（アミノ酸）

1箱食べたら	263 kcal
たんぱく質	3.2 g
脂質	14.7 g
炭水化物	29.6 g
食塩相当量	0.5 g

（2022年8月現在）

じゃがりこ（サラダ）

内容量57g

カルビー（株）

じゃがいも（国産）・植物油・乾燥じゃがいも・脱脂粉乳・粉末植物油脂・乳等を主要原料とする食品・食塩・乾燥にんじん・パセリ・こしょう／乳化剤（大豆を含む）・調味料（アミノ酸等）・酸化防止剤（V.C）・香料

1カップ食べたら	285 kcal
たんぱく質	4.1 g
脂質	13.7 g
炭水化物	36.2 g
食塩相当量	0.8 g

（2022年8月現在）

おっとっと（うすしお味）

内容量52g（2袋）

森永製菓（株）

乾燥じゃがいも（アメリカ製造又はオランダ製造）・小麦粉・ショートニング・とうもろこしでん粉・ホエイパウダー・植物油脂・砂糖・シーズニングパウダー（食塩・乳糖・チキンパウダー・オニオンエキスパウダー・酵母エキスパウダー（大豆を含む）・麦芽糖・香辛料）・食塩・たんぱく加水分解物　ほか

1袋食べたら	114 kcal
たんぱく質	1.5 g
脂質	3.3 g
炭水化物	19.6 g
カルシウム	80 mg
食塩相当量	0.45 g

（2022年8月現在）

堅あげポテト（うすしお味）

内容量65g

カルビー（株）

じゃがいも（遺伝子組換えでない）・植物油・食塩・コーンスターチ・こんぶエキスパウダー／調味料（アミノ酸等）・酸化防止剤（ビタミンC）

1/2袋食べたら	167 kcal
たんぱく質	2.0 g
脂質	8.7 g
炭水化物	20.1 g
食塩相当量	0.3 g

（2022年8月現在）

プレミアム

内容量241g（5枚入り8パック）

モンデリーズ・ジャパン（株）

小麦粉・植物油脂・食塩・モルトフラワー・イースト／膨張剤

5枚食べたら	136 kcal
たんぱく質	3.1 g
脂質	4.2 g
炭水化物	21.8 g
食塩相当量	0.9 g

（2022年8月現在）

アルフォート ミニチョコレート

内容量59g（12個）

（株）ブルボン

砂糖（韓国製造・国内製造）・小麦粉・全粉乳・カカオマス・ショートニング・小麦全粒粉・植物油脂・ココアバター・小麦ふすま・食塩／加工デンプン・乳化剤（大豆由来）・膨脹剤・香料・酸化防止剤（V.E）

1箱食べたら	311 kcal
たんぱく質	5.0 g
脂質	17.3 g
炭水化物	34.9 g
食塩相当量	0.2 g

（2022年8月現在）

クリームコロン（あっさりミルク）

内容量81g（6袋）

江崎グリコ（株）

ショートニング（国内製造）・小麦粉・砂糖・乳糖・麦芽糖・ぶどう糖・鶏卵・デキストリン・全粉乳・乾燥卵白・還元水あめ・洋酒・食塩／乳化剤・香料・パプリカ色素・（一部に卵・乳成分・小麦・大豆を含む）

1袋食べたら	76 kcal
たんぱく質	0.6 g
脂質	4.6 g
炭水化物	8.0 g
食塩相当量	0 g

（2022年8月現在）

プリッツ（旨サラダ）

内容量69g（2袋）

江崎グリコ（株）

小麦粉（国内製造）・植物油脂・ショートニング・砂糖・でん粉・乾燥ポテト・野菜ペースト・ブイヨン混合品・イースト・小麦たんぱく・食塩・酒かす・コンソメシーズニング・香味油・こしょう／調味料（無機塩等）・加工デンプン・乳化剤・香料・酸味料・（一部に乳成分・小麦を含む）

1袋食べたら	177 kcal
たんぱく質	3.3 g
脂質	7.9 g
炭水化物	22.3 g
食塩相当量	0.5 g

（2022年8月現在）

※パッケージは現在と異なる場合がある。

ポッキー（チョコレート）
内容量72g（2袋）

江崎グリコ（株）

小麦粉（国内製造）・砂糖・カカオマス・植物油脂・全粉乳・ショートニング・モルトエキス・でん粉・イースト・食塩・ココアバター／乳化剤・香料・膨張剤・アナトー色素・調味料（無機塩）・（一部に乳成分・小麦・大豆を含む）

1袋食べたら	182 kcal
たんぱく質	3.0 g
脂質	8.2 g
炭水化物	24.0 g
食塩相当量	0.2 g

（2022年8月現在）

トッポ（チョコレート）
内容量72g（2袋）

（株）ロッテ

小麦粉（国内製造）・砂糖・植物油脂・全粉乳・でん粉・カカオマス・ショートニング・加糖れん乳・ココアパウダー・クリームパウダー・モルトエキス・食塩・ココアバター・大豆胚芽エキス／膨張剤・乳化剤・香料

1袋食べたら	192 kcal
たんぱく質	2.7 g
脂質	10.4 g
炭水化物	21.9 g
食塩相当量	0.3 g

（2022年8月現在）

きのこの山
内容量74g

（株）明治

砂糖・小麦粉・カカオマス・植物油脂・全粉乳・ココアバター・乳糖・ショートニング・練乳加工品・脱脂粉乳・クリーミングパウダー・異性化液糖・麦芽エキス・食塩・イースト／乳化剤・膨張剤・香料・（一部に小麦・乳成分・大豆を含む）

1箱食べたら	423 kcal
たんぱく質	6.3 g
脂質	26.7 g
炭水化物	39.4 g
食塩相当量	0.3 g

（2022年8月現在）

パイの実
内容量73g

（株）ロッテ

小麦粉（国内製造）・マーガリン・砂糖・植物油脂・カカオマス・麦芽糖・乳糖・全粉乳・ホエイパウダー・食塩／乳化剤（大豆由来）・香料

1箱食べたら	396 kcal
たんぱく質	4.5 g
脂質	22.8 g
炭水化物	43.1 g
食塩相当量	0.5 g

（2022年8月現在）

キットカット ミニ
内容量34.8g（3枚）

ネスレ日本（株）

砂糖（外国製造・国内製造）・全粉乳・乳糖・小麦粉・カカオマス・植物油脂・ココアバター・ココアパウダー・イースト／乳化剤・重曹・イーストフード・香料・（一部に小麦・乳成分・大豆を含む）

1枚食べたら	62 kcal
たんぱく質	0.9 g
脂質	3.5 g
炭水化物	7.0 g
食塩相当量	0.009～0.029 g

（2022年8月現在）

カントリーマアム（贅沢バニラ）
内容量170g（16枚）

（株）不二家

小麦粉・砂糖・植物油脂・チョコレートチップ（乳成分を含む）・還元水あめ・卵・白ねりあん（乳成分を含む）・全脂大豆粉・水あめ・脱脂粉乳・食塩・卵黄（卵を含む）・全粉乳・乳等を主原料とする食品・バニラビーンズ／加工デンプン・乳化剤 ほか

8枚食べたら	408 kcal
たんぱく質	4.0 g
脂質	19.2 g
炭水化物	54.4 g
食塩相当量	0.4 g

（2022年8月現在）

オレオ（バニラクリーム）
内容量116g（6枚入り2パック）

モンデリーズ・ジャパン（株）

小麦粉・砂糖・植物油脂・ココアパウダー・コーンスターチ・食塩／膨張剤・乳化剤・香料・酸味料・酸化防止剤（V.C・V.E）・（一部に小麦・大豆を含む）

3枚食べたら	147 kcal
たんぱく質	1.6 g
脂質	6.4 g
炭水化物	20.8 g
食塩相当量	0.3 g

（2022年8月現在）

チョコパイ
内容量186g（6個）

（株）ロッテ

小麦粉（国内製造）・ショートニング・砂糖・水あめ・植物油脂・カカオマス・液卵・乳糖・全粉乳・脱脂粉乳・ホエイパウダー・ココアバター・乳等を主要原料とする食品・洋酒・食塩・でん粉・脱脂濃縮乳・還元水あめ・乾燥卵白・卵黄・乳たんぱく／ソルビトール・酒精・乳化剤（大豆由来）・膨張剤・加工でん粉・香料・増粘剤（セルロース・カラギーナン）

1個食べたら	156 kcal
たんぱく質	1.7 g
脂質	9.4 g
炭水化物	16.2 g
食塩相当量	0.1 g

（2022年11月現在）

歌舞伎揚
内容量132g（11枚）

（株）天乃屋

うるち米（国産・米国産）・植物油・砂糖・しょうゆ（小麦・大豆を含む）・果糖ぶどう糖液糖・調味エキス（大豆を含む）・食塩／加工でん粉（小麦由来）・調味料（アミノ酸等）・カラメル色素

3枚食べたら	183 kcal
たんぱく質	2.1 g
脂質	10.2 g
炭水化物	20.7 g
食塩相当量	0.6 g

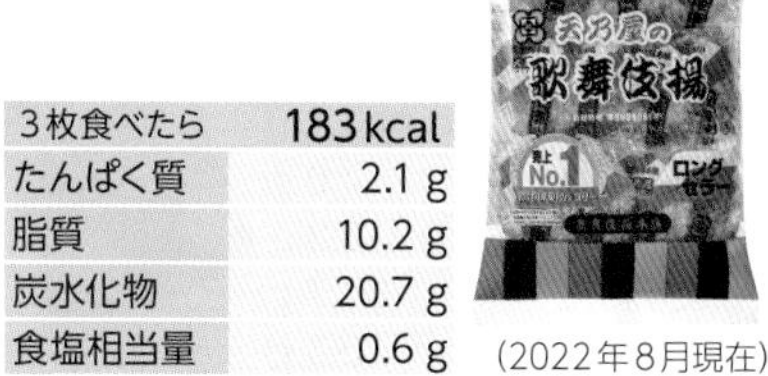
（2022年8月現在）

ぱりんこ
内容量102g（30枚程度）

三幸製菓（株）

米（米国産・国産・その他）・植物油脂・食塩・砂糖・粉末しょうゆ（小麦・大豆を含む）・香辛料／加工でん粉・調味料（アミノ酸等）・植物レシチン（大豆由来）

6枚食べたら	105 kcal
たんぱく質	1.0 g
脂質	5.4 g
炭水化物	12.9 g
食塩相当量	0.4 g

（2022年8月現在）

18枚ばかうけ（青のり）
内容量105g（2枚×9袋）

（株）栗山米菓

米（うるち米（国産・米国産）・うるち米粉（米国産・国産））・植物油脂・でん粉・しょう油（小麦・大豆を含む）・砂糖・醸造調味料・青のり・あおさ・焼のり・みりん・ペパーソース（食酢・唐辛子・食塩）／加工でん粉・調味料（アミノ酸等）

4袋食べたら	211 kcal
たんぱく質	2.8 g
脂質	8.4 g
炭水化物	31.2 g
食塩相当量	0.8 g

（2022年8月現在）

ふんわり名人 きなこ餅
内容量75g（4袋）

越後製菓（株）

植物油脂（国内製造）・もち米（国産）・砂糖・きなこ（北海道産大豆）・ぶどう糖・和三盆糖・食塩

1個装食べたら	103 kcal
たんぱく質	1.4 g
脂質	6.2 g
炭水化物	10.6 g
食塩相当量	0.1 g

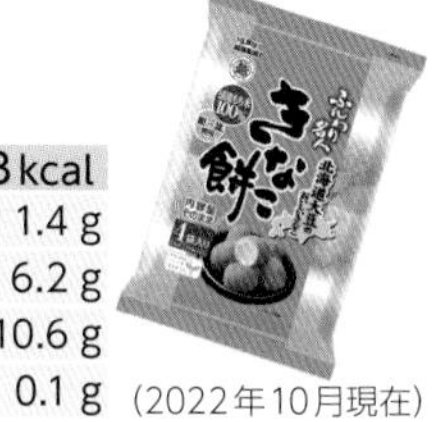
（2022年10月現在）

※パッケージは現在と異なる場合がある。

明治ミルクチョコレート

内容量50g

（株）明治

砂糖（外国製造）・カカオマス・全粉乳・ココアバター／レシチン・香料・（一部に乳成分・大豆を含む）

1枚食べたら	283 kcal
たんぱく質	3.8 g
脂質	18.4 g
糖質	24.5 g
食塩相当量	0.1 g

（2022年8月現在）

M&M's®

ミルクチョコレート シングル

内容量40g

マース ジャパン リミテッド

砂糖・カカオマス・脱脂粉乳・乳糖・ココアバター・植物油脂・乳脂肪・でん粉・水あめ・食塩・デキストリン／安定剤（アカシアガム）・乳化剤（大豆由来）・着色料（酸化チタン・黄5・赤40・黄4・青1）・光沢剤・香料・pH調整剤

1袋食べたら	191 kcal
たんぱく質	2.1 g
脂質	7.2 g
炭水化物	27.8 g
食塩相当量	0.1 g

（2022年8月現在）

小枝（ミルク）

内容量（4本入り11袋）

森永製菓（株）

砂糖（タイ製造）・植物油脂・乳糖・カカオマス・全粉乳・米パフ・小麦パフ・ホエイパウダー・アーモンド・脱脂粉乳・果糖／乳化剤（大豆由来）・香料

1袋食べたら	31 kcal
たんぱく質	0.34 g
脂質	1.8 g
炭水化物	3.4 g
食塩相当量	0.008 g

（2022年8月現在）

コアラのマーチ

（チョコレート）

内容量48g

（株）ロッテ

砂糖（国内製造又は外国製造）・小麦粉・植物油脂・カカオマス・でん粉・ショートニング・乳糖・全粉乳・液卵・ホエイパウダー・クリームパウダー・脱脂粉乳・食塩・ココアパウダー・ココアバター／炭酸Ca・膨脹剤・カラメル色素・乳化剤（大豆由来）・香料

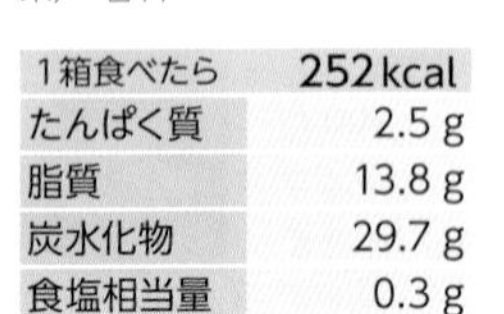

1箱食べたら	252 kcal
たんぱく質	2.5 g
脂質	13.8 g
炭水化物	29.7 g
食塩相当量	0.3 g

（2022年8月現在）

ミルキー

内容量108g（30粒程度）

（株）不二家

水あめ（国内製造）・加糖練乳・上白糖・生クリーム（乳成分を含む）・植物油脂・牛乳・食塩／乳化剤

5粒食べたら	75 kcal
たんぱく質	0.5 g
脂質	1.5 g
炭水化物	15.0 g
カルシウム	20.0 mg
食塩相当量	0.1 g

（2022年8月現在）

キシリクリスタル

（ミルクミント）

内容量71g（17粒程度）

春日井製菓販売（株）

還元麦芽糖水あめ（国内製造）・食用油脂・ハーブエキス・マルチトール／甘味料（キシリトール・ソルビトール）・香料・乳化剤・（一部に乳成分・大豆を含む）

5粒食べたら	50 kcal
たんぱく質	0 g
脂質	0.2 g
炭水化物	20.0 g
食塩相当量	0 g

（2022年8月現在）

三ツ矢サイダーキャンディ（アソート）

内容量108g（24粒程度）

アサヒグループ食品（株）

砂糖（国内製造）・水飴・植物油脂・ぶどう濃縮果汁・レモン濃縮果汁・みかん濃縮果汁／酸味料・重曹・香料・着色料（紅花黄・パプリカ色素）

5粒食べたら	90 kcal
たんぱく質	0 g
脂質	0～0.3 g
炭水化物	21.7 g
食塩相当量	0.3 g

（2022年9月現在）

ハイチュウ（ストロベリー）

内容量（12粒）

森永製菓（株）

水あめ（国内製造）・砂糖・植物油脂・ゼラチン・濃縮ストロベリー果汁・乳酸菌飲料（乳成分を含む）／酸味料・グリセリン・香料・乳化剤・アカキャベツ色素

1粒食べたら	19 kcal
たんぱく質	0.07 g
脂質	0.36 g
炭水化物	3.8 g
食塩相当量	0 g

（2022年8月現在）

メントス（グレープ）

内容量37.5g（14粒）

クラシエフーズ（株）

砂糖・水飴・植物油脂・濃縮グレープ果汁・でん粉・デキストリン・ココアバター／酸味料・香料・増粘剤（増粘多糖類・CMC）・乳化剤・光沢剤・ブドウ果皮色素

1製品当たり	144 kcal
たんぱく質	0 g
脂質	0.7 g
炭水化物	34.4 g
食塩相当量	0.04 g

（2022年8月現在）

果汁グミ（もも）

内容量51g

（株）明治

水あめ（国内製造）・砂糖・濃縮もも果汁・ゼラチン・植物油脂・でん粉／酸味料・ゲル化剤（ペクチン）・香料・光沢剤・（一部にもも・りんご・ゼラチンを含む）

1袋食べたら	169 kcal
たんぱく質	3.4 g
脂質	0 g
炭水化物	39.0 g
食塩相当量	0 g

（2022年8月現在）

ミンティア

（ワイルド&クール）

内容量7g（50粒）

アサヒグループ食品（株）

甘味料（ソルビトール・アスパルテーム・L-フェニルアラニン化合物）・香料・微粒酸化ケイ素・ショ糖エステル・クチナシ色素・（一部にゼラチンを含む）

10粒食べたら	5 kcal
たんぱく質	0 g
脂質	0～0.1 g
炭水化物	1.3 g
食塩相当量	0 g

（2022年8月現在）

クロレッツXP

（オリジナルミント）

内容量（14粒）

モンデリーズ・ジャパン（株）

マルチトール（中国製造又はタイ製造）・還元水飴・緑茶エキス／甘味料（ソルビトール・キシリトール・アスパルテーム・L-フェニルアラニン化合物・アセスルファムK）・ガムベース・香料・アラビアガム・マンニトール・レシチン・植物ワックス・着色料（銅葉緑素）・（一部に大豆を含む）

1粒食べたら	12 kcal
たんぱく質	0.01 g
脂質	0.01 g
炭水化物	1.0 g
キシリトール	0.0003 g

（2022年8月現在）

※パッケージは現在と異なる場合がある。

Bigプッチンプリン
内容量160g

江崎グリコ（株）

加糖練乳（国内製造）・砂糖・ローストシュガー・植物油脂・脱脂粉乳・生乳・バター・加糖卵黄・クリーム・濃縮にんじん汁・食塩・うるち米でん粉・こんにゃく粉・寒天／糊料（増粘多糖類）・香料・酸味料・（一部に卵・乳成分を含む）

1個食べたら	212 kcal
たんぱく質	2.8 g
脂質	9.8 g
炭水化物	28.1 g
食塩相当量	0.3 g

（2022年8月現在）

CREAM SWEETS コーヒーゼリー
内容量110g

雪印メグミルク（株）

糖類（砂糖・異性化液糖・水飴・ぶどう糖）・植物油脂・コーヒー・乳製品・ゼラチン・食塩／ゲル化剤（増粘多糖類）・香料・pH調整剤・乳化剤（一部に乳成分・ゼラチンを含む）

1個食べたら	129 kcal
たんぱく質	0.4 g
脂質	4.3 g
炭水化物	22.4 g
食塩相当量	0～0.1 g

（2022年8月現在）

フルティシエ ちょっと贅沢 ぶどう
内容量210g

マルハニチロ（株）

砂糖・異性化液糖（国内製造）・ぶどうシロップ漬・果糖・ぶどう濃縮果汁・ぶどう種子エキス／酸味料・ゲル化剤（増粘多糖類）・乳酸Ca・香料・乳化剤

1個食べたら	152 kcal
たんぱく質	0.1 g
脂質	0 g
炭水化物	37.8 g
食塩相当量	0.2 g

（2022年8月現在）

森永アロエヨーグルト
内容量118g

森永乳業（株）

アロエベラ（葉内部位使用）（タイ産）・生乳・乳製品・砂糖・乳たんぱく質／香料・増粘多糖類・酸味料

1個食べたら	101 kcal
たんぱく質	3.9 g
脂質	2.6 g
炭水化物	15.6 g
カルシウム	130 mg
食塩相当量	0.1 g

（2022年8月現在）

明治ブルガリアヨーグルト脂肪0（ブルーベリー＆3種のベリー）
内容量180g

（株）明治

乳製品（国内製造）・果肉（ブルーベリー・いちご）・砂糖・乳たんぱく質・果汁（ブルーベリー・アローニャ・カシス）・ゼラチン／加工デンプン・増粘多糖類・乳酸カルシウム・香料・酸味料・甘味料（ステビア）

1個食べたら	118 kcal
たんぱく質	7.7 g
脂質	0 g
炭水化物	21.9 g
カルシウム	231 mg
食塩相当量	0.2 g

（2022年8月現在）

アジア茶房 杏仁豆腐
内容量140g

雪印メグミルク（株）

糖類（水飴・砂糖・ぶどう糖）・乳製品（国内製造・スイス製造）・ココナッツオイル・杏仁霜・でん粉／ゲル化剤（増粘多糖類）・香料・乳化剤

1個食べたら	180 kcal
たんぱく質	3.8 g
脂質	6.7 g
炭水化物	26.5 g
食塩相当量	0.2 g

（2022年8月現在）

大きなツインシュー

山崎製パン（株）

カスタードクリーム（砂糖・水あめ・植物油脂・脱脂粉乳・卵・でん粉・小麦粉・乳たん白・食塩）（国内製造）・ホイップクリーム・卵・ファットスプレッド・生クリーム・小麦粉・砂糖・ミックス粉（小麦粉・米粉・ショートニング・小麦ふすま）・ラード・牛乳・バター／加工デンプン・グリシン・乳化剤・膨脹剤・増粘多糖類・リン酸塩（Na）・香料・pH調整剤・カロテノイド色素・V.C・（一部に乳成分・卵・小麦・大豆を含む）

1個食べたら	312 kcal
たんぱく質	4.8 g
脂質	21.9 g
炭水化物	24.0 g
食塩相当量	0.3 g

（2022年8月現在）

ハーゲンダッツ ミニカップ『バニラ』
内容量110mL

（アイスクリーム）

ハーゲンダッツ ジャパン（株）

クリーム（生乳（北海道））・脱脂濃縮乳・砂糖・卵黄／バニラ香料・（一部に乳成分・卵を含む）

1個食べたら	244 kcal
たんぱく質	4.6 g
脂質	16.3 g
炭水化物	19.9 g
食塩相当量	0.1 g

（2022年8月現在）

明治エッセル スーパーカップ超バニラ
内容量200mL

（ラクトアイス）

（株）明治

乳製品（国内製造又は外国製造）・植物油脂・砂糖・水あめ・卵黄・ぶどう糖果糖液糖・食塩／香料・アナトー色素・（一部に卵・乳成分を含む）

1個食べたら	374 kcal
たんぱく質	5.6 g
脂質	23.4 g
炭水化物	35.3 g
食塩相当量	0.2 g

（2022年8月現在）

アイスボックス（グレープフルーツ）（氷菓）
内容量135mL

森永製菓（株）

グレープフルーツ果汁（イスラエル製造）・異性化液糖・食塩／香料・酸味料・甘味料（スクラロース・アセスルファムK）・ビタミンC・ポリリン酸Na・カロテン色素

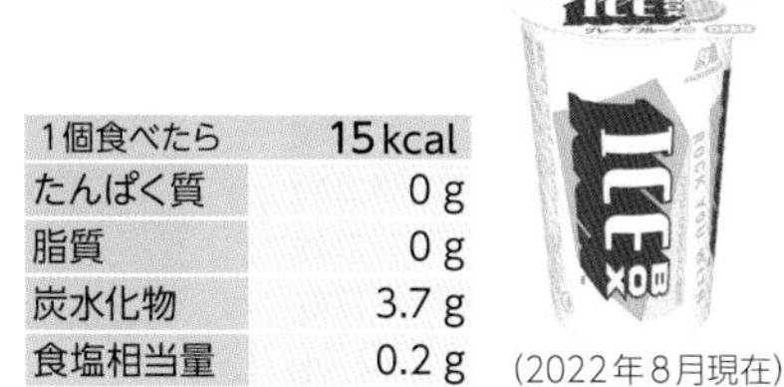

1個食べたら	15 kcal
たんぱく質	0 g
脂質	0 g
炭水化物	3.7 g
食塩相当量	0.2 g

（2022年8月現在）

ピノ
内容量60mL（6粒）

（アイスクリーム）

森永乳業（株）

乳製品（国内製造・オーストラリア製造・その他）・チョコレートコーチング・砂糖・水あめ／乳化剤・安定剤（増粘多糖類）・香料・（一部に乳成分・大豆を含む）

1箱食べたら	186 kcal
たんぱく質	2.4 g
脂質	12.0 g
炭水化物	17.4 g
食塩相当量	0.1 g

（2022年8月現在）

パピコ（チョココーヒー）
内容量160mL（2本）

（ラクトアイス）

江崎グリコ（株）

乳製品（国内製造・外国製造）・砂糖・果糖ぶどう糖液糖・生チョコレート・植物油脂・コーヒー・コーヒーペースト／安定剤（増粘多糖類・ゼラチン・寒天）・乳化剤・香料・（一部に乳成分・ゼラチンを含む）

1本食べたら	89 kcal
たんぱく質	1.7 g
脂質	3.8 g
炭水化物	12.1 g
食塩相当量	0.1 g

（2022年8月現在）

※パッケージは現在と異なる場合がある。

ペプシコーラ/ペプシBIG〈生〉ゼロ

内容量
490mL(ペプシコーラ)
600mL(ペプシBIG〈生〉ゼロ)

サントリー食品インターナショナル(株)

＊ペプシコーラ　糖類(果糖ぶどう糖液糖(国内製造)・砂糖)/炭酸・香料・酸味料・カラメル色素・カフェイン

＊ペプシBIG〈生〉ゼロ　食塩(国内製造)/炭酸・カラメル色素・酸味料・香料・クエン酸K・甘味料(アスパルテーム・L-フェニルアラニン化合物・アセスルファムK・スクラロース)・カフェイン

	ペプシコーラ	ペプシBIG〈生〉ゼロ
1本飲んだら	235kcal	0kcal
たんぱく質	0g	0g
脂質	0g	0g
炭水化物	58.3g	0g
食塩相当量	0g	0.1g

(2022年10月現在)

ニチレイ アセロラドリンク

内容量900mL

サントリー食品インターナショナル(株)

アセロラ・糖類(果糖ぶどう糖液糖・マルトオリゴ糖)・はちみつ/酸味料・香料・アントシアニン色素・甘味料(ステビア)・カロチノイド色素

200mL飲んだら	76kcal
たんぱく質	0g
脂質	0g
炭水化物	18.8g
ビタミンC	100～260mg
食塩相当量	0.1g

(2022年10月現在)

午後の紅茶(ストレートティー/レモンティー/ミルクティー)

内容量500mL

キリンビバレッジ(株)

＊ストレートティー　砂糖類(果糖ぶどう糖液糖・砂糖)・紅茶(ディンブラ20%)/香料・ビタミンC

＊レモンティー　砂糖類(果糖ぶどう糖液糖(国内製造)・砂糖)・紅茶(ヌワラエリア15%)・レモン果汁/酸味料・香料・ビタミンC

＊ミルクティー　牛乳(生乳(国産))・砂糖・紅茶(キャンディ20%)・全粉乳・脱脂粉乳・デキストリン・食塩/香料・乳化剤・ビタミンC

	ストレートティー	レモンティー	ミルクティー
1本飲んだら	80kcal	140kcal	190kcal
たんぱく質	0g	0g	3.0g
脂質	0g	0g	0～5.0g
炭水化物	20.0g	35.0g	39.0g
カリウム	50mg	35mg	175mg
リン	—	—	70mg
食塩相当量	0.1g	0.1g	0.4g

(2022年8月現在)

生茶

内容量525mL

キリンビバレッジ(株)

緑茶(国産)・生茶葉抽出物(生茶葉(国産))/ビタミンC

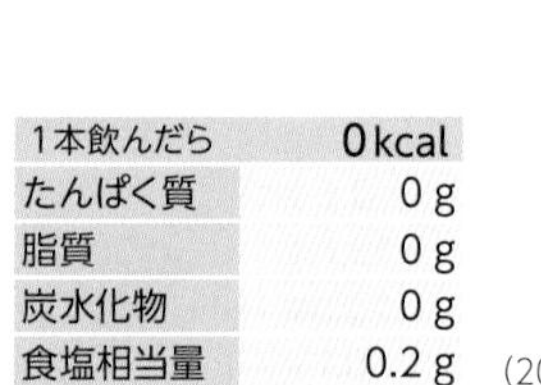

1本飲んだら	0kcal
たんぱく質	0g
脂質	0g
炭水化物	0g
食塩相当量	0.2g

(2022年8月現在)

ボス

(贅沢微糖/無糖ブラック/カフェオレ)

内容量185g

サントリー食品インターナショナル(株)

＊贅沢微糖　牛乳(国内製造)・コーヒー・砂糖・乳製品・デキストリン/カゼインNa・乳化剤・香料・甘味料(アセスルファムK)

＊無糖ブラック　コーヒー(コーヒー豆(ブラジル・エチオピア・その他))

＊カフェオレ　牛乳(国内製造)・砂糖・コーヒー・脱脂粉乳・クリーム・全粉乳・デキストリン/カゼインNa・乳化剤・香料・安定剤(カラギナン)

	贅沢微糖	無糖ブラック	カフェオレ
1缶飲んだら	37kcal	0kcal	81kcal
たんぱく質	0～2.6g	0g	0.9～2.8g
脂質	0～1.9g	0g	0.9～2.8g
炭水化物	6.5g	0～1.9g	15.4g
食塩相当量	0.2g	0.1g	0.2g

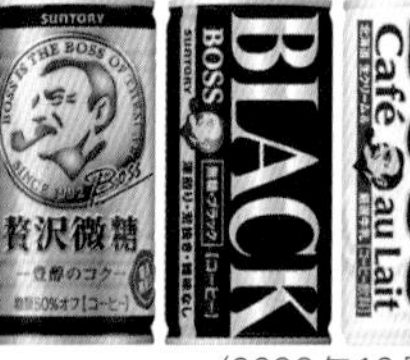

(2022年10月現在)

ポカリスエット

内容量500mL

大塚製薬(株)

砂糖(国内製造)・果糖ぶどう糖液糖・果汁・食塩/酸味料・香料・塩化K・乳酸Ca・調味料(アミノ酸)・塩化Mg・酸化防止剤(ビタミンC)

1本飲んだら	125kcal
たんぱく質	0g
脂質	0g
炭水化物	31.0g
カリウム	100mg
カルシウム	10mg
マグネシウム	3.0mg
食塩相当量	0.6g

(2022年8月現在)

トロピカーナ

(100%アップル)

内容量
250mL

キリンビバレッジ(株)

りんご(中国)/香料・酸化防止剤(ビタミンC)

1パック飲んだら	112kcal
たんぱく質	0g
脂質	0g
炭水化物	28.0g
食塩相当量	0g

(2022年8月現在)

野菜生活100 オリジナル

内容量
200mL

カゴメ(株)

野菜(にんじん(輸入又は国産(5%未満))・小松菜・ケール・ブロッコリー・ピーマン・ほうれん草・アスパラガス・赤じそ・だいこん・はくさい・セロリ・メキャベツ(プチヴェール)・紫キャベツ・ビート・たまねぎ・レタス・キャベツ・パセリ・クレソン・かぼちゃ)・果実(りんご・オレンジ・レモン)　ほか

1パック飲んだら	68kcal
たんぱく質	0.8g
脂質	0g
炭水化物	16.9g
カルシウム	2～63mg
カリウム	140～590mg
食塩相当量	0～0.3g

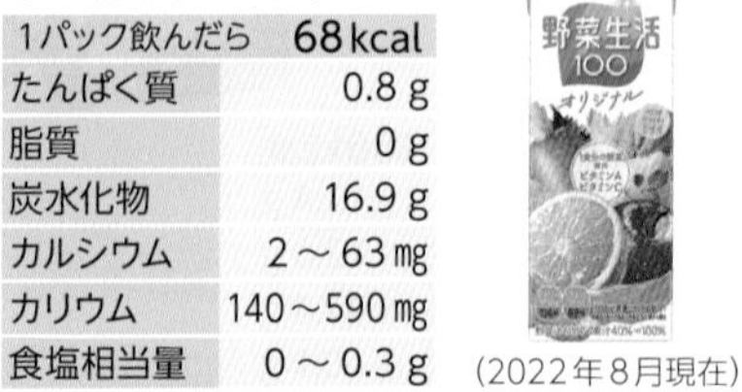

(2022年8月現在)

健康ミネラルむぎ茶

内容量
650mL

(株)伊藤園

大麦(カナダ・オーストラリア・その他)・飲用海洋深層水・麦芽/ビタミンC

1本飲んだら	0kcal
たんぱく質	0g
脂質	0g
炭水化物	0g
カリウム	78.0mg
リン	8mg
マグネシウム	3mg
食塩相当量	0.2g

(2022年11月現在)

※パッケージは現在と異なる場合がある。

クラッシュタイプの蒟蒻畑 ライト（ぶどう味）

内容量150g

（株）マンナンライフ

果糖ぶどう糖液糖（国内製造）・難消化性デキストリン・エリスリトール・果汁（ぶどう・ブルーベリー）・洋酒・果糖・こんにゃく粉／ゲル化剤（増粘多糖類）・酸味料・乳酸Ca・香料・甘味料（スクラロース）

150g食べたら	39 kcal
たんぱく質	0 g
脂質	0 g
糖質	12.8 g
食物繊維	6.7 g
食塩相当量	0.12 g

（2022年11月現在）

DHA入り リサーラソーセージ

内容量50g×3本

マルハニチロ（株）

魚肉（輸入）・結着材料（でん粉（コーンスターチ）・植物性たん白（小麦・大豆））・ゼラチン）・DHA含有精製魚油・たまねぎ・食塩・砂糖・香辛料／調味料（アミノ酸等）・くん液・着色料（クチナシ・カロチノイド）・酸化防止剤（V.E）・（一部に小麦・大豆・ゼラチンを含む）

1本食べたら	88 kcal
たんぱく質	5.2 g
脂質	4.8 g
炭水化物	5.9 g
食塩相当量	0.9 g

（2022年8月現在）

ピュアセレクト® サラリア®

内容量210g

味の素（株）

食用植物油脂（菜種油（国内製造）・コーン油）・植物ステロールエステル（大豆を含む）・卵・水あめ・醸造酢・食塩・香辛料・濃縮レモン果汁／調味料（アミノ酸）

15g食べたら	110 kcal
たんぱく質	0.2 g
脂質	11.0 g
炭水化物	0.5 g
食塩相当量	0.3 g

（2022年8月現在）

三ツ矢サイダー W

内容量485mL

アサヒ飲料（株）

食物繊維（難消化性デキストリン）（アメリカ製造又は韓国製造）／炭酸・香料・酸味料・甘味料（アセスルファムK・ステビア）

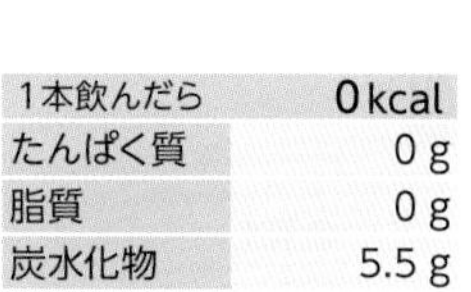

1本飲んだら	0 kcal
たんぱく質	0 g
脂質	0 g
炭水化物	5.5 g
食塩相当量	0.1～0.3 g

（2022年8月現在）

キシリトールガム 〈ライムミント〉ファミリーボトル

内容量143g

（株）ロッテ

マルチトール（外国製造）／甘味料（キシリトール・アスパルテーム・L-フェニルアラニン化合物）・ガムベース・香料・増粘剤（アラビアガム）・光沢剤・リン酸一水素カルシウム・フクロノリ抽出物・着色料（紅花黄・クチナシ）ヘスペリジン・（一部にゼラチンを含む）

7粒食べたら	19.5 kcal
たんぱく質	0 g
脂質	0 g
炭水化物	7.8 g
食塩相当量	0 g

（2022年8月現在）

ファイブミニ

内容量100mL

大塚製薬（株）

糖類（砂糖・ぶどう糖果糖液糖・オリゴ糖）・ポリデキストロース（アメリカ製造）／ビタミンC・炭酸・酸味料・香料・トマト色素・調味料（アミノ酸）

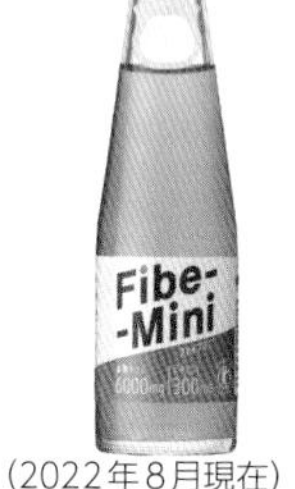

1本飲んだら	50 kcal
たんぱく質	0 g
脂質	0 g
糖質	12.5 g
食物繊維	6.0 g
ビタミンC	300 mg
食塩相当量	0 g

（2022年8月現在）

ヘルシアウォーター（グレープフルーツ味）

内容量500mL

花王（株）

マルトデキストリン（国内製造）・茶抽出物（茶カテキン）・はちみつ・食塩／環状オリゴ糖・香料・クエン酸・クエン酸Na・ビタミンC・塩化K・甘味料（アセスルファムK・スクラロース）・紅花色素・ホップ抽出物

1本飲んだら	53 kcal
たんぱく質	0 g
脂質	0 g
炭水化物	13.3 g
カリウム	73 mg
食塩相当量	0.7 g

（2022年8月現在）

伊右衛門 特茶

内容量500mL

サントリー食品インターナショナル（株）

緑茶（国産）／酵素処理イソクエルシトリン・ビタミンC

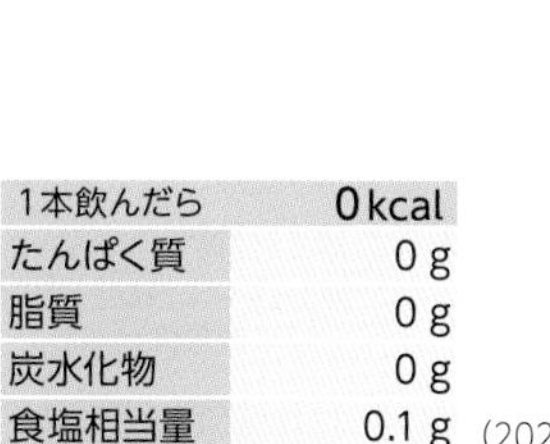

1本飲んだら	0 kcal
たんぱく質	0 g
脂質	0 g
炭水化物	0 g
食塩相当量	0.1 g

（2022年10月現在）

ヘルシーリセッタ

内容量600g

日清オイリオグループ（株）

食用精製加工油脂（国内製造）／乳化剤・酸化防止剤（ビタミンE）

14g食べたら	126 kcal
たんぱく質	0 g
脂質	14.0 g
炭水化物	0 g
食塩相当量	0 g
中鎖脂肪酸	1.6 g

（2022年8月現在）

ビヒダス プレーンヨーグルト

内容量400g

森永乳業（株）

生乳（国産）・乳製品

100g食べたら	65 kcal
たんぱく質	3.7 g
脂質	3.1 g
炭水化物	5.5 g
カルシウム	120 mg
食塩相当量	0.1 g

（2022年8月現在）

メッツ コーラ

内容量480mL

キリンビバレッジ（株）

難消化性デキストリン（食物繊維）（韓国製造又はアメリカ製造）／炭酸・カラメル色素・香料・酸味料・甘味料（アスパルテーム・L-フェニルアラニン化合物・アセスルファムK・スクラロース）・グルコン酸Ca・カフェイン

1本飲んだら	0 kcal
たんぱく質	0 g
脂質	0 g
糖質	1.3 g
食物繊維	5.4 g
食塩相当量	0 g

（2022年8月現在）

ナタデココ ヨーグルト味

内容量280g

（株）伊藤園

果糖ぶどう糖液糖（国内製造）・はっ酵乳・ナタデココ・水溶性食物繊維／安定剤（ペクチン）・香料・酸味料・ビタミンC

1本飲んだら	134 kcal
たんぱく質	0 g
脂質	0 g
炭水化物	38.4 g
食塩相当量	0.1 g

（2022年8月現在）

❶ 食品の表示と選択（1）

食品の表示例

食品の表示は、複雑であるが、どれも食品の特性を示すために重要なものである。

加工食品

❶名称、❷原材料名、❸食品添加物、❹原料原産地名、❺内容量、❻期限表示、❼保存方法、❽製造者、❾栄養成分表示の９つの項目を必ず表示。

❺内容量　重量で表示する方法の他に、「1食」など内容数量による表示が可能。この場合、外見上明らかなものは省略が可能。

❶名称
「品名」でもよい。

❻期限表示
消費期限または、賞味期限を必ず記載する（➡p.367 1）。

❼保存方法

❾栄養成分表示
（➡p.367 2）

❽製造者（輸入品の場合は輸入者）の氏名（名称）と住所。

❷原材料名
重量の割合が多いものから順に表示。

❹原料原産地名
一番多い原材料。

アレルギー物質の表示（➡p.367 3）。

❸食品添加物（➡p.368 1）
／などで原材料と区別。

名 称：鯛めし弁当
内容量　1盛
消費期限　23.7.28 午前2時
保存方法：10℃以下で保存
お早めにお召し上がりください

1食当り		
エネルギー 513kcal	たんぱく質 30.6g	
脂質 15.8g	炭水化物 63.7g	食塩相当量 2.4g

（株）○○○○○
埼玉県新座市□□□□□□

鯛飯【米（国内産）】、煮〆（南瓜、こんにゃく、人参、昆布、その他）、揚げだし豆腐鶏そぼろあん、鶏肉団子たれ付、玉子焼、うずら豆煮、菜の花、味付いくら、その他／調味料（アミノ酸等）、増粘多糖類、着色料（カラメル、カロチン、クチナシ）、ソルビット、リン酸塩（Na）、膨張剤、酢酸Na、ビタミンB_1（一部に小麦・卵・乳成分を含む）
アレルギー表示：特定原材料７品目対象

生鮮食品（水産物）

生鮮食品のうち水産物は、❶名称、❷原産地の他、❸解凍、❹養殖のものはその表示も必要。

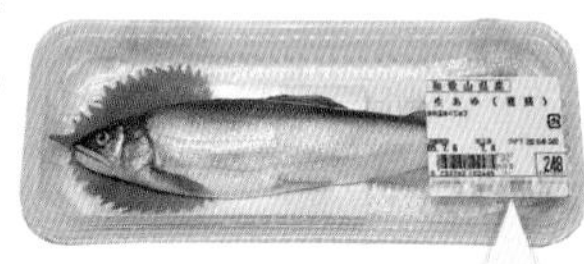

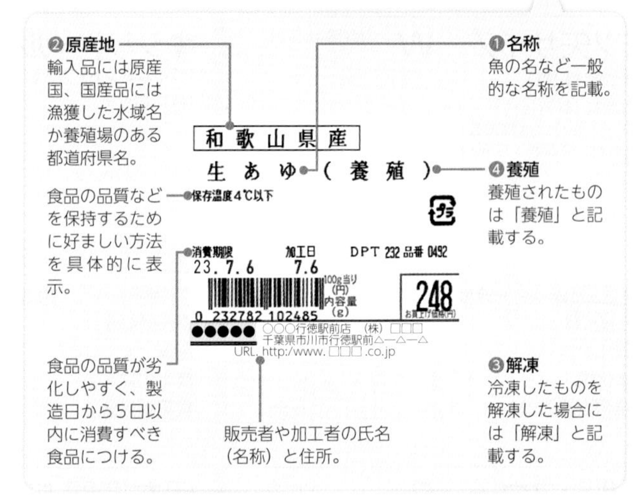

食品表示に関する法律

2015年施行の食品表示法は、JAS法（品質）、食品衛生法（食品安全の確保）、健康増進法（栄養表示等）の3つの法律を統合したもので、経過措置期間を経て、2020年から全ての食品に適用されている。

なお、機能性表示食品制度（➡p.369）も、この新法のもとで導入された。

主な変更

- 加工食品の栄養表示の義務化（➡p.367）。
- アレルギー表示をより安全にわかりやすい表示方法に。
- 原材料と添加物の間を明確に区分をつけて表示。

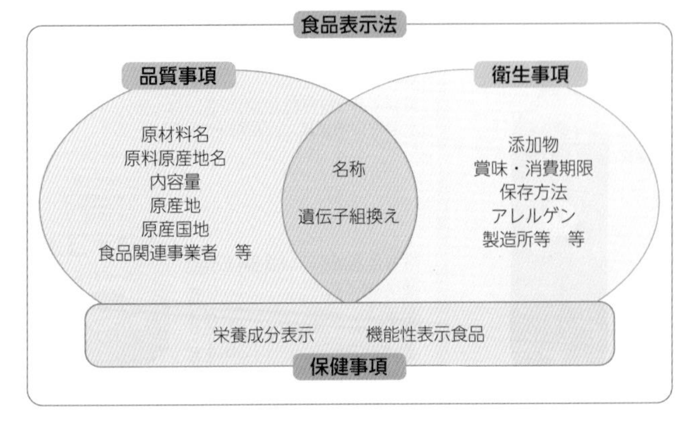

原料原産地表示制度

2017年9月1日から、食品表示基準の一部が改正され、新たな加工食品の原料原産地表示制度がスタートした。2022年4月までに表示は完全に切り替わり、全ての加工食品※に対し、原材料の産地が表示される。

※外食や、容器包装に入れずに販売する場合、作ったその場で販売する場合及び輸入品は対象外。

産地が表示されるもの

全ての加工食品の一番多い原材料

表示方法

❶国別重量順表示
原産地が2つ以上ある場合、製品に占める重量割合の高いものから順に表示される。3つ以上の場合は、3か国目以降は「その他」と表示される場合もある。

●一番多い原材料が生鮮食品の場合は原産地を表示

（例）

名称	ウインナーソーセージ
原材料名	豚肉（アメリカ産、国産）、豚脂肪…

●一番多い原材料が加工食品の場合は製造地を表示

（例）

名称	チョコレートケーキ
原材料名	チョコレート（ベルギー製造）、小麦粉…

❷又は表示　（例）豚肉（アメリカ産又は国産）
❸大くくり表示　（例）豚肉（輸入）

さまざまな表示

■ 1. 消費期限と賞味期限

●消費期限

弁当やパンなど劣化が速い食品（5日程度）に記載される。この期間を過ぎると衛生上問題が起こる可能性が高い。

●賞味期限

缶詰やスナック菓子など品質が比較的長く保持される食品につけられる。期限が過ぎてもすぐに食べられなくなるわけではない。

パンの消費期限

ゼリーの賞味期限

■ 2. 栄養成分の表示

❶表示事項

義務表示は5項目（エネルギー、たんぱく質、脂質、炭水化物、ナトリウム（食塩相当量で表示※）の順）、推奨表示は2項目（飽和脂肪酸、食物繊維）。

※食塩相当量（g）＝ナトリウム量（g）×2.54

●表示例（牛乳）

栄養成分表示 1本（200mL）当たり	
熱量	140kcal
たんぱく質	7g
脂質	8g
炭水化物	10g
食塩相当量	0.2g
カルシウム	227mg

表示が義務づけられている栄養成分以外の成分が、表示されていることもある。

❷強調表示

健康の保持増進に関わる栄養成分を強調する表示は、基準を満たした食品だけに使われる。表現に惑わされず、きちんと栄養成分表示を見て確認しよう。

		補給ができる旨の表示			適切な摂取ができる旨の表示			
強調表示の種類		高い	含む	強化された		含まない	低い	低減された
表現例		• 高○○ • ○○豊富	• ○○源 • ○○供給 • ○○含有	• ○○30%アップ • ○○2倍		• 無○○ • ○○ゼロ • ノン○○	• 低○○ • ○○控えめ • ○○ライト	• ○○30%減 • ○○gオフ • ○○ハーフ
基準値に対して		• 基準値以上であること		• 基準値以上であること • 比較対象品との相対差が25%以上		• 基準値未満であること		• 基準値以上であること • 比較対象品との相対差が25%以上
栄養成分及び熱量の基準値※1	たんぱく質	16.2 (8.1g)	8.1g (4.1g)		熱量	5kcal (5kcal)	40kcal (20kcal)	
	食物繊維	6g (3g)	3g (1.5g)		脂質	0.5g※2 (0.5g)	3g (1.5g)	
	カルシウム	204mg (102mg)	102mg (51mg)	68mg (68mg)	糖質	0.5g (0.5g)	5g (2.5g)	
該当する栄養成分		たんぱく質、食物繊維、亜鉛、カリウム、カルシウム、鉄、銅、マグネシウム、ナイアシン、パントテン酸、ビオチン、ビタミンA･B1･B2･B6･B12･C･D･E･K及び葉酸			熱量、脂質、飽和脂肪酸、コレステロール、糖質、ナトリウム			

※1 食品100g当たりの基準値。（ ）内は、一般に飲用に供する液状の食品100mL当たりの場合。
※2 ドレッシング゛調味料（いわゆるノンオイルドレッシング）について、脂質の「含まない旨の表示」については「0.5g」を「3g」とする。

■ 3. アレルギー物質を含む食品の原材料表示

ある食べ物を食べたとき、じんましん、下痢・嘔吐、せきや呼吸困難、くしゃみといった症状が出る場合は、食物アレルギーの可能性がある。生命を脅かすほど重症化する場合もある（アナフィラキシー）。表示としては、必ず表示する8種類と、表示が奨励されている20種類の食物がある。

●表示が義務化された8品目と推奨された20品目

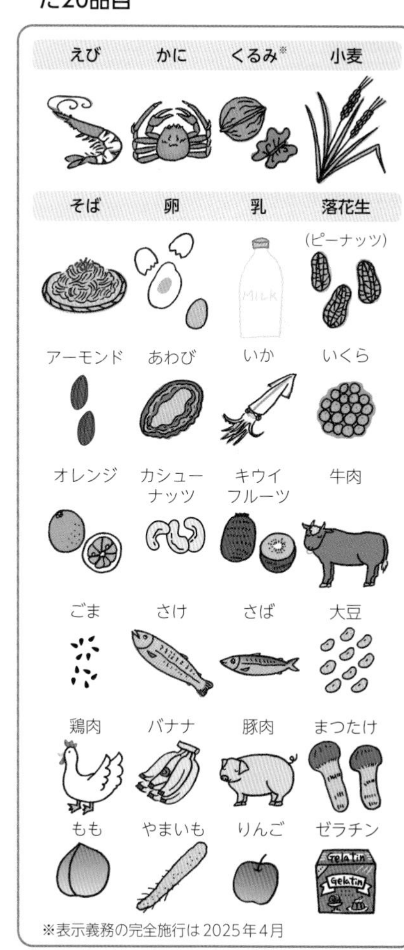

ジュールとカロリーの関係

輸入食品を買って栄養成分表示を見ると、エネルギーの数値が大きくて驚き、よく見たら「ジュール」だったことはないだろうか。なじみ深い「カロリー」は、ラテン語の熱が語源である。1calは、大まかには、水1gを1℃上げるのに必要な熱量。「ジュール」は、イギリスの物理学者の名に由来する。1Jは、物体を1N（ニュートン）の力で1m動かすときの仕事で、およそ100gの物体を1m持ち上げるのに必要なエネルギーである。

1948年の国際度量衡総会以降、アメリカ以外の国々では、ジュール表記もしくはカロリーとの併記が多い。日本では、卵1個、魚一切れ、豆腐半丁などが概ね80kcalなので、それを1単位として計算しやすく工夫した栄養指導が定着していたこともあり、カロリー表記が一般的である。日本食品標準成分表においても、kcalによる数値と、1kcal=4.184kJの換算によるkJによる数値が併記されている。

1kcal＝4.184kJ

表示例

	Per 100g	1 (▭) = 6.25g
Energy	2021 kJ/481 kcal	126 kJ/30 kcal
Protein	4.9g	0.3g
Fat	19.0g	1.2g
Carbohydrate	72.6g	4.5g
Sodium	0.37g	0.02g

❷ 食品の表示と選択（2）

食品添加物

1. どのように使われているか

食品添加物はおもに加工食品に用いられ、❶長期間の保存が可能になる、❷味をよくする、❸コストが安くすむ、などのメリットがある。しかし、単品の摂取については専門家の安全評価は受けている一方、複数の添加物を摂取した場合の複合作用については明らかになっていない。

種類	舌触り・歯触り			変質・腐敗防止		
	増粘剤・安定剤・ゲル化剤または糊料	乳化剤	膨張剤	保存料	酸化防止剤	防かび剤
おもな物質名	アルギン酸ナトリウム、メチルセルロース	グリセリン脂肪酸エステル	炭酸水素ナトリウム、ミョウバン	ソルビン酸、安息香酸ナトリウム	L-アスコルビン酸、エルソルビン酸ナトリウム	ジフェニル、オルトフェニルフェノール
使用目的	粘性の増強、安定化、ゲル化	水と油の乳化	材料の膨張	食品の腐敗防止	脂質の酸化防止	かびの発生を防止
おもな食品	アイスクリーム、プリン、ドレッシング	マーガリン、乳製品、菓子類	ビスケット、スポンジケーキ、クッキー	チーズ、魚肉ねり製品、しょうゆ	果実加工品、そう菜、農産物缶詰	かんきつ類、バナナ

種類	色			味			香り	栄養強化
	着色料	発色剤	漂白剤	甘味料	酸味料	調味料	香料	強化剤
おもな物質名	クチナシ黄色素、食用黄色4号	亜硝酸ナトリウム	次亜塩素酸ナトリウム	キシリトール、アスパルテーム	クエン酸、乳酸	グルタミン酸ナトリウム	オレンジ香料、バニリン	ビタミンA・B、炭酸カルシウム
使用目的	色の強化、色調の調節	色素の固定と発色	脱色および着色抑制	甘味の強化	酸味の強化	味の強化	香りの強化	栄養素の強化
おもな食品	めん類、菓子類、漬物	ソーセージ、ハム、いくら	かんぴょう、生食用野菜類、乾燥果実	ガム、ジャム、清涼飲料水	清涼飲料水、ジャム、ゼリー	うま味調味料、しょうゆ、みそ	ガム、ジュース、チョコレート	パン、菓子類、米

2. 指定添加物数の推移

食品添加物のうち指定添加物は厚生労働大臣が定めており、その他の製造・輸入・使用・販売は禁止されている。指定添加物以外には、既存添加物、天然香料、一般飲食物添加物が定められている。

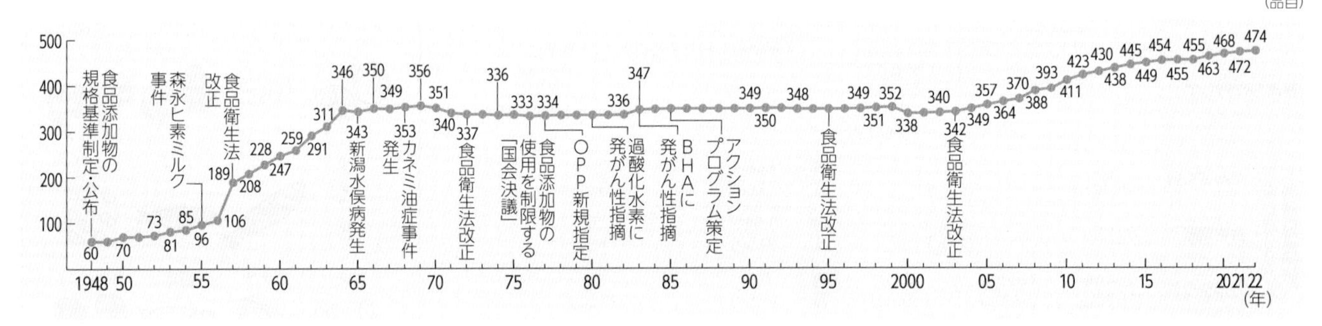

あなたはどちらのハムを買う？

業界に「プリンハム」なる用語があります。響きは一見可愛らしいのですが、要は水を肉の中で固めたハムということです。(略) ハムの原料はもちろん豚肉ですが、たとえば100キロの豚肉のかたまりから120～130キロのハムをつくるのです。では、増えた20キロは何か？ もちろん「つなぎ」で増量させているのです。増量させるために一番安くて便利なのは「水」です。しかし水をそのまま入れ込んだのでは肉がグチャグチャになってどうしようもない。そこで加熱すると固まる「ゼリー」を使用するのです。(略) 増量した分だけ、色や弾力を持たせるために、添加物も余計に入れなければなりません。

(安部司『食品の裏側』東洋経済新報社)

名称	ロースハム（スライス）
原材料名	豚ロース肉、還元水あめ、卵たん白、植物性たん白、食塩、ポークブイヨン、昆布エキス、たん白加水分解物/リン酸塩（Na）、増粘多糖類、調味料（アミノ酸等）、酸化防止剤（ビタミンC）、発色剤（亜硝酸Na）、カルミン酸色素、香辛料抽出物、（一部に卵・乳成分・大豆・豚肉を含む）
内容量	40g
賞味期限	表面上部に記載
保存方法	冷蔵（10℃以下）で保存してください。
製造者	株式会社○○○○○ 東京都渋谷区□□□□□

160g（4枚×4パック）で288円（100gあたり180円）※

名称	ロースハム（スライス）
原材料名	豚ロース肉（国産）、卵たん白、還元水あめ、食塩、乳たん白、酵母エキス、たん白加水分解物/香辛料抽出物、（一部に乳成分・卵・豚肉を含む）
内容量	58g
賞味期限	表面下部に記載しています。
保存方法	10℃以下で保存してください。
製造者	○○○○○（株） 長野県□□□□□

58g（4枚）で328円（100 gあたり566円）※

※ユニットプライスという一定量あたりの単位価格のこと。

解説

食品添加物は、加工に必要なもの以外に、外観のため含まれている場合もある。食品添加物が少ないが価格が高い食品を選ぶか、多いが価格が安い食品を選ぶかは、消費者の選択にまかされる。

■ 3. 表示が免除される添加物

❶加工助剤

定義 食品の加工の際に使用されるが、(1)完成前に除去されるもの、(2)その食品に通常含まれる成分に変えられ、その量を明らかに増加されるものではないもの、(3)食品に含まれる量が少なく、その成分による影響を食品に及ぼさないもの。

例 プロセスチーズ製造時に、炭酸水素ナトリウム(重曹)を使用する場合。

❷キャリーオーバー

定義 原材料の加工の際に使用されるが、次にその原材料を用いて製造される食品には使用されず、その食品中には原材料から持ち越された添加物が効果を発揮することができる量より少ない量しか含まれていないもの。

例 せんべいの味付け用に、安息香酸(保存料)を使用したしょうゆを用いる場合。

❸栄養強化

定義 食品の常在成分であり、諸外国では食品添加物とみなしていない国も多くFAO/WHOでも食品添加物として扱っていない。

例
- ビタミンA、βカロテン等のビタミン類
- 塩化カルシウム、乳酸鉄等のミネラル類
- L-アスパラギン酸ナトリウム、L-バリン等のアミノ酸類

■ 4. 避けたい添加物

- 発色剤…亜硝酸ナトリウム
- 甘味料…サッカリン、サッカリンナトリウム
- 着色料…赤色2号、赤色2号アルミニウムレーキ
- 防かび剤…OPP、TBZ

(小若順一『新食べるな危険』講談社)

解説

コチニール色素を使用している国は多いが、日本では消費者庁が、アレルギー反応を起こす可能性があるとして注意を喚起している。また、防かび剤とあわせて摂取すると毒性の物質に変わるといわれているものや、他の添加物とあわせて摂取すると発がん性物質に変わるといわれているものもある。原材料表示をよく見て買うよう心がけよう。

食品添加物の安全性

コーデックス(CODEX)は、1962年に、国連の専門機関である国連食糧農業機関(FAO)と世界保健機関(WHO)が合同で、国際的な食品規格を策定するための組織として設立した。ここで策定された規格は、コーデックス食品規格という。食品添加物についても使用基準を定めているが、強制的な拘束力はないため、すべての国で使用基準が一致しているわけではない。いったん認可され市場に出回った後に禁止されたものもある。輸入食品を食べる機会の多い現代では、正しい情報の収集と判断が重要である。

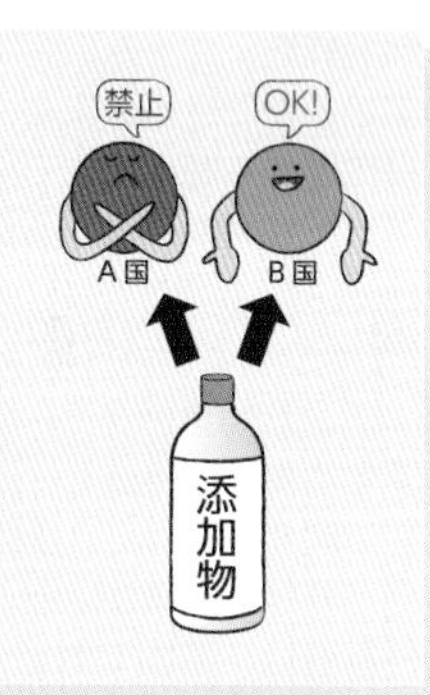

保健機能食品や特別用途食品の選択

保健機能食品

保健機能食品とは、消費者庁が審査し効果に一定の科学的根拠があると認めた**特定保健用食品**、栄養成分の補給・補完を目的にした**栄養機能食品**と、新しく位置づけられた**機能性表示食品**をあわせた名称で、保健機能食品制度のなかに位置づけられている。

栄養機能食品

身体の健全な成長、発達、健康の維持に必要な栄養成分の補給・補完を目的に利用する製品。13種類のビタミン(Aなど)、6種類のミネラル(鉄など)、n-3系脂肪酸の含有量が国の基準を満たしている製品には、定められた栄養機能表示をつけ(マークはなし)、国への届け出や審査を受けなくても販売できる。

一般食品
- 保健機能食品
  - 栄養機能食品
  - 機能性表示食品
- 特定保健用食品
- 特別用途食品
  - 病者用食品
  - 妊産婦、授乳婦用粉乳
  - 乳児用調製乳
  - えん下困難者用食品

いわゆる健康食品
- 栄養補助食品 ●サプリメント など

特別用途食品

特別用途食品とは、乳児、幼児、妊産婦、病者などの発育、健康の保持・回復などに適するという特別の用途のためにつくられたもの。消費者庁長官の許可を受けたものにはマークが表示されている。**特定保健用食品**も含む。

乳児用調製粉乳

機能性表示食品

アルコール類を除くすべての食品が対象。保健機能食品の1つとして新たに分類された。

事業者が、健康に与える効果を消費者庁に届けるだけで、「体にどうよいのか」を表示できる。トクホのような国の事前審査はない。事業者側のハードルが一方的に下げられることで、商品リスクは消費者が負うことになるのではないか、という懸念の声もある。

[特徴]

❶「機能性表示食品」と表示。
❷届出番号を表示。消費者庁のWebページで、安全性や機能性の根拠に関する情報が確認可能。
❸科学的根拠を元にした機能性について、消費者庁長官に届け出た内容を表示。
❹「消費者庁長官の個別審査を受けたものではない」と明記する必要がある。

●サプリメント

サプリメントは、「薬」と混同しがちだが、「食品」である。不規則な生活などで不足しがちな栄養素を手軽に摂取できるというメリットはあるが、同じビタミンCでも食物からとるものと、サプリメントからとるものはまったく同じ成分ではない。また、サプリメントによっては特定の栄養素だけを過剰にとりやすいため、過剰症には気をつけたい。あくまでも1日3食の食事が基本であり、サプリメントは補助的に利用しよう。

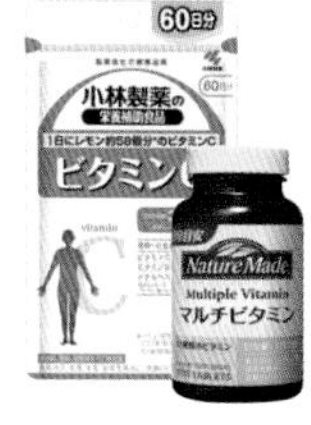

サプリメント

特定保健用食品(トクホ)

「カルシウムの吸収を高める食品」「食物繊維を含む食品」など、特定の保健の目的が期待できることを表示した食品であり、身体の生理学的機能などに影響を与える保健機能成分を含んでいる。個々の製品ごとに消費者庁長官の許可が必要であり、許可されたものには、マークが表示されている。

❸ 食品の表示と選択（3）

ゲノム編集食品

■ 1. 品種改良・ゲノム編集・遺伝子組換えの違い

ゲノム（genome）とは、遺伝子（gene）と染色体（chromosome）から合成された言葉で、ＤＮＡの遺伝情報すべてのことである。遺伝子組換えとは、特定の遺伝子を挿入する技術で、ゲノム編集とは、遺伝子を切ったり繋げたりする（編集する）技術である。ゲノム編集は、自然界でごく普通に起きている放射線や紫外線などによる突然変異を、ゲノムの特定の部位で起こすことができる。また、従来の品種改良に比べて商用化までにかかる時間やコストが大幅に下がる。

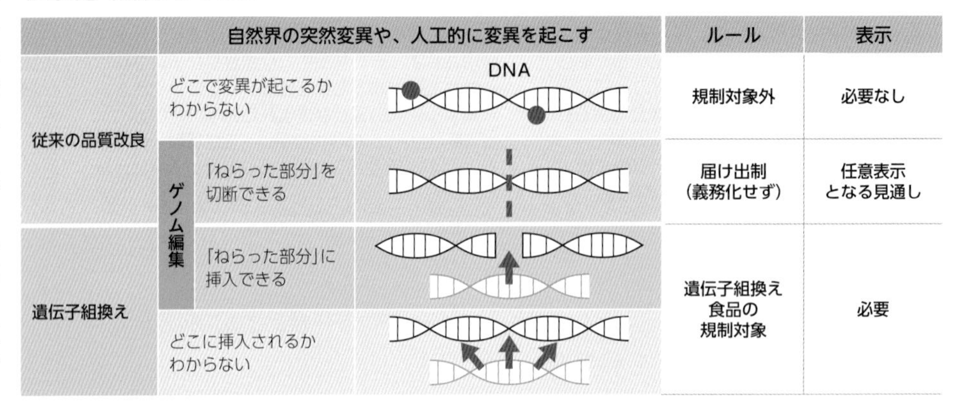

		自然界の突然変異や、人工的に変異を起こす		ルール	表示
従来の品質改良		どこで変異が起こるかわからない	DNA	規制対象外	必要なし
	ゲノム編集	「ねらった部分」を切断できる		届け出制（義務化せず）	任意表示となる見通し
遺伝子組換え		「ねらった部分」に挿入できる		遺伝子組換え食品の規制対象	必要
		どこに挿入されるかわからない			

■ 2. ゲノム編集食品の届け出制度開始（2019年10月1日）

ゲノム編集のうち、遺伝子を壊して特定の機能をなくした食品は、安全性審査は不要で、届け出のみで販売できるが、別の遺伝子を挿入して開発したゲノム編集食品については、これまでの遺伝子組換え食品と同様の審査が必要となる。輸入食品も同様のルールである。安全性審査は、各国で対応が異なっており、日米は同じだが、EUは遺伝子組換え食品と同じ規則を適用している。

ゲノム編集食品の開発者らは、技術の詳細や情報（食品に有害物質が含まれないこと、外来遺伝子が残っていないことなど）を届け出る。厚生労働省は届け出があった情報をWebページで公表する。届け出は任意のため、罰則などはない。ただ、実効性をもたせるために、守らない場合には開発者に関する情報を公開する。

ゲノム編集食品には「オフターゲット（意図せぬ突然変異を引き起こしてしまうこと）」リスクがある。例えばじゃがいもでは、緑色にする遺伝子が切断されてしまったら、毒が生成されても緑色にならず、気づかずに食べてしまう恐れがある。

●養殖しやすいサバ

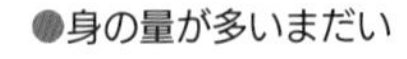

●身の量が多いまだい

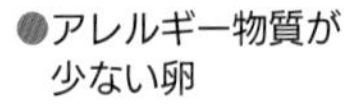

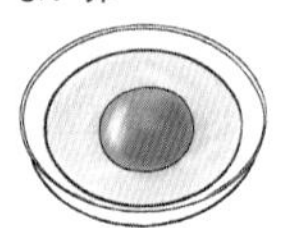

●アレルギー物質が少ない卵

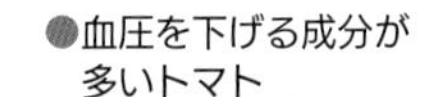

●血圧を下げる成分が多いトマト

●収穫量の多い稲

●食中毒を起こさないじゃがいも

食品の安全性について知識と判断力を身につけよう

右図は、食品の安全性についての意識調査結果である。「第4次食育推進基本計画」には、「食品の安全性について基礎的な知識を持ち、自ら判断する国民の割合」の2025年度目標値を80％以上としており、全世代総数で見ると、概ね良好だと言える（➡グラフ）。しかし、性・年齢別に見ると、男性の20歳代で『判断していない』と回答した人の割合が高く、約40％となっている。

食のグローバル化が進む中、食品の安全性については、問題が発生した1か国だけの問題ではなく、私たち自身にかかわる問題としてとらえ、立ち向かうために知識と判断力を身につける必要がある。

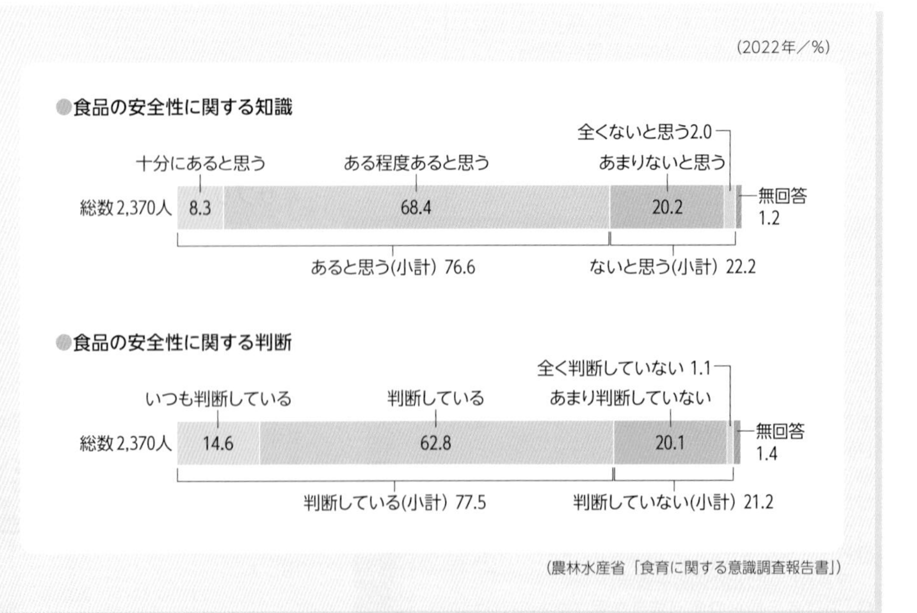

（農林水産省「食育に関する意識調査報告書」）

遺伝子組換え食品の表示

遺伝子組換え食品は、**❶病気や害虫、除草剤に強い　❷日もちがよい　❸味や栄養価を高める**などの利点がある。病気や害虫、除草剤に強い性質をもたせるのは、生産性を高めて収穫量を上げてコストを安くするためである。また、食料の安定供給の面でも国際的に関心が高まっている。しかし、人体に害をもたらさないか、生態系を破壊しないかなどの安全性はまだ十分に証明されていない。日本では商業栽培はされていないが、多くの食品を輸入に頼っているので、私たちの食事にも遺伝子組換え食品が入ってきている。

■ 1. 表示方法

●義務表示

ケース	表示	義務・任意
原材料が遺伝子組換え農産物の場合	「遺伝子組換え」など	義務
原材料(遺伝子組換え農産物とそうでない農産物)を分別していない場合	「遺伝子組換え不分別」など	義務

●任意表示

(消費者庁HP)

使用した原材料に応じて以下の2つの表現に分かれる。このことにより、消費者の誤認防止や選択の機会の拡大につながる。

❶分別生産流通管理(IP管理)を行い、遺伝子組換え農産物の意図せざる混入率を5%以下に抑えている大豆及びとうもろこし
→**「適切に分別生産流通管理」をしている旨を表示することができる。**

(表示例)
大豆(分別生産流通管理済み)
大豆(IP管理済み)

❷分別生産流通管理を行い、遺伝子組換え農産物の混入がないと認められる大豆及びとうもろこし
→**「遺伝子組換えでない」旨を表示することができる**

(表示例)
大豆(遺伝子組換えでない)
大豆(非遺伝子組換え)

■ 2. 義務表示の対象となる農産物

日本では、じゃがいも・大豆・とうもろこし・てんさい・わた・なたね・アルファルファ・パパイア・からしなの9種類333品種の安全性を確認したとしている(2023年7月現在)。遺伝子組換え作物を使用した食品には、表示の義務化も実施された(2001年4月)。義務表示の対象は、現在農産物9作物、加工食品33食品群である。加工食品については、原材料に占める重量割合が上位3品目に入っていて、かつ、5%以上のものについて表示が義務づけられている(混入5%未満は対象外)。

(※は義務表示対象外)

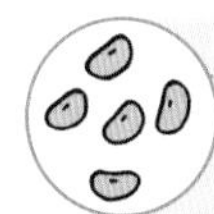
大豆
しょうゆ※　みそ　とうふ　食用油※

とうもろこし
コーン油※　ポップコーン　コーンスターチ

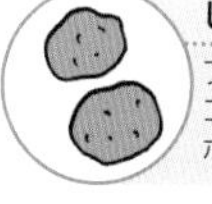
じゃがいも
フライドポテト　コロッケ　ポテトチップス

てんさい
[おもに糖に加工される]

わた
わた油※

なたね
なたね油※　乳化剤※

アルファルファ
[おもにそのまま食べる]

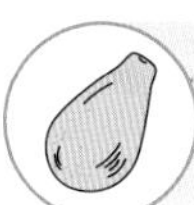
パパイア
[おもにそのまま食べる]

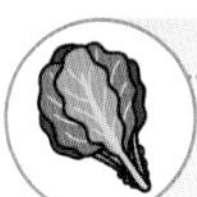
からしな
[主にそのまま食べる]

■ 3. 各国の遺伝子組換え食品の表示制度

	義務表示			「遺伝子組換え」表示が免除される混入率
	組成、栄養価等が従来のものと著しく異なるもの	DNA・たんぱく質が残存するもの	DNA・たんぱく質が残存しないもの	
日本	○	○	—	—
韓国	○	○	—	3%
オーストラリア・ニュージーランド	○	○	—	1%
EU	○	○	○	0.90%

(各国のウェブサイト等を基に消費者庁が作成)

(注)米国については、遺伝子組換え食品表示情報開示法の設立(2016年7月)から2年以内に同法に基づく基準が制定されるため、調査時点では義務表示の対象範囲等は不明。

トレーサビリティ

生産段階、加工段階、流通段階、小売段階で、「いつ誰がどのようにしたか」を記録し、食品のラベルをもとにインターネット、小売店やお客様相談室などで情報を入手できるシステム。これにより、食品に問題が発生したときには原因を見つけやすく、早い対応ができる。また、消費者が食品の安全性を判断しやすい。

牛肉については、国内でのBSE発生を契機に、2004年より「牛の個体識別のための情報の管理及び伝達に関する特別措置法(牛肉トレーサビリティ法)」が施行され、牛の個体識別番号の表示が義務づけられた。

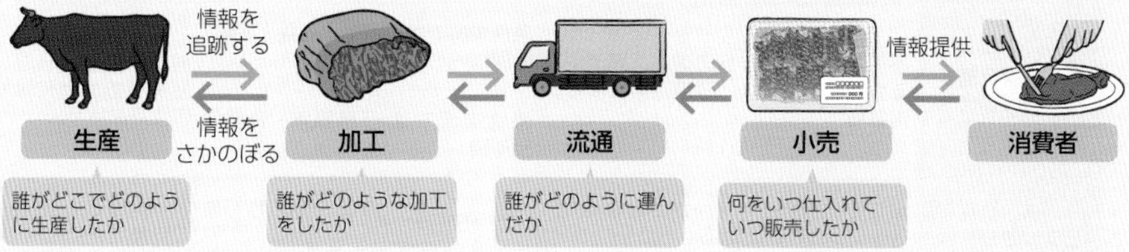

生産 ⇄ 加工 ⇄ 流通 ⇄ 小売 ⇄ 消費者
情報を追跡する / 情報をさかのぼる / 情報提供

生産：誰がどこでどのように生産したか
加工：誰がどのような加工をしたか
流通：誰がどのように運んだか
小売：何をいつ仕入れていつ販売したか

QRコードによる情報発信

原材料産地やアレンジレシピなどについて、スマホのQRコード読み取り機能で情報を得ることができる。

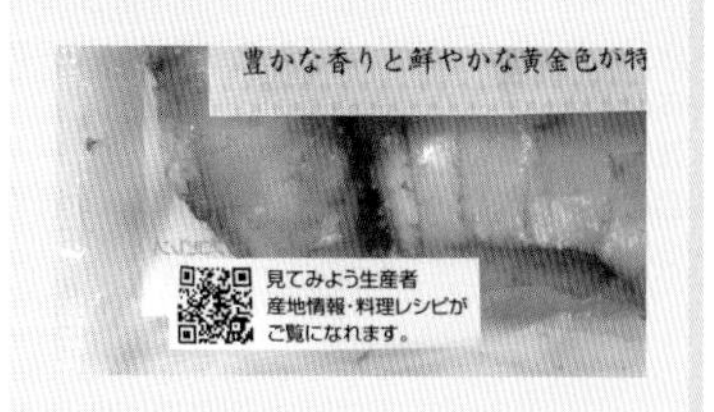

❹ 食中毒と食の安全

1. 食中毒

食品が原因となるさまざまな人体の病的変化を食中毒といい、病原物質によって以下のように分けられる。食中毒の主要因である細菌は、水分・温度・栄養の条件がそろうと急激に増加するが、目には見えず、においなどの変化もないので、日ごろから予防に気をくばっておくことが何よりの対処法となる。

●微生物性食中毒

感染侵入型
細菌が腸管に侵入して発症する。
感染毒素型
腸管に侵入した細菌が増殖するときに生み出す毒素によって発症する。

食品内毒素型
すでに食品中にいる細菌が生み出す毒素を食べることで発症する。
細菌性食中毒の発生時期
夏を中心に5～10月。

ノロウイルス
冬(12～2月)に生がきなどの貝類や、取扱者を介して汚染した食品を食べて発症する。感染した嘔吐物から二次感染する。

分類			病因菌	感染源	原因食品	潜伏期間	症状
細菌性	感染型	感染侵入型	サルモネラ菌	保菌者・家畜のふん便、下水や河川水	食肉・鶏卵・魚介類	6～48時間	嘔吐・下痢・発熱
			病原性大腸菌・チフス菌・パラチフスA菌	保菌者・家畜のふん便	食肉・一般食品	7～14日	下痢・腹痛・発熱
			カンピロバクター	家畜のふん便	食肉(特に鶏肉)	2～7日	下痢・腹痛・発熱
		感染毒素型	腸炎ビブリオ	海水	魚介類・べんとう・漬け物	3～40時間	下痢・腹痛
			赤痢菌・コレラ菌	保菌者のふん便	食肉・一般食品・汚染地域の生水	12～72時間	下痢・腹痛・発熱
			腸管出血性大腸菌(O157)	家畜のふん便	食肉・一般食品	1～14日	腹痛・下痢・溶血性尿毒症
			セレウス菌(下痢型)	土壌・水・ほこり	穀類加工品	8～16時間	腹痛・下痢
			ウェルシュ菌	人・動物のふん便・土壌・水	食肉・加熱調理食品	8～22時間	腹痛・下痢
	毒素型	食品内毒素型	黄色ブドウ球菌	人・動物の化のう部分	おにぎり・べんとう・サンドイッチ	1～5時間	嘔吐・腹痛・下痢
			ボツリヌス菌	土壌・海水・河川	いずし・食肉加工品	18～36時間	嘔吐・視覚障害・呼吸まひ
			セレウス菌(嘔吐型)	土壌・水・ほこり	穀類加工品	1～5時間	嘔吐・腹痛
ウイルス性			ノロウイルス	人のふん便	生がき	1～2日	嘔吐・腹痛・下痢
			A型肝炎ウイルス	衛生状態の悪い地域	魚介類・生水	3～6週間	発熱・倦怠感・嘔吐

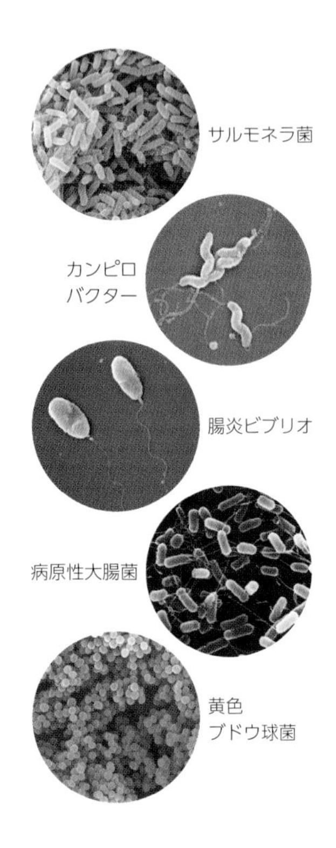

●自然毒食中毒

自然毒食中毒
毒をもった動物や植物を食べて発症する。
動物性
毒素をもった生物を食べる食物連鎖によるケースが多い。
植物性
植物自身が毒素を生み出す。
頻度と致死率
発生頻度は低いが、致死率が高い。

分類	原因食品	中毒原因・物質	潜伏期間	症状	備考
動物性	ふぐ	ふぐの内臓(卵巣・肝臓など)、皮のテトロドトキシン	30分	運動まひ・呼吸困難	致死率は40～60%、素人の調理はさける。
	有毒貝	い貝・ほたて貝などに蓄積されたまひ性貝毒	5～30分	運動まひ・呼吸困難	致死率は10%。
植物性	毒きのこ	つきよたけ・いっぽんしめじ・かきしめじ・てんぐたけなどに含まれるファリン・アマニタトキシン	2～10時間	神経系障害・腹痛・嘔吐・下痢	確実に鑑定できないものは食べない。
	じゃがいも	じゃがいもの芽および緑色部分に含まれるソラニン	30分	腹痛・胃腸障害・めまい・ねむけ	新芽を取り除く。

●化学性食中毒とアレルギー様食中毒

化学性食中毒
化学物質が飲食物を通して体内に入り発症する。
原因
食品や添加物の誤用、食品製造加工段階での有害物質の混入、容器からの有害物質の溶出など。
頻度と規模
発生件数は少ないが、大規模な食品事故や後遺症につながる場合が多い。

種類	原因食品	中毒原因・物質	潜伏期間	症状	備考
化学物質による食中毒	農薬	食品との誤用、農作物への残留	数分～1時間	胃痛・嘔吐・下痢・まひ	食品と薬剤をはっきり区別して管理する。
	有害金属、化学物質	不良器具、食器からの溶出、誤用による食品中への混入、環境汚染による体内蓄積	急性中毒では1時間以内	嘔吐・腹痛・下痢・呼吸困難	器具、食器ならびに食品関係の製造には細心の注意を払う。
			慢性中毒では長期間	肝臓障害・腎臓障害	
アレルギー様食中毒(ヒスタミン)		まぐろ・さば・いわし・かつおなどのヒスタミンが起因となる	5分～5時間	顔面紅潮・じんましん・頭痛	抗ヒスタミン剤によって治療できる。

2. 食中毒の発生状況

●原因物質（2022年）

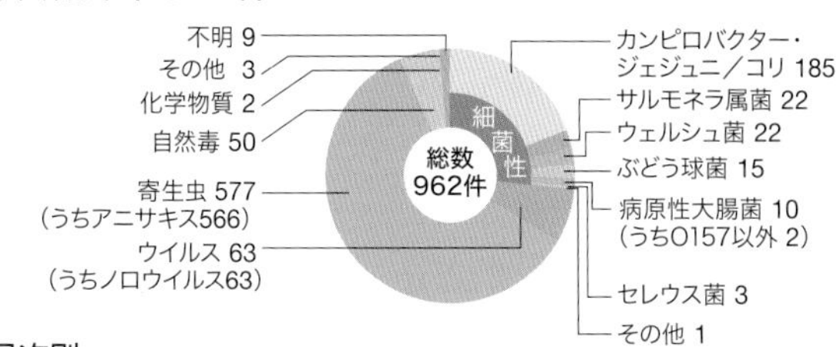

●月次別

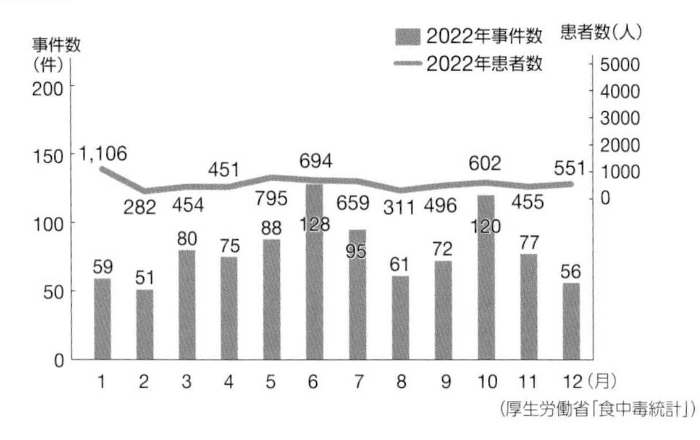

（厚生労働省「食中毒統計」）

3. HACCP (Hazard Analysis Critical Control Points)

ハサップまたはハシップと呼ばれ、危害分析重要管理点と訳す。従来の、最終製品の検査によって安全性を保証するものではなく、製造における重要な工程を連続的に管理することで製品の安全性を保証しようとする衛生管理の手法。

4. 食中毒予防の３原則

食品工場で行うHACCPはたいへん複雑なものだが、家庭の調理でもその考え方の基本は同じ。食中毒菌を「つけない、増やさない、殺す」。これは細菌性とウイルス性の食中毒に有効。

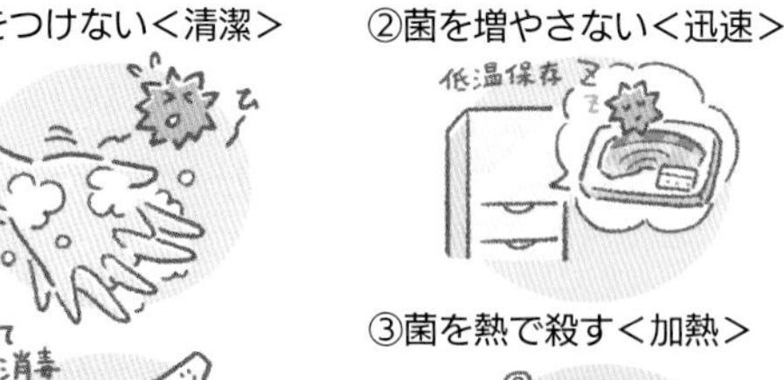

食物中の放射性物質の基準値(Bq/kg)

2011年3月の暫定規制値

食品からの被曝線量の上限年間5mSV	放射性ヨウ素	放射性セシウム※3
乳児用飲料水※1	100	100
飲料水	300	200
牛乳・乳製品		
野菜類	2000※2	500
魚介類	2000	－
穀類	－	500
肉・卵・魚・その他	－	

➡ 2012年4月の基準値

食品からの被曝線量の上限年間1mSV	放射性セシウム
乳児用食品※1	50
飲料水※4	10
牛乳	50
一般食品	100

※１：乳児は放射線による影響を受けやすいため、低く設定された。
※２：根菜・いも類をのぞく。
※３：チョルノービリ事故以降の輸入食品制限は370Bq/kg。現在は廃止。
※４：水は代替がきかず、摂取量が多いのでWHOの基準が採用された。

5. 食の安全を揺るがす問題

近年、細菌性食中毒のなかでもカンピロバクターやサルモネラ菌などの感染型が増加している。この背景には輸入食品の増大や食品流通様式の複雑化、家庭内の暖房化等が考えられる。さらにBSEや鳥インフルエンザといった、世界的規模で食の安全をおびやかす問題も相次いでいる。さらに、原発事故後の放射性物質による影響も懸念される。

年	原因食品	事件名	内容
1955	ドライミルク	森永ヒ素ミルク事件	岡山県を中心に、27府県で乳幼児に原因不明の発熱。下痢、肝臓障害、皮膚への色素沈着などの症状。患者数は12,344名、130名死亡。原因はドライミルク中の乳化安定剤に多量のヒ素が混入したため。
1956～	魚介類	水俣病	熊本県水俣湾の魚介類を食べ続けて、脳神経をおかされた、いわゆる水俣病。認定患者2,843名、死者946名。原因は窒素肥料を製造するさいに使用された有機水銀が工場排水として川に流され、それが魚介類に蓄積されたため。1968年、公害病と認定。
1968	米ぬか油	カネミ油症事件	北九州のカネミ倉庫で製造した米ぬか油による中毒。被害者14,000名。症状は目やに、手足のはれ、倦怠感、湿疹、異常なにきび、腰のしびれなど。製造工程で使用したポリ塩化ビフェニル(PCB)の米ぬか油への混入が原因。
1996	牛レバー、生野菜、水など	O157	岡山県の小学校で集団発生した病原性大腸菌は、全国に広がり、8月末までに患者数約10,000名、死者12名に。激しい腹痛と血便、それに続く溶血性尿毒症という症状は二次感染も引き起こした。
2000	低脂肪乳ほか	雪印乳業集団食中毒事件	雪印乳業大阪工場製造の低脂肪乳に端を発した中毒。おう吐、下痢が主症状で、黄色ブドウ球菌が原因。その後、「毎日骨太」「ヨーグルトナチュレ」の汚染も判明。有症者数は14,780名に達した、近年例をみない大規模な食中毒事件となった。
2001	牛肉	BSE(牛海綿状脳症)	1986年にイギリスで感染牛が発見された。日本でも千葉県で最初の感染牛が確認されて以来、2006年11月現在、30頭が確認されている。
2008	米	汚染米事件	農薬が検出されたりカビが生えるなどして、工業用原料にすべき米を三笠フーズが大量に仕入れ、食用として販売した。食品製造会社は知らずに原料として使用・販売し、製品の大量回収騒ぎとなり、大臣も辞任した。
2011	牛肉のユッケ	O111，O157	焼肉チェーン店においてユッケを食べた客から多くの食中毒患者が発生し、5名が亡くなり、181名が患者となった。流通上は生食用のものがない前提だったユッケに対する行政の姿勢も問われた。
	牛肉ほか	放射性物質	東京電力福島第一原発の事故後、大量に放出した放射性物質が風に乗り各地に拡散し、野菜やお茶、飼料を汚染した。暫定規制値が設定されて出荷制限がかけられたが、値を上回る食品が流通してしまった。
2018	豚肉	豚熱(豚コレラ)	岐阜県の養豚農場において、豚熱が発生し、養豚場の豚は全頭処分され、農場の消毒などの防疫措置が行われた。豚熱はウイルスによる豚・いのししの病気で、人には感染することはないが、養豚業に大きな被害を与える。

⑤ 食料自給率と環境問題（1）

食料自給率とは

食料自給率とは、国内の食料消費が国産でどの程度まかなえるかを示す指標。重量で示す**品目別自給率**と、食料全体について共通のものさしで単位を揃えることにより計算する**総合食料自給率**の2種類がある。総合食料自給率には、熱量で換算する**カロリーベース**と金額で換算する**生産額ベース**があり、カロリーベースは横ばい、生産額ベースは低下傾向で推移している。

一般的には食料自給率にはカロリーベースの数値が使われ、2018年の日本の食料自給率は37%である。政府は2030年までの目標値を45%に設定した。

■ 1. 各国の食料自給率（カロリーベース）の推移

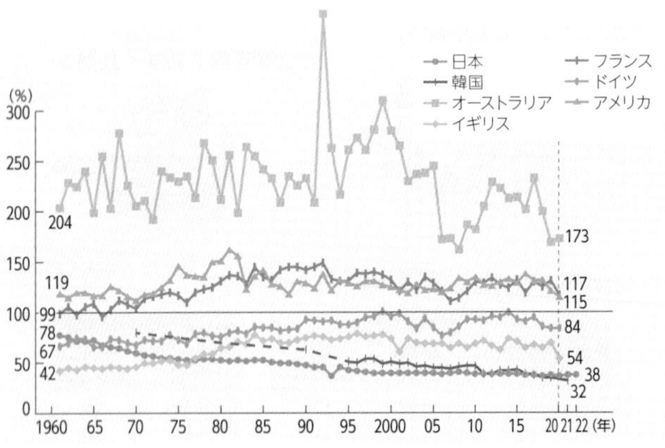

（農林水産省「食料需給表」より）

■ 2. 食料自給率の計算方法（2022年度概算値を例に）

品目ごとに国民1人1日あたりに供給された熱量の合計（2,260kcal）に対して、国内で供給した熱量の合計（850kcal）の割合を計算する。

	純食料／日	供給熱量	品目別自給率	国産供給熱量
米	139.3g	476.5kcal	99%	472kcal
野菜	241.4g	66.4kcal	79%	52kcal
牛肉	17.0g	43.8kcal ⋮ ↓	39%×26%=11% （飼料自給率26%）	5kcal ⋮ ↓
合計		2,260kcal		850kcal

$$\text{供給熱量自給率} = \frac{\text{国民1人1日あたり国産供給熱量}}{\text{国民1人1日あたり供給熱量}} \times 100 = \frac{850\text{kcal}}{2{,}260\text{kcal}} \times 100 \fallingdotseq \mathbf{38\%}$$

■ 3. 品目別自給率の例（2022年度概算値）

和食の調理に欠かせない醤油、味噌、豆腐の原料の大豆の自給率は6%と非常に低い。なお、（　）は飼料自給率を考慮した値。

●朝食（和食）

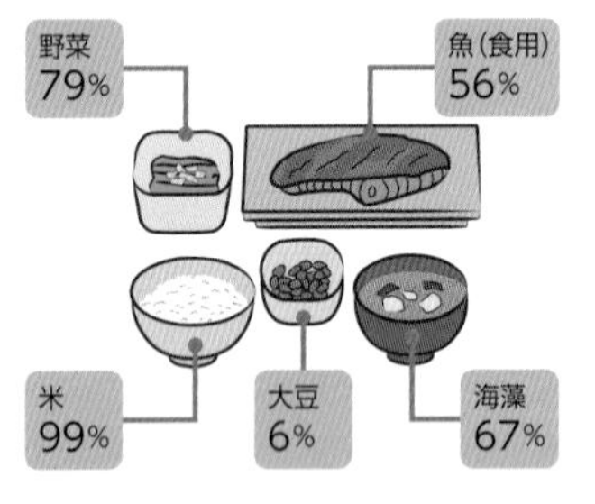

●夕食（洋食）

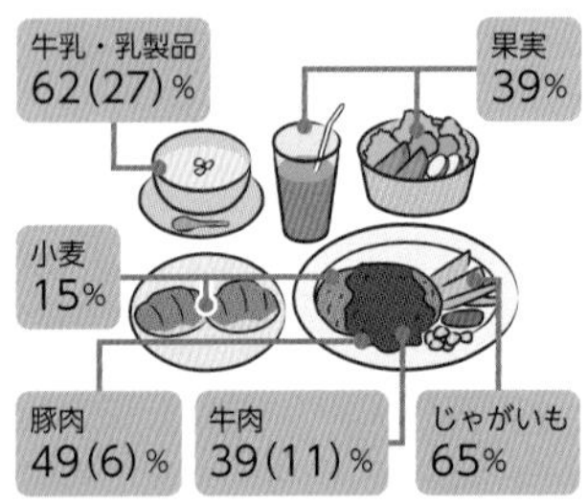

飼料自給率の現状と目標

家畜の飼料自給率は低く、特にとうもろこしなどの「濃厚飼料」は12%で、ほぼ輸入に頼っている。近年、食料自給率アップのために国産米や北海道産とうもろこしを飼料として使う取り組みも行われている。

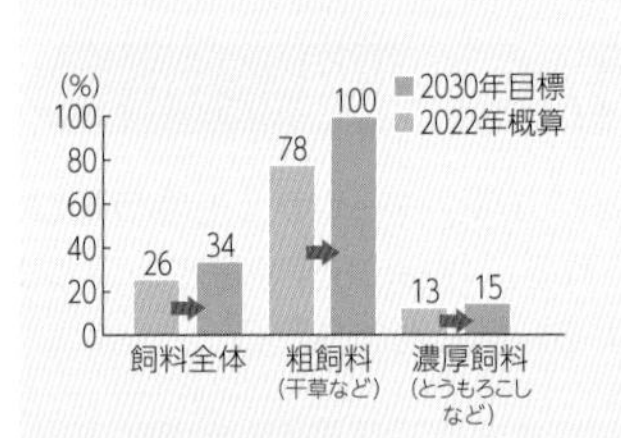

農林水産省「飼料をめぐる情勢」

食料自給力

食料自給力とは、「我が国農林水産業が有する食料の潜在生産能力」を表す。輸入に頼らず国内すべての農地を活用した場合、最大限どれだけの食料生産が可能かを試算したもの。しかし、栄養バランスに欠けるなど現実味に欠けるという意見もある。

1980年代（自給率53%）の「日本型食生活」をモデルとした「一汁三菜」の食生活や当時の農業形態を見直すことも自給力向上の一つのアイデアだろう。

食料消費動向

1965年ごろと比較すると、食事内容と、消費量は大きく変化し、自給率は大幅に減少している。

自給率	ごはん	牛肉料理	豚肉料理	卵料理	牛乳	植物油	野菜	果実	魚介類
1965年 ※73%	 1日5杯（1杯精白米60g換算）	 月1回（1食150g換算）	 月1～2回（1食150g換算）	 3週間で1パック（10個）	 週に2本（牛乳びん）	 年に3本（1.5kgボトル）	 1日300g程度	 1日80g程度	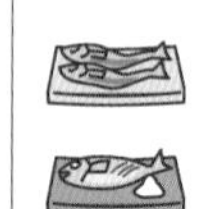 1日80g程度
2021年 ※約38%	 1日2.4杯	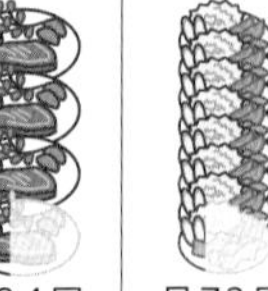 月3.4回	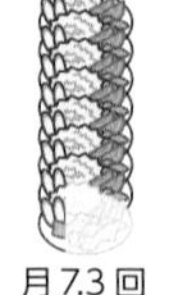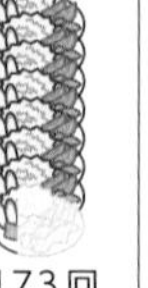 月7.3回	 2週間で1パック程度	 週に3本	 年に9本	 1日230g程度	 1日90g程度 輸入物増	 1日60g程度 輸入物増

●食事の内容と食料消費量の変化

（農林水産省Webサイト）
（注）※は供給熱量ベースの総合食料自給率である。

■ 4. 低い食料自給率の理由

●食生活の変化

戦後、米と魚を中心とした食生活から、副食の割合が増え、特に畜産物や油脂の消費が増えた。

●政策や国際競争の激化

1970年代の食卓の欧米化にともない、米離れが加速した。余剰米を抑制するために水田耕作地を減らす減反政策（2018年に廃止）が行われた。1980年代には農畜産物の輸入拡大路線の政策も進められた。

●農村の高齢化と農業人口の減少

現在の農業従事者の平均年齢は68.4歳であり（2022年）、後継者不足が深刻である。後継者不足のため耕作放棄地が増え、生産量も低下している。

■ 5. 食料を外国に頼る問題点は？

発展途上国の人口が増加して世界の食料が不足することはすでに予測されている。輸入が安定している情勢では何の問題もないが、一つでも歯車が狂うと自給手段を持たない日本は深刻な食糧不足に襲われる。

例

❶天候不順やイナゴなどの害虫の異常発生による農作物の不作

❷災害や伝染病で輸送手段が寸断

❸輸出国で戦争が勃発すれば、輸送が困難になり、生産自体も滞る。

■ 6. 種子法の廃止と種苗法改定

2018年4月に「種子法（主要農作物種子法）」が廃止された。1952年に制定されて以来、各都道府県の公的農業試験場などが国の補助を受け、米、大豆、麦などを開発し、安価で安全な種子を提供してきた。しかし、廃止によって開発資本を持つ大企業や多国籍企業が力を持つことが予想される。また、開発費用が種子に上乗せされ、種子の値段が上がることが心配されている。種子が高くなれば、私たちの食卓に届く農産物の値段も上がってしまう。

さらに、種苗法が2022年4月に施行された。改定の狙いは優良品種の海外流出防止である。「一般品種」であるコシヒカリや巨峰などの自家採種は制限されないが、シャインマスカットなどの「登録品種」の自家採取が禁止され、農家は種子を毎年買わなくてはならなくなる。大手種子メーカーの種子は高額で、除草剤や肥料がセット販売されることもある。種子を自家採種した場合、農家が賠償請求される可能性もあり、農家の負担増大が懸念されている。

■ 7. 食料自給率とフード・マイレージ

フード・マイレージとは食料が生産地から消費者の食卓に届くまでの輸送にかかる距離を表したものである。

フード・マイレージが少ない場合、輸送にかかる二酸化炭素排出量も少なくなり、地球環境にかかる負荷が少ないということになる。国内の食料自給率が高まれば、フード・マイレージが減少していく。地産地消で食材を選ぶことはフード・マイレージを減少させ、地球環境に優しい持続可能な暮らしの実現につながる。

フード・マイレージ（t・km）＝ 輸入相手国別の食料輸入量（t）× 輸出国からの輸送距離（km）

●国別フード・マイレージと1人あたり平均輸送距離

（2016年）

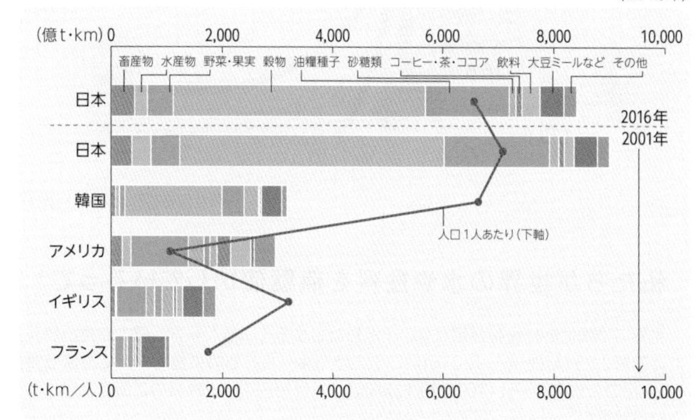

（中田哲也『フード・マイレージ新版』日本評論社）

■ 8. 私達ができること（生産、流通、購入に即して）

日本で食料自給率を100%に近づけるためのアイデアをみんなで考えてみよう。

食卓に届くまでにかかった「フード・マイレージ」「バーチャルウォーター」を考えてみる。食べ残しができなくなり、食品ロスが減る。

食べ物がどこから来たのか考える。生産者の顔が見える食べ物や、地産地消、旬のものを選ぶ。

国産

マクロビオティック（Macrobiotic）

「身土不二（しんどふじ）」「一物全体（いちぶつぜんたい）」「陰陽調和」を柱にした食事法ないし思想。

- **●身土不二**：身体（身）と環境（土）は切っても切り離せないものであるという考え方。「地産地消」「伝統食」「旬」に通じる。
- **●一物全体**：ありのままの姿で分割されていない状態のこと。食材を丸ごと使用すること。「エコクッキング」に通じる。

❻ 食料自給率と環境問題（2）

水の自給率 ―バーチャルウォーター（仮想水）

（➡p.37）

■ 1. おもな農産物を1t生産するのに必要な水

バーチャルウォーターとは農産物を生産するために使用する水の量を試算したものである。食品を輸入することは、現地の農地で使用した水も間接的に輸入することになる。輸入食品の食品ロスを減らすことは、現地の水を守ることにつながるということを意識しよう。

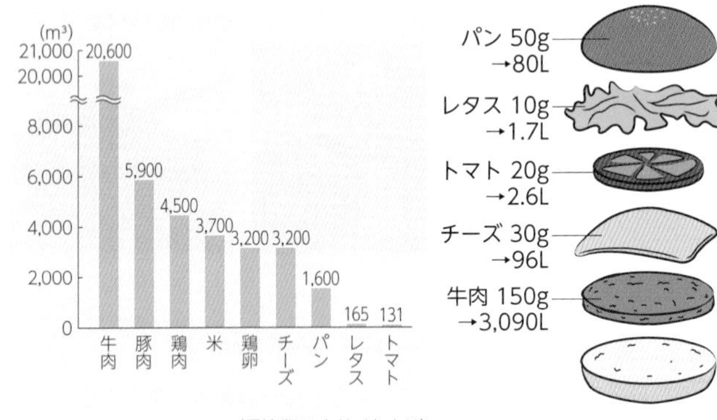

（環境省Webサイトより）

■ 2. おもな国からのバーチャルウォーター輸入量

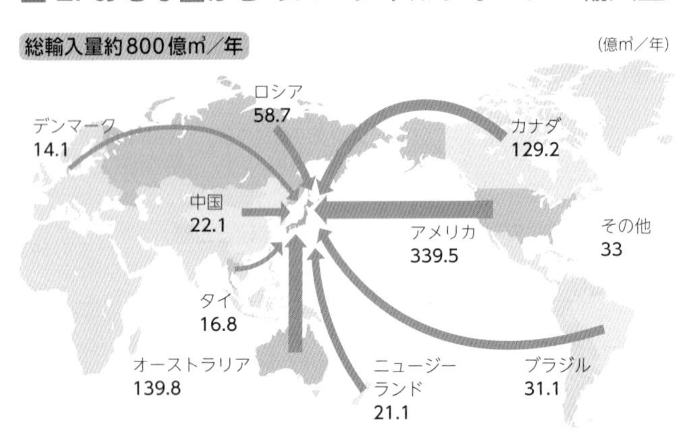

（農林水産省Webサイトより）

■ 3.「水の惑星」地球には意外にも「水」が少ない！

地球上の水は97.5%の海水と2.5%の淡水で成り立ち、南・北極の氷河を除いた河川、湖沼の淡水はわずか0.01%しかない。地球の水がバスタブ1杯分（200L）だとすると、使える淡水は大さじ1と1/3（20mL）しかないこととなる。

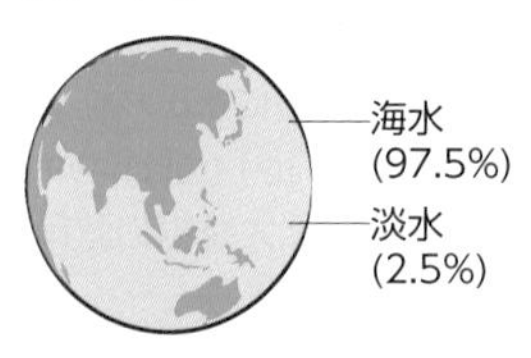

ハンガーマップとは？

このままいけば2030年には約8億4,000万人が飢えに苦しむと予測されている。こうした飢餓人口はアフリカや中央アジア、中米に集中している。毎年40億tの食糧が生産されており、これは全人口の食を賄うのに十分な量であるのにも関わらず、食料が余る国と食料が不足する国が存在する。世界の食品廃棄物は13億tにものぼり、約1/3が廃棄されている。

（WFP（国連世界食糧計画）Webサイトより）

私たちが世界の水や食料を無駄使いしているって！？

世界には慢性的に栄養が足りない子どもたちが多くいる。一方、日本の食品廃棄量は年間2,531万tもあり（2018年）、そのうち食べられるのに捨てられてしまう食品（食品ロス）が523万t（2021年）もある。これは毎日茶碗一杯分のご飯を無駄にしている計算だ。

SDGsでは、食品ロスに関して2030年までに1人あたりの食品廃棄量を半減させることが盛り込まれた。さて、この目標を実現するには具体的にどのように行動したらよいだろうか。私たちが学ぶことが世界の飢餓を救うきっかけになることを知り、「購入」「調理」「片付け」「廃棄」の観点で実際に行動してみよう。

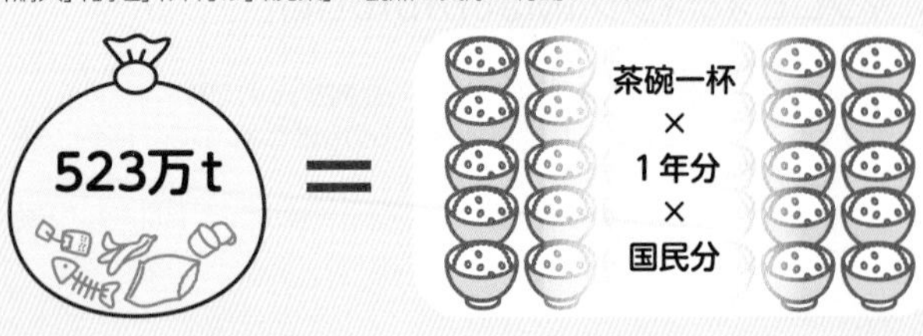

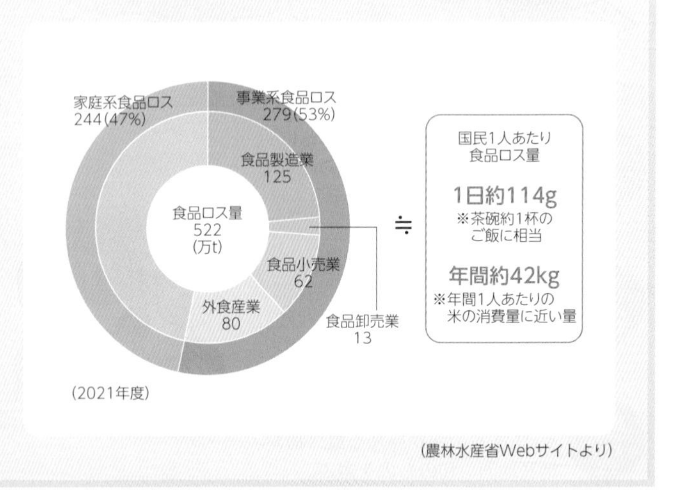

（農林水産省Webサイトより）

食品ロスを解消するために

日本は世界有数の食品ロス大国であるが、2019年10月に「食品ロス削減推進法」が施行された。事業者と消費者の意識が高まり、具体的な食品ロス削減の行動につながることが期待されている。

■1. 食品メーカーの取り組み

●賞味期限の表示に関する1/3ルールの緩和

例

カルビー：ポテトチップスの賞味期限を13か月にのばし、表示を年月に変更。

■2. 飲食店の取り組み

- 規格外の野菜を使う
- 食べきりサイズの提供
- テイクアウトの拡大
- シェアリングサービスの活用

■3. フードバンクとフードドライブ

「フードバンク」とは、包装の破損や印字ミス、過剰在庫などの理由で、消費期限内で品質に問題がないにもかかわらず販売できなくなった食品を、企業や一般家庭などから寄附をしてもらい、生活困窮者などに配給する団体およびその活動のこと。「フードドライブ」とはおもに家庭から食品を集めてフードバンクに寄付する活動のことである。

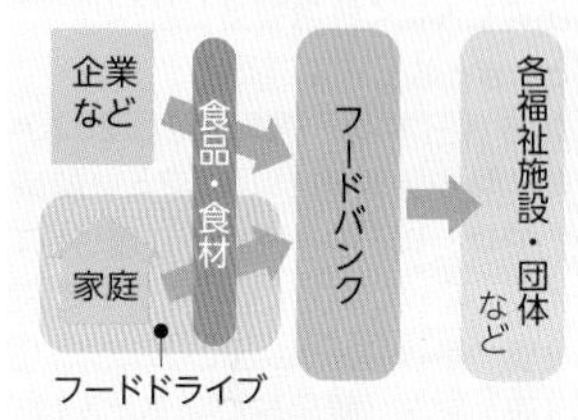

2020年には新型コロナウイルス感染症拡大にともなう休校期間に給食を食べられない子どもたちへの支援として、納品期限の切れた食品を寄贈したり、余剰した給食食材を配布するなどの活動が多く見られた。

私たちができること

■1. 賞味期限を正しく理解する

賞味期限（➡p.367）は、美味しく食べられる期間の目安であって、食べられなくなる日付ではない。食品の鮮度を自分の目と鼻と舌で判別する方法を身につけよう。

卵

賞味期限はパック（産卵後7日以内）されてから14日間。日本卵業協会によると賞味期限は安心して「生食」できる期限。期限を過ぎても加熱するなどして、きちんと使い切ろう。10度以下で保管した場合、生で食べられる期間は57日間としている。

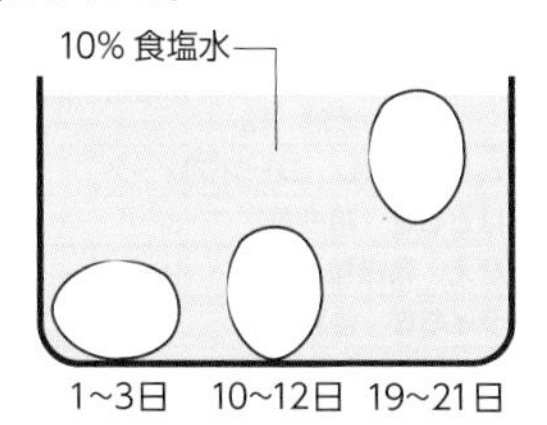

牛乳

デンマークの食品ロス削減団体Too good to goは、2019年2月「賞味期限と消費期限の書き方キャンペーン」を行った。賞味期限の横に「多くの場合、その後もおいしく食べられます」というような記述を並記するよう、企業に働きかけをし、賛同企業が鮮度の見分け方を牛乳パックに表示した。

■2. 食材を余すとこなく使い切る
～エコクッキング、もったいないクッキングの実践

フードマイレージ、産地、旬を意識して買い物をする。
➡p.375「身土不二」

廃棄が出ないよう材料を丸ごと使い切る。食べ切れる分量を調理する。
➡p.375「一物全体」

片付け

洗剤を使いすぎない。水を流したまま洗い物をしない。ごみをできるだけ減らす。

■3. ごみを宝に変えよう
～生ごみを堆肥(たいひ)にリサイクルしよう

日当たり、水はけのよい場所に置き、生ごみが「新鮮なうちに」入れ、土をかぶせる。土中の微生物は堆肥化を促進するのでときどき混ぜる。

ゴミの減量化、資源化を推進するために家庭用生ゴミ処理容器購入に対して助成金を交付している自治体もある。自治体に問い合わせてみよう。

食材を正しく知り、無駄なく使い、廃棄を少なくすることが地球と子ども達の未来を守ることにつながることを自覚して、食生活を自分の手でつくっていこう。

1/3ルールとは？

日本の食品流通業界の商習慣のこと。製造日から賞味期限までの期間を三等分して、最初の1/3を卸から小売店に納品するまでの「納品期限」、次の1/3を店頭での「販売期限」とする。最後の1/3が「消費者が食べる期間」と設定しており、「販売期限」を超過したものは店頭には並ばず返品になる。「販売期間」を過ぎ返品された商品は74%が廃棄、16%が転売され、フードバンク等に提供されるのはわずか1%に過ぎない。日本の消費者は鮮度を気にする傾向が強いため、品質的に問題なくても大量に廃棄されているのが現状。この1/3ルールが食品ロスを誘発しているとし、1/2ルールを取り入れる試みも始められている。
なお、諸外国の「納品期限」は米国1/2、欧州2/3、イギリス3/4である。

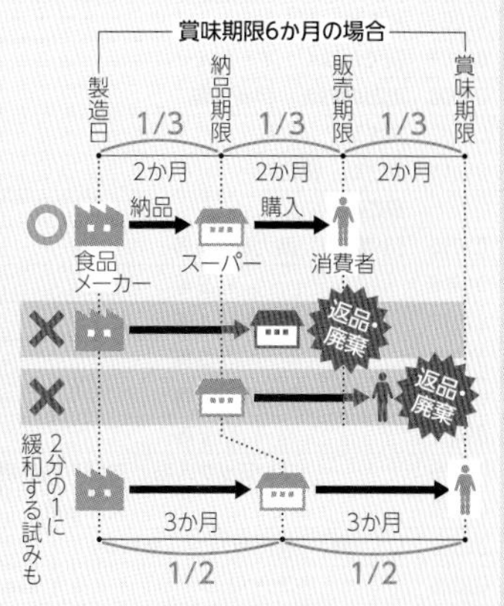

日本食品標準成分表2020年（八訂）

❶ アミノ酸成分表編

「第3表 アミノ酸組織によるたんぱく質1g当たりのアミノ酸成分表」より抜粋

アミノ酸成分表とは

たんぱく質はアミノ酸が結合した化合物であり、たんぱく質の栄養価は主に構成アミノ酸の種類と量（組成）によって決まる。そのため、摂取に当たっては、アミノ酸総摂取量のほか、アミノ酸組成のバランスをとることが重要となる。

アミノ酸成分表は、食品のたんぱく質の質的評価を行う際に活用できるよう、日常摂取する食品のたんぱく質含有量とともに、アミノ酸組成がとりまとめられている。

なお、「日本食品標準成分表2020年版（八訂）アミノ酸成分表編（以下「アミノ酸成分表2020」）」では、以下の4種類が収載されている。

第1表　可食部100g当たりのアミノ酸成分表
第2表　基準窒素1g当たりのアミノ酸成分表
第3表　アミノ酸組成によるたんぱく質1g当たりのアミノ酸成分表（**本書掲載**）
第4表　（基準窒素による）たんぱく質1g当たりのアミノ酸成分表
※第3表・第4表は、Webでのみ収載。

本書のアミノ酸成分表の使い方（➡p.23）

本書のアミノ酸成分表は、アミノ酸評点パターン（人体にとって理想的な必須アミノ酸組成）と比較できるよう、第3表「アミノ酸組成によるたんぱく質1g当たりのアミノ酸成分表」から必須アミノ酸を抜粋したものである。なお、ここで使用するアミノ酸評点パターンは、成長のために必要量の多い1～2歳の数値である。本表では、制限アミノ酸の数値（アミノ酸評点パターンに満たない数値）は、赤色で示し、かつ第一制限アミノ酸は**太字**とした。

また、アミノ酸価（制限アミノ酸のうち、もっとも比率の小さいアミノ酸の数値）も併記している。例えば「01137　とうもろこし　コーンフレーク」のアミノ酸価を求めてみる。制限アミノ酸は、リシンとトリプトファンの2つである。それぞれアミノ酸評点パターンと比較すると、リシンは10/52×100≒19、トリプトファンは6.0/7.4×100≒81となるので、コーンフレークのアミノ酸価は、数値のもっとも低いリシンの19になり、**19**Lysと表記した。

参考として、15～17歳と18歳以上のアミノ酸評点パターンを使用した場合のアミノ酸価も併記している。

なお、本書では、第3表に掲載されている食品の中から448食品を抜粋した。

各アミノ酸は、たんぱく質1gあたりの値（mg）

食品番号	食品名	イソロイシン Ile	ロイシン Leu	リシン Lys	含硫アミノ酸 AAS	芳香族アミノ酸 AAA	トレオニン Thr	トリプトファン Trp	バリン Val	ヒスチジン His	アミノ酸価（1～2歳）	アミノ酸価（15～17歳）	アミノ酸価（18歳以上）
アミノ酸評点パターン（1～2歳）		**31**	**63**	**52**	**25**	**46**	**27**	**7.4**	**41**	**18**			
アミノ酸評点パターン（15～17歳）		30	60	47	23	40	24	6.4	40	16			
アミノ酸評点パターン（18歳以上）		30	59	45	22	38	23	6.0	39	15			
1	穀類												
01002	■あわ　精白粒	47	150	22	59	97	46	21	58	26	**42**Lys	47Lys	49Lys
01004	■えんばく　オートミール	48	88	51	63	100	41	17	66	29	**98**Lys	100	100
01006	■おおむぎ　押麦　乾	43	85	40	51	100	44	16	60	27	**77**Lys	85Lys	89Lys
01167	■キヌア　玄穀	50	84	74	49	91	52	17	61	39	**100**	100	100
01011	■きび　精白粒	47	140	17	56	110	38	15	57	26	**33**Lys	36Lys	38Lys
	■こむぎ												
01015	［小麦粉］　薄力粉　1等	41	79	24	50	92	34	14	49	26	**46**Lys	51Lys	53Lys
01016	2等	41	78	26	48	92	34	13	49	26	**50**Lys	55Lys	58Lys
01018	中力粉　1等	41	79	24	48	92	33	13	49	26	**46**Lys	51Lys	53Lys
01019	2等	40	78	24	47	91	34	13	49	26	**46**Lys	51Lys	53Lys
01020	強力粉　1等	40	78	22	46	92	32	13	47	26	**42**Lys	47Lys	49Lys
01021	2等	40	78	22	44	92	33	13	47	26	**42**Lys	47Lys	49Lys
01146	プレミックス粉　お好み焼き用	40	75	26	39	88	33	12	47	26	**50**Lys	55Lys	58Lys
01025	天ぷら用	43	81	26	48	92	34	13	51	27	**50**Lys	55Lys	58Lys
01026	［パン類］　角形食パン　食パン	42	81	23	42	96	33	12	48	27	**44**Lys	49Lys	51Lys
01028	コッペパン	43	80	23	41	94	35	12	50	27	**44**Lys	49Lys	51Lys
01031	フランスパン	41	79	21	43	95	34	13	48	26	**40**Lys	45Lys	47Lys
01032	ライ麦パン	42	77	33	43	92	43	12	56	28	**63**Lys	70Lys	73Lys

食品番号	食品名	イソロイシン Ile	ロイシン Leu
アミノ酸評点パターン（1～2歳）		**31**	**63**
アミノ酸評点パターン（15～17歳）		30	60
アミノ酸評点パターン（18歳以上）		30	59
01034	ロールパン	43	81
01148	ベーグル	42	79
	［うどん・そうめん類］		
01038	うどん　生	42	79
01041	干しうどん　乾	40	79
01043	そうめん・ひやむぎ　乾	41	79
01047	［中華めん類］　中華めん　生	41	79
01049	蒸し中華めん　蒸し中華めん	43	80
01056	［即席めん類］　即席中華めん　油揚げ味付け	37	69
	［マカロニ・スパゲッティ類］		
01063	マカロニ・スパゲッティ　乾	43	83
01149	生パスタ　生	42	83
01066	［ふ類］　焼きふ　釜焼きふ	44	81
01070	［その他］　小麦はいが	43	79
01150	冷めん　生	41	79
	■こめ		
01080	［水稲穀粒］　玄米	46	93
01083	精白米　うるち米	47	96
01151	もち米	48	95
01152	インディカ米	47	95
01153	発芽玄米	46	93
01085	［水稲めし］　玄米	46	93
01168	精白米　インディカ米	48	96
01088	うるち米	46	95
01154	もち米	48	97
01155	発芽玄米	46	93
01110	［うるち米製品］　アルファ化米　一般用	48	95
01111	おにぎり	47	94
01114	上新粉	48	96
01158	米粉	47	95
01159	米粉パン　小麦グルテン不使用	49	95
01160	米粉めん	47	94
01115	ビーフン	48	94
01117	［もち米製品］　もち	47	94
01120	白玉粉	49	97
01122	■そば　そば粉　全層粉	44	78
01127	そば　生	42	79
01129	干しそば　乾	42	79
01137	■とうもろこし　コーンフレーク	44	170
01138	■はとむぎ　精白粒	44	150
01139	■ひえ　精白粒	55	120
01142	■ライむぎ　全粒粉	41	77
01143	ライ麦粉	41	74
2	いも・でん粉類		
02068	■アメリカほどいも　塊根　生	55	99
02006	■さつまいも　塊根　皮なし　生	50	74
02048	■むらさきいも　塊根　皮なし　生	50	76
02010	■さといも　球茎　生	39	91
02050	■セレベス　球茎　生	41	98
02052	■たけのこいも　球茎　生	39	87
02013	■みずいも　球茎　生	41	82
02015	■やつがしら　球茎　生	43	99
02017	■じゃがいも　塊茎　皮なし　生	42	65
02021	乾燥マッシュポテト	46	80
02022	■ながいも　いちょういも　塊根　生	45	75
02023	ながいも　塊根　生	39	57
02025	やまといも　塊根　生	47	78
02026	■じねんじょ　塊根　生	49	83
02027	■だいじょ　塊根　生	48	85

各アミノ酸は、たんぱく質1gあたりの値（mg）

リシン Lys	含硫アミノ酸 AAS	芳香族アミノ酸 AAA	トレオニン Thr	トリプトファン Trp	バリン Val	ヒスチジン His	アミノ酸価（1～2歳）	アミノ酸価（15～17歳）	アミノ酸価（18歳以上）
52	**25**	**46**	**27**	**7.4**	**41**	**18**			
47	23	40	24	6.4	40	16			
45	22	38	23	6.0	39	15			
25	43	95	35	12	50	27	**48**Lys	53Lys	56Lys
21	41	94	33	12	49	27	**40**Lys	45Lys	47Lys
23	42	92	33	13	49	26	**44**Lys	49Lys	51Lys
23	42	92	34	12	48	25	**44**Lys	49Lys	51Lys
22	42	94	33	13	49	26	**42**Lys	47Lys	49Lys
24	40	98	33	12	50	25	**46**Lys	51Lys	53Lys
23	49	91	33	14	48	28	**44**Lys	49Lys	51Lys
19	36	79	30	10	44	24	**37**Lys	40Lys	42Lys
21	44	91	34	13	52	30	**40**Lys	45Lys	47Lys
27	40	95	35	12	50	27	**52**Lys	57Lys	60Lys
19	51	95	32	12	47	26	**37**Lys	40Lys	42Lys
83	40	83	54	13	65	32	**100**	100	100
26	41	95	34	13	49	26	**50**Lys	55Lys	58Lys
45	54	110	45	17	70	32	**87**Lys	96Lys	100
42	55	110	44	16	69	31	**81**Lys	89Lys	93Lys
41	55	120	43	16	70	30	**79**Lys	87Lys	91Lys
42	62	120	45	17	69	29	**81**Lys	89Lys	93Lys
45	58	110	45	17	69	32	**87**Lys	96Lys	100
47	52	110	45	17	70	32	**90**Lys	100	100
42	64	120	45	18	70	29	**81**Lys	89Lys	93Lys
41	56	110	45	17	66	30	**79**Lys	87Lys	91Lys
39	55	120	44	17	71	30	**75**Lys	83Lys	87Lys
45	54	120	46	17	69	33	**87**Lys	96Lys	100
40	58	120	44	16	71	30	**77**Lys	85Lys	89Lys
42	51	120	44	17	70	31	**81**Lys	89Lys	93Lys
40	57	110	43	16	72	30	**77**Lys	85Lys	89Lys
40	55	120	43	17	70	30	**77**Lys	85Lys	89Lys
42	52	120	46	17	71	30	**81**Lys	89Lys	93Lys
40	56	120	44	17	69	30	**77**Lys	85Lys	89Lys
44	63	120	46	18	70	29	**85**Lys	94Lys	98Lys
39	58	120	43	16	69	29	**75**Lys	83Lys	87Lys
39	56	120	43	16	71	30	**75**Lys	83Lys	87Lys
69	53	84	48	19	61	31	**100**	100	100
38	43	89	38	15	51	27	**73**Lys	81Lys	84Lys
34	44	92	37	15	52	27	**65**Lys	72Lys	76Lys
10	44	110	38	6.0	55	33	**19**Lys	21Lys	22Lys
18	47	99	32	5.6	60	24	**35**Lys	38Lys	40Lys
16	46	120	41	14	66	26	**31**Lys	34Lys	36Lys
46	50	88	45	14	59	30	**88**Lys	98Lys	100
44	48	83	42	13	57	30	**85**Lys	94Lys	98Lys
68	31	110	67	25	76	43	**100**	100	100
59	37	110	76	17	71	24	**100**	100	100
58	43	110	69	17	72	23	**100**	100	100
57	52	130	54	26	63	24	**100**	100	100
55	45	120	52	24	63	27	**100**	100	100
54	43	110	51	21	61	25	**100**	100	100
65	48	100	52	21	61	31	**100**	100	100
57	43	110	56	22	67	27	**100**	100	100
68	36	82	48	14	66	22	**100**	100	100
74	36	98	52	16	66	26	**100**	100	100
55	32	100	40	20	58	27	**100**	100	100
47	26	79	44	19	51	25	**90**Lys	95Leu	97Leu
58	33	110	41	22	58	29	**100**	100	100
56	34	110	46	23	59	30	**100**	100	100
55	31	110	49	20	57	31	**100**	100	100

各アミノ酸は、たんぱく質1gあたりの値（mg）

食品番号	食品名	イソロイシン Ile	ロイシン Leu	リシン Lys	含硫アミノ酸 AAS	芳香族アミノ酸 AAA	トレオニン Thr	トリプトファン Trp	バリン Val	ヒスチジン His	アミノ酸価（1～2歳）	アミノ酸価（15～17歳）	アミノ酸価（18歳以上）
	アミノ酸評点パターン（1～2歳）	**31**	**63**	**52**	**25**	**46**	**27**	**7.4**	**41**	**18**			
	アミノ酸評点パターン（15～17歳）	30	60	47	23	40	24	6.4	40	16			
	アミノ酸評点パターン（18歳以上）	30	59	45	22	38	23	6.0	39	15			
4	豆類												
04001	■**あずき** 全粒 乾	51	93	90	33	100	47	13	63	39	**100**	100	100
04004	あん こし生あん	53	100	88	29	110	44	12	63	38	**100**	100	100
04005	さらしあん （乾燥あん）	62	100	84	35	110	48	13	69	39	**100**	100	100
04006	つぶし練りあん	51	97	87	30	100	47	12	62	40	**100**	100	100
04007	■**いんげんまめ** 全粒 乾	58	98	82	32	110	53	14	67	38	**100**	100	100
04009	うずら豆	57	100	81	23	100	57	13	67	39	**92**AAS	100	100
04012	■**えんどう** 全粒 青えんどう 乾	49	85	89	31	94	50	11	58	31	**100**	100	100
04017	■**ささげ** 全粒 乾	54	93	82	38	110	48	14	63	40	**100**	100	100
04019	■**そらまめ** 全粒 乾	50	90	80	24	89	48	11	57	33	**96**AAS	100	100
	■**だいず**												
	［全粒・全粒製品］												
04023	全粒 黄大豆 国産 乾	53	87	72	34	100	50	15	55	31	**100**	100	100
04025	米国産 乾	53	88	74	35	99	50	16	55	33	**100**	100	100
04026	中国産 乾	52	88	74	34	97	49	15	56	33	**100**	100	100
04077	黒大豆 国産 乾	38	88	75	34	100	50	16	55	32	**100**	100	100
04078	いり大豆 黄大豆	54	90	66	34	99	50	16	57	33	**100**	100	100
04028	水煮缶詰 黄大豆	54	92	70	33	100	50	15	57	31	**100**	100	100
04029	きな粉 黄大豆 全粒大豆	55	91	59	33	100	50	15	58	34	**100**	100	100
04030	脱皮大豆	56	92	57	32	100	51	16	59	34	**100**	100	100
04031	ぶどう豆	55	92	70	31	100	51	15	58	32	**100**	100	100
04032	**［豆腐・油揚げ類］** 木綿豆腐	52	89	72	30	110	48	16	53	30	**100**	100	100
04033	絹ごし豆腐	53	88	72	32	110	48	15	55	31	**100**	100	100
04039	生揚げ	53	89	71	30	110	48	16	56	30	**100**	100	100
04040	油揚げ 生	54	91	69	27	110	47	15	57	30	**100**	100	100
04041	がんもどき	54	90	69	27	110	47	15	56	30	**100**	100	100
04042	凍り豆腐 乾	54	91	71	27	110	48	15	57	29	**100**	100	100
04046	**［納豆類］** 糸引き納豆	54	89	78	40	110	46	17	59	34	**100**	100	100
04047	挽きわり納豆	53	90	75	35	110	47	16	59	33	**100**	100	100
04051	**［その他］** おから 生	52	91	75	37	99	54	15	60	34	**100**	100	100
04052	豆乳 豆乳	51	86	72	33	100	48	16	53	31	**100**	100	100
04053	調製豆乳	52	86	72	31	100	47	15	55	30	**100**	100	100
04054	豆乳飲料・麦芽コーヒー	53	87	70	31	100	46	15	56	31	**100**	100	100
04059	湯葉 生	55	90	71	30	110	49	14	57	30	**100**	100	100
04060	干し 乾	54	89	71	31	110	49	14	56	30	**100**	100	100
04071	■**りょくとう** 全粒 乾	51	95	84	25	110	42	12	64	35	**100**	100	100
5	種実類												
05001	■**アーモンド** 乾	46	78	35	27	89	35	11	53	30	**67**Lys	74Lys	78Lys
05041	■**あまに** いり	54	72	33	36	89	49	20	65	29	**63**Lys	70Lys	73Lys
05005	■**カシューナッツ** フライ 味付け	50	86	55	48	91	43	19	68	28	**100**	100	100
05008	■**ぎんなん** 生	46	80	45	45	75	61	19	64	23	**87**Lys	96Lys	100
05010	■**日本ぐり** 生	41	68	61	33	74	45	15	54	28	**100**	100	100
05014	■**くるみ** いり	48	84	32	41	91	41	15	58	29	**62**Lys	68Lys	71Lys
05017	■**ごま** 乾	44	79	32	61	93	46	19	57	32	**62**Lys	68Lys	71Lys
05046	■**チアシード** 乾	44	79	56	62	100	46	16	57	34	**100**	100	100
05026	■**ピスタチオ** いり 味付け	52	85	60	39	91	40	17	71	29	**100**	100	100
05038	■**ひまわり** 乾	54	76	41	51	88	45	17	64	32	**79**Lys	87Lys	91Lys
05039	■**ヘーゼルナッツ** いり	45	83	31	40	86	38	17	58	30	**60**Lys	66Lys	69Lys
05031	■**マカダミアナッツ** いり 味付け	38	70	45	55	93	38	13	49	28	**87**Lys	96Lys	100
05033	■**まつ** いり	44	80	41	56	86	36	11	56	28	**79**Lys	87Lys	91Lys
05034	■**らっかせい** 大粒種 乾	40	76	42	28	110	35	11	51	29	**81**Lys	89Lys	93Lys
05037	ピーナッツバター	41	78	38	27	100	35	11	52	30	**73**Lys	81Lys	84Lys
6	野菜類												
06007	■**アスパラガス** 若茎 生	41	70	69	33	74	48	14	59	24	**100**	100	100
06010	■**いんげんまめ** さやいんげん 若ざや 生	44	70	63	30	86	60	15	63	32	**100**	100	100
06015	■**えだまめ** 生	52	87	73	33	99	48	15	55	33	**100**	100	100
06020	■**えんどう類** さやえんどう 若ざや 生	47	66	72	25	73	59	14	68	24	**100**	100	100
06023	グリンピース 生	51	91	89	25	99	54	11	59	29	**100**	100	100
06032	■**オクラ** 果実 生	41	67	60	32	79	47	17	54	27	**100**	100	100

食品番号	食品名	イソロイシン Ile	ロイシン Leu	リシン Lys	含硫アミノ酸 AAS	芳香族アミノ酸 AAA	トレオニン Thr	トリプトファン Trp	バリン Val	ヒスチジン His	アミノ酸価（1～2歳）	アミノ酸価（15～17歳）	アミノ酸価（18歳以上）
アミノ酸評点パターン（1～2歳）		**31**	**63**	**52**	**25**	**46**	**27**	**7.4**	**41**	**18**			
アミノ酸評点パターン（15～17歳）		30	60	47	23	40	24	6.4	40	16			
アミノ酸評点パターン（18歳以上）		30	59	45	22	38	23	6.0	39	15			
06036	■**かぶ**　根　皮つき　生	48	80	87	36	90	62	17	71	32	**100**	100	100
06046	■**日本かぼちゃ**　果実　生	48	75	72	37	93	42	18	63	28	**100**	100	100
06048	■**西洋かぼちゃ**　果実　生	46	81	78	41	100	47	18	58	31	**100**	100	100
06052	■**からしな**　葉　生	48	88	78	35	99	63	22	69	28	**100**	100	100
06054	■**カリフラワー**　花序　生	53	85	88	40	95	60	17	76	28	**100**	100	100
06056	■**かんぴょう**　乾	51	71	61	32	86	46	7.2	61	28	**97**Trp	100	100
06061	■**キャベツ**　結球葉　生	35	55	56	29	62	47	12	52	32	**87**Leu	92Leu	93Leu
06065	■**きゅうり**　果実　生	44	70	59	29	82	41	16	53	24	**100**	100	100
06084	■**ごぼう**　根　生	38	46	58	20	58	38	12	43	27	**73**Leu	77Leu	78Leu
06086	■**こまつな**　葉　生	51	88	72	24	110	58	25	73	29	**96**AAS	100	100
06093	■**ししとう**　果実　生	46	72	79	41	95	53	17	63	28	**100**	100	100
06099	■**しゅんぎく**　葉　生	53	93	69	30	110	59	21	70	26	**100**	100	100
06103	■**しょうが**　根茎　皮なし　生	40	58	29	28	77	60	18	55	24	**56**Lys	62Lys	64Lys
06119	■**セロリ**　葉柄　生	43	64	57	18	73	47	15	65	26	**72**AAS	78AAS	82AAS
06124	■**そらまめ**　未熟豆　生	48	87	80	23	95	45	10	55	33	**92**AAS	100	100
06130	■**だいこん**　葉　生	53	95	75	33	110	64	24	73	29	**100**	100	100
06132	根　皮つき　生	45	57	61	30	70	53	12	67	28	**90**Leu	95Leu	97Leu
06149	■**たけのこ**　若茎　生	35	62	61	32	110	45	12	54	25	**98**Leu	100	100
06153	■**たまねぎ**　りん茎　生	21	38	66	26	70	29	17	27	24	**60**Leu	63Leu	64Leu
06160	■**チンゲンサイ**　葉　生	49	81	69	17	95	58	23	67	27	**68**AAS	74AAS	77AAS
	■**とうもろこし類**												
06175	スイートコーン　未熟種子　生	41	120	57	52	95	51	11	61	30	**100**	100	100
06182	■**トマト類**　赤色トマト　果実　生	31	49	51	30	65	37	10	35	24	**78**Leu	82Leu	83Leu
06370	ドライトマト	26	42	32	26	59	34	8.2	30	19	**62**Lys	68Lys	71Lys
06191	■**なす**　果実　生	46	72	76	31	88	50	16	62	33	**100**	100	100
06205	■**にがうり**　果実　生	50	82	90	32	110	57	20	67	39	**100**	100	100
06207	■**にら**　葉　生	50	86	74	34	100	62	25	65	24	**100**	100	100
06212	■**にんじん**　根　皮つき　生	46	68	67	32	77	54	16	64	25	**100**	100	100
06223	■**にんにく**　りん茎　生	29	55	61	33	73	37	17	48	22	**87**Leu	92Leu	93Leu
06226	■**根深ねぎ**　葉　軟白　生	38	65	68	34	82	46	14	52	22	**100**	100	100
06227	■**葉ねぎ**　葉　生	53	91	82	37	100	58	21	65	27	**100**	100	100
06233	■**はくさい**　結球葉　生	43	71	71	32	78	53	14	61	27	**100**	100	100
06239	■**パセリ**　葉　生	55	100	74	39	120	63	27	72	30	**100**	100	100
06240	■**はつかだいこん**　根　生	41	57	62	24	73	50	15	71	27	**90**Leu	95Leu	97Leu
06245	■**ピーマン類**　青ピーマン　果実　生	46	76	76	43	90	59	16	63	26	**100**	100	100
06263	■**ブロッコリー**　花序　生	44	71	75	35	81	51	16	64	34	**100**	100	100
06267	■**ほうれんそう**　葉　通年平均　生	50	86	67	39	110	56	25	66	31	**100**	100	100
06287	■**もやし類**　だいずもやし　生	52	74	54	28	97	49	17	62	35	**100**	100	100
06289	ブラックマッペもやし　生	61	69	46	22	110	47	17	83	44	**88**AAS	96AAS	100
06291	りょくとうもやし　生	56	62	69	16	110	39	15	75	43	**64**AAS	70AAS	73AAS
06305	■**らっきょう**　りん茎　生	33	53	83	28	79	34	18	42	29	**84**Leu	88Leu	90Leu
06312	■**レタス**　土耕栽培　結球葉　生	51	79	68	28	87	62	16	62	24	**100**	100	100
06313	■**サラダな**　葉　生	52	89	67	32	96	60	21	64	25	**100**	100	100
06317	■**れんこん**　根茎　生	25	38	38	32	61	38	13	34	24	**60**Leu	63Leu	64Leu
06324	■**わらび**　生わらび　生	45	81	63	30	110	53	17	63	26	**100**	100	100
7	**果実類**												
07006	■**アボカド**　生	53	91	79	49	95	58	18	69	34	**100**	100	100
07012	■**いちご**　生	38	65	51	42	58	44	13	50	23	**98**Lys	100	100
07015	■**いちじく**　生	42	63	57	35	52	45	13	57	21	**100**	100	100
07019	■**うめ**　生	33	49	48	19	51	35	10	43	26	**76**AAS	82Leu	83Leu
07049	■**かき**　甘がき　生	61	92	82	56	87	71	24	69	30	**100**	100	100
07027	■**うんしゅうみかん**　じょうのう　普通　生	35	60	65	36	56	40	9.7	47	24	**95**Leu	100	100
07030	ストレートジュース	22	37	40	28	47	29	7.0	31	15	**59**Leu	62Leu	63Leu
07040	■**オレンジ**　ネーブル　砂じょう　生	32	53	60	31	51	36	9.2	44	22	**84**Leu	88Leu	90Leu
07062	■**グレープフルーツ**　白肉種　砂じょう　生	22	37	46	27	38	31	7.8	31	20	**59**Leu	62Leu	63Leu
07093	■**なつみかん**　砂じょう　生	31	53	57	27	49	35	8.6	42	21	**84**Leu	88Leu	90Leu
07142	■**ゆず**　果皮　生	41	67	67	33	86	45	12	53	30	**100**	100	100
07156	■**レモン**　果汁　生	20	32	33	23	40	24	6.9	30	13	**51**Leu	53Leu	54Leu
07054	■**キウイフルーツ**　緑肉種　生	62	75	67	65	75	61	18	68	30	**100**	100	100

食品番号	食品名	イソロイシン Ile	ロイシン Leu
アミノ酸評点パターン（1～2歳）		**31**	**63**
アミノ酸評点パターン（15～17歳）		30	60
アミノ酸評点パターン（18歳以上）		30	59
07077	■**すいか**　赤肉種　生	49	53
07080	■**にほんすもも**　生	32	42
07088	■**日本なし**　生	31	40
07097	■**パインアップル**　生	44	59
07107	■**バナナ**　生	49	97
07116	■**ぶどう**　皮なし　生	29	48
07179	■**マンゴー**　ドライマンゴー	53	88
07135	■**メロン**　露地メロン　緑肉種　生	26	37
07136	■**もも**　白肉種　生	25	40
07184	黄肉種　生	45	49
07148	■**りんご**　皮なし　生	39	59
8	**きのこ類**		
08001	■**えのきたけ**　生	51	81
08006	■**きくらげ類**　きくらげ　乾	49	96
08039	■**しいたけ**　生しいたけ　菌床栽培　生	53	82
08042	原木栽培　生	52	84
08013	乾しいたけ　乾	48	80
08016	■**ぶなしめじ**　生	52	81
08020	■**なめこ**　株採り　生	61	96
08025	■**ひらたけ類**　エリンギ　生	56	87
08026	ひらたけ　生	53	82
08028	■**まいたけ**　生	49	57
08031	■**マッシュルーム**　生	58	88
08034	■**まつたけ**　生	48	83
9	**藻類**		
09001	■**あおさ**　素干し	48	83
09002	■**あおのり**　素干し	46	86
09003	■**あまのり**　ほしのり	52	91
09017	■**こんぶ類**　まこんぶ　素干し　乾	38	68
09023	つくだ煮	47	74
09049	■**てんぐさ**　粉寒天	100	170
09050	■**ひじき**　ほしひじき　ステンレス釜　乾	60	100
09033	■**ひとえぐさ**　つくだ煮	50	78
09037	■**おきなわもずく**　塩蔵　塩抜き	54	99
09038	■**もずく**　塩蔵　塩抜き	53	100
09044	■**わかめ**　カットわかめ　乾	58	110
09045	湯通し塩蔵わかめ　塩抜き　生	57	100
09047	めかぶわかめ　生	46	86
10	**魚介類**		
10002	■**あこうだい**　生	57	95
10003	■**あじ類**　まあじ　皮つき　生	52	91
10393	まるあじ　生	52	91
10015	■**あなご**　生	58	95
10018	■**あまだい**　生	59	96
10021	■**あゆ**　天然　生	49	90
10025	養殖　生	50	91
10032	■**あんこう**　きも　生	57	96
10033	■**いかなご**　生	56	96
10042	■**いわし類**　うるめいわし　生	56	93
10044	かたくちいわし　生	54	91
10047	まいわし　生	56	93
10396	しらす　生	53	95
10055	しらす干し　微乾燥品	53	94
10056	半乾燥品	53	94
10397	缶詰　アンチョビ	63	97
10067	■**うなぎ**　養殖　生	44	77
10071	■**うまづらはぎ**　生	60	97
10079	■**かさご**　生	50	90
10083	■**かじき類**　くろかじき　生	59	90

リシン Lys	含硫アミノ酸 AAS	芳香族アミノ酸 AAA	トレオニン Thr	トリプトファン Trp	バリン Val	ヒスチジン His	アミノ酸価（1～2歳）	アミノ酸価（15～17歳）	アミノ酸価（18歳以上）
52	25	46	27	7.4	41	18			
47	23	40	24	6.4	40	16			
45	22	38	23	6.0	39	15			
49	41	71	35	19	49	34	84Leu	88Leu	90Leu
43	17	39	34	5.3	37	21	67Leu	70Leu	71Leu
29	30	32	38	6.4	53	14	56Lys	62Lys	64Lys
59	74	69	43	17	55	28	94Leu	98Leu	100
71	41	63	49	14	68	110	100	100	100
49	35	44	48	10	42	36	76Leu	80Leu	81Leu
72	42	94	55	14	69	37	100	100	100
35	29	44	37	12	44	23	59Leu	62Leu	63Leu
40	21	36	36	5.8	34	19	63Leu	67Leu	68Leu
49	26	51	37	8.7	39	23	78Leu	82Leu	83Leu
52	41	45	40	9.2	45	22	94Leu	98Leu	100
76	32	120	67	22	66	44	100	100	100
64	34	100	81	26	70	37	100	100	100
75	24	89	66	20	65	29	96AAS	100	100
75	32	89	67	19	65	28	100	100	100
71	36	81	64	19	59	28	100	100	100
74	26	90	65	12	64	32	100	100	100
64	33	57	78	11	75	35	100	100	100
82	32	98	69	22	70	28	100	100	100
70	26	100	65	19	68	32	100	100	100
72	28	100	73	22	73	35	90Leu	95Leu	97Leu
68	27	77	66	21	70	30	100	100	100
67	32	92	69	15	60	33	100	100	100
57	44	100	66	20	75	24	100	100	100
57	48	95	64	20	69	22	100	100	100
63	49	89	65	16	81	18	100	100	100
47	41	65	51	12	53	18	90Lys	100	100
49	29	66	44	6.4	58	22	86Lys	100	100
41	32	120	42	4.7	120	6.5	36His	41His	43His
42	47	100	67	21	74	22	81Lys	89Lys	93Lys
54	25	62	46	4.7	60	24	64Trp	73Trp	78Trp
58	57	110	64	22	69	22	100	100	100
63	53	110	65	23	70	23	100	100	100
73	46	98	64	23	75	26	100	100	100
71	49	110	62	23	73	25	100	100	100
69	48	87	60	17	69	25	100	100	100
120	50	90	57	12	60	27	100	100	100
110	47	88	57	13	59	47	100	100	100
110	50	88	57	14	60	56	100	100	100
110	50	87	54	13	61	36	100	100	100
110	53	89	56	13	63	26	100	100	100
100	49	87	55	13	57	36	100	100	100
110	49	89	56	14	59	33	100	100	100
91	50	110	63	17	72	32	100	100	100
100	53	90	60	14	64	32	100	100	100
110	47	91	56	14	65	61	100	100	100
110	49	89	57	13	63	60	100	100	100
110	46	90	58	13	64	61	100	100	100
100	47	93	59	14	64	34	100	100	100
110	46	94	60	15	63	31	100	100	100
110	48	95	60	14	63	32	100	100	100
99	51	100	60	19	70	40	100	100	100
90	43	76	51	9.4	50	42	100	100	100
110	51	89	54	14	68	29	100	100	100
110	48	87	58	12	54	26	100	100	100
100	50	83	53	14	65	98	100	100	100

食品番号	食品名	イソロイシン Ile	ロイシン Leu	リシン Lys	含硫アミノ酸 AAS	芳香族アミノ酸 AAA	トレオニン Thr	トリプトファン Trp	バリン Val	ヒスチジン His	アミノ酸価（1～2歳）	アミノ酸価（15～17歳）	アミノ酸価（18歳以上）
	アミノ酸評点パターン（1～2歳）	31	63	52	25	46	27	7.4	41	18			
	アミノ酸評点パターン（15～17歳）	30	60	47	23	40	24	6.4	40	16			
	アミノ酸評点パターン（18歳以上）	30	59	45	22	38	23	6.0	39	15			
10085	めかじき　生	54	93	110	48	88	58	14	60	69	100	100	100
10086	**かつお類**　かつお　春獲り　生	51	88	100	47	85	56	15	59	120	100	100	100
10087	秋獲り　生	53	89	100	47	86	56	15	61	120	100	100	100
10091	加工品　かつお節	56	92	100	46	89	59	15	63	88	100	100	100
10092	削り節	55	93	100	47	92	60	16	64	75	100	100	100
10098	**かます**　生	58	97	110	57	92	55	13	64	34	100	100	100
10100	**かれい類**　まがれい　生	54	95	110	49	88	58	13	60	29	100	100	100
10103	まこがれい　生	48	85	98	46	82	53	12	55	25	100	100	100
10107	**かわはぎ**　生	52	92	110	48	87	58	13	59	28	100	100	100
10424	**かんぱち**　背側　生	56	94	110	49	89	59	14	62	49	100	100	100
10109	**きす**　生	53	93	110	49	88	57	13	59	28	100	100	100
10110	**きちじ**　生	50	92	110	49	89	57	11	55	25	100	100	100
10115	**ぎんだら**　生	52	89	100	48	86	57	12	56	27	100	100	100
10116	**きんめだい**　生	51	90	110	49	90	55	13	59	37	100	100	100
10117	**ぐち**　生	60	96	110	53	92	55	13	66	27	100	100	100
10119	**こい**　養殖　生	50	88	100	46	87	55	12	57	40	100	100	100
10124	**このしろ**　生	59	97	110	54	90	54	14	66	45	100	100	100
	さけ・ます類												
10134	しろさけ　生	54	90	100	49	89	60	13	63	53	100	100	100
10141	すじこ	72	110	90	50	100	56	12	85	31	100	100	100
10144	たいせいようさけ　養殖　皮つき　生	52	89	100	47	88	59	13	61	31	100	100	100
10148	にじます　淡水養殖　皮つき　生	48	85	100	49	84	56	12	56	41	100	100	100
10154	**さば類**　まさば　生	54	89	100	51	87	58	13	64	73	100	100	100
10404	ごまさば　生	52	90	100	46	88	57	15	60	78	100	100	100
10168	**よしきりざめ**　生	62	96	110	50	90	58	15	60	30	100	100	100
10171	**さわら**　生	56	91	110	49	87	57	13	62	40	100	100	100
10173	**さんま**　皮つき　生	53	89	99	47	87	56	14	60	73	100	100	100
10182	**ししゃも類**　からふとししゃも　生干し　生	58	96	93	51	91	58	16	72	30	100	100	100
10192	**たい類**　まだい　天然　生	58	95	110	49	89	58	13	64	31	100	100	100
10193	養殖　皮つき　生	54	92	110	47	89	57	13	61	32	100	100	100
10198	**たちうお**　生	56	92	110	53	89	59	12	62	30	100	100	100
10199	**たら類**　すけとうだら　生	48	88	100	52	85	55	13	55	30	100	100	100
10202	たらこ　生	63	110	87	39	99	58	13	69	25	100	100	100
10205	まだら　生	50	90	110	51	88	56	12	56	31	100	100	100
10213	**どじょう**　生	55	92	100	46	86	55	12	62	27	100	100	100
10215	**とびうお**　生	59	95	110	52	88	54	14	64	59	100	100	100
10218	**にしん**　生	59	98	110	53	90	55	13	68	31	100	100	100
10225	**はぜ**　生	58	97	110	52	94	55	13	61	29	100	100	100
10228	**はたはた**　生	52	90	100	48	83	56	12	57	26	100	100	100
10231	**はも**　生	58	94	120	50	86	52	13	61	33	100	100	100
10235	**ひらめ**　養殖　皮つき　生	53	91	110	47	88	58	12	61	31	100	100	100
10238	**ふな**　生	58	96	110	49	92	54	12	63	34	100	100	100
10241	**ぶり**　成魚　生	56	90	110	49	87	56	14	63	91	100	100	100
10243	はまち　養殖　皮つき　生	52	86	99	44	83	56	13	58	75	100	100	100
10246	**ほっけ**　生	57	96	120	47	90	58	12	63	34	100	100	100
10249	**ぼら**　生	59	95	110	51	85	55	14	65	39	100	100	100
	まぐろ類												
10252	きはだ　生	54	89	100	46	84	57	13	60	100	100	100	100
10253	くろまぐろ　天然　赤身　生	54	90	100	46	84	55	13	61	110	100	100	100
10254	脂身　生	54	88	110	47	86	55	14	63	100	100	100	100
10450	養殖　赤身　生	49	89	110	46	85	56	14	62	110	100	100	100
10255	びんなが　生	55	92	110	48	89	59	15	65	75	100	100	100
10256	みなみまぐろ　赤身　生	57	93	110	48	90	58	15	66	70	100	100	100
10257	脂身　生	56	91	110	47	89	58	14	67	72	100	100	100
10425	めばち　赤身　生	54	92	110	47	88	58	15	62	78	100	100	100
10426	脂身　生	52	89	100	46	87	58	14	62	76	100	100	100
10268	**むつ**　生	53	94	110	49	90	59	13	58	35	100	100	100
10271	**めばる**　生	58	96	120	53	91	55	13	62	27	100	100	100
10272	**メルルーサ**　生	58	96	110	53	90	54	13	64	25	100	100	100
10276	**わかさぎ**　生	54	93	100	54	89	53	12	64	30	100	100	100

各アミノ酸は、たんぱく質1gあたりの値（mg）

食品番号	食品名	イソロイシン Ile	ロイシン Leu	リシン Lys	含硫アミノ酸 AAS	芳香族アミノ酸 AAA	トレオニン Thr	トリプトファン Trp	バリン Val	ヒスチジン His	アミノ酸価（1～2歳）	アミノ酸価（15～17歳）	アミノ酸価（18歳以上）
アミノ酸評点パターン（1～2歳）		**31**	**63**	**52**	**25**	**46**	**27**	**7.4**	**41**	**18**			
アミノ酸評点パターン（15～17歳）		30	60	47	23	40	24	6.4	40	16			
アミノ酸評点パターン（18歳以上）		30	59	45	22	38	23	6.0	39	15			
10279	■**貝類** あかがい 生	50	84	83	49	82	57	12	53	26	**100**	100	100
10281	あさり 生	48	81	84	45	86	58	12	54	25	**100**	100	100
10427	あわび くろあわび 生	39	72	60	36	68	52	10	44	16	**89His**	100	100
10292	かき 養殖 生	49	78	85	46	88	59	13	55	28	**100**	100	100
10295	さざえ 生	45	82	69	46	72	50	10	49	18	**100**	100	100
10297	しじみ 生	51	80	91	47	97	76	17	64	30	**100**	100	100
10300	つぶ 生	45	91	76	49	77	53	11	55	25	**100**	100	100
10303	とりがい 斧足 生	55	89	92	52	82	55	12	57	23	**100**	100	100
10305	ばかがい 生	53	84	87	46	82	53	12	51	21	**100**	100	100
10306	はまぐり 生	52	84	89	50	84	53	14	56	29	**100**	100	100
10311	ほたてがい 生	46	79	81	47	75	55	10	49	26	**100**	100	100
10313	貝柱 生	47	87	91	52	77	51	11	46	23	**100**	100	100
10320	■**えび類** いせえび 生	49	84	94	43	87	45	11	51	25	**100**	100	100
10321	くるまえび 養殖 生	43	78	88	41	80	43	10	46	22	**100**	100	100
10328	しばえび 生	53	91	93	51	88	46	13	53	23	**100**	100	100
10415	バナメイえび 養殖 生	48	86	96	45	88	46	12	50	24	**100**	100	100
10333	■**かに類** 毛がに 生	49	82	85	44	86	53	11	52	26	**100**	100	100
10335	ずわいがに 生	52	83	89	41	90	53	13	55	28	**100**	100	100
10344	■**いか類** こういか 生	52	95	97	46	84	55	11	48	25	**100**	100	100
10417	するめいか 胴 皮つき 生	53	90	91	47	83	54	12	51	33	**100**	100	100
10348	ほたるいか 生	61	91	90	69	100	56	15	64	30	**100**	100	100
10352	やりいか 生	49	86	91	46	81	54	11	48	24	**100**	100	100
10361	■**たこ類** まだこ 生	53	88	85	39	81	59	11	52	27	**100**	100	100
10365	■**その他** うに 生うに	53	79	81	53	95	58	17	65	26	**100**	100	100
10368	おきあみ 生	61	92	99	48	94	57	14	66	29	**100**	100	100
10371	しゃこ ゆで	57	93	100	45	92	52	14	62	31	**100**	100	100
10372	なまこ 生	41	55	41	31	65	64	9.6	50	14	**78His**	87Lys	91Lys
10379	■**水産練り製品** 蒸しかまぼこ	58	94	110	49	82	53	12	61	24	**100**	100	100
10388	魚肉ソーセージ	55	90	93	46	80	48	12	59	25	**100**	100	100
11	**肉類**												
11003	■**うさぎ** 肉 赤肉 生	58	94	110	46	90	58	13	62	55	**100**	100	100
	■**うし**												
11011	**［和牛肉］** リブロース 脂身つき 生	51	91	98	41	86	53	12	59	40	**100**	100	100
11016	サーロイン 皮下脂肪なし 生	56	98	110	47	88	60	13	59	47	**100**	100	100
11020	もも 皮下脂肪なし 生	55	96	110	45	91	57	15	59	48	**100**	100	100
11037	**［乳用肥育牛肉］** リブロース 脂身つき 生	50	90	98	41	85	53	13	58	40	**100**	100	100
11041	赤肉 生	54	95	110	44	89	57	14	58	47	**100**	100	100
11042	脂身 生	32	66	63	25	62	38	5.7	49	35	**77Trp**	89Trp	95Trp
11044	サーロイン 皮下脂肪なし 生	52	91	100	46	86	55	13	57	46	**100**	100	100
11046	ばら 脂身つき 生	48	87	95	43	83	52	12	55	42	**100**	100	100
11048	もも 皮下脂肪なし 生	54	96	110	44	91	57	15	59	48	**100**	100	100
11059	ヒレ 赤肉 生	55	98	110	45	92	59	15	60	43	**100**	100	100
11254	**［交雑牛肉］** リブロース 脂身つき 生	51	91	98	42	86	54	13	59	42	**100**	100	100
11260	ばら 脂身つき 生	51	91	100	41	86	54	13	58	42	**100**	100	100
11261	もも 脂身つき 生	51	92	100	42	87	55	14	57	43	**100**	100	100
11267	ヒレ 赤肉 生	55	98	110	45	91	58	15	59	42	**100**	100	100
11067	**［輸入牛肉］** リブロース 脂身つき 生	53	93	100	43	88	55	14	57	45	**100**	100	100
11076	もも 皮下脂肪なし 生	53	94	100	43	89	56	14	59	46	**100**	100	100
11089	**［ひき肉］** 生	50	91	100	41	85	54	13	55	42	**100**	100	100
11090	**［副生物］** 舌 生	51	95	100	42	88	55	13	58	34	**100**	100	100
11091	心臓 生	55	100	94	46	92	54	16	64	32	**100**	100	100
11092	肝臓 生	53	110	92	47	100	55	17	71	35	**100**	100	100
11093	じん臓 生	53	110	84	49	99	55	19	72	32	**100**	100	100
11274	横隔膜 生	51	98	100	42	91	55	14	57	39	**100**	100	100
11109	■**うま** 肉 赤肉 生	58	96	110	44	89	57	14	60	59	**100**	100	100
11110	■**くじら** 肉 赤肉 生	56	100	120	42	87	56	14	55	45	**100**	100	100
11275	■**しか** にほんじか 赤肉 生	52	88	100	47	88	58	14	62	53	**100**	100	100
	■**ぶた**												
11123	**［大型種肉］** ロース 脂身つき 生	53	91	100	44	86	56	14	58	48	**100**	100	100
11127	赤肉 生	54	94	100	45	89	58	14	58	52	**100**	100	100

食品番号	食品名	イソロイシン Ile	ロイシン Leu
アミノ酸評点パターン（1～2歳）		**31**	**63**
アミノ酸評点パターン（15～17歳）		30	60
アミノ酸評点パターン（18歳以上）		30	59
11128	脂身 生	32	65
11129	ばら 脂身つき 生	49	88
11131	もも 皮下脂肪なし 生	54	94
11140	ヒレ 赤肉 生	56	96
11150	**［中型種肉］** ロース 皮下脂肪なし 生	57	94
11163	**［ひき肉］** 生	49	88
11164	**［副生物］** 舌 生	55	97
11165	心臓 生	55	100
11166	肝臓 生	54	110
11167	じん臓 生	53	110
11198	**［その他］** ゼラチン	14	34
	■**めんよう**		
11199	**［マトン］** ロース 脂身つき 生	52	93
11245	皮下脂肪なし 生	50	96
11202	**［ラム］** ロース 脂身つき 生	50	91
11246	皮下脂肪なし 生	47	97
11203	もも 脂身つき 生	53	95
11204	■**やぎ** 肉 赤肉 生	56	96
11247	■**かも** あひる 肉 皮なし 生	56	97
11284	皮 生	33	64
11210	■**しちめんちょう** 肉 皮なし 生	59	94
	■**にわとり**		
11285	**［若どり・主品目］** 手羽さき 皮つき 生	44	78
11286	手羽もと 皮つき 生	50	86
11219	むね 皮つき 生	54	92
11220	皮なし 生	56	93
11221	もも 皮つき 生	51	88
11224	皮なし 生	55	93
11230	**［二次品目］** ひき肉 生	52	89
11231	**［副品目］** 心臓 生	56	100
11232	肝臓 生	55	100
11233	すなぎも 生	51	89
11234	皮 むね 生	40	71
11235	もも 生	32	62
11293	**［その他］** つくね	53	89
11240	■**ほろほろちょう** 肉 皮なし 生	59	96
12	**卵類**		
12002	■**うずら卵** 全卵 生	60	100
12004	■**鶏卵** 全卵 生	58	98
12010	卵黄 生	60	100
12014	卵白 生	59	96
13	**乳類**		
13001	■**液状乳類** 生乳 ジャージー種	57	110
13002	ホルスタイン種	62	110
13003	普通牛乳	58	110
13005	加工乳 低脂肪	56	110
13007	乳飲料 コーヒー	57	110
13010	■**粉乳類** 脱脂粉乳	59	110
13011	乳児用調製粉乳	68	110
13013	■**練乳類** 加糖練乳	58	110
	■**クリーム類**		
13014	クリーム 乳脂肪	56	110
13016	植物性脂肪	48	110
13020	コーヒーホワイトナー 液状 乳脂肪	56	100
	■**発酵乳・乳酸菌飲料**		
13025	ヨーグルト 全脂無糖	62	110
13053	低脂肪無糖	56	110
13054	無脂肪無糖	60	110
13026	脱脂加糖	55	100

リシン Lys	含硫アミノ酸 AAS	芳香族アミノ酸 AAA	トレオニン Thr	トリプトファン Trp	バリン Val	ヒスチジン His	アミノ酸価（1～2歳）	アミノ酸価（15～17歳）	アミノ酸価（18歳以上）
52	25	46	27	7.4	41	18			
47	23	40	24	6.4	40	16			
45	22	38	23	6.0	39	15			
65	27	65	39	5.9	50	40	80Trp	92Trp	98Trp
95	39	85	53	12	57	41	100	100	100
100	47	90	57	15	60	50	100	100	100
110	46	92	59	16	61	48	100	100	100
100	47	86	57	14	62	59	100	100	100
96	42	84	54	13	55	44	100	100	100
99	48	88	53	16	62	35	100	100	100
94	50	92	55	16	64	31	100	100	100
89	50	100	57	17	71	33	100	100	100
83	48	100	54	19	70	33	100	100	100
42	9.8	26	23	0.1	31	7.8	1Trp	2Trp	2Trp
100	40	88	57	14	57	48	100	100	100
110	47	91	60	15	57	43	100	100	100
98	43	87	56	13	58	43	100	100	100
110	47	91	59	15	59	53	100	100	100
100	44	89	57	15	58	46	100	100	100
110	47	90	57	13	59	49	100	100	100
100	45	92	58	15	59	40	100	100	100
64	30	63	39	5.6	45	23	76Trp	88Trp	93Trp
110	46	87	56	14	61	62	100	100	100
84	38	75	48	10	51	39	100	100	100
95	42	82	53	13	56	46	100	100	100
100	45	87	56	15	58	62	100	100	100
100	46	88	57	15	59	61	100	100	100
98	43	84	54	13	55	41	100	100	100
100	45	88	56	15	58	43	100	100	100
99	44	86	55	14	57	49	100	100	100
95	50	94	55	16	67	31	100	100	100
90	48	100	59	17	69	34	100	100	100
81	47	82	52	11	56	26	100	100	100
75	40	66	41	8.6	55	50	100	100	100
62	29	60	39	5.7	43	32	77Trp	89Trp	95Trp
90	38	82	53	13	58	41	100	100	100
110	45	88	55	15	62	61	100	100	100
85	71	110	66	16	76	34	100	100	100
84	63	110	56	17	73	30	100	100	100
89	50	100	61	17	69	31	100	100	100
77	71	120	54	18	78	30	100	100	100
90	36	110	52	15	70	31	100	100	100
94	40	98	50	15	76	32	100	100	100
91	36	110	51	16	71	31	100	100	100
91	36	110	51	15	69	31	100	100	100
88	35	110	51	15	71	32	100	100	100
87	36	110	51	15	72	33	100	100	100
91	48	84	65	15	74	28	100	100	100
90	35	98	52	14	72	33	100	100	100
89	41	110	57	14	68	32	100	100	100
92	37	110	54	13	72	32	100	100	100
87	36	110	51	14	71	32	100	100	100
90	39	100	50	15	74	31	100	100	100
89	35	110	52	15	70	32	100	100	100
92	36	100	56	16	71	31	100	100	100
88	34	100	50	14	69	31	100	100	100

各アミノ酸は、たんぱく質1gあたりの値（mg）

食品番号	食品名	イソロイシン Ile	ロイシン Leu	リシン Lys	含硫アミノ酸 AAS	芳香族アミノ酸 AAA	トレオニン Thr	トリプトファン Trp	バリン Val	ヒスチジン His	アミノ酸価（1～2歳）	アミノ酸価（15～17歳）	アミノ酸価（18歳以上）
アミノ酸評点パターン（1～2歳）		31	63	52	25	46	27	7.4	41	18			
アミノ酸評点パターン（15～17歳）		30	60	47	23	40	24	6.4	40	16			
アミノ酸評点パターン（18歳以上）		30	59	45	22	38	23	6.0	39	15			
13027	ドリンクタイプ　加糖	57	110	91	35	110	52	15	71	32	100	100	100
13028	乳酸菌飲料　乳製品	62	110	84	41	98	50	13	75	32	100	100	100
	■**チーズ類**												
13033	ナチュラルチーズ　カテージ	56	110	89	33	120	49	14	71	33	100	100	100
13034	カマンベール	55	100	85	33	120	46	14	72	34	100	100	100
13035	クリーム	57	110	90	35	110	51	16	70	33	100	100	100
13037	チェダー	59	110	89	38	120	41	14	75	33	100	100	100
13055	マスカルポーネ	57	110	90	37	110	52	15	71	32	100	100	100
13040	プロセスチーズ	59	110	90	33	120	41	14	75	34	100	100	100
	■**アイスクリーム類**												
13042	アイスクリーム　高脂肪	58	110	90	39	100	53	14	71	33	100	100	100
13045	ラクトアイス　普通脂肪	64	110	92	40	90	53	13	77	32	100	100	100
13048	■**カゼイン**	60	100	86	37	120	48	14	74	33	100	100	100
13051	■**人乳**	63	120	79	47	100	55	18	69	31	100	100	100
14	**油脂類**												
14017	■**バター類**　無発酵バター　有塩バター	56	110	88	40	100	56	13	72	34	100	100	100
	■**マーガリン類**												
14020	マーガリン　家庭用　有塩	58	110	88	37	110	53	9.8	71	33	100	100	100
14021	ファットスプレッド	65	110	94	34	97	71	12	71	32	100	100	100
15	**菓子類**												
15125	■**揚げパン**	44	81	27	42	95	35	12	52	27	52Lys	57Lys	60Lys
15127	■**カレーパン**　皮及び具	(45)	(80)	(34)	(37)	(91)	(38)	(12)	(52)	(29)	65Lys	72Lys	76Lys
15132	■**メロンパン**	45	82	30	47	95	37	13	53	27	58Lys	64Lys	67Lys
15097	■**ビスケット**　ハードビスケット	49	88	19	46	89	35	13	56	27	37Lys	40Lys	42Lys
16	**し好飲料類**												
16001	■**清酒**　普通酒	43	69	39	27	95	45	4.0	66	34	54Trp	63Trp	67Trp
16006	■**ビール**　淡色	30	42	38	41	84	38	17	53	36	67Leu	70Leu	71Leu
16025	■**みりん**　本みりん	49	89	41	12	110	47	6.4	74	30	48AAS	52AAS	55AAS
16035	■**抹茶**　茶	49	91	76	40	98	52	21	63	31	100	100	100
16048	■**ココア**　ピュアココア	45	78	46	45	110	55	19	71	25	88Lys	98Lys	100
16056	■**青汁**　ケール	51	96	65	39	100	61	22	70	32	100	100	100
17	**調味料・香辛料類**												
17002	■**ウスターソース類**　中濃ソース	34	48	46	18	60	40	3.1	48	26	42Trp	48Trp	52Trp
17007	■**しょうゆ類**　こいくちしょうゆ	62	91	69	26	70	53	2.9	67	27	39Trp	45Trp	48Trp
17008	うすくちしょうゆ	60	88	66	30	66	51	2.7	66	29	36Trp	42Trp	45Trp
17009	たまりしょうゆ	50	66	72	23	59	54	2.5	62	27	34Trp	39Trp	42Trp
17093	■**だし類**　顆粒中華だし	16	30	33	13	28	21	2.5	24	22	34Trp	39Trp	42Trp
17107	■**調味ソース類**　魚醤油　ナンプラー	45	59	120	38	52	69	9.1	74	44	94Leu	98Leu	100
	■**ドレッシング類**　半固形状ドレッシング												
17118	マヨネーズタイプ調味料　低カロリータイプ	32	52	45	30	57	31	8.4	40	16	83Leu	87Leu	88Leu
17044	■**みそ類**　米みそ　甘みそ	54	95	58	31	110	49	14	62	33	100	100	100
17045	淡色辛みそ	58	93	68	30	110	49	13	64	33	100	100	100
17046	赤色辛みそ	60	96	62	34	110	50	10	66	31	100	100	100
17047	麦みそ	55	91	51	38	100	48	10	62	29	98Lys	100	100
17048	豆みそ	56	90	56	28	100	49	9.1	61	33	100	100	100
17119	減塩みそ	56	90	67	33	100	51	11	64	31	100	100	100
18	**調理済み流通食品類**												
	■**洋風料理**　フライ用冷凍食品												
18007	コロッケ　ポテトコロッケ　冷凍	47	76	57	40	81	39	13	59	24	100	100	100
	■**中国料理**　点心類												
18002	ぎょうざ	47	79	57	39	79	40	12	54	27	100	100	100
18012	しゅうまい	50	84	74	39	80	44	12	56	33	100	100	100

日本食品標準成分表2020年（八訂）

❷ 脂肪酸成分表編

「第1表 可食部100g当たりの脂肪酸成分表」より抜粋

■脂肪酸成分表とは

脂肪酸は、脂質の主要な構成成分であり、その種類によりさまざまな生理作用を有する重要な栄養成分である。

食品中の脂肪酸の含量を示す成分表は、脂肪酸の供給と摂取に関する現状と今後のあり方を検討するための基礎資料となる。さらに、栄養学・食品学・医学などでの活用が期待されている。

なお、日本食品標準成分表2020年版（八訂）脂肪酸成分表編（以下「脂肪酸成分表2020」）には以下の３種類が収載されている。

第1表　可食部100g当たりの脂肪酸成分表（1,921食品）
第2表　脂肪酸総量100g当たりの脂肪酸成分表（1,228食品）
第3表　脂質1g当たりの脂肪酸成分表（1,228食品）
※第3表は、Webでのみ収載。

■本書の脂肪酸成分表

本書の脂肪酸成分表では、第1表で取り上げられている脂肪酸のうち、必須脂肪酸（➡p.20）を中心に、「飽和」「一価不飽和」「多価不飽和」脂肪酸ごとに掲載している。なお、「脂肪酸のトリアシルグリセロール当量」については成分表本体に掲載しているので、ここでは割愛した。

また、掲載食品は「脂肪酸成分表2020」から、脂質含量の多い食品、日常的に摂取量の多い食品などを基準に選定した。

（可食部100gあたり）

食品番号	食品名	脂肪酸総量	飽和脂肪酸	パルミチン酸	一価不飽和脂肪酸	オレイン酸	多価不飽和脂肪酸	n-3系多価不飽和脂肪酸	α-リノレン酸	イコサペンタエン酸	ドコサヘキサエン酸	n-6系多価不飽和脂肪酸	リノール酸	アラキドン酸
	単位	g		mg	g	mg	g		mg			g	mg	
1	穀類													
	■こむぎ													
01015	[小麦粉]　薄力粉　1等	1.23	0.34	320	0.13	-	0.75	0.04	38	0	0	0.72	720	0
01026	[パン類]　角形食パン　食パン	3.57	1.50	1100	1.24	1200	0.82	0.05	51	0	0	0.77	770	Tr
01035	クロワッサン　リッチタイプ	(24.26)	(12.16)	(8400)	(8.94)	-	(3.15)	(0.22)	(220)	(0)	(0)	(2.93)	(2900)	(0)
01038	[うどん・そうめん類]　うどん　生	(0.50)	(0.14)	(130)	(0.05)	-	(0.31)	(0.02)	(16)	(0)	(0)	(0.29)	(290)	(0)
01047	[中華めん類]　中華めん　生	(0.99)	(0.28)	(260)	(0.11)	-	(0.61)	(0.03)	(31)	(0)	(0)	(0.58)	(580)	(0)
	[即席めん類]　中華スタイル即席カップめん													
01193	油揚げ　塩味　乾（添付調味料等を含む）	16.95	8.21	7000	6.62	6400	2.12	0.07	71	0	0	2.05	2000	7
	■こめ													
01083	[水稲穀粒]　精白米　うるち米	0.81	0.29	250	0.21	-	0.31	0.01	11	0	0	0.30	300	0
01127	■そば　生	(1.62)	(0.40)	(340)	(0.42)	-	(0.80)	(0.04)	(44)	-	-	(0.76)	(760)	-
2	いも・でん粉類													
	■さつまいも類													
02006	さつまいも　塊根　皮なし　生	0.05	0.03	20	Tr	1	0.02	Tr	3	0	0	0.02	21	0
02017	■じゃがいも　塊茎　皮なし　生	0.04	0.02	14	0	Tr	0.02	0.01	6	0	0	0.02	16	0
02020	フライドポテト	(9.85)	(0.83)	(480)	(6.28)	-	(2.74)	(0.79)	(790)	(0)	(0)	(1.95)	(2000)	(0)
4	豆類													
04001	■あずき　全粒　乾	0.80	0.24	200	0.06	-	0.50	0.15	150	-	-	0.35	350	-
	■だいず　[全粒・全粒製品]													
04023	全粒　黄大豆　国産　乾	17.78	2.59	1900	4.80	4500	10.39	1.54	1500	0	0	8.84	8800	0
04032	■豆腐・油揚げ類　木綿豆腐	4.32	0.79	500	0.92	-	2.60	0.31	310	-	-	2.29	2300	-
04046	■納豆類　糸引き納豆	(9.30)	(1.45)	(1100)	(2.21)	-	(5.65)	(0.67)	(670)	(0)	(0)	(4.98)	(5000)	(0)
5	種実類													
05001	■アーモンド　乾	49.68	3.95	3200	33.61	-	12.12	0.01	9	-	-	12.11	12000	-
05005	■カシューナッツ　フライ　味付け	45.78	9.97	4800	27.74	-	8.08	0.08	76	-	-	8.00	8000	-
05017	■ごま　乾	50.69	7.80	4500	19.63	-	23.26	0.15	150	-	-	23.11	23000	-
05031	■マカダミアナッツ　いり　味付け	73.25	12.46	6600	59.23	-	1.56	0.09	85	-	-	1.47	1500	-
05034	■らっかせい　大粒種　乾	44.41	8.25	4000	22.57	-	13.59	0.09	94	0	0	13.50	13000	0
6	野菜類													
06015	■えだまめ　生	5.49	0.84	600	1.88	-	2.77	0.52	520	0	0	2.25	2200	0
06182	■トマト類　赤色トマト　果実　生	0.05	0.02	12	0.01	-	0.03	Tr	3	0	-	0.02	24	0
	■にんじん類													
06212	にんじん　根　皮つき　生	0.08	0.02	14	Tr	-	0.06	0.01	6	0	-	0.05	51	0
06267	■ほうれんそう　葉　通年平均　生	0.22	0.04	31	0.02	-	0.17	0.12	120	0	-	0.04	34	0

食品番号	食品名	脂肪酸総量	飽和脂肪酸
	単位	g	
7	果実類		
07006	■アボカド　生	14.84	3.03
07037	■オリーブ　塩漬　グリーンオリーブ	(13.97)	(2.53)
07038	ブラックオリーブ	11.46	2.07
07158	■ココナッツ　ココナッツミルク	14.08	13.20
8	きのこ類		
08001	■えのきたけ　生	0.10	0.02
08039	■しいたけ　生しいたけ　菌床栽培　生	0.19	0.04
9	藻類		
09004	■あまのり　焼きのり	2.14	0.55
09050	■ほしひじき　ステンレス釜　乾	1.59	0.59
10	魚介類		
10003	■まあじ　皮つき　生	3.37	1.10
10015	■あなご　生	7.61	2.26
10025	■あゆ　養殖　生	6.32	2.44
10032	■あんこう　きも　生	35.31	9.29
	■いわし類		
10047	まいわし　生	6.94	2.55
10397	缶詰　アンチョビ	5.78	1.09
10070	■うなぎ　かば焼	18.56	5.32
	■かつお類		
10086	かつお　春獲り　生	0.38	0.12
10087	秋獲り　生	4.67	1.50
10091	加工品　かつお節	1.76	0.62
10096	缶詰　味付け　フレーク	2.30	0.78
10110	■きちじ　生	18.61	3.95
10116	■きんめだい　生	7.54	2.15
10134	■さけ・ます類　しろさけ　生	3.51	0.80
10140	イクラ	11.21	2.42
10154	■まさば　生	12.27	4.57
10171	■さわら　生	8.01	2.51
10173	■さんま　皮つき　生	21.77	4.84
10182	■からふとししゃも　生干し　生	9.50	1.95
10193	■まだい　養殖　皮つき　生	7.42	2.26
	■たら類		
10199	すけとうだら　生	0.47	0.12
10204	からしめんたいこ	2.22	0.54
10218	■にしん　生	12.54	2.97
10224	かずのこ　塩蔵　水戻し	1.49	0.52
10235	■ひらめ　養殖　皮つき　生	2.92	0.80
10241	■ぶり　成魚　生	12.49	4.42
10243	はまち　養殖　皮つき　生	12.84	3.96
	■まぐろ類		
10253	くろまぐろ　天然　赤身　生	0.73	0.25
10254	脂身　生	22.52	5.91
10263	缶詰　油漬　フレーク　ライト	20.40	3.37
10273	■やつめうなぎ　生	17.98	3.76
10276	■わかさぎ　生	1.16	0.29
10281	■あさり　生	0.08	0.02
10292	■かき　養殖　生	1.22	0.41
	■えび類		
10319	あまえび　生	0.71	0.17
10325	さくらえび　素干し	1.97	0.59
10329	ブラックタイガー　養殖　生	0.13	0.04
10333	■かに類　毛がに　生	0.26	0.05
10335	ずわいがに　生	0.22	0.03
10345	■いか類　するめいか　生	0.33	0.11
10348	ほたるいか　生	2.21	0.58
10361	■たこ類　まだこ　生	0.23	0.07
11	肉類		
	■うし　[乳用肥育牛肉]		
11037	リブロース　脂身つき　生	33.41	15.10
11046	ばら　脂身つき　生	35.65	12.79

パルミチン酸	一価不飽和脂肪酸	オレイン酸	多価不飽和脂肪酸	n-3系多価不飽和脂肪酸	α-リノレン酸	イコサペンタエン酸	ドコサヘキサエン酸	n-6系多価不飽和脂肪酸	リノール酸	アラキドン酸
mg	g	mg	g	g	mg	mg	mg	g	mg	mg
2900	9.96	8800	1.85	0.12	120	-	-	1.72	1700	0
(2100)	(10.63)	-	(0.82)	(0.12)	(120)	-	-	(0.69)	(690)	(0)
1700	8.72	-	0.67	0.10	100	-	-	0.57	570	0
1200	0.76	-	0.13	0	0	0	0	0.13	130	0
13	0.01	-	0.08	0.02	24	0	0	0.05	51	0
30	0.01	5	0.15	0	Tr	0	0	0.15	150	0
500	0.20	-	1.39	1.19	4	1200	-	0.20	39	98
480	0.37	-	0.63	0.33	130	110	-	0.31	82	220
670	1.05	-	1.22	1.05	18	300	570	0.13	31	61
1400	3.70	-	1.65	1.42	18	560	550	0.21	52	81
1900	2.48	-	1.40	0.82	58	180	440	0.58	530	28
6600	14.15	5700	11.88	100	210	3000	5100	1.63	430	660
1600	1.86	-	2.53	2.10	59	780	870	0.28	92	100
750	2.84	2500	1.85	0.80	32	140	580	1.03	1000	17
3600	9.85	-	3.39	2.87	84	750	1300	0.53	440	62
78	0.06	32	0.19	0.17	3	39	120	0.02	5	7
930	1.33	-	1.84	1.57	41	400	970	0.24	85	84
350	0.33	-	0.81	0.70	6	99	560	0.10	22	40
460	0.58	-	0.94	0.83	22	180	540	0.11	40	35
2500	10.68	5100	3.97	3.42	66	1300	1500	0.48	140	190
1300	3.80	-	1.60	1.37	48	270	870	0.22	78	110
450	1.69	660	1.01	0.92	27	240	460	0.07	38	12
1400	3.82	-	4.97	4.70	83	1600	2000	0.27	110	110
2900	5.03	-	2.66	2.12	76	690	970	0.43	140	180
1600	3.45	-	2.05	1.70	46	340	1100	0.31	88	95
2500	10.58	770	6.35	5.59	280	1500	2200	0.55	300	98
1200	5.52	-	2.03	1.73	39	740	650	0.19	120	30
1400	2.72	-	2.44	1.78	72	520	780	0.54	420	61
89	0.08	45	0.27	0.25	1	71	170	0.02	4	15
440	0.59	-	1.09	1.01	6	420	530	0.07	39	23
1800	7.18	-	2.39	2.13	100	880	770	0.26	160	84
420	0.45	-	0.52	0.48	7	180	270	0.03	13	15
530	0.95	510	1.17	0.89	33	170	520	0.25	170	40
2600	4.35	-	3.72	3.35	97	940	1700	0.37	190	160
2500	5.83	3000	3.05	1.88	120	450	910	1.08	880	85
140	0.29	-	0.19	0.17	3	27	120	0.03	8	16
3500	10.20	-	6.41	5.81	210	1400	3200	0.60	340	170
2300	4.86	-	12.16	1.40	1300	14	65	10.76	11000	11
2600	9.57	-	4.65	3.80	170	1500	1500	0.74	300	320
200	0.32	-	0.56	0.45	24	130	240	0.09	30	41
11	0.01	-	0.04	0.03	Tr	6	18	0.01	1	4
260	0.21	50	0.60	0.52	26	230	180	0.07	22	28
130	0.21	94	0.34	0.30	4	150	130	0.04	8	24
380	0.63	-	0.75	0.60	22	240	310	0.14	32	74
26	0.03	-	0.06	0.04	1	17	21	0.02	17	5
36	0.06	-	0.15	0.14	1	100	31	0.01	2	8
24	0.06	-	0.13	0.11	Tr	68	33	0.02	2	14
83	0.03	-	0.19	0.18	Tr	43	130	0.01	1	8
380	0.69	-	0.94	0.83	14	310	450	0.10	22	58
37	0.03	-	0.14	0.11	Tr	40	68	0.02	1	21
8900	16.99	-	1.32	0.07	65	0	0	1.25	1200	32
7900	21.87	18000	0.99	0.03	33	0	0	0.95	850	36

(可食部100gあたり)

食品番号	食品名	脂肪酸総量	飽和脂肪酸	パルミチン酸	一価不飽和脂肪酸	オレイン酸	多価不飽和脂肪酸	n-3系多価不飽和脂肪酸	α-リノレン酸	イコサペンタエン酸	ドコサヘキサエン酸	n-6系多価不飽和脂肪酸	リノール酸	アラキドン酸
	単位	g	g	mg	g	mg	g	g	mg	mg	mg	g	mg	mg
11052	もも　脂身　生	60.95	26.54	15000	32.16	-	2.25	0.11	110	0	0	2.14	2100	0
11059	ヒレ　赤肉　生	9.65	4.35	2600	4.80	-	0.50	0.02	13	0	0	0.48	380	53
	うし　[副生物]													
11090	舌　生	28.42	11.19	7000	15.98	14000	1.25	0.06	48	0	0	1.18	1000	70
11092	肝臓　生	2.05	0.93	330	0.48	-	0.64	0.07	6	10	9	0.57	200	170
	ぶた　[大型種肉]													
11123	ロース　脂身つき　生	17.73	7.84	4500	7.68	-	2.21	0.11	83	0	10	2.10	1900	56
11129	ばら　脂身つき　生	33.36	14.60	8700	15.26	13000	3.50	0.18	160	0	0	3.32	3000	75
11130	もも　脂身つき　生	9.07	3.59	2200	4.24	-	1.24	0.06	45	1	3	1.18	1100	57
11140	ヒレ　赤肉　生	3.13	1.29	780	1.38	1200	0.45	0.03	13	2	5	0.43	350	41
	めんよう　[ラム]													
11202	ロース　脂身つき　生	22.12	11.73	4900	9.52	-	0.87	0.32	250	17	13	0.55	510	24
	にわとり　[若どり・主品目]													
11285	手羽さき　皮つき　生	15.05	4.40	3400	8.32	6800	2.33	0.18	150	7	10	2.14	2000	81
11219	むね　皮つき　生	5.23	1.53	1100	2.67	2300	1.03	0.11	76	5	16	0.92	850	35
11221	もも　皮つき　生	12.93	4.37	3300	6.71	-	1.85	0.09	73	1	7	1.76	1600	79
12	卵類													
12002	**うずら卵**　全卵　生	10.20	3.87	2700	4.73	-	1.61	0.33	31	34	240	1.27	1100	130
12004	**鶏卵**　全卵　生	8.87	3.12	2300	4.32	3900	1.43	0.11	29	1	72	1.32	1100	170
13	乳類													
13003	**液状乳類**　普通牛乳	3.32	2.33	1000	0.87	-	0.12	0.02	13	1	Tr	0.10	88	6
13005	加工乳　低脂肪	0.93	0.67	310	0.23	-	0.03	Tr	4	Tr	0	0.03	24	2
13007	乳飲料　コーヒー	1.91	1.32	610	0.53	-	0.06	0.02	12	1	0	0.05	37	2
13014	**クリーム類**　クリーム　乳脂肪	37.53	26.28	12000	9.89	8300	1.37	0.21	170	12	0	1.15	1000	62
	発酵乳・乳酸菌飲料													
13025	ヨーグルト　全脂無糖	2.64	1.83	780	0.71	-	0.10	0.01	10	1	Tr	0.08	75	5
13040	**チーズ類**　プロセスチーズ	23.39	16.00	6600	6.83	-	0.56	0.17	170	-	-	0.39	390	0
	アイスクリーム類													
13043	アイスクリーム　普通脂肪	7.31	4.64	1900	2.32	-	0.36	0.05	51	4	0	0.30	240	20
13045	ラクトアイス　普通脂肪	13.40	9.11	3900	3.67	-	0.62	0.01	15	0	0	0.60	600	1
13047	ソフトクリーム	5.36	3.69	1700	1.48	-	0.19	0.03	25	3	0	0.16	150	6
14	油脂類													
	植物油脂類													
14023	あまに油	95.13	8.09	4500	15.91	15000	71.13	56.63	57000	0	0	14.50	14000	0
14024	えごま油	95.17	7.64	5600	16.94	16000	70.60	58.31	58000	0	0	12.29	12000	0
14001	オリーブ油	94.58	13.29	9800	74.04	-	7.24	0.60	600	0	0	6.64	6600	0
14002	ごま油	93.83	15.04	8800	37.59	-	41.19	0.31	310	0	0	40.88	41000	0
14008	なたね油	93.26	7.06	4000	60.09	-	26.10	7.52	7500	0	0	18.59	19000	0
14011	ひまわり油　ハイリノール	95.53	10.25	5700	27.35	-	57.94	0.43	430	-	-	57.51	58000	0
14026	ミッドオレイック	94.17	8.85	4100	57.22	-	28.09	0.22	220	0	0	27.88	28000	0
14027	ハイオレイック	95.44	8.74	3400	79.90	-	6.79	0.23	230	0	0	6.57	6600	0
14015	**動物油脂類**　牛脂	89.67	41.05	23000	45.01	-	3.61	0.17	170	0	0	3.44	3300	0
14017	**バター類**　無発酵バター　有塩バター	70.56	50.45	22000	17.97	-	2.14	0.28	280	0	0	1.86	1700	110
14020	**マーガリン類**　マーガリン　家庭用　有塩	75.33	23.04	11000	39.32	38000	12.98	1.17	1200	0	0	11.81	12000	0
15	菓子類													
15057	**米菓**　揚げせんべい	(16.19)	(2.08)	(1400)	(7.02)	(0)	(7.09)	(1.14)	(1100)	(0)	(0)	(5.95)	(5900)	(0)
15069	**あんパン**　こしあん入り	(3.20)	(1.57)	(1000)	(1.11)	(1000)	(0.51)	(0.05)	(54)	(0)	(0)	(0.46)	(450)	(3)
15075	**ショートケーキ**　果実なし	(13.16)	(5.80)	(2600)	(6.34)	(0)	(1.03)	(0.11)	(66)	(3)	(33)	(0.92)	(810)	(67)
15086	**カスタードプリン**	4.26	2.10	1100	1.60	-	0.57	0.05	22	0	27	0.51	440	48
15097	**ビスケット**　ハードビスケット	8.53	3.98	2500	3.42	-	1.12	0.07	69	0	0	1.05	1100	0
16	し好飲料類													
16035	**緑茶類**　抹茶　茶	3.19	0.68	620	0.34	-	2.16	1.34	1300	-	-	0.81	810	0
16048	**ココア**　ピュアココア	19.98	12.40	5100	6.88	-	0.70	0.04	37	-	-	0.66	660	0
17	調味料類													
	ドレッシング類													
17042	マヨネーズ　全卵型	69.40	6.07	3900	39.82	37000	23.51	5.49	5500	0	0	18.02	18000	0
17051	**ルウ類**　カレールウ	31.35	14.84	7900	14.85	-	1.65	0.10	100	-	0	1.55	1600	-
18	調理済み流通食品類													
18023	**和風料理**　松前漬け　しょうゆ漬	0.85	0.28	200	0.11	36	0.46	0.43	2	120	300	0.03	7	15
18015	**洋風料理**　ミートボール	10.90	3.23	2100	5.33	-	2.35	0.29	290	-	-	2.05	2000	27
18007	ポテトコロッケ　冷凍	3.36	0.94	590	1.22	-	1.19	0.17	170	-	-	1.02	1000	-
18002	**中国料理**　点心類　ぎょうざ	9.52	3.09	2000	4.43	-	2.00	0.09	92	-	-	1.91	1900	20
18012	しゅうまい	8.30	2.86	1800	4.05	-	1.39	0.09	88	-	-	1.30	1200	26

日本食品標準成分表2020年（八訂）

③ 炭水化物成分表編

「本表　可食部100g当たりの炭水化物成分表（利用可能炭水化物及び糖アルコール）」より抜粋

■炭水化物成分表とは

炭水化物は、生体内で主にエネルギー源として利用される重要な栄養成分である。

炭水化物成分表は、食品中の利用可能炭水化物、糖アルコール及び有機酸の組成を収載することにより、これらの供給と摂取に関する現状と今後のあり方を検討するための基礎資料を提供し、栄養学・食品学・医学などでの活用が期待されている。

なお、日本食品標準成分表2020年版（八訂）炭水化物成分表編には以下の2種類がある。

本表　可食部100g当たりの炭水化物成分表（利用可能炭水化物及び糖アルコール）（1,075食品）

別表1　可食部100g当たりの食物繊維成分表（1,416食品）

別表2　可食部100g当たりの有機酸成分表（409食品）

■利用可能炭水化物（単糖当量）について

利用可能炭水化物とは炭水化物の構成成分のうち、ヒトの消化酵素で消化できるものの総称である。

利用可能炭水化物（単糖当量）は、それぞれの利用可能炭水化物に、決まった換算係数を乗じて求める（換算係数はでん粉：1.10、二糖類：1.05等）。そのため、単糖以外の利用可能炭水化物が含まれている場合には、利用可能炭水化物（単糖当量）は利用可能炭水化物の「計」より値が高くなる。

（可食部100gあたり）

食品番号	食品名	利用可能炭水化物									
		単糖当量	でん粉	ぶどう糖	果糖	ガラクトース	しょ糖	麦芽糖	乳糖	トレハロース	計
		g									
1	穀類										
01001	■**アマランサス**　玄穀	63.5	56.4	Tr	Tr	-	1.3	0	(0)	(0)	57.8
01004	■**えんばく**　オートミール	63.1	56.3	0	Tr	-	1.0	0	(0)	(0)	57.4
01006	■**おおむぎ**　押麦　乾	72.4	65.4	Tr	0.1	Tr	0.3	0.1	0	(0)	65.8
01167	■**キヌア**　玄穀	60.7	52.3	0.7	0.1	0	2.3	0	-	-	55.4
	■**こむぎ**										
01015	**[小麦粉]**　薄力粉　1等	80.3	72.7	Tr	Tr	-	0.3	0.1	(0)	(0)	73.1
01026	**[パン類]**　角形食パン　食パン	48.2	38.9	1.5	2.2	-	0	1.3	0.2	0.1	44.2
01031	フランスパン	63.9	56.3	Tr	-	-	0	1.8	-	-	58.2
01034	ロールパン	49.7	39.1	1.8	2.7	-	0.2	1.3	0.4	0.2	45.7
01148	ベーグル	50.3	40.9	0.8	1.2	-	0.3	2.5	0	0.3	46.0
01038	**[うどん・そうめん類]**　うどん　生	55.0	48.2	0.2	0.2	-	0.2	1.4	(0)	0	50.1
01047	**[中華めん類]**　中華めん　生	52.2	46.3	Tr	0	-	0.1	0.9	-	0.3	47.6
	[即席めん類]										
01056	即席中華めん　油揚げ味付け	63.0	56.5	Tr	0	-	0.7	0.2	-	0	57.3
	[マカロニ・スパゲッティ類]										
01063	マカロニ・スパゲッティ　乾	73.4	64.1	0.1	0.1	0	0.4	2.3	(0)	-	66.9
01149	生パスタ　生	46.1	36.9	0.2	0.1	-	0.1	4.7	-	0.2	42.2
01076	**[その他]　ピザ生地**	(53.2)	(45.5)	(0.3)	(0.3)	-	(Tr)	(2.5)	(Tr)	-	(48.5)
	■**こめ**										
01080	**[水稲穀粒]**　玄米	78.4	70.5	Tr	Tr	0	0.8	0	0	(0)	71.3
01083	精白米　うるち米	83.1	75.4	0	0	0	0.2	0	0	(0)	75.6
01151	もち米	77.6	70.3	0	-	-	0.3	0	(0)	(0)	70.5
01153	発芽玄米	76.2	68.8	0.1	Tr	-	0.4	0	(0)	(0)	69.3
	[うるち米製品]										
01159	米粉パン　小麦グルテン不使用のもの	55.6	46.5	1.1	1.4	-	0.1	0	0	1.7	50.8
01115	ビーフン	(79.9)	(72.3)	(0.2)	(0)	-	(0.1)	(0.1)	(0)	(0)	(72.7)
01127	■**そば**　そば　生	(56.4)	(50.9)	(Tr)	(0)	(0)	(0.3)	(0.1)	(0)	(0)	(51.3)
	■**とうもろこし**										
01131	玄穀　黄色種	71.2	63.4	0.2	0.1	0	1.1	0	(0)	(0)	64.8
01133	コーングリッツ　黄色種	82.3	74.3	0.1	0.1	-	0.2	0	(0)	(0)	74.8
01136	ポップコーン	(59.5)	(53.5)	(Tr)	(Tr)	(0)	(0.6)	(0)	(0)	(0)	(54.1)
01142	■**ライむぎ**　全粒粉	61.2	54.5	0.1	0.1	-	1.0	0.1	(0)	(0)	55.7
2	いも・でん粉類										
02001	■**きくいも**　塊茎　生	(2.8)	(0.3)	(0.4)	(0.4)	-	(1.7)	(0)	(0)	-	(2.7)
	■**さつまいも類**										
02006	さつまいも　塊根　皮なし　生	30.9	24.5	0.6	0.4	-	2.7	0.1	0	(0)	28.3
	■**さといも類**										
02010	さといも　球茎　生	11.2	8.7	0.3	0.4	-	0.9	Tr	0	(0)	10.3
02017	■**じゃがいも**　塊茎　皮なし　生	17.0	14.7	0.3	0.2	-	0.3	0	0	(0)	15.5
02021	乾燥マッシュポテト	73.5	63.9	1.0	0.9	-	1.2	0	(0)	(0)	67.1
	■**やまのいも類**　ながいも										
02023	ながいも　塊根　生	14.1	11.8	0.4	0.5	-	0.2	Tr	(0)	(0)	12.9
02025	やまといも　塊根　生	26.9	23.4	0.3	0.3	-	0.6	0	(0)	(0)	24.5
	■**でん粉製品**										
02036	くずきり　乾	89.6	81.5	0	0	-	0	0	(0)	(0)	81.5
02056	ごま豆腐	(7.8)	(6.5)	(0.5)	(0)	(0)	(Tr)	(0.1)	(0)	(0)	(7.2)
02039	はるさめ　緑豆はるさめ　乾	88.5	80.4	0	0	-	0	0	(0)	(0)	80.4
3	砂糖類										
	■**砂糖類**										
03001	黒砂糖	93.2	(0)	0.6	1.0	-	87.3	Tr	0	(0)	88.9
03003	車糖　上白糖	104.2	(0)	0.7	0.7	-	97.9	0	0	(0)	99.3
03010	加工糖　コーヒーシュガー	104.9	(0)	Tr	Tr	-	99.9	0	(0)	(0)	99.9
	■**でん粉糖類**										
03024	水あめ　酵素糖化	91.3	1.6	2.5	0.1	-	0	38.5	(0)	(0)	85.0
03017	ぶどう糖　全糖	(91.3)	(0)	(85.5)	(0)	(0)	(0)	(2.7)	(0)	(0)	(91.0)
03020	果糖	(99.9)	(0)	(0)	(99.9)	(0)	(0)	(0)	(0)	(0)	(99.9)
03027	異性化液糖　果糖ぶどう糖液糖	75.5	(0)	28.3	39.4	-	0	0.7	(0)	(0)	75.0
03029	■**その他**　黒蜜	(52.2)	(0)	(0.3)	(0.5)	-	(48.8)	(Tr)	(0)	(0)	(49.7)
03022	はちみつ	75.3	0	33.2	39.7	-	0.3	1.5	(0)	(0)	75.2
4	豆類										
04001	■**あずき**　全粒　乾	46.5	41.7	0	0	Tr	0.6	0	0	(0)	42.3
04004	あん　こし生あん	26.0	23.6	0	0	-	0	0	(0)	(0)	23.6
04007	■**いんげんまめ**　全粒　乾	41.8	35.7	0	0	-	2.4	0	(0)	(0)	38.1
04017	■**ささげ**　全粒　乾	40.7	35.2	Tr	Tr	-	1.8	0	(0)	(0)	37.1
	■**だいず**										
	■**全粒・全粒製品**										
04023	全粒　黄大豆　国産　乾	7.0	0.6	0	0	0.1	5.9	Tr	0	(0)	6.7
04029	きな粉　黄大豆　全粒大豆	7.1	0.7	0	0	-	6.1	0	(0)	(0)	6.8
	■**豆腐・油揚げ類**										
04032	木綿豆腐	0.8	0.2	0	0	-	0.6	0	(0)	(0)	0.8
04033	絹ごし豆腐	1.0	0.2	0	0	-	0.7	Tr	(0)	(0)	0.9
04039	生揚げ	1.2	0.3	0	0	-	0.8	0	(0)	(0)	1.1
04040	油揚げ　生	0.5	0.2	0	0	-	0.3	0	(0)	(0)	0.5
04046	■**納豆類**　糸引き納豆	0.3	0.3	0	0.1	-	0	0	(0)	(0)	0.3
04051	[その他]　おから　生	0.6	0.1	0	0	-	0.4	0	(0)	(0)	0.5
04052	豆乳　豆乳	1.0	0.1	0	Tr	-	0.8	0	(0)	(0)	0.9
04065	■**ひよこまめ**　全粒　乾	41.3	35.4	0	Tr	-	2.3	0	(0)	(0)	37.7
5	種実類										
05001	■**アーモンド**　乾	5.5	0.1	Tr	Tr	-	5.1	0	0	(0)	5.2
05005	■**カシューナッツ**　フライ　味付け	(18.6)	(11.9)	(0)	(0)	(0)	(5.3)	(0)	(0)	(0)	(17.2)
05010	■**くり類**　日本ぐり　生	33.5	26.2	Tr	Tr	-	4.3	Tr	0	(0)	30.6
05017	■**ごま**　乾	1.0	0.2	0	0	-	0.7	0	0	(0)	0.9
05029	■**ヘーゼルナッツ**　フライ　味付け	(4.9)	(1.0)	(0.1)	(0.1)	(0)	(3.5)	(0)	(0)	(0)	(4.6)
05031	■**マカダミアナッツ**　いり　味付け	(4.8)	(0.7)	(0.1)	(0.1)	(0)	(3.6)	(0)	(0)	(0)	(4.5)
05034	■**らっかせい**　大粒種　乾	10.7	4.3	0	0	-	5.7	0	(0)	(0)	10.0
6	野菜類										
06015	■**えだまめ**　生	4.7	2.9	0.1	Tr	Tr	1.3	Tr	0	-	4.3
	■**かぼちゃ類**										
06048	西洋かぼちゃ　果実　生	17.0	8.6	1.2	0.9	-	5.2	0	(0)	-	15.9
06054	■**カリフラワー**　花序　生	3.2	0.3	1.3	1.1	-	0.5	0	(0)	-	3.2

（可食部100gあたり）

(可食部100gあたり)

食品番号	食品名	利用可能炭水化物 単糖当量	でん粉	ぶどう糖	果糖	ガラクトース	しょ糖	麦芽糖	乳糖	トレハロース	計
		g									
06061	**キャベツ類** キャベツ 結球葉 生	3.5	0.1	1.8	1.4	-	0.1	0	(0)	-	3.5
06065	**きゅうり** 果実 生	2.0	0	0.9	1.0	-	0.1	Tr	(0)	-	1.9
06084	**ごぼう** 根 生	1.1	0	0.1	0.4	-	0.6	0	(0)	-	1.0
06086	**こまつな** 葉 生	0.3	0	0.2	0.1	-	0	0	(0)	-	0.3
	しょうが類										
06103	しょうが 根茎 皮なし 生	4.2	2.8	0.6	0.5	-	0.1	-	(0)	-	4.0
	だいこん類										
06132	だいこん 根 皮つき 生	2.7	0	1.4	1.1	-	0.2	0	(0)	-	2.6
	たまねぎ類										
06153	たまねぎ りん茎 生	7.0	0.6	2.7	2.6	-	0.9	Tr	(0)	-	6.9
06160	**チンゲンサイ** 葉 生	0.4	0	0.3	0.1	-	0	-	(0)	-	0.4
	トマト類										
06182	赤色トマト 果実 生	3.1	0.1	0.1	1.6	-	Tr	0	0	-	3.1
06191	**なす類** なす 果実 生	2.6	0.2	1.2	1.1	-	0.1	0	(0)	-	2.6
06207	**にら類** にら 葉 生	1.7	0	0.8	0.8	-	0.2	Tr	(0)	-	1.7
	にんじん類										
06212	にんじん 根 皮つき 生	5.9	0.2	1.7	1.6	-	2.4	0	(0)	-	5.8
	ねぎ類										
06226	根深ねぎ 葉 軟白 生	3.6	0	1.6	1.5	-	0.5	Tr	(0)	-	3.6
06233	**はくさい** 結球葉 生	2.0	0	1.1	0.8	-	Tr	Tr	(0)	-	2.0
	ピーマン類										
06245	青ピーマン 果実 生	2.3	0	1.2	1.0	(0)	0.1	0	(0)	-	2.3
06263	**ブロッコリー** 花序 生	2.4	0.1	0.4	0.9	-	0.5	-	-	-	2.3
06267	**ほうれんそう** 葉 通年平均 生	0.3	0	0.2	0.1	-	0.1	0	(0)	-	0.3
	もやし類										
06291	りょくとうもやし 生	1.3	0	0.5	0.8	-	0	-	(0)	-	1.3
	レタス類										
06312	レタス 土耕栽培 結球葉 生	1.7	0.1	0.7	0.8	-	0.1	0	0	-	1.7
06317	**れんこん** 根茎 生	14.2	10.5	0.1	0.1	-	2.3	0	(0)	-	13.0
7	**果実類**										
07006	**アボカド** 生	(0.8)	(0.1)	(0.4)	(0.1)	(0.1)	(0.1)	(0)	(0)	(0)	(0.8)
07012	**いちご** 生	(6.1)	(0)	(1.6)	(1.8)	-	(2.5)	(0)	(0)	-	(5.9)
07049	**かき** 甘がき 生	13.3	0	4.8	4.5	-	3.8	0	0	-	13.1
	かんきつ類										
07027	うんしゅうみかん じょうのう 普通 生	9.2	0	1.7	1.9	-	5.3	0	(0)	-	8.9
07040	オレンジ ネーブル 砂じょう 生	8.3	0	1.9	2.1	-	4.0	0	(0)	-	8.1
07062	グレープフルーツ 白肉種 砂じょう 生	7.5	0	2.0	2.2	-	3.1	0	(0)	-	7.3
07155	レモン 全果 生	2.6	0	1.5	0.7	-	0.4	0	(0)	-	2.6
07054	**キウイフルーツ** 緑肉種 生	9.6	0.5	3.7	4.0	-	1.4	0	0	-	9.5
07071	**さくらんぼ** 米国産 生	(13.7)	(0)	(7.0)	(5.7)	(0.6)	(0.2)	(0.1)	(0)	(0)	(13.7)
07081	**すもも類** プルーン 生	(10.8)	(0)	(5.5)	(3.3)	(0.2)	(1.7)	(0.1)	(0)	(0)	(10.7)
07088	**なし類** 日本なし 生	8.3	0	1.4	3.8	-	2.9	0	(0)	-	8.1
07097	**パインアップル** 生	12.6	0	1.6	1.9	-	8.8	Tr	(0)	-	12.2
07107	**バナナ** 生	19.4	3.1	2.6	2.4	-	10.5	Tr	0	-	18.5
07116	**ぶどう** 皮なし 生	(14.4)	(0)	(7.3)	(7.1)	-	(0)	(0)	(0)	-	(14.4)
07134	**メロン** 温室メロン 生	(9.6)	(Tr)	(1.2)	(1.3)	-	(6.7)	(0)	(0)	-	(9.3)
07136	**もも類** もも 白肉種 生	8.4	0	0.6	0.7	-	6.8	0	(0)	-	8.0
07148	**りんご** 皮なし 生	12.4	0.1	1.4	6.0	0	4.8	0	(0)	-	12.2
8	**きのこ類**										
08001	**えのきたけ** 生	1.0	0.2	Tr	Tr	-	0	Tr	(0)	0.7	0.9
08006	**きくらげ類** きくらげ 乾	2.7	-	0	0	-	0	0	(0)	2.6	2.6
08039	**しいたけ** 生しいたけ 菌床栽培 生	0.7	0.2	0.1	0	-	0	0	0	0.4	0.7
08016	**しめじ類** ぶなしめじ 生	1.4	0.1	0.2	0	-	0	0	(0)	1.0	1.3
08020	**なめこ** 株採り 生	2.5	0.3	0.1	Tr	-	0	0	(0)	1.9	2.4
08025	**ひらたけ類** エリンギ 生	3.0	-	0.3	Tr	-	0	0	(0)	2.5	2.9
08026	ひらたけ 生	1.3	-	0.4	0	-	0	0	(0)	0.9	1.3
08028	**まいたけ** 生	0.3	0.2	0.1	0	-	0	0	(0)	-	0.3
08031	**マッシュルーム** 生	0.1	0.1	0	Tr	-	0	0	0	Tr	0.1
9	**藻類**										
09002	**あおのり** 素干し	0.2	-	0	0	0	0.2	0	(0)	-	0.2
09004	**あまのり** 焼きのり	1.9	1.7	0	0	-	Tr	0	(0)	-	1.7
09017	**こんぶ類** まこんぶ 素干し 乾	0.1	0.1	Tr	0	-	0	Tr	(0)	0	0.1
09023	つくだ煮	20.6	0.4	2.9	2.4	Tr	12.9	1.3	0	0	19.8
09050	**ひじき** ほしひじき ステンレス釜 乾	0.4	0.3	Tr	Tr	0	0	0	(0)	-	0.4

(可食部100gあたり)

食品番号	食品名	利用可能炭水化物 単糖当量	でん粉	ぶどう糖	果糖	ガラクトース	しょ糖	麦芽糖	乳糖	トレハロース	計
		g									
10	**魚介類**										
10390	**あじ類** まあじ 皮つき フライ	8.5	7.3	0.1	0	-	0	0.4	-	-	7.8
10395	**いわし類** まいわし フライ	11.3	9.8	0.1	0	-	0	0.4	-	-	10.3
10400	**きす** 天ぷら	8.4	7.6	0	0	-	0	0.1	-	-	7.7
10416	**バナメイえび** 養殖 天ぷら	7.1	6.1	0.4	0	-	0	Tr	-	-	6.5
11	**肉類**										
	ぶた ［大型種肉］										
11276	ロース 脂身つき とんかつ	9.6	8.4	0.1	0	-	0	0.3	-	-	8.8
	にわとり ［若どり・主品目］										
11289	もも 皮つき から揚げ	14.3	12.4	0.1	0	-	0.3	0.2	-	-	13.0
12	**卵類**										
12002	**うずら卵** 全卵 生	(0.3)	(0)	(0.3)	(0)	(0)	-	(0)	-	(0)	(0.3)
12004	**鶏卵** 全卵 生	0.3	(0)	0.3	0	(0)	(0)	0	0	(0)	0.3
13	**乳類**										
13003	**液状乳類** 普通牛乳	4.7	(0)	0	0	0	(0)	0	4.4	-	4.4
13005	加工乳 低脂肪	5.1	(0)	0	0	0	0	0	4.9	-	4.9
13007	乳飲料 コーヒー	8.0	0.1	0.9	1.1	0	3.2	0	2.4	-	7.7
	発酵乳・乳酸菌飲料										
13025	ヨーグルト 全脂無糖	3.9	-	0.1	0	0.8	0	0	2.9	-	3.8
13027	ドリンクタイプ 加糖	10.5	0.1	1.0	0.8	0.5	4.1	0	3.5	-	10.1
13028	乳酸菌飲料 乳製品	15.4	-	4.9	4.8	0	3.9	0	1.5	-	15.1
	チーズ類										
13034	ナチュラルチーズ カマンベール	0	-	0	-	0	-	-	0	-	0
13040	プロセスチーズ	0.1	-	0	-	0.1	-	-	0	-	0.1
	アイスクリーム類										
13045	ラクトアイス 普通脂肪	20.9	0.4	1.0	0.3	0	11.9	2.0	4.5	-	20.0
14	**油脂類**										
14017	**バター類** 無発酵バター 有塩バター	0.6	-	0	0	0	0	0	0.5	-	0.5
14020	**マーガリン** 家庭用 有塩	0.9	0.1	0	0	0	0	0	0.7	-	0.8
15	**菓子類**										
15009	カステラ	(65.7)	(14.6)	(0.6)	(0.3)	(0)	(38.9)	(3.5)	(0)	(0)	(61.8)
15121	くずもち 関西風 くずでん粉製品	(24.7)	(22.5)	-	-	-	-	-	-	-	(22.5)
15021	桜もち 関東風 こしあん入り	(56.3)	(20.1)	(0.3)	(0.2)	(0)	(30.3)	(0.9)	(0)	(0)	(52.6)
15027	どら焼 つぶしあん入り	(63.7)	(15.4)	(0.3)	(0.3)	(0)	(43.9)	(Tr)	(0)	(0)	(59.9)
15038	ようかん 練りようかん	(71.9)	(8.8)	(0.5)	(0.4)	(0)	(55.6)	(1.3)	(0)	(0)	(68.0)
15057	米菓 揚げせんべい	(75.9)	(68.8)	(Tr)	(0)	(0)	(0.1)	(0)	(0)	(0)	(69.0)
15069	あんパン こしあん入り	(51.6)	(27.4)	(1.1)	(1.6)	(0)	(15.4)	(1.4)	(0.2)	(0.1)	(48.0)
15075	ショートケーキ 果実なし	(44.6)	(16.2)	(0.3)	(0.2)	(0)	(24.4)	(Tr)	(0.6)	(0)	(41.7)
15134	チーズケーキ ベイクドチーズケーキ	(24.4)	(5.0)	(0.2)	(0.1)	(0)	(16.3)	(0)	(1.3)	(0)	(23.0)
15080	パイ アップルパイ	(39.5)	(17.8)	(0.4)	(1.4)	(0)	(17.3)	(Tr)	(0)	(0)	(36.9)
15086	カスタードプリン	(14.5)	(0)	(0.2)	(0.1)	(0)	(10.6)	(0)	(2.7)	(0)	(13.8)
15087	ゼリー オレンジ	(18.4)	(0)	(2.6)	(2.8)	(0)	(12.4)	(0)	(0)	(0)	(17.8)
15097	ビスケット ハードビスケット	78.0	51.1	0.4	0.4	Tr	19.4	0.1	0.4	-	71.9
15108	ゼリービーンズ	(95.0)	(10.7)	(1.1)	(0.4)	(0)	(54.8)	(10.7)	(0)	(0)	(89.5)
15113	マシュマロ	(84.1)	(0.7)	(1.3)	(0.4)	(0)	(44.0)	(15.7)	(0)	(0)	(79.3)
15137	アーモンドチョコレート	(40.1)	(0.9)	(0)	(Tr)	(0)	(29.7)	(0)	(7.5)	(0)	(38.2)
16	**し好飲料類**										
16025	**混成酒類** みりん 本みりん	26.8	-	24.0	Tr	-	0	2.6	(0)	-	26.6
16035	**緑茶類** 抹茶 茶	1.6	-	0	Tr	-	1.5	0	(0)	-	1.5
16048	**ココア** ピュアココア	10.6	9.2	0	0	-	0.4	0	0	-	9.6
17	**調味料・香辛料類**										
17007	**しょうゆ類** こいくちしょうゆ	1.6	Tr	1.0	Tr	0.4	0.1	Tr	Tr	-	1.6
	調味ソース類										
17109	ホワイトソース	(5.6)	(2.5)	(0.5)	(0.5)	(Tr)	(1.1)	(0.1)	(0.5)	(0)	(5.3)
17033	ミートソース	(9.6)	(1.0)	(3.1)	(3.6)	-	(1.7)	(0)	(0)	(0)	(9.4)
17036	**トマト加工品類** トマトケチャップ	(24.3)	(1.1)	(11.1)	(9.4)	(0)	(2.5)	(0)	(0)	(0)	(24.0)
17045	**みそ類** 米みそ 淡色辛みそ	11.9	0.7	9.1	0.7	0.3	Tr	0.1	Tr	-	11.8
17059	**からし** 練りマスタード	(9.2)	(1.6)	(3.2)	(2.7)	(0)	(1.3)	(0)	(0)	(0)	(8.9)
17065	**こしょう** 混合 粉	(42.4)	(38.0)	(0.2)	(0.2)	(0.2)	(0)	(0)	(0)	-	(38.6)
17069	**しょうが** おろし	(5.1)	(3.3)	(0.7)	(0.6)	-	(0.1)	-	(0)	-	(4.7)
17076	**にんにく** おろし	(1.3)	(0)	(Tr)	(0.1)	-	(1.1)	(0)	(0)	-	(1.2)
17078	**パセリ** 乾	(5.5)	(0.5)	(1.8)	(1.0)	-	(2.1)	(0)	(0)	-	(5.4)
18	**調理済み流通食品**										
18023	**和風料理** 松前漬け しょうゆ漬	13.5	0.6	2.1	0.1	Tr	8.7	1.4	0	-	12.9

❶ 日本人の食事摂取基準

※摂取量平均値は「令和元年国民健康・栄養調査」より15～19歳を抜粋
（2020年版　2020年4月～2025年3月）

食事摂取基準とは

日本人の食事摂取基準は、健康な個人並びに集団を対象とし、エネルギー摂取の過不足を防ぐこと、栄養素の摂取不足や過剰摂取による健康障害を防ぐことを基本としている。また、生活習慣病の予防も目的とする。なお、2020年版では、高齢者の低栄養予防などの観点から、年齢区分が細分化された。

1 活用の基本的考え方

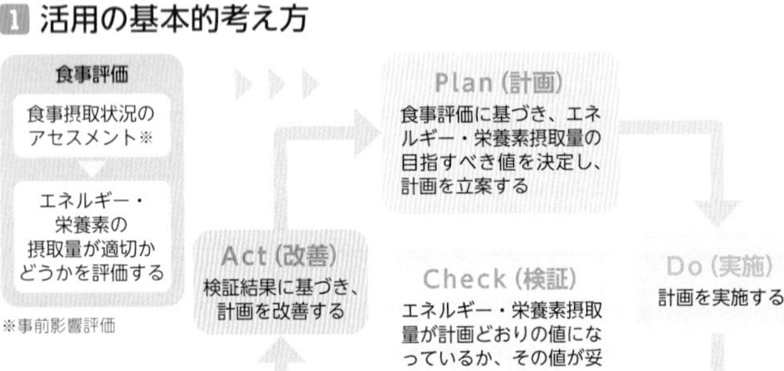

※事前影響評価

2 エネルギーの指標

エネルギー摂取量－エネルギー消費量によって、エネルギーの摂取量及び消費量のバランス（エネルギー収支バランス）がわかる。そのため2015年版の食事摂取基準から、エネルギー収支バランスの維持を示す指標としてBMIが採用されている。

実際には、エネルギー摂取の過不足について体重の変化を測定して評価する。また測定されたBMIの値が、目標とする範囲におさまっているかどうかも考慮し、総合的に判断する。なお、エネルギー必要量の概念※は重要であること、目標とするBMIの提示が成人に限られていることなどから、推定エネルギー必要量が参考として示されている。

※エネルギー必要量は、WHOの定義に従い、「ある身長・体重と体組織の個人が、長期間に良好な健康状態を維持する身体活動レベルの時、エネルギー消費量との均衡が取れるエネルギー摂取量」と定義する。

3 目標とするBMIの範囲（18歳以上）

年齢（歳）	目標とするBMI（kg／㎡）
18～49	18.5～24.9
50～64	20.0～24.9
65～74	21.5～24.9
75以上	21.5～24.9

$$\text{BMI}^{※} = \frac{\text{体重 (kg)}}{\text{身長 (m)} \times \text{身長 (m)}}$$

※BMIは、あくまでも健康を維持し、生活習慣病の発症予防を行うための要素の一つとして扱うに留める。また、個人差が存在することにも注意する。

■ 推定エネルギー必要量

成人では、推定エネルギー必要量を以下の方法で算出する。

推定エネルギー必要量（kcal/日）＝基礎代謝量（kcal/日）× 身体活動レベル

基礎代謝量とは、覚醒状態で必要な最小限のエネルギーであり、早朝空腹時に快適な室内（室温など）において測定される。

身体活動レベルは、健康な日本人の成人で測定したエネルギー消費量と推定基礎代謝量から求めたものである。

なお、小児、乳児、及び妊婦、授乳婦では、これに成長や妊娠継続、授乳に必要なエネルギー量を付加量として加える。

■ 推定エネルギー必要量（kcal／日）

性別	男性			女性		
身体活動レベル	Ⅰ	Ⅱ	Ⅲ	Ⅰ	Ⅱ	Ⅲ
0～5（月）	-	550	-	-	500	-
6～8（月）	-	650	-	-	600	-
9～11（月）	-	700	-	-	650	-
1～2（歳）	-	950	-	-	900	-
3～5（歳）	-	1,300	-	-	1,250	-
6～7（歳）	1,350	1,550	1,750	1,250	1,450	1,650
8～9（歳）	1,600	1,850	2,100	1,500	1,700	1,900
10～11（歳）	1,950	2,250	2,500	1,850	2,100	2,350
12～14（歳）	2,300	2,600	2,900	2,150	2,400	2,700
15～17（歳）	2,500	2,800	3,150	2,050	2,300	2,550
18～29（歳）	2,300	2,650	3,050	1,700	2,000	2,300
30～49（歳）	2,300	2,700	3,050	1,750	2,050	2,350
50～64（歳）	2,200	2,600	2,950	1,650	1,950	2,250
65～74（歳）	2,050	2,400	2,750	1,550	1,850	2,100
75歳以上	1,800	2,100	-	1,400	1,650	-
妊婦（付加量）初期				(+50)	(+50)	(+50)
中期				(+250)	(+250)	(+250)
後期				(+450)	(+450)	(+450)
授乳婦（付加量）				(+350)	(+350)	(+350)
摂取量平均値	2,515			1,896		

※身体活動レベルⅠの場合、少ないエネルギー消費量に見合った少ないエネルギー摂取量を維持することになるため、健康の保持・増進の観点からは、身体活動量を増加させる必要がある。

■ 基礎代謝量（kcal／日）

性別	男性	女性
年齢（歳）	基礎代謝量（kcal／日）	基礎代謝量（kcal／日）
1～2	700	660
3～5	900	840
6～7	980	920
8～9	1,140	1,050
10～11	1,330	1,260
12～14	1,520	1,410
15～17	1,610	1,310
18～29	1,530	1,110
30～49	1,530	1,160
50～64	1,480	1,110
65～74	1,400	1,080
75以上	1,280	1,010

■ 身体活動レベル別に見た活動内容と活動時間の代表例

※代表値。( )内はおよその範囲。

身体活動レベル※	低い（Ⅰ）	ふつう（Ⅱ）	高い（Ⅲ）
	1.50（1.40～1.60）	1.75（1.60～1.90）	2.00（1.90～2.20）
日常生活の内容	生活の大部分が座位で、静的な活動が中心の場合	座位中心の仕事だが、職場内での移動や立位での作業・接客等、通勤・買い物での歩行、家事、軽いスポーツ、のいずれかを含む場合	移動や立位の多い仕事への従事者、あるいは、スポーツ等余暇における活発な運動習慣を持っている場合
中程度の強度（3.0～5.9メッツ）の身体活動の1日当たりの合計時間（時間／日）	1.65	2.06	2.53
仕事での1日当たりの合計歩行時間（時間／日）	0.25	0.54	1.00

4 栄養素の指標

栄養素については、次の５種類の指標がある。

推定平均必要量	ある対象集団に属する50%の人が必要量を満たすと推定される摂取量。
推奨量	ある対象集団に属するほとんどの人（97～98%）が充足している量。推奨量は、推定平均必要量があたえられる栄養素に対して設定される。
目安量	特定の集団における、ある一定の栄養状態を維持するのに十分な量。十分な科学的根拠が得られず「推定平均必要量」が算定できない場合に算定する。
耐容上限量	健康障害をもたらすリスクがないとみなされる習慣的な摂取量の上限量。これを超えて摂取すると、過剰摂取によって生じる潜在的な健康障害のリスクが高まると考えられる。
目標量	生活習慣病の予防を目的として、特定の集団において、その疾患のリスクや、その代理指標となる値が低くなると考えられる栄養状態が達成できる量。現在の日本人が当面の目標とすべき摂取量として設定する。

5 食事摂取基準の各指標を理解するための概念

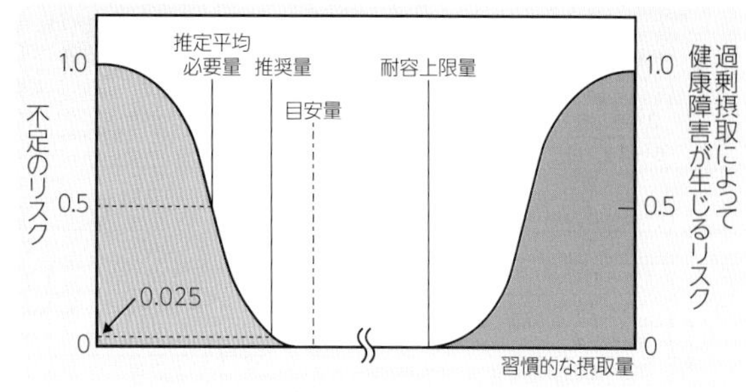

※推定平均必要量では不足のリスクが0.5（50%）あり、推奨量では0.02～0.03（中間値として0.025）（2～3%または2.5%）あることを示している。
※目標量については、ここに示す概念や方法とは異なる性質のものであるため、ここには図示できない。

6 炭水化物の食事摂取基準

（% エネルギー：総エネルギーに占める割合）

性別	男性	女性
年齢等（歳）	目標量	目標量
0～5（月）	-	-
6～11（月）	-	-
1～2	50～65	50～65
3～5	50～65	50～65
6～7	50～65	50～65
8～9	50～65	50～65
10～11	50～65	50～65
12～14	50～65	50～65
15～17	50～65	50～65
18～29	50～65	50～65
30～49	50～65	50～65
50～64	50～65	50～65
65～74	50～65	50～65
75以上	50～65	50～65
妊婦		50～65
授乳婦		50～65
摂取量平均値	56.0	53.6

7 食物繊維の食事摂取基準

（g／日）

性別	男性	女性
年齢等（歳）	目標量	目標量
0～5（月）	-	-
6～11（月）	-	-
1～2	-	-
3～5	8以上	8以上
6～7	10以上	10以上
8～9	11以上	11以上
10～11	13以上	13以上
12～14	17以上	17以上
15～17	19以上	18以上
18～29	21以上	18以上
30～49	21以上	18以上
50～64	21以上	18以上
65～74	20以上	17以上
75以上	20以上	17以上
妊婦		18以上
授乳婦		18以上
摂取量平均値	20.0	17.0

8 脂質の食事摂取基準

（% エネルギー：総エネルギーに占める割合）

性別	男性		女性	
年齢等（歳）	目標量	目安量	目標量	目安量
0～5（月）	-	50	-	50
6～11（月）	-	40	-	40
1～2	20～30	-	20～30	-
3～5	20～30	-	20～30	-
6～7	20～30	-	20～30	-
8～9	20～30	-	20～30	-
10～11	20～30	-	20～30	-
12～14	20～30	-	20～30	-
15～17	20～30	-	20～30	-
18～29	20～30	-	20～30	-
30～49	20～30	-	20～30	-
50～64	20～30	-	20～30	-
65～74	20～30	-	20～30	-
75以上	20～30	-	20～30	-
妊婦			20～30	-
授乳婦			20～30	-
摂取量平均値	29.8		31.3	

●**飽和脂肪酸の目標量**　男女とも３～14歳で10%以下、15～17歳で8%以下、18歳以上と妊婦・授乳婦で7%以下

9 たんぱく質の食事摂取基準（g／日）

性別	男性		女性	
年齢等（歳）	推奨量	目安量	推奨量	目安量
0～5（月）	-	10	-	10
6～8（月）	-	15	-	15
9～11（月）	-	25	-	25
1～2	20	-	20	-
3～5	25	-	25	-
6～7	30	-	30	-
8～9	40	-	40	-
10～11	45	-	50	-
12～14	60	-	55	-
15～17	65	-	55	-
18～29	65	-	50	-
30～49	65	-	50	-
50～64	65	-	50	-
65～74	60	-	50	-
75以上	60	-	50	-
妊婦（付加量）初期			(+0)	-
中期			(+5)	
後期			(+25)	
授乳婦（付加量）			(+20)	-
摂取量平均値	88.7		71.8	

※乳児の目安量は、母乳栄養児の値である。

■ エネルギー産生栄養素バランス（% エネルギー）

エネルギー産生栄養素バランスは、エネルギーを産生する栄養素、すなわち、たんぱく質、脂質、炭水化物とそれらの構成成分が総エネルギー摂取量に占めるべき割合（% エネルギー）として指標とされる構成比率である。

目標量（男女共通）				
年齢等（歳）	炭水化物	脂質 脂質	脂質 飽和脂肪酸	たんぱく質
0～11（月）	-	-	-	-
1～2	50～65	20～30	-	13～20
3～14	50～65	20～30	10以下	13～20
15～17	50～65	20～30	8以下	13～20
18～49	50～65	20～30	7以下	13～20
50～64	50～65	20～30	7以下	14～20
65以上	50～65	20～30	7以下	15～20
妊婦　初期・中期	50～65	20～30	7以下	13～20
妊婦　後期・授乳婦	50～65	20～30	7以下	15～20

※必要なエネルギー量を確保した上でのバランスとすること。
※各栄養素の範囲については、おおむねの値を示したものであり、弾力的に運用すること。
※脂質については、その構成成分である飽和脂肪酸など、質への配慮を十分に行う必要がある。
※食物繊維の目標量を十分に注意すること。

10 ミネラルの食事摂取基準　■は多量ミネラル、■は微量ミネラル

※妊婦・授乳婦の（＋数値）は付加量を示す
摂取量平均値は「令和元年国民健康・栄養調査」より15～19歳を抜粋

年齢等（歳）	カルシウム（mg／日）❶		リン（mg／日）❷		カリウム（mg／日）		ナトリウム（食塩相当量g／日）❸		マグネシウム（mg／日）❹	
	推奨量		目安量		目安量		目標量		推奨量	
	男性	女性	男性	女性	男性	女性	男性	女性	男性	女性
0～5（月）	*200*	*200*	120	120	400	400	*0.3*	*0.3*	*20*	*20*
6～11（月）	*250*	*250*	260	260	700	700	*1.5*	*1.5*	*60*	*60*
1～2	450	400	500	500	900	900	3.0未満	3.0未満	70	70
3～5	600	550	700	700	1,000	1,000	3.5未満	3.5未満	100	100
6～7	600	550	900	800	1,300	1,200	4.5未満	4.5未満	130	130
8～9	650	750	1,000	1,000	1,500	1,500	5.0未満	5.0未満	170	160
10～11	700	750	1,100	1,000	1,800	1,800	6.0未満	6.0未満	210	220
12～14	1,000	800	1,200	1,000	2,300	1,900	7.0未満	6.5未満	290	290
15～17	800	650	1,200	900	2,700	2,000	7.5未満	6.5未満	360	310
18～29	800	650	1,000	800	2,500	2,000	7.5未満	6.5未満	340	270
30～49	750	650	1,000	800	2,500	2,000	7.5未満	6.5未満	370	290
50～64	750	650	1,000	800	2,500	2,000	7.5未満	6.5未満	370	290
65～74	750	650	1,000	800	2,500	2,000	7.5未満	6.5未満	350	280
75以上	700	600	1,000	800	2,500	2,000	7.5未満	6.5未満	320	260
妊婦（付加量）		(+0)		800		2,000		6.5未満		(+40)
授乳婦（付加量）		(+0)		800		2,200		6.5未満		(+0)
摂取量平均値	504	454	1,181	985	2,280	2,060	10.4	8.8	239	213

❶1. カルシウムの耐容上限量は18歳以上男女ともに2,500mg／日。 2. 0～11（月）児の値は男女ともに目安量。 ❷リンの耐容上限量は18歳以上男女ともに3,000mg／日。 ❸1. ナトリウムの0～11（月）児の値は男女ともに目安量。 2. 18歳以上男女のナトリウムの推定平均必要量は600mg／日（食塩相当量1.5g／日）。 3. 高血圧及び慢性腎臓病（CKD）の重症化予防のための食塩相当量は、男女とも6.0g／日未満とした。 ❹1. 通常の食品以外からのマグネシウム摂取量の耐容上限量は成人の場合350mg／日、小児では5mg／kg体重／日とする。通常の食品からの摂取の場合、耐容上限量は設定しない。 2. 0～11（月）児の値は男女ともに目安量。

年齢等（歳）	鉄（mg／日）❺					亜鉛（mg／日）❻				銅（mg／日）❼		マンガン（mg／日）❽	
	推奨量			耐容上限量		推奨量		耐容上限量		推奨量		目安量	
	男性	女性月経なし	女性月経あり	男性	女性	男性	女性	男性	女性	男性	女性	男性	女性
0～5（月）	*0.5*	*0.5*	–	–	–	*2*	*2*	–	–	*0.3*	*0.3*	0.01	0.01
6～11（月）	5.0	4.5	–	–	–	*3*	*3*	–	–	*0.3*	*0.3*	0.5	0.5
1～2	4.5	4.5	–	25	20	3	3	–	–	0.3	0.3	1.5	1.5
3～5	5.5	5.5	–	25	25	4	3	–	–	0.4	0.3	1.5	1.5
6～7	5.5	5.5	–	30	30	5	4	–	–	0.4	0.4	2.0	2.0
8～9	7.0	7.5	–	35	35	6	5	–	–	0.5	0.5	2.5	2.5
10～11	8.5	8.5	12.0	35	35	7	6	–	–	0.6	0.6	3.0	3.0
12～14	10.0	8.5	12.0	40	40	10	8	–	–	0.8	0.8	4.0	4.0
15～17	10.0	7.0	10.5	50	40	12	8	–	–	0.9	0.7	4.5	3.5
18～29	7.5	6.5	10.5	50	40	11	8	40	35	0.9	0.7	4.0	3.5
30～49	7.5	6.5	10.5	50	40	11	8	45	35	0.9	0.7	4.0	3.5
50～64	7.5	6.5	11.0	50	40	11	8	45	35	0.9	0.7	4.0	3.5
65～74	7.5	6.0	–	50	40	11	8	40	35	0.9	0.7	4.0	3.5
75以上	7.0	6.0	–	50	40	10	8	40	30	0.8	0.7	4.0	3.5
妊婦（付加量）初期		(+2.5)	–		–		(+2)		–		(+0.1)		3.5
中期・後期		(+9.5)	–		–								
授乳婦（付加量）		(+2.5)	–		–		(+4)		–		(+0.6)		3.5
摂取量平均値	7.9	–	7.0	–	–	11.4	8.6	–	–	1.29	1.05	–	–

❺鉄の推奨量の表にある0～5（月）児の値は男女ともに目安量。 ❻亜鉛の推奨量の表にある0～11（月）児の値は男女ともに目安量。 ❼1. 銅の耐容上限量は18歳以上男女ともに7mg／日。 2. 0～11（月）児の値は男女ともに目安量。 ❽マンガンの耐容上限量は18歳以上男女ともに11mg／日。

年齢等（歳）	ヨウ素（μg／日）❾				セレン（μg／日）❿				モリブデン（μg／日）⓫				クロム（μg／日）⓬	
	推奨量		耐容上限量		推奨量		耐容上限量		推奨量		耐容上限量		目安量	
	男性	女性	男性	女性	男性	女性	男性	女性	男性	女性	男性	女性	男性	女性
0～5（月）	*100*	*100*	250	250	*15*	*15*	–	–	*2*	*2*	–	–	0.8	0.8
6～11（月）	*130*	*130*	250	250	*15*	*15*	–	–	*5*	*5*	–	–	1.0	1.0
1～2	50	50	300	300	10	10	100	100	10	10	–	–	–	–
3～5	60	60	400	400	15	10	100	100	10	10	–	–	–	–
6～7	75	75	550	550	15	15	150	150	15	15	–	–	–	–
8～9	90	90	700	700	20	20	200	200	20	15	–	–	–	–
10～11	110	110	900	900	25	25	250	250	20	20	–	–	–	–
12～14	140	140	2,000	2,000	30	30	350	300	25	25	–	–	–	–
15～17	140	140	3,000	3,000	35	25	400	350	30	25	–	–	–	–
18～29	130	130	3,000	3,000	30	25	450	350	30	25	600	500	10	10
30～49	130	130	3,000	3,000	30	25	450	350	30	25	600	500	10	10
50～64	130	130	3,000	3,000	30	25	450	350	30	25	600	500	10	10
65～74	130	130	3,000	3,000	30	25	450	350	30	25	600	500	10	10
75以上	130	130	3,000	3,000	30	25	400	350	25	25	600	500	10	10
妊婦（付加量）		(+110)		–		(+5)		–		(+0)		–		10
授乳婦（付加量）		(+140)		–		(+20)		–		(+3)		–		10
摂取量平均値	–	–	–	–	–	–	–	–	–	–	–	–	–	–

❾1. ヨウ素の妊婦及び授乳婦の耐容上限量は2,000μg／日。 2. 推奨量の表にある0～11（月）児の値は男女ともに目安量。 ❿セレンの推奨量の表にある0～11（月）児の値は男女ともに目安量。 ⓫モリブデンの推奨量の表にある0～11（月）児の値は男女ともに目安量。 ⓬クロムの耐容上限量は18歳以上男女ともに500μg／日。

11 ビタミンの食事摂取基準 は脂溶性ビタミン、は水溶性ビタミン

※妊婦・授乳婦の（＋数値）は付加量を示す
摂取量平均値は「令和元年国民健康・栄養調査」より15～19歳を抜粋

年齢（歳）	ビタミンA（μgRAE／日）❶				ビタミンD（μg／日）❷				ビタミンE（mg／日）❸				ビタミンK（μg／日）	
	推奨量		耐容上限量		目安量		耐容上限量		目安量		耐容上限量		目安量	
	男性	女性	男性	女性	男性	女性	男性	女性	男性	女性	男性	女性	男性	女性
0～5（月）	*300*	*300*	600	600	5.0	5.0	25	25	3.0	3.0	-	-	4	4
6～11（月）	*400*	*400*	600	600	5.0	5.0	25	25	4.0	4.0	-	-	7	7
1～2	400	350	600	600	3.0	3.5	20	20	3.0	3.0	150	150	50	60
3～5	450	500	700	850	3.5	4.0	30	30	4.0	4.0	200	200	60	70
6～7	400	400	950	1,200	4.5	5.0	30	30	5.0	5.0	300	300	80	90
8～9	500	500	1,200	1,500	5.0	6.0	40	40	5.0	5.0	350	350	90	110
10～11	600	600	1,500	1,900	6.5	8.0	60	60	5.5	5.5	450	450	110	140
12～14	800	700	2,100	2,500	8.0	9.5	80	80	6.5	6.0	650	600	140	170
15～17	900	650	2,500	2,800	9.0	8.5	90	90	7.0	5.5	750	650	160	150
18～29	850	650	2,700	2,700	8.5	8.5	100	100	6.0	5.0	850	650	150	150
30～49	900	700	2,700	2,700	8.5	8.5	100	100	6.0	5.5	900	700	150	150
50～64	900	700	2,700	2,700	8.5	8.5	100	100	7.0	6.0	850	700	150	150
65～74	850	700	2,700	2,700	8.5	8.5	100	100	7.0	6.5	850	650	150	150
75以上	800	650	2,700	2,700	8.5	8.5	100	100	6.5	6.5	750	650	150	150
妊婦（付加量） 初期		(+0)		-		8.5		-		6.5		-		150
中期		(+0)		-										
後期		(+80)		-										
授乳婦（付加量）		(+450)		-		8.5		-		7.0		-		150
摂取量平均値	529	446	-	-	5.9	5.3	-	-	7.3	6.6	-	-	237	215

❶1. レチノール活性当量（μgRAE）＝レチノール（μg）＋β-カロテン（μg）×1/12+α-カロテン（μg）×1/24+β-クリプトキサンチン（μg）×1/24＋その他のプロビタミンAカロテノイド（μg）×1/24 2. ビタミンAの耐容上限量はプロビタミンAカロテノイドを含まない数値。 3. 推奨量の表にある0～11（月）児の値は男女ともに目安量（プロビタミンAカロテノイドを含まない）。 ❷日照により皮膚でビタミンDが産生されることを踏まえ、フレイル予防を図る者はもとより、全年齢区分を通じて、日常生活において可能な範囲での適度な日光浴を心掛けるとともに、ビタミンDの摂取については、日照時間を考慮に入れることが重要である。 ❸ビタミンEは、α-トコフェロールについて算定。α-トコフェロール以外のビタミンEは含んでいない。

年齢（歳）	ビタミンB1（mg／日）❹		ビタミンB2（mg／日）❺		ナイアシン（mgNE／日）❻				ビタミンB6（mg／日）❼			
	推奨量		推奨量		推奨量		耐容上限量		推奨量		耐容上限量	
	男性	女性	男性	女性	男性	女性	男性	女性	男性	女性	男性	女性
0～5（月）	*0.1*	*0.1*	*0.3*	*0.3*	*2*	*2*	-	-	*0.2*	*0.2*	-	-
6～11（月）	*0.2*	*0.2*	*0.4*	*0.4*	*3*	*3*	-	-	*0.3*	*0.3*	-	-
1～2	0.5	0.5	0.6	0.5	6	5	60（15）	60（15）	0.5	0.5	10	10
3～5	0.7	0.7	0.8	0.8	8	7	80（20）	80（20）	0.6	0.6	15	15
6～7	0.8	0.8	0.9	0.9	9	8	100（30）	100（30）	0.8	0.7	20	20
8～9	1.0	0.9	1.1	1.0	11	10	150（35）	150（35）	0.9	0.9	25	25
10～11	1.2	1.1	1.4	1.3	13	10	200（45）	150（45）	1.1	1.1	30	30
12～14	1.4	1.3	1.6	1.4	15	14	250（60）	250（60）	1.4	1.3	40	40
15～17	1.5	1.2	1.7	1.4	17	13	300（70）	250（65）	1.5	1.3	50	45
18～29	1.4	1.1	1.6	1.2	15	11	300（80）	250（65）	1.4	1.1	55	45
30～49	1.4	1.1	1.6	1.2	15	12	350（85）	250（65）	1.4	1.1	60	45
50～64	1.3	1.1	1.5	1.2	14	11	350（85）	250（65）	1.4	1.1	55	45
65～74	1.3	1.1	1.5	1.2	14	11	300（80）	250（65）	1.4	1.1	50	40
75以上	1.2	0.9	1.3	1.0	13	10	300（75）	250（60）	1.4	1.1	50	40
妊婦（付加量）		(+0.2)		(+0.3)		(+0)		-		(+0.2)		-
授乳婦（付加量）		(+0.2)		(+0.6)		(+3)		-		(+0.3)		-
摂取量平均値	1.17	0.98	1.32	1.11	-	-	-	-	1.31	1.09	-	-

❹❺1. ビタミンB1はチアミン塩化物塩酸塩（分子量=337.3）の重量。 2. ビタミンB1、B2は、身体活動レベルⅡの推定エネルギー必要量を用いて算定。 3. 0～11（月）児の値は男女ともに目安量。 ❻1. NE=ナイアシン当量=ナイアシン+1/60トリプトファン 2. ナイアシンは、身体活動レベルⅡの推定エネルギー必要量を用いて算定。 3. 耐容上限量は、ニコチンアミドの重量（mg/日）、( ) 内はニコチン酸の重量（mg/日）。 4. 推奨量の表にある0～11（月）児の値は男女ともに目安量（0～5（月）児の単位はmg/日）。 ❼1. ビタミンB6は、たんぱく質の推奨量を用いて算定（妊婦・授乳婦の付加量は除く）。 2. 耐容上限量は、ピリドキシン（分子量=169.2）の重量。 3. 推奨量の表にある0～11（月）児の値は男女ともに目安量。

年齢（歳）	ビタミンB12（μg／日）❽		葉酸（μg／日）❾				パントテン酸（mg／日）		ビオチン（μg／日）		ビタミンC（mg／日）❿	
	推奨量		推奨量		耐容上限量		目安量		目安量		推奨量	
	男性	女性	男性	女性	男性	女性	男性	女性	男性	女性	男性	女性
0～5（月）	*0.4*	*0.4*	*40*	*40*	-	-	4	4	4	4	*40*	*40*
6～11（月）	*0.5*	*0.5*	*60*	*60*	-	-	5	5	5	5	*40*	*40*
1～2	0.9	0.9	90	90	200	200	3	4	20	20	40	40
3～5	1.1	1.1	110	110	300	300	4	4	20	20	50	50
6～7	1.3	1.3	140	140	400	400	5	5	30	30	60	60
8～9	1.6	1.6	160	160	500	500	5	5	30	30	70	70
10～11	1.9	1.9	190	190	700	700	6	6	40	40	85	85
12～14	2.4	2.4	240	240	900	900	7	6	50	50	100	100
15～17	2.4	2.4	240	240	900	900	7	6	50	50	100	100
18～29	2.4	2.4	240	240	900	900	5	5	50	50	100	100
30～49	2.4	2.4	240	240	1,000	1,000	5	5	50	50	100	100
50～64	2.4	2.4	240	240	1,000	1,000	6	5	50	50	100	100
65～74	2.4	2.4	240	240	900	900	6	5	50	50	100	100
75以上	2.4	2.4	240	240	900	900	6	5	50	50	100	100
妊婦（付加量）		(+0.4)		(+240)		-		5		50		(+10)
授乳婦（付加量）		(+0.8)		(+100)		-		6		50		(+45)
摂取量平均値	4.9	4.4	260	245	-	-	6.85	5.60	-	-	75	81

❽1. ビタミンB12の0～11（月）児の値は男女ともに目安量。 2. シアノコバラミン（分子量=1,355.37）の重量。 ❾1. プテロイルモノグルタミン酸（分子量=441.40）の重量。 2. 耐容上限量は、通常の食品以外の食品に含まれる葉酸（狭義の葉酸）に適用する。 3. 妊娠を計画している女性、妊娠の可能性がある女性及び妊娠初期の妊婦は、胎児の神経管閉鎖障害のリスク低減のために、通常の食品以外の食品に含まれる葉酸（狭義の葉酸）を400μg/日摂取することが望まれる。 4. 推奨量の表にある0～11（月）児の値は男女ともに目安量。 ❿1. L-アスコルビン酸（分子量=176.12）の重量。 2. ビタミンCの0～11（月）児の値は男女ともに目安量。

❷ 食品群と食品構成

食品群の種類

食品群とは、日常の食生活でだれもが簡単に栄養的な食事をつくれるように考案されたものである。

食事摂取基準の値を十分に満たすために、すべての食品を栄養成分の類似しているものに分類して食品群をつくり、食品群ごとに摂取量を決め、献立作成に役立てるようにした。

食品群は、それぞれの国の食料事情や国民の栄養状況によってつくられ、栄養摂取の指標となっている。わが国でも、次のような食品群が提唱されている。

1 3色食品群（岡田正美案　1952年）

広島県庁の岡田正美技師が提唱し、栄養改善普及会の近藤とし子氏が普及につとめた。含有栄養素の働きの特徴から、食品を赤、黄、緑の3つの群に分けた。簡単でわかりやすいので、低年齢層や食生活に関心の薄い階層によびかけができたが、量的配慮がないのが欠点である。

赤群	魚介・肉・豆類 乳・卵	たんぱく質・脂質 ビタミンB_2・カルシウム	血や肉をつくる
黄群	穀類・砂糖 油脂・いも類	炭水化物・ビタミンA・D ビタミンB_1・脂質	力や体温となる
緑群	野菜・海藻 くだもの	カロテン・ビタミンC カルシウム・ヨウ素	からだの調子をよくする

2 4つの食品群（香川明夫監修　2014年改定）

日本人の食生活に普遍的に不足している栄養素を補充して完全な食事にするため、牛乳と卵を第1群におき、他は栄養素の働きの特徴から3つの群に分けた。食事摂取基準を満たす献立が簡単につくれるよう、分量が決められている（➡p.393）。また、4つの食品群をもとに、それぞれの食品群から食品を選びやすくする4群点数法も考案されている。

1群	乳・乳製品 卵	良質たんぱく質・脂質 ビタミンA・B_1・B_2・カルシウム	不足しがちな栄養を補って栄養を完全にする
2群	魚介・肉 豆・豆製品	良質たんぱく質・脂質 カルシウム・ビタミンA・B_2	血や肉をつくる
3群	野菜・芋 果物	ビタミンA・カロテン・ビタミンC ミネラル・食物繊維	からだの調子をよくする
4群	穀類・油脂・砂糖	糖質・たんぱく質・脂質	力や体温となる

3 6つの基礎食品（相坂ほか4名案　1990年）

1948年、厚生省（当時）が、アメリカで行われていた食品群の分類を参考にして、わが国の状況に応じて考案した。バランスのとれた栄養に重点をおき、含まれる栄養素の種類によって食品を6つに分け、毎日とるべき栄養素と食品の組み合わせを示した。1990年には「6つの食品群別摂取量のめやす」が発表された。これは1日に摂取すべき食品の種類と概量を6つの食品群に対応させ、生活に定着させようとしているが、過不足なくすべて摂取することは難しく、補足事項が示されている。

1類	魚介・肉・卵 豆・豆製品	たんぱく質・ビタミンB_2・脂質	血液や筋肉などをつくる
2類	牛乳・乳製品 小魚・海藻	カルシウム・たんぱく質 ビタミンB_2	骨・歯をつくる からだの各機能を調節する
3類	緑黄色野菜	カロテン・ビタミンC・鉄 カルシウム・ビタミンB_2	皮膚や粘膜を保護する からだの各機能を調節する
4類	その他の野菜 果物	カルシウム・ビタミンC ビタミンB_1・B_2	からだの各機能を調節する
5類	穀類・いも類・砂糖	糖質	エネルギー源となる
6類	油脂類	脂質	効率的なエネルギー源となる

4群点数法

バランスのよい食事をするために、4つの食品群から、それぞれの食品をどれだけとればよいのかをあらわす方法として考案されたのが、4群点数法である。点数では、食品ごとに、エネルギー80kcalを1点とした、1点あたりの重量（たとえば、鶏卵は1個・55g、低脂肪牛乳は約4/5カップ・170g）が決められている。これにもとづき、摂取する食品のエネルギーが、すべて点数であらわされる。

食品摂取の基本（大人）は、第1群3点（乳・乳製品2点、卵1点）、第2群3点（魚介類と肉類2点、豆・豆製品1点）、第3群3点（野菜1点、芋類1点、果物1点）、第4群11点（穀類9点、油脂1.5点、砂糖0.5点）を1日にバランスよくとることとされ、このうち、第1〜3群は毎日とるべきものであり、第4群は個人の必要に応じて加減することができることとなっている。

1 4つの食品群と点数法※　（80kcalを1点として、おもな食品の1点重量）

第1群　乳・乳製品、卵	
低脂肪牛乳	170g
ヨーグルト（全脂無糖）	130g
プロセスチーズ	24g
鶏卵	55g

第2群　魚介・肉、豆・豆製品			
かつお	70g	牛ヒレ(輸入)	60g
あじ	65g	鶏ささ身	75g
しじみ	160g	絹ごし豆腐	140g
豚もも	45g	糸引き納豆	40g

第3群　野菜、芋、果物			
にんじん	220g	さつまいも	60g
ほうれん草	400g	りんご	150g
キャベツ	350g	みかん	170g
じゃがいも	110g	いちご	240g

第4群　穀類、油脂、砂糖			
米	22g	食パン	30g
めし	50g	有塩バター	11g
干しうどん	23g	調合油	9g
うどん・ゆで	75g	上白糖	21g

※上表に記載のない食品の1点（80kcal）重量や、どの群に分類されるのかを知りたい場合は、女子栄養大学出版部発行「食品80キロカロリーガイドブック」を参照するとよい。

2 4群点数法による食品摂取の基本　（1日20点の組み合わせ例・大人）

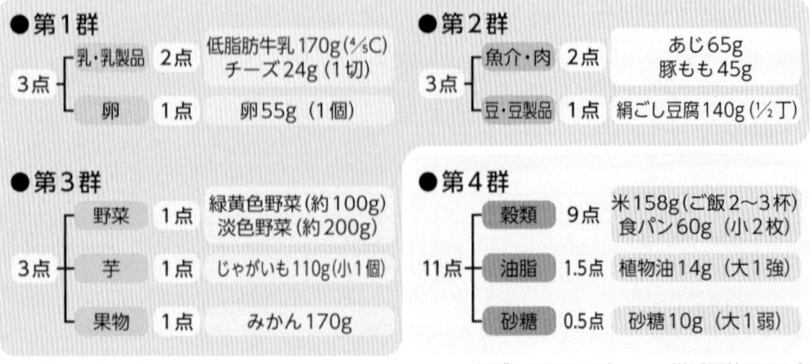

必ずとりたい9点　増減可能な11点

3 4つの食品群の年齢別・性別・身体活動レベル別食品構成（1人1日あたりの重量＝g）

（香川明夫監修）

身体活動レベル	食品群	第1群				第2群				第3群						第4群					
		乳・乳製品		卵		魚介・肉		豆・豆製品		野菜		芋		果物		穀類		油脂		砂糖	
	▼年齢　性別▶	男性	女性	男性	女性	男性	女性	男性	女性	男性	女性	男性	女性	男性	女性	男性	女性	男性	女性	男性	女性
身体活動レベルⅠ（低い）	6〜7歳	250	250	30	30	80	80	60	60	270	270	50	50	120	120	200	170	10	10	5	5
	8〜9	300	300	55	55	100	80	70	70	300	300	60	60	150	150	230	200	10	10	10	10
	10〜11	320	320	55	55	100	100	80	80	300	300	100	100	150	150	300	270	15	15	10	10
	12〜14	380	380	55	55	150	120	80	80	350	350	100	100	150	150	360	310	20	20	10	10
	15〜17	320	320	55	55	150	120	80	80	350	350	100	100	150	150	420	300	25	20	10	10
	18〜29	300	250	55	55	180	100	80	80	350	350	100	100	150	150	370	240	20	15	10	10
	30〜49	250	250	55	55	150	100	80	80	350	350	100	100	150	150	370	250	20	15	10	10
	50〜64	250	250	55	55	150	100	80	80	350	350	100	100	150	150	360	230	20	15	10	10
	65〜74	250	250	55	55	120	100	80	80	350	350	100	100	150	150	340	200	15	10	10	10
	75以上	250	200	55	55	120	80	80	80	350	350	100	100	150	150	270	190	15	10	10	5
	妊婦　初期		250		55		100		80		350		100		150		260		15		10
	妊婦　中期		250		55		120		80		350		100		150		310		15		10
	妊婦　後期		250		55		150		80		350		100		150		360		20		10
	授乳婦		250		55		120		80		350		100		150		330		20		10
身体活動レベルⅡ（ふつう）	1〜2歳	250	250	30	30	50	50	40	40	180	180	50	50	100	100	120	110	5	5	3	3
	3〜5	250	250	30	30	60	60	60	60	240	240	50	50	120	120	190	170	10	10	5	5
	6〜7	250	250	55	55	80	80	60	60	270	270	60	60	120	120	230	200	10	10	10	10
	8〜9	300	300	55	55	120	80	80	80	300	300	60	60	150	150	270	240	15	15	10	10
	10〜11	320	320	55	55	150	100	80	80	350	350	100	100	150	150	350	320	20	20	10	10
	12〜14	380	380	55	55	170	120	80	80	350	350	100	100	150	150	430	390	25	20	10	10
	15〜17	320	320	55	55	200	120	80	80	350	350	100	100	150	150	480	380	30	20	10	10
	18〜29	300	250	55	55	180	120	80	80	350	350	100	100	150	150	440	320	30	15	10	10
	30〜49	250	250	55	55	180	120	80	80	350	350	100	100	150	150	450	330	30	15	10	10
	50〜64	250	250	55	55	180	120	80	80	350	350	100	100	150	150	440	300	25	15	10	10
	65〜74	250	250	55	55	170	120	80	80	350	350	100	100	150	150	400	280	20	15	10	10
	75以上	250	250	55	55	150	100	80	80	350	350	100	100	150	150	340	230	15	15	10	10
	妊婦　初期		250		55		120		80		350		100		150		340		15		10
	妊婦　中期		250		55		150		80		350		100		150		360		20		10
	妊婦　後期		250		55		180		80		350		100		150		420		25		10
	授乳婦		320		55		180		80		350		100		150		380		20		10
身体活動レベルⅢ（高い）	6〜7歳	250	250	55	55	100	100	60	60	270	270	60	60	120	120	290	260	10	10	10	10
	8〜9	300	300	55	55	140	100	80	80	300	300	60	60	150	150	320	290	20	15	10	10
	10〜11	320	320	55	55	160	130	80	80	350	350	100	100	150	150	420	380	20	20	10	10
	12〜14	380	380	55	55	200	170	80	80	350	350	100	100	150	150	510	450	25	25	10	10
	15〜17	380	320	55	55	200	170	120	80	350	350	100	100	150	150	550	430	30	20	10	10
	18〜29	380	300	55	55	200	150	120	80	350	350	100	100	150	150	530	390	30	20	10	10
	30〜49	380	250	55	55	200	150	120	80	350	350	100	100	150	150	530	390	30	20	10	10
	50〜64	320	250	55	55	200	150	120	80	350	350	100	100	150	150	530	360	25	20	10	10
	65〜74	320	250	55	55	200	130	80	80	350	350	100	100	150	150	480	340	25	15	10	10
	授乳婦		320		55		170		80		350		100		150		470		25		10

注）1）野菜はきのこ、海藻を含む。また、野菜の1/3以上は緑黄色野菜でとることとする。　2）エネルギー量は、「日本人の食事摂取基準（2020年版）」の参考表・推定エネルギー必要量の93〜97%の割合で構成してある。各人の必要に応じて適宜調整すること。　3）食品構成は「日本食品標準成分表2020年版（八訂）」で計算。

4 4つの食品群の年齢別・性別点数構成（抜粋）…… 特記がない場合は身体活動レベルⅡ（ふつう）

（1人1日あたりの点数　1点=80kcal）

年齢	第1群				第2群				第3群						第4群						合計	
	乳・乳製品		卵		魚介・肉		豆・豆製品		野菜		芋		果物		穀類		油脂		砂糖			
	男性	女性	男性	女性	男性	女性	男性	女性	男性	女性	男性	女性	男性	女性	男性	女性	男性	女性	男性	女性	男性	女性
10〜11歳	2.5	2.5	1.0	1.0	3.0	2.0	1.0	1.0	1.0	1.0	1.0	1.0	1.0	1.0	13.5	12.5	2.0	2.0	0.5	0.5	26.5	24.5
12〜14	3.0	3.0	1.0	1.0	3.5	2.5	1.0	1.0	1.0	1.0	1.0	1.0	1.0	1.0	16.5	15.5	2.5	2.0	0.5	0.5	31.0	28.5
15〜17(レベルⅠ)	2.5	2.5	1.0	1.0	3.0	2.5	1.0	1.0	1.0	1.0	1.0	1.0	1.0	1.0	16.0	11.5	2.5	2.0	0.5	0.5	29.5	24.0
15〜17(レベルⅡ)	2.5	2.5	1.0	1.0	4.0	2.5	1.0	1.0	1.0	1.0	1.0	1.0	1.0	1.0	18.5	15.0	3.0	2.0	0.5	0.5	33.5	27.5
15〜17(レベルⅢ)	3.0	2.5	1.0	1.0	4.0	3.5	1.5	1.0	1.0	1.0	1.0	1.0	1.0	1.0	21.0	16.5	3.0	2.0	0.5	0.5	37.0	30.0
18〜29	2.5	2.0	1.0	1.0	3.5	2.5	1.0	1.0	1.0	1.0	1.0	1.0	1.0	1.0	17.0	12.5	3.0	1.5	0.5	0.5	31.5	24.0
30〜49	2.0	2.0	1.0	1.0	3.5	2.5	1.0	1.0	1.0	1.0	1.0	1.0	1.0	1.0	17.5	13.0	3.0	1.5	0.5	0.5	31.5	24.5
妊婦		2.0		1.0		2.5〜3.5		1.0		1.0		1.0		1.0		13.0〜16.0		1.5〜2.5		0.5		24.5〜29.5
授乳婦		2.5		1.0		3.5		1.0		1.0		1.0		1.0		15.0		2.0		0.5		28.5

注）1）野菜はきのこ、海藻を含む。また、野菜の1/3以上は緑黄色野菜でとることとする。　2）エネルギー量は、「日本人の食事摂取基準（2020年版）」の参考表・推定エネルギー必要量の93〜97%の割合で構成してある。各人の必要に応じて適宜調整すること。　3）食品構成は「日本食品標準成分表2020年版（八訂）」で計算。

① 配膳とテーブルマナー

食卓に着いたときのマナーとは、同じテーブルを囲む人たちが気持ちよく食事をすることができるように気を配ることである。いざというときにあわてないように、基本的な知識などを身につけよう。

① 日本料理

日本料理の献立の基本は「一汁三菜」または「一汁二菜」である。「一汁」はみそ汁やおすましなどの汁物、「菜」とはおかずの意味で、主菜・副菜・副々菜のことである。

●日常の食事マナー

熱いものは熱いうちに、冷たいものは冷たいうちにいただく。

焼き魚や煮魚は、左から食べはじめ、食べ終わったら骨や皮をまとめておく。料理の大きさがひと口で食べきれないときは、はしで切り分けてから口に運ぶ。

飯をよそう量は、茶碗の約8分目にする。飯と汁物は、茶碗や汁椀を必ず手に持って食べる。食事は、汁物・飯・おかず・飯のように、飯をはさんで交互に食べる。

汁物は音をたてずに飲む。

はしは、はしおきにもどす。

❶焼き魚・さしみなど ❷煮物など ❸酢の物・あえ物など ❹飯 ❺汁物 ❻漬け物

●はしの持ち方

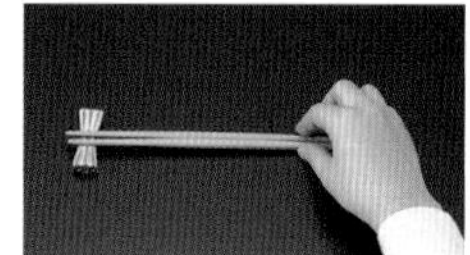

❶右手ではしをとり上げる。

❷はしの下に左手を添える。

❸右手をはしの端まで滑らせる。

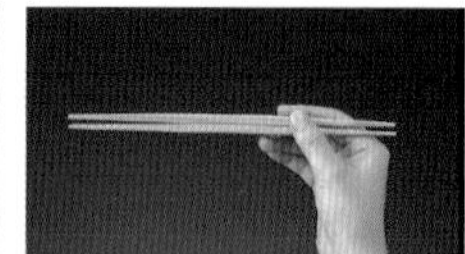

❹右手を反転させ左手をはなす。

正しい持ち方

上から3分の1くらいのところを持つ。2本のはしの間に中指を添える。

●椀を持った場合のはしのとり方

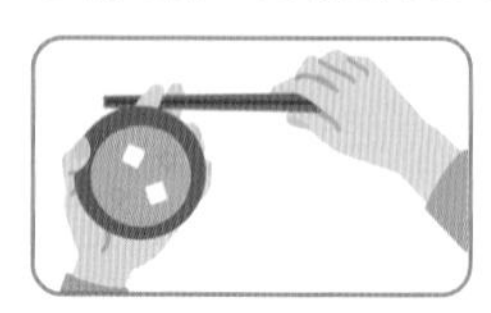

❶椀を左手で持ち、右手ではしをとり、左手の人さし指と中指の間にはさむ。

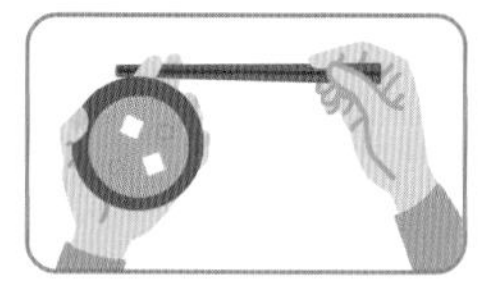

❷右手ではしの上側、端、下側となぞっていく。

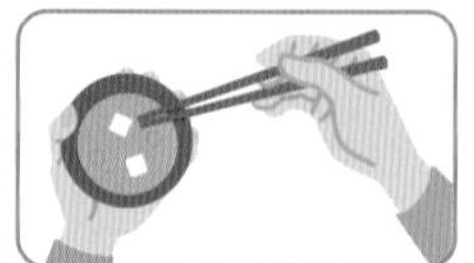

❸椀を左手でしっかり持ち、右手ではしを持つ。

●尾頭つきの魚の食べ方

❶頭から尾に向かって順に食べる。

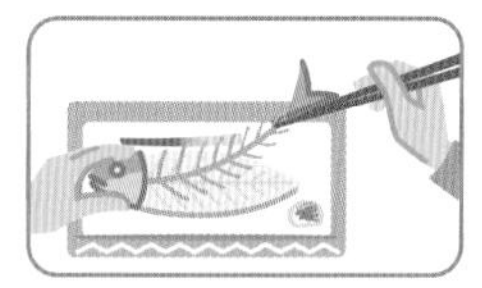

❷上の身を食べたら、中骨をはずして皿のすみに置き、下の身を食べる。

❸食べ終わったら、骨はまとめておく。

●さしみの食べ方

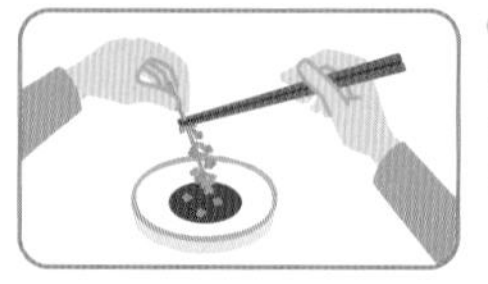

❶花穂じそがついている場合は、はしでしごくようにして、花穂をしょうゆ皿に落とす。

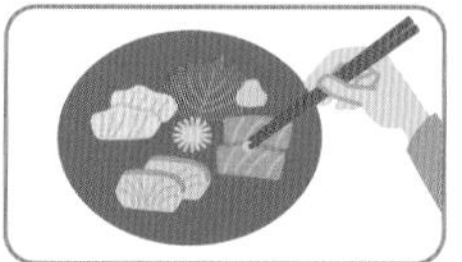

❷しょうゆ皿を持ってはしをとり、わさびを適量取って、さしみの上にのせる。

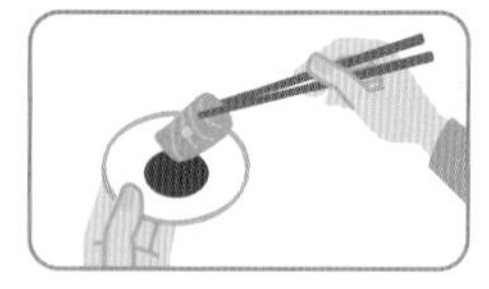

❸さしみをしょうゆにつける。わさびをしょうゆにつけないように注意する。

×わさびをしょうゆに溶くのはNG。

●はしの使い方NG集

寄せばし 器をはしで引き寄せる

刺しばし はしでおかずを刺す

迷いばし はしを持ってあれこれと迷う

探りばし 好きなものを探して器の中を探る

渡しばし はしを茶碗の上に渡し掛けておく

そらばし 料理に一度はしをつけた後とらない

ねぶりばし はしをなめまわす

指しばし 食事中にはしで人をさす

❷ 西洋料理

●テーブルセッティング（フルコース）

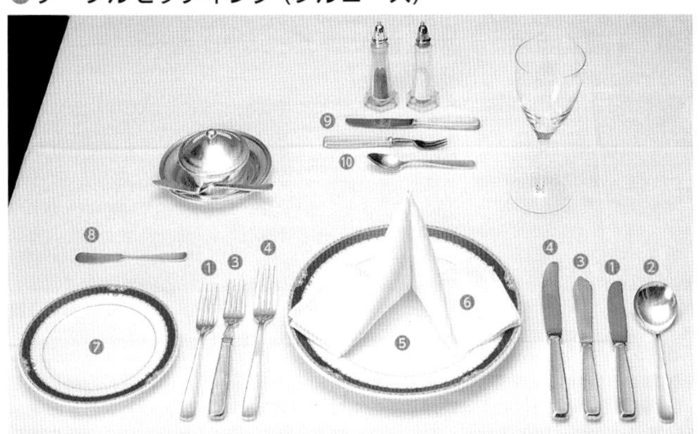

一番外側のナイフとフォークから使う。 ❶オードブル用ナイフ・フォーク ❷スープスプーン ❸魚用ナイフ・フォーク ❹肉用ナイフ・フォーク ❺位置皿 ❻ナプキン ❼パン皿 ❽バターナイフ ❾デザート用ナイフ・フォーク ❿コーヒースプーン

●フルコースのメニュー例

オードブル（前菜）
▼
スープ（パン）
▼
魚料理
▼
肉料理
（魚料理・肉料理：メイン料理）
▼
サラダ
▼
デザート・フルーツ
▼
コーヒー・紅茶

●ナイフとフォークの扱い方

ナイフとフォークは、外側に置いてあるものから使う。原則として、ナイフは利き手で持つが、ナイフを置き、フォークを利き手に持ちかえて食べてもよい。ナイフは口に入れない。

料理を食べている最中

食べ終わり

●料理を食べるときのマナー

料理

料理は、左からひと口大に切りながら食べる。右側から切るのはNG。また食器を持って食べてはいけない。

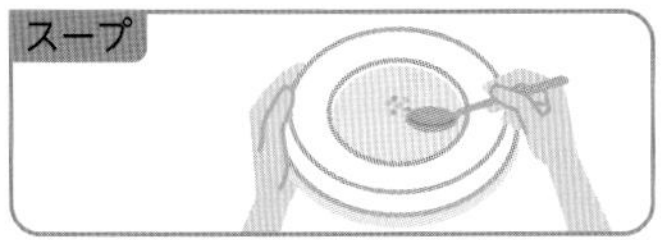

スープ

スープは、スプーンで手前から向こうへすくって飲む。少量になったら、皿の手前を持ち上げてすくう。音を立てて飲まないよう注意する。

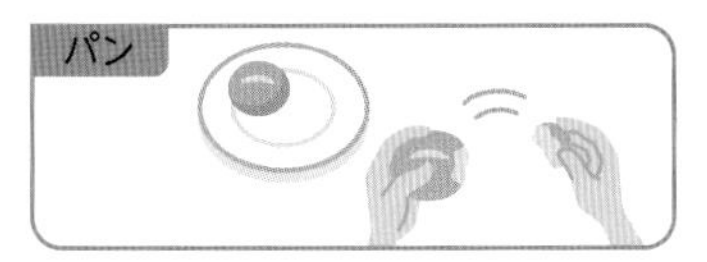

パン

パンは、皿の上でひと口大にちぎって食べる。スープが出てからメイン料理が終わるまでに食べ終わる。パンくずを集めたり、テーブルの下に払い落とさないようにする。

●ナプキンの使い方

置き方

二つ折りにし、折り目を手前にしてひざの上に。

使い方

くちびるや指先の汚れはナプキンの内側の端で押さえる程度に。

中座するとき

軽くたたんで、いすの上に置く。

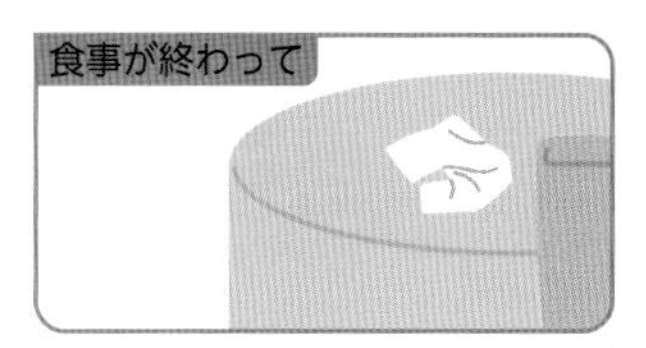

食事が終わって

使用済みとわかるよう、軽くたたんでテーブルの上に置く。

●西洋料理マナーNG集

勝手に好きな席に着くのは×

食事をする席へは、店の人が案内するので、それに従う。

自分で席に座るのは×

自分でいすを引いて、勝手に座ってはいけない。先に引いてもらっている人がいる場合は、いすの横に立って順番を待つ。

自分のハンカチを使うのは×

ナプキンを汚しては悪いからと、自分のハンカチを使ってはいけない。

器を交換するのは×

ひとつの料理をシェアしたいときは、最初に告げればお店の人が取り分けてくれる。

落としたカトラリーを拾うのは×

ナイフやフォークを落としても自分で拾わず、店の人を呼んで新しいものをもらう。

ナイフで食べるのは×

右利きの人は、右手が使いやすいので、ついナイフを使って食べたくなることもあるかもしれないが、フォークで食べる。

ワゴンサービスで取りすぎるのは×

デザートがのったワゴンがテーブル席まで来て、好きなものを選べる店があるが、欲張りすぎはマナー違反。

コーヒーや紅茶を飲むとき手を添えるのは×

コーヒーや紅茶のカップを持つときは、底に手をあてない。手をあてるのは日本式の作法なので注意する。

③ 中国料理

中国の4大料理の特徴

中国は広いので地方により気候がさまざまである。その土地の気候に合わせて特色ある料理が生まれた。もっともよく知られている分類が、「四大料理」である。

北京料理（北方系）

首都北京の宮廷料理を中心に発達した料理。寒い地方のため、濃厚な味つけが特徴で、粉を使った料理も多い。(例) 北京ダック、水餃子

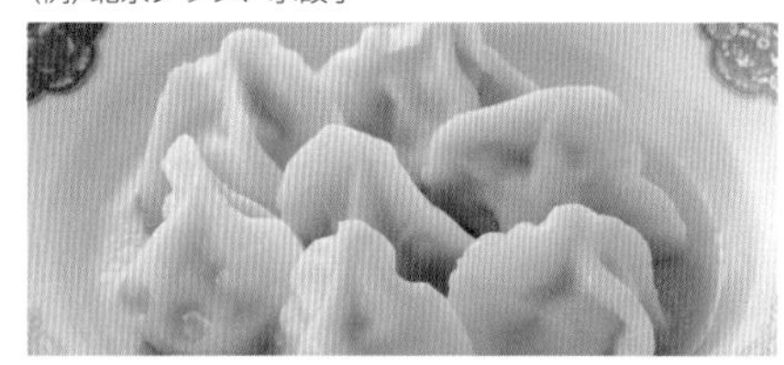

水餃子

四川料理（四川系）

山深く寒い地方のため、唐辛子やさんしょうなどの香辛料を豊富に使ったピリ辛料理が多い。(例) 麻婆豆腐

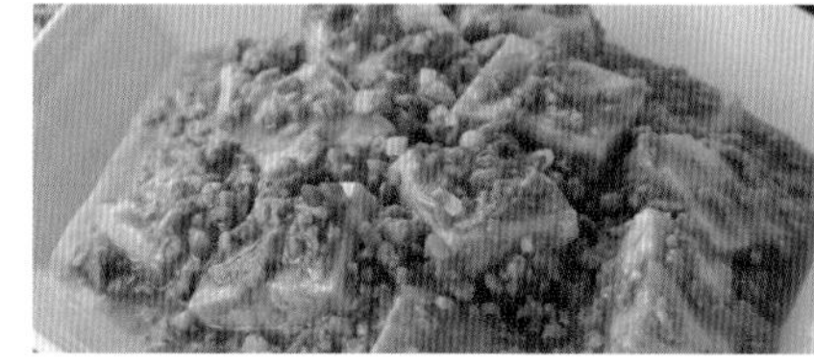

麻婆豆腐

上海料理（上海系）

海、河、湖と水に富んだ地方なので、魚介類が豊富。素材の味を生かした淡白な味つけと濃厚で甘辛い味つけとがある。(例) 上海がに、東坡肉（トンポウロウ）

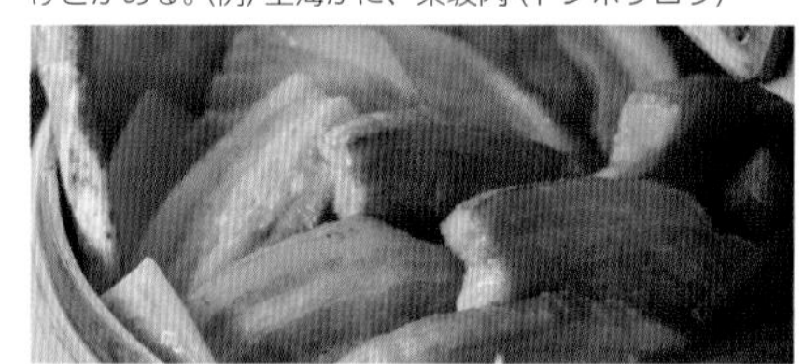

東坡肉

広東料理（南方系）

海の幸・山の幸に恵まれているため、素材の持ち味をいかす淡白な味つけが多い。フカヒレ、ツバメの巣などの高級食材も使われる。(例) フカヒレのスープや姿煮

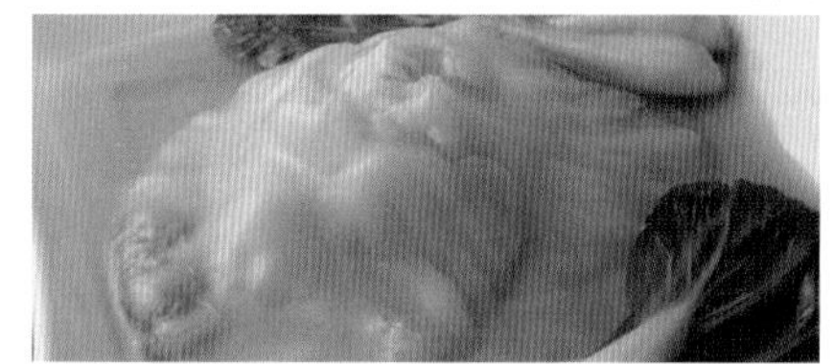

フカヒレの姿煮

テーブルセッティング

❶ナプキン　❷はし　❸スプーン　❹取り皿　❺スープ皿　❻ちりれんげ　❼調味料用小皿　❽茶器

テーブルは回し台を用いることが多く、大皿に盛られた料理を取り分けて食べるのが一般的。

フルコースのメニュー例

前菜（オードブル）

▼

大菜（メイン料理）

▼

湯（スープ）

▼

点心
飯・めん類
菓子類

料理の取り分け方

ゲストや目上から取り分ける

料理は上座の主賓や年上の人から取り分ける。料理の皿が遠い位置に置かれていたら回して近くになるようにする。

料理は時計回りに回す

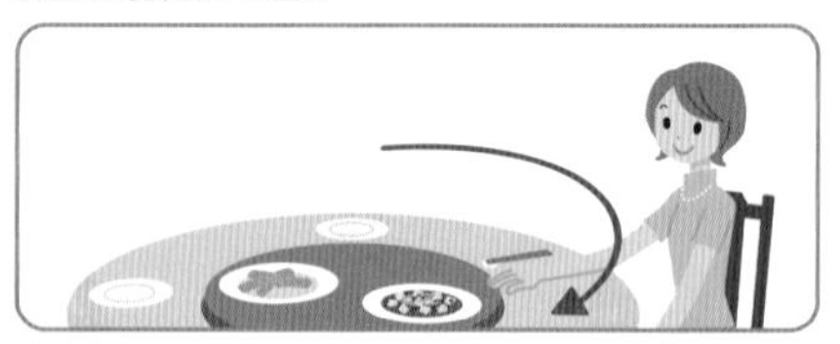

料理が置かれている回転台は、時計回りに回すのが基本。上座の人が料理を取り分けたら時計回りに回し、順次取っていく。

中国料理マナーNG集

器を持つのは×

取り皿はテーブルに置いたまま、はしで食べる。また料理の味が混ざらないよう、取り皿は1品で1枚が基本。

回転台を勝手に回すのは×

他の人が料理を取り分けているときに、回転台を回してはいけない。周りをよく見るようにする。

回転台からはみ出して置くのは×

サーバーや皿が回転台から飛び出していると、回したときに酒の瓶などにひっかかって倒れることもある。また自分のグラスなどは、回転台からはなれたところに置いておくと安心。

取り過ぎるのは×

料理は人数分盛られているので、全員にいきわたるように加減して取る。また待たせないよう早めに取る。全員が取り分けたあとに残っている料理があれば、おかわりしてもよい。

② 調理の常識

料理は楽しいが、火や包丁を扱うなど危険な作業でもある。また、衛生にも気をつけなければ、食中毒になる可能性も。ここでは料理を始める前の基本常識を押さえておこう。

① 手を洗うタイミング

調理を始める前にはしっかり洗おう

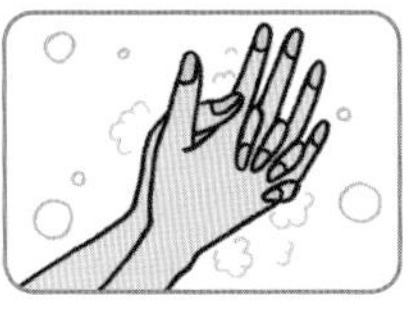

手を組むように指の間もていねいに。

手首は握るように回しながら。

水でよく洗い流し、清潔なタオルでふく。

その他、以下のような場合にも洗おう

- 食材が入っていたトレイに触れたあと
- 生の肉や魚に触れたあと
- そのまま食べるもの（サラダ・あえ物・刺身など）の盛りつけ前
- トイレを使ったあと

② まな板の扱い方

最初にぬらしてから使おう

乾いたものを切るとき以外は、必ず水でぬらし、ふきんでふいてから使う。汚れやにおいがしみこみにくく、とれやすくなる。また、魚・肉用と野菜・果物用とを使い分ける。

物置き台にしない

まな板の上に物をいろいろ置くのは、細菌汚染のもと。切るものと材料だけを置く。

安定よく置く

調理台がせまい場合などに、流しの上にはみ出して置いてしまいがちだが、不安定で危ない。

また、調理台から飛び出しているのもけがのもとなのでやめよう。

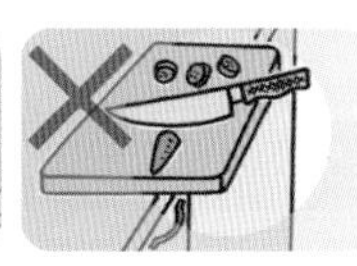

洗うとき、最初は水で

肉や魚の汚れは、まず水で洗い流してから洗剤で洗う。最初に湯をかけると、熱で血やたんぱく質が固まり、落ちにくくなる。また片づける前は、角まで洗って乾燥させよう。

③ 包丁の扱い方

魚や肉を切ったあとは洗う

生の肉や魚を切った包丁、まな板には細菌がついているので、さっと水で流すだけでは危険。洗剤でしっかり洗おう。野菜を切ったときは、水で洗い流すだけでも大丈夫。

使い終わったら、すぐ片づける

洗いおけや水切りかごの中に、他の食器とともに入れるのはけがのもと。使い終わったらすぐに片づけよう。食器とともに入れると、食器に傷がつくこともある。

④ 加熱器具の扱い方

なべの柄の位置に注意！

なべを置くときは、必ず柄はガスの炎がかからない安全な側に向ける。また、調理台から柄がはみ出していると、体にひっかけてしまう危険があるのでやめよう。

なべをつかむときは乾いた布で

なべつかみの代わりにふきんなどを使うときは、必ず乾いた布で。ぬれた布は熱が伝わりやすいため、熱くなってなべをとり落とす危険がある。

やかんの持ち手は立てる

じゃまにならないようにと思ってやかんの持ち手をねかせると、かえって危険。持ち手が熱くなり、やけどの原因になる。

火のまわりに物を置かない

火のまわりにふきんなどの燃えやすいものを置くのは危険。なべのふたの上に置くのも、はみ出した部分が燃える危険があるのでやめよう。

コンロの汚れはすぐにふこう

油はねなどの汚れは、すぐにふく。熱いうちなら汚れも簡単に落ちる。時間がたつと取れにくくなる。

⑤ 料理レシピの基本ルール

材料表

材料表の分量には基本ルールがあるので押さえておこう。「カップ1」と書いてあれば、どんなカップで計量してもいいわけではない。1カップ＝200mLの計量カップのことをさす。同じく、大さじ1は15mLの、小さじ1は5mLの計量スプーンをさす。

決まったもので量らないと、レシピに書かれている分量とは大きな違いがでて、できあがりの味つけがまったく別のものになってしまう。気をつけよう。

味つけ

初めに加える調味料はひかえめにしよう。調理はたし算はできてもひき算はできない。少し薄めに味つけをし、味見をして確認することが大切。

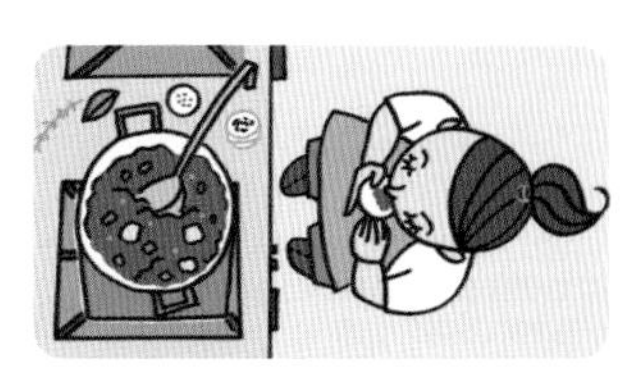

③ 調理器具

調理器具の中には最低限必要なもの、あれば便利なもの、あとかたづけや収納に手間がかかるわりに使用頻度の少ないものがある。台所空間を考えて備えよう。

① 切る・する・おろす

② 洗う・水や油を切る・こす

③ すくう・まぜる

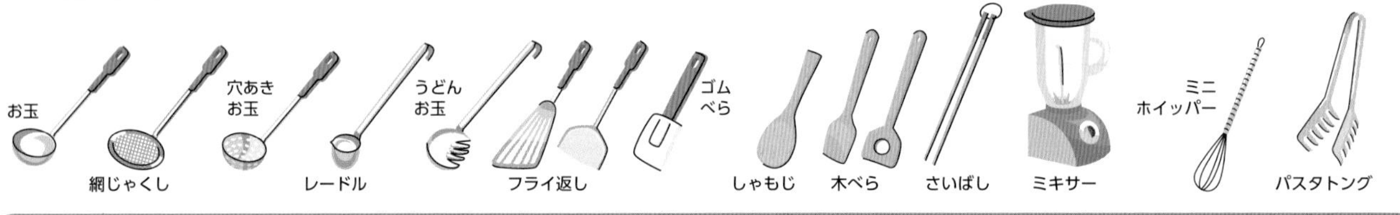

④ なべ類

⑤ 包丁の使い方

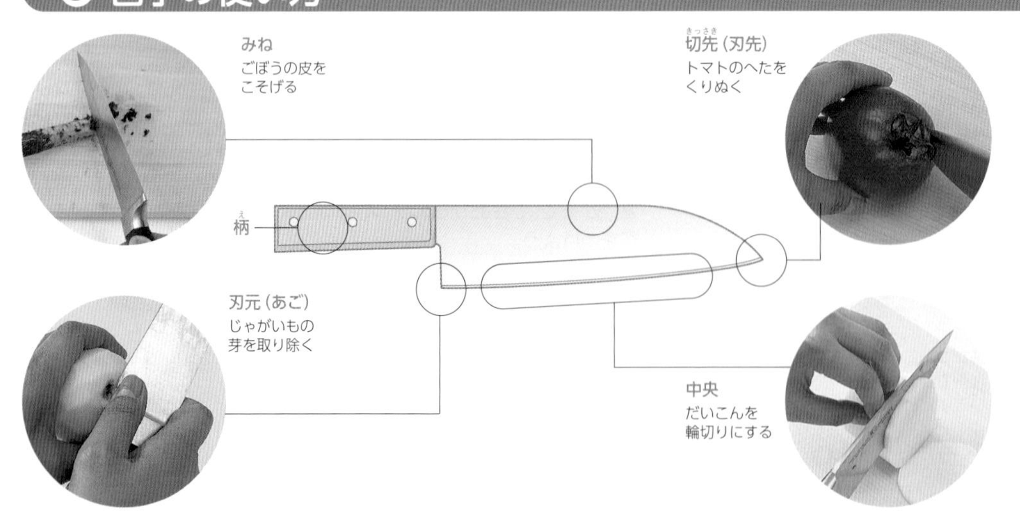

洋包丁		和包丁		
牛刀	ペティナイフ	薄刃	出刃	刺身
肉切り用の洋包丁。魚・野菜も切れるため、もっとも一般的な万能タイプ。	細かい作業や野菜・果物の皮むきに適している。刃渡り12cmくらいが適当。	野菜を切るための包丁。刃先が平らで、幅が広い。菜切り包丁やむきもの包丁などがある。	刃が厚く片刃になっているため、魚をおろしたり、骨を切るのに適している。	切れ味のよい刺身専用の包丁。細身で刃渡りが長い。先のとがった関西型を柳刃包丁という。

正しい持ち方

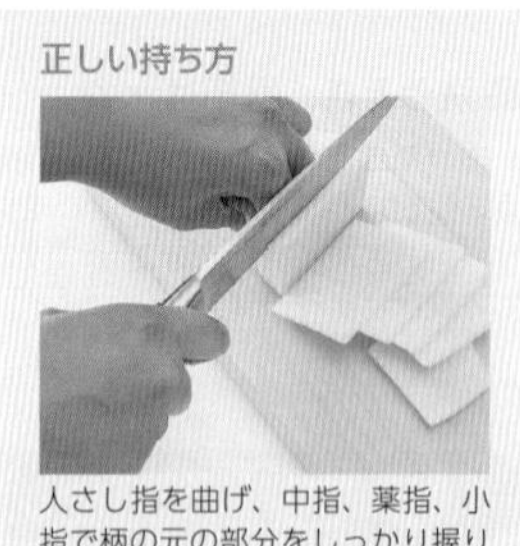

人さし指を曲げ、中指、薬指、小指で柄の元の部分をしっかり握り込むと力が入りやすく、かたいものもよく切れる。

材料を持つ手は

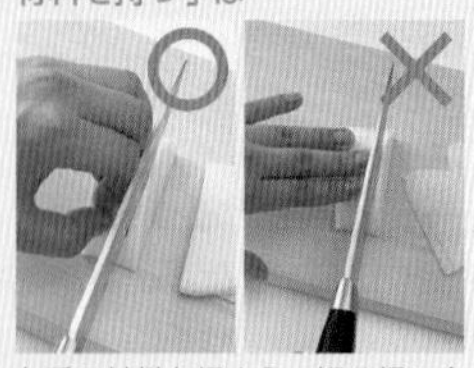

左手で材料を押さえ、切る幅に合わせて手をずらしながら切る。左手の指は内側に折り込む。指先を伸ばしたままだと危険(右)。

⑥ 電子レンジ利用あれこれ（500Wの場合）

●乾物をもどす

乾しいたけをひたひたの水に入れ、浮かないように小皿やラップなどで押さえ、1分半〜2分前後加熱。

●湯せんのかわり

バター30gなら約10秒で溶かしバターに。

●はるさめをもどす

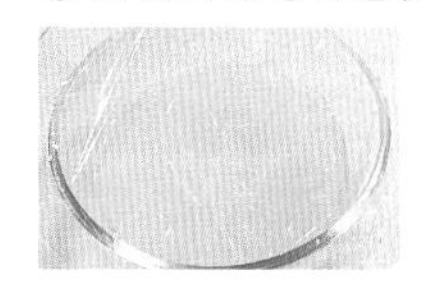

かぶるくらいの水を入れ、ふたかラップをして、20gなら約5分加熱。

●とうふの水切り

豆腐をペーパータオル2枚で包み、皿にのせて2分程度加熱。

●ドライパセリをつくる

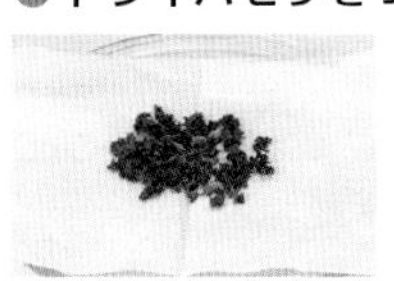

使い切れなかったパセリはみじん切りにして、ペーパータオルにのせて約2分加熱。

●温め・消毒

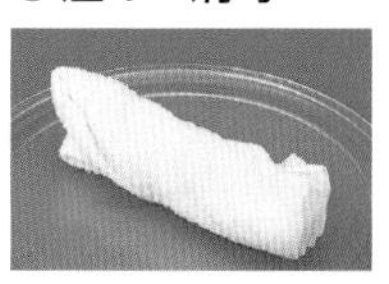

ぬらしたおしぼりを入れ、30〜40秒加熱。温かく衛生的なおしぼりに。

⑦ 加熱方法のちがい

●電子レンジ

熱源はマイクロ波で、食品自体を発熱させてあたためる。マイクロ波はマグネトロンとよばれる真空管から発生される。温め直し、解凍、下ごしらえなどに利用。

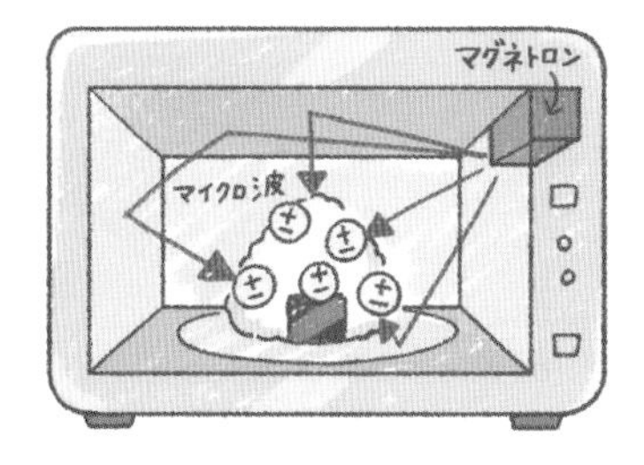

●オーブン

オーブンの熱源は電気やガス。上下にヒーターがつき、熱は食品の表面から内部へ伝わる。ケーキやロースト、パンなどに利用。

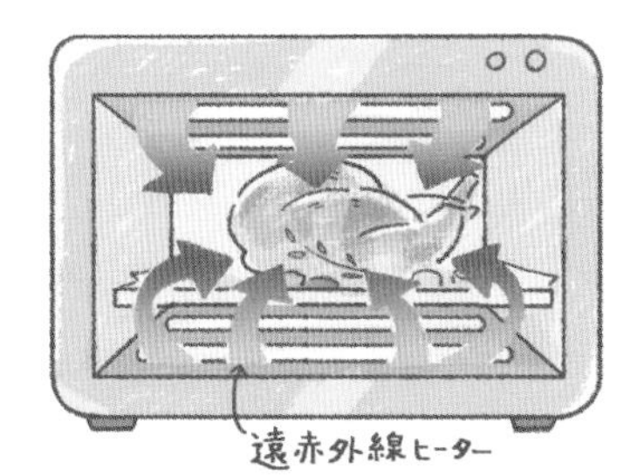

●電磁調理器

電磁調理器では、磁力線がなべ底を通るときにうず電流が流れ、なべ底の電気抵抗でなべが発熱する。

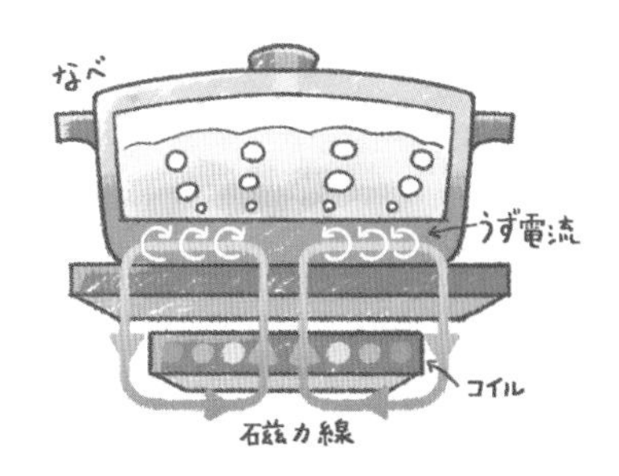

⑧ 冷蔵庫と保存

●冷蔵庫の温度帯

食品を0〜－3℃の状態におくと、水分の一部が凍結するかしないかの状態になる。酵素のはたらきと細菌の増殖を抑制することができ、解凍に要する時間が省略できる。また、細胞間の水分すべてが凍結せず、風味がそれほど落ちないという利点がある。約－3℃（食品が微凍結する）のパーシャル室は、魚や肉のかたまりの鮮度を保ちながら、すぐに調理できる状態にしておくことができる。約0℃（食品が凍る直前）のチルド室は、発酵がすすみやすいヨーグルトや納豆などの保存に適している。ただし、水分の多い食品（豆腐など）は凍結する恐れがある。

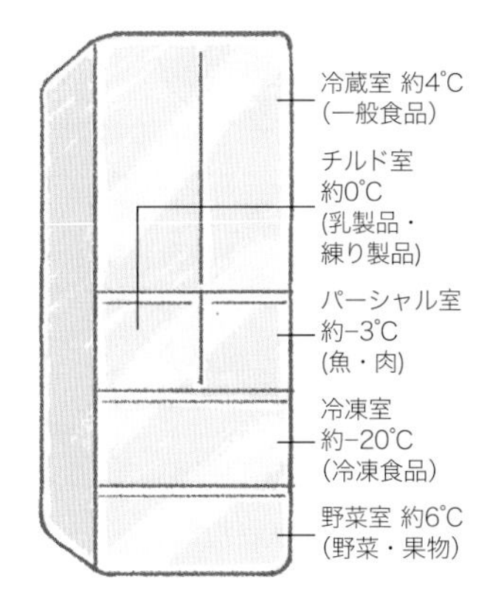

●ホームフリージングのポイント

急速冷凍
－1〜－5℃をできるだけはやく通過させ「急速冷凍」することが大切。徐々に冷やす緩慢冷凍では、食品に含まれる水分が凍るときに膨張し、細胞を破壊してしまう。

冷まして小分け
残ったごはんや多くつくっただし汁などは、冷ましてから小分けにして冷凍する。ほうれんそうなどの野菜類はブランチング（かたゆで）する。

●いろいろな保存方法

種類	乾燥法	塩蔵法	砂糖漬	酢漬	発酵	断気	加冷
方法	水分を蒸発させて微生物の活動をおさえる。	塩を食品内に浸透させ、浸透圧の増加で含有水分を減少させる。	砂糖の濃度を高める結合水を増加させ、細菌の繁殖を防ぐ。	食品のpHを酸によって低下させ細菌の繁殖を防ぐ。	微生物の作用で成分を変化させ腐敗菌の繁殖を防ぐことがある。	空気を遮断し、酸化による劣化を防ぐ。	低温で保存することで、細菌の繁殖をおさえる。
食品例	干物、のり、干柿、かんぴょう	漬物、梅干し、ハム	ジャム、ようかん	ピクルス、南蛮漬、マリネ	納豆、みそ、しょうゆ、酢、ワイン	缶詰、レトルト食品	冷蔵、冷凍

④ 計量・調味の基本

味つけのために調味料を計量することは大切。微妙な味の調節は手ばかりが便利。食品の種類や調理法にあわせた味つけと、入れる順番を意識しよう。

① 計量の基本

●計量スプーン

大さじ1=15mL　小さじ1=5mL

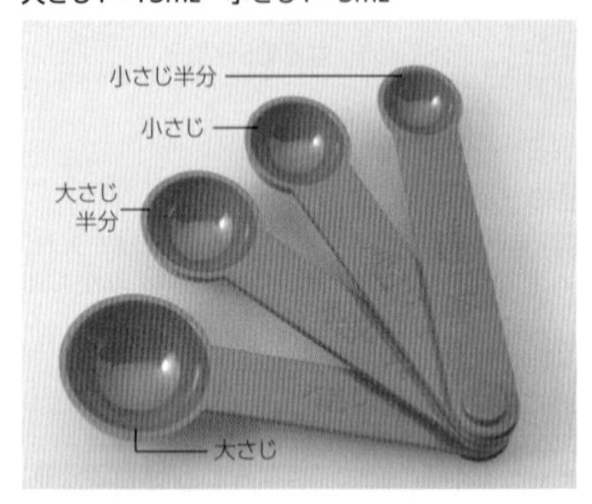

粒子状

多めにとってから、すりきる。

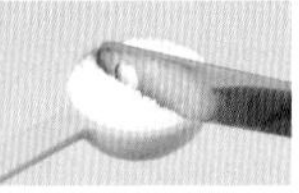

2分の1は、一度すりきり、半分落とす。

液体・ペースト

表面が盛り上がるくらいまで入れる。

2分の1は、6～7分目まで入れる

容量と重量はちがう
計量スプーンや計量カップの容量（かさ・mL）は左記の通りだが、各容量に入る重量（重さ・g）は食品によって異なる。たとえば、水は5mL=5gだが、しょうゆは5mL=6g。巻末の「食品の重量のめやす」をもとに換算しよう。

●計量カップ

1カップ=200mL
液体をはかるときには、たいらなところにカップを置いて、はかりたい目盛りの位置まで液をそそぐ。

●はかり

上皿を直接乗せてはかりにくい場合には、器に入れてはかると便利。その場合はまず、器だけの重さをはかり、その数値に、はかりたいものの重量だけをプラスした目盛りまではかる。

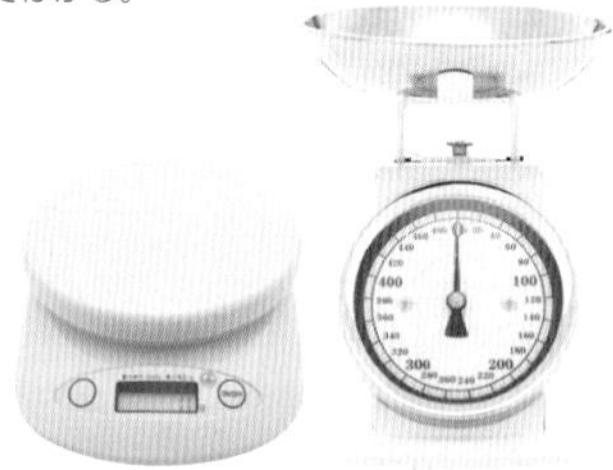

デジタル式　　アナログ式

●手ばかり

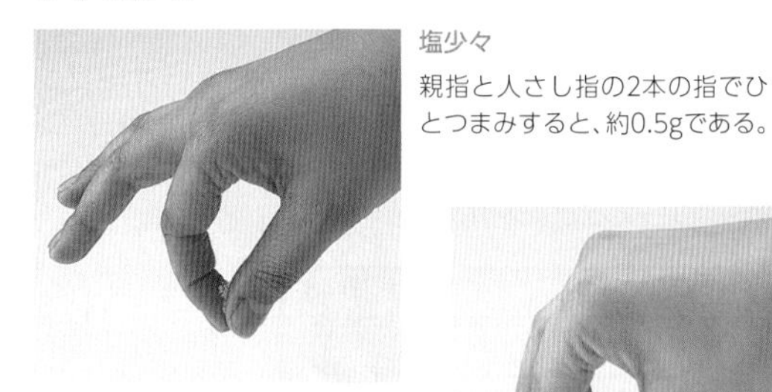

塩少々
親指と人さし指の2本の指でひとつまみすると、約0.5gである。

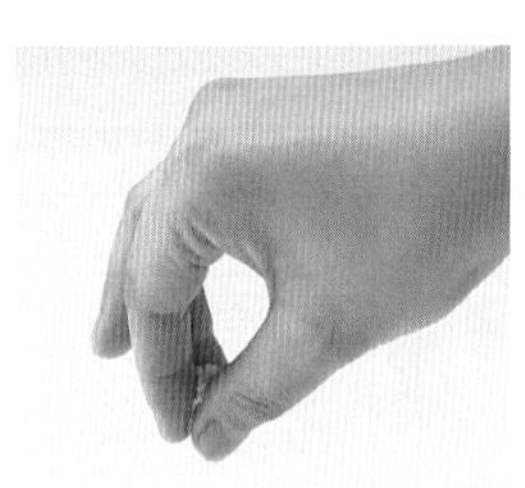

塩ひとつまみ
親指・人さし指・中指の3本の指でひとつまみすると約1gである。

② 調味の基本

●調理前の味つけ

肉や魚介類に下味をつける。塩・こしょう・しょうゆ・酒など。焼き物や揚げ物、蒸し物など、調理中に味つけできない場合には、加熱前に味をつける。

●調理中の味つけ

煮物の味つけは、「甘味から先につけ、塩分は何度かに分けて、徐々にしみ込ませる」のが基本。手順は「さしすせそ」（砂糖、塩、酢、しょうゆ、みそ）と覚える。

砂糖	甘味をつけるほか、材料に他の味をしみ込みやすくするので、必ずはじめに入れる。
塩	材料にすぐしみ込み、肉や魚の身を引き締めるので、必ず砂糖のあとに入れる。
酢 しょうゆ みそ	醸造によってつくられた調味料で、酸味や塩味のほかに発酵による多くの香りを含む。材料にうま味を与えるが、長時間加熱すると風味が飛んでしまうので、仕上げの味つけや香りづけとして最後に加える。

●調理後の味つけ

風味や香りをつける。焼き魚にすだち・レモンなど。

砂糖はみりんより3倍甘い！

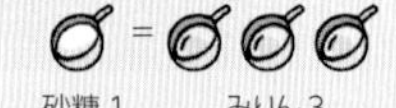

砂糖の糖分含有量が99.1％であるのに対して、みりんは31.5％と砂糖の約30％。したがって、みりんと同じ甘みにするには、3分の1の量の砂糖を使用すればよい（体温に近い温度で甘みを強く感じる）。

しょうゆとみその塩分量は？

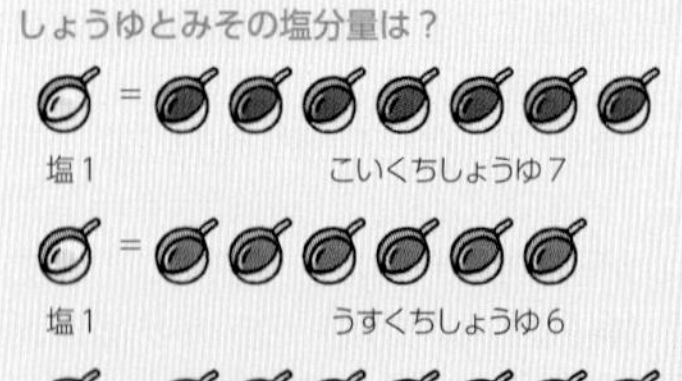

食塩の塩分含有量が99.1％であるのに対して、こいくちしょうゆは14.5％、うすくちしょうゆは16％、辛みそは12.4～13.0％、甘みそは6.1％。したがって、食塩と同じ塩味にするには、上記の比率で使用すればよい（温度が下がると塩味を強く感じる）。

⑤ 火加減・水加減、あとかたづけ

料理がこげるのは水の量や火の勢いによるもの。適切な火加減と水加減を覚えて、失敗を防ごう。

① 火加減

●強火
炎がなべの底全体にあたっている状態。煮立てるときや炒め物をするときの火加減。

●中火
ガスの炎の先端がなべの底に少しあたるくらいの状態。基本はこの火加減。

●弱火
中火の半分ほどで、なべの底にあたらない状態。長時間煮込むときの火加減。

② 水加減

●ひたひたの水
材料が煮汁から少し頭を出している状態。煮汁は材料の重量の約70%。煮物などをするときの量。

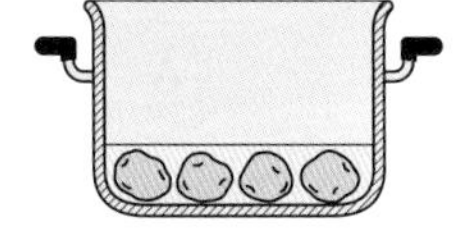

●かぶるくらいの水
材料が完全に煮汁のなかに入っている状態。煮汁は材料と同じ重量(100%)。根菜類などをゆでるときの量。

●たっぷりの水
煮汁が材料の高さの倍くらいある状態。煮汁は材料の重量に対して200%。青菜をゆでるときの量。

水からゆでる？ 湯からゆでる？

野菜は一般に、根菜類は水からゆで、葉菜類は熱湯でゆでる。乾燥豆のうち、だいずは水に浸してからゆでるが、あずきはすぐにゆでてよい。

魚類、肉類はたんぱく質が逃げないよう、湯からゆでるのが一般的であるが、スープとして利用する場合には、水からゆでる。

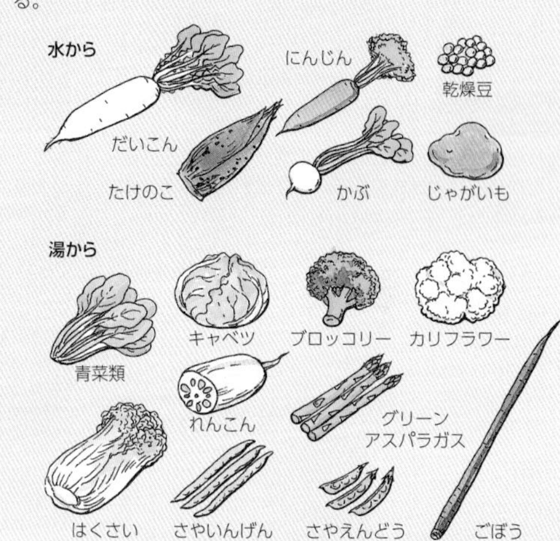

③ あとかたづけ

●調理器具

ざる	目の細かいざるはブラシを使うと汚れがよく落ちる。洗剤で洗ったら、よくすすぎ、ポンポンたたいて水分を切る。
包丁	ナイロンたわしで汚れを落とす。さびないように水分をよく拭き取る。
まな板・プラスチック製	ナイロンたわしなどで汚れを落とす。洗剤を使っても魚などの生臭さが取れないときは、レモンや酢で臭いを消す。
まな板・木製	たわしや、ナイロンたわしで汚れをよく落とし、よく水気を切る。かびがはえやすいので、ときどき日光で乾かす。
アルミなべ	アルマイト加工のものはスポンジと中性洗剤で洗う。打ち出しなべはスチールたわしとクレンザーで洗う。
ステンレスなべ	スポンジと中性洗剤で洗い、水分をよく拭き取ってから、やわらかい布でから拭きするとぴかぴかになる。
ホーローなべ	傷つきやすいので、スポンジで洗う。こびりついた汚れは、水を入れて火にかけ、木べらでこすり取る。
フッ素加工のフライパン	洗剤をつけたスポンジでやさしく洗う。
鉄製の中華なべ	たわし、金属たわしなどで洗い、空焼きして水分をとばし、うすく油を敷いて拭き取る。

料理を進めながら、できるあとかたづけは同時進行する。それぞれの器具に合った道具を使って汚れを落とす。
こまめな手入れで清潔・長持ち！ シンクの汚れも忘れずに！

●食器類

[洗う前に]
油汚れの食器は重ねない。
乾燥すると汚れが落ちにくくなるもの（ごはんのでん粉やみそ）は水につける。
ゴムべらや野菜のへたで汚れをこすり取る。

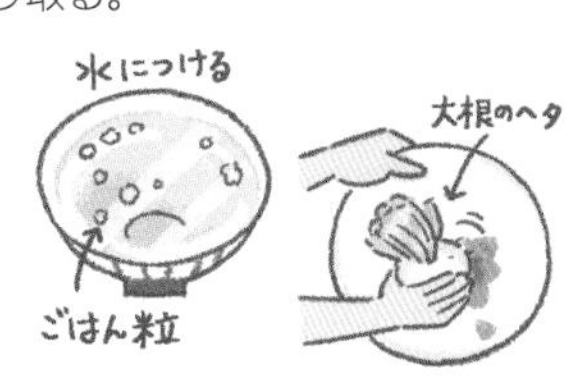

[洗う順番・すすぎのコツ]
①グラス類…………割れやすいグラス類は柄付きスポンジなどに洗剤をつけ、飲み口の汚れや表面の曇りを落とす。すすいだらふせて乾かす。
②箸(はし)・木のお椀……塗りのお椀や箸は傷つけないよう布などで洗う。水に長くつけない方がよいため、すすいだらやわらかい布で水気を拭き取る。
③ごはん茶わん……でん粉のこびりつきを浮かせた茶わんは、見落としがちな糸尻（底の輪になってつきでた部分）など裏から洗う。アクリルたわしなどを使うと洗剤をつけなくても汚れが落ちる。
④小鉢……………汚れの少ない小鉢はスポンジやアクリルたわしなどで包み込むように洗う。
⑤油汚れの皿………油汚れはスポンジでこする前にお湯で油を落とす。
⑥すすぎ……………大きい食器の上に小さい食器を重ねて順番にすすぐ。下の食器の洗剤も流れて節水になる。

❻ 食材の切り方

食品や調理法に合った切り方が大切である。繊維と並行に切るか直角に切るかは、歯ざわりや崩れやすさに関わる。また、大きさをそろえて切ることは、火の通りぐあいに関わる。まずは基本的な切り方をマスターしよう。

❶ 基本切り

①輪切り

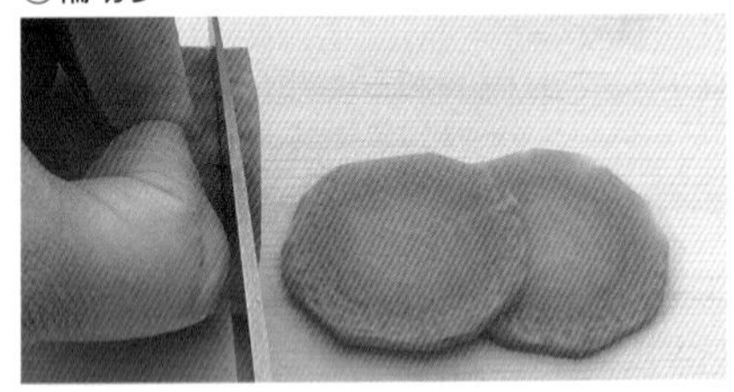

にんじん、だいこんなどの野菜の切り口が輪になるように端から同じ大きさで切る。厚さは料理による。煮物など。

②半月（はんげつ）切り

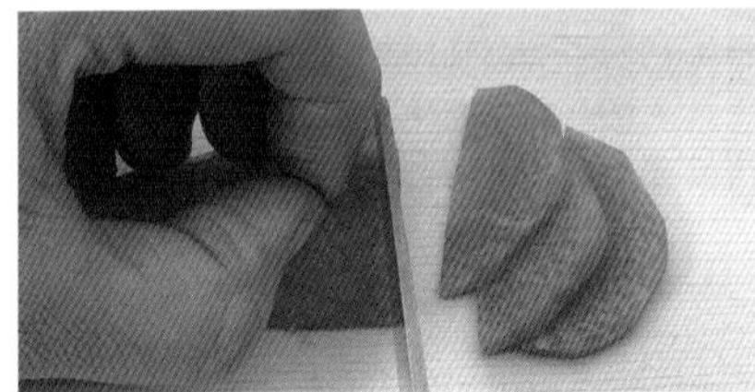

輪切りをさらに半分に切った状態。にんじんやだいこんを縦半分に切り、切り口をまな板につけて端から切る。煮物など。

③いちょう切り

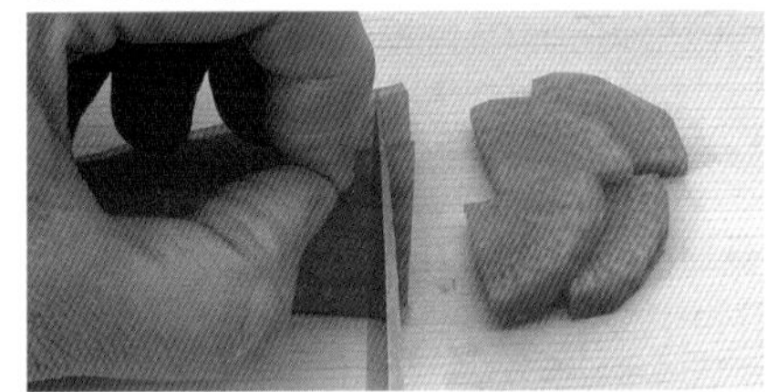

縦半分に切り、さらに縦半分に切って端から切る。半月切りをさらに半分に切った状態。汁物のにんじんやだいこんなど。

④拍子木（ひょうしぎ）切り

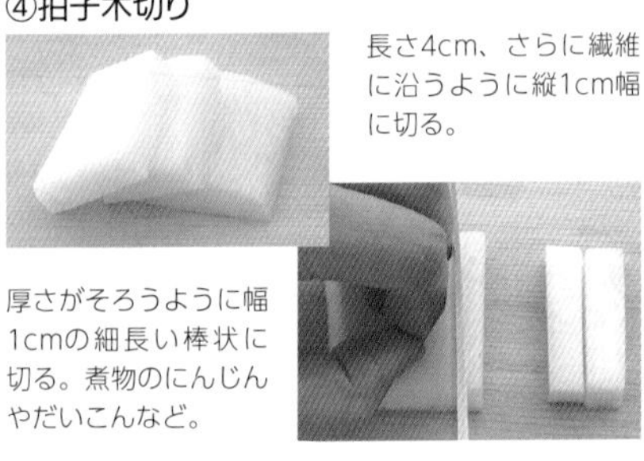

長さ4cm、さらに繊維に沿うように縦1cm幅に切る。

厚さがそろうように幅1cmの細長い棒状に切る。煮物のにんじんやだいこんなど。

⑤さいのめ切り

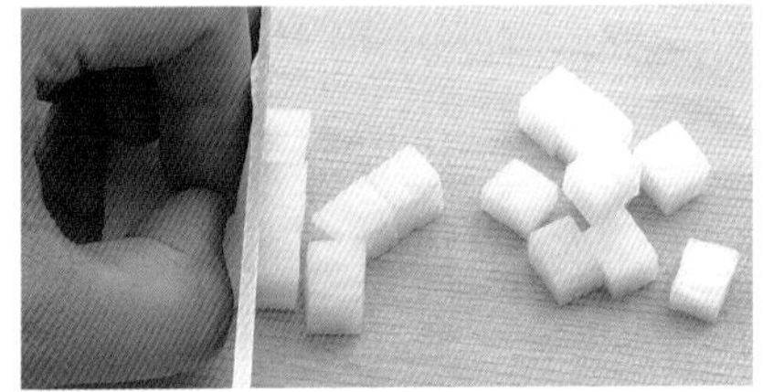

拍子木切りを0.7〜1cmくらいの立方体に切る。汁物の豆腐など。

⑥たんざく切り

長さ4〜5cm幅1cmのものをさらに薄く切る。炒め物のにんじんなど。

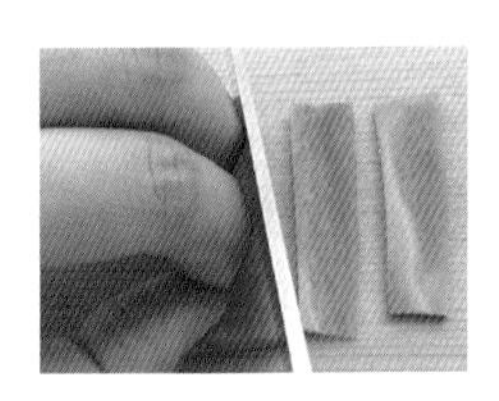

⑦色紙（しきし）切り

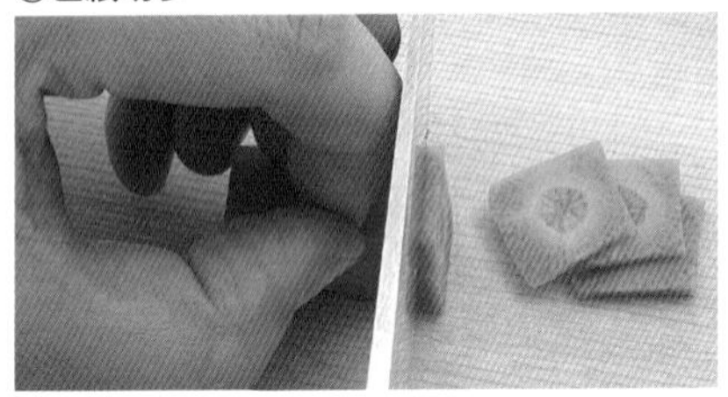

断面が正方形の立方体を薄切りにする。汁物のにんじんなど。

⑧小口（こぐち）切り

材料を手で押さえ、端から一定の長さで切る。汁物のねぎなど。

⑨乱切り

斜めに切る。材料を手前にまわして切り口の中央を同様に切る。きゅうり、煮物のにんじんなど。

⑩くし形切り

縦半分に切り、三日月形になるように、切っていく。レモンやサラダのトマトなど。

⑪ささがき

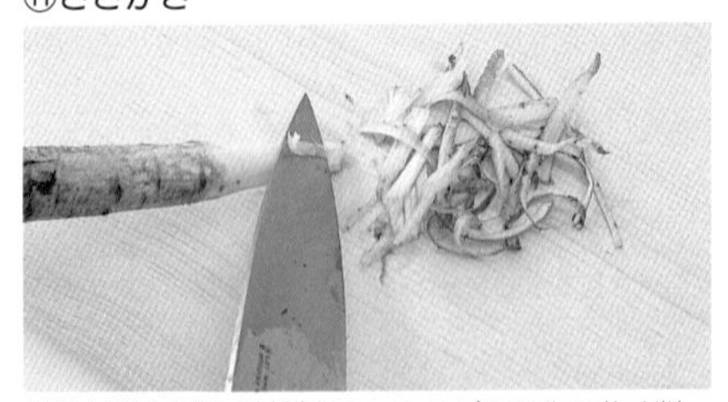

鉛筆を削る要領で材料をまわしながら刃先で薄く削っていく。きんぴらごぼうなど。

⑫たまねぎの薄切り

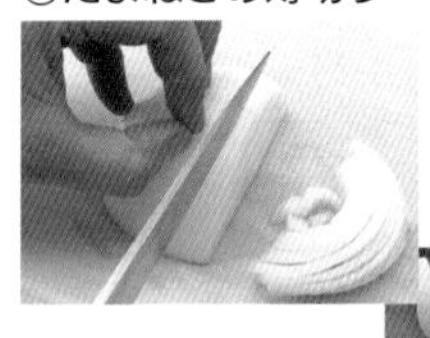

縦に切ったあと繊維と直角に切ると甘味が出たり、やわらかい食感になる。

繊維と平行に切って、水にさらすと歯ごたえや香りを楽しめる。

面取り

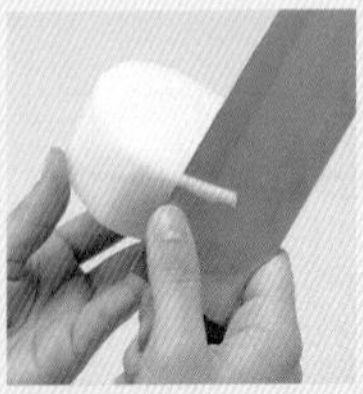

角を薄く切り取り、丸みをつけることで、煮くずれを防ぎ、きれいに仕上げる。

隠し包丁

味のしみ込みや火の通りをよくするために、盛りつけたときに表から見えない部分に、切り目を入れること。

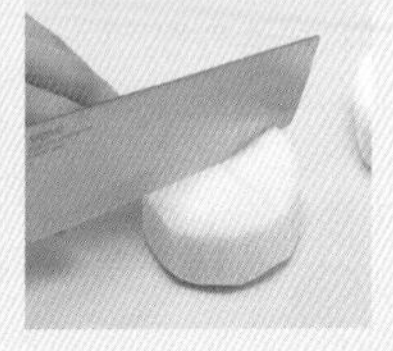

⑬しいたけの石づき

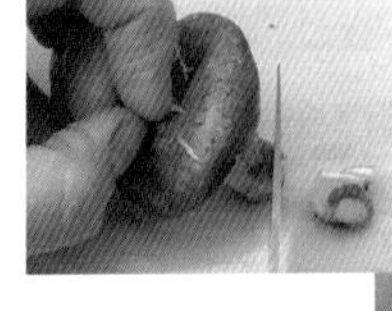

石づき（軸の先端の固い部分）を包丁の刃先で切り取る。

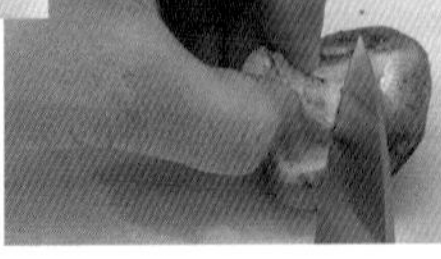

軸を取る場合はかさを下にする。

⑭そぎ切り

包丁を寝かせて引きながら薄く切る。厚みのある肉や魚、野菜に向く。

⑮斜め切り（ねぎ）

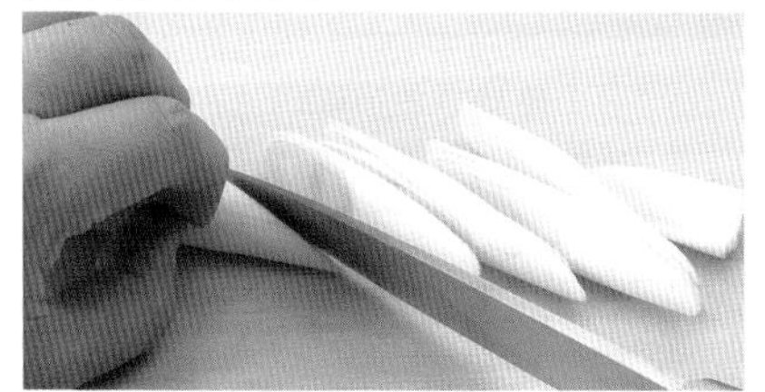

端から包丁を斜めに入れて切る。鍋物のねぎなど。

⑯斜め切り（きゅうり）

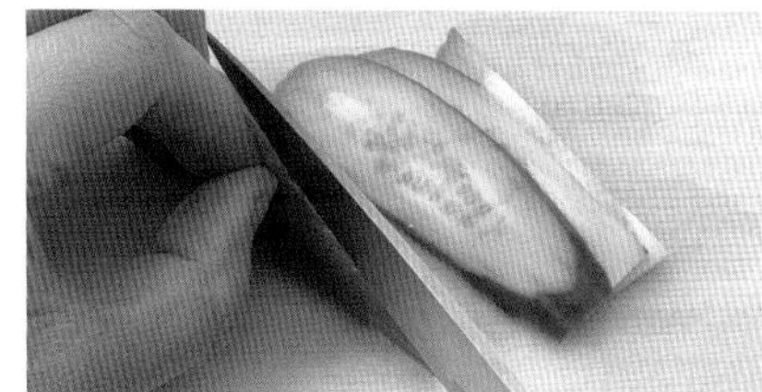

包丁を斜めに入れて薄く切る。サラダのきゅうりなど。

⑰細切り

薄切りにしたものを少しずつずらして重ね、端から細く切る。太さは用途によるが2～3mmが一般的。炒め物やあえ物、サラダの野菜や肉など。

❷ せん切り・みじん切り

①せん切り

長さ4～5cmの薄切りにする。

薄切りを重ねて、端から細く切る。太さは1～2mmが一般的。サラダのキャベツやにんじんなど。

②みじん切り（長ねぎ）

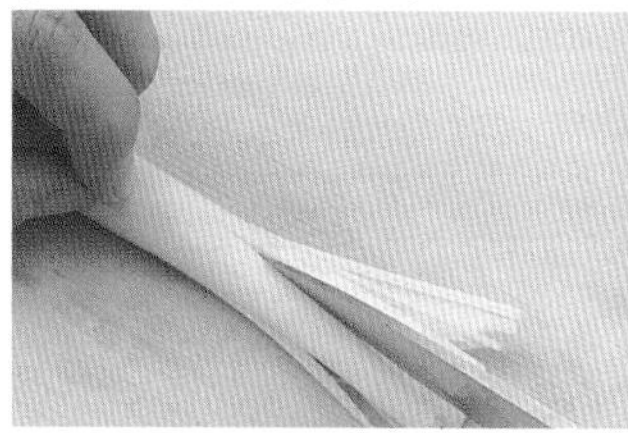

まわしながら、刃先で縦に何本も切れ目を入れる。

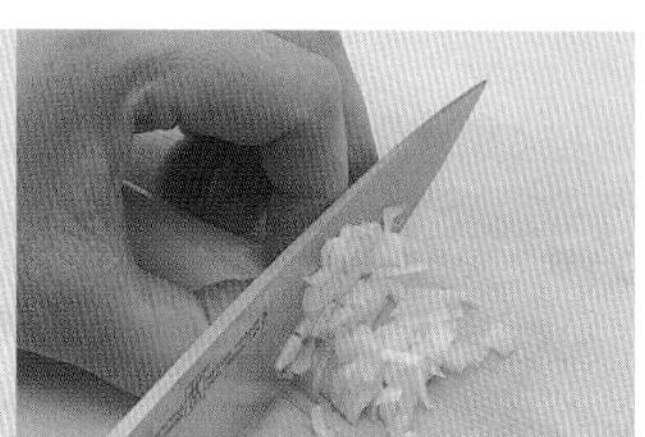

切り込みが広がらないように押さえ、端から細かく切る。薬味のねぎなど。

③みじん切り（たまねぎ）

縦半分に切り、根元を切り離さないように、縦に細かく切り込みを入れる。

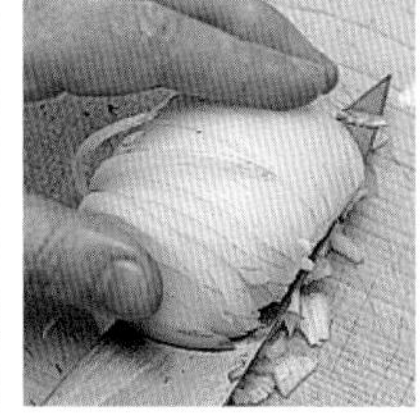

切り離さない程度に横に切り込みを入れる。

根元を押さえ、端から細かく切る。

④しらがねぎ

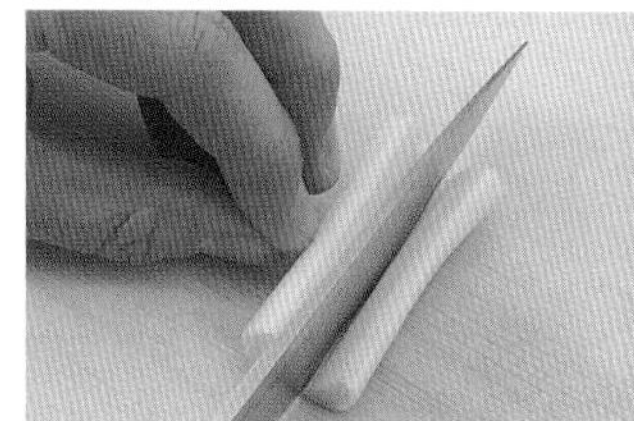

長さ6～7cmに切り、芯を取る。

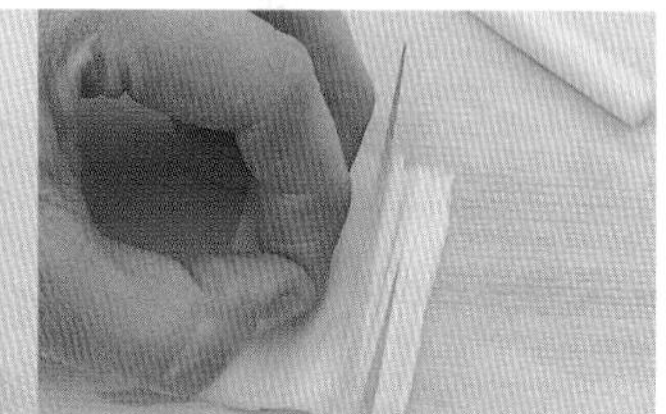

端から繊維に沿って細かく切る。薬味や天盛りに使う。

❸ 飾り切り

①末広（すえひろ）切り

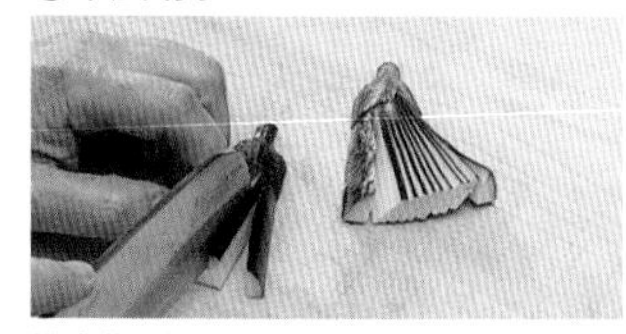

縦半分に切ったなすなどの一端に縦の切り込みを入れて扇形に広げる。

②たづな切り

真ん中に切り込みを入れ、一方の端をくぐらせる。煮物のこんにゃくなど。

③花形切り

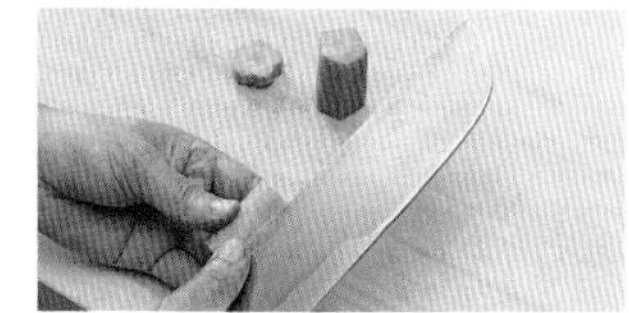

正五角形になるように端を切り落とし、角を花びらに形どる。煮物のにんじん、れんこんなど。

④うさぎりんご

くし形に切り、皮にV字の切れ目を入れる。皮と果実の間にナイフを入れてVまで切り取る。

野菜の繊維

料理の本を見ると、よく目につくのが「繊維にそって切る」「繊維に直角に切る」という文章。実は野菜は、繊維にそって切るか、繊維を断ち切るかで歯ごたえや風味などがちがってくるのだ。

- **繊維にそって切る**
  加熱しても形くずれがしにくい切り方で、炒め物などに向く。シャキシャキした歯ごたえ。
- **繊維に直角に切る**
  香りが強く出る切り方で、サラダなどの生食や、香りを出したいスープなどに向く。

⑦ 食材の下ごしらえ

調理の前に食材にほどこす下処理。①あくをぬく、②色をよくする、③火の通りにくいものを先に加熱しておく、④乾物をもどす、など。魚介類は鮮度を保つため、買ってきたらすぐに下処理をするとよい。

1 野菜

●水にさらす

冷水につける

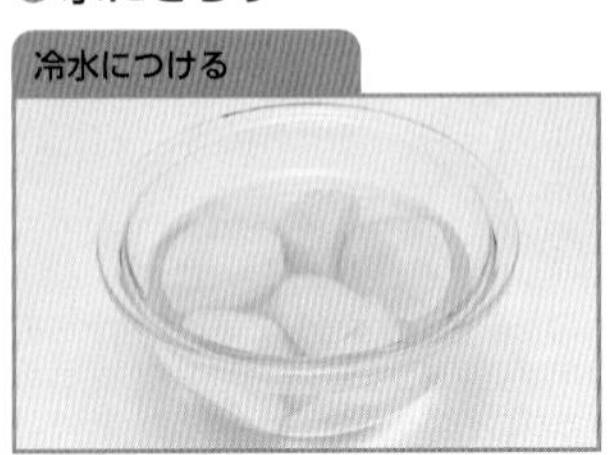

じゃがいも・さつまいもなどのいも類やなすは、冷水につけてあく抜きする。

酢水につける

酢水に入れるとれんこんやごぼうは白く仕上がる。酢水につけた場合（上）とつけなかった場合（下）。

●塩でもむ

きゅうりやキャベツは塩でもむと、浸透圧の作用で野菜から水分が出てしんなりする。

●ゆでる

茎から入れ、ふたをせず短時間ゆでる。えぐみをとるため冷水にとり、色よく仕上げる。

2 肉

●焼く場合

筋を切る

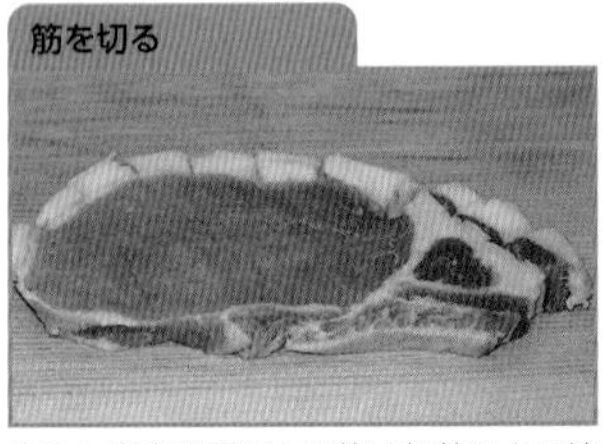

赤身と脂身の間にある筋は加熱により縮み、肉が反り返ってしまうので、何本か切れ目を入れておく。

たたく

肉たたきでたたき、形を整えて焼くと、縮まずやわらかく仕上がる。

●ゆでる場合

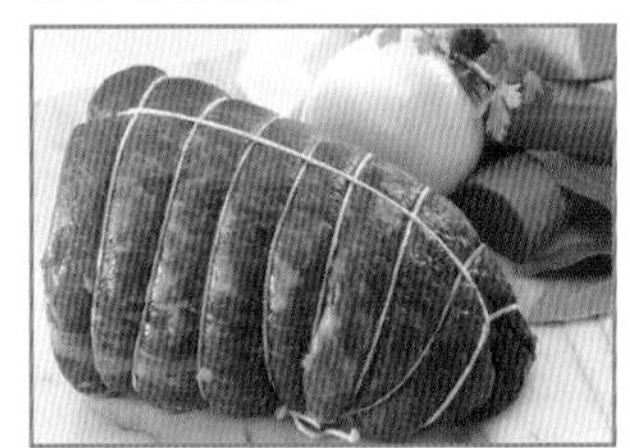

ゆでる場合には、形がくずれないように、たこ糸で巻いたりネットをかけたりする。

●血抜きをする場合

レバーは水洗いしたあと、水か牛乳に約30分つけて、血抜きや臭み抜きをする。

3 乾物・加工品

●乾物をもどす

乾しいたけは水に20～30分つけ、石づきのところが完全にやわらかくなってから使う。

切り干しだいこんはたっぷりの水でもみ洗いし、かぶるくらいの水に約10分つけてもどし、かたく絞る。

干しわかめ	水に数分間つけてもどすと、重量で約10倍にもなる。長時間水につけておくと風味が抜け、食感も悪くなるので注意する。塩蔵わかめは、塩を洗い流し、数分間水につけてもどす。
干しえび	水でさっと洗って熱湯をかけ、しばらく置く。もどし汁はだしとして使う。
かんぴょう	水洗いしてよくもみほぐし、やわらかくする。または、塩もみして水洗いし、下ゆでしてもよい。

●油抜きをする

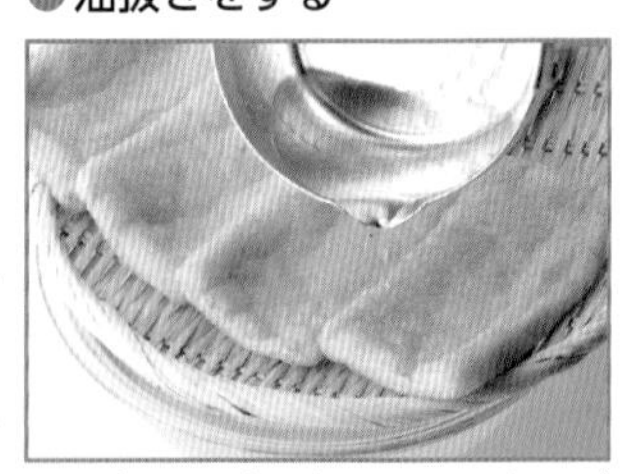

油揚げ・厚揚げ・がんもどきなどは、ざるにのせて熱湯をかけ回すか、なべの中で熱湯にくぐらせる。

ホームフリージングのポイント

1. 冷凍に向かないものは冷凍しない

水分の多い食品や、冷凍で食感（歯ざわり）が変わってしまう食品は不向き。

向く…ごはん、パン、加熱調理したもの、乾物・茶葉など乾燥したもの

向かない…とうふ・こんにゃく・たけのこなど（食感が変わる）、牛乳やクリーム（分離する）、一度解凍したもの（再冷凍は品質が悪くなる）

2. すばやく凍らせる

完全に冷凍させるまでに時間がかかるほど、食品の組織がこわれる。熱いものは必ず冷ましてから凍らせる。熱いまま入れると冷凍庫の温度が上がり、他の食品までいたむ。

3. 小分けして、密閉する

1回に使う量に分ける。できるだけ薄く、空気は抜いてしっかり密閉する。

4. 1か月以内に使い切る

冷凍しても、時間は止まらず、味はどんどん落ちていく。家庭で冷凍したものは、目安として1か月以内、いたみやすい生肉・魚介類・生野菜は2週間以内に食べる。冷凍するときに日付がわかるようにしておくとよい（買ったときの表示ラベルをはるなど）。解凍後の食べ方は、しっかり味付けをしたり加熱調理する方が、おいしく食べられる。

解凍法

- 自然解凍…肉・魚やおかずは冷蔵庫で。ゆっくり時間をかけて解凍することで、水っぽくならず生に近い味になる。
- 流水解凍…急ぐときに。水が入らない袋に入れて流水をかける。
- 電子レンジ解凍…解凍（弱）機能を使うなどして、加熱しすぎないようにする（ムラになる）。
- 加熱解凍…凍ったままゆでるなど解凍と同時に調理する。

④ 魚

一尾の処理

❶あじはぜいご（かたいうろこの部分）を取る。

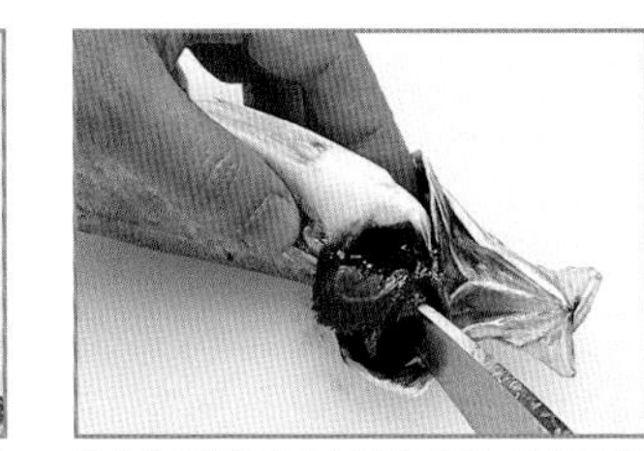
❷えらの下側から包丁を入れ、刃先でえらを引き出す。

❸横腹に切れ目を入れる。

❹わたを引き出す。

[腹開き]

❶わたを抜いて腹側から切り開く。

❷腹側が開いて背側がついている。

[背開き]

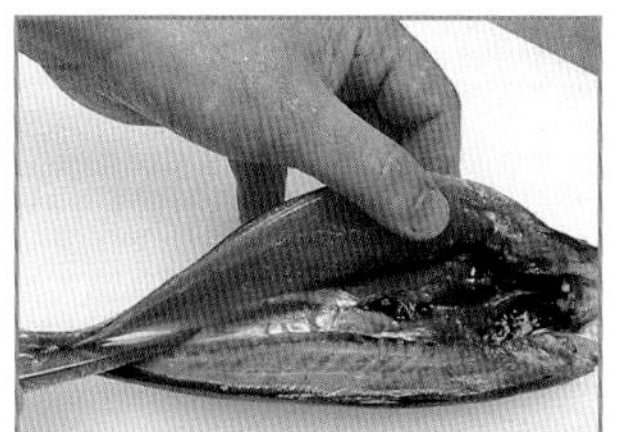
❸えらからわたを抜いて背を切り開く。

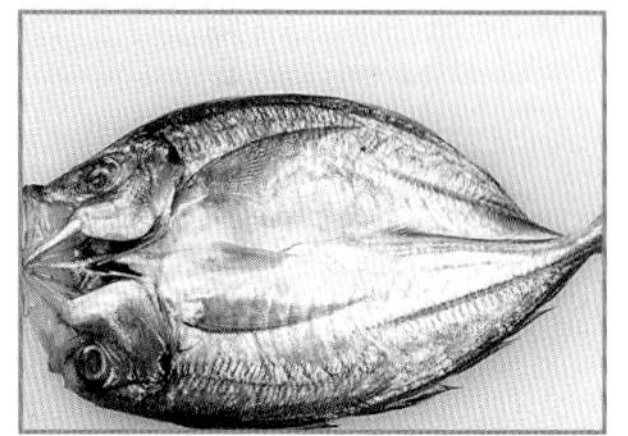
❹背側が開いて腹側がついている。

二枚おろしと三枚おろし

❶胸びれの下から包丁を入れ、頭を切り落とす。

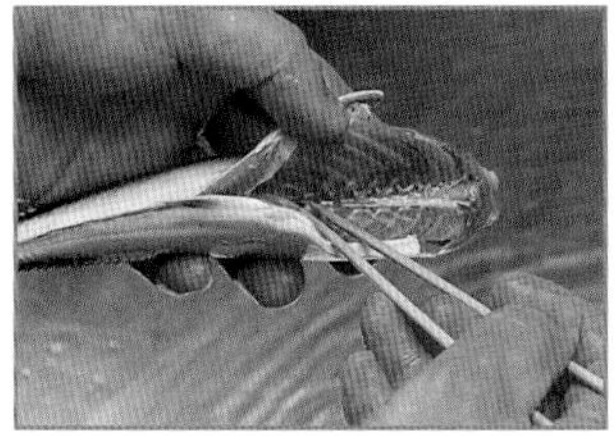
❷わたを取り、汚れを洗い流す。洗ったら水気をふきとっておく。

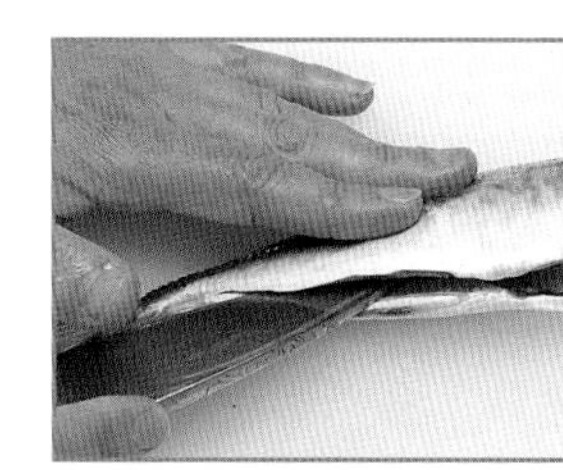
❸腹側から包丁を入れ、刃先を中骨にそわせて尾まで包丁を引く。

❹背から包丁を入れ、刃先を中骨にそわせて尾から頭まで包丁を引く。

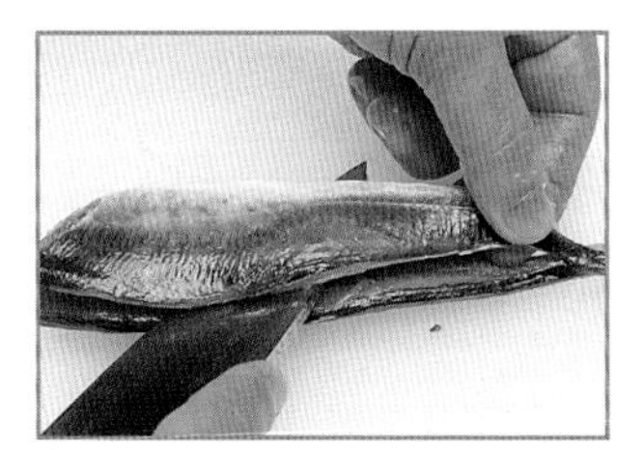
❺返し包丁を入れてから、中骨を下身に残し、切り離す。

❻二枚おろし。

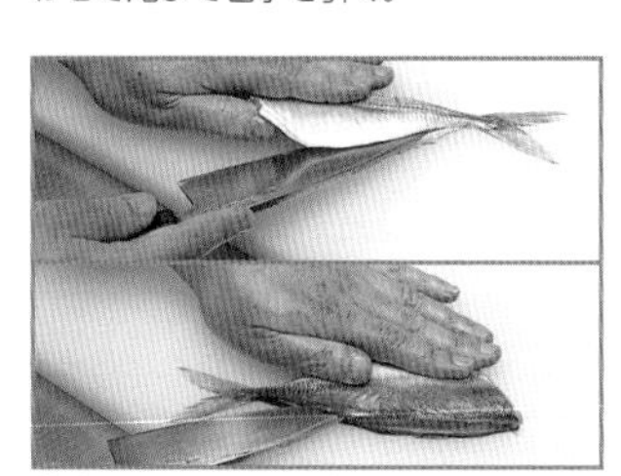
❼中骨のついている方を下にして、背側と腹側から包丁を入れ、下身を中骨から切り離す。

❽三枚おろし。上身の腹側に残った腹骨を薄くそぎ取る。

⑤ いか

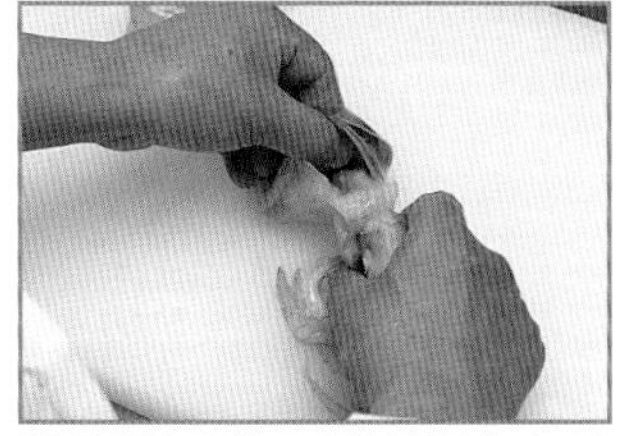
❶足と胴をはがし、内臓を引き抜く。内側に残った軟骨を取る。

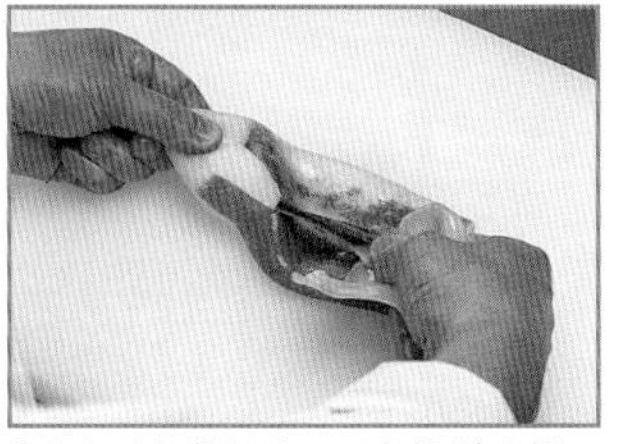
❷えんぺら（胴の先の三角部分）を引っ張り、はがしながら、そのままできるだけ皮をむく。

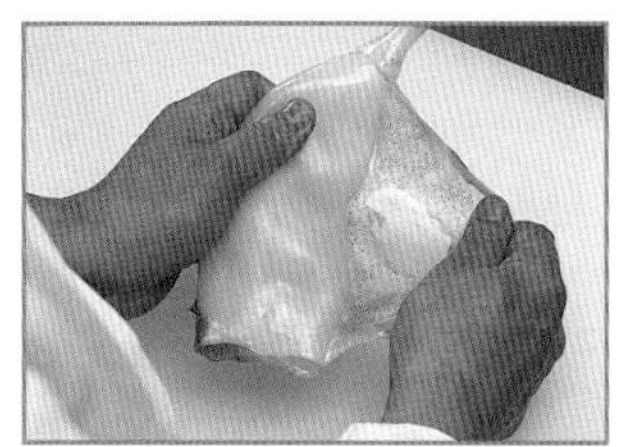
❸胴全体の皮をむく。

❹わたを切りはずし、目、くちばしを取る。吸盤をこそげるように取る。

⑧ ご飯

米は水を加えて加熱することにより、でん粉が糊化(こか)して粘りのあるおいしいご飯に炊きあがる。「洗米→浸水→加熱→蒸らし」の炊飯過程を理解しよう。また、いろいろな具を混ぜたり、調味料を加えることによって、バラエティのある米料理を楽しむことができる。

① ご飯

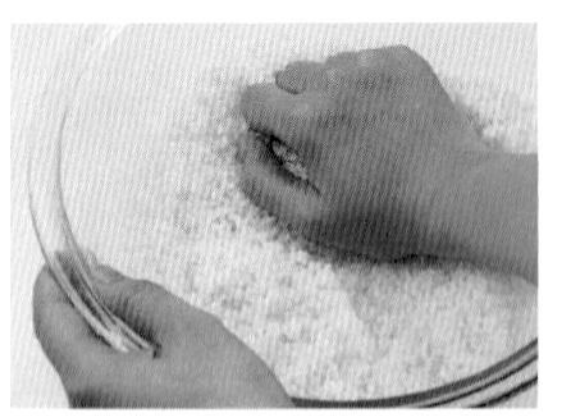

①たっぷりの水を一気に加え、すばやく捨てる。少量の水を入れ、手で軽く米をつかむようにして洗う。

②水が牛乳のように白くにごったら捨てる(手早くやること)。3～4回水をかえながら洗う。

③分量の水を入れ、30分～1時間置いてスイッチを入れる。炊きあがったら15分ほど蒸らす。

おいしく炊くポイント！

- 米は乾燥しているので水分の吸収がはやく、ぬか臭さが残りやすい。最初の水はひと混ぜしてすばやく捨てることが大事。
- ぬかは、3～4回水を替えて洗うとほとんど流れてしまうので、長く洗う必要はない。
- 米の量はカップで、水の量は炊飯釜の線できっちりとはかる(水の量は米の重量の1.5倍)。
- 水分を多く含む新米は目盛りよりやや少なめに、反対に古米はやや多めの水加減にする。
- 無洗米は③の操作でよい。水の量を分量より若干多めにする。
- 炊きあがった飯の重量は、米の重量の約2.3倍になる。含水量は約65％(白米は15.5％)。

② おかゆ

①米を洗って分量の水に30分以上吸水させる。厚手のなべを用意する。

②沸騰までは強火、その後はふきこぼれないようにごく弱火にして30～40分煮る。途中でかき混ぜない。

③火をとめて約5分蒸らす。できあがり重量の0.5％の食塩を入れてさっとかき混ぜる。

ご飯からおかゆをつくる
湯の中にご飯をほぐしながら入れ、弱火で20～25分煮て塩を加える。

③ 五目炊き込みご飯

①米を洗って分量の水(米の重量の1.5倍)に30分以上吸水させる。具を用意する。

②吸水した米に、具と調味料を加えて炊く。調味料は米の吸水を阻害するので、炊飯の直前に加える。

③炊きあがったら飯と具を軽く混ぜ合わせる。

雑炊をつくる
ご飯はざるに入れてさっと水をかけてねばりを除く。だし汁を煮立てた中に入れ、調味して一煮立ちしたら火をとめる。煮すぎないようにする。

④ 水と調味料の割合

(『NEW調理と理論』同文書院より)

ご飯とおかゆの水加減

種類	米(g)	水(g)	米に対する水の量(倍)	できあがり重量のめやす(g)
精白米のごはん	170	255	1.5	360～390
全かゆ	200	1200	6	約1000
七分かゆ	150	1200	8	約1000
五分かゆ	100	1200	12	約1000
三分かゆ	70	1200	17	約1000

すし飯の調味料の割合

種類	米(カップ)	水(mL)	酢(mL)	砂糖(g)	塩(g)
ちらしずし	1	220	20	4	3
いなりずし	1	220	20	8.5	3.4
巻きずし	1	220	20～22	4～5	1.6

炊き込みご飯の調味料の割合

種類	米(カップ)	水(mL)	塩(g)	しょうゆ(mL)	酒(mL)	材料(米重量に対する%)
くり飯	1	240	2.4	—	—	30～40
あずき飯	1	240	2.4～3.6	—	—	10～15
さくら飯	1	220	1.2	6	12	
鶏飯	1	220	1.6～3.2	6	12	30
まつたけ飯	1	212	0.7	8.5	12	30

種類	米(カップ)	水(mL)	塩(g)	バター(g)	材料(米重量に対する%)
バターライス	1	200～220	2～2.2	8.5	20
ピラフ リゾット チキンライス	1	200～220	2～2.6	8	40～50

⑨ 汁物

汁物が献立に組み込まれると、水分により食事が食べやすくなるだけでなく、汁特有のうま味成分が食欲増進の役割を果たす。おいしい汁物の基本はだし汁。だしの材料となる食品からうま味や風味成分を引き出すための基本操作を学ぼう。

① だしのとり方

●かつお 一番だし

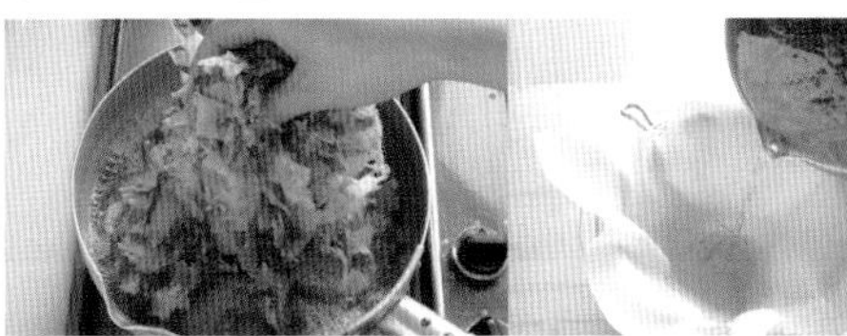

①水を沸騰させ、かつお節を入れてすぐに火を止める。 ②かつお節が沈んだら、あくをとってから静かに上澄みをこす。

●かつお 二番だし

一番だしをとった残りに一番だしの半分の水を入れ、数分煮てから火を止め、上澄み液をとる。

●こんぶだし

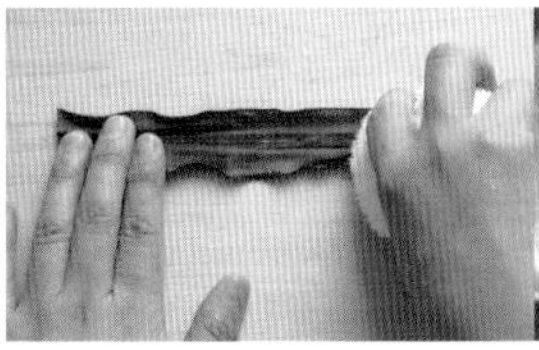

①こんぶを固く絞ったふきんで拭き、なべに分量の水と一緒に入れて30分から一晩つけておく。  ②そのまま火にかけ、沸騰直前にこんぶをとり出す。そのまま煮るとぬめりとくさみが出てしまう。

●混合だし

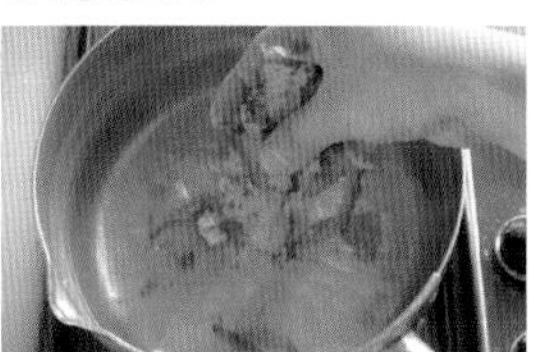
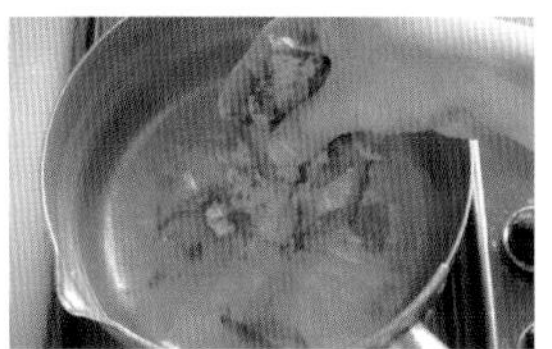
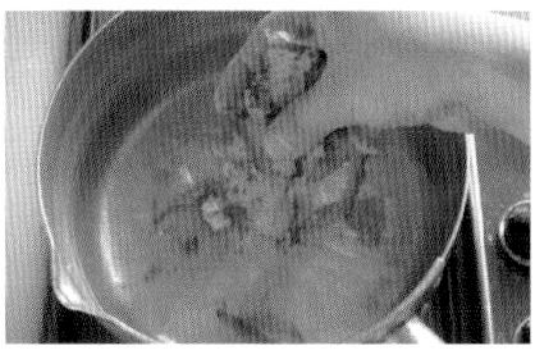

こんぶだしをとり、沸騰したところで一番だしと同じ方法でこす。

●煮干しだし

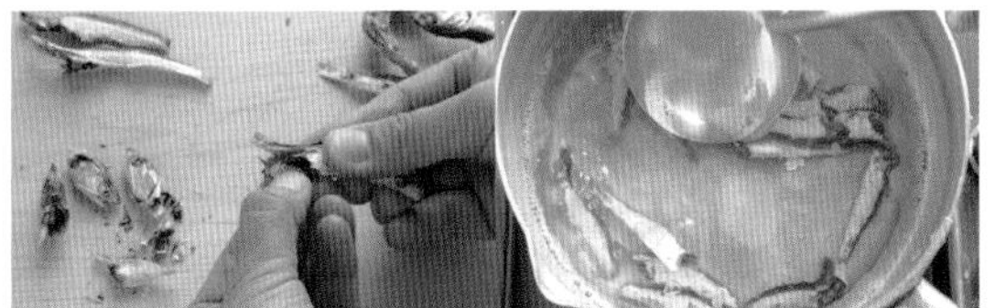

①煮干しの苦味が出ないよう頭と内臓をとり除く。なべに煮干しと水を一緒に入れて30分つけておく。 ②そのまま火にかけ、沸騰後、あくをとりながら4～5分くらい煮てからこす。

●乾しいたけ

水に浸して一晩置く。もどしたあと中火で2～3分煮出してあくをとる。

うま味の相乗効果

汁物や煮物などで食材を生かし、おいしくするための決め手となるのが「だし」。素材の持つおいしさをひきだすとともに、さらに一層の「うま味」を与える。

こんぶのうま味成分（グルタミン酸）と、かつおぶしのうま味成分（イノシン酸）を一緒にすると、うま味が強くおいしいだしがとれる。これを「うま味の相乗効果」という。

グルタミン酸	イノシン酸	グアニル酸
利尻こんぶ	煮干し	乾しいたけ
チーズ	かつお節	まつたけ
しょうゆ	しらす干し	えのきたけ
一番茶	あじ	生しいたけ

沸騰と沸騰直前の見分け方

沸騰…表面もぐらぐらして、大きな泡が出てきた状態。
沸騰直前…鍋底から小さな泡がちょこちょこ出てきた状態。

みそ汁の実

なす
豆腐
ねぎ
油揚げ
しじみ
みょうが
なめこ
いろいろ組み合わせて♪

② みそ汁をつくる手順（豆腐とねぎのみそ汁）

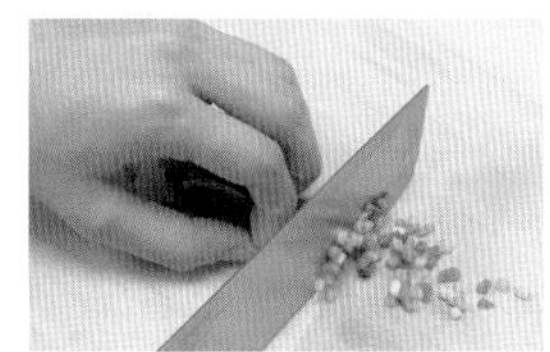

①あさつきを小口切りにする。

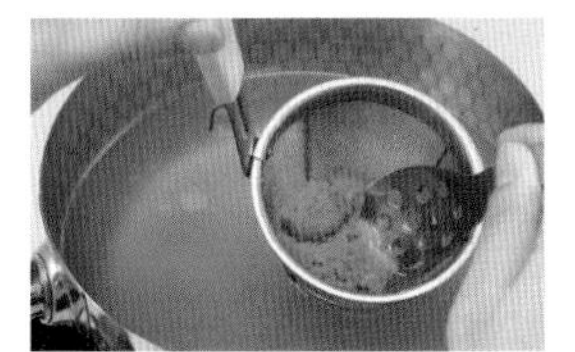

②だし汁を煮立て、みそを溶き入れる。

③豆腐を入れ、ひと煮立ちしたらあさつきをちらす。

③ だし汁と汁物の種類

（『NEW調理と理論』同文書院より）

●汁のうま味と用途

種類		材料の汁に対する重量割合（%）	だし汁のとり方	用途	おもなうま味成分
こんぶだし		2～5	水に30～60分つけてから火にかけ、沸騰直前にとり出す。	すし飯　精進料理	グルタミン酸
かつお節だし	一番だし	1～4	沸騰直前にかつお節を入れ、ふたたび沸騰したら火を止め、上澄みをこす。	吸い物 茶わん蒸し	イノシン酸
	二番だし	2～4	一番だしをとったあとのかつお節に一番だしの半量の水を入れ、沸騰したら2～3分煮てこす。	煮物　みそ汁	イノシン酸
混合だし		かつお節2 こんぶ1	こんぶからだしをとり、その後、かつお節を用いてとる。	上等な吸い物 上等な煮物	グルタミン酸 イノシン酸
煮干しだし		3～4	水に30分つけてから火にかけ、沸騰後2～3分煮出す。	みそ汁　煮物	イノシン酸
乾しいたけ		5～10	水または40℃以下のぬるま湯につける。	煮物	グアニル酸
スープストック		20～30	骨肉は流水できれいに洗い、熱湯で臭みをとる。骨肉・野菜を水から弱火で1時間ほど煮出す。	スープ　ソース	アミノ酸　有機塩類
うま味調味料		0.02～0.05	汁にとかす。	各種の調味	L-グルタミン酸ナトリウム

※「一番だし」とは最初にとっただしのこと。混合だしの場合でも「一番だし」のあと「二番だし」までとることがある。

●汁物の種類と調味料の割合（1人分150mLに対する量）

種類	塩（g）	しょうゆ（g）	その他（g）
みそ汁	―	―	みそ15
潮汁	1	1～2滴	―
すまし汁	1	2.5	―
かきたま汁	1	1	卵1/3、かたくり粉2

⑩ 煮物

煮物は、水にだしと調味料を加えて、浸した状態で加熱する調理法。煮ることにより、やわらかくなり、味がしみ、風味が増す。

① 野菜を煮る手順（いりどり）

①乾しいたけはもどし、こんにゃくとさやえんどうはゆでる。ごぼうとれんこんはあく抜きする。

②油を熱して鶏肉を炒め、さやえんどう以外の野菜を煮えにくいものから順に炒める。

③だし汁を加え、中火で5分煮て調味料を加える。煮汁が少量になったらなべを動かして煮上げる。

④皿に盛り、さやえんどうをいろどりよく添える。

② 魚を煮る手順（切り身魚の煮付つけ）

①底の平らな浅いなべに、煮汁（水、酒、しょうゆ、みりん）を入れて煮立てる。

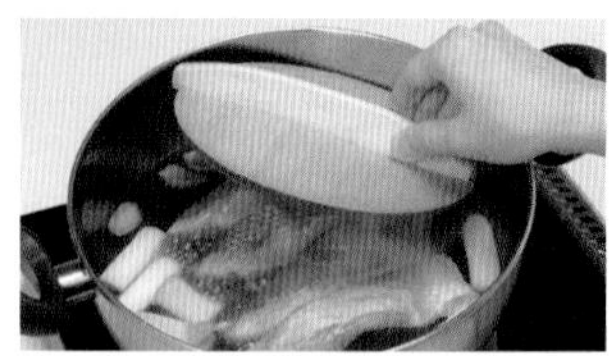

②魚は表を上にして重ねずに入れる。ねぎとしょうがを入れ、落としぶたをする。

③中火で10分ぐらい煮る。途中で煮汁を魚の上にかけながら煮ると、味がつきやすい。

④皿に盛り、煮汁を少量かける。ねぎをつけ合わせ、針しょうがを天盛りする。

③ 煮物の種類

煮つけ（魚）……………………………… 煮汁が材料の半分以下と少なく、短時間で仕上げる。
煮しめ（根菜類、こんにゃくなど）…… 煮汁が材料の半分以下と少ない。煮たりさましたりを繰り返して味を含ませる。
含め煮（高野豆腐、いも類）…………… 材料がひたる程度の煮汁で長時間煮る。火から下ろして調味料を食品の内部に浸透させる。
煮込み（おでん、シチュー）…………… 材料がひたる程度の煮汁で、じっくり時間をかけて調味料を食品の内部に浸透させる。
炒め煮（きんぴら、いりどり）………… 材料を炒めてから煮汁や調味料を入れて煮る。色どめや風味づけの効果がある。
揚げ煮（なす、豆腐）…………………… 材料を揚げてから煮る。煮くずれ防止や色どめの効果がある。

●おいしい煮物の作り方

1. 材料にしんが残ったり煮汁が回らなかったりしないよう、厚手で大きめのなべを使う。
2. 火加減は、一般に材料を入れて煮立つまでは強火で、その後は弱火にして煮込みながら味を含める。
3. 落としぶた（なべよりひと回り小さく、材料の上に直接のせるふた。アルミ製・シリコン製がある）を用い、じっくりと味をしみ込ませる。
4. 根菜類やいも類は、面取りして煮くずれを防ぐ。だいこんなどを大きいまま煮るときには、かくし包丁を入れる。火が通りにくいものは、下ゆでして煮るとよい。
5. 魚を煮るときには、生臭みを抑えうま味が流れ出ないように、必ず煮汁をひと煮立ちさせたところに入れる。

④ だしと調味料の割合

（だし汁または水の量、調味料は材料の重量に対する％）

食品		食品の水分（%）	煮だし汁または水の量（%）	調味料（%）			
				塩	しょうゆ	砂糖	その他
魚類		70〜80	20	—	8〜12	0〜3	酒5
葉菜類		92〜97	0〜10	1	3	0〜3	—
いも類		70〜80	30〜50	0	8	0〜5	—
				1.5	0	—	—
				1	3	—	—
根菜類		79〜96	30〜50	1.5	0	5〜10	—
				0	8	5〜10	—
				1.5	—	—	酢10
肉類	軟	65〜74	0〜20	—	8〜12	0〜5	酒5
	硬		30〜50	1.5	—	—	酒5
豆類（乾）		13〜16	（あらかじめもどして）200	0.8	(4)	30〜35	—

（『NEW調理と理論』同文書院より）

落としぶたの効果
煮くずれを防ぐとともに、煮汁を上下にまわすため、少ない煮汁でむらなく味をつける効果がある。

野菜を切るときのコツ
野菜は大きさをそろえて切ると、火が通るまでの時間が同じになる。根菜類やいも類は面取りし、煮くずれを防ぐ。厚い大根などは隠し包丁を入れる。

魚は沸騰した煮汁に入れる
煮汁はあらかじめ煮立てておく。熱い煮汁に魚を入れると、表面のたんぱく質がすぐに凝固するため、うま味成分が溶け出すのを防げる。また、生臭みも抑えられる。

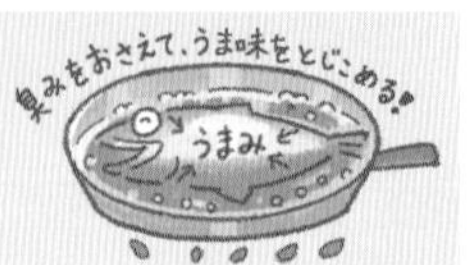

⑪ 焼き物

焼き物は、150～300℃の高温で加熱する調理法。表面には焼き色がつき、焦げの風味が加わる。うま味の損失も少ない。

1 肉を焼く手順（しょうが焼き）

①肉は下ごしらえをして(➡p.404)、たれに7～8分漬け込む。

②フライパンに油を入れ、肉の汁けを切って、完全に火が通るまで焼いて取り出す。

③たれ（しょうゆ、みりん、酒、砂糖、しょうが汁）を少し煮つめ、肉を戻してからめる。

④皿に盛り、せん切りキャベツとトマト等を添える。

2 魚を焼く手順（魚の塩焼き）

①魚に塩をふる。

②魚に串をうつ。

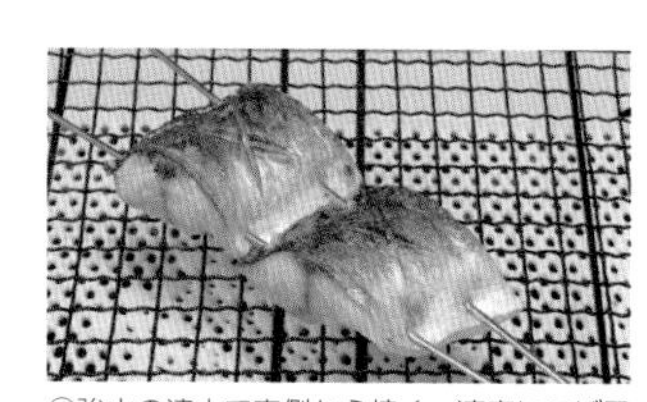

③強火の遠火で表側から焼く。適度にこげ目がついたら裏返して、中火で中まで火を通す。

④皿に盛り、前盛り（大根おろし）を添える。

3 焼き方の種類

直火焼き……………焼き魚、バーベキューなど。直接熱源にかざし、放射熱により加熱する。焼き網やグリルを使う。

間接焼き……………フライパンや鉄板などを使って、伝導熱によって食品を加熱する。オーブンは、熱せられた空気の対流、まわりの壁からの放射熱、天板からの熱伝導によって全体から食品を加熱する。なべ焼き、板焼き、器機焼き、包み焼き、石焼きなどの種類がある。

なべ焼き、板焼き ……ハンバーグ、卵焼き、お好み焼きなど。熱したフライパンや鉄板で食品を加熱する。

器機焼き …ロースト肉、クッキーなど。オーブンなどを使う。水分が器機の中に閉じこめられた蒸し焼きの状態。

包み焼き …魚のホイル焼きなど。アルミ箔や紙で包んでフライパンやオーブンで焼く。風味を保てる。

石焼き ……焼きいも、甘栗など。石や砂を通して熱が伝わる。

●焼き魚のポイント

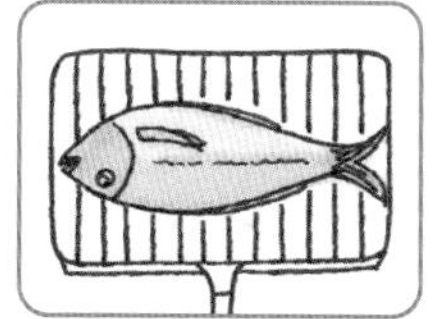

❶焼きはじめは、裏になる方が上。

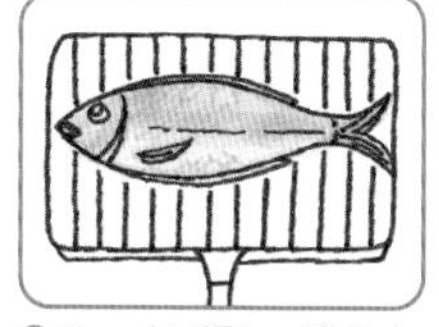

❷ひっくり返し、表を上にする。

❸でき上がりは、頭が左、尾が右に盛りつける。

4 焼き物の種類と調味料の割合

食品	方法	材料例	調味料（%）					
			塩	しょうゆ	みりん	酒	砂糖	みそ
素焼き	調味しないでそのまま焼く。焼いたあと、調味することもある。	魚（わかさぎ）、野菜（なす）	—	—	—	—	—	—
塩焼き	塩をふって焼く。	魚（あじ、あゆ）	1～1.5	—	—	—	—	—
照り焼き	素焼きをし、たれをかけて2～3回焼く。	魚（ぶり、さけ）	—	8	8	5	2～3	—
つけ焼き	調味液をつけ、味をつけたあとに焼く。	魚（ぶり、さけ）、肉	—	8	8	8	2～3	—
かば焼き	素焼きをし、たれをかけて照りを出す。	魚（うなぎ、あなご）	—	10～12	8	8	2～3	—
みそ焼き	素焼きをし、調味したみそをつけて焼く。	豆腐、魚（あゆ）	（だし汁5）		3	—	2	10

（『NEW調理と理論』同文書院より）

5 焼き方のポイント

●比較的強火

肉類、魚介類など
たんぱく質を多く含む食品

水分を75～80%くらい含むものは、最初の強火で短時間加熱し、表面を熱で凝固させ、うま味の流出を防ぐ。

●比較的弱火

でん粉性食品

十分に糊化させ、甘味を引き出すため、弱火で時間をかけて焼く。

⑫ 炒め物、揚げ物

炒め物は、なべの熱と少しの油で加熱する調理法。揚げ物は、熱したたっぷりの油で加熱する調理法。油の香味がつき、鮮明な色を保ち、うま味成分の損失が少ない利点がある。

① 炒め物のポイント

●食材の切り方・下ごしらえ

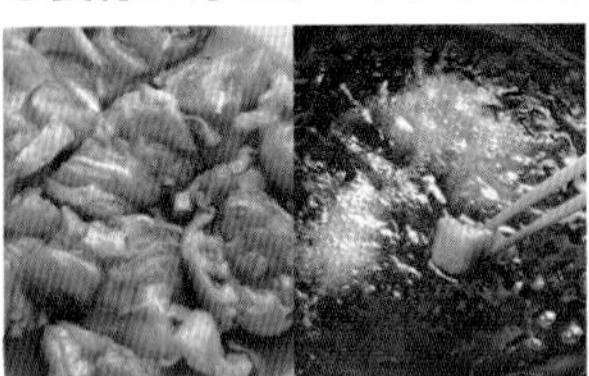

大きさや形をそろえて切り、火の通りにくい順に加熱する。味のしみにくい魚や肉は下味をつけたり、かたくり粉や小麦粉をまぶしてさっと油をくぐらせてから炒めてもよい。

●なべ

炒める前に強火で熱し、十分に油をなじませる。ただし香味野菜で風味をつけるときはこげやすいので、弱火で炒め、油に香りを移す。

●調味料

何種類かの調味料を入れるときには、あらかじめ分量を合わせて準備しておくとむらなく味つけることができる。最後にとろみをつける炒め物の場合は、かたくり粉がだまにならないよう、よく水に溶く。

●火加減

最初から最後まで強火で炒める。9割方炒めたら火を止めて余熱で仕上げる。高温短時間で加熱するため、食品の色が美しく保たれ、栄養の損失も少ない。

② 揚げ物の基本的な手順（鶏肉のから揚げ）

①鶏肉をぶつ切りにし、調味液（しょうが汁、酒、しょうゆ）と混ぜて約30分以上つける。

②つけ汁を切って、揚げる直前にかたくり粉をまぶす。

③油を140～150℃に熱し、3～5分揚げて一度取り出す（一度揚げ）。さらに180℃で1分くらいからりと揚げる（二度揚げ）。

二度揚げでおいしく

二度揚げすると味がよくなる。最初は材料の表面の水分を除き、こがさないように中まで火を通す。二度目は外側にこげめをつけて歯ざわりをよくするのが目的で、強火で短時間の加熱を行う。

油を上手に使い切るための工夫

油は、空気、日光、不純物により変敗するので、使用後は熱いうちにこして密閉容器に入れ、冷暗所に保存する。揚げ物に使った油は、疲れ具合によって上手に使い分ける。廃油をなるべく出さないようにすることが、経済的なだけでなく、生活環境を守るうえでも大切。

③ 揚げ物の種類

素揚げ（魚や野菜など）…………………何もつけずにそのまま揚げる。
から揚げ（魚や肉など）…………………小麦粉やかたくり粉などを薄くまぶして揚げる。
天ぷら（野菜や魚など）…………………小麦粉を卵と水で溶いた衣をつけて揚げる。
フライ（魚など）、**カツレツ**（肉）………小麦粉→溶き卵→パン粉の順につけて揚げる。

④ 揚げ物の温度と衣の割合

●揚げ物の適温と時間のめやす

種類	温度（℃）	時間（分）
天ぷら（魚介類）	180～190	1～2
天ぷら（野菜類）	160～180	3
かき揚げ（魚介類、野菜類）	180～190	1～2
フライ	180	2～3
カツレツ	180	3～4
コロッケ	190～200	1～1.5
ドーナツ	160	3
ポテトチップ	130～140	8～10

●衣の割合

種類	材料に対する小麦粉の割合	小麦粉に対する液体の割合
魚介類の天ぷら	20%	小麦粉の1.7倍
魚介類と野菜のかきあげ	30～40%	小麦粉の1.5倍
さつまいもの天ぷら	約15%	小麦粉の1.5倍（卵を用いないこともある）
フライ	5%	パン粉は材料の重さの10%

●油の温度の見分け方

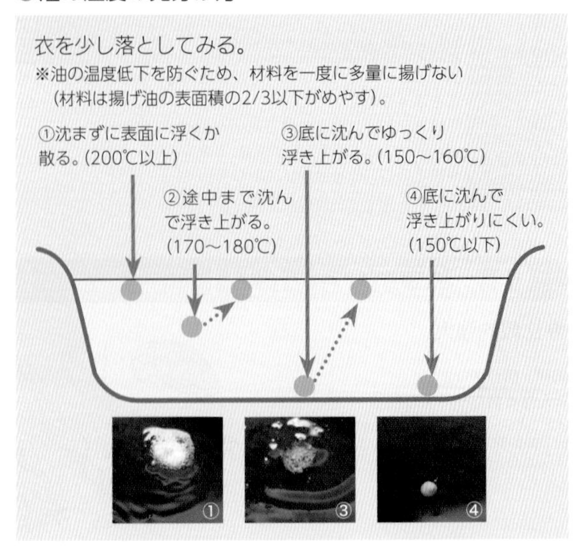

⑬ 蒸し物、和(あ)え物、寄(よ)せ物

蒸し物は水蒸気の潜熱を利用した調理法。和え物は材料を下ごしらえして、ごまやみそなど風味のある食品でつくった衣で和えたもの。寄せ物はデザートとしてなじみ深い。

① 蒸し物

蒸し物の種類

種類	蒸し方	料理例	温度
素蒸し	下準備した材料をそのまま蒸す。	まんじゅう類、だんご・もち類、蒸しカステラ、蒸しパン類、冷ご飯、いも類、魚介類、肉類など	100℃を保ちながら加熱する。
塩蒸し・酒蒸し	塩や酒をふりかけて蒸す。	こわ飯、かたくなった冷ご飯、魚介類など	100℃を保ちながら、ふり水またはきりをふく。
茶わん蒸し	蒸し茶わんに材料と卵液を入れて蒸し固める。	たまご豆腐、茶わん蒸し、カスタードプディングなど	85～90℃を保つために弱火にしたり、ふたをずらして温度調節をしながら蒸す。
土びん蒸し	土びんにまつたけ、鶏肉、白身魚、野菜などとすまし汁を入れて蒸す。	—	

卵液を使った蒸し物と調味料の割合

種類	卵(mL)	うすめ汁(mL)	砂糖(g)	塩またはしょうゆ(%)
たまご豆腐	100	100～150	2～4	0.8
茶わん蒸し	100	250～400	2～5	0.8
プディング	100	200	45～60(カラメルソース別)	—

蒸し器の使い方

蒸し器は、食品を動かさずそのままの状態で加熱できるので、煮くずれや栄養成分の流出の心配が少ない。

①蒸し水は容量の80%程度入れる。
②蒸し水が沸騰してから食品を入れる。
③蒸し水の補充は熱湯を用いる。

② 酢の物・和え物

おいしい酢の物・和え物の作り方

1. 口当たりをよくするために、材料は切り方をそろえる。
2. 下のような下ごしらえを行う。

塩もみして酢で洗う(野菜や貝類)

下ゆでする(いんげん・三つ葉など)

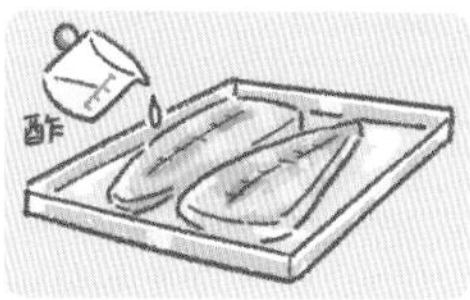
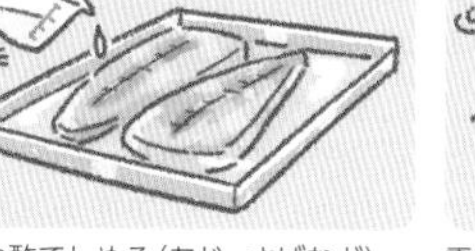

塩や酢でしめる(あじ・さばなど)

霜降りにする(いか・なまこなど)

3. 食べる直前に和える。和えてから時間をおくと、浸透圧の作用によって水分が出て水っぽくなる。

和え物の種類と調味料の割合

(材料に対する割合%)

種類	主材料	塩	砂糖	その他	合わせる材料例
ごま和え	白ごま10	1.5	5～8	—	ほうれんそう、春菊
	黒ごま10	—	5～8	しょうゆ8	
白和え	豆腐50	1.5	10	白ごま5～10	にんじん、きゅうり、しいたけ マヨネーズを加える場合もある
		白みそ20	—		
酢みそ和え	みそ20	—	5～10	酢10	あじ、うど、ねぎ、わかめ
ごま酢和え	ごま10	1.5	10	酢10	春菊、菜の花、白身魚、ささみ
木の芽和え	白みそ20 木の芽2	—	0～5	—	たけのこ、いか、うど
卯の花和え	おから20 卵黄10	1.5	5～10	酢10	いわし、れんこん、にんじん
おろし和え	だいこんおろし30～50	1.5	5	酢10	わかめ、れんこん、いくら
からし和え	からし1	—	2	しょうゆ8	菜の花、小松菜

種類	酢	塩	しょうゆ	砂糖	みりん	合わせる材料例
二杯酢	10	—	8	—	—	貝類、たこ、あじ
三杯酢	10	—	8	(3 みりんのかわり)	10	魚介類、野菜類
甘酢	10	1.5	—	10	—	—

(『NEW調理と理論』同文書院より)

③ 寄せ物

寄せ物の種類

寒天系 ……… 泡雪かん、水ようかん、果汁かん
でん粉系 …… ブラマンジェ、くずざくら、蒸しようかん、ごまどうふ
ゼラチン系 … ワインゼリー、コーヒーゼリー、ババロア

でん粉の性質

でん粉は液体を加えて加熱すると糊化して粘度がでるので、他の材料のつなぎの役割をするほか、冷えると形を保つ性質を利用して寄せ物、固め物に用いる。かたくり粉、コーンスターチ、くず粉などがある。

寒天とゼラチンの比較

項目		寒天	ゼラチン
原料		てんぐさ・おごのり・いぎすなど	動物の骨・皮膚・けんなど
主成分		多糖類(ガラクタン)	たんぱく質(コラーゲン)
消化・吸収		難消化性だが整腸作用がある	良好
凝固	濃度	0.5～2.0%	2～3%
	温度	28～35℃	13～15℃
融解温度		80～85℃	23～25℃
性質・調理上の相違点		かたい/水道水の温度で凝固/口中では溶けない/粘着性に欠ける/半透明/沸騰を続けないと溶けにくい/容器から出すとしだいに放水する/棒状・糸状のものは30分以上、粉状のものは10分程度浸水させる	やわらかい/冷蔵庫でかためる/口中で容易に溶ける/粘着性がある/透明/50～60℃くらいで溶かすとよい/放水せず、高温においておくと全体が崩壊する/ゼラチン重量の10倍くらいの水を加えるとすべて吸収・膨潤する
性質・調理上の類似点		砂糖を加えると融解温度が高くなり、強度は強くなる。水分の分離も少なくなる。固形物を加えると強度が弱まる	

調理基本用語集

あ

あえる 魚介・野菜などをあえ衣で混ぜ合わせること。

青煮 野菜などの緑色を失わないように煮ること。

青み 料理の盛りつけの際に用いられる緑色野菜。

赤だし 八丁みそなどの赤みそや、これらをブレンドしたみそで仕立てたみそ汁。

あく ごぼうやほうれんそうなどの野菜や肉類を調理する際に出る苦味や渋味のこと。あくを取ることをあく抜きという。

あしが早い 食材が腐りやすいこと。

あしらい 料理の美しさや香り、味を引き立て、栄養のバランスをよくするために料理に添えるもの。さしみのけんやつま。

あたりばち ごまを煎ってする「すり鉢」のこと。「する」という言葉を忌み、「あたる」と言い換える。

アヒージョ おもに魚介類やきのこ類をにんにくで香りをつけたオリーブオイルで煮た料理のこと。

油通し 野菜や肉などの材料を低温の油にさっと通すこと。中国料理の炒め物に用いられる手法。

油抜き 油揚げ、さつま揚げなどの余分な油や油臭さを抜くため、熱湯をかけたり湯通しをして表面の油を取ること。

油焼け 含油量の多い乾物や塩蔵中の食品が赤褐色となって苦味や渋味を帯びること。

アペリティフ 食前酒。食欲を増進させ、料理をおいしく食べるために飲む。

あら 魚をおろしたときに残る頭、中骨、えら、はらわたなどの総称。廃棄されることが多いが、汁物やなべ物に利用されるものもある。

あらい さしみの一種で、新鮮な魚肉を冷水でさらし、かたくして縮ませたもの。

アラカルト 店の品書きにより、好みでコースを仕立てるもの。一品料理の意味もある。

あら熱を取る なべを火からおろして食材の熱をしばらくおいて冷ますこと。完全に冷ますのではなく、なべを手で持っても熱く感じないくらい(30～50℃くらい)に冷ます。

あらみじん 2～3mm角のあらめのみじん切りのこと。

アル・デンテ パスタのゆで加減で、歯ごたえのある状態のこと。

合わせ調味料 各種の調味料を混ぜ合わせたもの。あらかじめ混ぜておき、煮物・炒め物・あえ物などの味つけに使う。

泡立てる 泡立て器を使い、卵白や生クリームに空気を含ませながらかくはんすること。

あんかけ かたくり粉やくず粉でとろみをつけ、調味した汁をたっぷりかけた料理。

アンティパスト イタリア料理のオードブル。アンティは前、パストは食事をさす。

アントレ フランス料理のフルコースで、肉のローストの前に出される魚料理と肉料理のこと。現在では、メインディッシュの意味で使われることもある。

あんばい 味加減のこと。古くは塩と梅の酸味で味つけしたことから、塩梅(あんばい)といわれるようになった。

い

活きづくり さしみの一種で活け盛りともいう。魚を生きたまま、頭と尾を残して背の皮を切り離さず身だけをとっておろし、さしみは元の姿のように中骨の上に盛り込んだもの。

活け締め 魚の鮮度を保つため、生きているうちに締め(殺し)て、血を抜くこと。

石づき きのこ類の軸のうち地面や木に接しているかたい部分のこと。調理の際は、切り落とす。

いずし 塩で締めた魚と飯を合わせてこうじを加えて漬け、乳酸発酵させたもの。滋賀県の鮒(ふな)ずし、石川県のかぶらずしなどがある。

板ずり まな板の上で塩をまぶした材料を手のひらで軽く押さえながら前後にころがすこと。青臭さを取り、緑色を鮮やかにする効果がある。

一番だし 吟味したかつお節やこんぶをたっぷりと使い、最初にとっただし汁。吸い物や茶碗蒸しなどに用いる。

一夜漬け ひと晩だけ漬けた浅漬けのこと。漬物特有のうま味は少ないがビタミン類の損失は少ない。

いぶし 材料をいぶすこと(➡薫製)。土佐名物のカツオのたたきも、いぶし料理の一種。

煎(い)**る** 材料に脂分や水分を加えずに火にかけ、かき混ぜて熱を通す手法。ごまなどに用いる。

色止め 料理を色よく仕上げる手法。野菜を切ったらすぐに水、塩水、酢水などにつけ、変色を防ぐ。

祝い肴(ざかな) 縁起を担ぐ料理。代表的なものとして、おせち料理などがある。たい、こい、えびなどは古くからめでたい魚として用いられる。

う

ウェルダン ローストビーフやステーキの焼き加減で、中心までよく火を通した状態。

潮汁(うしおじる) 魚介類の鮮度のよさをいかし、しょうゆを使わずに塩味だけで調味した薄味の吸い物。

打ち粉 うどんやそばを打ったり、餃子の皮やパイ生地をのばすとき、台や手にくっつかないようにふる粉のこと。

うねりぐし 魚の姿焼きの串の打ち方で、魚をうねらせるように刺す方法。

裏ごし ゆでた野菜や卵、魚などを裏ごし器にのせて、編み目に対して斜めになるように木べらでつぶしながら手前に引いてこすこと。

え

えぐみ 野菜に含まれるあくのひとつで、苦味と渋味を合わせたような味。舌やのどを刺激する好ましくない味。

エスカベージュ 地中海料理の一種で、揚げた白身魚をビネガーや白ワイン、オイルなどに漬け込んだ料理のこと。

エスニック料理 アフリカやアジア諸国の民族料理。

江戸前 江戸風の料理につけられる形容。江戸時代には、東京湾は豊かな漁場で、この辺りでとれた魚介類や、これを使って料理したものを江戸前といった。

えんがわ ひらめなどの魚の縁についた部位。

えんぺら いかの胴の先にある三角形のヒレの部分で、耳ともいう。

お

追いがつお 調味液や煮出し汁に、さらにかつお節を入れて味や香りをつけること。

オードブル フルコースでスープの前に出される最初の料理のこと。

尾頭つき 尾と頭のついた姿の魚。たいの尾頭つきの塩焼きはめでたいとされ、祝い事に欠かせない。

小倉 あずきを用いた料理や菓子。京都の小倉山に由来するという説がある。

お通し 献立の初めに出される料理で、突き出し、はし割り、前菜などともよばれる。

落としぶた 煮物をするとき、なべよりひとまわり小さいふたを中の材料に直接のせて煮ること。材料の煮くずれを防いだり煮汁を上下に回してむらなく味をつけるなどの効果がある。

おひたし ひたし物ともいう。材料はおもに青菜類。色よくゆで、だし割りじょうゆにひたして、花がつおやごまを天盛りにする。

おろす だいこんをすりおろす意味と魚を切り分ける下ごしらえという二つの意味がある。

温泉卵 ゆで卵の一種。黄身はほぼ固まり、白身が固まりきらない半熟状態。60～70℃の温泉につけておくと自然にできるのでこの名がある。

か

かいしき 料理の飾りや食物の下敷きに用いる木の葉や笹の葉、白紙。

会席料理 江戸時代ごろから始まった酒宴向きの饗応(きょうおう)料理。作法がこまかい懐石が簡略化され、実質重視の料理に変化したもの。椀・さしみ・焼き物・煮物の一汁三菜を基本に、酒の肴として先付が添えられ、揚げ物・蒸し物・酢の物・あえ物などが適宜加わり、献立が立てられる。

懐石料理 茶の湯で正式に客をもてなす茶事で供される料理。現在では一般に一汁三菜が基本で、ときにこれに酒の肴が加わる。旬の素材をいかしてあっさりと調理し、客の口に入るときに一番おいしいように、茶事の進行にあわせ、心配りをすることが大切とされる。

解凍　冷凍食品をとかして、凍結前の状態に戻すこと。自然解凍・加熱解凍・電子レンジ解凍など、食材の特徴にあわせておこなう。

かえし　そば屋のつゆの素になるもの。しょうゆ・みりん・砂糖などを合わせて作る。

角切り　材料を正方形に切る切り方。野菜によく用いられる。

かくし味　料理の味を引き立てるために、ほんの少量使う調味料のこと。

かくし包丁　かたい材料を食べやすくしたり、材料への火の通りや味のしみ込みをよくしたりするために、盛りつけたときに表から見えない部分に包丁で切れ目を入れること。

飾り切り　料理に季節感を出したり、趣向を添えるための材料の切り方。西洋料理・中国料理にも用いられる。

飾り包丁　火の通りや味のしみ込みをよくしたり、見栄えをよくするために、材料の表面に包丁で切れ目を入れること。

かっぱ　きゅうりのこと。河童の好物に由来。すし用語として使われ、きゅうりの入ったのり巻きをかっぱ巻きという。

桂むき　だいこんなどを薄く回し切りにすること。

カトラリー　ナイフやスプーン、フォークなどの総称。

ガナッシュ　チョコレートに生クリーム、牛乳、バターなどを混ぜ合わせて乳化させ、用途にあわせたかたさにしたもの。

カナッペ　ひと口大のパンの片面を焼いてバターを塗り、チーズ、キャビア、イクラなどをのせたオードブルの一種。

蒲焼き　魚を開いて串を打って焼き、しょうゆ・みりん・砂糖などで作った濃厚なたれをからめながら仕上げる焼き方。うなぎやあなごが代表的。

かぶと　魚の頭の部分。兜に形が似ていることからこの名がある。たいが代表的。

かま　魚の胸びれの周辺。

紙塩　魚を塩で締めるとき、直接塩をふらず、和紙をあててその上から塩をふる技法。和紙を通して均一に、おだやかに塩味がしみ込む。

紙ぶた　クッキングペーパー・セロハンなどを煮る材料に密着させて、ふたの役割をさせる。材料が乾かず、中まで味がしみ込む。

かやく　ねぎ・しょうがなどの薬味または五目飯などに入れる種々の具のこと。

ガラ　鶏の肉を除いた骨の部分。グルタミン酸やゼラチン分が多く含まれ、長時間煮込むことによって味のよいスープがとれる。

唐揚げ　材料にかたくり粉・小麦粉などをまぶして揚げたもの。

ガラムマサラ　インドの混合香辛料。カルダモン・シナモン・クローブを基本に、クミン・コリアンダーなどを混ぜてすりあわせる。煮込み料理に入れて豊かな芳香をいかす。

がり　甘酢しょうがのこと。すし屋ですしにつけて出される。

カルバドス　フランスのノルマンディー地方で造られる、りんごを材料とした蒸留酒。

ガレット　丸く平たく焼いた料理のこと。そば粉生地を薄く焼いたブルターニュ風ガレットをさすことが多い。

皮霜　魚を皮ごとさしみにする方法。おろした魚の皮を上にして、皮に熱湯をさっとかけ、すぐ冷水にとって冷まし、水分をよくふき取ってからさしみにする。たい、ひらめ、すずきなど。

皮目　魚や鶏の、皮のついている方。

皮をこそげる　皮をむかずに包丁のみねなどでこすり取ること。ごぼうなどの下ごしらえに用いる。

皮を引く　さしみを作るとき、魚の皮を取り除くこと。

燗　酒を温めること。温める温度は熱(あつ)燗・上燗・温(ぬる)燗・人肌燗などさまざまある。

観音開き　身の厚い魚や鶏肉の切り身に用いる切り方。材料の中央に、半分の厚さまで縦に切り込みを入れ、さらに真横に切り離さないように包丁を入れ、反対側も同様にし、左右に開く。

き

生地　仕上げ前の材料。

菊花切り　かぶや大根を菊の花の形に切る方法。

キッシュ　パイ生地を敷いた器に、ベーコン・溶き卵・豚肉・チーズ・生クリームなどの具材を混ぜて焼き上げたもの。

木の芽あえ　白みそに木の芽(さんしょう)・砂糖を加えてすり鉢でよく練り混ぜ、いか・赤貝・えび・たけのこ・うどなどをあえた料理。

黄身酢　卵黄に煮きったみりん、酒、塩、砂糖を混ぜ、湯せんして冷まし、酢を合わせたもの。

肝あえ　共あえともいう。わた(肝)を蒸して裏ごしし、みりん・砂糖などで薄味をつけたものに身をあえたもの。あんこう・おこぜ・かわはぎなどが代表的。

切りごま　煎ったごまを包丁で切ったもの。おひたし・吸い口などに用いる。

切りちがい　切り方の一種で、たがいちがいに包丁を入れて竹を切ったように見立てて切る方法。きゅうりなどに使われる。

切るように混ぜる　メレンゲなどの気泡を壊さないように、へらを生地に対し縦に動かして、混ぜること。

きんぴら　野菜を油で炒め、砂糖・しょうゆなどで味つけして煮詰め、仕上げに唐がらしをきかせた料理。ごぼう・れんこんなどで作る。

く

串打ち　魚介類の焼き物を、形よく味よく仕上げるために材料に金属または竹の串を刺す方法。

くずたたき　材料にくず粉をまぶすこと。魚介類や肉にくず粉をまぶし、湯でゆでると表面がなめらかな口当たりになり、うま味を逃がさない。

くず引き　煮汁に水ときかたくり粉を加えてとろみをつけること。口当たりがよく、冷めにくくなる。

グラッセ　ゆでた野菜をバターで炒めたり、ソースをかけて加熱して、つやを出すこと。肉料理のつけ合わせにする。

グリエ　肉・魚・野菜などを炭火で網焼きにすることで、グリル、直火焼きともいう。鉄板を直火にのせ、その上で焼く方法もグリエという。

クルトン　スープの浮き実として使われる。5～6mm角に切った食パンを揚げて作る。

グレービーソース　鶏肉などを丸ごとローストした際に、肉からしみ出てくる汁やとけた脂肪を使ってかけ汁としたもの。

クロスタータ　イタリア発祥のお菓子(パイ料理)で、フルーツタルトのこと。パイにジャム、フルーツなどを入れて焼き上げたお菓子。

燻製　塩漬けした肉や魚を木材の燻煙でいぶし、水分を乾燥させ、独特の風味をつけたもの。保存性も高められる。

け

化粧塩　魚を姿のまま塩焼きするときに、こげるのを防いで焼き上がりを美しくするためにふる塩。

げそ　いかの足のことで、下足(げそく)が詰まった俗語。

ケバブ　中東諸国で食べられている肉・野菜・魚などをローストして調理する料理の総称。

けん　さしみのあしらい。だいこん・にんじん・きゅうりなどの野菜を細切りにして水に放し、シャキッとさせて使う。

けんちん汁　だいこん・にんじんなどの野菜と豆腐を炒め、しょうゆ味で仕立てた具だくさんの汁。

こ

呉　大豆を水にひたし、すりつぶしたもの。豆腐や豆乳の素となる。これをこしてのばし、みそ汁に仕立てたものが呉汁。

香の物　漬物のこと。香々ともいう。

香味野菜　肉や魚の臭みを消し、料理に香りをつける野菜類。青じそ、さんしょう、ねぎ、セロリ、パセリ、たまねぎ、にんにく、しょうがなど。

コキール　貝殻の意味。おもにほたて貝の殻を器に用い、ほたて貝・かき・えびなどの具をソースであえ、チーズをかけて焼いたもの。

ココット　小型の耐熱容器のほか、厚手のふたがついた両手なべをさすこともある。これを使った料理の名前ともなっている。

こし　食品の弾力性や粘り。こしがある、こしが強いという。

こす　裏ごし器などを用い、材料をつぶしてなめらかにすること。

こそげる　野菜の皮や魚のうろこなどを、包丁でこすり取ったり、なべの底にこげついた飯などをしゃもじでこすり取ったりすること。

小付け　お通しや突き出しなどのように、少量で手軽な料理。

ごまあえ　煎りごまをすり、塩・砂糖・しょうゆで調味し、野菜類をあえたもの。ほうれんそう・せり・さやいんげんなどを用いる。

ころも揚げ　素揚げや唐揚げではなく、材料に衣をつけて揚げる料理の総称。天ぷら・フライ・フリッターなど。

混合だし　こんぶ(グルタミン酸)とかつお節(イノシン酸)の両方のうま味をきかせて取るだし。

コンソメ　牛赤身肉や野菜などで取った西洋料理の澄んだスープ。

コンフィ　果物をワインや砂糖などで煮込み、そのまま冷まして漬け込む調理方法のこと。コンポートと比べて糖度が高いので長期保存に適している。肉の場合は低温の油で過熱したものをさす。

コンポート　フルーツのシロップ煮。なし・りんご・ももなどで作る。

さ

西京焼き　白身魚を西京みそ・酒・みりんを合わせたものに漬けて、焼いたもの。

肴(さかな)　酒のつまみとして食べる食品のこと。酒菜(「さか」は酒、「な」は副食物の総称)だったが、現在では肴の字をあてることが多い。酒にあてがうことからアテともいう。

酒蒸し　貝類・白身魚・鶏肉などに酒と塩を加えて蒸した料理。

さくどり　さしみを作るために、魚を適当な大きさに切り分けること。

ささがき　ごぼう・にんじん・うどなど棒状の材料を回しながら、鉛筆を削るように薄くそぐ切り方。

さ・し・す・せ・そ　調味料を入れる順番の略称。「さ」は砂糖、「し」は塩、「す」は酢、「せ」はせ(しょ)うゆ、「そ」はみそをあらわす。

さし水　ゆでている途中に水を加えること。煮立っているところに水を加えて沸騰を静め、再び沸騰させると材料がやわらかくゆで上がる。

さしみのつま　さしみのあしらいの総称で、けん・つま・辛味がある。けんは、だいこんなどを細く切って水に放してシャキッとさせたもの。つまは、花穂じそなどの立てづまと青じそなどの敷きづま。辛味はわさび、にんにくのすりおろしなど。

さっくり混ぜる　混ぜすぎを防ぎ、気泡を壊さないように、ふんわり混ぜること。空気を含ませるように、下からすくい上げるように混ぜる。

さらす　野菜のあく抜き、レバーの血抜きなどのために、材料を水や酢水、塩水などにつけること。

三枚おろし　魚のおろし方の一種。魚の頭を落とし、上身・下身・中骨の三枚におろす手法。

し

塩抜き　わかめなどの海藻類、塩漬けにした魚類などから塩を抜くこと。真水ではなく、薄い塩水にしばらくひたしてから真水に入れるとはやく塩を抜くことができる。

塩もみ　材料に塩をまぶし、軽くもんでしんなりさせること。余分な水分が抜けて、味がよくしみ込む。酢の物などの下ごしらえによく用いる。

塩ゆで　青菜などを色鮮やかにゆで上げるための下ごしらえで、熱湯に少量の塩を加えてゆでる。

下味　本格的な調理の前に、材料に調味料をかけたり、調味液につけたりしてあらかじめつけておく味。

下ごしらえ　料理する前に、材料を洗い、皮をむく、さばく、切るなどの作業をすること。

下煮　味のしみにくい材料や煮えにくい材料を前もって少し煮ておくこと。

ジビエ　食材として捕獲された狩猟対象の野生の鳥獣、またはその肉のこと。おもにしか・いのしし・はと・かもなど。

しぶ切り　あずきなどを煮る際に、沸騰したゆで汁に水をさし、再び沸騰したところで火からおろし、ざるにあげて汁を捨てて、上からあずきに水をそそぐことによって、ゆで汁にとけ出したあくや渋味の成分を洗い流すこと。

締める　魚の身を、塩や酢をふって引き締めること。また、魚や鶏などを殺すこともし(絞)めるという。

霜降り　魚や鶏肉を熱湯で手早く加熱すること。中心までは加熱されず、肉の表面だけ霜がついたように白くなっている状態。臭みを取ったり、肉を締めて形をととのえたりするときなどに使われる。また、牛ロース肉の最上のもので、肉の間に脂肪の線が折り込まれ、霜がおりたように見える肉のことも霜降り(肉)という。

シャトーブリアン　牛ヒレの最上部分のステーキ。

蛇の目(じゃのめ)　輪切りにした野菜をくり抜いたもの。

蛇腹切り(じゃばらぎり)　へびの腹に見立てて伸縮するように切ること。

熟成　食品中の成分が、酵素や微生物などの作用により徐々に分解して、食品の風味が増すこと。魚や肉は死後硬直を過ぎて自己消化することをさす。ワイン・めん類・果実・発酵食品なども熟成により風味が増す。

ジュリエンヌ　せん切りの意味。

ジュレ　ゼラチンで固めたものでゼリーと同義だが、ゼリーよりも水分が多く流動性のあるものをさすこともある。

旬　果実・野菜・魚介類がもっともおいしく、豊富に出回る時期。魚は主として腹に卵をもっているとき(産卵以前)が旬とされる。

精進　植物性の材料を使ったものに用いた名称。

白あえ　豆腐と白ごまをすり鉢ですり、砂糖・塩で調味したあえ衣で、おもに野菜類をあえる料理。

白髪ねぎ　長ねぎを開き、芯を抜いて白い部分をごく細くたてに切り、水にさらしたもの。

白焼き　たれなどをかけずに、材料にそのまま火を通すこと。蒲焼きや照り焼きの最初におこなう。

汁物　日本料理に欠かせない料理の一つ。澄まし汁と濁り汁に大別される。

す

素揚げ　衣をつけず、材料をそのまま油で揚げる手法。

酢洗い　酢または酢水で魚などをさらし、生臭みを取ること。

吸い口　吸い物の風味をよくし、季節感を出すために少量加えるもので、木の芽、ゆずの皮、針しょうがなどがある。

スープストック　スープをはじめ、ソースや煮込み料理に用いる西洋料理のだし汁。フランス料理ではスープには鶏と牛すね肉、香味野菜から取ったブイヨンを用いる。

末広串　扇形に串を打つこと。平串ともいう。

すが立つ(すだち)　茶わん蒸しや卵豆腐、カスタードプディングなどの卵や、豆腐の蒸し物を作るときに、火を通し過ぎたり火加減が強過ぎるために、生地に細かい泡のような穴があき、なめらかさがなくなること。

スクイザー　レモン絞り器。

筋切り　厚い切り身肉をソテーやステーキにするとき、脂身と赤身の境にあるかたい筋を、包丁の先で数か所切ること。肉の焼き縮みを防ぎ、形よく焼き上げるとともに、火の通りをよくする。

酢締め　材料を酢にひたして身を締めること。余分な臭気と生臭さを消し、さっぱりとした味になる。

スタッフド　詰め物をしたという意味。ゆで卵やたまねぎの真ん中をくり抜いて詰め物をした料理(スタッフドエッグ・スタッフドオニオン)がある。

スフレ　ふっくらとふくれて、気泡の多い状態で仕上げた料理。使う材料により、前菜や主菜として出されたり、つけ合わせになったり、甘味を加えるとデザートにもなる。

スペアリブ　豚の骨付きバラ肉。下味をつけて網焼きにした料理は人気がある。

素焼き　材料に調味液を用いないで焼くこと。白焼きともいう。

スライス　薄切りにすること。野菜・肉・パンなどを切るときにいう。

せ

ぜいご(ぜんご)　あじの側面に、尾のつけ根から5～6cmの長さでついているかたい骨状のもの。残っていると口あたりが悪いので、包丁でそぎ取ってから調理するとよい。

生食　新鮮な魚介・野菜・肉類を生のまま食べること。

背わた　えびの背にある黒い筋状のわたのこと。竹串などを使ってすくうように取り除く。

前菜　食事の最初に出される軽い料理。西洋料理ではオードブル、中国料理では冷菜という。

千六本　切り方の一種。薄く輪切りにしただいこんを端から細く切る。だいこんの繊維をたち切るため歯切れがよくなる。

そ

添え串　串打ちをするときに補助として用いられる串。

ソテー　フライパンを熱してサラダ油やバターを入れてなじませ、肉や野菜を焼くこと。
そぼろ　ひき肉や魚の身をほぐしてぽろぽろに煎りあげたもの。
ソルベ　シャーベットのこと。酒類をベースにしたものは、フルコースの魚料理と肉料理の間の口直しとして供される。果物の果汁をベースにしたものはデザートとして供される。

た

大名おろし　魚をおろすとき、包丁を中骨に沿わせて背身、腹身を一度に切りおろす手法。中骨に身が多く残り、ぜいたくなおろし方なのでこの名がある。
炊き合わせ　やわらかくなるのに所要時間の異なる材料２～３種類を別々に煮て、一緒に盛り合わせたもの。
田作り　かたくちいわしの素干し（ごまめ）をいう。これをから煎りし、しょうゆ・砂糖・みりんを加え、煮詰めたものは、正月の祝い肴とされる。
竜田揚げ　肉や魚などに下味をつけ、かたくり粉・小麦粉などをまぶして揚げる料理。
立て塩　塩分の濃度が海水と同じぐらいの塩水のこと。
たで酢　柳たでの葉をすり鉢ですりつぶし、酢とだしでのばしたもの。あゆの塩焼きに添えられる。
たね　日本料理では「材料」の意味で用いられている。吸い物に入れる物をわんだね、すしにのせるものをすしだねなどという。西洋料理ではパンだね、パイだね、スポンジだねなど。
卵とじ　野菜や肉、魚などの煮物の上に、とき卵を回し入れ、上一面をとじたもの。
ダマになる　ホワイトソースを作るために小麦粉を水でとくとき、なめらかにとけず、粉のかたまりができてしまうこと。
タルタルソース　マヨネーズにゆで卵・ピクルス・パセリのみじん切りなどを混ぜたソース。
タルト　パイ生地で作った型に果物やクリームを詰めたもの。タルトレットは小さいタルト。
タンニン　緑茶・紅茶・コーヒー・赤ワインなどの渋味や苦味の成分。

ち

血合い　魚の肉で、赤黒い血の多い部分のこと。とくに、ぶり、かつお、まぐろなどの血合いは生臭いので、生で食べるときは取り除く。
血抜き　味を損なわないように、水などにつけて肉や内臓の血を早く抜き取ること。
茶きんしぼり　魚のすり身やさつまいもなどを裏ごししたものをふきんかラップに包んでしぼり、表面にしぼりめをつけたもの。
茶せん切り　切り方の一種。なすなどを茶道具の茶せんのような形に切ること。
ちりなべ　たらやふぐなどの白身魚の切り身と野菜などをなべで煮て、たれをつけて食べるなべ料理。魚をなべに入れて加熱する際に「ちりちり」と縮まるようすからこの名がある。
ちりれんげ　中国料理に使われる陶製のさじ。はすの花びらに似ているところからこの名がある。

つ

つけ合わせ　料理の味や彩りを引き立て、栄養のバランスをとるために料理に添えるもの。
筒切り　切り方の一種。魚などのぶつ切り。
つなぎ　いくつかの材料を混ぜ合わせてひとつにするときに加えるもの。粘り気があって、材料をつないでまとめる役割をはたす。卵、すりおろした山いも、小麦粉、かたくり粉など。
角（つの）が立つ　生地やクリームをすくい上げたときに、角のようにとがった形ができる状態のこと。八分立てのめやす。
つま　さしみを盛るときに添えるあしらいのこと。香りや彩りのために、青じそや花穂じそなどの香味野菜が使われる。
つま折り串　魚を焼くときの串の打ち方。おろした魚の身の端を折って、串に刺す方法。両端を折る両づま折りと片端を折る片づま折りがある。
つるし切り　あんこう特有のおろし方。体が大きくてやわらかく、まな板の上ではさばきにくいため、手かぎでつるし、口から水を入れて重みをつけて切り分ける。

て

テリーヌ　長方形の容器に肉や魚、野菜などの具材を細かく切ったりムース状にしたりしたものを入れて調理した冷製のオードブルのこと。
照り焼き　魚や鶏肉などを素焼きにして、しょうゆ・砂糖・みりんなどを合わせたかけじょうゆをかけてあぶり、照りを出す焼き方。
田楽　豆腐、さといも、なすなどを串に刺して焼き、ねりみそをぬったもの。
点心　中国料理の一種で、日本の軽食の意。代表的なものは、焼売、餃子、まんじゅう、杏仁豆腐など。
天盛り　煮物やあえ物を盛りつけた上に、針しょうがやさらしねぎをやや小高く添えること。季節の香りを添え、味を引き立てる。

と

ドウ　こね生地のこと。粘りと弾力性がある。耳たぶのかたさくらいがよい。
遠火の強火　こげ過ぎず、強火でうま味を閉じこめる、焼き物（直火焼き）の理想的な火加減。
土佐酢　二杯酢や三杯酢にうま味を持たせるため、かつお節を加えて煮立て、こしたもの。
土手なべ　なべ料理の一種で、材料と煮出し汁を入れたなべのまわりに、ねりみそを土手のようにつけ、みそをくずしながら煮る。かきや焼き豆腐などが材料として用いられる。
ドミグラスソース　ステーキ・ハンバーグ・煮込み料理などに使う、うま味が凝縮した褐色のソース。
共立て　スポンジケーキの生地の作り方で、全卵を軽くかくはんし、砂糖を加えて泡立てる方法。
とり粉　もちをつくときに用いる粉。もちとり粉。
ドリップ　冷凍食品を解凍するときに流出する液体。
とろ火　弱火以下のもっとも弱い火加減。
とろみをつける　かたくり粉やくず粉を水でとき、ソースや煮汁に入れてとろりとさせること。

な

中落ち　魚を三枚におろしたときに中骨についた身のこと。
七草　七草がゆの具となる植物。春の七草は、せり・なずな・ごぎょう・はこべら・ほとけのざ・すずな・すずしろ、秋の七草は、はぎ・おばな・くず・なでしこ・おみなえし・ふじばかま・ききょうをさす。
なべ肌から入れる　材料や調味料を入れるとき、なべの縁から内側の側面にそって入れること。
なます　魚介類や野菜を刻み、生で食べる料理。酢味を中心にしょうゆ・砂糖で調味する。
なれずし　酢を使わず、魚介類と飯などを発酵させて酸味をつけた食品。秋田県のはたはたずし、滋賀県の鮒（ふな）ずしなどが有名。
南蛮　調味料にねぎと唐がらしを使った料理につける名称。
ナンプラー　タイで調味料として用いられる魚醤。濃厚なうま味と特有のにおいを持つ。

に

煮えばな　煮えはじめ。
煮きり　煮立ててアルコール分をとばすこと。
肉をたたく　肉をやわらかくしたり、厚さを均一にするために、肉たたきやガラスびん、包丁の背などでたたくこと。
煮こごり　ゼラチン質の多い魚の煮汁が冷えて、ゼリー状に固まったもの。
煮ころがし　さといもやじゃがいもなどを少なめの煮汁で、汁を煮きって仕上げる煮方。
煮しめ　野菜や乾物の形をくずさずに煮た煮物。
煮詰め　つめともいう。煮汁を煮詰めた甘いたれ。あなごやしゃこなどにつける。
二度揚げ　鶏の唐揚げや魚の丸揚げなどの場合に、初めは低温の油でじっくり揚げ、再び高温の油で短時間揚げること。中まで火が通り、外はカリッと仕上がる。
二番だし　一番だしを取ったあとのこんぶとかつお節に、一番だしの半量の水を加え、再び煮出す。煮物やみそ汁のだし汁に向く。
煮びたし　たっぷりの煮汁で時間をかけて煮たり、加熱した材料を煮汁にひたして味を含ませる方法。
煮含める　薄味にしたたっぷりの煮汁で材料をゆっくり煮て味を含ませること。

ぬ

ぬた　魚介類や野菜を酢みそであえたもの。
ぬめりを取る　材料のぬるぬるした粘液を取り除

くこと。さといもは、皮をむいてから塩でもむか、ゆでてぬめりを落とす。

ね

ねかす 味をよくしたり、こしを強くしたり、やわらかくするために、調理の途中で材料をしばらくの間そのままにしておくこと。パンの生地を作るときなどにおこなう。

ネクター 果物の果肉をすりつぶしたピューレーを含んだジュースのこと。

ねり物 魚肉に食塩を加えてすりつぶし、調味料やその他の副材料を加えて加熱凝固させたちくわ、かまぼこなどの水産加工食品。あんやきんとんなど砂糖を多量に加えて光沢よく仕上げた菓子もねり物という。

の

のし串 串の打ち方。えびなどが曲がらないように打つ串。

野締め 釣った魚をその場で殺して血抜きすること。鮮度を保つための方法。

のす 材料を平らにひろげること。

のばす のすと同じく平らにひろげるという意味と、薄めるという意味がある。

は

はかまを取る グリーンアスパラガスやつくしなどの側面にある筋ばったかたい部分を削り取ること。

はし休め 食事の途中で口をさっぱりさせたり、味に変化をつけるためのちょっとした口直しの料理。

八方だし 水にみりん、酒、しょうゆ、かつお節を入れて煮立ててこしたもの。煮物やつけ汁など八方に用途がひろいことからこの名がある。

ひ

ピール オレンジ、レモン等の皮の砂糖煮。

ピカタ 薄切り肉に塩、こしょうして小麦粉をつけ、とき卵をつけてバターや油で焼いたもの。

びっくり水 沸騰しているなべに入れるさし水。沸騰している水が冷水によって急に静まるようすからこの名がある。

ひと塩 魚介類に薄く塩をふること。

ひと煮立ちさせる 煮汁が沸騰してからほんの少し煮て火を止めること。

人肌 人間の体温と同じくらいの温度。

ピューレー 生、または煮た野菜などをすりつぶしたり、裏ごししたりしてどろどろにしたもの。

ビュッフェ 立食の食事形式のこと。列車の食堂もビュッフェという。

ピラフ 中近東発祥といわれる米料理。米や具を炒め、ブイヨンを入れて直火やオーブンで炊く。

ピロシキ 肉や野菜、ゆで卵などを生地で包んで揚げたり、オーブンで焼いたりする東欧・ロシア料理。

ふ

ブイヤベース 地中海地方でとれた海の幸を豊富にとり合わせ、サフランとにんにくの香りをつけて煮込んだなべ料理。

ブイヨン 西洋料理のスープの素になるだし汁のことで、スープストックの一種。骨付きの肉や香味野菜を時間をかけてじっくり煮出す。

フィリング 詰めもののこと。パイに詰める果物や、泡立てたクリームなど。

ブーケガルニ パセリ、セロリ、ローリエ、タイムなどの香草類をたこ糸で花束のようにしばったもの。煮込み料理の風味づけや、材料の臭み取りに効果的。

ブールマニエ 小麦粉とバターを混ぜてねったもの。スープやソースにとろみをつけるときに用いる。

フォン フランス料理のだしのこと。フォン・ド・ヴォーは仔牛のだし(ヴォー=仔牛)。

フォンダン 糖液を煮詰めて冷まし、すり合わせたりして結晶化させ、白濁化させたもの。和菓子ではすり蜜という。洋菓子のアイシングにも利用される。

フォンデュ チーズを白ワインで煮とかし、パンなどをからませて食べるチーズフォンデュのほか、肉などの具材を油で揚げながら食べるオイルフォンデュなどがある。

吹き寄せ いろいろな材料を彩りよく、風に吹き寄せられた落ち葉のように盛り合わせた料理。吹き寄せなべ・吹き寄せずしなどがある。

ブラウンソース フランス料理の褐色系の基本ソース。茶色のルウと茶色のフォン(だし)、香味野菜、トマトペーストを煮込んだもの。

フランベ 調理中の肉や魚にブランデー、ワイン、リキュールなどの酒をふりかけ火をつけることでアルコール分がとび、酒の香りだけを残す調理法。

ふり塩 材料に直接塩をふりかけること。

フリッター 生の材料に洋風の衣(泡立てた卵白と小麦粉)をつけて揚げること。

ふるう 粉または粒状の食品を、ふるいにかけること。

フレーク 薄片に加工した食品。まぐろのフレーク、コーンフレーク、ポテトフレークなど。

フレンチドレッシング 酢・サラダ油・塩・こしょう・マスタードなどで作るサラダ用のソース。

ブロシェット 西洋風の串焼き料理のこと。リングのついた平たい金串のこともブロシェットという。

へ

ペースト 食品材料をすりつぶしてこねたもの。のばすことのできるものという意味がある。

ベシャメルソース フランス料理の白色系の基本ソース。白いルウ(バターと小麦粉)と牛乳で作る。グラタン・クリームコロッケ・クリーム煮など。

へた なすやトマトなどの実についているがく。

べた塩 脱水の目的で、魚介類に塩をたっぷりまぶすこと。

別立て スポンジケーキの生地の作り方で、卵を卵黄と卵白に分け、それぞれに砂糖を加えて泡立てる方法。

ほ

ホイップ 泡立てること。

ボイル ゆでること。

奉書焼き 魚を奉書紙に包んで、オーブンなどで蒸し焼きにした料理。

包丁の腹 包丁の側面中央部分。材料をたたいたりつぶしたりするときに使う。

細切り(ほそぎり) 野菜、肉、魚介などを細く切ること。長さと太さは材料と用途によって違うが、せん切りより太い場合が多い。

ポトフ フランスの代表的家庭料理。牛肉と野菜を大きいままコトコト煮込み、具は皿に盛り合わせ、煮汁はこしてスープにする。

骨切り はもなどの小骨の多い魚に用いる方法で、身と小骨を切り、皮は残す切り方。

ポワレ フライパン(元はポワレという深なべ)を使用してソテーする調理方法。魚の切り身をフライパンに入れ、全体的に動かしながら加熱することで表面に焼き色を付けながらカリッと仕上げる方法。

ま

前盛り 焼き魚にあしらいとして植物性の食品を前、または斜め前に盛りつけるもの。

マッシュ つぶすこと。マッシュポテトなど。

マリネ 魚介類、肉、野菜を漬け汁(マリナード)につけること。保存の目的を持ち、臭みを抜いてよい香味をつける。

回し入れる 調理中に液体の調味料をなべの縁の方からぐるりと回すように入れること。

み

水にとる 材料を水の中に入れること。ゆで上がったものを水の中に入れ、急激に冷ますときなどにおこなう。

水に放す 材料を水につけること。あく抜きや野菜をシャキッとさせるためにおこなう。

みぞれ だいこんおろしを使った料理に使われる名称。みぞれあえ、みぞれ汁など。

ミディアム ローストビーフやステーキの焼き加減で、ナイフを入れると肉の内側は薄いピンク色で、押すと多少赤い肉汁が出るような状態。

ミネストローネ いろいろな野菜や豆、パスタなどを入れて作るイタリアの代表的な具だくさんのスープ。

ミンチ ひき肉のこと。

む

ムース フランス語で「泡」の意。生クリームや卵白を泡立てたものがベースになった料理。

むき身 貝類やえびの殻をむいて身だけにしたもの。

向付(むこうづけ) 懐石料理の最初に出てくる器。さしみや酢の物が供されることが多い。

蒸し物(むしもの) 食品を蒸気で熱して食べやすくする調理。栄養風味を損なわず、また形くずれもしにくい。

ムニエル 魚に塩・こしょうをして小麦粉をまぶし、バターで焼く料理。

め

メレンゲ 卵白を泡立てて砂糖を加えたもの。
面取り 切った野菜の角を薄く切り取り、丸みをつけること。煮くずれを防ぎ、きれいに仕上げる。

も

もどし汁 乾しいたけや干し貝柱などの乾物をやわらかくするためにつけておいた水や湯。
もどす 乾物類を水や湯につけてやわらかくすること。冷凍してある食品を解凍するときにもこのようにいう。
もみじおろし だいこんに赤唐がらしを刺し込んでおろしたもの。

や

焼き霜 表面を焼きあぶること。
焼き物 直火(じかび)または間接的な熱源によって加熱する調理。
薬膳 健康保持・不老長寿などを目的とし、体によい効能をもたらす料理や献立のこと。中国料理では、古くから「薬食同源」の考え方があり、薬膳には漢方生薬を材料に配し薬効を高めている。
薬味 料理の香りや味を引き立てるために添える香味野菜や香辛料。
飲茶(ヤムチャ) 焼売、餃子、中華まんじゅうなどの点心をつまむ、軽い食事のこと。

ゆ

湯洗い 魚介類をおろし、湯通しをして冷水で冷やすこと。
幽庵(ゆうあん)焼き しょうゆ・砂糖・酒・みりんを混ぜたたれに魚を漬け込んで焼く料理。
湯がく 野菜などのあくを抜くために、熱湯にしばらくひたすこと。
湯せん 湯を沸かした大きめのなべに材料を入れたなべをつけて間接的に熱を通す方法。熱がゆっくりとやわらかくあたる。バターをとかすときなどに用いる。
ゆでこぼし 材料をゆでた後、ゆで汁を捨てること。
ゆで物 食品を、沸騰点またはそれに近い温度の湯の中で加熱する調理。乾物類をもどしたり、かたい物を柔らかくするときなどに利用する。
湯通し 材料を湯に入れてすぐ取り出すこと。熱湯にくぐらせること。
湯引き 魚肉を熱湯に通すこと。
湯むき 材料を熱湯につけ、水で冷やして皮をむく手法。トマトなどの皮むきに用いられる。

よ

寄せる 寒天やゼラチンなどを使って材料を固めること。
余熱 火を止めた後に、電熱器や厚手のなべ、電気がまなどに残る熱気。
予熱 オーブンを使う際に、あらかじめ庫内の温度を上げて温めておくこと。

ら

ラザニア 幅のひろいパスタ。ミートソースをかけ、重ね焼きした料理。
ラビオリ 薄くのばしたパスタ生地2枚の間に詰め物をしたもの。ゆでてから温かいソースをからませて食べる。

り

リゾット イタリアの代表的な米料理。米と魚介類などの具を油で炒めてから、たっぷりのブイヨンで煮上げる料理。米のしっかりとした歯ざわりが残っているのが特徴。

る

ルウ 小麦粉をバターで炒め、なめらかにのばしたもの。ソースのベースになるもので、牛乳やソースでのばして用いる。

れ

レア ローストビーフやステーキの焼き加減で、外側はほどよく焼けているが、中はほとんど生の状態。
レシピ 料理の材料の分量や作り方を示したもの。

ろ

六方むき さといもなどを横六面体にむいたもの。
ロワイヤル 卵を蒸してさいの目に切ったスープの浮き実。

わ

わた 魚の内臓のこと。またはかぼちゃなどの種のまわりにあるやわらかい部分のこと。
割り下 調味した煮汁のこと。なべ料理などに使う。
わんだね 吸い物や汁物の中身にする材料。

日本食品標準成分表2020年版（八訂）収載

食品名別さくいん

- 収載したページは、成分表の見出しのあるページを示したため、食品の解説とは異なる場合もある。連続したページは「～」、分野が異なる場合などは「,」とした。
- [ ] 内は食品番号。複数品目にわたる場合は、「～」と表示した。
- 一般に使用されることの多い別名や地方名については、成分表掲載食品名と参照ページを示した。　例：アーサー▶あおさ……190

あ

い

う

え

お

か

き

さ

し

す

せ

て

と

な

に

資料編 食品名別さくいん

み

む

め

も

や

キーワードさくいん

※■は巻頭・巻末の口絵

英数字

あ行

か行

さ行

た行

な行

は行

ま行

や行

ら行

わ

写真・資料提供

愛知県農業総合試験場養鶏研究所
アサヒ飲料株式会社
アサヒビール株式会社
アサヤ食品株式会社
味の素株式会社
甘竹田野畑株式会社
家の光フォトサービス
井上哲郎
岩手県農林水産部
エスビー食品株式会社
大塚製薬株式会社
オリオンプレス
オリジン東秀株式会社
鹿児島県養鶏試験場
株式会社アフロ
株式会社アマナ
株式会社PPS通信社
株式会社カネコ種苗
株式会社共進牧場
株式会社サイゼリヤ
株式会社サカタのタネ
株式会社すかいらーく
株式会社比内鶏
株式会社プレナス
株式会社ボルボックス
株式会社明治
株式会社モスフードサービス
株式会社桃屋
株式会社ユニフォトプレスインターナショナル
株式会社吉野家
株式会社ロッテ
株式会社ロッテリア
キリンビール株式会社
工藤恭大（24スタジオ）
熊本県農林水産部
小岩井乳業株式会社
小林製薬株式会社
財団法人食生活情報サービスセンター
財団法人日本こんにゃく協会
財団法人日本種豚登録協会
財団法人日本食肉消費総合センター
財団法人農産業振興奨励会
サトレストランシステムズ株式会社
サントリー株式会社
サントリー食品インターナショナル
社団法人日本養豚協会
小学館
精糖工業会
SOYBEAN FARM
高梨乳業株式会社
宝酒造株式会社
タキイ種苗株式会社
田中次郎
東京都立衛生研究所
独立行政法人国際農林水産業研究センター
栃木県農業試験場
日清ヨーク株式会社
日本KFCホールディングス株式会社
日本酒造組合中央会
日本食鳥協会
日本畜産副生物協会
日本マクドナルド株式会社
ハーゲンダッツ ジャパン株式会社
はごろもフーズ株式会社
ピクスタ株式会社
ファイブ・ア・デイ広報事務局
フォトエージェンシーEYE
北海道乳業株式会社
マルコメ株式会社
ミツカン
ミニストップ株式会社
森永乳業株式会社
野菜等健康食生活協議会
山本純士
ユウキ食品株式会社
有限会社新写真工房
雪印メグミルク株式会社
よつ葉乳業株式会社
和歌山県農林水産総合畜産試験センター
渡辺採種場

表紙デザイン／（株）ウエイド
本文デザインDTP／株式会社加藤文明社印刷所
イラストレーション／株式会社キーステージ21、木月すみよし、櫻井敦子、戸塚恵子、広瀬祐子、P.U.M.P

オールガイド食品成分表 2024

編　者　実教出版編修部　　2024年3月15日　初版第1刷発行
発行者　小田良次
印刷所　株式会社加藤文明社印刷所

発行所　実教出版株式会社
〒102-8377
東京都千代田区五番町５
電話〈営業〉(03) 3238-7777
〈編修〉(03) 3238-7723
〈総務〉(03) 3238-7700
https://www.jikkyo.co.jp/

002402006016　　ISBN978-4-407-36364-7

食品の重量のめやす

（単位g）

計量カップ・スプーン1杯の食品の重量［単位g］

計量器▶ ▼食品	［容器］	小さじ［5mL］	大さじ［15mL］	カップ［200mL］
水・酢・酒		5	15	200
しょうゆ		6	18	230
みりん		6	18	230
みそ		6	18	230
砂糖	•上白糖	3	9	130
	•グラニュー糖	4	12	180
食塩		6	18	240
油・バター		4	12	180
ショートニング		4	12	160
米	•精白米	–	–	170
	•無洗米	–	–	180
小麦粉（薄力粉、強力粉）		3	9	110
米粉		3	9	100
コーンスターチ		2	6	100
かたくり粉		3	9	130
ベーキングパウダー		4	12	–
パン粉		1	3	40
粉ゼラチン		3	9	–
牛乳（普通牛乳）		5	15	210
粉チーズ		2	6	90
脱脂粉乳		2	6	90
いりごま、すりごま		2	6	–
トマトケチャップ		6	18	240
トマトピューレー		6	18	230
ウスターソース		6	18	240
マヨネーズ		4	12	190
レギュラーコーヒー		2	6	–
煎茶、番茶、紅茶（茶葉）		2	6	–
抹茶		2	6	–
ココア		2	6	–

女子栄養大学発表の標準値

食品		カップ［200mL］
むき身	•はまぐり	200
	•あさり	180
	•かき	200
あずき		150
だいず		130
煮干し		40
けずりぶし		12～15

廃棄率を使った食品の重量の求め方

$$可食部重量 = 購入重量 \times \left(1 - \frac{廃棄率}{100}\right)$$

$$購入重量 = 可食部重量 \times \left(\frac{100}{100 - 廃棄率}\right)$$

豆類

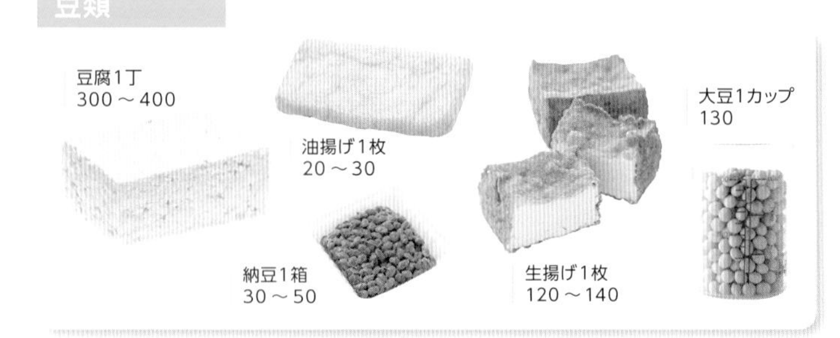

乳・卵類

魚介・肉類

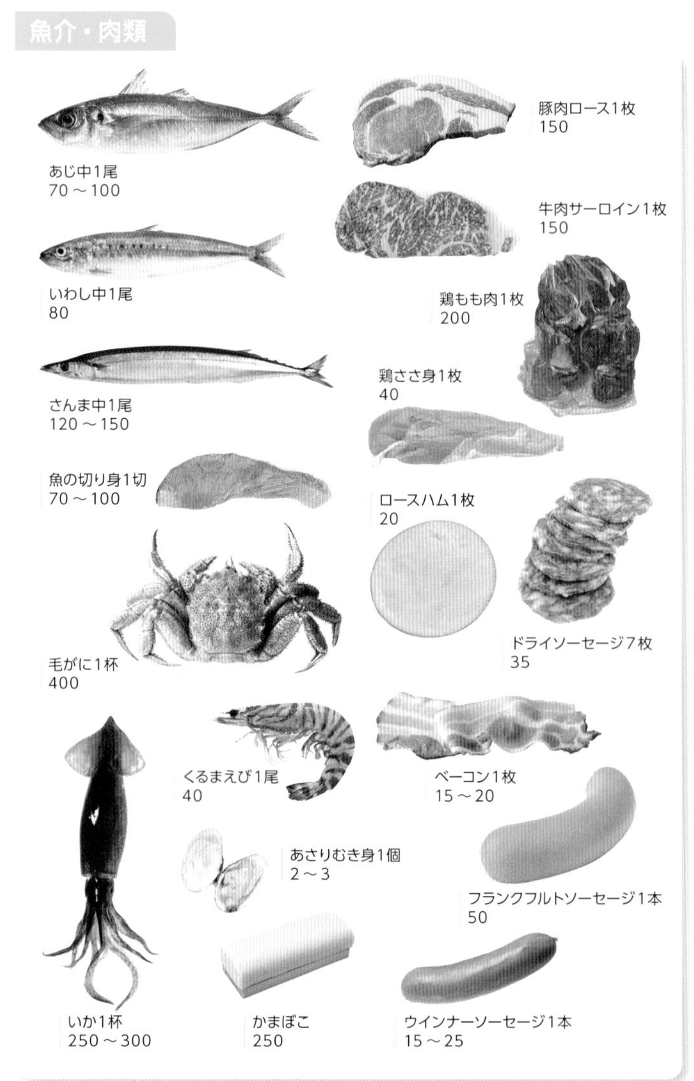